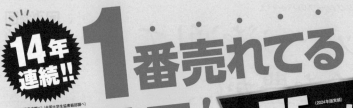

就職四季報

優良・中堅
企業版

2026
2027
年版

全国各地の優良企業から、注目の最新ベンチャーまで
約4600社のデータを完全収録
“隠れ優良企業”を見つけて、納得内定をつかみ取ろう！

東洋経済新報社

CONTENTS

「優良・中堅企業版」で、“企業のリアル”を診る目を養おう

会社の採用意欲や将来性が
客観データでわかる！

会社研究 4587社

就職四季報 優良・中堅企業版の見方・使い方

はじめに

『就職四季報』シリーズは、『総合版』、『優良・中堅企業版』、『働きやすさ・女性活躍版』、『企業研究・インターンシップ版』の4誌を発行しています。

『総合版』には、トヨタ自動車、パナソニックなど日本を代表する企業をはじめ、業種のバランスなどを考えて編集部が選んだ約1300社を掲載しています。

ですが、『総合版』掲載企業以外にも、新卒の採用意欲が高い企業、1000億円以上の売り上げがある企業、地方の名門企業、オンリーワンの技術を持つ企業、近年急速に業績が伸びている企業などが数多く存在しています。

『優良・中堅企業版』では、東洋経済が発行している『会社四季報』（全上場企業・約3900社）と『会社四季報 未上場会社版』（有力非上場企業・約4000社）の掲載企業をベースに、新卒採用実績や近年の業績などから判断して、『総合版』に掲載していない約4600社を選び、調査を実施しています。

2026-2027年版での調査は2024年7月から10月にかけて実施し、4667社に調査表を送付し、2594社から回答がありました。

採用スケジュールや採用実績校などの多くの調査項目に回答があった企業を「詳細情報編」に掲載しています。

それ以外の調査回答企業と、調査への回答はないが、『会社四季報』2024年2集（24年3月発売）や『会社四季報 未上場会社版』2025年版（24年9月発売）の新卒採用調査で、ある程度の新卒採用実績・予定があると回答した企業を、「基本情報編」に掲載しています。

凡例
「―」………データなし
「‥」………不明、未定、非公表
数字の前の「▲」…マイナス

掲載区分と掲載順

詳細情報編：調査に回答した企業から採用実績と情報開示状況等を勘案し収録。業種別・社名五十音順に掲載。

基本情報編：調査に回答した企業と、『会社四季報』、『会社四季報 未上場会社版』をもとに選抜した企業を収録。都道府県別、業種別、社名五十音順に掲載。

各項目について

【ランキング】 巻末のランキングにランクインした企業は「#年収が高い」など表示。詳細情報編のみ。

【業種】 標準産業分類や証券取引所の定める業種分類を参考に、就職活動の観点から区分しなおした独自の業種分類。

【社名】 株式会社は㈱、有限会社は㈲と略し、社名の後に㈱がつく場合は省略。正式社名のほか通称の場合もある。

【上場区分・予定】 上場会社は24年11月末現在の上場市場。未上場会社は会社の回答した上場意向で、『会社四季報 未上場会社版』2025年版より転載。

【特色・近況】『会社四季報』、『会社四季報　未上場会社版』の記者が、独自取材をもとに客観的に記載したもの。

【事業】【連結事業】 主要部門の売上高

注目4データ

【採用】 原則、本文項目【人数】の3年分のデータのうち、最新データを掲載。時点に応じ見出しは異なる。「内定」は内々定の場合を含む。「予定」は調査時点で採用継続中の場合などの採用予定情報。原則、学歴不問。

【倍率】 25年4月入社採用の本エントリー（正式応募）数と内定者数を基に算出。調査時点で採用継続中の場合、暫定値の場合がある。

【3年後離職率】 21年4月の新卒入社者を対象に、入社3年以内に離職した人の割合。離職とは自己都合退職、早期退職制度利用者等を指し、会社都合による転籍は、わかる限り在籍者として扱った。21年に新卒採用を実施していない場合は「－」、回答なしは「・・」としている。また、複数年度の合算や別年度のデータを掲載している場合もある。原則、学歴不問。

【平均年収】 総合職平均（㊦で表示）、または全従業員（正社員）平均（記号なし）の年間給与額。原則として税金、残業代や賞与等を含めた総支給額。

構成比で、単位％。〈輸出〉〈海外〉〈貿易〉は外数で各項目の売上比率。0は単位未満。

○待遇制度○

【初任給】 24年4月入社4年制大学卒の基準内月例賃金。原則として総合職本社勤務の金額を掲載。学歴や職種、勤務地によって掲載している金額と異なる場合がある。小数第2位を切り捨てし、小数第1位が0の場合は整数値として掲載。一部、23年4月入社の初任給の場合がある。初任給に含まれる諸手当、固定残業代を掲載。回答が無い場合、『会社四季報』（24年3月発売）や『会社四季報 未上場版』（24年9月発売）の調査で判明している初任給（諸手当除く）を参考値として掲載。

【残業】 1人あたりの月平均残業（所定時間外労働）時間。原則、全従業員（正社員）ベース。年俸制や固定残業制の場合は残業分として把握できないことがある。

【有休】 23年度について、従業員平均の取得日数を表示。夏季休暇や年末年始休暇等の特別休暇は含まない。

【各種制度】 導入済みの制度を記号で掲載。フフレックスタイム制。在在宅勤務。住住宅手当・社員寮・社宅のいずれか。

○新卒定着状況○

21年4月入社者のうち、24年4月1日の在籍者数を掲載。基本情報編では男女計の定着率と男女別人数、（　）内は3年前入社者数を掲載。

○採用情報○

【人数】 いずれも新卒対象で、23年と24年の採用実績と、25年の入社内定または採用予定の人数。「*」は、上場企業は8月1日時点で、未上場企業は9月1日時点で25年入社の採用を継続している会社を示す。以下、「内定」は内々定の場合を含む。原則学歴不問（高校・高専・短大・専門卒含む）、学歴を限定した人数と判明した場合は注記している。

【内定内訳】 調査時点での25年内定者の内訳（予定の内訳ではない）。男＝男性、女＝女性、文＝大卒・修士文系、理＝大卒・修士理系、総＝総合職、他＝その他の職制を表す。文・理の内訳は、高卒者であるなど区分定義に該当しないといった理由で、合計が内定者数と合わない場合がある。基本情報編は原則見出しを【採用】とし、グループ会社単位での採用など基準の異なる場合、注記として記載するか【グループ採用】のようなかたちで採用見出しとして記載した。基本情報編に掲載している上場会社は『会社四季報』2024年２集の新卒採用調査での回答を記載している場合がある。

【試験】 25年入社採用における筆記・WEB試験の実施状況。「SPI3」、「GAB」等は試験名を意味し、「他」は「一般常識」、「SPI3」、「GAB」、「玉手箱」、「OPQ」以外のテストや独自試験、小論文などを含む。〔筆記〕筆記試験。〔Web会場〕用意された会場で受験するWeb試験。〔Web自宅〕自宅で受験するWeb試験。〔性格〕性格検査。

【時期】 26年４月入社者の新卒採用スケジュール。「エントリー」は採用活動開始時期、「内々定」は内々定が出される時期。「*」は、記載の採用時期の他に通年採用を行なっていることを意味する。WEB面接が可能な企業は、何次面接まで対応しているかを記載。

【インターン】 実施している企業のみ掲載。1dayオープンカンパニーも含む。

【ジョブ型】 職種ごとに採用を行っている企業のみ掲載。

【採用実績校】 25年４月入社内定者について、学校名と採用人数を掲載。誌面に入らないものは「他」としてまとめている。学校名は独自の略称を使用している。

【求める人材】 会社が入社希望者に求める人物像。

【本社】 実質的な本社所在地と電話番号。

【設立】 原則として法人組織（ほとんどの場合株式会社）として登記された設立年月。合併等で登記上の設立年月が名目的な場合は実質的な設立年月を掲載。

【資本金】 原則決算期末時点。信用金庫や生活協同組合は出資金。

【代表者】 会社代表者の役職（社長、会長など簡潔な呼称）を【 】内に記載。詳細情報編は当社が各種調査により把握している生年月、最終出身学校を掲載。

【株主】 原則として最新決算期末時点の株主の状況。［ ］内は調査時点。最新時点の株主が判明しなかった場合は、過去の調査内容を掲載。持株比率（単位％）は、小数第２位以下切り捨て。上場会社で上位株主が自己株式や自社社員持株会などと判明した場合は、原則次順位の株主を掲載。

【従業員】 原則として直近本・四半期末（一部例外あり）の従業員数（役員や臨時雇用者を除く）。連結、単独ベースで取得できるデータを記載。（）内は平均年齢（原則単独ベース）で、月数は十進法。

【業績】 単位100万円。最新から最大３期で「単」は単独決算、「連」は連結決算を示す。連結優先で本決算のみを収録。年月の後の「変」はその期が変則決算であることを示す。「▲」はマイナスの意味。売上高、営業利益、経常利益、純利益（税引き後当期利益）を収録し、業種により、売上高に代わる取扱高、供給高、営業収入など、営業利益に代わる業務純益などの決算項目で掲載。

本書の掲載会社（4,587社、分布集計）

1．業種別掲載社数

商社・卸売業	
商社・卸売業	652
コンサルティング・シンクタンク・リサーチ	
コンサルティング	49
リサーチ	8
情報・通信・同関連ソフト	
通信サービス	25
システム・ソフト	329
金融	
銀行	28
信用金庫	79
証券	24
生保	6
損保	6
信販・カード・リース他	61
マスコミ・メディア	
テレビ	49
ラジオ	5
広告	34
新聞	15
出版	20
メディア・映像・音楽	18

メーカー（電機・自動車・機械）	
電機・事務機器	147
電子部品・機器	91
住宅・医療機器他	43
自動車	6
自動車部品	122
輸送用機器	23
機械	296
メーカー（素材・身の回り品）	
食品・水産	168
農林	9
印刷・紙パルプ	73
化粧品・トイレタリー	18
医薬品	52
化学	213
衣料・繊維	61
ガラス・土石・ゴム	92
金属製品	162
鉄鋼	45
非鉄	33
その他メーカー	114

建設・不動産	
建設	318
住宅・マンション	115
不動産	61
エネルギー	
電力・ガス	21
石油	6
小売	
デパート	13
コンビニ	4
スーパー	54
外食・中食	69
家電量販・薬局・HC	34
その他小売業	126
サービス	
ゲーム	14
人材・教育	67
ホテル	16
レジャー	33
海運・空運	30
運輸・倉庫	115
鉄道・バス	28
その他サービス	287

2．都道府県別掲載社数

北海道・東北	
北海道	93
青森県	20
岩手県	11
宮城県	37
秋田県	6
山形県	18
福島県	19
東京都	
東京都	1870
関東	
茨城県	31
栃木県	26
群馬県	29
埼玉県	71
千葉県	59
神奈川県	194

中部	
新潟県	62
富山県	41
石川県	43
福井県	29
山梨県	13
長野県	67
岐阜県	54
静岡県	108
愛知県	296
大阪府	
大阪府	576
近畿	
三重県	35
滋賀県	28
京都府	69
兵庫県	155
奈良県	18
和歌山県	15

中国・四国	
鳥取県	7
島根県	4
岡山県	51
広島県	90
山口県	20
徳島県	14
香川県	37
愛媛県	22
高知県	15
九州・沖縄	
福岡県	123
佐賀県	19
長崎県	8
熊本県	28
大分県	18
宮崎県	10
鹿児島県	20
沖縄県	8

3．採用数（内定と予定の合計）の分布

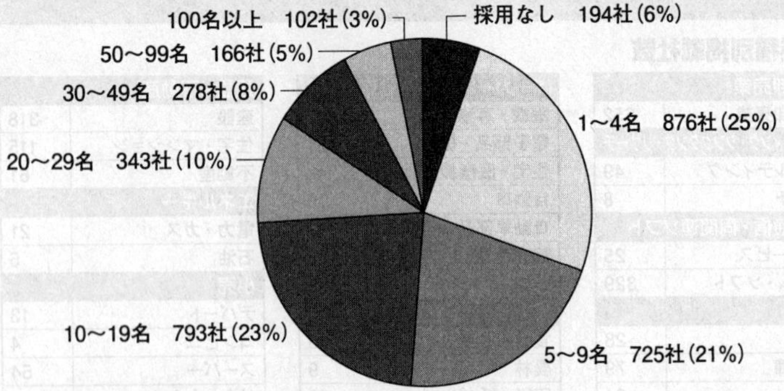

25年4月入社の内定および予定人数を集計。19名以下と答えた会社が全体の7割超を占める。採用の難易度を考えるだけでなく、会社の規模をイメージする良い指標となるので、参考にしてほしい。

※n=3477社。数値回答のみを集計。「5～10名」のような幅のある回答は最低人数の属する区分に含めた。

4．平均残業時間の分布

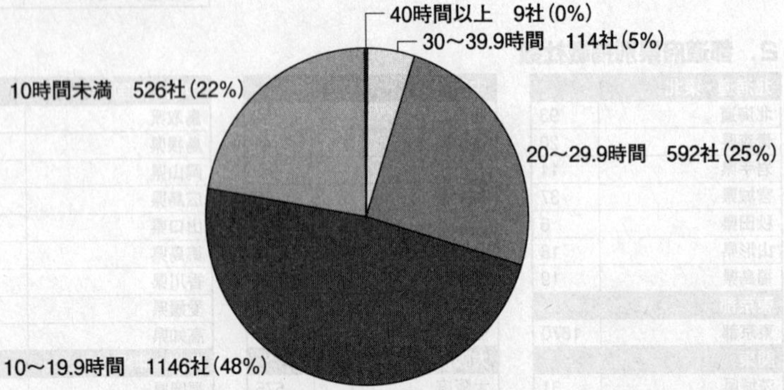

1カ月あたりの平均残業時間の掲載全社平均は15.9時間（昨年比-0.4時間）。残業時間の回答があった企業のうち約7割は20時間未満に収まっている。30時間以上の会社は全体の1割にも満たない結果となった。

※n=2387社。「未回答」は除いた。

5．平均年収の分布

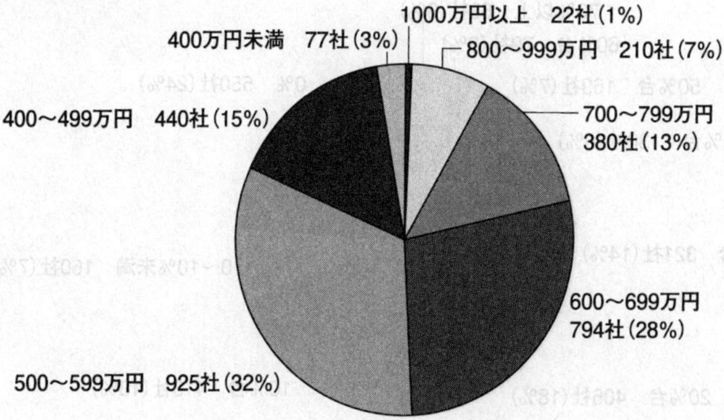

平均年収の全社平均は612万円。従業員数や平均年齢、初任給など他のデータも合わせて比較をしてほしい。（平均年収上位ランキングは1308ページに掲載）

※n=2848社。「未回答」は除いた。

6．有給休暇取得日数の分布

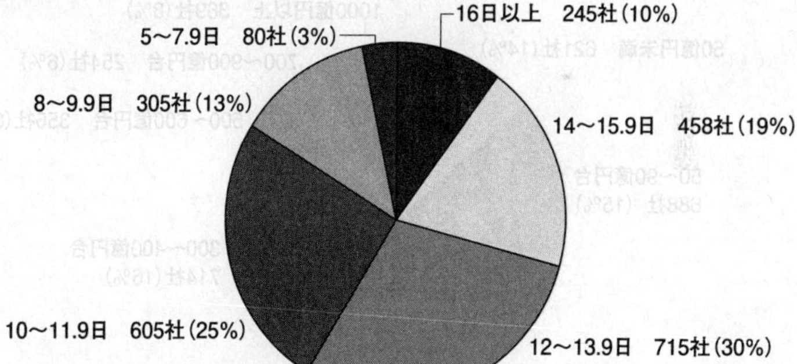

有給休暇取得日数の掲載全社平均は12.5日（昨年比+0.4日）。「10～13.9日」の会社が全体の半数以上で、「14日以上」は約3割となった。希望通りに取得できるかもポイントなので、OB訪問等で確認してみよう。

※n=2408社。「未回答」は除いた。

7．3年後離職率の分布

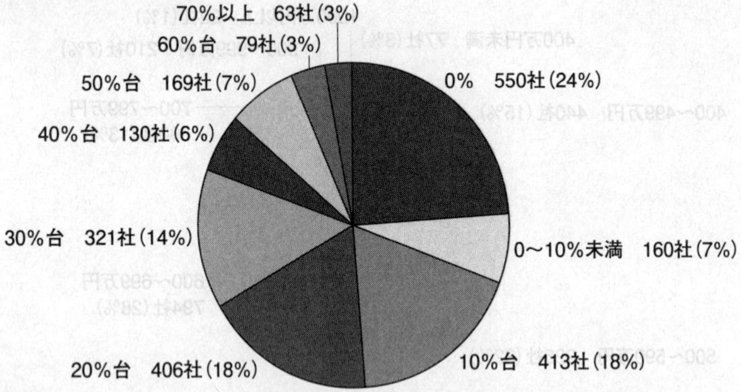

掲載全社平均は23.1%。一般的な新卒3年後離職率の30%よりも低い結果となった。ただし、離職率が高い会社は情報を開示していないということも考えられる。また、離職率が極端な企業も一定数あるが、採用数が少ない会社は離職者が1人違うだけで大きく変わってくるので注意が必要だ。

※n=2291社。「未回答」と「3年前採用なし」は除いた。

8．売上高の分布

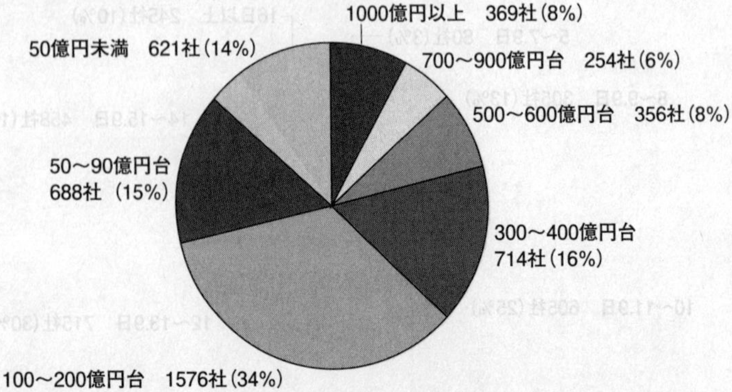

掲載企業の直近決算期の売上高を集計した。一般的に大企業とみなされる売上高は500億円以上だ。名の知れた会社にこだわらず、それぞれの数字を細かく見ていけば、自分らしく働ける会社を発見できるかもしれない。

※n=4578社。

社名索引（50音順）

太字は詳細情報編掲載、社名の前の中点は上場企業を示す

〔ア〕

〔イ〕

〔ウ〕

〔オ〕

〔カ〕

〔キ〕

〔ク〕

〔ケ〕

〔コ〕

〔サ〕

〔シ〕

〔ス〕

〔セ〕

〔ソ〕

〔タ〕

〔チ〕

〔ツ〕

〔テ〕

〔ト〕

〔ナ〕

〔ニ〕

〔ヌ〕

〔ネ〕

〔ノ〕

〔ハ〕

〔ヒ〕

〔フ〕

〔へ〕

〔ミ〕

〔ム〕

〔メ〕

〔モ〕

〔ヤ〕

業種別索引

太字は詳細情報編掲載、社名の前の中点は上場企業を示す

〔商社・卸〕

《商社・卸売業》

〔コンサルティング等〕

《コンサルティング》

《リサーチ》

〔通信・ソフト〕

《通信サービス》

《システム・ソフト》

〔金融〕

《銀行》

《信用金庫》

《証券》

《生保》

《損保》

《信販・カード・リース他》

〔マスコミ〕

《テレビ》

《ラジオ》

《広告》

《新聞》

《出版》

《メディア・映像・音楽》

〔メーカーⅠ〕

《電機・事務機器》

《電子部品・機器》

《住宅・医療機器他》

《自動車》

《自動車部品》

《輸送用機器》

《機械》

〔メーカーⅡ〕

《食品・水産》

《農林》

《印刷・紙パルプ》

《化粧品・トイレタリー》

《医薬品》

《化学》

《衣料・繊維》

《ガラス・土石・ゴム》

《鉄鋼》

《非鉄》

《その他メーカー》

〔建設〕

《建設》

《住宅・マンション》

《不動産》

〔エネルギー〕

《電力・ガス》

《石油》

〔小売〕

《デパート》

《コンビニ》

《スーパー》

《外食・中食》

《家電量販・薬局・HC》

《その他小売業》

〔サービス〕

《ゲーム》

《人材・教育》

《ホテル》

《レジャー》

《海運・空運》

《運輸・倉庫》

《鉄道・バス》

《その他サービス》

本社所在地別索引

太字は詳細情報編掲載、社名の前の中点は上場企業を示す

〔北海道・東北〕

《北海道》

《青森県》

《岩手県》

《宮城県》

〔関東〕

《茨城県》

《栃木県》

《群馬県》

《埼玉県》

《千葉県》

《神奈川県》

〔中部〕

《新潟県》

《富山県》

〔大阪府〕

《大阪府》

〔近畿〕

《三重県》

《滋賀県》

《京都府》

《兵庫県》

《奈良県》

《和歌山県》

〔中国・四国〕

《鳥取県》

《島根県》

《岡山県》

《広島県》

《山口県》

《徳島県》

《香川県》

《愛媛県》

《高知県》

〔九州・沖縄〕

《福岡県》

《佐賀県》

《長崎県》

《熊本県》

《大分県》

《宮崎県》

《鹿児島県》

《沖縄県》

大学名略称一覧

※採用実績校で略称にしている主な大学

大学名	略称
愛知学院大	愛知学大
愛知県立大学	愛知県大
青山学院大学	青学大
秋田県立大学	秋田県大
亜細亜大学	亜大
大阪大学	阪大
大阪経済大学	大阪経大
大阪工業大学	大阪工大
大阪公立大学	大阪公大
大阪産業大学	大阪産大
大阪商業大学	大阪商大
大阪電気通信大学	大阪電通大
大阪府立大学	大阪府大
大妻女子大学	大妻女大
追手門学院大学	追手門学大
岡山理科大学	岡山理大
神奈川工科大学	神奈川工大
金沢工業大学	金沢工大
関西大学	関大
関西外国語大学	関西外大
関西学院大学	関西学大
北九州市立大学	北九州市大
九州大学	九大
九州工業大学	九州工大
九州産業大学	九産大
京都大学	京大
京都外国語大学	京都外大
京都工芸繊維大学	京都工繊大
京都産業大学	京産大
京都女子大学	京都女大

大学名	略称
共立女子大学	共立女大
近畿大学	近大
慶応義塾大学	慶大
神戸学院大学	神戸学大
神戸女学院大学	神戸女学大
埼玉工業大学	埼玉工大
産業能率大学	産能大
滋賀県立大学	滋賀県大
静岡県立大学	静岡県大
実践女子大学	実践女大
芝浦工業大学	芝工大
湘南工科大学	湘南工大
昭和女子大学	昭和女大
椙山女学園大学	椙山女学大
西南学院大学	西南学大
専修大学	専大
高崎経済大学	高崎経大
拓殖大学	拓大
千葉工業大学	千葉工大
千葉商科大学	千葉商大
中央大学	中大
電気通信大学	電通大
東京大学	東大
東京外国語大学	東京外大
東京科学大学	東京科学大
東京経済大学	東京経大
東京都立大学	都立大
東京理科大学	東理大
同志社大学	同大
同志社女子大学	同女大

大学名	略称
東北学院大学	東北学大
東北工業大学	東北工大
豊橋技術科学大学	豊橋技科大
長岡技術科学大学	長岡技科大
名古屋大学	名大
名古屋外国語大学	名古屋外大
名古屋工業大学	名工大
名古屋市立大学	名古屋市大
奈良女子大学	奈良女大
日本大学	日大
日本工業大学	日工大
日本女子大学	日女大
兵庫県立大学	兵庫県大
広島経済大学	広島経大
広島工業大学	広島工大
福井工業大学	福井工大
福岡工業大学	福岡工大
北陸先端科学技術大学院大学	北陸先端科技院大
北海道大学	北大
武庫川女子大学	武庫川女大
室蘭工業大学	室蘭工大
明治大学	明大
明治学院大学	明学大
桃山学院大学	桃山学大
安田女子大学	安田女大
山梨学院大学	山梨学大
横浜国立大学	横国大
横浜市立大学	横浜市大
立命館アジア太平洋大学	立命館APU
早稲田大学	早大

業種別

詳細情報編

2589社

SHUSHOKU SHIKIHO

サンキン

株式公開未定

採用内定数	倍率	3年後離職率	平均年収
5名	20倍	‒	‥

●待遇、制度●
【初任給】月22.5万
【残業】15.7時間【有休】12.4日【制度】住
●新卒定着状況●
20年入社(男0、女0)→3年後在籍(男0、女0)
●採用情報●
【人数】23年:1 24年:10 25年:応募100→内定5*
【内定内訳】(男‥、女‥)(文‥、理‥)(総‥、他‥)
【試験】〔Web自宅〕有〔性格〕有
【時期】エントリー25.3→内々定25.6*(一次・二次以降もWEB面接可)【インターン】有
【採用実績校】‥
【求める人材】‥

【本社】550-0013 大阪府大阪市西区新町2-15-27 ☎06-6539-3200
【特色・近況】JFEスチールの一次問屋で、自社で鋼管の製造・販売も手がける。サイクルラックなどのスチール製品を企画から生産・販売まで一貫して行うスチール機器事業も展開。京都・福知山市と群馬・藤岡市に工場。海外はメキシコ、ベトナム、タイ、インドネシアに拠点持つ。
【設立】1946.11 【資本金】925百万円
【社長】田貴晴(1975.10生 京産大経営卒)
【株主】〔24.3〕足立昌弘5.0%
【事業】鋼管85、スチール機器15
【従業員】単441名(41.5歳)

【業績】	売上高	営業利益	経常利益	純利益
単22.3	36,076	1,014	1,777	1,145
単23.3	39,958	801	1,240	504
単24.3	43,941	766	1,352	863

㈱エネライフ

株式公開計画なし

採用内定数	倍率	3年後離職率	平均年収
2名	7.5倍	0%	550万円

●待遇、制度●
【初任給】月22万
【残業】10.2時間【有休】12.6日【制度】住
●新卒定着状況●
20年入社(男1、女0)→3年後在籍(男1、女0)
●採用情報●
【人数】23年:0 24年:2 25年:応募15→内定2*
【内定内訳】(男1、女1)(文2、理0)(総2、他0)
【試験】〔性格〕有
【時期】エントリー25.3→内々定25.4*(一次・二次以降もWEB面接可)【インターン】有
【採用実績校】國學院大1、東北学大1
【求める人材】プロ意識を持ち、困難な状況下においても挑戦し続け、人と関わることが好きな人

【本社】105-0011 東京都港区芝公園2-4-1 芝パークビルB館6階 ☎03-6865-9100
【特色・近況】家庭用、業務用、自動車燃料用などのLPガス販売会社。関東の1都6県に営業拠点を配し、約7万件に供給。暖房器具、給湯器、調理器具やレストランの大型厨房器具も扱う。電力小売り自由化で東京ガスの電力も一般家庭や企業に販売。
【設立】1960.2 【資本金】10百万円
【代表取締役】西村昌人(1965.5生)
【株主】〔24.3〕岩谷産業100%
【事業】ガス91、ガス機材販売4、他5
【従業員】単288名(45.9歳)

【業績】	売上高	営業利益	経常利益	純利益
単22.3	32,847	748	791	748
単23.3	30,864	▲148	▲184	61
単24.3	24,139	405	428	358

㈱東和(とうわ)エンジニアリング

株式公開していない

採用内定数	倍率	3年後離職率	平均年収
10名	3.9倍	40%	‥

●待遇、制度●
【初任給】月22万(諸手当2.8万円、固定残業代18万円)
【残業】25.7時間【有休】8.4日【制度】フ 住 在
●新卒定着状況●
20年入社(男2、女3)→3年後在籍(男1、女2)
●採用情報●
【人数】23年:7 24年:8 25年:応募39→内定10
【内定内訳】(男4、女6)(文8、理2)(総10、他0)
【試験】〔筆記〕有〔Web自宅〕SPI3〔性格〕有
【時期】エントリー25.3→内々定25.5(一次はWEB面接可)【インターン】有
【採用実績校】東洋大1、桃山学大1、昭和音大1、亜大1、大阪工大1、仁愛大1、武蔵大1、大谷大1、立教大1、日工大1
【求める人材】「熱意・誠意・創意」を以って新しい感性で広くチャレンジできる人

【本社】101-8631 東京都千代田区東神田1-7-8 ☎03-5833-8300
【特色・近況】音響・映像・ICTソリューションの提案から設計・施工、運用サポートまで一貫して提供。オンライン会議システムや電子黒板などを扱う。私立大学や官公庁、金融機関向けなどに強み。大型映像・音響システムのレンタルにも対応。
【設立】1955.4 【資本金】633百万円
【社長】新倉恵里子(1961.3生 共立女子短大卒)
【株主】‥
【事業】音響・映像・ネットワーク等のソリューション提供、他
【従業員】単‥名(‥歳)

【業績】	売上高	営業利益	経常利益	純利益
単21.5	10,909	533	545	322
単22.5	9,379	268	309	210
単23.5	9,076	177	220	132

旭日産業（あさひさんぎょう）

株式公開計画なし

採用予定数	倍率	3年後離職率	平均年収
12名	‥	42.9%	㊔721万円

●待遇、制度●
【初任給】月23.9万(諸手当2.1万円)
【残業】8.3時間【有休】7.2日【制度】フ 住 在
●新卒定着状況●
20年入社(男7、女0)→3年後在籍(男4、女0)
●採用情報●
【人数】23年:5 24年:11 25年:予定12*
【内定内訳】(男8、女2)(文10、理0)(総10、他0)
【試験】〔Web自宅〕SPI3〔性格〕有
【時期】エントリー25.2→内々定25.4(一次・二次以降もWEB面接可)【インターン】有
【採用実績校】新潟県大1、二松学舎大1、福岡工大1、東海大1、立命館APU大1、成蹊大1、日大1、札幌大谷大2、駒澤大1
【求める人材】チームワークができ、明るい対応ができるやる気のある人

【本社】103-0021 東京都中央区日本橋本石町1-1-6 ☎03-5200-8111
【特色・近況】インフラから最先端テクノロジーまで扱う技術専門商社。産業設備や住宅関連、輸送機器部品、電子部品設備、電子素材など幅広い。海外は台湾、ミャンマー、韓国、中国、タイ、マレーシア、インドネシア、ベトナム、米国に拠点。25年度売上1200億円目標。
【設立】1949.3 【資本金】330百万円
【社長】児玉幹雄(1947.7生 中大卒)
【株主】〔24.2〕児玉幹雄15.8%
【事業】住環境機器35、管工機材8、工業製品26、工業材料31、他0 <輸出10>
【従業員】単431名(37.7歳)

【業績】	売上高	営業利益	経常利益	純利益
単22.2	94,957	1,578	1,869	1,254
単23.2	100,343	2,090	2,670	1,786
単24.2	101,612	2,185	2,716	1,802

今中（いまなか）

株式公開計画なし

採用内定数	倍率	3年後離職率	平均年収
3名	8.7倍	25%	㊔729万円

●待遇、制度●
【初任給】月24万(固定残業代30時間分)
【残業】13.5時間【有休】14.2日【制度】住 在
●新卒定着状況●
20年入社(男2、女2)→3年後在籍(男2、女1)
●採用情報●
【人数】23年:3 24年:4 25年:応募26→内定3
【内定内訳】(男1、女2)(文‥、理‥)(総3、他0)
【試験】〔筆記〕常識〔性格〕有
【時期】エントリー25.3→内々定25.6(一次はWEB面接可)
【採用実績校】東京農業大1、大妻女大1、愛知県大1
【求める人材】社会の役に立ちたいという気持ちで働ける人

【本社】102-0073 東京都千代田区九段北4-1-28 九段ファーストプレイス7階 ☎03-5213-2761
【特色・近況】食品関連が主力の貿易商社。乳・卵製品、油脂類、農産物類などの輸入行う。化成品、住宅部材、電子部品も扱う。大阪と東京の2本社制。豪州の粉乳調整品製造、NZの農産品・水産品製造加工はじめ海外に7現法。1881年大阪・道修町での個人創業が発祥。
【設立】1948.3 【資本金】100百万円
【社長】今中俊平(1974.3生 慶大卒)
【株主】〔21.3〕今中コーポレーション100%
【事業】食品80、化学品20 <貿易94>
【従業員】単56名(40.0歳)

【業績】	売上高	営業利益	経常利益	純利益
単21.9	23,075	721	1,233	444
単22.9	32,528	1,016	1,689	909
単23.9	37,172	1,990	2,635	1,055

㈱角弘（かくひろ）

株式公開計画なし

採用内定数	倍率	3年後離職率	平均年収
2名	2.5倍	‥	‥

●待遇、制度●
【初任給】月19万
【残業】‥時間【有休】‥日【制度】住
●新卒定着状況●
‥
●採用情報●
【人数】23年:10 24年:3 25年:応募5→内定2*
【内定内訳】(男2、女0)(文‥、理‥)(総2、他0)
【試験】〔筆記〕有〔Web自宅〕有〔性格〕有
【時期】エントリー25.3→内々定25.6*【インターン】有【ジョブ型】有
【採用実績校】‥
【求める人材】素直に学び、周りと協力しながら実行、推進できる人

【本社】030-8543 青森県青森市新町2-5-1 ☎017-723-2222
【特色・近況】鉄鋼・建材の販社として東北4県に拠点を置くほか、16カ所のSS経営、健康食品等販売などを行う。青森、秋田、岩手でプロテオグリカン配合の食品・化粧品販売店「アレッラPG」を展開。1883年農具製作・販売で創業。
【設立】1883.8 【資本金】378百万円
【社長】船越秀彦(1957.10生 青森黒石高卒)
【株主】〔24.3〕後藤榮治14.8%
【事業】鉄鋼建設資材53、燃料29、住宅用品18
【従業員】単260名(43.0歳)

【業績】	売上高	営業利益	経常利益	純利益
単22.3	28,007	‥	624	341
単23.3	30,003	‥	564	359
単24.3	29,709	‥	569	470

九州セキスイ商事インフラテック

株式公開計画なし

採用予定数	倍率	3年後離職率	平均年収
2名	‥	ー	‥

●待遇、制度●
【初任給】月20.7万(諸手当2.3万円)
【残業】20時間【有休】10.8日【制度】住 在

●新卒定着状況●
20年入社(男0、女0)→3年後在籍(男0、女0)

●採用情報●
【人数】23年:1 24年:1 25年:予定2*
【内定内訳】(男‥、女‥)(文‥、理‥)(総‥、他‥)
【試験】〔性格〕有
【時期】エントリー25.1→内々定25.6*(一次・二次以降もWEB面接可)【インターン】有
【採用実績校】‥
【求める人材】いつも前向きな考えをもっている人、スピーディに動ける人、好奇心が強く、新しい環境にも積極的な人、周りと協力しながら物事を進めることができる人

【本社】862-8660 熊本県熊本市中央区九品寺5-7-29 ☎096-372-4747
【特色・近況】積水化学グループの九州地区の建築・土木資材専門商社。ライフラインとインフラ・エンジの2事業から成る。前者は配管材やプラント管などの建設資材を、後者は防護柵などの交通安全資材や土木資材を販売する。防災工事も請け負う。熊本と福岡の2本社制。
【設立】1947.2 【資本金】100百万円
【社長】西村雅文(1964.6生 早大法卒)
【株主】〔24.3〕積水化学工業98.6%
【事業】水道・住宅資材・建設部門100
【従業員】単108名(41.9歳)

【業績】	売上高	営業利益	経常利益	純利益
単22.3	8,519	207	238	402
単23.3	9,771	333	353	259
単24.3	10,731	542	561	360

㈱栗林商会(くりばやししょうかい)

株式公開計画なし

採用内定数	倍率	3年後離職率	平均年収
8名	3倍	28.6%	629万円

●待遇、制度●
【初任給】月20.4万
【残業】20時間【有休】14.2日【制度】住

●新卒定着状況●
20年入社(男4、女3)→3年後在籍(男3、女2)

●採用情報●
【人数】23年:6 24年:7 25年:応募24→内定8
【内定内訳】(男4、女4)(文7、理1)(総8、他0)
【試験】〔Web会場〕C-GAB
【時期】エントリー25.3→内々定25.5【インターン】有
【採用実績校】駒澤大2、法政大1、青学大1、福山大1、北海学園大1、釧路公大1、北翔大1
【求める人材】元気で明るく、素直な人、物事に対して、柔軟に対応できる人

【本社】051-0023 北海道室蘭市入江町1-19 栗林ビルヂング ☎0143-24-7011
【特色・近況】運輸部門と商事部門、室蘭コンビナートを支える現業部門の3本柱。運輸は陸上・海上の一貫輸送を、商事はセメント・生コンなどの土木建材の販売や電機設備の施工を展開。保険代理店、旅行業も手がける。1892年酒類小売で創業。
【設立】1919.3 【資本金】150百万円
【社長】栗林和徳(1958.7生 小樽商大商卒)
【株主】〔24.3〕栗林和徳16.0%
【事業】商事71、運輸29
【従業員】単284名(41.9歳)

【業績】	売上高	営業利益	経常利益	純利益
単22.3	33,936	600	821	545
単23.3	37,200	601	874	625
単24.3	41,808	715	1,007	762

㈱小泉(こいずみ)

株式公開いずれしたい

採用内定数	倍率	3年後離職率	平均年収
55名	4.1倍	35.6%	538万円

●待遇、制度●
【初任給】月24.6万(諸手当1.7万円、固定残業代22.4時間分)
【残業】7.3時間【有休】8.4日【制度】住

●新卒定着状況●
20年入社(男62、女70)→3年後在籍(男41、女44)

●採用情報●グループ採用
【人数】23年:101 24年:70 25年:応募228→内定55*
【内定内訳】(男24、女31)(文51、理0)(総0、他55)
【試験】なし
【時期】エントリー25.2→内々定25.3*(一次はWEB面接可)【インターン】有【ジョブ型】有
【採用実績校】神奈川大5、茨城大2、国士舘大2、十文字学女大2、専大2、大東文化大2、帝京大2、東京経大2、東北学大2、平成国際大2、他
【求める人材】チャレンジ精神旺盛で協調性のある人、また入社後も勉強や努力を続けられる人

【本社】167-0051 東京都杉並区荻窪4-30-16 藤澤ビルディング2階 ☎03-3393-2511
【特色・近況】住宅設備機器、配管部材、建材、電設資材の専門商社。首都圏に管材・住設機械の営業所101カ所。プロ職人向け直営店「プロストック」も運営。海外は米国、中国、韓国、ベトナム、ドイツ、台湾に拠点。台湾では航空機部品の加工も。
【設立】1947.4 【資本金】100百万円
【社長】長坂剛(1971.6生 中大経済卒)
【株主】〔24.3〕小泉ホールディングス100%
【事業】衛生陶器・金具20、ビニールパイプ・継手7、鋼管・継手6、住設機器・空調8、他59 <貿易8>
【従業員】連2,520名 単408名(42.7歳)

【業績】	売上高	営業利益	経常利益	純利益
連22.3	146,686	2,886	4,486	3,117
連23.3	162,851	2,849	4,133	2,774
連24.3	170,158	2,119	4,002	2,387

小松物産（こまつぶっさん）

株式公開 いずれしたい

採用予定数	倍率	3年後離職率	平均年収
6名	・・	33.3%	532万円

●待遇、制度●
【初任給】月20万
【残業】16時間【有休】9.8日【制度】[住]
●新卒定着状況●
20年入社(男3、女0)→3年後在籍(男2、女0)
●採用情報●
【人数】23年:6 24年:7 25年:予定6*
【内定内訳】(男3、女0)(文2、理0)(総3、他0)
【試験】なし
【時期】エントリー25.1→内々定25.4*(一次はWEB面接可)
【採用実績校】東北学大1、大阪経法大1、東北電子専1
【求める人材】何事にも興味を持ち、行動力・企画力・提案力のある人、出会いや人を大切にする人

【本社】980-0811 宮城県仙台市青葉区一番町1-4-28 小松物産ビル ☎022-266-1131
【特色・近況】上下水道・管工機材、住宅設備機器、土木・建築・環境資材などを扱う専門商社。コンサル・提案から、商品の納品・施工まで提供。東京に営業本部。仙台拠点に全国にネットワークを展開し、北海道から九州まで30以上の支店・営業所。
【設立】1951.4 【資本金】525百万円
【社長】小松敬之(1970.1生 帝京大経済卒)
【株主】〔24.3〕小松敬之21.0%
【事業】管工機材35、住宅設備機器35、土木建築資材25、他5
【従業員】単329名(42.5歳)

【業績】	売上高	営業利益	経常利益	純利益
単22.3	32,457	470	1,104	900
単23.3	31,671	546	1,143	904
単24.3	34,272	650	1,390	1,170

#年収が高い

新東亜交易（しんとうあこうえき）

株式公開 未定

採用内定数	倍率	3年後離職率	平均年収
6名	50倍	16.7%	[総]930万円

●待遇、制度●
【初任給】月26万
【残業】13時間【有休】14日【制度】[住][在]
●新卒定着状況●
20年入社(男2、女4)→3年後在籍(男2、女3)
●採用情報●
【人数】23年:10 24年:5 25年:応募300→内定6
【内定内訳】(男3、女3)(文5、理1)(総3、他3)
【試験】〔筆記〕有〔Web会場〕C-GAB〔性格〕有
【時期】エントリー25.3→内々定25.5(一次はWEB面接可)
【採用実績校】早大1、名古屋市大1、神田外語大1、成城大1、清泉女大1、大東文化大1
【求める人材】情熱と責任感を持って主体的にチャレンジできる人

【本店】100-8383 東京都千代田区丸の内1-6-1 丸の内センタービル8階 ☎03-3286-0211
【特色・近況】ペット用品、飼料添加物、自動販売機飲料、鉄鋼製品、樹脂製品、航空機・船舶用エンジンなど多様な領域で事業展開する商社。海外の高付加価値ペット製品の輸入販売も行う。介護施設向け食材サービスも。兼松の完全子会社。
【設立】1952.2 【資本金】500百万円
【社長】森田克己(1957.4生 慶大商卒)
【株主】〔24.3〕兼松100%
【事業】ペット31、健康産業17、自販機19、メタル資材9、航空・艦船24 <貿易30>
【従業員】単173名(43.0歳)

【業績】	売上高	営業利益	経常利益	純利益
単22.3	120,527	1,445	1,570	1,140
単23.3	140,164	1,479	1,380	955
単24.3	157,961	1,989	2,092	1,443

住友商事マシネックス（すみともしょうじ）

株式公開 計画なし

採用内定数	倍率	3年後離職率	平均年収
15名	38.3倍	19%	・・

●待遇、制度●
【初任給】月24.8万(諸手当0.8万円)
【残業】26.3時間【有休】14.8日【制度】[フ][住][在]
●新卒定着状況●
20年入社(男10、女11)→3年後在籍(男7、女10)
●採用情報●
【人数】23年:16 24年:20 25年:応募575→内定15
【内定内訳】(男6、女9)(文14、理1)(総11、他4)
【試験】〔Web自宅〕有
【時期】エントリー25.1→内々定25.5(一次・二次以降もWEB面接可)【インターン】有
【採用実績校】関大1、中大1、同大1、明大1、明学大1、日大1、群馬大1、都留文科大1、兵庫県大1、愛知大1、大妻女大1、共立女大1、他
【求める人材】素直で主体的、チャレンジ精神旺盛な人、周囲の協力を得ながら目標達成できる人

【本社】100-0003 東京都千代田区一ツ橋1-2-2 住友商事竹橋ビル ☎03-4531-3900
【特色・近況】機械、電機、情報通信、建設設備を専門分野とする総合商社。AIを利用したビジネス支援や再生可能エネルギー分野へも進出。住友商事グループの一員としてシナジーを発揮しグローバル化を促進。海外はタイに現地法人、米国、中国等に拠点。
【設立】1962.2 【資本金】5,300百万円
【代表取締役】山名宗
【株主】〔24.3〕住友商事100%
【事業】機械・器具、電機・設備機器、情報・通信機器
【従業員】単471名(39.3歳)

【業績】	売上高	営業利益	経常利益	純利益
単22.3	9,192	2,169	2,636	1,949
単23.3	9,650	2,043	2,590	1,938
単24.3	10,096	2,327	3,009	2,203

㈱セイノー商事（しょうじ）

株式公開計画なし

採用内定数	倍率	3年後離職率	平均年収
2名	11.5倍	0%	㊋666万円

●待遇、制度●
【初任給】月22万（諸手当3.2万円）
【残業】19時間【有休】11日【制度】住 在

●新卒定着状況●
20年入社（男2、女0）→3年後在籍（男2、女0）

●採用情報●
【人数】23年:2 24年:2 25年:応募23→内定2*
【内定内訳】（男1、女1）（文2、理0）（総2、他0）
【試験】なし
【時期】エントリー25.…→内々定25.6(一次はWEB面接可)【インターン】有
【採用実績校】南山大1、名古屋商大1

【求める人材】何事にも前向きに行動できる人、周りを巻き込みながら行動できる人

【本社】503-8509 岐阜県大垣市田口町1 ☎0584-82-6111
【特色・近況】軽油などグループ向けの燃料調達が柱。産地直送品、ギフト品、物流資材、情報・家庭用紙の販売にも注力。輸送・情報・販売の3機能を相互補完しあうサービス体制を強化。既存事業とのシナジーを狙う新規事業開拓に注力。セイノーHDグループ。
【設立】1983.2　【資本金】10百万円
【社長】野水優治（1962.3生 東大経済卒）
【株主】〔24.3〕セイノーホールディングス100%
【事業】燃料65、物流関連資材11、情報用紙・家庭紙11、通信機器7、産地直送品・ギフト商品6
【従業員】単136名（40.1歳）

【業績】	売上高	営業利益	経常利益	純利益
単22.3	43,034	723	781	514
単23.3	46,582	728	788	509
単24.3	49,502	870	947	610

双日九州（そうじつきゅうしゅう）

株式公開していない

採用内定数	倍率	3年後離職率	平均年収
1名	‥	－	㊋795万円

●待遇、制度●
【初任給】月22.1万
【残業】21.4時間【有休】17日【制度】フ 在

●新卒定着状況●
20年入社（男0、女0）→3年後在籍（男0、女0）

●採用情報●
【人数】23年:1 24年:5 25年:応募‥→内定1*
【内定内訳】（男1、女0）（文1、理0）（総1、他0）
【試験】〔筆記〕SPI3〔Web会場〕SPI3〔Web自宅〕SPI3〔性格〕有
【時期】エントリー25.2→内々定25.5*(一次はWEB面接可)【インターン】有
【採用実績校】神戸大1

【求める人材】人脈ネットワークを構築し、自身が主役となって活躍・地域貢献できる人

【本社】810-0001 福岡県福岡市中央区天神1-4-2 エルガーラ5階 ☎092-751-3308
【特色・近況】地域密着型商社で九州・沖縄が営業エリア。国内取引のほかアジア・米・欧州を中心に世界各国と取引。機械、再エネ関連、産業用ロボット、食料原料、飼・肥料、木材、非鉄など商品分野幅広い。ベトナムでの発電所建設の実績を持つ。
【設立】1997.11　【資本金】500百万円
【社長】香田篤志（1956.6生 長崎大経済卒）
【株主】〔24.4〕双日100%
【事業】機械43、物資27、食料22、非鉄6、他3 <貿易43>
【従業員】単83名（38.7歳）

【業績】	売上高	営業利益	経常利益	純利益
単22.3	20,473	228	251	175
単23.3	10,212	361	389	273
単24.3	11,522	392	426	300

大丸（だいまる）

株式公開計画なし

採用内定数	倍率	3年後離職率	平均年収
18名	6.8倍	8.3%	‥

●待遇、制度●
【初任給】月20.4万
【残業】9時間【有休】12.7日【制度】‥

●新卒定着状況●
20年入社（男6、女6）→3年後在籍（男6、女5）

●採用情報●
【人数】23年:11 24年:11 25年:応募122→内定18
【内定内訳】（男8、女10）（文16、理1）（総18、他0）
【試験】〔Web自宅〕SPI3、他〔性格〕有
【時期】エントリー25.1→内々定25.3(一次・二次以降もWEB面接可)【インターン】有
【採用実績校】北海学園大5、北星学大3、北海道教育大3、小樽商大2、千歳科技大1、札幌市大1、藤女大1、札幌大1、北海道武蔵女短大1
【求める人材】あえて固定はせず社員が持つ様々な個性や価値観を大事にしている

【本社】003-8504 北海道札幌市白石区菊水3条1-8-20 ☎011-818-2111
【特色・近況】北海道を中心に洋紙・板紙・包材、文具・事務用品、情報システム機器、オフィス家具などを取り扱う専門商社。1892年創業。ネットワークの構築やセキュリティー強化、オフィス設計の提案も行う。ネット通販を強化中。
【設立】1922.5　【資本金】480百万円
【社長】芹田昭彦
【株主】‥
【事業】洋紙・板紙・包材、文具、情報システム、家庭品、環境デザイン、店舗開発、他
【従業員】単495名（43.5歳）

【業績】	売上高	営業利益	経常利益	純利益
単21.6	62,050	1,250	1,332	848
単22.6	42,272	895	1,019	704
単23.6	43,630	1,802	1,928	1,247

㈱高見澤（たかみさわ） 東証スタンダード

採用予定数	倍率	3年後離職率	平均年収
15名	‥	28.6%	594万円

●待遇、制度●
【初任給】月20.6万
【残業】14.4時間【有休】10.7日【制度】[住]
●新卒定着状況●
20年入社(男11、女3)→3年後在籍(男9、女1)
●採用情報●
【人数】23年:6 24年:12 25年:予定15
【内定内訳】(男8、女9)(文17、理0)(総17、他0)
【試験】なし
【時期】エントリー24.5→内々定24.12*(一次はWEB面接可)【インターン】有
【採用実績校】東海大1、長野県大2、清泉女学院短大1、大原簿記情報専3、山梨学大1、清泉女学大1、新潟大1、神奈川大1、松商短大1、他
【求める人材】好奇心旺盛で、やりがいを見つけてチャレンジできる人

【本社】380-0813 長野県長野市大字鶴賀字苗間平1605-14 ☎026-228-0111
【特色・近況】長野県地盤の多角的総合企業。青果販売業として設立後、電設・建設資材、生コン、石油製品、自動車、農機、食品、不動産の販売・賃貸などに展開。電設資材事業やカーライフ関連事業が柱。中国で複数の生コン工場を運営。
【設立】1951.3 【資本金】1,264百万円
【社長】高見澤秀茂(1956.11生 慶大法卒)
【株主】〔24.6〕高見澤秀茂10.6%
【連結事業】建設関連12、電設資材53、カーライフ関連24、住宅・生活関連11
【従業員】連1,031名 単541名(41.7歳)

【業績】	売上高	営業利益	経常利益	純利益
連22.6	63,367	1,088	1,317	621
連23.6	68,946	1,631	1,895	1,240
連24.6	71,369	1,803	2,113	759

#年収高く倍率低い

東京貿易ホールディングス（とうきょうぼうえき） 株式公開未定

採用内定数	倍率	3年後離職率	平均年収
13名	20.8倍	20%	828万円

●待遇、制度●
【初任給】月24.7万
【残業】25.9時間【有休】12.9日【制度】[フ]
●新卒定着状況● グループ合計
20年入社(男7、女3)→3年後在籍(男6、女2)
●採用情報● グループ合計
【人数】23年:3 24年:28 25年:応募270→内定13*
【内定内訳】(男10、女3)(文8、理5)(総13、他0)
【試験】〔筆記〕SPI3〔Web自宅〕SPI3〔性格〕有
【時期】エントリー24.10→内々定24.12*(一次はWEB面接可)【インターン】有
【採用実績校】香川大3、熊本大1、作新学大1、成蹊大1、拓大院1、帝京大1、東京工芸大1、新潟大1、広島大1、福岡女学大1、明大1
【求める人材】主体性を持って、目標に向かってやり抜くことができる人、変化を恐れず挑戦できる人

【本社】104-0031 東京都中央区京橋2-2-1 京橋エドグラン ☎03-6633-5263
【特色・近況】東京貿易グループの持株会社。エネルギーインフラ、イメージソリューション、マテリアルサプライ、スマートマニュファクチャリングの4セグメントでグループ形成。エネルギー機械、三次元測定機器、セキュリティー関連機器、製鉄用資材分野中心に事業を展開。
【設立】1947.10 【資本金】5,000百万円
【社長】坪内秀介(1961.1生 関大商卒)
【株主】〔24.3〕東貿持株会17.5%
【連結事業】エネルギー機械31、技術・自動車・情報29、医療・生活・科学30、資材・資源・鉄鋼10 <海外21>
【従業員】連1,388名 単52名(45.7歳)

【業績】	売上高	営業利益	経常利益	純利益
連22.3	32,586	3,136	3,527	2,197
連23.3	35,883	3,581	3,706	3,395
連24.3	49,074	4,622	5,234	3,579

㈱土佐屋（とさや） 株式公開計画なし

採用内定数	倍率	3年後離職率	平均年収
1名	2倍	100%	[総]433万円

●待遇、制度●
【初任給】月20.4万
【残業】4.5時間【有休】14.2日【制度】[フ][住]
●新卒定着状況●
20年入社(男1、女2)→3年後在籍(男0、女0)
●採用情報●
【人数】23年:3 24年:3 25年:応募2→内定1*
【内定内訳】(男1、女0)(文0、理1)(総1、他0)
【試験】〔性格〕有
【時期】エントリー24.9→内々定25.6*(一次はWEB面接可)【インターン】有
【採用実績校】鹿児島大1
【求める人材】元気でチャレンジ精神旺盛な人

【本社】890-0073 鹿児島県鹿児島市宇宿2-9-11 ☎099-230-0010
【特色・近況】鹿児島と熊本を地盤とする、鋼材、セメント、生コン、コンクリ2次製品など土木建築資材を扱う専門商社。廃棄物リサイクルやインテリア商品も手がける。デイケアなど介護・福祉施設、運輸、ゴルフ場も運営。1913年創業。
【設立】1948.8 【資本金】95百万円
【社長】岡部龍一郎(1952.11生 一橋大商卒)
【株主】〔24.3〕土佐屋グリーンシステム44.7%
【事業】セメント51、鋼材30、インテリア3、リゾート13、他3
【従業員】単243名(51.9歳)

【業績】	売上高	営業利益	経常利益	純利益
単22.3	10,788	24	138	86
単23.3	11,930	179	324	162
単24.3	12,173	129	207	10

南国殖産（なんごくしょくさん）

株式公開計画なし

採用内定数	倍率	3年後離職率	平均年収
36名	3.1倍	23.9%	‥

●待遇、制度●
【初任給】月23万
【残業】17.2時間【有休】12.1日【制度】住 在
●新卒定着状況●
20年入社(男29、女17)→3年後在籍(男21、女14)
●採用情報●
【人数】23年:38 24年:28 25年:応募110→内定36
【内定内訳】(男22、女14)(文29、理2)(総36、他0)
【試験】〔Web会場〕C-GAB〔Web自宅〕WEB-GAB〔性格〕有
【時期】エントリー25.3→内々定25.5【インターン】有
【採用実績校】鹿児島大7、鹿児島国際大11、志學館大6、鹿児島高専1、九州共立大1、福岡大1、福岡女学大1、崇城大1、桃山学大、他
【求める人材】自ら考え、主体的に行動しながら、顧客との信頼関係を築ける人

【本社】890-0053 鹿児島県鹿児島市中央町18-1 ☎099-255-2111
【特色・近況】建設資材、機械設備、情報通信、エネルギー関連が4本柱の総合商社。関係会社55社。九州域内で約90の給油所を運営、ドコモショップも展開。鹿児島中央駅前などの再開発事業や太陽光など再生可能エネルギー事業に力を入れる。鹿児島で創業。
【設立】1945.3【資本金】500百万円
【社長】上野総一郎
【株主】〔23.9〕上野泰子9.4%
【連結事業】建設資材11、エネルギー関連52、機械設備8、情報通信8、ビル賃貸3、再生可能エネ9、他9
【従業員】連2,763名 単1,172名(37.6歳)

【業績】	売上高	営業利益	経常利益	純利益
連21.9	174,262	5,599	6,978	5,765
連22.9	184,584	4,944	5,720	3,228
連23.9	196,120	4,571	5,009	3,651

#残業が少ない

日本資材（にほんしざい）

株式公開計画なし

採用内定数	倍率	3年後離職率	平均年収
2名	16倍	100%	㊟590万円

●待遇、制度●
【初任給】月25万(諸手当を除いた数値)
【残業】0.6時間【有休】9.2日【制度】住
●新卒定着状況●
20年入社(男1、女0)→3年後在籍(男0、女0)
●採用情報●
【人数】23年:1 24年:1 25年:応募32→内定2*
【内定内訳】(男1、女1)(文0、理2)(総2、他0)
【試験】なし
【時期】エントリー25.3→内々定25.6(一次はWEB面接可)
【採用実績校】立命館大1
【求める人材】自分をアピールできるスキルを培うこと、指示待ちでなく自分で考えるようにする人

【本社】541-0059 大阪府大阪市中央区博労町1-5-6 ☎06-6264-0222
【特色・近況】産業資材の専門商社で、化学品・工業樹脂を中心に繊維資材、製紙、電子材料など幅広く取り扱う。製造部門も擁し、R&Dセンターで開発した有機顔料やラミネート加工品などを関連会社で製造。海外は北京、ドイツに連絡事務所を配する。
【設立】1949.1【資本金】50百万円
【社長】高野繁正(1949.6生 東大教養卒)
【株主】〔24.5〕高野繁正12.5%
【事業】化学品・工業樹脂60、繊維資材16、製紙4、電子材料2、他18 <貿易5>
【従業員】単66名(47.4歳)

【業績】	売上高	営業利益	経常利益	純利益
単21.6	9,460	46	110	60
単22.6	10,989	23	87	87
単23.6	10,519	41	125	73

日本物産（にほんぶっさん）

株式公開計画なし

採用内定数	倍率	3年後離職率	平均年収
1名	‥	0%	‥

●待遇、制度●
【初任給】月23万(諸手当1.3万円)
【残業】16.3時間【有休】14日【制度】住 在
●新卒定着状況●
20年入社(男1、女0)→3年後在籍(男1、女0)
●採用情報●
【人数】23年:0 24年:1 25年:応募‥→内定1
【内定内訳】(男0、女1)(文1、理0)(総1、他0)
【試験】〔筆記〕常識〔性格〕有
【時期】エントリー25.3→内々定25.7
【採用実績校】明学大1
【求める人材】常に学び続ける向上心と自ら考え、率先して動く考動力を兼ね備えた人

【本社】104-0044 東京都中央区明石町3-2 ☎03-5550-9419
【特色・近況】第一生命向けに、キャラクター商品など販促グッズの企画・開発・製造・発送など一貫サービスを提供。贈答品、日用品、防災用品のほか、ENEOSフロンティアなどの特約店として企業やSS向け石油製品、また車内置き去り防止システムも扱う。
【設立】1947.9【資本金】100百万円
【社長】守口光德(1963.8生 慶大卒)
【株主】〔24.3〕第一ビルディング15.2%
【事業】販売促進用品・贈答品77、酒類・食料・日用品・書籍3、石油製品20
【従業員】単110名(43.5歳)

【業績】	売上高	営業利益	経常利益	純利益
単22.3	18,844	113	282	206
単23.3	17,644	▲36	65	9
単24.3	16,873	70	135	80

㈱野澤組（のざわぐみ）

株式公開計画なし

採用内定数	倍率	3年後離職率	平均年収
5名	34.8倍	20%	・・

●待遇、制度●
【初任給】月22万(固定残業代15時間分)
【残業】15時間【有休】10日【制度】フ 住 在
●新卒定着状況●
20年入社(男2、女3)→3年後在籍(男1、女3)
●採用情報●
【人数】23年:2 24年:5 25年:応募174→内定5
【内定内訳】(男4、女1)(文3、理2)(総5、他0)
【試験】〔性格〕有
【時期】エントリー24.12→内々定25.2(一次・二次以降もWEB面接可)【インターン】有【ジョブ型】有
【採用実績校】拓大1、東京農業大2、福島大1、麗澤大1
【求める人材】チャレンジ精神旺盛で、誠実に物事に取り組める人

【本社】100-0006 東京都千代田区有楽町1-5-2 東宝日比谷プロムナードビル5階☎03-3528-8101
【特色・近況】乳製品、パスタなどの食品を中心に、畜産、機械、繊維などを扱う貿易商社。チーズ、畜産では業界首位級。世界各地に情報・仕入れ拠点。競走馬の輸送も手がける。米NY、豪メルボルン、中国、韓国に販売拠点。1869年創業。
【設立】1944.8 【資本金】100百万円
【社長】野澤毅一郎(1968.1生 慶大法卒)
【株主】〔24.5〕一番商会35.0%
【事業】食品61、繊維7、畜産9、機械5、開発18 <貿易81>
【従業員】単161名(40.6歳)

【業績】	売上高	営業利益	経常利益	純利益
単21.9	18,983	674	687	492
単22.9	20,464	371	431	264
単23.9	22,588	306	375	253

野村貿易（のむらぼうえき）

株式公開計画なし

採用内定数	倍率	3年後離職率	平均年収
5名	45.6倍	60%	744万円

●待遇、制度●
【初任給】月25万
【残業】14.5時間【有休】15.3日【制度】住
●新卒定着状況●
20年入社(男2、女3)→3年後在籍(男2、女0)
●採用情報●
【人数】23年:6 24年:4 25年:応募228→内定5*
【内定内訳】(男1、女4)(文2、理0)(総2、他3)
【試験】〔Web会場〕C-GAB〔Web自宅〕WEB-GAB〔性格〕有
【時期】エントリー25.3→内々定25.7
【採用実績校】立教大1、明学大1、神田外語学院専2、大阪外語専1
【求める人材】誠実で、豊かな思考ができ、互いを尊重し、チャレンジ精神があり、何事も諦めずにやり抜ける人

【本社】541-8542 大阪府大阪市中央区安土町1-7-3 ☎06-6268-8111
【特色・近況】フード(農・水・畜産・ウェルネス)、ライフ(アパレル)、インダストリー(エレクトロニクス・鉱産品・化学品・医薬・機械)の3部門からなる総合商社。シンガポール、ドイツ、米国、台湾に支店。中国、ベトナム、タイ、インドネシアに子会社。旧野村財閥系。
【設立】1976.6 【資本金】2,500百万円
【社長】藤原英昭(1960.6生 神商科大商経卒)
【株主】〔24.3〕野村殖産13.0%
【事業】フード60、ライフ19、インダストリー16、アジア現地法人3、海外支店1、他0 <貿易94>
【従業員】連1,886名 単228名(44.3歳)

【業績】	売上高	営業利益	経常利益	純利益
連22.3	64,247	1,674	1,761	1,228
連23.3	73,817	1,533	1,709	1,127
連24.3	76,527	2,674	2,994	2,165

原田産業（はらださんぎょう）

株式公開計画なし

採用内定数	倍率	3年後離職率	平均年収
4名	95倍	33.3%	・・

●待遇、制度●
【初任給】月25.3万
【残業】11.5時間【有休】13.1日【制度】住 在
●新卒定着状況●
20年入社(男1、女2)→3年後在籍(男1、女1)
●採用情報●
【人数】23年:5 24年:6 25年:応募380→内定4*
【内定内訳】(男1、女3)(文4、理0)(総4、他0)
【試験】〔Web自宅〕SPI3〔性格〕有
【時期】エントリー25.2→内々定25.5(一次はWEB面接可)【インターン】有
【採用実績校】上智大1、ICU1、早大1、東洋大1
【求める人材】大いなる夢を抱き、何事にも前向きに取り組み、共に挑戦してくれる人

【本社】542-0081 大阪府大阪市中央区南船場2-10-14 ☎06-6244-0171
【特色・近況】造船・海洋、建設・インフラ、エレクトロニクス、医療、食、生活の6分野の機器・資材を取り扱う商社。海外展開にも力を入れ、中国、タイ、ベトナムに現地法人。シンガポール、台湾、韓国に海外支店。フィリピン、ベトナム、ドイツに駐在員事務所。
【設立】1923.3 【資本金】300百万円
【社長】原田暁(1975.11生 日大院建築修了)
【株主】〔24.3〕原田20.2%
【事業】機械建築関連、エレクトロニクス関連、医療・製薬関連、安全・衛生関連、食品関連、他
【従業員】単204名(42.4歳)

【業績】	売上高	営業利益	経常利益	純利益
単22.3	14,748	899	1,175	525
単23.3	14,177	932	1,321	841
単24.3	14,759	594	944	664

ハリマ共和物産（きょうわぶっさん）
東証スタンダード

採用内定数	倍率	3年後離職率	平均年収
7名	13.6倍	‥	511万円

●待遇、制度●
【初任給】月21万（諸手当を除いた数値）
【残業】7.4時間【有休】12.5日【制度】[住][在]
●新卒定着状況●
‥
●採用情報●
【人数】23年:9 24年:11 25年:応募95→内定7*
【内定内訳】（男6、女1）（文7、理0）（総7、他0）
【試験】〔性格〕有
【時期】エントリー24.3→内々定25.4（一次・二次以降もWEB面接可）【インターン】有
【採用実績校】関西学大1、京産大1、近大1、流通科学大1、甲南大2、関大2、大阪経法大1、追手門学大1、佛教大1
【求める人材】協調性、計画性があり、コミュニケーション力が高い人

【本社】671-0218 兵庫県姫路市飾東町庄313
☎079-253-5217
【特色・近況】日用品、化粧品、トイレタリー商品の卸会社。販売先はドラッグストアやホームセンターが中心。EC向けネット卸も。物流加工を請け負う3PLを強化。物流拠点の情報システム駆使した高効率化と省人化に特色。近畿・中京中心で、首都圏にも展開。
【設立】1951.3 【資本金】719百万円
【社長】津田信也（1957.3生 神戸大経営卒）
【株主】〔24.3〕津田物産41.2%
【連結事業】卸売100
【従業員】連200名 単181名（41.2歳）

【業績】	売上高	営業利益	経常利益	純利益
連22.3	57,781	1,656	1,823	1,202
連23.3	60,156	1,777	2,013	1,391
連24.3	61,583	1,823	2,051	1,406

フコク物産（ぶっさん）
株式公開計画なし

採用内定数	倍率	3年後離職率	平均年収
5名	4倍	66.7%	‥

●待遇、制度●
【初任給】月25万（諸手当0.4万円、固定残業代25時間分）
【残業】20.4時間【有休】9.4日【制度】[住]
●新卒定着状況●
20年入社（男2、女1）→3年後在籍（男1、女0）
●採用情報●
【人数】23年:4 24年:5 25年:応募20→内定5
【内定内訳】（男2、女3）（文4、理0）（総4、他1）
【試験】なし
【時期】エントリー25.3→内々定25.4（一次はWEB面接可）
【採用実績校】帝京大2、神田外語大1、関東学院大1
【求める人材】良好な人間関係が築ける人

【本社】143-8531 東京都大田区大森西2-32-7
☎03-3765-3211
【特色・近況】製造機能を持つ開発型商社で、ゴム製品、樹脂製品、表面処理製品などを扱う。自動車中心に、鉄道、OA機器、情報通信向けなど用途多彩。健康・介護用途では一般消費者向けも。中国、インドネシア、タイ、ベトナムに海外拠点を構えグローバル展開推進。
【設立】1947.5 【資本金】324百万円
【社長】木部美枝（1954.3生 獨協大経済卒）
【株主】〔24.5〕木部美枝36.7%
【事業】自動車関係、OA事務器、鉄道・産業機械、建材関係
【従業員】単168名（42.2歳）

【業績】	売上高	営業利益	経常利益	純利益
単21.5	15,706	‥	316	249
単22.5	17,284	‥	600	421
単23.5	18,482	‥	1,055	745

三谷産業（みたにさんぎょう）
東証スタンダード

採用内定数	倍率	3年後離職率	平均年収
27名	15.7倍	24.2%	[総]671万円

●待遇、制度●
【初任給】月23万
【残業】27.9時間【有休】11日【制度】[フ][住][在]
●新卒定着状況●
20年入社（男20、女13）→3年後在籍（男14、女11）
●採用情報●
【人数】23年:23 24年:23 25年:応募423→内定27
【内定内訳】（男18、女9）（文7、理20）（総27、他0）
【試験】〔性格〕有
【時期】エントリー24.10→内々定24.10（一次・二次以降もWEB面接可）【インターン】有【ジョブ型】有
【採用実績校】早大、慶大、上智大、神戸大、明大、明学大、茨城大、国士舘大、工学院大、神奈川大、同大、拓大、千葉商大、立命館APU、他
【求める人材】自分の考えを、相手が理解できる言葉で伝えられる人

【本社】920-8685 石川県金沢市玉川町1-5
☎076-233-2151
【特色・近況】北陸地盤の技術集約型商社。売上の主軸は化学品で塩酸、硫酸などの基礎化学品や医薬品原薬に強み持つ。医薬品原薬は製造も行い、ジェネリック向けが主体。住宅設備機器、空調設備工事、自動車部品用樹脂成形品、情報システム、石油・LPガスの販売など多角展開。
【設立】1949.8 【資本金】4,808百万円
【社長】三谷忠照（1984.6生 慶大経済卒）
【株主】〔24.3〕三谷充15.7%
【連結事業】化学品39、情シス10、空調設備工事16、エネルギ7、樹脂・エレ12、住設機器15、他2 <海外13>
【従業員】連3,571名 単615名（41.2歳）

【業績】	売上高	営業利益	経常利益	純利益
連22.3	84,427	1,140	1,966	1,424
連23.3	90,416	978	1,716	960
連24.3	95,857	1,666	2,443	2,068

三菱電機トレーディング（みつびしでんき）

株式公開計画なし

採用内定数	倍率	3年後離職率	平均年収
11名	90.5倍	20%	・・

●待遇、制度●
【初任給】月24.2万（諸手当を除いた数値）
【残業】17.1時間【有休】16.2日【制度】[フ][住][在]
●新卒定着状況●
20年入社（男3、女2）→3年後在籍（男2、女2）
●採用情報●
【人数】23年:5 24年:7 25年:応募995→内定11
【内定内訳】（男6、女5）（文11、理0）（総11、他0）
【試験】〔Web自宅〕SPI3
【時期】エントリー24.8→内々定25.4（一次・二次以降もWEB面接可）【インターン】有
【採用実績校】広島大1、下関市大1、立命館大1、関大2、関西学大2、中京大1、昭和女大1、西南学大1、名桜大1
【求める人材】時代を先読みし、強くしなやかに行動する人、人と支え合い新しい価値を生み出せる人

【本社】100-0005 東京都千代田区丸の内2-1-1 明治生命館 ☎03-5220-7301
【特色・近況】三菱電機グループの資材調達と国際取引を行う商社。製造現場に必要な電子・電気・機械の各部品、材料、燃料から事務用品、包装資材まで取り扱う。取引先は国内外に約5000社と多岐に渡る。国内外20拠点持つ。創業以来、黒字が続く。
【設立】1979.2 【資本金】1,000百万円
【社長】瀬尾忠生（1962.3生 神戸大経営卒）
【株主】〔24.9〕三菱電機100%
【事業】国内資材調達62、海外資材調達・貿易35、集中購買3 ＜貿易35＞
【従業員】単656名（44.0歳）

【業績】	売上高	営業利益	経常利益	純利益
単22.3	216,240	3,743	3,908	2,678
単23.3	237,232	4,239	4,549	3,123
単24.3	231,784	4,244	4,516	3,089

#年収が高い

森村商事（もりむらしょうじ）

株式公開計画なし

採用内定数	倍率	3年後離職率	平均年収
13名	164.6倍	0%	[総]982万円

●待遇、制度●
【初任給】月25万
【残業】6.7時間【有休】13.3日【制度】[住][在]
●新卒定着状況●
20年入社（男2、女1）→3年後在籍（男2、女1）
●採用情報●
【人数】23年:11 24年:7 25年:応募2140→内定13
【内定内訳】（男7、女6）（文12、理1）（総9、他4）
【試験】〔筆記〕有〔Web会場〕有〔Web自宅〕有〔性格〕有
【時期】エントリー24.10→内々定25.6（一次・二次以降もWEB面接可）
【採用実績校】大阪体大、東大、上智大、獨協大、早大、東京農業大、東京外大、日大、専大、学習院女大、横浜市大、明大、金城学大
【求める人材】海外と関わる仕事がしたい人、様々なことに好奇心を持って取り組める人

【本社】105-8451 東京都港区虎ノ門4-1-28 虎ノ門タワーズ オフィス ☎03-3432-3510
【特色・近況】1876年創業のセラミックス、電子材料、化成品などを扱う専門商社。ノリタケ、TOTOなどと世界有数のセラミックス企業集団・森村グループを形成。欧米に加え、中国、インドやタイなどアジアに販売現法。インドに合弁工場。
【設立】1918.4 【資本金】450百万円
【社長】森村裕介
【株主】〔23.12〕社員持株会13.6%
【事業】セラミックス15、電子材料17、化成品12、香料食品6、樹脂25、金属7、航空18 ＜貿易57＞
【従業員】単257名（41.0歳）

【業績】	売上高	営業利益	経常利益	純利益
単21.12	84,595	2,227	2,489	1,723
単22.12	91,650	2,552	2,959	2,124
単23.12	92,837	2,586	2,978	2,023

四電ビジネス（よんでん）

株式公開計画なし

採用内定数	倍率	3年後離職率	平均年収
18名	3.4倍	0%	550万円

●待遇、制度●
【初任給】月21.8万
【残業】11.3時間【有休】16.7日【制度】[フ][住][在]
●新卒定着状況●
20年入社（男8、女5）→3年後在籍（男8、女5）
●採用情報●
【人数】23年:16 24年:11 25年:応募62→内定18
【内定内訳】（男11、女7）（文17、理1）（総18、他0）
【試験】〔筆記〕常識〔性格〕有
【時期】エントリー25.3→内々定25.4*【インターン】有
【採用実績校】香川大1、松山大7、関大4、関西学大1、近大1、中京大1、山梨学大1、高知県大1、高松大1
【求める人材】好奇心旺盛な人、変化に寛容な人、失敗を恐れず、一歩前に踏み出せる人

【本社】760-8538 香川県高松市亀井町7-9 ☎087-807-1151
【特色・近況】オフィス、ライフサポート、エネルギー、ビジネスソリューションの各事業など幅広い事業を展開する。四国全域と首都圏が営業エリア。サービス付き高齢者向け住宅事業も手がける。愛媛県大洲市で他社と協業しバイオマス発電も。四国電力の完全子会社。
【設立】1961.12 【資本金】300百万円
【社長】山﨑達成（1960.10生 京大卒）
【株主】〔24.3〕四国電力100%
【事業】ビル・不動産25、環境21、ビジネス54
【従業員】単553名（46.6歳）

【業績】	売上高	営業利益	経常利益	純利益
単22.3	13,759	1,551	1,528	1,053
単23.3	13,330	1,708	1,585	929
単24.3	14,352	1,662	1,600	1,148

	採用内定数	倍率	3年後離職率	平均年収
ＹＫアクロス　株式公開計画なし	5名	28倍	25%	‥

●待遇、制度●
【初任給】月20.5万
【残業】10時間【有休】12日【制度】住 在
●新卒定着状況●
20年入社(男2、女2)→3年後在籍(男2、女1)
●採用情報●
【人数】23年:6 24年:2 25年:応募140→内定5*
【内定内訳】(男3、女2)(文5、理0)(総3、他2)
【試験】〔Web会場〕有
【時期】エントリー25.3→内々定25.6*(一次はWEB面接可)
【採用実績校】獨協大1、明学大1、関大2、大阪商大1
【求める人材】国際感覚に富み、真摯で誠実、明朗で積極性のある人

【本社】105-8568 東京都港区芝公園2-4-1 芝パークビルB館 ☎03-5405-6111
【特色・近況】合成樹脂・機能性化学品、電子機能材、各種化学品、建材・無機材料などを扱う中堅専門商社。住宅やビル・マンションのリフォーム、リノベーション工事も行う。海外は台湾、中国、香港のほかインド、マレーシア、タイなどに拠点。デンカの連結子会社。
【設立】1932.4 【資本金】1,200百万円
【代表取締役】田渕浩記(1960.10生 慶大法卒)
【株主】〔24.3〕デンカ76.8%
【事業】合成樹脂25、電子材料・化学品26、建材・無機材料部27、高機能化学品16、住環事業6
【従業員】単291名(42.5歳)

【業績】	売上高	営業利益	経常利益	純利益
単22.3	10,614	487	598	506
単23.3	11,235	721	806	543
単24.3	10,971	461	832	655

#残業が少ない

	採用内定数	倍率	3年後離職率	平均年収
小泉(こいずみ)**アパレル**　株式公開未定	6名	6.7倍	100%	‥

●待遇、制度●
【初任給】月22万
【残業】1時間【有休】8日【制度】‥
●新卒定着状況●
20年入社(男0、女1)→3年後在籍(男0、女0)
●採用情報●
【人数】23年:4 24年:2 25年:応募40→内定6*
【内定内訳】(男2、女4)(文4、理0)(総4、他2)
【試験】なし
【時期】エントリー24.10→内々定25.4*(一次はWEB面接可)【インターン】有
【採用実績校】近大1、大阪樟蔭女大1、西武文理大1、大東文化大1
【求める人材】自由なアイデア発想ができ、自主的に計画的に行動できる人

【本社】541-0051 大阪府大阪市中央区備後町3-1-8 ☎06-6223-7800
【特色・近況】1716年創業の小泉グループの婦人用アパレル専門商社。「里麻」「SAYURI」などのブランドで若者からミセスまで幅広くカバー。中国・江蘇省に工場と検品センターを持つ。レナウン、ジオン商事からブランドを譲受し多ブランド化。店舗支援事業に注力。
【設立】1983.12 【資本金】100百万円
【社長】海原耕司(1967.8生 関大卒)
【株主】〔24.2〕小泉100%
【事業】婦人スカート・パンツ35、婦人服65
【従業員】単133名(46.0歳)

【業績】	売上高	営業利益	経常利益	純利益
単22.2	10,260	‥	‥	58
単23.2	10,713	‥	‥	131
単24.2	8,856	‥	‥	326

#残業が少ない

	採用内定数	倍率	3年後離職率	平均年収
三(さん)**共**(きょう)**生**(せい)**興**(こう)　東証スタンダード	23名	19.3倍	ー	㊟773万円

●待遇、制度●
【初任給】月24万
【残業】2時間【有休】8.4日【制度】住
●新卒定着状況●
20年入社(男0、女0)→3年後在籍(男0、女0)
●採用情報● グループ採用
【人数】23年:6 24年:11 25年:応募443→内定23
【内定内訳】(男9、女14)(文23、理0)(総21、他2)
【試験】〔Web会場〕有
【時期】エントリー25.3→内々定25.6(一次はWEB面接可)【インターン】有
【採用実績校】同大1、大阪経大1、甲南大2、専大2、獨協大1、関大1、成城大1、兵庫県大1、近大1、エセックス大1、他
【求める人材】繊維製品やファッションブランドを取り扱いグローバルに活躍する意欲のある人

【本社】541-0052 大阪府大阪市中央区安土町2-5-6 ☎06-6268-5000
【特色・近況】独立系の老舗繊維商社。ファッション事業では「DAKS」や「LEONARD」など欧米高級ブランドのライセンスも所有。子会社で展開する繊維関連事業では、アパレル・寝装品メーカー向けのOEMを手がける。不動産賃貸事業も展開。
【設立】1938.12 【資本金】3,000百万円
【社長】井ノ上明(1963.5生 龍谷大法卒)
【株主】〔24.3〕三木瀧蔵奨学財団13.7%
【連結事業】ファッション関連49、繊維関連41、不動産関連10 <海外32>
【従業員】連247名 単51名(36.1歳)

【業績】	売上高	営業利益	経常利益	純利益
連22.3	16,914	1,743	2,349	2,137
連23.3	19,466	2,237	2,912	2,206
連24.3	21,271	2,473	3,356	2,227

田村駒（たむらこま）

株式公開計画なし

採用内定数	倍率	3年後離職率	平均年収
23名	‥	16.7%	‥

●待遇、制度●
【初任給】月27.5万（固定残業代2.5万円）
【残業】30時間【有休】10.3日【制度】住
●新卒定着状況●
20年入社（男7、女5）→3年後在籍（男6、女4）
●採用情報●
【人数】23年:9 24年:10 25年:応募‥→内定23
【内定内訳】（男11、女12）（文23、理0）（総16、他7）
【試験】〔Web会場〕有〔性格〕有
【時期】エントリー25.3→内々定25.4（一次・二次以降もWEB面接可）【インターン】有
【採用実績校】立命館大3、青学大1、近大1、京産大3、新潟大1、関西学大1、明学大1、他
【求める人材】チャレンジ精神旺盛でフットワークよく自分で動ける人、海外志向の強い人

【本社】541-8580 大阪府大阪市中央区安土町3-3-9 ☎06-6268-7000
【特色・近況】衣料素材、製品の製造卸のほか、生活・住宅関連資材なども扱う繊維商社。レディース、メンズ、インナー、フォーマル、ユニフォームなどを中心に扱う。アジア、欧州に拠点を持ち、中国、タイ、ベトナム、マレーシアには現地法人を持つ。1894年創業。
【設立】1918.4 【資本金】1,240百万円
【社長】堀清人（1962.2生 関西学大商卒）
【株主】〔24.3〕三信13.3%
【連結事業】衣料70、住宅関連資材6、リビング13、生活関連資材12、他1
【従業員】連641名 単408名（43.5歳）

【業績】	売上高	営業利益	経常利益	純利益
連22.3	86,135	966	1,144	643
連23.3	99,170	2,294	2,463	1,482
連24.3	102,620	2,885	3,089	1,957

#残業が少ない

㈱チクマ

株式公開計画なし

採用内定数	倍率	3年後離職率	平均年収
8名	9.9倍	ー	総 588万円

●待遇、制度●
【初任給】月21.5万
【残業】2.5時間【有休】11.9日【制度】住
●新卒定着状況●
20年入社（男0、女0）→3年後在籍（男0、女0）
●採用情報●
【人数】23年:5 24年:7 25年:応募79→内定8*
【内定内訳】（男3、女5）（文8、理0）（総8、他0）
【試験】〔Web自宅〕有〔性格〕有
【時期】エントリー25.3→内々定25.5【インターン】有
【採用実績校】近大1、神奈川大1、横浜商大1、中大1、日大1、桃山学大1、中京大1、大阪産大1
【求める人材】協調性、持続力のある人

【本社】541-0047 大阪府大阪市中央区淡路町3-3-10 ☎06-6222-3671
【特色・近況】繊維専門商社。1903年英国毛織物輸入で創業。企業向けユニホームと学生服が主力。年間生産量は約330万点。女性事務服に強み。婦人服地の内外供給、OEM生産、制服のリサイクル事業も行う。中国、ベトナムに生産拠点。
【設立】1916.7 【資本金】678百万円
【社長】堀松渉（1952.12生 京外大外国語卒）
【株主】〔23.11〕ニッケ19.8%
【事業】ビジネスユニホーム61、スクールユニホーム39 <輸出4>
【従業員】単200名（46.4歳）

【業績】	売上高	営業利益	経常利益	純利益
単21.11	17,007	335	517	355
単22.11	16,476	273	431	295
単23.11	17,152	414	621	435

モリト

東証プライム

採用内定数	倍率	3年後離職率	平均年収
11名	26.5倍	12.5%	706万円

●待遇、制度●
【初任給】月24.3万（諸手当1.7万円）
【残業】8.7時間【有休】12.9日【制度】フ 住 在
●新卒定着状況●
20年入社（男4、女4）→3年後在籍（男4、女3）
●採用情報● グループ採用
【人数】23年:6 24年:7 25年:応募291→内定11
【内定内訳】（男4、女7）（文11、理0）（総11、他0）
【試験】〔Web会場〕SPI3
【時期】エントリー24.10→内々定25.4（一次・二次以降もWEB面接可）【インターン】有
【採用実績校】大阪学大1、近大1、神戸市外大1、駒澤大1、同大3、桃山学大1、立教大1、龍谷大1、早大1
【求める人材】自ら考え、責任を持って行動できる人

【本社】541-0054 大阪府大阪市中央区南本町4-2-4 ☎06-6252-3551
【特色・近況】ホックやハトメ、マジックテープなどの服飾資材大手。米スコーヴィル社を買収し、服飾用金属ホックで世界首位級。自動車マットなど自動車内装品も拡大。アウトドア関連の輸入販売、婦人バッグ企画・販売なども手がける。環境配慮型製品に注力。
【設立】1935.12 【資本金】3,532百万円
【社長】一坪隆紀（1954.1生 同大経済卒）
【株主】〔24.5〕クラレ7.7%
【連結事業】アパレル関連48、プロダクト関連37、輸送関連15 <海外31>
【従業員】連1,588名 単61名（42.4歳）

【業績】	売上高	営業利益	経常利益	純利益
連21.11	43,636	1,619	1,834	1,407
連22.11	48,478	2,116	2,342	1,674
連23.11	48,529	2,464	2,771	2,217

八木通商（やぎつうしょう）

株式公開計画なし

採用予定数	倍率	3年後離職率	平均年収
5名	‥	0%	‥

●待遇、制度●
【初任給】月26万
【残業】‥時間【有休】‥日【制度】[住]
●新卒定着状況●
20年入社(男1、女2)→3年後在籍(男1、女2)
●採用情報●
【人数】23年:4 24年:7 25年:予定5*
【内定内訳】(男‥、女‥)(文‥、理‥)(総‥、他‥)
【試験】〔筆記〕有〔Web自宅〕SPI3
【時期】エントリー‥→内々定‥
【採用実績校】‥

【求める人材】旺盛な向上心と常に何事にも明るく接することのできる努力家、責任感と協調性のある人

【本社】541-0041 大阪府大阪市中央区北浜3-1-9 ☎06-6227-6830
【特色・近況】繊維、アパレルの中堅専門商社。輸出(織物)、輸入(織物、衣料品、服飾雑貨)が主業務。「マッキントッシュ」「アレクサンドルドゥパリ」などのブランドも多く扱う。糸、織物の企画開発を積極化。東京・芝公園と六本木に拠点、海外はパリと上海に事務所を置く。
【設立】1946.12 【資本金】100百万円
【社長】八木雄三(1941.10生 甲南大経済卒)
【株主】〔24.3〕西宮21.8%
【連結事業】輸出入貿易事業99、不動産賃貸事業1
【従業員】連653名 単189名(45.3歳)

【業績】	売上高	営業利益	経常利益	純利益
連22.3	38,924	139	1,004	328
連23.3	46,191	837	2,184	1,861
連24.3	53,300	‥	‥	‥

㈱飯田（いいだ）

株式公開計画なし

採用内定数	倍率	3年後離職率	平均年収
2名	22倍	22.2%	[総]503万円

●待遇、制度●
【初任給】月23万(諸手当0.5万円)
【残業】15.5時間【有休】10.4日【制度】[住][在]
●新卒定着状況●
20年入社(男4、女5)→3年後在籍(男3、女4)
●採用情報●
【人数】23年:4 24年:5 25年:応募44→内定2*
【内定内訳】(男2、女0)(文2、理0)(総2、他0)
【試験】〔Web自宅〕有〔性格〕有
【時期】エントリー25.3→内々定25.5*(一次・二次以降もWEB面接可)【インターン】有
【採用実績校】立命館大1、専大1

【求める人材】好奇心旺盛で、創造力、応用力、柔軟性を持った人、挑戦意欲がある人

【本社】581-0085 大阪府八尾市安中町1-1-29 ☎072-923-6002
【特色・近況】酒類・食品総合卸で、飯田グループの中核。近畿圏が地盤。グループで原料調達・加工・製造・卸売・小売・サービスと、酒に特化しつつ幅広い事業を展開。専門性・独自性を訴求した商材を提案。コンビニ運営、人材派遣なども行う。1923年創業。
【設立】1947.7 【資本金】59百万円
【社長】飯田豊彦(1963.8生 東大経済卒)
【株主】‥
【事業】洋酒50、ビール28、和酒12、食品他10
【従業員】単124名(43.2歳)

【業績】	売上高	営業利益	経常利益	純利益
単22.2	34,195	‥	▲37	13
単23.2	35,071	‥	249	531
単24.2	35,107	‥	261	135

#残業が少ない

石川中央魚市（いしかわちゅうおううおいち）

株式公開計画なし

採用予定数	倍率	3年後離職率	平均年収
3名	‥	−	[総]554万円

●待遇、制度●
【初任給】月20.2万(諸手当を除いた数値)
【残業】2.1時間【有休】7.1日【制度】[フ][住]
●新卒定着状況●
20年入社(男0、女0)→3年後在籍(男0、女0)
●採用情報●
【人数】23年:1 24年:2 25年:予定3*
【内定内訳】(男‥、女‥)(文‥、理‥)(総‥、他‥)
【試験】〔筆記〕常識、他〔性格〕有
【時期】エントリー25.3→内々定25.5*(一次はWEB面接可)【インターン】有
【採用実績校】‥

【求める人材】自らすすんで挨拶ができ、相手を問わず誠実な応待ができる人

【本社】920-8691 石川県金沢市西念4-7-1 ☎076-223-1382
【特色・近況】金沢市中央卸売市場内で水産物卸売業を手がける。取扱量は日本海側トップ級。JFいしかわ(石川県漁業協同組合)と連携し、地元の朝とれ鮮魚だけを扱う「朝セリ」を実施し、観光とSDGsに寄与。卸売業、冷蔵倉庫業、加工業、流通業の4事業展開。
【設立】1966.6 【資本金】154百万円
【社長】小林哲昭
【株主】‥
【事業】水産物卸売業、冷蔵倉庫業
【従業員】単54名(46.0歳)

【業績】	売上高	営業利益	経常利益	純利益
単22.3	25,709	56	114	75
単23.3	26,765	62	112	83
単24.3	24,545	▲38	44	33

石光商事（いしみつしょうじ）

東証スタンダード

採用内定数	倍率	3年後離職率	平均年収
3名	89倍	25%	633万円

●待遇、制度●
【初任給】月22万（諸手当0.2万円）
【残業】14.2時間【有休】10.7日【制度】フ 住 在

●新卒定着状況●
20年入社（男2、女2）→3年後在籍（男2、女1）

●採用情報●
【人数】23年:3 24年:4 25年:応募267→内定3
【内定内訳】（男2、女1）（文2、理1）（総3、他0）
【試験】〔性格〕有
【時期】エントリー25.2→内々定25.5(一次・二次以降もWEB面接可)【インターン】有
【採用実績校】立命館大1、横浜市大1、創価大1

【求める人材】自分ごとで考え変化を楽しめる人、周囲へ働きかけ、ともに成長できる人

【本社】657-0856 兵庫県神戸市灘区岩屋南町4-40 ☎078-861-7791
【特色・近況】コーヒー主力の食品専門輸入商社。1906年創業の老舗。業務用コーヒーでシェア高い。ブラジル、アフリカに協力農園。グループに焙煎・加工・販売子会社持つ。イタリア食材、冷凍食品、食品原料なども扱い、直輸入比率高い。アジアに現地法人展開。
【設立】1951.5 【資本金】623百万円
【社長】石脇智広（1969.12生 東大院工修了）
【株主】〔24.3〕マリンフード5.2%
【連結事業】コーヒー・飲料37、食品45、海外18 <海外19>
【従業員】連482名 単240名（42.6歳）

【業績】	売上高	営業利益	経常利益	純利益
連22.3	46,729	695	793	532
連23.3	58,972	1,317	1,295	792
連24.3	62,025	1,654	1,741	1,049

㈱イワセ・エスタグループ本社

株式公開計画なし

採用実績数	倍率	3年後離職率	平均年収
10名	‥	36.4%	‥

●待遇、制度●
【初任給】月23.9万（諸手当を除いた数値）
【残業】‥時間【有休】‥日【制度】住

●新卒定着状況●
20年入社（男3、女8）→3年後在籍（男2、女5）

●採用情報●
【人数】23年:8 24年:10 25年:予定未定*
【内定内訳】（男‥、女‥）（文‥、理‥）（総‥、他‥）
【試験】なし
【時期】エントリー通年→内々定通年
【採用実績校】‥

【求める人材】‥

【本社】556-0016 大阪府大阪市浪速区元町3-12-20 ☎06-6632-3071
【特色・近況】食品原材料の専門商社。取扱商品は乳製品を筆頭に、果実缶詰、食用油脂、酒類、乾燥果実、チョコレートまで幅広い。東西2本社体制で阪神、東京地区が地盤。製菓・製パン向けは業界トップ級。取り扱い商品は約4000種類。
【設立】1955.6 【資本金】96百万円
【会長】田中武（1940.2生）
【株主】〔23.5〕岩瀬不動産46.0%
【事業】乳製品34、食用油9、果実缶詰11、乾果実6、酒類6、他34
【従業員】単466名（40.9歳）

【業績】	売上高	営業利益	経常利益	純利益
単21.5	36,637	307	814	529
単22.5	41,958	164	1,070	998
単23.5	47,248	482	1,335	954

㈱うおいち

株式公開計画なし

採用内定数	倍率	3年後離職率	平均年収
9名	3.3倍	56.2%	638万円

●待遇、制度●
【初任給】月23.6万（諸手当1万円）
【残業】14.1時間【有休】15.3日【制度】住

●新卒定着状況●
20年入社（男15、女1）→3年後在籍（男6、女1）

●採用情報●
【人数】23年:7 24年:12 25年:応募30→内定9*
【内定内訳】（男9、女0）（文0、理9）（総9、他0）
【試験】〔Web自宅〕SPI3
【時期】エントリー25.2→内々定25.4*(一次はWEB面接可)【インターン】有
【採用実績校】長崎大1、鹿児島大1、水産大2、近大2、東海大1、大阪産大1、福岡工大1

【求める人材】常に変化に対応できる、考えて働くことのできる人

【大阪本社】553-8555 大阪府大阪市福島区野田1-1-86 大阪市中央卸売市場内 ☎06-6469-2001
【特色・近況】関西5市場で水産物卸売会社を運営し、水産物卸では最大手。母体は旧・大阪魚市場。子ども食堂へ魚を提供し支援。近隣の大学で魚料理教室など随時開催。長崎に駐在所を置く。OUGホールディングス傘下で、中核事業会社。
【設立】2006.10 【資本金】2,000百万円
【社長】橋爪康至（1956.5生 三重水産高卒）
【株主】〔24.3〕OUGホールディングス100%
【事業】鮮魚40、冷凍35、塩干25 <貿易3>
【従業員】単404名（45.8歳）

【業績】	売上高	営業利益	経常利益	純利益
単22.3	187,405	2,790	2,750	1,869
単23.3	199,558	2,460	2,387	1,660
単24.3	201,724	2,010	1,969	1,362

㈱エスサーフ

株式公開計画なし

採用予定数	倍率	3年後離職率	平均年収
2名	−	−	‥

●待遇、制度●
【初任給】月21万
【残業】5時間【有休】8日【制度】住
●新卒定着状況●
20年入社(男0、女0)→3年後在籍(男0、女0)
●採用情報●
【人数】23年:0 24年:1 25年:応募15→内定0*
【内定内訳】(男‥、女‥)(文‥、理‥)(総‥、他‥)
【試験】〔性格〕有
【時期】エントリー25.3→内々定25.5*
【採用実績校】‥
【求める人材】明るく、元気でヤル気・行動力のある人

【本社】520-2142 滋賀県大津市玉野浦6-30 ☎077-543-3300
【特色・近況】滋賀県、京都府、岐阜県などが営業地盤の酒類・食品卸会社。創業は江戸時代末期。自販機やネット通販も展開するほか、フランチャイジーとしてファミリーマートを20店舗以上経営。高齢化社会等に向け宅配や専門店のネットワークづくりに注力。
【設立】1954.4 【資本金】100百万円
【社長】大林一郎(1951.3生 同大商卒)
【株主】〔24.3〕大林商店14.2%
【事業】ビール35、食品20、洋酒21、清酒13、他11
【従業員】単93名(50.7歳)

【業績】	売上高	営業利益	経常利益	純利益
単22.3	14,709	▲5	50	36
単23.3	15,387	33	57	27
単24.3	15,709	56	72	43

大西商事（おおにししょうじ）

株式公開計画なし

採用内定数	倍率	3年後離職率	平均年収
3名	10.3倍	60%	㊕675万円

●待遇、制度●
【初任給】月25.5万(諸手当9.5万円)
【残業】5.6時間【有休】8.6日【制度】住 在
●新卒定着状況●
20年入社(男4、女1)→3年後在籍(男2、女0)
●採用情報●
【人数】23年:4 24年:0 25年:応募31→内定3*
【内定内訳】(男2、女1)(文3、理0)(総3、他0)
【試験】〔Web自宅〕有
【時期】エントリー25.1→内々定25.3*(一次・二次以降もWEB面接可)【インターン】有
【採用実績校】明学大1、北九州市大1、大東文化大1
【求める人材】食に興味があり、好奇心・向上心に富み、自分の枠を超えてチャレンジし続けられる人

【下関本社】750-0025 山口県下関市竹崎町4-7-24 エストラスト下関センタービル4階☎083-231-5155
【特色・近況】1887年に下関で創業の食品専門商社。砂糖の取り扱いは業界トップ級で、糖化品、雑穀、澱粉、小麦粉、ビール原料や化学調味料、食油など扱う。代替甘味料の研究開発にも取り組む。全国7支店。山口と東京の2本社体制。
【設立】1952.10 【資本金】100百万円
【社長】宇佐川定男(1956.9生)
【株主】〔24.3〕大西ホールディングス100%
【事業】砂糖等食品卸100
【従業員】単120名(43.2歳)

【業績】	売上高	営業利益	経常利益	純利益
単22.3	31,251	328	531	403
単23.3	35,320	454	617	405
単24.3	41,256	573	731	507

OUGホールディングス

東証スタンダード

採用予定数	倍率	3年後離職率	平均年収
15名	‥	‥	829万円

●待遇、制度●
【初任給】月21.4万(諸手当を除いた数値)
【残業】‥時間【有休】‥日【制度】住
●新卒定着状況●
‥
●採用情報● うおいち採用
【人数】23年:7 24年:12 25年:予定15
【内定内訳】(男‥、女‥)(文‥、理‥)(総‥、他‥)
【試験】‥
【時期】随時【インターン】有
【採用実績校】‥
【求める人材】‥

【本社】553-0005 大阪府大阪市福島区野田2-13-5 OUG野田ビル ☎06-4804-3031
【特色・近況】大阪市中央卸売市場の水産物卸売りを展開する企業グループ。規模は国内最大級。全国の販売網を通じてホテル・量販店などにも販売。外食・中食向けの食品加工や、ブリやマグロの養殖も手がける。鮮魚や加工品の販売など海外事業を推進。
【設立】1946.6 【資本金】6,495百万円
【社長】橋爪康至(1956.5生 三重水産高卒)
【株主】〔24.3〕マルハニチロ13.3%
【連結事業】水産物荷受58、市場外水産物卸売39、養殖2、食品加工1、物流0、他1
【従業員】連1,323名 単31名(53.5歳)

【業績】	売上高	営業利益	経常利益	純利益
連22.3	298,572	2,876	3,092	1,344
連23.3	325,020	3,990	4,276	3,078
連24.3	333,197	3,122	3,912	3,618

片岡物産（かたおかぶっさん）

株式公開計画なし

採用内定数	倍率	3年後離職率	平均年収
4名	66.8倍	0%	‥

●待遇、制度●
【初任給】月21.5万
【残業】13.5時間【有休】14.5日【制度】フ 住 在
●新卒定着状況●
20年入社(男2、女3)→3年後在籍(男2、女3)
●採用情報●
【人数】23年:6 24年:5 25年:応募267→内定4*
【内定内訳】(男2、女2)(文4、理0)(総3、他1)
【試験】〔筆記〕有〔Web会場〕SPI3〔性格〕有
【時期】エントリー25.3→内々定25.6(一次・二次以降もWEB面接可)【インターン】有
【採用実績校】九大、山口大、神戸市外大、法政大

【求める人材】創造力豊かで柔軟な考えのできる人、国際感覚が豊かで広くグローバルな視野をもつ人

【本社】105-8615 東京都港区新橋6-21-6
☎03-5405-7001
【特色・近況】コーヒー、紅茶でトップ級の専門商社。世界の一流ブランドの食品輸入、自社製品の製造、食品原料輸入販売の3本柱。英トワイニング社と合弁でトワイニング・ジャパンを設立・運営。モンカフェ、バンホーテン、辻利、エシレなどのブランドも扱う。
【設立】1960.2 【資本金】490百万円
【社長】片岡謙治(1959.11生 慶大商卒)
【株主】〔24.2〕片岡興産
【事業】コーヒー・紅茶・ココア・チョコレート50、果実加工品・酒類他50
【従業員】単306名(42.4歳)

【業績】	売上高	営業利益	経常利益	純利益
単22.2	29,700	‥	1,517	911
単23.2	33,500	‥	1,473	1,250
単24.2	34,800	‥	1,788	▲365

㈱カネトモ

株式公開計画なし

採用内定数	倍率	3年後離職率	平均年収
3名	3倍	25%	499万円

●待遇、制度●
【初任給】月22.7万(諸手当1万円)
【残業】5時間【有休】15.6日【制度】住
●新卒定着状況●
20年入社(男3、女1)→3年後在籍(男2、女1)
●採用情報●
【人数】23年:6 24年:7 25年:応募9→内定3
【内定内訳】(男2、女1)(文1、理1)(総0、他3)
【試験】〔Web自宅〕SPI3〔性格〕有
【時期】エントリー25.1→内々定25.1(一次・二次以降もWEB面接可)【インターン】有【ジョブ型】有
【採用実績校】静岡県大1、日大1

【求める人材】素直で活気のある人

【本社】426-0011 静岡県藤枝市平島698-1
☎054-643-1515
【特色・近況】鮮魚、冷凍マグロの買い付けから貯蔵・加工・輸送まで一貫して行うマグロ専門商社。焼津港が本拠。マルタ、スペインなどの地中海各港を拠点に蓄養・凍結作業も行う。焼津さかなセンター内に直営店、オンラインショップも開設。
【設立】1951.4 【資本金】50百万円
【社長】服部敏之(1961.6生 武蔵大経済卒)
【株主】〔24.2〕第二持株会48.4%
【事業】水産物卸売98、倉庫運輸2 <貿易0>
【従業員】単142名(41.0歳)

【業績】	売上高	営業利益	経常利益	純利益
単22.2	19,535	641	690	469
単23.2	24,949	710	700	422
単24.2	22,032	▲434	5	3

カルビーポテト

株式公開計画なし

採用実績数	倍率	3年後離職率	平均年収
2名	‥	‥	‥

●待遇、制度●
【初任給】月21.5万
【残業】‥時間【有休】‥日【制度】‥
●新卒定着状況●
‥
●採用情報●
【人数】23年:10 24年:2 25年:予定未定
【内定内訳】(男‥、女‥)(文‥、理‥)(総‥、他‥)
【試験】‥
【時期】エントリー‥→内々定‥
【採用実績校】‥

【求める人材】自ら考え、自ら行動する人

【本社】089-1184 北海道帯広市別府町零号31-4
☎0155-62-2200
【特色・近況】カルビーの完全子会社で馬鈴薯の仕入れ、貯蔵、物流、販売が主体。冷凍フライドポテトやハッシュポテトなど市販用や業務用のオリジナル商品を持つ。じゃがいもの自社開発品種「ぽろしり」「ゆきふたば」が北海道の優良品種に登録。
【設立】1980.10 【資本金】100百万円
【社長】田崎一也(1967.6生)
【株主】〔24.3〕カルビー100%
【事業】馬鈴薯卸売78、食品販売22
【従業員】単130名(40.4歳)

【業績】	売上高	営業利益	経常利益	純利益
単22.3	26,092	547	590	350
単23.3	30,832	504	541	379
単24.3	27,974	▲441	▲433	▲339

関西(かんさい)ハニューフーズ 株式公開計画なし

採用内定数	倍率	3年後離職率	平均年収
4名	5.3倍	−	㊊597万円

●待遇、制度●
【初任給】月27.4万(固定残業代21時間分)
【残業】28.5時間【有休】7.9日【制度】㊟住
●新卒定着状況●
20年入社(男0、女0)→3年後在籍(男0、女0)
●採用情報●
【人数】23年:1 24年:1 25年:応募21→内定4
【内定内訳】(男3、女1)(文4、理0)(総3、他1)
【試験】なし
【時期】エントリー25.1→内々定25.4(一次はWEB面接可)【インターン】有
【採用実績校】桃山学大1、関大1、近大1、摂南大1
【求める人材】豊かな人間性を持った人、主体的な姿勢を持った人

【本社】599-8101 大阪府堺市東区八下町1-122 ☎072-250-4488
【特色・近況】食肉業界大手ハニューフーズグループで、関西エリアの広域で食肉のルートセールスや卸売を手がける。大阪府・堺市の本社に加え兵庫県・神戸市に営業所を設置。顧客は地場の量販店や外食、卸売など。食肉原料から製品まで幅広い商品を取り扱う。
【設立】1987.2 【資本金】100百万円
【代表取締役】高橋茂樹(1957.12生)
【株主】〔24.5〕ハニューフーズ100%
【事業】食肉の卸売
【従業員】単56名(43.3歳)

【業績】	売上高	営業利益	経常利益	純利益
単21.12	16,462	225	232	154
単22.12	16,300	232	244	160
単23.12	15,858	226	235	160

関東(かんとう)ハニューフーズ 株式公開計画なし

採用内定数	倍率	3年後離職率	平均年収
2名	17倍	0%	‥

●待遇、制度●
【初任給】月28万(固定残業代21時間分)
【残業】24時間【有休】7.7日【制度】住
●新卒定着状況●
20年入社(男1、女0)→3年後在籍(男1、女0)
●採用情報●
【人数】23年:3 24年:1 25年:応募34→内定2*
【内定内訳】(男1、女1)(文2、理0)(総2、他0)
【試験】なし
【時期】エントリー25.3→内々定25.6(一次はWEB面接可)【インターン】有
【採用実績校】拓大1、群馬県女大1
【求める人材】行動力があり、コミュニケーション能力が高い人、自ら率先して行動できる人

【本社】105-5113 東京都港区浜松町2-4-1 世界貿易センタービルディング南館13階 ☎03-5400-1221
【特色・近況】食肉大手ハニューフーズの子会社で、食肉の販売(ルートセールス、卸売り)を手がける。ハニューフーズやグループ会社より仕入れ、国産全般の食肉を取り揃える。東京本社と戸田、川崎、宇都宮の営業所を拠点に事業を展開。
【設立】2018.8 【資本金】100百万円
【代表取締役】高橋茂樹(1957.12生)
【株主】〔24.5〕ハニューフーズ100%
【事業】食肉の卸売
【従業員】単36名(36.5歳)

【業績】	売上高	営業利益	経常利益	純利益
単21.12	9,167	45	49	32
単22.12	11,612	▲27	▲22	▲16
単23.12	12,252	55	59	41

㈱木村(きむら) 株式公開計画なし

採用内定数	倍率	3年後離職率	平均年収
2名	5.5倍	25%	㊊552万円

●待遇、制度●
【初任給】月25万(固定残業代40時間分)
【残業】22.5時間【有休】8.8日【制度】住 在
●新卒定着状況●
20年入社(男1、女3)→3年後在籍(男1、女2)
●採用情報●
【人数】23年:7 24年:2 25年:応募11→内定2
【内定内訳】(男1、女1)(文1、理1)(総0、他2)
【試験】〔筆記〕有〔Web会場〕C-GAB〔性格〕有
【時期】エントリー25.3→内々定25.6(一次・二次以降もWEB面接可)【インターン】有
【採用実績校】熊本県大1、東海大1
【求める人材】積極的に挑戦でき、仕事相手と信頼関係を築ける人

【本社】862-0967 熊本県熊本市南区流通団地2-5 ☎096-377-2220
【特色・近況】米菓メーカーとして創業し、菓子卸、コメ卸、土産品販売などに業容を拡大。九州全域と広島に営業網。商品の売れ筋データ分析に基づいた売り場レイアウトなどをスーパーなどへ企画提案。食の総合プロデュース企業を志向。
【設立】1985.6 【資本金】100百万円
【社長】木村寿孝(1988.9生)
【株主】‥
【事業】菓子・食品・飲料・食材・米の卸売、米菓・漬物・土産品の製造販売
【従業員】単161名(42.0歳)

【業績】	売上高	営業利益	経常利益	純利益
単22.4	18,827	‥	101	‥
単23.4	21,179	‥	202	‥
単24.4	23,730	‥	258	‥

九州ハニューフーズ（きゅうしゅう） 株式公開計画なし	採用内定数	倍率	3年後離職率	平均年収
	10名	1倍	ー	㊎533万円

●待遇、制度●
【初任給】月26.3万（固定残業代21時間分）
【残業】21.5時間【有休】7.4日【制度】住
●新卒定着状況●
20年入社（男0、女0）→3年後在籍（男0、女0）
●採用情報● 24年は10月入社含む
【人数】23年:2 24年:1 25年:応募10→内定10*
【内定内訳】（男5、女5）（文5、理5）（総10、他0）
【試験】なし
【時期】エントリー25.3→内々定25.8(一次・二次以降もWEB面接可)【インターン】有
【採用実績校】九州共立大1、他
【求める人材】誠実でコミュニケーション能力の高い人

【本社】800-0213 福岡県北九州市小倉南区中曽根東1-1-8 ☎093-473-3311
【特色・近況】食肉業界大手ハニューフーズの子会社で、食肉の販売業を行う。ルートセールスで地場の量販店、飲食店、卸売などに商品を販売。福岡、大分、南九州（都城）、山口に営業所を置く。輸入食肉から国産牛食肉まで、幅広く取り扱う。
【設立】1970.12 【資本金】100百万円
【代表取締役】高橋茂樹（1957.12生）
【株主】〔24.5〕ハニューフーズ100%
【事業】食肉の卸売
【従業員】単56名（39.6歳）

【業績】	売上高	営業利益	経常利益	純利益
単21.12	12,565	122	128	86
単22.12	13,746	138	148	99
単23.12	13,166	145	154	103

㈱キョクイチホールディングス 株式公開計画なし	採用内定数	倍率	3年後離職率	平均年収
	2名	1倍	0%	㊎500万円

●待遇、制度●
【初任給】月22万（諸手当2万円）
【残業】10時間【有休】10日【制度】‥
●新卒定着状況●
20年入社（男1、女2）→3年後在籍（男1、女2）
●採用情報●
【人数】23年:2 24年:3 25年:応募2→内定2*
【内定内訳】（男1、女1）（文1、理0）（総1、他1）
【試験】〔筆記〕常識
【時期】エントリー25.2→内々定25.4【インターン】有
【採用実績校】‥
【求める人材】水産・青果の生鮮物流通の社会的役割を果たす責任感を持ち粘り強く挑戦する人

【本社】079-8441 北海道旭川市流通団地1条2 ☎0166-48-3141
【特色・近況】旭川、北見など道北エリアで民間地方卸売市場を運営するキョクイチグループの統括会社。北海道（旭川、北見、白糠）、東京、静岡で卸売事業会社、北見、白糠、焼津で営業倉庫、白糠、増毛に食品加工会社を展開。海外から商材を輸入する商社機能も備える。
【設立】1949.7 【資本金】100百万円
【社長】角谷靖（1956.5生 北大水産卒）
【株主】〔24.3〕自社役員持株会39.9%
【事業】地方卸売市場・生鮮食品卸売事業を営むグループ会社の事業管理
【従業員】単39名（46.9歳）

【業績】	取扱高	営業利益	経常利益	純利益
単22.3	1,447	1,447	91	36
単23.3	1,521	119	78	55
単24.3	1,497	113	73	71

㈱久世（くぜ） 東証スタンダード	採用内定数	倍率	3年後離職率	平均年収
	16名	10.3倍	0%	524万円

●待遇、制度●
【初任給】月20万（諸手当3万円）
【残業】20時間【有休】12.7日【制度】住
●新卒定着状況●
20年入社（男1、女2）→3年後在籍（男1、女2）
●採用情報●
【人数】23年:8 24年:15 25年:応募165→内定16
【内定内訳】（男8、女8）（文7、理9）（総16、他0）
【試験】〔Web自宅〕SPI3〔性格〕有
【時期】エントリー25.3→内々定25.5(一次・二次以降もWEB面接可)【インターン】有
【採用実績校】亜大2、実践女大1、十文字学女大1、昭和女大1、帝京大1、東海大1、東京家政大1、東京経大1、東京聖栄大1、東洋大1、他
【求める人材】誠実・向上心・自立

【本社】170-0013 東京都豊島区東池袋2-29-7 ☎03-3987-0018
【特色・近況】外食産業向けの業務用食材卸が主力。首都圏を中心に関東・中部・関西に展開。子会社でブイヨンなど業務用高級スープなどの製造を行うほか、高級店を顧客に持つ水産卸も擁する。国分グループ本社と業務資本提携し、中国事業拡大を加速。
【設立】1950.1 【資本金】100百万円
【社長】久世真也（1972.9生）
【株主】〔24.3〕国分グループ本社19.9%
【連結事業】食材卸売90、食材製造10、不動産賃貸0、他0
【従業員】連627名 単341名（42.6歳）

【業績】	売上高	営業利益	経常利益	純利益
連22.3	43,851	▲908	▲746	▲727
連23.3	56,460	842	900	832
連24.3	64,474	1,861	1,939	2,008

群馬県卸酒販（ぐんまけんおろししゅはん）

株式公開計画なし

採用予定数	倍率	3年後離職率	平均年収
1名	‥	33.3%	‥

●待遇、制度●
【初任給】月20.2万
【残業】‥時間【有休】‥日【制度】‥

●新卒定着状況●
20年入社(男2、女4)→3年後在籍(男1、女3)

●採用情報●
【人数】23年:2 24年:1 25年:予定1
【内定内訳】(男‥、女‥)(文‥、理‥)(総‥、他‥)
【試験】〔筆記〕常識
【時期】エントリー‥→内々定‥
【採用実績校】‥
【求める人材】‥

【本社】371-8585 群馬県前橋市城東町4-2-1
☎027-231-9157
【特色・近況】群馬県が地盤の酒類、食品の専門商社。埼玉、北関東、長野の小売店にも販売。取り扱いアイテム3万超。群馬県産清酒取り扱いシェアは県内トップ。蔵元からの生酒低温輸送に定評。スーパーやコンビニ向けの販売拡大。産直品・カタログギフト販売も強化。
【設立】1959.10 【資本金】150百万円
【社長】瀬尾公男(1958.10生)
【株主】〔24.3〕群酒大成物産6.0%
【事業】ビール21、洋酒19、清飲料16、加工食品20、発泡酒新ジャンル10、清酒他14
【従業員】単131名(40.0歳)

【業績】	売上高	営業利益	経常利益	純利益
単22.3	27,828	▲139	74	27
単23.3	30,555	▲109	34	20
単24.3	31,272	63	218	116

㈱合食（ごうしょく）

株式公開未定

採用内定数	倍率	3年後離職率	平均年収
6名	15.8倍	23.1%	[総]519万円

●待遇、制度●
【初任給】月23万(固定残業代30時間分)
【残業】10時間【有休】13日【制度】[住]

●新卒定着状況●
20年入社(男5、女8)→3年後在籍(男4、女6)

●採用情報●
【人数】23年:11 24年:5 25年:応募95→内定6
【内定内訳】(男4、女2)(文4、理2)(総6、他0)
【試験】〔筆記〕有〔Web会場〕C-GAB〔Web自宅〕WEB-GAB〔性格〕有
【時期】エントリー24.10→内々定25.5(一次・二次以降もWEB面接可)【インターン】有
【採用実績校】北九州市大1、慶大1、大阪公大1、兵庫県大1、近大1、東京海洋大1、他
【求める人材】「スルメ人財」:かめばかむほど味が出る人

【神戸本社】652-0844 兵庫県神戸市兵庫区中之島1-1-1
☎078-672-7500
【特色・近況】冷凍・チルド・常温の水産加工品、珍味製品を製造・販売。原料調達から加工、企画開発、生産、販売まで一貫して行う。水産・海外・食品・物流各事業部の4本柱。「おいしい減塩」等が主力ブランド。シンガポール、チリ、トルコ、中国、ベトナムに拠点。
【設立】1948.6 【資本金】90百万円
【社長】砂川雄一(1963生 京大農卒)
【株主】〔24.3〕合食興産30.9%
【事業】するめ加工品類26、原料塩干24、干しするめ12、冷凍・総菜12、他26 <貿易16>
【従業員】単336名(40.6歳)

【業績】	売上高	営業利益	経常利益	純利益
単22.3	43,557	9	104	78
単23.3	44,702	▲365	▲284	▲760
単24.3	42,933	▲16	107	100

㈱交洋（こうよう）

株式公開計画なし

採用内定数	倍率	3年後離職率	平均年収
16名	4.7倍	66.7%	[総]537万円

●待遇、制度●
【初任給】月25万
【残業】10.9時間【有休】13.2日【制度】[住]

●新卒定着状況●
20年入社(男3、女6)→3年後在籍(男0、女3)

●採用情報●
【人数】23年:18 24年:17 25年:応募75→内定16
【内定内訳】(男10、女6)(文12、理1)(総13、他3)
【試験】〔筆記〕GAB〔性格〕有
【時期】エントリー25.3→内々定25.6*【インターン】有
【採用実績校】中京大2、愛知県大1、関西外大1、京産大1、皇學館大2、中部大2、大阪商大1、名古屋商大1、デ・モントフォート大1、他
【求める人材】物事に対する興味・関心が高く、食欲な吸収力、やり遂げる熱意がある人

【本社】510-0064 三重県四日市市新正5-4-19
☎059-354-5411
【特色・近況】水産物を中心に農畜産物、酒類、飼料など扱う食品専門商社。原料から加工品まで幅広い商品群。原料、加工品合わせ水産品が売上の約7割を占める。日本食材の輸出も行う。米国、オランダ、中国などに現地法人。中国、ベトナムに駐在員事務所を置く。
【設立】1971.7 【資本金】98百万円
【代表取締役】服部敏洋(1967.7生 東海大政経)
【株主】〔23.10〕交洋ホールディングス100%
【事業】水産品41、水産加工品31、農畜産物21、他7 <輸出10>
【従業員】単209名(35.0歳)

【業績】	売上高	営業利益	経常利益	純利益
単21.6	56,443	987	1,158	532
単22.6	74,347	2,463	2,597	1,644
単23.6	81,935	512	619	429

ジーエフシー

東証スタンダード

採用内定数	倍率	3年後離職率	平均年収
5名	14.2倍	25%	560万円

●待遇、制度●
【初任給】月20.6万(固定残業代10時間分)
【残業】10時間【有休】10日【制度】‥
●新卒定着状況●
20年入社(男1、女3)→3年後在籍(男1、女2)
●採用情報●
【人数】23年:7 24年:10 25年:応募71→内定5*
【内定内訳】(男1、女4)(文3、理2)(総5、他0)
【試験】〔性格〕有
【時期】エントリー25.3→内々定25.6(一次はWEB面接可)【インターン】有
【採用実績校】東京農業大1、名古屋学院大1、岐阜大1、岐阜聖徳学大1、大和大1
【求める人材】自分の考えをわかりやすく伝えたり、相手の話に耳を傾けられるコミュニケーション能力を有する人、自ら積極的に考えて行動できる人

【本社】501-6193 岐阜県羽島郡笠松町田代978-1 ☎058-387-8181
【特色・近況】業務用高級食材・半加工食品の一次卸大手。水産物を加工した業務用高級食材では首位。顧客は高級料亭、ホテルから外食、スーパーなどへ拡大。おせちなど年末年始が稼ぎ時。医療・介護食も。アジア市場での拡販や自社ECサイト運営など販路拡大狙う。
【設立】1972.8 【資本金】100百万円
【社長】西村公一(1966.8生 北里大水産卒)
【株主】〔24.3〕㈲ニシムラ25.8%
【連結事業】業務用加工食材100
【従業員】連245名 単219名(43.0歳)

【業績】	売上高	営業利益	経常利益	純利益
連22.3	16,704	▲157	▲59	▲42
連23.3	21,297	657	686	455
連24.3	21,919	850	869	599

#残業が少ない

昭産商事(しょうさんしょうじ)

株式公開していない

採用内定数	倍率	3年後離職率	平均年収
7名	55.9倍	20%	㊕543万円

●待遇、制度●
【初任給】月20.7万(諸手当0.2万円)
【残業】2.7時間【有休】12日【制度】㊟
●新卒定着状況●
20年入社(男3、女2)→3年後在籍(男2、女2)
●採用情報●
【人数】23年:6 24年:6 25年:応募391→内定7
【内定内訳】(男7、女0)(文6、理1)(総7、他0)
【試験】〔Web自宅〕有
【時期】エントリー25.3→内々定 (一次はWEB面接可)【インターン】有
【採用実績校】帝京大2、神奈川大1、近大1、東京経大1、中央学大1、立命館大1
【求める人材】積極性、協調性、主体性のある人

【本社】173-8580 東京都板橋区板橋1-9-3 昭産商事ビル ☎03-3579-7272
【特色・近況】昭和産業の子会社で食品専門商社。小麦粉、油脂、糖類など食品事業だけでなく、配合飼料、飼料原料といった飼料関連商品、保険代理店・リース事業なども手がける。北海道から九州に支店、取引先は約3000社、取扱アイテム約2万点。
【設立】1953.11 【資本金】391百万円
【社長】檜前慶一
【株主】〔24.3〕昭和産業100%
【事業】食品、飼料、リース保険販売
【従業員】単185名(42.0歳)

【業績】	売上高	営業利益	経常利益	純利益
単22.3	53,400	‥	465	319
単23.3	63,600	‥	602	404
単24.3	67,100	‥	683	504

#初任給が高い

常洋水産(じょうようすいさん)

株式公開計画なし

採用内定数	倍率	3年後離職率	平均年収
3名	10倍	16.7%	㊕530万円

●待遇、制度●
【初任給】月30.2万(諸手当4万円、固定残業代23時間分)
【残業】12時間【有休】10日【制度】㋫ ㊟
●新卒定着状況●
20年入社(男6、女0)→3年後在籍(男5、女0)
●採用情報●
【人数】23年:5 24年:1 25年:応募30→内定3*
【内定内訳】(男1、女2)(文2、理1)(総3、他0)
【試験】〔筆記〕常識〔性格〕有
【時期】エントリー24.10→内々定25.4*(一次はWEB面接可)【インターン】有
【採用実績校】東海大1、長崎大1、茨城キリスト大1
【求める人材】明るく元気な人

【本社】310-0004 茨城県水戸市青柳町4566 ☎029-226-2141
【特色・近況】水戸市公設卸売市場内で鮮魚、塩干加工品など扱う水産物卸。市場内に低温売場、低温仕分場を保有。加工食品、菓子、酒類、業務総菜の卸も。冷蔵倉庫や、水戸市公設市場内青果棟屋上などに設けた太陽光発電設備で売電事業も。
【設立】1948.4 【資本金】100百万円
【社長】大谷勉(1953.1生 成城大経済卒)
【株主】〔24.3〕大谷勉46.3%
【事業】鮮魚28、塩干品24、冷凍品16、一般食料品29、他2
【従業員】単180名(42.0歳)

【業績】	売上高	営業利益	経常利益	純利益
単22.3	35,094	‥	352	248
単23.3	36,519	‥	499	329
単24.3	37,843	‥	510	336

㈱昭和（しょうわ）

株式公開未定

採用内定数	倍率	3年後離職率	平均年収
10名	11.8倍	37.9%	‥

●待遇、制度●
【初任給】月26.2万(諸手当0.5万円、固定残業代20.6時間分)
【残業】‥時間【有休】10.5日【制度】住 在
●新卒定着状況●
20年入社(男12、女17)→3年後在籍(男8、女10)
●採用情報● グループ合計
【人数】23年:33 24年:33 25年:応募118→内定10*
【内定内訳】(男5、女5)(文7、理3)(総10、他0)
【試験】〔Web自宅〕SPI3
【時期】エントリー25.3→内々定25.6*(一次はWEB面接可)【インターン】有
【採用実績校】南山大1、名城大2、金城学大1、中部大1、愛知学大2、愛知淑徳大1、名古屋女大1、目白大1
【求める人材】食にこだわりがあり、食を通じて世の中に貢献したいとの思いが強い人

【本部】492-8441 愛知県稲沢市福島町中之町80 ☎0587-34-3400
【特色・近況】東海地区トップ級の総合食品商社。9社で昭和グループ構成。水産品から加工食品、冷凍食品、酒類、ギフトまで取り扱う。卸売・加工から物流・保管まで一貫体制。中京地区のほか関西、北陸、甲信越、関東に「太助」を約60店舗を展開。
【設立】1961.4 【資本金】96百万円
【社長】青山尚正(1965.7生 法大社会卒)
【株主】‥
【事業】水産品・水産加工品50、一般食品17、冷凍食品23、ギフト4、酒類他6
【従業員】単428名(40.0歳)

【業績】	売上高	営業利益	経常利益	純利益
単22.3	118,726	‥	561	546
単23.3	122,825	‥	494	478
単24.3	129,263	‥	602	511

総合食品エスイー（そうごうしょくひん）

株式公開計画なし

採用内定数	倍率	3年後離職率	平均年収
15名	7.3倍	30.8%	㊕654万円

●待遇、制度●
【初任給】月21.6万(固定残業代20時間分)
【残業】15時間【有休】8日【制度】住
●新卒定着状況●
20年入社(男13、女0)→3年後在籍(男9、女0)
●採用情報●
【人数】23年:17 24年:16 25年:応募109→内定15*
【内定内訳】(男15、女0)(文15、理0)(総15、他0)
【試験】なし
【時期】エントリー25.3→内々定25.4*(一次はWEB面接可)【インターン】有
【採用実績校】岐阜協大1、日大1、近大1、大阪経法大1、三重大1、東京農業大1、宮崎大1、常葉大1、流経大1、名古屋外大1、他
【求める人材】元気、活気があって人から良い印象をもたれる人

【本社】612-8443 京都府京都市伏見区竹田藁屋町80 ☎075-621-4525
【特色・近況】京都に本社を置く食肉専門商社。食肉の卸事業を中心に、スライスやミンチした加工食肉の卸なども展開。近畿と関東を中心に、東北から九州に44カ所以上の営業所・加工場を展開。得意先は1万6000店。PB商品も開発・販売。
【設立】1971.9 【資本金】120百万円
【社長】堤庸司(1962.3生 大学卒)
【株主】〔24.1〕西橋浩直14.6%
【事業】食肉卸94、食肉加工5、焼肉レストラン1
【従業員】単454名(38.2歳)

【業績】	売上高	営業利益	経常利益	純利益
単21.7	56,977	1,738	1,994	1,371
単22.7	68,463	1,843	2,064	1,976
単23.7	76,685	1,935	2,089	1,449

中央魚類（ちゅうおうぎょるい）

東証スタンダード

採用内定数	倍率	3年後離職率	平均年収
5名	6.6倍	0%	640万円

●待遇、制度●
【初任給】月24.8万(諸手当1.5万円)
【残業】32.7時間【有休】10.2日【制度】住 在
●新卒定着状況●
20年入社(男8、女1)→3年後在籍(男8、女1)
●採用情報●
【人数】23年:7 24年:10 25年:応募33→内定5
【内定内訳】(男4、女1)(文2、理3)(総5、他0)
【試験】〔性格〕有
【時期】エントリー25.3→内々定25.4(一次はWEB面接可)【インターン】有
【採用実績校】東海大2、鹿児島大1、東京農業大1、東北学大1
【求める人材】チャレンジ精神のある人、粘り強く取り組むことができる人

【本社】135-8108 東京都江東区豊洲6-6-2 ☎03-6633-3000
【特色・近況】水産荷受け大手。市場内取引が多く、豊洲市場での取扱金額はトップクラス。大手荷主は株主のニッスイや極洋など。豊洲市場近接地区ほか関東に物流センターを配置。グループで、水産物の集荷・分荷、冷凍保存、加工、配送など行うサプライチェーン構築。
【設立】1947.7 【資本金】2,995百万円
【社長】今村忠如(1952.1生 早大理工卒)
【株主】〔24.3〕ニッスイ11.1%
【連結事業】水産物卸売93、冷蔵倉庫6、不動産賃貸0、荷役1
【従業員】連782名 単211名(44.5歳)

【業績】	売上高	営業利益	経常利益	純利益
連22.3	121,842	1,981	2,030	1,152
連23.3	137,482	2,014	2,127	1,387
連24.3	137,588	2,465	2,576	2,134

㈱中外食品（ちゅうがいしょくひん）

株式公開未定

採用内定数	倍率	3年後離職率	平均年収
3名	5.3倍	0%	[総]656万円

●待遇、制度●
【初任給】月26.2万（諸手当5.7万円）
【残業】5時間【有休】15.5日【制度】[住]
●新卒定着状況●
20年入社（男1、女0）→3年後在籍（男1、女0）
●採用情報●
【人数】23年:3 24年:1 25年:応募16→内定3*
【内定内訳】（男2、女1）（文2、理1）（総0、他3）
【試験】〔筆記〕GAB〔性格〕有
【時期】エントリー 25.5→内々定25.8
【採用実績校】東海大1、宇都宮大1、日体大1

【求める人材】仕事に意欲的で前向きな人、スピード感のある人、水産物のエキスパートを目指す人

【本社】104-0045 東京都中央区築地3-13-5 ☎03-3542-6671
【特色・近況】サケ・マス、魚卵、銀ダラ、貝類など海外水産資源の開発・輸入と水産食品の加工製造。豊洲仲卸大手の中彦の子会社。食品加工の中外フーズとともにグループ形成。取引先は世界各国におよび、国際レベルでの水産資源開発にも積極的に取り組む。
【設立】1977.3 【資本金】100百万円
【社長】中村亮介（1986.4生 青学大経済卒）
【株主】〔24.2〕中彦100%
【事業】魚卵鮭鱒31、特種37、凍魚32
【従業員】[単]98名（40.0歳）

【業績】	売上高	営業利益	経常利益	純利益
[単]22.2	37,406	554	559	199
[単]23.2	39,399	220	216	125
[単]24.2	35,073	▲949	▲954	▲1,300

中部水産（ちゅうぶすいさん）

名証メイン

採用予定数	倍率	3年後離職率	平均年収
3名	・・	ー	655万円

●待遇、制度●
【初任給】月20.7万（諸手当2万円）
【残業】23.7時間【有休】9.6日【制度】[住]
●新卒定着状況●
20年入社（男0、女0）→3年後在籍（男0、女0）
●採用情報●
【人数】23年:3 24年:0 25年:予定3*
【内定内訳】（男・・、女・・）（文・・、理・・）（総・・、他・・）
【試験】なし
【時期】エントリー 25.3→内々定・・*（一次はWEB面接可）
【採用実績校】・・

【求める人材】人との信頼関係を大切にし、魚介類取扱のプロを目指したい人

【本社】456-0072 愛知県名古屋市熱田区川並町2-22 ☎052-683-3000
【特色・近況】名古屋市中央卸売市場に本拠を置く水産物卸。生鮮水産物が売上の約5割。冷凍魚など海外輸入品も扱う。産地との関係を強化して集荷力を向上。養殖魚の仕入れに注力。中華総菜など取扱い品種を拡大。市場内外での冷蔵保管業、不動産業なども手がける。
【設立】1946.2 【資本金】1,450百万円
【社長】脇坂剛（1957.10生 青学大経営卒）
【株主】〔24.3〕ニッスイ12.4%
【事業】生鮮水産物48、塩冷加工50、冷蔵1、不動産賃貸1
【従業員】[単]84名（45.5歳）

【業績】	売上高	営業利益	経常利益	純利益
[単]22.3	35,533	255	376	393
[単]23.3	34,890	118	241	319
[単]24.3	36,146	345	496	324

ティーエムシー

株式公開計画なし

採用実績数	倍率	3年後離職率	平均年収
1名	ー	50%	・・

●待遇、制度●
【初任給】月25.5万
【残業】14.1時間【有休】14.7日【制度】[住]
●新卒定着状況● 20～21年入社者合計
20年入社（男0、女2）→3年後在籍（男0、女1）
●採用情報● 親会社採用
【人数】23年:1 24年:1 25年:予定減少
【内定内訳】（男・・、女・・）（文・・、理・・）（総・・、他・・）
【試験】〔Web自宅〕有〔性格〕有
【時期】エントリー 25.3→内々定25.6（一次・二次以降もWEB面接可）【インターン】有
【採用実績校】・・

【求める人材】豊かな人間性と自発性の姿勢を持ち、問題を本質から捉え、理解する能力を持った人

【本社】105-5113 東京都港区浜松町2-4-1 世界貿易センタービルディング南館13階 ☎03-5400-2070
【特色・近況】食肉業界大手ハニューフーズの子会社で、輸出入の専門会社。グループが海外で調達し、国内で販売する食肉の輸入通関業務を主に担当。輸入食肉の割合が高いグループ内において、専門性を生かし、早く正確に通関を実施できるかに重点を置く。
【設立】1985.5 【資本金】100百万円
【社長】浅田勘太郎（1973.1生）
【株主】〔24.5〕ハニューフーズ100%
【事業】食肉の輸入代行
【従業員】[単]11名（33.9歳）

【業績】	売上高	営業利益	経常利益	純利益
[単]21.12	117,096	294	166	109
[単]22.12	142,735	431	166	109
[単]23.12	137,536	78	119	78

#有休取得が多い

デリカフーズホールディングス

東証スタンダード

採用内定数	倍率	3年後離職率	平均年収
37名	42.4倍	24.3%	734万円

●待遇、制度●
【初任給】月22万(諸手当1万円、固定残業代0.6万円)
【残業】20時間【有休】18日【制度】住
●新卒定着状況●
20年入社(男24、女13)→3年後在籍(男18、女10)
●採用情報● グループ採用
【人数】23年:43 24年:41 25年:応募1570→内定37*
【内定内訳】(男13、女24)(文‥、理‥)(総20、他17)
【試験】〔筆記〕常識〔性格〕有
【時期】エントリー25.1→内々定25.5*【インターン】有
【採用実績校】東京農業大7、嘉悦大1、千葉商大3、日大院1、東海大1、共立女大1、日女大1、静岡英和学大1、明海大1、帝京大2、東洋大1、他
【求める人材】チャレンジ精神があり、素直に行動できる人、自ら積極的に行動できる人

【本社】121-0073 東京都足立区六町4-12-12
☎03-3858-1037
【特色・近況】外食産業向けのカット野菜と生鮮ホール野菜を供給。生産農家と独自ネットワークを作り、店舗ごとに毎日チルド配送。野菜の非破壊検査を行い、抗酸化力、免疫力表示でブランド化するなど野菜の機能性研究に強み。中食向けも取引先拡大。ECサイトも運営。
【設立】2003.4 【資本金】1,772百万円
【社長】大﨑善保(1971.9生 中京高卒)
【株主】〔24.3〕舘本篤志12.4%
【連結事業】青果物99、物流1、研究開発・分析0、他
【従業員】連779名 単19名(46.2歳)

【業績】	売上高	営業利益	経常利益	純利益
連22.3	39,788	▲397	▲242	▲746
連23.3	47,925	635	769	702
連24.3	52,823	1,134	1,258	1,013

東亜商事(とうあしょうじ)

株式公開未定

採用内定数	倍率	3年後離職率	平均年収
11名	10.9倍	42.9%	‥

●待遇、制度●
【初任給】月23.1万(諸手当0.4万円)
【残業】3.9時間【有休】10.7日【制度】住
●新卒定着状況●
20年入社(男3、女4)→3年後在籍(男1、女3)
●採用情報●
【人数】23年:14 24年:5 25年:応募120→内定11*
【内定内訳】(男6、女5)(文11、理0)(総0、他11)
【試験】〔Web自宅〕SPI3〔性格〕有
【時期】エントリー25.3→内々定25.5(一次はWEB面接可)【インターン】有
【採用実績校】‥
【求める人材】明るく芯の強い、謙虚な姿勢を兼ね備えた人

【本社】101-8530 東京都千代田区神田司町2-19 東亜ビル
☎03-3292-2301
【特色・近況】業務用食材の専業卸上位。グローバル食材や、オリジナル商品、オンリーワン商品の開発・育成に注力。仕入れ先は1000社超。日配チルド品、水産品・畜産品配送等に注力。老健介護食、施設・病院・学校給食等にも食材供給。
【設立】1956.1 【資本金】100百万円
【社長】小山喜之(1955.8生)
【株主】〔23.9〕小山喜之
【事業】一般食品48、冷凍食品37、洋酒12、貿易3
【従業員】単341名(38.3歳)

【業績】	売上高	営業利益	経常利益	純利益
単21.9	127,012	1,057	1,250	762
単22.9	145,679	2,369	2,409	1,414
単23.9	165,318	3,360	3,423	2,247

東海(とうかい)ハニューフーズ

株式公開計画なし

採用内定数	倍率	3年後離職率	平均年収
3名	3.3倍	―	㊙550万円

●待遇、制度●
【初任給】月27.4万(固定残業代21時間分)
【残業】22時間【有休】8日【制度】住
●新卒定着状況●
20年入社(男0、女0)→3年後在籍(男0、女0)
●採用情報●
【人数】23年:1 24年:0 25年:応募10→内定3
【内定内訳】(男2、女1)(文2、理1)(総3、他0)
【試験】なし
【時期】エントリー25.3→内々定25.7(一次はWEB面接可)【インターン】有
【採用実績校】愛知淑徳大、名古屋学芸大、名古屋経大
【求める人材】快活でチャレンジ精神が旺盛な人

【本社】456-0023 愛知県名古屋市熱田区六野1-3-6
☎052-884-2039
【特色・近況】食肉大手ハニューフーズの子会社で、東海・北陸地区の食肉ルートセールスと卸売を行う。ハニューフーズやグループ会社より仕入れ、国産全般の食肉を取り揃える。名古屋本社と岐阜県・養老、石川県・金沢、静岡県・浜松の営業所を拠点に事業を展開。
【設立】2002.6 【資本金】100百万円
【代表取締役】高橋茂樹(1957.12生)
【株主】〔24.5〕ハニューフーズ100%
【事業】食肉の卸売
【従業員】単43名(40.5歳)

【業績】	売上高	営業利益	経常利益	純利益
単21.12	10,481	61	65	43
単22.12	10,818	68	72	49
単23.12	11,131	136	138	98

東京シティ青果（とうきょうシティせいか）

株式公開計画なし

採用内定数	倍率	3年後離職率	平均年収
3名	9倍	18.2%	560万円

●待遇、制度●
【初任給】月21万（諸手当0.5万円）
【残業】21時間 【有休】8.6日 【制度】住 在
●新卒定着状況●
20年入社（男6、女5）→3年後在籍（男6、女3）
●採用情報●
【人数】23年:9 24年:7 25年:応募27→内定3*
【内定内訳】（男2、女1）（文1、理2）（総3、他0）
【試験】〔性格〕有
【時期】エントリー24.12→内々定25.3*(一次はWEB面接可)【インターン】有
【採用実績校】日大1、東京農業大1、麻布大1
【求める人材】前向きに挑戦していく気持ちを持っている人、食べることが好きな人

【本社】135-0061 東京都江東区豊洲6-3-1 東京都中央卸売市場豊洲市場5街区青果棟☎03-6633-9100
【特色・近況】野菜、果実やその加工品の受託販売と購入販売を手がける東京・豊洲で唯一の青果物専門商社。大半は国産で一部輸入品も扱う。IoTを活用した流通システム構築等にも取り組み、物流システムの効率化、品質・衛生管理の向上を図る。
【設立】2002.10 【資本金】400百万円
【社長】森竜哉（1964.7生 甲南大経済卒）
【株主】〔24.3〕東京中央青果100%
【事業】野菜66、果実33
【従業員】単187名（41.7歳）

【業績】	売上高	営業利益	経常利益	純利益
単22.3	78,668	157	125	54
単23.3	81,564	257	308	158
単24.3	85,748	379	561	362

東都水産（とうとすいさん）

東証スタンダード

採用予定数	倍率	3年後離職率	平均年収
約15名	‥	‥	655万円

●待遇、制度●
【初任給】月22.9万（諸手当2.1万円）
【残業】16時間 【有休】8日 【制度】フ 住
●新卒定着状況●
‥
●採用情報●
【人数】23年:15 24年:12 25年:予定約15*
【内定内訳】（男‥、女‥）（文3、理7）（総10、他‥）
【試験】〔筆記〕有〔Web会場〕有〔Web自宅〕有〔性格〕有
【時期】エントリー25.3→内々定25.6(一次はWEB面接可)【インターン】有
【採用実績校】慶大1、青学大1、関西学大1、日大2、国際武道大1、東京農業大1、東海大1、石巻専大1、鹿児島大1
【求める人材】変化に対応できる積極性のある人、挨拶がしっかりできる人、明るく周りから好かれる人

【本社】135-8134 東京都江東区豊洲6-6-2 ☎03-6633-1003
【特色・近況】水産荷受け大手。東京都中央卸売市場の卸会社として設立。独立系。主力は水産物卸だが、加工品製造、冷蔵倉庫、貸しビル事業なども手がける。水産加工のカナダ子会社も収益源。量販店向けなど市場外取引や輸出の拡大も図る。麻生グループが筆頭株主。
【設立】1948.3 【資本金】2,376百万円
【社長】久我勝二（1969.9生 東洋大文卒）
【株主】〔24.3〕合同会社麻生東水ホールディングス37.5%
【連結事業】水産物卸売92、冷蔵倉庫及びその関連事業8、不動産賃貸1
【従業員】連295名 単136名（42.7歳）

【業績】	売上高	営業利益	経常利益	純利益
連22.3	81,113	1,850	2,021	1,597
連23.3	96,361	2,872	3,141	2,698
連24.3	104,802	2,923	3,573	2,488

東北ハニューフーズ（とうほくハニューフーズ）

株式公開計画なし

採用内定数	倍率	3年後離職率	平均年収
2名	3.5倍	0%	㊗547万円

●待遇、制度●
【初任給】月26.3万（固定残業代21時間分）
【残業】34.9時間 【有休】10.2日 【制度】住
●新卒定着状況●
20年入社（男2、女0）→3年後在籍（男2、女0）
●採用情報●
【人数】23年:4 24年:0 25年:応募7→内定2*
【内定内訳】（男1、女1）（文2、理0）（総2、他0）
【試験】なし
【時期】エントリー25.3→内々定25.6【インターン】有
【採用実績校】仙台大、宮城大
【求める人材】‥

【本社】984-0002 宮城県仙台市若林区卸町東2-5-3 ☎022-782-7701
【特色・近況】食肉大手ハニューフーズの子会社で、東北地区の食肉ルートセールスと卸売を行う。仙台本社、岩手県・花巻市と福島県・郡山市の2営業所を拠点に事業を展開。仙台本社は食肉加工工場を有し、仙台名物の牛タンの加工をはじめ、地域量販店向け製品の販売も扱う。
【設立】1987.9 【資本金】100百万円
【代表取締役】高橋茂樹（1957.12生）
【株主】〔24.5〕ハニューフーズ100%
【事業】食肉の加工・販売
【従業員】単56名（39.6歳）

【業績】	売上高	営業利益	経常利益	純利益
単21.12	10,444	163	170	112
単22.12	10,995	61	69	43
単23.12	10,592	82	89	63

#年収高く倍率低い

豊通食料（とよつうしょくりょう）

株式公開計画なし

採用内定数	倍率	3年後離職率	平均年収
9名	21.3倍	12.5%	総 803万円

●待遇、制度●
【初任給】月23.2万
【残業】17.3時間【有休】16.6日【制度】住 在

●新卒定着状況●
20年入社(男2、女6)→3年後在籍(男1、女6)

●採用情報●
【人数】23年:7 24年:1 25年:応募192→内定9
【内定内訳】(男3、女6)(文7、理2)(総7、他2)
【試験】〔Web自宅〕WEB-GAB
【時期】エントリー25.3→内々定25.5(一次はWEB面接可)【インターン】有
【採用実績校】東大院1、東京外大1、成蹊大1、西南学大1、跡見学園女大1、成城大1、鹿児島大1、静岡県大1、名古屋外大1
【求める人材】主体的に行動・挑戦し、目標にコミットして粘り強くやり遂げ、食への興味を持てる人

【本社】108-0075 東京都港区港南2-3-13 品川フロントビル ☎03-4306-8541
【特色・近況】豊田通商グループの総合食料専門商社。高い市場シェアを持つ商品ラインナップ、海外ネットワークを生かした調達力が強み。独自の食料安全管理システムで品質を管理。国内外の製造基盤、マーケティング機能、品質保証機能を生かし加工開発を強化。
【設立】1968.3 【資本金】370百万円
【代表取締役】船戸謙治(1963.9生)
【株主】〔24.3〕豊田通商100%
【事業】加工開発本部31、食品素材本部69 <貿易90>
【従業員】単164名(40.0歳)

【業績】	売上高	営業利益	経常利益	純利益
単22.3	55,716	1,374	1,773	949
単23.3	66,828	723	2,076	1,426
単24.3	71,348	1,133	2,160	1,499

㈱名古屋食糧（なごやしょくりょう）

株式公開計画なし

採用予定数	倍率	3年後離職率	平均年収
2〜3名	−	60%	‥

●待遇、制度●
【初任給】月20万
【残業】11.4時間【有休】9.2日【制度】住

●新卒定着状況●
20年入社(男2、女3)→3年後在籍(男1、女1)

●採用情報●
【人数】23年:8 24年:4 25年:応募67→内定0*
【内定内訳】(男‥、女‥)(文‥、理‥)(総‥、他‥)
【試験】〔性格〕有
【時期】エントリー25.1→内々定25.4*(一次はWEB面接可)【インターン】有【ジョブ型】有
【採用実績校】‥
【求める人材】元気に笑顔で挨拶できる人、協調性のある人、失敗を恐れず何事にも意欲をもってチャレンジできる人

【本社】460-0008 愛知県名古屋市中区栄2-1-1 日土地名古屋ビル4階 ☎052-202-8877
【特色・近況】米穀卸・小売、コメ加工品の開発・製造・販売が主要事業。「Rice Creation」を企業理念に掲げ、コメの新たな価値を創造。提携コメ産地との連携強化やコメ加工品の開発に注力。持株会社の共和食品工業のもと、企業グループ形成。
【設立】1997.7 【資本金】100百万円
【社長】則竹功雄(1955.4生 京産大卒)
【株主】〔24.3〕共和食品工業100%
【事業】米穀類の卸売98、他2
【従業員】単200名(39.6歳)

【業績】	売上高	営業利益	経常利益	純利益
単22.3	37,308	425	437	211
単23.3	37,669	249	262	165
単24.3	40,429	23	43	0

㈱ナシオ

株式公開計画なし

採用内定数	倍率	3年後離職率	平均年収
11名	28.6倍	60%	総 505万円

●待遇、制度●
【初任給】月26.2万(諸手当4.3万円)
【残業】13.4時間【有休】8日【制度】住 在

●新卒定着状況●
20年入社(男3、女12)→3年後在籍(男0、女6)

●採用情報●
【人数】23年:5 24年:11 25年:応募315→内定11
【内定内訳】(男3、女8)(文9、理2)(総11、他0)
【試験】〔Web自宅〕SPI3〔性格〕有
【時期】エントリー25.3→内々定25.6(一次はWEB面接可)【インターン】有
【採用実績校】上智大1、法政大1、関大1、弘前大1、成城大1、他
【求める人材】主体的に行動し相手の意図をしっかりとくみ取り、かゆいところに手が届くような人

【本社】063-0849 北海道札幌市西区八軒9条西10-448-9 ☎011-642-5155
【特色・近況】1911年創業の全国的な菓子卸売業。北海道発の地域卸から日本生協連、大手コンビニとの全国取引指定を獲得して全国卸へと発展。国産材料を使用したオリジナルブランド「ノースカラーズ」を持つ。ECサイトで工場直送品を販売。
【設立】1970.11 【資本金】56百万円
【社長】平元彦(1989.10生 成城大法卒)
【株主】〔23.5〕平元彦55.7%
【事業】菓子卸100 <貿易0>
【従業員】単264名(30.2歳)

【業績】	売上高	営業利益	経常利益	純利益
単21.5	54,389	343	428	‥
単22.5	48,898	933	954	‥
単23.5	53,508	384	440	‥

ニチモウ 東証プライム

採用内定数	倍率	3年後離職率	平均年収
8名	45.3倍	30.8%	[総]816万円

●待遇、制度●
【初任給】月24.1万
【残業】12時間【有休】12.9日【制度】[住]
●新卒定着状況● 20～21年入社者合計
20年入社(男13、女0)→3年後在籍(男9、女0)
●採用情報●
【人数】23年:13 24年:13 25年:応募362→内定8
【内定内訳】(男7、女1)(文1、理7)(総8、他0)
【試験】〔Web自宅〕SPI3〔性格〕有
【時期】エントリー25.3→内々定25.6(一次・二次以降もWEB面接可)【インターン】有
【採用実績校】東京海洋大3、近大1、長崎大1、北大1、山形大1、横国大1
【求める人材】価値観の異なる相手とも協力していける柔軟性、チャレンジ精神、タフネスさがある人

【本社】140-0002 東京都品川区東品川2-2-20 天王洲オーシャンスクエア ☎03-3458-3020
【特色・近況】水産品卸売と魚網・漁具関連販売の海洋事業が2本柱。水産品はすり身、カニなどを輸入し食品加工メーカー、外食産業などに販売。子会社で加工食品製造も。成形機、加熱調理機など食品加工機械や化成品、包装資材なども扱う。養殖事業に注力。
【設立】1919.8 【資本金】6,354百万円
【社長】青木信也(1962.6生 北大水産卒)
【株主】〔24.3〕朝日生命保険6.6%
【連結事業】食品64、海洋17、機械10、資材7、バイオ0、物流2、他0 <海外18>
【従業員】連1,058名 単196名(41.1歳)

【業績】	売上高	営業利益	経常利益	純利益
連22.3	115,469	3,201	3,611	2,754
連23.3	126,829	2,874	3,220	2,437
連24.3	127,756	2,020	2,562	2,349

日成共益(にっせいきょうえき) 株式公開計画なし

採用内定数	倍率	3年後離職率	平均年収
2名	850倍	0%	‥

●待遇、制度●
【初任給】月21.1万(諸手当を除いた数値)
【残業】10時間【有休】13.7日【制度】[住]
●新卒定着状況●
20年入社(男1、女1)→3年後在籍(男1、女1)
●採用情報●
【人数】23年:2 24年:4 25年:応募1700→内定2*
【内定内訳】(男1、女1)(文1、理1)(総2、他0)
【試験】なし
【時期】エントリー25.3→内々定25.6【インターン】有
【採用実績校】‥
【求める人材】様々なことに興味を持ち、失敗を恐れずに行動できる人

【本社】101-0053 東京都千代田区神田美土代町7 ☎03-3293-3741
【特色・近況】食品・化学品が主軸の専門商社。食品部門は乳タンパク、乳製品など食品・加工食品原料、化学品部門は製紙用コーティング材、輸入合板などを扱う。ミルクカゼインを含む乳原料はシェアトップ。ニュージーランドとシンガポールに支店。
【設立】1939.3 【資本金】218百万円
【社長】熊谷和男(1954.8生 学習大法卒)
【株主】〔23.6〕王子ホールディングス11.0%
【事業】工業薬品19、食品75、合板建材6、賃貸収入1 <輸出1>
【従業員】単155名(41.6歳)

【業績】	売上高	営業利益	経常利益	純利益
単21.6	36,853	735	1,531	1,524
単22.6	41,187	1,034	1,886	1,885
単23.6	51,084	953	1,988	1,578

日本アクセス北海道(にっぽんアクセスほっかいどう) 株式公開していない

採用内定数	倍率	3年後離職率	平均年収
7名	7.1倍	0%	587万円

●待遇、制度●
【初任給】月22.3万(諸手当0.8万円)
【残業】19.5時間【有休】13.3日【制度】[フ][住]
●新卒定着状況●
20年入社(男4、女4)→3年後在籍(男4、女4)
●採用情報●
【人数】23年:6 24年:8 25年:応募50→内定7
【内定内訳】(男4、女3)(文7、理0)(総7、他0)
【試験】〔Web会場〕C-GAB〔性格〕有
【時期】エントリー24.6→内々定25.5【インターン】有
【採用実績校】北星学大4、北海学園大1、小樽商大1、名古屋学院大1
【求める人材】主体的に行動し、コミュニケーション能力がある人、フレッシュで柔軟な人

【本社】065-8522 北海道札幌市東区苗穂町9-1-1 ☎011-750-3100
【特色・近況】北海道を営業圏に食品卸や物流センターの運営受託を展開。業務用食品や総菜も扱う。ドライ・チルド・フローズンの3温度帯対応に強み。伊藤忠商事傘下で食品卸大手・日本アクセスの子会社。グループ連携で北海道特産品の全国配送にも注力。
【設立】1958.8 【資本金】310百万円
【社長】黒沢忠寿
【株主】〔24.3〕日本アクセス100%
【事業】食料品、農畜産物、花卉等販売・輸出入・企画開発・分析、他
【従業員】単230名(‥歳)

【業績】	売上高	営業利益	経常利益	純利益
単22.3	97,565	‥	‥	729
単23.3	97,680	‥	‥	744
単24.3	102,558	‥	‥	861

㈱ノースイ [株式公開していない]

採用内定数	倍率	3年後離職率	平均年収
5名	‥	0%	761万円

●待遇、制度●
【初任給】月26.2万
【残業】9.7時間【有休】11.3日【制度】[フ][住]

●新卒定着状況●
20年入社(男2、女2)→3年後在籍(男2、女2)

●採用情報●
【人数】23年:3 24年:8 25年:応募‥→内定5
【内定内訳】(男3、女2)(文1、理4)(総5、他0)
【試験】〔Web自宅〕有〔性格〕有
【時期】エントリー25.2→内々定25.6(一次はWEB面接可)【インターン】有
【採用実績校】東京海洋大1、水産大1、京産大1、東洋大1、日大1
【求める人材】自ら問題や課題を発見しそれに取り組める人、周りの人と協力して課題に取り組める人

【本社】108-0073 東京都港区三田3-11-36 三田日東ダイビル4階 ☎03-5476-0906
【特色・近況】冷凍農水畜産物の専門商社。冷凍食品の製造販売も手がける。業務用主体に販売。総菜などの調理加工品を拡大し、総合食品メーカーを志向。高付加価値型商品の開発を促進。中国やタイ、豪州などで海外生産も展開。札幌から福岡まで6支店。
【設立】1956.5 【資本金】435百万円
【代表取締役】森瀬公一(1961.9生 上智大外国語卒)
【株主】〔24.3〕三井物産
【事業】水産33、冷食67
【従業員】単277名(40.9歳)

【業績】	売上高	営業利益	経常利益	純利益
単22.3	52,982	‥	‥	‥
単23.3	60,728	‥	‥	‥
単24.3	65,752	‥	‥	‥

ハニューフーズ [株式公開計画なし]

採用内定数	倍率	3年後離職率	平均年収
14名	57.7倍	16.7%	[総]700万円

●待遇、制度●
【初任給】月25.5万
【残業】14.1時間【有休】14.7日【制度】[住]

●新卒定着状況●
20年入社(男7、女5)→3年後在籍(男6、女4)

●採用情報●
【人数】23年:13 24年:14 25年:応募808→内定14*
【内定内訳】(男7、女7)(文14、理0)(総13、他1)
【試験】〔Web自宅〕有〔性格〕有
【時期】エントリー25.3→内々定25.6(一次・二次以降もWEB面接可)【インターン】有
【採用実績校】神戸大1、金沢大1、滋賀大1、東京農業大2、日大1、立正大1、龍谷大1、大和大1、昭和女大1、フェリス女学大1、他
【求める人材】豊かな人間性と自発性の姿勢を持ち、問題を本質から捉え、理解する能力を持った人

【本社】542-0081 大阪府大阪市中央区南船場2-11-16 ☎06-6252-9774
【特色・近況】業界トップ級の規模と収益力を有する食肉専門商社。子会社は国内約25社、海外では米国、豪州、中国、韓国に展開。輸入食肉の扱いに強み。米国産牛肉「アメリカンクラウン」、米国産「麦そだち四元豚」など独自ブランド展開。
【設立】1967.12 【資本金】491百万円
【社長】浅田勘太郎(1973.1生)
【株主】〔24.5〕浅田勘太郎51.0%
【連結事業】食肉卸売
【従業員】連1,534名 単238名(39.8歳)

【業績】	売上高	営業利益	経常利益	純利益
連21.12	244,677	7,777	7,937	4,934
連22.12	258,907	6,606	6,715	3,490
連23.12	285,331	10,929	11,332	6,017

弘果弘前中央青果（ひろかひろさきちゅうおうせいか） [株式公開計画なし]

採用内定数	倍率	3年後離職率	平均年収
5名	1.4倍	14.3%	454万円

●待遇、制度●
【初任給】月18.6万
【残業】14時間【有休】12.3日【制度】[住]

●新卒定着状況●
20年入社(男6、女8)→3年後在籍(男5、女7)

●採用情報●
【人数】23年:9 24年:17 25年:応募7→内定5
【内定内訳】(男2、女3)(文‥、理‥)(総0、他5)
【試験】〔筆記〕常識〔性格〕有
【時期】エントリー25.3→内々定25.4【インターン】有
【採用実績校】ＳＫＫ情報ビジネス専2、他
【求める人材】誠実で周りに奉仕でき、創意工夫しながら仕事を進め、現状に満足せず改革に挑戦できる人

【本社】036-8601 青森県弘前市末広1-2-1 ☎0172-27-5511
【特色・近況】弘前市など津軽地域を代表する総合卸売市場を運営。津軽地域6農協、生産者などが出資。生産者と消費者間のパイプ役果たす。青森りんご、野菜、果実、花きなどを扱う。地元農産物や加工品のオリジナルブランド「つがりあん」の普及に注力。
【設立】1971.12 【資本金】99百万円
【社長】葛西静男(1948.8生)
【株主】〔24.3〕大中徹15.1%
【事業】そ菜部15、果実部8、りんご部69、貿易部4、他4
【従業員】単224名(35.5歳)

【業績】	売上高	営業利益	経常利益	純利益
単22.3	33,004	245	274	135
単23.3	31,202	115	264	76
単24.3	34,663	210	265	130

広川（ひろかわ）

株式公開計画なし

採用内定数	倍率	3年後離職率	平均年収
5名	3.4倍	33.3%	459万円

●待遇、制度●
【初任給】月20万
【残業】16.3時間【有休】9.3日【制度】住 在
●新卒定着状況● グループ合計
20年入社(男6、女3)→3年後在籍(男3、女3)
●採用情報● グループ採用
【人数】23年:3 24年:1 25年:応募17→内定5*
【内定内訳】(男4、女1)(文5、理0)(総5、他0)
【試験】〔性格〕有
【時期】エントリー25.3→内々定25.6(一次はWEB面接可)【インターン】有
【採用実績校】広島修道大3、広島経大2
【求める人材】誠実、主体性がある、地元が好き

【本社】733-0002 広島県広島市西区楠木町1-9-10 第二弘億ビル3階 ☎082-291-3156
【特色・近況】家庭用および業務用の食品・食材の卸会社。広島中心に中国・四国地方が販売エリアで、スーパーや小売店が主要顧客。グループで、不動産賃貸、石油・プロパンガスや住宅設備機器の販売も行う。江戸末期の安政年間(1857年)創業。
【設立】1936.3 【資本金】45百万円
【会長】廣川正一(1951.5生 立大経済卒)
【株主】〔23.6〕廣川正一
【事業】食料品卸
【従業員】単166名(45.0歳)

【業績】	売上高	営業利益	経常利益	純利益
単21.6	9,732	‥	‥	‥
単22.6	9,630	‥	‥	‥
単23.6	9,700	‥	‥	‥

福井精米（ふくいせいまい）

株式公開計画なし

採用内定数	倍率	3年後離職率	平均年収
7名	2.3倍	33.3%	‥

●待遇、制度●
【初任給】月20.7万(固定残業代20時間分)
【残業】10時間【有休】10日【制度】‥
●新卒定着状況●
20年入社(男1、女2)→3年後在籍(男0、女2)
●採用情報●
【人数】23年:3 24年:3 25年:応募16→内定7*
【内定内訳】(男4、女3)(文1、理0)(総7、他0)
【試験】なし
【時期】エントリー25.3→内々定25.5*(一次はWEB面接可)【インターン】有【ジョブ型】有
【採用実績校】長浜バイオ大1、福井情報ＩＴクリエイター専1
【求める人材】感謝の心を持ち、自ら考え行動できる人

【本社】918-8171 福井県福井市森行町5-15-2 ☎0776-38-1000
【特色・近況】北陸地盤の業界中堅の米穀卸。大手米穀商として大型精米工場を持ちながら、精米用原料のほとんどを独自に生産農家から仕入れる点に特色。醸造用玄米の加工も手がける。通販サイト「福井の米屋」も運営。コメの品質を徹底追求。
【設立】1976.7 【資本金】80百万円
【代表取締役】樋田光生(1985.4生 筑波大院情報工修了)
【株主】〔24.4〕樋田信男51.2%
【事業】米100
【従業員】連50名 単45名(35.8歳)

【業績】	売上高	営業利益	経常利益	純利益
連22.3	9,114	141	194	193
連23.3	9,394	249	285	278
連24.3	11,421	159	172	83

㈱福岡魚市場（ふくおかうおいちば）

株式公開計画なし

採用内定数	倍率	3年後離職率	平均年収
2名	5倍	0%	‥

●待遇、制度●
【初任給】月22万(諸手当2万円)
【残業】22.5時間【有休】12.9日【制度】‥
●新卒定着状況●
20年入社(男2、女0)→3年後在籍(男2、女0)
●採用情報●
【人数】23年:4 24年:5 25年:応募10→内定2*
【内定内訳】(男2、女0)(文0、理2)(総2、他0)
【試験】〔Web自宅〕SPI3〔性格〕有
【時期】エントリー24.11→内々定25.3(一次・二次以降もWEB面接可)【インターン】有
【採用実績校】鹿児島大1、水産大1
【求める人材】‥

【本社】810-8677 福岡県福岡市中央区長浜3-11-3 福岡市鮮魚市場市場会館301 ☎092-711-6000
【特色・近況】1892年創業の老舗水産物卸。総水揚げ額で国内大手。福岡鮮魚市場のリーダー格で、取扱数量は年間7万t超。世界各国より鮮魚、冷凍加工品も運び込まれる。鮮魚中心に冷凍、加工も。5子会社と水産物食材の福魚グループ形成。
【設立】1963.2 【資本金】100百万円
【社長】川端淳(1959.3生 西南大卒)
【株主】〔24.3〕福岡県魚市場8.5%
【事業】受託販売47、買付販売53
【従業員】単107名(44.4歳)

【業績】	取扱高	営業利益	経常利益	純利益
単22.3	38,603	139	265	151
単23.3	43,876	183	298	199
単24.3	42,496	190	422	266

藤徳物産（ふじとくぶっさん）

株式公開していない

採用内定数	倍率	3年後離職率	平均年収
5名	4.6倍	33.3%	㊙495万円

●待遇、制度●

【初任給】月20.8万
【残業】12.7時間【有休】8.2日【制度】住

●新卒定着状況●

20年入社(男2、女1)→3年後在籍(男1、女1)

●採用情報●

【人数】23年:3 24年:4 25年:応募23→内定5
【内定内訳】(男3、女2)(文5、理0)(総5、他0)
【試験】〔筆記〕SPI3〔性格〕有
【時期】エントリー25.3→内々定25.6*【インターン】有
【採用実績校】岡山理大2、就実大1、ノートルダム清心女大1、神戸学大1
【求める人材】コミュニケーション能力が高く、自分自身で考え、より良い方法を提案し実行できる人

【本社】710-0833 岡山県倉敷市西中新田525-6
☎086-422-2161
【特色・近況】一般食品・酒類・塩干物加工品・冷凍食品・チルド食品・ペットフードなど扱う総合食品卸。総菜・米飯の販売や不動産賃貸、太陽光発電事業のほか、売れる商品提案などの小売店支援も展開。1880年に海産物商として倉敷で創業。三井物産流通グループ傘下。
【設立】1948.7【資本金】319百万円
【社長】渋江透
【株主】三井物産流通グループ
【事業】食品卸売、総菜・米飯販売、不動産賃貸、他
【従業員】単310名(‥歳)

【業績】	売上高	営業利益	経常利益	純利益
単22.3	49,422	‥	‥	163
単23.3	50,834	‥	‥	191
単24.3	51,106	‥	‥	162

フジノ食品（しょくひん）

株式公開計画なし

採用内定数	倍率	3年後離職率	平均年収
1名	5倍	0%	㊙605万円

●待遇、制度●

【初任給】月25万(諸手当2万円、固定残業代18時間分)
【残業】20時間【有休】11日【制度】フ 住 在

●新卒定着状況●

20年入社(男3、女0)→3年後在籍(男3、女0)

●採用情報●

【人数】23年:2 24年:2 25年:応募5→内定1*
【内定内訳】(男1、女0)(文1、理0)(総1、他0)
【試験】〔性格〕有
【時期】エントリー24.11→内々定25.1*(一次はWEB面接可)
【採用実績校】同大1
【求める人材】食に関心の有る人、地域貢献したい人

【本社】522-8505 滋賀県彦根市東沼波町172-2
☎0749-21-1200
【特色・近況】冷凍食品中心に業務用食材を扱う専門商社。滋賀県でシェア首位。ホテル、病院、学校、スーパー、レストラン、外食店などの店舗・施設に商品供給。介護食や非常食なども扱う。近畿・東海・北陸に営業拠点と物流センターを展開。
【設立】1971.8【資本金】56百万円
【社長】藤野貴之(1976.8生 大阪学大国際卒)
【株主】〔24.5〕藤野潔34.3%
【事業】業務用食品・冷凍食品の卸売
【従業員】単176名(46.5歳)

【業績】	売上高	営業利益	経常利益	純利益
単22.5	18,928	‥	‥	15
単23.5	20,699	175	203	202
単24.5	22,028	201	231	171

丸水札幌中央水産（まるすいさっぽろちゅうおうすいさん）

株式公開計画なし

採用内定数	倍率	3年後離職率	平均年収
4名	5倍	57.1%	‥

●待遇、制度●

【初任給】月21.5万(諸手当1.8万円)
【残業】12.4時間【有休】7.2日【制度】住

●新卒定着状況●

20年入社(男4、女3)→3年後在籍(男2、女1)

●採用情報●

【人数】23年:5 24年:5 25年:応募20→内定4*
【内定内訳】(男4、女0)(文1、理3)(総0、他4)
【試験】〔Web自宅〕SPI3〔性格〕有
【時期】エントリー25.3→内々定25.5*(一次はWEB面接可)【インターン】有
【採用実績校】‥
【求める人材】自分から考えて動くことができ、その中で成長意欲を持って取り組める人

【本社】060-8505 北海道札幌市中央区北12条西20-2-1
☎011-643-1234
【特色・近況】鮮魚、冷凍魚介類などの卸売業。札幌市中央卸売市場の水産物業者。「札幌圏の台所」として高品質な商品の安定供給に努力。マルスイ冷蔵などとマルスイグループ形成。アイデアを具現化する「テストキッチン」でオリジナル商品開発を積極推進。
【設立】1960.3【資本金】100百万円
【代表取締役】竹田剛(1959.6生 神奈大経済卒)
【株主】〔24.3〕マルスイホールディングス100%
【事業】鮮魚介類35、冷凍魚介類39、加工製品類26
【従業員】単105名(41.5歳)

【業績】	売上高	営業利益	経常利益	純利益
単22.3	51,150	223	529	497
単23.3	51,274	113	166	140
単24.3	45,317	171	169	156

丸紅シーフーズ（まるべにシーフーズ）

株式公開計画なし

採用内定数	倍率	3年後離職率	平均年収
9名	21.1倍	0%	[総]639万円

●待遇、制度●
【初任給】月23万（諸手当1.5万円）
【残業】13.8時間【有休】14.4日【制度】[住]

●新卒定着状況●
20年入社（男3、女3）→3年後在籍（男3、女3）

●採用情報●
【人数】23年:4 24年:19 25年:応募190→内定9
【内定内訳】（男4、女5）（文6、理3）（総9、他0）
【試験】〔Web会場〕C-GAB〔Web自宅〕玉手箱〔性格〕有
【時期】エントリー25.3→内々定25.5(一次はWEB面接可)
【採用実績校】茨城大1、鹿児島大1、学習院女大1、國學院大1、昭和女大1、実践女大1、津田塾大1、東京海洋大院2
【求める人材】周囲と協調しながら、臨機応変に物事に取り組める人

【本社】108-0023 東京都港区芝浦4-9-25 芝浦スクエアビル ☎03-3769-0031
【特色・近況】丸紅グループの水産専門会社で、海外・国内の水産品・水産加工品の国内物流・販売業務を担う。サケ、魚卵、冷凍魚、エビ、ウナギ、タコ・イカなどフルラインの品ぞろえ。現地買付から加工・製品まで一貫体制で行い、スーパーや百貨店、外食向けに供給。
【設立】1946.12 【資本金】640百万円
【社長】矢野雅之（1964.4生 阪外大中国語卒）
【株主】〔24.3〕丸紅100%
【事業】水産物売買100、冷蔵倉庫0
【従業員】連241名 単189名（41.0歳）

【業績】	売上高	営業利益	経常利益	純利益
連22.3	85,545	1,707	1,760	1,212
連23.3	90,741	1,898	1,941	1,371
連24.3	88,744	1,119	1,155	817

丸紅食料（まるべにしょくりょう）

株式公開計画なし

採用内定数	倍率	3年後離職率	平均年収
2名	54.5倍	0%	‥

●待遇、制度●
【初任給】月22万
【残業】‥時間【有休】‥日【制度】[フ][住][在]

●新卒定着状況●
20年入社（男0、女2）→3年後在籍（男0、女2）

●採用情報●
【人数】23年:5 24年:3 25年:応募109→内定2
【内定内訳】（男1、女1）（文2、理0）（総2、他0）
【試験】なし
【時期】エントリー25.3→内々定25.6
【採用実績校】横浜市大1、中大1
【求める人材】‥

【本社】104-0031 東京都中央区京橋1-12-5 京橋YSビル ☎03-3538-8800
【特色・近況】丸紅の完全子会社の食品専門商社。コーヒー、茶、青果物、小麦粉、菓子原料、農産加工品等を飲料メーカーや食品メーカー、量販店、外食店などに納入。傘下にコーヒー焙煎と茶の加工工場を置きメーカー機能も有する。治療食や介護食にも注力。
【設立】1974.3 【資本金】1,000百万円
【社長】中村一成（1972.4生 東大経済卒）
【株主】〔24.3〕丸紅100%
【事業】茶類、コーヒー、一般加工食品、青果物、小麦粉、砂糖の取り扱い
【従業員】単144名（41.4歳）

【業績】	売上高	営業利益	経常利益	純利益
単22.3	16,997	889	945	652
単23.3	19,082	850	915	635
単24.3	26,441	1,525	1,587	1,030

[株]丸本（まるもと）

株式公開いずれしたい

採用予定数	倍率	3年後離職率	平均年収
5名	−	61.5%	[総]552万円

●待遇、制度●
【初任給】月20.7万
【残業】19時間【有休】9.1日【制度】[住]

●新卒定着状況●
20年入社（男7、女6）→3年後在籍（男3、女2）

●採用情報●
【人数】23年:2 24年:5 25年:応募3→内定0*
【内定内訳】（男‥、女‥）（文‥、理‥）（総‥、他‥）
【試験】〔筆記〕有〔性格〕有
【時期】エントリー25.3→内々定25.5*(一次はWEB面接可)【インターン】有
【採用実績校】‥
【求める人材】自分で問題点を見つけだし、自分で解決できる人

【本社】775-0310 徳島県海部郡海陽町大井大谷41 ☎0884-73-1500
【特色・近況】ブランド地鶏「阿波尾鶏」が主体の食肉・食肉加工品卸。全国の取扱店は500店以上で、年間出荷数200万羽超とトップ級。徳島県では食肉シェアでも首位。大阪に直販2店舗を持つ。生肉加工技術を活かしペットフードも製造。
【設立】1971.4 【資本金】20百万円
【社長】丸本敦（1965.6生 大阪経法大経済卒）
【株主】〔24.3〕クオリティー79.3%
【事業】食肉等の卸売・小売、ペットフード製造・卸売
【従業員】単215名（50.0歳）

【業績】	売上高	営業利益	経常利益	純利益
単22.3	11,227	329	384	265
単23.3	11,993	196	243	242
単24.3	12,251	170	212	211

㈱ミエライス

株式公開計画なし

採用予定数	倍率	3年後離職率	平均年収
1名	−	−	・・

●待遇、制度●
【初任給】月25万(諸手当1.3万円、固定残業代20時間分)
【残業】10時間【有休】6.5日【制度】・・
●新卒定着状況●
20年入社(男0、女0)→3年後在籍(男0、女0)
●採用情報●
【人数】23年:0 24年:1 25年:応募50→内定0*
【内定内訳】(男・・、女・・)(文・・、理・・)(総・・、他・・)
【試験】〔筆記〕SPI3〔性格〕有
【時期】エントリー25.3→内々定25.6
【採用実績校】・・
【求める人材】元気があり、自分の考えを持ち発言できる人

【本社】514-1255 三重県津市庄田町1957 ☎059-256-0311
【特色・近況】米穀製品専門の専門商社。灯油、一般食品も扱う。本社に精米工場と物流倉庫、四日市に物流センターを構える。三重県農業研究所と共同開発した多収性品種「みのりの郷」なども販売。精米工場から直送する宅配サービスも手がける。
【設立】1960.5 【資本金】98百万円
【社長】前川昌治(1954.9生 三重津商高卒)
【株主】〔24.3〕四日市食糧20.2%
【事業】米穀99、一般食品1
【従業員】単34名(36.4歳)

【業績】	売上高	営業利益	経常利益	純利益
単22.3	7,596	73	179	90
単23.3	7,157	183	394	172
単24.3	7,623	248	258	170

三井物産流通グループ(みついぶっさんりゅうつう)

株式公開計画なし

採用内定数	倍率	3年後離職率	平均年収
45名	113.5倍	41%	・・

●待遇、制度●
【初任給】月21万
【残業】・・時間【有休】・・日【制度】住 在
●新卒定着状況● 合併前3社合計
20年入社(男20、女19)→3年後在籍(男12、女11)
●採用情報● 合併前3社合計
【人数】23年:29 24年:48 25年:応募5108→内定45
【内定内訳】(男21、女24)(文39、理6)(総45、他0)
【試験】〔Web自宅〕有〔性格〕有
【時期】エントリー25.1→内々定25.5(一次はWEB面接可)
【採用実績校】明学大4、東京家政大3、法政大2、専大2、神奈川大2、駒澤大2、関西学大2、早大1、上智大1、立命館大1、他
【求める人材】協調性を持ち、変化に対し主体性を持って行動し、最後まで粘り強くやり遂げる人

【本社】105-8466 東京都港区西新橋1-1-1 日比谷フォートタワー22階 ☎03-6700-7100
【特色・近況】三井物産グループで、食品・酒類・ペットフードなどの卸売・販売、輸出入を手がける。商品開発のサポートを行うリテールサポート事業や、パッケージの開発・調達なども行う。全国に物流センターを持つ。24年4月にベンダーサービスなどグループ会社と合併。
【設立】1960.9 【資本金】5,000百万円
【社長】柴田幸介
【株主】〔24.3〕三井物産100%
【事業】食品・酒類・ペットフード等の卸売販売および輸出入
【従業員】単984名(・・歳)

【業績】	売上高	営業利益	経常利益	純利益
連23.3	676,896	729	930	627
単24.3	663,536	231	610	948

24.3期までの業績などは旧三井食品の数値

㈱ヤグチ

株式公開いずれしたい

採用予定数	倍率	3年後離職率	平均年収
6名	・・	14.3%	・・

●待遇、制度●
【初任給】月24.6万(諸手当0.5万円、固定残業代20時間分)
【残業】・・時間【有休】9日【制度】住
●新卒定着状況●
20年入社(男4、女3)→3年後在籍(男3、女3)
●採用情報●
【人数】23年:4 24年:6 25年:予定6*
【内定内訳】(男・・、女・・)(文・・、理・・)(総・・、他・・)
【試験】〔筆記〕常識
【時期】エントリー25.3→内々定25.3*(一次はWEB面接可)【インターン】有
【採用実績校】・・
【求める人材】社訓である「愛、信頼、貢献、幸楽、共生」を体現できる人

【本社】105-0022 東京都港区海岸2-1-21 ☎03-3452-7532
【特色・近況】業務用加工食品・酒類、厨房機器などの一次卸。業務用食品・調味料、酒類、米、野菜や関連資材の卸が中心。取扱品目は約5万アイテム。取引メーカー約1000社。エンドディーラー約3000社。業務用食材検索サイト「食材プロ」運営。
【設立】1952.5 【資本金】100百万円
【代表取締役】萩原啓太郎(1987.5生 慶大院修了)
【株主】〔24.6〕東浜ホールディングス
【事業】食品56、冷食37、食品資材・米・粉・酒7
【従業員】単217名(39.8歳)

【業績】	売上高	営業利益	経常利益	純利益
単22.5	66,235	654	786	500
単23.5	77,871	1,229	1,326	893
単24.5	86,908	1,731	1,842	1,218

㈱ヤマタネ　東証プライム

採用内定数	倍率	3年後離職率	平均年収
14名	‥	‥	㊕690万円

●待遇、制度●
【初任給】月22.2万
【残業】22.6時間【有休】13.2日【制度】住 在
●新卒定着状況●
‥
●採用情報●
【人数】23年:11 24年:9 25年:応募‥→内定14*
【内定内訳】(男8、女6)(文11、理3)(総14、他0)
【試験】〔性格〕有
【時期】エントリー25.3→内々定25.6(一次はWEB面接可)【インターン】有
【採用実績校】関大1、関東学院大1、釧路公大1、清泉女大1、千葉商大1、東京外大1、東京国際大1、東洋大2、日女大1、日大2、武蔵野大1、他
【求める人材】周囲と良好な関係を築き、自ら考えて行動し、好奇心が旺盛でチャレンジ精神のある人

【本社】135-8501 東京都江東区越中島1-2-21 ヤマタネビル ☎03-3820-1111
【特色・近況】物流関連、米穀卸、情報、不動産の4事業を営む。物流は倉庫軸に国内主体で文書保管に強み。米穀卸大手。米穀卸は米価による売上変動が大きい。不動産賃貸が利益に貢献。海外引っ越しサービスも手がけ、170カ国超のネットワークに強み。
【設立】1937.8 【資本金】10,555百万円
【社長】河原田岩夫(1963.12生)
【株主】〔24.3〕日本マスタートラスト信託銀行信託口10.6%
【連結事業】物流関連38、食品関連53、情報関連3、不動産関連7
【従業員】連1,024名 単379名(40.8歳)

【業績】	売上高	営業利益	経常利益	純利益
連22.3	46,765	3,002	2,655	1,832
連23.3	51,090	3,588	3,501	2,150
連24.3	64,512	3,489	3,184	2,442

大和産業（やまとさんぎょう）　株式公開計画なし

採用内定数	倍率	3年後離職率	平均年収
4名	12.5倍	50%	‥

●待遇、制度●
【初任給】月21.5万
【残業】‥時間【有休】8日【制度】住
●新卒定着状況●
20年入社(男3、女3)→3年後在籍(男3、女0)
●採用情報●
【人数】23年:7 24年:6 25年:応募50→内定4
【内定内訳】(男4、女0)(文4、理0)(総4、他0)
【試験】〔筆記〕常識〔Web自宅〕SPI3〔性格〕有
【時期】エントリー25.3→内々定25.5【インターン】有
【採用実績校】愛知大2、中部大1、愛知学大1
【求める人材】自ら考え、判断し、行動できる人、食への探求心のある人

【本社】451-0043 愛知県名古屋市西区新道1-14-4 ☎052-571-1161
【特色・近況】食品原料専門商社。米穀と小麦粉で売上高の8割超占める。米穀は自社ブランド「ヤマトライス」。東海3県中心に札幌から福岡まで支店を設置。愛知県碧南市のライスセンターは統合基準のAIBを導入し安全管理徹底。畜産家や養殖家向け飼料も扱う。
【設立】1949.12 【資本金】310百万円
【社長】川上俊行(1961.3生)
【株主】〔24.3〕名糖産業8.0%
【事業】米穀45、小麦粉33、糖類19、飼料他3
【従業員】単182名(40.0歳)

【業績】	売上高	営業利益	経常利益	純利益
単23.3	125,300	‥	‥	‥
単24.3	133,000	‥	‥	‥

売上高はグループ計

横浜魚類（よこはまぎょるい）　東証スタンダード

採用内定数	倍率	3年後離職率	平均年収
2名	4倍	16.7%	527万円

●待遇、制度●
【初任給】月22.6万(諸手当1万円)
【残業】23時間【有休】7.4日【制度】住
●新卒定着状況●
20年入社(男5、女1)→3年後在籍(男4、女1)
●採用情報●
【人数】23年:1 24年:1 25年:応募8→内定2*
【内定内訳】(男2、女0)(文0、理2)(総2、他0)
【試験】〔筆記〕常識〔性格〕有
【時期】エントリー25.3→内々定25.4*
【採用実績校】東京農業大1、東海大1
【求める人材】「消費者の食の安全を守る」という仕事に対し、責任感や使命感を強く持ち、魚に携わる仕事をしたいと考えている人

【本社】221-0054 神奈川県横浜市神奈川区山内町1 ☎045-459-3800
【特色・近況】水産卸中堅。横浜市や川崎市の中央卸売市場を拠点に水産物の販売・加工を行う。ニッスイが主要株主。鮮魚、冷凍・干物を主体に、加工品や総菜も手がける。横浜南部市場の低温加工・物流設備を活用し、量販店や外食向け加工品の販売強化。
【設立】1947.12 【資本金】829百万円
【社長】松尾英俊(1964.11生 北里大水産卒)
【株主】〔24.3〕ニッスイ19.6%
【事業】鮮魚部門45、冷凍・塩干部門55
【従業員】単85名(44.0歳)

【業績】	売上高	営業利益	経常利益	純利益
単22.3	19,928	▲48	16	11
単23.3	21,002	25	79	54
単24.3	19,925	122	180	162

横浜丸魚（よこはままるうお）

東証スタンダード

採用内定数	倍率	3年後離職率	平均年収
6名	2倍	0%	[総]600万円

●待遇、制度●
【初任給】月27.2万(諸手当4.2万円)
【残業】20.1時間【有休】12日【制度】[フ][住][在]
●新卒定着状況●
20年入社(男3、女1)→3年後在籍(男3、女1)
●採用情報●
【人数】23年:3 24年:4 25年:応募12→内定6*
【内定内訳】(男5、女1)(文0、理6)(総6、他0)
【試験】〔筆記〕常識、他
【時期】エントリー25.3→内々定25.4*【インターン】有
【採用実績校】日大3、東海大2、北里大1
【求める人材】「何ができるか」ではなく「何をしたいか」を持っている人

【本社】221-0054 神奈川県横浜市神奈川区山内町1 ☎045-459-2921
【特色・近況】横浜市中央卸売市場の水産荷受け業者。主要荷主は筆頭株主のマルハニチロ。横浜、川崎に拠点。市場外取引にも積極的で、外食、ホテル、量販店などの卸売りも手がける。地産地消ブランド品の育成など顧客密着型営業を推進。不動産賃貸業も行う。
【設立】1947.10 【資本金】1,541百万円
【社長】小島雅裕(1962.5生 関東学大経済卒)
【株主】〔24.3〕マルハニチロ10.0%
【連結事業】水産物卸売78、水産物販売20、不動産等賃貸0、運送1
【従業員】連179名 単95名(41.3歳)

【業績】	売上高	営業利益	経常利益	純利益
連22.3	37,592	▲152	98	160
連23.3	40,670	122	450	377
連24.3	38,614	277	575	409

オーウエル

東証スタンダード

採用内定数	倍率	3年後離職率	平均年収
2名	28倍	20%	664万円

●待遇、制度●
【初任給】月22.6万(諸手当0.5万円)
【残業】14.4時間【有休】10.2日【制度】[住][在]
●新卒定着状況●
20年入社(男9、女1)→3年後在籍(男8、女0)
●採用情報●
【人数】23年:7 24年:9 25年:応募56→内定2*
【内定内訳】(男0、女2)(文2、理0)(総2、他0)
【試験】〔Web自宅〕有〔性格〕有
【時期】エントリー25.3→内々定25.4(一次はWEB面接可)
【採用実績校】専大1、京都外大1
【求める人材】自分で考え、行動することができる自律型の人

【本社】555-0012 大阪府大阪市西淀川区御幣島5-13-9 ☎06-6473-0138
【特色・近況】塗料や電気・電子部品などを取り扱う商社。塗料関連は建築用塗料や自動車用など工業塗料、防音材・フィルムなどの化成品が中心。塗装ライン工事なども手がける。電気・電子部品は代理店として磁気センサー(ホールIC)供給。アジア中心に海外にも展開。
【設立】1943.11 【資本金】857百万円
【社長】川戸康晴(1971.1生 関大社会卒)
【株主】〔24.3〕日本ペイント8.5%
【連結事業】塗料関連70、電気・電子部品30 <海外15>
【従業員】連637名 単374名(44.5歳)

【業績】	売上高	営業利益	経常利益	純利益
連22.3	56,945	229	501	261
連23.3	64,329	691	983	650
連24.3	71,049	930	1,212	1,526

岡畑産業（おかはたさんぎょう）

株式公開計画なし

採用内定数	倍率	3年後離職率	平均年収
5名	10.8倍	0%	[総]754万円

●待遇、制度●
【初任給】月23.6万
【残業】4.5時間【有休】13.2日【制度】[住][在]
●新卒定着状況●
20年入社(男0、女1)→3年後在籍(男0、女1)
●採用情報●
【人数】23年:4 24年:5 25年:応募54→内定5
【内定内訳】(男5、女0)(文3、理2)(総5、他0)
【試験】なし
【時期】エントリー24.6→内々定25.1(一次はWEB面接可)【インターン】有
【採用実績校】関大1、立命館大1、関西学大1、日大1、鳥取大1
【求める人材】相手の立場になって配慮することができ、困難を乗り越える行動力のある人

【本社】542-0081 大阪府大阪市中央区南船場1-7-11 ☎06-6262-0641
【特色・近況】化学品、電子材料、合成樹脂、工業薬品、界面活性剤などの専門商社。国内外の新規化学物質の検索やサンプル調達、委託生産、原料調達、精製、溶媒の再生なども行う。環境対応を積極的に推進。上海、シンガポール、台北に現地法人。
【設立】1953.6 【資本金】96百万円
【社長】岡畑博之(1961.1生 慶大商卒)
【株主】・・
【事業】無機8、有機60、合成樹脂原料22、合成樹脂製品7、他3 <貿易10>
【従業員】単85名(41.5歳)

【業績】	売上高	営業利益	経常利益	純利益
単22.3	41,753	962	1,186	779
単23.3	43,403	957	1,135	748
単24.3	42,868	986	1,215	814

加藤産商（かとうさんしょう）

株式公開計画なし

採用内定数	倍率	3年後離職率	平均年収
7名	13.6倍	25%	‥

●待遇、制度●
【初任給】月25.3万
【残業】10.9時間【有休】‥日【制度】[住][在]
●新卒定着状況●
20年入社(男2、女2)→3年後在籍(男2、女1)
●採用情報●
【人数】23年:7 24年:5 25年:応募95→内定7*
【内定内訳】(男3、女4)(文6、理1)(総3、他4)
【試験】〔Web自宅〕WEB-GAB〔性格〕有
【時期】エントリー25.1→内々定25.3*(一次はWEB面接可)【インターン】有
【採用実績校】法政大1、東海大1、東京経大1、立正大1、目白大1、大妻女大1、東京家政大1
【求める人材】コミュニケーション能力を活かし、グローバルに活躍できる人

【本社】103-8228 東京都中央区日本橋兜町21-7 ☎03-3668-9430
【特色・近況】合成ゴムを主体に、合成樹脂、工業薬品などの販売および輸出入を行う専門商社。合成ゴム首位級。国内に製造グループ会社2社。マレーシア、中国に海外工場。米国、メキシコ、マレーシア、タイ、インドネシア、ベトナム、中国に現地法人。
【設立】1934.8【資本金】106百万円
【社長】加藤進一(1957.4生 東大工卒)
【株主】〔23.9〕加藤産商ホールディングス100%
【事業】合成ゴム・合成樹脂62、化学工業薬品33、塗料・機械他5 <貿易20>
【従業員】単129名(39.9歳)

【業績】	売上高	営業利益	経常利益	純利益
単21.9	34,478	373	570	350
単22.9	37,466	447	692	343
単23.9	42,558	594	737	392

小池産業（こいけさんぎょう）

株式公開計画なし

採用内定数	倍率	3年後離職率	平均年収
2名	3倍	100%	‥

●待遇、制度●
【初任給】月23.5万
【残業】9.5時間【有休】9日【制度】[住][在]
●新卒定着状況●
20年入社(男1、女0)→3年後在籍(男0、女0)
●採用情報●
【人数】23年:4 24年:4 25年:応募6→内定2*
【内定内訳】(男1、女1)(文2、理0)(総2、他0)
【試験】〔Web自宅〕SPI3〔性格〕有
【時期】エントリー25.4→内々定25.7
【採用実績校】関大1、摂南大1
【求める人材】主体的・能動的に考動でき、発言力と傾聴力に優れる、柔軟性を持つ人、自発的に何事も前向きに取り組める人

【本社】541-0046 大阪府大阪市中央区平野町1-8-7 小池ビル ☎06-6222-5771
【特色・近況】1911年創業のエレクトロニクス関連薬品、電池材料、合樹ゴムなどを扱う独立系の化学品専門商社。国内物流センター3カ所。中国、タイに海外拠点。主力商材のさらなる拡販・強化に加え、化粧品、食品、衛生品など新規分野にも積極的に展開。
【設立】1948.4【資本金】100百万円
【社長】小池優季史(1971.11生 慶大総政策卒)
【株主】〔23.9〕小池優季史33.0%
【事業】電池材料20、合成樹脂15、機能材17、電子機材17、化学品他31 <貿易5>
【従業員】単130名(43.0歳)

【業績】	売上高	営業利益	経常利益	純利益
単21.9	33,418	297	461	469
単22.9	36,253	473	655	351
単23.9	33,202	148	299	72

#年収が高い

弘栄貿易（こうえいぼうえき）

株式公開計画なし

採用実績数	倍率	3年後離職率	平均年収
3名	－	－	[総]877万円

●待遇、制度●
【初任給】月26万(諸手当3万円)
【残業】22.3時間【有休】14.4日【制度】[住][在]
●新卒定着状況●
20年入社(男0、女0)→3年後在籍(男0、女0)
●採用情報●
【人数】23年:0 24年:3 25年:応募0→内定0
【内定内訳】(男‥、女‥)(文‥、理‥)(総‥、他‥)
【試験】なし
【時期】エントリー24.12→内々定25.3*(一次はWEB面接可)
【採用実績校】‥
【求める人材】化学系の知識を持った人、自ら課題を設定・解決できる人

【本社】650-0034 兵庫県神戸市中央区京町71 山本ビル ☎078-393-3021
【特色・近況】合成ゴム、合成樹脂などを扱う化学品専門商社。自動車向け中心に化学品から電子材料まで幅広い素材を取り扱う。特殊化学品に強み。香港、上海、タイ、インドネシア、インド、台湾に現地法人。SDGsにも積極的に取り組む。
【設立】1949.2【資本金】100百万円
【代表取締役】槌橋貴彦(1970.3生 大阪芸大芸術卒)
【株主】〔23.10〕槌橋貴彦13.7%
【事業】合成ゴム、合成樹脂、塗料・接着剤、成型品他
【従業員】単127名(45.6歳)

【業績】	売上高	営業利益	経常利益	純利益
単21.10	43,391	1,059	1,132	586
単22.10	47,080	1,083	1,253	661
単23.10	47,078	989	1,121	862

#残業が少ない

㈱ゴードー

株式公開計画なし

採用内定数	倍率	3年後離職率	平均年収
4名	161.5倍	―	[総]861万円

●待遇、制度●
【初任給】月22.8万(諸手当1.5万円)
【残業】0.3時間【有休】10.6日【制度】[住]
●新卒定着状況●
20年入社(男0、女0)→3年後在籍(男0、女0)
●採用情報●
【人数】23年:12 24年:6 25年:応募646→内定4
【内定内訳】(男0、女4)(文2、理2)(総4、他0)
【試験】〔筆記〕GAB
【時期】エントリー25.3→内々定25.4(一次はWEB面接可)【ジョブ型】有
【採用実績校】東京農業大1、武蔵野大1、福岡工大1、同女大1
【求める人材】チームワークを大切に、明るく元気な人

【本社】103-0021 東京都中央区日本橋本石町4-6-7 ☎03-3241-0750
【特色・近況】石油化学製品やエタノールを扱う独立系の化学品専門商社。商社機能とメーカー機能を併せ持つ。国内に3支店・4工場を展開。技術・知識を武器に営業展開。さまざまなOEM需要に対応。北海道から九州まで販売網を有している。
【設立】1946.2 【資本金】150百万円
【社長】大川内誠(1951.10生)
【株主】‥
【事業】化学工業薬品81、道路関係資材7、飼料および食品類4、アルコール類8
【従業員】単165名(35.5歳)

【業績】	売上高	営業利益	経常利益	純利益
単21.12	26,231	973	1,050	784
単22.12	30,514	1,044	1,143	767
単23.12	28,980	982	1,076	710

㈱コハタ

株式公開計画なし

採用内定数	倍率	3年後離職率	平均年収
1名	7倍	100%	‥

●待遇、制度●
【初任給】月24.2万(固定残業代20時間分)
【残業】15時間【有休】15日【制度】[住]
●新卒定着状況●
20年入社(男0、女1)→3年後在籍(男0、女0)
●採用情報●
【人数】23年:2 24年:2 25年:応募7→内定1*
【内定内訳】(男1、女0)(文0、理1)(総1、他0)
【試験】〔筆記〕常識〔性格〕有
【時期】エントリー24.10→内々定25.2*(一次はWEB面接可)【インターン】有
【採用実績校】酪農学大1
【求める人材】コミュニケーションを大切にし、積極的に挑戦できる人

【本社】079-8555 北海道旭川市永山2条3-2-16 ☎0166-48-0136
【特色・近況】農薬と農業用資材を扱う専門商社。主供給先はJAで、道内最大手。農業向けの建設工事、ヘリコプター・ドローン事業、農業用ドローンスクールなども展開。農機自動操舵システムも扱う。北海道と東北に支店と営業所を構える。1924年創業。
【設立】1955.1 【資本金】75百万円
【社長】木幡光範(1958.8生 拓大政経卒)
【株主】〔24.2〕木幡光範
【事業】農業用薬剤60、農業用資材30、建設関連工事10
【従業員】単137名(42.0歳)

【業績】	売上高	営業利益	経常利益	純利益
単21.12	14,000	380	430	‥
単22.12	13,700	390	450	‥
単23.12	13,500	450	520	‥

#残業が少ない

三京化成(さんきょうかせい)

東証スタンダード

採用内定数	倍率	3年後離職率	平均年収
4名	13倍	50%	[総]676万円

●待遇、制度●
【初任給】月23.6万
【残業】2.8時間【有休】15.4日【制度】[住][在]
●新卒定着状況●
20年入社(男3、女1)→3年後在籍(男1、女1)
●採用情報●
【人数】23年:6 24年:4 25年:応募52→内定4
【内定内訳】(男3、女1)(文1、理3)(総3、他1)
【試験】〔性格〕有
【時期】エントリー25.3→内々定25.4(一次はWEB面接可)
【採用実績校】阪大1、法政大1、千葉工大1、龍谷大1
【求める人材】専門知識を磨き続け、積極的に行動できる人

【本社】541-0057 大阪府大阪市中央区北久宝寺町1-9-8 ☎06-6271-1881
【特色・近況】西日本が地盤の独立系化学品専門商社。各種染料、溶剤、樹脂などを柱に、コンクリート2次製品などの土木・建材分野も扱う。エレクトロニクスや自動車向けが伸長。技術志向型営業を推進。シンガポール、中国、タイ、ベトナムに現地法人。
【設立】1947.2 【資本金】1,716百万円
【社長】小川和夫(1954.1生 京工繊大卒)
【株主】〔24.3〕ブラック・クローバー・リミテッド19.9%
【連結事業】科学80、建装材20
【従業員】連140名 単91名(41.7歳)

【業績】	売上高	営業利益	経常利益	純利益
連22.3	24,239	187	319	62
連23.3	26,738	340	471	303
連24.3	26,227	382	502	346

#残業が少ない

三光（さんこう）

株式公開計画なし

採用内定数	倍率	3年後離職率	平均年収
1名	50倍	0%	㊕636万円

●待遇、制度●
【初任給】月23万
【残業】2.8時間【有休】13.7日【制度】住 在
●新卒定着状況●
20年入社(男1、女1)→3年後在籍(男1、女1)
●採用情報●
【人数】23年:2 24年:1 25年:応募50→内定1*
【内定内訳】(男1、女0)(文1、理0)(総1、他0)
【試験】〔筆記〕SPI3〔Web自宅〕SPI3〔性格〕有
【時期】エントリー24.12→内々定25.2*(一次・二次以降もWEB面接可)【ジョブ型】有
【採用実績校】学習院大1

【求める人材】積極性と素直さ、やる気を持ち、誰からも好かれ自主的に動ける人

【本社】103-0022 東京都中央区日本橋室町4-1-6 クアトロ室町ビル3階 ☎03-5204-0571
【特色・近況】化学薬品と合成樹脂が中心の専門商社。特殊紙用薬品、プラスチック用難燃剤に強み。国内に3工場を持ち、メーカー機能も併営。主力開発商品はフェノール誘導体やサリチル酸誘導体など。海外はドイツ、タイ、米国、中国、ベトナムに現法。
【設立】1949.1 【資本金】386百万円
【社長】髙木義幸(1961.2生 長崎県大経済卒)
【株主】〔24.3〕自社従業員持株会19.2%
【事業】工業薬品65、合成樹脂31、繊維他4
【従業員】単206名(41.9歳)

【業績】	売上高	営業利益	経常利益	純利益
単22.3	32,839	2,598	2,890	1,998
単23.3	32,881	2,196	2,111	1,465
単24.3	30,635	370	661	537

三晶（さんしょう）

株式公開計画なし

採用内定数	倍率	3年後離職率	平均年収
3名	9.7倍	50%	㊕744万円

●待遇、制度●
【初任給】月22.2万(諸手当1万円)
【残業】9.3時間【有休】12日【制度】住 在
●新卒定着状況●
20年入社(男1、女1)→3年後在籍(男0、女1)
●採用情報●
【人数】23年:3 24年:1 25年:応募29→内定3
【内定内訳】(男1、女2)(文1、理2)(総3、他0)
【試験】〔筆記〕有〔Web自宅〕有〔性格〕有
【時期】エントリー25.3→内々定25.5【インターン】有
【採用実績校】岐阜大1、大阪公立大1、近大1

【求める人材】仕事・プライベート共に好奇心を持って学び、新しいことを楽しみながら挑戦できる人

【本社】540-6123 大阪府大阪市中央区城見2-1-61 ☎06-6941-4131
【特色・近況】食品用添加物、工業用薬品、製紙用添加剤の輸出入ならびに国内販売が主事業。高分子添加剤分野で確固たる地位築く。研究所を有し、品質試験や応用技術開発を通じて顧客ニーズに対応する。水溶性天然高分子材の専門商社として発足。
【設立】1955.7 【資本金】96百万円
【社長】唐川敦
【株主】〔24.5〕唐川敦12.4%
【事業】製紙関係55、食品関係38、他7
【従業員】単83名(43.0歳)

【業績】	売上高	営業利益	経常利益	純利益
単21.6	16,713	532	504	281
単22.6	17,725	451	438	299
単23.6	20,207	442	442	285

#年収が高い

三洋貿易（さんようぼうえき）

東証プライム

採用予定数	倍率	3年後離職率	平均年収
15名	‥	0%	1,022万円

●待遇、制度●
【初任給】年405万
【残業】14時間【有休】14日【制度】住 在
●新卒定着状況●
20年入社(男6、女3)→3年後在籍(男6、女3)
●採用情報●
【人数】23年:15 24年:14 25年:予定15*
【内定内訳】(男6、女8)(文9、理5)(総9、他5)
【試験】〔Web自宅〕玉手箱
【時期】エントリー25.3→内々定25.6(一次はWEB面接可)【インターン】有
【採用実績校】慶大1、上智大2、中大1、同大1、阪大1、東理大1、金沢大1、徳島大1、京都工繊大1、九州工大1、大妻女大1、福岡大1、他
【求める人材】誠実な対応で常に挑戦し、最適解を提供できる自燃型人材

【本社】101-0054 東京都千代田区神田錦町2-11 ☎03-3518-1111
【特色・近況】ゴム、化学品、機械機器、自動車部品、科学機器の輸出入・販売を行う化学品商社。自動車内装用部品が主力。バイオマス関連にも注力。米国、中国、タイ、ベトナムなどに海外展開。アフターサービスを含めた一気通貫のソリューションに特徴。
【設立】1947.5 【資本金】1,006百万円
【社長】新谷正伸(1958.6生 早大理工卒)
【株主】〔24.3〕日本マスタートラスト信託銀行信託口9.3%
【連結事業】化成品31、機械資材38、海外現地法人29、他1 <海外36>
【従業員】連687名 単273名(40.7歳)

【業績】	売上高	営業利益	経常利益	純利益
連21.9	89,788	5,506	6,190	4,256
連22.9	111,250	5,319	6,299	4,296
連23.9	122,596	6,740	7,149	4,830

㈱シマキュウ

株式公開計画なし

採用内定数	倍率	3年後離職率	平均年収
3名	2.7倍	0%	‥

●待遇、制度●
【初任給】月24万
【残業】5時間【有休】10日【制度】‥
●新卒定着状況●
20年入社(男0、女2)→3年後在籍(男0、女2)
●採用情報●
【人数】23年:4 24年:3 25年:応募8→内定3
【内定内訳】(男1、女2)(文3、理0)(総0、他3)
【試験】〔Web自宅〕有
【時期】エントリー25.3→内々定25.10(一次はWEB面接可)
【採用実績校】帝京大1、新潟青陵大1、専大1

【求める人材】素直な人・チャレンジ精神のある人・地元の産業やモノづくりへの貢献がしたい人

【本社】940-8510 新潟県長岡市原町1-5-15 ☎0258-24-2700
【特色・近況】産業用高圧ガス・溶接機材、産業機器の専門商社。鋳造材料、工業材料・資材などの販売も行う。高圧ガスは電子、化学、金属、食品、医療向けなど幅広く供給。新潟と東北および北関東が地盤で、国内に6つのガス充填工場、12の支社・営業所を置く。
【設立】1955.6 【資本金】100百万円
【社長】島田隆昭(1958.11生 東京理大工卒)
【株主】〔24.4〕シマキュウホールディングス100%
【事業】高圧ガス20、機械工具28、溶接機械14、鋳鋼機材16、他22
【従業員】単227名(39.0歳)

【業績】	売上高	営業利益	経常利益	純利益
単21.9	11,233	336	406	275
単22.9	12,871	378	486	317
単23.9	13,648	419	521	337

#残業が少ない

㈱島田商会（しまだしょうかい）

株式公開計画なし

採用内定数	倍率	3年後離職率	平均年収
2名	35倍	0%	㊓853万円

●待遇、制度●
【初任給】月23.6万(諸手当0.2万円)
【残業】2.9時間【有休】10.4日【制度】㊟
●新卒定着状況●
20年入社(男3、女1)→3年後在籍(男3、女1)
●採用情報●
【人数】23年:3 24年:4 25年:応募70→内定2*
【内定内訳】(男1、女1)(文2、理0)(総2、他0)
【試験】〔Web自宅〕SPI3〔性格〕有
【時期】エントリー25.3→内々定25.5*(一次・二次以降もWEB面接可)
【採用実績校】新潟県大1、日大1

【求める人材】人との関わりを通じて自分のマンパワーを発揮できる明るくチャレンジ精神旺盛な人

【本社】541-0052 大阪府大阪市中央区安土町3-5-6 ☎06-6262-1531
【特色・近況】無機から有機までの化学品主体に合成樹脂、パルプ関連商品、電子材料関連製品、土木建築資材など取り扱う専門商社。海外は石油化学製品、セルロース由来製品を中心に、中国、韓国、台湾から、東南アジア、インドにかけてビジネス展開。
【設立】1916.2 【資本金】150百万円
【社長】吉田昌泰(1953.5生 関西学大経済)
【株主】〔24.3〕日本製紙19.7%
【事業】化学工業薬品42、合成樹脂30、機能材料・フィルム7、パルプ関連8、土木建築資材14
【従業員】単110名(41.6歳)

【業績】	売上高	営業利益	経常利益	純利益
単22.3	40,565	986	1,068	711
単23.3	42,443	959	1,075	1,073
単24.3	39,979	1,011	1,058	721

昭和興産（しょうわこうさん）

株式公開計画なし

採用内定数	倍率	3年後離職率	平均年収
4名	24.5倍	‥	㊓633万円

●待遇、制度●
【初任給】月25万
【残業】4.2時間【有休】15.4日【制度】㊟㊣
●新卒定着状況●
‥
●採用情報●
【人数】23年:3 24年:3 25年:応募98→内定4
【内定内訳】(男2、女2)(文2、理2)(総4、他0)
【試験】〔Web会場〕SPI3
【時期】エントリー25.3→内々定25.5(一次・二次以降もWEB面接可)
【採用実績校】‥

【求める人材】好奇心を持って、何事にもチャレンジしてみたい人

【本社】107-8452 東京都港区赤坂6-13-18 ☎03-3584-9111
【特色・近況】合成樹脂、化学工業薬品原料が主力の中堅商社。大株主の花王、ADEKAなどが有力取引先。情報電材や産業資材も取り扱う。環境、自動車・情報電子、ライフサイエンス、インフラを重点戦略分野に。海外はタイ、中国・上海、インドネシア、韓国に拠点。
【設立】1943.5 【資本金】550百万円
【社長】横尾崇雄(1962.9生 神奈大卒)
【株主】〔23.12〕花王21.4%
【事業】合成樹脂40、化学品40、産業資材分野13、情報電材6、他1 <貿易13>
【従業員】単165名(40.7歳)

【業績】	売上高	営業利益	経常利益	純利益
単21.12	75,477	1,005	1,590	1,122
単22.12	82,022	1,435	2,090	1,597
単23.12	77,765	1,271	1,908	1,345

#年収が高い

㈱スリーボンド

株式公開計画なし

採用内定数	倍率	3年後離職率	平均年収
32名	44.1倍	15%	㊀949万円

●待遇、制度●
【初任給】月24.3万(諸手当を除いた数値)
【残業】12.4時間【有休】13.8日【制度】住 在
●新卒定着状況●
‥
●採用情報●グループ採用
【人数】23年:44 24年:56 25年:応募1411→内定32*
【内定内訳】(男26、女6)(文18、理14)(総32、他0)
【試験】〔筆記〕常識〔性格〕有
【時期】エントリー25.3→内々定25.4(一次はWEB面接可)【インターン】有【ジョブ型】有
【採用実績校】青学大3、関大2、日大2、同大1、中大1、立教大1、金沢大1、横国大1、三重大1、成蹊大1、他
【求める人材】向上心と協調性を持ち、常にチャレンジしながら成長できる人

【本社】192-0398 東京都八王子市南大沢4-3-3 ☎042-670-5333
【特色・近況】自動車関連、輸送機器、電気・電子、建築・建材向けの工業用シール剤・接着剤の開発・製造・販売。国内トップ級。売り上げの過半が自動車用品市場向け。22カ国に拠点を展開し、米国、中国、インドなどには生産現地法人をもつ。
【設立】1955.5【資本金】300百万円
【社長】上畑祐二
【株主】〔23.12〕スリーボンドホールディングス100%
【事業】工材44、純正53、他3
【従業員】単403名(37.6歳)

【業績】	売上高	営業利益	経常利益	純利益
単21.12	45,479	‥	‥	2,410
単22.12	46,036	‥	‥	1,759
単23.12	49,470	‥	‥	2,721

ソーダニッカ

東証プライム

採用内定数	倍率	3年後離職率	平均年収
22名	10.7倍	12.5%	738万円

●待遇、制度●
【初任給】月23万
【残業】13.6時間【有休】12日【制度】フ 住 在
●新卒定着状況●
20年入社(男6、女2)→3年後在籍(男5、女2)
●採用情報●
【人数】23年:11 24年:5 25年:応募236→内定22
【内定内訳】(男19、女3)(文16、理6)(総21、他1)
【試験】〔Web会場〕SPI3〔Web自宅〕SPI3
【時期】エントリー25.3→内々定25.7(一次・二次以降もWEB面接可)【インターン】有
【採用実績校】日大1、京産大1、獨協大1、早大1、東京農業大院1、二松学舎大1
【求める人材】自律的、積極的に行動できる人

【本社】103-8322 東京都中央区日本橋3-6-2 日本橋フロント ☎03-3245-1802
【特色・近況】独立系化学品商社。苛性ソーダはシェア首位級。排水・排ガスの中和剤や紙・パルプの製造工程が主用途。合成樹脂製品なども手がける。機能材は食品包装材として使用される複合フィルムが中心。ナイロンフィルムで中国、東南アジアを開拓。
【設立】1947.4【資本金】3,762百万円
【取締】目﨑龍二(1963.7生)
【株主】〔24.3〕日本マスタートラスト信託銀行信託口6.6%
【連結事業】化学品67、機能材21、他12
【従業員】連414名 単293名(42.4歳)

【業績】	売上高	営業利益	経常利益	純利益
連22.3	55,508	1,252	1,553	1,367
連23.3	62,744	1,741	2,131	1,506
連24.3	64,134	2,213	2,615	1,850

大都産業(だいとさんぎょう)

株式公開計画なし

採用内定数	倍率	3年後離職率	平均年収
6名	13.7倍	28.6%	㊀638万円

●待遇、制度●
【初任給】月24.7万(諸手当3万円、固定残業代20時間分)
【残業】12.2時間【有休】10日【制度】住 在
●新卒定着状況●
20年入社(男2、女5)→3年後在籍(男1、女4)
●採用情報●
【人数】23年:2 24年:4 25年:応募82→内定6*
【内定内訳】(男4、女2)(文5、理1)(総6、他0)
【試験】なし
【時期】エントリー25.4→内々定25.6(一次・二次以降もWEB面接可)【インターン】有
【採用実績校】龍谷大2、近大1、大阪工大1、奈良大、台湾師範大1
【求める人材】主体性をもって粘り強く取り組める人

【本社】541-0048 大阪府大阪市中央区瓦町2-1-15 瓦町大都ビル ☎06-6202-4128
【特色・近況】産業用化学薬品の専門商社。合成ゴム、樹脂用の各種配合薬品の販売が主力。甲南工場(滋賀)では塗料・接着剤用のエポキシ樹脂硬化剤を生産する。中国、タイ、インドネシア、ベトナムに海外拠点6カ所。1933年創業。
【設立】1950.12【資本金】50百万円
【社長】瀨濤康輝(1971.3生)
【株主】‥
【事業】合成ゴム、ゴムコンパウンド、配合薬品、カーボンブラック他
【従業員】単105名(41.1歳)

【業績】	売上高	営業利益	経常利益	純利益
単22.3	13,143	‥	‥	‥
単23.3	15,576	‥	‥	‥
単24.3	15,635	‥	‥	‥

田中藍（たなかあい）

株式公開計画なし

採用内定数	倍率	3年後離職率	平均年収
7名	‥	33.3%	‥

●待遇、制度●
【初任給】月23.4万
【残業】10.5時間【有休】10.5日【制度】住 在
●新卒定着状況●
20年入社(男3、女0)→3年後在籍(男2、女0)
●採用情報●
【人数】23年:4 24年:5 25年:応募‥→内定7*
【内定内訳】(男4、女3)(文6、理0)(総7、他0)
【試験】試験あり
【時期】エントリー25.2→内々定25.5(一次はWEB面接可)【インターン】有
【採用実績校】久留米大1、筑紫女学大1、関西外大1、西南学大1、桜美林大1、久留米高専1、関西学大1
【求める人材】円滑なコミュニケーションを取りながら変化する状況に合わせて柔軟に対応できる人

【久留米本社】830-0022 福岡県久留米市城南町8-27 ☎0942-32-6331
【特色・近況】ゴム工業薬品、一般工業薬品、合成ゴム樹脂を中心に事業展開する化学品の専門商社。タイ、中国、インド、米国、オランダに拠点。国内では九州を基盤とした地域密着型ビジネスに取り組む。1887年に福岡県久留米市で藍染めで創業。
【設立】1948.7 【資本金】330百万円
【社長】田中達也(1951.6生 慶大商卒)
【株主】〔23.6〕田中藍ホールディングス100%
【事業】無機薬品30、合成ゴム樹脂20、有機薬品15、他35 <輸出10>
【従業員】単136名(38.2歳)

【業績】	売上高	営業利益	経常利益	純利益
単21.6	34,393	376	609	409
単22.6	39,663	562	967	567
単23.6	44,241	1,010	1,370	880

㈱中外（ちゅうがい）

株式公開計画なし

採用内定数	倍率	3年後離職率	平均年収
2名	23.5倍	23.1%	㊧747万円

●待遇、制度●
【初任給】月25万(諸手当0.3万円、固定残業代13時間分)
【残業】19.1時間【有休】14.1日【制度】フ 住 在
●新卒定着状況●
20年入社(男11、女2)→3年後在籍(男9、女1)
●採用情報●
【人数】23年:5 24年:7 25年:応募47→内定2*
【内定内訳】(男2、女0)(文1、理0)(総1、他1)
【試験】〔Web会場〕SPI3〔性格〕有
【時期】エントリー25.3→内々定25.5(一次はWEB面接可)【インターン】有
【採用実績校】愛知淑徳大1
【求める人材】誠実で行動力のある人

【本社】460-0012 愛知県名古屋市中区千代田5-21-11 ☎050-7776-0501
【特色・近況】自動車部品などの製造機能を持つ専門商社。生産部門は自動車向け遮音・吸音・防振材料が主力。商社部門は電子部品、電気・電子絶縁材料など化成品が中心。福岡、仙台、春日井に工場。米国とアジアの計4カ国に現地法人。
【設立】1948.9 【資本金】328百万円
【社長】三輪義勝(1966.11生 愛知大法経)
【株主】‥
【事業】化成品、電気関連、自動車部品、機械関連
【従業員】単338名(40.3歳)

【業績】	売上高	営業利益	経常利益	純利益
単21.12	39,916	‥	‥	‥
単22.12	37,166	‥	‥	‥
単23.12	45,530	‥	‥	‥

㈱槌屋（つちや）

株式公開計画なし

採用内定数	倍率	3年後離職率	平均年収
21名	10.1倍	20.7%	‥

●待遇、制度●
【初任給】月21.3万(諸手当0.3万円)
【残業】7.8時間【有休】13.7日【制度】フ 住 在
●新卒定着状況●
20年入社(男14、女15)→3年後在籍(男12、女11)
●採用情報●
【人数】23年:19 24年:31 25年:応募212→内定21*
【内定内訳】(男11、女10)(文17、理4)(総16、他5)
【試験】〔Web自宅〕SPI3
【時期】エントリー24.12→内々定25.2*(一次はWEB面接可)【インターン】有
【採用実績校】愛知学大3、愛知工業大3、愛知淑徳大3、愛知大3、中京大1、名古屋外大1、名古屋学院大1、三重大1、名城大1、他
【求める人材】何事にも向上心を持って「挑戦」し、自立心を持って「創造」的に取り組む事ができる人

【本社】460-8330 愛知県名古屋市中区上前津2-9-29 ☎052-331-5451
【特色・近況】化学製品が主力の専門商社。製造と研究開発部門を持ち、印刷技術、特殊織物技術、エアゾール充填・溶剤調合技術などを有する。自動車、航空機、OA、機械、医療介護向けなど供給先は多方面。北米、欧州、中国、東南アジアに現地法人。
【設立】1950.12 【資本金】100百万円
【社長】大原鉱一(1977.1生 コロンビア大院修了)
【株主】〔23.8〕槌屋HC100%
【事業】プリント材料・製品、工業用テープ、塗料、合成樹脂、電子部品、他 <輸出2>
【従業員】単548名(39.1歳)

【業績】	売上高	営業利益	経常利益	純利益
単21.8	63,793	‥	‥	‥
単22.8	60,244	‥	‥	‥
単23.8	73,021	‥	‥	‥

東北化学薬品（とうほくかがくやくひん）

東証スタンダード

採用内定数	倍率	3年後離職率	平均年収
6名	3.2倍	40%	[総]576万円

●待遇、制度●
【初任給】月21.9万（諸手当1.5万円）
【残業】20時間【有休】8日【制度】[住][在]

●新卒定着状況●
20年入社（男4、女1）→3年後在籍（男2、女1）

●採用情報●
【人数】23年:7 24年:3 25年:応募19→内定6*
【内定内訳】（男5、女1）（文3、理3）（総6、他0）
【試験】〔筆記〕常識、他〔性格〕有
【時期】エントリー25.3→内々定25.5*(一次はWEB面接可)【インターン】有
【採用実績校】弘前大2、岩手大1、日大1、青森公大1、八戸工大1

【求める人材】能動的で、誠実さとチームワークを持つ人

【本社】036-8655 青森県弘前市大字神田1-3-1
☎0172-33-8131
【特色・近況】化学工業薬品や臨床検査試薬、理化学機器など扱う専門商社。食品添加物や食品加工機器、農業資材も扱う。東北5県と首都圏が営業エリア。生命システム情報研究所で、バイオ系や医薬医療系での遺伝子解析も行う。iPSアカデミア代理店業務も。
【設立】1953.2【資本金】820百万円
【社長】東康之（1980.9生 横国大院国際社修了）
【株主】〔24.3〕東京中小企業投資育成5.2%
【連結事業】化学工業薬品49、臨床検査試薬40、食品10、他1
【従業員】連321名 単244名（45.4歳）

【業績】	売上高	営業利益	経常利益	純利益
連21.9	36,221	713	758	516
連22.9	37,333	944	1,003	657
連23.9	35,094	750	808	556

(株)中島商会（なかしましょうかい）

株式公開計画なし

採用内定数	倍率	3年後離職率	平均年収
20名	2.1倍	11.1%	[総]507万円

●待遇、制度●
【初任給】月20万（諸手当0.5万円、固定残業代10時間分）
【残業】10時間【有休】10日【制度】[住]

●新卒定着状況●
20年入社（男7、女2）→3年後在籍（男6、女2）

●採用情報●
【人数】23年:5 24年:8 25年:応募43→内定20
【内定内訳】（男14、女6）（文10、理0）（総20、他0）
【試験】〔性格〕有
【時期】エントリー24.10→内々定25.3(一次・二次以降もWEB面接可)【インターン】有
【採用実績校】岡山商大3、岡山理大2、広島修道大1、広島経大1、山口大1、香川大1、関西福祉大1

【求める人材】問題解決型の提案力があり、次世代を牽引する向上心のある人

【本社】700-0904 岡山県岡山市北区柳町2-2-23
☎086-232-2711
【特色・近況】塗料、塗装機器の専門商社。住宅、コンビナート、工場、橋梁用などで業界トップ級。関連会社を含め全国・海外40拠点のネットワークで、塗装関連の機材や施工・技術サービスを提供。中国に製造・販売拠点、メキシコに販売拠点。
【設立】1950.4【資本金】50百万円
【社長】中島弘晶（1973.5生 慶大卒）
【株主】〔24.3〕中島範久83.9%
【事業】塗料75、化成品5、塗装設備機器5、他15 <輸出0>
【従業員】単294名（42.2歳）

【業績】	売上高	営業利益	経常利益	純利益
単22.3	18,947	▲31	141	73
単23.3	20,643	153	303	193
単24.3	22,853	170	343	239

中山商事（なかやましょうじ）

株式公開計画なし

採用内定数	倍率	3年後離職率	平均年収
2名	1.5倍	62.5%	[総]457万円

●待遇、制度●
【初任給】月23万（固定残業代30時間分）
【残業】11.7時間【有休】11.8日【制度】[住]

●新卒定着状況●
20年入社（男7、女1）→3年後在籍（男2、女1）

●採用情報●
【人数】23年:3 24年:2 25年:応募3→内定2*
【内定内訳】（男1、女1）（文2、理0）（総2、他0）
【試験】〔Web自宅〕SPI3
【時期】エントリー25.3→内々定25.10*(一次はWEB面接可)
【採用実績校】常磐大1、千葉商大1

【求める人材】コミュニケーションが大事な仕事なので、相手の思いを汲み取ろうと努力できる、誠実で責任感のある人

【本社】317-0075 茨城県日立市相賀町17-9
☎0294-22-5291
【特色・近況】理化学機器、研究用試薬、工業薬品・原料、臨床検査機器、水処理薬品などの科学専門商社。化学・医薬品メーカー、官公庁、大学などが主顧客。ナノテクノロジーやゲノム解析など最先端機器を揃える。9都府県に18営業拠点。
【設立】1949.11【資本金】95百万円
【社長】中山大助（1974.3生 東北薬大卒）
【株主】〔24.4〕中山大助65.0%
【事業】理化学機器38、試薬・化学薬品33、工業薬品15、臨床検査試薬9、水処理薬品3
【従業員】単229名（46.6歳）

【業績】	売上高	営業利益	経常利益	純利益
単22.4	17,613	252	287	182
単23.4	19,232	352	394	249
単24.4	18,487	288	329	295

日新興業（にっしんこうぎょう）

株式公開計画なし

採用予定数	倍率	3年後離職率	平均年収
2名	ー	ー	[総] 720万円

●待遇、制度●
【初任給】月22.9万（諸手当3.7万円）
【残業】9.7時間【有休】8.6日【制度】[住]
●新卒定着状況●
20年入社（男0、女0）→3年後在籍（男0、女0）
●採用情報●
【人数】23年:2 24年:0 25年:応募19→内定0*
【内定内訳】（男‥、女‥）（文‥、理‥）（総‥、他‥）
【試験】〔Web会場〕C-GAB
【時期】エントリー25.3→内々定25.10*（一次はWEB面接可）
【採用実績校】‥
【求める人材】好奇心が強く、行動力のある人

【本社】101-0041 東京都千代田区神田須田町1-26-5 ☎03-3256-1311
【特色・近況】無機化学を主力とする化学工業薬品の専門商社。国内同分野でシェアトップ級。化学薬品のほか合成樹脂も展開。また糖類、小麦粉、油脂、水産物、農産物など幅広く食品原材料を扱う。設備充填物やプラント工事向け製品も。中国、マレーシアに現地法人。
【設立】1946.7 【資本金】300百万円
【社長】福田俊明（1953.12生 慶大商卒）
【株主】〔24.3〕トクヤマ14.0%
【事業】化学薬品68、合成樹脂16、食品11、燃料他5
【従業員】単77名（44.5歳）

【業績】	売上高	営業利益	経常利益	純利益
単22.3	24,662	340	475	353
単23.3	29,928	571	744	369
単24.3	30,387	596	721	547

日曹商事（にっそうしょうじ）

株式公開予定なし

採用内定数	倍率	3年後離職率	平均年収
4名	25倍	50%	[総] 753万円

●待遇、制度●
【初任給】月22万（諸手当1万円）
【残業】14.6時間【有休】15日【制度】[住]
●新卒定着状況●
20年入社（男2、女0）→3年後在籍（男1、女0）
●採用情報●
【人数】23年:4 24年:6 25年:応募100→内定4
【内定内訳】（男2、女2）（文1、理3）（総4、他0）
【試験】〔Web自宅〕有
【時期】エントリー25.1→内々定25.7*
【採用実績校】信州大1、山梨大1、成城大1、近大1
【求める人材】豊かな感性・熱意・行動力のある人、自己管理ができる人

【本社】103-8422 東京都中央区日本橋本町3-3-6 ワカ末ビル ☎03-3270-0701
【特色・近況】汎用化学品や機能性化学品をはじめ、産業機器、合成樹脂、建設関連製品などを取り扱う化学関連専門商社。アグリカルチャー、ヘルスケア、環境、ICTの重要戦略事業分野を中心に展開。新規事業分野への参入も挑戦。日本曹達グループ。
【設立】1939.12 【資本金】401百万円
【社長】町井清貴（1960.4生）
【株主】〔24.3〕日本曹達67.0%
【事業】化学品63、機能製品10、合成樹脂7、産業機器・装置4、建設関連製品3、他13 <貿易47>
【従業員】単149名（43.0歳）

【業績】	売上高	営業利益	経常利益	純利益
単22.3	41,419	1,171	1,349	927
単23.3	50,451	1,520	1,766	1,244
単24.3	45,600	‥	‥	1,259

丸石化学品（まるいしかがくひん）

株式公開計画なし

採用内定数	倍率	3年後離職率	平均年収
3名	5倍	100%	730万円

●待遇、制度●
【初任給】月23万（諸手当を除いた数値）
【残業】10時間【有休】11.2日【制度】[住][在]
●新卒定着状況●
20年入社（男2、女0）→3年後在籍（男0、女0）
●採用情報●
【人数】23年:2 24年:5 25年:応募15→内定3
【内定内訳】（男1、女2）（文2、理1）（総1、他2）
【試験】〔筆記〕SPI3〔Web自宅〕SPI3
【時期】エントリー25.3→内々定25.6（一次はWEB面接可）
【採用実績校】千葉大1、関大1、近大1
【求める人材】自ら考え行動し、仕事を自分事として捉えることのできる人

【本社】530-0005 大阪府大阪市北区中之島2-3-18 中之島フェスティバルタワー ☎06-7637-3227
【特色・近況】自動車向け中心に合成樹脂・ゴム、工業薬品、添加剤、塗料、染料・顔料、水処理薬品など取り扱う、化学品専門商社。東京、名古屋に事業所。タイと上海に現地法人。電子材料関係の新規開発に積極的。海外展開の拡大を推進。1918年創業。
【設立】1927.9 【資本金】100百万円
【代表取締役】佐藤浩司（1964.8生 京産大経済卒）
【株主】〔24.3〕稲畑産業
【事業】合成樹脂・ゴム52、工業薬品20、添加剤19、塗料0、染・顔料7、水処理薬品1、他1 <貿易10>
【従業員】単97名（45.0歳）

【業績】	売上高	営業利益	経常利益	純利益
単22.3	31,069	439	717	514
単23.3	33,697	439	814	209
単24.3	31,523	296	588	1,137

丸善薬品産業（まるぜんやくひんさんぎょう）

株式公開計画なし

採用内定数	倍率	3年後離職率	平均年収
8名	39.4倍	0%	‥

●待遇、制度●
【初任給】月26万（諸手当2万円）
【残業】13時間【有休】12.4日【制度】住
●新卒定着状況●
20年入社（男2、女2）→3年後在籍（男2、女2）
●採用情報●
【人数】23年:4 24年:10 25年:応募315→内定8
【内定内訳】（男5、女3）（文6、理2）（総8、他0）
【試験】〔Web自宅〕SPI3〔性格〕有
【時期】エントリー25.1→内々定25.4（一次はWEB面接可）【インターン】有
【採用実績校】神戸大1、関大2、関西外大1、九大院1、関西学大2、神戸市外大1
【求める人材】積極的に挑戦できる人、周囲と協力できる人、仕事を通じて活躍したいという志のある人

【大阪本部】541-0045 大阪府大阪市中央区道修町2-4-7 ☎06-6206-5669
【特色・近況】化学工業薬品事業の専門商社。建設資材、食品、ファインマテリアル、ライフサイエンスなどへ事業領域を拡大。農薬や化粧品分野も深耕。国内は8拠点。海外は台湾、中国、マレーシア、ドイツ、韓国、タイに拠点。1895年創業。
【設立】1938.3 【資本金】330百万円
【社長】柳原大輔（1975.9生 同大文卒）
【株主】〔23.10〕丸善シェアード・サービス31.7%
【事業】化学品26、水・環境7、ファインマテリアル38、食品14、アグリ7、ライフサイエンス9 <貿易50>
【従業員】単242名（39.4歳）

【業績】	売上高	営業利益	経常利益	純利益
単21.10	65,943	652	1,107	681
単22.10	77,297	1,314	1,472	844
単23.10	77,867	1,427	1,786	1,247

丸紅ケミックス（まるべに）

株式公開計画なし

採用内定数	倍率	3年後離職率	平均年収
3名	‥	‥	‥

●待遇、制度●
【初任給】月26.6万
【残業】‥時間【有休】‥日【制度】住 在
●新卒定着状況●
‥
●採用情報●
【人数】23年:2 24年:4 25年:応募‥→内定3
【内定内訳】（男2、女1）（文1、理2）（総3、他0）
【試験】〔Web自宅〕SPI3〔性格〕有
【時期】エントリー25.1→内々定25.4（一次・二次以降もWEB面接可）
【採用実績校】‥
【求める人材】主体的に考え、行動し、実現する、積極性と前向きさを持った人

【本社】101-0053 東京都千代田区神田美土代町7 住友不動産神田ビル7階 ☎03-4360-3400
【特色・近況】丸紅の完全子会社で同グループの化学品事業の中核会社。有機溶剤、化成品、医薬中間体から、ウレタン原料、工業用ガス、プリンティング材料、合成脂肪酸へ事業拡大。化学品製造のサポート業務、材料開発の請負合成も手がける。
【設立】1972.12 【資本金】650百万円
【社長】衣畑雅寿（1972.3生 京大工卒）
【株主】丸紅100%
【事業】化学品、機械器具、電子部品、無機鉱産物、化粧品、食品、医療品、他
【従業員】単153名（40.9歳）

【業績】	売上高	営業利益	経常利益	純利益
単22.3	12,791	2,318	2,326	1,625
単23.3	15,876	2,934	2,899	2,035
単24.3	20,000	2,506	2,447	1,735

三木産業（みきさんぎょう）

株式公開計画なし

採用内定数	倍率	3年後離職率	平均年収
3名	56.7倍	50%	‥

●待遇、制度●
【初任給】月23万
【残業】10時間【有休】12日【制度】住 在
●新卒定着状況●
20年入社（男2、女0）→3年後在籍（男1、女0）
●採用情報●
【人数】23年:4 24年:3 25年:応募170→内定3*
【内定内訳】（男2、女1）（文1、理2）（総3、他0）
【試験】なし
【時期】エントリー25.1→内々定25.4
【採用実績校】横浜市大1、北里大1、法政大1
【求める人材】経験を積み上げ、応用できる、積極的な人

【本社】103-0027 東京都中央区日本橋3-15-5 ☎03-3271-4186
【特色・近況】コーティング材料、高機能樹脂、生活産業資材、精密化学品、光学電子材料など扱う化学品専門商社。総本店は徳島県。海外は米国、ドイツ、タイ、中国、インドネシアに現地法人。自動車向け材料や電子材料、ヘルスケアの3分野に注力。1674年創業。
【設立】1918.4 【資本金】100百万円
【社長】三木緑（1954.5生）
【株主】〔24.3〕三木文庫24.6%
【事業】コーティング材料15、高機能樹脂31、生活産業資材18、精密化学品他36 <貿易27>
【従業員】単218名（42.1歳）

【業績】	売上高	営業利益	経常利益	純利益
単22.3	66,582	1,033	1,271	875
単23.3	73,550	1,190	1,487	1,023
単24.3	70,387	993	1,302	1,063

㈱明成商会（めいせいしょうかい）

株式公開計画なし

採用内定数	倍率	3年後離職率	平均年収
2名	144倍	50%	[総]614万円

●待遇、制度●
【初任給】月22.7万
【残業】5.5時間【有休】12.5日【制度】[フ][住][在]

●新卒定着状況●
20年入社(男0、女2)→3年後在籍(男0、女1)

●採用情報●
【人数】23年:3 24年:3 25年:応募288→内定2*
【内定内訳】(男1、女1)(文1、理1)(総2、他0)
【試験】〔性格〕有
【時期】エントリー25.3→内々定25.5(一次はWEB面接可)【インターン】有
【採用実績校】甲南大1、福島大1

【求める人材】コミュニケーションを取りながら、主体的に物事に取組むことができる人

【本社】103-0023 東京都中央区日本橋本町4-8-14 東京建物第3室町ビル ☎03-5299-6211
【特色・近況】化学品原料、合成樹脂、電子材料、医薬・農薬、家電部材など各種化学品を取り扱う化学品専門商社。環境関連事業では太陽光発電システムの提案・販売も。TCSグループ。中国、シンガポール、マレーシア、インド、ベトナムに拠点。
【設立】1947.10 【資本金】302百万円
【社長】川辺孝治(1957.5生 京大法卒)
【株主】〔24.3〕TCS-2投資事業有限責任組合38.9%
【事業】化学品37、エレクトロニクス・ソリューション38、環境21、他4
【従業員】単110名(45.1歳)

【業績】	売上高	営業利益	経常利益	純利益
単22.3	29,278	362	430	201
単23.3	31,332	487	570	545
単24.3	26,657	153	237	112

森六ホールディングス（もりろく）

東証プライム

採用内定数	倍率	3年後離職率	平均年収
12名	‥	12.5%	724万円

●待遇、制度●
【初任給】月24万(諸手当2万円)
【残業】19時間【有休】13.9日【制度】[フ][住][在]

●新卒定着状況●
20年入社(男12、女4)→3年後在籍(男10、女4)

●採用情報● グループ採用 総合職のみ
【人数】23年:19 24年:14 25年:応募‥→内定12*
【内定内訳】(男7、女5)(文9、理1)(総12、他0)
【試験】〔Web自宅〕SPI3〔性格〕有
【時期】エントリー24.12→内々定25.3*(一次・二次以降もWEB面接可)
【採用実績校】弘前大、宇都宮大、早大、中大、明大、立命館大、愛知大、愛知学大、ホンダテクニカルカレッジ関東専
【求める人材】変化に柔軟に対応できる人、グローバルに働くことに対して意欲のある人

【本社】107-0062 東京都港区南青山1-1-1 新青山ビル東館 ☎03-3403-6102
【特色・近況】樹脂加工製品事業とケミカル事業が2本柱。樹脂加工は自動車用部品が主体で、ホンダ向けが9割。ケミカルは機能性点滴バッグで高シェア。基礎化学品や農医薬中間体、農薬・肥料など幅広く製造。中国・北米中心にグローバル展開し、海外売上高比率が高い。
【設立】1916.3 【資本金】1,640百万円
【取締】黒瀬直樹(1969.5生)
【株主】〔24.3〕日本カストディ銀信託口(三井化) 9.1%
【連結事業】樹脂加工製品82、ケミカル18 <海外74>
【従業員】連4,447名 単69名(44.2歳)

【業績】	売上高	営業利益	経常利益	純利益
連22.3	128,842	2,846	2,965	4,259
連23.3	142,019	1,335	1,596	1,346
連24.3	145,638	5,706	6,183	3,022

㈱八木熊（やぎくま）

株式公開計画なし

採用内定数	倍率	3年後離職率	平均年収
2名	7.5倍	0%	‥

●待遇、制度●
【初任給】月23万(諸手当3万円)
【残業】14時間【有休】10日【制度】[住][在]

●新卒定着状況●
20年入社(男1、女0)→3年後在籍(男1、女0)

●採用情報●
【人数】23年:7 24年:2 25年:応募15→内定2
【内定内訳】(男2、女0)(文2、理0)(総2、他0)
【試験】〔Web自宅〕SPI3
【時期】エントリー24.4→内々定25.5(一次・二次以降もWEB面接可)【インターン】有
【採用実績校】日大1、仁愛大1

【求める人材】創造力豊かで、何事にもチャレンジ精神を持って行動できる人

【本社】910-8586 福井県福井市照手2-6-16 ☎0776-22-3300
【特色・近況】住宅設備資材、合成樹脂関連が主力の専門商社。化成品なども扱う。合成樹脂の成形工場を持ち、メーカー機能を併せ持つ。ブロックやコーンなどの規制機材も製造・販売する。1895年八木熊吉が絹織物に使用する糊材の製造で創業。
【設立】1940.9 【資本金】25百万円
【社長】八木信二郎(1965.10生 オレゴン州大経済卒)
【株主】〔24.3〕八木信二郎37.5%
【事業】住生活環境24、セーフティ10、事業開発66
【従業員】単121名(42.7歳)

【業績】	売上高	営業利益	経常利益	純利益
単22.3	8,855	200	319	293
単23.3	9,675	160	330	339
単24.3	9,325	135	390	368

山本通産（やまもとつうさん）

株式公開していない

採用内定数	倍率	3年後離職率	平均年収
5名	3倍	0%	[総]645万円

●待遇、制度●
【初任給】月25.5万（諸手当0.2万円、固定残業代10時間分）
【残業】14.7時間【有休】12.1日【制度】[住][在]

●新卒定着状況●
20年入社（男1、女1）→3年後在籍（男1、女1）

●採用情報●
【人数】23年:4 24年:3 25年:応募15→内定5*
【内定内訳】（男3、女2）（文4、理1）（総5、他0）
【試験】〔筆記〕常識〔性格〕有
【時期】エントリー24.11→内々定24.12*(一次はWEB面接可)
【採用実績校】千葉工大1、東海大1、名古屋外大1

【求める人材】好奇心旺盛で新しいことにチャレンジできる人

【本社】541-0059 大阪府大阪市中央区博労町1-7-16 ☎06-6252-2131
【特色・近況】有機・無機・光輝性の顔料、染料、樹脂、添加剤（紫外線吸収、抗菌など）のほか、色計測機器など精密機器も扱う化学品専門商社。東京・大手町と名古屋に事業所、大阪に物流センター。海外はタイ、韓国、中国、マレーシアなどに現地法人。
【設立】1953.12 【資本金】96百万円
【代表取締役】郡司哲雄（1954.12生 慶大経済卒）
【株主】〔23.12〕大阪中小企業投資育成19.6%
【事業】化学品および精密機器100
【従業員】連160名 単106名（42.2歳）

【業績】	売上高	営業利益	経常利益	純利益
単21.12	22,772	634	724	509
単22.12	24,344	457	552	417
連23.12	26,684	828	923	1,019

アイティーアイ

株式公開計画なし

採用内定数	倍率	3年後離職率	平均年収
11名	3.6倍	43.7%	[総]722万円

●待遇、制度●
【初任給】月25.3万（諸手当0.6万円、固定残業代5.4万円）
【残業】6.4時間【有休】8.6日【制度】‥

●新卒定着状況●
20年入社（男11、女5）→3年後在籍（男7、女2）

●採用情報●
【人数】23年:12 24年:13 25年:応募40→内定11*
【内定内訳】（男10、女1）（文8、理3）（総10、他1）
【試験】〔筆記〕SPI3〔Web自宅〕SPI3
【時期】エントリー25.3→内々定25.5*(一次・二次以降もWEB面接可)【インターン】有
【採用実績校】山口大1、長崎大1、琉球大1、東京経大1、熊本大1、志學館大2、日本文理大1、久留米大1、九州保健福祉大1、東亜大1
【求める人材】仕事を通じて自己を成長させたい人、ポジティブ志向の人、ひたむきに仕事に取り組む人

【本社】850-0032 長崎県長崎市興善町6-7 ☎095-821-2111
【特色・近況】九州・沖縄地盤の医療機器、医療材料の販売会社。先端医療機器販売から病院設備の取付まで一貫。計測機器や水処理用設備など産業機械も扱う。熊本で訪問看護ステーションを運営。アスクルとの契約でカタログ販売サービスも行う。
【設立】1967.7 【資本金】215百万円
【代表取締役】市川誠一郎（1968.2生 慶大法卒）
【株主】‥
【事業】透析関連、医療機器、医療消耗品、他
【従業員】単720名（‥歳）

【業績】	売上高	営業利益	経常利益	純利益
単21.6	100,240	‥	‥	334
単22.6	100,260	‥	‥	885
単23.6	107,690	‥	‥	830

大木ヘルスケアホールディングス

東証スタンダード

採用内定数	倍率	3年後離職率	平均年収
27名	4.4倍	15.8%	551万円

●待遇、制度●
【初任給】月26.9万（諸手当7.9万円）
【残業】26時間【有休】8.7日【制度】[住][在]

●新卒定着状況●
20年入社（男4、女15）→3年後在籍（男4、女12）

●採用情報● グループ採用
【人数】23年:23 24年:26 25年:応募120→内定27*
【内定内訳】（男12、女15）（文25、理2）（総27、他0）
【試験】〔筆記〕常識、他
【時期】エントリー25.3→内々定25.6(一次はWEB面接可)【ジョブ型】有
【採用実績校】‥

【求める人材】自ら思考し行動できる人、問題意識を常に持ち、具体的に提案し議論を厭わない人

【本社】112-0013 東京都文京区音羽2-1-4 ☎03-6892-0710
【特色・近況】一般医薬品卸で3強の一角。薬粧卸業界内シェアはグループで3割強。メーカー機能を持つ子会社の大木製薬を活用し、PB商品やストアブランド品も展開。一般薬のほか、健康食品や化粧品、園芸用品、介護商品など幅広く扱う。創業は1658年。
【設立】2015.10 【資本金】2,486百万円
【社長】松井秀正（1974.6生 帝京大文卒）
【株主】〔24.3〕ロート製薬12.5%
【連結事業】医薬品等卸売98、医薬品等製造1、医薬品等小売1
【従業員】連632名 単468名（39.1歳）

【業績】	売上高	営業利益	経常利益	純利益
連22.3	278,162	631	1,583	972
連23.3	304,445	2,059	3,153	2,182
連24.3	334,661	2,042	3,259	2,210

ケーオーデンタル

株式公開計画なし

採用内定数	倍率	3年後離職率	平均年収
13名	20.9倍	9.5%	627万円

●待遇、制度●
【初任給】月23.2万
【残業】29.5時間【有休】13.7日【制度】住
●新卒定着状況●
20年入社(男14、女7)→3年後在籍(男12、女7)
●採用情報●
【人数】23年:22 24年:20 25年:応募272→内定13*
【内定内訳】(男11、女2)(文12、理1)(総13、他0)
【試験】〔性格〕有
【時期】エントリー24.10→内々定25.1(一次はWEB面接可)【インターン】有
【採用実績校】成蹊大1、神奈川大1、日大1、駒澤大1、専大1、他
【求める人材】考え・行動が前向きかつ、態度が真っ直ぐを概ね達成できる人

【本社】163-0553 東京都新宿区西新宿1-26-2 新宿野村ビル19階 ☎03-3344-1181
【特色・近況】歯科医療機器、材料・薬品の専門商社。国内外のメーカー製品のほか、PB製品も扱う。東京、埼玉、千葉、神奈川など関東中心に営業所を展開。開業支援、医療機器メンテナンス、歯科技工物の集配も。歯科医院向けセミナー、イベントも実施。
【設立】1963.3 【資本金】97百万円
【社長】小坪奉文(1949.9生)
【株主】‥
【事業】歯科用材料・薬品70、歯科用機械10、歯科用金属20 <輸出0>
【従業員】単770名(39.4歳)

【業績】	売上高	営業利益	経常利益	純利益
単21.12	52,910	939	1,283	926
単22.12	55,641	847	1,228	861
単23.12	51,867	643	1,041	750

ティーエスアルフレッサ

株式公開計画なし

採用内定数	倍率	3年後離職率	平均年収
13名	5.2倍	0%	‥

●待遇、制度●
【初任給】月23.1万(諸手当3.5万円)
【残業】‥時間【有休】12.3日【制度】住
●新卒定着状況●
20年入社(男14、女4)→3年後在籍(男14、女4)
●採用情報●
【人数】23年:27 24年:18 25年:応募68→内定13
【内定内訳】(男8、女5)(文9、理4)(総13、他0)
【試験】〔性格〕有
【時期】エントリー25.3→内々定25.6(一次・二次以降もWEB面接可)【インターン】有
【採用実績校】‥
【求める人材】医療に興味・関心を持ち、素直で礼儀正しく、何事にも前向きにチャレンジできる人

【本社】733-8633 広島県広島市西区商工センター1-2-19 ☎082-501-0222
【特色・近況】アルフレッサHD傘下の医療用医薬品卸中堅。中国地方全域に営業拠点を置き、地域密着営業を展開。医療機器・検査試薬も売上の3割占める。医療機関の新規開業支援や経営改善支援、医療向けSPDやDXなども展開。宇部と尾道に物流センターを置く。
【設立】1947.4 【資本金】1,144百万円
【社長】髙橋卓詩(1979.6生 同大経済卒)
【株主】〔24.3〕アルフレッサ ホールディングス100%
【事業】医療用医薬品、医療機器・衛生材料、試薬、他
【従業員】単709名(‥歳)

【業績】	売上高	営業利益	経常利益	純利益
単22.3	161,331	1,975	2,280	2,363
単23.3	166,481	1,609	1,904	1,334
単24.3	172,810	1,750	2,061	1,452

東海教育産業(とうかいきょういくさんぎょう)

株式公開計画なし

採用内定数	倍率	3年後離職率	平均年収
1名	3倍	100%	㊗533万円

●待遇、制度●
【初任給】月21.9万(諸手当2.9万円)
【残業】12時間【有休】8.3日【制度】住
●新卒定着状況●
20年入社(男1、女0)→3年後在籍(男0、女0)
●採用情報●
【人数】23年:4 24年:1 25年:応募3→内定1*
【内定内訳】(男1、女0)(文0、理1)(総1、他0)
【試験】〔筆記〕常識〔性格〕有
【時期】エントリー25.4→内々定25.6*(一次はWEB面接可)【インターン】有
【採用実績校】神奈川大
【求める人材】自分で考え行動のできる人

【本社】259-1143 神奈川県伊勢原市下糟屋164 ☎0463-92-1881
【特色・近況】東海大グループの資材調達会社。大学向け理化学機器や研究機器などの販売・設置、医療施設向け医薬品や医療材料などの販売を行う。大学と連携した視察や語学留学など旅行業務や、医療関連システムも扱う。傘下に調剤薬局、介護支援業務など多彩な子会社群。
【設立】1965.4 【資本金】60百万円
【社長】片瀬敏行(東海大卒)
【株主】〔24.3〕東海大学25.0%
【事業】医薬品40、医療用品30、電子計算機15、事務用機器10、他5
【従業員】単214名(42.3歳)

【業績】	売上高	営業利益	経常利益	純利益
単22.3	37,591	314	204	285
単23.3	40,049	390	315	356
単24.3	38,766	313	175	290

東北アルフレッサ（とうほく）

株式公開計画なし

採用内定数	倍率	3年後離職率	平均年収
15名	6.9倍	50%	㊙488万円

●待遇、制度●
【初任給】月24万（諸手当5万円）
【残業】8.8時間【有休】11日【制度】フ 住
●新卒定着状況●
20年入社（男5、女7）→3年後在籍（男5、女1）
●採用情報●
【人数】23年:11 24年:18 25年:応募103→内定15
【内定内訳】（男5、女10）（文‥、理‥）（総0、他15）
【試験】〔Web自宅〕SPI3〔性格〕有
【時期】エントリー25.3→内々定25.5(一次はWEB面接可)【インターン】有
【採用実績校】東北学大6、東北医薬大2、東北福祉大1、尚絅学大1、東邦大1、拓大1、桜の聖母短大1、山形大1、広島国際大1
【求める人材】変化にスピーディーに対応し、ねばり強く物事に向かっていける人

【本社】984-0015 宮城県仙台市若林区卸町4-8-5 ☎022-290-8210
【特色・近況】アルフレッサHD傘下の医薬品専門商社。東北6県で営業展開。医薬品・ワクチン・麻薬・血液製剤などの医療用医薬品販売が主。臨床検査薬・衛生材料・医療用機器なども取り扱う。新規開業、研修などの顧客サポートも。
【設立】1971.2 【資本金】105百万円
【社長】内田信也
【株主】〔24.3〕アルフレッサ100%
【事業】医療用医薬品、他
【従業員】単824名（41.0歳）

【業績】	売上高	営業利益	経常利益	純利益
単22.3	156,396	‥	681	446
単23.3	156,592	‥	1,200	733
単24.3	157,343	‥	1,241	1,006

中北薬品（なかきたやくひん）

株式公開計画なし

採用予定数	倍率	3年後離職率	平均年収
27名	‥	37.3%	‥

●待遇、制度●
【初任給】月20.9万
【残業】‥時間【有休】‥日【制度】フ 住 在
●新卒定着状況●
20年入社（男31、女52）→3年後在籍（男20、女32）
●採用情報●
【人数】23年:32 24年:22 25年:予定27
【内定内訳】（男‥、女‥）（文‥、理‥）（総‥、他‥）
【試験】〔Web自宅〕WEB-GAB
【時期】エントリー通年→内々定通年(一次はWEB面接可)【インターン】有
【採用実績校】‥
【求める人材】‥

【本社】460-8515 愛知県名古屋市中区丸の内3-5-15 油伊ビル ☎052-971-3681
【特色・近況】愛知、静岡中心に9県に事業所を置く医薬品販売会社。1726年油屋で創業。医家向けが売上の9割。地方医薬品卸9社の提携グループ「葦の会」の一員。医薬品の開発・製造と受託生産、化粧品・健康食品の企画開発・製造も手がける。
【設立】1914.11 【資本金】867百万円
【社長】中北馨介（1963.4生 北里大薬卒）
【株主】‥
【事業】医薬品90、医療用機器用具3、診断用試薬2、他5
【従業員】単961名（‥歳）

【業績】	売上高	営業利益	経常利益	純利益
単22.3	215,672	‥	‥	▲973
単23.3	214,604	‥	‥	▲309
単24.3	215,603	‥	‥	523

日邦薬品工業（にっぽうやくひんこうぎょう）

株式公開計画なし

採用内定数	倍率	3年後離職率	平均年収
3名	8.3倍	25%	‥

●待遇、制度●
【初任給】月21.6万（諸手当1万円）
【残業】15.1時間【有休】11.4日【制度】住 在
●新卒定着状況●
20年入社（男0、女4）→3年後在籍（男0、女3）
●採用情報●
【人数】23年:6 24年:7 25年:応募25→内定3*
【内定内訳】（男3、女0）（文1、理2）（総0、他3）
【試験】〔筆記〕常識〔性格〕有
【時期】エントリー25.3→内々定25.4*(一次はWEB面接可)【ジョブ型】有
【採用実績校】大阪経大1、静岡県大1、近大1
【求める人材】感謝の心で互いの信頼を深め合い、目標に向かってチャレンジする人

【本社】151-0053 東京都渋谷区代々木3-46-16 ☎03-3370-7174
【特色・近況】薬局・薬店に対し、一般用医薬品(OTC医薬品)はじめ、化粧品、衛生用品、漢方薬、健康食品などを卸販売。北海道から九州に営業拠点を置き、個人経営の薬局・薬店を中心に全国約2500店が顧客。薬局オーナーの団体を母体に設立。
【設立】1950.7 【資本金】201百万円
【社長】中田雅之
【株主】〔24.1〕全国主要薬局
【事業】医薬品・医薬部外品・動物用医薬品等の販売、食品の販売、他
【従業員】単125名（43.4歳）

【業績】	売上高	営業利益	経常利益	純利益
単22.1	9,818	85	121	69
単23.1	9,511	90	119	86
単24.1	9,808	106	128	132

㈱バイタルネット

株式公開計画なし

採用内定数	倍率	3年後離職率	平均年収
30名	4.6倍	17.4%	㊜674万円

●待遇、制度●
【初任給】月23万(固定残業代30時間分)
【残業】4.3時間【有休】6.8日【制度】住
●新卒定着状況●
20年入社(男38、女31)→3年後在籍(男30、女27)
●採用情報●
【人数】23年:43 24年:74 25年:応募137→内定30*
【内定内訳】(男20、女10)(文27、理3)(総30、他0)
【試験】〔筆記〕有〔Web自宅〕有〔性格〕有
【時期】エントリー 25.2→内々定25.6*(一次・二次以降もWEB面接可)【インターン】有
【採用実績校】東北学大6、東北工大3、東北福祉大3、東北医薬大2、青森大2、新潟薬大1、青森中央学大2、大東文化大1、獨協大1、他
【求める人材】自分で責任を持ち、能動的に取り組む人、周囲を活性化させる人

【本社】980-8581 宮城県仙台市青葉区大手町1-1 ☎022-266-4511
【特色・近況】東北・新潟でトップシェアの医薬品卸。医薬品、医療用機器・診断薬などを扱う。地域密着営業に持ち味。医薬品卸はさらなる効率化を推進。医療業務効率化や診療支援などを目的としたソリューション提供も。バイタルケーエスケーHD傘下。
【設立】1950.2【資本金】3,992百万円
【代表取締役】一條武(1959.10生 東北学大工卒)
【株主】〔24.3〕バイタルケーエスケー・ホールディングス100%
【事業】医薬品等販売
【従業員】単1,230名(43.8歳)

【業績】	売上高	営業利益	経常利益	純利益
単22.3	273,658	1,776	3,191	2,312
単23.3	279,756	1,558	3,333	3,664
単24.3	282,874	2,776	3,360	3,117

#残業が少ない

㈱ファイネス

株式公開計画なし

採用内定数	倍率	3年後離職率	平均年収
4名	4.5倍	0%	370万円

●待遇、制度●
【初任給】月22.5万(諸手当4.6万円、固定残業代30時間分)
【残業】0.2時間【有休】9.8日【制度】フ 住
●新卒定着状況●
20年入社(男3、女2)→3年後在籍(男3、女2)
●採用情報●
【人数】23年:2 24年:6 25年:応募18→内定4
【内定内訳】(男0、女4)(文2、理0)(総4、他0)
【試験】〔筆記〕常識〔性格〕有
【時期】エントリー 24.11→内々定25.5*
【採用実績校】金沢星稜大2、金沢星稜女短大2
【求める人材】コーディネート力のある人

【本社】920-0295 石川県金沢市大浦町ハ55 ☎076-239-0032
【特色・近況】北陸を中心に中部圏を地盤とする医薬品卸。医薬品のほか、診断薬・試薬・診療材料・分析装置や、動物薬なども取り扱う。医療機関や調剤薬局の営業・開業支援、在庫管理、診療支援システムなどのソリューションも提供。国内に12支店・営業所を置く。
【設立】1963.4【資本金】98百万円
【社長】松井秀太郎(1957.9生 横国大経済卒)
【株主】〔24.3〕バイタルケーエスケー・ホールディングス33.3%
【事業】医療用医薬品73、試薬・医療材料・医療機器8、動物薬19
【従業員】単359名(48.5歳)

【業績】	売上高	営業利益	経常利益	純利益
単22.3	51,313	▲114	352	262
単23.3	48,500	▲140	306	352
単24.3	49,515	268	530	158

㈱ほくやく・竹山ホールディングス

札証

採用予定数	倍率	3年後離職率	平均年収
60名	‥	35.1%	529万円

●待遇、制度●
【初任給】月22.9万(固定残業代20時間分)
【残業】8時間【有休】10.6日【制度】住
●新卒定着状況●
20年入社(男40、女17)→3年後在籍(男27、女10)
●採用情報● グループ採用
【人数】23年:60 24年:55 25年:予定60*
【内定内訳】(男‥、女‥)(文‥、理‥)(総‥、他‥)
【試験】〔Web自宅〕有〔性格〕有
【時期】エントリー 24.12→内々定25.5(一次はWEB面接可)【インターン】有
【採用実績校】‥
【求める人材】人の命、健康に強い関心を持つ人

【本社】060-0006 北海道札幌市中央区北6条西16-1-5 ほくたけビル ☎011-633-1030
【特色・近況】北海道地盤の医薬品卸のほくやくと、医療機器卸の竹山を傘下に持つ持株会社。「ほくたけグループ」を形成。M&Aにより調剤薬局など周辺事業に進出。福祉用具レンタルでは道内首位。サービス付き高齢者住宅、医療機関向けITサービスなども運営。
【設立】2006.9【資本金】1,000百万円
【社長】眞鍋雅信(1966.12生 上智大経済卒)
【株主】〔24.3〕㈲いつわ企画10.9%
【連結事業】医薬品卸売69、医療機器卸売24、薬局5、介護2、ICT0、他0
【従業員】連1,674名 単62名(44.5歳)

【業績】	売上高	営業利益	経常利益	純利益
連22.3	248,369	2,131	3,413	2,804
連23.3	261,979	2,628	3,887	2,729
連24.3	275,364	2,827	3,533	2,175

#初任給が高い

相光石油（あいこうせきゆ）

株式公開計画なし

採用内定数	倍率	3年後離職率	平均年収
2名	7.5倍	50%	[総] 773万円

[待遇、制度]

【初任給】月30.1万（諸手当11.2万円、固定残業代30時間分）
【残業】33時間【有休】12.1日【制度】[住]

[新卒定着状況]

20年入社（男2、女0）→3年後在籍（男1、女0）

[採用情報]

【人数】23年:0 24年:0 25年:応募15→内定2*
【内定内訳】（男1、女1）（文2、理0）（総1、他1）
【試験】〔筆記〕常識〔性格〕有
【時期】エントリー25.3→内々定25.5*
【採用実績校】九産大1、山口大1
【求める人材】自ら考え行動することができる人

【本社】810-0004 福岡県福岡市中央区渡辺通3-1-10 渡辺通AIビル2階 ☎092-751-5661
【特色・近況】独立系の石油製品販売会社。SSは九州一円に直営・準直営56店舗、グループ含め約140店舗を展開。九州に油槽所・配送センターを11カ所配置。自動車用のほか、産業用・発電用エネルギーも供給。SSのセルフ化を進める。
【設立】1950.8【資本金】50百万円
【社長】寺田光一郎（1959.4生 慶大商卒）
【株主】〔23.7〕寺田光一郎25.0%
【事業】SS小売52、直売11、卸販売37
【従業員】単124名（44.0歳）

【業績】	売上高	営業利益	経常利益	純利益
単21.7	35,535	547	620	439
単22.7	43,693	862	939	551
単23.7	45,409	507	614	334

伊丹産業（いたみさんぎょう）

株式公開計画なし

採用内定数	倍率	3年後離職率	平均年収
65名	15.3倍	27.2%	[総] 520万円

[待遇、制度]

【初任給】月24万（諸手当0.5万円）
【残業】10時間【有休】13日【制度】[住]

[新卒定着状況]

20年入社（男94、女31）→3年後在籍（男67、女24）

[採用情報]

【人数】23年:65 24年:82 25年:応募992→内定65*
【内定内訳】（男44、女21）（文62、理3）（総44、他21）
【試験】〔筆記〕常識
【時期】エントリー25.3→内々定25.4*（一次はWEB面接可）【インターン】有
【採用実績校】追手門学大5、関大4、近大4、桃山学大4、甲南女大3、佛教大3、立命館大2、京産大2、大阪学大2、武庫川女大2、他
【求める人材】柔軟で行動力があり、スキルアップに意欲的な人

【本社】664-8510 兵庫県伊丹市中央5-5-10 ☎072-783-0001
【特色・近況】LPガス、ガソリン、米穀（伊丹米）、携帯電話などの販売が柱。コインランドリー併設など複合SS設置を展開。5県8カ所に太陽光発電所を持ち電力小売ビジネスも行う。携帯電話網を利用したLPガス集中監視システムの新型ACUをすべての直売先に設置。
【設立】1948.1【資本金】50百万円
【社長】北嶋太郎（1978.3生 神戸学大卒）
【株主】〔23.12〕北嶋和子23.0%
【事業】ガス46、石油38、米穀15、モバイル1
【従業員】単1,549名（39.0歳）

【業績】	売上高	営業利益	経常利益	純利益
単21.12	102,128	996	1,480	1,897
単22.12	110,483	2,358	3,025	▲121
単23.12	106,417	2,488	2,724	1,813

(株)九州エナジー（きゅうしゅう）

株式公開未定

採用予定数	倍率	3年後離職率	平均年収
5名	－	0%	[総] 437万円

[待遇、制度]

【初任給】月20万（諸手当1.8万円）
【残業】18時間【有休】9日【制度】[住]

[新卒定着状況]

20年入社（男2、女0）→3年後在籍（男2、女0）

[採用情報]

【人数】23年:2 24年:3 25年:応募9→内定0*
【内定内訳】（男‥、女‥）（文‥、理‥）（総‥、他‥）
【試験】〔筆記〕常識
【時期】エントリー25.3→内々定25.5*（一次はWEB面接可）
【採用実績校】‥
【求める人材】自分で考え行動できる人

【本社】870-0034 大分県大分市都町3-1-1 大分センタービル8階 ☎097-534-0468
【特色・近況】ガソリン、灯油など石油販売が主力。大分県を中心に、販売先の運営も含め「カーライフステーション」名でSSを展開。自動車メンテナンスや新車リースも手がける。伊藤忠エネクスグループ。旧九州石油大分製油所操業を期に直営給油所として出発。
【設立】1963.12【資本金】100百万円
【社長】中嶋康之
【株主】〔24.3〕伊藤忠エネクス75.0%
【事業】ガソリン、軽油、重油、白灯油
【従業員】単141名（‥歳）

【業績】	売上高	営業利益	経常利益	純利益
単22.3	23,760	205	209	‥
単23.3	22,531	‥	‥	‥
単24.3	22,550	315	316	107

㈱サイサン

株式公開計画なし

採用内定数	倍率	3年後離職率	平均年収
32名	9.6倍	27.3%	‥

●待遇、制度●
【初任給】月21.9万
【残業】13.9時間【有休】10.8日【制度】住 在

●新卒定着状況●
20年入社(男37、女18)→3年後在籍(男28、女12)

●採用情報●
【人数】23年:47 24年:46 25年:応募308→内定32*
【内定内訳】(男24、女8)(文30、理2)(総28、他4)
【試験】〔Web自宅〕有〔性格〕有
【時期】エントリー25.3→内々定25.5*(一次・二次以降もWEB面接可)【インターン】有【ジョブ型】有
【採用実績校】城西大3、駿河台大3、日大2、聖学大2、敬愛大2、盛岡大1、大正大1、大東文化大1、創価大1、麗澤大1、聖徳大1、他
【求める人材】新しいことにも果敢に挑戦し、環境の変化にも柔軟に対応できる人

【本社】330-0854 埼玉県さいたま市大宮区桜木町1-11-5 ☎048-641-8211
【特色・近況】LPガス、産業・医療用の一般高圧ガス、医療用高圧ガス、自動車用LPガス、関連機器類の販売が主力。電気事業を含め総合エネルギー事業を展開。飲料水の宅配事業、住宅設備機器の販売・設計施工なども行う。酸素販売で創業。
【設立】1954.9 【資本金】95百万円
【社長】川本武彦(1964.9生 玉川大工卒)
【株主】〔24.2〕サイサンホールディングス100%
【事業】LPガス43、同関連機器工事8、産業・医療ガス・関連商品8、電力30、水4、他7
【従業員】単1,543名(43.0歳)

【業績】	売上高	営業利益	経常利益	純利益
単21.8	87,328	‥	▲817	277
単22.8	97,870	592	788	▲1,354
単23.8	75,289	1,174	1,782	685

山陰酸素工業（さんいんさんそこうぎょう）

株式公開計画なし

採用内定数	倍率	3年後離職率	平均年収
4名	5.5倍	36.4%	‥

●待遇、制度●
【初任給】月21.4万
【残業】11.2時間【有休】9.4日【制度】住

●新卒定着状況●
20年入社(男8、女3)→3年後在籍(男5、女2)

●採用情報●
【人数】23年:10 24年:8 25年:応募22→内定4*
【内定内訳】(男2、女2)(文1、理0)(総1、他3)
【試験】〔Web自宅〕有〔性格〕有
【時期】エントリー25.3→内々定25.6(一次・二次以降もWEB面接可)【インターン】有
【採用実績校】‥
【求める人材】何事にも前向きにチャレンジできる人

【本社】683-8516 鳥取県米子市旗ヶ崎2201-1 ☎0859-32-2300
【特色・近況】産業ガス、LPガス、電力、同関連機器を製造・販売。設備工事や住宅リフォームも行う総合エネルギー企業。産業ガス機器の山陰最大手で、プロテリアルが最大顧客。3業種10社2組合でグループを構成。LNGタンクローリー輸送は山陰全域を網羅。
【設立】1946.9 【資本金】130百万円
【社長】並河元(1979.4生 東京理大工卒)
【株主】〔24.3〕並河元16.1%
【事業】液化石油ガス36、液化天然ガス11、一般高圧ガス21、工事9、器材22、電気2
【従業員】単330名(43.1歳)

【業績】	売上高	営業利益	経常利益	純利益
単22.3	20,690	203	335	155
単23.3	23,143	193	337	299
単24.3	22,813	164	328	153

セントラル石油瓦斯（せきゆがす）

株式公開計画なし

採用内定数	倍率	3年後離職率	平均年収
6名	1倍	66.7%	‥

●待遇、制度●
【初任給】月22.1万(諸手当2.6万円、固定残業代7時間分)
【残業】‥時間【有休】‥日【制度】住

●新卒定着状況●
20年入社(男0、女3)→3年後在籍(男0、女1)

●採用情報●
【人数】23年:0 24年:1 25年:応募6→内定6
【内定内訳】(男6、女0)(文6、理0)(総6、他0)
【試験】〔筆記〕常識〔Web自宅〕有〔性格〕有
【時期】エントリー25.3→内々定‥*(一次はWEB面接可)
【採用実績校】‥
【求める人材】‥

【本社】104-0031 東京都中央区京橋1-10-7 KPP八重洲ビル5階 ☎03-6381-6000
【特色・近況】岩谷産業グループでLPガスや関連機器の販売が主事業。電力小売、太陽光発電設備販売のほか、水回りのリフォームも展開。ミネラル水など健康関連のPB商品も手がける。産業向けでは、CO_2削減や省エネ対策の提案を行う。
【設立】1959.3 【資本金】463百万円
【社長】太田晃
【株主】〔24.3〕岩谷産業100%
【事業】LPガス87、石油類2、機器他12
【従業員】単182名(45.5歳)

【業績】	売上高	営業利益	経常利益	純利益
単22.3	24,740	575	709	494
単23.3	30,002	494	590	410
単24.3	26,905			453

大丸エナウィン（だいまる）　東証スタンダード

採用内定数	倍率	3年後離職率	平均年収
3名	9.3倍	10%	532万円

●待遇、制度●
【初任給】月23.8万(諸手当0.5万円、固定残業代10時間分)
【残業】8.2時間【有休】10.6日【制度】住
●新卒定着状況●
20年入社(男8、女2)→3年後在籍(男7、女2)
●採用情報●
【人数】23年:5 24年:3 25年:応募28→内定3*
【内定内訳】(男2、女1)(文3、理0)(総3、他0)
【試験】〔Web自宅〕有〔性格〕有
【時期】エントリー25.3→内々定25.5(一次はWEB面接可)
【採用実績校】大阪学大1、追手門学大1、静岡県大1
【求める人材】お客様の要望に応えられるよう、努力を惜しまず、アグレッシブに行動をとれる人

【本社】559-0022 大阪府大阪市住之江区緑木1-4-39 ☎06-6685-5101
【特色・近況】関西地盤のプロパン・LPガス販売会社。LPガス販売は近畿3位。M&Aで関東、北陸、四国へ商圏拡大。プロパン・LPガスのほか、医療・産業用高圧ガスの販売、在宅医療機器のレンタル・保守、宅配水の販売なども手がける。
【設立】1951.2　【資本金】870百万円
【代表取締役】古野晃(1953.4生 近江高卒)
【株主】〔24.3〕ENEOSグローブ㈱6.1%
【連結事業】リビング71、アクア4、医療・産業ガス24
【従業員】連646名 単443名(46.1歳)

【業績】	売上高	営業利益	経常利益	純利益
連22.3	26,507	987	1,059	755
連23.3	30,635	1,034	1,120	660
連24.3	29,905	1,054	1,165	733

㈱高助（たかすけ）　株式公開計画なし

採用内定数	倍率	3年後離職率	平均年収
1名	8倍	0%	‥

●待遇、制度●
【初任給】月20.7万
【残業】16.4時間【有休】9.3日【制度】住 在
●新卒定着状況●
20年入社(男1、女0)→3年後在籍(男1、女0)
●採用情報●
【人数】23年:2 24年:1 25年:応募8→内定1*
【内定内訳】(男1、女0)(文‥、理‥)(総0、他1)
【試験】〔筆記〕GAB〔性格〕有
【時期】エントリー24.8→内々定25.2【インターン】有
【採用実績校】新潟工業短大1
【求める人材】新潟を愛し、新潟で活躍したい人

【本社】951-8055 新潟県新潟市中央区礎町通四ノ町2100 ☎025-222-7161
【特色・近況】ENEOSが主力の石油製品専門商社。新潟市内に直営SS6店と洗車カーコーティング専門店を展開。セメントやアルミサッシ等の建材販売、輸入塩の配送を主体とした輸送業のほかボトルウォーターの宅配事業なども行う。1885年創業。
【設立】1952.3　【資本金】40百万円
【社長】堀健一(1960.9生)
【株主】〔24.3〕高助HD 100%
【事業】石油製品卸売62、石油製品小売20、諸建材卸12、運輸他6
【従業員】単95名(39.5歳)

【業績】	売上高	営業利益	経常利益	純利益
単22.3	14,062	65	99	66
単23.3	15,690	106	177	133
単24.3	15,015	97	145	102

日新商事（にっしんしょうじ）　東証スタンダード

採用内定数	倍率	3年後離職率	平均年収
5名	15倍	0%	総606万円

●待遇、制度●
【初任給】月23万
【残業】18.8時間【有休】10.4日【制度】住 在
●新卒定着状況●
20年入社(男4、女0)→3年後在籍(男4、女0)
●採用情報●
【人数】23年:6 24年:5 25年:応募75→内定5*
【内定内訳】(男1、女4)(文4、理1)(総5、他0)
【試験】〔Web自宅〕有〔性格〕有
【時期】エントリー25.2→内々定25.4(一次はWEB面接可)
【採用実績校】中大1、武蔵野大1、専大1、明大1、甲南女大1
【求める人材】時代の変化に応じて、自分の軸をもって、新たな価値を創造できる人

【本社】105-0023 東京都港区芝浦1-12-3 ☎03-3457-6251
【特色・近況】ENEOS系石油製品販売の中堅。関東や中部で直営給油所(SS)での小売り、協力SSへの卸売りを手がける。法人向けに石油製品を供給する直需部門を持つほか、農業用資材や石化製品など産業資材も拡大。太陽光発電や不動産賃貸も行う。
【設立】1947.8　【資本金】3,624百万円
【社長】筒井博昭(1956.8生 桜美林大経済卒)
【株主】〔24.3〕ENEOSホールディングス15.0%
【連結事業】石油関連91、再生可能エネルギー関連7、不動産2
【従業員】連374名 単339名(41.9歳)

【業績】	売上高	営業利益	経常利益	純利益
連22.3	36,466	427	674	490
連23.3	38,897	640	952	286
連24.3	38,732	506	752	297

㈱マルエイ

株式公開計画なし

採用内定数	倍率	3年後離職率	平均年収
9名	3.6倍	33.3%	[総]565万円

●待遇、制度●
【初任給】月25.2万(諸手当1万円、固定残業代20時間分)
【残業】11.6時間【有休】10日【制度】[住]
●新卒定着状況●
20年入社(男5、女1)→3年後在籍(男3、女1)
●採用情報●
【人数】23年:7 24年:7 25年:応募32→内定9
【内定内訳】(男9、女0)(文9、理0)(総9、他0)
【試験】〔筆記〕常識〔性格〕有
【時期】エントリー 25.1→内々定25.3*【インターン】有
【採用実績校】岐阜協大3、朝日大4、岐阜聖徳学大1、東海学院大1
【求める人材】素直な心を持ち、明るくポジティブな人

【本社】500-8152 岐阜県岐阜市入舟町4-8-1
☎058-245-0101
【特色・近況】LPガス、都市ガス、電気などを供給するエネルギー事業が柱。キッチン、給湯システム、洗面台、トイレなど住宅関連商品を東海3県、神奈川などで販売。リフォームにも注力。不動産、水事業、しいたけ生産、発達改善スクールなども手がける。
【設立】1955.9 【資本金】480百万円
【社長】澤田栄一(1958.2生)
【株主】〔24.3〕澤田興産48.5%
【事業】液化石油ガス54、器具20、石油製品3、ガスロンパイプ6、他17
【従業員】単249名(43.5歳)

【業績】	売上高	営業利益	経常利益	純利益
単22.3	14,831	526	901	361
単23.3	16,133	429	997	585
単24.3	15,685	559	1,192	736

#年収が高い

㈱ミツウロコグループホールディングス

東証スタンダード

採用実績数	倍率	3年後離職率	平均年収
36名	‥	24.3%	[総]1,151万円

●待遇、制度●
【初任給】月27万(諸手当0.1万円)
【残業】15.9時間【有休】11.7日【制度】[住][在]
●新卒定着状況● グループ採用
20年入社(男22、女15)→3年後在籍(男14、女14)
●採用情報● グループ採用
【人数】23年:35 24年:36 25年:予定前年並*
【内定内訳】(男‥、女‥)(文‥、理‥)(総‥、他‥)
【試験】〔Web自宅〕SPI3
【時期】エントリー 25.3→内々定随時【インターン】有
【採用実績校】‥
【求める人材】常に問題意識を持ち、過去の常識にとらわれず自らも変化し、未来に向かって積極果敢に挑戦できる人

【本社】104-0031 東京都中央区京橋3-1-1 東京スクエアガーデン
☎03-3275-6300
【特色・近況】関東地盤の独立系燃料商社が中核の企業グループ。主力のLPガスは卸・小売兼業。灯油・ガソリンも取り扱い、ガソリンスタンドの運営も行う。現在は、風力、バイオマス、太陽光による電力販売が第2の柱に成長。飲食店や温浴施設の運営、不動産賃貸も手がける。
【設立】1926.5 【資本金】7,077百万円
【社長】田島晃平(1971.11生 学習大法卒)
【株主】〔24.3〕明治安田生命保険8.2%
【連結事業】エネルギー47、電力43、フーズ7、リビング&ウェルネス1、海外1、他1
【従業員】連1,753名 単20名(43.1歳)

【業績】	売上高	営業利益	経常利益	純利益
連22.3	250,033	823	2,925	1,909
連23.3	323,700	12,317	14,056	7,789
連24.3	309,085	12,334	13,303	9,107

#年収が高い

三菱商事エネルギー(みつびししょうじ)

株式公開未定

採用内定数	倍率	3年後離職率	平均年収
3名	27.3倍	0%	[総]935万円

●待遇、制度●
【初任給】月26.5万
【残業】25時間【有休】13.4日【制度】[フ][住][在]
●新卒定着状況●
20年入社(男2、女1)→3年後在籍(男2、女1)
●採用情報●
【人数】23年:若干 24年:若干 25年:応募82→内定3
【内定内訳】(男2、女1)(文3、理0)(総3、他0)
【試験】〔Web自宅〕有〔性格〕有
【時期】エントリー 25.1→内々定25.4(一次はWEB面接可)【インターン】有
【採用実績校】法政大1、成蹊大2
【求める人材】新しい事に挑戦し、目の前の仕事を誠実にこなし信頼を得て、チームで成果創出できる人

【本社】100-0004 東京都千代田区大手町1-1-3 大手センタービル12階
☎03-4362-4200
【特色・近況】三菱商事グループのエネルギー商社。元売りから仕入れた燃料油などを全国約1000カ所のSSに供給。SS運営の人材育成や販売促進施策の支援も行う。コンビニなど商業施設併設モデルは100店舗超。舗装用アスファルトや船舶用燃料・潤滑油も手がける。
【設立】1990.1 【資本金】2,000百万円
【社長】松下剛(1971.1生 京大法卒)
【株主】〔24.3〕三菱商事100%
【事業】ガソリン46、灯油6、軽油25、重油17、潤滑油1、アスファルト3、他2
【従業員】単254名(42.2歳)

【業績】	売上高	営業利益	経常利益	純利益
単22.3	846,437	8,070	7,900	4,900
単23.3	976,425	12,118	12,329	8,439
単24.3	872,013	4,181	3,776	5,111

#残業が少ない

山口産業（やまぐちさんぎょう）

株式公開計画なし

採用内定数	倍率	3年後離職率	平均年収
1名	17倍	60%	502万円

●待遇、制度●
【初任給】月21.9万
【残業】2.5時間【有休】8.9日【制度】住 在

●新卒定着状況●
20年入社(男2、女3)→3年後在籍(男0、女2)

●採用情報●
【人数】23年:3 24年:10 25年:応募17→内定1*
【内定内訳】(男1、女0)(文1、理0)(総1、他0)
【試験】〔Web自宅〕SPI3〔性格〕有
【時期】エントリー25.3→内々定25.6*(一次はWEB面接可)【インターン】有【ジョブ型】有
【採用実績校】山口大1
【求める人材】自ら行動し結論を出す人、好奇心旺盛な人、素直な人、自分の考えを持っている人

【本社】755-0033 山口県宇部市琴芝町1-1-25
☎0836-21-7341
【特色・近況】ENEOS、キグナス石油の特約店。中国電力、電力、海運、運送、建設会社などが主顧客。陸上配送、海上給油、パトロール給油が主業務。ゴールドジムなどFC運営も行う。学校向け教科書・学生服の販売も手がける。石油製品を扱う山口産業グループの中核。
【設立】1958.3 【資本金】60百万円
【社長】福重晋作(1968.6生 青学大経営卒)
【株主】‥
【事業】石油製品販売97、CD・DVD販売レンタル、書籍販売2、フィットネスクラブ運営1
【従業員】単131名(38.2歳)

【業績】	売上高	営業利益	経常利益	純利益
単22.3	95,048	581	1,252	749
単23.3	115,574	840	1,359	776
単24.3	109,156	825	1,386	870

㈱りゅうせき

株式公開計画なし

採用内定数	倍率	3年後離職率	平均年収
16名	‥	9.1%	576万円

●待遇、制度●
【初任給】月20.7万
【残業】16.6時間【有休】‥日【制度】‥

●新卒定着状況●
20年入社(男7、女4)→3年後在籍(男6、女4)

●採用情報●
【人数】23年:16 24年:19 25年:応募‥→内定16*
【内定内訳】(男11、女5)(文10、理1)(総11、他5)
【試験】〔Web会場〕C-GAB〔Web自宅〕SPI3〔性格〕有
【時期】エントリー25.3→内々定25.6*(一次・二次以降もWEB面接可)【インターン】有【ジョブ型】有
【採用実績校】沖縄国際大6、琉球大3、名桜大1、立教大1、沖縄情報経理専1、沖縄水産高1、波方海上技術短大1
【求める人材】未来志向で考動できる人

【本店】901-2123 沖縄県浦添市西洲2-2-3
☎098-875-5000
【特色・近況】石油製品が主力の沖縄最大のディーラー。ENEOS系特約店。県内6カ所の石油基地から離島含めた全県域に石油エネルギーを供給。LPガス・ガス機器の卸販売が第2の柱。物流センターは本島と宮古、八重山、久米各島含む9カ所。
【設立】1950.9 【資本金】1,050百万円
【社長】根路銘剛宏(1971.6生 日体大体育卒)
【株主】〔24.3〕りゅうせきネットワーク持株会38.1%
【連結事業】石油関連73、ガス関連7、他20
【従業員】連2,032名 単441名(41.0歳)

【業績】	売上高	営業利益	経常利益	純利益
連22.3	87,687	3,769	3,934	2,736
連23.3	110,696	4,154	4,246	2,965
連24.3	110,437	4,374	4,489	3,078

レモンガス

株式公開計画なし

採用内定数	倍率	3年後離職率	平均年収
7名	8倍	0%	‥

●待遇、制度●
【初任給】月25.5万(固定残業代20時間分)
【残業】4.5時間【有休】11.3日【制度】‥

●新卒定着状況●
20年入社(男6、女3)→3年後在籍(男6、女3)

●採用情報●
【人数】23年:6 24年:7 25年:応募56→内定7
【内定内訳】(男5、女2)(文7、理0)(総2、他5)
【試験】〔Web自宅〕有〔性格〕有
【時期】エントリー25.3→内々定25.4*(一次はWEB面接可)【インターン】有
【採用実績校】立正大1、東海大1、常葉大1、嘉悦大1、鶴見大2、鎌倉女大1
【求める人材】自分と会社の成長に前向きな人

【本社】254-0912 神奈川県平塚市高根1-1-11
☎0463-31-7009
【特色・近況】首都圏と静岡県で「レモンガス」ブランドのLPガスを約30万世帯に販売。業務用として外食チェーン約800店舗にも供給。宅配水「アクアクララ」の製造・販売も手がける。都市ガスや電力の小売り事業にも参入。都市ガス実績5万件、電気実績6千件。
【設立】1957.6 【資本金】20百万円
【社長】赤津欣弥(1966.5生 帝京大)
【株主】〔23.8〕アクアクララレモンガスホールディングス100%
【事業】LPガス63、アクアクララ(ボトルドウォーター)10、石油製品4、ガス器具・工事6、都市ガス他17
【従業員】単425名(41.0歳)

【業績】	売上高	営業利益	経常利益	純利益
単21.8	18,359	1,002	1,094	681
単22.8	22,261	1,076	1,201	754
単23.8	21,803	1,275	1,305	82

ラサ商事（しょうじ） 東証スタンダード

採用内定数	倍率	3年後離職率	平均年収
2名	‥	25%	860万円

●待遇、制度●
【初任給】月27.4万(諸手当1.1万円)
【残業】13.2時間【有休】12日【制度】住 在
●新卒定着状況●
20年入社(男2、女2)→3年後在籍(男2、女1)
●採用情報●
【人数】23年:5 24年:6 25年:応募‥→内定2*
【内定内訳】(男2、女0)(文2、理0)(総2、他0)
【試験】〔Web自宅〕SPI3
【時期】エントリー24.10→内々定24.10*(一次・二次以降もWEB面接可)【インターン】有
【採用実績校】‥
【求める人材】論理的に考え、主体的に行動できる人、意欲的に知識を吸収し、チャレンジ精神にあふれる人

【本社】103-0014 東京都中央区日本橋蛎殻町1-11-5 RASA日本橋ビルディング ☎03-3668-8231
【特色・近況】鉱物・金属素材、産機・建機、環境設備が主力の専門商社。主力のジルコンサンドは、生産量世界一の豪アイルカ社の日本総代理店で取扱量は国内首位。産業機械は特殊ポンプの「ワーマンポンプ」が柱。環境関連設備やプラント・設備工事関連も手がける。
【設立】1939.1 【資本金】2,076百万円
【社長】井村周一(1951.2生 京大農卒)
【株主】〔24.3〕日本マスタートラスト信託銀行信託口8.2%
【連結事業】資源・金属素材23、産機・建機37、環境設備7、プラント・設備工事10、化成品22、不動産賃貸1 <海外11>
【従業員】連253名 単196名(44.5歳)

【業績】	売上高	営業利益	経常利益	純利益
連22.3	31,329	2,551	2,812	2,014
連23.3	29,656	2,853	2,984	2,114
連24.3	27,916	2,497	2,816	1,997

浅井産業（あさいさんぎょう） 株式公開計画なし

採用内定数	倍率	3年後離職率	平均年収
6名	42.5倍	0%	㊦830万円

●待遇、制度●
【初任給】月25万
【残業】8時間【有休】13.5日【制度】フ 住 在
●新卒定着状況●
20年入社(男2、女0)→3年後在籍(男2、女0)
●採用情報●
【人数】23年:5 24年:2 25年:応募255→内定6*
【内定内訳】(男4、女2)(文5、理1)(総6、他0)
【試験】〔Web会場〕C-GAB
【時期】エントリー25.3→内々定25.5*(一次はWEB面接可)【インターン】有
【採用実績校】早大1、中大1、津田塾大1、神田外語大1、神戸市外大1、近大1
【求める人材】好奇心・探求心がある人、主体的にチームに関わり共に成果を目指せる人

【本社】108-0023 東京都港区芝浦4-2-8 住友不動産三田ファーストビル ☎03-6275-1926
【特色・近況】特殊鋼および2次製品、アルミ・銅などを扱う鉄鋼・金属専門商社。グループで機械加工、鍛造、精密切断事業も展開。樹脂成型機部品やコーティング等のソリューション事業にも注力。タイやインドネシアに現法。1922年大阪で創業。
【設立】1926.4 【資本金】700百万円
【社長】網本尚史(1961.10生)
【株主】〔24.3〕神戸製鋼所18.3%
【事業】鉄鋼73、アルミ・銅22、ソリューション4、物流・賃貸1
【従業員】単124名(39.9歳)

【業績】	売上高	営業利益	経常利益	純利益
単22.3	56,548	1,176	1,769	1,275
単23.3	63,683	1,169	1,829	1,351
単24.3	70,087	1,258	1,962	1,346

#年収高く倍率低い #年収が高い

アルコニックス 東証プライム

採用内定数	倍率	3年後離職率	平均年収
3名	18.3倍	0%	890万円

●待遇、制度●
【初任給】月25万
【残業】15.5時間【有休】11.9日【制度】フ 住 在
●新卒定着状況●
20年入社(男4、女3)→3年後在籍(男4、女3)
●採用情報●
【人数】23年:7 24年:6 25年:応募55→内定3*
【内定内訳】(男1、女2)(文3、理0)(総3、他0)
【試験】〔筆記〕有〔Web自宅〕有〔性格〕有
【時期】エントリー25.3→内々定25.5(一次はWEB面接可)
【採用実績校】明大1、神戸市外大1、南山大1
【求める人材】「商い」に興味関心がある人、相手方の気持ちを深く考えられる人

【本社】100-6112 東京都千代田区永田町2-11-1 山王パークタワー ☎03-3596-7400
【特色・近況】商社機能とメーカー機能をもつ非鉄金属の総合企業。アルミ、銅、ニッケルなどを扱い、圧延品や伸銅品などの半製品を自動車メーカーや電機メーカーに納入。チタンスポンジ、モリブデンなどのレアメタルや、レアアース輸入でも大手。海外事業を積極展開。
【設立】1981.7 【資本金】5,830百万円
【取締】手代木洋(1958.5生 早大政経卒)
【株主】〔24.3〕日本マスタートラスト信託銀行信託口10.2%
【連結事業】商社流通電子機能材17、商社流通アルミ銅40、製造装置材料24、製造金属加工18 <海外42>
【従業員】連3,227名 単215名(43.1歳)

【業績】	売上高	営業利益	経常利益	純利益
連22.3	156,286	11,020	11,009	7,507
連23.3	178,333	8,393	8,176	5,488
連24.3	174,901	5,463	5,447	1,598

井澤金属（いざわきんぞく）

株式公開計画なし

採用実績数	倍率	3年後離職率	平均年収
2名	‥	0%	[総]625万円

●待遇、制度●
【初任給】月25.3万
【残業】13時間【有休】13.6日【制度】[住]
●新卒定着状況●
20年入社(男4、女1)→3年後在籍(男4、女1)
●採用情報●
【人数】23年:4 24年:2 25年:予定未定*
【内定内訳】(男‥、女‥)(文‥、理‥)(総‥、他‥)
【試験】〔筆記〕常識〔性格〕有
【時期】エントリー25.3→内々定‥(一次はWEB面接可)【インターン】有
【採用実績校】‥
【求める人材】仕入れ先と販売先の間に入って、課題の本質を理解し、行動する意思と力のある人

【本店】542-0081 大阪府大阪市中央区南船場1-13-10 ☎06-6262-1231
【特色・近況】ロケットから自動車、エレクトロニクス、家電、建材など幅広い用途に供給する非鉄金属の独立系専門商社。コンサルティングセールスを推進。航空宇宙分野を強化中。米国、タイ、中国、メキシコに販売現地法人をもつ。1866年金物商として創業。
【設立】1937.4 【資本金】301百万円
【社長】井澤秀行(1969.4生 関大経済卒)
【株主】〔23.12〕井澤興産
【事業】非鉄金属製品、加工製品、軽圧伸銅品、建材、新素材、環境改善製品
【従業員】単280名(44.7歳)

【業績】	売上高	営業利益	経常利益	純利益
単21.12	58,660	1,787	2,261	1,422
単22.12	64,485	1,771	2,362	1,448
単23.12	65,995	1,844	2,588	1,663

(株)UEX

東証スタンダード

採用予定数	倍率	3年後離職率	平均年収
4名	ー	20%	752万円

●待遇、制度●
【初任給】月23万
【残業】13.1時間【有休】11.3日【制度】‥
●新卒定着状況●
20年入社(男4、女1)→3年後在籍(男3、女1)
●採用情報●
【人数】23年:1 24年:2 25年:応募219→内定0*
【内定内訳】(男‥、女‥)(文‥、理‥)(総‥、他‥)
【試験】〔筆記〕有〔性格〕有
【時期】エントリー25.3→内々定25.9
【採用実績校】‥
【求める人材】素直さと誠実さを持ち、成長意欲のある人

【本社】140-8630 東京都品川区東品川2-2-24 ☎03-5460-6500
【特色・近況】ステンレスとチタンを専門に扱う金属商社。ステンレス専門では業界トップクラス。日本製鉄、大同特殊鋼の取り扱いが主力。ステンレス加工も手がけ、鍛造、成形、射出、切断など行う。機械装置・エンジニアリング分野を育成。中国で加工品の製販も。
【設立】1955.1 【資本金】1,512百万円
【社長】岸本則之(1956.3生 早大理工卒)
【株主】〔24.3〕住友商事8.0%
【連結事業】金属材料の販売96、金属加工製品の製造・販売3、機械装置の製造・販売及びエンジニアリング1
【従業員】単292名(43.8歳)

【業績】	売上高	営業利益	経常利益	純利益
連22.3	45,524	2,121	2,252	1,400
連23.3	53,829	4,273	4,350	2,827
連24.3	52,113	2,083	2,259	1,296

(株)エコネコル

株式公開計画なし

採用内定数	倍率	3年後離職率	平均年収
1名	1倍	66.7%	530万円

●待遇、制度●
【初任給】月22.1万
【残業】10時間【有休】10日【制度】[フ][住]
●新卒定着状況●
20年入社(男3、女0)→3年後在籍(男1、女0)
●採用情報●
【人数】23年:3 24年:1 25年:応募1→内定1*
【内定内訳】(男0、女1)(文1、理0)(総0、他1)
【試験】〔性格〕有
【時期】エントリー24.10→内々定25.6*(一次・二次以降もWEB面接可)【インターン】有
【採用実績校】国士舘大1
【求める人材】明るく楽しく元気よくをモットーにでき、経営者意識を高く持てる人

【本社・静岡支社】418-0111 静岡県富士宮市山宮3507-19 ☎0544-58-5800
【特色・近況】建築廃材からの金属スクラップ、家電・OA機器類からの希少金属などをリサイクル資源として再生。選別加工技術によって様々な資源を回収。選別、加工、販売まで一貫。静岡に2工場。鉄スクラップ問屋として創業。エンビプロHDの完全子会社。
【設立】1978.7 【資本金】435百万円
【社長】佐野文勝(1961.6生)
【株主】〔23.6〕エンビプロ・ホールディングス100%
【事業】金属スクラップリサイクル、産業廃棄物処理、建物プラント解体、他
【従業員】単339名(‥歳)

【業績】	売上高	営業利益	経常利益	純利益
単21.6	8,384	1,172	1,203	863
単22.6	12,385	‥	1,437	1,052
単23.6	10,254	‥	678	488

#年収高く倍率低い #年収が高い

ＮＳステンレス

[株式公開計画なし]

採用内定数	倍率	3年後離職率	平均年収
6名	17.7倍	50%	[総]979万円

[待遇、制度]
【初任給】月25万(諸手当を除いた数値)
【残業】18.3時間【有休】14.5日【制度】[フ][住][在]
[新卒定着状況]
20年入社(男2、女0)→3年後在籍(男1、女0)
[採用情報]
【人数】23年:3 24年:0 25年:応募106→内定6
【内定内訳】(男3、女3)(文6、理0)(総6、他0)
【試験】〔Web自宅〕SPI3
【時期】エントリー25.1→内々定25.3
【採用実績校】ＩＣＵ1、中大1、明大1、立命館大1、関西学大2
【求める人材】解決すべき課題に自らチャレンジし、明朗快活で柔軟な対応力のある人

【本社】100-0003 東京都千代田区一ツ橋1-2-2 住友商事竹橋ビル4階 ☎03-6880-9901
【特色・近況】ステンレスの総合商社として流通・加工・在庫・技術サービスなどの機能をワンストップで提供。全国に6カ所の支店と2カ所のサービスセンター。高機能ステンレス鋼の市場開拓・販売拡大に取り組む。日鉄ステンレス系の商社。住友商事、日鉄物産も出資。
【設立】2007.7 【資本金】2,250百万円
【社長】蔦木浩(1962.1生 名大経済卒)
【株主】〔24.4〕日鉄ステンレス36.0%
【事業】ステンレス鋼の販売
【従業員】単132名(47.5歳)

【業績】	売上高	営業利益	経常利益	純利益
単22.3	40,381	1,826	1,754	1,228
単23.3	45,320	2,394	2,400	1,747
単24.3	39,877	1,269	1,291	896

エムエム建材(けんざい)

[株式公開計画なし]

採用内定数	倍率	3年後離職率	平均年収
28名	12.5倍	25%	‥

[待遇、制度]
【初任給】月26万
【残業】9.9時間【有休】14.6日【制度】[住][在]
[新卒定着状況]
20年入社(男4、女8)→3年後在籍(男3、女6)
[採用情報]
【人数】23年:13 24年:21 25年:応募351→内定28
【内定内訳】(男12、女16)(文25、理3)(総19、他9)
【試験】〔Web会場〕SPI3〔性格〕有
【時期】エントリー25.3→内々定25.5(一次・二次以降もWEB面接可)【インターン】有
【採用実績校】明大院1、立教大3、甲南女大2、中大2、海外大1、島根大1、東京外大1、奈良県大1、大妻女大1、近大1、国士舘大1、産能大1、他
【求める人材】体系的にものごとを考え、意見を表現し、謙虚さをもち最後までやり遂げようとする人

【本社】105-7117 東京都港区東新橋1-5-2 汐留シティセンター17・18階 ☎03-6891-1777
【特色・近況】建設鋼材や製鋼原料を扱う専門商社。全国に拠点展開。解体工事で出る鉄スクラップから建設工事用の鋼材供給まで一貫対応。メタルワンと三井物産スチールの折半合弁。三井物産、三菱商事、双日の各グループなどと連携した情報網に強み。
【設立】1994.9 【資本金】10,375百万円
【代表取締役】温井健夫
【株主】〔24.3〕メタルワン50.0%
【事業】建設鋼材、製鋼原料
【従業員】単640名(‥歳)

【業績】	売上高	営業利益	経常利益	純利益
単22.3	764,832	‥	7,144	4,860
単23.3	811,957	‥	7,672	5,448
単24.3	752,337	‥	7,573	5,539

#年収が高い

㈱カノークス

[東証スタンダード]

採用内定数	倍率	3年後離職率	平均年収
17名	46.2倍	0%	[総]881万円

[待遇、制度]
【初任給】月22.2万
【残業】17.3時間【有休】10.9日【制度】[住][在]
[新卒定着状況]
20年入社(男1、女0)→3年後在籍(男1、女0)
[採用情報]
【人数】23年:11 24年:12 25年:応募785→内定17
【内定内訳】(男12、女5)(文17、理0)(総15、他2)
【試験】〔筆記〕常識〔Web会場〕SPI3
【時期】エントリー25.3→内々定25.6*【インターン】有【ジョブ型】有
【採用実績校】法政大1、駒澤大1、福岡大1、南山大3、中京大1、愛知学大3、名城大1、名古屋外大2、愛知大1、金城学大1、他
【求める人材】コミュニケーションを大切にし、自ら考え主体的にやり抜く人

【本社】451-8570 愛知県名古屋市西区那古野1-1-12 ☎052-564-3511
【特色・近況】中部圏地盤の鉄鋼商社。自動車・建築・農業・工業用の鋼板類や鋼管類など鉄鋼資材と、ステンレス鋼や特殊鋼などを扱う。自動車向けが過半でトヨタ向け多い。国内販売に特化し安定供給に注力。4つの加工センター、2つの物流拠点を置く。
【設立】1948.1 【資本金】2,310百万円
【社長】小河正直(1966.10生 鹿屋体大体育卒)
【株主】〔24.3〕㈱メタルワン30.4%
【連結事業】鋼板63、鋼管15、条鋼1、ステンレス等20、他1
【従業員】連309名 単202名(40.6歳)

【業績】	売上高	営業利益	経常利益	純利益
連22.3	116,521	2,482	2,731	1,886
連23.3	151,674	2,361	2,567	1,777
連24.3	172,485	2,529	2,834	1,952

河上金物（かわかみかなもの）

株式公開計画なし

採用内定数	倍率	3年後離職率	平均年収
2名	1.5倍	0%	[総]590万円

●待遇、制度●
【初任給】月24万(諸手当1万円、固定残業代10時間分)
【残業】10時間【有休】12日【制度】[住]
●新卒定着状況●
20年入社(男2、女0)→3年後在籍(男2、女0)
●採用情報●
【人数】23年:2 24年:7 25年:応募3→内定2
【内定内訳】(男0、女2)(文1、理0)(総2、他0)
【試験】〔筆記〕SPI3〔性格〕有
【時期】エントリー25.3→内々定25.6【インターン】有
【採用実績校】金沢学大1、大原簿記専1
【求める人材】河上金物の考え方や理想に共感し、一緒に頑張りたいと思う人

【本社】930-0996 富山県富山市新庄本町2-1-120 ☎076-451-0036
【特色・近況】各種鋼材や鋼材2次製品などの専門商社。鋼材製品が売上高の約7割を占める。河川・港湾・橋梁工事に欠かせない鋼矢板などの重仮設リース、外壁パネルやサッシなど建築建材、産業機械や生活用品住器なども手がける。1885年創業。
【設立】1946.1【資本金】20百万円
【社長】河上森(1978.7生 芝工大院電気工修了)
【株主】〔24.5〕河上森17.6%
【事業】各種鋼材、二次製品、建築用金物、各種建材、家庭用金物、各種工作機械等の販売、重仮設材リース
【従業員】単129名(40.0歳)

【業績】	売上高	営業利益	経常利益	純利益
単22.4	19,341	400	430	272
単23.4	21,410	165	204	135
単24.4	18,913	224	239	156

共栄（きょうえい）

株式公開計画なし

採用内定数	倍率	3年後離職率	平均年収
2名	4倍	40%	[総]635万円

●待遇、制度●
【初任給】月25万
【残業】13.1時間【有休】9.4日【制度】[住]
●新卒定着状況●
20年入社(男5、女0)→3年後在籍(男3、女0)
●採用情報●
【人数】23年:5 24年:3 25年:応募8→内定2*
【内定内訳】(男2、女0)(文2、理0)(総2、他0)
【試験】〔Web自宅〕有〔性格〕有
【時期】エントリー25.3→内々定25.4*(一次はWEB面接可)【インターン】有
【採用実績校】龍谷大1、大阪商大1
【求める人材】明るく元気で前向きな人、人とのつながりを大切にできる人、成長意欲が高い人

【本社】650-0023 兵庫県神戸市中央区栄町通2-3-9 共栄ビル ☎078-321-2121
【特色・近況】製鋼用鉄屑の専門商社。建物・船・車などの使用済み鉄製品を集荷、自社工場で選別・加工し電炉メーカーへ供給。建築、造船、自動車、橋梁分野、建設機械、産業機械用などに鋼材・切板事業も展開。愛知、大阪、兵庫、岡山などに工場。
【設立】1941.4【資本金】40百万円
【社長】久宝利幸(1958.12生 関西学大経済卒)
【株主】‥
【事業】鉄屑売買90、鉄鋼製品溶断加工および非鉄屑10
【従業員】単153名(42.6歳)

【業績】	売上高	営業利益	経常利益	純利益
単21.12	91,280	1,881	1,838	1,177
単22.12	88,914	1,353	1,472	1,357
単23.12	79,760	412	295	231

草野産業（くさのさんぎょう）

株式公開計画なし

採用内定数	倍率	3年後離職率	平均年収
4名	‥	20%	‥

●待遇、制度●
【初任給】月24.5万
【残業】4.1時間【有休】13日【制度】[フ][住]
●新卒定着状況●
20年入社(男3、女2)→3年後在籍(男2、女2)
●採用情報●
【人数】23年:2 24年:4 25年:応募‥→内定4
【内定内訳】(男3、女1)(文4、理0)(総4、他0)
【試験】〔性格〕有
【時期】エントリー‥→内々定‥(一次はWEB面接可)【インターン】有
【採用実績校】‥
【求める人材】誠実で主体的に行動でき、協調して物事を推進していける人

【本社】104-0061 東京都中央区銀座3-9-4 草野ビル ☎03-3541-2911
【特色・近況】鋳造原料と関連副資材の卸売りが主力。日本製鉄と緊密。鋳物用銑鉄でトップ。国内は機械設備、炭素材、アグリ事業など非鋳造分野を拡充。埼玉、愛知、大阪、広島などに支店。海外は中国・大連、インドネシア、ベトナムに現地法人。
【設立】1939.12【資本金】430百万円
【社長】草野惣一郎(1979.7生 早大商卒)
【株主】〔24.4〕日本製鉄10.2%
【事業】銑鉄15、鉄鋼原料49、炭素材5、土木建材4、鋼材8、他19 <輸出9>
【従業員】単152名(45.2歳)

【業績】	売上高	営業利益	経常利益	純利益
単22.3	65,867	‥	967	627
単23.3	72,948	‥	889	622
単24.3	67,584	‥	814	564

小松鋼機（こまつこうき）

株式公開計画なし

採用内定数	倍率	3年後離職率	平均年収
1名	5倍	0%	㊇740万円

●待遇、制度●
【初任給】月21.5万
【残業】17時間【有休】13.5日【制度】在
●新卒定着状況●
20年入社(男1、女0)→3年後在籍(男1、女0)
●採用情報●
【人数】23年:3 24年:4 25年:応募5→内定1*
【内定内訳】(男0、女1)(文1、理0)(総0、他1)
【試験】〔筆記〕常識〔性格〕有
【時期】エントリー24.10→内々定25.3*【インターン】有
【採用実績校】北陸大1
【求める人材】好奇心が強く、行動的な人、地域創生意欲のある人

【本社】923-0804 石川県小松市光町20
☎0761-22-2051
【特色・近況】石川、福井を基盤とする鉄鋼・特殊鋼の専門商社。自社工場でのレーザー・プラズマ加工に強み。各種切削工具を中心とした機械工具類やFAシステム、景観商品なども取り扱う。メーカーの技術者を招きセミナーを開催。中国に生産拠点。
【設立】1963.3 【資本金】63百万円
【社長】木村勉(1951.4生 早大商卒)
【株主】〔24.4〕木村勉
【事業】鋼材61、機工39
【従業員】単114名(42.5歳)

【業績】	売上高	営業利益	経常利益	純利益
単22.4	7,452	138	194	139
単23.4	8,640	101	161	105
単24.4	8,417	47	188	▲557

コンドーテック

東証プライム

採用内定数	倍率	3年後離職率	平均年収
6名	21.8倍	25%	590万円

●待遇、制度●
【初任給】月22.6万
【残業】10.6時間【有休】14.6日【制度】フ 住 在
●新卒定着状況●
20年入社(男14、女14)→3年後在籍(男10、女11)
●採用情報●
【人数】23年:19 24年:18 25年:応募131→内定6*
【内定内訳】(男3、女3)(文6、理0)(総6、他0)
【試験】〔Web会場〕C-GAB
【時期】エントリー25.3→内々定25.5*(一次はWEB面接可)【インターン】有
【採用実績校】公立鳥取環境大1、専大1、東北学大1、新潟食農大1、中大1、淡江大1
【求める人材】なにをやりたいかを語れる人、そこに向けてのチャレンジと忍耐を継続できる人

【本社】550-0024 大阪府大阪市西区境川2-2-90
☎06-6582-8441
【特色・近況】建設金物資材商社大手。メーカー機能を持つ。建設現場の足場に使われる吊りチェーン、ターンバックル、結合金具、止め金具などを販売。産業資材も。足場吊りチェーンはシェア6割超でトップ。子会社では電設資材や仮設足場レンタルも展開。
【設立】1953.1 【資本金】2,666百万円
【社長】濵野昇(1970.6生 阪南大商卒)
【株主】〔24.3〕㈲藤和興産11.4%
【連結事業】産業資材49、鉄構資材27、電設資材13、足場工事11
【従業員】連1,413名 単820名(41.3歳)

【業績】	売上高	営業利益	経常利益	純利益
連22.3	66,139	3,594	3,810	2,284
連23.3	75,447	4,355	4,563	2,414
連24.3	76,873	4,673	4,872	3,265

産業振興（さんぎょうしんこう）

株式公開計画なし

採用内定数	倍率	3年後離職率	平均年収
3名	12.3倍	22.2%	㊇759万円

●待遇、制度●
【初任給】月23.4万
【残業】24.1時間【有休】13.6日【制度】住 在
●新卒定着状況●
20年入社(男7、女2)→3年後在籍(男5、女2)
●採用情報●
【人数】23年:13 24年:11 25年:応募37→内定3*
【内定内訳】(男3、女0)(文2、理1)(総3、他0)
【試験】〔Web自宅〕有〔性格〕有
【時期】エントリー25.3→内々定25.6(一次はWEB面接可)【インターン】有
【採用実績校】北海道科学大1、城西国際大1、名城大1
【求める人材】素直で誠実に仕事に取り組める人

【本社】101-0052 東京都千代田区神田小川町3-9-2 BIZCORE神保町5階 ☎03-5259-6801
【特色・近況】鉄スクラップの集荷・加工・販売や、日本製鉄の室蘭、釜石、名古屋、広畑、大分の5製鉄所での構内作業請負などを手がける。横浜港と仙台港に鋼材積み出しの物流拠点。鉄鋼スラグを加工し肥料とする事業も。新幹線再生アルミプロジェクトに協力。
【設立】1937.9 【資本金】390百万円
【社長】米田寛
【株主】〔24.3〕日本製鉄24.8%
【事業】製鋼原料、作業請負・環境、鋼材・加工、物流、肥料
【従業員】単1,379名(42.1歳)

【業績】	売上高	営業利益	経常利益	純利益
単22.3	112,494	‥	‥	‥
単23.3	97,278	‥	‥	‥
単24.3	104,264	‥	‥	‥

#残業が少ない

サンコーインダストリー

株式公開計画なし

採用内定数	倍率	3年後離職率	平均年収
20名	‥	10.3%	‥

●待遇、制度●

【初任給】月22.8万
【残業】1.3時間【有休】7.4日【制度】住

●新卒定着状況●

20年入社(男10、女19)→3年後在籍(男8、女18)

●採用情報●

【人数】23年:33 24年:26 25年:応募‥→内定20
【内定内訳】(男8、女12)(文15、理0)(総8、他12)
【試験】なし
【時期】エントリー24.11→内々定25.5【インターン】有
【採用実績校】‥
【求める人材】何かに一生懸命な人

【本社】550-0012 大阪府大阪市西区立売堀1-9-28 ☎06-6539-3537
【特色・近況】締結部品90万種の品揃えと豊富な在庫を擁し、24時間受注対応の即納体制で事業展開するネジの専門商社。50万種を掲載したデジタルカタログを作成。東京に支社。東大阪市に営業所、パレット自動倉庫などを備える物流センターと包装センターを置く。
【設立】1948.3【資本金】100百万円
【社長】奥山淑英(1974.1生 佛教大文卒)
【株主】〔24.2〕サンコーホールディングス100%
【事業】ネジ・関連工具類100
【従業員】単509名(35.0歳)

【業績】	売上高	営業利益	経常利益	純利益
単22.2	35,847	1,791	2,021	1,379
単23.2	39,282	2,335	2,564	2,551
単24.2	38,447	1,707	1,908	1,192

セフテック

東証スタンダード

採用内定数	倍率	3年後離職率	平均年収
3名	36.3倍	10%	㊕475万円

●待遇、制度●

【初任給】月18.3万(諸手当2.5万円、固定残業代30時間分)
【残業】13時間【有休】13日【制度】フ 住 在

●新卒定着状況●

20年入社(男6、女4)→3年後在籍(男5、女4)

●採用情報●

【人数】23年:5 24年:3 25年:応募109→内定3*
【内定内訳】(男3、女0)(文3、理0)(総3、他0)
【試験】〔筆記〕有〔Web自宅〕有〔性格〕有
【時期】エントリー24.10→内々定25.1*(二次以降はWEB面接可)【ジョブ型】有
【採用実績校】‥
【求める人材】組織の一員として、また、仲間と一緒にミッションを達成することにやり甲斐を感じる人

【本社】113-0033 東京都文京区本郷5-25-14 ☎03-3811-3188
【特色・近況】標識や標示板など工事保安用品3強の一角。工事現場の電光表示板、カラーコーン、標識、保護具などを販売・レンタルで提供する。販売取り扱い品目は2万点超。ソーラー式LEDサインライトや、AI技術を取り入れた新商品開発に注力。レンタル営業強化。
【設立】1957.6【資本金】886百万円
【社長】岡﨑太一(1983.11生 慶大経済卒)
【株主】〔24.3〕㈲裕﨑興産27.6%
【連結事業】標識・標示板13、安全機材6、保安警告サイン6、安全防災用品7、レンタル売上高56、他11
【従業員】連395名 単381名(42.0歳)

【業績】	売上高	営業利益	経常利益	純利益
連22.3	10,347	1,220	1,212	809
連23.3	9,967	874	874	575
連24.3	10,123	535	547	346

泉州電業(せんしゅうでんぎょう)

東証プライム

採用内定数	倍率	3年後離職率	平均年収
22名	5.1倍	17.6%	㊕762万円

●待遇、制度●

【初任給】月22.8万
【残業】12.3時間【有休】11.1日【制度】住 在

●新卒定着状況●

20年入社(男9、女8)→3年後在籍(男6、女8)

●採用情報●

【人数】23年:22 24年:14 25年:応募113→内定22*
【内定内訳】(男9、女13)(文10、理0)(総10、他12)
【試験】〔Web自宅〕SPI3
【時期】エントリー25.3→内々定25.6(一次・二次以降もWEB面接可)【インターン】有
【採用実績校】近大3、追手門学大2、関大1、龍谷大1、摂南大1、大阪経大1、東海大1、大阪学大1、武庫川女大1、東京経大1、札幌学大1、他
【求める人材】自ら考え、反応できる、行動力ある人(チャレンジ精神のある人)

【本社】564-0044 大阪府吹田市南金田1-4-21 ☎06-6384-1101
【特色・近況】関西地盤の電線専門商社。建設用の電力用ケーブルと自動車などの工場向けFA用ケーブルが2本柱。2万種以上の商品アイテムを擁し、小口注文にも短期間納入できるシステムが強み。非電線事業として子会社とともに光通信や周辺機器、LANなどの販売も行う。
【設立】1949.11【資本金】2,575百万円
【社長】西村元秀(1955.7生 慶大商卒)
【株主】〔24.4〕西村元秀8.1%
【連結事業】電線・ケーブル100
【従業員】連823名 単558名(39.4歳)

【業績】	売上高	営業利益	経常利益	純利益
連21.10	92,463	4,743	5,004	3,583
連22.10	113,633	7,464	7,894	5,314
連23.10	124,967	8,366	8,770	5,920

#年収高く倍率低い #年収が高い

大銑産業(だいせんさんぎょう)

株式公開計画なし

採用内定数	倍率	3年後離職率	平均年収
3名	21.3倍	‥	総 982万円

●待遇、制度●
【初任給】月23.7万
【残業】8.1時間【有休】9.4日【制度】住

●新卒定着状況●
‥

●採用情報●
【人数】23年:5 24年:3 25年:応募64→内定3*
【内定内訳】(男2、女1)(文3、理0)(総3、他0)
【試験】〔Web自宅〕有
【時期】エントリー25.3→内々定25.6*(一次・二次以降もWEB面接可)
【採用実績校】関西学大1、山口大1、富士大1
【求める人材】誠実で正直であり、自ら目標を設定し取り組むことができる人

【本社】541-0042 大阪府大阪市中央区今橋2-1-10 ダイセンビル ☎06-6220-1121
【特色・近況】鋳物用銑鉄、関連副資材などの専門商社。鋳物は自動車関連が主顧客。建設・土木資材や燃料、化学品なども取り扱う。物流サービスも展開。中国、タイ、ベトナムに現地法人、アジア展開強化。1831年に打刃物商として堺で創業。
【設立】1935.4 【資本金】264百万円
【社長】福田昌隆(1966.1生 日大法卒)
【株主】〔24.3〕泉吉16.0%
【事業】鋳物67、建設6、燃料機材14、化学品9、土木4、他0 <貿易1>
【従業員】単159名(43.4歳)

【業績】	売上高	営業利益	経常利益	純利益
単22.3	59,603	669	744	390
単23.3	75,831	856	930	450
単24.3	67,199	746	827	438

大中物産(だいちゅうぶっさん)

株式公開計画なし

採用内定数	倍率	3年後離職率	平均年収
2名	100倍	−	総 828万円

●待遇、制度●
【初任給】月25.3万(諸手当1.3万円)
【残業】5時間【有休】11.9日【制度】住 在

●新卒定着状況●
20年入社(男0、女0)→3年後在籍(男0、女0)

●採用情報●
【人数】23年:2 24年:2 25年:応募200→内定2
【内定内訳】(男2、女0)(文2、理0)(総2、他0)
【試験】〔Web自宅〕SPI3
【時期】エントリー25.3→内々定25.5*(一次はWEB面接可)【インターン】有
【採用実績校】中大1、関西学大1
【求める人材】素直で明るく前向きな性格で、自分で考え行動し、コミュニケーション能力の高い人

【本社】550-0002 大阪府大阪市西区江戸堀1-25-29 ☎06-6448-3155
【特色・近況】鉄鋼原料が主軸の専門商社。脱炭素・環境リサイクル関連事業(鉄鋼資材、環境リサイクル、バイオマス)も展開する。鉄鋼原料の輸出入拡大、バイオマス燃料の安定供給に力を入れる。東京・大阪・名古屋の3支店体制。中国、タイ、ベトナムに海外拠点。
【設立】1947.3 【資本金】44百万円
【社長】田中大三(1959.4生 関大商卒)
【株主】〔24.5〕関西トラスト13.7%
【事業】鉄鋼原料63、鉄鋼資材9、環境リサイクル・バイオマス17、他11 <貿易66>
【従業員】単65名(41.3歳)

【業績】	売上高	営業利益	経常利益	純利益
単21.5	20,918	432	438	264
単22.5	42,301	965	912	159
単23.5	41,660	1,004	960	929

大洋商事(たいようしょうじ)

株式公開計画なし

採用内定数	倍率	3年後離職率	平均年収
3名	3.3倍	0%	総 620万円

●待遇、制度●
【初任給】月24.5万(諸手当1.1万円)
【残業】8.9時間【有休】14.6日【制度】住

●新卒定着状況●
20年入社(男2、女0)→3年後在籍(男2、女0)

●採用情報●
【人数】23年:2 24年:1 25年:応募10→内定3*
【内定内訳】(男3、女0)(文3、理0)(総3、他0)
【試験】〔Web会場〕SPI3〔Web自宅〕SPI3〔性格〕有
【時期】エントリー24.11→内々定25.3*(一次はWEB面接可)
【採用実績校】中央学大1、神戸学大1、大東文化大1
【求める人材】自分で考えて行動できる人、チームワーク重視で行動できる人

【本社】104-0041 東京都中央区新富2-15-5 RBM築地ビル8階 ☎03-5566-5500
【特色・近況】自動車、建設機械、産業機械向けなどが中心の特殊鋼専門商社。ニーズに対応した加工販売のほか、組み立て、プラント製品も手がける。海外進出企業には中国、韓国、タイ、フィリピンの関連会社駆使して営業活動。アジア中心にネットワークを構築。
【設立】1947.10 【資本金】400百万円
【社長】北代広明(1966.3生)
【株主】〔24.1〕OB持株会25.5%
【事業】特殊鋼、素形材 <貿易3>
【従業員】単132名(41.4歳)

【業績】	売上高	営業利益	経常利益	純利益
単22.1	39,644	483	968	659
単23.1	49,998	1,047	1,598	1,147
単24.1	51,295	779	1,389	1,035

#残業が少ない

㈱タカシマ

株式公開計画なし

採用内定数	倍率	3年後離職率	平均年収
4名	2倍	0%	‥

●待遇、制度●
【初任給】月21万
【残業】2時間【有休】9.7日【制度】[フ] [住]
●新卒定着状況●
20年入社(男1、女0)→3年後在籍(男1、女0)
●採用情報●
【人数】23年:4 24年:4 25年:応募8→内定4*
【内定内訳】(男3、女1)(文4、理0)(総4、他0)
【試験】〔筆記〕常識
【時期】エントリー25.3→内々定25.6*【インターン】有
【採用実績校】千葉商大1、東京情報大1、武蔵大1、明海大1
【求める人材】人と話すことが好きな人、人の話をよく聞き、理解する人

【本社】101-0032 東京都千代田区岩本町2-8-13
☎03-5821-6750
【特色・近況】建築金物、ボルト・ナットの専門商社。650社超のサプライヤーをベースに、調達業務一元化、輸出代行業務など顧客ニーズに対応。埼玉に物流センター。海外は香港含め中国とベトナムに拠点。1929年に建築金物卸売業として創業。
【設立】1948.8 【資本金】68百万円
【代表取締役】真下丈二(1963.4生 拓大商卒)
【株主】〔24.3〕真下丈二52.6%
【事業】卸売55、直需45
【従業員】単164名(40.9歳)

【業績】	売上高	営業利益	経常利益	純利益
単21.12	9,343	163	176	160
単22.12	10,248	250	192	206
単23.12	10,443	302	320	187

棚橋鋼材（たなはしこうざい）

株式公開計画なし

採用予定数	倍率	3年後離職率	平均年収
2名	―	0%	[総]700万円

●待遇、制度●
【初任給】月22万(諸手当2万円)
【残業】13.1時間【有休】11.8日【制度】‥
●新卒定着状況●
20年入社(男1、女1)→3年後在籍(男1、女1)
●採用情報●
【人数】23年:2 24年:1 25年:予定2
【内定内訳】(男‥、女‥)(文‥、理‥)(総‥、他‥)
【試験】‥
【時期】エントリー24.10→内々定24.11
【採用実績校】‥
【求める人材】健康で元気で明るい人、真面目で協調性のある人、何事にも情熱をもって取り組む人、向上心のある人

【本社】500-8146 岐阜県岐阜市九重町4-13
☎058-246-1500
【特色・近況】建築・土木用鋼材など鉄鋼製品の専門商社。販売、加工、工事の3部門あり、建築・土木用鋼材など鉄鋼1次、2次製品が主力。有力メーカーの各種一般鋼材のほか、中古鋼材や輸入鋼材も扱う。鉄筋や鉄骨工事も手がける。千葉県や岐阜県に工場。
【設立】1970.10 【資本金】20百万円
【社長】棚橋栄太(1978.2生 福井工大卒)
【株主】〔23.9〕棚橋栄太60.0%
【事業】土木用鋼材50、建築用鋼材45、他5
【従業員】単71名(45.0歳)

【業績】	売上高	営業利益	経常利益	純利益
単21.9	12,045	262	278	177
単22.9	13,969	105	114	55
単23.9	15,360	109	114	56

月星商事（つきぼししょうじ）

株式公開計画なし

採用内定数	倍率	3年後離職率	平均年収
13名	22.2倍	37.5%	[総]641万円

●待遇、制度●
【初任給】月24.6万(諸手当1万円)
【残業】23時間【有休】10.4日【制度】[住]
●新卒定着状況●
20年入社(男11、女5)→3年後在籍(男7、女3)
●採用情報●
【人数】23年:15 24年:7 25年:応募289→内定13*
【内定内訳】(男6、女7)(文13、理0)(総10、他3)
【試験】〔Web自宅〕SPI3
【時期】エントリー25.3→内々定25.10*(一次はWEB面接可)
【採用実績校】立命館大1、南山大1、甲南大1、亜大1、日体大1、桜美林大1、立正大1、武庫川女大1、芦屋大1、星槎道都大1
【求める人材】能動的に考えられる人、決めたことを直ちに行動に移せる人、労を惜しまない人

【本社】104-8533 東京都中央区八丁堀4-4-2
☎03-3551-2122
【特色・近況】ステンレス・表面処理・プレコートなど各種鋼板、金属系や窯業系外装材など建設資材製品の販売を手がける。鋼板・加工製品販売の直需チーム、外装建材中心に幅広い商品販売のルートチーム、新たな需要創出目指すマーケット開拓部の三本柱体制で展開。
【設立】1939.12 【資本金】436百万円
【社長】原茂樹(1963.6生 明大法卒)
【株主】〔24.7〕NS建材薄板54.1%
【事業】表面処理鋼板41、ステンレス16、加工品5、建築資材他38
【従業員】単219名(39.1歳)

【業績】	売上高	営業利益	経常利益	純利益
単22.3	55,666	1,110	1,378	1,066
単23.3	65,745	825	1,105	784
単24.3	63,795	369	646	128

電機資材（でんきしざい）

株式公開計画なし

採用内定数	倍率	3年後離職率	平均年収
1名	26倍	0%	‥

●待遇、制度●
【初任給】月21.8万
【残業】14時間【有休】16日【制度】フ 住 在
●新卒定着状況●
20年入社(男2、女0)→3年後在籍(男2、女0)
●採用情報●
【人数】23年:2 24年:4 25年:応募26→内定1*
【内定内訳】(男0、女1)(文1、理0)(総0、他1)
【試験】〔筆記〕GAB〔Web会場〕C-GAB〔Web自宅〕WEB-GAB〔性格〕有
【時期】エントリー25.2→内々定25.7*(一次はWEB面接可)【インターン】有
【採用実績校】日大1
【求める人材】人と人を繋ぎ、顧客のニーズに的確に対応できる、コミュニケーション能力を持つ人

【本店】101-0044 東京都千代田区鍛冶町2-2-2 神田パークプラザ3階 ☎03-6853-8011
【特色・近況】日本製鉄、日鉄物産系列の専門商社。電磁鋼板などの鉄鋼製品、自動車用電磁鋼板、磁気シールド、斜角鉄芯の加工・販売が主力。大阪・堺と千葉・袖ケ浦にスリットおよび斜角鉄芯の加工拠点を擁す。中国の広州、香港に現地法人。
【設立】1946.11 【資本金】310百万円
【社長】元松廣議
【株主】〔24.3〕日鉄物産23.8%
【事業】電磁鋼板・鋼材・非鉄金属の販売・加工、電気機械器具等の販売 <輸出1>
【従業員】単129名(44.0歳)

【業績】	売上高	営業利益	経常利益	純利益
単22.3	33,446	330	385	208
単23.3	52,641	884	907	1,154
単24.3	64,752	1,817	1,831	1,342

トピー実業（じつぎょう）

株式公開計画なし

採用内定数	倍率	3年後離職率	平均年収
3名	16.7倍	0%	‥

●待遇、制度●
【初任給】月25万
【残業】11.2時間【有休】13日【制度】住 在
●新卒定着状況●
20年入社(男4、女1)→3年後在籍(男4、女1)
●採用情報●
【人数】23年:2 24年:4 25年:応募50→内定3*
【内定内訳】(男3、女0)(文3、理0)(総3、他0)
【試験】〔Web自宅〕SPI3
【時期】エントリー24.10→内々定25.4*(一次・二次以降もWEB面接可)
【採用実績校】‥
【求める人材】自ら考え行動する主体性のある人、周囲と積極的にコミュニケーションを取れる人

【本社】141-8667 東京都品川区大崎1-2-2 アートヴィレッジ大崎セントラルタワー ☎03-3495-6500
【特色・近況】製鋼原料等のマテリアル、建設資材、産業機械や建機部品、自動車のホイールなどを扱う商社。オフィス・店舗向けに情報・通信機器やオフィス家具などの供給も手がける。国内4支店、13営業所、台湾にも拠点。トピー工業の完全子会社。
【設立】1947.3 【資本金】480百万円
【社長】山口政幸(1960.7生 法大卒)
【株主】〔24.3〕トピー工業100%
【事業】鉄鋼・建設61、自動車部品27、マテリアル3、建機部品4、産業機械2、他3 <貿易5>
【従業員】単288名(45.5歳)

【業績】	売上高	営業利益	経常利益	純利益
単22.3	23,785	1,328	1,494	1,049
単23.3	27,890	1,816	2,141	1,560
単24.3	35,124	1,764	1,964	1,475

トヨキン

株式公開計画なし

採用内定数	倍率	3年後離職率	平均年収
2名	1.5倍	0%	‥

●待遇、制度●
【初任給】月23.3万(諸手当1.8万円)
【残業】‥時間【有休】‥日【制度】フ 住
●新卒定着状況●
20年入社(男1、女0)→3年後在籍(男1、女0)
●採用情報●
【人数】23年:0 24年:0 25年:応募3→内定2*
【内定内訳】(男1、女1)(文2、理0)(総2、他0)
【試験】なし
【時期】エントリー24.10→内々定25.3*
【採用実績校】愛知大1、椙山女学大1
【求める人材】コミュニケーション能力が高く、行動力のある人

【本社】471-0836 愛知県豊田市鴻ノ巣町3-33 ☎0565-28-2222
【特色・近況】金属資源リサイクルが主力事業。廃LLC(クーラント液)微生物や産業廃棄物処置、フォークリフトや高所作業車のレンタルや産業車両整備事業なども手がける。SDGsの実現寄与に向けてリサイクル技術の進化に取り組む。海外はタイに工場。
【設立】1960.10 【資本金】98百万円
【社長】藤原直人(1965.8生 名商科大商卒)
【株主】〔24.4〕鈴木和弘23.7%
【事業】金属資源リサイクル及び産業廃棄物処理
【従業員】単350名(48.6歳)

【業績】	売上高	営業利益	経常利益	純利益
単21.9	36,701	1,083	1,160	864
単22.9	42,687	▲594	▲517	▲669
単23.9	38,945	119	230	67

滑川軽銅（なめかわけいどう）

株式公開計画なし

採用予定数	倍率	3年後離職率	平均年収
1名	ー	0%	‥

●待遇、制度●
【初任給】月22万（諸手当を除いた数値）
【残業】6.6時間【有休】12.8日【制度】[住]
●新卒定着状況●
20年入社（男1、女1）→3年後在籍（男1、女1）
●採用情報●
【人数】23年:1 24年:0 25年:応募0→内定0*
【内定内訳】（男‥、女‥）（文‥、理‥）（総‥、他‥）
【試験】〔筆記〕SPI3〔性格〕有
【時期】エントリー25.1→内々定25.5（一次はWEB面接可）【インターン】有
【採用実績校】‥
【求める人材】素直で基本的な事（挨拶、時間を守るなど）ができる人

【本社】163-0209 東京都新宿区西新宿2-6-1 新宿住友ビル9階 ☎03-6811-9011
【特色・近況】アルミ、アルミ合金の独立系専門商社。半導体・液晶パネル向けが主力。銅・ステンレス・チタンも取り扱う。中国に現地法人を持ち海外展開も。Web見積・発注システム「NAL-NET」サービスを提供。ナメカワアルミが親会社。
【設立】1983.3 【資本金】89百万円
【社長】滑川幸孝（1958.7生 駒沢大法卒）
【株主】〔24.6〕ナメカワアルミ92.0%
【事業】アルミ合金材料85、伸銅品・真鍮・ステンレス他10、機械加工5
【従業員】単77名（39.8歳）

【業績】	売上高	営業利益	経常利益	純利益
単22.3	11,224	48	161	58
単23.3	11,949	119	266	171
単24.3	9,736	▲164	▲96	▲98

㈱ニッコー

株式公開計画なし

採用内定数	倍率	3年後離職率	平均年収
7名	41倍	25%	[総]734万円

●待遇、制度●
【初任給】月23万（諸手当1万円）
【残業】17.2時間【有休】11.5日【制度】[住][在]
●新卒定着状況●
20年入社（男3、女1）→3年後在籍（男3、女0）
●採用情報●
【人数】23年:7 24年:7 25年:応募287→内定7
【内定内訳】（男5、女2）（文7、理0）（総7、他0）
【試験】なし
【時期】エントリー24.12→内々定25.3*（一次はWEB面接可）
【採用実績校】近大1、京産大1、神戸学大1、九州共立大2、法政大1、武蔵野大1
【求める人材】コミュニケーション能力があり、明るく前向きに行動できる誠実な人

【本社】103-0025 東京都中央区日本橋茅場町2-1-1 第二証券会館5階 ☎03-6732-1125
【特色・近況】炭素鋼管、ステンレス鋼管が中心で国内トップ級の鋼管専門商社。全国に12拠点設置し即納体制を整備。豊富な在庫量と短納期に定評。多様なニーズに応えるワンストップサービス「ニッコークラスター」も展開。伊藤忠丸紅鉄鋼が全額出資。
【設立】1952.5 【資本金】420百万円
【社長】吉川圭
【株主】〔24.3〕伊藤忠丸紅鉄鋼100%
【事業】普通鋼鋼管65、ステンレス鋼鋼管25、他10
【従業員】単329名（43.0歳）

【業績】	売上高	営業利益	経常利益	純利益
単22.3	36,706	1,540	1,570	1,112
単23.3	43,915	2,083	2,120	1,599
単24.3	42,827	1,142	1,212	889

㈱パシフィックソーワ

株式公開計画なし

採用内定数	倍率	3年後離職率	平均年収
4名	32.3倍	0%	‥

●待遇、制度●
【初任給】月21.4万
【残業】5.7時間【有休】11日【制度】[住][在]
●新卒定着状況●
20年入社（男4、女1）→3年後在籍（男4、女1）
●採用情報●
【人数】23年:3 24年:2 25年:応募129→内定4*
【内定内訳】（男2、女2）（文4、理0）（総4、他0）
【試験】〔Web自宅〕SPI3〔性格〕有
【時期】エントリー25.3→内々定25.6（一次はWEB面接可）【インターン】有
【採用実績校】千葉大1、佐賀大1、近大1、名古屋学院大1
【求める人材】直面する変化に対応し、会社の成長と変革に貢献できる人、周囲の人と関係を構築し目標達成に向けて臨機応変に対応できる人

【本社】100-0005 東京都千代田区丸の内1-4-1 ☎03-4243-1234
【特色・近況】大平洋金属グループ各社の鋼材、鋳・鍛鋼、機械、金属、合金鉄を中心に扱う専門商社。耐熱鋳鋼品シェアで国内首位級。取扱品目は4万超。取引先も電力や鉄鋼から製造分野、半導体まで幅広い。シンガポール、上海、台北に拠点。技術力や情報力の強化を目指す。
【設立】1956.10 【資本金】432百万円
【社長】谷岡茂（1965.12生 福山大工卒）
【株主】〔23.12〕大平洋金属33.7%
【連結事業】機械金属製品58、鍛鋼製品28、鋳鋼製品14 <貿易25>
【従業員】連674名 単150名（41.5歳）

【業績】	売上高	営業利益	経常利益	純利益
連21.12	32,097	1,339	1,584	1,156
連22.12	34,464	1,311	1,686	1,263
連23.12	37,709	3,306	3,238	2,278

初穂商事（はつほしょうじ）

東証スタンダード

採用内定数	倍率	3年後離職率	平均年収
13名	4.2倍	12.5%	㊕596万円

●待遇、制度●
【初任給】月23.5万（固定残業代5.7時間分）
【残業】10時間【有休】9.5日【制度】住 在

●新卒定着状況●
20年入社（男7、女1）→3年後在籍（男6、女1）

●採用情報●
【人数】23年:6 24年:11 25年:応募55→内定13*
【内定内訳】（男10、女3）（文12、理0）（総11、他2）
【試験】〔性格〕有
【時期】エントリー25.3→内々定25.4【インターン】有
【採用実績校】愛知淑徳大2、日本福祉大1、愛知学大1、名古屋学院大2、名古屋女大1、広島修道大2、江戸川大1、広島文化学大1、他
【求める人材】他人の気付かない所に気付き、改善できる人

【本社】460-0003 愛知県名古屋市中区錦2-14-21 円山ニッセイビル ☎052-222-1066
【特色・近況】建設資材の専門商社。主力は工場、マンション向け軽量鋼製下地材や石膏ボードなど不燃材。住宅向け建築金物や鉄線、カラー鋼板など、扱い品目は約1万点。東海圏主体で首都圏にも拡大。子会社にエクステリア商社。リフォーム向けなど住宅建材分野に重点。
【設立】1958.12 【資本金】885百万円
【社長】斎藤悟（1953.5生 同大経済卒）
【株主】〔24.6〕白百合商事15.7%
【連結事業】内装建材51、エクステリア36、住環境関連13
【従業員】連464名 単278名（42.0歳）

【業績】	売上高	営業利益	経常利益	純利益
連21.12	29,909	763	938	501
連22.12	31,792	1,287	1,431	854
連23.12	34,422	1,421	1,574	975

平林金属（ひらばやしきんぞく）

株式公開計画なし

採用内定数	倍率	3年後離職率	平均年収
10名	‥	20%	‥

●待遇、制度●
【初任給】月23万
【残業】12.5時間【有休】13日【制度】フ 住

●新卒定着状況●
20年入社（男3、女2）→3年後在籍（男3、女1）

●採用情報●
【人数】23年:27 24年:25 25年:応募‥→内定10
【内定内訳】（男4、女6）（文6、理2）（総7、他3）
【試験】〔筆記〕常識〔Web自宅〕有〔性格〕有
【時期】エントリー25.3→内々定25.5*【インターン】有
【採用実績校】ノートルダム清心女大1、就実大1、就実短大1、岡山情報ビジネス学院専1、倉敷芸術科学大1、環太平洋大1、他
【求める人材】「誰かが必ずやらなければならない仕事だから自分がやる」ということに価値を見い出せる人

【本社】700-0973 岡山県岡山市北区下中野347-104 ☎086-246-0011
【特色・近況】西日本首位の鉄・非鉄金属および使用済み家電・自動車等のリサイクル会社。工場やプラントなど大型設備にも対応。鉄スクラップ・非鉄金属の取扱比率が高い。家庭の不要家電等を回収して再資源化する「えこ便」事業も展開。岡山を中心にリサイクル拠点。
【設立】1960.7 【資本金】99百万円
【社長】平林実（1961.4生 専大経営卒）
【株主】〔23.12〕平林実50.5%
【事業】鉄スクラップ・非鉄等卸売91、廃家電リサイクル9
【従業員】単350名（34.3歳）

【業績】	売上高	営業利益	経常利益	純利益
単21.12	21,035	1,116	1,187	624
単22.12	20,972	549	632	349
単23.12	21,734	404	487	▲150

福栄鋼材（ふくえいこうざい）

株式公開計画なし

採用内定数	倍率	3年後離職率	平均年収
6名	12.5倍	0%	‥

●待遇、制度●
【初任給】月22.5万
【残業】7.7時間【有休】10.9日【制度】住

●新卒定着状況●
20年入社（男0、女3）→3年後在籍（男0、女3）

●採用情報●
【人数】23年:5 24年:5 25年:応募75→内定6
【内定内訳】（男5、女1）（文3、理0）（総3、他3）
【試験】なし
【時期】エントリー25.3→内々定25.5*（一次はWEB面接可）
【採用実績校】同大1、関大1、龍谷大1、他
【求める人材】社内外を問わず円滑にコミュニケーションが取れる人

【本社】541-0045 大阪府大阪市中央区道修町3-6-1 京阪神御堂筋ビル8階 ☎06-6201-2981
【特色・近況】薄板専門の独立系鉄鋼商社。年間加工量約60万トンで西日本最大級のコイルセンター。自動車向け、家電向け鋼板のほか、ステンレス鋼板も扱う。小ロット、多品種、短納期に対応。自社開発基幹システムでのデジタル化にも強み。取引先1300社超。
【設立】1960.11 【資本金】86百万円
【社長】竹林泰治（1963.1生 一橋大商卒）
【株主】〔23.12〕小川仁彦
【事業】鉄鋼・金属卸売100
【従業員】単304名（39.6歳）

【業績】	売上高	営業利益	経常利益	純利益
単21.10	47,591	3,760	4,037	2,570
単22.10	62,781	4,785	4,941	3,269
単23.10	70,442	3,151	3,318	2,222

古河産業（ふるかわさんぎょう）

株式公開計画なし

採用内定数	倍率	3年後離職率	平均年収
8名	164倍	25%	‥

●待遇、制度●
【初任給】月26.5万（諸手当2万円）
【残業】20.5時間【有休】14.6日【制度】フ 住 在
●新卒定着状況●
20年入社（男3、女1）→3年後在籍（男2、女1）
●採用情報●23年・24年は秋入社等含む
【人数】23年:7 24年:7 25年:応募1312→内定8
【内定内訳】（男6、女2）（文7、理1）（総8、他0）
【試験】〔Web自宅〕有〔性格〕有
【時期】エントリー24.10→内々定25.3(一次・二次以降もWEB面接可)【インターン】有
【採用実績校】茨城大1、静岡大1、立命館大1、東京農業大1、東洋大1、駿河台大1、北陸大1、ポートランド州立大1
【求める人材】自ら考えて行動できる人、変革に挑戦できる人、新たな付加価値を創造できる人

【本社】105-8630 東京都港区新橋4-21-3
☎03-5405-6011
【特色・近況】電力・通信ケーブル、非鉄金属製品、合成樹脂材料など幅広い生産財を扱う専門商社。エレクトロニクス、化学、自動車、鉄道。航空、医療、機械、建設などの分野で展開。中国、インド、フィリピンなどアジアに販売拠点。古河電工の子会社。
【設立】1947.2 【資本金】700百万円
【社長】伊藤啓真（1963.2生）
【株主】〔24.3〕古河電気工業100%
【連結事業】電装・エレクトロニクス45、輸送機器15、社会インフラ30、合成樹脂6、ライフサイエンス4、他0 <海外40>
【従業員】連454名 単290名（41.5歳）

【業績】	売上高	営業利益	経常利益	純利益
連22.3	122,716	1,632	1,700	1,216
連23.3	121,414	1,935	1,822	1,298
連24.3	126,934	2,210	2,243	1,673

㈱マテック

株式公開計画なし

採用内定数	倍率	3年後離職率	平均年収
15名	1.2倍	37.5%	㊇700万円

●待遇、制度●
【初任給】月25.5万（諸手当0.5万円）
【残業】28.8時間【有休】10.6日【制度】‥
●新卒定着状況●
20年入社（男6、女10）→3年後在籍（男5、女5）
●採用情報●
【人数】23年:19 24年:18 25年:応募18→内定15*
【内定内訳】（男8、女7）（文2、理1）（総3、他12）
【試験】なし
【時期】エントリー25.4→内々定25.7(一次はWEB面接可)
【採用実績校】北海学園大2、札幌大1
【求める人材】高い当事者意識を持って物事に対応出来る人

【本社】080-2461 北海道帯広市西21条北1-3-20
☎0155-37-5511
【特色・近況】北海道地盤の製鋼原料加工販売会社。鉄リサイクルをはじめ、古紙、プラスチック類、空き缶、廃車のリサイクルを手がける。道内に強固な営業基盤。無人資源回収拠点「じゅんかんコンビニ24」を増設し、古紙など資源物の入荷増を図る。
【設立】1960.1 【資本金】96百万円
【代表取締役】杉山博康（1964.2生 明学大英文）
【株主】〔23.12〕マテック商事33.0%
【事業】鉄60、非鉄24、紙7、廃棄物処理3、他6 <輸出30>
【従業員】単475名（41.6歳）

【業績】	売上高	営業利益	経常利益	純利益
単21.12	36,619	4,362	4,444	2,771
単22.12	43,920	4,404	4,469	2,589
単23.12	36,137	1,562	1,608	1,109

丸藤シートパイル（まるふじ）

東証スタンダード

採用内定数	倍率	3年後離職率	平均年収
12名	6倍	27.3%	662万円

●待遇、制度●
【初任給】月24万
【残業】22.7時間【有休】11.4日【制度】フ 住
●新卒定着状況●
20年入社（男11、女0）→3年後在籍（男8、女0）
●採用情報●
【人数】23年:8 24年:6 25年:応募72→内定12*
【内定内訳】（男8、女4）（文7、理5）（総10、他2）
【試験】〔Web自宅〕SPI3
【時期】エントリー25.3→内々定25.4(一次はWEB面接可)【インターン】有
【採用実績校】日大3、東海大2、八戸工大1、東京経大1、立命館大1、拓大1、専大1、聖徳大1、京都女大1
【求める人材】コミュニケーション能力を有し、柔軟で行動力のある人

【本社】103-0023 東京都中央区日本橋本町3-7-2 MFPR日本橋本町ビル ☎03-3639-7641
【特色・近況】三井物産系建設仮設材のリース・販売で2位グループ。東日本が地盤。シートパイル、H形鋼など基礎工事用の鋼材専門で、日本製鉄の製品を主に扱う。仮設材リースと工事の一体受注を拡大。子会社に基礎工事会社。作業効率化を図ったリース材開発に注力。
【設立】1947.9 【資本金】3,626百万円
【社長】羽生成夫（1959.3生 中大経済卒）
【株主】〔24.3〕三井物産スチール12.3%
【連結事業】販売38、賃貸13、工事33、加工受託8、運送受託8
【従業員】連509名 単394名（45.2歳）

【業績】	売上高	営業利益	経常利益	純利益
連22.3	31,876	559	965	749
連23.3	35,104	1,063	1,548	1,038
連24.3	34,543	1,410	1,926	1,372

㈱水上（みずかみ）

株式公開計画なし

採用実績数	倍率	3年後離職率	平均年収
7名	‥	33.3%	‥

●待遇、制度●
【初任給】月23.9万
【残業】7.3時間【有休】8日【制度】住
●新卒定着状況●
20年入社(男5、女10)→3年後在籍(男5、女5)
●採用情報●
【人数】23年:16 24年:7 25年:予定微減
【内定内訳】(男‥、女‥)(文‥、理‥)(総‥、他‥)
【試験】〔筆記〕常識〔性格〕有
【時期】エントリー25.3→内々定25.6*
【採用実績校】‥
【求める人材】(総合職)積極的で競争意識、コスト意識、向上心の高い人、(一般職)会社に貢献しようと前向きな人

【本社】542-0082 大阪府大阪市中央区島之内2-7-22 ☎06-6211-1110
【特色・近況】建築金物や建設資材、エクステリア、建具など3万アイテムを扱うメーカー商社。自社ブランド製品「FIRST PRO」の取扱比率35%。床下地合板の撥水養生システムや、子供向けベンチなどベビー・キッズ向け設備・用品事業も展開。
【設立】1953.12 【資本金】99百万円
【社長】水上嘉彰(1967.11生 東大農卒)
【株主】〔23.12〕水上嘉一郎14.8%
【事業】金物卸
【従業員】単178名(37.9歳)

【業績】	売上高	営業利益	経常利益	純利益
単21.12	8,440	115	252	85
単22.12	9,155	90	255	166
単23.12	9,711	▲35	161	116

㈱UACJトレーディング

株式公開していない

採用内定数	倍率	3年後離職率	平均年収
2名	‥	0%	‥

●待遇、制度●
【初任給】‥万
【残業】20時間【有休】‥日【制度】住 在
●新卒定着状況●
20年入社(男4、女0)→3年後在籍(男4、女0)
●採用情報●
【人数】23年:4 24年:4 25年:応募‥→内定2
【内定内訳】(男1、女1)(文2、理0)(総2、他0)
【試験】なし
【時期】エントリー25.3→内々定25.6(一次・二次以降もWEB面接可)
【採用実績校】‥
【求める人材】‥

【大阪本社】541-0041 大阪府大阪市中央区北浜4-7-28 住友ビル2号館 ☎06-6201-1430
【特色・近況】古河スカイと住友軽金属が合併して誕生したUACJグループの中核商社でアルミ・銅、ステンレス・チタン・マグネシウムなどの地金・圧延品を販売。環境関連などに力を入れる。中国、タイ、チェコ、ポーランドと米サンノゼに販売現法。
【設立】1947.11 【資本金】1,500百万円
【社長】森川道則
【株主】〔24.3〕UACJ100%
【事業】非鉄金属・合金の圧延品、地金・加工品
【従業員】単135名(‥歳)

【業績】	売上高	営業利益	経常利益	純利益
単22.3	88,107	1,536	2,195	1,508
単23.3	24,154	1,095	2,648	1,941
単24.3	21,616	1,105	2,033	1,508

㈱吉田産業（よしださんぎょう）

株式公開計画なし

採用内定数	倍率	3年後離職率	平均年収
13名	2.7倍	30%	‥

●待遇、制度●
【初任給】月21.6万(固定残業代17時間分)
【残業】11.4時間【有休】13.7日【制度】住
●新卒定着状況●
20年入社(男5、女5)→3年後在籍(男3、女4)
●採用情報●
【人数】23年:16 24年:13 25年:応募35→内定13*
【内定内訳】(男8、女5)(文9、理1)(総13、他0)
【試験】〔筆記〕有〔Web自宅〕有
【時期】エントリー25.3→内々定25.5*(一次はWEB面接可)【インターン】有
【採用実績校】弘前大、北見工大、東京経大、東北学大、東北文化学園大、富士大、八戸学大
【求める人材】遊び心とチャレンジ精神、向上心、柔軟性をもち、考えたことを行動にうつせる人

【本社】031-8655 青森県八戸市廿三日町2 ☎0178-47-8111
【特色・近況】青森県八戸市に本社を置き、東北と道南を地盤に建設資材や環境資材などを扱う専門商社。多数の支店、営業所のほか、「リフォームパレス ドルフィン」店舗で住宅設備機器などの販売も。海洋気象事業部で局地予報も提供。1921年金物店で創業。
【設立】1948.12 【資本金】363百万円
【社長】吉田誠夫(1949.3生 慶大経済卒)
【株主】〔24.3〕吉田産業(協) 28.4%
【事業】建築施工31、建材15、鋼材17、土木資材14、セメント9、他14
【従業員】単839名(45.1歳)

【業績】	売上高	営業利益	経常利益	純利益
単22.3	79,334	1,035	1,281	900
単23.3	82,566	1,133	1,433	875
単24.3	82,855	1,032	1,295	754

淀鋼商事（よどこうしょうじ）

株式公開未定

採用内定数	倍率	3年後離職率	平均年収
7名	‥	40%	‥

●待遇、制度●
【初任給】月25.1万(諸手当0.7万円、固定残業代10時間分)
【残業】17.1時間【有休】12日【制度】住
●新卒定着状況●
20年入社(男2、女3)→3年後在籍(男1、女2)
●採用情報●
【人数】23年:3 24年:4 25年:応募‥→内定7*
【内定内訳】(男6、女1)(文7、理0)(総7、他0)
【試験】〔性格〕有
【時期】エントリー 25.3→内々定25.6(一次はWEB面接可)
【採用実績校】‥
【求める人材】コミュニケーション能力が高く、素直さを持ち物事に積極的に取組める人

【本社】541-0054 大阪府大阪市中央区南本町4-1-1 ヨドコウビル5階 ☎06-6241-7231
【特色・近況】淀川製鋼所の連結子会社で、親会社グループの窓口商社として鉄鋼、金物建材、エクステリアから、資材、原料、樹脂など幅広い商品を扱う。広島県呉市に工場、海運・陸運などの運輸部門も併営。事務所移転作業や機密書類の溶解処分なども手がける。
【設立】1942.1 【資本金】370百万円
【社長】野村光弘(1969.1生)
【株主】〔24.3〕淀川製鋼所64.4%
【事業】鋼材部門82、物資部門11、陸・海輸送部門4、他2 <貿易1>
【従業員】単140名(43.6歳)

【業績】	売上高	営業利益	経常利益	純利益
単22.3	25,216	481	1,009	697
単23.3	29,192	315	380	253
単24.3	28,397	406	475	311

#年収高く倍率低い

若井産業（わかいさんぎょう）

株式公開計画なし

採用内定数	倍率	3年後離職率	平均年収
6名	6.7倍	50%	843万円

●待遇、制度●
【初任給】月24万
【残業】5時間【有休】15.1日【制度】住
●新卒定着状況●
20年入社(男2、女0)→3年後在籍(男1、女0)
●採用情報● 親会社採用
【人数】23年:3 24年:7 25年:応募40 →内定6
【内定内訳】(男5、女1)(文5、理1)(総6、他0)
【試験】〔筆記〕常識〔性格〕有
【時期】エントリー 25.1→内々定25.5
【採用実績校】龍谷大1、近大1、流経大1、獨協大1、電通大1、立命館大1
【求める人材】自ら決めた計画を誠実にやりきる人

【本社】577-8503 大阪府東大阪市森河内西1-6-30 ☎06-6783-2080
【特色・近況】建築用ファスナー(ネジ、釘、金物)、自動釘打機、DIY用品、POSシステムなどを開発・製造・販売。自社製品率は約75%。モノづくりと商社機能を核にワンストップファクトリーを志向。埼玉に支社、東大阪市に流通センターを置く。
【設立】2015.2 【資本金】98百万円
【社長】若井俊宏(1975.7生 近大)
【株主】〔24.4〕若井ホールディングス100%
【事業】特殊釘15、建築用ネジ35、DIY関連商品15、接着剤・シーリング材11、他25 <輸出3>
【従業員】単173名(41.4歳)

【業績】	売上高	営業利益	経常利益	純利益
単22.1	12,953	1,119	1,120	756
単23.1	13,708	815	874	565
単24.1	13,765	1,054	1,190	818

㈱旭商工社（あさひしょうこうしゃ）

株式公開していない

採用内定数	倍率	3年後離職率	平均年収
3名	12倍	66.7%	㊕590万円

●待遇、制度●
【初任給】月22.3万(諸手当1.3万円)
【残業】25.6時間【有休】13.4日【制度】住 在
●新卒定着状況●
20年入社(男7、女5)→3年後在籍(男2、女2)
●採用情報●
【人数】23年:8 24年:6 25年:応募36→内定3*
【内定内訳】(男1、女2)(文3、理0)(総0、他3)
【試験】なし
【時期】エントリー 25.3→内々定25.10*(一次はWEB面接可)【インターン】有
【採用実績校】‥
【求める人材】信頼・約束を守る責任感のある人

【本社】220-0023 神奈川県横浜市西区平沼1-7-10 ☎045-311-1551
【特色・近況】工作機械、産業機器、切削工具を扱う専門商社。不二越、SMCなどの製品を扱う。国内は東北から九州まで営業所を配置。海外は中国、メキシコ、タイに販売現法、中国には7支店網を敷く。海外販売力の強化に取り組む。
【設立】1951.11 【資本金】485百万円
【社長】野村満輝(日大国際関卒)
【株主】‥
【事業】工具・産業機等の仕入・販売
【従業員】単223名(‥歳)

【業績】	売上高	営業利益	経常利益	純利益
単22.3	17,144	50	239	143
単23.3	16,816	21	308	168
単24.3	19,759	165	507	417

㈱一ノ瀬（いちのせ）

株式公開 未定

採用内定数	倍率	3年後離職率	平均年収
3名	‥	ー	‥

●待遇、制度●
【初任給】月21.9万（諸手当を除いた数値）
【残業】20時間【有休】8日【制度】住

●新卒定着状況●
20年入社（男0、女0）→3年後在籍（男0、女0）

●採用情報●
【人数】23年:6 24年:2 25年:応募‥→内定3*
【内定内訳】（男3、女0）（文2、理1）（総3、他0）
【試験】なし
【時期】エントリー通年→内々定通年(一次はWEB面接可)
【採用実績校】西日本工大1、阪南大1、京産大1

【求める人材】行動力があり、有言実行で、よく学びよく遊ぶ人

【本社】550-0023 大阪府大阪市西区千代崎1-9-1 ☎06-6582-5000
【特色・近況】バルブ、継手・フランジなど配管資材の卸売り中心の専門商社。取扱メーカー数100社超。メーカー部門を併せ持ち、オリジナル特殊バルブの開発製造も行う。特許・実用新案の取得多数。海外は台北に事務所、上海とシンガポールに現地法人。
【設立】1949.8 【資本金】87百万円
【社長】一瀬知史（1984.7生 大阪芸大卒）
【株主】〔23.9〕大阪中小企業投資育成26.7%
【事業】配管資材（バルブ全体）100 <海外5>
【従業員】単84名（40.3歳）

【業績】	売上高	営業利益	経常利益	純利益
単21.9	6,579	110	117	105
単22.9	6,770	84	114	79
単23.9	7,581	62	54	26

伊藤電機（いとうでんき）

株式公開 未定

採用内定数	倍率	3年後離職率	平均年収
1名	22倍	100%	総770万円

●待遇、制度●
【初任給】月21万（固定残業代20時間分）
【残業】10時間【有休】13.5日【制度】フ 住 在

●新卒定着状況●
20年入社（男1、女1）→3年後在籍（男0、女0）

●採用情報●
【人数】23年:1 24年:2 25年:応募22→内定1*
【内定内訳】（男0、女1）（文1、理0）（総1、他0）
【試験】〔Web自宅〕有〔性格〕有
【時期】エントリー24.10→内々定25.4*
【採用実績校】南山大1

【求める人材】素直で前向きな人、自分で考えて行動につなげられる人、自分なりに仕事を楽しめる人

【本社】461-0022 愛知県名古屋市東区東大曽根町12-10 ☎052-935-1760
【特色・近況】エレクトロニクス製品の専門商社。車載、産業機器、住設機器、アミューズメント向け電子部品の販売から技術サポート、EMSなど提供。アルプスアルパイン、日立グループと特約店契約。海外は中国、タイ、インド、メキシコ、米国で8拠点体制。
【設立】1957.6 【資本金】300百万円
【社長】伊藤正樹（1980.8生 一橋大商卒）
【株主】〔24.3〕伊藤直樹22.3%
【事業】車載電装関連36、FA・産業機器関連31、アミューズメント他33 <輸出22>
【従業員】単84名（47.7歳）

【業績】	売上高	営業利益	経常利益	純利益
単22.3	13,846	413	571	370
単23.3	13,834	322	442	246
単24.3	12,862	300	386	308

岩瀬産業（いわせさんぎょう）

株式公開 計画なし

採用内定数	倍率	3年後離職率	平均年収
11名	4.6倍	8.3%	‥

●待遇、制度●
【初任給】月24万（諸手当0.7万円）
【残業】16.9時間【有休】9日【制度】住

●新卒定着状況●
20年入社（男13、女11）→3年後在籍（男12、女10）

●採用情報●
【人数】23年:19 24年:15 25年:応募51→内定11*
【内定内訳】（男6、女5）（文10、理0）（総6、他5）
【試験】〔筆記〕SPI3〔性格〕有
【時期】エントリー25.3→内々定25.6*(一次はWEB面接可)【インターン】有
【採用実績校】白鴎大2、城西大2、共愛学園前橋国際大1、立正大1、高崎経大1、白百合女大1、桐蔭横浜大1、上武大1、伊勢崎商業高1
【求める人材】明るく元気で意欲があり、自分で考えることのできる人

【本社】372-8555 群馬県伊勢崎市下植木町3-10 ☎0270-24-5515
【特色・近況】各種機械、油空圧機器、工具、管工機材など扱う産業資材の専門商社。群馬県中心に栃木、埼玉、長野に拠点を配置し、地域密着営業を実施。サービスからメンテナンスまで一貫体制。流通機能とエンジニアリング機能の融合など推進。タイに販売現法。
【設立】1952.2 【資本金】60百万円
【社長】岩瀬加代子（1968.9生 東北大法卒）
【株主】〔24.3〕イワセ100%
【事業】機電62、管材38
【従業員】単600名（36.5歳）

【業績】	売上高	営業利益	経常利益	純利益
単22.3	42,524	1,058	1,840	1,195
単23.3	45,568	1,107	1,976	1,385
単24.3	48,876	1,393	2,322	1,591

㈱ウエノ

株式公開計画なし

採用内定数	倍率	3年後離職率	平均年収
9名	3.7倍	20%	592万円

●待遇、制度●
【初任給】月24.7万
【残業】14.9時間【有休】10.2日【制度】住 在
●新卒定着状況●
20年入社(男4、女1)→3年後在籍(男4、女0)
●採用情報●
【人数】23年:10 24年:7 25年:応募33→内定9*
【内定内訳】(男9、女0)(文9、理0)(総9、他0)
【試験】〔筆記〕有
【時期】エントリー25.1→内々定25.5*(一次はWEB面接可)【インターン】有
【採用実績校】立命館APU2、神奈川大2、青学大1、東北学大1、東北福祉大1、熊本県大1、東京経大1
【求める人材】何にでも興味を持ち、考えをきちんと表明でき、スキルを高めていく気概を持ち続ける人

【本社】110-0015 東京都台東区東上野1-9-6 ☎03-3835-3991
【特色・近況】産業用ロボット、機械・工具の専門商社。顧客数約5000社、取扱サプライヤー4000社超、取扱商品1000万点以上。日本への導入初期からFA製品に実績、現在はFAシステムの提案・設計・設置を一貫して行う。国内30拠点、海外4カ国6拠点。
【設立】1947.6 【資本金】412百万円
【社長】植野正隆(1951.1生 明大卒)
【株主】〔24.3〕植野正剛5.7%
【事業】切削工具7、油圧・空圧8、作業工具9、駆動・伝動9、FA8、測定計器7、他52 <輸出11>
【従業員】単339名(42.1歳)

【業績】	売上高	営業利益	経常利益	純利益
単22.3	24,579	534	732	455
単23.3	26,641	394	612	385
単24.3	27,159	152	332	248

英和(えいわ)

東証スタンダード

採用内定数	倍率	3年後離職率	平均年収
9名	79.8倍	38.5%	㊧730万円

●待遇、制度●
【初任給】月22.6万
【残業】7.5時間【有休】11.2日【制度】住 在
●新卒定着状況●
20年入社(男12、女1)→3年後在籍(男8、女0)
●採用情報●
【人数】23年:6 24年:8 25年:応募718→内定9*
【内定内訳】(男8、女1)(文8、理1)(総9、他0)
【試験】〔Web自宅〕有〔性格〕有
【時期】エントリー25.3→内々定25.6(一次はWEB面接可)
【採用実績校】三条市大1、玉川大1、龍谷大1、新潟産大1、東京成徳大1、京都先端科学大1、関西外大2、桃山学大1
【求める人材】アグレッシブに活躍でき、顧客のパートナーになれる人

【本社】550-0014 大阪府大阪市西区北堀江4-1-7 ☎06-6539-4801
【特色・近況】工業計測制御機器、環境計測・分析機器、測定・検査機器、産業機器を扱う専門商社。大企業の固定客多い。新規商材開発のため研究開発部を持つ。子会社で一部製造も行う。全国に30以上の営業拠点を配置。中国と台湾に現地法人。
【設立】1948.6 【資本金】1,533百万円
【社長】阿部吉典(1974.2生)
【株主】〔24.3〕光通信㈱7.3%
【連結事業】工業用計測制御機器48、環境計測・分析機器10、測定・検査機器4、産業機械38
【従業員】連379名 単331名(43.6歳)

【業績】	売上高	営業利益	経常利益	純利益
連22.3	37,378	1,561	1,608	1,067
連23.3	41,284	1,894	1,979	1,320
連24.3	43,292	2,325	2,421	1,667

荏原商事(えばらしょうじ)

株式公開計画なし

採用内定数	倍率	3年後離職率	平均年収
11名	4.1倍	0%	・・

●待遇、制度●
【初任給】月23万(諸手当1.5万円)
【残業】14時間【有休】12.4日【制度】住 在
●新卒定着状況●
20年入社(男7、女1)→3年後在籍(男7、女1)
●採用情報●
【人数】23年:9 24年:9 25年:応募45→内定11*
【内定内訳】(男6、女5)(文6、理5)(総10、他1)
【試験】〔Web自宅〕有〔性格〕有
【時期】エントリー25.3→内々定25.3(一次はWEB面接可)【インターン】有
【採用実績校】千葉工大1、東京工科大1、愛知工業大1、神奈川工大1、神奈川大1、同大1、関西学大1、拓大、東京女大1、武蔵大1、他
【求める人材】未知の分野でも積極的に挑戦できる人、傾聴力があり協働力を発揮できる人

【本社】103-0025 東京都中央区日本橋茅場町3-9-10 茅場町ブロードスクエア5階 ☎03-5645-0151
【特色・近況】上下水道設備や揚排水設備などのエンジニアリングが事業の柱。水のプロフェッショナルを標榜。太陽光発電や小水力発電など再生エネ関連も展開。国内は北海道から大阪の東日本中心に、海外はタイに拠点。荏原製作所の販売代理店でスタート。
【設立】1948.5 【資本金】200百万円
【代表取締役】島田薫(1968.5生 東京国際大商卒)
【株主】〔23.9〕島田薫21.4%
【事業】機械設備工事他47、産業用機械器具販売24、他29
【従業員】単580名(45.8歳)

【業績】	売上高	営業利益	経常利益	純利益
単21.9	27,478	1,962	2,014	863
単22.9	27,444	1,161	1,247	718
単23.9	26,607	1,150	1,226	745

㈱オータケ

東証スタンダード

採用内定数	倍率	3年後離職率	平均年収
6名	10.3倍	0%	㊗641万円

●待遇、制度●

【初任給】月23万(諸手当1万円)
【残業】5時間【有休】9.6日【制度】在

●新卒定着状況●

20年入社(男3、女2)→3年後在籍(男3、女2)

●採用情報●

【人数】23年:8 24年:4 25年:応募62→内定6
【内定内訳】(男4、女2)(文･･、理･･)(総6、他0)
【試験】〔性格〕有
【時期】エントリー24.9→内々定24.12*(一次はWEB面接可)【インターン】有
【採用実績校】名古屋外大1、名城大1、名古屋学院大1、南山大1
【求める人材】創り出したい未来を創造し、実現に向けて行動できる人

【本社】460-0002 愛知県名古屋市中区丸の内2-1-8 ☎052-211-0150
【特色・近況】バルブ、コック、継ぎ手など配管資材の専門商社。バルブ販売で国内3位。化学工業プラント設備用から、一般建築、住宅用まで取り扱う。名古屋発祥で中京・東海エリアに強く、地域密着型営業を展開。全国に拠点を整備し、首都圏のシェア拡大も図る。
【設立】1952.5 【資本金】1,312百万円
【社長】金戸俊哉(1964.7生 愛知大経済卒)
【株主】〔24.5〕愛知県西尾市8.4%
【事業】バルブ・コック32、継手20、冷暖房機器12、衛生・給排水11、パイプ14、他11
【従業員】単269名(38.6歳)

【業績】	売上高	営業利益	経常利益	純利益
単22.5	26,615	600	786	530
単23.5	29,284	884	1,105	822
単24.5	31,253	916	1,117	774

㈱兼松KGK（かねまつ）

株式公開計画なし

採用内定数	倍率	3年後離職率	平均年収
7名	60.7倍	25%	812万円

●待遇、制度●

【初任給】月24.4万(諸手当2.2万円)
【残業】10.8時間【有休】10.1日【制度】住 在

●新卒定着状況●

20年入社(男4、女0)→3年後在籍(男3、女0)

●採用情報●

【人数】23年:6 24年:13 25年:応募425→内定7
【内定内訳】(男7、女0)(文7、理0)(総7、他0)
【試験】〔Web会場〕SPI3〔Web自宅〕SPI3〔性格〕有
【時期】エントリー25.3→内々定25.4(一次・二次以降もWEB面接可)
【採用実績校】北大1、東洋大1、法政大1、明学大1、埼玉大1、滋賀大1、近大1
【求める人材】機知に富み、行動し、結果を求める人

【本社】104-8510 東京都中央区京橋1-7-2 ミュージアムタワー京橋15階 ☎03-5579-5880
【特色・近況】工作機械および産業機械などの機械専門商社で、兼松の連結子会社。太陽光発電やバイオマス発電を中心としたエネルギー・環境関連設備事業も手がける。米国、メキシコ、中国、タイ、ベトナム、インドネシア、台湾に海外拠点を展開。
【設立】1963.5 【資本金】706百万円
【社長】木村広(1961.11生)
【株主】〔24.3〕兼松99.9%
【事業】工作機械他55、産業機械18、他27 <輸出13>
【従業員】単255名(43.3歳)

【業績】	売上高	営業利益	経常利益	純利益
単22.3	6,144	834	912	686
単23.3	7,508	1,517	1,516	1,430
単24.3	8,261	1,544	1,552	1,228

川重商事（かわじゅうしょうじ）

株式公開計画なし

採用内定数	倍率	3年後離職率	平均年収
14名	31.3倍	0%	･･

●待遇、制度●

【初任給】月24.6万
【残業】10時間【有休】15日【制度】住 在

●新卒定着状況●

20年入社(男2、女3)→3年後在籍(男2、女3)

●採用情報●

【人数】23年:10 24年:15 25年:応募438→内定14
【内定内訳】(男9、女5)(文12、理2)(総13、他1)
【試験】〔Web会場〕SPI3〔性格〕有
【時期】エントリー24.10→内々定25.6(一次はWEB面接可)【インターン】有
【採用実績校】大阪府大1、追手門学大1、関大1、関西学大1、甲南大2、成蹊大1、高千穂大1、東洋大1、兵庫県大1、桃山学大1、立命館大1、他
【求める人材】自ら目標を設定し、追い続けることができる人、顧客の立場で物事を考えられる人

【本社】650-0024 兵庫県神戸市中央区海岸通8 神港ビル ☎078-392-1131
【特色・近況】川崎重工業グループの中核商社。産業用機器・設備、エネルギー製品、鋼材・建材、環境・防災機器など手がける。グループ内に止まらず多種多様な仕入元・販売先持つ。設備機器の搬入・据付施工などエンジニアリングも展開。国内22拠点、海外10拠点を展開。
【設立】1951.6 【資本金】600百万円
【社長】高来悟(1959.4生 神商科大商経卒)
【株主】〔24.3〕川崎重工業77.8%
【事業】産業機械72、建築請負・建材8、石油18、鉄鋼2 <貿易12>
【従業員】単386名(43.7歳)

【業績】	売上高	営業利益	経常利益	純利益
単22.3	71,321	2,410	2,605	1,890
単23.3	82,513	3,154	3,341	2,398
単24.3	85,925	3,239	3,414	2,383

㈱極東商会（きょくとうしょうかい）

株式公開計画なし

採用内定数	倍率	3年後離職率	平均年収
7名	23.6倍	11.1%	㊕630万円

●待遇、制度●
【初任給】月24.5万
【残業】14時間【有休】12日【制度】㊟
●新卒定着状況●
20年入社(男7、女2)→3年後在籍(男7、女1)
●採用情報●
【人数】23年:7 24年:13 25年:応募165→内定7*
【内定内訳】(男6、女1)(文6、理0)(総7、他0)
【試験】〔筆記〕常識〔Web会場〕SPI3〔Web自宅〕SPI3〔性格〕有
【時期】エントリー24.10→内々定25.3(一次はWEB面接可)【インターン】有
【採用実績校】大東文化大1、立正大1、駿河台大1、東北学大1、千葉経大1、二松学舎大1、仙台デザイン＆テクノロジー専1
【求める人材】人と接することが好きな人、成長意欲があり提案型の営業をしたい人、チームで目標達成を目指したい人

【本社】101-8589 東京都千代田区外神田4-10-6 ☎03-5244-4600
【特色・近況】空調・冷凍機、省エネ機器とその関連部材が主体の専門商社。半導体・電子部品や化学品関連製品も扱う。子会社で空調・冷凍工事用資材・工具の直販店「カパス」を全国展開。大阪、名古屋、福岡などに営業所。千葉、名古屋、大阪に物流センター。
【設立】1950.4　【資本金】420百万円
【社長】水澤亮(1961.8生 武工大工卒)
【株主】〔24.3〕泰棟31.3%
【事業】空調機械・部材79、ガス9、機能材10、他2 <貿易2>
【従業員】単120名(43.1歳)

【業績】	売上高	営業利益	経常利益	純利益
単22.3	32,152	1,053	1,913	1,378
単23.3	35,018	1,285	2,091	1,497
単24.3	35,852	1,154	2,115	1,539

極東貿易（きょくとうぼうえき）

東証プライム

採用内定数	倍率	3年後離職率	平均年収
4名	‥	0%	769万円

●待遇、制度●
【初任給】月22.5万
【残業】‥時間【有休】12日【制度】㊟
●新卒定着状況●
20年入社(男4、女0)→3年後在籍(男4、女0)
●採用情報●
【人数】23年:4 24年:4 25年:応募‥→内定4
【内定内訳】(男2、女2)(文3、理1)(総3、他1)
【試験】〔筆記〕常識〔性格〕有
【時期】エントリー25.3→内々定25.6(一次はWEB面接可)
【採用実績校】南山大2、立命館大1、日女大1
【求める人材】いろいろなことに興味を持ち、チャレンジ精神のある人

【本社】100-0004 東京都千代田区大手町2-2-1 新大手町ビル ☎03-3244-3511
【特色・近況】産業向け機械、設備、高機能材料の専門商社。鉄鋼向け重電に加え、中国で藤倉化成、現地資本と自動車向けコーティング材の合弁を運営。周辺事業のM&Aに積極的で、子会社で精密部品事業や洋上風力建設関連なども手がける。
【設立】1947.11　【資本金】5,496百万円
【社長】岡田義也(1957.4生 東京理大理工卒)
【株主】〔24.3〕日本マスタートラスト信託銀行信託口9.3%
【連結事業】産業設備28、産業素材30、機械部品42 <海外47>
【従業員】連589名 単140名(46.3歳)

【業績】	売上高	営業利益	経常利益	純利益
連22.3	39,705	759	1,296	781
連23.3	42,657	1,000	1,523	1,017
連24.3	43,660	1,112	1,487	1,156

クリエイト

東証スタンダード

採用内定数	倍率	3年後離職率	平均年収
12名	17.6倍	14.3%	㊕611万円

●待遇、制度●
【初任給】月24.6万(諸手当2.5万円、固定残業代20時間分)
【残業】19.7時間【有休】11.4日【制度】㊟㊡
●新卒定着状況●
20年入社(男5、女2)→3年後在籍(男4、女2)
●採用情報●
【人数】23年:13 24年:17 25年:応募211→内定12*
【内定内訳】(男10、女2)(文11、理1)(総12、他0)
【試験】〔性格〕有
【時期】エントリー25.3→内々定25.6(一次・二次以降もWEB面接可)
【採用実績校】日体大1、創価大1、聖心女大1、阪南大1、関西外大1、福岡工大1、北九州市大1、東北文化学園大1、東京経大1、大阪経大1、他
【求める人材】素直で誠実に行動でき、困難な状況の中でも粘り強く最後までやり遂げることができる人

【本社】550-0011 大阪府大阪市西区阿波座1-13-15 クリエイトビル ☎06-6538-2333
【特色・近況】給水・排水パイプ、継ぎ手など管工機材の専門商社。「トーロー印」ブランドで知られる。子会社に製造部門や建設工事部門を擁し、システムキッチンやエアコンなど住宅設備機器の取り扱いや、リフォームなども。物流に注力し全国に販売網をもつ。
【設立】1948.3　【資本金】646百万円
【社長】宇山泰宏(1965.6生 日大経済卒)
【株主】〔24.3〕福井道夫11.3%
【連結事業】管工機材98、施工関連1、他1
【従業員】連597名 単438名(42.6歳)

【業績】	売上高	営業利益	経常利益	純利益
連22.3	31,525	270	329	180
連23.3	34,881	679	676	419
連24.3	35,860	413	410	143

郷商事(ごうしょうじ)

株式公開計画なし

採用内定数	倍率	3年後離職率	平均年収
3名	12.3倍	100%	㊔760万円

●待遇、制度●
【初任給】月21万
【残業】8時間【有休】16.1日【制度】住 在
●新卒定着状況●
20年入社(男0、女1)→3年後在籍(男0、女0)
●採用情報●
【人数】23年:4 24年:6 25年:応募37→内定3
【内定内訳】(男3、女0)(文3、理0)(総3、他0)
【試験】〔Web自宅〕有〔性格〕有
【時期】エントリー25.3→内々定25.6(一次・二次以降もWEB面接可)【インターン】有
【採用実績校】国士舘大1、大阪商大1、国際武道大1
【求める人材】常に挑戦する意欲があり、自分の意見を持って、自分の意思で働ける人

【本社】104-0032 東京都中央区八丁堀2-11-2 ☎03-3552-7700
【特色・近況】油圧ホース、配管など建産機用部品、家電・通信機器部品など電気機器、組み込み用プリンターなど各種電子機器の専門商社。関連会社で製造も行う。海外は米国、ドイツ、中国、東南アジアなどに10拠点。小松製作所への資材納入で創業。
【設立】1955.3【資本金】400百万円
【社長】林秀和(1971.2生)
【株主】〔24.3〕自社従業員持株会75.0%
【事業】建産機、電機、電子機器 <輸出25>
【従業員】単151名(45.3歳)

【業績】	売上高	営業利益	経常利益	純利益
単22.3	39,546	‥	1,245	549
単23.3	45,504	‥	1,489	776
単24.3	47,956	‥	1,994	708

㈱Cominix

東証スタンダード

採用内定数	倍率	3年後離職率	平均年収
3名	‥	25%	600万円

●待遇、制度●
【初任給】月24.2万
【残業】4.5時間【有休】10.1日【制度】住
●新卒定着状況●
20年入社(男4、女0)→3年後在籍(男3、女0)
●採用情報●
【人数】23年:4 24年:9 25年:応募‥→内定3
【内定内訳】(男1、女2)(文3、理0)(総1、他2)
【試験】〔性格〕有
【時期】エントリー25.3→内々定25.4(一次・二次以降もWEB面接可)【インターン】有
【採用実績校】立正大1、武庫川女大1、甲南大1
【求める人材】主体的かつ行動力のある人

【本社】541-0054 大阪府大阪市中央区南本町1-8-14 JRE堺筋本町ビル ☎06-7663-8208
【特色・近況】切削工具が主力の専門商社。国内外メーカー品と自社ブランド品の両方を取り扱う。自動車部品メーカー向けの比重高い。塑性加工に使用される耐摩工具も。アジアや北中米などに拠点を持ち、グローバル展開。旧社名は大阪工機。
【設立】1950.5【資本金】350百万円
【会長】柳川重昌(1947.3生 阪市大工卒)
【株主】〔24.3〕林祐介12.6%
【連結事業】切削工具57、耐摩工具9、海外26、光製品5、eコマース0、他3 <海外26>
【従業員】連479名 単206名(37.9歳)

【業績】	売上高	営業利益	経常利益	純利益
連22.3	26,929	663	781	888
連23.3	28,853	948	1,054	742
連24.3	28,644	752	840	539

㈱コンセック

東証スタンダード

採用内定数	倍率	3年後離職率	平均年収
1名	8倍	33.3%	467万円

●待遇、制度●
【初任給】月21.9万(固定残業代30時間分)
【残業】14時間【有休】7日【制度】フ 住
●新卒定着状況●
20年入社(男3、女0)→3年後在籍(男2、女0)
●採用情報●
【人数】23年:5 24年:2 25年:応募8→内定1*
【内定内訳】(男1、女0)(文1、理0)(総1、他0)
【試験】〔Web会場〕C-GAB〔Web自宅〕SPI3
【時期】エントリー25.3→内々定25.6*(一次・二次以降もWEB面接可)【ジョブ型】有
【採用実績校】広島修道大1
【求める人材】相手の気持ちになって考え、気配りができる人

【本社】733-0833 広島県広島市西区商工センター4-6-8 ☎082-277-5451
【特色・近況】建設向けの穿孔・切断機器、ダイヤモンド切削工具の大手。コンクリート構造物切断の設計・施工など特殊工事も収益柱。工場設備関連用品や、建設業界向けの工具・建設資材販売も行う。切削機具の次世代製品開発に注力。中国や台湾に現地法人。
【設立】1967.11【資本金】4,090百万円
【社長】福田多喜二(1956.1生 玉川大文卒)
【株主】〔24.3〕佐々木秀隆10.8%
【連結事業】切削機具37、特殊工事16、建設・生活関連品34、工場設備関連9、介護3、IT関連1
【従業員】連440名 単229名(44.8歳)

【業績】	売上高	営業利益	経常利益	純利益
連22.3	10,081	325	368	59
連23.3	9,696	51	99	▲2
連24.3	10,380	46	115	210

サンコー商事（しょうじ）

株式公開計画なし

採用予定数	倍率	3年後離職率	平均年収
3名	‥	0%	‥

●待遇、制度●
【初任給】月24.9万(諸手当3.4万円、固定残業代45時間分)
【残業】‥時間【有休】‥日【制度】住
●新卒定着状況●
20年入社(男3、女0)→3年後在籍(男3、女0)
●採用情報●
【人数】23年:3 24年:3 25年:予定3*
【内定内訳】(男‥、女‥)(文‥、理‥)(総‥、他‥)
【試験】〔筆記〕有〔性格〕有
【時期】エントリー25.4→内々定25.6【ジョブ型】有
【採用実績校】‥
【求める人材】素直に謙虚な姿勢で、熱意を持って仕事に取り組むことができる人

【本社】465-8505 愛知県名古屋市名東区高社2-245 ☎052-772-1151
【特色・近況】工作機械、産業機械を中心に機械工具、検査・測定器、モーター巻線機、車両機材などを取り扱う機械専門商社。東京、刈谷、浜松に支店。大阪、北九州に営業所。海外拠点はタイ、インド、インドネシア、中国、米国に設置し販路拡大。
【設立】1978.5 【資本金】310百万円
【社長】小島徹(1954.3生 慶大法卒)
【株主】〔24.3〕SANKO HD71.4%
【事業】機械60、機器・工具32、車両機材3、巻線機5 <貿易23>
【従業員】単155名(45.0歳)

【業績】	売上高	営業利益	経常利益	純利益
単22.3	26,825	1,072	1,328	1,032
単23.3	34,666	1,558	1,647	1,002
単24.3	36,967	1,777	1,883	1,105

新日本建販（しんにほんけんぱん）

株式公開未定

採用内定数	倍率	3年後離職率	平均年収
5名	6.8倍	0%	‥

●待遇、制度●
【初任給】月22万(諸手当0.5万円)
【残業】13.5時間【有休】12.4日【制度】住
●新卒定着状況●
20年入社(男1、女1)→3年後在籍(男1、女1)
●採用情報●
【人数】23年:2 24年:3 25年:応募34→内定5*
【内定内訳】(男2、女3)(文5、理0)(総1、他4)
【試験】〔筆記〕常識
【時期】エントリー25.3→内々定25.6(一次はWEB面接可)【インターン】有
【採用実績校】‥
【求める人材】建設機械に興味があり、人とのコミュニケーションが好きで、社会貢献で自己実現したい人

【本社】222-0033 神奈川県横浜市港北区新横浜3-6-5 新横浜第一生命ビル ☎045-473-4011
【特色・近況】建設機器、非常用発電システムや節電対策用電源の発電機、インフラ工事用高所作業車・クレーンの販売・レンタルが主力。発電機、コンプレッサ、溶接機等の中古機械販売は、国内のみならず東南アジア・中東等への輸出も行う。北海道から九州まで営業網。
【設立】1968.2 【資本金】495百万円
【社長】祐野誠(1957.9生 横須賀工業高卒)
【株主】〔24.3〕デンヨー15.7%
【事業】商品売上高48、機械賃貸収入52
【従業員】単238名(41.6歳)

【業績】	売上高	営業利益	経常利益	純利益
単22.3	15,348	341	423	279
単23.3	14,359	478	607	▲11
単24.3	15,881	444	536	348

杉本商事（すぎもとしょうじ）

東証プライム

採用内定数	倍率	3年後離職率	平均年収
32名	14.1倍	34%	総670万円

●待遇、制度●
【初任給】月25万(諸手当2万円)
【残業】15.1時間【有休】13.8日【制度】住
●新卒定着状況●
20年入社(男42、女11)→3年後在籍(男28、女7)
●採用情報●
【人数】23年:41 24年:40 25年:応募451→内定32*
【内定内訳】(男20、女12)(文31、理1)(総32、他0)
【試験】〔Web自宅〕有〔性格〕有
【時期】エントリー25.3→内々定25.4(一次・二次以降もWEB面接可)【インターン】有
【採用実績校】明大1、法政大1、立教大1、立命館大1、日大1、駒澤大1、京産大2、神戸学大2、大阪学大4、大阪経法大2、追手門学大2、他
【求める人材】仕事に夢を持って取り組める人、主体性と協調性のある人

【本社】550-8502 大阪府大阪市西区立売堀5-7-27 ☎06-6538-2661
【特色・近況】機械・工具の大手商社で、測定器具関連で高シェア。900社超のメーカーから仕入れ、取扱品目は100万点以上。工作用器具、機械工具、空圧・油圧器具も販売。大阪、東京、名古屋をはじめ、東北から九州まで49カ所の販売拠点と3物流センターを配置。
【設立】1938.1 【資本金】2,597百万円
【社長】杉本正行(1984.7生 関西福祉科大社福卒)
【株主】〔24.3〕日本マスタートラスト信託銀行信託口8.5%
【連結事業】測定工具24、工作用器具6、機械工具31、空圧・油圧器具22、他17
【従業員】連610名 単509名(38.1歳)

【業績】	売上高	営業利益	経常利益	純利益
連22.3	43,120	2,071	2,534	1,634
連23.3	45,558	2,177	2,679	2,101
連24.3	46,636	2,281	2,824	1,876

#年収高く倍率低い

住友建機販売（すみともけんきはんばい）

株式公開計画なし

採用内定数	倍率	3年後離職率	平均年収
5名	15.4倍	12.5%	㊕835万円

●待遇、制度●
【初任給】月25万(諸手当2万円)
【残業】18時間【有休】14.6日【制度】フ 住 在
●新卒定着状況●
20年入社(男7、女1)→3年後在籍(男6、女1)
●採用情報●
【人数】23年:9 24年:5 25年:応募77→内定5
【内定内訳】(男4、女1)(文4、理1)(総5、他0)
【試験】〔Web自宅〕SPI3〔性格〕有
【時期】エントリー24.11→内々定25.2(一次・二次以降もWEB面接可)【インターン】有
【採用実績校】近大1、日大1、国士舘大1、阪南大1、学習院大1
【求める人材】即戦力ではなく、粘り強く物事に取り組み、着実に成長をしていける人

【本社】141-6025 東京都品川区大崎2-1-1 ThinkPark Tower ☎03-6737-2610
【特色・近況】油圧ショベル、マテリアルハンドリング機、林業・解体用機械を扱う国内販売会社。修理・レンタルも行う。北海道・札幌市から沖縄県・浦添市まで全国に約60以上の営業拠点を配置。千葉県、愛知県、大阪府に教習センターを持つ。住友重機械工業グループ。
【設立】2001.2 【資本金】4,000百万円
【社長】三觜勇(1962.12生 都立大工卒)
【株主】〔24.3〕住友建機100%
【事業】建設機械の国内販売・修理・賃貸
【従業員】単648名(43.5歳)

【業績】	売上高	営業利益	経常利益	純利益
単22.3	71,759	3,279	3,193	2,212
単22.12変	51,948	2,018	2,051	1,434
単23.12	82,649	3,244	3,179	2,100

ダイドー

株式公開いずれしたい

採用内定数	倍率	3年後離職率	平均年収
42名	‥	35.5%	630万円

●待遇、制度●
【初任給】月22.5万
【残業】17.6時間【有休】11.8日【制度】住
●新卒定着状況●
20年入社(男17、女14)→3年後在籍(男9、女11)
●採用情報●
【人数】23年:41 24年:51 25年:応募‥→内定42*
【内定内訳】(男21、女21)(文40、理2)(総42、他0)
【試験】〔筆記〕常識、他
【時期】エントリー25.1→内々定25.4【インターン】有【ジョブ型】有
【採用実績校】愛知大3、中京大6、京産大3、関西外大1、成城大1、日大1
【求める人材】「明るく、元気に、ハキハキと」、「責任感と積極性」

【本社】450-0003 愛知県名古屋市中村区名駅南4-12-19 ☎052-533-6722
【特色・近況】FA機器部品のメカトロニクス専門商社。業界首位級。システムエンジニアリング能力が高い。全国に40サービス拠点を展開。産業用ロボットに関して観る・試す・学ぶ体験ができる「ロボット館」(名古屋、東京)、「ロボット実験工場」(福岡)を置く。
【設立】1952.12 【資本金】777百万円
【社長】山田貞夫(早大政経卒)
【株主】〔23.11〕山田貞夫
【事業】産業用ロボット、制御機器、FA機器
【従業員】単1,000名(37.3歳)

【業績】	売上高	営業利益	経常利益	純利益
単21.11	88,723	2,617	2,914	1,876
単22.11	89,087	2,800	3,287	1,977
単23.11	95,588	3,392	3,826	2,457

中央工機（ちゅうおうこうき）

株式公開計画なし

採用内定数	倍率	3年後離職率	平均年収
13名	7倍	25%	‥

●待遇、制度●
【初任給】月24万
【残業】22.5時間【有休】16.6日【制度】住
●新卒定着状況●
20年入社(男3、女1)→3年後在籍(男2、女1)
●採用情報●
【人数】23年:12 24年:12 25年:応募91→内定13
【内定内訳】(男9、女4)(文13、理0)(総10、他3)
【試験】〔筆記〕SPI3〔Web自宅〕SPI3〔性格〕有
【時期】エントリー25.3→内々定25.6【インターン】有
【採用実績校】愛知大1、愛知淑徳大2、岐阜聖徳学大1、金城学大2、コネチカット大1、中京大2、名古屋外大2、名古屋学院大1、名城大1
【求める人材】真面目に様々なことにチャレンジできる人

【本社】466-8511 愛知県名古屋市昭和区高辻町4-3 ☎052-889-1711
【特色・近況】切削工具、治工具、計測機器を主力に、自動車関連、工作機械などの製造業をサポートする専門商社。東海地区を地盤に九州にも営業網。海外は北米、中国、タイに現地法人。環境改善機器販売などに力を入れる。設備事業を拡大し幅広いニーズに応える。
【設立】1950.12 【資本金】80百万円
【社長】黒川学
【株主】〔23.8〕中央興産66.9%
【事業】切削工具30、治工具25、設備20、検査・測定機器10、他15 <輸出10>
【従業員】単215名(41.1歳)

【業績】	売上高	営業利益	経常利益	純利益
単21.8	20,081	‥	‥	‥
単22.8	21,160	‥	‥	‥
単23.8	21,439	‥	‥	‥

椿本興業（つばきもとこうぎょう） 東証プライム

採用内定数	倍率	3年後離職率	平均年収
17名	32.4倍	40%	806万円

●待遇、制度●
【初任給】月27万
【残業】12.3時間【有休】12.3日【制度】フ 住
●新卒定着状況●
20年入社(男8、女2)→3年後在籍(男6、女0)
●採用情報●
【人数】23年:15 24年:15 25年:応募550→内定17*
【内定内訳】(男15、女2)(文16、理1)(総17、他0)
【試験】〔Web自宅〕WEB-GAB
【時期】エントリー25.3→内々定25.7*(一次・二次以降もWEB面接可)【インターン】有
【採用実績校】近大1、愛知大1、関西外大1、日大1、大阪府大1、中大1、青学大1、関西学大1、龍谷大1、埼玉大1、明大1、法政大1、他
【求める人材】個性を活かしつつ、失敗を恐れず挑戦できる人

【大阪本社】530-0001 大阪府大阪市北区梅田3-3-20 明治安田生命大阪梅田ビル ☎06-4795-8800
【特色・近況】機械の中堅商社で自動車向けモーター、チェーンなど動力伝導商品が柱。IoT関連、環境・食品機械、工作機械、FAシステム、制御機器など多岐に展開。先端半導体生産設備、ロボティクス分野など新領域へのアプローチを強化。アジア中心に海外展開。
【設立】1938.1 【資本金】2,945百万円
【社長】香田昌司(1958.11生 関大法卒)
【株主】〔24.3〕椿本チエイン10.3%
【連結事業】動伝49、設備装置40、産業資材10 <海外12>
【従業員】連788名 単549名(42.4歳)

【業績】	売上高	営業利益	経常利益	純利益
連22.3	96,890	4,396	4,762	3,177
連23.3	107,963	5,102	5,434	3,667
連24.3	113,503	5,233	5,577	4,000

#年収が高い

東京産業（とうきょうさんぎょう） 東証プライム

採用内定数	倍率	3年後離職率	平均年収
12名	37.3倍	41.2%	㊗961万円

●待遇、制度●
【初任給】月27.5万
【残業】24時間【有休】13.7日【制度】フ 住 在
●新卒定着状況● 20～21年入社者合計
20年入社(男12、女5)→3年後在籍(男7、女3)
●採用情報●
【人数】23年:8 24年:19 25年:応募447→内定12*
【内定内訳】(男10、女2)(文12、理0)(総12、他0)
【試験】〔Web自宅〕有〔性格〕有
【時期】エントリー25.3→内々定25.6(一次・二次以降もWEB面接可)【インターン】有
【採用実績校】近大1、京産大1、日大4、神田外語大2、宇都宮大1、高千穂大1、小樽商大1、立命館APU1
【求める人材】自ら課題を発見し、その解決に向け周囲を巻き込み、主体的に取り組める人

【本社】100-0004 東京都千代田区大手町2-2-1 新大手町ビル ☎03-5203-7690
【特色・近況】中堅機械商社で、中部地方以東の電力会社向け設備の受託販売・工事・保守が柱。化学プラント向け生産設備機器、小売店向け買い物袋なども手がける。太陽光発電やバイオマス燃料供給など再生エネ関連に注力。中国や東南アジア、欧州、北米に海外拠点。
【設立】1942.4 【資本金】3,443百万円
【社長】蒲原稔(1954.9生 慶大法卒)
【株主】〔24.3〕三菱重工業8.5%
【連結事業】電力20、環境・化学・機械72、生活産業7 <海外15>
【従業員】連406名 単341名(44.7歳)

【業績】	売上高	営業利益	経常利益	純利益
連22.3	58,872	2,434	2,625	1,219
連23.3	65,447	723	968	▲4,960
連24.3	65,029	▲4,540	▲4,088	▲1,584

#年収高く倍率低い

東テク（とうテク） 東証プライム

採用内定数	倍率	3年後離職率	平均年収
56名	4.2倍	25.7%	㊗856万円

●待遇、制度●
【初任給】月27万(諸手当4.5万円)
【残業】30.6時間【有休】12.4日【制度】フ 住
●新卒定着状況●
20年入社(男27、女8)→3年後在籍(男19、女7)
●採用情報●
【人数】23年:41 24年:39 25年:応募233→内定56
【内定内訳】(男35、女21)(文42、理14)(総48、他8)
【試験】〔Web自宅〕WEB-GAB〔性格〕有
【時期】エントリー25.3→内々定25.3【インターン】有
【採用実績校】関大4、摂南大3、東洋大3、福岡工大3、大阪経大2、九州職能大学校2、芝工大2、専大2、新潟大2、同大2、上智大1、他
【求める人材】明るく元気、自発的に行動できる人

【本社】103-0023 東京都中央区日本橋本町3-11-11 ☎03-6632-7000
【特色・近況】空調・空調関連機器の老舗専門商社。専業で首位。主な納入先は建設下請業者で、ダイキン工業代理店ではトップ。計装など工事部門が拡大。中央監視システムによる制御、予知、予防、保守を行う。保守工事子会社が強み。海外は東南アジアや中国に現地法人。
【設立】1955.7 【資本金】1,857百万円
【社長】金子清貴(1964.4生 早大理工卒)
【株主】〔24.3〕日本レイ12.5%
【連結事業】商品販売60、工事40、他0
【従業員】連2,690名 単1,092名(41.3歳)

【業績】	売上高	営業利益	経常利益	純利益
連22.3	110,120	6,297	7,120	4,724
連23.3	126,696	7,730	8,172	5,230
連24.3	140,732	9,905	10,585	7,004

東洋(とうよう)ハイテック

株式公開未定

採用内定数	倍率	3年後離職率	平均年収
6名	‥	0%	‥

●待遇、制度●
【初任給】月23万
【残業】5時間【有休】15.2日【制度】住 在

●新卒定着状況●
20年入社(男1、女3)→3年後在籍(男1、女3)

●採用情報●
【人数】23年:1 24年:8 25年:応募‥→内定6
【内定内訳】(男5、女1)(文1、理5)(総6、他0)
【試験】〔筆記〕有〔Web自宅〕有〔性格〕有
【時期】エントリー24.6→内々定24.随時(一次・二次以降もWEB面接可)
【採用実績校】大阪教大1、都立大1、東理大1、福井大1、立教大1、山形大1
【求める人材】積極的にコミュニケーションができ、言われたことをやるのではなく色々なことにチャレンジしてみたい人

【本社】530-0028 大阪府大阪市北区万歳町3-20 ☎06-6312-2565
【特色・近況】粉体プラントエンジニアリングの専門会社。業界上位。食品、電池材料、化学業界などが顧客。中国、タイ、マレーシアに拠点。海外でも日本と同一技術・サービスを現地コストで提供。北米やヨーロッパでもプラント構築実績。リユース事業も展開。
【設立】1964.7 【資本金】98百万円
【社長】三谷陽一郎(1974.12生 慶大経済卒)
【株主】〔23.12〕三谷陽一郎38.7%
【事業】粉体プラント66、粉体機器15、部品12、リユース7 <海外10>
【従業員】単165名(41.0歳)

【業績】	売上高	営業利益	経常利益	純利益
単21.12	8,609	1,868	1,888	1,331
単22.12	5,801	337	428	299
単23.12	5,017	357	399	219

トークシステム

株式公開計画なし

採用予定数	倍率	3年後離職率	平均年収
2名	‥	0%	464万円

●待遇、制度●
【初任給】月25万(諸手当2.5万円)
【残業】11.4時間【有休】11.3日【制度】住 在

●新卒定着状況●
20年入社(男2、女0)→3年後在籍(男2、女0)

●採用情報●
【人数】23年:3 24年:3 25年:予定2
【内定内訳】(男2、女0)(文2、理0)(総2、他0)
【試験】〔性格〕有
【時期】エントリー25.3→内々定25.6*(一次はWEB面接可)【インターン】有
【採用実績校】城西国際大2
【求める人材】自分で考えて積極的に行動する人

【本社】108-0023 東京都港区芝浦2-12-10 THKビル2階 ☎03-5730-3930
【特色・近況】コンピューターソフトの設計・開発会社として発足し、現在は直動システム・FA機器や油・空圧機器、動力伝達機器などの製造・販売を手がける。独自の販売ネットワーク「TPS」を全国規模で構築。提案営業を推進。THKの連結子会社。
【設立】1987.1 【資本金】400百万円
【社長】徳武聖治(1955.8生)
【株主】〔23.12〕THK99.0%
【事業】各種産業用機器の製造・卸・販売 <輸出5>
【従業員】単169名(43.8歳)

【業績】	売上高	営業利益	経常利益	純利益
単21.12	13,936	139	150	78
単22.12	14,762	185	214	105
単23.12	14,661	203	229	180

㈱鳥羽洋行(とばようこう)

東証スタンダード

採用内定数	倍率	3年後離職率	平均年収
3名	8.7倍	33.3%	521万円

●待遇、制度●
【初任給】月22.6万(諸手当1万円、固定残業代8時間分)
【残業】8.6時間【有休】12.6日【制度】住

●新卒定着状況●
20年入社(男9、女3)→3年後在籍(男5、女3)

●採用情報●
【人数】23年:16 24年:14 25年:応募26→内定3*
【内定内訳】(男3、女0)(文3、理0)(総3、他0)
【試験】〔Web自宅〕有
【時期】エントリー25.3→内々定25.3(一次・二次以降もWEB面接可)【インターン】有
【採用実績校】東北福祉大1、二松学舎大1、桃山学大1
【求める人材】明朗闊達で自主性のある人

【本社】112-0005 東京都文京区水道2-8-6 ☎03-3944-4031
【特色・近況】空圧機器などの制御機器中心の機械工具専門商社。自動車、半導体製造装置メーカーが主要顧客。制御機器と、ロボットやチップマウンターなどのFA機器が2本柱。海外は中国・上海、タイ、ベトナムに拠点。協働ロボットなど産業用ロボットに注力。
【設立】1949.12 【資本金】1,148百万円
【社長】遠藤稔(1958.10生 亜細亜大経済卒)
【株主】〔24.3〕鳥羽重良6.9%
【連結事業】制御機器27、FA機器51、産業機器22 <海外9>
【従業員】連273名 単235名(36.0歳)

【業績】	売上高	営業利益	経常利益	純利益
連22.3	29,730	1,971	2,061	1,424
連23.3	29,482	1,694	1,800	1,429
連24.3	28,449	1,514	1,618	1,074

㈱NaITO 東証スタンダード

採用内定数	倍率	3年後離職率	平均年収
8名	3.8倍	12.5%	588万円

●待遇、制度●
【初任給】月22万
【残業】20.9時間【有休】10.5日【制度】住
●新卒定着状況●
20年入社(男5、女11)→3年後在籍(男5、女9)
●採用情報●
【人数】23年:11 24年:13 25年:応募30→内定8*
【内定内訳】(男5、女3)(文8、理0)(総8、他0)
【試験】〔性格〕有
【時期】エントリー25.3→内々定25.4(一次・二次以降もWEB面接可)【インターン】有
【採用実績校】大妻女大1、神田外語大1、高千穂大1、名古屋商大1、岩手県大1、大阪経大1、拓大1、東京経大1
【求める人材】目標に向かって失敗を恐れずチャレンジし、やりきる人

【本社】114-8516 東京都北区昭和町2-1-11 ☎03-3800-8651
【特色・近況】老舗の機械工具卸で岡谷鋼機の子会社。超硬工具や特殊鋼工具など切削工具の取扱量は国内トップ。計測・作業用などの機械工具や、制御・物流機器などの産業機器が第2の柱。自社のオリジナルブランドも扱う。海外はタイ、ベトナム、中国に拠点。
【設立】1953.1 【資本金】2,291百万円
【社長】坂井俊司(1963.12生 同大商卒)
【株主】〔24.2〕岡谷鋼機45.6%
【連結事業】切削工具49、計測9、産業機器・工作機械等42
【従業員】連334名 単321名(43.4歳)

【業績】	売上高	営業利益	経常利益	純利益
連22.2	44,070	489	668	448
連23.2	44,457	886	932	732
連24.2	44,064	505	552	345

㈱ナ・デックス 東証スタンダード

採用内定数	倍率	3年後離職率	平均年収
11名	4.3倍	100%	586万円

●待遇、制度●
【初任給】月23.1万
【残業】15時間【有休】13.8日【制度】フ 住 在
●新卒定着状況●
20年入社(男1、女1)→3年後在籍(男0、女0)
●採用情報●
【人数】23年:5 24年:9 25年:応募47→内定11*
【内定内訳】(男10、女1)(文9、理2)(総11、他0)
【試験】〔Web自宅〕SPI3〔性格〕有
【時期】エントリー24.6→内々定25.1*(一次はWEB面接可)【インターン】有
【採用実績校】愛知工業大1、名城大3、南山大1、東海学園大1、名古屋経大1、名古屋学院大2、名大院1、愛知学大1
【求める人材】こだわりを持ち、追求できる人、チャレンジ精神のある人、向上心のある人

【本社】460-8338 愛知県名古屋市中区古渡町9-27 ☎052-323-2211
【特色・近況】中部地盤の機械商社。溶接機器・溶接制御機器が主力。電子制御部品やFAシステムも扱う。自動車業界向けが5割超。製造部門を持ち独自企画品も手がけ、抵抗溶接機用制御機器(タイマー)は国内トップクラス。海外は北中米、中国、アジアなどに拠点。
【設立】1950.10 【資本金】1,028百万円
【社長】進藤大資(1972.3生 明大院法修了)
【株主】〔24.4〕㈱アート・ギャラリー富士見18.5%
【連結事業】製造販売100 <海外23>
【従業員】連835名 単238名(41.6歳)

【業績】	売上高	営業利益	経常利益	純利益
連22.4	34,611	1,176	1,406	1,005
連23.4	36,194	1,933	2,014	1,331
連24.4	34,436	959	1,213	874

ナブテスコサービス 株式公開計画なし

採用内定数	倍率	3年後離職率	平均年収
7名	‥	ー	649万円

●待遇、制度●
【初任給】月23.3万(諸手当1.8万円)
【残業】16時間【有休】17日【制度】住 在
●新卒定着状況●
20年入社(男0、女0)→3年後在籍(男0、女0)
●採用情報●
【人数】23年:3 24年:4 25年:応募‥→内定7*
【内定内訳】(男5、女2)(文7、理0)(総7、他0)
【試験】〔Web自宅〕有〔性格〕有
【時期】エントリー25.2→内々定25.6
【採用実績校】‥
【求める人材】経営理念の「A・T・G(明るく・楽しく・元気よく)」を大切に、積極的に活動できる人

【本社事務所】141-0022 東京都品川区東五反田2-10-2 東五反田スクエア ☎03-3447-6911
【特色・近況】ナブテスコグループの自動車・鉄道車両ブレーキと建設機械用、産業機械用の油空圧機器などの設計・製造・販売・整備を担当。ゴミ処理施設用扉や、工場の生産ライン用オートコネクトも扱う。短納期供給に注力。海外はタイと台湾に現地法人。
【設立】1971.2 【資本金】300百万円
【社長】志水一正
【株主】〔23.12〕ナブテスコ100%
【事業】自動車関連38、鉄道車両関連25、油圧・空圧関連37 <貿易8>
【従業員】単184名(41.0歳)

【業績】	売上高	営業利益	経常利益	純利益
単21.12	11,374	‥	‥	‥
単22.12	11,942	‥	‥	‥
単23.12	12,887	‥	‥	‥

ナラサキ産業（さんぎょう）

東証スタンダード

採用内定数	倍率	3年後離職率	平均年収
8名	27.6倍	‥	㊋752万円

●待遇、制度●
【初任給】月22.8万（諸手当1.7万円）
【残業】10.1時間【有休】12.4日【制度】住 在
●新卒定着状況●
‥
●採用情報●
【人数】23年:10 24年:15 25年:応募221→内定8*
【内定内訳】（男7、女1）（文8、理0）（総8、他0）
【試験】〔Web自宅〕SPI3〔性格〕有
【時期】エントリー24.10→内々定24.12(一次・二次以降もWEB面接可)【インターン】有
【採用実績校】日大、成城大、近大、北海道教育大、神戸学大、立正大、産能大
【求める人材】創業130年に向け、協調性を持ちながら、新たな事へ積極的にチャレンジできる人

【本社】103-0015 東京都中央区日本橋箱崎町19-21 MSH日本橋箱崎ビル15階☎03-6732-7350
【特色・近況】内航海運で出発した産業機械商社で、主力は三菱電機の代理店業務。北海道が地盤。工場のFA機器やビル用の空調設備を扱い、レーザー加工機分野に強み。農業設備、燃料、建設資材、港湾作業、建機などに多角化。海外は中国・上海、ベトナムに拠点。
【設立】1943.10 【資本金】2,354百万円
【社長】中村克久（1957.4生 日大生産工卒）
【株主】〔24.3〕三菱電機7.8%
【連結事業】電機関連24、機械関連11、建設・エネルギー関連50、海運関連14
【従業員】連743名 単423名（42.7歳）

【業績】	売上高	営業利益	経常利益	純利益
連22.3	94,797	2,303	2,399	1,566
連23.3	99,927	2,798	2,892	2,139
連24.3	107,455	2,982	3,084	2,301

㈱南陽（なんよう）

東証スタンダード

採用内定数	倍率	3年後離職率	平均年収
10名	5.4倍	14.3%	㊋660万円

●待遇、制度●
【初任給】月27.6万（諸手当2.6万円、固定残業代30時間分）
【残業】11.6時間【有休】12.3日【制度】住
●新卒定着状況●
20年入社（男7、女0）→3年後在籍（男6、女0）
●採用情報●
【人数】23年:8 24年:4 25年:応募54→内定10
【内定内訳】（男10、女0）（文9、理1）（総10、他0）
【試験】〔性格〕有
【時期】エントリー25.2→内々定‥【インターン】有
【採用実績校】福岡大4、近大2、九大1、公立鳥取環境大1、福岡工大1、西南学大1
【求める人材】課題意識とコミュニケーション能力の高い人

【本社】812-0011 福岡県福岡市博多区博多駅前3-19-8 ☎092-472-7331
【特色・近況】建設機械と産業機械の販売が主事業。リース、レンタルも行う。建機は九州地盤で、福岡で創業時から砕石事業も手がける。産機は関東以南地盤で、半導体製造装置および関連製品の取り扱いが多い。海外はアジア中心に展開し、中国やベトナムに現地法人。
【設立】1953.8 【資本金】1,181百万円
【社長】篠崎学（1968.7生 愛媛大法文卒）
【株主】〔24.3〕武内英一郎4.0%
【連結事業】建設機械36、産業機器63、砕石1
【従業員】連508名 単153名（41.7歳）

【業績】	売上高	営業利益	経常利益	純利益
連22.3	34,818	2,399	2,659	1,739
連23.3	39,339	2,967	3,225	2,146
連24.3	37,991	2,785	3,036	1,991

日東工機（にっとうこうき）

株式公開いずれしたい

採用予定数	倍率	3年後離職率	平均年収
3名	ー	0%	‥

●待遇、制度●
【初任給】月23.2万（諸手当6.5万円、固定残業代15時間分）
【残業】20時間【有休】11.1日【制度】住
●新卒定着状況●
20年入社（男3、女1）→3年後在籍（男3、女1）
●採用情報●
【人数】23年:1 24年:2 25年:応募‥→内定0*
【内定内訳】（男‥、女‥）（文‥、理‥）（総‥、他‥）
【試験】なし
【時期】エントリー25.3→内々定25.6*(一次・二次以降もWEB面接可)
【採用実績校】‥
【求める人材】明るく、何事にも積極的にチャレンジできる人

【本社】108-0073 東京都港区三田5-6-7 ☎03-3453-7151
【特色・近況】金属加工に必要な溶接機器・材料の専門商社。主力は神戸製鋼所の溶接棒やパナソニック溶接システムの溶接機など。オリジナル商品は「NT」ブランドで販売。「きる」「まげる」「つなぐ」「みがく」の4大金属加工技術を下支えする商品開拓を推進。
【設立】1947.8 【資本金】581百万円
【社長】鎗田敏生（1971.9生 帝京大法卒）
【株主】〔24.3〕日東工機(自己株) 26.4%
【事業】工具・機械31、溶接関連商品15、溶接材料13、溶接機19、高圧ガス容器他22 <貿易0>
【従業員】単115名（40.9歳）

【業績】	売上高	営業利益	経常利益	純利益
単22.3	10,835	106	165	142
単23.3	11,394	167	228	207
単24.3	11,561	56	121	80

橋本総業ホールディングス（はしもとそうぎょう）　東証スタンダード

採用予定数	倍率	3年後離職率	平均年収
20名	‥	20.8%	600万円

●待遇、制度●
【初任給】月25万（諸手当2.4万円、固定残業代10時間分）
【残業】18.5時間【有休】10.9日【制度】住
●新卒定着状況●
20年入社（男15、女9）→3年後在籍（男11、女8）
●採用情報● 子会社採用
【人数】23年:18 24年:22 25年:予定20
【内定内訳】（男‥、女‥）（文‥、理‥）（総‥、他‥）
【試験】〔性格〕有
【時期】エントリー25.3→内々定25.6*（一次はWEB面接可）
【採用実績校】‥
【求める人材】思い切り頑張った経験がある人、感謝の気持ちを大切にできる人

【本社】103-0001 東京都中央区日本橋小伝馬町14-7 ☎03-3665-9000
【特色・近況】管材卸売り商社が核の企業グループ。パイプなど管材類のほか、衛生陶器や浴室設備などの住設機器類、空調・ポンプなどグループで扱う商材は広範。北海道から沖縄まで全国展開。工事、メンテ、機器販売などガス関連事業も。タイに現地法人。
【設立】1938.3　【資本金】542百万円
【社長】橋本政昭（1950.8生 東大院機工修了）
【株主】〔24.3〕㈲ハット企画23.8%
【連結事業】管材類29、衛生陶器・金具類29、住宅設備機器類17、空調機器・ポンプ23、他1
【従業員】連927名 単760名（42.9歳）

【業績】	売上高	営業利益	経常利益	純利益
連22.3	137,606	2,504	3,424	2,407
連23.3	148,189	2,807	3,798	2,569
連24.3	155,633	2,309	3,366	2,609

#年収高く倍率低い

㈱久門製作所（ひさかどせいさくしょ）　株式公開いずれしたい

採用内定数	倍率	3年後離職率	平均年収
2名	4倍	0%	㊎822万円

●待遇、制度●
【初任給】月26.4万（諸手当1.9万円、固定残業代20時間分）
【残業】18.8時間【有休】12.3日【制度】住
●新卒定着状況●
20年入社（男7、女0）→3年後在籍（男7、女0）
●採用情報●
【人数】23年:3 24年:4 25年:応募8→内定2*
【内定内訳】（男2、女0）（文2、理0）（総1、他1）
【試験】〔筆記〕常識
【時期】エントリー24.11→内々定24.12*（一次はWEB面接可）
【採用実績校】香川大1、摂南大1
【求める人材】一生懸命な人、誰とでもコミュニケーションがとれる人、主体性がある人

【本社】550-0012 大阪府大阪市西区立売堀3-5-11 ☎06-6532-1981
【特色・近況】工業用配管機材の専門商社、各種バルブを主に継手・フランジなどを扱う。工業用バルブで業界上位。建設資材も手がける。海外は中国・青島市、ベトナム、シンガポール、インドネシアに拠点。1925年金物製造で創業。
【設立】1949.12　【資本金】72百万円
【社長】久門龍明（1961.11生 同大商卒）
【株主】〔24.1〕久門龍明36.2%
【事業】バルブ75、継手・パイプ10、他15
【従業員】単183名（36.0歳）

【業績】	売上高	営業利益	経常利益	純利益
単21.7	17,100	510	453	270
単22.7	19,267	618	527	263
単23.7	20,571	674	667	371

#残業が少ない

福原産業貿易（ふくはらさんぎょうぼうえき）　株式公開計画なし

採用予定数	倍率	3年後離職率	平均年収
1名	‥	0%	‥

●待遇、制度●
【初任給】月21万
【残業】0時間【有休】12.9日【制度】‥
●新卒定着状況●
20年入社（男1、女1）→3年後在籍（男1、女1）
●採用情報●
【人数】23年:0 24年:0 25年:予定1
【内定内訳】（男‥、女‥）（文‥、理‥）（総‥、他‥）
【試験】〔筆記〕有〔性格〕有
【時期】エントリー25.9→内々定‥（一次はWEB面接可）
【採用実績校】‥
【求める人材】何事にも真面目に取組み、明るく素直なバランス感覚のある人

【本社】540-0031 大阪府大阪市中央区北浜東6-14 ☎06-6943-0696
【特色・近況】ニット丸編機の専門商社。傘下の編機製造会社と編針製造会社でグループ形成。ニット生地はアパレルに幅広く利用されるほか、自動車など産業資材や医療関連にも用途拡大。米国モナーク社と長年技術販売提携結び、欧米販売は同社ブランド。輸出比率9割。
【設立】1938.8　【資本金】72百万円
【社長】福原正則（1961.1生）
【株主】〔23.5〕ヤンマー6.7%
【事業】福原製ニット丸編機80、福原製ニット編針15、部用品5、他0 <輸出90>
【従業員】単47名（46.8歳）

【業績】	売上高	営業利益	経常利益	純利益
単21.5	9,657	376	633	407
単22.5	12,641	636	819	557
単23.5	10,650	470	625	412

フルサト・マルカホールディングス

[東証プライム]

採用内定数	倍率	3年後離職率	平均年収
36名	16.2倍	47.1%	787万円

●待遇、制度●
【初任給】月23.5万
【残業】13.8時間【有休】10.3日【制度】[住][在]
●新卒定着状況● グループ3社合計
20年入社(男19、女15)→3年後在籍(男10、女8)
●採用情報● グループ3社合計
【人数】23年:38 24年:32 25年:応募582→内定36*
【内定内訳】(男28、女8)(文36、理0)(総36、他0)
【試験】〔Web自宅〕SPI3
【時期】エントリー24.11→内々定25.2(一次・二次以降もWEB面接可)【インターン】有
【採用実績校】日大3、法政大2、立命館大2、関西学大2、関大2、近大2、南山大2、國學院大2、同大1、明大1、他
【求める人材】様々な価値観を融合させ、ユニークな発想や好奇心を持って、自ら挑戦・行動できる人

【本社】540-0024 大阪府大阪市中央区南新町1-2-10 ☎06-6946-1600
【特色・近況】マルカとフルサト工業を傘下に持つ持株会社。マルカは産業機械を主力に建機も扱う中堅商社。直販方式に強み。産業機械は工作機械・鍛圧機械・射出成形機が中心で自動車向けが多い。フルサト工業は鉄骨関連資材大手の機械・工具商社。鉄骨部材「フルブレース」はシェア首位。
【設立】2021.10 【資本金】5,000百万円
【社長】古里龍平(1962.9生 Gワシントン大卒)
【株主】〔24.6〕㈲エフアールテイ10.9%
【連結事業】機械・工具68、建設資材26、建設機械4、IoTソリューション2 <海外18>
【従業員】連2,026名 単103名(42.0歳)

【業績】	売上高	営業利益	経常利益	純利益
連21.12変	74,292	1,465	2,033	1,037
連22.12	162,416	5,895	7,055	4,531
連23.12	172,980	5,705	6,652	4,698

フルテック

[東証スタンダード]

採用内定数	倍率	3年後離職率	平均年収
16名	5.3倍	40%	526万円

●待遇、制度●
【初任給】月19.5万
【残業】28.8時間【有休】10.6日【制度】[フ][住][在]
●新卒定着状況●
20年入社(男12、女8)→3年後在籍(男8、女4)
●採用情報●
【人数】23年:17 24年:11 25年:応募85→内定16*
【内定内訳】(男8、女8)(文15、理1)(総16、他0)
【試験】〔筆記〕常識〔性格〕有
【時期】エントリー25.3→内々定25.6(一次はWEB面接可)【インターン】有
【採用実績校】成城大1、帝京大1、武蔵野学大1、日大1、日女体大1、北海学園大1、北翔大1
【求める人材】コツコツ真面目に努力する人

【本社】060-0051 北海道札幌市中央区南1条東2-8-2 ☎011-222-3572
【特色・近況】自動ドア開閉装置の販売・施工、保守サービスが主力。北海道地盤で、東北や関東でも事業展開。九州にも進出。保守サービスが収益源で、古いドアの自動化などリニューアルも拡大。ステンレス建具や駐輪システム、分煙システムも取り扱う。
【設立】1963.11 【資本金】329百万円
【社長】古野重幸(1958.3生 早大政経卒)
【株主】〔24.6〕㈲ウェルマックス21.7%
【連結事業】自動ドア関連66、建具関連29、他5
【従業員】連726名 単633名(38.1歳)

【業績】	売上高	営業利益	経常利益	純利益
連21.12	11,506	628	671	436
連22.12	11,937	70	161	94
連23.12	12,784	448	495	239

マツモト産業(さんぎょう)

[株式公開計画なし]

採用内定数	倍率	3年後離職率	平均年収
58名	6.3倍	41.2%	[総]592万円

●待遇、制度●
【初任給】月23.2万(諸手当1万円)
【残業】13.5時間【有休】10.2日【制度】[住]
●新卒定着状況●
20年入社(男13、女4)→3年後在籍(男8、女2)
●採用情報●
【人数】23年:25 24年:28 25年:応募364→内定58*
【内定内訳】(男48、女10)(文56、理2)(総50、他8)
【試験】〔筆記〕常識〔性格〕有
【時期】エントリー25.3→内々定25.5*(一次はWEB面接可)【インターン】有
【採用実績校】関大4、千葉商大3、名城大2、甲南大2、関西外大2、近大4、日大2、東北福祉大2、大阪学大3、東海大2、他
【求める人材】「常に全力を尽くす」を実践できる人、世界に誇る日本のものづくり産業の一翼を担いたいと考えている人

【本社】550-0004 大阪府大阪市西区靭本町1-12-6 ☎06-6225-2200
【特色・近況】溶接機材と産業機器のメーカー商社。メカトロ機器、FAシステムなどが主力製品。メーカー機能も有し、金属の溶接・切断技術をベースにPB製品も手がける。海外は米国、メキシコに現地法人。子会社が中国に拠点。1919年創業。
【設立】1948.5 【資本金】768百万円
【社長】釘貫恭造(1961.12生)
【株主】〔24.3〕図子智衆6.4%
【事業】溶接機材43、産業機器44、マツモト製品9、高圧ガス他4
【従業員】単469名(36.1歳)

【業績】	売上高	営業利益	経常利益	純利益
単22.3	53,866	846	1,382	925
単23.3	58,742	1,037	1,644	815
単24.3	61,673	947	1,567	1,195

三菱商事テクノス（みつびししょうじ）	株式公開計画なし	採用内定数	倍率	3年後離職率	平均年収
		11名	17.3倍	40%	‥

●待遇、制度●
【初任給】月25.2万（諸手当2.2万円）
【残業】28.4時間【有休】12.1日【制度】フ 住 在
●新卒定着状況●
20年入社（男3、女2）→3年後在籍（男1、女2）
●採用情報●
【人数】23年:10 24年:5 25年:応募190→内定11*
【内定内訳】（男9、女2）（文11、理0）（総11、他0）
【試験】〔Web会場〕C-GAB〔性格〕有
【時期】エントリー25.1→内々定25.3（一次はWEB面接可）
【採用実績校】立教大1、中京大1、大東文化大1、東洋大1、桜美林大1、龍谷大1、名古屋外大2、金沢工大1、國學院大1、青学大1
【求める人材】困難な目標でも、責任感をもって最後まで取り組むことができる人

【本社】108-0023 東京都港区芝浦3-1-21 田町ステーションタワーS ☎03-3453-7441
【特色・近況】三菱商事の完全子会社で工作機械が主力の機械専門商社。自動車産業や航空機産業向けが中心。ロボット、搬送装置などの工場設備やLED、クリーンエネルギー関連など設備機械全般を扱う。IoT導入による工場設備の可視化支援も。海外は6カ国に現法。
【設立】1971.7 【資本金】600百万円
【代表取締役】島津昌孝
【株主】〔24.6〕三菱商事100%
【事業】工場内設備機械装置・IT関連カスタマイズ・省エネ設備の販売他 <輸出20>
【従業員】単326名（42.1歳）

【業績】	売上高	営業利益	経常利益	純利益
単22.3	52,574	1,480	1,489	1,022
単23.3	46,398	677	841	652
単24.3	59,774	1,798	1,893	1,284

#年収高く倍率低い #年収が高い

㈱山産（やまさん）	株式公開計画なし	採用内定数	倍率	3年後離職率	平均年収
		5名	2.2倍	25%	1,006万円

●待遇、制度●
【初任給】月27万（諸手当2万円）
【残業】20時間【有休】11日【制度】住 在
●新卒定着状況●
20年入社（男4、女0）→3年後在籍（男3、女0）
●採用情報●
【人数】23年:4 24年:3 25年:応募11→内定5
【内定内訳】（男5、女0）（文3、理2）（総5、他0）
【試験】〔筆記〕常識〔性格〕有
【時期】エントリー25.3→内々定25.3【インターン】有
【採用実績校】下関市大1、山口東理大2、福岡大2
【求める人材】人と関わる事が好きで、人が喜んでくれることを自分の喜びとして感じる人

【本社】754-0002 山口県山口市小郡下郷2189 ☎083-973-2133
【特色・近況】上下水道設備や電気設備などプラントエンジニアリング機能を持つ産業機械商社。官公庁、大学、化学、自動車、食品会社などが主要取引先。コージェネレーションシステムなどエネルギーや環境・リサイクル分野などに資源集中。中部、関西、中国地域に営業所。
【設立】1948.9 【資本金】100百万円
【社長】友永宏（専大経営卒）
【株主】〔24.4〕友永宏6.6%
【事業】機械電気設備エンジニアリング、産業機械商社
【従業員】単123名（41.0歳）

【業績】	売上高	営業利益	経常利益	純利益
単21.9	12,826	639	660	660
単22.9	11,990	585	591	392
単23.9	12,759	1,013	1,023	671

#年収高く倍率低い

㈱ヨネイ	株式公開いずれしたい	採用内定数	倍率	3年後離職率	平均年収
		1名	15倍	0%	総830万円

●待遇、制度●
【初任給】月28万（諸手当1.4万円、固定残業代10時間分）
【残業】14.3時間【有休】15.4日【制度】フ 住 在
●新卒定着状況●
20年入社（男4、女0）→3年後在籍（男4、女0）
●採用情報●
【人数】23年:4 24年:3 25年:応募15→内定1
【内定内訳】（男1、女0）（文1、理0）（総1、他0）
【試験】〔Web自宅〕有〔性格〕有
【時期】エントリー25.3→内々定‥【インターン】有
【採用実績校】千葉商大1
【求める人材】創造力があって主体的に行動できる人

【本社】104-0061 東京都中央区銀座2-8-20 ヨネイビル ☎03-3564-8684
【特色・近況】1897年に機械、金属、雑貨の貿易で創業した三菱商事系機械専門商社。キリンビールとも緊密。三菱重工の海上自衛隊向け艦船搭載機器類やコベルコ建機の建機販売が主力。セキュリティー関連機器、工業ゴム、コンポジットホースも扱う。タイに現地法人。
【設立】1920.11 【資本金】900百万円
【社長】大田健治（1961.1生 東洋大法卒）
【株主】〔24.3〕三菱商事17.2%
【事業】艦船機器83、産業機器6、建設機械10、情報産業機器1 <貿易2>
【従業員】連151名 単137名（42.2歳）

【業績】	売上高	営業利益	経常利益	純利益
連22.3	21,451	521	693	525
連23.3	22,703	783	961	646
連24.3	21,341	961	1,141	212

リックス　東証プライム

採用内定数	倍率	3年後離職率	平均年収
17名	5.4倍	35.7%	765万円

●待遇、制度●
【初任給】月24.6万(諸手当6万円)
【残業】13.2時間【有休】13.7日【制度】[住]
●新卒定着状況●
20年入社(男10、女4)→3年後在籍(男5、女4)
●採用情報●
【人数】23年:13 24年:18 25年:応募91→内定17*
【内定内訳】(男16、女1)(文14、理3)(総17、他0)
【試験】〔Web自宅〕SPI3
【時期】エントリー25.3→内々定25.4*(一次はWEB面接可)【インターン】有
【採用実績校】福岡大4、島根大1、岩手県大1、明大1、同大1、名城大1、愛知学大1、神戸学大1、関西外大1、流通科学大1、城西大1、他
【求める人材】主体的に物事にチャレンジできる人

【本社】812-8672 福岡県福岡市博多区山王1-15-15 ☎092-472-7311
【特色・近況】高圧液圧技術応用機器などの産業機械メーカー商社。製鉄所へのゴム靴納入とNOK代理店で成長。主要顧客は鉄鋼、自動車、半導体など。自動車向けNC高圧洗浄機は自社生産。ドローン、ロボット技術の提案・支援も。中国、アジア、欧米などに現地法人。
【設立】1964.5　【資本金】827百万円
【取締】安井卓(1978.8生 九大院物質理修了)
【株主】〔24.3〕NOK13.5%
【連結事業】鉄鋼28、自動車21、電子半導体14、ゴムタイヤ8、工作機械5、高機能材4、環境5、他16 <海外13>
【従業員】連755名 単485名(37.3歳)

【業績】	売上高	営業利益	経常利益	純利益
連22.3	39,969	2,580	2,985	2,051
連23.3	45,223	3,326	3,748	2,763
連24.3	49,752	3,544	3,934	2,779

Y K T　東証スタンダード

採用内定数	倍率	3年後離職率	平均年収
8名	50倍	100%	[総]795万円

●待遇、制度●
【初任給】月23.5万(諸手当1.5万円)
【残業】13.6時間【有休】11.6日【制度】[フ][住][在]
●新卒定着状況●
20年入社(男1、女0)→3年後在籍(男0、女0)
●採用情報●
【人数】23年:5 24年:4 25年:応募400→内定8
【内定内訳】(男6、女2)(文6、理2)(総8、他0)
【試験】〔筆記〕SPI3〔Web自宅〕有〔性格〕有
【時期】エントリー25.3→内々定25.5
【採用実績校】名古屋外大1、順天堂大1、弘前大1、大東文化大1、京産大1、東京電機大1、成蹊大1、ICU1
【求める人材】能動的・自発的行動力があり論理的思考力がある人

【本社】151-8567 東京都渋谷区代々木5-7-5 YKTビル ☎03-3467-1251
【特色・近況】スイス製工具研削盤や米国製測定機器および電子部品実装機の販売が中核事業の独立系中堅機械商社。測定機器の分野では有力輸入商社の地位を確立。海外はドイツ、中国、台湾、タイ、ドイツなどに営業拠点。中国や台湾への輸出も多い。
【設立】1977.10　【資本金】1,389百万円
【社長】柳崇博(1959.10生 日大工卒)
【株主】〔24.6〕山本久子20.3%
【連結事業】電子機器及び工作機械等91、光電子装置9 <海外51>
【従業員】連131名 単87名(42.9歳)

【業績】	売上高	営業利益	経常利益	純利益
連21.12	15,682	461	634	436
連22.12	22,079	1,007	1,236	855
連23.12	12,882	386	455	304

㈱ワキタ　東証プライム

採用予定数	倍率	3年後離職率	平均年収
25名	‥	‥	[総]720万円

●待遇、制度●
【初任給】月22.1万(諸手当1.1万円)
【残業】15.1時間【有休】7.8日【制度】[住]
●新卒定着状況●
‥
●採用情報●
【人数】23年:32 24年:29 25年:予定25
【内定内訳】(男‥、女‥)(文‥、理‥)(総‥、他‥)
【試験】試験あり
【時期】エントリー24.10→内々定25.1(一次・二次以降もWEB面接可)【インターン】有
【採用実績校】‥
【求める人材】自主性があり、ポジティブな考え方、行動ができる人、パッションを持っている人、チャレンジ意欲の強い人

【本社】550-0002 大阪府大阪市西区江戸堀1-3-20 ☎06-6449-1901
【特色・近況】大阪本拠の機械商社で、土木建設機械の販売・レンタルが主力。小型土木機械は自社製造し「メイホー」ブランドで販売。賃貸オフィスビル・マンションの運営、分譲住宅などを展開する不動産事業も。介護事業や、カラオケ設備の販売も手がける。
【設立】1960.3　【資本金】13,821百万円
【社長】脇田貞二(1957.2生 東大法卒)
【株主】〔24.2〕㈲脇田興産9.5%
【連結事業】建機82、商事10、不動産8
【従業員】連1,754名 単632名(38.3歳)

【業績】	売上高	営業利益	経常利益	純利益
連22.2	74,989	5,506	5,661	3,573
連23.2	78,870	5,765	5,880	3,901
連24.2	88,654	5,541	5,712	3,158

ワシノ商事（しょうじ）

株式公開計画なし

採用内定数	倍率	3年後離職率	平均年収
3名	16.7倍	33.3%	・・

●待遇、制度●
【初任給】月26万（諸手当0.5万円、固定残業代30時間分）
【残業】14時間【有休】11.5日【制度】住

●新卒定着状況●
20年入社（男2、女1）→3年後在籍（男1、女1）

●採用情報●
【人数】23年:5 24年:4 25年:応募50→内定3*
【内定内訳】（男3、女0）（文3、理0）（総3、他0）
【試験】〔筆記〕常識
【時期】エントリー通年→内々定通年(一次はWEB面接可)【インターン】有
【採用実績校】・・
【求める人材】一つのことにとらわれず、柔軟な考え方ができる人、コミュニケーションを大切にできる人

【本社】446-0007 愛知県安城市東栄町2-1-20 ☎0566-98-6101
【特色・近況】産業用機械を扱う総合設備専門商社。旋盤・マシニングなどの工作機械、空調機器、検査装置などを扱う。省資源化、省エネルギー化設備の提案型営業を強化し、積極拡販を展開。中国とタイに拠点設け市場開拓推進。1890年創業。
【設立】1978.4 【資本金】143百万円
【社長】日比野洋二（1959.11生 愛知大法経卒）
【株主】〔24.3〕旭精機工業10.1%
【事業】専用機24、工作機械2、エコ商品69、鍛圧機械1、産業機械他4 <貿易6>
【従業員】単56名（37.3歳）

【業績】	売上高	営業利益	経常利益	純利益
単22.3	8,035	274	290	198
単23.3	8,054	242	265	190
単24.3	10,510	356	371	258

㈱Asue

株式公開計画なし

採用内定数	倍率	3年後離職率	平均年収
4名	16.5倍	・・	・・

●待遇、制度●
【初任給】月23.5万（諸手当3万円）
【残業】12時間【有休】9.4日【制度】住

●新卒定着状況●
・・

●採用情報●
【人数】23年:3 24年:4 25年:応募66→内定4
【内定内訳】（男3、女1）（文4、理0）（総0、他4）
【試験】〔筆記〕SPI3〔Web会場〕SPI3〔Web自宅〕SPI3〔性格〕有
【時期】エントリー25.3→内々定25.7(一次・二次以降もWEB面接可)【インターン】有【ジョブ型】有
【採用実績校】東大1、関西学大1、関西外大1、大和大1
【求める人材】チャレンジ精神旺盛な人

【本社】541-0046 大阪府大阪市中央区平野町4-2-3 オービック御堂筋ビル6階☎06-6206-5767
【特色・近況】丸善薬品産業の電子材料事業部門が独立して発足した電子部材卸会社。国内の半導体・FPDメーカーに、電子材料、高純度化学薬品、モジュール関連製品などを提供。カメラモジュール・センシングモジュール構成部材なども取り扱う。
【設立】2013.4 【資本金】301百万円
【社長】天羽昇次（1973.7生 大阪産大卒）
【株主】〔24.5〕天羽昇次100%
【事業】電子部材卸94、化学薬品卸6
【従業員】単100名（・・歳）

【業績】	売上高	営業利益	経常利益	純利益
単21.6	163,098	2,166	2,022	1,256
単22.6	134,459	1,861	1,971	1,207
単23.6	125,829	1,000	713	411

㈱アメフレック

株式公開計画なし

採用内定数	倍率	3年後離職率	平均年収
5名	15.4倍	60%	・・

●待遇、制度●
【初任給】月26万（諸手当5万円）
【残業】5.5時間【有休】13.9日【制度】住

●新卒定着状況●
20年入社（男5、女5）→3年後在籍（男1、女3）

●採用情報●
【人数】23年:5 24年:3 25年:応募77→内定5
【内定内訳】（男3、女2）（文5、理0）（総5、他0）
【試験】〔Web自宅〕有
【時期】エントリー25.3→内々定25.4(一次はWEB面接可)
【採用実績校】関西学大1、帝京大1、神戸学大1、関大1、獨協大1
【求める人材】人と話すことが好きで、好奇心があり、チャレンジを恐れない、向上心のある人

【本社】661-0026 兵庫県尼崎市水堂町2-40-10 ☎06-6438-8191
【特色・近況】冷凍冷蔵・空調設備機器を製造・販売。エンジニアリング部門を有し、大手食品、飲料メーカーに多くの納入実績。中国に現地法人。海外製樹脂ガード、冷媒リークシール剤、冷媒用ワンタッチ継手、パワフル小型除湿器等、新商材を積極投入。
【設立】1955.12 【資本金】98百万円
【社長】土山勝史（1968.6生 関大経済卒）
【株主】〔24.3〕土山勝史28.3%
【事業】機器販売部門70、エンジニアリング部門30
【従業員】単141名（42.6歳）

【業績】	売上高	営業利益	経常利益	純利益
単22.3	10,138	513	▲139	375
単23.3	10,640	588	633	411
単24.3	11,186	905	721	655

#年収高く倍率低い

イノテック

東証プライム

採用内定数	倍率	3年後離職率	平均年収
9名	11.3倍	0%	㊋812万円

●待遇、制度●
【初任給】月25.3万(諸手当8万円)
【残業】7.6時間【有休】12.7日【制度】住 在
●新卒定着状況●
20年入社(男3、女2)→3年後在籍(男3、女2)
●採用情報●
【人数】23年:6 24年:7 25年:応募102→内定9
【内定内訳】(男7、女2)(文4、理4)(総9、他0)
【試験】〔Web自宅〕有
【時期】エントリー24.6→内々定24.12(一次・二次以降もWEB面接可)【インターン】有
【採用実績校】東京電機大1、埼玉大1、法政大1、東海大1、専大1、立教大1、青学大1、東京科学大専1
【求める人材】成長意欲、行動力、継続力のある人

【本社】222-8580 神奈川県横浜市港北区新横浜3-17-6 ☎045-474-9000
【特色・近況】半導体設計ツールと半導体テスターが2本柱。半導体設計ツールは米国ケイデンス社製が主力。自社製のNANDテスターを国内大手メーカーが採用。グループ会社でLSI受託設計や組み込みソフト開発、車載用ソフトの開発など手がける。
【設立】1987.1【資本金】10,517百万円
【代表取締役】大塚信行(1962.12生)
【株主】〔24.3〕日本マスタートラスト信託銀行信託口11.8%
【連結事業】テストソリューション38、半導体設計関連31、システム・サービス30 <海外32>
【従業員】連1,775名 単213名(43.6歳)

【業績】	売上高	営業利益	経常利益	純利益
連22.3	37,238	2,585	2,984	2,194
連23.3	38,629	2,319	2,480	1,666
連24.3	41,358	2,474	2,880	1,477

#年収高く倍率低い #年収が高い

エレマテック

東証プライム

採用内定数	倍率	3年後離職率	平均年収
15名	21.4倍	31.2%	㊋944万円

●待遇、制度●
【初任給】月25.7万
【残業】11時間【有休】14日【制度】住 在
●新卒定着状況●
20年入社(男9、女7)→3年後在籍(男9、女2)
●採用情報●
【人数】23年:12 24年:19 25年:応募321→内定15
【内定内訳】(男7、女8)(文15、理0)(総12、他3)
【試験】〔Web自宅〕有〔性格〕有
【時期】エントリー25.3→内々定25.6(一次はWEB面接可)
【採用実績校】千葉大1、青学大1、近大1、神田外語大2、龍谷大1、日女大1、東京経大1、東海大1、成城大1、昭和女大1、他
【求める人材】自己の成長に意欲を持ち、チャレンジし続けられる人

【本社】108-0073 東京都港区三田3-5-19 東京三田ガーデンタワー ☎03-3454-3526
【特色・近況】電子材料・電子部品の専門商社。スマホ部品やゲーム機関連、車載センサー等CASE関連、医療機器関連部材などを扱う。発注先選定、部材発注、納期管理、入庫管理など顧客の購買機能を代行する代行調達ビジネスも併営。豊田通商の子会社。
【設立】1947.4【資本金】2,142百万円
【社長】横出彰(1961.6生)
【株主】〔24.3〕豊田通商56.7%
【連結事業】電気材料・電子部品等・日本55、同・中国21、同・他アジア15、同・欧米9 <海外51>
【従業員】連1,245名 単527名(41.1歳)

【業績】	売上高	営業利益	税前利益	純利益
連22.3	200,646	8,346	7,867	5,374
連23.3	239,774	12,052	11,130	7,696
連24.3	194,457	8,429	7,595	5,367

大江電機(おおえでんき)

株式公開計画なし

採用内定数	倍率	3年後離職率	平均年収
2名	6倍	57.1%	482万円

●待遇、制度●
【初任給】月25万
【残業】18.2時間【有休】10.5日【制度】‥
●新卒定着状況●
20年入社(男5、女2)→3年後在籍(男3、女0)
●採用情報●
【人数】23年:7 24年:4 25年:応募12→内定2
【内定内訳】(男2、女0)(文2、理0)(総2、他0)
【試験】なし
【時期】エントリー25.6→内々定25.7
【採用実績校】神奈川大1、叡啓大1
【求める人材】「人間力」「傾聴」を大切にし、お客様から必要とされ、自身の成長の為に行動できる人

【本社】232-0004 神奈川県横浜市南区前里町1-9 ☎045-241-3711
【特色・近況】電設材料、LED照明、空調・受変電設備を扱う独立系の専門商社。ニーズに適した電気設備、制御機器、電設資材を供給。非接触型セルフレジの導入などソリューション事業も。上海とソウルに販売現法。オムロンの制御機器代理店。
【設立】1955.9【資本金】72百万円
【社長】小池毅至(1981.11生)
【株主】〔24.3〕東京中小企業投資育成37.5%
【事業】制御機器60、電設資材29、リテールソリューション11 <貿易3>
【従業員】単115名(40.0歳)

【業績】	売上高	営業利益	経常利益	純利益
単22.3	8,911	219	323	229
単23.3	9,605	212	311	225
単24.3	9,725	372	479	350

岡本無線電機（おかもとむせんでんき）

株式公開未定

採用内定数	倍率	3年後離職率	平均年収
19名	10.5倍	20%	‥

●待遇、制度●
【初任給】月26.3万
【残業】11.8時間【有休】15日【制度】住

●新卒定着状況●
20年入社（男9、女11）→3年後在籍（男7、女9）

●採用情報●
【人数】23年:20 24年:22 25年:応募200→内定19*
【内定内訳】（男12、女7）（文19、理0）（総19、他0）
【試験】〔Web自宅〕有
【時期】エントリー25.3→内々定25.4（一次・二次以降もWEB面接可）【インターン】有
【採用実績校】大阪経大5、甲南女大3、関西外大2、亜大1、関大1、静岡産大1、摂南大1、創価大1、福岡大1、名古屋外大1、名古屋学院大1、他
【求める人材】自ら考え行動できる人、グローバルを意識して活動できる人

【本社】556-0005 大阪府大阪市浪速区日本橋4-8-4 ☎06-6643-4671
【特色・近況】液晶、半導体、制御部品など電子部品の専門商社。加工・通信・ソフトウェア等の技術部門を拡充・強化。全国20営業所、4商品センターを置きスピーディな物流を確立。香港、中国、シンガポール、タイ、ベトナム、台湾、マレーシアに現地法人。
【設立】1985.5 【資本金】360百万円
【社長】岡本崇義（1980.12生 甲南大法卒）
【株主】〔24.3〕おおとり100%
【事業】電子部品50、半導体35、制御部品10、測定器5 <貿易10>
【従業員】単495名（41.9歳）

【業績】	売上高	営業利益	経常利益	純利益
単22.3	51,786	1,863	2,003	1,437
単23.3	61,976	3,879	3,966	2,380
単24.3	‥	‥	‥	1,666

鐘通（かねつう）

株式公開計画なし

採用内定数	倍率	3年後離職率	平均年収
7名	9.9倍	－	総611万円

●待遇、制度●
【初任給】月26万（固定残業代25時間分）
【残業】13時間【有休】10.6日【制度】住 在

●新卒定着状況●
20年入社（男0、女0）→3年後在籍（男0、女0）

●採用情報●
【人数】23年:11 24年:12 25年:応募69→内定7*
【内定内訳】（男7、女0）（文6、理1）（総7、他0）
【試験】〔筆記〕有〔性格〕有
【時期】エントリー25.2→内々定25.8*（一次はWEB面接可）
【採用実績校】滋賀大2、徳島大1、香川大1、近大2、桃山学大1
【求める人材】積極的に挑戦する人、協調性のある人、柔軟な対応ができる人

【本社】601-8448 京都府京都市南区西九条豊田町1 ☎075-662-1111
【特色・近況】エレクトロ関連資材の専門商社。電線・ケーブル、コネクター、プリント基板、制御機器・FAシステムなどを扱う。特定業界に依存せず、幅広い業界と取引。販売・在庫管理プログラムを自社開発。海外は中国、ベトナム、オランダ、タイなどに販売現法。
【設立】1950.10 【資本金】96百万円
【社長】松井宏記（1972.5生 阪大院博士工修了）
【株主】〔23.12〕松井宏記
【連結事業】電線・ケーブル、電気機器・部品、ハーネス、プリント基板
【従業員】連341名 単268名（37.0歳）

【業績】	売上高	営業利益	経常利益	純利益
連21.12	36,921	2,152	2,276	1,516
連22.12	43,971	3,099	3,337	2,193
連23.12	42,249	3,329	3,449	2,211

協栄産業（きょうえいさんぎょう）

東証スタンダード

採用内定数	倍率	3年後離職率	平均年収
51名	3倍	17.6%	総732万円

●待遇、制度●
【初任給】月22.4万（諸手当0.2万円）
【残業】22時間【有休】15.2日【制度】フ 住 在

●新卒定着状況●
20年入社（男16、女1）→3年後在籍（男14、女0）

●採用情報●
【人数】23年:26 24年:40 25年:応募155→内定51*
【内定内訳】（男36、女15）（文12、理39）（総51、他0）
【試験】〔Web自宅〕SPI3〔性格〕有
【時期】エントリー25.1→内々定25.2（一次・二次以降もWEB面接可）【インターン】有
【採用実績校】東京国際工科専門職大3、大阪学大3、神奈川工大2、東京工芸大2、江戸川大1、関東学院大1、北里大1、国士舘大1、他
【求める人材】明るくコミュニケーションに自信のある人、目標に向かって主体的に行動できる人

【本社】140-0002 東京都品川区東品川4-12-6 品川シーサイドキャナルタワー ☎03-4241-5511
【特色・近況】三菱電機系の半導体・電子部品商社。半導体、電子デバイス・材料、FA機器が主力。半導体は自動車関連、白物家電、産機、事務機器向けが中心。プリント配線板は海外基板メーカーと連携し拡販。受託開発や受注ソリューションなども手がける。
【設立】1945.1 【資本金】3,161百万円
【社長】平澤潤（1970.1生 法大社会卒）
【株主】〔24.3〕三菱電機17.5%
【連結事業】半導体デバイス63、プリント配線板11、産業機器システム17、システム開発8、他1 <海外25>
【従業員】連918名 単716名（43.9歳）

【業績】	売上高	営業利益	経常利益	純利益
連22.3	56,978	1,386	1,381	2,055
連23.3	60,545	1,471	1,560	432
連24.3	61,679	1,652	1,737	1,337

協同電気（きょうどうでんき）

株式公開計画なし

採用内定数	倍率	3年後離職率	平均年収
4名	5倍	75%	㊔600万円

●待遇、制度●
【初任給】月22.5万（固定残業代10時間分）
【残業】18.5時間【有休】11.5日【制度】‥

●新卒定着状況●
20年入社（男4、女0）→3年後在籍（男1、女0）

●採用情報●
【人数】23年:6 24年:7 25年:応募20→内定4*
【内定内訳】（男2、女2）（文4、理0）（総4、他0）
【試験】〔Web自宅〕有〔性格〕有
【時期】エントリー24.10→内々定25.1*(一次はWEB面接可)【インターン】有
【採用実績校】‥
【求める人材】想像を行動へ生かせる人

【本社】231-8549 神奈川県横浜市中区山下町227 ☎045-651-1415
【特色・近況】電気・電子機器、電設資材等の販売と、上下水処理装置等制御設備の施工、環境保全機器の据え付けを手がける。古河電工、富士電機の特約店。太陽光発電、EV・PHV充電システム、小水力発電システムなど環境・新エネ分野や、ロボットアーム事業も展開。
【設立】1946.10　【資本金】100百万円
【社長】西堀達也（1978.4生 ソノマ州立大卒）
【株主】〔23.8〕竜産業69.8%
【事業】電気機器50、電設資材29、計装工事21 <輸出1>
【従業員】単128名（38.8歳）

【業績】	売上高	営業利益	経常利益	純利益
単21.8	10,447	315	367	267
単22.8	12,222	395	471	257
単23.8	13,293	496	565	391

佐鳥電機（さとりでんき）

東証プライム

採用予定数	倍率	3年後離職率	平均年収
10名	‥	28.6%	658万円

●待遇、制度●
【初任給】月21.5万
【残業】‥時間【有休】‥日【制度】フ 住 在

●新卒定着状況●
20年入社（男3、女4）→3年後在籍（男3、女2）

●採用情報●
【人数】23年:7 24年:10 25年:予定10*
【内定内訳】（男‥、女‥）（文‥、理‥）（総‥、他‥）
【試験】〔筆記〕有〔Web自宅〕SPI3〔性格〕有
【時期】エントリー25.‥→内々定25.‥(一次はWEB面接可)【インターン】有
【採用実績校】‥
【求める人材】エレクトロニクス業界に興味があり、世界を舞台に仕事をしたい人

【本社】105-0014 東京都港区芝1-14-10 ☎03-3452-7171
【特色・近況】独立系半導体・電子部品商社。開発・設計・製造機能を持ち、顧客の製品開発を支えるソリューションを提供。センサー、無線、絶縁監視技術を駆使した自社製品を拡充。車載、産業インフラ向け強み。中国、インド、アメリカ、ドイツ、オランダなどに海外拠点。
【設立】1947.7　【資本金】2,611百万円
【代表取締役】佐鳥浩之（1966.7生 成蹊大経済卒）
【株主】〔24.5〕日本マスタートラスト信託銀行信託口7.4%
【連結事業】産業インフラ20、エンタープライズ29、モビリティ21、グローバル30 <海外57>
【従業員】連793名 単386名（45.8歳）

【業績】	売上高	営業利益	経常利益	純利益
連22.5	125,850	2,602	2,601	1,908
連23.5	146,336	3,791	2,867	2,257
連24.5	148,113	4,755	3,653	2,156

三親電材（さんしんでんざい）

株式公開計画なし

採用内定数	倍率	3年後離職率	平均年収
2名	2.5倍	0%	535万円

●待遇、制度●
【初任給】月21万（諸手当0.8万円）
【残業】12時間【有休】7.5日【制度】住

●新卒定着状況●
20年入社（男3、女0）→3年後在籍（男3、女0）

●採用情報●
【人数】23年:1 24年:1 25年:応募5→内定2*
【内定内訳】（男2、女0）（文2、理0）（総0、他2）
【試験】なし
【時期】エントリー通年→内々定通年(一次はWEB面接可)
【採用実績校】広島経大2
【求める人材】元気でコミュニケーション能力のある人

【本店】730-0052 広島県広島市中区千田町1-5-18 千田共同ビル ☎082-241-1231
【特色・近況】中電工グループで電設資材卸売会社。電気・空調設備機器、電気工事材料の販売のほか、電気、管、電気通信、防災設備などの設計・監督・施工も手がける。照明器具、発電機製品が主力で、中国地方各地に営業所設置。自治体や大手民間企業が取引先。
【設立】1950.5　【資本金】72百万円
【社長】林睦博（1958.5生）
【株主】〔24.3〕中電工50.0%
【事業】電気設備および電気工事材料の卸・小売業
【従業員】単197名（44.6歳）

【業績】	売上高	営業利益	経常利益	純利益
単22.3	21,494	436	538	353
単23.3	19,967	205	311	190
単24.3	20,751	440	555	351

㈱ジェスクホリウチ

株式公開未定

採用内定数	倍率	3年後離職率	平均年収
5名	6.4倍	0%	‥

●待遇、制度●
【初任給】月22.5万
【残業】17時間【有休】10.3日【制度】‥
●新卒定着状況●
20年入社(男2、女0)→3年後在籍(男2、女0)
●採用情報●
【人数】23年:3 24年:0 25年:応募32→内定5
【内定内訳】(男5、女0)(文4、理1)(総5、他0)
【試験】〔筆記〕常識、他〔性格〕有
【時期】エントリー 25.4→内々定25.6*(一次はWEB面接可)
【採用実績校】富山大1、新潟大1、金沢工大1、龍谷大1、神奈川大1
【求める人材】‥

【本社】921-8531 石川県金沢市古府2-74
☎076-269-3175
【特色・近況】電機産業設備の専門商社で北陸が地盤。富士電機の特約店。北信越5県に6支店・2営業所。電気・電子機器、情報機器の販売に加え、設備工事やシステム開発も行う。IoT向けにクラウドを活用した監視システムサービス「SMS」を提供。
【設立】1938.11 【資本金】463百万円
【社長】今井秀夫(1955.5生 長岡工高専卒)
【株主】〔24.3〕清水義博13.9%
【事業】産業設備機器14、電気電子機器54、エンジニアリング32
【従業員】単213名(40.4歳)

【業績】	売上高	営業利益	経常利益	純利益
単22.3	15,004	1,031	1,103	753
単23.3	16,455	1,014	1,060	714
単24.3	16,813	1,136	1,205	830

昭和電機産業（しょうわでんきさんぎょう）

株式公開計画なし

採用予定数	倍率	3年後離職率	平均年収
11名	‥	27.3%	[総]570万円

●待遇、制度●
【初任給】月20.3万(固定残業代7時間分)
【残業】13.1時間【有休】13.4日【制度】[住]
●新卒定着状況●
20年入社(男7、女4)→3年後在籍(男5、女3)
●採用情報●
【人数】23年:12 24年:12 25年:予定11*
【内定内訳】(男‥、女‥)(文‥、理‥)(総‥、他‥)
【試験】〔Web自宅〕SPI3
【時期】エントリー 25.3→内々定25.5(一次・二次以降もWEB面接可)【インターン】有
【採用実績校】松本大2、東洋学大1、東洋大1、大手前大1、駒澤大1、新潟産大1、山梨学大1、松本大松商短大1
【求める人材】様々な世代の人と積極的にコミュニケーションをとる意欲のある人

【本社】380-8507 長野県長野市三輪荒屋1154
☎026-243-0146
【特色・近況】電設資材の中堅専門商社で産業機器、空調機器、情報通信機器も取り扱う。地域密着営業。甲信越中心に販売網構築し、営業ネットワークを駆使した迅速サービスに取り組む。長野県のコングロマリットの高見澤グループ傘下。
【設立】1948.9 【資本金】750百万円
【社長】松峯信夫(1957.1生)
【株主】〔23.6〕高見澤99.6%
【事業】電設資材81、産業機器19
【従業員】単346名(38.6歳)

【業績】	売上高	営業利益	経常利益	純利益
単21.6	25,820	360	454	294
単22.6	28,288	513	620	415
単23.6	31,344	719	910	603

シリコンテクノロジー

株式公開計画なし

採用実績数	倍率	3年後離職率	平均年収
3名	‥	0%	[総]650万円

●待遇、制度●
【初任給】月28万(諸手当2.9万円、固定残業代40時間分)
【残業】14時間【有休】13日【制度】[住][在]
●新卒定着状況●
20年入社(男0、女3)→3年後在籍(男0、女3)
●採用情報●
【人数】23年:2 24年:3 25年:予定前年並*
【内定内訳】(男‥、女‥)(文‥、理‥)(総‥、他‥)
【試験】なし
【時期】エントリー‥→内々定‥
【採用実績校】‥
【求める人材】諦めずに挑戦し続け、私達と共に成長していきたいという意欲がある人

【本社】154-0024 東京都世田谷区三軒茶屋2-2-16
☎03-3795-6461
【特色・近況】独立系の半導体・電子部品専門商社。取扱商品は海外製品が中心。商社機能に加え開発・製造受託も行う。設計開発部門がコンシューマー製品などのODM、OEM事業を受託。ソーシャルビジネスに注力。大阪府に拠点とR&Dセンター。香港に現地法人。
【設立】1989.2 【資本金】713百万円
【社長】四方堂第五郎(1969.7生 日大文理)
【株主】〔24.3〕四方堂第五郎43.9%
【事業】汎用半導体および一般電子部品の販売、ODM・OEM、ソーシャルビジネス <輸出12>
【従業員】単49名(44.1歳)

【業績】	売上高	営業利益	経常利益	純利益
単22.3	5,600	10	61	51
単23.3	6,625	363	359	205
単24.3	5,962	51	129	112

新川電機（しんかわでんき）

株式公開計画なし

採用内定数	倍率	3年後離職率	平均年収
18名	5.4倍	18.2%	[総]567万円

●待遇、制度●
【初任給】月24万
【残業】17時間【有休】‥日【制度】[住][在]

●新卒定着状況●
20年入社（男9、女2）→3年後在籍（男8、女1）

●採用情報●
【人数】23年:9 24年:16 25年:応募98→内定18*
【内定内訳】（男12、女6）（文10、理5）（総17、他1）
【試験】〔Web自宅〕有〔性格〕有
【時期】エントリー25.3→内々定25.4*(一次はWEB面接可)【インターン】有
【採用実績校】広島工大2、広島修道大2、上智大1、奈良女大1、亜大1、愛媛大1、九州共立大1、福岡大1、京産大1、米子高専1、他
【求める人材】‥

【広島本社】730-0029 広島県広島市中区三川町10-9 ☎082-247-4211
【特色・近況】計測・制御などが事業領域のメーカー商社。システム設計、ソフト開発、電装工事、試運転調整まで一貫対応。自社開発のセンサー技術に定評。保守サービス、エンジニアリングが堅調。国内37事業所、海外は米国、中国、ベトナムなど5拠点。
【設立】1951.11 【資本金】300百万円
【社長】新川文登（1949.1生 日大経済卒）
【株主】〔24.4〕新川ホールディングカンパニー65.4%
【事業】工業計器43、計測器16、電気機器7、化学分析機器7、他27 ＜海外6＞
【従業員】単671名（43.0歳）

【業績】	売上高	営業利益	経常利益	純利益
単22.1	31,039	611	991	633
単23.1	33,229	667	1,025	601
単24.1	34,974	822	1,258	758

杉本電機産業（すぎもとでんきさんぎょう）

株式公開計画なし

採用内定数	倍率	3年後離職率	平均年収
41名	3.2倍	18.7%	682万円

●待遇、制度●
【初任給】月24.7万
【残業】21時間【有休】10.4日【制度】[住]

●新卒定着状況●
20年入社（男8、女8）→3年後在籍（男7、女6）

●採用情報●
【人数】23年:20 24年:17 25年:応募130→内定41*
【内定内訳】（男28、女13）（文41、理0）（総41、他0）
【試験】〔性格〕有
【時期】エントリー24.11→内々定25.2*【インターン】有
【採用実績校】日大1、産能大3、神奈川大3、帝京大3、東海大1、清泉女大2、拓大1、国士舘大1、桜美林大1、千葉商大1、他
【求める人材】元気で向上心があり、自ら考え行動でき、失敗を恐れず粘り強く取り組むことができる人

【本店】210-0841 神奈川県川崎市川崎区渡田向町6-5 ☎044-211-4745
【特色・近況】電設資材、制御部品などの卸で神奈川県トップの総合商社。パナソニックなどの代理店。神奈川・東京を中心に、山梨、埼玉、千葉、静岡に営業所。オリジナル製品も取り扱い。サービスネットワーク拡充と顧客サービス向上、新規顧客開拓に注力。
【設立】1955.10 【資本金】919百万円
【社長】三浦秀人（1961.1生 立正大経営卒）
【株主】〔24.3〕りそなキャピタル7.4%
【事業】照明器具16、受配電機器14、電線・ケーブル20、配管・配線材15、他35
【従業員】単503名（40.8歳）

【業績】	売上高	営業利益	経常利益	純利益
単22.3	38,458	994	1,596	1,084
単23.3	44,067	1,353	2,022	1,472
単24.3	49,041	1,598	2,355	1,733

スズデン

東証スタンダード

採用内定数	倍率	3年後離職率	平均年収
8名	19.3倍	30.8%	715万円

●待遇、制度●
【初任給】月26万（諸手当1.2万円）
【残業】4.9時間【有休】13.7日【制度】[住]

●新卒定着状況●
20年入社（男5、女8）→3年後在籍（男4、女5）

●採用情報●
【人数】23年:11 24年:15 25年:応募154→内定8*
【内定内訳】（男6、女2）（文5、理0）（総6、他2）
【試験】〔性格〕有
【時期】エントリー24.6→内々定25.3(一次・二次以降もWEB面接可)【インターン】有
【採用実績校】同大1、亜大1、大東文化大1、清泉女大1、東京経大1、大原ビジネス公務員専1
【求める人材】自分自身を素直に表現でき、向上心とやる気のある人

【本社】101-0021 東京都千代田区外神田2-2-3 住友不動産御茶ノ水ビル ☎03-6910-6801
【特色・近況】半導体・液晶製造装置メーカー向けFA用制御機器が主力の技術商社。仕入先は1000社超、顧客はあらゆる業種の約5000社。オムロン代理店では首位格。オリジナルブランド「Ubon」も製造・販売。電子部品の自社工場を持つ。
【設立】1952.12 【資本金】1,819百万円
【会長兼社長】鈴木敏雄（1949.12生 早大文卒）
【株主】〔24.3〕㈱トレンド9.8%
【連結事業】FA機器61、情報・通信機器7、電子・デバイス機器12、電設資材19、他1
【従業員】連352名 単329名（41.4歳）

【業績】	売上高	営業利益	経常利益	純利益
連22.3	59,690	3,051	3,367	2,342
連23.3	67,439	4,399	4,756	3,309
連24.3	50,929	2,786	3,091	2,091

鈴与マタイ（すずよ）

株式公開計画なし

採用内定数	倍率	3年後離職率	平均年収
2名	5.5倍	0%	‥

●待遇、制度●
【初任給】月22.5万
【残業】11.1時間【有休】13日【制度】住 在
●新卒定着状況●
20年入社(男1、女1)→3年後在籍(男1、女1)
●採用情報●
【人数】23年:2 24年:1 25年:応募11→内定2*
【内定内訳】(男2、女0)(文2、理0)(総2、他0)
【試験】〔筆記〕有〔Web会場〕有〔Web自宅〕有〔性格〕有
【時期】エントリー25.1→内々定25.4*(一次はWEB面接可)【インターン】有
【採用実績校】武蔵野大1、高崎経大1
【求める人材】‥

【本社・中込工場】385-0051 長野県佐久市中込1-10-1 ☎0267-62-1111
【特色・近況】クラフト紙袋など包装資材の製造・販売が中核事業。金属製品や凍結防止剤などを扱う商事事業や、家庭用太陽光発電システムの卸売販売を行う環境エネルギー事業との3事業を柱に展開。長野県・佐久市に工場、埼玉県に支店を置く。麻袋製造・販売で創業。
【設立】1967.2【資本金】50百万円
【社長】横井俊之
【株主】〔23.8〕鈴与商事100%
【事業】包装資材24、商事39、環境エネルギー37
【従業員】単151名(42.5歳)

【業績】	売上高	営業利益	経常利益	純利益
単21.8	5,920	▲73	▲63	▲89
単22.8	6,860	20	28	▲29
単23.8	8,009	95	104	65

#採用数が多い

スターティアホールディングス

東証プライム

採用内定数	倍率	3年後離職率	平均年収
112名	26.7倍	51.3%	755万円

●待遇、制度●
【初任給】月28万(固定残業代34時間分)
【残業】20時間【有休】12.4日【制度】住 在
●新卒定着状況●
20年入社(男42、女34)→3年後在籍(男18、女19)
●採用情報● グループ採用
【人数】23年:84 24年:112 25年:応募2989→内定112
【内定内訳】(男68、女44)(文108、理3)(総111、他1)
【試験】〔性格〕有
【時期】エントリー24.9→内々定24.11(一次・二次以降もWEB面接可)【インターン】有
【採用実績校】明大5、拓大5、明星大3、帝京大3、中央学大3、大阪国際大3、産能大3、川村学女大3、早大1、中京大1、他
【求める人材】一生懸命になれる人、変化を楽しめ自分の頭で考え行動できる人

【本社】163-0919 東京都新宿区西新宿2-3-1 新宿モノリスビル ☎03-6388-0415
【特色・近況】中堅・中小企業向けのネットワーク機器の販売・保守などITインフラ事業と、営業支援ツール「CloudCIRCUS」などを提供するデジタルマーケティング事業が柱。シンガポールを拠点にスタートアップ企業への投資事業も手がける。
【設立】1996.10【資本金】824百万円
【社長】本郷秀之(1966.5生)
【株主】〔24.3〕本郷秀之28.7%
【連結事業】デジタルマーケティング18、ITインフラ82、CVC、他
【従業員】連966名 単‥名(41.4歳)

【業績】	売上高	営業利益	経常利益	純利益
連22.3	16,011	344	553	958
連23.3	20,004	1,724	1,844	1,212
連24.3	19,571	2,282	2,253	1,546

#有休取得が多い

西菱電機（せいりょうでんき）

東証スタンダード

採用内定数	倍率	3年後離職率	平均年収
16名	15.8倍	33.3%	569万円

●待遇、制度●
【初任給】月23万
【残業】15時間【有休】18.7日【制度】フ 住 在
●新卒定着状況●
20年入社(男10、女11)→3年後在籍(男9、女5)
●採用情報●
【人数】23年:11 24年:11 25年:応募252→内定16*
【内定内訳】(男13、女3)(文12、理4)(総0、他16)
【試験】〔Web自宅〕SPI3〔性格〕有
【時期】エントリー25.3→内々定25.6(一次・二次以降もWEB面接可)【インターン】有【ジョブ型】有
【採用実績校】立命館大1、高知工科大1、関西学大1、関大1、中部大1、甲南大1、神奈川大1、大阪電通大1、摂南大1、大阪産大1、他
【求める人材】真面目にコツコツ仕事に取組み、自己成長を楽しめる人

【本社】530-0003 大阪府大阪市北区堂島2-4-27 JRE堂島タワー ☎06-6345-4160
【特色・近況】交通・防災など情報通信システム事業が柱の三菱電機系商社。通信キャリア3社の携帯端末の小売りや韓国メーカー製スマホの修理再生事業も手がける。通信技術を駆使したIoTサービスにも取り組む。東京に端末修理センターを有する。
【設立】1966.12【資本金】523百万円
【社長】西井希伊(1955.11生 近大理工卒)
【株主】〔24.3〕三菱電機23.2%
【連結事業】情報通信端末40、情報通信システム60
【従業員】連622名 単429名(42.6歳)

【業績】	売上高	営業利益	経常利益	純利益
連22.3	17,222	276	303	198
連23.3	17,024	10	14	▲326
連24.3	18,489	195	203	284

㈱扇港電機（せんこうでんき）

株式公開未定

採用内定数	倍率	3年後離職率	平均年収
17名	6倍	25.6%	㊕697万円

●待遇、制度●
【初任給】月23万（固定残業代30時間分）
【残業】23.1時間【有休】10.4日【制度】住
●新卒定着状況●
20年入社（男35、女4）→3年後在籍（男25、女4）
●採用情報●
【人数】23年:32 24年:23 25年:応募102→内定17*
【内定内訳】（男17、女0）（文14、理3）（総17、他0）
【試験】〔筆記〕常識〔Web自宅〕有〔性格〕有
【時期】エントリー25.3→内々定25.6*(一次・二次以降もWEB面接可)
【採用実績校】‥
【求める人材】チャレンジ精神があり、プラス思考で周りに良い影響を与えられる人

【本社】510-8525 三重県四日市市北浜町8-16 ☎059-353-1711
【特色・近況】家庭用、業務用の電設資材の専門商社。パナソニックグループなど300社超から仕入れ。セキュリティーや映像・音響・空調などの設備工事請け負う技術部門との2本柱。電設資材市場では、東海地区シェアトップクラス。エコ商材の拡販に注力。
【設立】1949.2 【資本金】98百万円
【社長】横山大幸（1973.4生 亜細亜大国際卒）
【株主】〔24.3〕センコーホールディング42.3%
【連結事業】電気設備用資材・機器96、防災・防犯通信設備工事4 <貿易0>
【従業員】連940名 単904名（41.0歳）

【業績】	売上高	営業利益	経常利益	純利益
連22.3	87,073	536	968	809
連23.3	98,982	1,206	968	270
連24.3	106,309	1,547	1,224	530

ソレキア

東証スタンダード

採用内定数	倍率	3年後離職率	平均年収
18名	22.2倍	14.8%	637万円

●待遇、制度●
【初任給】月23.3万
【残業】27時間【有休】9日【制度】住 在
●新卒定着状況●
20年入社（男17、女10）→3年後在籍（男16、女7）
●採用情報●
【人数】23年:27 24年:22 25年:応募400→内定18*
【内定内訳】（男11、女7）（文13、理5）（総18、他0）
【試験】〔筆記〕有〔Web会場〕C-GAB〔Web自宅〕WEB-GAB
【時期】エントリー25.2→内々定25.3(一次・二次以降もWEB面接可)【インターン】有【ジョブ型】有
【採用実績校】法政大1、東海大1、大東文化大1、横浜商大2、立正大2、大正大1、弘前大1、駒澤大1、大阪経大1、実践女大1、他
【求める人材】変化に柔軟に対応できる人、強い意志を持って目標に向かっていける人、集団を引っ張っていける人

【本社】144-8626 東京都大田区西蒲田8-16-6 ☎03-3732-1131
【特色・近況】電子デバイス、半導体、サーバー、ネットワーク機器などの販売、各種ソフトウェア開発、保守サービスを手がける電子部品・OA専門商社。自社開発製品も。富士通、富士通エフサスと取引関係強い。フリージア・マクロスの関連会社。
【設立】1958.9 【資本金】2,293百万円
【社長】小林義和（1949.6生）
【株主】〔24.3〕フリージア・マクロス30.0%
【連結事業】コンポーネント・デバイス6、情報関連機器65、システムソリューション16、フィールドサービス13
【従業員】連756名 単748名（44.4歳）

【業績】	売上高	営業利益	経常利益	純利益
連22.3	22,701	715	747	464
連23.3	23,771	998	1,028	699
連24.3	25,178	1,608	1,655	1,045

大興電子通信（だいこうでんしつうしん）

東証スタンダード

採用内定数	倍率	3年後離職率	平均年収
30名	9.3倍	‥	708万円

●待遇、制度●
【初任給】月24万
【残業】18.5時間【有休】11日【制度】住 在
●新卒定着状況●
‥
●採用情報●
【人数】23年:27 24年:27 25年:応募278→内定30*
【内定内訳】（男13、女17）（文25、理5）（総0、他30）
【試験】〔Web自宅〕SPI3〔性格〕有
【時期】エントリー25.3→内々定25.4*(一次・二次以降もWEB面接可)【インターン】有【ジョブ型】有
【採用実績校】千葉商大3、専大2、中部大2、昭和女大2、大妻女大2、金沢大1、埼玉大1、福知山公大1、学習院大1、順天堂大1、他
【求める人材】自ら考え行動する人、ITを中心とした好奇心と学習意欲を持つ人

【本社】162-8565 東京都新宿区揚場町2-1 軽子坂MNビル ☎03-3266-8111
【特色・近況】富士通製品の販売、サービス提供を行うICT企業。通信機器、情報システムが2本柱。中堅企業向けクラウドビジネスに注力。製造業、食品製造、流通、サービス、運送業、小売業などの業種にサービスを展開。東北から九州まで支店・拠点を設置。
【設立】1953.12 【資本金】1,969百万円
【社長】松山晃一郎（1965.11生）
【株主】〔24.3〕富士通13.4%
【連結事業】情報通信機器27、ソリューションサービス73
【従業員】連1,294名 単721名（45.1歳）

【業績】	売上高	営業利益	経常利益	純利益
連22.3	35,472	1,560	1,607	1,233
連23.3	37,615	1,872	1,923	996
連24.3	43,378	2,896	2,973	1,838

#初任給が高い

ダイコー通産（つうさん）

東証スタンダード

採用内定数	倍率	3年後離職率	平均年収
1名	31倍	14.3%	583万円

●待遇、制度●
【初任給】月29.6万（固定残業代19時間分）
【残業】17.2時間【有休】13.7日【制度】住
●新卒定着状況●
20年入社（男5、女2）→3年後在籍（男5、女1）
●採用情報●
【人数】23年:5 24年:2 25年:応募31→内定1*
【内定内訳】（男1、女0）（文1、理0）（総1、他0）
【試験】試験あり
【時期】エントリー25.3→内々定25.4(二次以降はWEB面接可)【インターン】有
【採用実績校】近大1
【求める人材】論理的表現力が高く、課題に真摯な姿勢で取り組み、成長意欲と改善意識を有している人

【本社】791-8012 愛媛県松山市姫原3-6-11 ☎089-923-2288
【特色・近況】電線・ケーブル、通信機器などの独立系商社。CATV用、情報通信ネットワーク用などが主体。通信工事会社、通信会社、電力会社、官公庁などが主要顧客。製造委託による自社企画商品も販売。営業拠点は愛媛・松山市の本社を含め全国13拠点。
【設立】1975.6【資本金】583百万円
【社長】河田晃（1972.7生 千葉大工卒）
【株主】〔24.5〕㈱ディー・ケー・コーポレーション33.3%
【事業】ケーブル25、材料50、機器25、他0
【従業員】単146名（38.2歳）

【業績】	売上高	営業利益	経常利益	純利益
単22.5	17,581	1,056	1,057	703
単23.5	17,148	913	919	615
単24.5	17,222	885	896	602

#年収高く倍率低い

ダイトロン

東証プライム

採用内定数	倍率	3年後離職率	平均年収
31名	20.1倍	12%	802万円

●待遇、制度●
【初任給】月23万
【残業】12.2時間【有休】10.4日【制度】住 在
●新卒定着状況●
20年入社（男20、女5）→3年後在籍（男18、女4）
●採用情報●
【人数】23年:30 24年:27 25年:応募623→内定31
【内定内訳】（男24、女7）（文25、理6）（総31、他0）
【試験】〔Web自宅〕WEB-GAB
【時期】エントリー25.3→内々定25.3(一次はWEB面接可)【インターン】有
【採用実績校】大阪経大4、京産大3、立命館大2、青学大1、南山大1
【求める人材】チャレンジ精神が旺盛で、自己の成長に強い意欲を持って取り組める人

【本社】532-0003 大阪府大阪市淀川区宮原4-6-11 ☎06-6399-5041
【特色・近況】産業用エレクトロニクス製品の中堅卸。コネクターやハーネスなどの電子部品や画像関連機器のCCDカメラなどが主体。半導体製造装置や太陽電池製造装置も手がける。製販一体を推進し、国内に7工場、海外は米国に工場を置く。
【設立】1952.6【資本金】2,200百万円
【社長】土屋伸介（1961.8生 立命大社会卒）
【株主】〔24.6〕日本マスタートラスト信託銀行信託口10.0%
【連結事業】電子機器・部品76、製造装置24 <海外21>
【従業員】連1,003名 単819名（40.9歳）

【業績】	売上高	営業利益	経常利益	純利益
連21.12	72,341	4,196	4,325	2,953
連22.12	87,639	6,051	6,210	4,237
連23.12	92,156	5,943	6,015	4,014

大和無線電器（だいわむせんでんき）

株式公開計画なし

採用内定数	倍率	3年後離職率	平均年収
4名	33.3倍	42.9%	475万円

●待遇、制度●
【初任給】月25万（諸手当5.5万円、固定残業代23時間分）
【残業】10.8時間【有休】12日【制度】・・
●新卒定着状況●
20年入社（男4、女3）→3年後在籍（男4、女0）
●採用情報●
【人数】23年:6 24年:5 25年:応募133→内定4
【内定内訳】（男2、女2）（文4、理0）（総4、他0）
【試験】〔筆記〕有〔性格〕有
【時期】エントリー24.9→内々定24.12(二次以降はWEB面接可)【インターン】有
【採用実績校】福山市大1、日大1、京都橘大1、京都女大1
【求める人材】自分で考えて行動し、粘り強く物事に取り組める人

【本社】556-0006 大阪府大阪市浪速区日本橋東2-1-3 DG本社ビル4階 ☎06-6631-5650
【特色・近況】全国の家電量販店やGMSなどに家庭用電気機器を卸販売。電子部品商品として各種パーツの販売も行う。海外の炭酸水メーカーの国内総代理店としても販売網の拡大に注力。大阪と埼玉に物流オペレーションセンター。デンキョーグループ。
【設立】1960.10【資本金】337百万円
【社長】坂本賀津也（1956.11生 経営コンピューター専門学校卒）
【株主】〔24.3〕デンキョーグループホールディングス100%
【事業】電気商品卸販売94、電子部品販売6
【従業員】単126名（46.3歳）

【業績】	売上高	営業利益	経常利益	純利益
単22.3	21,460	497	585	400
単23.3	21,069	94	368	247
単24.3	20,079	▲297	▲40	102

㈱たけでん　株式公開未定

採用内定数	倍率	3年後離職率	平均年収
28名	44.5倍	13.6%	㊕720万円

●待遇、制度●
【初任給】月23万
【残業】13.2時間【有休】9.4日【制度】住
●新卒定着状況●
20年入社(男14、女8)→3年後在籍(男12、女7)
●採用情報●
【人数】23年:29 24年:25 25年:応募1247→内定28
【内定内訳】(男23、女5)(文28、理0)(総28、他0)
【試験】〔Web自宅〕WEB-GAB〔性格〕有
【時期】エントリー25.3→内々定25.6*(一次はWEB面接可)【インターン】有
【採用実績校】関大1、近大2、甲南大3、龍谷大1、大阪経大4、大阪工大1、立教大1、拓大1、駒澤大1、県立広島大1、九産大1、他
【求める人材】素直で何事に対しても失敗を恐れず、挑戦心・成長意欲を持ち合わせている人

【本社】535-0011 大阪府大阪市旭区今市1-18-5
☎06-6954-6821
【特色・近況】近畿・首都圏・中部を中心に展開する建築設備エレクトロニクス専門商社。LED照明・太陽光発電システムなど環境商材と住設機器コラボ推進。蓄電池など環境・省エネソリューションに注力。バリアフリー型の建材や住宅設備機器を拡販。
【設立】1960.4　【資本金】350百万円
【社長】渡辺弘康(1959.3生 布施工科高卒)
【株主】〔24.3〕仲藪佳典10.3%
【事業】照明器具24、空調・換気設備16、設備機器13、通信・防災14、電線・電線管12、他21
【従業員】単781名(41.1歳)

【業績】	売上高	営業利益	経常利益	純利益
単22.3	71,185	1,191	1,850	1,242
単23.3	78,611	2,179	2,323	1,546
単24.3	89,538	2,809	3,026	1,865

田中商事（たなかしょうじ）　東証スタンダード

採用内定数	倍率	3年後離職率	平均年収
26名	9.7倍	29.3%	534万円

●待遇、制度●
【初任給】月20.7万(諸手当2万円、固定残業代2.7万円)
【残業】30時間【有休】10日【制度】住
●新卒定着状況●
20年入社(男36、女5)→3年後在籍(男27、女2)
●採用情報●
【人数】23年:29 24年:27 25年:応募251→内定26*
【内定内訳】(男20、女6)(文26、理0)(総26、他0)
【試験】〔Web自宅〕有
【時期】エントリー25.3→内々定25.5*(一次・二次以降もWEB面接可)【インターン】有
【採用実績校】‥
【求める人材】成長意欲があり、小さな努力を継続して積み重ねる事が出来る人

【本社】140-8543 東京都品川区南大井3-2-2
☎03-3765-5211
【特色・近況】電気設備関連資材を扱う独立系中堅卸売業者。電線、照明器具、配・分電盤など専業メーカーの商品中心に販売。仕入れ先は約900社、3000種10万点の電設資材を扱う。電気設備工事、防災設備工事なども行う。首都圏中心に全国に営業所を設置。
【設立】1962.12　【資本金】1,073百万円
【社長】安部安生(1968.10生 市立仙台商高卒)
【株主】〔24.3〕河合宏美15.0%
【連結事業】照明器具類15、電線類35、配・分電盤類22、家電品類18、他10
【従業員】連442名 単422名(39.7歳)

【業績】	売上高	営業利益	経常利益	純利益
連22.3	33,083	1,052	1,067	698
連23.3	35,706	1,069	1,075	976
連24.3	41,776	1,601	1,610	1,177

㈱千代田組（ちよだぐみ）　株式公開計画なし

採用内定数	倍率	3年後離職率	平均年収
8名	19.9倍	50%	㊕719万円

●待遇、制度●
【初任給】月25.5万(諸手当2.5万円)
【残業】6.1時間【有休】12.4日【制度】住 在
●新卒定着状況●
20年入社(男15、女1)→3年後在籍(男7、女1)
●採用情報●
【人数】23年:10 24年:10 25年:応募159→内定8
【内定内訳】(男8、女0)(文6、理1)(総8、他0)
【試験】〔Web自宅〕有〔性格〕有
【時期】エントリー25.3→内々定25.6(一次・二次以降もWEB面接可)【インターン】有
【採用実績校】城西大1、立命館大1、北海商大1、拓大1、琉球大1、国士舘大1、東海大1、沼津高専1
【求める人材】仲間と一緒に明日の豊かな社会と暮らしをつくり出したいと考えている人

【本社】105-0003 東京都港区西新橋1-2-9
☎03-3503-8111
【特色・近況】システムとプラントの専門商社。産業用機械・設備、エネルギー・水処理、情報通信インフラなどが主力。脱炭素、フードロス、地方創生、SDGsにも注力。国内関連会社6社。中国、台湾、韓国、タイ、メキシコに現地法人。1909年創業。
【設立】1918.7　【資本金】200百万円
【社長】綱崎一成(1961.11生 東北工大工卒)
【株主】〔24.3〕東芝9.2%
【事業】産業用電機品44、産業用設備・諸機械35、産業用標準機器・部品14、他7 <貿易4>
【従業員】単436名(45.1歳)

【業績】	売上高	営業利益	経常利益	純利益
単22.3	93,689	898	1,178	710
単23.3	100,559	567	849	170
単24.3	103,307	1,150	1,409	934

千代田電子機器（ちよだでんしきき）

株式公開計画なし

採用実績数	倍率	3年後離職率	平均年収
6名	‥	‥	‥

●待遇、制度●
【初任給】月21万(諸手当を除いた数値)
【残業】‥時間【有休】12日【制度】‥
●新卒定着状況●
‥
●採用情報●
【人数】23年:5 24年:6 25年:予定減少*
【内定内訳】(男‥、女‥)(文‥、理‥)(総‥、他‥)
【試験】〔筆記〕常識
【時期】エントリー‥→内々定25.10*
【採用実績校】‥
【求める人材】コミュ力の高い人

【本社】101-0021 東京都千代田区外神田3-3-9
☎03-3253-9561
【特色・近況】角田無線系の電子部品・エレクトロニクス専門商社。パナソニック、NKKスイッチズなどの代理店。シンガポール、香港、上海、ベトナムの現地法人を含め国内外6社でグループ構成。EMS(製造受託)・キッティングなど含めたソリューション営業に注力。
【設立】1958.9 【資本金】98百万円
【社長】小峰和哉(1959.2生 日大卒)
【株主】‥
【事業】電子機器部品100
【従業員】単87名(42.3歳)

【業績】	売上高	営業利益	経常利益	純利益
単22.3	10,100	‥	‥	499
単23.3	12,200	‥	‥	521
単24.3	11,500	‥	‥	658

東亜電気工業（とうあでんきこうぎょう）

株式公開計画なし

採用内定数	倍率	3年後離職率	平均年収
15名	11.2倍	20%	[総]769万円

●待遇、制度●
【初任給】月25.5万
【残業】4時間【有休】15.1日【制度】[住]
●新卒定着状況●
20年入社(男5、女0)→3年後在籍(男4、女0)
●採用情報●
【人数】23年:4 24年:7 25年:応募168→内定15*
【内定内訳】(男11、女4)(文14、理1)(総15、他0)
【試験】〔Web会場〕SPI3〔Web自宅〕SPI3〔性格〕有
【時期】エントリー25.3→内々定25.5(一次はWEB面接可)【インターン】有
【採用実績校】嘉悦大1、東海大1、帝京大1、名古屋学院大1、同大1、和光大1、明大1、武庫川女大1、立教大1、京産大1、近大1、香川大1、他
【求める人材】誠実に人に向き合い、情熱と好奇心を持って自律的に行動できる人

【本社】101-0021 東京都千代田区外神田5-1-4
☎03-3834-0181
【特色・近況】電気・電子材料、電子部品・完成品の専門商社で、取り扱いアイテムは3万点超の実績。自動車関連分野のウェートが高い。傘下にEMS製造の子会社、海外にOEM製造の提携会社群を持つ。東北から九州まで国内販売拠点、海外に14現地法人。
【設立】1947.6 【資本金】450百万円
【社長】重田明生(1951.12生)
【株主】〔24.2〕重田明生8.2%
【事業】自動車49、電子部品・半導体6、FA・半導体製造装置19、他25 <輸出13>
【従業員】単301名(44.5歳)

【業績】	売上高	営業利益	経常利益	純利益
単22.2	57,335	1,559	2,078	1,186
単23.2	66,261	1,873	3,079	2,244
単24.2	68,571	2,000	3,280	2,672

東海エレクトロニクス（とうかい）

名証メイン

採用内定数	倍率	3年後離職率	平均年収
7名	19倍	0%	[総]717万円

●待遇、制度●
【初任給】月23万
【残業】20.4時間【有休】11.6日【制度】[住][在]
●新卒定着状況●
20年入社(男6、女0)→3年後在籍(男6、女0)
●採用情報●
【人数】23年:13 24年:12 25年:応募133→内定7
【内定内訳】(男7、女0)(文6、理1)(総7、他0)
【試験】〔Web会場〕C-GAB〔Web自宅〕WEB-GAB〔性格〕有
【時期】エントリー24.6→内々定25.5(一次・二次以降もWEB面接可)【インターン】有【ジョブ型】有
【採用実績校】中部大3、愛知淑徳大1、中京大1、名古屋外大1、立命館大1
【求める人材】自ら考え行動できる人、創造力豊かで好奇心旺盛な人、モノづくりの世界の付加価値に関わりたい人、グローバルに活躍したい人

【本社】460-8432 愛知県名古屋市中区栄3-34-14
☎052-261-3211
【特色・近況】電子材料、機器の専門商社。三菱電機系製品を多く扱う。自動車、デジタル家電、FA機器向けに使われるコネクタ、センサー、フレキシブル基板など、自動車関連中心に電子部品を販売。海外展開に積極的で中国、東南アジア、欧米などに拠点。非自動車顧客の開拓に注力。
【設立】1955.5 【資本金】3,075百万円
【社長】大倉慎(1972.9生)
【株主】〔24.3〕OKURA㈱13.0%
【連結事業】システム3、半導体デバイス56、電子デバイス30、高機能材料デバイス10 <海外25>
【従業員】連380名 単214名(44.8歳)

【業績】	売上高	営業利益	経常利益	純利益
連22.3	60,759	1,965	2,034	1,403
連23.3	64,495	1,532	1,605	1,042
連24.3	60,833	1,604	1,658	491

商社・卸売業

#年収高く倍率低い #年収が高い

東京電機産業（とうきょうでんきさんぎょう）

株式公開計画なし

採用内定数	倍率	3年後離職率	平均年収
8名	9.5倍	7.7%	㊙921万円

●待遇、制度●
【初任給】月23.1万
【残業】16時間【有休】14.1日【制度】フ 住 在
●新卒定着状況●
20年入社(男13、女0)→3年後在籍(男12、女0)
●採用情報●
【人数】23年:12 24年:13 25年:応募76→内定8*
【内定内訳】(男6、女2)(文7、理0)(総8、他0)
【試験】〔Web自宅〕有〔性格〕有
【時期】エントリー 25.3→内々定25.6*(一次・二次以降もWEB面接可)
【採用実績校】産能大1、近大1、日大1、関大1、共立女大1、流通科学大1、桃山学大1、大原ビジネス公務員専1
【求める人材】柔軟性をもった人、変化に挑戦でき、何事においても諦めず熱意をもった行動がとれる人

【本社】151-0072 東京都渋谷区幡ケ谷1-18-12 ☎03-3481-1111
【特色・近況】計測・制御・情報を中心とした課題解決型ビジネスを展開する技術商社。現場調査、システム開発、産業機器の調達・導入まで一貫のノウハウに強み。横河電機のビジネスパートナーとして国内市場をターゲットにしたビジネスに力を入れる。
【設立】1946.6 【資本金】229百万円
【社長】玉田功(1959.5生)
【株主】〔24.3〕役員・社員63.6%
【事業】制御機器68、計測情報通信機器13、ラボ分析機器16、産業機器他3
【従業員】単546名(44.0歳)

【業績】	売上高	営業利益	経常利益	純利益
単22.3	28,716	836	900	634
単23.3	30,184	959	1,036	713
単24.3	31,996	1,059	1,147	843

東芝デバイス（とうしば）

株式公開計画なし

採用予定数	倍率	3年後離職率	平均年収
3名	‥	‥	‥

●待遇、制度●
【初任給】月22.1万
【残業】‥時間【有休】‥日【制度】フ 住 在
●新卒定着状況●
‥
●採用情報●
【人数】23年:3 24年:3 25年:予定3*
【内定内訳】(男‥、女‥)(文‥、理‥)(総‥、他‥)
【試験】‥
【時期】エントリー 25.4→内々定25.6(一次はWEB面接可)
【採用実績校】‥
【求める人材】‥

【本社】212-0013 神奈川県川崎市幸区堀川町580 ソリッドスクエアビル西館 ☎044-556-8000
【特色・近況】親会社である東芝デバイス＆ストレージの製品を中心に、ディスクリート、システムデバイス、HDD製品などの電子部品を販売。幅広い産業に製品供給。親会社の海外現法に人員派遣し、現地に進出している顧客のサポートも行う。
【設立】1961.4 【資本金】500百万円
【社長】岩本兼慶(1966.9生 早大社会科卒)
【株主】〔24.3〕東芝デバイス＆ストレージ100%
【事業】半導体・電子部品99、電池他1
【従業員】単190名(47.0歳)

【業績】	売上高	営業利益	経常利益	純利益
単22.3	81,297	1,607	1,552	1,192
単23.3	47,142	1,196	1,212	862
単24.3	41,333	413	403	436

#初任給が高い #年収が高い

㈱トーメンデバイス

東証プライム

採用予定数	倍率	3年後離職率	平均年収
3名	‥	50%	894万円

●待遇、制度●
【初任給】月31.5万(固定残業代30時間分)
【残業】19.6時間【有休】15.5日【制度】在
●新卒定着状況●
20年入社(男2、女0)→3年後在籍(男1、女0)
●採用情報●
【人数】23年:3 24年:3 25年:予定3*
【内定内訳】(男2、女0)(文2、理0)(総2、他0)
【試験】〔Web自宅〕有〔性格〕有
【時期】エントリー 25.2→内々定25.7(一次・二次以降もWEB面接可)
【採用実績校】‥
【求める人材】何事にも積極的に挑戦する、柔軟に対応できる、地道な努力を続けられる人

【本社】104-6230 東京都中央区晴海1-8-12 晴海トリトンオフィスタワーZ ☎03-3536-9150
【特色・近況】半導体や液晶の豊田通商系専門商社。韓国サムスングループ製品に特化し、DRAMやFLASHなどメモリー半導体、システムLSI半導体、液晶パネル、LEDやOLEDなど電子部品を扱う。中国、香港、シンガポールに現地法人を有する。
【設立】1992.3 【資本金】2,054百万円
【社長】中尾清隆(1967.4生 佐賀大理卒)
【株主】〔24.3〕豊田通商26.6%
【連結事業】メモリー78、システムLSI18、ディスプレイ2、他2 <海外78>
【従業員】連187名 単111名(46.5歳)

【業績】	売上高	営業利益	経常利益	純利益
連22.3	462,822	10,629	8,478	6,379
連23.3	417,621	12,230	6,589	4,906
連24.3	370,676	9,480	6,203	2,096

㈱ドーワテクノス 株式公開計画なし

採用予定数	倍率	3年後離職率	平均年収
5名	ー	16.7%	521万円

●待遇、制度●
【初任給】月20.8万
【残業】15時間【有休】9.5日【制度】住 在
●新卒定着状況●
20年入社(男5、女1)→3年後在籍(男4、女1)
●採用情報●
【人数】23年:9 24年:2 25年:予定5*
【内定内訳】(男‥、女‥)(文‥、理‥)(総‥、他‥)
【試験】〔Web自宅〕SPI3
【時期】エントリー25.3→内々定25.5*(一次・二次以降もWEB面接可)【インターン】有
【採用実績校】‥
【求める人材】広い視野と傾聴力を持ち、自ら目標を設定して何事も諦めず主体的に考動ができる人

【本社】806-0004 福岡県北九州市八幡西区黒崎城石3-5 ☎093-621-4132
【特色・近況】鉄鋼・化学・電機などの工場や官公庁向けに、電気・機械機器、制御装置を扱う専門商社。北九州地盤。安川電機製の産業用システム品を主力に電気設備工事も行う。国内は東北から九州まで本社を含め19拠点、タイに現地法人を展開。
【設立】1948.10 【資本金】87百万円
【社長】小野裕和(1964.10生 山口大工卒)
【株主】〔24.2〕ディエラホールディングス100%
【事業】モータ等電気品43、工事・改造・改作9、サーボ等メカトロ製作15、修理・点検4、表示器4、他25 <輸出2>
【従業員】単202名(42.5歳)

【業績】	売上高	営業利益	経常利益	純利益
単21.12	15,262	133	346	150
単22.12	12,676	▲45	110	85
単23.12	14,679	222	320	87

轟産業（とどろきさんぎょう） 株式公開いずれしたい

採用内定数	倍率	3年後離職率	平均年収
11名	‥	13.3%	‥

●待遇、制度●
【初任給】月25.5万(固定残業代3時間分)
【残業】4.8時間【有休】9日【制度】住
●新卒定着状況●
20年入社(男15、女0)→3年後在籍(男13、女0)
●採用情報●
【人数】23年:16 24年:11 25年:応募‥→内定11*
【内定内訳】(男10、女1)(文10、理1)(総0、他11)
【試験】〔Web自宅〕有〔性格〕有
【時期】エントリー24.6→内々定25.3*(一次はWEB面接可)【インターン】有【ジョブ型】有
【採用実績校】福井工大2、福井大1、大和大1、専大1、日大1、京都文教大1、東京国際大1、金沢学大1、韓国外大1、愛知学大1
【求める人材】主体的に行動することができ、何事にも好奇心を持てる人

【本社】918-8550 福井県福井市毛矢3-2-4 ☎0776-36-5520
【特色・近況】計測センサー、電子制御機器、計量器などを取り扱う、工業技術関連の専門商社。地域密着に重点を置き、全国に営業拠点を配置。仕入先は7000社を超え、顧客は9000社以上。技術センターで独自製品の開発も手がける。タイに販売拠点。
【設立】1954.9 【資本金】262百万円
【社長】酒井啓行(1979.1生 アメリカン大卒)
【株主】〔23.7〕轟不動産25.1%
【事業】工業計測器35、省力・自動化機器26、研究・開発機器24、他15
【従業員】単527名(39.6歳)

【業績】	売上高	営業利益	経常利益	純利益
単21.7	61,465	3,894	4,406	2,799
単22.7	65,385	4,283	4,841	1,270
単23.7	68,847	5,016	5,630	3,508

富山電気ビルデイング（とやまでんき） 株式公開計画なし

採用内定数	倍率	3年後離職率	平均年収
4名	3.5倍	50%	‥

●待遇、制度●
【初任給】月22.2万
【残業】‥時間【有休】13.2日【制度】‥
●新卒定着状況●
20年入社(男3、女1)→3年後在籍(男2、女0)
●採用情報● 25年は大卒のみ
【人数】23年:2 24年:4 25年:応募14→内定4*
【内定内訳】(男4、女0)(文4、理0)(総4、他0)
【試験】‥
【時期】エントリー24.10→内々定25.5(一次はWEB面接可)【インターン】有
【採用実績校】金沢大1、國學院大1、金沢学大1、かなざわ食マネジメント専門職大1
【求める人材】コミュニケーション能力が高く、好奇心旺盛で積極的に行動できる人

【本社】930-0004 富山県富山市桜橋通り3-1 ☎076-432-4117
【特色・近況】不動産をベースに商事、食堂経営の3事業展開。不動産は富山と東京にビルを保有。商事は電設資材や電子機器部品を扱い、食堂は北陸電力社員食堂の受託運営などを行う。本社の本館と新館が登録有形文化財に登録されている。
【設立】1936.2 【資本金】390百万円
【社長】山田岩男(1951.2生 慶大経済卒)
【株主】〔24.3〕北陸電力15.4%
【事業】電設資材商事71、不動産・食堂事業29
【従業員】単141名(45.7歳)

【業績】	売上高	営業利益	経常利益	純利益
単22.3	7,495	577	641	367
単23.3	8,575	698	731	486
単24.3	10,758	973	1,005	702

中西電機工業（なかにしでんきこうぎょう）

株式公開計画なし

採用内定数	倍率	3年後離職率	平均年収
7名	5倍	30.8%	㊗659万円

●待遇、制度●
【初任給】月24.4万
【残業】23.4時間【有休】9.3日【制度】住
●新卒定着状況●
20年入社(男7、女6)→3年後在籍(男5、女4)
●採用情報●
【人数】23年:15 24年:9 25年:応募35→内定7*
【内定内訳】(男6、女1)(文7、理0)(総7、他0)
【試験】〔筆記〕常識〔性格〕有
【時期】エントリー25.3→内々定25.4【インターン】有
【採用実績校】愛知大1、名城大1、中部大1、名古屋外大1、人間環境大1、豊橋創造大1、常葉大1
【求める人材】明るく、前向きで、素直な人

【本社】460-0014 愛知県名古屋市中区富士見町9-1 ☎052-332-5221
【特色・近況】電子制御機器や電子部品の卸売り、FA(工場の自動化)設計などを展開。名古屋中心に小牧、刈谷、岡崎、豊田、豊橋、岐阜、浜松など東海4県で計13のショールームを開設。加工関連子会社4社を持つ。モーター販売で創業。
【設立】1967.12 【資本金】99百万円
【会長】中西政男(1938.2生 愛知工高卒)
【株主】〔24.5〕山ノ内由美子
【事業】電子制御機器60、電線・制御BOX20、雑材・小物電気機器15、電動機5
【従業員】単262名(32.7歳)

【業績】	売上高	営業利益	経常利益	純利益
単21.11	20,795	473	973	616
単22.11	22,654	730	1,205	844
単23.11	22,955	670	1,189	842

名古屋電気（なごやでんき）

株式公開計画なし

採用内定数	倍率	3年後離職率	平均年収
3名	16.7倍	33.3%	‥

●待遇、制度●
【初任給】月25万(固定残業代7時間分)
【残業】6.8時間【有休】10.9日【制度】在
●新卒定着状況●
20年入社(男3、女3)→3年後在籍(男1、女3)
●採用情報●
【人数】23年:7 24年:6 25年:応募50→内定3*
【内定内訳】(男3、女0)(文3、理0)(総3、他0)
【試験】〔Web自宅〕SPI3〔性格〕有
【時期】エントリー25.3→内々定25.5(一次はWEB面接可)【インターン】有
【採用実績校】中京大1、愛知淑徳大1、名古屋市大1
【求める人材】明るく前向きな人、コミュニケーションがとれる人、健康な人

【本社】460-0003 愛知県名古屋市中区錦3-8-14 名電ビル ☎052-951-9111
【特色・近況】各種電線・粉末合金・特殊線などを扱う技術商社。住友電工グループ向け7割と比重が高い。グループで電装部品などの生産も手がける。台湾、中国、インドネシア、タイに販社。中国に製造拠点。住友電工製電線などの販売会社として創業。
【設立】1946.10 【資本金】120百万円
【社長】伊東万樹也(1958.9生 慶大経済卒)
【株主】〔24.3〕伊東物産12.5%
【事業】電線・電気機器、粉末合金・電子材料、鉄鋼線材、工業用ゴム製品、他
【従業員】単210名(43.1歳)

【業績】	売上高	営業利益	経常利益	純利益
単22.3	44,677	782	1,025	552
単23.3	47,589	877	1,145	763
単24.3	50,305	1,079	1,323	857

#年収高く倍率低い #年収が高い

西川計測（にしかわけいそく）

東証スタンダード

採用内定数	倍率	3年後離職率	平均年収
11名	7.4倍	14.3%	1,043万円

●待遇、制度●
【初任給】月24.1万
【残業】13.2時間【有休】13日【制度】フ 住 在
●新卒定着状況●
20年入社(男6、女1)→3年後在籍(男6、女0)
●採用情報●
【人数】23年:16 24年:14 25年:応募81→内定11
【内定内訳】(男7、女4)(文0、理10)(総11、他0)
【試験】〔Web自宅〕SPI3
【時期】エントリー25.3→内々定25.4(一次はWEB面接可)【インターン】有
【採用実績校】明大2、新潟大2、富山大2、奈良先端科技院大1、愛媛大1、徳島大1、東京電機大1、熊本高専1
【求める人材】人と話すことが好きな人、学生時代に熱中して取り組んだものがある人、好奇心が強い人

【本社】151-8620 東京都渋谷区代々木3-22-7 新宿文化クイントビル ☎03-3299-1331
【特色・近況】計測・制御・分析機器の専門商社。横河電機と米アジレント・テクノロジーズの代理店。制御機器は電力など社会インフラやプラント向け、計測器は通信向け、分析機器は食品・薬品向けが主体。社員の7割が技術系でエンジニアリング力が強み。
【設立】1951.11 【資本金】569百万円
【社長】田中勝彦(1955.3生 慶大工卒)
【株主】〔24.6〕横河電機12.8%
【事業】制御・情報機器システム53、計測器11、理化学機器26、産業機器他10
【従業員】単408名(42.3歳)

【業績】	売上高	営業利益	経常利益	純利益
単22.6	29,462	2,036	2,109	1,160
単23.6	31,923	2,241	2,357	1,549
単24.6	36,417	3,465	3,588	2,528

ニシムラ

株式公開計画なし

採用内定数	倍率	3年後離職率	平均年収
16名	6.3倍	37.5%	‥

●待遇、制度●
【初任給】月21.7万(諸手当を除いた数値)
【残業】10時間【有休】15日【制度】住
●新卒定着状況●
20年入社(男5、女3)→3年後在籍(男3、女2)
●採用情報●
【人数】23年:5 24年:11 25年:応募100→内定16*
【内定内訳】(男12、女4)(文10、理0)(総12、他4)
【試験】〔筆記〕常識〔性格〕有
【時期】エントリー25.2→内々定25.5*【インターン】有
【採用実績校】立命館大2、京産大1、龍谷大1、大谷大1、他
【求める人材】元気はつらつな人

【本社】601-8104 京都府京都市南区上鳥羽角田町32 ☎075-671-1016
【特色・近況】電線ケーブル、照明器具などの総合電設資材卸。電化製品から大型施設向けの設備機器まで幅広く揃える。京都では業界首位。主要顧客は京都、滋賀を中心に大阪、名古屋、関東の電気工事業者、大口電力需要会社、官公庁など。
【設立】1959.12 【資本金】40百万円
【社長】蔵岡仁史(1980.2生 京産大卒)
【株主】‥
【事業】照明器具19、電路材料21、空調機器12、電線14、配管材料9、他25
【従業員】単295名(‥歳)

【業績】	売上高	営業利益	経常利益	純利益
単21.12	18,634	‥	648	424
単22.12	19,622	‥	745	511
単23.12	23,290	‥	960	641

日昌(にっしょう)

株式公開計画なし

採用内定数	倍率	3年後離職率	平均年収
10名	29.4倍	25%	㊍848万円

●待遇、制度●
【初任給】月24.2万
【残業】7時間【有休】13.8日【制度】フ 住 在
●新卒定着状況●
20年入社(男4、女4)→3年後在籍(男4、女2)
●採用情報●
【人数】23年:10 24年:12 25年:応募294→内定10
【内定内訳】(男7、女3)(文7、理3)(総10、他0)
【試験】〔Web自宅〕有〔性格〕有
【時期】エントリー25.3→内々定25.6【インターン】有【ジョブ型】有
【採用実績校】関大1、関西学大1、龍谷大4、近大1、京産大1、大阪工大2
【求める人材】チームワークを大切にし、グローバルな視点を持った継続的学習が出来る人

【本社】530-0047 大阪府大阪市北区西天満4-8-17 宇治電ビルディング4階 ☎06-6363-4621
【特色・近況】エレクトロニクスと自動車業界を中心にフィルム、粘着テープの加工品を製造・販売。商社機能とメーカー機能を併せ持つ。医療テープ、生体センサー部材など医療・ヘルスケア分野も展開。外部生産委託品の販売も。日東電工の完全子会社。
【設立】1958.9 【資本金】515百万円
【社長】小林牛貴(1962.7生 大学卒)
【株主】〔24.3〕日東電工100%
【連結事業】エレクトロニクス業界中心にフィルムおよび粘着テープなどの製造・販売と関連製品の販売 <海外42>
【従業員】連1,571名 単399名(46.4歳)

【業績】	売上高	営業利益	経常利益	純利益
連22.3	57,407	2,602	‥	1,784
連23.3	57,418	2,575	‥	1,852
連24.3	55,998	2,427	‥	1,871

日邦産業(にっぽうさんぎょう)

東証スタンダード

採用内定数	倍率	3年後離職率	平均年収
12名	4.6倍	16.7%	㊍661万円

●待遇、制度●
【初任給】月22.5万
【残業】18.4時間【有休】14日【制度】フ 住 在
●新卒定着状況●
20年入社(男5、女1)→3年後在籍(男5、女0)
●採用情報●
【人数】23年:4 24年:5 25年:応募55→内定12*
【内定内訳】(男7、女5)(文9、理3)(総12、他0)
【試験】〔Web自宅〕SPI3
【時期】エントリー25.3→内々定25.4(一次はWEB面接可)【インターン】有【ジョブ型】有
【採用実績校】大東文化大1、名古屋外大1、名城大1、佛教大1
【求める人材】成長環境を求め、コミュニケーションを大切にしている人、探求心があり、挑戦する人

【本社】460-0003 愛知県名古屋市中区錦1-10-1 MIテラス名古屋伏見 ☎052-218-3161
【特色・近況】独立系電子部品商社で、エレクトロニクス、自動車、医療・精密機器向けが柱。自動車や医療機器関連を軸に自社生産も行い、モーター部品や電子制御部品を手がける。ディスポーザブル医療製品のOEMも強化。インドネシアやタイなど海外にも拠点。
【設立】1952.3 【資本金】3,137百万円
【社長】岩佐恭知(1959.2生 大工大工卒)
【株主】〔24.3〕フリージア・マクロス19.6%
【連結事業】エレクトロニクス45、モビリティ39、医療・精密機器16、他 <海外48>
【従業員】連2,828名 単452名(38.0歳)

【業績】	売上高	営業利益	経常利益	純利益
連22.3	35,491	1,342	1,423	1,031
連23.3	38,886	1,912	1,871	1,269
連24.3	41,922	1,918	2,150	1,457

日本メディアシステム（にほん）　株式公開計画なし

採用内定数	倍率	3年後離職率	平均年収
50名	10.1倍	73.6%	575万円

●待遇、制度●
【初任給】月22.4万（諸手当3万円、固定残業代19時間分）
【残業】13.5時間【有休】10.2日【制度】[住]
●新卒定着状況●
20年入社（男52、女20）→3年後在籍（男15、女4）
●採用情報●
【人数】23年:4 24年:15 25年:応募504→内定50*
【内定内訳】（男38、女12）（文‥、理‥）（総50、他0）
【試験】なし
【時期】エントリー25.3→内々定25.4*(一次はWEB面接可)【インターン】有
【採用実績校】大同大1、愛知学大6、愛知大3、東京女体大2、名古屋学院大4、広島修道大4、北星学大2、東北学大1、拓大1、摂南大2、他
【求める人材】何事にも挑戦し、自主的に行動できる人、また、目標を持って日々活動できる人

【本社】461-0001 愛知県名古屋市東区泉1-12-35 1091ビル ☎052-972-7810
【特色・近況】NTT通信機器販売店の最大手。将来的なIoTビジネスの拡大を見据えたシステム構築に注力。販売・施工・保守メンテナンスまで一貫サービス体制。全国に拠点を展開。クラウド事業や光コラボレーション事業を拡大。
【設立】1987.2【資本金】81百万円
【社長】坂野雄介（1985.9生）
【株主】〔23.10〕坂野元美73.3%
【事業】電話機46、FAX・複合機10、LED・エコ5、ネットワーク15、ストック14、他10
【従業員】単428名（36.8歳）

【業績】	売上高	営業利益	経常利益	純利益
単21.7	11,744	529	1,101	685
単22.7	12,146	906	1,815	1,070
単23.7	12,997	703	1,630	1,120

㈱ハイパー　東証スタンダード

採用予定数	倍率	3年後離職率	平均年収
9名	－	30%	[総]504万円

●待遇、制度●
【初任給】月23.9万（固定残業代30時間分）
【残業】15時間【有休】13.3日【制度】[在]
●新卒定着状況●
20年入社（男5、女5）→3年後在籍（男4、女3）
●採用情報●
【人数】23年:6 24年:3 25年:応募4→内定0*
【内定内訳】（男‥、女‥）（文‥、理‥）（総‥、他‥）
【試験】〔筆記〕常識、他〔Web自宅〕有〔性格〕有
【時期】エントリー25.6→内々定25.9
【採用実績校】‥
【求める人材】自己成長意欲が高く、新しい領域に積極的に飛び出していける精神・主体性のある人

【本社】103-0012 東京都中央区日本橋堀留町2-9-6 ニューESRビル ☎03-6855-8180
【特色・近況】法人向けPC・周辺機器販売が主力。大手・中堅企業に小口販売。ITインフラ構築からシステム保守、オフィス移転なども支援。情報セキュリティー製品の開発・販売、アスクル代理店としてオフィス文具などの販売も手がける。クラウド事業にも注力。
【設立】1990.5【資本金】573百万円
【社長】望月真貴子（1971.9生 千工大工）
【株主】〔24.6〕ララコーポレーション㈱23.9%
【連結事業】ITサービス88、アスクルエージェント12、他0
【従業員】連268名 単206名（41.3歳）

【業績】	売上高	営業利益	経常利益	純利益
連21.12	20,536	48	36	▲53
連22.12	10,599	▲45	▲41	▲499
連23.12	11,397	121	126	78

萩原電気ホールディングス（はぎわらでんき）　東証プライム

採用内定数	倍率	3年後離職率	平均年収
24名	8.8倍	5.3%	662万円

●待遇、制度●
【初任給】月22.6万
【残業】26.2時間【有休】11.7日【制度】[フ][住][在]
●新卒定着状況●
20年入社（男16、女3）→3年後在籍（男15、女3）
●採用情報● グループ採用
【人数】23年:17 24年:20 25年:応募211→内定24*
【内定内訳】（男18、女6）（文9、理15）（総24、他0）
【試験】〔Web自宅〕有〔性格〕有
【時期】エントリー25.2→内々定25.4(一次はWEB面接可)【インターン】有
【採用実績校】‥
【求める人材】自ら考え、仲間と協力して成果を出せる人

【本社】461-8520 愛知県名古屋市東区東桜2-2-1 ☎052-931-3511
【特色・近況】名古屋地盤で半導体などを取り扱う電子部品・機器商社。デンソー向け筆頭に自動車関連が約9割を占める。電子部品の販売、組み込みソフトウェアなどの受託開発のほか、FA機器などの製造やIT基盤構築も手がける。北米、欧州、アジアで海外展開推進。
【設立】1958.12【資本金】6,099百万円
【社長】木村守孝（1967.1生 愛知学大法卒）
【株主】〔24.3〕日本マスタートラスト信託銀行信託口12.7%
【連結事業】デバイス87、ソリューション13 <海外24>
【従業員】連777名 単560名（42.6歳）

【業績】	売上高	営業利益	経常利益	純利益
連22.3	158,427	4,356	4,335	2,876
連23.3	186,001	6,725	6,417	4,912
連24.3	225,150	7,711	7,221	4,421

㈱光(ひかり)アルファクス

株式公開 いずれしたい

採用内定数	倍率	3年後離職率	平均年収
7名	‥	0%	‥

●待遇、制度●
【初任給】月25.5万(固定残業代15時間分)
【残業】10時間【有休】12.7日【制度】住 在
●新卒定着状況●
20年入社(男3、女0)→3年後在籍(男3、女0)
●採用情報●
【人数】23年:5 24年:5 25年:応募‥→内定7*
【内定内訳】(男6、女1)(文1、理0)(総7、他0)
【試験】〔Web自宅〕SPI3
【時期】エントリー25.3→内々定25.4(一次はWEB面接可)【インターン】有
【採用実績校】‥
【求める人材】‥

【本社】530-0005 大阪府大阪市北区中之島2-2-2 大阪中之島ビル14階 ☎06-6208-1811
【特色・近況】電子デバイス、産業機器・設備など社会インフラ、マテリアルの専門商社。東芝グループ、OKIグループ、モメンティブの特約代理店。国内9拠点、海外4拠点体制。マテリアル研究開発室でケミカル素材の試験・実験を行う。
【設立】1954.2 【資本金】320百万円
【社長】川井啓(1960.2生 甲南大経営卒)
【株主】〔24.3〕自社従業員持株会37.5%
【事業】電子デバイス70、社会インフラ16、マテリアル14 <貿易1>
【従業員】連278名 単245名(44.0歳)

【業績】	売上高	営業利益	経常利益	純利益
連22.3	42,215	1,472	1,515	1,126
連23.3	48,564	1,880	1,853	1,465
連24.3	44,500	1,410	1,415	1,014

福井電機(ふくいでんき)

株式公開 計画なし

採用内定数	倍率	3年後離職率	平均年収
4名	4.3倍	50%	‥

●待遇、制度●
【初任給】月23万
【残業】9.5時間【有休】10.2日【制度】住
●新卒定着状況●
20年入社(男1、女1)→3年後在籍(男1、女0)
●採用情報●
【人数】23年:4 24年:5 25年:応募17→内定4*
【内定内訳】(男3、女1)(文1、理3)(総4、他0)
【試験】〔Web会場〕C-GAB〔Web自宅〕WEB-GAB〔性格〕有
【時期】エントリー25.3→内々定25.5(一次はWEB面接可)【インターン】有
【採用実績校】千葉工大1、神奈川工大2、拓大1
【求める人材】信頼と協調を大切にし、成長と夢の実現にチャレンジできる人

【本社】260-8524 千葉県千葉市中央区問屋町16-3 ☎043-241-6401
【特色・近況】日立グループの産業機器やシステム販売、空調・衛生設備や電気設備、昇降機設備などのエンジニアリングが2本柱。日立製作所特約店として銚子市で創業。上水道システムの取り扱い、保守や修理なども行う。千葉県内公立学校の空調工事で実績多数。
【設立】1960.10 【資本金】100百万円
【代表取締役】富塚博祥(1967.3生 日工大卒)
【株主】〔24.3〕福井16.7%
【事業】重電機卸売販売48、設備工事業52
【従業員】単181名(46.1歳)

【業績】	売上高	営業利益	経常利益	純利益
単22.3	10,866	347	420	257
単23.3	10,286	505	597	235
単24.3	11,541	859	942	458

藤倉商事(ふじくらしょうじ)

株式公開 計画なし

採用内定数	倍率	3年後離職率	平均年収
1名	10倍	ー	‥

●待遇、制度●
【初任給】月22万
【残業】10時間【有休】10日【制度】在
●新卒定着状況●
20年入社(男0、女0)→3年後在籍(男0、女0)
●採用情報●
【人数】23年:0 24年:0 25年:応募10→内定1
【内定内訳】(男1、女0)(文1、理0)(総1、他0)
【試験】〔Web自宅〕SPI3
【時期】エントリー25.3→内々定25.6(一次はWEB面接可)
【採用実績校】‥
【求める人材】コミュニケーション能力をもち、成長意欲がある人

【本社オフィス】135-0042 東京都江東区木場1-5-1 ☎03-5606-1461
【特色・近況】フジクラグループで、親会社製品などを中心に、情報通信製品、電子部品・電子材料、産業用機械、電線、ケーブル、ファスナー製品などを扱う専門商社。栃木、大阪、名古屋、北九州などに支店と営業所。中国に現地法人。
【設立】1947.12 【資本金】301百万円
【社長】滝村欣也(1960.9生 大学卒)
【株主】〔24.3〕フジクラ100%
【事業】エネルギー35、エレクトロニクス13、コネクタ23、情報通信15、鋲螺4、他10 <貿易6>
【従業員】単150名(46.9歳)

【業績】	売上高	営業利益	経常利益	純利益
単22.3	38,900	1,220	637	423
単23.3	38,170	1,331	2,090	1,363
単24.3	34,022	1,376	1,364	957

宝永電機（ほうえいでんき）
[株式公開いずれしたい]

採用内定数	倍率	3年後離職率	平均年収
5名	18倍	42.9%	[総]633万円

[●待遇、制度●]
【初任給】月22万
【残業】14時間【有休】16.7日【制度】[住]
[●新卒定着状況●]
20年入社(男6、女1)→3年後在籍(男4、女0)
[●採用情報●]
【人数】23年:7 24年:6 25年:応募90→内定5
【内定内訳】(男3、女2)(文4、理1)(総5、他0)
【試験】なし
【時期】エントリー25.3→内々定25.6(一次・二次以降もWEB面接可)【インターン】有
【採用実績校】近大1、大阪電通大1、関西外大1、名古屋学院大1、大阪学大1
【求める人材】明るく元気で、何ごとにも前向きで、積極的な行動力を持つ人

【本社】532-0033 大阪府大阪市淀川区新高2-6-60 ☎06-6394-1111
【特色・近況】富士電機の連結会社でグループ最大の電気機器専門総合商社。親会社のほか、パナソニック、富士通などの製品も取り扱う。電子デバイス・制御機器に強み。建設工事請負やプラントシステム製造受託も手がける。海外はアジアに8拠点。
【設立】1952.9 【資本金】772百万円
【社長】河下浩俊(1965.9生)
【株主】〔24.3〕富士電機51.0%
【事業】電子デバイス、電気・制御機器、プラント・システムの販売および電気・管工事請負 <輸出12>
【従業員】単235名(43.6歳)

【業績】	売上高	営業利益	経常利益	純利益
単22.3	44,273	1,549	1,690	1,203
単23.3	53,702	2,332	2,428	1,695
単24.3	57,237	2,108	2,244	2,390

北菱電興（ほくりょうでんこう）
[株式公開未定]

採用内定数	倍率	3年後離職率	平均年収
3名	8.3倍	16.7%	‥

[●待遇、制度●]
【初任給】月21.5万
【残業】12.6時間【有休】11.3日【制度】[住][在]
[●新卒定着状況●]
20年入社(男4、女2)→3年後在籍(男4、女1)
[●採用情報●]
【人数】23年:9 24年:8 25年:応募25→内定3
【内定内訳】(男2、女1)(文3、理0)(総3、他0)
【試験】〔Web会場〕C-GAB〔性格〕有
【時期】エントリー25.2→内々定25.4(一次はWEB面接可)【インターン】有【ジョブ型】有
【採用実績校】神戸大1、富山大1、北陸大1
【求める人材】未来志向の人、何事にも挑戦する気概と情熱がある人、変化や失敗を恐れない人、前向きさがある人、ON・OFFの切替ができる人

【本社】920-0362 石川県金沢市古府3-12 ☎076-269-8500
【特色・近況】三菱電機の代理店業務を主に、電気・電子機器を販売。北陸を地盤に各種制御機器の開発・製造と、電気・空調・給排水などの建築設備工事も行う。企画から設計・施工、メンテナンスまで一貫サポート。金沢工大との産学連携。台湾に販売現法。
【設立】1947.1 【資本金】100百万円
【社長】小倉一郎(1969.8生)
【株主】〔24.2〕北菱ホールディングス34.4%
【事業】電子・電気機器販売65、同製造10、建築設備25
【従業員】単361名(42.2歳)

【業績】	売上高	営業利益	経常利益	純利益
単21.11	18,663	269	305	218
単22.11	16,915	321	395	218
単23.11	20,157	496	481	310

萬世電機（まんせいでんき）
[東証スタンダード]

採用内定数	倍率	3年後離職率	平均年収
7名	22.9倍	28.6%	[総]740万円

[●待遇、制度●]
【初任給】月23.5万(諸手当0.6万円)
【残業】11.9時間【有休】12.2日【制度】[住]
[●新卒定着状況●]
20年入社(男3、女4)→3年後在籍(男2、女3)
[●採用情報●]
【人数】23年:9 24年:11 25年:応募160→内定7*
【内定内訳】(男4、女3)(文7、理0)(総4、他3)
【試験】〔Web自宅〕有
【時期】エントリー25.3→内々定25.5(一次はWEB面接可)【インターン】有
【採用実績校】京都外大1、大阪経大1、関大1、日大1、甲南女大1、摂南大1、甲南大1
【求める人材】自律・挑戦・創造する心を持った人

【本社】553-0003 大阪府大阪市福島区福島7-15-5 ☎06-6454-8211
【特色・近況】三菱電機の総代理店で、パワーデバイスや液晶など電子デバイスと、FAや配電制御機器など電気機器が2本柱。技術提案型営業を志向し、生産システム開発に強み。産業機械の販売や、AI活用のソリューション提案も。海外は香港と上海に拠点を置く。
【設立】1947.5 【資本金】1,005百万円
【社長】占部正浩(1969.10生 関西学大経済卒)
【株主】〔24.3〕三菱電機21.7%
【連結事業】電気機器・産業用システム45、電子デバイス・情報通信機器37、設備機器18、太陽光発電0
【従業員】連191名 単185名(41.5歳)

【業績】	売上高	営業利益	経常利益	純利益
連22.3	18,655	549	588	395
連23.3	23,121	1,101	1,139	599
連24.3	26,151	1,484	1,530	1,071

ミカサ商事（しょうじ）

株式公開 いずれしたい

採用内定数	倍率	3年後離職率	平均年収
12名	12.6倍	18.2%	㊕754万円

●待遇、制度●
【初任給】月24.2万(固定残業代18.3時間分)
【残業】16.7時間【有休】13.2日【制度】住 在
●新卒定着状況●
20年入社(男7、女4)→3年後在籍(男6、女3)
●採用情報●
【人数】23年:12 24年:6 25年:応募151→内定12*
【内定内訳】(男5、女7)(文11、理1)(総12、他0)
【試験】〔Web会場〕SPI3〔性格〕有
【時期】エントリー25.1→内々定25.3(一次はWEB面接可)【インターン】有
【採用実績校】大阪市大1、神戸市外大1、立命館大1、関大1、龍谷大1、関西外大2、京都文教大1、甲南女大1、玉川大1、高知工科大1、他
【求める人材】チャレンジ精神や適応力があり、強い意思を持つ誠実な人

【本社】541-0041 大阪府大阪市中央区北浜3-5-29 日本生命淀屋橋ビル19階 ☎06-6201-6700
【特色・近況】半導体、電子部品、電子機器などの販売のほか、ソリューションやサービスを国内外で提供するエレクトロニクス専門商社。シンガポール、インド、香港、中国、台湾、韓国、ベトナム、米国、ドイツなどに海外拠点。1948年創業。
【設立】1957.2【資本金】346百万円
【社長】中西日出喜(1956.1生)
【株主】〔24.3〕木村定幸6.6%
【事業】商社セグメント78、ソリューションセグメント22
【従業員】単233名(42.7歳)

【業績】	売上高	営業利益	経常利益	純利益
単22.3	33,800	411	605	503
単23.3	35,019	947	1,134	821
単24.3	34,378	772	1,358	2,055

ミツワ電機（でんき）

株式公開 計画なし

採用内定数	倍率	3年後離職率	平均年収
41名	12.6倍	54.5%	㊕655万円

●待遇、制度●
【初任給】月23万(諸手当1.4万円)
【残業】13.5時間【有休】12.1日【制度】フ 住
●新卒定着状況●
20年入社(男10、女12)→3年後在籍(男4、女6)
●採用情報●
【人数】23年:29 24年:29 25年:応募518→内定41*
【内定内訳】(男21、女20)(文39、理2)(総38、他3)
【試験】〔Web自宅〕有〔性格〕有
【時期】エントリー25.1→内々定25.3(一次・二次以降もWEB面接可)【インターン】有【ジョブ型】有
【採用実績校】法政大1、山形大1、日大1、駒澤大1、国士舘大1、大阪経法大1、関東学院大1、桜美林大1、神戸女学大1、白鴎大1、他
【求める人材】温故知新と素直さを忘れず、自ら立てた目標を最後までやり切るために行動できる人

【本社】103-0004 東京都中央区東日本橋2-26-3 ☎03-3862-1111
【特色・近況】独立系の電設資材専門商社で業界トップ級。首都圏・東日本全域および西日本で販売。住宅やビル施設向けの照明器具、空調設備、受変電設備、電線ケーブルなど扱う。省エネ機器やエネルギー関連商材の提案営業などを推進。1910年創業。
【設立】1939.5【資本金】330百万円
【社長】嶋田博(1961.8生 産業能率短大卒)
【株主】‥
【事業】照明器具28、配電・配線機器20、空調設備機器15、電線・配管機器15、太陽光・オール電化1、他21
【従業員】単874名(43.8歳)

【業績】	売上高	営業利益	経常利益	純利益
単22.3	99,856	671	1,551	1,036
単23.3	102,854	739	1,552	1,533
単24.3	115,255	1,535	2,356	2,085

緑屋電気（みどりやでんき）

株式公開 計画なし

採用内定数	倍率	3年後離職率	平均年収
6名	12.7倍	22.2%	‥

●待遇、制度●
【初任給】月23.7万
【残業】4.7時間【有休】12日【制度】住
●新卒定着状況●
20年入社(男5、女4)→3年後在籍(男4、女3)
●採用情報●
【人数】23年:10 24年:8 25年:応募76→内定6
【内定内訳】(男3、女3)(文3、理0)(総3、他3)
【試験】〔筆記〕常識〔性格〕有
【時期】エントリー25.3→内々定25.6
【採用実績校】中大2、法政大1、共立女短大2、川口短大1
【求める人材】変化に柔軟に対応でき、失敗を恐れず新しいことに積極的にチャレンジできる人

【本社】103-8301 東京都中央区日本橋室町1-2-6 日本橋大栄ビル ☎03-5200-4600
【特色・近況】半導体を中心に、制御機器、防衛電子機器、計測器、社会インフラ商材など幅広い分野を手がけるエレクトロニクス専門商社。エンジニアによるサービス事業に強み。韓国、中国、タイ、シンガポール、フィリピンなどに営業拠点網を構築。
【設立】1946.11【資本金】321百万円
【社長】黒羽誠(1944.7生)
【株主】‥
【事業】国内販売、貿易
【従業員】単290名(44.4歳)

【業績】	売上高	営業利益	経常利益	純利益
単21.5	80,400	‥	1,494	767
単22.5	86,000	‥	2,195	1,146
単23.5	91,300	‥	2,632	1,450

(株)ムサシ

東証スタンダード

採用内定数	倍率	3年後離職率	平均年収
2名	18.5倍	0%	650万円

●待遇、制度●
【初任給】月25.2万(諸手当2.7万円)
【残業】13.5時間【有休】7.8日【制度】[住][在]
●新卒定着状況●
20年入社(男3、女0)→3年後在籍(男3、女0)
●採用情報●
【人数】23年:5 24年:6 25年:応募37→内定2*
【内定内訳】(男1、女1)(文2、理0)(総1、他1)
【試験】〔筆記〕SPI3〔Web会場〕SPI3〔Web自宅〕SPI3〔性格〕有
【時期】エントリー25.3→内々定25.6(一次はWEB面接可)
【採用実績校】拓大2
【求める人材】提案力があり、変化に即応できる人

【本社】104-0061 東京都中央区銀座8-20-36
☎03-3546-7711
【特色・近況】情報・印刷・産業システム機材など扱う商社。選挙機材と貨幣処理機を自社開発。投票用紙から開票作業までサポートする選挙機材はシェア断トツ。貨幣処理機も国内2位。文書のデジタル化事業も手がける。情報、印刷機材の富士フイルム特約店。
【設立】1946.12 【資本金】1,208百万円
【社長】羽鳥雅孝(1943.6生 成城大経済卒)
【株主】〔24.3〕上毛実業17.4%
【連結事業】情報・印刷・産業システム機材57、金融汎用・選挙システム機材14、紙・紙加工品28、不動産賃貸・リース等1
【従業員】連543名 単198名(46.5歳)

【業績】	売上高	営業利益	経常利益	純利益
連22.3	36,213	1,746	1,848	981
連23.3	37,072	2,619	2,705	1,762
連24.3	33,140	1,077	1,123	767

明治電機工業(めいじでんきこうぎょう)

東証プライム

採用内定数	倍率	3年後離職率	平均年収
17名	14.1倍	7.7%	629万円

●待遇、制度●
【初任給】月22.4万
【残業】16.5時間【有休】12.6日【制度】[住]
●新卒定着状況●
20年入社(男5、女8)→3年後在籍(男5、女7)
●採用情報●
【人数】23年:19 24年:16 25年:応募240→内定17*
【内定内訳】(男10、女7)(文14、理3)(総11、他6)
【試験】〔Web自宅〕WEB-GAB
【時期】エントリー25.2→内々定25.4(一次・二次以降もWEB面接可)【インターン】有
【採用実績校】名古屋学院大3、南山大2、中京大2、愛知淑徳大2、関大1、愛知大1、愛知工業大1、中部大1、大同大1、日本福祉大1、他
【求める人材】自分から進んで知識や能力を身につけ、行動できる人

【本社】453-8580 愛知県名古屋市中村区亀島2-13-8
☎052-451-7661
【特色・近況】制御・計測機器商社で、制御・計測・メカトロのFAエンジニアリングが得意。オムロンや横河電機が主な仕入れ先。売上高の約4割はトヨタ関連。医薬品、化粧品などの他分野開拓や新商材発掘、海外展開に積極的。北米、欧州、中国などに海外拠点を有する。
【設立】1958.6 【資本金】1,658百万円
【社長】杉脇弘基(1964.10生 同大経済卒)
【株主】〔24.3〕合同会社ワイコーポレーション9.5%
【連結事業】制御機器29、産業機器39、計測機器10、電源機器6、実装機器6、他11 <海外15>
【従業員】連709名 単537名(40.9歳)

【業績】	売上高	営業利益	経常利益	純利益
連22.3	67,749	2,008	2,439	1,780
連23.3	70,947	2,724	3,050	2,191
連24.3	74,580	2,914	3,332	2,426

八洲電機(やしまでんき)

東証プライム

採用内定数	倍率	3年後離職率	平均年収
15名	7倍	0%	[総]777万円

●待遇、制度●
【初任給】月25万(諸手当5.7万円)
【残業】17.9時間【有休】13日【制度】[フ][住][在]
●新卒定着状況●
20年入社(男8、女2)→3年後在籍(男8、女2)
●採用情報●
【人数】23年:15 24年:14 25年:応募105→内定15*
【内定内訳】(男12、女3)(文10、理5)(総15、他0)
【試験】〔Web自宅〕有
【時期】エントリー24.8→内々定25.4(一次はWEB面接可)【インターン】有
【採用実績校】東京工科大2、清泉女大2、麗澤大2、岩手大1、立命館大1、千葉工大1、岡山理大1、拓大1、国士舘大1、駒澤大1、実践女大1、他
【求める人材】チャレンジ精神旺盛で物事に疑問を持って取り組める人

【本社】105-8686 東京都港区新橋3-1-1
☎03-3507-3711
【特色・近況】電気機械器具や産業機械などを販売する日立系列商社。納入から設置工事まで一括提供。主要顧客はプラント、化学、鉄鋼で客先事務所内に技術者が常駐。LED照明や空調の設置工事、鉄道会社の老朽化受変電設備や車両の更新工事も手がける。
【設立】1947.4 【資本金】1,585百万円
【会長】太田明夫(1948.6生)
【株主】〔24.3〕公益財団法人八洲環境技術振興財団6.5%
【連結事業】プラント30、産業・設備51、交通19 <海外0>
【従業員】連991名 単513名(45.1歳)

【業績】	売上高	営業利益	経常利益	純利益
連22.3	60,038	2,123	2,251	1,527
連23.3	60,270	2,794	2,929	1,916
連24.3	64,862	3,894	4,019	2,657

横河商事（よこがわしょうじ）

株式公開計画なし

採用内定数	倍率	3年後離職率	平均年収
6名	9倍	22.2%	㊇650万円

●待遇、制度●
【初任給】月23.2万
【残業】17.3時間【有休】13.2日【制度】住 在
●新卒定着状況●
20年入社(男6、女3)→3年後在籍(男5、女2)
●採用情報●
【人数】23年:7 24年:6 25年:応募54→内定6*
【内定内訳】(男6、女0)(文4、理2)(総6、他0)
【試験】〔Web自宅〕有
【時期】エントリー25.3→内々定25.4*【インターン】有
【採用実績校】専大1、拓大1、関大1、千葉工大1、神奈川工大1、埼玉工大1
【求める人材】自ら考え行動でき、チャレンジ精神にあふれている人

【本社】141-0031 東京都品川区西五反田3-6-21 住友不動産西五反田ビル ☎03-3495-6635
【特色・近況】横河電機の総合代理店として、首都圏、中京圏、近畿圏を中心に全国展開する専門技術商社。計測制御システム、電子計測器などの販売・エンジニアリングが主体。電気通信工事や建設工事、生損保代理店業務も行う。横河電機の連結子会社。
【設立】1938.8 【資本金】90百万円
【代表取締役】溝渕毅(1962.5生)
【株主】〔24.6〕横河電機53.0%
【事業】計測制御システム・電子計測器・工業計器等98、他2
【従業員】単300名(44.2歳)

【業績】	売上高	営業利益	経常利益	純利益
単22.3	18,899	683	693	438
単23.3	20,821	919	930	603
単24.3	22,820	767	782	496

㈱理経（りけい）

東証スタンダード

採用予定数	倍率	3年後離職率	平均年収
未定	-	66.7%	608万円

●待遇、制度●
【初任給】月21.7万(諸手当0.5万円)
【残業】19.6時間【有休】11.7日【制度】住 在
●新卒定着状況●
20年入社(男2、女1)→3年後在籍(男0、女1)
●採用情報●
【人数】23年:1 24年:0 25年:応募40→内定0*
【内定内訳】(男‥、女‥)(文‥、理‥)(総‥、他‥)
【試験】〔Web会場〕SPI3〔Web自宅〕SPI3
【時期】エントリー24.10→内々定25.2*(一次・二次以降もWEB面接可)【インターン】有【ジョブ型】有
【採用実績校】‥
【求める人材】日々学び、学んだ知識を仕事で活用できる人、自分の意見を持ち、他者の意見も尊重する人

【本社】160-0023 東京都新宿区西新宿3-2-11 新宿三井ビルディング二号館 ☎03-3345-2150
【特色・近況】IT機器を輸入販売する技術商社。システムソリューション、ネットワークソリューション、電子部品・機器の3分野が領域。新技術の目利きや、世界有数メーカーとのネットワーク、衛星通信技術に強く、大学や官庁に堅固な営業地盤を持つ。
【設立】1957.6 【資本金】3,426百万円
【社長】猪坂哲(1954.7生 芝工大工卒)
【株主】〔24.3〕石川大樹8.3%
【連結事業】システムソリューション34、ネットワークソリューション12、電子部品及び機器53
【従業員】連171名 単136名(47.1歳)

【業績】	売上高	営業利益	経常利益	純利益
連22.3	10,862	248	204	139
連23.3	10,285	219	220	66
連24.3	12,131	568	516	382

㈱レスター

東証プライム

採用内定数	倍率	3年後離職率	平均年収
25名	24.3倍	29.4%	781万円

●待遇、制度●
【初任給】月25万
【残業】18.4時間【有休】11日【制度】フ 住
●新卒定着状況●
20年入社(男8、女9)→3年後在籍(男5、女7)
●採用情報●
【人数】23年:35 24年:27 25年:応募607→内定25*
【内定内訳】(男19、女6)(文18、理7)(総0、他25)
【試験】〔Web自宅〕SPI3
【時期】エントリー24.10→内々定‥(一次はWEB面接可)【インターン】有
【採用実績校】早大1、東京外大1、明大1、芝工大1、関大2、同大1、立命館大1、富山大1、東洋大2、近大1、立命館APU1、成蹊大1、武蔵大1、他
【求める人材】主体的に考え行動できる人、挑戦し続けられる人、周囲と協力できる人

【本社】108-0075 東京都港区港南2-10-9 レスタービルディング ☎03-3458-4618
【特色・近況】総合エレクトロニクス商社。半導体・電子部品を扱うデバイス事業、映像・音声技術を提供するシステムソリューション事業、再生可能エネルギー発電や植物工場を稼働するエコソリューション事業を展開。海外自社工場による電子機器実装受託製造サービスも。
【設立】2009.10 【資本金】4,383百万円
【会長兼社長】今野邦廣(1940.7生)
【株主】〔24.3〕㈱ケイエムエフ20.0%
【連結事業】半導体・電子部品68、調達24、電子機器5、環境エネルギー3 <海外44>
【従業員】連2,678名 単853名(42.8歳)

【業績】	売上高	営業利益	経常利益	純利益
連22.3	399,590	7,588	6,711	5,957
連23.3	487,129	14,423	12,043	7,085
連24.3	512,484	15,930	9,690	7,004

伊藤忠オートモービル（いとうちゅう）

株式公開計画なし

採用内定数	倍率	3年後離職率	平均年収
9名	21倍	20%	680万円

●待遇、制度●
【初任給】月24万
【残業】32.7時間【有休】14.3日【制度】フ 住 在
●新卒定着状況●
20年入社(男2、女3)→3年後在籍(男2、女2)
●採用情報●
【人数】23年:4 24年:7 25年:応募189→内定9
【内定内訳】(男4、女5)(文9、理0)(総5、他4)
【試験】〔Web自宅〕有
【時期】エントリー24.11→内々定25.6
【採用実績校】中大2、ICU1、明学大1、神田外語大1、聖心女大1、拓大1、神奈川大1、清泉女大1
【求める人材】実務を忠実に、人とのコミュニケーションを大切に、何事にも興味を持てる人

【本社】107-0061 東京都港区北青山2-5-1 伊藤忠ビル19階 ☎03-3497-4700
【特色・近況】伊藤忠商事系の自動車・建機向け部品専門商社。トレード事業は、伊藤忠の世界ネットワーク通じ完成車と部品を100以上の国・地域に供給。OEM事業は、自動車・建機メーカーに量産車の構成部品を調達・納入。サプライヤー発掘も行う。EVなど新分野注力。
【設立】1996.4 【資本金】360百万円
【社長】隅田慶一(1968.10生)
【株主】〔24.3〕伊藤忠商事100%
【事業】自動車部品20、建機・産機用部品81、二輪車および部品0 <輸出9>
【従業員】単136名(39.5歳)

【業績】	売上高	営業利益	経常利益	純利益
単22.3	16,333	858	882	699
連23.3	19,556	1,498	1,530	1,425
連24.3	18,487	1,570	1,602	1,571

S P K

東証プライム

採用内定数	倍率	3年後離職率	平均年収
6名	3.3倍	28.6%	671万円

●待遇、制度●
【初任給】月22万
【残業】20.3時間【有休】9.7日【制度】住 在
●新卒定着状況●
20年入社(男7、女0)→3年後在籍(男5、女0)
●採用情報●
【人数】23年:10 24年:4 25年:応募20→内定6*
【内定内訳】(男6、女0)(文6、理0)(総6、他0)
【試験】〔Web自宅〕SPI3
【時期】エントリー25.3→内々定25.‥【インターン】有
【採用実績校】‥
【求める人材】経営理念のSincerity(誠意) Passion(情熱) Kindness(親切)を実践できる人

【本社】553-0003 大阪府大阪市福島区福島5-6-28 ☎06-6454-2578
【特色・近況】自動車用補修・車検部品の専門商社。国内はクラッチ、ブレーキなど補修・車検部品の卸売り中心。海外はアジアや中南米に日本車補修用としてエンジン部品など輸出。建設機械の組み付け用部品・部材の供給も行う。カーマニア向けカスタムパーツ販売も。
【設立】1917.12 【資本金】898百万円
【社長】沖恭一郎(1959.9生 慶大経済卒)
【株主】〔24.3〕日本マスタートラスト信託銀行信託口10.2%
【連結事業】国内47、海外35、工機12、CUSPA5 <海外38>
【従業員】連569名 単305名(42.5歳)

【業績】	売上高	営業利益	経常利益	純利益
連22.3	47,686	2,034	2,287	1,625
連23.3	54,695	2,720	2,910	2,059
連24.3	63,302	3,145	3,357	2,392

住友商事パワー&モビリティ

株式公開計画なし

採用内定数	倍率	3年後離職率	平均年収
11名	9.5倍	0%	740万円

●待遇、制度●
【初任給】月24万(諸手当を除いた数値)
【残業】25時間【有休】17日【制度】フ 住 在
●新卒定着状況●
20年入社(男1、女4)→3年後在籍(男1、女4)
●採用情報●
【人数】23年:10 24年:5 25年:応募105→内定11
【内定内訳】(男1、女10)(文11、理0)(総4、他7)
【試験】〔Web会場〕C-GAB〔Web自宅〕WEB-GAB
【時期】エントリー24.10→内々定25.10(一次・二次以降もWEB面接可)
【採用実績校】青学大2、上智大2、明大1、関西学大1、神戸市外大1、近大1、獨協大1、東洋大1、神田外語大1
【求める人材】世界中の様々な文化の違いを受け入れ、貿易や海外プロジェクトのプロを目指し、世界を舞台に活躍したい人

【本社】100-0003 東京都千代田区一ツ橋1-2-2 住友商事竹橋ビル ☎03-4531-6000
【特色・近況】機電分野に特化した専門商社。住友商事100%子会社。自動車・同関連品、電力プロジェクト設備などの輸出入や三国間取引を行う。鉄道や移動通信整備など海外の社会インフラプロジェクト関連も手がける。海外駐在員を15カ国16都市に派遣。
【設立】1970.3 【資本金】450百万円
【代表取締役】成清正浩
【株主】〔24.3〕住友商事100%
【事業】自動車、モビリティ、電力プロジェクト、社会インフラプロジェクト <貿易96>
【従業員】単244名(40.0歳)

【業績】	売上高	営業利益	経常利益	純利益
単22.3	20,297	2,130	2,462	1,771
単23.3	28,640	2,248	2,639	1,908
単24.3	30,312	2,863	3,383	2,446

辰巳屋興業（たつみやこうぎょう）

[株式公開計画なし]

採用内定数	倍率	3年後離職率	平均年収
9名	12.1倍	11.1%	[総]608万円

●待遇、制度●
【初任給】月24.5万
【残業】20.3時間【有休】8.3日【制度】[住]

●新卒定着状況●
20年入社(男9、女0)→3年後在籍(男8、女0)

●採用情報●
【人数】23年:14 24年:15 25年:応募109→内定9*
【内定内訳】(男9、女0)(文9、理0)(総9、他0)
【試験】〔Web自宅〕SPI3
【時期】エントリー24.6→内々定25.4*(一次・二次以降もWEB面接可)【インターン】有
【採用実績校】京産大1、愛知学大1、岐阜聖徳学大1、神奈川大1、長崎国際大2、国士舘大1、神戸国際大1
【求める人材】車好きで元気のある人、テキパキと行動でき、気配りのできる人

【本社】466-8711 愛知県名古屋市昭和区白金3-20-15 ☎052-882-8501
【特色・近況】サスペンション、ブレーキ、クラッチなど自動車関連部品と特殊鋼鋼材を扱う専門商社。部品はアフターマーケット向けが中心。メーカー機能も有し、独自ブランド「レーシング・ギア」の開発・販売も。名古屋、大阪、東京など6支店。輸出先は約60カ国。
【設立】1947.10 【資本金】150百万円
【社長】櫨巳芳(1953.4生 愛知学大卒)
【株主】〔23.12〕青木滋彦13.0%
【事業】自動車補修用部品・用品60、特殊鋼鋼材40 <輸出15>
【従業員】単345名(40.0歳)

【業績】	売上高	営業利益	経常利益	純利益
単21.12	62,983	‥	‥	‥
単22.12	68,080	‥	‥	‥
単23.12	70,900	‥	‥	‥

#年収高く倍率低い #年収が高い

中央自動車工業（ちゅうおうじどうしゃこうぎょう）

[東証スタンダード]

採用内定数	倍率	3年後離職率	平均年収
14名	9.7倍	15.4%	897万円

●待遇、制度●
【初任給】月24万
【残業】23時間【有休】12.3日【制度】[住]

●新卒定着状況●
20年入社(男11、女2)→3年後在籍(男10、女1)

●採用情報●
【人数】23年:11 24年:14 25年:応募136→内定14*
【内定内訳】(男12、女2)(文14、理0)(総14、他0)
【試験】〔Web自宅〕有〔性格〕有
【時期】エントリー25.1→内々定25.2(二次以降はWEB面接可)【インターン】有
【採用実績校】東洋大1、関大1、近大1、摂南大1、大阪体大1、大東文化大1、東京国際大1、大阪経大1、桃山学大1、広島修道大1、他
【求める人材】創造性とやる気のある人、失敗を恐れず屈せず明るく素直な人、よく勉強し向上心のある人

【本社】530-0005 大阪府大阪市北区中之島4-2-30 ☎06-6443-5182
【特色・近況】自社企画の自動車用品を販売。ガラスコーティング剤や車内の防臭剤などが中心。国内はトヨタなど新車ディーラーが主要な販売先。世界60カ国以上に向けて、自動車補修部品の輸出も手がけ、北米やシンガポール、UAE、中国などに拠点を持つ。
【設立】1946.5 【資本金】1,001百万円
【社長】坂田信一郎(1963.3生 摂南大外国語卒)
【株主】〔24.3〕ノーザン・トラスト(AVFC)リフィデリティF.5.7%
【連結事業】自動車部品・用品等販売81、自動車処分19 <海外23>
【従業員】連311名 単260名(40.9歳)

【業績】	売上高	営業利益	経常利益	純利益
連22.3	30,693	6,483	6,966	4,689
連23.3	35,878	8,356	8,968	6,292
連24.3	39,331	10,166	11,258	7,924

トプレック

[株式公開計画なし]

採用内定数	倍率	3年後離職率	平均年収
3名	6.7倍	0%	‥

●待遇、制度●
【初任給】月21.8万
【残業】26.5時間【有休】11日【制度】[住]

●新卒定着状況●
20年入社(男4、女0)→3年後在籍(男4、女0)

●採用情報●
【人数】23年:5 24年:8 25年:応募20→内定3
【内定内訳】(男1、女2)(文3、理0)(総3、他0)
【試験】〔Web自宅〕有
【時期】エントリー25.3→内々定25.6*(一次はWEB面接可)
【採用実績校】江戸川大2、京産大1
【求める人材】人や物事に関心がある人、物事に対して自発的かつ真摯に取り組める人

【本社】103-0025 東京都中央区日本橋茅場町1-13-12 ☎03-6892-7811
【特色・近況】冷凍・冷蔵・保冷装置をトラックのシャーシに架装するコンテナ事業のほか、冷凍・冷蔵倉庫や物流センターの設計・施工、メンテナンスを担う。北海道から鹿児島に営業拠点のほかサービスセンターや事業所を展開。東プレ・グループの一角。
【設立】1978.4 【資本金】300百万円
【社長】石川公之(1959.4生)
【株主】〔24.3〕東プレ100%
【事業】冷凍車90、冷凍・冷蔵物流センター設計・施工10
【従業員】単191名(42.4歳)

【業績】	売上高	営業利益	経常利益	純利益
単22.3	39,925	‥	‥	1,943
単23.3	37,127	‥	‥	745
単24.3	45,217	‥	‥	1,672

採用内定数	倍率	3年後離職率	平均年収
5名	7.4倍	45.5%	575万円

㈱ヤシマキザイ

東証スタンダード

●待遇、制度●

【初任給】月22万

【残業】17.7時間【有休】14.3日【制度】住 在

●新卒定着状況●

20年入社(男7、女4)→3年後在籍(男3、女3)

●採用情報●

【人数】23年:8 24年:8 25年:応募37→内定5*

【内定内訳】(男3、女2)(文5、理0)(総5、他0)

【試験】〔筆記〕常識〔性格〕有

【時期】エントリー25.2→内々定25.4*(一次はWEB面接可)【インターン】有

【採用実績校】大妻女大、京産大、獨協大、東洋学大、龍谷大

【求める人材】チームワークを大切にし、責任感、チャレンジ精神をもって、誠実に対応ができる人

【本社】103-0026 東京都中央区日本橋兜町6-5 ☎03-6758-2558

【特色・近況】鉄道や自動車関連部品の専門商社。鉄道車両用電気品や車体用品、車載品、コネクタ・電子部品などを鉄道事業者や鉄道車両メーカーに販売。鉄道事業以外では、産業機器や自動車メーカー向けも。設備や保線分野も開拓。アジアを中心に海外にも展開。

【設立】1948.10 【資本金】99百万円

【社長】髙田一昭(1950.12生 神戸大経営卒)

【株主】〔24.3〕SMBC信託銀行管理信託A031 31.2%

【連結事業】鉄道90、一般10 <海外4>

【従業員】連261名 単241名(43.3歳)

【業績】	売上高	営業利益	経常利益	純利益
連22.3	28,293	372	549	301
連23.3	25,523	65	234	▲259
連24.3	27,729	364	490	392

採用内定数	倍率	3年後離職率	平均年収
11名	5.4倍	18.7%	㊇702万円

㈱ユー・エス・エス

東証プライム

●待遇、制度●

【初任給】月23万

【残業】29.2時間【有休】11.4日【制度】住

●新卒定着状況●

20年入社(男9、女7)→3年後在籍(男7、女6)

●採用情報●

【人数】23年:15 24年:16 25年:応募59→内定11*

【内定内訳】(男6、女5)(文10、理1)(総11、他0)

【試験】〔Web自宅〕SPI3

【時期】エントリー25.3→内々定25.4(二次以降はWEB面接可)【インターン】有

【採用実績校】名古屋商大1、日大1、神戸学大1、江戸川大1、大東文化大1、中京大1、香川大1、南山大1、中央学大1、近大1、流経大1

【求める人材】人の役に立つ仕事にやりがいを感じ、チームでプロジェクトに取り組むことが好きな人

【本社】476-0005 愛知県東海市新宝町507-20 ☎052-689-1129

【特色・近況】中古車オークション運営で首位。出品、落札、成約の手数料が収益源。全国にオークション会場を持ち、出品台数の業界シェアは約4割。中古車買い取り専門店「ラビット」や、機械・設備などの再生利用を行うリサイクル事業も展開。

【設立】1980.10 【資本金】18,881百万円

【社長】瀬田大(1966.12生)

【株主】〔24.3〕日本マスタートラスト信託銀行信託口15.3%

【連結事業】オートオークション77、中古自動車等買取販売12、リサイクル11、他1

【従業員】連1,165名 単696名(39.8歳)

【業績】	売上高	営業利益	経常利益	純利益
連22.3	81,482	41,574	42,374	29,745
連23.3	88,778	43,778	44,491	30,008
連24.3	97,606	48,937	49,654	32,906

採用内定数	倍率	3年後離職率	平均年収
7名	46.6倍	33.3%	646万円

アイ・エム・アイ

株式公開計画なし

●待遇、制度●

【初任給】月23.6万

【残業】18.9時間【有休】13.7日【制度】住 在

●新卒定着状況●

20年入社(男2、女1)→3年後在籍(男1、女1)

●採用情報●

【人数】23年:5 24年:6 25年:応募326→内定7*

【内定内訳】(男7、女0)(文7、理0)(総7、他0)

【試験】〔Web自宅〕SPI3

【時期】エントリー25.1→内々定25.2*(一次・二次以降もWEB面接可)【ジョブ型】有

【採用実績校】国際医療福祉大1、学習院大1、獨協大1、愛媛大1、立命館大2、成城大1

【求める人材】社交性が高く、主体的に考え行動できる人

【本社】343-0824 埼玉県越谷市流通団地3-3-12 ☎048-988-4411

【特色・近況】医療機器の輸入、販売、レンタル、メンテナンスのほか教育サービスを提供。人工呼吸器、体温管理機器は国内シェア首位級。国内拠点18カ所を「顧客サービスセンター(CS)」と名付け、サービスの迅速な提供に尽力。大陽日酸グループ。

【設立】1974.5 【資本金】100百万円

【社長】網田英邦(1971.4生 慶大法卒)

【株主】〔24.3〕大陽日酸100%

【事業】医療機器の輸入・販売

【従業員】単226名(44.7歳)

【業績】	売上高	営業利益	経常利益	純利益
単22.3	8,300	…	…	…
単23.3	7,075	…	…	…
単24.3	8,831	…	…	…

#年収高く倍率低い

アズワン

東証プライム

採用内定数	倍率	3年後離職率	平均年収
34名	16.7倍	13.8%	㊙811万円

●待遇、制度●
【初任給】月25万(諸手当4万円)
【残業】12.2時間【有休】11日【制度】住 在
●新卒定着状況●
20年入社(男10、女19)→3年後在籍(男6、女19)
●採用情報●
【人数】23年:25 24年:32 25年:応募569→内定34*
【内定内訳】(男10、女24)(文27、理7)(総27、他7)
【試験】〔Web自宅〕WEB-GAB〔性格〕有
【時期】エントリー24.12→内々定25.3*(一次・二次以降もWEB面接可)【インターン】有【ジョブ型】有
【採用実績校】大阪市大2、帯畜大1、関西学大3、関大10、北里大1、京大1、近大1、工学院大1、甲南大1、神戸市外大1、神戸女学大2、他
【求める人材】「人間力(人格・品格・仕事力)」の魅力に溢れる人

【本社】550-8527 大阪府大阪市西区江戸堀2-1-27 ☎06-6447-1210
【特色・近況】理化学機器・用品卸で首位。理化学機器は研究所向けが中心。病院・老人介護施設向け看護・医療用品も扱う。主にカタログを通じて販売。カタログで7万点超、Webサイトは1000万点以上取り扱う。海外は中国を中心に体制強化を推進。
【設立】1962.6 【資本金】5,075百万円
【社長】井内卓嗣(1968.8生 関大商卒)
【株主】〔24.3〕日本マスタートラスト信託銀行信託口12.2%
【連結事業】ラボ・インダストリー82、メディカル17、他1
【従業員】連738名 単567名(38.0歳)

【業績】	売上高	営業利益	経常利益	純利益
連22.3	86,954	9,341	9,568	7,202
連23.3	91,421	11,396	11,637	8,112
連24.3	95,536	10,435	10,825	7,500

㈱池田理化(いけだりか)

株式公開計画なし

採用内定数	倍率	3年後離職率	平均年収
10名	5倍	9.1%	㊙621万円

●待遇、制度●
【初任給】月24.6万(固定残業代36時間分)
【残業】12.3時間【有休】14.3日【制度】住 在
●新卒定着状況●
20年入社(男7、女4)→3年後在籍(男6、女4)
●採用情報●
【人数】23年:13 24年:10 25年:応募50→内定10*
【内定内訳】(男5、女5)(文4、理6)(総10、他0)
【試験】〔Web会場〕C-GAB〔Web自宅〕WEB-GAB〔性格〕有
【時期】エントリー25.3→内々定25.9*(一次はWEB面接可)【インターン】有
【採用実績校】日大3、東邦大3、東洋大1、帝京大1、京都外大1、奈良女大1
【求める人材】科学技術の発展に関心のある人、最先端の研究をサポートし活躍できる人

【本社】101-0044 東京都千代田区鍛冶町1-8-6 神田KSビル ☎03-5256-1051
【特色・近況】DNA増幅装置・分光光度計など理化学機器の専門商社。業界トップクラス。バイオ関連から試薬、分析機器、実験・研究器具まで幅広く取り扱う。北海道から東北、関東、関西、中・四国に支店。神奈川に2つの技術研究所を置く。
【設立】1947.7 【資本金】50百万円
【社長】高橋秀雄(1974.10生 群馬大卒)
【株主】‥
【事業】理化学機器販売100
【従業員】単516名(41.1歳)

【業績】	売上高	営業利益	経常利益	純利益
単22.3	65,187	2,051	2,205	1,525
単23.3	66,519	2,410	2,549	1,550
単23.8変	25,221	468	754	536

入江(いりえ)

株式公開計画なし

採用内定数	倍率	3年後離職率	平均年収
1名	‥	50%	‥

●待遇、制度●
【初任給】月24万(諸手当1.6万円、固定残業代30時間分)
【残業】15時間【有休】12.5日【制度】住 在
●新卒定着状況●
20年入社(男2、女0)→3年後在籍(男1、女0)
●採用情報●
【人数】23年:0 24年:4 25年:応募‥→内定1*
【内定内訳】(男1、女0)(文1、理0)(総1、他0)
【試験】〔性格〕有
【時期】エントリー25.6→内々定25.7*(一次はWEB面接可)
【採用実績校】日大1
【求める人材】好奇心・向上心のある人、自ら考え行動できる人

【本社】103-0023 東京都中央区日本橋本町4-5-14 入江ビル ☎03-3241-7100
【特色・近況】半導体製造関連機器を扱う技術系専門商社。シリコンウエハ洗浄工程の部材・精密機器などを提供。検査装置、ポンプ・フィルター、測定器、各種消耗品など化学・理化学機器全般も取り扱う。東北から九州に営業拠点。1919年の創業以来、黒字が続く。
【設立】1941.3 【資本金】45百万円
【社長】入江一光(1959.10生 慶大商卒)
【株主】〔24.3〕入江一光94.8%
【事業】半導体関連機器、理化学機器、計測機器他
【従業員】単78名(46.1歳)

【業績】	売上高	営業利益	経常利益	純利益
単22.3	11,355	328	368	185
単23.3	13,771	554	604	281
単24.3	17,660	845	934	516

ウイン・パートナーズ

東証プライム

採用予定数	倍率	3年後離職率	平均年収
15名	‥	37.5%	㊙614万円

●待遇、制度●
【初任給】月24万（固定残業代15時間分）
【残業】23.6時間【有休】14.5日【制度】在
●新卒定着状況●
20年入社（男5、女3）→3年後在籍（男4、女1）
●採用情報● グループ採用
【人数】23年:16 24年:8 25年:予定15
【内定内訳】（男‥、女‥）（文‥、理‥）（総‥、他‥）
【試験】〔Web自宅〕有
【時期】エントリー24.4→内々定25.3（一次はWEB面接可）【インターン】有
【採用実績校】横浜市大1、京産大1、広島国際大1、関西学大1、東邦大1、日体大1、神奈川大1、青森公大2、福島大1、東北公益文科大1、他
【求める人材】柔軟な発想とそれを提案・実現する力、何事にも挑戦していく情熱を持った人

【本社】104-0031 東京都中央区京橋2-2-1 京橋エドグラン ☎03-3548-0790
【特色・近況】グループで医療機器販売を行い、虚血性心疾患関連治療機器が主要商品群。心臓カテーテルはPCI関連製品の販売で国内トップ。首都圏、東北地方を中心に全国に展開。医療機器商社のウイン・インターナショナルとテスコとの共同持株会社。
【設立】2013.4 【資本金】550百万円
【社長】秋沢英海（1960.12生 京産大法卒）
【株主】〔24.3〕㈲オフィスA18.0%
【連結事業】医療機器販売・虚血性心疾患関連23、同・心臓律動管理関連24、同・心臓血管外科関連17、同・末梢血管疾患及び脳外科関連10、他26
【従業員】連638名 単357名（‥歳）

【業績】	売上高	営業利益	経常利益	純利益
連22.3	66,391	2,762	2,765	1,831
連23.3	70,854	2,470	2,472	2,047
連24.3	77,064	2,626	2,649	1,835

#年収高く倍率低い #初任給が高い #年収が高い

遠藤科学（えんどうかがく）

株式公開計画なし

採用内定数	倍率	3年後離職率	平均年収
5名	4.2倍	10%	㊙1,007万円

●待遇、制度●
【初任給】月28.5万
【残業】27.9時間【有休】12.8日【制度】住
●新卒定着状況●
20年入社（男7、女3）→3年後在籍（男6、女3）
●採用情報●
【人数】23年:8 24年:2 25年:応募21→内定5
【内定内訳】（男5、女0）（文3、理2）（総5、他0）
【試験】〔筆記〕常識、他
【時期】エントリー25.3→内々定25.4【インターン】有
【採用実績校】日大2、常葉大2、静岡大1
【求める人材】好奇心旺盛で行動力のある人

【本社】422-8567 静岡県静岡市駿河区西脇1294 ☎054-283-6222
【特色・近況】東海地区トップの科学機器専門商社。システム開発、特注品の設計製作、メンテナンス業務も行う。理化学機器、分析機器、電子計測器、試験器、光学機器、精密測定器、バイオ関連機器、真空装置など、取扱品目は数千種。
【設立】1952.12 【資本金】62百万円
【社長】遠藤恒介（1975.10生 常葉大経営情卒）
【株主】〔23.7〕遠藤恒介12.5%
【事業】理化学機器49、電子計測器25、試験機16、コンピュータ6、他4 <貿易0>
【従業員】単240名（43.9歳）

【業績】	売上高	営業利益	経常利益	純利益
単21.7	23,452	85	145	99
単22.7	24,536	27	91	61
単23.7	26,568	177	251	173

オルバヘルスケアホールディングス

東証スタンダード

採用内定数	倍率	3年後離職率	平均年収
30名	‥	33.3%	‥

●待遇、制度●
【初任給】月22.9万
【残業】19.4時間【有休】10.8日【制度】フ 住 在
●新卒定着状況●
20年入社（男16、女11）→3年後在籍（男13、女5）
●採用情報● グループ採用
【人数】23年:32 24年:36 25年:応募‥→内定30*
【内定内訳】（男18、女12）（文28、理2）（総30、他0）
【試験】〔Web自宅〕有
【時期】エントリー25.3→内々定25.5*（一次・二次以降もWEB面接可）【インターン】有
【採用実績校】川崎医療福祉大4、広島修道大3、岡山大2、近大2、就実大2、東日本国際大2、亜大1、大阪学大1、大阪商大1、環太平洋大1、他
【求める人材】自発的かつ主体的な成長意志を持つ人

【本社】700-0907 岡山県岡山市北区下石井1-1-3 日本生命岡山第二ビル ☎086-236-1112
【特色・近況】医療器材の卸売販売が中核の持株会社。中国・四国地盤。人工関節やペースメーカーなど整形外科、循環器系に強く、中小診療所向け自動精算機も。医療材料の購買管理業務を受託するSPD事業や、在宅ベッドレンタルなど介護用品事業も手がける。
【設立】1967.10 【資本金】607百万円
【社長】前島洋平（1967.2生 岡山大院医修了）
【株主】〔24.6〕㈱マスプ13.7%
【連結事業】医療器材93、SPD4、介護用品2
【従業員】連1,354名 単51名（44.7歳）

【業績】	売上高	営業利益	経常利益	純利益
連23.6	110,472	2,151	2,158	1,414
連24.6	118,564	2,226	2,244	1,500

初任給はカワニシの数値

協和医科器械（きょうわいかきかい）

株式公開計画なし

採用内定数	倍率	3年後離職率	平均年収
15名	5倍	8.7%	㊇550万円

●待遇、制度●
【初任給】月25万(諸手当2万円、固定残業代20時間分)
【残業】20.1時間【有休】9.7日【制度】住
●新卒定着状況●
20年入社(男14、女9)→3年後在籍(男12、女9)
●採用情報●
【人数】23年:20 24年:20 25年:応募75→内定15*
【内定内訳】(男10、女5)(文13、理2)(総5、他10)
【試験】〔筆記〕有〔Web自宅〕SPI3〔性格〕有
【時期】エントリー25.3→内々定25.4(一次はWEB面接可)【インターン】有
【採用実績校】茨城大院1、信州大1、常葉大2、玉川大1、愛知学大1、静岡産大2、国立音大1、名古屋学院大2、関東学院大1、成城大1、他
【求める人材】コミュニケーションが活発であり、素直で真摯な姿勢・課題解決能力が高い人

【本社】422-8005 静岡県静岡市駿河区池田156-2 ☎054-655-6611
【特色・近況】メディアスHDグループの医療機器販売会社。静岡県地盤に神奈川、愛知、山梨に展開。医療機関向けが9割を占める。先端医療機器から注射器までを取り扱い、商品数は20万点を超える。介護・福祉機器の販売・レンタル事業の強化に重点。
【設立】1959.7　【資本金】80百万円
【社長】住吉進也
【株主】〔24.4〕メディアスホールディングス100%
【事業】医療機器販売98、他2
【従業員】単622名(38.1歳)

【業績】	売上高	営業利益	経常利益	純利益
単22.6	87,925	1,413	1,492	980
単23.6	89,047	1,114	1,193	746

23.6期の中間決算より新収益認識基準を適用

㈱三笑堂（さんしょうどう）

株式公開計画なし

採用内定数	倍率	3年後離職率	平均年収
26名	4.8倍	37.1%	‥

●待遇、制度●
【初任給】月24.8万(諸手当2.1万円、固定残業代10時間分)
【残業】11.3時間【有休】11.4日【制度】住 在
●新卒定着状況●
20年入社(男17、女18)→3年後在籍(男15、女7)
●採用情報●
【人数】23年:35 24年:30 25年:応募125→内定26*
【内定内訳】(男15、女11)(文23、理0)(総23、他3)
【試験】〔筆記〕常識
【時期】エントリー25.2→内々定25.3【インターン】有
【採用実績校】京産大2、佛教大3、立命館大1、京都橘大3、京都文教大4、大阪学大2、帝塚山大2、大谷大1、神戸学大2、桃山学大1、他
【求める人材】元気に明るくコミュニケーションがとれ、自らが主体的に考え、行動ができる人

【本社】601-8533 京都府京都市南区上鳥羽大物町68 ☎075-681-5131
【特色・近況】医療機器の専門商社。医療と介護事業を展開。病院・開業医向けから在宅ケア用品までの幅広い品揃え。研究機関や開業、医業承継もサポート。近畿圏地盤に地域密着型の営業体制。医療用消耗品のカタログ販売「アスクル」事業も行う。
【設立】1963.8　【資本金】60百万円
【代取】一幡泰隆
【株主】〔24.5〕上田勝康43.0%
【事業】医療機器、医薬品、医療用品、バイオ、在宅介護用品、在宅介護用品レンタル
【従業員】単848名(‥歳)

【業績】	売上高	営業利益	経常利益	純利益
単22.5	62,905	1,362	1,566	694
単23.5	64,195	1,436	1,685	727

純益は税引前純利益

島津サイエンス東日本（しまづ　ひがしにほん）

株式公開計画なし

採用予定数	倍率	3年後離職率	平均年収
3名	‥	100%	‥

●待遇、制度●
【初任給】月21.2万
【残業】‥時間【有休】‥日【制度】住 在
●新卒定着状況●
20年入社(男0、女1)→3年後在籍(男0、女0)
●採用情報●
【人数】23年:3 24年:2 25年:予定3
【内定内訳】(男‥、女‥)(文‥、理‥)(総‥、他‥)
【試験】〔Web自宅〕SPI3
【時期】エントリー25.3→内々定25.5(一次はWEB面接可)
【採用実績校】‥
【求める人材】‥

【本部】111-0053 東京都台東区浅草橋5-20-8 CSタワー7階 ☎03-6858-4730
【特色・近況】分析・計測機器、医薬バイオ機器、理化学機器、実験室設備、油圧機器などを扱う総合理化学商社。取り扱いメーカーは400社以上。東日本地区が営業エリアで、関東を中心に新潟にも支店を置く。島津製作所グループ。
【設立】1971.11　【資本金】75百万円
【社長】平田紀行(1959.10生 慶大法卒)
【株主】〔24.3〕島津製作所100%
【事業】理化学機器の小売・卸売
【従業員】単165名(43.0歳)

【業績】	売上高	営業利益	経常利益	純利益
単22.3	15,787	610	610	390
単23.3	18,608	742	739	482
単24.3	20,905	871	870	443

㈱島津理化（しまづりか）

株式公開計画なし

採用内定数	倍率	3年後離職率	平均年収
5名	16.2倍	0%	[総]774万円

●待遇、制度●
【初任給】月24万(諸手当0.6万円)
【残業】7時間【有休】14日【制度】[住]
●新卒定着状況●
20年入社(男4、女1)→3年後在籍(男4、女1)
●採用情報●
【人数】23年:4 24年:7 25年:応募81→内定5
【内定内訳】(男4、女1)(文3、理2)(総5、他0)
【試験】〔Web自宅〕有〔性格〕有
【時期】エントリー25.3→内々定25.4(一次はWEB面接可)【インターン】有
【採用実績校】立命館大1、日大1、岡山理大1、福岡大1、他
【求める人材】自ら学び挑戦し、変化をもたらす人

【本社】101-0051 東京都千代田区神田神保町1-32 出版クラブビル ☎03-6848-6600
【特色・近況】島津製作所のグループで実験機器・設備や各種顕微鏡など教育用理化学器械の販売を手がける。「教育と研究の総合技術会社」を標榜。日系企業が海外に研究所や工場を設立する際に必要となるラボ施設の構築など海外進出支援事業に注力。
【設立】1969.4 【資本金】30百万円
【社長】中井泉
【株主】〔24.3〕島津製作所100%
【事業】教育システム、研究設備、他
【従業員】単140名(40.0歳)

【業績】	売上高	営業利益	経常利益	純利益
単22.3	14,506	842	851	550
単23.3	13,248	869	874	565
単24.3	16,296	1,995	2,047	1,352

㈱ナルセ

株式公開いずれしたい

採用実績数	倍率	3年後離職率	平均年収
0名	ー	ー	555万円

●待遇、制度●
【初任給】月21万(諸手当1万円)
【残業】30時間【有休】11.7日【制度】‥
●新卒定着状況●
20年入社(男0、女0)→3年後在籍(男0、女0)
●採用情報●
【人数】23年:0 24年:0 25年:応募0→内定0*
【内定内訳】(男‥、女‥)(文‥、理‥)(総‥、他‥)
【試験】〔筆記〕SPI3〔Web自宅〕SPI3
【時期】エントリー25.3→内々定25.10*(一次はWEB面接可)
【採用実績校】‥
【求める人材】会社の発展成長と自己実現を共有し、仕事に取り組む人

【本社】990-0046 山形県山形市大手町8-20 ☎023-622-5052
【特色・近況】各種分析・電子計測器、検査評価機器、環境試験機を取り扱う科学機器商社。メーカーや大学、官公庁などの研究機関などが主要顧客。計測・分析機器は500社以上の製品を取り扱う。オーダーメイド機器にも対応。山形、仙台、福島に営業所を持つ。
【設立】1971.1 【資本金】20百万円
【代表取締役】佐藤正幸(1947.3生 山形商高卒)
【株主】〔23.9〕ANAサイエンスホールディングス100%
【事業】各種分析機器・電子計測器・検査評価機器・環境試験機等の販売及びサービス
【従業員】単27名(46.3歳)

【業績】	売上高	営業利益	経常利益	純利益
単21.9	2,184	60	66	44
単22.9	2,833	106	107	74
単23.9	2,738	94	134	88

㈱日本エム・ディ・エム（にほん）

東証プライム

採用内定数	倍率	3年後離職率	平均年収
1名	172倍	45.5%	714万円

●待遇、制度●
【初任給】月24.5万(固定残業代10時間分)
【残業】20.8時間【有休】12.4日【制度】[フ][住][在]
●新卒定着状況●
20年入社(男8、女3)→3年後在籍(男5、女1)
●採用情報●
【人数】23年:5 24年:5 25年:応募172→内定1*
【内定内訳】(男1、女0)(文1、理0)(総0、他1)
【試験】〔Web自宅〕SPI3〔性格〕有
【時期】エントリー24.11→内々定25.1(一次はWEB面接可)【インターン】有【ジョブ型】有
【採用実績校】広島経大1
【求める人材】責任感があり、知恵を使って主体的に行動できる人

【本社】162-0066 東京都新宿区市谷台町12-2 ☎03-3341-6545
【特色・近況】整形外科器具の製造販売会社。米国子会社や国内外メーカーから仕入れを行い販売。人工関節、脊椎固定器具、骨接合材料が3本柱で、米国子会社製品が売上高の8割を占める。国内と米国の2大市場が地盤で、中国にも事業展開。札幌から福岡まで全国に営業所。
【設立】1973.5 【資本金】3,001百万円
【社長】弘中俊行(1962.11生 慶大理工卒)
【株主】〔24.3〕三井化学30.0%
【連結事業】人工関節65、骨接合材料20、脊椎固定器具14、他2 <海外44>
【従業員】連509名 単312名(38.4歳)

【業績】	売上高	営業利益	経常利益	純利益
連22.3	19,193	2,661	2,591	2,135
連23.3	21,307	2,024	2,043	1,423
連24.3	23,177	1,746	1,842	1,271

#年収が高い

日本(にほん)ライフライン [東証プライム]

採用内定数	倍率	3年後離職率	平均年収
13名	44.2倍	7.1%	[総] 999万円

●待遇、制度●
【初任給】月24.6万
【残業】20.3時間【有休】15日【制度】[フ][住][在]

●新卒定着状況●
20年入社(男10、女4)→3年後在籍(男9、女4)

●採用情報●
【人数】23年:12 24年:9 25年:応募575→内定13
【内定内訳】(男7、女6)(文7、理6)(総13、他0)
【試験】〔Web会場〕SPI3〔性格〕有
【時期】エントリー25.3→内々定25.3(一次はWEB面接可)【インターン】有
【採用実績校】明大3、筑波大1、立教大1、日大1、福岡大1、同大1、明学大1、岡山大1、東北大1、秋田大1、都立大1
【求める人材】変化に柔軟に対応でき、自主的に物事を考えて行動し、最後までやり抜く意欲のある人

【本社】140-0002 東京都品川区東品川2-2-20 ☎03-6711-5200
【特色・近況】心臓など循環器関連の医療機器が主力の輸入販売会社。電気生理用カテーテル、アブレーションカテーテル、人工血管などを自社生産。自社製品開発とともに新商材確保に注力。脳血管領域や消化器領域にも展開。マレーシアに海外製造拠点。
【設立】1981.2 【資本金】2,115百万円
【社長】鈴木啓介(1953.9生 明大経営卒)
【株主】〔24.3〕エムティ商会13.0%
【連結事業】リズムディバイス26、EP／アブレーション47、心血管関連24、消化器3
【従業員】連1,227名 単976名(41.9歳)

【業績】	売上高	営業利益	経常利益	純利益
連22.3	51,469	9,973	10,005	7,484
連23.3	51,750	10,837	10,905	6,891
連24.3	51,384	10,892	10,581	7,515

光(ひかり)伝(でん)導(どう)機(き) [株式公開計画なし]

採用内定数	倍率	3年後離職率	平均年収
4名	13.5倍	14.3%	[総] 696万円

●待遇、制度●
【初任給】月22万
【残業】13時間【有休】11.9日【制度】[住]

●新卒定着状況●
20年入社(男7、女0)→3年後在籍(男6、女0)

●採用情報●
【人数】23年:6 24年:7 25年:応募54→内定4*
【内定内訳】(男4、女0)(文4、理0)(総4、他0)
【試験】なし
【時期】エントリー25.3→内々定25.4(一次・二次以降もWEB面接可)【ジョブ型】有
【採用実績校】‥
【求める人材】必要な能力を身につけるため、“努力し続ける能力”を持つ人、自ら“成長し続ける思考や行動”を持つ人

【本社】601-8356 京都府京都市南区吉祥院石原京道町1-1 ☎075-682-1995
【特色・近況】精密機器、機械部品の専門商社。伝導装置を中心に自動化・制御・計測機器、原動機器など10万点以上の商品を取り扱う。大阪、滋賀、神戸などに拠点。中国とマレーシアに現地法人。海外企業とは韓国・中国などアジアを中心とした取引に重点。
【設立】1952.9 【資本金】307百万円
【社長】中尾俊博(1962.3生 龍谷大法卒)
【株主】〔24.3〕光ホールディングス100%
【事業】精密・機械卸売100 <輸出9>
【従業員】単217名(42.9歳)

【業績】	売上高	営業利益	経常利益	純利益
単22.3	22,911	617	682	422
単23.3	21,756	358	433	284
単24.3	20,983	436	516	313

アートグリーン [名証ネクスト]

採用実績数	倍率	3年後離職率	平均年収
5名	−	25%	378万円

●待遇、制度●
【初任給】月22.6万(諸手当2万円、固定残業代20時間分)
【残業】16.4時間【有休】10.7日【制度】[住]

●新卒定着状況●
20年入社(男3、女1)→3年後在籍(男2、女1)

●採用情報●
【人数】23年:0 24年:5 25年:応募268→内定0*
【内定内訳】(男‥、女‥)(文‥、理‥)(総‥、他‥)
【試験】〔Web自宅〕SPI3〔性格〕有
【時期】エントリー25.3→内々定25.10(一次・二次以降もWEB面接可)【インターン】有
【採用実績校】‥
【求める人材】次世代の担い手となる会社の未来を一緒に考えてつくっていく人

【本社】135-0032 東京都江東区福住1-8-8 福住ビル ☎03-6823-5874
【特色・近況】胡蝶蘭を中心とした生花の卸売販売を全国展開。胡蝶蘭は台湾農場から種苗を輸入、国内の提携農園で育成・製品化し出荷。国内生産農家への販売も。花びらに絵柄やメッセージをあしらった化粧蘭に注力。ビル壁面緑化や葬祭事業者向けの切花販売も行う。
【設立】1996.8 【資本金】143百万円
【社長】田中豊(1966.1生 成城大経済卒)
【株主】〔24.4〕田中豊60.2%
【連結事業】フラワービジネス支援67、ナーセリー支援25、フューネラル8
【従業員】連84名 単84名(36.7歳)

【業績】	売上高	営業利益	経常利益	純利益
連21.10	2,073	21	33	15
連22.10	2,295	58	68	40
連23.10	2,484	15	13	0

#残業が少ない
㈱アイナボホールディングス

東証スタンダード

採用内定数	倍率	3年後離職率	平均年収
2名	‥	ー	690万円

●待遇、制度●
【初任給】月23.6万
【残業】2.8時間【有休】8.5日【制度】住 在

●新卒定着状況●
20年入社(男0、女0)→3年後在籍(男0、女0)

●採用情報●
【人数】23年:0 24年:3 25年:応募‥→内定2
【内定内訳】(男1、女1)(文‥、理‥)(総2、他0)
【試験】〔Web自宅〕SPI3
【時期】エントリー25.3→内々定‥(一次はWEB面接可)
【採用実績校】目白大1、拓大1
【求める人材】明るく元気で覇気のある人

【本社】111-0041 東京都台東区元浅草2-6-6 東京日産台東ビル ☎03-4570-1316
【特色・近況】タイル、空調など住宅設備機器の販売・工事で業界首位。関東で高シェア。施工力高く卸販売から工事に主事業をシフト。マンションなどビル向けも手がけるが主力は戸建て向け。ZEHを見据え断熱外壁や給湯器など省エネ商材、太陽光発電などの拡販を強化。
【設立】1955.3 【資本金】896百万円
【社長】阿部一成(1953.6生 学習大理卒)
【株主】〔24.3〕ホールセール㈱7.3%
【連結事業】大型物件15、戸建住宅85
【従業員】連1,154名 単37名(39.4歳)

【業績】	売上高	営業利益	経常利益	純利益
連21.9	66,121	1,903	2,121	1,309
連22.9	79,143	1,899	2,167	1,647
連23.9	86,085	1,770	2,068	1,274

朝日機材（あさひきざい）

株式公開計画なし

採用内定数	倍率	3年後離職率	平均年収
14名	26.6倍	16.7%	㊗821万円

●待遇、制度●
【初任給】月24.5万
【残業】10.1時間【有休】12.3日【制度】住

●新卒定着状況●
20年入社(男4、女2)→3年後在籍(男3、女2)

●採用情報●
【人数】23年:7 24年:14 25年:応募372→内定14
【内定内訳】(男11、女3)(文14、理0)(総14、他0)
【試験】〔Web自宅〕有〔性格〕有
【時期】エントリー25.3→内々定25.6(一次はWEB面接可)【インターン】有
【採用実績校】大東文化大1、日体大1、國學院大1、拓大2、横国大1、福井工大1、神奈川大1、福岡工大1、大阪産大1、中部大1、他
【求める人材】‥

【本社】100-0004 東京都千代田区大手町1-1-3 ☎03-6774-7079
【特色・近況】建設関連の仮設機材、鉄鋼、機械の販売・リースが主事業。全国7カ所の拠点と9カ所の資機材管理センター。次世代足場の導入、BIM・ICT活用による機能強化に取り組む。メタルワンの連結子会社で竹中工務店、三菱商事も出資。
【設立】1947.2 【資本金】400百万円
【社長】瀬古剛一郎
【株主】〔24.3〕メタルワン50.3%
【事業】資材工事27、機械8、鉄鋼7、仮設機材58
【従業員】単350名(42.8歳)

【業績】	売上高	営業利益	経常利益	純利益
単22.3	33,912	2,139	2,164	1,478
単23.3	35,846	2,278	2,291	1,567
単24.3	38,272	1,512	1,528	1,079

アビリティーズ・ケアネット

株式公開していない

採用内定数	倍率	3年後離職率	平均年収
6名	‥	50%	‥

●待遇、制度●
【初任給】月23.5万(諸手当4.2万円、固定残業代30時間分)
【残業】‥時間【有休】‥日【制度】フ 住

●新卒定着状況●
20年入社(男2、女10)→3年後在籍(男1、女5)

●採用情報●
【人数】23年:14 24年:7 25年:応募‥→内定6*
【内定内訳】(男3、女3)(文3、理2)(総0、他6)
【試験】〔筆記〕常識〔性格〕有
【時期】エントリー25.3→内々定25.4*(一次はWEB面接可)【インターン】有
【採用実績校】茨城大1、立正大1、明星大1、東北福祉大1、日本福祉大1、大阪デザイナー・アカデミー専1
【求める人材】お客様第一に、チームワークを大切にして、会社の歴史や理念を語ることができる人

【本社】151-0053 東京都渋谷区代々木4-30-3 新宿ミッドウエストビル ☎03-5388-7521
【特色・近況】福祉機器・介護用品の販売・レンタル事業と、有料老人ホームやサービス付き高齢者住宅などの介護・福祉サービスが2本柱。北海道・東北から九州・沖縄まで全国展開。高齢者・障害者向けの総合福祉サービスを提供。公共的施設のバリアフリー化に注力。
【設立】1966.6 【資本金】414百万円
【会長兼社長】伊東弘泰(1942.2生 早大商卒)
【株主】〔23.6〕伊東弘泰45.7%
【事業】福祉用具の販売とレンタル、障害者・高齢者の各種施設運営
【従業員】単503名(43.0歳)

【業績】	売上高	営業利益	経常利益	純利益
単21.6	7,545	156	252	66
単22.6	7,374	190	299	165
単23.6	7,460	3	139	43

安藤ハザマ興業（あんどうハザマこうぎょう）

株式公開計画なし

採用内定数	倍率	3年後離職率	平均年収
3名	11.3倍	28.6%	㊎735万円

●待遇、制度●
【初任給】月25.5万(諸手当2万円)
【残業】12.5時間【有休】15日【制度】フ 住 在
●新卒定着状況●
20年入社(男4、女3)→3年後在籍(男4、女1)
●採用情報●
【人数】23年:5 24年:3 25年:応募34→内定3*
【内定内訳】(男2、女1)(文3、理0)(総3、他0)
【試験】〔Web自宅〕有
【時期】エントリー25.3→内々定25.6(一次はWEB面接可)【インターン】有
【採用実績校】沖縄国際大1、日大1、明学大1
【求める人材】状況の変化を前向きに受け入れ意欲的に学び対応できる人

【本社】136-0071 東京都江東区亀戸1-38-4 朝日生命江東ビル ☎03-5626-7130
【特色・近況】安藤ハザマグループの建設用資材・機械販売の子会社。鋼材、各種材料のほか、国内3カ所に工場を持ち土木・建築工事に使用するコンクリート製品を提供。リニューアルや保険事業、警備事業、アスクル代理店事業なども手がける。
【設立】1970.12 【資本金】152百万円
【社長】田渕勝彦(1959.6生 熊本大卒)
【株主】〔24.4〕安藤ハザマ100%
【事業】建材売上73、他27
【従業員】単136名(45.1歳)

【業績】	売上高	営業利益	経常利益	純利益
単22.3	64,014	1,718	1,720	1,190
単23.3	66,794	829	826	585
単24.3	73,418	649	651	449

イシグロ

株式公開計画なし

採用内定数	倍率	3年後離職率	平均年収
47名	63.8倍	30%	‥

●待遇、制度●
【初任給】月26.7万(固定残業代26時間分)
【残業】15時間【有休】11.1日【制度】住 在
●新卒定着状況●
20年入社(男11、女9)→3年後在籍(男7、女7)
●採用情報●
【人数】23年:22 24年:46 25年:応募3000→内定47*
【内定内訳】(男31、女16)(文47、理0)(総40、他7)
【試験】〔Web自宅〕有
【時期】エントリー24.10→内々定24.12(一次・二次以降もWEB面接可)【インターン】有
【採用実績校】‥
【求める人材】チャレンジ精神と主体性及びチームコミュニケーションを大事にしている人

【本社】104-0032 東京都中央区八丁堀4-5-8 ☎050-1704-7011
【特色・近況】産業・住宅向け各種バルブや継手・フランジを扱う、配管機材の独立系専門商社。全国に営業ネットワーク。仕入先900社超、取扱商品数は40万点以上、2万点以上の在庫体制を持つ。ECサイトも運営。中国、インドネシアに現地法人。
【設立】1950.5 【資本金】100百万円
【社長】石黒克司(1970.2生 慶大法卒)
【株主】〔24.4〕イシグロホールディングス100%
【事業】バルブ38、継手22、パイプ化成品23、計器他17
【従業員】単998名(41.7歳)

【業績】	売上高	営業利益	経常利益	純利益
単22.4	66,333	2,455	2,780	1,667
単23.4	80,534	4,134	4,501	3,015
単24.4	82,745	4,246	4,645	3,546

#年収が高い

伊藤忠紙パルプ（いとうちゅうかみパルプ）

株式公開していない

採用内定数	倍率	3年後離職率	平均年収
3名	54.3倍	20%	㊎923万円

●待遇、制度●
【初任給】月25万
【残業】23.3時間【有休】13.8日【制度】住 在
●新卒定着状況●
20年入社(男2、女3)→3年後在籍(男1、女3)
●採用情報●
【人数】23年:1 24年:2 25年:応募163→内定3
【内定内訳】(男1、女2)(文3、理0)(総3、他0)
【試験】〔性格〕有
【時期】エントリー通年→内々定通年
【採用実績校】日大1、関西学大1、同大1
【求める人材】挑戦を楽しむ情熱や豊かな発想力を持ち、成長意識をもって、新たな価値を創出する人

【本社】103-8415 東京都中央区日本橋大伝馬町1-4 野村不動産日本橋大伝馬町ビル6階☎03-3639-7111
【特色・近況】伊藤忠グループの生活資材分野の中核会社。洋紙、板紙、加工紙などあらゆる紙と紙製品、紙関連機器や資機材を取り扱う。ウッドチップ事業も。原材料から最終製品までグループの機能をフル活用した商品を提案。環境負荷低減に資する製造ライン・製品の開発に注力中。
【設立】1972.1 【資本金】1,100百万円
【社長】倉重猪知郎(1959.11生 早大商卒)
【株主】〔24.3〕伊藤忠商事100%
【事業】紙26、板紙21、チップ29、他24 <貿易54>
【従業員】単158名(44.6歳)

【業績】	売上高	営業利益	経常利益	純利益
単22.3	101,581	2,140	2,902	2,248
単23.3	124,252	2,409	2,543	1,977
単24.3	121,061	3,024	2,982	2,086

井上定（いのうえさだ）

株式公開 いずれしたい

採用内定数	倍率	3年後離職率	平均年収
13名	20.1倍	35%	[総]606万円

●待遇、制度●

【初任給】月25.8万(諸手当4.1万円)
【残業】20.7時間【有休】10.1日【制度】[住][在]

●新卒定着状況●

20年入社(男15、女5)→3年後在籍(男9、女4)

●採用情報●

【人数】23年:16 24年:13 25年:応募261→内定13*
【内定内訳】(男8、女5)(文12、理0)(総9、他4)
【試験】〔筆記〕常識〔Web会場〕SPI3〔Web自宅〕SPI3〔性格〕有
【時期】エントリー25.3→内々定25.4～8*(一次はWEB面接可)【インターン】有【ジョブ型】有
【採用実績校】近大2、大阪大谷大2、龍谷大1、桃山学大1、大阪学大1、京都女大1、神戸女大1、帝塚山学大1、愛知学大1、帝京大1、他
【求める人材】自分で考え周囲を巻き込んで行動できる自律した人

【本社】542-0086 大阪府大阪市中央区西心斎橋2-1-5 ☎06-4708-5247
【特色・近況】主力のエクステリア製品のほか、屋根・壁材、金属建材などの建築資材の専門商社。企業・病院・住宅などのリフォーム、大型建物新築などの設計・施工管理も。関東以西に拠点ネットワークを持つ。非住宅分野への事業拡大を目指す。
【設立】1944.11 【資本金】100百万円
【社長】池谷栄二良
【株主】〔24.3〕井上定ホールディングス100%
【事業】エクステリア64、建材32、住設4
【従業員】単377名(40.3歳)

【業績】	売上高	営業利益	経常利益	純利益
単22.3	32,876	695	797	469
単23.3	35,824	607	704	477
単24.3	38,400	498	611	383

㈱今与（いまよ）

株式公開 計画なし

採用予定数	倍率	3年後離職率	平均年収
4名	－	0%	371万円

●待遇、制度●

【初任給】月27.4万(諸手当2.5万円、固定残業代20時間分)
【残業】6時間【有休】6日【制度】[住]

●新卒定着状況●

20年入社(男0、女1)→3年後在籍(男0、女1)

●採用情報●

【人数】23年:1 24年:1 25年:応募0→内定0*
【内定内訳】(男‥、女‥)(文‥、理‥)(総‥、他‥)
【試験】なし
【時期】エントリー25.4→内々定25.10*(一次はWEB面接可)
【採用実績校】‥
【求める人材】明るく、行動力やコミュニケーション能力、責任感があり、会社との信頼関係を構築できる人

【本社】604-0861 京都府京都市中京区烏丸通竹屋町上ル大倉町218 ☎075-211-5141
【特色・近況】1861年創業の宝石・貴金属宝飾品専門商社。関西地盤に全国展開。売り上げの約8割をダイヤモンド製品が占める。京都、銀座、シンガポール、マレーシアに直営店。「かがよい」「イサロイ」「ブリリエ」「シンカ」などの独自ブランドを持つ。
【設立】1966.5 【資本金】98百万円
【社長】今西信隆(1969.7生 東大経済卒)
【株主】〔24.4〕今西信隆53.0%
【事業】宝石貴金属100
【従業員】単61名(48.0歳)

【業績】	売上高	営業利益	経常利益	純利益
単22.4	1,424	16	7	67
単23.4	1,607	15	8	11
単24.4	2,418	71	77	80

㈱イモト

株式公開 計画なし

採用内定数	倍率	3年後離職率	平均年収
2名	15倍	40%	[総]681万円

●待遇、制度●

【初任給】月23.2万(諸手当1.2万円)
【残業】6.7時間【有休】10.3日【制度】‥

●新卒定着状況●

20年入社(男3、女2)→3年後在籍(男1、女2)

●採用情報●

【人数】23年:4 24年:6 25年:応募30→内定2*
【内定内訳】(男2、女0)(文‥、理‥)(総2、他0)
【試験】なし
【時期】エントリー25.4→内々定25.5
【採用実績校】‥
【求める人材】自立心旺盛な人、スポーツ用品、ファッションに興味がある人、好きな人

【本社】531-0074 大阪府大阪市北区本庄東3-1-5 ☎06-6372-2861
【特色・近況】スポーツ用品の総合卸売り。世界大手のスポーツ用品をはじめ、取り扱いブランド多数。スポーツカジュアル、スニーカー、アパレルにも強みを持つ。サッカー、タウンユース、ヘルスケア用品に注力。全国主要都市に営業、物流拠点。
【設立】1952.1 【資本金】50百万円
【社長】大久保雄二(1962.8生)
【株主】‥
【事業】スポーツシューズ50、スポーツウェア40、他10
【従業員】単140名(42.0歳)

【業績】	売上高	営業利益	経常利益	純利益
単21.7	12,687	361	436	430
単22.7	14,140	459	499	397
単23.7	17,157	677	712	510

㈱welzo

株式公開未定

採用実績数	倍率	3年後離職率	平均年収
0名	―	0%	‥

●待遇、制度●
【初任給】月20.4万(諸手当を除いた数値)
【残業】20時間【有休】8日【制度】在
●新卒定着状況●
20年入社(男1、女0)→3年後在籍(男1、女0)
●採用情報●
【人数】23年:0 24年:0 25年:予定0
【内定内訳】(男‥、女‥)(文‥、理‥)(総‥、他‥)
【試験】なし
【時期】エントリー25.3→内々定25.3(一次はWEB面接可)【インターン】有
【採用実績校】‥
【求める人材】未来を想像し事業を創造する、そのような力強いチャレンジ意欲のある人

【本社】812-0013 福岡県福岡市博多区博多駅東1-14-3 第2サンライト東口ビル☎092-433-4456
【特色・近況】九州・関西を地盤に農業用肥料・家庭園芸用品、肥飼料全般を扱う専門商社。輸入大豆、国産大豆などの食料品も取り扱う。九州、関西、関東にある3つの物流センターを拠点に、国内外から集まる約1万点のアイテムを管理。緑を活かした新価値の創造に取り組む。
【設立】1952.8　【資本金】470百万円
【社長】金尾佳文(1964.10生 横国大工卒)
【株主】〔23.12〕一般社団法人N&N Management23.9%
【事業】飼肥原料57、園芸30、肥料6、食品3、通販4、他0
【従業員】単214名(44.6歳)

【業績】	売上高	営業利益	経常利益	純利益
単21.12	36,005	322	472	236
単22.12	41,879	407	575	417
単23.12	49,540	619	801	579

内村酸素(うちむらさんそ)

株式公開計画なし

採用実績数	倍率	3年後離職率	平均年収
3名	‥	50%	515万円

●待遇、制度●
【初任給】月25.2万(諸手当1万円、固定残業代20時間分)
【残業】8.5時間【有休】6.7日【制度】在
●新卒定着状況●
20年入社(男3、女1)→3年後在籍(男1、女1)
●採用情報●
【人数】23年:4 24年:3 25年:予定未定*
【内定内訳】(男‥、女‥)(文‥、理‥)(総‥、他‥)
【試験】なし
【時期】エントリー通年→内々定通年
【採用実績校】‥
【求める人材】‥

【本社】860-0811 熊本県熊本市中央区本荘5-13-18 ☎096-371-8730
【特色・近況】圧縮ガスなどの産業用ガス、医療用液化酸素などの医療用ガス、産業機械販売が主軸の技術系商社。熊本・福岡・佐賀が営業域。産業用消耗資材に強みをもち、FA関連商品の充実化進む。在宅介護や在宅酸素療法支援サービスも手がける。1925年創業。
【設立】1951.7　【資本金】96百万円
【社長】今川敬志(1962.3生 同大法卒)
【株主】〔23.6〕大阪中小企業投資育成29.2%
【事業】高圧ガス22、溶接材料21、機械工具26、FA商品23、電子材料4、消費財4
【従業員】単111名(41.0歳)

【業績】	売上高	営業利益	経常利益	純利益
単21.6	7,945	25	73	52
単22.6	10,427	78	137	95
単23.6	10,824	111	167	85

#残業が少ない

宇都宮製作(うつのみやせいさく)

株式公開計画なし

採用予定数	倍率	3年後離職率	平均年収
2名	―	50%	総552万円

●待遇、制度●
【初任給】月23.5万
【残業】3.5時間【有休】11.6日【制度】在
●新卒定着状況●
20年入社(男2、女2)→3年後在籍(男2、女0)
●採用情報●
【人数】23年:1 24年:2 25年:応募29→内定0*
【内定内訳】(男‥、女‥)(文‥、理‥)(総‥、他‥)
【試験】〔性格〕有
【時期】エントリー25.3→内々定25.5*(一次はWEB面接可)
【採用実績校】‥
【求める人材】目標に向かってあくなき探求心を持ちつづけられる人、何か一つ人に誇れるものを持った人、行動力あふれる人

【本社】540-0012 大阪府大阪市中央区谷町2-6-4 谷町ビル6階 ☎06-7639-9900
【特色・近況】医療用手袋が中心の衛生資材専門商社。使い捨て手袋では業界首位。メディカル、介護、食品産業(衛生キャップ・手袋)、工業(ゴムチューブなど)、生活用品(作業用ビニール手袋)の5事業展開。東京と福岡に支店。1903年創業。
【設立】1935.12　【資本金】90百万円
【会長】大西健路(1949.5生 甲南大法卒)
【株主】〔24.3〕宇都宮ホールディングス19.3%
【事業】医療(介護)用品44、食品衛生用品37、工業用ゴム製7、生活用品12
【従業員】単81名(40.0歳)

【業績】	売上高	営業利益	経常利益	純利益
単22.3	17,566	‥	▲5,012	▲5,014
単23.3	14,623	‥	2,213	1,970
単24.3	13,757	‥	811	653

#年収高く倍率低い #年収が高い

㈱エービーシー商会（しょうかい）

株式公開計画なし

採用内定数	倍率	3年後離職率	平均年収
22名	23.1倍	0%	[総]929万円

●待遇、制度●
【初任給】月22.9万（諸手当2.6万円）
【残業】17.8時間【有休】12.5日【制度】[住]
●新卒定着状況●
20年入社（男9、女8）→3年後在籍（男9、女8）
●採用情報●
【人数】23年:20 24年:22 25年:応募509→内定22
【内定内訳】（男11、女11）（文19、理3）（総20、他2）
【試験】〔筆記〕常識〔性格〕有
【時期】エントリー25.3→内々定25.5（一次はWEB面接可）【インターン】有
【採用実績校】大阪経大3、拓大3、愛知大2、日大2、跡見学園女大1、関大1、共立女大1、清泉女大1、大東文化大1、千葉工大1、帝京大1、他
【求める人材】熱意「前向きで推進力がある」誠意「個性と責任感のある」創意「目的意識がある」

【本社】100-0014 東京都千代田区永田町2-12-14 ☎03-3507-7111
【特色・近況】建築土木資材、住設機器、ファッションインテリア資材の専門商社。約300アイテム、1万種類の建築資材を扱う。建築工事のほかグループ会社で製造も行う。環境に配慮した製品、耐震・免震性を高めた製品など研究開発。病院、教育施設など施工実績。
【設立】1947.6 【資本金】90百万円
【社長】東川茂樹（1962.3生 龍谷大卒）
【株主】〔24.3〕エービーシー商会ホールディングス
【事業】土木建築資材85、建築工事15 <貿易1>
【従業員】単480名（41.5歳）

【業績】	売上高	営業利益	経常利益	純利益
単22.3	24,814	‥	1,229	726
単23.3	27,310	‥	1,353	843
単24.3	30,427	‥	1,859	1,492

SMB建材（けんざい）

株式公開計画なし

採用内定数	倍率	3年後離職率	平均年収
8名	‥	0%	‥

●待遇、制度●
【初任給】月24万
【残業】16.5時間【有休】14.3日【制度】[フ][住][在]
●新卒定着状況●
20年入社（男2、女0）→3年後在籍（男2、女0）
●採用情報●
【人数】23年:6 24年:6 25年:応募‥→内定8*
【内定内訳】（男3、女5）（文8、理0）（総8、他0）
【試験】試験あり
【時期】エントリー25.3→内々定‥（一次・二次以降もWEB面接可）
【採用実績校】‥
【求める人材】誠実さと責任感があり、自らの個性を活かしながらチームプレイで果敢に挑戦できる人

【本社】105-0001 東京都港区虎ノ門2-2-1 住友不動産虎ノ門タワー ☎03-5573-5101
【特色・近況】三井住商建材と丸紅建材が統合して発足した建材専門商社。木質素材、住宅建材、建設資材、木構造建築が事業の柱。商社機能に加え、各種建築工事の請負、工法開発まで行う。国内は札幌から沖縄まで全国に事業所網。海外拠点は中国、ベトナム、インドネシア。
【設立】1966.9 【資本金】3,035百万円
【代表取締役】黒川朝晴
【株主】〔24.3〕住友商事36.2%
【事業】窯業建材、請負工事、合板、木質ボード、木質建材、住宅機器、木材製品他
【従業員】単431名（‥歳）

【業績】	売上高	営業利益	経常利益	純利益
単22.3	109,152	3,170	3,344	2,255
単23.3	127,047	2,986	3,296	2,205
単24.3	108,952	2,699	3,040	2,028

#残業が少ない

㈱エスケイジャパン

東証スタンダード

採用内定数	倍率	3年後離職率	平均年収
2名	44.5倍	33.3%	530万円

●待遇、制度●
【初任給】月23.5万（諸手当1万円）
【残業】3.5時間【有休】12日【制度】[住][在]
●新卒定着状況●
20年入社（男0、女3）→3年後在籍（男0、女2）
●採用情報●
【人数】23年:4 24年:3 25年:応募89→内定2
【内定内訳】（男0、女2）（文2、理0）（総2、他0）
【試験】なし
【時期】エントリー25.3→内々定25.10
【採用実績校】大阪経大1、下関市大1
【求める人材】‥

【本社】540-0012 大阪府大阪市中央区谷町3-1-18 NS21ビル ☎06-7632-5370
【特色・近況】娯楽施設、雑貨店向けキャラクター商品を企画・販売。ゲームセンターのクレーンゲームに投入されるキャラクターグッズが主力商品。オリジナル商品拡充を図り、商品企画の体制を強化。ヴィレッジヴァンガードやラウンドワンと親密。
【設立】1989.12 【資本金】461百万円
【社長】八百博徳（1961.9生 中部測量専卒）
【株主】〔24.2〕ラウンドワン31.6%
【連結事業】キャラクターエンタテインメント69、キャラクター・ファンシー31
【従業員】連128名 単126名（37.1歳）

【業績】	売上高	営業利益	経常利益	純利益
連22.2	6,498	454	471	334
連23.2	9,731	577	549	379
連24.2	10,612	992	1,073	755

江戸川木材工業（えどがわもくざいこうぎょう）

株式公開計画なし

採用予定数	倍率	3年後離職率	平均年収
5名	−	0%	‥

●待遇、制度●
【初任給】月23万（諸手当2万円、固定残業代6時間分）
【残業】‥時間【有休】16日【制度】住

●新卒定着状況●
20年入社（男0、女1）→3年後在籍（男0、女1）

●採用情報●
【人数】23年:1 24年:5 25年:応募0→内定0*
【内定内訳】(男‥、女‥)(文‥、理‥)(総‥、他‥)
【試験】なし
【時期】エントリー25.3→内々定25.6*【インターン】有
【採用実績校】‥
【求める人材】元気で明るい人

【本社】136-8630 東京都江東区新木場1-3-16 ☎03-3521-8234
【特色・近況】木材を中心とした住宅資材の製造・販売と住宅建築を手がける。ハイブリッド制震装置の市場が拡大。制震装置を使用した「Hiダイナミック制震工法」によるリフォーム工事なども展開。福島・いわきに支店と工場を有する。
【設立】1948.7 【資本金】100百万円
【社長】市川大介（1979.6生 東洋大文卒）
【株主】〔24.3〕市川大介
【事業】住資材（木材・建材他）開発・生産・販売、住宅建築、リフォーム、地震に強い家づくり
【従業員】単38名（41.0歳）

【業績】	売上高	営業利益	経常利益	純利益
単22.3	2,553	391	410	271
単23.3	2,594	281	296	164
単24.3	2,361	311	362	243

㈱大田花き（おおたか）

東証スタンダード

採用内定数	倍率	3年後離職率	平均年収
7名	1.4倍	30%	611万円

●待遇、制度●
【初任給】月23.5万
【残業】16.2時間【有休】8日【制度】住 在

●新卒定着状況●
20年入社（男4、女6）→3年後在籍（男2、女5）

●採用情報●
【人数】23年:6 24年:9 25年:応募10→内定7*
【内定内訳】(男7、女0)(文3、理2)(総7、他0)
【試験】なし
【時期】エントリー24.12→内々定25.3*(一次・二次以降もWEB面接可)
【採用実績校】京都工繊大院1、明大1、東洋大1、尚美学大1、城西大1、千葉県立農業大学校専1、東京スクールオブビジネス専1
【求める人材】卑ではない人、体力の上に知恵がある人、センスのある人

【本社】143-0001 東京都大田区東海2-2-1 ☎03-3799-5571
【特色・近況】東京都からの委託を受け、大田市場花き部にて中央卸売市場を運営。取扱量や取扱高とも国内首位で世界でも屈指の規模。コンピューター制御の競りを実施するなど情報化で先駆的。店舗や自宅から競りに参加できるオンラインシステムも提供。
【設立】1989.1 【資本金】551百万円
【代表執行役】磯村信夫（1950.2生 成城大経済卒）
【株主】〔24.3〕㈱大森園芸ホールディングス29.8%
【連結事業】キク類20、洋ラン・バラ・葉物20、球根類17、草花類26、枝物12、鉢物3、買付品1、他1
【従業員】連188名 単179名（42.4歳）

【業績】	売上高	営業利益	経常利益	純利益
連22.3	3,926	212	248	173
連23.3	4,285	304	419	306
連24.3	4,144	220	283	182

#初任給が高い

大宮化成（おおみやかせい）

株式公開計画なし

採用予定数	倍率	3年後離職率	平均年収
若干	−	0%	‥

●待遇、制度●
【初任給】月29万（諸手当6万円）
【残業】‥時間【有休】‥日【制度】‥

●新卒定着状況●
20年入社（男1、女0）→3年後在籍（男1、女0）

●採用情報●
【人数】23年:0 24年:1 25年:応募‥→内定0*
【内定内訳】(男‥、女‥)(文‥、理‥)(総‥、他‥)
【試験】〔Web自宅〕SPI3
【時期】エントリー25.3→内々定25.6(一次はWEB面接可)
【採用実績校】‥
【求める人材】自己研鑽を行い、自ら考え、自ら動き、自ら結果を出す人

【本社】103-0014 東京都中央区日本橋蛎殻町2-14-8 ☎03-3662-4925
【特色・近況】化学工業薬品販売で出発した専門商社。グループに化学薬品製造企業を擁しメーカー機能を持つ。電子材料などを中心に幅広い製品群で顧客のニーズに対応。電子部品、半導体業界で成長が期待される新分野に注力。シンガポールに販売現法。
【設立】1950.2 【資本金】326百万円
【社長】金子光城（1969.9生）
【株主】‥
【事業】材料91、機器2、部品4、他3 <輸出1>
【従業員】単77名（46.1歳）

【業績】	売上高	営業利益	経常利益	純利益
単22.3	19,428	636	708	413
単23.3	19,781	652	733	449
単24.3	22,902	777	867	553

㈱オカモトヤ

株式公開計画なし

採用内定数	倍率	3年後離職率	平均年収
7名	15.1倍	0%	‥

●待遇、制度●
【初任給】月23.6万(諸手当1.3万円、固定残業代14.6時間分)
【残業】13.5時間【有休】10.7日【制度】住 在
●新卒定着状況●
20年入社(男1、女1)→3年後在籍(男1、女1)
●採用情報●
【人数】23年:3 24年:5 25年:応募106→内定7
【内定内訳】(男3、女4)(文5、理0)(総6、他1)
【試験】〔筆記〕常識〔性格〕有
【時期】エントリー25.3→内々定25.7【インターン】有
【採用実績校】共栄大1、中央学大1、東洋大1、大妻女大1、東京家政大1、戸板短大1、中央工学校専1
【求める人材】元気で積極的でプラス思考の人、協調性のある明るい人

【本社】105-5590 東京都港区虎ノ門2-6-1 虎ノ門ヒルズステーションタワー 9階☎03-3591-2251
【特色・近況】文具などのオフィス関連用品卸、OA機器の販売・保守、オフィスのリニューアル、事務用印刷など手がける。事務用品通販サイトやゴム印発注サイトを提供。オフィスづくりを体感できる「ライブオフィスpalette」も運営。1912年創業。
【設立】1937.5 【資本金】70百万円
【社長】鈴木美樹子(1976.1生 成蹊大経済卒)
【株主】〔24.4〕東京中小企業投資育成28.6%
【事業】オフィス家具47、事務機械20、文具30、印刷3
【従業員】単139名(44.7歳)

【業績】	売上高	営業利益	経常利益	純利益
単22.4	7,452	170	209	130
単23.4	7,661	195	239	187
単24.4	7,524	8	81	75

越智産業(おちさんぎょう)

株式公開計画なし

採用内定数	倍率	3年後離職率	平均年収
7名	‥	ー	総521万円

●待遇、制度●
【初任給】月21.3万(諸手当3.4万円)
【残業】16.5時間【有休】10.9日【制度】住 在
●新卒定着状況●
20年入社(男0、女0)→3年後在籍(男0、女0)
●採用情報●
【人数】23年:4 24年:5 25年:応募‥→内定7*
【内定内訳】(男5、女2)(文7、理0)(総7、他0)
【試験】〔筆記〕常識〔性格〕有
【時期】エントリー‥→内々定25.5*(一次はWEB面接可)【インターン】有
【採用実績校】北九州市大1、九産大1、近大1、中村学大1、福岡大1、福岡教大1、立命館APU1
【求める人材】何事にも素直さと向上心を持って行動し、責任を持って仕事をやり遂げられる人

【本社】810-0071 福岡県福岡市中央区那の津3-12-20 ☎092-711-9171
【特色・近況】合板・建材、住宅設備機器の卸が事業の中核。福岡市を本拠に西日本で事業展開し、西日本で質・量ともにトップの建材・住宅整備機器商社。材料販売に伴う現場施工も行う。同業有力会社と国内全域カバーするNESTグループを形成。
【設立】1958.10 【資本金】100百万円
【社長】越智通広
【株主】〔24.3〕OCHIホールディングス100%
【事業】建築資材、住設機器
【従業員】単330名(43.4歳)

【業績】	売上高	営業利益	経常利益	純利益
単22.3	59,705	561	1,170	913
単23.3	61,020	467	1,020	852
単24.3	59,261	97	592	872

㈱カワダ

株式公開計画なし

採用内定数	倍率	3年後離職率	平均年収
24名	43.3倍	ー	‥

●待遇、制度●
【初任給】月23.5万
【残業】‥時間【有休】9.3日【制度】住 在
●新卒定着状況●
20年入社(男0、女0)→3年後在籍(男0、女0)
●採用情報●
【人数】23年:7 24年:18 25年:応募1040→内定24
【内定内訳】(男9、女15)(文22、理1)(総24、他0)
【試験】〔Web自宅〕有〔性格〕有
【時期】エントリー25.3→内々定25.6(一次はWEB面接可)【インターン】有
【採用実績校】‥
【求める人材】失敗を恐れず自らチャレンジし粘り強く行動できる人、他者との協力関係を構築できる人

【本社】169-8558 東京都新宿区大久保2-5-25 ☎‥
【特色・近況】玩具、ホビー用品卸の最大手。メーカーとしてオリジナルの「ナノブロック」「ダイヤブロック」の開発も行う。海外約30カ国・地域で自社商品を展開。長野・大阪・福岡・仙台・札幌に営業拠点。香港、豪州に現地法人。
【設立】1960.10 【資本金】99百万円
【社長】小林正和(1959.10生)
【株主】〔24.5〕自社従業員持株会29.6%
【事業】ナノブロック他各種玩具の企画開発・生産・卸売および輸出入 <輸出4>
【従業員】単337名(45.7歳)

【業績】	売上高	営業利益	経常利益	純利益
単21.5	23,020	‥	291	164
単22.5	22,909	‥	468	127
単23.5	22,100	‥	‥	169

北恵（きたけい）　東証スタンダード

採用内定数	倍率	3年後離職率	平均年収
8名	15倍	39.1%	609万円

●待遇、制度●
【初任給】月24.7万(固定残業代15時間分)
【残業】20.1時間【有休】11.7日【制度】住
●新卒定着状況●
20年入社(男13、女10)→3年後在籍(男8、女6)
●採用情報●
【人数】23年:12 24年:9 25年:応募120→内定8*
【内定内訳】(男3、女5)(文8、理0)(総5、他3)
【試験】〔筆記〕SPI3〔Web自宅〕SPI3〔性格〕有
【時期】エントリー24.10→内々定25.5(一次・二次以降もWEB面接可)【インターン】有
【採用実績校】大阪経大2、近大2、神戸女大1、帝塚山大1、桃山学大1、熊本学大1
【求める人材】誠実であり、主体性のある人

【本社】541-0054 大阪府大阪市中央区南本町3-6-14 イトウビル ☎06-6251-1161
【特色・近況】関西圏地盤の住宅資材・設備機器商社。外壁・内装・屋根工事をはじめとした施工付き販売が主軸に。ホームセンター向け商品や商業・公共施設向け天井材などの非住宅分野、住設機器などのネット販売にも注力。環境対応商品など自社開発の独自品を強化中。
【設立】1959.12 【資本金】2,220百万円
【社長】北村誠(1960.10生)
【株主】〔24.5〕北村良一14.5%
【事業】木質建材12、非木質建材8、合板3、木材銘木製品5、住宅設備機器23、施工付販売41、他8
【従業員】単385名(41.6歳)

【業績】	売上高	営業利益	経常利益	純利益
単21.11	57,225	811	920	644
単22.11	60,874	822	1,005	641
単23.11	62,368	974	1,172	812

北沢産業（きたざわさんぎょう）　東証スタンダード

採用内定数	倍率	3年後離職率	平均年収
9名	2.2倍	0%	463万円

●待遇、制度●
【初任給】月21万(諸手当を除いた数値)
【残業】10時間【有休】10日【制度】住
●新卒定着状況●
20年入社(男2、女2)→3年後在籍(男2、女2)
●採用情報●
【人数】23年:6 24年:7 25年:応募20→内定9*
【内定内訳】(男7、女2)(文8、理1)(総9、他0)
【試験】〔筆記〕常識〔性格〕有
【時期】エントリー25.3→内々定25.3*(一次はWEB面接可)【インターン】有
【採用実績校】明学大1、京都橘大1、早大3、東京国際大1、女子栄養大2、東洋大1
【求める人材】コミュニケーション力があり、行動力のある人

【本社】150-0011 東京都渋谷区東2-23-10 ☎03-5485-5111
【特色・近況】フライヤーなど業務用厨房機器、食品加工機器の大手商社。北海道から沖縄まで全国に販売拠点を持ち、機器を試せるテストキッチンを備える。24時間体制のコールセンターも設置しメンテナンス対応。ホテル、病院、老人福祉施設など非外食分野を開拓。
【設立】1951.3 【資本金】3,235百万円
【社長】北川正樹(1958.1生)
【株主】〔24.3〕光通信㈱4.8%
【連結事業】業務用厨房関連98、不動産賃貸2
【従業員】連419名 単330名(44.3歳)

【業績】	売上高	営業利益	経常利益	純利益
連22.3	15,602	369	423	154
連23.3	16,222	699	764	455
連24.3	16,471	994	1,070	665

旭洋（きょくよう）　株式公開計画なし

採用内定数	倍率	3年後離職率	平均年収
16名	62.4倍	12.5%	㊙819万円

●待遇、制度●
【初任給】月23.7万
【残業】13.1時間【有休】13.5日【制度】住 在
●新卒定着状況●
20年入社(男1、女7)→3年後在籍(男1、女6)
●採用情報●
【人数】23年:14 24年:13 25年:応募999→内定16*
【内定内訳】(男10、女6)(文16、理0)(総10、他6)
【試験】〔Web自宅〕有
【時期】エントリー25.3→内々定未定(一次はWEB面接可)
【採用実績校】大阪経大2、専大2、関大1、近大1、駒澤大1、東北学大1、日大1、龍谷大1、大妻女大1、関西学大1、大東文化大1、千葉商大1、他
【求める人材】失敗を恐れずチャレンジする気持ちを持ち続ける人

【本社】103-8262 東京都中央区日本橋本町1-1-1 METLIFE日本橋本町ビル ☎03-3271-2751
【特色・近況】王子グループの商事機能を担う専門商社。洋紙事業、ダンボールなど産業資材事業、合成樹脂など化成品事業の3事業を軸に、包装資材・薬品・機械器具の売買などの分野に展開。原料から製品まで一貫して扱う。東京と大阪の2本店体制。
【設立】1996.7 【資本金】1,300百万円
【社長】岡良平
【株主】〔24.3〕王子ホールディングス90.0%
【事業】洋紙16、産業資材46、化成品・機能材28、海外・他10
【従業員】単367名(41.3歳)

【業績】	売上高	営業利益	経常利益	純利益
単22.3	161,694	2,626	2,795	1,871
単23.3	184,788	3,525	3,695	2,213
単24.3	184,253	3,234	3,418	2,383

㈱クマヒラ

株式公開計画なし

採用内定数	倍率	3年後離職率	平均年収
21名	24.3倍	31.6%	㊌754万円

●待遇、制度●
【初任給】月24.2万
【残業】16.5時間【有休】10日【制度】住
●新卒定着状況●
20年入社(男22、女16)→3年後在籍(男16、女10)
●採用情報●
【人数】23年:38 24年:34 25年:応募510→内定21*
【内定内訳】(男12、女9)(文14、理6)(総21、他0)
【試験】〔筆記〕常識〔性格〕有
【時期】エントリー25.2→内々定25.4(一次はWEB面接可)【インターン】有
【採用実績校】立教大1、日大4、近大1、東京経大1、大阪経大1、札幌学大1、県立広島大2、関西外大1、神奈川大2、京都橘大3、他
【求める人材】自身・会社のために成長し続ける気概のある人

【本社】103-8314 東京都中央区日本橋室町2-1-1 日本橋三井タワー ☎03-3270-4381
【特色・近況】金庫設備、入退室管理システムなどセキュリティー製品の最大手。開発・製造は熊平製作所が担う。金融機関、文化財施設等が主顧客。非接触や省力化ニーズとらえ主力のセキュリティゲートや鍵管理装置などの利活用進む。1898年創業。
【設立】1944.3 【資本金】450百万円
【社長】渡邉秀隆
【株主】〔24.3〕クマヒラ・ホールディングス100%
【事業】金庫・入退室管理装置セキュリティ機器関連70、他30
【従業員】単763名(・・歳)

【業績】	売上高	営業利益	経常利益	純利益
単22.3	38,190	・・	2,888	1,933
単23.3	34,413	・・	2,673	1,722
単24.3	38,247	・・	3,107	2,261

#残業が少ない

クリヤマホールディングス

東証スタンダード

採用内定数	倍率	3年後離職率	平均年収
8名	23.5倍	9.1%	633万円

●待遇、制度●
【初任給】月23.2万
【残業】2.7時間【有休】11.7日【制度】住 在
●新卒定着状況● クリヤマジャパン採用
20年入社(男4、女7)→3年後在籍(男3、女7)
●採用情報● クリヤマジャパン採用
【人数】23年:8 24年:12 25年:応募188→内定8*
【内定内訳】(男4、女4)(文7、理1)(総7、他1)
【試験】〔Web自宅〕有〔性格〕有
【時期】エントリー25.3→内々定25.6*(一次はWEB面接可)【インターン】有【ジョブ型】有
【採用実績校】大阪経大2、関大1、富山大1、近大1、神戸女学大1、大阪大谷大1、日大1
【求める人材】自ら課題を見つけ考え判断し、勇気を持って歩いて行ける人

【本社】540-6325 大阪府大阪市中央区城見1-3-7 松下IMPビル ☎06-6910-7013
【特色・近況】ゴム・合成樹脂製の産業用ホース、建設用資材、スポーツ施設用資材などを取り扱う。国内は商社業務が中心だが、北米では製造機能も持つ。海外売上比率は6割強で、北米のほか中米、アジア、欧州で事業展開。子会社で排ガス浄化技術の尿素SCR事業も行う。
【設立】1940.12 【資本金】783百万円
【代表取締役】小貫成彦(1966.1生)
【株主】〔24.6〕栗山博司6.6%
【連結事業】北米54、産業資材25、スポーツ・建設資材13、欧州・南米7、他1 <海外65>
【従業員】連1,219名 単287名(39.2歳)

【業績】	売上高	営業利益	経常利益	純利益
連22.12	71,475	4,560	4,971	3,637
連23.12	71,672	3,971	4,520	3,793

待遇、制度などはクリヤマジャパンの数値

クワザワホールディングス

東証スタンダード

採用内定数	倍率	3年後離職率	平均年収
8名	4.3倍	28.6%	595万円

●待遇、制度●
【初任給】月21.4万(固定残業代16.2時間分)
【残業】10.7時間【有休】10.7日【制度】住 在
●新卒定着状況●
20年入社(男5、女2)→3年後在籍(男4、女1)
●採用情報● グループ採用
【人数】23年:7 24年:6 25年:応募34→内定8*
【内定内訳】(男5、女3)(文7、理1)(総8、他0)
【試験】〔筆記〕常識、他〔性格〕有
【時期】エントリー25.3→内々定25.5(一次はWEB面接可)【インターン】有
【採用実績校】北星学大3、星槎道都大1、東海大1、北海学園大1、北海商大1、藤女大1
【求める人材】人と話すことが好きで、先を考えて行動し、最後までやりぬける人

【本社】003-8560 北海道札幌市白石区中央2条7-1-1 ☎011-864-1111
【特色・近況】北海道が事業基盤で、建設資材の販売、工事施工が主事業。建設資材はセメントなど基礎資材のほか、キッチンなど住宅資材を建材販売店やハウスメーカーなどに販売。建設工事は工事請負、施工を主とし、建設資材の取り付け、内装工事、リフォームなどを行う。
【設立】1951.2 【資本金】417百万円
【社長】桑澤嘉英(1953.6生 東大法卒)
【株主】〔24.3〕太平洋セメント16.1%
【連結事業】建設資材52、建設工事42、資材運送5、不動産賃貸0、他0
【従業員】連1,009名 単59名(42.8歳)

【業績】	売上高	営業利益	経常利益	純利益
連22.3	62,947	827	997	559
連23.3	64,308	853	1,083	601
連24.3	64,832	1,303	1,508	741

#年収高く倍率低い

㈱高速（こうそく） 東証プライム

採用内定数	倍率	3年後離職率	平均年収
21名	14倍	13.6%	㊕869万円

●待遇、制度●
【初任給】月25万(諸手当3万円、固定残業代11時間分)
【残業】‥時間【有休】13日【制度】住

●新卒定着状況●
20年入社(男14、女30)→3年後在籍(男12、女26)

●採用情報●
【人数】23年:32 24年:43 25年:応募293→内定21*
【内定内訳】(男10、女11)(文20、理1)(総0、他21)
【試験】〔筆記〕SPI3〔Web自宅〕SPI3〔性格〕有
【時期】エントリー25.3→内々定25.5(一次・二次以降もWEB面接可)【インターン】有【ジョブ型】有
【採用実績校】東北学大3、宮城大2、尚絅学大2、大東文化大2、東北大1、盛岡大1、山形大1、東洋大1、東京農業大1、長野大1、他
【求める人材】積極性があり、対人面で真摯に向き合える人

【本社】983-8555 宮城県仙台市宮城野区扇町7-4-20 ☎022-259-1611
【特色・近況】食品軽包装資材の専門商社。包装容器(トレー、弁当容器など)、フィルム、各種シール類が中心。取扱品目は14万点以上で、食品スーパー向けが約4割。シール機、すしロボット、厨房機器など機械設備も手がける。東北と首都圏が営業地盤。
【設立】1966.2 【資本金】1,724百万円
【代表取締役】赫裕規(1971.8生)
【株主】〔24.3〕みずほ信託銀行管理信託高速興産B号0700207 10.4%
【連結事業】食品容器40、フィルム・ラミネート21、紙製品・ラベル13、機械・設備資材・消耗材19、段ボール製品5、他2
【従業員】連1,143名 単715名(39.4歳)

【業績】	売上高	営業利益	経常利益	純利益
連22.3	91,817	3,696	3,898	2,662
連23.3	98,850	4,008	4,240	2,978
連24.3	106,216	4,227	4,528	3,114

三協商事（さんきょうしょうじ） 株式公開計画なし

採用内定数	倍率	3年後離職率	平均年収
1名	27倍	0%	㊕554万円

●待遇、制度●
【初任給】月20万(諸手当1万円)
【残業】4.5時間【有休】9.9日【制度】住 在

●新卒定着状況●
20年入社(男2、女0)→3年後在籍(男2、女0)

●採用情報●
【人数】23年:0 24年:1 25年:応募27→内定1*
【内定内訳】(男1、女0)(文‥、理‥)(総1、他0)
【試験】〔筆記〕常識〔性格〕有
【時期】エントリー25.3→内々定25.5(一次・二次以降もWEB面接可)【インターン】有
【採用実績校】徳島文理大1
【求める人材】柔軟な発想力、チャレンジ精神旺盛で行動力のある人

【本社】770-8518 徳島県徳島市万代町5-8-3 ☎088-653-5131
【特色・近況】窯業建材、鉱油、化学品、農薬・農業資材など扱う専門商社。徳島県が地盤。化学品は石油化学薬品や合成樹脂、生産関連の工業薬品が中心。松山市や高松市にも営業所を配置。ドローンを使った農薬散布事業やドコモショップも運営。
【設立】1947.5 【資本金】20百万円
【社長】須見高康(1972.1生 武蔵大人文卒)
【株主】〔23.12〕公益社団法人三木文庫28.2%
【事業】窯業建材44、化学品38、通信器機10、農薬・農業資材8
【従業員】単91名(43.2歳)

【業績】	売上高	営業利益	経常利益	純利益
単21.12	10,585	95	165	85
単22.12	10,322	54	117	180
単23.12	10,958	105	178	118

CBグループマネジメント 東証スタンダード

採用予定数	倍率	3年後離職率	平均年収
15名	‥	8.3%	682万円

●待遇、制度●
【初任給】月21.5万
【残業】‥時間【有休】13日【制度】住

●新卒定着状況●
20年入社(男5、女7)→3年後在籍(男4、女7)

●採用情報●グループ採用
【人数】23年:5 24年:6 25年:予定15*
【内定内訳】(男‥、女‥)(文‥、理‥)(総‥、他‥)
【試験】〔Web自宅〕有
【時期】エントリー‥→内々定‥【インターン】有
【採用実績校】‥
【求める人材】‥

【本社】107-0062 東京都港区南青山2-2-3 ☎03-3796-5075
【特色・近況】化粧品や日用雑貨などの有力卸グループの持株会社。首都圏地盤。輸入商材の開発販売が得意で、早くから米国P&Gなどと代理店契約。制汗剤「デオナチュレ」など自社開発商品も手がける。店頭マーケティングの支援事業や、商品調達やマーケティング事業も展開。
【設立】1950.10 【資本金】1,608百万円
【社長】児島誠一郎(1948.11生)
【株主】〔24.3〕セントラル商事13.8%
【連結事業】日用雑貨100、不動産賃貸0
【従業員】連629名 単35名(50.7歳)

【業績】	売上高	営業利益	経常利益	純利益
連22.3	150,808	1,144	1,173	1,238
連23.3	138,752	2,295	2,357	1,647
連24.3	147,284	2,762	2,889	2,057

ジオリーブグループ　東証スタンダード

採用内定数	倍率	3年後離職率	平均年収
18名	‥	9.4%	㊗736万円

●待遇、制度●
【初任給】月23万
【残業】23.9時間【有休】10日【制度】フ 住 在
●新卒定着状況●
20年入社(男22、女10)→3年後在籍(男20、女9)
●採用情報● グループ採用
【人数】23年:25 24年:25 25年:応募‥→内定18*
【内定内訳】(男10、女8)(文18、理0)(総18、他0)
【試験】〔Web会場〕SPI3
【時期】エントリー25.3→内々定25.4(一次はWEB面接可)【インターン】有
【採用実績校】亜大1、追手門学大1、桜美林大1、学習院大1、京都橘大1、国士舘大1、西南学大1、中央学大1、帝京大1、東海大1、他
【求める人材】対人対応力がある人、フェアな人、自ら考えチャレンジする人

【本社】105-0004 東京都港区新橋6-3-4
☎03-4582-3380
【特色・近況】住宅用建材卸売大手のジューテックを核とする持株会社。東日本中心に事業展開。マンションリノベーションでは業界トップ級。日本各地に子会社の建材卸売業者が点在。住宅建築やリフォームも行う。ITシステム事業と物流事業も手がける。
【設立】2009.10　【資本金】850百万円
【社長】植木啓之(1959.5生)
【株主】〔24.3〕㈱ベニア商会26.2%
【連結事業】合板8、建材44、住設機器22、DIY商品4、他22
【従業員】連1,228名 単683名(40.7歳)

【業績】	売上高	営業利益	経常利益	純利益
連22.3	172,627	2,901	3,788	2,293
連23.3	182,768	3,462	4,354	2,978
連24.3	166,321	2,230	3,932	2,489

#残業が少ない

㈱シモジマ　東証プライム

採用内定数	倍率	3年後離職率	平均年収
31名	37.9倍	21.2%	542万円

●待遇、制度●
【初任給】月27.1万(諸手当1.3万円)
【残業】1.2時間【有休】13.4日【制度】住 在
●新卒定着状況●
20年入社(男13、女20)→3年後在籍(男9、女17)
●採用情報●
【人数】23年:28 24年:25 25年:応募1175→内定31*
【内定内訳】(男12、女19)(文18、理0)(総31、他0)
【試験】〔Web自宅〕SPI3〔性格〕有
【時期】エントリー25.3→内々定25.5*(一次・二次以降もWEB面接可)【インターン】有
【採用実績校】帝京大3、立教大1、津田塾大1、専大1、國學院大1、駒澤大1、日大1、他
【求める人材】明るく元気で素直な人

【本社】111-0053 東京都台東区浅草橋5-29-8
☎03-3864-0061
【特色・近況】紙袋、紙器など流通向け包装資材を軸に、商店用の事務用品や文具、装飾品などを扱う卸・小売事業者。自社ブランドと10万点超の豊富な品ぞろえが強み。包材販売店「パッケージプラザ」をFC展開。ネット通販の会員数と商品数の増加を推進。
【設立】1962.4　【資本金】1,405百万円
【社長】笠井義彦(1959.1生 京産大経営卒)
【株主】〔24.3〕㈲謙友19.4%
【連結事業】紙製品18、化成品・包装資材59、店舗用品23、他
【従業員】連841名 単648名(39.0歳)

【業績】	売上高	営業利益	経常利益	純利益
連22.3	48,063	44	380	86
連23.3	55,028	2,011	2,388	1,542
連24.3	57,794	3,262	3,623	2,372

ジャペル　株式公開未定

採用内定数	倍率	3年後離職率	平均年収
36名	8.4倍	23.1%	㊗521万円

●待遇、制度●
【初任給】月24万(諸手当1万円、固定残業代26.5時間分)
【残業】11.7時間【有休】11.5日【制度】フ 住 在
●新卒定着状況●
20年入社(男10、女29)→3年後在籍(男8、女22)
●採用情報●
【人数】23年:40 24年:46 25年:応募301→内定36*
【内定内訳】(男14、女22)(文19、理14)(総33、他3)
【試験】〔Web自宅〕有〔性格〕有
【時期】エントリー25.3→内々定25.6*(一次・二次以降もWEB面接可)【インターン】有
【採用実績校】日大3、星槎道都大2、ヤマザキ動物看護大2、名城大3、麻布大2、近大2、中部大2、大東文化大1、帝京科学大1、他
【求める人材】自分の想いをカタチにするために行動できる人

【本社】486-0802 愛知県春日井市桃山町3-105
☎0568-85-4111
【特色・近況】ペットフード・ペット用品の専門総合商社。犬や猫のほか、鳥・小動物から観賞魚、昆虫、は虫類関連まで取り扱い商品は19万点超で業界トップ級。全国各地に事業所や物流センターなどの営業網構築。卸商社あらたの完全子会社。
【設立】1970.8　【資本金】140百万円
【社長】水野昭人(1963.12生)
【株主】〔24.3〕あらた100%
【事業】ペット関連商品卸売
【従業員】連871名 単821名(36.3歳)

【業績】	売上高	営業利益	経常利益	純利益
連22.3	147,814	2,477	2,799	1,919
連23.3	160,031	3,358	3,512	2,253
連24.3	176,685	4,072	4,321	2,955

ゼット　（東証スタンダード）

採用内定数	倍率	3年後離職率	平均年収
16名	‥	0%	596万円

●待遇、制度●
【初任給】月22.1万(固定残業代30時間分)
【残業】11時間【有休】10.3日【制度】住
●新卒定着状況●
20年入社(男7、女0)→3年後在籍(男7、女0)
●採用情報●
【人数】23年:14 24年:14 25年:応募‥→内定16
【内定内訳】(男9、女7)(文16、理0)(総16、他0)
【試験】〔Web会場〕有
【時期】エントリー25.3→内々定25.6
【採用実績校】立命館大3、早大2、関西学大2、青学大1、北大1、宇都宮大1、三重大1、近大1、東洋大1、帝京大1、他
【求める人材】好奇心旺盛で、何事にも積極的に行動し、課題や問題を解決していこうという強い意欲のある人

【本社】543-8601 大阪府大阪市天王寺区烏ケ辻1-2-16 ☎06-6779-1171
【特色・近況】スポーツ用品卸の国内大手。各地の小規模スポーツ店に販路。野球用品「ゼット」の製造・販売も行う。「コンバース」のバスケットウェア・バッグの国内販売権を持つ。自治体のスポーツ施設を民間が委託運営する施設管理事業(指定管理)に参入。
【設立】1950.12 【資本金】1,005百万円
【社長】渡辺裕之(1965.6生 イリノイ大院修了)
【株主】〔24.3〕㈲眞徳19.2%
【連結事業】スポーツ100
【従業員】連594名 単436名(43.1歳)

【業績】	売上高	営業利益	経常利益	純利益
連22.3	44,762	491	885	723
連23.3	49,887	997	1,220	905
連24.3	51,957	876	1,021	810

双日建材（そうじつけんざい）　（株式公開計画なし）

採用内定数	倍率	3年後離職率	平均年収
13名	10.9倍	66.7%	700万円

●待遇、制度●
【初任給】月26万(諸手当2万円)
【残業】22.3時間【有休】12日【制度】フ 住 在
●新卒定着状況●
20年入社(男1、女2)→3年後在籍(男0、女1)
●採用情報●
【人数】23年:12 24年:9 25年:応募142→内定13
【内定内訳】(男5、女8)(文13、理0)(総13、他0)
【試験】〔Web会場〕SPI3〔性格〕有
【時期】エントリー24.10→内々定25.1(一次はWEB面接可)【インターン】有
【採用実績校】京産大1、昭和女大1、慶大1、明学大2、津田塾大1、立教大1、青学大1、同大1、杏林大1、国士舘大1、他
【求める人材】素直さと前向きさを持っている好奇心あふれる人

【本社】100-0004 東京都千代田区大手町1-7-2 東京サンケイビル21階 ☎03-6870-7800
【特色・近況】双日グループの木材・建材専門商社。合板、繊維板、木材製品、建材、住宅設備・機器などを取り扱い、取引先は国内外に3000社を超える。合板販売は国内シェアトップ級。本社も含め北海道から沖縄まで全国に12の拠点を展開。
【設立】1982.4 【資本金】1,039百万円
【社長】鷲見高志
【株主】〔24.3〕双日100%
【事業】合板45、木材製品23、建材22、建設工事2、他7
【従業員】単368名(‥歳)

【業績】	売上高	営業利益	経常利益	純利益
単22.3	104,168	3,898	4,023	2,899
単23.3	116,904	2,469	2,658	1,564
単24.3	87,180	751	852	701

#年収が高い

大興物産（たいこうぶっさん）　（株式公開計画なし）

採用内定数	倍率	3年後離職率	平均年収
6名	85.3倍	7.7%	㊕920万円

●待遇、制度●
【初任給】月25万(諸手当を除いた数値)
【残業】21.3時間【有休】12.2日【制度】住 在
●新卒定着状況●
20年入社(男9、女4)→3年後在籍(男8、女4)
●採用情報●
【人数】23年:3 24年:13 25年:応募512→内定6*
【内定内訳】(男3、女3)(文6、理0)(総6、他0)
【試験】〔Web会場〕SPI3〔Web自宅〕SPI3〔性格〕有
【時期】エントリー25.3→内々定25.6(一次・二次以降もWEB面接可)【インターン】有
【採用実績校】明大1、駒澤大1、島根大1、中大1、福岡大1、琉球大1
【求める人材】成長意欲が高く、自ら考え行動力のある人

【本社】105-0001 東京都港区虎ノ門4-1-17 ☎03-6381-5203
【特色・近況】鹿島グループの建設関連専門商社。土木・建築資材や仮設材などの調達・販売、枠組足場のレンタル、仮設・基礎・躯体・デッキプレート、内装リニューアルなどの施工が基幹事業。次世代足場の購入拡大など仮設材事業を一段強化。シンガポールに支店。
【設立】1947.10 【資本金】750百万円
【社長】守屋繁充(1953.6生 早大理工卒)
【株主】〔24.3〕鹿島100%
【事業】建設工事、資機材販売、仮設レンタル
【従業員】単316名(43.2歳)

【業績】	売上高	営業利益	経常利益	純利益
単22.3	49,846	2,208	2,380	1,628
単23.3	62,728	3,555	3,620	2,551
単24.3	58,015	3,543	3,636	2,570

泰和ゴム興業（たいわこうぎょう）

株式公開計画なし

採用予定数	倍率	3年後離職率	平均年収
若干	ー	100%	‥

●待遇、制度●
【初任給】月21.2万(固定残業代8時間分)
【残業】8時間【有休】15.5日【制度】‥
●新卒定着状況●
20年入社(男1、女0)→3年後在籍(男0、女0)
●採用情報●
【人数】23年:1 24年:1 25年:応募‥→内定0*
【内定内訳】(男‥、女‥)(文‥、理‥)(総‥、他‥)
【試験】なし
【時期】エントリー通年→内々定通年
【採用実績校】‥

【求める人材】コミュニケーション能力が高い人

【本社】920-0061 石川県金沢市問屋町1-10
☎076-237-5661
【特色・近況】ブリヂストンの非タイヤ製品、キーパーを製造。北陸を中心に営業活動展開。主な商品は油圧ホース、防振ゴム、オイルシール、樹脂加工品など。石川県・金沢市に加工拠点持ち、ゴム・樹脂製品などの自社加工製品も製造。阪上製作所などの北陸代理店も兼営。
【設立】1952.6 【資本金】42百万円
【社長】藤本博司(1969.11生 金沢大経済卒)
【株主】〔24.4〕名古屋中小企業投資育成40.5%
【事業】工業用ゴム製品90、樹脂加工品10
【従業員】単68名(39.7歳)

【業績】	売上高	営業利益	経常利益	純利益
単21.9	2,242	12	89	86
単22.9	2,715	44	46	41
単23.9	3,006	50	55	34

㈱タカショー

東証スタンダード

採用内定数	倍率	3年後離職率	平均年収
2名	‥	0%	500万円

●待遇、制度●
【初任給】月24.1万(諸手当2万円、固定残業代20時間分)
【残業】15時間【有休】10日【制度】住 在
●新卒定着状況●
20年入社(男3、女3)→3年後在籍(男3、女3)
●採用情報●
【人数】23年:11 24年:3 25年:応募‥→内定2*
【内定内訳】(男2、女0)(文2、理0)(総2、他0)
【試験】なし
【時期】エントリー25.3→内々定25.5(一次・二次以降もWEB面接可)【インターン】有【ジョブ型】有
【採用実績校】‥

【求める人材】経営理念(より良い庭文化の創造)に共感し、自ら考えチャレンジする人

【本社】642-0017 和歌山県海南市南赤坂20-1
☎073-482-4128
【特色・近況】ガーデンエクステリア商品の販売で国内トップ級。フェンス、ライト、フロア材関連が主力。国内外に生産拠点を持ち、商品企画から生産・販売までの一貫体制構築。家庭用とプロ用で展開。海外は米国・欧州への拡大に重点。ECにも注力。
【設立】1980.8 【資本金】3,043百万円
【社長】高岡伸夫(1953.3生 大経大経営卒)
【株主】〔24.7〕日本マスタートラスト信託銀行信託口10.2%
【連結事業】人工竹木フェンス関連商品40、ガーデン用品27、照明機器21、他13 <海外8>
【従業員】単359名(41.1歳)

【業績】	売上高	営業利益	経常利益	純利益
連22.1	20,781	1,474	1,530	1,001
連23.1	20,351	880	982	518
連24.1	19,411	▲108	250	▲75

#残業が少ない

㈱ティムコ

東証スタンダード

採用内定数	倍率	3年後離職率	平均年収
3名	3.3倍	ー	539万円

●待遇、制度●
【初任給】月20万(諸手当を除いた数値)
【残業】1.5時間【有休】13.9日【制度】住 在
●新卒定着状況●
20年入社(男0、女0)→3年後在籍(男0、女0)
●採用情報●
【人数】23年:1 24年:0 25年:応募10→内定3
【内定内訳】(男2、女1)(文‥、理‥)(総3、他0)
【試験】〔筆記〕常識
【時期】エントリー‥→内々定‥(一次はWEB面接可)
【採用実績校】‥

【求める人材】インドア・アウトドアは関係なく日々挑戦を楽しんでいる人

【本社】130-8555 東京都墨田区菊川3-1-11
☎03-5600-0122
【特色・近況】ルアー、フライなど釣り具・釣り用品の製造・販売・輸出入を手がける。自社開発品は約9割。アウトドア衣料・用品売上高の約7割を占め、自社ブランド「フォックスファイヤー」を直営で展開。スノーピーク社と資本提携、共同開発等を行う。
【設立】1969.12 【資本金】1,079百万円
【社長】酒井誠一(1968.7生 明学大経済卒)
【株主】〔24.5〕立花証券11.9%
【事業】フィッシング27、アウトドア73、他1
【従業員】単68名(46.5歳)

【業績】	売上高	営業利益	経常利益	純利益
単21.11	2,951	▲26	▲14	▲9
単22.11	3,290	113	119	126
単23.11	3,403	116	118	108

㈱東京(とうきょう)エコール

[株式公開計画なし]

採用内定数	倍率	3年後離職率	平均年収
4名	13.3倍	‥	‥

●待遇、制度●
【初任給】月22.5万(諸手当4万円)
【残業】9.7時間【有休】10.8日【制度】[住]

●新卒定着状況●
‥

●採用情報●
【人数】23年:3 24年:6 25年:応募53→内定4
【内定内訳】(男1、女3)(文3、理0)(総4、他0)
【試験】〔性格〕有
【時期】エントリー25.3→内々定25.4(一次はWEB面接可)【インターン】有
【採用実績校】京産大1、産能大1、大東文化大1、東京経営短大1
【求める人材】世の中にアンテナを張り自分を磨き続けられる人、主体的に取り組むことができる人

【本社】103-0003 東京都中央区日本橋横山町9-15 ☎03-3864-3471
【特色・近況】OA機器・文具事務用品の専門商社。営業地盤は東日本で、首都圏中心に東北や北陸に営業所を構える。同業の卸企業12社と関連会社による広域企業連合「エコール流通グループ」を形成。物流機能の高度化など推進。1861年創業。
【設立】1964.6 【資本金】177百万円
【社長】杉山一徳(1961.10生 一橋大商卒)
【株主】〔24.4〕山三商事41.1%
【事業】文具・事務用品75、事務機・OA機器25
【従業員】単323名(44.5歳)

【業績】	売上高	営業利益	経常利益	純利益
単22.4	27,064	▲74	48	29
単23.4	27,001	3	161	111
単24.4	27,307	25	175	96

㈱ナガホリ

[東証スタンダード]

採用内定数	倍率	3年後離職率	平均年収
2名	7倍	50%	[総]531万円

●待遇、制度●
【初任給】月24.2万(固定残業代15時間分)
【残業】8.1時間【有休】13日【制度】[住]

●新卒定着状況●
20年入社(男0、女4)→3年後在籍(男0、女2)

●採用情報●
【人数】23年:14 24年:7 25年:応募14→内定2*
【内定内訳】(男0、女2)(文2、理0)(総0、他2)
【試験】〔筆記〕有〔性格〕有
【時期】エントリー25.3→内々定25.6*(一次はWEB面接可)【インターン】有
【採用実績校】名大1、日経大1、南山大1、立教大1、宮城学院女大1
【求める人材】チームワークを大切にできる人、柔軟に変化対応できる人、顧客満足最大化を追求する人

【本社】110-8546 東京都台東区上野1-15-3 ☎03-3832-8266
【特色・近況】宝飾品の製造卸専業大手。ダイヤモンドを主力に真珠、色石、貴金属の宝飾品4分野を扱う。子会社で「ニコロポーロ」など小売りチェーンを展開。販売代理店を務める海外ブランドは百貨店など直営店舗を展開。自社品に加え、海外高級ブランドを富裕層に重点販売。
【設立】1962.6 【資本金】5,323百万円
【社長】長堀慶太(1963.5生 成城大経済卒)
【株主】〔24.3〕リ・ジェネレーション㈱10.5%
【連結事業】宝飾99、貸ビル0、太陽光発電0 <海外12>
【従業員】連487名 単310名(47.4歳)

【業績】	売上高	営業利益	経常利益	純利益
連22.3	16,927	288	253	163
連23.3	17,673	547	537	60
連24.3	21,820	1,022	998	519

中山福(なかやまふく)

[東証スタンダード]

採用内定数	倍率	3年後離職率	平均年収
4名	21.3倍	16.7%	556万円

●待遇、制度●
【初任給】月22.3万(諸手当2.7万円)
【残業】11時間【有休】9.5日【制度】[住]

●新卒定着状況●
20年入社(男7、女17)→3年後在籍(男7、女13)

●採用情報●
【人数】23年:18 24年:27 25年:応募85→内定4
【内定内訳】(男1、女3)(文3、理1)(総4、他0)
【試験】なし
【時期】エントリー25.3→内々定25.6(一次・二次以降もWEB面接可)【インターン】有
【採用実績校】専大1、東京農業大1、大阪産大1、東北学大1
【求める人材】フットワークが良く、スピーディに動ける人、協調・協力・サポートができる人、自律的に動ける人

【大阪本社】542-0082 大阪府大阪市中央区島之内1-22-9 ☎06-6251-3051
【特色・近況】家庭日用品の専門商社。関西では最大級。耐熱食器、ステンレスボトルなどダイニング用品、フライパンなどキッチン用品が主力。サニタリー、収納用品も充実。「ベストコ」ブランドなどPB品を展開。アマゾンや中国越境ECの網易(ワンイー)でも販売。
【設立】1947.2 【資本金】1,706百万円
【社長】橋本謹也(1964.10生)
【株主】〔24.3〕象印マホービン4.5%
【連結事業】調理33、台所10、サニタリー13、収納・インテリア関連12、行楽・レジャー21、エクステリア・園芸他11
【従業員】連450名 単337名(40.7歳)

【業績】	売上高	営業利益	経常利益	純利益
連22.3	42,720	553	933	568
連23.3	39,887	115	482	600
連24.3	38,593	▲470	▲131	14

#年収高く倍率低い #残業が少ない

㈱ニシヤマ

株式公開していない

採用内定数	倍率	3年後離職率	平均年収
11名	10.5倍	0%	㊣800万円

●待遇、制度●
【初任給】月24.2万
【残業】3時間【有休】13.4日【制度】住 在
●新卒定着状況●
20年入社(男4、女2)→3年後在籍(男4、女2)
●採用情報●
【人数】23年:8 24年:9 25年:応募115→内定11
【内定内訳】(男8、女3)(文10、理1)(総11、他0)
【試験】〔Web自宅〕有〔性格〕有
【時期】エントリー25.3→内々定25.6(一次はWEB面接可)
【採用実績校】東京科学大1、横国大1、愛知県大1、早大1、関大2、南山大1、立命館APU1、近大1、専大1、他
【求める人材】商社・ファブレスに興味・関心を持つ人

【本社】143-0016 東京都大田区大森北4-11-11 ☎03-5767-5351
【特色・近況】1916年創業の技術開発型中堅商社。ガス・電力関連や鉄道、産業機器向けなどに工業用ゴム、プラスチック製品、計測・製造装置などを供給。スマートデバイスを活用した作業報告書の作成やドキュメント類の共有などITソリューションの提供も。
【設立】1947.7 【資本金】484百万円
【社長】西山正晃(1967.7生 法大社会卒)
【株主】〔24.3〕西山正晃13.9%
【事業】工業用ゴム・プラスチック製品、産業用機械器具類、計測機器の販売、関連設置工事
【従業員】単334名(42.1歳)

【業績】	売上高	営業利益	経常利益	純利益
単22.3	37,891	2,158	2,263	1,482
単23.3	40,503	2,071	2,196	1,396
単24.3	41,795	2,366	2,583	1,643

日本通商（にほんつうしょう）

株式公開計画なし

採用予定数	倍率	3年後離職率	平均年収
3名	‥	ー	‥

●待遇、制度●
【初任給】月23.2万(諸手当4.2万円)
【残業】‥時間【有休】6.5日【制度】住
●新卒定着状況●
20年入社(男0、女0)→3年後在籍(男0、女0)
●採用情報●
【人数】23年:3 24年:1 25年:予定3*
【内定内訳】(男‥、女‥)(文‥、理‥)(総‥、他‥)
【試験】〔筆記〕常識
【時期】エントリー‥→内々定‥【インターン】有
【採用実績校】‥
【求める人材】素直で日々努力を積み重ねる人、学習習慣のある人、チャレンジ力のある人、なんとかしようと思う人

【本社】101-0032 東京都千代田区岩本町1-8-10 ☎03-3864-0481
【特色・近況】工業用ゴム製品、産業資材、土木・建設資材、樹脂製品、環境修復資材などの専門商社。技術開発部門を併設しメーカー機能も持つ。特許持つ自社製造品のコンベヤベルトクリーニング装置は国内シェア6割、世界10カ国以上で使用されている。
【設立】1953.4 【資本金】100百万円
【社長】上田勝(1962.9生 広島県西城商高卒)
【株主】〔24.5〕東北ゴム7.5%
【事業】工業用ゴム・樹脂製品20、土木建設資材40、コンベヤベルトのクリーニング装置20、他20
【従業員】単113名(41.4歳)

【業績】	売上高	営業利益	経常利益	純利益
単22.2	9,327	536	535	336
単23.2	9,738	537	521	327
単24.2	10,330	610	608	384

不二鉱材（ふじこうざい）

株式公開計画なし

採用内定数	倍率	3年後離職率	平均年収
2名	7.5倍	ー	‥

●待遇、制度●
【初任給】月25.5万(諸手当5万円、固定残業代8時間分)
【残業】3.9時間【有休】11.2日【制度】住
●新卒定着状況●
20年入社(男0、女0)→3年後在籍(男0、女0)
●採用情報●
【人数】23年:0 24年:0 25年:応募15→内定2*
【内定内訳】(男2、女0)(文1、理1)(総2、他0)
【試験】〔筆記〕常識
【時期】エントリー25.3→内々定25.随時*(一次はWEB面接可)【インターン】有
【採用実績校】滋賀大1、九産大1
【求める人材】素直で自らを高める意識のある人、人と接するのが好きな人

【本社】530-0001 大阪府大阪市北区梅田2-5-2 西梅田サンケイビル3階 ☎06-6344-2231
【特色・近況】耐火レンガ、耐火物原料鉱石販売で創業の耐火物専門商社。焼結マグネシアクリンカー、クロム鉱石、アルミナセメントなど国内外の耐火物原料・製品を取り扱う。金属溶解炉・都市ゴミ焼却炉などの設計施工・メンテナンスを行う。
【設立】1952.9 【資本金】100百万円
【社長】水谷基泰(1982.9生 甲南大経営卒)
【株主】〔23.12〕水谷家51.0%
【事業】耐火物原料鉱石50、耐火物製品31、窯炉・焼却炉等設計・施工18、緑化資材他1 <貿易12>
【従業員】単62名(38.6歳)

【業績】	売上高	営業利益	経常利益	純利益
単21.12	9,933	374	429	249
単22.12	11,916	486	559	413
単23.12	12,189	681	736	549

藤村機器（ふじむらきき）

株式公開 いずれしたい

採用予定数	倍率	3年後離職率	平均年収
未定	ー	ー	494万円

●待遇、制度●
【初任給】月24.7万（諸手当1.5万円、固定残業代23時間分）
【残業】20時間【有休】10日【制度】住
●新卒定着状況●
20年入社（男0、女0）→3年後在籍（男0、女0）
●採用情報●
【人数】23年:1 24年:0 25年:応募10→内定0*
【内定内訳】（男‥、女‥）（文‥、理‥）（総‥、他‥）
【試験】〔筆記〕SPI3〔Web自宅〕SPI3〔性格〕有
【時期】エントリー24.9→内々定25.4*(一次・二次以降もWEB面接可)【インターン】有
【採用実績校】‥
【求める人材】人と接することが好きな人、好奇心旺盛で自律的に取り組める人、丁寧な対応ができる人

【本社】036-8084 青森県弘前市高田3-6-2
☎0172-27-9141
【特色・近況】管工機材主体に空調システムや住宅設備機器などを取り扱う専門商社。地盤の東北では首位級。個人向け商品として太陽光発電や温水式ロードヒーティングシステムも扱う。融雪工事、和洋リモデル工事、暖房工事など材工込みの受注体制強化。
【設立】1957.1【資本金】100百万円
【社長】藤村充（1978.5生）
【株主】〔23.6〕藤村充15.0%
【事業】配管資材25、水道本管10、配管副資材8、住宅設備品19、空調設備機器21、衛生設備機器12、他5
【従業員】単88名（42.1歳）

【業績】	売上高	営業利益	経常利益	純利益
単21.6	7,234	270	298	187
単22.6	7,739	272	304	196
単23.6	7,623	261	292	186

丸紅フォレストリンクス（まるべに）

株式公開 計画なし

採用内定数	倍率	3年後離職率	平均年収
11名	93.6倍	15.4%	‥

●待遇、制度●
【初任給】月22.6万
【残業】17.5時間【有休】12.1日【制度】フ 住 在
●新卒定着状況●
20年入社（男2、女11）→3年後在籍（男2、女9）
●採用情報●
【人数】23年:6 24年:13 25年:応募1030→内定11
【内定内訳】（男2、女9）（文11、理0）（総6、他5）
【試験】〔Web自宅〕SPI3〔性格〕有
【時期】エントリー25.3→内々定25.6(一次・二次以降もWEB面接可)【インターン】有
【採用実績校】北九州市大1、東京経大1、日大2、津田塾大1、大阪経大1、京産大1、明学大1、文教大1、拓大1、共立女大1
【求める人材】目標を持って主体的に行動でき、周囲を巻き込みながら課題を解決できる人

【本社】100-8088 東京都千代田区大手町1-4-2
☎03-6268-5211
【特色・近況】出版・印刷・情報用紙、家庭紙、クラフト紙、段ボール原紙など、紙と板紙全般扱う専門商社。丸紅の子会社。親会社の国内外ネットワークを生かし、紙を安定供給する点に強み。1960年代から輸入紙を扱う。使用済み商品のリサイクル事業も展開。
【設立】1953.10【資本金】1,000百万円
【社長】増野浩一
【株主】〔24.3〕丸紅100%
【事業】洋紙卸売57、板紙卸売28、化成品他卸売15
【従業員】単264名（41.3歳）

【業績】	売上高	営業利益	経常利益	純利益
単22.3	126,736	2,170	2,264	1,633
単23.3	142,508	2,630	2,675	1,850
単24.3	147,501	2,977	2,954	2,015

#残業が少ない

㈱三田商店（みたしょうてん）

株式公開 計画なし

採用内定数	倍率	3年後離職率	平均年収
5名	1.2倍	14.3%	400万円

●待遇、制度●
【初任給】月21.3万（諸手当を除いた数値）
【残業】2時間【有休】11.5日【制度】住
●新卒定着状況●
20年入社（男4、女3）→3年後在籍（男4、女2）
●採用情報●
【人数】23年:9 24年:11 25年:応募6→内定5
【内定内訳】（男3、女2）（文4、理0）（総5、他0）
【試験】〔筆記〕常識
【時期】エントリー25.4→内々定25.6
【採用実績校】盛岡大1、岩手県大1、秋田大1、大阪国際大1、上野法律ビジネス専1
【求める人材】チャレンジ精神を持った人、地域社会の発展に貢献したい人

【本社】020-0021 岩手県盛岡市中央通1-1-23
☎019-624-2111
【特色・近況】1894年に盛岡市で火薬販売業として創業した土木・建築資材の商社。産業用火薬類、ガラス、サッシ、セメント、生コン、コンクリート二次製品、石油製品などを取り扱い。建物装飾や車輛マーキングなどデザイン事業も手がける。
【設立】1929.4【資本金】120百万円
【社長】三田義之（1962.8生 慶大商卒）
【株主】〔24.4〕三田農林
【事業】セメント・生コン58、石油30、化薬9、硝子・サッシ3
【従業員】単185名（42.5歳）

【業績】	売上高	営業利益	経常利益	純利益
単22.4	41,338	205	64	44
単23.4	44,636	271	71	51
単24.4	44,728	239	65	46

宮野医療器（みやのいりょうき）

株式公開未定

採用内定数	倍率	3年後離職率	平均年収
39名	2.9倍	40%	‥

●待遇、制度●
【初任給】月21.5万(固定残業代13時間分)
【残業】22.1時間【有休】10日【制度】住

●新卒定着状況●
20年入社(男8、女12)→3年後在籍(男6、女6)

●採用情報●
【人数】23年:20 24年:14 25年:応募115→内定39
【内定内訳】(男20、女19)(文39、理0)(総30、他9)
【試験】〔性格〕有
【時期】エントリー25.3→内々定25.4(一次はWEB面接可)【インターン】有
【採用実績校】流通科学大5、神戸学大4、甲南大3、関大2、龍谷大2、摂南大2、大阪産大2、甲南女大2、神戸松蔭女学大2、他
【求める人材】コミュニケーション能力とフットワークの軽さ、そして向上心の3つを備える人

【本社】650-8677 兵庫県神戸市中央区楠町5-4-8 ☎078-371-2121
【特色・近況】医療機器と理化学機器の大手専門商社。地区別営業と診療科・製品別営業が同一顧客をクロスカバーする営業体制に特徴。関西を中心に関東、中国、九州に営業所を置く。医院の新規開業や移転新築・増改築、福祉用具のレンタル・販売なども手がける。
【設立】1948.5 【資本金】96百万円
【社長】宮野哲(1973.6生 慶大経済卒)
【株主】〔24.4〕宮野(株) 46.1%
【事業】医療機器94、理化学機器5、住宅・介護機器1
【従業員】単854名(43.2歳)

【業績】	売上高	営業利益	経常利益	純利益
単22.4	119,562	1,267	1,839	1,316
単23.4	125,106	544	1,164	807
単24.4	129,874	325	829	389

㈱ヤマイチテクノ

株式公開計画なし

採用内定数	倍率	3年後離職率	平均年収
7名	4.3倍	22.2%	(総)570万円

●待遇、制度● 平均年収は営業職の数値
【初任給】月23.4万(諸手当1.5万円、固定残業代25時間分)
【残業】9.2時間【有休】11.2日【制度】住 在

●新卒定着状況●
20年入社(男5、女4)→3年後在籍(男4、女3)

●採用情報●
【人数】23年:2 24年:1 25年:応募30→内定7*
【内定内訳】(男4、女3)(文7、理0)(総7、他0)
【試験】〔Web自宅〕有〔性格〕有
【時期】エントリー25.2→内々定25.5*(一次はWEB面接可)【インターン】有【ジョブ型】有
【採用実績校】九大1、神戸女学大1、奈良大1、大和大1、追手門学大1、関西外大1、他
【求める人材】前向きに挑戦し、創造しながら自分を磨き、会社と共に成長するという気持ちを持つ人

【本社】550-0004 大阪府大阪市西区靭本町2-4-8 ☎06-6448-6111
【特色・近況】OA・IT機器販売、オフィスサービス、デジタルソリューションが柱。3Dレーザースキャナー販売とそれに関連するサービス提供に力を入れる。官公庁向けのシステム開発、紙文書の電子化サービス、3Dソリューション事業が堅調に推移。
【設立】1964.4 【資本金】90百万円
【社長】山脇慎也
【株主】〔24.5〕ヤマイチ・アネシス53.4%
【事業】ソリューション50、トータル・オフィス・サービス30、デジタル10、3D10
【従業員】単194名(46.7歳)

【業績】	売上高	営業利益	経常利益	純利益
単21.5	4,406	100	112	77
単22.5	4,431	99	120	88
単23.5	4,488	84	145	97

㈱山大（やまだい）

東証スタンダード

採用予定数	倍率	3年後離職率	平均年収
4名	-	100%	366万円

●待遇、制度●
【初任給】‥万
【残業】20時間【有休】13日【制度】住 在

●新卒定着状況●
20年入社(男2、女1)→3年後在籍(男0、女0)

●採用情報●
【人数】23年:3 24年:3 25年:応募0→内定0*
【内定内訳】(男‥、女‥)(文‥、理‥)(総‥、他‥)
【試験】なし
【時期】エントリー25.3→内々定25.3*【インターン】有
【採用実績校】‥
【求める人材】人や物事に対しての姿勢が素直で、地道に一つの事を遂行できる人

【本社】986-0842 宮城県石巻市潮見町2-3 ☎0225-93-1111
【特色・近況】宮城県産木材を中心とする住宅資材の卸・小売りと木材加工が主力。県産木材は「宮城の伊達な杉」ブランドで拡販。外国製プレカット機械など最新鋭設備の導入を進め効率化。注文住宅の請負工事も手がけ、ゼロエネルギー住宅を拡販。
【設立】1964.8 【資本金】1,103百万円
【社長】髙橋暢介(1987.12生 東北工大工卒)
【株主】〔24.3〕㈲エステートヤマダイン25.0%
【事業】住宅資材69、建設30、賃貸1
【従業員】単111名(41.5歳)

【業績】	売上高	営業利益	経常利益	純利益
単22.3	4,794	283	305	296
単23.3	5,055	157	181	102
単24.3	4,480	▲147	▲124	▲152

#残業が少ない

ヤマトマテリアル

[株式公開計画なし]

採用内定数	倍率	3年後離職率	平均年収
1名	63倍	0%	[総]727万円

[待遇、制度]
【初任給】月23.5万(諸手当1万円)
【残業】2.3時間【有休】10.6日【制度】[住][在]

[新卒定着状況]
20年入社(男1、女0)→3年後在籍(男1、女0)

[採用情報]
【人数】23年:0 24年:2 25年:応募63→内定1*
【内定内訳】(男1、女0)(文1、理0)(総1、他0)
【試験】〔Web自宅〕WEB-GAB〔性格〕有
【時期】エントリー25.3→内々定25.5*
【採用実績校】千葉商大1

【求める人材】熱意があり、行動や発想に限界を設けず、柔軟な思考で創意工夫できる人

【本社】104-8614 東京都中央区京橋2-2-1 京橋エドグラン24階 ☎03-3275-2841
【特色・近況】食品、調味料、酒類、化粧品向けの包装容器を中心に、半導体・電子部品の開発等に必要な商材やウォーターサーバーを扱う専門商社。オリジナル容器、環境配慮型商材、各種充填設備の取り扱い強化。パワー半導体・車載センサー商材にも注力。1889年創業。
【設立】1948.12 【資本金】100百万円
【会長兼社長】森川智(1955.1生 早大政経卒)
【株主】〔24.3〕ヤマト科学グループホールディングス100%
【事業】容器67、アクア15、エレクトロニクス18 <貿易2>
【従業員】単96名(42.3歳)

【業績】	売上高	営業利益	経常利益	純利益
単22.3	13,487	521	553	335
単23.3	13,866	519	557	342
単24.3	14,131	493	523	349

リリカラ

[東証スタンダード]

採用内定数	倍率	3年後離職率	平均年収
16名	83.7倍	23.1%	571万円

[待遇、制度]
【初任給】月21万
【残業】21.1時間【有休】8.8日【制度】[フ][住][在]

[新卒定着状況]
20年入社(男7、女6)→3年後在籍(男4、女6)

[採用情報]
【人数】23年:22 24年:22 25年:応募1339→内定16*
【内定内訳】(男7、女9)(文12、理4)(総16、他0)
【試験】〔Web自宅〕WEB-GAB
【時期】エントリー25.3→内々定25.4(一次・二次以降もWEB面接可)
【採用実績校】日大3、福岡大1、明学大1、北星学大1、東京経大1、武蔵野大1、麗澤大1、京産大1、東京都市大1、関西国際大1、他
【求める人材】相手の立場や考え方を理解し行動ができる柔軟性や向上心を持って積極的に挑戦できる人

【本社】160-8315 東京都新宿区西新宿7-5-20 ☎03-3366-7845
【特色・近況】インテリア製品卸売大手。壁紙を主体にカーテンや床材などの内装材商品の企画・開発と販売が主力。製造は外部に委託。オフィス空間の設計・施工などのオフィスソリューション事業や、オフィスリニューアルなどのリノベーション事業を手がける。
【設立】1949.7 【資本金】3,335百万円
【代表取締役】山田俊之(1962.12生 一橋大社会卒)
【株主】〔24.6〕ティーケーピー 51.5%
【事業】壁装材59、カーテン11、床材8、オフィス家具・工事請負20、事務用品等0、他2
【従業員】単538名(43.3歳)

【業績】	売上高	営業利益	経常利益	純利益
単21.12	32,438	529	485	329
単22.12	33,253	1,622	1,591	961
単23.12	32,770	1,440	1,414	929

㈱ENEOSウイング

[株式公開計画なし]

採用内定数	倍率	3年後離職率	平均年収
10名	7.9倍	28.6%	[総]570万円

[待遇、制度]
【初任給】月24万(諸手当2万円)
【残業】30時間【有休】11日【制度】[住]

[新卒定着状況]
20年入社(男5、女2)→3年後在籍(男3、女2)

[採用情報] 大卒以上のみ
【人数】23年:7 24年:2 25年:応募79→内定10
【内定内訳】(男5、女5)(文10、理0)(総8、他2)
【試験】〔筆記〕SPI3〔Web自宅〕SPI3
【時期】エントリー25.3→内々定25.6(一次はWEB面接可)【インターン】有
【採用実績校】中大1、龍谷大1、京産大1、花園大1、駒澤大1、学習院大1、中部大1、青学大1、愛知大1、立教大1
【求める人材】時代の変化をチャンスと捉え当社なら何が出来るか一緒に考え、行動出来る人

【本社】460-0008 愛知県名古屋市中区栄3-6-1 栄三丁目ビルディング ☎052-269-3210
【特色・近況】石油製品販売を主力に、自動車買取・整備、レンタカーなども手がける。直営SSは全国約300カ所、うち高速道路SAで約50カ所を展開。J&Sフリート HD傘下で、SS運営会社の一光と鈴与エネルギーの統合で発足。
【設立】1951.11 【資本金】100百万円
【社長】大石和宏(1963.4生 岡山大経済卒)
【株主】〔24.3〕J&Sフリートホールディングス100%
【事業】軽油、ガソリン、灯油・重油、洗車・点検整備、自動車用品
【従業員】単2,200名(35.0歳)

【業績】	売上高	営業利益	経常利益	純利益
単22.3	296,046	3,500	5,107	3,059
単23.3	308,674	2,198	3,644	1,978
単24.3	322,527	2,255	3,948	2,215

㈱尾賀亀（おがかめ）

株式公開計画なし

採用内定数	倍率	3年後離職率	平均年収
2名	9倍	66.7%	450万円

●待遇、制度●
【初任給】月22万（諸手当4.3万円）
【残業】20時間【有休】10日【制度】・・
●新卒定着状況●
20年入社（男3、女0）→3年後在籍（男1、女0）
●採用情報●
【人数】23年:3 24年:1 25年:応募18→内定2*
【内定内訳】（男1、女1）（文2、理0）（総2、他0）
【試験】〔Web自宅〕SPI3〔性格〕有
【時期】エントリー25.2→内々定25.5*（一次はWEB面接可）
【採用実績校】関西学大1、京都先端科学大1
【求める人材】挑戦を楽しみ、チームで一丸となって目標達成に向けて行動していくことができる人

【本社】523-0892 滋賀県近江八幡市出町293 ☎0748-33-3108
【特色・近況】全国各地に各種石油製品を販売する石油事業と、滋賀県内15のSS経営を軸にしたトータルカーサービス事業の2本柱。砂糖、小麦粉などの食品事業、太陽光発電など省エネ事業も手がける。1856年、近江八幡で油脂販売「扇屋」で創業。
【設立】1953.5 【資本金】20百万円
【社長】尾賀健太朗（1984.2生 同大商卒）
【株主】〔24.4〕尾賀亀ホールディングス100%
【事業】石油、TCS（サービスステーション等）、食品、太陽光発電
【従業員】単86名（40.2歳）

【業績】	売上高	営業利益	経常利益	純利益
単22.4	11,817	371	399	259
単23.4	12,118	267	358	97
単24.4	12,503	313	372	251

山陽工業（さんようこうぎょう）

株式公開計画なし

採用内定数	倍率	3年後離職率	平均年収
1名	2倍	16.7%	・・

●待遇、制度●
【初任給】月23.5万（諸手当0.5万円、固定残業代15時間分）
【残業】10時間【有休】7.9日【制度】・・
●新卒定着状況●
20年入社（男4、女2）→3年後在籍（男4、女1）
●採用情報●
【人数】23年:4 24年:7 25年:応募2→内定1*
【内定内訳】（男1、女0）（文1、理0）（総1、他0）
【試験】〔筆記〕常識〔性格〕有
【時期】エントリー25.3→内々定25.6*【インターン】有
【採用実績校】広島経大
【求める人材】行動力のある人、意欲的な人

【本社】729-0141 広島県尾道市高須町904 ☎0848-46-1212
【特色・近況】パイプ・継手などの管工機材・住宅設備機器の販売会社。空調設備・給排水設備のエンジニアリング部門も併設している。国内3工場。尾道国際ホテルなど尾道市内3カ所でホテルを経営。長者原北倉庫は保管能力約1500tをもつ。
【設立】1955.2 【資本金】88百万円
【社長】髙橋宏明（1957.7生 成城大経済卒）
【株主】〔24.6〕大阪中小企業投資育成24.0%
【事業】管材・住設機器販売60、管工事・空調設備工事設計施工30、ホテル業10
【従業員】単280名（44.8歳）

【業績】	売上高	営業利益	経常利益	純利益
単21.6	7,116	373	471	323
単22.6	7,605	555	676	394
単23.6	8,833	617	703	452

#初任給が高い

㈱仙台銘板（せんだいめいばん）

株式公開していない

採用内定数	倍率	3年後離職率	平均年収
30名	8.9倍	28%	610万円

●待遇、制度●
【初任給】月29.7万（諸手当5.5万円、固定残業代20時間分）
【残業】12.8時間【有休】9.7日【制度】住
●新卒定着状況●
20年入社（男25、女0）→3年後在籍（男18、女0）
●採用情報●
【人数】23年:19 24年:28 25年:応募268→内定30*
【内定内訳】（男22、女8）（文28、理2）（総30、他0）
【試験】〔Web自宅〕SPI3、他
【時期】エントリー24.10→内々定24.12（一次はWEB面接可）【インターン】有【ジョブ型】有
【採用実績校】東北学大8、立教大2、中部大2、久留米大2、東北大1、明大1、日大1、中大1、東海大1、福島大1、新潟大1、愛知学大1、近大1、他
【求める人材】会社の理念に共感し、周囲を巻き込みながら、常に改善・挑戦し続けられる人

【本社】980-0021 宮城県仙台市青葉区中央3-8-33 T-PLUS仙台8階 ☎022-395-7624
【特色・近況】工事現場用の総合標識と保安用品の販売・レンタルを柱に事業展開。主力は道路工事に用いられる「工事中」などのLED標示板。環境や景観に配慮した用品を開発。オンライン販売にも対応。北海道から沖縄まで全国に営業所を配置。
【設立】1969.6 【資本金】410百万円
【社長】鹿又浩行（1967.2生）
【株主】・・
【事業】保安用品販売、保安用品レンタル
【従業員】単842名（・・歳）

【業績】	売上高	営業利益	経常利益	純利益
単22.3	35,153	4,103	4,264	2,967
単23.3	35,400	・・	・・	・・
単24.3	37,200	・・	・・	・・

㈱山西（やまにし）

株式公開計画なし

採用予定数	倍率	3年後離職率	平均年収
20名	‥	27.8%	㊗498万円

●待遇、制度●
【初任給】月21万
【残業】16時間【有休】7.8日【制度】住
●新卒定着状況●
20年入社(男14、女4)→3年後在籍(男9、女4)
●採用情報●
【人数】23年:11 24年:12 25年:予定20*
【内定内訳】(男‥、女‥)(文5、理0)(総‥、他‥)
【試験】〔筆記〕有〔性格〕有
【時期】エントリー25.3→内々定25.6*【インターン】有【ジョブ型】有
【採用実績校】中部大1、日本福祉大1、愛知産大1、中京大1、金沢学大1
【求める人材】やる気があり、物事にコツコツ真面目に取り組める人

【本社】460-0012 愛知県名古屋市中区千代田2-1-13 ☎052-261-5466
【特色・近況】住宅用木材・建材と設備機器の販売会社。プレカット資材の加工販売が主力。地場工務店約2500社が顧客。ワンストップサポートシステムを構築。愛知・豊田市でホームセンターを運営し、リフォーム店も併設。ツーバイフォー工場は月間70棟の生産体制。
【設立】1953.4 【資本金】100百万円
【社長】西垣昭宏(1982.9生 明学大卒)
【株主】〔24.3〕山西興産38.3%
【事業】住宅資材販売86、2×4コンポーネント6、プレカット6、ホームセンター2
【従業員】単388名(42.0歳)

【業績】	売上高	営業利益	経常利益	純利益
単22.3	22,281	2,444	2,757	1,761
単23.3	24,485	1,600	1,782	1,232
単24.3	20,526	1,174	1,376	908

㈱吉田石油店（よしだせきゆてん）

株式公開計画なし

採用内定数	倍率	3年後離職率	平均年収
4名	5倍	33.3%	551万円

●待遇、制度●
【初任給】月21.5万
【残業】14.7時間【有休】8.6日【制度】住
●新卒定着状況●
20年入社(男6、女0)→3年後在籍(男4、女0)
●採用情報●
【人数】23年:6 24年:2 25年:応募20→内定4*
【内定内訳】(男4、女0)(文3、理1)(総4、他0)
【試験】〔Web自宅〕SPI3
【時期】エントリー24.6→内々定25.5*(一次・二次以降もWEB面接可)【インターン】有
【採用実績校】大阪学大1、四国学大1、徳島文理大1、立命館大1
【求める人材】常にお客様目線で仕事ができ、積極性に富み、挑戦力・実行力・徹底力のある人

【本社】769-1101 香川県三豊市詫間町詫間1338-128 ☎0875-83-3050
【特色・近況】石油類販売で中国・四国地方トップ級。全国約4000の契約運送会社向け軽油が主力。燃料備蓄基地やタンクローリーを自社保有。直営・代行を併せて全国に約130の給油所を運営。香川と兵庫に油槽所。太陽光発電システム販売、電力小売りも展開。1926年創業。
【設立】1954.3 【資本金】90百万円
【社長】眞鍋和典(1963.1生 中大法卒)
【株主】〔24.3〕吉田美和子25.6%
【事業】軽油62、ガソリン26、灯油6、重油2、他4
【従業員】単521名(43.1歳)

【業績】	売上高	営業利益	経常利益	純利益
単22.3	155,148	‥	1,793	1,000
単23.3	162,927	‥	1,915	1,211
単24.3	173,415	‥	2,091	1,292

#初任給が高い

キョーワ

株式公開計画なし

採用内定数	倍率	3年後離職率	平均年収
6名	15倍	25%	‥

●待遇、制度●
【初任給】月30万
【残業】7.5時間【有休】11.9日【制度】住
●新卒定着状況●
20年入社(男5、女3)→3年後在籍(男4、女2)
●採用情報●
【人数】23年:5 24年:14 25年:応募90→内定6*
【内定内訳】(男4、女2)(文6、理0)(総6、他0)
【試験】‥
【時期】エントリー24.12→内々定25.3*(一次・二次以降もWEB面接可)
【採用実績校】大阪国際大1、仙台白百合女大1、専大1、帝京大1、大阪学大2
【求める人材】‥

【本社】541-0056 大阪府大阪市中央区久太郎町4-1-3 大阪センタービル7階 ☎06-6244-7200
【特色・近況】建設用繊維仮設資材、土木建築環境対応品や防災用繊維資材の製造・販売・レンタル行う。建設現場の安全を確保する軽量で扱いやすい繊維素材のメッシュシートを開発。建築工事用垂直ネット、親綱支柱システム、はく落防止ネットなども扱う。石川と福島に工場。
【設立】1969.5 【資本金】99百万円
【社長】神谷邦雄(1967.5生 東海大工卒)
【株主】〔23.12〕神谷邦雄
【事業】安全ネット・シート類リース60、同販売35、雑品類販売他5 <輸出0>
【従業員】単608名(43.9歳)

【業績】	売上高	営業利益	経常利益	純利益
単21.12	18,477	‥	‥	‥
単22.12	20,525	‥	‥	‥
単23.12	22,341	‥	‥	‥

㈱アクセスグループ・ホールディングス 東証スタンダード

採用内定数	倍率	3年後離職率	平均年収
10名	‥	‥	‥

●待遇、制度●
【初任給】月27万(固定残業代42時間分)
【残業】‥時間【有休】9.2日【制度】フ 住 在
●新卒定着状況●
‥
●採用情報●グループ採用
【人数】23年:8 24年:4 25年:応募‥→内定10*
【内定内訳】(男6、女4)(文9、理1)(総10、他0)
【試験】〔筆記〕常識〔Web自宅〕有〔性格〕有
【時期】エントリー25.3→内々定25.4*(一次・二次以降もWEB面接可)
【採用実績校】筑波大1、東洋大1、他
【求める人材】実直で素直に話を聞けて、吸収できる人、主体的に新しいことに挑戦したい人

【本社】107-0062 東京都港区南青山1-1-1 ☎03-5413-3001
【特色・近況】販促支援、採用支援、教育機関支援事業を手がける。販促支援は販促物制作やイベント開催支援など、採用支援は就職情報サイト運営や説明会の開催など、教育向けは学校の学生募集に関する広報業務をサポート。デジタル・アナログ問わず多様な商材に対応。
【設立】2009.4 【資本金】201百万円
【社長】木村勇也(1979.8生)
【株主】〔24.3〕合同会社A・G・S14.2%
【連結事業】プロモーション支援32、採用支援39、教育機関支援28
【従業員】連122名 単12名(46.4歳)

【業績】	売上高	営業利益	経常利益	純利益
連22.9	3,683	54	38	11
連23.3変	1,906	57	45	43
連24.3	3,452	88	73	127

㈱揚羽(あげは) 東証グロース

採用内定数	倍率	3年後離職率	平均年収
6名	70.7倍	33.3%	502万円

●待遇、制度●
【初任給】月25万(固定残業代45時間分)
【残業】23.3時間【有休】10日【制度】住 在
●新卒定着状況●
20年入社(男7、女2)→3年後在籍(男5、女1)
●採用情報●
【人数】23年:5 24年:4 25年:応募424→内定6
【内定内訳】(男3、女3)(文6、理0)(総6、他0)
【試験】〔Web自宅〕有
【時期】エントリー24.8→内々定25.3*(一次・二次以降もWEB面接可)【インターン】有
【採用実績校】早大1、岡山大1、徳島大1、中京大1、多摩美大1、桐朋学大1
【求める人材】カルチャーにフィットし、バリューを発揮してくれる人

【本社】104-0032 東京都中央区八丁堀2-12-7 ☎03-6280-3336
【特色・近況】ブランディング支援の専門会社で人的資本経営に特化したサービスを提供。コーポレート、採用、従業員、サステナビリティの4領域で展開。コンサルティングからWebサイト構築まで一気通貫で取り組む。顧客は大手企業、中小企業など800社を超える。
【設立】2002.8 【資本金】279百万円
【社長】湊剛宏(1968.12生 早大卒)
【株主】〔24.3〕湊剛宏42.3%
【事業】リクルーティング支援領域31、コーポレート支援領域69
【従業員】単146名(33.5歳)

【業績】	売上高	営業利益	経常利益	純利益
単21.9	1,167	44	49	31
単22.9	1,398	113	110	79
単23.9	1,736	113	112	74

#年収高く倍率低い #年収が高い

㈱エスネットワークス 東証グロース

採用内定数	倍率	3年後離職率	平均年収
33名	18.9倍	85.7%	㊣919万円

●待遇、制度●
【初任給】年450万
【残業】24時間【有休】8.4日【制度】フ 在
●新卒定着状況●
20年入社(男5、女2)→3年後在籍(男1、女0)
●採用情報●
【人数】23年:16 24年:19 25年:応募623→内定33*
【内定内訳】(男25、女8)(文19、理12)(総33、他0)
【試験】〔Web自宅〕有
【時期】エントリー24.9→内々定24.12(一次・二次以降もWEB面接可)【インターン】有
【採用実績校】東大1、京大1、一橋大1、東京科学大1、北大1、東北大1、名大1、阪大1、九大2、早大1、慶大1
【求める人材】思考力があり、思考に柔軟性を持ちながら、失敗を恐れず挑戦する人

【本社】100-7023 東京都千代田区丸の内2-7-2 JPタワー ☎03-6826-6000
【特色・近況】経営支援、再生支援、海外進出支援の各コンサルティングを展開。企業のM&AやIPOをサポートするほか、事業承継など再生支援も行う。ベトナムやフィリピンなどアジアに現法を複数設置し、日本企業のアジア進出をサポート。
【設立】1999.10 【資本金】567百万円
【社長】高畠義紀(1975.7生 ミシガン大院経営修了)
【株主】〔24.6〕㈱58 34.3%
【連結事業】コンサルティング100 <海外15>
【従業員】連226名 単146名(33.9歳)

【業績】	売上高	営業利益	経常利益	純利益
連21.12	2,334	133	164	122
連22.12	2,649	198	235	143
連23.12	2,711	269	251	136

共同(きょうどう)ピーアール

東証スタンダード

採用内定数	倍率	3年後離職率	平均年収
9名	27.6倍	100%	592万円

●待遇、制度●
【初任給】月26.3万(固定残業代45時間分)
【残業】30時間【有休】‥日【制度】[在]

●新卒定着状況●
20年入社(男0、女1)→3年後在籍(男0、女0)

●採用情報●
【人数】23年:10 24年:7 25年:応募248→内定9
【内定内訳】(男4、女5)(文9、理0)(総9、他0)
【試験】なし
【時期】エントリー25.3→内々定25.8(一次・二次以降もWEB面接可)
【採用実績校】富山大1、立教大2、明大2、津田塾大1、日大1、専大1、大妻女大1
【求める人材】情報感度が高く、自分で考えながらチームワークで行動できる人

【本社】104-0045 東京都中央区築地1-13-1 築地松竹ビル ☎03-6260-4850
【特色・近況】企業パブリシティ活動の支援、コンサルティングが主力。独立系大手。PR戦略の策定からメディアでの記事化、危機管理広報対応支援など行う。マーケティング分野のPRニーズにも対応。子会社でインフルエンサーマーケとWebデータの収集、提供も手がける。
【設立】1964.11 【資本金】547百万円
【社長】石栗正崇(1976.4生)
【株主】〔24.6〕新東通信32.6%
【連結事業】PR77、インフルエンサーマーケティング12、AI・ビッグデータソリューション11
【従業員】連349名 単212名(39.9歳)

【業績】	売上高	営業利益	経常利益	純利益
連21.12	5,609	381	392	131
連22.12	5,264	720	736	520
連23.12	6,895	840	862	487

#初任給が高い #年収が高い

㈱ストライク

東証プライム

採用内定数	倍率	3年後離職率	平均年収
45名	57.8倍	−	[総]1,514万円

●待遇、制度●
【初任給】月35万(諸手当5万円、固定残業代20時間分)
【残業】13時間【有休】8.8日【制度】‥

●新卒定着状況●
20年入社(男0、女0)→3年後在籍(男0、女0)

●採用情報●
【人数】23年:14 24年:17 25年:応募2600→内定45
【内定内訳】(男38、女7)(文41、理4)(総45、他0)
【試験】〔Web会場〕C-GAB
【時期】エントリー24.10→内々定24.12【インターン】有【ジョブ型】有
【採用実績校】立命館大3、関西学大2、京産大1、立教大5、中大3、成蹊大1、明大3、早大6、慶大3、名大1、神戸大1、佐賀大1、日大1、他
【求める人材】責任感を持って、明るく、積極的に行動できる人

【本社】100-0004 東京都千代田区大手町1-2-1 三井物産ビル ☎03-6848-0101
【特色・近況】中小企業の事業承継案件主体のM&A仲介会社。オンラインM&Aマッチングサービス「M&A市場SMART」を運営。全国の税理士・会計事務所、金融機関と連携、セミナーなどで集客。アドバイザリー業務、デューデリジェンス業務など付帯業務も手がける。
【設立】1997.7 【資本金】823百万円
【社長】荒井邦彦(1970.11生 一橋大商卒)
【株主】〔24.3〕㈱K&Company27.9%
【事業】M&A仲介100
【従業員】単345名(34.9歳)

【業績】	売上高	営業利益	経常利益	純利益
単21.9変	9,034	3,451	3,475	2,395
単22.9	10,727	4,224	4,226	2,962
単23.9	13,826	5,202	5,211	3,866

㈱ネオマーケティング

東証スタンダード

採用予定数	倍率	3年後離職率	平均年収
12名	‥	‥	497万円

●待遇、制度●
【初任給】月25.5万(諸手当2万円、固定残業代30時間分)
【残業】‥時間【有休】12.8日【制度】[フ][住][在]

●新卒定着状況●
‥

●採用情報●
【人数】23年:8 24年:10 25年:予定12*
【内定内訳】(男‥、女‥)(文‥、理‥)(総‥、他‥)
【試験】〔Web自宅〕有〔性格〕有
【時期】エントリー25.3→内々定25.5*(一次・二次以降もWEB面接可)【インターン】有
【採用実績校】同大1、法政大1、神奈川大1、新潟県大1、駒澤大1、中部大1、甲南大1、京産大1、目白大1、跡見学園女大1
【求める人材】素直な人、主体的に行動できる人、目標に向かって粘り強く努力できる人

【本社】150-0036 東京都渋谷区南平台町16-25 ☎03-6328-2880
【特色・近況】独自のフレームワークを活用した顧客企業のデジタルマーケティング支援を行う。自社プラットフォーム「アイリサーチ」の登録者と提携会社の登録者データを活用。これらのデータ分析を元にした定量調査や定性調査、ECサイト構築・運営などを手がける。
【設立】2002.9 【資本金】85百万円
【取締】橋本光伸(1975.10生 早大卒)
【株主】〔24.3〕㈱エムスリードリームインベスター26.0%
【連結事業】マーケティング支援100
【従業員】連114名 単111名(33.7歳)

【業績】	売上高	営業利益	経常利益	純利益
連21.9	1,829	303	286	206
連22.9	2,251	280	280	▲280
連23.9	2,275	311	313	198

㈱プラップジャパン 東証スタンダード

採用内定数	倍率	3年後離職率	平均年収
15名	24.6倍	33.3%	621万円

●待遇、制度●
【初任給】月24.3万(固定残業代20時間分)
【残業】30時間【有休】9日【制度】住 在
●新卒定着状況●
20年入社(男4、女2)→3年後在籍(男2、女2)
●採用情報●
【人数】23年:14 24年:16 25年:応募369→内定15*
【内定内訳】(男5、女10)(文14、理1)(総15、他0)
【試験】なし
【時期】エントリー25.2→内々定25.4(一次・二次以降もWEB面接可)【インターン】有
【採用実績校】慶大2、ICU2、関西学大2、神戸大1、静岡大1、明大1、中大1、青学大1、法政大1、立命館大1、他
【求める人材】変化を恐れず新たな取り組みに主体的に前向きにチャレンジできる人

【本社】107-0052 東京都港区赤坂9-7-2 ミッドタウン・イースト ☎03-4580-9111
【特色・近況】企業の広報・PR活動の支援とコンサルティング行う総合PR会社。データ分析に基づくWeb戦略コンサルやSNSメディアPRなどデジタル・ソリューションサービスも展開する。海外は中国や東南アジアで日系・現地企業の需要掘り起しに注力。
【設立】1970.9【資本金】470百万円
【社長】鈴木勇夫(1964.11生 学習大法卒)
【株主】〔24.2〕キャヴェンディッシュ・スクエア・ホールディングス19.9%
【連結事業】コミュニケーションサービス86、デジタルソリューション14 <海外24>
【従業員】連354名 単204名(36.6歳)

【業績】	売上高	営業利益	経常利益	純利益
連21.8	8,211	312	336	140
連22.8	6,274	439	441	157
連23.8	6,635	730	747	436

#初任給が高い

㈱プロジェクトホールディングス 東証グロース

採用内定数	倍率	3年後離職率	平均年収
96名	152.8倍	‥	538万円

●待遇、制度●
【初任給】月31.5万(諸手当4万円、固定残業代45時間分)
【残業】‥時間【有休】‥日【制度】フ 住
●新卒定着状況●
‥
●採用情報●
【人数】23年:42 24年:38 25年:応募14668→内定96*
【内定内訳】(男76、女20)(文64、理32)(総96、他0)
【試験】なし
【時期】エントリー‥→内々定‥【インターン】有
【採用実績校】慶大11、東北大10、阪大9、一橋大8、早大8、東大5、京大5、九大4、北大4、上智大4、他
【求める人材】物事に対する熱量が高く、社会や他者など、自分以外に矢印が向いている人

【本社】106-0041 東京都港区麻布台1-3-1 ☎03-6206-1250
【特色・近況】デジタルを活用した新規事業開発や既存事業改革のコンサルが主力の持株会社。SNS運用支援などのマーケティングサービス、UI／UX改善の提案も行う。サービスを組み合わせた一気通貫での支援体制が強み。データ分析、SEOの内製化を推進。
【設立】2016.1【資本金】50百万円
【社長】土井悠之介(1989.5生 東大院農生命修了)
【株主】〔24.6〕土井悠之介29.6%
【連結事業】デジタルトランスフォーメーション74、DX×テクノロジー19、DX×HR7
【従業員】連263名 単31名(27.3歳)

【業績】	売上高	営業利益	経常利益	純利益
単21.12	2,139	510	502	359
連22.12	4,352	958	948	676
連23.12	6,283	857	836	587

㈱メイホーホールディングス 東証グロース

採用実績数	倍率	3年後離職率	平均年収
2名	−	−	551万円

●待遇、制度●
【初任給】月20.5万
【残業】13.3時間【有休】12日【制度】住
●新卒定着状況●
20年入社(男0、女0)→3年後在籍(男0、女0)
●採用情報●
【人数】23年:3 24年:2 25年:応募5→内定0
【内定内訳】(男‥、女‥)(文‥、理‥)(総‥、他‥)
【試験】〔性格〕有
【時期】エントリー25.3→内々定25.5(一次はWEB面接可)
【採用実績校】‥
【求める人材】優しく、志があり、部分最適ではなく、より高次な全体最適を目指そうとする人

【本社】500-8326 岐阜県岐阜市吹上町6-21 ☎058-255-1212
【特色・近況】建設コンサル、人材派遣、建設、介護など幅広く手がける。積極的なM&Aで業容を拡大。主力の建設関連サービス事業は公共工事のコンサル業務が中心。人材関連サービスは技術者・製造者派遣が中心。介護事業では通所介護施設を運営。
【設立】2017.2【資本金】446百万円
【社長】尾松豪紀(1963.11生)
【株主】〔24.6〕尾松豪紀49.4%
【連結事業】建設関連サービス38、人材関連サービス23、建設31、介護8
【従業員】連589名 単38名(40.8歳)

【業績】	売上高	営業利益	経常利益	純利益
連22.6	6,113	342	396	224
連23.6	7,371	462	495	269
連24.6	10,348	146	88	▲87

#年収高く倍率低い

八千代(やちよ)エンジニヤリング

株式公開計画なし

採用内定数	倍率	3年後離職率	平均年収
81名	7.1倍	10.5%	[総]861万円

●待遇、制度●
【初任給】月26.5万(諸手当3.3万円)
【残業】38.6時間【有休】12.6日【制度】[フ][住][在]
●新卒定着状況●
20年入社(男40、女17)→3年後在籍(男35、女16)
●採用情報●
【人数】23年:71 24年:65 25年:応募576→内定81
【内定内訳】(男57、女24)(文12、理69)(総81、他0)
【試験】〔筆記〕有〔Web自宅〕有〔性格〕有
【時期】エントリー25.3→内々定25.4(一次はWEB面接可)【インターン】有
【採用実績校】日大8、法政大4、東洋大4、室蘭工大4、埼玉大4、他
【求める人材】熱意を持ち自ら行動する人、周囲と協同し大きな力を生み出す人、やりとげる責任感を持つ人

【本店】111-8648 東京都台東区浅草橋5-20-8 CSタワー ☎03-5822-2900
【特色・近況】道路・鉄道、河川、都市計画などの総合建設コンサル。社会資本整備の企画調査から維持管理、保全、防災、新エネなど広範囲に対応。民間向けも力を入れる。北海道から沖縄まで全国に拠点。インドネシア、ブラジル、ナイジェリアなどに事務所。
【設立】1963.1 【資本金】450百万円
【代表取締役】高橋努(1963.1生 新潟大理卒)
【株主】〔23.6〕(一社)八千代持株管理会26.4%
【事業】都市計画6、道路23、環境6、河川・砂防・ダム32、港湾3、鋼構造・コンクリ12、廃棄物他18 <海外16>
【従業員】単1,321名(40.8歳)

【業績】	売上高	営業利益	経常利益	純利益
単21.6	22,219	‥	1,124	827
単22.6	23,975	‥	1,268	891
単23.6	26,774	‥	1,442	1,109

㈱ウエスコホールディングス

東証スタンダード

採用内定数	倍率	3年後離職率	平均年収
20名	5.3倍	4.8%	651万円

●待遇、制度●
【初任給】年307.2万
【残業】11.1時間【有休】9.6日【制度】[住][在]
●新卒定着状況●
20年入社(男17、女4)→3年後在籍(男16、女4)
●採用情報●グループ採用
【人数】23年:15 24年:18 25年:応募107→内定20
【内定内訳】(男15、女5)(文2、理18)(総20、他0)
【試験】〔Web自宅〕有
【時期】エントリー25.3→内々定25.5(一次はWEB面接可)【インターン】有
【採用実績校】愛媛大4、岡山大3、香川大2、島根大2、広島大1、北大1、福山大1、岡山商大1、岡山理大1、大阪工大1、九州工大1、他
【求める人材】コミュニケーション力が高く、新しい事に積極的にチャレンジできる人

【本社】700-0033 岡山県岡山市北区島田本町2-5-35 ☎086-254-6111
【特色・近況】西日本地盤の総合建設コンサル会社ウエスコを中核とする企業グループの持株会社。設計・調査業務に加え、測量や地質調査も行う。官公庁向け主体で、計画から施工管理、維持管理データ作成まで一貫。スポーツジムや水族館の運営事業子会社も擁する。
【設立】2014.2 【資本金】400百万円
【社長】松原利直(1953.7生 早大教育卒)
【株主】〔24.7〕公益財団法人ウエスコ学術振興財団13.3%
【連結事業】総合建設コンサルタント82、スポーツ施設運営5、水族館運営11、他2
【従業員】連767名 単16名(47.7歳)

【業績】	売上高	営業利益	経常利益	純利益
連22.7	15,672	888	1,245	774
連23.7	15,593	892	1,137	672
連24.7	15,725	942	1,228	768

#年収高く倍率低い #年収が高い

㈱エイト日本技術開発(にほんぎじゅつかいはつ)

株式公開計画なし

採用内定数	倍率	3年後離職率	平均年収
54名	5倍	3.3%	875万円

●待遇、制度●
【初任給】月26.1万(諸手当2.9万円)
【残業】28.2時間【有休】13日【制度】[住][在]
●新卒定着状況●
20年入社(男23、女7)→3年後在籍(男22、女7)
●採用情報●
【人数】23年:30 24年:28 25年:応募268→内定54*
【内定内訳】(男46、女8)(文0、理47)(総54、他0)
【試験】試験あり
【時期】エントリー25.3→内々定25.4(一次はWEB面接可)【インターン】有【ジョブ型】有
【採用実績校】日大7、山口大3、東北学大2、香川大2、広島工大2、大阪工大2、徳島大2、中大3、横国大2、鳥取大2、神戸大1、関大1、他
【求める人材】‥

【岡山本店】700-8617 岡山県岡山市北区津島京町3-1-21 ☎086-252-8917
【特色・近況】建設コンサルタント会社。道路、交通、河川、港湾、都市、環境分野の他、耐震、防災、資源循環、地盤・地質など幅広い分野に展開。政府開発援助のもと海外事業も手がける。海外はタイに拠点。E・Jホールディングスグループ。
【設立】1960.9 【資本金】2,056百万円
【社長】金声漢(1963.2生 名大卒)
【株主】〔24.5〕E・Jホールディングス100%
【事業】建設コンサルタント
【従業員】単1,069名(46.9歳)

【業績】	売上高	営業利益	経常利益	純利益
単21.5	24,121	2,310	2,369	1,683
単22.5	25,940	2,858	2,946	1,951
単23.5	26,322	2,833	2,888	1,944

#年収高く倍率低い #年収が高い

㈱ＮＪＳ　東証プライム

採用内定数	倍率	3年後離職率	平均年収
39名	3.1倍	10%	㊋936万円

●待遇、制度●
【初任給】月27万（諸手当0.8万円、固定残業代30時間分）
【残業】36.2時間【有休】15.2日【制度】フ 住 在
●新卒定着状況●
20年入社（男25、女5）→3年後在籍（男22、女5）
●採用情報●
【人数】23年:39 24年:30 25年:応募119→内定39
【内定内訳】（男31、女8）（文0、理38）（総39、他0）
【試験】〔Web自宅〕有〔性格〕有
【時期】エントリー 25.3→内々定25.4（一次はWEB面接可）【インターン】有
【採用実績校】北大1、北海道科学大1、秋田県大1、福島大1、長岡技科大1、宇都宮大1、埼玉大1、千葉大1、千葉工大1、日大2、他
【求める人材】社会貢献に対して熱い思いがあり、新たな分野に挑戦したいという意欲旺盛な人

【本社】105-0023 東京都港区芝浦1-1-1 浜松町ビルディング ☎03-6324-4355
【特色・近況】上下水道の建設コンサルタント。水資源の総合的計画の調査・企画・設計・施工監理まで一貫して手がける。下水道関連が売上高の約6割、国内売上の大半は官公需。官民連携を推進。海外でも水インフラの整備を展開し、90カ国以上で実績。
【設立】1951.9【資本金】520百万円
【社長】村上雅亮（1952.11生 早大理工卒）
【株主】〔24.6〕日本ヒューム34.0%
【連結事業】水道35、下水道55、環境他9、他1 <海外21>
【従業員】連1,362名 単618名（42.6歳）

【業績】	売上高	営業利益	経常利益	純利益
連21.12	19,315	2,758	2,859	1,929
連22.12	19,231	1,934	2,012	1,726
連23.12	22,027	1,618	1,704	1,997

㈱ＦＣホールディングス　東証スタンダード

採用内定数	倍率	3年後離職率	平均年収
28名	1.9倍	18.2%	㊋713万円

●待遇、制度●
【初任給】月25.9万（固定残業代15時間分）
【残業】14.7時間【有休】13.3日【制度】フ 住 在
●新卒定着状況●
20年入社（男7、女4）→3年後在籍（男6、女3）
●採用情報● 福山コンサル採用
【人数】23年:4 24年:19 25年:応募52→内定28
【内定内訳】（男19、女9）（文0、理28）（総28、他0）
【試験】〔Web自宅〕有〔性格〕有
【時期】エントリー 25.3→内々定25.6（一次はWEB面接可）【インターン】有
【採用実績校】九州工大1、立命館大1、熊本大1、信州大1、千葉大1、福井大1、佐賀大1、宮崎大1、福岡大2、呉高専1、日大2、北九州市大1、他
【求める人材】自分の技術を磨くだけでなく、専門外の知識も主体的に学び新たな価値を生み出す人

【本社】812-0013 福岡県福岡市博多区博多駅東3-6-18 ☎092-412-8300
【特色・近況】福山コンサルタントが中核の建設コンサルグループ。道路・橋梁・鉄道などの調査・設計や都市計画など官公需主体。交通実態調査、インフラ老朽化対策に強み。グループ会社で海外での水資源事業や防災事業を展開、国際協力機構などの案件も手がける。
【設立】2017.1【資本金】400百万円
【社長】福島宏治（1959.2生 北九大経営卒）
【株主】〔24.6〕もみじ銀行4.2%
【連結事業】モビリティ形成34、環境・都市・地域創生17、社会インフラ・防災50
【従業員】連413名 単7名（48.3歳）

【業績】	売上高	営業利益	経常利益	純利益
連22.6	8,546	1,155	1,161	780
連23.6	8,566	1,194	1,202	808
連24.6	8,526	1,135	1,135	670

応用地質（おうようちしつ）　東証プライム

採用内定数	倍率	3年後離職率	平均年収
35名	5.5倍	12.7%	㊋683万円

●待遇、制度●
【初任給】月24.5万（諸手当4.5万円）
【残業】18.9時間【有休】13.4日【制度】フ 住 在
●新卒定着状況●
20年入社（男37、女18）→3年後在籍（男33、女15）
●採用情報●
【人数】23年:52 24年:46 25年:応募192→内定35*
【内定内訳】（男26、女9）（文5、理28）（総35、他0）
【試験】〔Web自宅〕WEB-GAB
【時期】エントリー 24.12→内々定25.2*（一次・二次以降もWEB面接可）【インターン】有
【採用実績校】日大4、東大2、東北大2、島根大2、京大1、東京科学大1、名大1、横国大1、千葉大1、木更津高専1、他
【求める人材】幅広い視野に立ち、防災、減災を中心にした地盤に起因する社会問題の解決にあたれる人

【本社】101-8486 東京都千代田区神田美土代町7 ☎03-5577-4501
【特色・近況】地質調査の最大手で建設コンサルも手がける。公共比率高く大口顧客は国土交通省や地方自治体。インフラのメンテナンスを中心に防災・減災、環境、エネルギー分野へも事業展開。資源探査など計測機器販売も行う。洋上風力発電の拡大に向け海底探査を強化。
【設立】1957.5【資本金】16,174百万円
【社長】天野洋文（1966.1生）
【株主】〔24.6〕日本マスタートラスト信託銀行信託口10.8%
【連結事業】インフラ・メンテナンス37、防災・減災22、環境16、資源・エネルギー26 <海外25>
【従業員】連2,739名 単1,270名（46.9歳）

【業績】	売上高	営業利益	経常利益	純利益
連21.12	51,675	3,666	4,179	2,866
連22.12	59,011	2,518	3,033	1,864
連23.12	65,602	2,842	3,595	4,006

オリジナル設計(せっけい)
東証スタンダード

採用予定数	倍率	3年後離職率	平均年収
15名	‥	33.3%	727万円

●待遇、制度●
【初任給】月23.3万(諸手当3.3万円)
【残業】‥時間【有休】‥日【制度】住 在
●新卒定着状況●
20年入社(男10、女5)→3年後在籍(男8、女2)
●採用情報●
【人数】23年:17 24年:18 25年:予定15
【内定内訳】(男‥、女‥)(文‥、理‥)(総‥、他‥)
【試験】‥
【時期】エントリー25.1→内々定25.2【インターン】有
【採用実績校】‥
【求める人材】‥

【本社】151-0062 東京都渋谷区元代々木町30-13 ONEST元代々木スクエア ☎03-6757-8801
【特色・近況】上下水道・水質保全の建設コンサルタント会社。調査・計画・実施設計・施工監理などを行う。日本下水道事業団など官公庁や地方自治体が主要顧客。都市施設情報のデータベース化や構造物非破壊調査診断システムも手がける。アジア中心に海外新興国市場を開拓。
【設立】1962.1 【資本金】1,093百万円
【社長】菅伸彦(1967.9生 早大教育卒)
【株主】〔24.6〕東京スペックス25.9%
【事業】建設コンサルタント部門93、情報処理部門7
【従業員】単308名(40.9歳)

【業績】	売上高	営業利益	経常利益	純利益
単21.12	6,207	575	625	376
単22.12	6,486	739	748	415
単23.12	6,633	773	787	477

川崎地質(かわさきちしつ)
東証スタンダード

採用内定数	倍率	3年後離職率	平均年収
8名	6.8倍	30.8%	597万円

●待遇、制度●
【初任給】月24.5万
【残業】15.1時間【有休】10.6日【制度】住 在
●新卒定着状況●
20年入社(男11、女2)→3年後在籍(男8、女1)
●採用情報●
【人数】23年:11 24年:12 25年:応募54→内定8*
【内定内訳】(男7、女1)(文1、理6)(総8、他0)
【試験】〔性格〕有
【時期】エントリー25.3→内々定25.6*(一次はWEB面接可)【インターン】有
【採用実績校】‥
【求める人材】地球を相手に、ともに挑戦できる人、挑戦する人、探求する人、努力する人

【本社】108-8337 東京都港区三田2-11-15 三田川崎ビル ☎03-5445-2071
【特色・近況】地質調査の専業大手。非破壊調査や海洋部門に強み。事業領域は運輸施設・上下水道・情報通信と、治山・治水、農林・水産が主力。点検、診断、維持対策工法検討など予防保全業務にも注力。洋上風力発電事業のための海底地盤調査を深耕。
【設立】1951.8 【資本金】819百万円
【社長】栃本泰浩(1961.2生 阪市大理卒)
【株主】〔24.5〕日本カストディ銀行信託E口7.0%
【連結事業】治山治水23、運輸施設39、建築・土地造成4、エネルギー30、環境・災害他5
【従業員】連367名 単351名(48.3歳)

【業績】	売上高	営業利益	経常利益	純利益
単21.11	8,755	501	558	344
単22.11	9,383	515	594	330
連23.11	9,227	115	190	157

#年収高く倍率低い #年収が高い

中央復建(ちゅうおうふっけん)コンサルタンツ
株式公開計画なし

採用内定数	倍率	3年後離職率	平均年収
27名	4.9倍	11.1%	総 886万円

●待遇、制度●
【初任給】月25.6万
【残業】28.6時間【有休】11.8日【制度】住 在
●新卒定着状況●
20年入社(男12、女6)→3年後在籍(男11、女5)
●採用情報●
【人数】23年:20 24年:20 25年:応募132→内定27
【内定内訳】(男16、女11)(文7、理18)(総21、他6)
【試験】〔筆記〕常識
【時期】エントリー25.3→内々定25.4【インターン】有
【採用実績校】鳥取大1、法政大1、名工大1、東京科学大2、九大1、東大2、岐阜大2、大阪公大1、金沢工大1、立命館大2、他
【求める人材】前向きで建設的な思考力とコミュニケーション力に優れ、自律的に行動できる人

【本社】533-0033 大阪府大阪市東淀川区東中島4-11-10 ☎06-6160-1121
【特色・近況】鉄道・道路・港湾や施設計画など総合建設コンサルのパイオニア。3次元設計の先駆者としてCIM(建設業務の効率化)を各分野で積極展開。「公民連携まちづくり室」などを束ねる「未来社会創造センター」を組織。「沖縄縦貫鉄道プロジェクト」にも参加。
【設立】1946.6 【資本金】306百万円
【社長】白水靖郎(1967.4生 京大工卒)
【株主】〔24.4〕兼塚卓也5.0%
【事業】土木設計93、測量1、地質調査1、建築設計3、補償調査1、他1
【従業員】単528名(44.4歳)

【業績】	売上高	営業利益	経常利益	純利益
単22.4	13,107	1,365	1,417	860
単23.4	9,749	327	355	172
単24.4	12,624	1,226	1,265	276

中電技術コンサルタント（ちゅうでんぎじゅつ）

株式公開計画なし

採用予定数	倍率	3年後離職率	平均年収
14名	‥	4.8%	‥

●待遇、制度●

【初任給】月22.7万
【残業】30時間【有休】12日【制度】フ 住 在

●新卒定着状況●

‥

●採用情報●

【人数】23年:14 24年:16 25年:予定14*
【内定内訳】(男‥、女‥)(文‥、理‥)(総‥、他‥)
【試験】〔Web自宅〕SPI3
【時期】エントリー24.12→内々定25.4*(一次はWEB面接可)【インターン】有
【採用実績校】‥

【求める人材】地域社会の皆様からの信頼を得ることができる人、課題に対し協働・協調して積極的に取り組み解決できる人

【本社】734-8510 広島県広島市南区出汐2-3-30 ☎082-255-5501
【特色・近況】中国電力グループの総合建設コンサル。社会基盤整備などの建設プロジェクトの計画・調査・設計・施工・維持管理について技術支援を行う。親会社や国・自治体が主な顧客。エネルギー・環境、維持管理、防災、ICTが技術戦略の柱。
【設立】1965.7 【資本金】100百万円
【社長】森川繁
【株主】〔24.3〕中国電力90.0%
【事業】土木70、建築4、電気14、環境5、情報7
【従業員】単446名(45.6歳)

【業績】	売上高	営業利益	経常利益	純利益
単22.3	9,862	832	859	608
単23.3	11,255	944	959	622
単24.3	11,577	1,168	1,186	236

㈱ドーコン

株式公開計画なし

採用内定数	倍率	3年後離職率	平均年収
19名	9.6倍	5.9%	‥

●待遇、制度●

【初任給】月23.4万
【残業】31.8時間【有休】12.7日【制度】住 在

●新卒定着状況●

20年入社(男15、女2)→3年後在籍(男14、女2)

●採用情報●

【人数】23年:18 24年:21 25年:応募182→内定19*
【内定内訳】(男17、女2)(文2、理15)(総18、他1)
【試験】〔Web自宅〕有〔性格〕有
【時期】エントリー25.3→内々定25.5【インターン】有
【採用実績校】室蘭工大3、北見工大2、北海学園大1、北星学大1、北海道科学大2、釧路公大1、弘前大5、日大1、東京都市大1、秋田高専1、他
【求める人材】技術者として自立する人、創造力を発揮し、実行できる人

【本社】004-8585 北海道札幌市厚別区厚別中央1条5-4-1 ☎011-801-1500
【特色・近況】札幌本拠の土木建築関連総合建設コンサル企業。寒冷地技術などに強み。独創性、総合性に優れた技術を提案。交通、河川、地質、環境、建築、土木、都市計画、環境、農業など幅広く対応。官公需要が多い。東京と仙台に支店。
【設立】1960.6 【資本金】60百万円
【社長】今日出人
【株主】〔23.12〕札幌建設業協会10.0%
【事業】土木設計85、建築設計9、地質調査2、測量他2、補償コンサルタント2
【従業員】単631名(44.6歳)

【業績】	売上高	営業利益	経常利益	純利益
単21.12	12,988	392	413	411
単22.12	14,919	782	809	690
単23.12	15,597	902	924	589

㈱日水コン（にっすい）

東証スタンダード

採用内定数	倍率	3年後離職率	平均年収
31名	3.6倍	6.1%	‥

●待遇、制度●

【初任給】月25.1万(諸手当3.5万円、固定残業代20時間分)
【残業】22.9時間【有休】13.7日【制度】フ 住 在

●新卒定着状況●

20年入社(男26、女7)→3年後在籍(男25、女6)

●採用情報●

【人数】23年:28 24年:31 25年:応募112→内定31*
【内定内訳】(男25、女6)(文5、理23)(総31、他0)
【試験】〔筆記〕有〔Web自宅〕有〔性格〕有
【時期】エントリー25.3→内々定25.6(一次はWEB面接可)【インターン】有
【採用実績校】日大5、岩手大2、北大1、東北大1、九大1、一橋大1、早大1、他
【求める人材】環境の違いや変化を受容し既成にとらわれず、周囲を巻きこみ主体的に行動できる人

【本社】163-1122 東京都新宿区西新宿6-22-1 ☎03-5323-6200
【特色・近況】水環境専業コンサル最大手。水道・下水道分野で業界首位で水コンサルタントのパイオニア。コア事業の他、PPP事業(官民連携)、水利用による環境負荷低減など産業インフラ事業、下水汚泥を活用した地域資源循環型農業など新規事業を重点方針に掲げる。
【設立】1959.5 【資本金】100百万円
【社長】間山一典(1959.8生 北大卒)
【株主】〔24.3〕野村キャピタル・パートナーズ第1号投資事業有限責任組合50.8%
【事業】土木コンサル99、建築コンサル1、他1 <海外5>
【従業員】単652名(42.0歳)

【業績】	売上高	営業利益	経常利益	純利益
単21.12	21,791	1,450	1,580	772
単22.12	19,814	1,601	1,837	1,067
単23.12	20,875	1,739	1,776	1,112

㈱ニュージェック

株式公開計画なし

採用内定数	倍率	3年後離職率	平均年収
31名	3.8倍	6.1%	702万円

●待遇、制度●
【初任給】月25.1万
【残業】22.5時間【有休】11.9日【制度】住 在
●新卒定着状況●
20年入社(男19、女14)→3年後在籍(男19、女12)
●採用情報●
【人数】23年:27 24年:19 25年:応募117→内定31*
【内定内訳】(男20、女11)(文4、理25)(総31、他0)
【試験】〔Web自宅〕有
【時期】エントリー25.3→内々定25.4*(一次はWEB面接可)【インターン】有
【採用実績校】京大2、神戸大1、岡山大1、名工大1、熊本大1、山口大4、長崎大3、長岡技科大1、岐阜大1、宇都宮大1、秋田大1、高知大1、他
【求める人材】共創できる自律した人

【大阪本社】531-0074 大阪府大阪市北区本庄東2-3-20 ☎06-6374-4901
【特色・近況】黒四ダムを建設した技術者を中心に創業した総合建設コンサルタント大手。官公庁の売上比率が約7割。東南アジアから、アフリカ、中近東、中南米で電力インフラ開発プロジェクトを展開。大阪、東京の2本社制、全国に10支店と48事務所。関西電力グループ。
【設立】1963.9 【資本金】200百万円
【社長】山林佳弘(1962.3生 東大工卒)
【株主】〔24.3〕関西電力86.0%
【事業】土木84、建築11、海外5 <海外5>
【従業員】単828名(46.6歳)

【業績】	売上高	営業利益	経常利益	純利益
単21.12	15,841	1,248	1,264	970
単22.12	16,782	1,286	1,320	765
単23.12	16,766	929	990	715

復建調査設計（ふっけんちょうさせっけい）

株式公開計画なし

採用内定数	倍率	3年後離職率	平均年収
22名	4.9倍	10.3%	･･

●待遇、制度●
【初任給】月25.2万(諸手当2.6万円)
【残業】22時間【有休】11.7日【制度】フ 住 在
●新卒定着状況●
20年入社(男22、女7)→3年後在籍(男19、女7)
●採用情報●
【人数】23年:18 24年:20 25年:応募108→内定22
【内定内訳】(男15、女7)(文3、理19)(総22、他0)
【試験】〔Web自宅〕有〔性格〕有
【時期】エントリー25.3→内々定25.5(一次はWEB面接可)【インターン】有
【採用実績校】愛媛大2、宮崎大2、広島工大2、広島修道大2、山口大2、大阪工大2、長崎大2、広島大1、岡山大1、岐阜大1、他
【求める人材】積極性、協調性、向上心を兼ね備えた人

【本社】732-0052 広島県広島市東区光町2-10-11 ☎082-506-1811
【特色・近況】西日本有数の建設コンサル。国土保全・維持、交通政策、都市計画、防災、地盤・地質調査を手がける。ICT、CIM、空間情報など新分野にも力を入れる。航空測量大手のアジア航測と資本業務提携。人材・技術開発に積極投資。全国に8支店を配する。
【設立】1960.4 【資本金】300百万円
【社長】藤井照久(1964.7生 山口大院工学研修了)
【株主】〔24.4〕自社従業員持株会57.8%
【事業】建設コンサルタント76、測量11、地質調査9、補償コンサルタント4 <海外1>
【従業員】単687名(43.3歳)

【業績】	売上高	営業利益	経常利益	純利益
単22.4	13,676	839	1,144	756
単23.4	14,607	682	947	650
単24.4	14,854	937	1,398	1,078

エスペックミック

株式公開計画なし

採用内定数	倍率	3年後離職率	平均年収
3名	1.3倍	−	559万円

●待遇、制度●
【初任給】月19万(諸手当を除いた数値)
【残業】12.1時間【有休】12日【制度】住 在
●新卒定着状況●
20年入社(男0、女0)→3年後在籍(男0、女0)
●採用情報●
【人数】23年:2 24年:0 25年:応募4→内定3
【内定内訳】(男1、女2)(文0、理3)(総3、他0)
【試験】〔性格〕有
【時期】エントリー25.4→内々定25.6(一次はWEB面接可)【インターン】有
【採用実績校】信州大1、大阪公大1、中部大1
【求める人材】自ら考え、チームで協力し、顧客に向き合える、ルールに沿って正確に仕事をすすめる力のある人

【本社】480-0138 愛知県丹羽郡大口町大御堂1-233-1 ☎0587-95-6369
【特色・近況】森づくり事業や在来種による緑化事業など、自然環境の再生・復元事業を展開。植物生産システム、植物研究用R&D機器なども取り扱う。海洋深層水を利用したミネラル豊富な野菜を開発。環境試験器メーカーのエスペックの完全子会社。
【設立】1988.7 【資本金】79百万円
【社長】梶山利治
【株主】〔24.3〕エスペック100%
【事業】森づくり17、水辺づくり20、環境モニタリング50、他13
【従業員】単29名(40.6歳)

【業績】	売上高	営業利益	経常利益	純利益
単22.3	1,192	▲30	▲20	▲25
単23.3	1,417	11	13	9
単24.3	1,455	50	50	28

国際航業（こくさいこうぎょう）

株式公開計画なし

採用内定数	倍率	3年後離職率	平均年収
67名	6.1倍	11.8%	‥

●待遇、制度●
【初任給】月24.2万(諸手当2.9万円)
【残業】‥時間【有休】9.9日【制度】住 在
●新卒定着状況●
20年入社(男29、女22)→3年後在籍(男25、女20)
●採用情報●
【人数】23年:68 24年:64 25年:応募406→内定67*
【内定内訳】(男54、女13)(文19、理48)(総67、他0)
【試験】試験あり
【時期】エントリー24.11→内々定25.随時(一次はWEB面接可)【インターン】有
【採用実績校】日大5、筑波大4、新潟大4、法政大4、弘前大3、鹿児島大3、広島工大3、駒澤大3、岩手大2、東京電機大2、東京都市大2、他
【求める人材】誠実で強い信念をもちチャレンジする人、新たな価値を創造できる人

【本社】169-0074 東京都新宿区北新宿2-21-1 新宿フロントタワー ☎03-6362-5931
【特色・近況】地理空間情報技術を駆使したコンサルティングを展開。空間情報・センシング分野、情報システム分野、都市計画・インフラマネジメント分野、防災・減災分野、環境保全分野、再生可能エネルギー分野などを担当。ミライト・ワン グループ傘下。航空測量で創業。
【設立】1947.9 【資本金】6,794百万円
【社長】土方聡(1962.5生 東海大海洋卒)
【株主】〔24.6〕ミライト・ワン100%
【事業】地理空間情報技術を軸とした防災・減災、行政・インフラマネジメント、脱炭素・環境分野での技術コンサルティング他
【従業員】単1,996名(46.9歳)

【業績】	売上高	営業利益	経常利益	純利益
単22.3	38,927	1,852	1,190	877
単23.3	41,420	2,544	3,097	5,405
単24.3	42,093	2,925	3,104	3,738

#年収高く倍率低い #年収が高い

セントラルコンサルタント

株式公開計画なし

採用内定数	倍率	3年後離職率	平均年収
20名	13.1倍	17.6%	987万円

●待遇、制度●
【初任給】月27万
【残業】33.3時間【有休】14.4日【制度】在
●新卒定着状況●
20年入社(男12、女5)→3年後在籍(男10、女4)
●採用情報●
【人数】23年:16 24年:23 25年:応募261→内定20*
【内定内訳】(男18、女2)(文2、理18)(総20、他0)
【試験】〔Web会場〕SPI3〔Web自宅〕SPI3〔性格〕有
【時期】エントリー25.2→内々定25.4(一次はWEB面接可)【インターン】有
【採用実績校】北大1、東北学大2、日大2、名城大3、和歌山大1、愛媛大1、広島大1、九州工大1、金沢大1、佐賀大1、他
【求める人材】プロフェッショナルとなり、誠意と熱意をもって一緒に持続可能な未来を描ける人

【本社】104-0053 東京都中央区晴海2-5-24 晴海センタービル ☎03-3532-8031
【特色・近況】社会インフラの調査・計画・設計が主体の建設コンサルタント。売上の95%は官公需。建築設計、測量、地質調査も展開。工学博士ほか有資格者が多い。防災・減災、マネジメント、民間業務に注力。中南米、アジアに海外拠点。
【設立】1967.1 【資本金】130百万円
【代表取締役】中田健一
【株主】〔23.9〕三菱地所30.8%
【事業】土木設計97、建築設計・測量・地質調査3
【従業員】単522名(41.2歳)

【業績】	売上高	営業利益	経常利益	純利益
単21.9	11,659	1,378	1,312	871
単22.9	11,969	1,590	1,647	1,105
単23.9	12,557	1,510	1,561	1,138

#初任給が高い

㈱リンクアンドモチベーション

東証プライム

採用予定数	倍率	3年後離職率	平均年収
60名	‥	22.2%	636万円

●待遇、制度●
【初任給】月29.5万(諸手当を除いた数値)
【残業】39.3時間【有休】9日【制度】フ 在
●新卒定着状況●
20年入社(男13、女14)→3年後在籍(男11、女10)
●採用情報●
【人数】23年:59 24年:62 25年:予定60
【内定内訳】(男‥、女‥)(文‥、理‥)(総‥、他‥)
【試験】〔Web自宅〕有〔性格〕有
【時期】エントリー24.10→内々定24.12(一次・二次以降もWEB面接可)【インターン】有
【採用実績校】‥
【求める人材】熱くて、強くて、気持ちよくて、賢い人

【本社】104-0061 東京都中央区銀座4-12-15 歌舞伎座タワー ☎03-6853-8111
【特色・近況】働く人のモチベーションに焦点を当てた経営コンサル会社。心理学などに基づく独自技術で個人の意欲喚起や組織活性を図る。利害関係者との関係強化支援を行う法人向け、PC・資格など各種スクール運営の個人向け、英語指導の請負と人材紹介・派遣の3部門。
【設立】2000.3 【資本金】1,380百万円
【会長】小笹芳央(1961.5生 早大政経卒)
【株主】〔24.6〕㈱フェニックス37.1%
【連結事業】組織開発ディビジョン37、個人開発ディビジョン18、マッチングディビジョン45、他0
【従業員】連1,470名 単499名(31.8歳)

【業績】	売上高	営業利益	税前利益	純利益
連21.12	32,644	2,066	1,903	918
連22.12	32,776	3,627	3,501	1,941
連23.12	33,969	4,623	4,567	2,842

㈱日経(にっけい)リサーチ

株式公開計画なし

採用内定数	倍率	3年後離職率	平均年収
12名	‥	18.2%	‥

●待遇、制度●
【初任給】月25.3万
【残業】‥時間【有休】13.2日【制度】[在]
●新卒定着状況●
20年入社(男5、女6)→3年後在籍(男4、女5)
●採用情報●
【人数】23年:14 24年:13 25年:応募‥→内定12*
【内定内訳】(男8、女4)(文‥、理‥)(総12、他0)
【試験】試験あり
【時期】エントリー 25.3→内々定25.未定(一次はWEB面接可)【インターン】有
【採用実績校】‥

【求める人材】社会や消費のトレンドに関心を持ち、変化の理由を考えるのが好きな好奇心の強い人

【本社】101-0047 東京都千代田区内神田2-2-1 鎌倉河岸ビル ☎03-5296-5111
【特色・近況】市場調査、企業調査、社会調査、世論調査などを主体に、経済データの収集、データベース構築を行う総合調査会社。調査手法もインターネット、郵送、インタビュー、訪問など幅広い。国内は大阪、名古屋など、海外はタイに拠点。日本経済新聞社グループ。
【設立】1970.10 【資本金】32百万円
【社長】新藤政史
【株主】〔23.12〕日本経済新聞社100%
【事業】調査事業および関連業務100
【従業員】単213名(39.8歳)

【業績】	売上高	営業利益	経常利益	純利益
単21.12	5,748	‥	246	▲32
単22.12	7,174	‥	285	166
単23.12	7,563	‥	451	282

㈱富士(ふじ)キメラ総研(そうけん)

株式公開計画なし

採用内定数	倍率	3年後離職率	平均年収
5名	16.4倍	33.3%	[総]702万円

●待遇、制度●
【初任給】月25.1万(諸手当1.3万円、固定残業代30時間分)
【残業】18.2時間【有休】14.3日【制度】[住][在]
●新卒定着状況●
20年入社(男3、女0)→3年後在籍(男2、女0)
●採用情報●
【人数】23年:4 24年:6 25年:応募82→内定5*
【内定内訳】(男3、女2)(文5、理0)(総5、他0)
【試験】〔Web自宅〕SPI3
【時期】エントリー 25.3→内々定25.4(一次はWEB面接可)【インターン】有【ジョブ型】有
【採用実績校】慶大院1、東洋大1、昭和女大1、神奈川大1、駒澤大1

【求める人材】知的好奇心に富み、論理的思考能力や行動力のある人

【本社】103-0027 東京都中央区日本橋3-9-1 日本橋三丁目スクエア ☎03-3241-3490
【特色・近況】富士経済グループの一角で、市場調査中心に60年超の実績。コンピュータ、半導体、電子部品などIT分野や先端分野の技術調査に強み。中国・北京に現地法人を持つなど中国市場調査も展開。調査資料のオンラインデータ提供サービスも行う。
【設立】1992.9 【資本金】20百万円
【社長】田中一志(1959.10生 専大経営卒)
【株主】〔23.6〕富士経済グループ本社100%
【事業】依頼調査40、市場調査資料40、マルチクライアント特別調査企画20
【従業員】単80名(36.3歳)

【業績】	売上高	営業利益	経常利益	純利益
単21.6	1,664	483	471	343
単22.6	1,695	469	449	311
単23.6	1,766	454	454	338

#初任給が高い

GMOリサーチ&AI

東証グロース

採用内定数	倍率	3年後離職率	平均年収
1名	12倍	0%	572万円

●待遇、制度●
【初任給】月29.5万(諸手当1万円、固定残業代45時間分)
【残業】21.8時間【有休】10.7日【制度】[フ][在]
●新卒定着状況●
20年入社(男2、女2)→3年後在籍(男2、女2)
●採用情報●
【人数】23年:8 24年:1 25年:応募12→内定1*
【内定内訳】(男0、女1)(文‥、理‥)(総1、他0)
【試験】〔Web自宅〕有〔性格〕有
【時期】エントリー 25.3→内々定25.6*(一次・二次以降もWEB面接可)【インターン】有【ジョブ型】有
【採用実績校】宇部高専1

【求める人材】人事ポリシーである、「楽しもう」「やり抜こう」「尊重しよう」に共感できる人

【本社】150-8512 東京都渋谷区桜丘町26-1 セルリアンタワー ☎03-5962-0037
【特色・近況】GMOグループのインターネット調査会社。顧客からの受託調査に加え、調査会社やコンサルティング会社向けにネット上で調査を完結できるプラットフォームを提供。プラットフォームのAI化を推進。アジア一帯に調査回答網を保有し先行。
【設立】2002.4 【資本金】299百万円
【社長】細川慎一(1973.2生 サンダバード院修了)
【株主】〔24.6〕GMOインターネットグループ53.0%
【連結事業】アウトソーシングサービス67、D.I.Yサービス31、他サービス2 <海外28>
【従業員】連187名 単140名(36.2歳)

【業績】	売上高	営業利益	経常利益	純利益
連21.12	4,086	352	385	274
連22.12	5,200	419	458	356
連23.12	5,117	440	428	307

#有休取得が多い

㈱朝日ネット（あさひ）

東証プライム

採用内定数	倍率	3年後離職率	平均年収
30名	34.2倍	12.5%	498万円

●待遇、制度●
【初任給】年380.4万
【残業】13.5時間【有休】18日【制度】住
●新卒定着状況●
20年入社(男4、女4)→3年後在籍(男4、女3)
●採用情報●
【人数】23年:7 24年:9 25年:応募1027→内定30
【内定内訳】(男17、女13)(文18、理10)(総18、他12)
【試験】〔Web自宅〕有〔性格〕有
【時期】エントリー24.9→内々定25.1(一次・二次以降もWEB面接可)
【採用実績校】中大1、東京工科大1、早大1、立命館大1、東大1、東海大1、徳島大1、千葉工大1、日女大1、舞鶴高専1
【求める人材】成長意欲高く学び続け、ひとつひとつ確実に仕事を遂行する人

【本社】104-0061 東京都中央区銀座4-12-15 歌舞伎座タワー ☎03-3541-1900
【特色・近況】独立系ネット接続サービス会社。「ASAHIネット」ブランドで展開。IPv6サービスは他事業者向けにも提供。セキュリティーやIP電話などの関連サービスも。クラウドで提供する大学向け教育支援サービス「manaba」は約100校が導入。
【設立】1990.4【資本金】630百万円
【代表取締役】土方次郎(1971.1生 京大法卒)
【株主】〔24.3〕日本マスタートラスト信託銀行信託口9.0%
【事業】インターネット接続サービス89、インターネット関連サービス11
【従業員】単210名(40.2歳)

【業績】	売上高	営業利益	経常利益	純利益
単22.3	11,577	1,834	1,839	1,255
単23.3	12,170	1,841	1,846	1,285
単24.3	12,217	1,965	1,986	1,289

㈱ＳＴＮｅｔ

株式公開計画なし

採用内定数	倍率	3年後離職率	平均年収
28名	4.6倍	10.5%	‥

●待遇、制度●
【初任給】月22.4万
【残業】22.2時間【有休】13.3日【制度】フ 住 在
●新卒定着状況●
20年入社(男12、女7)→3年後在籍(男10、女7)
●採用情報●
【人数】23年:26 24年:28 25年:応募130→内定28*
【内定内訳】(男21、女7)(文8、理15)(総28、他0)
【試験】〔Web会場〕SPI3〔性格〕有
【時期】エントリー25.2→内々定25.3*(一次・二次以降もWEB面接可)【インターン】有
【採用実績校】香川大10、広島大2、徳島大1、愛媛大1、高知大1、横国大1、山口大1、豊橋技科大1、高知工科大1、岡山県大1、香川高専2、他
【求める人材】前向きでチャレンジを恐れない人

【本社】761-0195 香川県高松市春日町1735-3 ☎087-887-2400
【特色・近況】四国電力完全子会社の電気通信事業者。SI、プラットフォーム、通信の3事業を併せ持ち、様々なITサービスをワンストップで提供。高松市に西日本最大級のデータセンター擁す。徳島、愛媛などに支店。東京に首都圏営業部を配置。
【設立】1984.7【資本金】3,000百万円
【社長】小林功(1958.4生 一橋大経済卒)
【株主】〔24.3〕四国電力100%
【事業】通信70、情報システム30
【従業員】単733名(42.2歳)

【業績】	売上高	営業利益	経常利益	純利益
単22.3	40,860	6,551	6,737	4,662
単23.3	41,625	7,848	7,986	5,528
単24.3	45,214	8,713	8,834	6,197

沖縄セルラー電話（おきなわ でんわ）

東証スタンダード

採用予定数	倍率	3年後離職率	平均年収
10名	‥	0%	705万円

●待遇、制度●
【初任給】月21万
【残業】25.1時間【有休】13.7日【制度】フ 住 在
●新卒定着状況●
20年入社(男8、女8)→3年後在籍(男8、女8)
●採用情報●
【人数】23年:12 24年:10 25年:予定10
【内定内訳】(男9、女7)(文7、理9)(総16、他0)
【試験】〔Web会場〕C-GAB〔性格〕有
【時期】エントリー24.11→内々定25.2(一次・二次以降もWEB面接可)【インターン】有
【採用実績校】琉球大6、横浜市大1、熊本大1、信州大1、明学大1、お茶女大1、九大3、広島大1、千葉工大1
【求める人材】沖縄県民と沖縄県のために役立つよう尽力する人、素直な心で人の意見に耳を傾け、周囲に対し思いやりを発揮できる人

【本社】900-8540 沖縄県那覇市松山1-2-1 ☎098-869-1001
【特色・近況】沖縄県で「au」「UQモバイル」の携帯電話サービスを展開するKDDIの子会社。県内携帯シェア約5割。光回線と併せて顧客を開拓。都市型データセンター併設オフィスも運営。KDDIが5割超出資し、沖縄銀行、沖縄電力、琉球放送などの地元企業も株主。
【設立】1991.6【資本金】1,414百万円
【社長】宮倉康彰(1962.7生)
【株主】〔24.3〕KDDI50.9%
【連結事業】携帯電話サービス・端末販売等100
【従業員】連468名 単302名(39.8歳)

【業績】	売上高	営業利益	経常利益	純利益
連22.3	73,426	15,222	15,321	10,660
連23.3	77,299	15,932	16,130	10,852
連24.3	77,990	17,014	17,188	12,129

㈱ＱＴｎｅｔ

株式公開計画なし

採用内定数	倍率	3年後離職率	平均年収
22名	19.9倍	0%	‥

●待遇、制度●
【初任給】月21.9万
【残業】20.4時間【有休】12.9日【制度】フ 住 在
●新卒定着状況●
20年入社(男18、女7)→3年後在籍(男18、女7)
●採用情報●
【人数】23年:34 24年:34 25年:応募438→内定22
【内定内訳】(男14、女8)(文8、理11)(総22、他0)
【試験】〔Web会場〕SPI3〔性格〕有
【時期】エントリー25.2→内々定25.4(一次はWEB面接可)【インターン】有
【採用実績校】九大2、佐賀大1、長崎大2、熊本大1、九州工大1、山口大1、静岡大1、専大1、法政大1、福岡大3、他
【求める人材】新たなことにチャレンジしつづけ、仲間とともに変化を楽しめる人

【天神本店】810-0001 福岡県福岡市中央区天神1-12-20 日之出天神ビルディング☎092-981-7575
【特色・近況】九州をサービスエリアにICTサービスを提供。個人向けに「BBIQ」、法人向けに「QTPRO」ブランドで展開。天神ロフトビルに西日本最大級のeスポーツ総合施設を開設するなどeスポーツの普及に取り組む。九州電力グループ。
【設立】1987.7 【資本金】22,020百万円
【代表取締役】小倉良夫(1956.1生 東大工卒)
【株主】〔24.3〕九州電力100%
【事業】通信事業94、放送事業3、電力販売事業2、広告事業1
【従業員】単881名(40.3歳)

【業績】	売上高	営業利益	経常利益	純利益
単22.3	64,524	‥	2,473	1,701
単23.3	67,768	‥	1,842	1,304
単24.3	70,993	‥	1,891	1,353

スターネット

株式公開計画なし

採用内定数	倍率	3年後離職率	平均年収
2名	‥	33.3%	‥

●待遇、制度●
【初任給】月25万(諸手当を除いた数値)
【残業】19時間【有休】13日【制度】フ 住 在
●新卒定着状況●
20年入社(男2、女1)→3年後在籍(男2、女0)
●採用情報●
【人数】23年:3 24年:3 25年:応募‥→内定2*
【内定内訳】(男2、女0)(文2、理0)(総2、他0)
【試験】〔Web自宅〕有
【時期】エントリー25.3→内々定25.6(一次・二次以降もWEB面接可)
【採用実績校】大阪公大1、近大1
【求める人材】ITやネットワーク分野に興味を持ち、自ら考え行動して向上心を持ち続けている人

【本社】541-0041 大阪府大阪市中央区北浜4-7-28 住友ビル第2号館 ☎06-6220-4500
【特色・近況】企業向けネットワークの企画・設計・構築が主事業。企業内ネットワーク構築・運用保守・セキュリティー対策の他、データ伝送など、情報通信関連サービスをワンストップで統合的に提供する。住友電工の連結子会社だが有力企業も数多く出資。
【設立】1986.4 【資本金】480百万円
【社長】谷本收
【株主】〔24.3〕住友電気工業46.8%
【事業】個別ネットワークサービス71、ネットワークインテグレーション15、他14
【従業員】単120名(43.0歳)

【業績】	売上高	営業利益	経常利益	純利益
単22.3	9,561	397	400	280
単23.3	10,430	451	454	311
単24.3	11,299	468	472	340

中部テレコミュニケーション

株式公開計画なし

採用内定数	倍率	3年後離職率	平均年収
32名	10.8倍	10.8%	㊌724万円

●待遇、制度●
【初任給】月22.1万
【残業】33.7時間【有休】12.2日【制度】フ 住 在
●新卒定着状況●
20年入社(男24、女13)→3年後在籍(男23、女10)
●採用情報●
【人数】23年:41 24年:44 25年:応募344→内定32*
【内定内訳】(男25、女7)(文11、理18)(総32、他0)
【試験】〔Web自宅〕SPI3〔性格〕有
【時期】エントリー25.1→内々定25.3(一次はWEB面接可)【インターン】有
【採用実績校】名大1、鈴鹿医療科学大1、龍谷大1、名城大5、名古屋工学院専1、南山大3、中部大院1、中京大5、椙山女学大1、三重大院1、他
【求める人材】自分らしさを武器に、自信を持ってチャレンジできる人

【本社】460-0003 愛知県名古屋市中区錦1-10-1 MIテラス名古屋伏見ビル ☎052-740-8011
【特色・近況】中部5県で電気通信サービスを提供する、KDDIの連結子会社。略称ctc。個人向けFTTHサービス「コミュファ光」を長野、静岡、愛知、岐阜、三重で提供、auのサービスとも連携。法人向けは広域イーサネットサービスやデータセンターなどを手がける。
【設立】1986.6 【資本金】38,816百万円
【社長】中島弘豊(1969.4生 名城大商卒)
【株主】〔24.3〕KDDI80.9%
【事業】電気通信事業100
【従業員】単906名(39.0歳)

【業績】	売上高	営業利益	経常利益	純利益
単22.3	99,423	24,860	25,314	17,509
単23.3	100,740	26,232	26,764	18,700
単24.3	104,967	27,097	27,472	19,079

㈱東名（とうめい）　東証スタンダード

採用内定数	倍率	3年後離職率	平均年収
82名	8倍	68.7%	[総]490万円

●待遇、制度● 平均年収は営業職のみの数値
【初任給】月24.4万（固定残業代25時間分）
【残業】19.6時間【有休】9.8日【制度】‥
●新卒定着状況●
20年入社（男5、女11）→3年後在籍（男2、女3）
●採用情報●
【人数】23年:20 24年:27 25年:応募655→内定82*
【内定内訳】（男56、女26）（文57、理19）（総76、他6）
【試験】なし
【時期】エントリー 25.3→内々定25.3(一次・二次以降もWEB面接可)【インターン】有
【採用実績校】立命館大3、南山大2、愛知大2、名城大3、愛知淑徳大9、北星学大3、北翔大3、帝京大2、関西国際大2、福岡大2、他
【求める人材】チームや取引先と信頼構築できる高いコミュニケーション力を持つ人、小さな約束も守る人

【本社】510-0001 三重県四日市市八田2-1-39 ☎059-330-2151
【特色・近況】NTTの光回線にトラブルサポートなどを付加した独自サービス「オフィス光119」が主力。中小企業や個人事業主向けに販売。顧客データベースによるマーケティングに強み。情報通信機器、業務用エアコン、電力小売の販売などオフィス向け事業も手がける。
【設立】1997.12【資本金】629百万円
【社長】山本文彦（1969.12生 日文理大商経卒）
【株主】〔24.2〕山本文彦52.9%
【連結事業】オフィス光11954、オフィスソリューション45、ファイナンシャル・プランニング1
【従業員】連448名 単429名（32.3歳）

【業績】	売上高	営業利益	経常利益	純利益
連21.8	13,027	392	452	277
連22.8	17,701	334	439	269
連23.8	20,531	1,649	1,751	1,150

㈱フォーバルテレコム　東証スタンダード

採用内定数	倍率	3年後離職率	平均年収
5名	‥	0%	‥

●待遇、制度●
【初任給】月25.2万（固定残業代42時間分）
【残業】‥時間【有休】‥日【制度】[在]
●新卒定着状況●
20年入社（男2、女0）→3年後在籍（男2、女0）
●採用情報●
【人数】23年:3 24年:5 25年:応募‥→内定5
【内定内訳】（男5、女0）（文5、理0）（総5、他0）
【試験】〔筆記〕有
【時期】エントリー‥→内々定‥【インターン】有
【採用実績校】‥
【求める人材】明るく元気で素直な人、主体的に物事に取り組み他人にない強みを持っている人

【本社】108-0075 東京都港区港南1-8-23 Shinagawa HEART ☎03-6825-4086
【特色・近況】中小企業向けに通信サービスを展開。自社で保有する通信設備は一部で、他は電気通信事業者等から仕入れて提供。顧客データベースや課金・請求システムを活用した請求・回収事業も。子会社で印刷業務、コンサルティング、セキュリティーサービス、保険代理事業を手がける。
【設立】1995.4【資本金】553百万円
【社長】行辰哉（1964.10生）
【株主】〔24.3〕フォーバル75.0%
【連結事業】IP&Mobileソリューション47、ユーティリティ34、ドキュメントソリューション5、コンサルティング13
【従業員】連302名 単87名（38.9歳）

【業績】	売上高	営業利益	経常利益	純利益
連22.3	21,801	1,068	1,001	868
連23.3	24,748	573	641	378
連24.3	23,115	1,023	1,008	750

㈱ブロードエンタープライズ　東証グロース

採用内定数	倍率	3年後離職率	平均年収
8名	2.5倍	43.2%	[総]452万円

●待遇、制度●
【初任給】月22万（諸手当2.5万円）
【残業】20.7時間【有休】11日【制度】‥
●新卒定着状況●
20年入社（男18、女19）→3年後在籍（男11、女10）
●採用情報●
【人数】23年:19 24年:12 25年:応募20→内定8*
【内定内訳】（男6、女2）（文8、理0）（総8、他0）
【試験】〔筆記〕有〔Web自宅〕有
【時期】エントリー 25.3→内々定‥*(一次はWEB面接可)
【採用実績校】大阪体大1、びわこ成蹊スポーツ大1、流通科学大1、大阪学大1、順天堂大1、関西福祉大1、追手門学大1、東京国際大1
【求める人材】経営理念に共感できる人

【本社】530-0051 大阪府大阪市北区太融寺町5-15 ☎06-6311-4511
【特色・近況】マンションなど集合住宅へ全戸一括型インターネット接続サービスを提供。回線敷設工事から接続環境の維持、保守サービスまでを「B-CUBIC」ブランドで展開。顔認証IoTインターホン、マンションオーナー向け空室対策サービスなど周辺設備も扱う。
【設立】2003.3【資本金】77百万円
【社長】中西良祐（1974.9生 甲南大法卒）
【株主】〔24.6〕㈱ディーアイ55.0%
【事業】インターネットサービス100
【従業員】単125名（27.8歳）

【業績】	売上高	営業利益	経常利益	純利益
単21.12	2,500	572	536	346
単22.12	2,992	289	125	77
単23.12	3,957	507	363	327

兼松(かねまつ)コミュニケーションズ
株式公開未定

採用内定数	倍率	3年後離職率	平均年収
26名	10.2倍	34%	‥

●待遇、制度●
【初任給】月21万
【残業】17.4時間【有休】12.1日【制度】住 在
●新卒定着状況●
20年入社(男17、女36)→3年後在籍(男13、女22)
●採用情報●
【人数】23年:13 24年:7 25年:応募264→内定26*
【内定内訳】(男11、女15)(文‥、理‥)(総4、他22)
【試験】〔筆記〕有〔Web自宅〕有〔性格〕有
【時期】エントリー24.12→内々定25.12*(一次・二次以降もWEB面接可)【ジョブ型】有
【採用実績校】日大2、明大1、立教大1、成城大1、福岡大1、東海大1、駿河台大1、日本文化大1、関東学院大1、明学大1
【求める人材】何事にも前向きでチャレンジ精神のある人、また、誰に対しても素直でいられる人

【本社】151-8601 東京都渋谷区代々木3-22-7 新宿文化クイントビル3階 ☎03-5308-1011
【特色・近況】ドコモ、KDDIなどの主要代理店で携帯キャリアショップを運営。北海道から沖縄まで全国約330店舗(FC店舗含む)。法人向けに携帯電話総合管理ツールや労務管理クラウドサービスなどの提供も行う。兼松グループ。
【設立】1974.4 【資本金】1,425百万円
【社長】伊藤秀孝(1967.4生)
【株主】〔24.3〕兼松100%
【事業】移動体関連ビジネス100
【従業員】単2,363名(38.4歳)

【業績】	売上高	営業利益	経常利益	純利益
単22.3	102,222	3,055	3,218	2,042
単23.3	99,945	1,916	2,064	280
単24.3	141,232	4,354	4,644	3,362

㈱クロップス
東証スタンダード

採用内定数	倍率	3年後離職率	平均年収
20名	43.9倍	30%	390万円

●待遇、制度●
【初任給】月24.5万(固定残業代30時間分)
【残業】24.2時間【有休】9.6日【制度】‥
●新卒定着状況●
20年入社(男25、女35)→3年後在籍(男21、女21)
●採用情報●
【人数】23年:43 24年:42 25年:応募877→内定20*
【内定内訳】(男15、女5)(文15、理1)(総20、他0)
【試験】〔性格〕有
【時期】エントリー24.6→内々定24.12*(一次・二次以降もWEB面接可)【インターン】有
【採用実績校】日大1、帝京大2、江戸川大1、桜美林大1、拓大1、中部大1、中京大1、成城大1、大同大1、名古屋経大1、他
【求める人材】人想いで相手のために行動できる人、理想に向かって自ら成長できる人

【本社】450-0002 愛知県名古屋市中村区名駅3-26-8 ☎052-586-5145
【特色・近況】東海地区地盤の携帯端末販売会社。東海4県に加え関東にauショップを展開。「au」専売で東海エリア最大規模。飲食店の居抜き店舗賃貸の子会社テンポイノベーションの利益貢献度大きい。ビルメンテナンスや製造業への人材派遣なども手がける。
【設立】1977.11 【資本金】255百万円
【代表取締役】前田有幾(1985.5生 中大院経済修了)
【株主】〔24.3〕㈱アイ・エー・エイチ33.6%
【連結事業】移動体通信43、人材派遣5、ビルメンテナンス11、店舗転貸借25、不動産売買1、卸14、海外1
【従業員】連1,200名 単686名(30.7歳)

【業績】	売上高	営業利益	経常利益	純利益
連22.3	45,318	2,508	2,672	1,477
連23.3	48,380	2,272	2,432	1,175
連24.3	54,487	2,127	2,316	1,206

㈱サカイホールディングス
東証スタンダード

採用内定数	倍率	3年後離職率	平均年収
28名	10.8倍	31.2%	510万円

●待遇、制度●
【初任給】月21.4万(諸手当を除いた数値)
【残業】10時間【有休】12日【制度】住 在
●新卒定着状況●
20年入社(男18、女14)→3年後在籍(男12、女10)
●採用情報●エスケーアイ採用
【人数】23年:35 24年:32 25年:応募302→内定28*
【内定内訳】(男13、女15)(文26、理2)(総28、他0)
【試験】なし
【時期】エントリー25.2→内々定25.6*(一次・二次以降もWEB面接可)【インターン】有
【採用実績校】湘北短大5、岩崎学園情報専3、愛知学大1、中京大1、愛知淑徳大1、星城大1、横浜商大1、静岡産大1、静岡福祉大1、他
【求める人材】主体性のある人

【本社】460-0012 愛知県名古屋市中区千代田5-21-20 ☎052-262-4499
【特色・近況】携帯端末販売など展開、利益柱は再生可能エネルギー事業。全国15カ所に太陽光発電所を持つ。傘下のエスケーアイは、独立系の携帯端末販売代理店で、東海地区では中堅。直営店展開でソフトバンクショップが主体。葬祭、保険代理、駐車場も手がける。
【設立】1991.3 【資本金】747百万円
【社長】朝田康二郎(1979.7生 神戸大経営卒)
【株主】〔24.3〕㈱サンワ31.0%
【連結事業】再生可能エネルギー17、移動体通信機器販売関連68、保険代理店6、葬祭7、不動産賃貸・管理他2
【従業員】連536名 単39名(36.2歳)

【業績】	売上高	営業利益	経常利益	純利益
連21.9	15,171	1,315	1,210	740
連22.9	14,210	1,223	1,128	496
連23.9	14,848	1,343	1,234	815

#初任給が高い

㈱ｊｉｇ．ｊｐ

東証グロース

採用内定数	倍率	3年後離職率	平均年収
9名	2.4倍	20%	574万円

●待遇、制度●

【初任給】月30.8万（諸手当0.6万円、固定残業代45時間分）
【残業】15.6時間【有休】13.5日【制度】在

●新卒定着状況●

20年入社（男5、女0）→3年後在籍（男4、女0）

●採用情報●

【人数】23年:7 24年:5 25年:応募22→内定9*
【内定内訳】（男9、女0）（文0、理2）（総0、他9）
【試験】〔Web会場〕有〔Web自宅〕有
【時期】エントリー25.1→内々定25.1*(一次・二次以降もWEB面接可)【インターン】有
【採用実績校】福岡大1、福井工大1、津山高専1、大阪公大高専1、茨城高専1、麻生情報ビジネス専1、豊田高専1、鳥羽商船高専1、他
【求める人材】プログラミングが大好きな人、開発経験がある人(個人、チーム)

【本社】150-6233 東京都渋谷区桜丘町1-1 渋谷サクラステージ SHIBUYAタワー33階☎03-5367-3891
【特色・近況】ライブ配信事業「ふわっち」が主力。20から50代まで幅広い年齢層が性別問わず利用。視聴ユーザーによるアイテム課金（投げ銭）が収益源。プログラミング専用子どもパソコンの委託生産・販売も手がける。Vチューバープロデュース事業にも参入。
【設立】2003.5　【資本金】877百万円
【社長】川股将（1991.9生 早大卒）
【株主】〔24.3〕福野泰介24.7%
【連結事業】一般消費者向け関連99、自治体向け・企業向け関連1
【従業員】連88名 単・・名（35.3歳）

【業績】	売上高	営業利益	経常利益	純利益
連22.3	8,984	▲261	▲253	▲215
連23.3	10,503	990	986	978
連24.3	12,247	1,804	1,823	1,214

#採用数が多い #有休取得が多い

㈱ＮＴＴ－ＭＥ

株式公開計画なし

採用予定数	倍率	3年後離職率	平均年収
220名	・・	5.8%	530万円

●待遇、制度●

【初任給】月23.2万
【残業】17.6時間【有休】19.3日【制度】フ 住 在

●新卒定着状況●

20年入社（男282、女45）→3年後在籍（男264、女44）

●採用情報●

【人数】23年:314 24年:316 25年:予定220*
【内定内訳】（男・・、女・・）（文・・、理・・）（総・・、他・・）
【試験】〔Web自宅〕有〔性格〕有
【時期】エントリー25.3→内々定25.6*(一次・二次以降もWEB面接可)【インターン】有
【採用実績校】東北工大6、千葉工大5、神奈川工大4、日大2、日工大2、岩手県大2、芝工大1、開志専大1、高崎健康福祉大1、北見工大1、他
【求める人材】情報通信を支える使命感、やりがいに共感でき、学ぶ姿勢がありチャレンジし続ける人

【本社】160-0023 東京都新宿区西新宿3-19-2 NTT東日本本社ビル ☎03-3985-2121
【特色・近況】NTT東日本の完全子会社で、通信ネットワークの構築・保守・運用や、企業向けサービス・ソリューションを提供。情報通信ネットワークの安定運用や企業および通信キャリア向けの構築・保守サービスの拡大に力を入れる。
【設立】1999.4　【資本金】100百万円
【社長】星野理彰（1966.3生 慶大院理工修了）
【株主】〔24.3〕NTT東日本100%
【事業】電気・情報通信50、ITソリューション50
【従業員】単12,500名（44.1歳）

【業績】	売上高	営業利益	経常利益	純利益
単22.3	54,320	507	498	217
単23.3	53,864	1,066	1,053	611
単24.3	117,993	4,499	4,435	1,913

㈱アーベルソフト

株式公開計画なし

採用内定数	倍率	3年後離職率	平均年収
3名	8.7倍	60%	520万円

●待遇、制度●

【初任給】月22.6万（固定残業代10時間分）
【残業】19.7時間【有休】9.4日【制度】フ 住 在

●新卒定着状況●

20年入社（男4、女1）→3年後在籍（男1、女1）

●採用情報●

【人数】23年:5 24年:6 25年:応募26→内定3
【内定内訳】（男2、女1）（文2、理0）（総0、他3）
【試験】〔Web自宅〕有
【時期】エントリー25.3→内々定25.5【インターン】有
【採用実績校】十文字学女大1、東京国際大1、北海道情報大専1
【求める人材】人と接することが好きな人、IT分野が好きな人

【本社】350-0229 埼玉県坂戸市薬師町10-2 ☎049-284-5748
【特色・近況】Web系、オープン系ネットワークシステム開発、クラウド環境構築が軸のシステム開発会社。自治体DXに関わるデータ基盤構築業務が増加傾向にある。IoTシステム構築も手がける。埼玉にシステムインテグレーションセンターを持つ。
【設立】1984.8　【資本金】50百万円
【社長】西岡和也（1956.6生 岐阜大農卒）
【株主】〔23.6〕西岡和也67.0%
【事業】ソフトウエア開発100
【従業員】単67名（36.2歳）

【業績】	売上高	営業利益	経常利益	純利益
単21.6	500	7	2	2
単22.6	495	▲76	3	2
単23.6	687	68	77	52

アイアンドエルソフトウェア

株式公開いずれしたい

採用内定数	倍率	3年後離職率	平均年収
5名	13.4倍	33.3%	[総]564万円

●待遇、制度●
【初任給】月27万(固定残業代40時間分)
【残業】26.7時間【有休】11.7日【制度】[在]
●新卒定着状況●
20年入社(男5、女1)→3年後在籍(男4、女0)
●採用情報●
【人数】23年:4 24年:5 25年:応募67→内定5
【内定内訳】(男3、女2)(文0、理5)(総5、他0)
【試験】〔筆記〕SPI3〔性格〕有
【時期】エントリー25.3→内々定25.3【ジョブ型】有
【採用実績校】岡山理大1、宇都宮大1、芝工大1、東洋大1、都立大1
【求める人材】常に高いレベルを目標に、少しずつでも確実に実力をつけていきたいという意欲のある人

【本社】160-0023 東京都新宿区西新宿7-20-1 住友不動産西新宿ビル23階 ☎03-5331-7881
【特色・近況】Web、オープン系、アプリケーション系、ゲーム系の各ソフトウェア開発が柱。ユーザーとの直接取引を推進。新入社員研修や人事考課制度構築支援などのサービス提供も行う。情報処理技術者試験などの資格取得者を多数擁する。
【設立】1989.10 【資本金】40百万円
【社長】吉岡朗(1960.12生 法大法卒)
【株主】〔23.9〕吉岡朗100%
【事業】ソフトウエア受託開発100
【従業員】単163名(34.2歳)

【業績】	売上高	営業利益	経常利益	純利益
単21.9	1,360	53	53	47
単22.9	1,551	35	37	31
単23.9	1,562	92	93	63

㈱ＩＳＴソフトウェア

株式公開計画なし

採用内定数	倍率	3年後離職率	平均年収
20名	16.3倍	10%	[総]540万円

●待遇、制度●
【初任給】月23万
【残業】15時間【有休】14.5日【制度】[フ][在]
●新卒定着状況●
20年入社(男13、女7)→3年後在籍(男12、女6)
●採用情報●
【人数】23年:25 24年:21 25年:応募326→内定20*
【内定内訳】(男14、女6)(文5、理9)(総20、他0)
【試験】〔Web自宅〕有〔性格〕有
【時期】エントリー25.2→内々定25.3(一次はWEB面接可)【インターン】有
【採用実績校】神奈川工大2、甲南大2、日本工学院専2、関大1、関東学院大1、九大1、産能大1、四天王寺大1、昭和女大1、東京工科大1、他
【求める人材】明るく元気で失敗を恐れずチャレンジできる人

【本社】144-8721 東京都大田区蒲田5-37-1 ニッセイアロマスクエア13階 ☎03-5480-7211
【特色・近況】アイネット完全子会社のシステム開発会社。官公庁、流通、通信向けにシステムコンサル、ソフト開発、アウトソーシングなどのサービスを提供。電子カルテや自動改札機等、銀行システム、製造業営業支援システムなどに実績。
【設立】1976.7 【資本金】100百万円
【社長】染谷光四郎(1958.12生)
【株主】〔24.3〕アイネット100%
【事業】システム開発サービス97、情報処理サービス2、システム機器販売1
【従業員】単516名(39.3歳)

【業績】	売上高	営業利益	経常利益	純利益
単22.3	6,790	336	362	231
単23.3	7,615	457	475	289
単24.3	8,100	535	551	347

㈱アイ・エス・ビー

東証プライム

採用内定数	倍率	3年後離職率	平均年収
64名	14.3倍	26.4%	600万円

●待遇、制度●
【初任給】月23万
【残業】26.5時間【有休】15.1日【制度】[フ][住][在]
●新卒定着状況●
20年入社(男39、女14)→3年後在籍(男26、女13)
●採用情報●
【人数】23年:65 24年:65 25年:応募918→内定64
【内定内訳】(男53、女11)(文6、理24)(総64、他0)
【試験】〔性格〕有
【時期】エントリー24.11→内々定25.1(一次・二次以降もWEB面接可)【インターン】有
【採用実績校】東京情報クリエイター工学院専5、東京工科大4、神奈川工大4、仙台高専2、諏訪東理大2、宇部高専2、日本工学院専2、他
【求める人材】誠実に人と向き合い、仲間と一緒に夢に挑戦し続けられる人

【本社】141-0032 東京都品川区大崎5-1-11 住友生命五反田ビル ☎03-3490-1761
【特色・近況】独立系ソフトウェア開発の中堅。携帯端末ソフト、携帯基地局システムなど移動体通信に強み。車載系、医療系などの組み込みソフトウェア開発が拡大。業務系、公共、金融システムの受託開発も行う。セキュリティーなどプロダクト事業を育成中。
【設立】1970.6 【資本金】2,392百万円
【社長】若尾一史(1972.4生)
【株主】〔24.6〕㈲若尾商事17.4%
【連結事業】情報サービス85、セキュリティシステム15
【従業員】連2,101名 単934名(37.7歳)

【業績】	売上高	営業利益	経常利益	純利益
連21.12	26,176	1,869	1,940	1,110
連22.12	28,952	2,319	2,401	1,423
連23.12	32,388	2,734	2,810	1,472

[株]アイオス　株式公開計画なし

採用内定数	倍率	3年後離職率	平均年収
11名	46倍	22.2%	556万円

●待遇、制度●
【初任給】月23.8万(諸手当3.8万円)
【残業】20.9時間【有休】13.7日【制度】[フ][住][在]
●新卒定着状況●
20年入社(男11、女7)→3年後在籍(男8、女6)
●採用情報●
【人数】23年:18 24年:20 25年:応募506→内定11*
【内定内訳】(男9、女2)(文2、理5)(総0、他11)
【試験】〔Web自宅〕有〔性格〕有
【時期】エントリー25.1→内々定25.3(一次・二次以降もWEB面接可)【インターン】有
【採用実績校】北里大1、国士舘大1、東京家政大2、東京工芸大1、広島大1、文教大1、麻生情報ビジネス専1、佐世保高専1、他
【求める人材】ITへの興味があり行動力のある人、気遣いをもってコミュニケーションができる人

【本社】105-5115 東京都港区浜松町2-4-1 世界貿易センタービルディング南館15階 ☎03-5843-7651
【特色・近況】クレスコの完全子会社でグループIT戦略の一翼を担う。主力の金融機関向け大規模システム開発で培った経験とノウハウを生かし、自動車関連やエネルギーなど多様な領域に事業を展開。RPAソリューションなども提供。静岡市に営業・開発拠点を置く。
【設立】1989.6　【資本金】313百万円
【社長】宮本大地(1967.7生 帝塚山大経済卒)
【株主】〔24.3〕クレスコ100%
【事業】ITサービス99、デジタルソリューション1
【従業員】単253名(37.7歳)

【業績】	売上高	営業利益	経常利益	純利益
単22.3	4,801	474	487	327
単23.3	4,912	504	515	337
単24.3	5,712	571	581	414

#残業が少ない

アイサンテクノロジー　東証スタンダード

採用内定数	倍率	3年後離職率	平均年収
4名	2.3倍	0%	623万円

●待遇、制度●
【初任給】月24.7万(諸手当2.7万円)
【残業】1.8時間【有休】9.4日【制度】[フ][住][在]
●新卒定着状況●
20年入社(男3、女1)→3年後在籍(男3、女1)
●採用情報●
【人数】23年:6 24年:7 25年:応募9→内定4*
【内定内訳】(男1、女3)(文2、理2)(総3、他1)
【試験】〔Web自宅〕有〔性格〕有
【時期】エントリー24.7→内々定25.3*(一次はWEB面接可)【インターン】有【ジョブ型】有
【採用実績校】富山大1、東京経大1、関西学大1、福井大1
【求める人材】個性豊かで何事に対しても高い目標と問題意識をもって日々努力することができる人

【本社】460-0003 愛知県名古屋市中区錦3-7-14 ATビル ☎052-950-7500
【特色・近況】名古屋本拠の測量・土木向けソフト開発会社。測量計測機器の販売も行う。汎地球測位システム(GPS)の高精度位置情報サービスを利用したモービルマッピングシステム(MMS)が第2の柱。自動車の自動運転関連に注力。
【設立】1970.8　【資本金】1,922百万円
【社長】加藤淳(1967.6生 東邦高卒)
【株主】〔24.3〕加藤清久9.9%
【連結事業】公共62、モビリティ38、他0
【従業員】連168名 単141名(40.3歳)

【業績】	売上高	営業利益	経常利益	純利益
連22.3	4,190	257	253	203
連23.3	4,463	331	330	240
連24.3	5,478	449	455	340

[株]アイティフォー　東証プライム

採用内定数	倍率	3年後離職率	平均年収
39名	6倍	8.7%	[総]706万円

●待遇、制度●
【初任給】月25.1万(諸手当3.1万円)
【残業】14.1時間【有休】13日【制度】[フ][住][在]
●新卒定着状況●
20年入社(男16、女7)→3年後在籍(男15、女6)
●採用情報●
【人数】23年:33 24年:30 25年:応募235→内定39
【内定内訳】(男27、女12)(文28、理11)(総39、他0)
【試験】〔Web自宅〕SPI3〔性格〕有
【時期】エントリー24.8→内々定25.・・(一次はWEB面接可)【インターン】有【ジョブ型】有
【採用実績校】明大1、法政大1、近大2、駒澤大1、獨協大1、琉球大3、三重大1、山口大1、長崎大1、鹿児島大1
【求める人材】何事にも前向きで主体的に行動できる人、メンバーと協調して作業を進められる人

【本社】102-0082 東京都千代田区一番町21 一番町東急ビル ☎03-5275-7841
【特色・近況】独立系の中堅情報システム会社。金融向けネットワーク構築や延滞債権管理システム、流通界向け電子商取引やセキュリティー分野に強み。金融系の債権管理ノウハウを活用し自治体向けBPO市場にも注力。コールセンター向け自動受架電システムも手がける。
【設立】1959.5　【資本金】1,124百万円
【社長】佐藤恒徳(1964.12生 名学院大経済卒)
【株主】〔24.3〕日本マスタートラスト信託銀行信託口14.7%
【連結事業】システム開発・販売59、リカーリング41
【従業員】連592名 単494名(41.2歳)

【業績】	売上高	営業利益	経常利益	純利益
連22.3	17,021	3,031	3,106	2,112
連23.3	18,322	3,217	3,278	2,291
連24.3	20,652	3,737	3,846	2,770

㈱アイネス

東証プライム

採用内定数	倍率	3年後離職率	平均年収
44名	11.7倍	48.9%	701万円

●待遇、制度●
【初任給】月24.3万(諸手当0.3万円)
【残業】14.8時間【有休】16.2日【制度】フ 住 在
●新卒定着状況● 20～21年入社者合計
20年入社(男59、女31)→3年後在籍(男32、女14)
●採用情報●
【人数】23年:34 24年:33 25年:応募514→内定44*
【内定内訳】(男24、女20)(文26、理15)(総44、他0)
【試験】〔Web自宅〕有〔性格〕有
【時期】エントリー25.3→内々定25.4(一次・二次以降もWEB面接可)【インターン】有
【採用実績校】早大院2、富山大院1、立命館大院1、早大1、法政大1、日女大1、熊本大1、明大1、中大1、成城大1、関大1、立命館大1、他
【求める人材】論理的に物事を考え、高い成長意欲と責任感を持って行動できる人

【本社】103-0014 東京都中央区日本橋蛎殻町1-38-11 ☎03-6775-4401
【特色・近況】独立系SI大手。システムの企画・開発から、稼働後の運用・保守・メンテまで一貫。金融機関と地方自治体向けに強み。Web型総合行政情報システム「ウェブリングス」に定評。資本業務提携を結ぶ三菱総研グループとの協業強化。公共分野の開拓に注力。
【設立】1964.7 【資本金】15,000百万円
【社長】服部修治(1965.8生)
【株主】〔24.3〕三菱総合研究所19.3%
【連結事業】システム開発40、運用34、システム保守12、情報機器販売3、他10
【従業員】連1,350名 単937名(42.6歳)

【業績】	売上高	営業利益	経常利益	純利益
連22.3	40,033	1,963	2,060	1,300
連23.3	42,404	3,801	3,882	2,541
連24.3	40,557	2,877	2,732	1,795

㈱アイル

東証プライム

採用内定数	倍率	3年後離職率	平均年収
70名	21.4倍	10.6%	㊍640万円

●待遇、制度●
【初任給】月26.1万(諸手当5万円)
【残業】12.5時間【有休】11.1日【制度】住 在
●新卒定着状況●
20年入社(男25、女22)→3年後在籍(男24、女18)
●採用情報●
【人数】23年:51 24年:63 25年:応募1500→内定70
【内定内訳】(男33、女37)(文59、理9)(総70、他0)
【試験】〔Web自宅〕有
【時期】エントリー25.3→内々定25.4(一次・二次以降もWEB面接可)【インターン】有
【採用実績校】関大4、龍谷大4、同大3、大阪経大3、中部大3、愛知淑徳大2、駒澤大2、国士舘大2、大阪工大2、中京大2、名城大2、他
【求める人材】周囲にパワーを与えられる元気さ、困難を乗り越えられる強さ、何事も素直に吸収できる素直さのある人

【大阪本社】530-0011 大阪府大阪市北区大深町3-1 グランフロント大阪タワーB ☎06-6292-1170
【特色・近況】販売在庫管理システムなどの開発・販売会社。中堅・中小企業向けシステム構築や基幹システムのパッケージソフト販売が中心。実店舗とインターネットショップとの統合管理に強み。中規模会社への顧客層拡大や地方開拓を積極的に展開。クラウド化も加速。
【設立】1991.2 【資本金】354百万円
【社長】岩本哲夫(1955.8生)
【株主】〔24.7〕㈲GTホールディング33.4%
【連結事業】システムソリューション87、Webソリューション13
【従業員】連868名 単852名(34.4歳)

【業績】	売上高	営業利益	経常利益	純利益
連22.7	12,944	2,100	2,121	1,377
連23.7	15,924	3,547	3,571	2,472
連24.7	17,508	4,263	4,285	2,887

アイレット

株式公開計画なし

採用内定数	倍率	3年後離職率	平均年収
48名	17.6倍	26.3%	‥

●待遇、制度●
【初任給】月25万(諸手当2万円、固定残業代12時間分)
【残業】4.9時間【有休】10.2日【制度】フ 在
●新卒定着状況●
20年入社(男17、女2)→3年後在籍(男12、女2)
●採用情報●
【人数】23年:36 24年:49 25年:応募844→内定48*
【内定内訳】(男32、女16)(文22、理11)(総0、他48)
【試験】〔性格〕有
【時期】エントリー24.12→内々定25.2(一次・二次以降もWEB面接可)【ジョブ型】有
【採用実績校】神奈川大3、麻生情報ビジネス専3、早大2、ECCコンピュータ専2、トライデントコンピュータ専2、他
【求める人材】新しい技術に好奇心旺盛で、困難な課題にも積極的にチャレンジする気概のある人

【本社】105-6307 東京都港区虎ノ門1-23-1 虎ノ門ヒルズ森タワー7階 ☎03-6206-6820
【特色・近況】AWSなどクラウドの導入・運用、システム開発、コーポレートサイトやWebサービスのデザイン制作をワンストップで提供。Google Cloud関連資格の保有数は1000超。KDDIグループ。東京、名古屋、大阪にオフィスを置く。
【設立】2003.10 【資本金】70百万円
【社長】岩永充正
【株主】〔24.6〕KDDI Digital Divergence Holdings100%
【事業】ITコンサルティング、システム開発・保守・運用、サーバハウジング・ホスティング
【従業員】単873名(34.7歳)

【業績】	売上高	営業利益	経常利益	純利益
単22.3	34,926	3,090	2,875	1,811
単23.3	45,289	4,150	3,260	2,188
単24.3	53,683	4,660	4,784	3,245

㈱ＡＣＣＥＳＳ　東証プライム

採用内定数	倍率	3年後離職率	平均年収
12名	‥	7.7%	766万円

●待遇、制度●
【初任給】月28.2万(諸手当0.5万円、固定残業代30時間分)
【残業】11.1時間【有休】11.8日【制度】フ 在
●新卒定着状況●
20年入社(男12、女1)→3年後在籍(男11、女1)
●採用情報●
【人数】23年:8 24年:15 25年:応募‥→内定12*
【内定内訳】(男11、女1)(文0、理9)(総0、他12)
【試験】〔Web自宅〕有
【時期】エントリー24.9→内々定24.10*(一次・二次以降もWEB面接可)【インターン】有【ジョブ型】有
【採用実績校】東大、京大、電通大、東京農工大、山梨大、岩手大、豊橋技科大、他
【求める人材】常に新しい技術・知識を習得し、価値創造に勇気をもってチャレンジし続けられる人

【本社】101-0022 東京都千代田区神田練塀町3 大東ビル ☎03-6853-9088
【特色・近況】ネットワーク事業が主力で、IoTデバイスの受託開発やWebプラットフォーム事業も手がける。テレビ向け組み込みブラウザが高シェア。車載インフォテインメントも提供。現地法人を設置し海外展開を図る。NTTと資本業務提携。
【設立】1996.11【資本金】17,179百万円
【社長】大石清恭(1964.12生)
【株主】〔24.7〕清原達郎31.5%
【連結事業】IoT32、Webプラットフォーム12、ネットワーク56 <海外60>
【従業員】連809名 単299名(40.2歳)

【業績】	売上高	営業利益	経常利益	純利益
連22.1	9,853	▲3,219	▲2,646	▲3,049
連23.1	13,060	▲1,707	▲1,337	▲2,684
連24.1	16,573	▲105	▲12	▲280

㈱アクティス　株式公開していない

採用内定数	倍率	3年後離職率	平均年収
11名	13.5倍	34.8%	579万円

●待遇、制度●
【初任給】月22.6万(諸手当2.6万円)
【残業】16.4時間【有休】13.4日【制度】フ 在
●新卒定着状況●
20年入社(男17、女6)→3年後在籍(男11、女4)
●採用情報●
【人数】23年:14 24年:13 25年:応募148→内定11*
【内定内訳】(男7、女4)(文7、理2)(総0、他11)
【試験】〔Web自宅〕有〔性格〕有
【時期】エントリー25.3→内々定25.6*(一次・二次以降もWEB面接可)【インターン】有
【採用実績校】早大1、甲南大1、相模女大1、福岡工大1、札幌学大1、東京経大1、龍谷大1、武庫川女大1、他
【求める人材】本質を捉えた上で新しいアイデアを発想しようとする意識を常に持っている人

【本社】101-0031 東京都千代田区東神田2-3-10 PMO秋葉原Ⅱ ☎03-5822-7070
【特色・近況】通信事業者向け基幹通信システム、各種アプリ開発、ネットワークシステム開発などを展開。RPA対応、IoT構築などのサービスにも注力。Salesforceセキュリティ診断サービスも手がける。ミライト・ワン・システムズグループ。
【設立】1989.10【資本金】100百万円
【社長】宮田晃(1970.9生)
【株主】〔24.3〕ミライト・ワン・システムズ54.9%
【事業】ソフトウェア開発64、IT基盤サービス17、他ソリューション19
【従業員】単306名(41.0歳)

【業績】	売上高	営業利益	経常利益	純利益
単22.3	4,301	65	58	42
単23.3	4,415	56	54	34
単24.3	4,279	75	75	46

㈱アスタリスク　東証グロース

採用予定数	倍率	3年後離職率	平均年収
4名	－	0%	530万円

●待遇、制度●
【初任給】月22.4万(固定残業代30時間分)
【残業】8.9時間【有休】14.1日【制度】‥
●新卒定着状況●
20年入社(男2、女1)→3年後在籍(男2、女1)
●採用情報●
【人数】23年:2 24年:2 25年:応募5→内定0*
【内定内訳】(男‥、女‥)(文‥、理‥)(総‥、他‥)
【試験】〔筆記〕有〔Web自宅〕有
【時期】エントリー24.12→内々定‥*(一次・二次以降もWEB面接可)【ジョブ型】有
【採用実績校】‥
【求める人材】裁量権が大きいため、主体的、能動的に取り組める人

【本社】532-0013 大阪府大阪市淀川区木川西2-2-1 AsTech Osaka Building ☎050-5536-1185
【特色・近況】画像認識技術やバーコードリーダー、RFID(自動認識)が主力。顧客の基幹システムや業務アプリケーション運用までを連係し、業務効率化のためのシステム提供を請け負う。自動車、物流、流通、医療、小売り、アパレルなど幅広い業種に導入実績。
【設立】2006.9【資本金】804百万円
【取締】鈴木規之(1972.8生 阪大院理修了)
【株主】〔24.2〕トリプルウィン㈱45.0%
【連結事業】AsReader76、システムインテグレーション23、賃貸0 <海外13>
【従業員】連83名 単52名(41.9歳)

【業績】	売上高	営業利益	経常利益	純利益
連21.8	1,792	226	238	173
連22.8	2,407	400	473	322
連23.8	1,759	▲192	▲179	▲170

アセンテック　[東証スタンダード]

採用内定数	倍率	3年後離職率	平均年収
3名	5倍	0%	569万円

●待遇、制度●
【初任給】月25万(固定残業代30時間分)
【残業】10.5時間【有休】11.5日【制度】[フ][在]
●新卒定着状況●
20年入社(男3、女1)→3年後在籍(男3、女1)
●採用情報●
【人数】23年:5 24年:5 25年:応募15→内定3*
【内定内訳】(男2、女1)(文1、理2)(総3、他0)
【試験】〔筆記〕GAB
【時期】エントリー25.1→内々定25.3(一次・二次以降もWEB面接可)【インターン】有
【採用実績校】東京電機大1、茨城大1、立命館大1
【求める人材】勉強熱心で共に成長してくれる人

【本社】101-0022 東京都千代田区神田練塀町3 大東ビル ☎03-5296-9331
【特色・近況】セキュリティー向上やテレワーク環境構築を目的とした仮想デスクトップに関わる製品やサービスを提供。メーカー技術認定試験に合格した専門のエンジニアが保守・運用・コンサルを行う。海外メーカーの1次代理店として輸入販売するほか自社製品も展開。
【設立】2009.2 【資本金】235百万円
【社長】松浦崇(1968.9生 福岡大商卒)
【株主】〔24.7〕永森信一24.2%
【連結事業】ITインフラ事業100
【従業員】連92名 単82名(40.3歳)

【業績】	売上高	営業利益	経常利益	純利益
単22.1	6,484	708	714	496
単23.1	6,315	603	617	439
連24.1	6,226	607	702	480

アドソル日進　[東証プライム]

採用内定数	倍率	3年後離職率	平均年収
45名	17.9倍	18%	[総]589万円

●待遇、制度●
【初任給】月26.7万
【残業】15.9時間【有休】12.9日【制度】[住][在]
●新卒定着状況●
20年入社(男37、女13)→3年後在籍(男28、女13)
●採用情報●
【人数】23年:34 24年:39 25年:応募807→内定45*
【内定内訳】(男28、女17)(文19、理26)(総45、他0)
【試験】〔Web自宅〕有
【時期】エントリー25.3→内々定25.4(一次・二次以降もWEB面接可)【インターン】有
【採用実績校】東大1、東京科学大1、北大1、阪大1、九大2、早大6、慶大2、上智大1、九州工大3、明大1
【求める人材】失敗を恐れず挑戦し、顧客目線で物事を考え、向上心にあふれる人

【本社】108-0075 東京都港区港南4-1-8 リバージュ品川 ☎03-5796-3131
【特色・近況】独立系システム開発会社。コンサルから設計・開発・保守まで一貫したソリューションを提供。エネルギー、道路、鉄道など社会インフラ向けのほか、通信やセキュリティーなどのソリューションにも対応。DXプロジェクトのコンサルなど上流工程に参画。
【設立】1976.3 【資本金】575百万円
【会長】上田富三(1951.9生)
【株主】〔24.3〕日本マスタートラスト信託銀行信託口12.1%
【連結事業】社会インフラ59、先進インダストリー41
【従業員】連606名 単600名(39.1歳)

【業績】	売上高	営業利益	経常利益	純利益
連22.3	12,247	1,088	1,130	784
連23.3	12,842	1,210	1,244	841
連24.3	14,078	1,437	1,485	979

㈱アドバンスト・メディア　[東証グロース]

採用内定数	倍率	3年後離職率	平均年収
11名	28.8倍	6.2%	621万円

●待遇、制度●
【初任給】月27.5万(固定残業代45時間分)
【残業】4.5時間【有休】12.5日【制度】[在]
●新卒定着状況●
20年入社(男12、女4)→3年後在籍(男11、女4)
●採用情報●
【人数】23年:16 24年:15 25年:応募317→内定11*
【内定内訳】(男5、女6)(文7、理4)(総11、他0)
【試験】〔Web自宅〕有〔性格〕有
【時期】エントリー25.3→内々定25.4(一次・二次以降もWEB面接可)【ジョブ型】有
【採用実績校】昭和女大2、早大院1、福岡大1、立命館大1、学習院大1、中大1、会津大院1、他
【求める人材】周囲を巻き込みながら、目標に向かってチャレンジし続ける人

【本社】170-6042 東京都豊島区東池袋3-1-1 サンシャイン60 ☎03-5958-1031
【特色・近況】音声を文字変換する音声認識エンジン「AmiVoice」が中核技術。同技術を利用したコールセンターの応対履歴作成や医療現場での電子カルテ入力、建設工程管理など特定用途向けパッケージソフトの開発・販売が主。音声認識市場トップ。
【設立】1997.12 【資本金】6,930百万円
【会長兼社長】鈴木清幸(1952.1生)
【株主】〔24.3〕日本カストディ銀行信託口7.4%
【連結事業】音声認識100
【従業員】連274名 単244名(37.5歳)

【業績】	売上高	営業利益	経常利益	純利益
連22.3	4,461	823	929	448
連23.3	5,180	1,080	1,121	867
連24.3	6,001	1,367	1,414	1,005

㈱網屋（あみや）

東証グロース

採用内定数	倍率	3年後離職率	平均年収
28名	13.2倍	0%	562万円

●待遇、制度●
【初任給】年360万
【残業】6.8時間【有休】10.5日【制度】フ 住 在

●新卒定着状況●
20年入社(男9、女4)→3年後在籍(男9、女4)

●採用情報●
【人数】23年:14 24年:19 25年:応募370→内定28
【内定内訳】(男22、女6)(文20、理6)(総28、他0)
【試験】〔Web自宅〕有〔性格〕有
【時期】エントリー24.9→内々定24.12*(一次・二次以降もWEB面接可)【インターン】有【ジョブ型】有
【採用実績校】岩手県大院、京大院、名大院、奈良先端科技院大、早大院、小樽商大、学習院大、神戸大、駒澤大、専大、筑波大、長崎県大、他
【求める人材】能動的・前向きに行動できる人、人とコミュニケーションを取るのが好きな人

【本社】103-0007 東京都中央区日本橋浜町3-3-2 ☎03-6822-9999
【特色・近況】セキュリティー関連のソフトやサービスに強み。データセキュリティ事業はログ管理ソフトが主力。ネットワークセキュリティ事業では企業のICT通信インフラを設計・構築。オフィスサーバーやネットワーク構築を手がけ、クラウド化などサービスを拡充。
【設立】1996.12 【資本金】61百万円
【社長】石田晃太(1972.9生)
【株主】〔24.6〕㈱チャクル27.0%
【連結事業】データセキュリティ36、ネットワークセキュリティ64
【従業員】連196名 単162名(36.1歳)

【業績】	売上高	営業利益	経常利益	純利益
単21.12	2,761	260	260	183
単22.12	2,986	263	301	229
連23.12	3,559	363	425	325

㈱アルゴグラフィックス

東証プライム

採用内定数	倍率	3年後離職率	平均年収
27名	8.5倍	26.3%	㊌756万円

●待遇、制度●
【初任給】月25.2万(諸手当1.5万円、固定残業代14時間分)
【残業】10時間【有休】10日【制度】住

●新卒定着状況●
20年入社(男19、女0)→3年後在籍(男14、女0)

●採用情報●
【人数】23年:23 24年:23 25年:応募229→内定27*
【内定内訳】(男23、女4)(文6、理21)(総27、他0)
【試験】〔筆記〕有〔性格〕有
【時期】エントリー25.3→内々定25.6*(一次・二次以降もWEB面接可)【インターン】有
【採用実績校】愛媛大院1、会津大院1、京都産業大学3、京都先端科学大1、玉川大1、近大1、広島大院1、信州大1、神戸大1、静岡大院2、他
【求める人材】「やりたい」情熱を持つ人、「やり遂げる」責任感を持つ人

【本社】103-0015 東京都中央区日本橋箱崎町5-14 ☎03-5641-2020
【特色・近況】CAD/CAMシステムのライセンス販売と保守サービスなどが主。売上高の過半が自動車関連向けで、半導体向けも伸長。設計・解析支援サービスも提供。主要顧客はホンダ、ソニーなど。SCSKと資本業務提携。半導体・液晶CADを子会社に持つ。
【設立】1985.2 【資本金】1,873百万円
【代表取締役】藤澤義麿(1942.10生 横市大文理卒)
【株主】〔24.3〕SCSK21.2%
【連結事業】PLM97、EDA3
【従業員】連1,175名 単551名(42.6歳)

【業績】	売上高	営業利益	経常利益	純利益
連22.3	46,188	6,601	6,944	4,517
連23.3	53,347	7,774	8,200	5,420
連24.3	59,511	9,173	9,686	6,520

#採用数が多い

㈱アルファシステムズ

東証プライム

採用内定数	倍率	3年後離職率	平均年収
148名	8.2倍	17.9%	619万円

●待遇、制度●
【初任給】月24.9万(諸手当1.8万円)
【残業】‥時間【有休】13.9日【制度】フ 住 在

●新卒定着状況●
20年入社(男96、女27)→3年後在籍(男79、女22)

●採用情報●
【人数】23年:82 24年:149 25年:応募1216→内定148*
【内定内訳】(男126、女22)(文22、理95)(総148、他0)
【試験】〔Web会場〕SPI3〔性格〕有
【時期】エントリー25.3→内々定25.4(一次はWEB面接可)【インターン】有
【採用実績校】東京電機大13、神奈川大10、千葉工大8、東京都市大7、近大5、芝工大5、東京工科大5、東洋大5、福岡工大5、明大5、他
【求める人材】責任感や誠実さを持って主体的に仕事に取り組み、継続して努力することができる人

【本社】211-0053 神奈川県川崎市中原区上小田中6-6-1 ☎044-733-4111
【特色・近況】ソフトウェア開発会社。通信系システム開発が主力であったが、非通信系システム開発に急傾斜。独立系だがNTTデータ、富士通、LINEヤフーで売上高の約半数を占める。ECや文教系に力を注ぐ。官公庁のDXやキャッシュレス決済システムも展開。
【設立】1972.10 【資本金】8,500百万円
【社長】齋藤潔(1955.10生 早大院電子工修了)
【株主】〔24.3〕石川義昭34.1%
【事業】通信・ノード7、同・モバイル5、同・NMS9、オープン・公共19、同・流通・サービス27、同・金融9、同・他17、他6
【従業員】単3,015名(38.8歳)

【業績】	売上高	営業利益	経常利益	純利益
単22.3	33,874	4,033	4,086	2,788
単23.3	35,548	4,213	4,279	2,918
単24.3	36,383	4,348	4,422	3,045

アルファテック・ソリューションズ

株式公開計画なし

採用内定数	倍率	3年後離職率	平均年収
20名	13.2倍	30%	㊗704万円

●待遇、制度●
【初任給】月23万
【残業】27.4時間【有休】11.7日【制度】フ 住 在
●新卒定着状況●
20年入社(男4、女6)→3年後在籍(男1、女6)
●採用情報●
【人数】23年:15 24年:13 25年:応募263→内定20*
【内定内訳】(男12、女8)(文13、理7)(総20、他0)
【試験】〔Web自宅〕有
【時期】エントリー24.10→内々定24.11(一次はWEB面接可)【インターン】有
【採用実績校】法政大2、明大2、東理大1、早大1、立教大1、お茶女大1、関西学大1、鳥取大1、広島市大1、他
【求める人材】変化を常にキャッチアップし、その先頭に立ち、引っ張っていく意欲のある人

【本社】140-0014 東京都品川区大井1-20-10 住友大井町ビル南館 ☎03-6831-7200
【特色・近況】ダイワボウHD傘下でITインフラの構築やシステム開発が主要事業。顧客はヘルスケア、自治体、製造・流通・サービス業など。異なるメーカーの製品を複数組み合わせて提供するマルチベンダー。大阪市、長野市、那覇市にオフィスを置く。
【設立】1971.2 【資本金】1,000百万円
【社長】西山紀明(1965.7生 亜細亜大経済卒)
【株主】〔24.4〕ダイワボウ情報システム100%
【事業】システムソリューション提供、システム運用・保守・サービス、マルチベンダ機器販売
【従業員】単240名(42.3歳)

【業績】	売上高	営業利益	経常利益	純利益
単22.3	10,992	340	340	712
単23.3	13,995	494	495	317
単24.3	15,676	702	710	380

アルプス システム インテグレーション

株式公開いずれしたい

採用内定数	倍率	3年後離職率	平均年収
39名	37.6倍	36.4%	645万円

●待遇、制度●
【初任給】月22万
【残業】17.9時間【有休】14.2日【制度】フ 住 在
●新卒定着状況●
20年入社(男7、女4)→3年後在籍(男5、女2)
●採用情報●
【人数】23年:35 24年:30 25年:応募1465→内定39*
【内定内訳】(男30、女9)(文4、理32)(総37、他2)
【試験】〔Web自宅〕SPI3、他
【時期】エントリー24.12→内々定25.3(一次・二次以降もWEB面接可)【インターン】有
【採用実績校】弘前大1、福島大1、山形大1、長岡技科大1、奈良女大1、九州工大1、立教大1、日大2、東京電機大2、千葉工大4、群馬大1、他
【求める人材】いつも自分を成長させようとしている人、人と人とのつながりを大切にできる人

【本社】145-0067 東京都大田区雪谷大塚町1-7 ☎03-5499-8181
【特色・近況】デジタルソリューション、情報セキュリティー、電子機器制御のファームウェア、AI・IoTの各分野でソリューションを提供。クラウド型経費精算サービス、Webフィルタリング、ログ管理・分析サービスなど注力。アルプスアルパインの完全子会社。
【設立】1990.4 【資本金】200百万円
【社長】永倉仁哉(1961.5生 東海大工卒)
【株主】〔24.6〕アルプスアルパイン100%
【事業】デジタル、セキュリティ、ファームウェア、AI・IoT等のソリューション提供
【従業員】単520名(38.0歳)

【業績】	売上高	営業利益	経常利益	純利益
単22.3	14,040	593	903	691
単23.3	15,714	695	1,340	1,093
単24.3	17,204	593	1,045	826

イーサポートリンク

東証スタンダード

採用予定数	倍率	3年後離職率	平均年収
3名	-	37.5%	596万円

●待遇、制度●
【初任給】月23.2万
【残業】21時間【有休】12.6日【制度】フ 住 在
●新卒定着状況●
20年入社(男4、女4)→3年後在籍(男2、女3)
●採用情報●
【人数】23年:0 24年:6 25年:応募49→内定0*
【内定内訳】(男‥、女‥)(文‥、理‥)(総‥、他‥)
【試験】〔Web会場〕SPI3〔性格〕有
【時期】エントリー25.3→内々定25.5(一次はWEB面接可)
【採用実績校】‥
【求める人材】柔軟な発想力と変化対応力、主体的に考え周囲に働きかける力の素地がある人

【本社】171-0033 東京都豊島区高田2-17-22 目白中野ビル ☎03-5979-0666
【特色・近況】生鮮青果流通業界向けに生産物のデータ管理、受注、計上、売掛管理、買掛管理に関するシステムを提供。従量課金型のシステム事業と業務受託が収益柱。イオングループ向け流通管理システムを一手に受託。リンゴや有機農産物の仕入販売も展開。
【設立】1998.10 【資本金】2,721百万円
【会長】堀内信介(1955.1生)
【株主】〔24.5〕㈱ファーマインド10.0%
【連結事業】オペレーション支援69、農業支援31
【従業員】連151名 単147名(42.8歳)

【業績】	売上高	営業利益	経常利益	純利益
連21.11	5,187	▲95	▲126	▲942
連22.11	4,850	214	217	155
連23.11	4,563	82	76	46

㈱いい生活（せいかつ） 東証スタンダード

採用内定数	倍率	3年後離職率	平均年収
12名	‥	34.6%	㊕610万円

●待遇、制度●
【初任給】月28万（諸手当1.5万円、固定残業代40時間分）
【残業】18.8時間【有休】12.3日【制度】住 在
●新卒定着状況●
20年入社（男16、女10）→3年後在籍（男12、女5）
●採用情報●
【人数】23年:10 24年:23 25年:応募‥→内定12*
【内定内訳】（男6、女6）（文6、理6）（総12、他0）
【試験】試験あり
【時期】エントリー24.10→内々定‥*(一次・二次以降もWEB面接可)【インターン】有【ジョブ型】有
【採用実績校】名大1、群馬大1、茨城大1、岐阜大1、長岡技科大1、兵庫県大1、明大1、法政大1、中大1、成城大1、日大1、大阪電通大1
【求める人材】主体的・能動的に成長を目指すことができ、自ら決めた目標に向かって努力できる人

【本社】106-0047 東京都港区南麻布5-2-32 興和広尾ビル ☎03-5423-7820
【特色・近況】不動産会社向け物件情報、顧客情報管理のデータベースサービスをクラウド、SaaSなどで提供。大手不動産と連携し情報化を促進。不動産業のIT化見据えた入居者向けアプリ、不動産会社向け入居申し込みWebサービスなど提供。顧客数5000社が目標。
【設立】2000.1 【資本金】628百万円
【社長】前野善一（1967.6生 早大政経卒）
【株主】〔24.3〕中村清高12.0%
【連結事業】クラウドソリューション100
【従業員】連230名 単203名（35.4歳）

【業績】	売上高	営業利益	経常利益	純利益
連22.3	2,434	165	166	106
連23.3	2,696	234	236	158
連24.3	2,808	176	208	146

イーソル 東証スタンダード

採用内定数	倍率	3年後離職率	平均年収
14名	64.4倍	60%	562万円

●待遇、制度●
【初任給】月21.8万
【残業】7.5時間【有休】‥日【制度】フ 在
●新卒定着状況●
20年入社（男17、女3）→3年後在籍（男7、女1）
●採用情報●
【人数】23年:20 24年:16 25年:応募902→内定14*
【内定内訳】（男11、女3）（文4、理10）（総0、他14）
【試験】〔Web自宅〕WEB-GAB
【時期】エントリー24.6→内々定24.8(一次・二次以降もWEB面接可)【インターン】有
【採用実績校】京大2、和歌山大2、電通大1、神戸大1、明大1、立教大1、立命館大1、大阪公大1、群馬大1、宮崎公大1、他
【求める人材】何事にも主体的に取り組み、ロジカルで考え抜くことが出来る人

【本社】164-8721 東京都中野区本町1-32-2 ハーモニータワー ☎03-5365-1560
【特色・近況】組み込み機器向けに特化したOSの開発・販売、組み込みソフトウェアの受託開発、コンサルや開発ツール販売などを手がける。自動車、デジタル家電、産業・医療機器など用途は多分野にわたる。物流向けハンディターミナル機器などハードウェアも扱う。
【設立】1975.5 【資本金】1,041百万円
【社長】長谷川勝敏（1962.1生）
【株主】〔24.6〕日本マスタートラスト信託銀行信託口8.4%
【連結事業】組込みソフトウエア93、センシングソリューション7
【従業員】連524名 単508名（40.4歳）

【業績】	売上高	営業利益	経常利益	純利益
連21.12	8,937	72	330	200
連22.12	8,872	▲353	▲250	▲357
連23.12	9,628	▲82	62	136

㈱インフォグラム 株式公開いずれしたい

採用内定数	倍率	3年後離職率	平均年収
3名	15倍	0%	444万円

●待遇、制度●
【初任給】月22万（固定残業代20時間分）
【残業】5.7時間【有休】13.9日【制度】フ 住 在
●新卒定着状況●
20年入社（男4、女1）→3年後在籍（男4、女1）
●採用情報●
【人数】23年:4 24年:6 25年:応募45→内定3*
【内定内訳】（男2、女1）（文0、理1）（総0、他3）
【試験】〔筆記〕有〔Web自宅〕有
【時期】エントリー25.3→内々定25.7*【インターン】有【ジョブ型】有
【採用実績校】九州情報大1、ASOポップカルチャー専1、福岡デザイン＆テクノロジー専1
【求める人材】IT業界に興味を持ち、何よりパソコンが好きな人、モノづくりが好きな人

【本社】812-0011 福岡県福岡市博多区博多駅前2-17-19 安田第5ビル3階 ☎092-452-2733
【特色・近況】受託開発主体に、パッケージの開発・販売、システムコンサルなどを手がけるソフト開発会社。自社パッケージは化学物質や試薬の管理システムなど。ベトナムの提携会社活用しオフショア開発も行う。佐賀県・伊万里市に開発センター。
【設立】1991.3 【資本金】20百万円
【社長】宮川敬亮（1959.3生 佐賀大理工）
【株主】〔24.2〕宮川敬亮51.0%
【事業】ソフトウエア開発54、自社パッケージ販売23、サポート保守21、ハードウエア販売2、他0
【従業員】単71名（36.9歳）

【業績】	売上高	営業利益	経常利益	純利益
単22.2	605	54	70	52
単23.2	573	▲1	18	10
単24.2	590	8	23	17

インフォテック

株式公開計画なし

採用内定数	倍率	3年後離職率	平均年収
36名	26.3倍	15%	[総]624万円

●待遇、制度●
【初任給】月23.3万
【残業】13.9時間【有休】13.6日【制度】[在]
●新卒定着状況●
20年入社(男14、女6)→3年後在籍(男12、女5)
●採用情報●
【人数】23年:41 24年:40 25年:応募948→内定36*
【内定内訳】(男27、女9)(文24、理12)(総36、他0)
【試験】〔Web会場〕SPI3〔Web自宅〕有〔性格〕有
【時期】エントリー25.3→内々定25.4(一次・二次以降もWEB面接可)【インターン】有
【採用実績校】東北大1、上智大1、明大2、法政大1、学習院大1、関大2、埼玉大2、新潟大1、静岡大1、都立大1、國學院大1、茨城大1、他
【求める人材】主体的に行動できる人、実行力のある人、ロジカルに物事を考えることができる人

【本社】163-1022 東京都新宿区西新宿3-7-1 新宿パークタワー ☎03-3348-0360
【特色・近況】システム開発・運用、パッケージ開発・販売など総合情報サービスを展開。生損保など金融機関、医薬関連企業、官公庁向けに強み。帳票作成、決済業務の電子化、人脈情報可視化など自社開発のソフトウェアも。インフォテックHDの中核企業。
【設立】1969.10 【資本金】205百万円
【社長】山田智次(1973.2生 東海大卒)
【株主】〔24.3〕インフォテック・ホールディングス100%
【事業】受託開発ソフトウエア95、パッケージ販売5
【従業員】単533名(38.5歳)

【業績】	売上高	営業利益	経常利益	純利益
単22.3	8,332	617	677	515
単23.3	8,958	816	827	547
単24.3	8,797	668	685	465

㈱インフォネット

東証グロース

採用内定数	倍率	3年後離職率	平均年収
9名	25.1倍	16.7%	[総]451万円

●待遇、制度●
【初任給】年300万
【残業】24.5時間【有休】10.2日【制度】[住][在]
●新卒定着状況●
20年入社(男3、女3)→3年後在籍(男2、女3)
●採用情報●
【人数】23年:4 24年:2 25年:応募226→内定9*
【内定内訳】(男2、女7)(文6、理3)(総9、他0)
【試験】〔Web自宅〕有
【時期】エントリー25.1→内々定25.4(一次はWEB面接可)【ジョブ型】有
【採用実績校】長崎大1、大和大1、桜美林大1、神奈川大1、津田塾大1、女子美大1、長岡造形大1、武蔵野美大1、南山大1
【求める人材】素直さ、夢・目標を持ち発想力に富んだ人

【本社】100-0004 東京都千代田区大手町1-5-1 ☎03-5221-7591
【特色・近況】Webサイトのコンテンツ管理システム(CMS)「infoCMS」が主力。企業の業務負担軽減と効率的なWebマーケティングを実現する高機能・オールインワンのパッケージとして提供。AIによる検索、文書作成、文書音声変換サービスなども手がける。
【設立】2004.6 【資本金】290百万円
【取締】日下部拓也(1981.7生 日大商卒)
【株主】〔24.3〕㈱フォーカスキャピタル42.7%
【連結事業】受託開発サービス42、月額利用料サービス45、AIサービス11、SES・他2
【従業員】連135名 単93名(37.6歳)

【業績】	売上高	営業利益	経常利益	純利益
連22.3	1,739	▲41	▲57	▲89
連23.3	1,695	142	139	82
連24.3	1,767	188	168	99

㈱ヴィッツ

東証スタンダード

採用内定数	倍率	3年後離職率	平均年収
37名	3倍	0%	594万円

●待遇、制度●
【初任給】月23.4万
【残業】8.4時間【有休】14.5日【制度】[フ][住]
●新卒定着状況●
20年入社(男2、女2)→3年後在籍(男2、女2)
●採用情報●
【人数】23年:8 24年:14 25年:応募110→内定37
【内定内訳】(男27、女10)(文4、理9)(総0、他37)
【試験】〔Web自宅〕SPI3
【時期】エントリー24.6→内々定24.10*(一次はWEB面接可)【インターン】有
【採用実績校】愛知工業大3、中京大2、愛知淑徳大1、福知山公大1、同朋大1、名城大1、京都女大1、京産大1、金沢工大1、苫小牧高専1、他
【求める人材】様々なことに興味を持ち、チャレンジできる人

【本社】460-0004 愛知県名古屋市中区新栄町1-1 明治安田生命名古屋ビル ☎052-957-3331
【特色・近況】組み込みソフトウェアの開発が主力。自動車や産業機械、建設機械向けなどが中心。車載制御シミュレーション開発や自動運転向け仮想環境シミュレーション開発などに強み。機能協働ロボットの効率的な導入と運用支援ソフトウェアに重点。
【設立】1997.6 【資本金】612百万円
【社長】服部博行(1967.3生)
【株主】〔24.2〕㈱Office Hat 17.0%
【連結事業】ソフトウェア開発95、サービスデザイン3、他2
【従業員】連284名 単172名(36.0歳)

【業績】	売上高	営業利益	経常利益	純利益
連21.8	2,198	276	294	206
連22.8	2,345	236	265	175
連23.8	2,501	187	224	133

宇宙技術開発（うちゅうぎじゅつかいはつ）

株式公開計画なし

採用内定数	倍率	3年後離職率	平均年収
34名	36.4倍	14.8%	669万円

●待遇、制度●
【初任給】月24.4万(諸手当2.1万円)
【残業】16.7時間【有休】12.7日【制度】[フ][住]
●新卒定着状況●
20年入社(男23、女4)→3年後在籍(男20、女3)
●採用情報●第二新卒含む
【人数】23年:29 24年:31 25年:応募1238→内定34*
【内定内訳】(男21、女13)(文6、理25)(総34、他0)
【試験】〔筆記〕SPI3、GAB〔性格〕有
【時期】エントリー24.12→内々定25.2*【インターン】有
【採用実績校】東北大院1、茨城大院3、筑波大院2、東大院1、阪大院1、神戸大院1、慶大院1、早大院1、東京農工大1、愛媛大1、中大1、他
【求める人材】向上心があり、筋道立った考え方を自分の言葉で表現できる、明るく元気な人

【本社】164-0001 東京都中野区中野5-62-1 eDCビル ☎03-3319-4002
【特色・近況】宇宙開発に特化したシステムエンジニアリング企業。実用衛星の準備運用や宇宙利用など宇宙開発全般を手がける。国内で唯一、基幹ロケット打上げの飛行安全分野を担う。宇宙開発の持続的発展のため、高度な専門知識を持つエンジニアの育成に注力。
【設立】1983.7 【資本金】100百万円
【社長】武田直道(1955.10生 北大理卒)
【株主】〔24.3〕エスシーシー
【事業】ロケット・人工衛星追跡管制65、各種データ解析15、調査研究10、他10
【従業員】単778名(41.6歳)

【業績】	売上高	営業利益	経常利益	純利益
単22.3	8,748	805	799	541
単23.3	9,151	721	715	496
単24.3	9,778	570	562	392

#初任給が高い

㈱うるる

東証グロース

採用内定数	倍率	3年後離職率	平均年収
8名	51.3倍	28.6%	598万円

●待遇、制度●
【初任給】月28.9万(諸手当0.5万円、固定残業代20時間分)
【残業】23.6時間【有休】10.2日【制度】[在]
●新卒定着状況●
20年入社(男6、女1)→3年後在籍(男4、女1)
●採用情報●
【人数】23年:3 24年:5 25年:応募410→内定8
【内定内訳】(男3、女5)(文8、理0)(総5、他3)
【試験】なし
【時期】エントリー24.9→内々定25.1(一次・二次以降もWEB面接可)【インターン】有【ジョブ型】有
【採用実績校】北海学園大1、獨協大1、愛知工業大1、愛知工業大1、東北大1、昭和音大1、成蹊大1、福岡女大1
【求める人材】ゴールの実現に向け、自ら考え行動し、周囲を牽引する力がある人

【本社】104-0053 東京都中央区晴海3-12-1 KDX晴海ビル ☎03-6221-3069
【特色・近況】自社運営のプラットフォームに登録されたクラウドワーカーを活用して各種SaaS事業を展開。主力は自治体や公共機関の入札・落札情報をデータベース化した企業向け速報サービス。幼稚園・保育園向け写真販売システム「えんフォト」も手がける。
【設立】2001.8 【資本金】1,037百万円
【社長】星知也(1976.10生 北海道石狩南高卒)
【株主】〔24.3〕星知也17.4%
【連結事業】NJSS48、fondesk14、フォト12、CGS他0、BPO25、クラウドソーシング0
【従業員】連251名 単204名(34.5歳)

【業績】	売上高	営業利益	経常利益	純利益
連22.3	4,029	▲241	▲251	▲64
連23.3	4,862	8	5	▲45
連24.3	5,937	1,324	1,289	720

ＡＪＳ

株式公開計画なし

採用内定数	倍率	3年後離職率	平均年収
34名	47.5倍	6.7%	[総]672万円

●待遇、制度●
【初任給】月24万
【残業】18.4時間【有休】14.5日【制度】[フ][住][在]
●新卒定着状況●
20年入社(男19、女11)→3年後在籍(男19、女9)
●採用情報●
【人数】23年:31 24年:33 25年:応募1616→内定34
【内定内訳】(男25、女9)(文9、理20)(総31、他3)
【試験】〔Web自宅〕有〔性格〕有
【時期】エントリー25.3→内々定‥(一次・二次以降もWEB面接可)【インターン】有
【採用実績校】北里大、山形大、新潟大、茨城大、関大、金沢大、岡山大、広島大、福岡大、宮崎大、関西学大、中大、横浜市大、東京海洋大、他
【求める人材】プロ意識とチームワークで様々な課題にチャレンジできる人

【本社】160-0023 東京都新宿区西新宿8-17-1 住友不動産新宿グランドタワー ☎03-6742-5500
【特色・近況】TISと旭化成の合弁によるシステム開発会社。基幹システムの開発・保守・運用・コンサル、基幹系データ活用のソリューション、パッケージ開発が事業の3本柱。東京、神奈川、静岡、三重、滋賀、大阪、岡山、宮崎に事業所を置く。
【設立】1987.3 【資本金】800百万円
【社長】細川真広(1962.9生)
【株主】〔24.3〕TIS51.0%
【事業】開発32、運用58、販売10
【従業員】単701名(38.2歳)

【業績】	売上高	営業利益	経常利益	純利益
単22.3	17,436	2,422	2,443	1,691
単23.3	16,766	2,681	2,711	1,956
単24.3	18,662	2,257	2,282	1,654

㈱エーピーコミュニケーションズ

株式公開いずれしたい

採用内定数	倍率	3年後離職率	平均年収
1名	579倍	10%	‥

●待遇、制度●
【初任給】月25.2万
【残業】20.7時間【有休】10.1日【制度】住 在
●新卒定着状況●
20年入社(男10、女0)→3年後在籍(男9、女0)
●採用情報●
【人数】23年:8 24年:8 25年:応募579→内定1*
【内定内訳】(男0、女1)(文1、理0)(総0、他1)
【試験】〔Web自宅〕有〔性格〕有
【時期】エントリー24.9→内々定24.11(一次・二次以降もWEB面接可)【ジョブ型】有
【採用実績校】青学大1

【求める人材】ITインフラ(ネットワーク、クラウド)に興味があり、主体的に行動ができる人

【本社】101-0044 東京都千代田区鍛冶町2-9-12 ☎03-5297-8011
【特色・近況】ITインフラを中心とするシステムインテグレーションが主力事業。ITインフラ自動化やクラウドネイティブ内製化が得意。自社プロダクトの開発・提供にも注力。社内大学を設け、高い技術力を持つエンジニアを養成。営業を置かずエンジニアが提案から運用まで担う。
【設立】1995.11 【資本金】92百万円
【社長】内田武志(1968.6生 早大人間科卒)
【株主】〔24.4〕(株)内田75.6%
【事業】ネットワーク・サーバー関連90、ソフトウエア開発10
【従業員】単432名(35.5歳)

【業績】	売上高	営業利益	経常利益	純利益
単21.12	3,863	250	243	104
単22.12	4,296	230	224	74
単23.12	4,805	173	175	113

㈱エクスモーション

東証グロース

採用予定数	倍率	3年後離職率	平均年収
2名	‥	‥	741万円

●待遇、制度●
【初任給】月22万
【残業】‥時間【有休】‥日【制度】フ 住 在
●新卒定着状況●
‥
●採用情報●
【人数】23年:3 24年:2 25年:予定2*
【内定内訳】(男‥、女‥)(文‥、理‥)(総‥、他‥)
【試験】試験あり
【時期】エントリー25.‥→内々定‥(一次・二次以降もWEB面接可)
【採用実績校】‥

【求める人材】‥

【本社】141-0032 東京都品川区大崎2-11-1 大崎ウィズタワー ☎03-6420-0019
【特色・近況】組み込みソフトウェアの品質改善に特化したコンサルティングを行う。自動車やロボット、医療機器向けが中心。提案内容を自ら実践し、課題解決まで手がけるワンストップ型に特長。オンライン課題解決ツール、サブスク型オンライン学習プログラムも提供。
【設立】2008.9 【資本金】453百万円
【社長】渡辺博之(1962.12生 横国大工卒)
【株主】〔21.5〕ソルクシーズ53.0%
【連結事業】コンサルティング100
【従業員】連82名 単72名(42.7歳)

【業績】	売上高	営業利益	経常利益	純利益
単21.11	957	143	145	100
単22.11	1,048	184	186	134
連23.11	1,105	131	134	6

㈱エスエフシー新潟(にいがた)

株式公開計画なし

採用内定数	倍率	3年後離職率	平均年収
6名	5.7倍	0%	‥

●待遇、制度●
【初任給】月24万
【残業】17.5時間【有休】‥日【制度】住
●新卒定着状況●
20年入社(男3、女2)→3年後在籍(男3、女2)
●採用情報●
【人数】23年:4 24年:7 25年:応募34→内定6*
【内定内訳】(男2、女4)(文5、理1)(総0、他6)
【試験】〔Web自宅〕SPI3
【時期】エントリー24.10→内々定25.4(一次・二次以降もWEB面接可)【インターン】有
【採用実績校】‥

【求める人材】正直な人、空気を読まない人、変化する病院環境に合わせて勉強し続けられる人

【本社】950-0963 新潟県新潟市中央区南出来島1-10-21 ☎025-282-2233
【特色・近況】医療機関向け専門のソフトウェア開発会社。栄養管理、物流管理、看護職員勤務管理、勤務時間管理、臨床検査省力化、透析管理などのパッケージソフトを開発し販売。全国1000以上の病院に導入。東京、宮城、群馬、大阪、愛知、広島、福岡に支店を置く。
【設立】1979.9 【資本金】80百万円
【社長】苅部宣輔(1965.12生 新潟大経済卒)
【株主】〔23.8〕SFCホールディングス100%
【事業】医療関係ソフトシステム100
【従業員】単55名(33.0歳)

【業績】	売上高	営業利益	経常利益	純利益
単21.8	602	63	65	24
単22.8	629	83	88	83
単23.8	905	241	250	233

㈱エスピック

株式公開いずれしたい

採用内定数	倍率	3年後離職率	平均年収
69名	5.7倍	28.3%	555万円

●待遇、制度●
【初任給】月27万(諸手当4万円)
【残業】12時間【有休】12.5日【制度】フ 住 在
●新卒定着状況●
20年入社(男24、女22)→3年後在籍(男17、女16)
●採用情報●
【人数】23年:42 24年:64 25年:応募392→内定69
【内定内訳】(男47、女22)(文32、理36)(総69、他0)
【試験】〔性格〕有
【時期】エントリー25.3→内々定25.5(一次・二次以降もWEB面接可)【インターン】有
【採用実績校】千葉工大5、日大5、明星大3、駒澤大3、拓大3、立教大2、近大1、法政大1、筑波大1、富山大2、他
【求める人材】志高き、未来のキャプテン

【本社】130-0026 東京都墨田区両国2-10-14 両国シティコア9階 ☎03-5625-3820
【特色・近況】独立系システム開発会社。企業向けシステムの戦略立案から設計、開発、導入、運用、保守まで一貫対応。医薬品向けGMPドキュメント管理、物流業務パッケージなどを提供。ベンダーやメーカーからの受託開発も対応。コールセンターなどのアウトソーシングも。
【設立】1967.7 【資本金】80百万円
【会長】島至(1950.2生 武工大工卒)
【株主】〔24.6〕島太陽30.0%
【事業】アプリケーションソフト61、パッケージソフト0、システム運用13、OA機器等の販売2、他24
【従業員】単423名(31.1歳)

【業績】	売上高	営業利益	経常利益	純利益
単22.3	3,537	310	300	232
単23.3	3,996	223	230	183
単24.3	4,086	328	328	220

㈱ＳＹＳホールディングス

東証スタンダード

採用内定数	倍率	3年後離職率	平均年収
16名	40.7倍	0%	455万円

●待遇、制度●
【初任給】月23万(諸手当を除いた数値)
【残業】15.2時間【有休】10.7日【制度】住 在
●新卒定着状況●
20年入社(男8、女1)→3年後在籍(男8、女1)
●採用情報● グループ採用
【人数】23年:25 24年:39 25年:応募651→内定16*
【内定内訳】(男12、女4)(文6、理10)(総16、他0)
【試験】〔Web自宅〕有〔性格〕有
【時期】エントリー25.1→内々定25.4(一次はWEB面接可)【インターン】有
【採用実績校】立正大1、ＨＡＬ東京専2、工学院大1、國學院大1、駒澤大1、名古屋国際工科専門職大1、名古屋学院大1、他
【求める人材】知的好奇心が旺盛で、やると決めたことを最後までやり遂げて結果を出せる人

【本社】461-0002 愛知県名古屋市東区代官町35-16 ☎052-937-0209
【特色・近況】システム開発やソリューションの提供を行う企業グループ。車載ECU(電子制御ユニット)、工作機械向けなど制御系システム開発と、電力向けをはじめとしたインフラ系、金融・事務系など社会情報インフラシステム開発、モバイルシステム開発を手がける。
【設立】2013.8 【資本金】401百万円
【会長兼社長】鈴木裕紀(1964.11生)
【株主】〔24.1〕鈴木裕紀37.1%
【連結事業】グローバル製造業ソリューション36、社会情報インフラ・ソリューション61、モバイル・ソリューション3
【従業員】連1,454名 単‥名(37.1歳)

【業績】	売上高	営業利益	経常利益	純利益
連22.7	7,576	435	457	305
連23.7	10,518	520	592	370
連24.7	12,397	684	747	471

㈱エッサム

株式公開していない

採用内定数	倍率	3年後離職率	平均年収
5名	1.6倍	0%	‥

●待遇、制度●
【初任給】月23.8万(諸手当6.3万円)
【残業】15.2時間【有休】14.1日【制度】‥
●新卒定着状況●
20年入社(男0、女2)→3年後在籍(男0、女2)
●採用情報●
【人数】23年:5 24年:12 25年:応募8→内定5*
【内定内訳】(男3、女2)(文‥、理‥)(総0、他5)
【試験】〔筆記〕常識〔性格〕有
【時期】エントリー25.2→内々定25.6*(一次はWEB面接可)
【採用実績校】‥
【求める人材】出る杭を恐れず、何事にもチャレンジする人

【本社】101-0041 東京都千代田区神田須田町1-26-3 エッサム本社ビル9階 ☎03-3254-8751
【特色・近況】会計事務所向けに税務ソフトと事務用品を販売する。会計事務所向けIT活用支援サービス「ゆりかご倶楽部」、税理士・会計士向け情報サイト「会計事務所の広場」を運営。クラウドサービスなどを強化。札幌から熊本まで12営業所、1出張所。
【設立】1963.11 【資本金】455百万円
【会長】八鍬昭
【株主】〔24.3〕ヤクワ37.6%
【事業】事務用品65、財務用コンピュータ35
【従業員】単255名(41.8歳)

【業績】	売上高	営業利益	経常利益	純利益
単22.3	4,237	157	152	98
単23.3	4,527	218	205	145
単24.3	4,690	237	212	142

NECネクサソリューションズ

株式公開未定

採用内定数	倍率	3年後離職率	平均年収
51名	25.8倍	14.3%	‥

●待遇、制度●
【初任給】月25.4万
【残業】20.2時間【有休】13.2日【制度】[フ][住][在]
●新卒定着状況●
20年入社(男31、女32)→3年後在籍(男27、女27)
●採用情報●
【人数】23年:45 24年:47 25年:応募1317→内定51
【内定内訳】(男20、女31)(文47、理4)(総51、他0)
【試験】〔Web自宅〕有〔性格〕有
【時期】エントリー25.3→内々定25.4(一次・二次以降もWEB面接可)【インターン】有【ジョブ型】有
【採用実績校】‥
【求める人材】ITで世の中を変えたい、社会に貢献したいと考えている人、対話を大切にできる人

【本社】105-8540 東京都港区芝3-23-1 セレスティン芝三井ビル ☎03-5730-5000
【特色・近況】東名阪地域の中堅企業にアウトソーシング、SI、プラットフォームの各サービスをワンストップで提供。マネージドネットワークサービス、セキュリティー事業も。愛知と大阪に支社。10拠点にデータセンター。NECグループの中核IT事業会社。
【設立】1974.9 【資本金】815百万円
【代表取締役】木下孝彦(1968.1生 国学院大卒)
【株主】〔24.3〕NEC100%
【事業】アウトソーシング、SI、プラットフォーム
【従業員】単1,900名(46.0歳)

【業績】	売上高	営業利益	経常利益	純利益
単22.3	64,673	2,727	2,724	1,941
単23.3	71,791	4,168	3,816	2,688
単24.3	74,070	5,622	5,498	3,825

㈱エヌ・エー・シー

株式公開計画なし

採用内定数	倍率	3年後離職率	平均年収
4名	2倍	0%	[総]541万円

●待遇、制度●
【初任給】月22万
【残業】23.1時間【有休】14.5日【制度】[住][在]
●新卒定着状況●
20年入社(男2、女1)→3年後在籍(男2、女1)
●採用情報●
【人数】23年:2 24年:2 25年:応募8→内定4
【内定内訳】(男3、女1)(文1、理1)(総4、他0)
【試験】〔筆記〕常識、他〔性格〕有
【時期】エントリー24.10→内々定24.随時【インターン】有
【採用実績校】千葉大院1、流経大1、日本電子専2
【求める人材】常に好奇心を持ち、柔軟で能動的な人

【本社】101-0032 東京都千代田区岩本町1-7-1 瀬木ビル6階 ☎03-5833-9595
【特色・近況】システムの開発受託がメインでインフラ構築も手がける、独立系システム開発会社。若手育成に注力。官公庁系の大規模～小規模プロジェクトの要件定義、開発、運用・保守まで手がける。金融・保険、教育機関向けシステムなどで開発実績。
【設立】1977.3 【資本金】20百万円
【代表取締役】水野雅昭(1964.5生 都立中野技術専卒)
【株主】〔23.8〕水野雅昭51.0%
【事業】情報処理システムの受託開発100
【従業員】単66名(36.6歳)

【業績】	売上高	営業利益	経常利益	純利益
単21.8	868	46	54	36
単22.8	982	66	73	48
単23.8	1,174	71	90	65

NCD

東証スタンダード

採用内定数	倍率	3年後離職率	平均年収
43名	10.6倍	16.1%	[総]648万円

●待遇、制度●
【初任給】月24.7万(諸手当4万円、固定残業代8.2時間分)
【残業】15.6時間【有休】14.6日【制度】[住][在]
●新卒定着状況●
20年入社(男18、女13)→3年後在籍(男15、女11)
●採用情報●
【人数】23年:45 24年:48 25年:応募455→内定43*
【内定内訳】(男24、女19)(文25、理18)(総35、他8)
【試験】〔Web自宅〕有
【時期】エントリー25.1→内々定25.3(一次・二次以降もWEB面接可)【インターン】有【ジョブ型】有
【採用実績校】立命館大1、都立大1、長崎大2、専大2、國學院大1、駒澤大2、武蔵大1、東京電機大1、千葉工大1、昭和女大1、東海大2、他
【求める人材】チャレンジ精神、共創、品格のある人

【本社】141-0031 東京都品川区西五反田4-32-1 ☎03-5437-1021
【特色・近況】システム開発と運用サービスに加え自転車のパーキングシステムが柱の独立系SI。企画・設計・製造・保守の一貫サービスを確立。大手生命保険会社向けのシステム開発・保守に実績。電磁ロック式駐輪場の設置台数は国内トップ級。
【設立】1967.3 【資本金】438百万円
【社長】下條治(1958.1生 日大法卒)
【株主】〔24.3〕光通信㈱6.8%
【連結事業】システム開発41、サポート＆サービス30、パーキングシステム29、他0
【従業員】連1,436名 単771名(38.5歳)

【業績】	売上高	営業利益	経常利益	純利益
連22.3	20,550	902	956	458
連23.3	22,853	1,195	1,212	672
連24.3	25,481	2,115	2,140	1,387

NCDソリューションズ [株式公開計画なし]

採用内定数	倍率	3年後離職率	平均年収
23名	10.5倍	33.3%	497万円

●待遇、制度●
【初任給】月23万(諸手当1.4万円、固定残業代6時間分)
【残業】13時間【有休】12日【制度】[住][在]

●新卒定着状況●
20年入社(男8、女4)→3年後在籍(男4、女4)

●採用情報●
【人数】23年:18 24年:20 25年:応募242→内定23
【内定内訳】(男13、女10)(文17、理5)(総23、他0)
【試験】〔Web自宅〕有〔性格〕有
【時期】エントリー25.1→内々定25.4(一次はWEB面接可)【インターン】有
【採用実績校】近大3、神戸学大3、関大2、関西外大2、甲南大1、佛教大1、摂南大1、大阪工大1、大阪経大1、帝塚山大1、四天王寺大1、他
【求める人材】夢と勇気をもってチャレンジする人、多様な人々と協働し新たな価値を創り出せる人

【本社】540-0031 大阪府大阪市中央区北浜東4-33 北浜ネクスビル ☎06-6355-4187
【特色・近況】製造業向けシステム、生保・銀行・クレジットなど金融業向け情報システム、ERP導入支援、ネットワーク構築などを提供。コンサルから開発、保守・運用まで幅広く対応。データセンターで50年の運用実績。システム開発を手がけるNCDの子会社。
【設立】1969.3【資本金】96百万円
【社長】森山聡(1961.4生)
【株主】〔24.3〕NCD100%
【事業】システム開発59、サポート＆サービス40、他1
【従業員】単245名(38.6歳)

【業績】	売上高	営業利益	経常利益	純利益
単22.3	1,996	134	158	104
単23.3	2,226	158	167	22
単24.3	2,311	161	173	113

㈱NTTデータイントラマート [東証スタンダード]

採用内定数	倍率	3年後離職率	平均年収
14名	28倍	5.3%	[総]681万円

●待遇、制度●
【初任給】月23万
【残業】19.1時間【有休】14.9日【制度】[フ][住][在]

●新卒定着状況●
20年入社(男6、女13)→3年後在籍(男6、女12)

●採用情報●
【人数】23年:19 24年:10 25年:応募392→内定14
【内定内訳】(男12、女2)(文7、理7)(総14、他0)
【試験】〔Web自宅〕有
【時期】エントリー25.3→内々定25.5(一次はWEB面接可)【インターン】有【ジョブ型】有
【採用実績校】産能大1、東洋大1、法政大1、関大1、長崎大1、千葉工大1、日大1、東京電機大1、東邦大1、芝工大2、早大1、西南学大1、他
【求める人材】チャレンジ精神を持ち、自由かつ自発的な発想ができる人

【本社】107-0052 東京都港区赤坂4-15-1 ☎03-5549-2821
【特色・近況】NTTデータの社内ベンチャーから独立。Webシステム基盤構築向けミドルウェアパッケージソフト「intra-mart」の開発・販売が柱。ワークフロー分野ではシェア首位。主力商品をサブスク化。DXコンサルも手がける。
【設立】2000.2【資本金】738百万円
【社長】中山義人(1966.6生 東大院農生命修了)
【株主】〔24.3〕㈱NTTデータ46.8%
【連結事業】ソフトウェア51、サービス49
【従業員】連491名 単314名(35.2歳)

【業績】	売上高	営業利益	経常利益	純利益
連22.3	7,653	843	811	550
連23.3	7,966	810	765	399
連24.3	9,257	376	402	350

㈱NTTデータCCS [株式公開計画なし]

採用内定数	倍率	3年後離職率	平均年収
35名	36.3倍	3.4%	631万円

●待遇、制度●
【初任給】月21.6万(諸手当0.3万円)
【残業】21.3時間【有休】13.7日【制度】[フ][住][在]

●新卒定着状況●
20年入社(男17、女12)→3年後在籍(男16、女12)

●採用情報●
【人数】23年:30 24年:30 25年:応募1270→内定35
【内定内訳】(男22、女13)(文21、理14)(総0、他35)
【試験】〔Web自宅〕有〔性格〕有
【時期】エントリー24.4→内々定25.4(一次はWEB面接可)【インターン】有
【採用実績校】中大2、関西学大1、岩手県大1、京大1、共立女大1、慶大1、工学院大1、産能大1、神奈川大1、椙山女学大1、成城大1、他
【求める人材】IT技術を学ぶ意欲があり、自分の頭で考え自発的に行動できる人

【本社】140-0002 東京都品川区東品川4-12-1 品川シーサイドサウスタワー 6・7階☎03-5782-9500
【特色・近況】製造・流通・サービス分野に顧客基盤を持つシステム開発会社。基幹系からスマホアプリまで幅広い。NTTデータとENEOSグループの合弁で、ENEOSグループ中核企業向けのシステム開発も担う。画像処理など独自技術に定評。
【設立】1970.4【資本金】330百万円
【社長】新井健太郎(1969.6生 スティーブン工大工卒)
【株主】〔24.3〕NTTデータ60.0%
【事業】ソフトウェア開発57、情報処理33、システム販売10、他0
【従業員】単726名(41.0歳)

【業績】	売上高	営業利益	経常利益	純利益
単22.3	13,765	850	767	492
単23.3	14,836	1,000	963	660
単24.3	15,953	969	940	669

㈱NTTデータニューソン

株式公開未定

採用内定数	倍率	3年後離職率	平均年収
23名	17.6倍	18.2%	651万円

●待遇、制度●
【初任給】月26.2万
【残業】15.5時間【有休】12.3日【制度】フ 住 在
●新卒定着状況●
20年入社(男16、女6)→3年後在籍(男12、女6)
●採用情報● エンジニア職のみ
【人数】23年:18 24年:20 25年:応募405→内定23*
【内定内訳】(男19、女4)(文3、理19)(総0、他23)
【試験】〔Web自宅〕有
【時期】エントリー 25.2→内々定25.3(一次・二次以降もWEB面接可)【インターン】有【ジョブ型】有
【採用実績校】筑波大1、京大1、九大1、横国大1、津田塾大1、徳島大1、熊本大1、広島市大1、専大1、サイバー大1、甲南大1、他
【求める人材】自分の意思や考えを論理的に説明できる人、最新の機械やIT技術に強い興味を持つ人

【本社】107-0052 東京都港区赤坂2-2-12 NBF赤坂山王スクエア ☎03-5545-8631
【特色・近況】金融系、Web系、組み込み系などのシステム開発・運用が主要事業。ビッグデータを中心としたソリューション事業に注力。クラウドなど基盤構築も手がける。NTTデータグループ傘下。親会社との取引が拡大。名古屋市、大阪市、福岡市に事業所。
【設立】1974.2 【資本金】100百万円
【社長】上原智(1971.3生 阪大基礎工卒)
【株主】〔24.3〕NTTデータ先端技術100%
【事業】エンジニアリングサービス、ソフトウェア受託開発、ソリューションビジネス
【従業員】単549名(39.4歳)

【業績】	売上高	営業利益	経常利益	純利益
単22.3	8,295	672	675	466
単23.3	9,323	693	697	486
単24.3	10,608	710	719	509

㈱FFRIセキュリティ

東証グロース

採用内定数	倍率	3年後離職率	平均年収
28名	6.3倍	0%	663万円

●待遇、制度●
【初任給】年489万
【残業】19時間【有休】13.3日【制度】在
●新卒定着状況●
20年入社(男6、女1)→3年後在籍(男6、女1)
●採用情報●
【人数】23年:10 24年:6 25年:応募175→内定28*
【内定内訳】(男28、女0)(文0、理26)(総28、他0)
【試験】〔性格〕有
【時期】エントリー 24.10→内々定24.10*(一次はWEB面接可)【インターン】有【ジョブ型】有
【採用実績校】東大4、東北大2、千葉工大2、京大、慶大、東京科学大、名大、岡山大、工学院大、静岡大、大阪工大、長崎県大、他
【求める人材】技術好きで勉強熱心な人、プログラミングが好きな人、最先端の技術に興味がある人

【本社】100-0005 東京都千代田区丸の内3-3-1 新東京ビル ☎03-6277-1811
【特色・近況】サイバーセキュリティー専業。インターネットのセキュリティー脆弱性攻撃やマルウェア、標的型攻撃を防ぐ「ヤライ」で著名だが、外資系との競争が厳しい。官公庁向け経済安全保障案件や防衛産業企業向けセキュリティーサービスの提供なども行う。
【設立】2007.7 【資本金】286百万円
【社長】鵜飼裕司(1973.2生 徳島大院工修了)
【株主】〔24.3〕鵜飼裕司16.3%
【連結事業】サイバー・セキュリティ81、ソフトウエア開発・テスト19
【従業員】連207名 単141名(36.9歳)

【業績】	売上高	営業利益	経常利益	純利益
連22.3	1,779	103	156	120
連23.3	1,952	202	247	187
連24.3	2,446	497	540	432

#初任給が高い

㈱Mマート

東証グロース

採用内定数	倍率	3年後離職率	平均年収
3名	12.7倍	80%	502万円

●待遇、制度●
【初任給】月35万(固定残業代20時間分)
【残業】4.1時間【有休】8.7日【制度】‥
●新卒定着状況●
20年入社(男5、女0)→3年後在籍(男1、女0)
●採用情報●
【人数】23年:4 24年:1 25年:応募38→内定3*
【内定内訳】(男2、女1)(文2、理0)(総3、他0)
【試験】なし
【時期】エントリー 25.3→内々定25.4*(一次・二次以降もWEB面接可)【ジョブ型】有
【採用実績校】上智大1、同大1、東京ビジネスアカデミー専1
【求める人材】社訓である「謙虚、素直、感謝」の下で、向上心を持ち学び続ける人

【本社】163-1326 東京都新宿区西新宿6-5-1 新宿アイランドタワー ☎03-6811-0124
【特色・近況】業務用の食材卸サイト「Mマート」、厨房機器・食器の卸サイト「Bnet」、業務用フリマサイトなど電子商取引仲介を展開。売り手、買い手とも法人が対象で、出店料、出来高制のマーケット利用料、システム利用料が収益源。システムはすべて自社で構築。
【設立】2002.7 【資本金】318百万円
【社長】村橋純雄(1936.5生 都立上野高)
【株主】〔24.7〕村橋純雄30.5%
【事業】eマーケットプレイス100
【従業員】単54名(48.2歳)

【業績】	売上高	営業利益	経常利益	純利益
単22.1	902	270	270	182
単23.1	986	349	350	235
単24.1	1,171	483	482	324

㈱エル・ティー・エス [東証プライム]

採用内定数	倍率	3年後離職率	平均年収
25名	200倍	36.4%	668万円

●待遇、制度●
【初任給】月33.3万(固定残業代30時間分)
【残業】19.7時間【有休】9.2日【制度】[フ][在]
●新卒定着状況●
20年入社(男13、女9)→3年後在籍(男6、女8)
●採用情報● 24年は10月採用含む
【人数】23年:66 24年:65 25年:応募5000→内定25
【内定内訳】(男11、女14)(文21、理4)(総25、他0)
【試験】〔Web自宅〕有〔性格〕有
【時期】エントリー24.9→内々定24.12(一次・二次以降もWEB面接可)【インターン】有【ジョブ型】有
【採用実績校】‥
【求める人材】MissionとValueに共感し、自ら体現できる人

【本社】107-0051 東京都港区元赤坂1-3-13 赤坂センタービルディング ☎03-6897-6140
【特色・近況】ビジネスプロセスの可視化・改善・実行支援や、データアナリティクスやデジタルマーケティングなどのデジタル活用サービスを展開。顧客企業との長期的な関係構築に特色。クラウドソーシング型のIT人材マッチングサービスも育成中。
【設立】2002.3 【資本金】744百万円
【取締】樺島弘明(1975.10生 慶大卒)
【株主】〔24.6〕樺島弘明13.6%
【連結事業】プロフェッショナルサービス89、プラットフォーム11
【従業員】連1,043名 単496名(34.5歳)

【業績】	売上高	営業利益	経常利益	純利益
連21.12	7,375	600	579	388
連22.12	9,637	501	489	232
連23.12	12,242	717	753	456

エンカレッジ・テクノロジ [東証スタンダード]

採用内定数	倍率	3年後離職率	平均年収
12名	4.1倍	0%	[総]698万円

●待遇、制度●
【初任給】月27万(固定残業代10時間分)
【残業】28.4時間【有休】13.1日【制度】[住][在]
●新卒定着状況●
20年入社(男2、女1)→3年後在籍(男2、女1)
●採用情報●
【人数】23年:3 24年:2 25年:応募49→内定12*
【内定内訳】(男8、女4)(文6、理6)(総12、他0)
【試験】〔性格〕有
【時期】エントリー24.11→内々定25.3*(一次はWEB面接可)【インターン】有
【採用実績校】武蔵野大1、立正大1、福岡工大1
【求める人材】自ら考え行動できる人、ITへの興味関心があり熱中できる人、他者を尊重尊敬できる人

【本社】103-0007 東京都中央区日本橋浜町3-3-2 トルナーレ日本橋浜町 ☎03-5623-2622
【特色・近況】セキュリティー対策や内部統制に向けたパッケージソフトウェアを開発・販売。主力はシステム管理者の操作点検や監視を行い、不正や操作ミスを防ぐシステム証跡管理と保守サービス。顧客は金融機関、生損保、情報通信、製造業など。
【設立】2002.11 【資本金】507百万円
【社長】石井進也(1962.2生)
【株主】〔24.3〕石井進也25.9%
【事業】ライセンス28、保守サポート54、クラウド4、コンサルティング13、SIO常駐1、他0
【従業員】単124名(39.0歳)

【業績】	売上高	営業利益	経常利益	純利益
単22.3	2,068	348	350	248
単23.3	2,120	243	244	174
単24.3	2,498	318	321	218

応用技術(おうようぎじゅつ) [東証スタンダード]

採用内定数	倍率	3年後離職率	平均年収
5名	11.4倍	0%	672万円

●待遇、制度●
【初任給】月23.5万
【残業】20.1時間【有休】10.2日【制度】[フ][住]
●新卒定着状況●
20年入社(男1、女0)→3年後在籍(男1、女0)
●採用情報●
【人数】23年:6 24年:2 25年:応募57→内定5*
【内定内訳】(男5、女0)(文0、理5)(総0、他5)
【試験】〔筆記〕有〔Web自宅〕有
【時期】エントリー25.‥→内々定25.‥【インターン】有
【採用実績校】‥
【求める人材】‥

【本社】530-0015 大阪府大阪市北区中崎西2-4-12 梅田センタービル ☎06-6373-0440
【特色・近況】住宅・建設用業務改善ソフトと防災コンサルが2本柱。前者は住宅メーカー向けの営業支援ソフトが主。後者は官公庁や建設コンサル向けに防災・減災・環境分野に関わる解析・シュミレーションを行う。トランスコスモス傘下だが独自展開。
【設立】1984.6 【資本金】600百万円
【社長】船橋俊郎(1959.11生)
【株主】〔24.6〕トランスコスモス60.1%
【事業】ソリューションサービス72、エンジニアリングサービス28
【従業員】単268名(43.2歳)

【業績】	売上高	営業利益	経常利益	純利益
単21.12	6,447	908	1,022	711
単22.12	7,075	956	1,028	736
単23.12	7,419	978	1,048	716

㈱ＯＤＫソリューションズ　東証スタンダード

採用内定数	倍率	3年後離職率	平均年収
4名	21.5倍	0%	㊣633万円

●待遇、制度●
【初任給】月23万(諸手当1.5万円)
【残業】20時間【有休】15日【制度】‥

●新卒定着状況●
20年入社(男2、女4)→3年後在籍(男2、女4)

●採用情報●
【人数】23年:7 24年:5 25年:応募86→内定4
【内定内訳】(男3、女1)(文2、理2)(総4、他0)
【試験】〔性格〕有
【時期】エントリー25.2→内々定25.5
【採用実績校】立命館大1、甲南大1、学習院大1、専大1
【求める人材】自ら考え行動できる、発信力と傾聴力に優れた創造力のある人

【本社】541-0045 大阪府大阪市中央区道修町1-6-7　☎06-6202-3700
【特色・近況】入試関連業務支援システムの開発・運営が主力。志願書類処理やマークシート採点、入試関連統計処理、Web出願システムを手がける。大学受験ポータルサイトを運営。証券会社向け証券取引ソリューションや医療機関向けに臨床検査システムも展開。
【設立】1963.4　【資本金】637百万円
【社長】勝根秀和(1962.9生)
【株主】〔24.3〕学研ホールディングス16.4%
【連結事業】システム運用94、システム開発・保守5、機械販売1
【従業員】連211名 単157名(40.9歳)

【業績】	売上高	営業利益	経常利益	純利益
連22.3	5,500	436	509	194
連23.3	5,566	420	449	236
連24.3	5,867	572	604	266

㈱オプティマ　株式公開いずれしたい

採用内定数	倍率	3年後離職率	平均年収
25名	‥	16.7%	㊣534万円

●待遇、制度●
【初任給】月21.3万
【残業】16.2時間【有休】12日【制度】フ 住 在

●新卒定着状況●
20年入社(男10、女2)→3年後在籍(男8、女2)

●採用情報●
【人数】23年:12 24年:16 25年:応募‥→内定25*
【内定内訳】(男15、女10)(文‥、理‥)(総25、他0)
【試験】〔Web自宅〕SPI3〔性格〕有
【時期】エントリー25.2→内々定25.3*(一次はWEB面接可)
【採用実績校】学習院大1、立命館大1、駒澤大1、上智大1、東洋大1、文教大1、東北学大1、鶴見大1、横浜商大1、龍谷大1、他
【求める人材】自律した学びと成長を大切にし、常に新しい知識とスキルを身につける人

【本社】141-0032 東京都品川区大崎3-5-2 エステージ大崎　☎03-3493-8800
【特色・近況】行政、金融など大規模システム受託開発に強みを持つ独立系SIer。SoE領域(顧客フロント系システム群)でAI、IoT、クラウド、モバイルなど最新技術を生かし事業展開。千葉、大阪、福岡に支店。松江市に開発拠点。障がい者雇用にも熱心。
【設立】1972.8　【資本金】100百万円
【社長】森田宏樹(慶大法卒)
【株主】〔24.3〕森田宏樹50.0%
【事業】システム受託開発84、パッケージソフトウェア開発・販売4、コンピュータ・周辺機器の販売12、他0
【従業員】単342名(38.0歳)

【業績】	売上高	営業利益	経常利益	純利益
単22.3	3,267	163	163	36
単23.3	3,076	117	111	56
単24.3	3,401	102	123	55

㈱オプトピア　株式公開いずれしたい

採用予定数	倍率	3年後離職率	平均年収
1名	‥	0%	545万円

●待遇、制度●
【初任給】月22万(固定残業代20時間分)
【残業】13.7時間【有休】9.7日【制度】在

●新卒定着状況●
20年入社(男1、女1)→3年後在籍(男1、女1)

●採用情報●
【人数】23年:0 24年:1 25年:予定1
【内定内訳】(男‥、女‥)(文‥、理‥)(総‥、他‥)
【試験】〔筆記〕常識〔性格〕有
【時期】エントリー25.4→内々定25.6*(一次・二次以降もWEB面接可)
【採用実績校】‥
【求める人材】コンピューターが大好きで失敗を恐れず前向きに頑張れる人

【本社】770-0052 徳島県徳島市中島田町3-56-1　☎088-678-7430
【特色・近況】Web、イントラネット、モバイルのシステム開発・保守が主力事業。真言宗の檀家・信者管理システムやレンタルサーバー、ホスティング事業なども。LED制御、エコ関連システムの開発に注力。横浜に営業所を置く。
【設立】1993.5　【資本金】10百万円
【社長】井上武久(1954.3生 阪大基礎工卒)
【株主】〔24.4〕井上武久60.0%
【事業】モバイル関連業務請負47、インターネット関連業務請負21、ソフトウエア受託開発20、システム販売他9
【従業員】単43名(41.4歳)

【業績】	売上高	営業利益	経常利益	純利益
単22.4	412	‥	25	18
単23.4	412	‥	14	11
単24.4	411	‥	19	13

情報・通信・同関連ソフト

#初任給が高い

㈱オロ

東証プライム

採用内定数	倍率	3年後離職率	平均年収
27名	62.4倍	27.3%	606万円

●待遇、制度●
【初任給】月33万(固定残業代20時間分)
【残業】20時間【有休】13.6日【制度】住

●新卒定着状況●
20年入社(男16、女6)→3年後在籍(男11、女5)

●採用情報●
【人数】23年:25 24年:27 25年:応募1684→内定27*
【内定内訳】(男19、女8)(文15、理6)(総21、他6)
【試験】〔筆記〕常識、他
【時期】エントリー24.9→内々定24.12*(一次・二次以降もWEB面接可)【インターン】有【ジョブ型】有
【採用実績校】東大1、東京科学大1、お茶女大1、東北大1、金沢大1、山形大1、熊本大1、大阪府大1、都立大2、兵庫県大1、慶大1、早大5、他
【求める人材】高い目標を掲げて、論理的に考えながら自分の得意を活かし成し遂げようと努力する人

【本社】153-0063 東京都目黒区目黒3-9-1
☎03-5724-7001
【特色・近況】業務、会計、勤怠などを一元管理できる独自開発のクラウド型ERPパッケージ「ZAC」が主力。広告、ITなど知的サービス業に特化したシステムに特徴。Web活用のマーケティング支援も行う。中国、台湾、東南アジア各国に現地法人を開設。
【設立】2000.9 【資本金】1,193百万円
【取締】川田篤(1973.9生 東工大工卒)
【株主】〔24.6〕川田篤38.3%
【連結事業】クラウドソリューション61、デジタルトランスフォーメーション39
【従業員】連554名 単314名(33.7歳)

【業績】	売上高	営業利益	税前利益	純利益
連21.12	5,762	2,120	2,132	1,490
連22.12	6,210	2,286	2,352	1,623
連23.12	7,033	2,547	2,602	1,836

北日本コンピューターサービス

株式公開計画なし

採用内定数	倍率	3年後離職率	平均年収
9名	1.9倍	16.7%	㊙618万円

●待遇、制度● 平均年収は5年平均
【初任給】月23万(諸手当1万円)
【残業】6.7時間【有休】15.7日【制度】住 在

●新卒定着状況●
20年入社(男2、女4)→3年後在籍(男1、女4)

●採用情報●
【人数】23年:8 24年:2 25年:応募17→内定9
【内定内訳】(男6、女3)(文2、理5)(総9、他0)
【試験】〔Web自宅〕SPI3
【時期】エントリー24.11→内々定25.1(一次はWEB面接可)【インターン】有
【採用実績校】秋田大3、秋田県大1、専大1、千葉商大1、明大1、秋田技術専1
【求める人材】安定性よりも変化を楽しめる人、人とのコミュニケーションを楽しめる人、笑顔で素直な人

【本社】010-0013 秋田県秋田市南通築地15-32
☎018-834-1811
【特色・近況】システム開発や情報機器販売などを展開。東北地盤に全国に拠点。自治体向け業務システムに強み。主力の生活保護システムはトップクラスのシェア。滞納管理システムの実績豊富。AI活用の問い合わせ対応システムなども提供。
【設立】1969.4 【資本金】10百万円
【社長】江畑佳明(1962.7生 中大経済卒)
【株主】〔23.9〕役員80.0%
【事業】ハードソフト68、保守定期ソフト22、レンタル10
【従業員】単244名(40.5歳)

【業績】	売上高	営業利益	経常利益	純利益
単21.9	4,692	‥	555	183
単22.9	4,124	‥	559	127
単23.9	4,611	‥	387	130

キッセイコムテック

株式公開計画なし

採用内定数	倍率	3年後離職率	平均年収
23名	24.5倍	33.3%	‥

●待遇、制度●
【初任給】月23万(諸手当を除いた数値)
【残業】20.7時間【有休】13.6日【制度】住 在

●新卒定着状況●
20年入社(男9、女6)→3年後在籍(男6、女4)

●採用情報●
【人数】23年:11 24年:12 25年:応募564→内定23
【内定内訳】(男10、女13)(文17、理6)(総23、他0)
【試験】〔筆記〕SPI3〔Web会場〕SPI3〔Web自宅〕SPI3〔性格〕有
【時期】エントリー25.3→内々定25.6(一次・二次以降もWEB面接可)【インターン】有
【採用実績校】新潟大院1、山梨大1、青学大1、東洋大1、明大2、獨協大1、専大2、埼玉大1、関大院1、帝京大1、法政大3、上智大1、松本大1、他
【求める人材】自立型人財(自ら進んで成長する積極性、論理的思考力、協調・協力の姿勢)

【本社】390-1293 長野県松本市和田4010-10
☎0263-40-1122
【特色・近況】キッセイ薬品工業グループのシステム開発会社。製造、流通、サービス、医療業界向けシステム開発と情報関連機器レンタルを手がける。人間や動物の生体信号を収録・解析するソフトウェアも提供。東京に事業所を置く。
【設立】1985.4 【資本金】334百万円
【会長】神澤鋭二(1956.7生 慶大商卒)
【株主】〔24.3〕キッセイ薬品工業76.8%
【事業】システム開発・システムインテグレーション、システムリソースサービス、他
【従業員】単346名(40.5歳)

【業績】	売上高	営業利益	経常利益	純利益
単22.3	9,562	914	948	638
単23.3	10,342	881	916	635
単24.3	10,511	1,064	1,111	784

#採用数が多い

キヤノンＩＴソリューションズ

株式公開計画なし

採用内定数	倍率	3年後離職率	平均年収
212名	19.8倍	11.5%	‥

●待遇、制度●
【初任給】月24.5万
【残業】19.6時間【有休】13.1日【制度】在
●新卒定着状況●
20年入社(男100、女65)→3年後在籍(男88、女58)
●採用情報●
【人数】23年:163 24年:183 25年:応募4201→内定212*
【内定内訳】(男160、女52)(文100、理107)(総212、他0)
【試験】〔筆記〕SPI3〔Web会場〕SPI3〔Web自宅〕SPI3〔性格〕有
【時期】エントリー24.11→内々定25.3(一次はWEB面接可)【インターン】有
【採用実績校】明大15、東理大9、東洋大8、芝工大8、関大6、近大6、青学大6、日大6、立命館大6、他
【求める人材】自ら意欲的に取り組み、成長したいという意欲のある人

【本社】108-0075 東京都港区港南2-16-6 キヤノンＳタワー ☎03-6701-3300
【特色・近況】キヤノンマーケティングジャパングループの中核SI企業。金融、製造、流通、サービス、公共・教育機関などの各業種向けにソリューションサービスや製品を提供。東京、神奈川、栃木、大阪、名古屋、愛知に事業所を展開。
【設立】1982.7 【資本金】3,617百万円
【社長】金澤明
【株主】〔24.4〕キヤノンマーケティングジャパン100%
【事業】業種別ソリューション、ITプロダクトの運用・保守等
【従業員】単4,000名(42.1歳)

【業績】	売上高	営業利益	経常利益	純利益
単21.12	97,571	9,440	9,654	6,708
単22.12	109,548	11,457	11,692	8,249
単23.12	126,953	14,021	14,175	10,871

キャロットソフトウェア

株式公開検討中

採用予定数	倍率	3年後離職率	平均年収
10名	―	60%	531万円

●待遇、制度●
【初任給】月23.2万(諸手当1.5万円)
【残業】8時間【有休】8.1日【制度】フ 住 在
●新卒定着状況●
20年入社(男5、女0)→3年後在籍(男2、女0)
●採用情報●
【人数】23年:4 24年:4 25年:応募27→内定0*
【内定内訳】(男‥、女‥)(文‥、理‥)(総‥、他‥)
【試験】〔筆記〕有〔Web自宅〕有
【時期】エントリー25.3→内々定25.6*【インターン】有【ジョブ型】有
【採用実績校】‥
【求める人材】新しい技術に挑戦し、社会に新たな価値を創造するチームメンバー

【本社】100-7011 東京都千代田区丸の内2-7-2 JPタワー1108 ☎03-6268-0510
【特色・近況】製造業・物流業向けが中心のシステム受託開発会社。基幹システム、業務用・Webアプリ、組み込みシステムの設計・開発などを手がける。ビッグデータ、AIやIoT分野などを強化。東京・八王子市に開発拠点を置く。
【設立】1988.3 【資本金】40百万円
【社長】後藤正(1958.8生)
【株主】〔23.8〕後藤正99.7%
【事業】ソフトウエア開発100
【従業員】単68名(36.4歳)

【業績】	売上高	営業利益	経常利益	純利益
単21.8	647	32	62	39
単22.8	707	113	118	80
単23.8	728	153	155	110

㈱キューブシステム

東証プライム

採用内定数	倍率	3年後離職率	平均年収
59名	19.7倍	26.3%	525万円

●待遇、制度●
【初任給】月23万
【残業】24時間【有休】11.5日【制度】住 在
●新卒定着状況●
20年入社(男33、女24)→3年後在籍(男26、女16)
●採用情報●
【人数】23年:65 24年:75 25年:応募1161→内定59*
【内定内訳】(男36、女23)(文34、理25)(総59、他0)
【試験】〔Web自宅〕有〔性格〕有
【時期】エントリー24.9→内々定24.10(一次・二次以降もWEB面接可)【インターン】有
【採用実績校】東京電機大4、東洋大3、福岡大2、京都橘大2、神奈川大2、日大1、東京工芸大1、立命館大1、関大1、中部大1、東邦大1、他
【求める人材】夢・目標を持ち、実現するための努力ができる人、周囲と協動し、何事にも挑戦する人

【本社】141-0032 東京都品川区大崎2-11-1 大崎ウィズタワー ☎03-5487-6030
【特色・近況】ソフトウェア開発、システムアウトソーシングの中堅。金融、運輸・通信、流通向け多く、野村総研グループ、富士通グループの売り上げが約7割を占める。プロジェクト管理能力に定評。中国やベトナムでオフショア開発も行う。
【設立】1972.7 【資本金】1,400百万円
【取締】中西雅洋(1958.11生 京大卒)
【株主】〔24.3〕野村総合研究所20.1%
【連結事業】システムインテグレーションサービス78、システムアウトソーシングサービス9、プロフェッショナルサービス13
【従業員】連951名 単728名(33.8歳)

【業績】	売上高	営業利益	経常利益	純利益
連22.3	16,099	1,417	1,432	944
連23.3	16,325	1,452	1,480	989
連24.3	18,021	1,536	1,590	1,067

協和テクノロジィズ	株式公開計画なし	採用内定数	倍率	3年後離職率	平均年収
		8名	6.9倍	33.3%	[総]603万円

[待遇、制度]
【初任給】月22.1万(諸手当2.3万円)
【残業】11時間【有休】12.3日【制度】[フ][住][在]
[新卒定着状況]
20年入社(男12、女3)→3年後在籍(男9、女1)
[採用情報]
【人数】23年:12 24年:20 25年:応募55→内定8*
【内定内訳】(男6、女2)(文3、理5)(総8、他0)
【試験】〔筆記〕有〔Web会場〕有〔Web自宅〕有〔性格〕有
【時期】エントリー24.10→内々定24.12*(一次はWEB面接可)【インターン】有
【採用実績校】大和大1、武庫川女大1、京都文教大1、鳥取大院1、関大1、摂南大1、帝塚山学大1、大阪工大1
【求める人材】情報通信に興味があり、社会インフラを支えることにやりがいを持てる人

【本社】530-0016 大阪府大阪市北区中崎1-2-23 ☎06-6363-8800
【特色・近況】通信インフラのコンサルから設計・構築・保守まで一貫して対応するICT-SIサービス会社。鉄道・電力など社会インフラのシステム構築、ネットワークソリューションが主軸。NECの特約店。大阪・東京の2本社制。
【設立】1948.10 【資本金】98百万円
【代表取締役】十河元太郎(1978.5生 サンタクララ大院修了)
【株主】〔23.9〕キョウワ・エステイト12.4%
【事業】電気通信工事52、電気通信機器類20、情報処理機器類12、保守15 <海外1>
【従業員】単472名(44.7歳)

【業績】	売上高	営業利益	経常利益	純利益
単21.9	14,263	680	810	637
単22.9	12,711	452	314	225
単23.9	14,992	762	873	697

㈱QUICK E-Solutions	株式公開計画なし	採用内定数	倍率	3年後離職率	平均年収
		8名	37.1倍	57.1%	‥

[待遇、制度]
【初任給】月24万
【残業】13.4時間【有休】14.8日【制度】[フ][住][在]
[新卒定着状況]
20年入社(男3、女4)→3年後在籍(男1、女2)
[採用情報]
【人数】23年:4 24年:7 25年:応募297→内定8
【内定内訳】(男5、女3)(文1、理5)(総0、他8)
【試験】〔Web自宅〕有〔性格〕有
【時期】エントリー24.10→内々定25.2(一次はWEB面接可)
【採用実績校】日大2、大妻女大1、関大1、新潟医療福祉大1、立命館大1、船橋情報ビジネス専2
【求める人材】システムエンジニアを志望する、自ら主体的に学習・仕事に取り組む成長意欲のある人

【本社】103-0026 東京都中央区日本橋兜町7-1 KABUTO ONE 12階 ☎050-3354-0060
【特色・近況】日経グループの金融情報会社QUICKのシステム開発、保守、運用を担当。クラウド向けシステム構築など事業会社にもソリューション事業を展開する。金融機関の店舗や事業会社のオフィス移転、内装工事も手がける。
【設立】1983.3 【資本金】250百万円
【社長】和智徳男(1960.11生)
【株主】〔23.12〕QUICK100%
【事業】商品13、保守6、ソフト開発27、工事16、システム利用料9、システム構築10、他19
【従業員】単231名(‥歳)

【業績】	売上高	営業利益	経常利益	純利益
単21.12	10,894	537	551	352
単22.12	11,497	740	756	522
単23.12	11,678	691	714	488

㈱クエスト	東証スタンダード	採用予定数	倍率	3年後離職率	平均年収
		45名	‥	14.3%	565万円

[待遇、制度]
【初任給】月21.7万(諸手当を除いた数値)
【残業】17時間【有休】11.6日【制度】[フ][住][在]
[新卒定着状況]
20年入社(男27、女15)→3年後在籍(男23、女13)
[採用情報]
【人数】23年:43 24年:45 25年:予定45*
【内定内訳】(男‥、女‥)(文‥、理‥)(総‥、他‥)
【試験】〔Web自宅〕有〔性格〕有
【時期】エントリー24.11→内々定25.3(一次・二次以降もWEB面接可)【インターン】有
【採用実績校】‥
【求める人材】何事にも興味を持って探求し、課題解決に向けて思考・コミュニケーションが取れる人

【本社】108-0023 東京都港区芝浦3-1-1 田町ステーションタワーN ☎03-3453-1181
【特色・近況】システム開発とシステム運用管理などインフラサービスが両輪の情報サービス会社。システムの設計・開発・保守からオペレーション、監視業務、ヘルプデスクまで一貫で請け負う。半導体、金融、情報通信の比重が高く、キオクシアが大口顧客。
【設立】1965.5 【資本金】491百万円
【会長】清澤一郎(1955.12生 広島大院工修了)
【株主】〔24.3〕内田廣15.2%
【連結事業】システム開発61、インフラサービス39、他0
【従業員】連996名 単980名(38.4歳)

【業績】	売上高	営業利益	経常利益	純利益
単22.3	11,807	958	993	690
連23.3	14,201	976	1,033	690
連24.3	14,224	997	1,061	696

グリーンシステム 株式公開未定

採用実績数	倍率	3年後離職率	平均年収
2名	‥	‥	499万円

●待遇、制度●
【初任給】月21万
【残業】9.7時間【有休】12.6日【制度】‥
●新卒定着状況●
‥
●採用情報●
【人数】23年:‥ 24年:2 25年:予定未定
【内定内訳】(男‥、女‥)(文‥、理‥)(総‥、他‥)
【試験】‥
【時期】エントリー‥→内々定‥
【採用実績校】‥
【求める人材】‥

【本社】530-0002 大阪府大阪市北区曽根崎新地1-4-12 桜橋プラザビル7階 ☎06-6347-5575
【特色・近況】Web系、ERPなどのシステム開発からモバイルアプリ開発、インフラ開発まで多くの実績を持つシステム開発会社。500人強のJava技術者を擁する。フィリピンにオフショア開発拠点。国内は東京と名古屋に支店。
【設立】1988.5 【資本金】95百万円
【社長】高橋徹(同大)
【株主】〔24.2〕高橋徹97.0%
【事業】ソフトウェアの設計・開発、医療・福祉パッケージの販売・サポート
【従業員】単250名(37.8歳)

【業績】	売上高	営業利益	経常利益	純利益
単22.2	2,787	411	449	293
単23.2	2,835	406	438	290
単24.2	2,736	314	361	253

㈱クレヴァシステムズ 株式公開計画なし

採用内定数	倍率	3年後離職率	平均年収
8名	9.8倍	9.1%	‥

●待遇、制度●
【初任給】月22.2万(諸手当1.5万円)
【残業】20.5時間【有休】13.1日【制度】フ 住 在
●新卒定着状況●
20年入社(男4、女7)→3年後在籍(男3、女7)
●採用情報●
【人数】23年:8 24年:5 25年:応募78→内定8
【内定内訳】(男6、女2)(文6、理2)(総8、他0)
【試験】〔筆記〕有〔Web自宅〕有〔性格〕有
【時期】エントリー24.11→内々定25.3【インターン】有
【採用実績校】江戸川大4、麗澤大2、東邦大1、サイバー大1
【求める人材】周囲とコミュニケーションを取りながら、何事にも主体性を持って取り組める人

【本社】105-0014 東京都港区芝3-24-21 三和ビル2階・4階 ☎03-5443-3551
【特色・近況】企業内WebシステムやECサイト構築、SAP中心のERP導入・カスタマイズ、ITインフラ設計・運用など手がけるシステム開発会社。法人向けファイル共有ツールなども展開。キーウェアソリューションズのグループ企業。
【設立】1991.10 【資本金】284百万円
【社長】山本浩昭(1961.5生 北海道電子計専卒)
【株主】〔24.3〕キーウェアソリューションズ100%
【事業】ソフトウエア開発90、システムインテグレーション10
【従業員】単163名(39.2歳)

【業績】	売上高	営業利益	経常利益	純利益
単22.3	2,015	75	90	66
単23.3	2,193	93	102	74
単24.3	2,428	105	112	84

㈱クレオ 東証スタンダード

採用内定数	倍率	3年後離職率	平均年収
33名	27.9倍	21.2%	572万円

●待遇、制度●
【初任給】月22.4万
【残業】6.7時間【有休】11.8日【制度】フ 住 在
●新卒定着状況●
20年入社(男18、女15)→3年後在籍(男14、女12)
●採用情報●
【人数】23年:21 24年:27 25年:応募922→内定33*
【内定内訳】(男19、女14)(文20、理5)(総0、他33)
【試験】〔Web自宅〕有
【時期】エントリー24.8→内々定24.10(一次はWEB面接可)【インターン】有
【採用実績校】日本電子専3、東洋大2、武蔵野大2、山口大1、大阪情報コンピュータ専1、神奈川大1、情報科学専1、多摩美大1、他
【求める人材】常に目標を持って行動し、新しい技術やその活用に高い関心を持つ人

【本社】140-0002 東京都品川区東品川4-10-27 住友不動産品川ビル ☎03-5783-3530
【特色・近況】中堅企業向けERPパッケージ「ZeeM」などを提供。主要サービスでクラウド製品の拡充とサブスク化を進める。富士通グループ、アマノなど大手企業向けにシステム受託開発も展開。筆頭株主アマノとのHRビジネス協業を強化。
【設立】1974.3 【資本金】3,149百万円
【社長】柿﨑淳一(1964.12生)
【株主】〔24.3〕アマノ30.8%
【連結事業】ソリューションサービス33、受託開発21、システム運用・サービス14、サポートサービス32、他0
【従業員】連1,212名 単495名(41.7歳)

【業績】	売上高	営業利益	経常利益	純利益
連22.3	14,784	1,060	1,107	657
連23.3	14,689	904	911	487
連24.3	14,351	1,085	1,100	717

#採用数が多い

㈱クレスコ

東証プライム

採用内定数	倍率	3年後離職率	平均年収
110名	8.2倍	21.4%	[総]638万円

●待遇、制度●
【初任給】月25万
【残業】13.6時間【有休】15.4日【制度】[フ][住][在]
●新卒定着状況●
20年入社(男34、女22)→3年後在籍(男28、女16)
●採用情報●
【人数】23年:109 24年:98 25年:応募907→内定110*
【内定内訳】(男83、女27)(文34、理54)(総0、他110)
【試験】〔筆記〕SPI3〔Web会場〕SPI3〔Web自宅〕SPI3〔性格〕有
【時期】エントリー25.3→内々定25.6(一次はWEB面接可)【インターン】有
【採用実績校】芝工大3、昭和女大3、神奈川大3、拓大3、東京電機大3、東洋大3、福岡女大3、明星大3、釜山外国語大2、熊本高専2、他
【求める人材】ITに興味があり、企業理念に共感し、成長意欲のある人

【本社】108-6026 東京都港区港南2-15-1 品川インターシティA棟 ☎03-5769-8011
【特色・近況】独立系システム開発会社。エンタープライズシステムなど業務システム開発のほか、アプリケーション開発やセキュリティーサービスなども展開。金融系に強い。組み込み型ソフト開発では車載、エレクトロニクス、携帯端末分野が大半を占める。
【設立】1988.4 【資本金】2,514百万円
【社長】冨永宏(1967.1生 大阪電子専卒)
【株主】〔24.3〕㈲イワサキコーポレーション20.3%
【連結事業】ITサービス93、デジタルソリューション7
【従業員】連2,935名 単1,433名(38.3歳)

【業績】	売上高	営業利益	経常利益	純利益
連22.3	44,450	4,457	4,782	3,236
連23.3	48,368	4,998	5,135	3,328
連24.3	52,755	5,121	5,658	3,728

#採用数が多い

㈱ＫＳＫ

東証スタンダード

採用内定数	倍率	3年後離職率	平均年収
200名	16.4倍	31.1%	528万円

●待遇、制度●
【初任給】月21.5万
【残業】15.1時間【有休】14.6日【制度】[住][在]
●新卒定着状況●
20年入社(男29、女32)→3年後在籍(男20、女22)
●採用情報●
【人数】23年:157 24年:209 25年:応募3274→内定200*
【内定内訳】(男152、女48)(文47、理153)(総200、他0)
【試験】〔Web会場〕有〔Web自宅〕有〔性格〕有
【時期】エントリー24.7→内々定24.8(一次・二次以降もWEB面接可)
【採用実績校】日大8、東洋大6、東京都市大5、法政大5、東京農業大5、東京工科大5、千葉工大5、立正大4、青学大4、成蹊大4、他
【求める人材】学業面と資質面の双方のバランスの取れた人、意欲的で協調性があり、責任感のある人

【本社】206-0804 東京都稲城市百村1625-2 ☎042-378-1100
【特色・近況】独立系ソフトウェア中堅。設計から構築・運用までの一貫サービスが強み。LSI設計などシステムコア開発、組み込みソフトウェア開発に力点。ネットワークシステム構築・保守などネットワークサービスが拡大傾向へ。NECグループなどが主要顧客。
【設立】1974.5 【資本金】1,448百万円
【社長】松岡洋一(1956.1生 慶大法卒)
【株主】〔24.3〕山崎陽子10.5%
【連結事業】システムコア18、ITソリューション24、ネットワークサービス58
【従業員】連2,711名 単2,052名(34.8歳)

【業績】	売上高	営業利益	経常利益	純利益
連22.3	18,623	2,069	2,229	1,501
連23.3	20,358	2,225	2,292	1,589
連24.3	21,778	2,306	2,381	1,702

㈱ケーピーエス

株式公開計画なし

採用内定数	倍率	3年後離職率	平均年収
6名	11.3倍	0%	494万円

●待遇、制度●
【初任給】月22.5万(諸手当2.5万円)
【残業】16.4時間【有休】11.1日【制度】[フ][住][在]
●新卒定着状況●
20年入社(男3、女3)→3年後在籍(男3、女3)
●採用情報●
【人数】23年:6 24年:7 25年:応募68→内定6*
【内定内訳】(男4、女2)(文5、理1)(総6、他0)
【試験】〔筆記〕常識、他
【時期】エントリー25.6→内々定25.9*
【採用実績校】東海大院、早大、専大、法政大、実践女大、日大
【求める人材】今後のソフトウエア開発に興味をもってチャレンジし、自律した行動力のある人

【本社】169-0073 東京都新宿区百人町2-4-8 ステアーズビル ☎03-3360-6111
【特色・近況】流通、金融分野に強みを持つ業務用ソフトの開発・運用会社。クラウド環境向け帳票開発ツールなど提供。セールスフォース社のOEMパートナーで、同社の基盤プラットフォーム「フォースドットコム」の導入支援や研修も手がける。
【設立】1969.2 【資本金】100百万円
【社長】平克介(1960.4生 早大理工卒)
【株主】〔24.3〕平克介62.6%
【事業】ソフトウエア開発87、ファシリティマネジメント他13
【従業員】単64名(39.9歳)

【業績】	売上高	営業利益	経常利益	純利益
単22.3	651	‥	46	43
単23.3	663	‥	46	31
単24.3	761	‥	59	42

㈱コア

[東証プライム]

採用内定数	倍率	3年後離職率	平均年収
41名	34.6倍	17.2%	631万円

●待遇、制度●
【初任給】月24万
【残業】17.7時間【有休】14.2日【制度】[住]
●新卒定着状況●
20年入社(男40、女18)→3年後在籍(男36、女12)
●採用情報●
【人数】23年:54 24年:56 25年:応募1420→内定41*
【内定内訳】(男28、女13)(文10、理28)(総41、他0)
【試験】〔筆記〕常識、他〔性格〕有
【時期】エントリー25.3→内々定25.4*(一次はWEB面接可)【インターン】有
【採用実績校】北海学園大1、北海道情報大1、茨城大1、日大7、東京電機大3、東洋大2、早大1、東理大1、芝工大1、大正大1、神奈川大1、他
【求める人材】好奇心と創造力があり、自ら考えて行動できる人

【本社】154-8552 東京都世田谷区三軒茶屋1-22-3 ☎03-3795-5111
【特色・近況】独立系情報サービス企業。携帯電話や情報家電、車載製品向け組み込みソフト開発が主力。電子テロップ、電子カルテ、クラウド型点呼システム、自治体向け情報管理ソリューションなど自社開発製品を扱う。設備保全や開発支援のIoT販路拡大に注力。
【設立】1969.12 【資本金】440百万円
【社長】横山浩二(1972.8生 山口大工卒)
【株主】〔24.3〕㈱タネムラコーポレーション14.1%
【連結事業】未来社会ソリューション20、産業技術ソリューション44、顧客業務インテグレーション36
【従業員】連1,335名 単1,018名(40.5歳)

【業績】	売上高	営業利益	経常利益	純利益
連22.3	21,798	2,367	2,451	1,622
連23.3	22,848	2,743	2,812	1,968
連24.3	23,998	3,140	3,219	2,270

㈱コアード

[株式公開計画なし]

採用内定数	倍率	3年後離職率	平均年収
10名	4.6倍	9.1%	[総]544万円

●待遇、制度●
【初任給】月22万(諸手当2.5万円)
【残業】8.7時間【有休】9.6日【制度】[住][在]
●新卒定着状況●
20年入社(男9、女2)→3年後在籍(男8、女2)
●採用情報●
【人数】23年:11 24年:10 25年:応募46→内定10
【内定内訳】(男9、女1)(文1、理2)(総10、他0)
【試験】〔筆記〕有
【時期】エントリー25.3→内々定25.8【インターン】有
【採用実績校】東京工芸大2、駒澤大1、日本電子専4、東京電子専2、日本工学院専1
【求める人材】コミュニケーション能力があり、モノづくりが好きで、責任感がある人

【本社】108-0023 東京都港区芝浦4-16-23 AQUACITY芝浦7階 ☎03-6435-0570
【特色・近況】ソフトウェアの受託開発専業会社。C/S、Web系の業務システム開発に特化。金融・印刷・出版向けシステムに開発実績多数。クラウド環境を使った開発や関連技術者育成に注力。富士通のコアパートナー。ソーバルのグループ会社。
【設立】1987.2 【資本金】20百万円
【社長】東谷正雄(1978.12生)
【株主】〔24.2〕ソーバル100%
【事業】受託ソフト開発100
【従業員】単104名(31.0歳)

【業績】	売上高	営業利益	経常利益	純利益
単22.2	785	87	92	65
単23.2	898	97	102	69
単24.2	1,003	106	112	79

㈱コアコンセプト・テクノロジー

[東証グロース]

採用内定数	倍率	3年後離職率	平均年収
53名	38.3倍	‥	687万円

●待遇、制度●
【初任給】月25.2万(諸手当6.3万円、固定残業代35時間分)
【残業】19.7時間【有休】13.6日【制度】[フ][住][在]
●新卒定着状況●
‥
●採用情報●
【人数】23年:31 24年:37 25年:応募2031→内定53*
【内定内訳】(男40、女13)(文12、理39)(総0、他53)
【試験】〔Web自宅〕有
【時期】エントリー25.6→内々定25.7*(一次・二次以降もWEB面接可)【ジョブ型】有
【採用実績校】東大7、慶大2、早大2、ICU1、阪大2、名大3、九大3、北大1、東北大1、筑波大3、横国大1、東理大1、千葉大5、埼玉大2、明大2、他
【求める人材】知性と感性のバランスが取れ、問題解決力と協調性を併せ持つ人

【本社】171-0022 東京都豊島区南池袋1-16-15 ☎03-6457-4344
【特色・近況】建設業・製造業向けDX支援サービスと、IT人材調達支援サービスが2本柱。DX支援は企画から構築、運用まで一気通貫の支援に特徴。自社のIT人材調達システムを活用し、中小IT企業の人材と顧客企業のマッチング支援サービスを行う。
【設立】2009.9 【資本金】565百万円
【社長】金子武史(1976.5生 東京理大理工卒)
【株主】〔24.6〕金子武史13.3%
【連結事業】DX関連100
【従業員】連555名 単386名(34.9歳)

【業績】	売上高	営業利益	経常利益	純利益
単21.12	7,801	546	546	410
単22.12	12,113	1,120	1,139	836
連23.12	15,921	1,744	1,765	1,303

㈱コアシステムズ

株式公開計画なし

採用実績数	倍率	3年後離職率	平均年収
1名	–	–	[総]554万円

●待遇、制度●
【初任給】月20.4万(諸手当4.5万円)
【残業】10時間【有休】12.3日【制度】[住]
●新卒定着状況●
20年入社(男0、女0)→3年後在籍(男0、女0)
●採用情報●
【人数】23年:1 24年:1 25年:予定0
【内定内訳】(男‥、女‥)(文‥、理‥)(総‥、他‥)
【試験】〔Web自宅〕WEB-GAB〔性格〕有
【時期】エントリー25.3→内々定25.5(一次はWEB面接可)
【採用実績校】‥
【求める人材】達成意欲が高く、粘り強い人

【本社】721-0973 広島県福山市南蔵王町3-5-10 ☎084-927-3550
【特色・近況】クラウドを活用して、多様な業界向けのシステム・ソフトを企画・開発・販売。映画館向け総合システムや学校・幼稚園等の連絡網、企業や店舗向けドタキャン防止、病院の順番待ち予約などユニークなシステムを開発。ロボットプログラミング教室も運営。
【設立】1991.6 【資本金】20百万円
【社長】都築邦昭(1961.1生)
【株主】〔24.5〕都築邦昭60.0%
【事業】ソフトウエア70、ハードウエア30
【従業員】単26名(44.5歳)

【業績】	売上高	営業利益	経常利益	純利益
単21.5	511	46	63	44
単22.5	458	64	88	60
単23.5	490	61	90	60

#採用数が多い

コムチュア

東証プライム

採用予定数	倍率	3年後離職率	平均年収
180名	‥	16%	680万円

●待遇、制度●
【初任給】月27万(固定残業代10時間分)
【残業】13.1時間【有休】12.5日【制度】[フ][在]
●新卒定着状況●
20年入社(男49、女26)→3年後在籍(男43、女20)
●採用情報●
【人数】23年:213 24年:196 25年:予定180
【内定内訳】(男‥、女‥)(文‥、理‥)(総‥、他‥)
【試験】〔Web会場〕SPI3〔性格〕有
【時期】エントリー24.9→内々定24.10(一次・二次以降もWEB面接可)【インターン】有【ジョブ型】有
【採用実績校】東京科学大1、北大1、阪大1、名大1、東北大1、筑波大2、九大2、横国大1、早大7、慶大1、上智大1、明大18、立教大3、中大9、他
【求める人材】技術進化に伴い、最先端技術へ積極的に挑戦し、前向きに取り組む人

【本社】141-0032 東京都品川区大崎1-11-2 ゲートシティ大崎イーストタワー ☎03-5745-9700
【特色・近況】独立系SI。アマゾン、セールスフォース、マイクロソフトなどと連携したクラウドベースのシステム、Webサイト開発が主力。顧客は製造業、金融、商社、官公庁など幅広い。AIやRPA(業務自動化)などDX領域、上流コンサルを強化。
【設立】1985.1 【資本金】1,022百万円
【取締】澤田千尋(1961.10生 東大院工修了)
【株主】〔24.3〕㈲コム20.2%
【連結事業】ソリューションサービス100
【従業員】連1,906名 単1,411名(35.3歳)

【業績】	売上高	営業利益	経常利益	純利益
連22.3	24,985	3,996	4,000	2,517
連23.3	29,056	4,065	4,067	2,695
連24.3	34,185	4,600	4,597	3,135

コンピューターマネージメント

東証スタンダード

採用内定数	倍率	3年後離職率	平均年収
17名	8.6倍	33.3%	503万円

●待遇、制度●
【初任給】月21万(諸手当3万円)
【残業】16.2時間【有休】‥日【制度】[住][在]
●新卒定着状況●
20年入社(男10、女8)→3年後在籍(男5、女7)
●採用情報●
【人数】23年:25 24年:30 25年:応募146→内定17*
【内定内訳】(男11、女6)(文12、理2)(総17、他0)
【試験】〔Web自宅〕有
【時期】エントリー25.2→内々定25.3(一次・二次以降もWEB面接可)【インターン】有【ジョブ型】有
【採用実績校】関大2、愛媛大1、共立女大1、大妻女大1、大阪成蹊大1、甲南大1、学習院大1、武蔵野大1、HAL大阪専1、神戸電子専1
【求める人材】常に教養を身につけ、主体性が高く、変化に機敏に対応できる人

【本社】530-0001 大阪府大阪市北区梅田1-13-1 大阪梅田ツインタワーズ・サウス☎050-3508-9000
【特色・近況】独立系のSI。地盤の関西から全国に展開。製造業、金融、流通、公共、医療分野向けに受託開発・運用保守を行う。ERPはSAPの導入支援から運用、BPOサービスを提供。インフラ設計・構築では脆弱性診断サービスや仮想化案件に注力。
【設立】1981.11 【資本金】404百万円
【社長】竹中勝昭(1944.10生)
【株主】〔24.3〕㈲シー・エム・ケー 37.3%
【連結事業】ゼネラルソリューションサービス66、インフラソリューションサービス20、ERPソリューションサービス14
【従業員】連737名 単718名(38.3歳)

【業績】	売上高	営業利益	経常利益	純利益
連22.3	6,491	493	499	353
連23.3	6,930	472	478	337
連24.3	7,194	427	434	327

サイオス

東証スタンダード

採用内定数	倍率	3年後離職率	平均年収
15名	46.1倍	48%	647万円

●待遇、制度●
【初任給】年362万
【残業】15時間【有休】12.7日【制度】フ 在
●新卒定着状況●
20年入社(男18、女7)→3年後在籍(男10、女3)
●採用情報● グループ採用
【人数】23年:27 24年:18 25年:応募691→内定15
【内定内訳】(男9、女6)(文3、理11)(総15、他0)
【試験】〔Web自宅〕SPI3〔性格〕有
【時期】エントリー24.11→内々定25.3(一次・二次以降もWEB面接可)
【採用実績校】和歌山大院1、鹿児島大院1、広島市大院1、福岡大院1、はこだて未来大1、芝工大1、愛知工業大1、中大1、日大1、他
【求める人材】周囲と協力して主体的かつ誠実に物事に取り組み、挑戦しつづける情熱を持った人

【本社】106-0047 東京都港区南麻布2-12-3 サイオスビル ☎03-6401-5111
【特色・近況】Linux等オープンソースを軸としたシステム開発会社。システム障害回避ソフト「LifeKeeper」は世界で販売する主力商品。リコー複写機に搭載の文書管理ソフトも。クラウド関連製品・サービスの提供、SaaS事業の強化に注力。
【設立】1997.5 【資本金】1,481百万円
【社長】喜多伸夫(1959.8生)
【株主】〔24.6〕大塚商会17.9%
【連結事業】オープンシステム基盤62、アプリケーション38 <海外5>
【従業員】連558名 単48名(43.1歳)

【業績】	売上高	営業利益	経常利益	純利益
連21.12	15,725	358	400	367
連22.12	14,420	▲572	▲499	▲639
連23.12	15,889	▲208	▲15	▲18

㈱サイバーリンクス

東証スタンダード

採用内定数	倍率	3年後離職率	平均年収
9名	11.8倍	12.5%	532万円

●待遇、制度●
【初任給】月21.6万
【残業】19.1時間【有休】13日【制度】住 在
●新卒定着状況●
20年入社(男14、女10)→3年後在籍(男12、女9)
●採用情報●
【人数】23年:14 24年:17 25年:応募106→内定9
【内定内訳】(男5、女4)(文0、理9)(総9、他0)
【試験】〔Web自宅〕SPI3
【時期】エントリー25.3→内々定25.3(一次・二次以降もWEB面接可)【インターン】有【ジョブ型】有
【採用実績校】和歌山大4、近大4、秋田大1
【求める人材】何があってもやり遂げるという意志の強い人

【本社】641-0012 和歌山県和歌山市紀三井寺849-3 ☎050-3500-2797
【特色・近況】食品流通業や官公庁向けに基幹業務システムなどのクラウドサービスを提供。和歌山県地盤に全国展開。クラウドサービスは導入時の機器販売や導入支援の初期収入と、導入後の情報処理や保守などの継続収入。電子認証サービスやドコモ携帯電話販売なども行う。
【設立】1964.5 【資本金】883百万円
【社長】東直樹(1956.4生 名工大工卒)
【株主】〔24.6〕㈱サイバーコア21.0%
【連結事業】流通クラウド31、官公庁クラウド45、トラスト1、モバイルネットワーク23
【従業員】連794名 単561名(37.4歳)

【業績】	売上高	営業利益	経常利益	純利益
連21.12	13,241	945	958	645
連22.12	12,225	1,127	1,141	909
連23.12	15,023	1,040	1,062	445

サイバネットシステム

株式公開していない

採用内定数	倍率	3年後離職率	平均年収
23名	12.8倍	0%	644万円

●待遇、制度●
【初任給】月25.6万(諸手当0.6万円)
【残業】22.9時間【有休】15.3日【制度】フ 在
●新卒定着状況●
20年入社(男6、女0)→3年後在籍(男6、女0)
●採用情報●
【人数】23年:15 24年:11 25年:応募294→内定23
【内定内訳】(男18、女5)(文13、理10)(総23、他0)
【試験】〔Web自宅〕SPI3〔性格〕有
【時期】エントリー25.3→内々定25.4(一次・二次以降もWEB面接可)
【採用実績校】早大1、新潟大1、日工大1、千葉工大1、近大1、東洋大1、同大1、明大1、南山大1、愛知教大1、他
【求める人材】自発的な行動姿勢でチームとして成果を上げることに意欲的に取り組める人

【本社】101-0022 東京都千代田区神田練塀町3 富士ソフトビル ☎03-5297-3010
【特色・近況】CAE(工業製品の設計工程支援システム)の活用をサポートするシステム開発会社。自動車、電機、精密機器、情報通信が4大顧客のほか、大学・研究機関にも提供。ITセキュリティーサービスの提供も手がける。富士ソフト子会社。
【設立】1985.4 【資本金】995百万円
【社長】白石善治(1971.9生)
【株主】〔24.4〕富士ソフト96.3%
【事業】シミュレーションソリューションサービス
【従業員】連594名 単374名(42.4歳)

【業績】	売上高	営業利益	経常利益	純利益
連21.12	22,697	2,830	2,822	1,786
連22.12	19,936	1,757	1,693	999
連23.12	21,546	1,555	‥	‥

㈱佐賀電算センター（さがでんさん）

株式公開計画なし

採用内定数	倍率	3年後離職率	平均年収
17名	‥	15.8%	㊙576万円

●待遇、制度●
【初任給】月22万
【残業】12.7時間【有休】9.8日【制度】住

●新卒定着状況●
20年入社(男11、女8)→3年後在籍(男9、女7)

●採用情報●
【人数】23年:14 24年:23 25年:応募‥→内定17*
【内定内訳】(男13、女4)(文3、理10)(総17、他0)
【試験】〔Web自宅〕有〔性格〕有
【時期】エントリー25.3→内々定25.4【インターン】有【ジョブ型】有
【採用実績校】佐賀大6、福岡工大3、福岡大2、福岡女大1、北九州市大1、熊本高専1、唐津ビジネスカレッジ専2、KCS福岡情報専1
【求める人材】あらゆることに興味を持ち、チャレンジ精神が旺盛な人

【本社】849-0915 佐賀県佐賀市兵庫町藤木1427-7 ☎0952-34-1500
【特色・近況】佐賀県の大手システム開発会社。自治体向け介護・障害福祉システム、調剤薬局向けクラウドサービスは国内首位級。自社開発AIを活用したDX事業に注力。福岡、東京に支社、名古屋、長野に事業所、福岡に開発センターを構える。
【設立】1975.7 【資本金】80百万円
【社長】宮地大治(1953.7生)
【株主】〔24.4〕宮地大治8.1%
【事業】ソフトウェア、情報処理提供サービス、インターネット付随サービス、他
【従業員】単363名(37.5歳)

【業績】	売上高	営業利益	経常利益	純利益
単22.4	6,788	754	786	547
単23.4	7,164	700	739	484
単24.4	7,887	838	867	580

㈱CEホールディングス

東証スタンダード

採用内定数	倍率	3年後離職率	平均年収
17名	6.8倍	25%	㊙609万円

●待遇、制度●
【初任給】月23万
【残業】25.5時間【有休】12.3日【制度】フ 住 在

●新卒定着状況●
20年入社(男4、女4)→3年後在籍(男4、女2)

●採用情報● シーエスアイ採用
【人数】23年:12 24年:16 25年:応募116→内定17*
【内定内訳】(男7、女10)(文6、理8)(総17、他0)
【試験】〔Web自宅〕有
【時期】エントリー24.11→内々定25.2(一次はWEB面接可)【インターン】有
【採用実績校】室蘭工大2、北見工大1、はこだて未来大1、福知山公大1、山口大1、北海道情報大2、駒澤大1、京産大1、高崎健康福祉大1、他
【求める人材】医療とITに興味関心を持ち、人々の生涯に寄り添ったサービスの実現を目指したい人

【本社】003-0029 北海道札幌市白石区平和通15-北1-21 ☎011-861-1600
【特色・近況】ITベンチャー発祥の持株会社。ヘルスケア事業、デジタルマーケティング事業の2事業体制。主力の電子カルテシステム「MI・RA・Is」は、大規模病院、診療所に展開。看護業務システムの開発や、イメージング技術活用の臨床試験支援サービスなども。
【設立】1996.3 【資本金】1,269百万円
【社長】齋藤直和(1963.11生)
【株主】〔24.3〕杉本惠昭10.1%
【連結事業】ヘルスケアソリューション97、マーケティングソリューション3
【従業員】連610名 単200名(37.3歳)

【業績】	売上高	営業利益	経常利益	純利益
連21.9	12,284	879	908	632
連22.9	13,702	1,031	1,044	588
連23.9	13,632	1,254	1,257	687

㈱CS－C

東証グロース

採用内定数	倍率	3年後離職率	平均年収
10名	218.8倍	72.2%	549万円

●待遇、制度●
【初任給】月25万(固定残業代45時間分)
【残業】29.9時間【有休】11.9日【制度】フ 在

●新卒定着状況●
20年入社(男11、女7)→3年後在籍(男3、女2)

●採用情報●
【人数】23年:19 24年:4 25年:応募2188→内定10
【内定内訳】(男4、女6)(文10、理0)(総10、他0)
【試験】〔Web自宅〕有〔性格〕有
【時期】エントリー24.12→内々定25.3(一次・二次以降もWEB面接可)【インターン】有
【採用実績校】専大1、順天堂大1、神奈川大1、武蔵野大1、実践女大1、デジハリ大1
【求める人材】素直で謙虚な人、フロンティアスピリッツを持ち、志高く成長意欲のある人

【本社】108-0023 東京都港区芝浦4-13-23 ☎03-5730-1110
【特色・近況】美容院や飲食店のマーケティングをDX化するサービスを提供。消費者データ分析などを行えるSaaS型のデジタルマーケティング支援ツール「C-mo」を主力に複数のサービスを展開。ネット・SNS広告の運用代行も手がける。顧客は個人事業主が中心。
【設立】2011.10 【資本金】761百万円
【社長】椙原健(1976.11生)
【株主】〔24.3〕㈱スマイルプラス45.4%
【事業】ローカルビジネスDX100
【従業員】単174名(29.9歳)

【業績】	売上高	営業利益	経常利益	純利益
単21.9	1,907	165	168	118
単22.9	2,182	243	243	148
単23.9	2,428	222	224	147

㈱シイエヌエス

東証グロース

採用内定数	倍率	3年後離職率	平均年収
23名	5.7倍	21.4%	638万円

●待遇、制度●
【初任給】月23.7万
【残業】29.7時間【有休】10.4日【制度】フ 住 在
●新卒定着状況●
20年入社(男9、女5)→3年後在籍(男7、女4)
●採用情報●
【人数】23年:17 24年:19 25年:応募131→内定23
【内定内訳】(男13、女10)(文12、理11)(総23、他0)
【試験】〔Web自宅〕有〔性格〕有
【時期】エントリー25.3→内々定25.5(一次・二次以降もWEB面接可)【インターン】有
【採用実績校】近大3、慶大1、釧路公大2、千葉工大1、札幌国際大1、大阪産大1、福島大院2、駒澤大1、国士舘大2、北星学大1、同大1、他
【求める人材】目的意識に基づいた探求心と、それを実現するためのエネルギーを持った人

【本社】150-0022 東京都渋谷区恵比寿南1-5-5 JR恵比寿ビル ☎03-5791-1001
【特色・近況】受託型のエンジニアリングサービスやシステム開発が主力。NTTデータや野村総研がパートナー。ビッグデータ分析やDX系事業の「サービスナウ」導入支援、オンプレミス基盤構築、業務システムインテグレーションなどを展開。金融や公共、物流などに強い。
【設立】1985.7 【資本金】478百万円
【社長】関根政英(1966.11生)
【株主】〔24.5〕N&KT㈱20.6%
【連結事業】ビッグデータ分析17、業務システムインテグレーション23、デジタル革新推進27、システム基盤27、コンサルティング6
【従業員】連255名 単214名(32.6歳)

【業績】	売上高	営業利益	経常利益	純利益
連22.5	5,419	533	594	409
連23.5	5,989	559	587	433
連24.5	6,657	619	650	461

#初任給が高い

GMOペイメントゲートウェイ

東証プライム

採用内定数	倍率	3年後離職率	平均年収
28名	68.3倍	14.3%	863万円

●待遇、制度●
【初任給】月35万
【残業】22.9時間【有休】11.8日【制度】在
●新卒定着状況●
20年入社(男13、女8)→3年後在籍(男12、女6)
●採用情報●
【人数】23年:16 24年:14 25年:応募1911→内定28
【内定内訳】(男22、女6)(文23、理5)(総23、他5)
【試験】〔筆記〕有〔Web自宅〕有〔性格〕有
【時期】エントリー24.7→内々定24.10(一次はWEB面接可)【インターン】有
【採用実績校】東大2、一橋大1、九大1、名大1、早大4、慶大1、中大1
【求める人材】人を惹きつける力を持ち、早いスピードでの成長を求め、自ら思考することができる人

【本社】150-0043 東京都渋谷区道玄坂1-2-3 渋谷フクラス ☎03-3464-2740
【特色・近況】GMOインターネット子会社でネット決済サービス大手。Web画面やモバイル端末などを用いて、クレジットカードや電子マネー向け決済サービスを提供。公共料金決済代行やエンタメ系課金の拡大、海外の決済サービス事業開拓にも注力。
【設立】1995.3 【資本金】13,323百万円
【社長】相浦一成(1962.7生 明大商卒)
【株主】〔24.3〕GMOインターネットグループ40.7%
【連結事業】決済代行76、金融関連22、決済活性化2 <海外1>
【従業員】連825名 単580名(36.3歳)

【業績】	売上高	営業利益	税前利益	純利益
連21.9	41,667	12,987	13,285	8,818
連22.9	50,298	16,249	34,756	24,152
連23.9	63,119	20,312	20,636	13,475

㈱ジィ・シィ企画(きかく)

東証グロース

採用内定数	倍率	3年後離職率	平均年収
5名	2.4倍	0%	520万円

●待遇、制度●
【初任給】月21万(諸手当5万円)
【残業】10.8時間【有休】14.1日【制度】住 在
●新卒定着状況●
20年入社(男1、女1)→3年後在籍(男1、女1)
●採用情報●
【人数】23年:4 24年:4 25年:応募12→内定5*
【内定内訳】(男2、女3)(文2、理0)(総0、他5)
【試験】〔筆記〕有〔Web自宅〕有
【時期】エントリー25.3→内々定25.6(一次・二次以降もWEB面接可)
【採用実績校】法政大1、大妻女大1、大原簿記情報専1、船橋情報ビジネス専1、東京ITプログラミング&会計専1
【求める人材】‥

【本社】285-0837 千葉県佐倉市王子台1-28-8 ☎043-464-3348
【特色・近況】キャッシュレス決済サービス会社。システム開発から保守、運用までを提供。カード会社加盟店に導入するシステム開発とクラウド型決済ASPサービス、保守運用のアウトソーシングサービスで展開。顧客は大手流通企業や飲食チェーンなど。
【設立】1997.11 【資本金】433百万円
【社長】髙木洋介(1979.6生)
【株主】〔24.6〕㈱コミューン18.3%
【事業】ペイメントインテグレーション45、ペイメントサービス55、他
【従業員】単112名(42.0歳)

【業績】	売上高	営業利益	経常利益	純利益
単22.6	1,588	▲55	▲82	▲91
単23.6	1,549	▲273	▲297	▲773
単24.6	1,740	58	44	72

㈱ジーシーシー

株式公開計画なし

採用内定数	倍率	3年後離職率	平均年収
61名	6.2倍	13.8%	624万円

●待遇、制度●
【初任給】月21万
【残業】24時間【有休】14.6日【制度】フ 住 在
●新卒定着状況●
20年入社(男13、女16)→3年後在籍(男12、女13)
●採用情報●
【人数】23年:21 24年:31 25年:応募378→内定61
【内定内訳】(男48、女13)(文22、理35)(総0、他61)
【試験】〔Web自宅〕SPI3
【時期】エントリー25.3→内々定25.4(一次・二次以降もWEB面接可)【インターン】有【ジョブ型】有
【採用実績校】群馬大8、高崎健康福祉大6、金沢大3、中大3、福島大2、高崎経大2、前橋工大2、日大2、立正大2、中央情報大学校専2、他
【求める人材】理論よりも実践を重視して行動できる人、IT技術に関心が高い人、思いやりのある人

【本社】379-2154 群馬県前橋市天川大島町1292
☎027-263-1637
【特色・近況】地方自治体に特化したシステム開発会社。システム開発から運用管理、データ処理まで一貫して提供。取引先は1800団体以上。住民情報系、福祉情報系、内部情報系などERPパッケージソフト「e-SUITE」を展開。群馬県・前橋、東京の2本社制。
【設立】1965.12【資本金】90百万円
【社長】町田敦(1965.4生 東北大法)
【株主】〔23.12〕自社社員持株会50.0%
【事業】情報サービス64、情報処理サービス20、商品販売16
【従業員】単681名(39.8歳)

【業績】	売上高	営業利益	経常利益	純利益
単21.12	11,443	‥	269	169
単22.12	11,919	‥	1,086	470
単23.12	13,064	‥	1,045	678

㈱ジインズ

株式公開いずれしたい

採用内定数	倍率	3年後離職率	平均年収
3名	8倍	0%	508万円

●待遇、制度●
【初任給】月22.6万(諸手当2.4万円、固定残業代20時間分)
【残業】10時間【有休】12日【制度】住
●新卒定着状況●
20年入社(男7、女0)→3年後在籍(男7、女0)
●採用情報●
【人数】23年:2 24年:3 25年:応募24→内定3*
【内定内訳】(男3、女0)(文0、理1)(総0、他3)
【試験】〔筆記〕有〔性格〕有
【時期】エントリー25.3→内々定25.6*【インターン】有
【採用実績校】山梨大1、サンテクノカレッジ専2
【求める人材】コミュニケーション力に加え、誠実に責務を果たし、向上心のある人

【本社】406-0846 山梨県笛吹市境川町三椚301
☎055-269-8780
【特色・近況】ソフト開発会社。パッケージソフトの開発・販売・保守に加え、オープンソースソフトウェア系システムの開発、自治体ネットワークの設計・構築・運用サポートなども手がける。複数システムのアカウント管理を容易にするID統合管理ソフトが主力。
【設立】1991.3【資本金】43百万円
【代表取締役】廣瀬光男(1952.2生 日大生産工卒)
【株主】〔24.3〕廣瀬光男95.0%
【事業】ネットワーク構築・保守40、ソフトウエア開発・販売60
【従業員】単71名(35.1歳)

【業績】	売上高	営業利益	経常利益	純利益
単22.3	943	184	191	140
単23.3	866	193	198	168
単24.3	983	236	271	206

㈱ジェイ・エス・エス

株式公開いずれしたい

採用内定数	倍率	3年後離職率	平均年収
7名	13倍	42.9%	‥

●待遇、制度●
【初任給】月20.4万
【残業】12.4時間【有休】13.8日【制度】フ 住
●新卒定着状況●
20年入社(男8、女6)→3年後在籍(男3、女5)
●採用情報●
【人数】23年:9 24年:13 25年:応募91→内定7*
【内定内訳】(男4、女3)(文4、理3)(総0、他7)
【試験】〔Web自宅〕有〔性格〕有
【時期】エントリー25.3→内々定25.4(一次・二次以降もWEB面接可)【インターン】有【ジョブ型】有
【採用実績校】金沢学大2、金沢星稜大1、サイバー大1、富山大1、同大1、北陸大1
【求める人材】常に前向きに挑戦できる人

【本社】920-0058 石川県金沢市示野中町2-115
☎076-223-7361
【特色・近況】小売業など流通向けや病院・接骨院など医療施設向け、自治体や金融向けのシステム開発に実績を持つシステム開発会社。データセンターの運営やコールセンター、データ入力などアウトソーシング事業も手がける。金沢と東京の2本社体制。
【設立】1980.5【資本金】100百万円
【社長】杉本昌啓(1966.1生)
【株主】〔24.4〕工清純34.4%
【事業】ソフトウェア開発48、アウトソーシング35、ハードウェア販売17
【従業員】単200名(37.0歳)

【業績】	売上高	営業利益	経常利益	純利益
単22.3	2,733	134	160	108
単23.3	3,086	175	220	138
単24.3	3,008	354	378	78

#年収が高い

ＪＢＣＣホールディングス

東証プライム

採用内定数	倍率	3年後離職率	平均年収
53名	98.1倍	30.4%	876万円

●待遇、制度●
【初任給】月26.2万(諸手当0.2万円)
【残業】15.6時間【有休】13.2日【制度】フ 在
●新卒定着状況●
20年入社(男28、女18)→3年後在籍(男20、女12)
●採用情報● グループ採用
【人数】23年:45 24年:54 25年:応募5200→内定53*
【内定内訳】(男33、女20)(文25、理22)(総0、他53)
【試験】〔Web自宅〕WEB-GAB、玉手箱〔性格〕有
【時期】エントリー25.3→内々定25.3*(一次・二次以降もWEB面接可)【インターン】有【ジョブ型】有
【採用実績校】中大2、明大1、法政大1、日女大1、名城大1、立命館大2、南山大2、日大4、産能大4、関西外大3、九大1、他
【求める人材】挑戦し続け、自律的に学ぶ、創造性に溢れる人

【本社】104-0028 東京都中央区八重洲2-2-1 八重洲セントラルタワー ☎03-6262-5733
【特色・近況】ITインフラ構築大手。システム設計から開発・構築・運用まで一貫して手がける。超高速開発、クラウド、セキュリティー、データ連携などを戦略的注力分野として強化。中堅中小企業向けDXサービス「HARMONIZE」に重点。
【設立】1964.4 【資本金】4,713百万円
【社長】東上征司(1958.2生 名工大工卒)
【株主】〔24.3〕日本マスタートラスト信託銀行信託口11.1%
【連結事業】情報ソリューション97、製品開発製造3
【従業員】連1,656名 単23名(41.9歳)

【業績】	売上高	営業利益	経常利益	純利益
連22.3	55,934	3,083	3,227	2,245
連23.3	58,144	3,764	3,847	2,679
連24.3	65,194	4,422	4,549	3,187

㈱システムインテグレータ

東証スタンダード

採用内定数	倍率	3年後離職率	平均年収
7名	33.9倍	0%	総 618万円

●待遇、制度●
【初任給】月22.2万
【残業】15時間【有休】13.8日【制度】フ 住 在
●新卒定着状況●
20年入社(男2、女2)→3年後在籍(男2、女2)
●採用情報●
【人数】23年:15 24年:15 25年:応募237→内定7*
【内定内訳】(男4、女3)(文4、理3)(総7、他0)
【試験】〔Web自宅〕有〔性格〕有
【時期】エントリー25.1→内々定25.3*(一次・二次以降もWEB面接可)【インターン】有
【採用実績校】大阪府大1、尾道市大1、埼玉大1、長崎県大1、福岡女大1、立教大1、和歌山大1
【求める人材】好奇心と探求心を持つ人、貪欲な向上心を持つ人、社会課題への使命感を持つ人

【本社】330-6032 埼玉県さいたま市中央区新都心11-2 ランド・アクシス・タワー ☎048-600-3880
【特色・近況】パッケージソフトの開発・販売が主軸の独立系ソフトウェア会社。業務効率・生産性の向上を目的としたブラウザベースのERPパッケージとデータベース開発・設計支援ツールが柱。AI活用の異常検知システムも。ベトナムにオフショア開発拠点。
【設立】1995.3 【資本金】367百万円
【社長】引屋敷智(1965.11生 青学大法卒)
【株主】〔24.2〕碓井満19.5%
【事業】Object Browser 15、E-Commerce 15、ERP 68、AI 1、他1
【従業員】連273名 単231名(36.3歳)

【業績】	売上高	営業利益	経常利益	純利益
単22.2	4,817	587	588	391
単23.2	4,486	406	416	280
単24.2	4,835	328	336	944

㈱システムエンタープライズ

株式公開計画なし

採用内定数	倍率	3年後離職率	平均年収
11名	6倍	14.3%	714万円

●待遇、制度●
【初任給】月22.2万
【残業】11.2時間【有休】10.6日【制度】在
●新卒定着状況●
20年入社(男5、女2)→3年後在籍(男5、女1)
●採用情報●
【人数】23年:11 24年:10 25年:応募66→内定11
【内定内訳】(男8、女3)(文3、理7)(総11、他0)
【試験】〔筆記〕有〔Web自宅〕SPI3〔性格〕有
【時期】エントリー25.3→内々定25.3
【採用実績校】岡山大2、岡山県大3、岡山理大1、中国職能大学校1、ノートルダム清心女大2、就実大1、岡山情報ビジネス学院専1
【求める人材】コミュニケーション力があり、自分の意見をハッキリと伝えることができ積極的パーソナリティを十分発揮できる人

【本社】701-1133 岡山県岡山市北区富吉3202-1 岡山リサーチパーク内 ☎086-286-9188
【特色・近況】情報システム関連コンサルティング、ソフトウェア受託開発が2本柱の独立系システム会社。クラウド開発が主軸。システムの監視・運用業務も行う。コアパートナーとして富士通グループ向けに実績。ベネッセグループからも継続的に受注。岡山県地盤。
【設立】1982.12 【資本金】50百万円
【社長】三宅一郎(1971.3生)
【株主】〔24.3〕共栄システムズ70.0%
【事業】コンピュータソフトウエアの受託開発100
【従業員】単116名(34.2歳)

【業績】	売上高	営業利益	経常利益	純利益
単22.3	1,373	241	342	▲14
単23.3	1,470	220	249	167
単24.3	1,672	323	446	250

㈱システムソフト

東証スタンダード

採用内定数	倍率	3年後離職率	平均年収
5名	18.4倍	44.4%	487万円

●待遇、制度●
【初任給】年330万
【残業】9.2時間【有休】13.2日【制度】在

●新卒定着状況●
20年入社(男7、女2)→3年後在籍(男4、女1)

●採用情報●
【人数】23年:9 24年:12 25年:応募92→内定5
【内定内訳】(男4、女1)(文1、理4)(総0、他5)
【試験】〔Web会場〕有
【時期】エントリー‥→内々定25.3(一次・二次以降もWEB面接可)【インターン】有
【採用実績校】鹿児島大1、福岡大1、福岡工大2、九産大1
【求める人材】責任をもって行動できる人、何事も一生懸命取組み学ぼうとする人、若いうちから新しい仕事にチャレンジしたい人

【福岡本社】810-8665 福岡県福岡市中央区天神1-12-1 ☎092-732-1515
【特色・近況】APAMAN傘下のシステム開発会社。顧客に常駐して業務を請け負うシステム開発が中心。Web技術をベースにした開発に強み。RPAシステムやWebコンサルなどマーケティング支援事業も拡大。不動産業界向けSaaS「SSクラウド」シリーズ育成。
【設立】1979.9 【資本金】1,706百万円
【社長】吉尾春樹(1960.6生 東大法卒)
【株主】〔24.3〕Apaman Network㈱13.9%
【連結事業】テクノロジー72、オープンイノベーション28
【従業員】連153名 単‥名(37.5歳)

【業績】	売上高	営業利益	経常利益	純利益
連21.9	4,920	377	342	483
連22.9	4,704	382	377	201
連23.9	3,390	155	135	93

㈱システム ディ

東証スタンダード

採用内定数	倍率	3年後離職率	平均年収
18名	24.1倍	12.5%	578万円

●待遇、制度●
【初任給】月23.1万(諸手当5.9万円、固定残業代23時間分)
【残業】13.9時間【有休】13.3日【制度】住 在

●新卒定着状況●
20年入社(男8、女8)→3年後在籍(男7、女7)

●採用情報●
【人数】23年:14 24年:17 25年:応募433→内定18*
【内定内訳】(男10、女8)(文8、理7)(総18、他0)
【試験】〔筆記〕常識
【時期】エントリー25.3→内々定25.6【インターン】有
【採用実績校】佛教大2、近大1、同大1、大阪電通大2、京都高等技術専2、京都コンピュータ学院1、奈良女大1、兵庫県大1、産能大1、他
【求める人材】目標をもって自ら主体的に物事に取り組める向上心のある人

【本社】604-8172 京都府京都市中京区烏丸通三条上る場之町603 ☎075-256-7777
【特色・近況】大学向け事務管理ソフト、フィットネスクラブ向け会計ソフトなど特定業種用業務支援パッケージソフトの開発・販売が主力。自治体会計ソフトはIT化余地のある自治体の開拓を推進。フィットネスクラブ向けは小規模施設での採用が多い。
【設立】1982.4 【資本金】484百万円
【社長】堂山遼(1984.8生)
【株主】〔24.4〕㈱トライ13.8%
【連結事業】ソフトウェア99、他1
【従業員】連281名 単272名(37.6歳)

【業績】	売上高	営業利益	経常利益	純利益
連21.10	3,842	808	809	573
連22.10	4,232	897	899	591
連23.10	4,736	913	915	632

システム・プロダクト

株式公開計画なし

採用内定数	倍率	3年後離職率	平均年収
3名	4倍	0%	582万円

●待遇、制度●
【初任給】月24.6万(諸手当1万円、固定残業代30時間分)
【残業】10時間【有休】10.4日【制度】住 在

●新卒定着状況●
20年入社(男0、女3)→3年後在籍(男0、女3)

●採用情報●
【人数】23年:3 24年:4 25年:応募12→内定3
【内定内訳】(男1、女2)(文3、理0)(総3、他0)
【試験】〔筆記〕常識〔性格〕有
【時期】エントリー24.10→内々定25.3*(一次・二次以降もWEB面接可)【インターン】有
【採用実績校】武蔵大1、立正大1、常葉大1
【求める人材】自ら考え行動できる明るい人

【本社】103-0021 東京都中央区日本橋本石町4-4-9 有隣ビル ☎03-6225-2404
【特色・近況】金融・証券向けシステム開発が主力。証券業務や金融工学に強い。セールスフォースのパートナー会社として、導入サービスやコンサルティングなど展開。Webシステム開発はコンサルティング、開発から運用・保守支援まで手がける。
【設立】1979.4 【資本金】90百万円
【社長】中村敦彦(1976.3生 近大商経卒)
【株主】〔24.3〕デジタル・インフォメーション・テクノロジー80.0%
【事業】システム開発100
【従業員】単89名(41.0歳)

【業績】	売上高	営業利益	経常利益	純利益
単22.3	582	34	51	40
単23.3	632	28	35	25
単24.3	655	▲22	60	46

#採用数が多い

㈱システムリサーチ

東証プライム

採用内定数	倍率	3年後離職率	平均年収
121名	11.9倍	19.4%	505万円

●待遇、制度●
【初任給】月23.3万(諸手当3.1万円)
【残業】14.2時間【有休】13.4日【制度】在

●新卒定着状況●
‥

●採用情報●
【人数】23年:128 24年:136 25年:応募1437→内定121*
【内定内訳】(男84、女37)(文86、理35)(総121、他0)
【試験】〔Web自宅〕有〔性格〕有
【時期】エントリー24.10→内々定24.12*(一次・二次以降もWEB面接可)【インターン】有
【採用実績校】名大、名古屋市大、南山大、三重大、名城大、愛知大、中京大、中部大、愛知淑徳大、愛知工業大、愛知学大、椙山女学大、他
【求める人材】チームワークを重んじ、何事にも粘り強く、学ぶことに貪欲で成長意欲がある人

【本社】453-0861 愛知県名古屋市中村区岩塚本通2-12 ☎052-413-6820
【特色・近況】SIサービス、ソフトウェア開発が2本柱の独立系SI。SIサービスはシステム開発、ネットワーク構築、保守・運用まで手がける。ソフトウェア開発は大手企業を中心に常駐型の請負・派遣業務が主体。製造業向けに強み。トヨタグループ向けが約3割。
【設立】1981.3 【資本金】550百万円
【社長】平山宏(1959.11生 愛知蒲郡高卒)
【株主】〔24.3〕山田敏行16.3%
【連結事業】SIサービス39、ソフトウエア開発56、ソフトウエアプロダクト2、商品販売2、他1
【従業員】連1,557名 単1,536名(34.2歳)

【業績】	売上高	営業利益	経常利益	純利益
連22.3	18,405	2,078	2,113	1,492
連23.3	21,556	2,501	2,515	1,601
連24.3	23,320	2,703	2,768	1,969

㈱シャノン

東証グロース

採用内定数	倍率	3年後離職率	平均年収
6名	5.5倍	17.9%	582万円

●待遇、制度●
【初任給】月25万(諸手当0.5万円、固定残業代20時間分)
【残業】9.1時間【有休】13日【制度】フ 在

●新卒定着状況●
20年入社(男17、女11)→3年後在籍(男15、女8)

●採用情報●
【人数】23年:27 24年:11 25年:応募33→内定6*
【内定内訳】(男3、女3)(文6、理0)(総6、他0)
【試験】〔Web自宅〕SPI3〔性格〕有
【時期】エントリー25.3→内々定25.10(一次・二次以降もWEB面接可)【ジョブ型】有
【採用実績校】早大1、筑波大1、日大1、中大1、宮崎産業経営大1、仙台白百合女大1、他
【求める人材】地頭が良く、論理的思考力を持ち、それを言語化できる人、成長意欲が高い人

【本社】108-0073 東京都港区三田3-13-16 ☎03-6743-1551
【特色・近況】企業のマーケティング業務を支援するクラウドサービスが柱。見込み客情報の取得・管理・活用、メール配信、キャンペーン運営管理などを一括管理できるマーケティングオートメーションと、ウェビナーにも対応したイベント管理システムを展開。
【設立】2002.4 【資本金】550百万円
【社長】中村健一郎(1977.6生 慶大理工卒)
【株主】〔24.4〕中村健一郎20.8%
【連結事業】サブスクリプション74、イベントクラウド17、メタバース1、広告8
【従業員】連273名 単256名(35.3歳)

【業績】	売上高	営業利益	経常利益	純利益
連21.10	2,196	11	52	107
連22.10	2,456	▲327	▲325	▲365
連23.10	2,934	▲262	▲273	▲445

㈱ジャパンテクニカルソフトウェア

株式公開計画なし

採用内定数	倍率	3年後離職率	平均年収
25名	11倍	9.7%	565万円

●待遇、制度●
【初任給】月23.2万(諸手当4.9万円)
【残業】17.3時間【有休】16日【制度】フ 住 在

●新卒定着状況●
20年入社(男22、女9)→3年後在籍(男20、女8)

●採用情報●
【人数】23年:31 24年:38 25年:応募276→内定25*
【内定内訳】(男15、女10)(文10、理12)(総0、他25)
【試験】〔Web自宅〕有〔性格〕有
【時期】エントリー24.10→内々定24.12*(一次はWEB面接可)【インターン】有
【採用実績校】神奈川工大4、北海道科学大3、立命館大2、北大1、小樽商大1、東京科学大1、岐阜大1、札幌市大1、北海学園大1、他
【求める人材】仲間を尊重し大切にできる人、知識・技術を習得し提供するサービスに誇りを持てる人

【本社】108-0075 東京都港区港南2-13-31 品川NSSビル ☎03-5461-1550
【特色・近況】独立系ソフトウェア開発会社。組み込み・制御系から、産業・流通・金融・公共・医療系のビジネスシステム開発まで幅広く対応。ITインフラ構築も手がける。DXとグローバル展開を強化。ニューヨークとベトナム・ハノイに拠点。
【設立】1985.4 【資本金】80百万円
【社長】清水克彦(1960.3生)
【株主】〔24.4〕一般社団法人JTS社団65.1%
【事業】ソフトウェア開発98、販売・コンサルティング2
【従業員】単600名(36.2歳)

【業績】	売上高	営業利益	経常利益	純利益
単22.3	7,401	633	670	▲512
単23.3	8,245	595	624	439
単24.3	8,571	662	705	445

#初任給が高い

㈱情報企画（じょうほうきかく）

東証スタンダード

採用内定数	倍率	3年後離職率	平均年収
7名	31.4倍	38.5%	582万円

●待遇、制度●
【初任給】月30万（諸手当5万円）
【残業】23.5時間【有休】11.6日【制度】フ 在
●新卒定着状況●
20年入社（男10、女3）→3年後在籍（男7、女1）
●採用情報●
【人数】23年:14 24年:8 25年:応募220→内定7*
【内定内訳】（男5、女2）（文5、理2）（総7、他0）
【試験】〔Web自宅〕有
【時期】エントリー24.10→内々定24.12*(一次・二次以降もWEB面接可)【インターン】有【ジョブ型】有
【採用実績校】立命館大1、立教大1、明大1、関大1、静岡大1、埼玉大1、東京電機大1、獨協大1
【求める人材】学ぶ意欲・コミュニケーション力を高める意欲がある人、モノづくりに関心がある人

【本社】102-0083 東京都千代田区麹町3-3-6 麹町フロントビル ☎03-3511-8371
【特色・近況】銀行、信金など金融機関向けのソフト開発会社。担保不動産評価、信用リスク算出、自己査定、融資稟議など金融機関向け業務パッケージに特徴。地銀向けに担保不動産評価システムなどの導入進む。電子帳簿保存法など業務効率化対応に向けて地銀の開拓に注力。
【設立】1986.10 【資本金】326百万円
【社長】中谷利仁（1971.12生 横国大工卒）
【株主】〔24.3〕松岡仁史19.5%
【連結事業】システム95、不動産賃貸5
【従業員】連151名 単129名（33.6歳）

【業績】	売上高	営業利益	経常利益	純利益
単21.9	3,147	1,227	1,227	868
連22.9	3,230	1,242	1,243	862
連23.9	3,528	1,413	1,398	964

㈱昭和システムエンジニアリング

東証スタンダード

採用予定数	倍率	3年後離職率	平均年収
35名	‥	6.2%	578万円

●待遇、制度●
【初任給】月24万（諸手当2.5万円）
【残業】15時間【有休】12.1日【制度】フ 在
●新卒定着状況●
20年入社（男18、女14）→3年後在籍（男17、女13）
●採用情報●
【人数】23年:30 24年:31 25年:予定35*
【内定内訳】（男‥、女‥）（文‥、理‥）（総‥、他‥）
【試験】〔筆記〕常識、SPI3〔Web会場〕SPI3〔Web自宅〕SPI3〔性格〕有
【時期】エントリー25.3→内々定25.4(一次・二次以降もWEB面接可)
【採用実績校】早大、明大、法政大
【求める人材】若者らしい明るさと活力にあふれ、主体的に取り組むことができる人

【本社】103-0001 東京都中央区日本橋小伝馬町1-5 PMO日本橋江戸通 ☎03-3639-9051
【特色・近況】ソフトウェア開発が主力。データ入力などBPO業務から受託計算、ソフト開発まで一貫提供。証券向けを中心に銀行や生損保向けシステム構築に強みを持ち、金融系の売上高比率が高い。DXなどデジタルビジネスへの取り組みを推進。
【設立】1966.4 【資本金】630百万円
【社長】尾崎裕一（1959.1生）
【株主】〔24.3〕尾崎裕一21.1%
【事業】ソフトウエア開発98、BPO 2
【従業員】単482名（38.2歳）

【業績】	売上高	営業利益	経常利益	純利益
単22.3	6,460	612	622	420
単23.3	7,086	764	776	526
単24.3	7,960	908	923	660

信組情報サービス（しんくみじょうほう）

株式公開計画なし

採用内定数	倍率	3年後離職率	平均年収
7名	3.1倍	28.6%	㊟649万円

●待遇、制度●
【初任給】月23万（諸手当0.9万円）
【残業】19.5時間【有休】15.3日【制度】住 在
●新卒定着状況●
20年入社（男4、女3）→3年後在籍（男3、女2）
●採用情報●大卒・院卒のみ
【人数】23年:6 24年:4 25年:応募22→内定7
【内定内訳】（男4、女3）（文7、理0）（総7、他0）
【試験】〔筆記〕有〔Web会場〕有〔性格〕有
【時期】エントリー25.3→内々定25.4【インターン】有
【採用実績校】江戸川大2、大妻女大1、拓大1、千葉経大1、常磐大1、明大1
【求める人材】向上心、チャレンジ精神にあふれて、金融・ITに興味があり、明るくコミュニケーションに長けている人

【本社】270-1496 千葉県白井市桜台1-2 ☎047-492-7311
【特色・近況】全信組連や全国の信用組合が出資する情報サービス会社。加盟信用組合の業務処理受託を担うSKCセンター、他の金融機関や一般企業を結ぶ全信組センターを運営する。業務処理ソフトや信組向けソフトの開発も手がける。
【設立】1985.5 【資本金】3,000百万円
【社長】飯國健一
【株主】〔24.3〕全国信用協同組合連合会94.1%
【事業】信用組合の電算処理受託他100
【従業員】単112名（40.9歳）

【業績】	売上高	営業利益	経常利益	純利益
単22.3	13,026	226	164	110
単23.3	13,398	196	136	97
単24.3	13,334	199	164	119

新東電算（しんとうでんさん）

株式公開 いずれしたい

採用内定数	倍率	3年後離職率	平均年収
7名	3.7倍	33.3%	575万円

●待遇、制度●
【初任給】月23.3万(諸手当0.2万円)
【残業】8.4時間【有休】14.1日【制度】フ 住 在
●新卒定着状況●
20年入社(男5、女4)→3年後在籍(男4、女2)
●採用情報●SE職のみ
【人数】23年:10 24年:6 25年:応募26→内定7*
【内定内訳】(男6、女1)(文4、理3)(総0、他7)
【試験】〔筆記〕SPI3
【時期】エントリー24.9→内々定随時
【採用実績校】東理大院1、慶大1、明大1、芝工大1、駒澤大1、玉川大1、日大1
【求める人材】好奇心が強く、自ら貪欲に学びを深め続け、チャレンジし続けられる人

【本社】113-0034 東京都文京区湯島3-16-7 新東ビル ☎03-3837-7744
【特色・近況】独立系の企画提案型システム開発会社。医療、放送、通信、物流、金融、電力向けの業務システム開発に実績。放送同録装置など放送分野に強み持つ。自社製品の行動予定表サイネージの販売を拡大。新設の医療事業部にも注力。
【設立】1976.5 【資本金】40百万円
【代表取締役】井手口博登(1938.7生 芝工大電子工卒)
【株主】〔24.5〕井手口博登65.0%
【事業】ソフトウエア開発93、SE支援業務7
【従業員】単119名(36.2歳)

【業績】	売上高	営業利益	経常利益	純利益
単21.7	1,075	105	152	122
単22.7	1,166	90	149	106
単23.7	1,178	57	221	164

#初任給が高い #採用数が多い

シンプレクス・ホールディングス

東証 プライム

採用内定数	倍率	3年後離職率	平均年収
259名	30倍	20.2%	908万円

●待遇、制度●平均年収はシンプレクスの数値
【初任給】月35.4万(諸手当15.4万円)
【残業】37.3時間【有休】10.8日【制度】フ 在
●新卒定着状況●
20年入社(男90、女9)→3年後在籍(男75、女4)
●採用情報●グループ採用
【人数】23年:290 24年:185 25年:応募7780→内定259
【内定内訳】(男225、女34)(文131、理127)(総259、他0)
【試験】〔筆記〕有〔Web会場〕有〔Web自宅〕有
【時期】エントリー24.1→内々定24.10(一次・二次以降もWEB面接可)【インターン】有
【採用実績校】慶大34、早大22、東大17、東京科学大10、東理大10、青学大10、明大10、同大8、京大7、阪大7、九大7、一橋大6
【求める人材】成長志向で当事者意識が強く、周囲と協同しながら課題解決にコミットできる人

【本社】105-6319 東京都港区虎ノ門1-23-1 ☎03-3539-7370
【特色・近況】金融機関向けのシステムコンサルやシステム開発、保守・運用業務が主力。メガバンク、証券、保険業界に幅広い顧客基盤。ロボアドバイザーやポイント投資に対応した個人投資家向け資産管理ソリューションなどに実績。事業領域拡大や顧客基盤の底上げに注力。
【設立】2016.12 【資本金】1,218百万円
【社長】金子英樹(1963.9生 一橋大法卒)
【株主】〔24.3〕金子英樹13.4%
【連結事業】戦略／DXコンサルティング10、システムインテグレーション60、運用サービス30、他0
【従業員】連1,536名 単1,183名(30.6歳)

【業績】	売上高	営業利益	税前利益	純利益
連22.3	30,579	6,362	6,191	4,204
連23.3	34,946	7,451	7,298	5,432
連24.3	40,708	8,850	8,744	6,194

㈱スカラ

東証 プライム

採用予定数	倍率	3年後離職率	平均年収
24名	‥	‥	‥

●待遇、制度●
【初任給】月24万(諸手当を除いた数値)
【残業】‥時間【有休】‥日【制度】住 在
●新卒定着状況●
‥
●採用情報●グループ採用
【人数】23年:29 24年:29 25年:予定24
【内定内訳】(男‥、女‥)(文‥、理‥)(総‥、他‥)
【試験】‥
【時期】エントリー通年→内々定通年(一次・二次以降もWEB面接可)【ジョブ型】有
【採用実績校】‥
【求める人材】常に何事にも好奇心・探究心を持ち、新しいことに積極的に挑戦し、成長したい人

【本社】150-8510 東京都渋谷区渋谷2-21-1 渋谷ヒカリエ ☎03-6418-3960
【特色・近況】HPにある「サイト内検索」「よくある質問」など、企業向けSaaS／ASPサービスを子会社で展開。サイト内検索では高シェア。別子会社の電話応答システムにも定評。投資・インキュベーション、HR・教育など幅広い事業領域。事業再構築を進める。
【設立】1987.2 【資本金】1,792百万円
【代表執行役】新田英明(1975.4生)
【株主】〔24.6〕日本マスタートラスト信託銀行信託口11.0%
【連結事業】DX55、人材10、EC21、金融11、インキュベーション3
【従業員】連529名 単61名(38.8歳)

【業績】	売上高	営業利益	税前利益	純利益
連22.6	10,015	▲393	▲411	▲523
連23.6	12,644	259	233	▲218
連24.6	10,714	▲2,155	▲2,166	▲2,887

図研(ずけん)エルミック

株式公開 —

採用内定数	倍率	3年後離職率	平均年収
6名	3.7倍	50%	572万円

●待遇、制度●

【初任給】月21.3万(諸手当2万円)
【残業】11.5時間【有休】10.8日【制度】住 在

●新卒定着状況●

20年入社(男0、女2)→3年後在籍(男0、女1)

●採用情報●

【人数】23年:6 24年:5 25年:応募22→内定6
【内定内訳】(男4、女2)(文0、理6)(総0、他6)
【試験】〔Web自宅〕SPI3
【時期】エントリー25.3→内々定25.6(一次はWEB面接可)【インターン】有
【採用実績校】玉川大1、立正大1、神奈川工大1、中国職能大学校2、明大1
【求める人材】プログラミングに興味を持ち、創造性のある開発の仕事に挑戦意欲のある人

【本社】222-8505 神奈川県横浜市港北区新横浜3-1-1 図研新横浜ビル ☎045-624-8111
【特色・近況】監視カメラ・FA用など産業機器のミドルウェア開発会社。組み込み受託開発に特化。AIカメラや車載機器、スマート工場の開発パートナーとなり顧客一体の開発を行う。AI技術者の採用に注力。親会社の図研と開発や販売を一体化し効率化を目指す。
【設立】1977.4 【資本金】500百万円
【社長】朝倉尉(1970.2生 明大理工卒)
【株主】〔24.3〕図研40.4%
【事業】通信ミドルウェア・開発サービス83、同・標準製品12、同・他6
【従業員】単64名(42.1歳)

【業績】	売上高	営業利益	経常利益	純利益
単22.3	801	91	86	69
単23.3	925	171	171	176
単24.3	988	192	194	170

スズキ教育(きょういく)ソフト

株式公開 計画なし

採用内定数	倍率	3年後離職率	平均年収
6名	8.7倍	0%	‥

●待遇、制度●

【初任給】月20.5万(諸手当1.5万円)
【残業】5.2時間【有休】14.6日【制度】住 在

●新卒定着状況●

20年入社(男2、女2)→3年後在籍(男2、女2)

●採用情報●

【人数】23年:4 24年:8 25年:応募52→内定6
【内定内訳】(男2、女4)(文2、理3)(総0、他6)
【試験】〔筆記〕有
【時期】エントリー25.3→内々定25.6(一次・二次以降もWEB面接可)【インターン】有【ジョブ型】有
【採用実績校】広島大院1、静岡理工科大2、常葉大1、金城学大1、浜松未来総合専1
【求める人材】学校教育を通して、子供たちや日本の将来を一緒に考えることができる人

【本社】430-0803 静岡県浜松市中央区植松町61-1 ☎053-467-5580
【特色・近況】小中学校の学習者・指導者・校務支援用PCソフトを企画・開発から運用支援まで一貫して手がけるソフトウェア開発会社。教育の情報化をサポート。教育現場のタブレット端末活用に対応するソフトウェアも開発。東京にオフィスを置く。
【設立】1984.4 【資本金】60百万円
【代表取締役】鈴木広則(1974.8生 武工大工卒)
【株主】〔24.1〕鈴木楽器製作所49.9%
【事業】校務支援システム95、学習支援システム2、他3
【従業員】単84名(36.5歳)

【業績】	売上高	営業利益	経常利益	純利益
単22.1	739	108	105	83
単23.1	760	129	128	88
単24.1	703	76	75	53

鈴与(すずよ)シンワート

東証 スタンダード

採用内定数	倍率	3年後離職率	平均年収
41名	61倍	13%	652万円

●待遇、制度●

【初任給】月24.5万
【残業】8.8時間【有休】16.3日【制度】フ 住 在

●新卒定着状況●

20年入社(男15、女8)→3年後在籍(男13、女7)

●採用情報●

【人数】23年:36 24年:35 25年:応募2500→内定41*
【内定内訳】(男30、女11)(文6、理35)(総0、他41)
【試験】試験あり
【時期】エントリー24.6→内々定24.8(一次・二次以降もWEB面接可)
【採用実績校】明大4、関大2、法政大2、東北大1、九大1、早大1、慶大1、岩手大1、千葉大1、九州工大1、静岡大1、名古屋市大1、東理大1、他
【求める人材】技術スペシャリストを目指したい人

【本社事務所】108-0014 東京都港区芝4-1-23 三田NNビル ☎03-5440-2800
【特色・近況】鈴与グループの情報処理会社。セメント荷扱いで発祥。ソフト会社を相次ぎ買収し、2次請負開発、人事給与ソフト販売、給与計算など事務処理の受託を展開。クラウド基盤サービスを強化し、パッケージソフト開発、物流コンサルなど高付加価値事業に注力。
【設立】1947.5 【資本金】802百万円
【取締】徳田康行(1956.4生 早大政経卒)
【株主】〔24.3〕鈴与システムテクノロジー11.4%
【連結事業】情報サービス81、物流19
【従業員】連793名 単653名(42.7歳)

【業績】	売上高	営業利益	経常利益	純利益
連22.3	14,458	366	405	275
連23.3	15,503	510	553	381
連24.3	17,160	1,021	1,067	770

#初任給が高い

㈱スタディスト

[株式公開計画なし]

採用内定数	倍率	3年後離職率	平均年収
2名	177倍	0%	655万円

●待遇、制度●
【初任給】月30.1万（諸手当1万円、固定残業代45時間分）
【残業】14.4時間【有休】8.5日【制度】[フ][在]
●新卒定着状況●
20年入社（男1、女1）→3年後在籍（男1、女1）
●採用情報●
【人数】23年:2 24年:5 25年:応募354→内定2*
【内定内訳】（男0、女2）（文2、理0）（総2、他0）
【試験】〔性格〕有
【時期】エントリー 24.9→内々定24.12*(一次・二次以降もWEB面接可)
【採用実績校】東北大1、ウォーリック大1

【求める人材】成長意欲が高く、これからの当社をリードする存在になってくれる人

【本社】101-0054 東京都千代田区神田錦町1-6 住友商事錦町ビル9階 ☎050-1744-3760
【特色・近況】マニュアル作成・共有システム「Teach me Biz」の提供を主力とするIT系ベンチャー。チェーンストア企業の本部から現場への指示実行状況を可視化する「ハンクラ」なども提供している。宮崎県日南市にニアショア（地方都市での開発）拠点。
【設立】2010.3 【資本金】51百万円
【代表取締役】鈴木悟史（1973.11生 明大院建築修了）
【株主】〔24.2〕鈴木悟史
【事業】クラウドサービスの開発、コンサルティングサービスの提供
【従業員】単183名（34.8歳）

【業績】	売上高	営業利益	経常利益	純利益
単23.2	1,880	▲447	▲444	▲449
単24.2	2,316	▲231	▲229	▲221

セグエグループ

[東証プライム]

採用内定数	倍率	3年後離職率	平均年収
12名	‥	35.3%	600万円

●待遇、制度● 平均年収はジェイズ・コミュニケーションの数値
【初任給】月27.2万（諸手当1万円、固定残業代20時間分）
【残業】7.6時間【有休】12.6日【制度】[フ][住][在]
●新卒定着状況● ジェイズ・コミュニケーション採用
20年入社（男10、女7）→3年後在籍（男5、女6）
●採用情報● ジェイズ・コミュニケーション採用
【人数】23年:17 24年:16 25年:応募‥→内定12*
【内定内訳】（男10、女2）（文4、理5）（総12、他0）
【試験】〔Web自宅〕有
【時期】エントリー 24.9→内々定24.12(一次・二次以降もWEB面接可)【インターン】有【ジョブ型】有
【採用実績校】香川大院1、立命館大1、福岡大1、日大1、成城大1、近大1、摂南大1、敬愛大1、京都橘大1、HAL名古屋専2、他
【求める人材】日々の努力を軽視せず、自分の成長に向き合い、新しいことにチャレンジできる人

【本社】104-0033 東京都中央区新川1-16-3 住友不動産茅場町ビル ☎03-6228-3822
【特色・近況】J'sコミュニケーションを中核とする持株会社。ITインフラやネットワークセキュリティー製品に関する設計・構築・保守サービスと、米国製などのセキュリティー製品、ITインフラ製品の輸入販売が主力。自社開発セキュリティ製品も手がける。
【設立】2014.12 【資本金】533百万円
【社長】愛須康之（1966.6生）
【株主】〔24.6〕愛須康之30.2%
【連結事業】ソリューションプロダクト62、ソリューションサービス38
【従業員】連776名 単21名（42.4歳）

【業績】	売上高	営業利益	経常利益	純利益
連21.12	12,038	638	686	454
連22.12	13,622	906	1,050	743
連23.12	17,443	1,086	1,015	660

㈱セック

[東証プライム]

採用内定数	倍率	3年後離職率	平均年収
36名	10.4倍	17.9%	[総]662万円

●待遇、制度●
【初任給】月25.3万（固定残業代20時間分）
【残業】27.6時間【有休】13.1日【制度】[フ][住][在]
●新卒定着状況●
20年入社（男22、女6）→3年後在籍（男18、女5）
●採用情報●
【人数】23年:26 24年:30 25年:応募373→内定36
【内定内訳】（男29、女7）（文2、理26）（総36、他0）
【試験】〔筆記〕有〔Web自宅〕有
【時期】随時(一次はWEB面接可)【インターン】有
【採用実績校】東大4、名大3、筑波大2、日大2、山口大2、早大2、岩手大1、愛媛大1、大阪公大1、阪大1、諏訪東理大1、埼玉大1、芝工大1、他

【求める人材】仕事を通して社会に貢献したい、成長したいという意欲を持てる人

【本社】158-0097 東京都世田谷区用賀4-10-1 世田谷ビジネススクエア ☎03-5491-4770
【特色・近況】リアルタイム技術専門のソフトウェア会社。医療・防衛・官公庁向け社会基盤システム、宇宙先端システム、モバイル向けアプリや組み込みソフトウェア、インターネットの4分野で展開。XRや、デブリ（宇宙ごみ）除去の開発に注力。
【設立】1970.5 【資本金】477百万円
【社長】櫻井伸太郎（1958.3生）
【株主】〔24.3〕㈲矢野商会27.1%
【事業】モバイルネットワーク15、インターネット14、社会基盤システム39、宇宙先端システム33
【従業員】単374名（38.8歳）

【業績】	売上高	営業利益	経常利益	純利益
単22.3	6,560	1,062	1,107	780
単23.3	7,488	1,215	1,278	878
単24.3	8,534	1,467	1,547	1,105

#初任給が高い

㈱ゼネテック

東証スタンダード

採用内定数	倍率	3年後離職率	平均年収
36名	46.2倍	30%	・・

●待遇、制度●
【初任給】月30万(固定残業代20時間分)
【残業】15.1時間【有休】・・日【制度】フ 在
●新卒定着状況●
20年入社(男9、女1)→3年後在籍(男6、女1)
●採用情報●
【人数】23年:23 24年:32 25年:応募1664→内定36*
【内定内訳】(男31、女5)(文1、理35)(総36、他0)
【試験】〔Web自宅〕有〔性格〕有
【時期】エントリー24.12→内々定・・*(一次・二次以降もWEB面接可)
【採用実績校】東京科学大2、上智大1、横国大1、同大1、立命館大1、北大1、名大1、阪大1、工学院大1、他
【求める人材】新しいことに好奇心・探求心を感じられる人、論理的に会話ができる人

【本社】163-1325 東京都新宿区西新宿6-5-1 新宿アイランドタワー ☎03-6258-5601
【特色・近況】組み込みソフトウェアやハードウェアのシステム受託開発が主力。CAD/CAM関連のエンジニアリングソリューションや、クラウドによるIOTプラットフォームの提供も行う。顧客は自動車や家電、通信、半導体業界が中心。災害時位置情報システムも提供。
【設立】1985.7 【資本金】370百万円
【社長】上野憲二(1950.8生 武工大工卒)
【株主】〔24.3〕㈱KEN&パートナーズ35.7%
【連結事業】システムソリューション63、エンジニアリングソリューション31、GPS6
【従業員】連425名 単382名(40.2歳)

【業績】	売上高	営業利益	経常利益	純利益
連22.3	4,683	190	254	56
連23.3	5,864	105	111	23
連24.3	7,147	629	635	414

#初任給が高い

ソースネクスト

東証プライム

採用内定数	倍率	3年後離職率	平均年収
7名	107.1倍	50%	774万円

●待遇、制度●
【初任給】年470万
【残業】33.3時間【有休】10.4日【制度】フ 在
●新卒定着状況●
20年入社(男3、女1)→3年後在籍(男2、女0)
●採用情報●
【人数】23年:6 24年:4 25年:応募750→内定7*
【内定内訳】(男1、女6)(文7、理0)(総7、他0)
【試験】〔Web会場〕SPI3〔性格〕有
【時期】エントリー通年→内々定通年(一次・二次以降もWEB面接可)【インターン】有
【採用実績校】北大院1、慶大1、法政大1、千葉大1、同大1、東京女大1、和歌山大1
【求める人材】「世界一エキサイティングな企業になる」という最高戦略に共感でき、やりがいを感じながら成長し続けたい人

【本社】107-0052 東京都港区赤坂1-14-14 第35興和ビル ☎03-5797-7165
【特色・近況】個人向けPC用パッケージソフト・IoT機器を生産販売。シェア上位のウイルス対策ソフト、PDF変換ソフトが看板商品。はがき作成ソフト「筆王」など既存製品を買収し、品揃え拡充。自動通訳機「ポケトーク」は欧米・アジアでも拡販。
【設立】1996.8 【資本金】3,703百万円
【社長】小嶋智彰(1977.6生 京大文卒)
【株主】〔24.3〕松田憲幸26.2%
【連結事業】ポケトーク32、ハガキ12、セキュリティ7、ソフト他35、ハード他14 <海外13>
【従業員】連172名 単117名(39.0歳)

【業績】	売上高	営業利益	経常利益	純利益
連22.3	10,307	▲2,259	▲2,128	▲3,502
連23.3	10,347	▲2,574	▲2,537	▲2,303
連24.3	11,334	▲2,271	▲2,239	▲2,169

㈱ソケッツ

東証スタンダード

採用実績数	倍率	3年後離職率	平均年収
3名	・・	0%	671万円

●待遇、制度●
【初任給】月24.3万(諸手当0.3万円、固定残業代45時間分)
【残業】15時間【有休】15.8日【制度】住 在
●新卒定着状況●
20年入社(男2、女0)→3年後在籍(男2、女0)
●採用情報●
【人数】23年:2 24年:3 25年:予定未定*
【内定内訳】(男・・、女・・)(文・・、理・・)(総・・、他・・)
【試験】なし
【時期】随時(一次はWEB面接可)【インターン】有
【採用実績校】・・
【求める人材】人の感性を乗せたテクノロジーサービスにこだわり、自分の限界を超えようとする人

【本社】151-0051 東京都渋谷区千駄ヶ谷4-23-5 JPR千駄ヶ谷ビル ☎03-5785-5518
【特色・近況】ITを活用したサービス、データベースなどを開発・提供。音楽や映像などのコンテンツ情報を人間感性に紐付いたデータに整理し、メディアデータベースを通信会社やインターネットサービス事業者などへ販売。「感性データ」を基にした広告も育成。
【設立】2000.6 【資本金】505百万円
【社長】浦部浩司(1968.5生 学習大経済卒)
【株主】〔24.3〕浦部浩司27.1%
【事業】メディアビジネス99、コンテンツビジネス1
【従業員】単67名(41.9歳)

【業績】	売上高	営業利益	経常利益	純利益
単22.3	873	▲101	▲101	▲150
単23.3	994	▲30	▲29	▲26
単24.3	1,018	▲79	▲78	▲100

情報・通信・同関連ソフト

㈱ソフテック

株式公開計画なし

採用内定数	倍率	3年後離職率	平均年収
11名	5倍	14.3%	㊗504万円

●待遇、制度●
【初任給】月21万
【残業】18時間【有休】13.9日【制度】住 在
●新卒定着状況●
20年入社(男5、女2)→3年後在籍(男5、女1)
●採用情報●
【人数】23年:11 24年:15 25年:応募55→内定11
【内定内訳】(男9、女2)(文3、理6)(総11、他0)
【試験】〔Web自宅〕有
【時期】エントリー25.1→内々定25.4(一次・二次以降もWEB面接可)【インターン】有
【採用実績校】中大1、神奈川工大1、追手門学大1、奈良先端科技院大1、岡山理大1、徳島文理大1、松山大1、高知工科大2、他
【求める人材】常にアンテナを張り、生涯学習の姿を意識し、あきらめないハートを持った人

【本社】783-0060 高知県南国市蛍が丘1-4 高知富士通テクノポート内 ☎088-880-8877
【特色・近況】流通・医療・金融分野を柱とする、四国地盤のシステム開発会社。システム開発、ICTインフラの導入、データセンター運用に加え、BPOソリューションも手がける。ヘルスケア市場と文教市場に注力。東京、香川、愛媛に支社。
【設立】1973.10 【資本金】25百万円
【社長】加藤稔(1959.10生 高知大農卒)
【株主】〔24.4〕高知三菱自動車販売50.0%
【事業】システムハウス系38、コンピュータディーラー系38、計算センター系22、マルチメディア商品開発系2
【従業員】単227名(38.5歳)

【業績】	売上高	営業利益	経常利益	純利益
単21.9	1,900	94	101	66
単22.9	1,912	111	116	73
単23.9	2,015	108	129	91

㈱ソフトウェアコントロール

株式公開計画なし

採用内定数	倍率	3年後離職率	平均年収
10名	19.8倍	5%	㊗527万円

●待遇、制度●
【初任給】月22.3万
【残業】13.9時間【有休】14.9日【制度】フ 在
●新卒定着状況●
20年入社(男9、女11)→3年後在籍(男8、女11)
●採用情報●
【人数】23年:16 24年:15 25年:応募198→内定10*
【内定内訳】(男9、女1)(文4、理6)(総10、他0)
【試験】〔Web会場〕SPI3〔性格〕有
【時期】エントリー25.3→内々定25.6(一次はWEB面接可)【インターン】有
【採用実績校】嘉悦大1、法政大1、東京電機大1、東洋大1、第一工科大1、同大1、富山大1、東京工科大1、富山国際大1、龍谷大1
【求める人材】ものごとを前向きに考え、改善を続けていくことができる人、あきらめない人

【本社】144-8721 東京都大田区蒲田5-37-1 ニッセイアロマスクエア15階 ☎03-3669-8211
【特色・近況】アイネット傘下のシステム開発会社。主要サービス分野は生産管理、旅客管理、防衛・宇宙、監視制御、地図情報、鉄道関連の6分野。ネットワーク、オープン系や大手電機向け計測・制御システムの構築が中心。大阪・吹田市に事業所。
【設立】1978.4 【資本金】54百万円
【社長】細田武志
【株主】〔21.3〕アイネット100%
【事業】ソフトウエア開発100
【従業員】単261名(35.9歳)

【業績】	売上高	営業利益	経常利益	純利益
単22.3	2,213	178	229	149
単23.3	2,527	275	285	173
単24.3	2,862	344	356	265

㈱ソリトンシステムズ

東証プライム

採用内定数	倍率	3年後離職率	平均年収
13名	9.1倍	10.5%	㊗650万円

●待遇、制度●
【初任給】月24.7万(諸手当1.3万円、固定残業代33時間分)
【残業】23.3時間【有休】12.3日【制度】住 在
●新卒定着状況●
20年入社(男13、女6)→3年後在籍(男11、女6)
●採用情報●
【人数】23年:7 24年:9 25年:応募118→内定13*
【内定内訳】(男7、女6)(文5、理7)(総13、他0)
【試験】〔筆記〕有
【時期】エントリー25.3→内々定25.4*(一次・二次以降もWEB面接可)【インターン】有
【採用実績校】東京電機大2、千葉工大1、静岡大1、尾道市大1、山形大1、関西学大1、駒澤大1、岐阜聖徳学大1、東京経大1、文京学大1、他
【求める人材】「積極的にチャレンジしたい」「ものづくりに携わりたい」という熱意と好奇心のある人

【本社】160-0022 東京都新宿区新宿2-4-3 ☎03-5360-3801
【特色・近況】セキュリティー対策のソフト販売・システム構築が柱。自治体や放送局向けの映像伝送システムや人感センサーなどを育成。サイバーセキュリティー分野の製品開発にも力を入れる。アナログ・デジタル混合半導体デバイスの開発・販売も手がける。
【設立】1979.3 【資本金】1,326百万円
【社長】鎌田理
【株主】〔24.6〕㈲Zen-Noboks41.6%
【連結事業】ITセキュリティ93、映像コミュニケーション5、Eco新規事業開発2
【従業員】連659名 単626名(42.7歳)

【業績】	売上高	営業利益	経常利益	純利益
連21.12	17,389	2,367	2,494	1,872
連22.12	19,757	2,036	2,203	1,587
連23.12	19,058	2,608	2,809	1,936

㈱ソルクシーズ

東証スタンダード

採用内定数	倍率	3年後離職率	平均年収
35名	1.1倍	16.7%	604万円

●待遇、制度●
【初任給】月23.5万
【残業】9時間【有休】11.8日【制度】フ 住 在

●新卒定着状況●
20年入社(男20、女10)→3年後在籍(男17、女8)

●採用情報●
【人数】23年:13 24年:35 25年:応募40→内定35*
【内定内訳】(男26、女9)(文18、理13)(総0、他35)
【試験】〔Web自宅〕有〔性格〕有
【時期】エントリー24.10→内々定24.11(一次・二次以降もWEB面接可)【インターン】有
【採用実績校】福岡工大4、帝京大3、東京電機大2、東京ITプログラミング&会計専2、立命館大1、同大1、日大1、神奈川大1、専大1、他
【求める人材】コミュニケーション能力があり、好奇心、向上心もあり、誠実な人

【本社】108-0023 東京都港区芝浦3-1-21 田町ステーションタワーS ☎03-6722-5011
【特色・近況】クレジットや証券など金融機関向けSI・ソフト受託開発が主力。子会社で自動車教習所関連のシステム開発や、企業向けクラウドストレージ提供なども展開。IT全般、自動車や医療機器メーカー向けコンサルも手がける。製造業向けIoTを拡大へ。
【設立】1981.2 【資本金】1,494百万円
【社長】秋山博紀(1964.1生 東海大工卒)
【株主】〔24.6〕SBIホールディングス16.0%
【連結事業】ソフトウェア開発75、コンサルティング8、ソリューション17
【従業員】連827名 単512名(42.5歳)

【業績】	売上高	営業利益	経常利益	純利益
連21.12	13,922	1,105	1,123	1,060
連22.12	13,986	1,029	1,056	564
連23.12	15,883	1,145	1,202	753

#残業が少ない

大京(だいきょう)システム開発(かいはつ)

株式公開計画なし

採用予定数	倍率	3年後離職率	平均年収
10名	‥	9.1%	‥

●待遇、制度●
【初任給】月24.3万(諸手当1.8万円)
【残業】3.6時間【有休】13.3日【制度】住 在

●新卒定着状況●
20年入社(男10、女1)→3年後在籍(男9、女1)

●採用情報●
【人数】23年:10 24年:10 25年:予定10*
【内定内訳】(男‥、女‥)(文‥、理‥)(総‥、他‥)
【試験】〔Web自宅〕有〔性格〕有
【時期】エントリー25.3→内々定25.6
【採用実績校】‥
【求める人材】明るく前向きで、チャレンジ精神がある人

【本社】550-0002 大阪府大阪市西区江戸堀1-9-1 ☎06-6441-5815
【特色・近況】独立系のシステム開発会社。企業向け情報システムの開発から運用保守までワンストップで展開。大阪が本社で、東京を本部と位置づけ、名古屋、京都、神戸、広島に拠点。インフラ構築から組み込み制御、IoT、エンジニアリングにも展開。
【設立】1989.6 【資本金】12百万円
【社長】宇山英幸(1942.1生 広修道大商卒)
【株主】〔24.5〕宇山実44.5%
【事業】システム・ソフト開発100
【従業員】単245名(32.0歳)

【業績】	売上高	営業利益	経常利益	純利益
単22.2	2,462	230	234	193
単23.2	2,556	220	220	145
単24.2	2,929	300	304	219

大成(たいせい)ネット

株式公開計画なし

採用内定数	倍率	3年後離職率	平均年収
6名	15.7倍	33.3%	‥

●待遇、制度●
【初任給】月21.8万(諸手当1万円)
【残業】10時間【有休】10.2日【制度】在

●新卒定着状況●
20年入社(男9、女6)→3年後在籍(男6、女4)

●採用情報●
【人数】23年:9 24年:6 25年:応募94→内定6
【内定内訳】(男4、女2)(文3、理0)(総6、他0)
【試験】〔筆記〕有〔Web自宅〕有〔性格〕有
【時期】エントリー25.2→内々定25.4*(一次・二次以降もWEB面接可)【インターン】有
【採用実績校】駿河台大1、日本電子専3、東京経大1、昭和女大1
【求める人材】コミュニケーション能力のある人、積極的に学ぼうとする人

【本社】105-0012 東京都港区芝大門1-10-11 芝大門センタービル4階 ☎03-5408-8566
【特色・近況】業務系、Web系ソフトウェア開発会社。RFID使ったICカード登校出欠管理システム「トコッピ」などが主力。保育園向け、個人向けに乳幼児のうつぶせ寝見守りシステムも。Webサイトの作成や、パソコンスクールの運営も手がける。
【設立】1996.4 【資本金】50百万円
【代表取締役】相馬巨明(1955.8生 城西大理卒)
【株主】〔23.9〕相馬巨明94.5%
【事業】ソフトウエアの開発、パソコンスクール、一般派遣、RFIDシステム開発、IOT研究開発
【従業員】単112名(31.4歳)

【業績】	売上高	営業利益	経常利益	純利益
単21.9	812	1	52	36
単22.9	878	▲21	5	4
単23.9	857	▲13	▲12	▲12

採用実績数	倍率	3年後離職率	平均年収
1名	・・	0%	592万円

㈱大和（だいわ）コンピューター　東証スタンダード

●待遇、制度●
【初任給】月23.1万
【残業】17時間【有休】11.7日【制度】住 在
●新卒定着状況●
20年入社(男6、女2)→3年後在籍(男6、女2)
●採用情報●
【人数】23年:6 24年:1 25年:予定増加*
【内定内訳】(男‥、女‥)(文‥、理‥)(総‥、他‥)
【試験】〔筆記〕有〔Web自宅〕WEB-GAB〔性格〕有
【時期】エントリー25.3→内々定25.4*(一次・二次以降もWEB面接可)
【採用実績校】‥
【求める人材】コンピューターに興味があり、ITの力で社会に役立ちたいと考えている人

【本社】569-0054 大阪府高槻市若松町36-18 ☎072-676-2221
【特色・近況】基幹系業務アプリケーションの開発会社。ソフトウェアの受託開発、CMMI導入コンサルとSaaS型ソフトウェアサービスの導入支援が中心。SCSK、大塚商会が主要顧客で売上高の5割超を占める。クラウド強化、農業のICT化に注力。
【設立】1977.6 【資本金】382百万円
【社長】中村憲司(1958.12生 慶大院経営管修了)
【株主】〔24.7〕㈲ジェネシス24.2%
【連結事業】ソフトウェア開発関連77、サービスインテグレーション20、他2
【従業員】連189名 単182名(40.9歳)

【業績】	売上高	営業利益	経常利益	純利益
連22.7	2,877	471	507	339
連23.7	3,005	503	515	329
連24.7	3,291	565	600	342

採用内定数	倍率	3年後離職率	平均年収
31名	8.7倍	16.1%	531万円

中央（ちゅうおう）コンピューター　株式公開計画なし

●待遇、制度●
【初任給】月23.4万(諸手当2.6万円)
【残業】18.9時間【有休】14.8日【制度】フ 住 在
●新卒定着状況●
20年入社(男16、女15)→3年後在籍(男13、女13)
●採用情報●
【人数】23年:25 24年:26 25年:応募270→内定31
【内定内訳】(男16、女15)(文21、理9)(総0、他31)
【試験】〔Web会場〕SPI3〔Web自宅〕SPI3〔性格〕有
【時期】エントリー24.4→内々定25.4(一次はWEB面接可)【インターン】有
【採用実績校】桜美林大1、大阪工大2、大阪市大1、大妻女大1、岡山理大1、関大1、関西学大2、京産大1、京都女大1、京都橘大2、他
【求める人材】一人ひとりが明確なビジョンを持ち、機会を創出し挑戦する中で、変革していける人

【本店】530-6691 大阪府大阪市北区中之島6-2-27 中之島センタービル20階 ☎06-6446-0755
【特色・近況】富士通・電力グループ(関西電力、四国電力)の情報サービス企業。一般企業や官公庁向けにコンサルからシステム開発、インフラ構築、管理、運用、機器販売まで一貫してサービス提供。自社パッケージシリーズやクラウド分野など強化。
【設立】1968.12 【資本金】70百万円
【社長】林成則(1965.5生 神戸経営卒)
【株主】〔24.4〕オプテージ34.3%
【事業】システム開発74、システム管理17、システム運用6、他3
【従業員】単604名(40.6歳)

【業績】	売上高	営業利益	経常利益	純利益
単22.3	7,014	468	473	315
単23.3	7,580	382	380	253
単24.3	8,695	677	696	496

採用内定数	倍率	3年後離職率	平均年収
40名	27.6倍	23.3%	451万円

㈱ディ・アイ・システム　東証スタンダード

●待遇、制度●
【初任給】月22.2万
【残業】11.5時間【有休】9.5日【制度】在
●新卒定着状況●
20年入社(男17、女13)→3年後在籍(男11、女12)
●採用情報●
【人数】23年:79 24年:51 25年:応募1102→内定40*
【内定内訳】(男18、女22)(文28、理7)(総0、他40)
【試験】〔Web自宅〕有〔性格〕有
【時期】エントリー通年→内々定通年(一次はWEB面接可)【インターン】有【ジョブ型】有
【採用実績校】法政大1、東理大1、同大1、武庫川女大2、名城大1、佐賀大1、他
【求める人材】勉強意欲がある人、一緒に働く仲間を大切にできる人、主体性がある人

【本社】164-0001 東京都中野区中野4-10-1 ☎03-6821-6122
【特色・近況】システムインテグレーションが主力事業。通信や金融、流通、医療、官公庁向けに業務用アプリの設計開発、インフラシステムの設計構築、運用保守などを展開。IT教育事業として、顧客企業の新卒者・技術者向けIT研修やチャットGPT研修を手がける。
【設立】1999.7 【資本金】291百万円
【会長】長田光博(1952.9生)
【株主】〔24.3〕㈱NAM33.6%
【連結事業】システムインテグレーション91、教育サービス・セキュリティソリューション9
【従業員】連742名 単684名(29.7歳)

【業績】	売上高	営業利益	経常利益	純利益
連21.9	4,656	204	207	149
連22.9	5,498	286	285	194
連23.9	6,241	340	339	240

#初任給が高い

㈱テクノスジャパン

東証スタンダード

採用内定数	倍率	3年後離職率	平均年収
57名	9.9倍	7.4%	㊗599万円

●待遇、制度●
【初任給】月31.3万（固定残業代30時間分）
【残業】12.8時間【有休】11日【制度】フ 在
●新卒定着状況●
20年入社（男92、女56）→3年後在籍（男87、女50）
●採用情報●
【人数】23年:38 24年:44 25年:応募567→内定57
【内定内訳】（男31、女26）（文45、理12）（総57、他0）
【試験】〔Web自宅〕有
【時期】エントリー24.8→内々定24.11（一次・二次以降もWEB面接可）【インターン】有
【採用実績校】早大6、立命館大3、上智大2、同大2、東理大2、九大1、九州工大1、他
【求める人材】論理的思考力、チームワーク力、バイタリティがある人

【本社】163-1414 東京都新宿区西新宿3-20-2 東京オペラシティタワー ☎03-3374-1212
【特色・近況】独SAP社のERPパッケージを中核とする基幹業務システムの導入支援が主軸。SAPジャパン、日本オラクルなどとパートナー契約。自社独自の企業間協調プラットフォーム「CBP」を第3の柱に育成。AIなどを活用するDX推進事業を強化。
【設立】1994.4 【資本金】562百万円
【社長】吉岡隆（1976.11生 早大教育卒）
【株主】〔24.3〕徳平正憲9.6%
【連結事業】準委任契約等89、請負契約5、販売契約6 <海外19>
【従業員】連807名 単451名（35.6歳）

【業績】	売上高	営業利益	経常利益	純利益
連22.3	9,046	1,144	1,191	650
連23.3	11,025	1,297	1,356	901
連24.3	12,639	1,488	1,546	1,372

テクノブレイブ

株式公開計画なし

採用内定数	倍率	3年後離職率	平均年収
17名	10.8倍	55%	467万円

●待遇、制度●
【初任給】月22万（固定残業代20時間分）
【残業】15.1時間【有休】9.2日【制度】在
●新卒定着状況●
20年入社（男17、女3）→3年後在籍（男9、女0）
●採用情報●
【人数】23年:27 24年:29 25年:応募184→内定17*
【内定内訳】（男13、女4）（文6、理2）（総0、他17）
【試験】〔Web自宅〕有〔性格〕有
【時期】エントリー24.11→内々定25.1*（一次・二次以降もWEB面接可）【インターン】有【ジョブ型】有
【採用実績校】明大1、駒澤大1、大正大1、立正大1、東京工芸大1、神田外語大1、九州職能大学校1、日本電子専3、名古屋工学院専1、他
【求める人材】IT技術に興味があり、自己実現に向けて楽しみながら、計画的に研鑽がつめる人

【本社】101-0047 東京都千代田区内神田1-2-8 楠本第2ビル2階 ☎03-5577-3950
【特色・近況】ソフト開発、システムコンサル、ネットワーク保守・運用が主力。公共分野に加え、医療、製造業向けなど開拓。Webや動画の企画・制作も手がける。東京本社に加え、札幌、名古屋、大阪、福岡に拠点。タイに現地法人。
【設立】2004.11 【資本金】75百万円
【社長】西村陽一（1966.7生 立正大経済卒）
【株主】〔24.3〕テクノブレイブホールディングス100%
【事業】ソフトウェア開発40、システム運用30、ネットワーク構築20、ネットワーク運用10
【従業員】単681名（36.0歳）

【業績】	売上高	営業利益	経常利益	純利益
単22.3	6,402	299	365	259
単23.3	6,777	279	300	153
単24.3	7,688	401	418	284

#初任給が高い

デジタルアーツ

東証プライム

採用内定数	倍率	3年後離職率	平均年収
19名	36.6倍	50%	620万円

●待遇、制度●
【初任給】月28.5万（諸手当1.5万円、固定残業代20時間分）
【残業】25.3時間【有休】11.3日【制度】住 在
●新卒定着状況●
20年入社（男19、女9）→3年後在籍（男9、女5）
●採用情報●
【人数】23年:30 24年:30 25年:応募695→内定19*
【内定内訳】（男15、女4）（文8、理11）（総8、他11）
【試験】〔Web自宅〕有
【時期】エントリー24.8→内々定25.4（一次・二次以降もWEB面接可）
【採用実績校】岩手大院1、ICU1、千葉大院1、名大院1、法政大1、他
【求める人材】自己成長と社会貢献に強い意欲を持ち、論理的思考力、自律性、そして想像力に優れた人

【本社】100-0004 東京都千代田区大手町1-5-1 大手町ファーストスクエア ☎03-5220-6045
【特色・近況】ネット上の有害情報閲覧や情報漏洩を防止するフィルタリングソフトで国内最大手。Web、メール、ファイルのセキュリティー製品を販売。企業や官公庁、教育機関向けのほか、子ども向け有害情報防止ソフトなども提供。学校向けネットいじめ防止に照準。
【設立】1995.6 【資本金】713百万円
【社長】道具登志夫（1968.2生 東京商科学院）
【株主】〔24.3〕道具登志夫15.9%
【連結事業】セキュリティ・企業向け56、同・公共向け40、同・家庭向け4
【従業員】連275名 単275名（34.8歳）

【業績】	売上高	営業利益	経常利益	純利益
連22.3	9,051	4,126	4,135	2,900
連23.3	10,436	4,413	4,429	3,062
連24.3	11,512	4,427	4,443	4,377

情報・通信・同関連ソフト

デジタル・インフォメーション・テクノロジー

東証プライム

採用内定数	倍率	3年後離職率	平均年収
87名	22.3倍	11.3%	535万円

●待遇、制度●
【初任給】月25万
【残業】19.1時間【有休】‥日【制度】フ 住 在
●新卒定着状況●
20年入社(男38、女15)→3年後在籍(男32、女15)
●採用情報●
【人数】23年:80 24年:91 25年:応募1944→内定87*
【内定内訳】(男69、女18)(文‥、理‥)(総0、他87)
【試験】試験あり
【時期】エントリー‥→内々定‥(一次・二次以降もWEB面接可)【インターン】有【ジョブ型】有
【採用実績校】‥
【求める人材】主体的に行動できる人、状況適応力のある人、困難な状況でも積極的に行動できる人

【本社】104-0032 東京都中央区八丁堀4-5-4 FORECAST桜橋 ☎03-6311-6520
【特色・近況】独立系システム開発会社。ソフト・システム開発が主力で、金融・通信・流通・運輸分野の業務システムの受託開発・運用支援のほか、車載機器などの組み込みソフト開発、自社開発のWebサイト改ざん瞬間検知・復旧システム販売など展開。
【設立】2002.1 【資本金】453百万円
【社長】市川聡(1972.4生 明治鍼灸大卒)
【株主】〔24.6〕NIインベストメント㈱12.9%
【連結事業】ソフトウェア開発96、システム販売4
【従業員】連1,399名 単1,131名(37.9歳)

【業績】	売上高	営業利益	経常利益	純利益
連22.6	16,156	2,004	2,004	1,439
連23.6	18,149	2,039	2,059	1,447
連24.6	19,888	2,424	2,409	1,686

㈱電算（でんさん）

東証スタンダード

採用実績数	倍率	3年後離職率	平均年収
7名	‥	0%	707万円

●待遇、制度●
【初任給】月23.5万
【残業】19時間【有休】13.4日【制度】フ 住 在
●新卒定着状況●
20年入社(男10、女3)→3年後在籍(男10、女3)
●採用情報●
【人数】23年:4 24年:7 25年:予定未定
【内定内訳】(男‥、女‥)(文‥、理‥)(総‥、他‥)
【試験】なし
【時期】エントリー通年→内々定通年【インターン】有
【採用実績校】‥
【求める人材】自ら学び、考え、行動できる人

【本社】380-0904 長野県長野市鶴賀七瀬中町276-6 ☎026-224-6666
【特色・近況】信越地盤の情報処理・システム開発の中堅。首都圏へも展開。システムコンサルから設計・開発、保守・運用まで一貫して提供。市役所など地方公共団体に顧客基盤。医療・福祉系や産業系も得意分野。AI外観検査システムが特許を取得。
【設立】1966.3 【資本金】1,395百万円
【社長】轟一太(1946.1生 横市大文理卒)
【株主】〔24.3〕信越放送35.1%
【連結事業】情報処理・通信サービス21、ソフトウェア開発・システム提供サービス40、システム機器販売等19、他関連サービス20
【従業員】連603名 単582名(45.4歳)

【業績】	売上高	営業利益	経常利益	純利益
連22.3	17,306	1,245	1,242	859
連23.3	17,804	2,503	2,507	1,611
連24.3	15,974	1,290	1,233	898

㈱テンダ

東証スタンダード

採用内定数	倍率	3年後離職率	平均年収
14名	62.5倍	37.5%	‥

●待遇、制度●
【初任給】年329.1万
【残業】8.4時間【有休】9.6日【制度】在
●新卒定着状況●
20年入社(男7、女1)→3年後在籍(男4、女1)
●採用情報●
【人数】23年:13 24年:20 25年:応募875→内定14*
【内定内訳】(男10、女4)(文2、理12)(総0、他14)
【試験】〔Web自宅〕有〔性格〕有
【時期】随時(一次・二次以降もWEB面接可)【インターン】有【ジョブ型】有
【採用実績校】電通大1、早大2、近大1、南山大1、金沢大1、はこだて未来大1、岩手大2、金沢工大1、中大1、千葉大1、東洋大1、群馬大1
【求める人材】IT業界で幅広く経験を積み将来の選択肢を広げて、ITのプロとして成長し続けたい人

【本社】150-6139 東京都渋谷区渋谷2-24-12 渋谷スクランブルスクエア ☎03-3590-4110
【特色・近況】Web関連の受託開発・保守・運用が主。Webサイト構築から業務自動化・効率化ソフトの開発、AI、RPAなどデジタル技術を活用したサービスの再構築などを展開。マニュアル自動作成ツール、スマホ向けゲーム開発・運用も行う。
【設立】1995.6 【資本金】318百万円
【社長】薗部晃(1960.11生)
【株主】〔24.5〕㈱KFC53.0%
【連結事業】ITソリューション76、ビジネスプロダクト10、ゲームコンテンツ12、他1
【従業員】連336名 単213名(35.9歳)

【業績】	売上高	営業利益	経常利益	純利益
連22.5	3,509	373	359	240
連23.5	4,235	455	436	266
連24.5	5,175	545	547	341

東海ソフト（とうかい）

東証スタンダード

採用内定数	倍率	3年後離職率	平均年収
23名	19.6倍	18.7%	617万円

●待遇、制度●
【初任給】月23.5万
【残業】17時間【有休】13日【制度】住 在
●新卒定着状況●
20年入社（男24、女8）→3年後在籍（男21、女5）
●採用情報●
【人数】23年:35 24年:43 25年:応募451→内定23*
【内定内訳】（男15、女8）（文‥、理‥）（総23、他0）
【試験】〔Web自宅〕WEB-GAB
【時期】エントリー25.3→内々定25.4（一次はWEB面接可）【インターン】有
【採用実績校】名城大4、中京大7、愛知淑徳大1、愛知工業大4、南山大1、大同大1、名古屋学院大1、神奈川大1、名古屋工学院専1、他
【求める人材】経験・未経験・学部・学科不問、技術と人間力を含め自分自身を高めたい人

【本社】453-0014 愛知県名古屋市中村区則武2-16-1 ☎052-300-8330
【特色・近況】独立系ソフト開発会社。製造・流通業向けIoTソフト、組み込み関連、金融・公共関連の3本柱。組み込み関連ではEV関連の車載用ECUソフト開発や、自動販売機・ATMの制御ソフト開発など展開。製造業の自動化ニーズ取り込む。
【設立】1970.5 【資本金】826百万円
【会長】伊藤秀和（1959.8生）
【株主】〔24.5〕水谷慎介17.5%
【事業】組込み関連36、製造・流通及び業務システム関連47、金融・公共関連17
【従業員】単565名（36.1歳）

【業績】	売上高	営業利益	経常利益	純利益
単22.5	7,303	673	658	442
単23.5	7,718	864	863	623
単24.5	8,738	1,004	1,006	736

東京コンピュータサービス（とうきょう）

株式公開計画なし

採用内定数	倍率	3年後離職率	平均年収
4名	10.5倍	‥	‥

●待遇、制度●
【初任給】月21.6万（諸手当2.6万円）
【残業】18.3時間【有休】13日【制度】住 在
●新卒定着状況●
‥
●採用情報●
【人数】23年:11 24年:9 25年:応募42→内定4*
【内定内訳】（男3、女1）（文4、理0）（総4、他0）
【試験】〔Web自宅〕有〔性格〕有
【時期】エントリー25.3→内々定25.6（一次・二次以降もWEB面接可）【インターン】有【ジョブ型】有
【採用実績校】山形大1、追手門学大1、東京経大1、武蔵大1
【求める人材】誠実で忍耐力があり、物事に真剣に取り組んでくれる人

【本社】113-0033 東京都文京区本郷1-18-6 トーコンビル ☎03-3816-5011
【特色・近況】情報システム、情報処理機器・装置を扱うICT総合サービス企業。計画から導入、運用・保守まで一貫サポート。主な取引先は富士通、富士通関連企業、政府機関、地方自治体、公共交通機関、電力、通信、金融機関など。公共・インフラ系で強み。
【設立】1969.8 【資本金】300百万円
【社長】横村剛志（1981.10生 東海大経済卒）
【株主】〔24.5〕横村剛志16.3%
【事業】システム・機器の保守・運用管理32、システム・機器の販売63、ソフト開発・システム構築4、他1
【従業員】単529名（47.5歳）

【業績】	売上高	営業利益	経常利益	純利益
単21.5	17,426	707	831	570
単22.5	11,561	701	840	554
単23.5	11,578	508	670	367

東京システムズ（とうきょう）

株式公開未定

採用内定数	倍率	3年後離職率	平均年収
11名	19.8倍	20%	㊗600万円

●待遇、制度●
【初任給】月24万（諸手当1.7万円）
【残業】16.2時間【有休】14.2日【制度】フ 住 在
●新卒定着状況●
20年入社（男6、女4）→3年後在籍（男5、女3）
●採用情報●
【人数】23年:17 24年:16 25年:応募218→内定11*
【内定内訳】（男4、女7）（文9、理2）（総11、他0）
【試験】〔筆記〕有〔Web自宅〕有〔性格〕有
【時期】エントリー25.3→内々定25.5（一次・二次以降もWEB面接可）【インターン】有
【採用実績校】‥
【求める人材】何事にも興味を持ち、柔軟に発想し、積極的に行動できる人

【本社】150-0013 東京都渋谷区恵比寿1-18-18 ☎03-3446-2531
【特色・近況】産業用制御、業務系、Web系、POSシステムなどのソフトウェア受託開発会社。自動車、デジタルカメラ向けで開発実績。医療用機器ソフトの開発も手がける。東京、名古屋、沼津、盛岡に事業所。岩手に研究開発センターを構える。
【設立】1970.8 【資本金】80百万円
【社長】本橋徹（1952.10生 獨協大経営卒）
【株主】〔24.3〕自社役員持株会37.5%
【事業】ソフトウェア開発100
【従業員】単380名（37.7歳）

【業績】	売上高	営業利益	経常利益	純利益
単22.3	5,000	199	196	128
単23.3	4,881	194	192	125
単24.3	5,633	232	232	124

㈱東和(とうわ)システム

株式公開いずれしたい

採用内定数	倍率	3年後離職率	平均年収
59名	5.6倍	33.3%	[総]779万円

●待遇、制度●

【初任給】月23万(諸手当1.3万円)
【残業】20.5時間【有休】11.5日【制度】[フ][住]

●新卒定着状況●

20年入社(男9、女0)→3年後在籍(男6、女0)

●採用情報●

【人数】23年:9 24年:18 25年:応募333→内定59
【内定内訳】(男37、女22)(文37、理22)(総59、他0)
【試験】〔筆記〕有〔Web自宅〕有
【時期】エントリー24.8→内々定24.12(一次はWEB面接可)【インターン】有
【採用実績校】明大院1、山口大1、日大1、昭和女大1、明星大1、駒沢女大1、工学院大1、龍谷大1、名古屋経大1、高千穂大1、京産大1、他
【求める人材】失敗を恐れない、新しいことに挑戦する気概、アグレッシブな姿勢、好奇心旺盛な若者

【本社】101-0052 東京都千代田区神田小川町3-10 ☎03-3294-1401
【特色・近況】システム構築・設計・開発やシステムエンジニアリングが中心のソフト開発会社。大規模エンタープライズ系システムが得意分野。富士通が主要取引先。公共システム構築・開発案件などにも実績。中国・大連理工大との合弁展開などオフショア開発でも先行。
【設立】1972.11 【資本金】270百万円
【社長】矢部昭雄(1962.1生 東京工学院専卒)
【株主】〔24.4〕富士通39.5%
【事業】システム開発79、技術サービス21
【従業員】単396名(41.5歳)

【業績】	売上高	営業利益	経常利益	純利益
単21.10	5,583	‥	48	30
単22.10	5,870	‥	246	163
単23.10	6,305	‥	294	197

㈱トスコ

株式公開計画なし

採用内定数	倍率	3年後離職率	平均年収
42名	6.9倍	17.4%	‥

●待遇、制度●

【初任給】月21.5万
【残業】10時間【有休】15日【制度】[住][在]

●新卒定着状況●

20年入社(男15、女8)→3年後在籍(男12、女7)

●採用情報●

【人数】23年:26 24年:33 25年:応募289→内定42
【内定内訳】(男32、女10)(文20、理14)(総42、他0)
【試験】〔性格〕有
【時期】エントリー25.3→内々定25.5(一次はWEB面接可)【インターン】有【ジョブ型】有
【採用実績校】岡山大4、岡山県大4、香川大1、専大2、愛媛大1、日大1、近大1、帝京大1、学習院大1、岡山理大3、他
【求める人材】自ら考え、周りに伝える力がある人

【本社】700-0953 岡山県岡山市南区西市116-13 ☎086-243-8868
【特色・近況】製造業から物流、流通、金融向けなど幅広い領域で実績のあるシステム開発会社。自治体向けに消防・防災関連システムの調達・構築支援も手がける。東京に支社、名古屋、大阪、広島、静岡、福岡に事業拠点。TOPPANグループ。
【設立】1975.12 【資本金】100百万円
【社長】橋本明三(1960.1生 大阪電子専卒)
【株主】〔24.6〕TOPPANエッジ69.7%
【事業】ソフトウェア開発100
【従業員】単576名(38.9歳)

【業績】	売上高	営業利益	経常利益	純利益
単22.3	4,850	280	308	175
単23.3	5,577	398	409	266
単24.3	5,389	315	326	236

#初任給が高い

トヨクモ

東証グロース

採用内定数	倍率	3年後離職率	平均年収
5名	‥	‥	852万円

●待遇、制度●

【初任給】月32万
【残業】13.3時間【有休】16.9日【制度】[住][在]

●新卒定着状況●

‥

●採用情報●

【人数】23年:10 24年:6 25年:応募‥→内定5
【内定内訳】(男4、女1)(文4、理1)(総5、他0)
【試験】〔Web自宅〕有
【時期】エントリー24.6→内々定‥(一次はWEB面接可)【インターン】有
【採用実績校】‥
【求める人材】素直で成長意欲が高い人、志の高い人、自分で考え行動できる人

【本社】141-0021 東京都品川区上大崎3-1-1 JR東急目黒ビル ☎050-3816-6668
【特色・近況】法人向けの業務アプリ開発を手がける。災害時の安否確認サービスと、サイボウズ社の業務アプリ構築サービス「キントーン」と連携するWEBフォーム作成サービスが主軸。スケジュール管理アプリやメール配信サービスも展開。
【設立】2010.8 【資本金】394百万円
【社長】山本裕次(1968.3生 関大工卒)
【株主】〔24.6〕㈱ナノバンク45.4%
【事業】法人向けクラウドサービス100
【従業員】連70名 単69名(32.1歳)

【業績】	売上高	営業利益	経常利益	純利益
単21.12	1,576	418	421	286
単22.12	1,937	639	638	427
単23.12	2,434	875	875	631

豊田通商システムズ（とよたつうしょう）

株式公開計画なし

採用内定数	倍率	3年後離職率	平均年収
22名	10.3倍	6.7%	‥

●待遇、制度●
【初任給】月21.5万
【残業】26時間【有休】‥日【制度】フ 住 在
●新卒定着状況●
20年入社(男10、女5)→3年後在籍(男10、女4)
●採用情報●
【人数】23年:25 24年:26 25年:応募227→内定22*
【内定内訳】(男13、女9)(文11、理11)(総18、他4)
【試験】〔Web会場〕SPI3〔性格〕有
【時期】エントリー24.9→内々定25.3*(一次・二次以降もWEB面接可)【インターン】有
【採用実績校】愛知教大1、関西学大1、近大1、金城学大1、三重大1、静岡理工科大1、大阪府大1、中京大2、東京海洋大1、南山大5、他
【求める人材】好奇心を持って技術を習得し、ICTのエキスパートとしてグローバルに活躍したい人

【本社】450-0002 愛知県名古屋市中村区名駅4-11-27 シンフォニー豊田ビル☎052-898-7100
【特色・近況】トヨタグループをメインユーザーとする企業向けIT機能販売、インフラ・エンジニアリングサービスを提供する情報システム会社。マルチベンダーであることが特徴であり強み。アジア、欧米など世界に10拠点を有する。豊田通商グループ。
【設立】1994.3 【資本金】450百万円
【社長】渡辺廣利(1964.12生 東京理大院理修了)
【株主】〔24.3〕豊田通商100%
【事業】企業向けIT機器、クラウドインフラ、エンジニアリングサービスの提供
【従業員】単465名(39.2歳)

【業績】	売上高	営業利益	経常利益	純利益
単22.3	48,204	‥	‥	‥
単23.3	59,148	‥	‥	‥
単24.3	67,775	‥	‥	‥

㈱トリプルアイズ

東証グロース

採用内定数	倍率	3年後離職率	平均年収
15名	11.6倍	26.7%	461万円

●待遇、制度●
【初任給】月22万
【残業】20時間【有休】10.1日【制度】フ 在
●新卒定着状況●
20年入社(男13、女2)→3年後在籍(男11、女0)
●採用情報●
【人数】23年:26 24年:15 25年:応募174→内定15*
【内定内訳】(男12、女3)(文5、理5)(総15、他0)
【試験】〔Web自宅〕有〔性格〕有
【時期】エントリー24.12→内々定25.1*(一次・二次以降もWEB面接可)【インターン】有
【採用実績校】二松学舎大1、日大1、東京電機大1、東京工科大1、東海大1、大阪経大1、他
【求める人材】AIの社会実装や先端技術に興味があり、エンジニアとしての市場価値を高めたい人

【本社】108-0023 東京都港区芝浦3-4-1 グランパークタワー ☎03-3526-2201
【特色・近況】独自開発のAIエンジンを搭載した画像認識プラットフォーム「AIZE」で展開。AIやブロックチェーン、IoTなどの研究開発を行う。SIと協力して製品提供できる点に強み。祖業の受託開発・運用は基幹系・Web系システム開発など幅広く手がける。
【設立】2008.9 【資本金】54百万円
【取締】山田雄一郎(1982.6生 早大商卒)
【株主】〔24.2〕福原聖子31.7%
【連結事業】AIソリューション98、研修2、他0
【従業員】連273名 単243名(34.4歳)

【業績】	売上高	営業利益	経常利益	純利益
連21.8	2,122	60	83	38
連22.8	2,424	133	115	112
連23.8	2,346	▲269	▲290	▲825

㈱ニーズウェル

東証プライム

採用内定数	倍率	3年後離職率	平均年収
30名	39.1倍	38.5%	504万円

●待遇、制度●
【初任給】月22万
【残業】17.7時間【有休】12.7日【制度】住 在
●新卒定着状況●
20年入社(男31、女21)→3年後在籍(男22、女10)
●採用情報●
【人数】23年:65 24年:56 25年:応募1173→内定30*
【内定内訳】(男14、女16)(文25、理4)(総30、他0)
【試験】〔Web自宅〕有
【時期】エントリー25.3→内々定25.4(一次・二次以降もWEB面接可)【インターン】有
【採用実績校】慶大1、法政大2、学習院大1、駒澤大2、東洋大1、福岡大1、広島大1、岡山理大1、北里大1、東京経大1、亜大1、青森公大1、他
【求める人材】チーム意識が高く、新しいことにチャレンジしたい人

【本社】102-0094 東京都千代田区紀尾井町4-1 ニューオータニガーデンコート ☎03-6265-6763
【特色・近況】業務系システム開発が主力の情報サービス会社。システム開発は金融、通信、流通、サービス、医療関連など幅広い分野の顧客を持ち、特に生保・損保向けに強み。ITシステムの基盤構築や医療・車載機器などへの組み込み系開発も手がける。長崎に開発センター。
【設立】1986.10 【資本金】908百万円
【社長】船津浩三(1951.7生 長崎五島高卒)
【株主】〔24.3〕㈱オーディーシー35.3%
【連結事業】業務系システム開発73、基盤構築10、コネクテッド開発2、ソリューション15
【従業員】連638名 単588名(34.8歳)

【業績】	売上高	営業利益	経常利益	純利益
単21.9	5,752	580	582	421
単22.9	6,730	690	724	499
連23.9	8,761	1,100	1,135	837

#年収高く倍率低い #初任給が高い #年収が高い

日興システムソリューションズ
[株式公開計画なし]

採用内定数	倍率	3年後離職率	平均年収
49名	13.1倍	20%	[総]920万円

●待遇、制度●
【初任給】月28.6万
【残業】12.8時間【有休】15.4日【制度】[フ][住][在]

●新卒定着状況●
20年入社(男11、女9)→3年後在籍(男10、女6)

●採用情報●
【人数】23年:28 24年:36 25年:応募640→内定49
【内定内訳】(男32、女17)(文25、理24)(総49、他0)
【試験】〔Web自宅〕有〔性格〕有
【時期】エントリー25.3→内々定25.5(一次・二次以降もWEB面接可)【インターン】有
【採用実績校】東北大1、埼玉大1、東大院1、信州大院1、静岡大院1、愛媛大院1、九大院1、釧路公大1、獨協大1、千葉工大1、青学大1、他
【求める人材】周囲を巻込みながら計画的に行動できる人、挑戦する気概と向上心のある人

【本社】230-0032 神奈川県横浜市鶴見区大東町12-1 ☎045-506-8811
【特色・近況】証券・金融向けに特化したシステム開発・運用、アウトソーシングなどを展開。自社データセンターを活用したサービス提供も手がける。米国サンフランシスコに駐在員事務所を置く。旧・日興證券のシステム管理部が母体。日本総研HDの子会社。
【設立】1999.10 【資本金】3,000百万円
【社長】岩田滋(1966.4生 早大理工卒)
【株主】〔24.4〕日本総研ホールディングス100%
【事業】情報処理サービス100
【従業員】単655名(43.7歳)

【業績】	売上高	営業利益	経常利益	純利益
単22.3	43,902	1,223	1,114	749
単23.3	46,530	1,360	1,266	864
単24.3	47,865	1,138	1,033	690

㈱ニッセイコム
[株式公開計画なし]

採用内定数	倍率	3年後離職率	平均年収
42名	13.1倍	31%	[総]666万円

●待遇、制度●
【初任給】月22.1万
【残業】12時間【有休】13.6日【制度】[フ][住][在]

●新卒定着状況●
20年入社(男23、女19)→3年後在籍(男14、女15)

●採用情報●
【人数】23年:36 24年:33 25年:応募550→内定42*
【内定内訳】(男23、女19)(文22、理18)(総42、他0)
【試験】〔筆記〕常識〔Web自宅〕有〔性格〕有
【時期】エントリー25.3→内々定25.5(一次・二次以降もWEB面接可)【インターン】有
【採用実績校】青学大2、追手門学大1、大阪国際工科専門職大2、神奈川大1、関大2、京産大1、京都女大1、京都橘大3、近大2、他
【求める人材】「自分のため」に見据えた目標を努力によって克服し、実現できる「我儘」な人

【本社】103-8325 東京都中央区日本橋室町2-1-1 日本橋三井タワー ☎03-6774-7200
【特色・近況】業務パッケージソフト「GrowOne」シリーズなどを展開するシステム開発会社。国公立大学向け財務会計システムは実績豊富。経済産業省のIT導入支援事業者として認定。札幌や仙台、横浜、大阪、広島、福岡などに11拠点を有する。
【設立】1974.2 【資本金】300百万円
【社長】小林毅(1959.11生 北大水産卒)
【株主】〔24.3〕日精ホールディングス100%
【事業】情報システム100
【従業員】単893名(42.2歳)

【業績】	売上高	営業利益	経常利益	純利益
単22.3	21,542	1,133	1,178	820
単23.3	20,909	▲187	▲154	▲322
単24.3	23,686	1,001	1,028	723

日鉄(にってつ)ソリューションズ九州(きゅうしゅう)
[株式公開計画なし]

採用内定数	倍率	3年後離職率	平均年収
35名	‥	4.5%	‥

●待遇、制度●
【初任給】月21.8万
【残業】22.8時間【有休】16.3日【制度】[フ][住][在]

●新卒定着状況●
20年入社(男15、女7)→3年後在籍(男14、女7)

●採用情報●
【人数】23年:29 24年:39 25年:応募‥→内定35
【内定内訳】(男22、女13)(文5、理29)(総35、他0)
【試験】〔Web自宅〕SPI3〔性格〕有
【時期】エントリー‥→内々定‥(一次・二次以降もWEB面接可)【インターン】有
【採用実績校】九州工大12、大分大3、北九州市大3、熊本大2、山口大2、佐賀大2、西南学大2、福岡大2、福岡工大2、他
【求める人材】論理的思考能力、問題の分析力、行動力や柔軟性、常にチャレンジする姿勢を持つ人

【本社】812-0011 福岡県福岡市博多区博多駅前2-3-7 シティ21ビル6階 ☎092-471-2022
【特色・近況】日鉄ソリューションズ子会社のシステム開発会社。日本製鉄向けや、親会社から受託したシステムの開発が主体。大学を対象にした学校事務システムも手がけ、全国の多くの大学に実績。九州・中国地区の一般企業向け開発も展開。
【設立】1995.12 【資本金】90百万円
【社長】北沢聖
【株主】〔24.6〕日鉄ソリューションズ100%
【事業】製鉄システム、親会社連携事業、大学ソリューション、地域顧客向けソリューション
【従業員】単625名(‥歳)

【業績】	売上高	営業利益	経常利益	純利益
単22.3	12,965	‥	‥	741
単23.3	13,112	‥	‥	741
単24.3	14,119	‥	‥	799

情報・通信・同関連ソフト

日東コンピューターサービス

株式公開計画なし

採用内定数	倍率	3年後離職率	平均年収
14名	4.1倍	50%	538万円

●待遇、制度●
【初任給】月21.3万
【残業】11時間【有休】13.9日【制度】在
●新卒定着状況●
20年入社(男4、女0)→3年後在籍(男2、女0)
●採用情報●
【人数】23年:13 24年:15 25年:応募57→内定14*
【内定内訳】(男9、女5)(文5、理3)(総14、他0)
【試験】〔Web自宅〕有〔性格〕有
【時期】エントリー 24.12→内々定25.3(一次・二次以降もWEB面接可)
【採用実績校】甲南大1、産能大1、創価大3、兵庫県大1、武庫川女大2、情報科学専1、姫路情報IT クリエイター法律専1、他
【求める人材】自発性・協調性を有し、技術・知識・能力を向上させ続ける人

【本店】670-0961 兵庫県姫路市南畝町2-1 ファース姫路ビル ☎079-222-2051
【特色・近況】播磨地域が地盤でIHIと親密な独立系SI。コンサルティング、システム開発、ネットワーク構築、運用保守まで総合展開。製造業、金融業などの業務系システムの受託開発に強み。東京本社で東日本市場を深耕。兵庫県内は姫路に本店、神戸・淡路に拠点。
【設立】1980.2 【資本金】30百万円
【代表取締役】石田一成(1972.10生)
【株主】〔24.3〕大阪中小企業投資育成36.3%
【事業】受託システム開発96、機器販売2、コンピュータ用消耗品販売2
【従業員】単222名(38.1歳)

【業績】	売上高	営業利益	経常利益	純利益
単22.3	2,093	57	78	67
単23.3	2,155	101	123	80
単24.3	2,435	113	140	89

日本事務器（にっぽんじむき）

株式公開計画なし

採用内定数	倍率	3年後離職率	平均年収
28名	14倍	23.5%	688万円

●待遇、制度●
【初任給】月23.7万(諸手当1.4万円)
【残業】14.4時間【有休】12.6日【制度】フ 住 在
●新卒定着状況●
20年入社(男17、女17)→3年後在籍(男13、女13)
●採用情報●
【人数】23年:12 24年:27 25年:応募393→内定28*
【内定内訳】(男13、女15)(文21、理6)(総28、他0)
【試験】試験あり
【時期】エントリー 25.3→内々定25.4(一次・二次以降もWEB面接可)【インターン】有
【採用実績校】東京電機大3、日大2、共立女大2、共栄大2、北海道科学大1、二松学舎大1、芝工大1、国士舘大1、岩手県大1、他
【求める人材】「自分でレールを敷ける」どう動くのかをまず自分で考え、そして行動できる人

【本社】151-0071 東京都渋谷区本町3-12-1 住友不動産西新宿ビル6号館 ☎050-3000-1500
【特色・近況】ヘルスケア・公共・文教およびERPソリューションと情報系&基幹系クラウドサービスが主力。製造業、流通業、サービス業分野などへも展開。DXニーズの対応に注力。1万3000件超の実績。北海道から九州まで全国に拠点。
【設立】1948.6 【資本金】360百万円
【社長】田中啓一(1955.9生 成蹊大工卒)
【株主】〔24.3〕NEC18.0%
【事業】商品系(ハード) 27、ソフト系35、保守・技術系38
【従業員】単835名(44.9歳)

【業績】	売上高	営業利益	経常利益	純利益
単22.3	27,592	183	319	240
単23.3	30,623	701	866	616
単24.3	34,008	707	871	698

日本情報通信（にっぽんじょうほうつうしん）

株式公開計画なし

採用内定数	倍率	3年後離職率	平均年収
42名	‥	6.7%	総756万円

●待遇、制度●
【初任給】月25.1万(諸手当8.6万円)
【残業】21.8時間【有休】16.3日【制度】フ 住 在
●新卒定着状況●
20年入社(男19、女11)→3年後在籍(男18、女10)
●採用情報●
【人数】23年:40 24年:39 25年:応募‥→内定42*
【内定内訳】(男25、女17)(文29、理13)(総42、他0)
【試験】〔Web自宅〕有〔性格〕有
【時期】エントリー 25.3→内々定25.4*(一次・二次以降もWEB面接可)【インターン】有
【採用実績校】‥
【求める人材】主体性と向上心があり、新しい事に挑戦する意欲とITへの興味関心を持つ人

【本社】104-0044 東京都中央区明石町8-1 聖路加タワー15階 ☎03-6278-1111
【特色・近況】NTTと日本IBMの合弁によるシステム開発会社。SI、基盤構築、運用保守、マネージドサービスの各分野でソリューションを提供。顧客データベースシステムや自治体向けDX支援なども提供。ビッグデータとクラウドに注力。
【設立】1985.12 【資本金】4,000百万円
【社長】桜井伝治(1960.9生 早大法卒)
【株主】〔24.3〕NTT65.0%
【事業】インフラビジネス36、SIビジネス37、マネージドビジネス19、EDIビジネス8
【従業員】単880名(42.3歳)

【業績】	売上高	営業利益	経常利益	純利益
単22.3	32,145	1,508	1,652	1,091
単23.3	32,973	1,914	2,023	1,517
単24.3	36,994	2,185	2,336	1,732

㈱ニッポンダイナミックシステムズ
株式公開計画なし

採用内定数	倍率	3年後離職率	平均年収
6名	39.2倍	0%	580万円

●待遇、制度●
【初任給】月25万(諸手当2万円)
【残業】15.4時間【有休】14日【制度】フ 住 在
●新卒定着状況●
20年入社(男6、女1)→3年後在籍(男6、女1)
●採用情報●
【人数】23年:6 24年:9 25年:応募235→内定6*
【内定内訳】(男4、女2)(文3、理3)(総0、他6)
【試験】〔Web自宅〕有
【時期】エントリー24.10→内々定24.12(一次・二次以降もWEB面接可)【インターン】有
【採用実績校】北海道科学大3、駿河台大1、大妻女大1、日本工学院八王子専1
【求める人材】ITの世界でSEのプロを目指したい人、新しい事に挑戦して自分を成長させたい人

【本社】154-0015 東京都世田谷区桜新町2-22-3 NDSビル ☎03-3439-2001
【特色・近況】放送・航空関係業界や流通サービス業界向けに強みのSI、勤怠管理システムやIT資産管理パッケージなどのクラウドソリューションが主力。超上流工程の要求開発手法用いたコンサルティング、要求開発の導入・教育なども手がける。
【設立】1969.8 【資本金】96百万円
【社長】平山武司(1957.7生 東京理大卒)
【株主】〔24.3〕平山武司46.6%
【事業】ソフトウェア開発(受託)85、パッケージ販売15
【従業員】単240名(37.1歳)

【業績】	売上高	営業利益	経常利益	純利益
単23.3	3,487	157	193	138
単24.3	3,677	137	198	146

従業員数・財務・業績はグループ計

日本(にほん)インターシステムズ
株式公開未定

採用予定数	倍率	3年後離職率	平均年収
未定	‥	‥	450万円

●待遇、制度●
【初任給】月21万
【残業】9.7時間【有休】12.3日【制度】‥
●新卒定着状況●
‥
●採用情報●
【人数】23年:1 24年:‥ 25年:予定未定
【内定内訳】(男‥、女‥)(文‥、理‥)(総‥、他‥)
【試験】‥
【時期】エントリー‥→内々定‥
【採用実績校】‥
【求める人材】‥

【本社】530-0002 大阪府大阪市北区曽根崎新地1-4-12 桜橋プラザビル ☎06-6347-5501
【特色・近況】製造業、流通業、金融業などで実績を持つSIer。システム環境構築・展開・ヘルプデスクなどFE(フィールドエンジニアリング)事業も。Web・スマホ向けアプリや、看護職員用勤怠管理システムなどパッケージソフトも開発。東京、名古屋、浜松に支店。
【設立】1985.1 【資本金】100百万円
【社長】高橋徹
【株主】〔24.3〕グリーンシステム100%
【事業】SI・ソフトウエア受託開発65、フィールドエンジニアリング35
【従業員】単126名(37.8歳)

【業績】	売上高	営業利益	経常利益	純利益
単22.3	1,295	182	183	124
単23.3	1,364	250	252	164
単24.3	1,413	260	262	172

日本(にほん)インフォメーション
株式公開未定

採用内定数	倍率	3年後離職率	平均年収
16名	16.1倍	12.5%	‥

●待遇、制度●
【初任給】月22.2万(諸手当0.2万円)
【残業】12.6時間【有休】16.1日【制度】住 在
●新卒定着状況●
20年入社(男4、女4)→3年後在籍(男3、女4)
●採用情報●
【人数】23年:10 24年:10 25年:応募258→内定16
【内定内訳】(男13、女3)(文3、理6)(総0、他16)
【試験】〔Web自宅〕有
【時期】エントリー24.10→内々定24.12(一次・二次以降もWEB面接可)【インターン】有【ジョブ型】有
【採用実績校】中京大1、阪南大1、中部大1、大同大3、愛知工業大2、日本工学院専2、名古屋工学院専3、他
【求める人材】論理的に考えを伝えられる人、チャレンジ精神があり変化への対応力がある人

【本社】464-0850 愛知県名古屋市千種区今池1-8-8 今池ガスビル6階 ☎052-741-7566
【特色・近況】会計、販売、生産管理など基幹系を主力とする独立系ソフトウェア開発会社。物流・社会インフラ、金融、自動車関連など幅広い分野で多様なソリューションを提供。ペーパーレス会議システム、報告書作成ツールなど自社パッケージを開発。
【設立】1974.3 【資本金】410百万円
【社長】加藤高章(1973.10生 NY市立大)
【株主】〔24.3〕加藤和親14.5%
【事業】ソフトウェア開発95、自社製品5
【従業員】単226名(38.1歳)

【業績】	売上高	営業利益	経常利益	純利益
単22.3	2,690	159	175	164
単23.3	2,774	160	192	124
単24.3	2,813	132	147	87

日本(にほん)システム技術(ぎじゅつ)

東証プライム

採用内定数	倍率	3年後離職率	平均年収
81名	30.1倍	10.8%	621万円

●待遇、制度●
【初任給】月28万(諸手当1.5万円、固定残業代18時間分)
【残業】17.2時間【有休】11.6日【制度】フ 住 在
●新卒定着状況●
20年入社(男44、女30)→3年後在籍(男40、女26)
●採用情報●
【人数】23年:104 24年:107 25年:応募2438→内定81*
【内定内訳】(男51、女30)(文47、理33)(総81、他0)
【試験】〔Web自宅〕有〔性格〕有
【時期】エントリー24.12→内々定25.1(一次・二次以降もWEB面接可)【インターン】有
【採用実績校】大阪工大3、近大3、甲南大3、同大3、関大2、法政大2、立教大2、立命館大2、早大2
【求める人材】「ITへの探求心と向上心」、「素直さと誠実さ」、「挑戦心」がある人

【本社】530-0005 大阪府大阪市北区中之島2-3-18 中之島フェスティバルタワー☎06-4560-1000
【特色・近況】独立系システム開発会社で、システム受託開発、パッケージソフト、システム機器販売、医療ビッグデータが4本柱。企業・文教・公共向け大規模受託開発を主力に、業界トップシェアの大学経営システム「GAKUEN」を提供。アジア中心に海外展開も。
【設立】1973.3【資本金】1,535百万円
【社長】平林武昭(1938.4生)
【株主】〔24.3〕㈱ジャスト23.3%
【連結事業】DX&SI58、パッケージ19、医療ビッグデータ10、グローバル13 <海外13>
【従業員】連1,847名 単1,009名(35.4歳)

【業績】	売上高	営業利益	経常利益	純利益
連22.3	21,399	2,000	2,052	1,330
連23.3	23,519	2,385	2,450	1,772
連24.3	26,183	2,791	2,861	2,086

#有休取得が多い

㈱日本総研情報(にほんそうけんじょうほう)サービス

株式公開計画なし

採用内定数	倍率	3年後離職率	平均年収
42名	7.5倍	4.2%	‥

●待遇、制度●
【初任給】月25.6万(諸手当1.1万円)
【残業】20.8時間【有休】17.9日【制度】住 在
●新卒定着状況●
20年入社(男12、女12)→3年後在籍(男12、女11)
●採用情報●
【人数】23年:34 24年:32 25年:応募314→内定42
【内定内訳】(男21、女21)(文26、理5)(総42、他0)
【試験】〔Web自宅〕WEB-GAB
【時期】エントリー25.3→内々定25.6(一次・二次以降もWEB面接可)【インターン】有
【採用実績校】同大7、関大2、近大2、東洋大2、武蔵大2、法政大2、大阪経法大1、大妻女大1、尾道市大1、九州工大1、京都精華大1、他
【求める人材】変化を先取りし、チャレンジ精神と使命感を兼ね備えた人

【本社】158-0097 東京都世田谷区用賀4-5-16 TEビル ☎03-5491-6111
【特色・近況】SMBCグループの中核システム運用会社。長年にわたり高度・大規模な銀行システムの運用・開発に携わり豊富なノウハウと確かな技術を保有。先進技術を活用し運用サービスのさらなる品質向上、高度化や効率化に注力。大阪に支社を置く。
【設立】1990.10【資本金】450百万円
【社長】宮奥学(1964.9生)
【株主】〔24.3〕日本総合研究所100%
【事業】運用管理83、開発17
【従業員】単1,185名(46.3歳)

【業績】	売上高	営業利益	経常利益	純利益
単22.3	13,522	313	322	218
単23.3	13,225	323	330	223
単24.3	13,900	151	158	112

日本(にほん)ノーベル

株式公開未定

採用内定数	倍率	3年後離職率	平均年収
6名	4.5倍	16.7%	599万円

●待遇、制度●
【初任給】月21.4万
【残業】14.6時間【有休】12.1日【制度】フ 住 在
●新卒定着状況●
20年入社(男2、女4)→3年後在籍(男2、女3)
●採用情報●
【人数】23年:11 24年:3 25年:応募27→内定6
【内定内訳】(男3、女3)(文5、理1)(総6、他0)
【試験】〔Web自宅〕有〔性格〕有
【時期】エントリー25.3→内々定25.4*(一次はWEB面接可)【インターン】有
【採用実績校】新潟青陵大1、岡山理大1、立正大1、日大1、東洋大1、尚美学大1
【求める人材】よく学び、よく挑む人、お客様から直接「ありがとう」と感謝される仕事がしたい人

【本社】114-0002 東京都北区王子2-30-2 ☎03-3927-8801
【特色・近況】計測制御など産業分野のソフトウェア開発やシステムインテグレーションを展開する独立系システム会社。システム基盤販売でNTTデータイントラマートの特約店。画像処理技術などに定評。無線系の業務が牽引する形で自動車関連事業が拡大。
【設立】1980.4【資本金】100百万円
【社長】下山到(1969.12生 千葉商大商経卒)
【株主】〔23.6〕JNホールディングス100%
【事業】ソフトウエア90、システム製品・パッケージ10
【従業員】単151名(39.0歳)

【業績】	売上高	営業利益	経常利益	純利益
単21.6	1,658	13	59	7
単22.6	2,029	141	207	145
単23.6	2,004	130	177	119

ネクストウェア 東証スタンダード

採用内定数	倍率	3年後離職率	平均年収
28名	3.6倍	66.7%	487万円

●待遇、制度●
【初任給】月25万
【残業】10時間【有休】13日【制度】在
●新卒定着状況●
20年入社(男7、女2)→3年後在籍(男2、女1)
●採用情報●
【人数】23年:10 24年:7 25年:応募102→内定28*
【内定内訳】(男21、女7)(文2、理2)(総0、他28)
【試験】〔性格〕有
【時期】エントリー24.12→内々定25.1*【インターン】有
【採用実績校】ECCコンピュータ専10、近大1、女子美大1、神戸電子専1、一関高専1、香川高専1、木更津高専1、弓削商船高専1、他
【求める人材】新しい事にチャレンジし、IT知識を習得し成長し続けたいという意欲がある人

【本社】541-0057 大阪府大阪市中央区北久宝寺町4-3-11 ☎06-6281-0304
【特色・近況】システム設計、運用・保守サービスなどのアウトソーシング事業が主体。顧客に常駐するオンサイト型や、受託するインハウス型で事業展開。官公庁やCATV局向け地震速報・防災監視システム、顔認証システムなどを提供。子会社にOSK日本歌劇団。
【設立】1990.6 【資本金】1,310百万円
【社長】豊田崇克(1963.10生)
【株主】〔24.3〕豊田崇克8.0%
【連結事業】ソリューション84、エンターテインメント16
【従業員】連213名 単177名(42.5歳)

【業績】	売上高	営業利益	経常利益	純利益
連22.3	2,918	52	92	686
連23.3	2,890	▲25	36	11
連24.3	2,820	▲132	▲128	▲161

㈱ネスティ 株式公開いずれしたい

採用内定数	倍率	3年後離職率	平均年収
1名	13倍	0%	559万円

●待遇、制度●
【初任給】月21万
【残業】17.2時間【有休】12日【制度】住 在
●新卒定着状況●
20年入社(男2、女1)→3年後在籍(男2、女1)
●採用情報●
【人数】23年:4 24年:3 25年:応募13→内定1
【内定内訳】(男1、女0)(文0、理1)(総1、他0)
【試験】〔Web自宅〕有〔性格〕有
【時期】エントリー25.3→内々定25.4【インターン】有
【採用実績校】福井大1
【求める人材】理解力、創造性、挑戦的意欲のある人

【本社】918-8114 福井県福井市羽水2-402 ☎0776-35-0505
【特色・近況】総合スポーツクラブ向けシステムを主力とするアプリケーション開発会社。同システム納入先は全国1000店を超える。WebベースのCRMシステム、コンプライアンス・セキュリティーシステムに注力。福井市に本拠を置く。東京に事業所。
【設立】1983.8 【資本金】45百万円
【社長】進藤哲次(1950.2生 山形大工卒)
【株主】〔24.6〕進藤哲次39.0%
【事業】自社パッケージ開発97、受託開発3
【従業員】単92名(42.0歳)

【業績】	売上高	営業利益	経常利益	純利益
単22.3	1,004	61	57	39
単23.3	974	54	51	39
単24.3	1,052	50	43	33

㈱ノムラシステムコーポレーション 東証スタンダード

採用内定数	倍率	3年後離職率	平均年収
3名	‥	0%	642万円

●待遇、制度●
【初任給】年258万
【残業】20時間【有休】‥日【制度】在
●新卒定着状況●
20年入社(男3、女5)→3年後在籍(男3、女5)
●採用情報●
【人数】23年:12 24年:10 25年:応募‥→内定3*
【内定内訳】(男1、女2)(文3、理0)(総0、他3)
【試験】〔筆記〕常識、他〔性格〕有
【時期】エントリー‥→内々定‥
【採用実績校】明星大1、聖心女大1、東海大1
【求める人材】自主的に行動できて協調性がある真面目な人

【本社】150-0013 東京都渋谷区恵比寿1-19-19 恵比寿ビジネスタワー ☎03-5793-3330
【特色・近況】独SAP社製のERP(統合基幹業務システム)導入コンサルや保守サービスを展開。SAP認定コンサルタント資格者多数。独自テンプレートの人事関連パッケージ販売、RPAソリューションのライセンス販売・開発、DX支援コンサルも手がける。
【設立】1986.2 【資本金】325百万円
【代表取締役】野村芳光(1948.12生 福岡浮羽工高卒)
【株主】〔24.6〕野村芳光58.9%
【事業】ERPソリューション100
【従業員】単135名(35.8歳)

【業績】	売上高	営業利益	経常利益	純利益
単21.12	2,791	475	493	349
単22.12	2,696	351	370	255
単23.12	2,946	464	465	359

パシフィックシステム [東証スタンダード]

採用内定数	倍率	3年後離職率	平均年収
12名	18.4倍	15%	[総]570万円

●待遇、制度●
【初任給】月21.4万
【残業】15.7時間【有休】16日【制度】[住]
●新卒定着状況●
20年入社(男13、女7)→3年後在籍(男13、女4)
●採用情報●
【人数】23年:18 24年:16 25年:応募221→内定12*
【内定内訳】(男12、女0)(文1、理7)(総12、他0)
【試験】〔Web自宅〕有〔性格〕有
【時期】エントリー25.2→内々定25.6*(一次はWEB面接可)【インターン】有
【採用実績校】東京電機大4、日工大1、金沢工大1、国士舘大1、東京経大1、アルスコンピュータ専1、トライデントコンピュータ専1、他
【求める人材】常に学び続ける人、チームワークを大切にする人、チャレンジ精神のある人

【本社】338-0837 埼玉県さいたま市桜区田島8-4-19 ☎048-845-2200
【特色・近況】太平洋セメントの情報サービス子会社。画像処理や製造業を中心とする業務効率化システムに強み。機器販売やソフトの受託開発も。運用・管理受託による運用事業が収益柱。売上高の約3割が太平洋セメントグループ向けで、他社向け販売拡大に注力。
【設立】1980.8 【資本金】777百万円
【社長】渡邊泰博(1960.7生 早大理工卒)
【株主】〔24.3〕太平洋セメント65.6%
【連結事業】機器等販売21、ソフトウェア開発14、システム販売32、システム運用・管理等34
【従業員】連638名 単483名(42.5歳)

【業績】	売上高	営業利益	経常利益	純利益
連22.3	10,643	763	771	521
連23.3	9,605	573	583	336
連24.3	10,925	852	866	580

#有休取得が多い

パシフィックソフトウエア開発 [株式公開計画なし]

採用内定数	倍率	3年後離職率	平均年収
1名	5倍	0%	‥

●待遇、制度●
【初任給】月21万
【残業】13.5時間【有休】17.4日【制度】[フ][住][在]
●新卒定着状況●
20年入社(男2、女0)→3年後在籍(男2、女0)
●採用情報●
【人数】23年:5 24年:3 25年:応募5→内定1*
【内定内訳】(男1、女0)(文0、理1)(総0、他1)
【試験】〔筆記〕SPI3、GAB
【時期】エントリー24.12→内々定25.5(二次以降はWEB面接可)【インターン】有
【採用実績校】四国職能大学校1
【求める人材】オトナの社員、探求心にあふれ何事にも挑戦できる人

【本社】780-0945 高知県高知市本宮町105-22 ☎088-850-0501
【特色・近況】制御系ソフトウェア開発会社。IoTシステム開発や工場・物流向けFA／DA、流通、金融、電子装置など手がける。超音波測深システムなど海洋土木関連システムや、海面養殖業向けAI自動給餌システムも展開する。大阪にサテライトオフィスを置く。
【設立】1972.9 【資本金】12百万円
【社長】中城一明(1955.4生 高知工高電気卒)
【株主】〔24.3〕中城一明40.1%
【事業】ソフトウエア開発59、産業機器開発販売41
【従業員】単76名(38.3歳)

【業績】	売上高	営業利益	経常利益	純利益
単22.3	749	93	90	37
単23.3	774	86	81	48
単24.3	782	113	110	68

バンテック [株式公開計画なし]

採用予定数	倍率	3年後離職率	平均年収
1名	−	−	495万円

●待遇、制度●
【初任給】月20.5万(諸手当0.5万円)
【残業】4.6時間【有休】14.6日【制度】[住][在]
●新卒定着状況●
20年入社(男0、女0)→3年後在籍(男0、女0)
●採用情報●
【人数】23年:0 24年:0 25年:応募5→内定0*
【内定内訳】(男‥、女‥)(文‥、理‥)(総‥、他‥)
【試験】〔筆記〕常識
【時期】エントリー25.4→内々定25.10*
【採用実績校】‥
【求める人材】チーム作業に前向きで日々変化するIT技術の習得に貪欲な人

【本社】600-8431 京都府京都市下京区綾小路通り新町東入善長寺町143 マスギビル☎075-342-4623
【特色・近況】製造業者向けの生産・販売統合管理システムの導入コンサルと受託開発が柱。Web計測制御技術を用いた制御システムも。地域密着型のトータル技術で顧客をサポート。省エネ閉鎖型植物工場による黒ウコン生産システムも展開。
【設立】1993.4 【資本金】10百万円
【社長】各務勝己(1970.1生)
【株主】〔24.3〕ベルチャイルド100%
【事業】受託ソフト開発65、システム運用管理10、生産管理・製造実行システム10、Web計測制御他15
【従業員】単35名(38.5歳)

【業績】	売上高	営業利益	経常利益	純利益
単22.3	577	39	40	30
単23.3	615	57	57	38
単24.3	591	45	48	34

㈱ＢＳＮアイネット

株式公開計画なし

採用内定数	倍率	3年後離職率	平均年収
16名	3.1倍	0%	‥

●待遇、制度●
【初任給】月22.1万
【残業】16時間【有休】13日【制度】住 在

●新卒定着状況●
20年入社(男3、女8)→3年後在籍(男3、女8)

●採用情報●
【人数】23年:13 24年:13 25年:応募49→内定16
【内定内訳】(男12、女4)(文12、理3)(総16、他0)
【試験】〔Web自宅〕SPI3
【時期】エントリー25.1→内々定25.4(一次・二次以降もWEB面接可)【インターン】有
【採用実績校】‥
【求める人材】‥

【本社】950-0916 新潟県新潟市中央区米山2-5-1 ☎025-243-0211
【特色・近況】新潟県を中心にシステム開発などを展開する情報サービス会社。市町村向けなど公共システムを軸に保健・福祉、医療、民間向けにシステムやソリューションを提供。データセンターも持つ。地域課題解決をテーマにDXやAIなど先進技術活用のサービス提供。
【設立】1966.4 【資本金】200百万円
【社長】南雲俊介(1959.12生 法大社会卒)
【株主】〔24.3〕BSNメディアホールディングス65.5%
【事業】情報処理サービス50、コンピュータシステム販売27、ソフト開発23
【従業員】単389名(42.6歳)

【業績】	売上高	営業利益	経常利益	純利益
単22.3	13,410	‥	915	625
単23.3	13,830	‥	1,273	859
単24.3	13,689	‥	955	669

ＰＳＰ

株式公開していない

採用内定数	倍率	3年後離職率	平均年収
12名	16.7倍	10%	㊕751万円

●待遇、制度●
【初任給】月21.4万
【残業】24.4時間【有休】9日【制度】フ 住 在

●新卒定着状況●
20年入社(男6、女4)→3年後在籍(男6、女3)

●採用情報●
【人数】23年:5 24年:13 25年:応募200→内定12
【内定内訳】(男7、女5)(文6、理6)(総12、他0)
【試験】〔Web自宅〕SPI3〔性格〕有
【時期】エントリー24.10→内々定24.12(一次・二次以降もWEB面接可)
【採用実績校】立教大1、法政大1、明大1、同大1、学習院大1、香川大1、森ノ宮医療大1、大阪工大1、奈良女大1、大分大1、他
【求める人材】勉強家である人、コミュニケーションを大切にする人、新しいチャレンジを楽しめる人

【本社】108-0075 東京都港区港南1-2-70 品川シーズンテラス25階 ☎03-4346-3180
【特色・近況】病院向けなどの医用画像管理システムの開発が主力。提携医療機関から提供された画像や検査結果などを患者自身がスマートフォンなどで管理・参照できるサービスも手がける。テクマトリックスの子会社で、三井物産、エムスリーや大日本印刷も出資。
【設立】1989.8 【資本金】1,100百万円
【代表取締役】依田佳久
【株主】〔24.4〕テクマトリックス50.0%
【事業】医療用システム、医療関連クラウドサービス、他
【従業員】単413名(42.3歳)

【業績】	売上高	営業利益	経常利益	純利益
単23.3	8,991	1,971	1,999	1,355
単24.3	9,726	1,596	1,619	1,177

ピー・シー・エー

東証プライム

採用内定数	倍率	3年後離職率	平均年収
9名	34.8倍	18.2%	㊕710万円

●待遇、制度●
【初任給】月24万(諸手当3万円)
【残業】18.4時間【有休】14.4日【制度】住 在

●新卒定着状況●
20年入社(男7、女4)→3年後在籍(男6、女3)

●採用情報●
【人数】23年:17 24年:14 25年:応募313→内定9*
【内定内訳】(男6、女3)(文6、理3)(総0、他9)
【試験】〔筆記〕常識〔Web自宅〕SPI3〔性格〕有
【時期】エントリー25.‥→内々定‥(二次以降はWEB面接可)【ジョブ型】有
【採用実績校】東大1、慶大1、横国大1、立教大1、産能大1、帝塚山大1、追手門学大1、北大1、小樽商大1
【求める人材】前向きな発想と情熱を持って物事に取り組める人、チームワークを大切に行動できる人

【本社事務所】102-8171 東京都千代田区富士見1-2-21 PCAビル ☎03-5211-2711
【特色・近況】公認会計士有志が設立した独立系ソフトハウス。会計や販売管理など業務用ソフトの先駆で、「PCA会計」シリーズが主力。中小企業、税理士事務所に強い。クラウドやサブスクなどの利用環境で、会計、給与、販売管理などのアプリケーションが選択できる。
【設立】1980.8 【資本金】890百万円
【社長】佐藤文昭(1963.7生 中大法卒)
【株主】〔24.3〕㈱Kawashima37.3%
【連結事業】製品8、商品4、保守サービス24、クラウドサービス50、他15
【従業員】連698名 単510名(40.4歳)

【業績】	売上高	営業利益	経常利益	純利益
連22.3	13,382	2,655	2,697	2,367
連23.3	12,981	1,288	1,326	883
連24.3	15,018	2,309	2,343	1,611

㈱ぴーぷる

株式公開計画なし

採用内定数	倍率	3年後離職率	平均年収
3名	3倍	100%	[総]400万円

●待遇、制度●
【初任給】月22万(固定残業代20時間分)
【残業】12.9時間【有休】10.8日【制度】[在]
●新卒定着状況●
20年入社(男1、女0)→3年後在籍(男0、女0)
●採用情報●
【人数】23年:5 24年:0 25年:応募9→内定3*
【内定内訳】(男1、女2)(文1、理1)(総3、他0)
【試験】〔筆記〕有〔Web自宅〕有〔性格〕有
【時期】エントリー25.3→内々定25.5【インターン】有
【採用実績校】岩手県大1、秋田公美大1、岩手県大宮古短大1
【求める人材】勉強意欲が旺盛な人、愛を大切にする人、明るくプラス思考の人、清潔感とマナーを守る人

【本社】110-0014 東京都台東区北上野2-18-4 MIテラス北上野10階 ☎03-3847-6481
【特色・近況】法人向けITサービス会社。ITコンサルティング、システム開発、Webサイト構築・運営、ホスティング、IT技術者派遣などをワンストップで提供。スマートフォンアプリの開発にも注力。岩手、秋田に事業所。八戸工業大学内にオフィスを置く。
【設立】1989.9 【資本金】13百万円
【社長】山﨑浩幸(1961.5生 安田学園高卒)
【株主】〔23.12〕アクロホールディングス90.0%
【事業】ソフトウエア8、情報処理・提供サービス58、他34
【従業員】単80名(36.3歳)

【業績】	売上高	営業利益	経常利益	純利益
単21.12	937	‥	37	25
単22.12	1,077	‥	70	50
単23.12	1,086	‥	52	37

ピープルソフトウェア

株式公開計画なし

採用内定数	倍率	3年後離職率	平均年収
6名	10.5倍	20%	[総]513万円

●待遇、制度●
【初任給】月24.6万
【残業】14.4時間【有休】14.4日【制度】[フ][住][在]
●新卒定着状況●
20年入社(男7、女3)→3年後在籍(男5、女3)
●採用情報●
【人数】23年:7 24年:5 25年:応募63→内定6
【内定内訳】(男3、女3)(文1、理4)(総1、他5)
【試験】〔Web自宅〕有
【時期】エントリー25.3→内々定25.5(一次・二次以降もWEB面接可)【インターン】有
【採用実績校】岡山理大1、岡山県大2、倉敷芸術科学大1、岡山情報ビジネス学院専1、就実大1
【求める人材】モノづくりが好き、お客様が好き、新しいことが好き、工夫が好きな人

【本社】710-0055 岡山県倉敷市阿知1-15-3 倉敷ビジネススクエア4階 ☎086-426-5930
【特色・近況】システム受託開発を主軸に、自社企画開発SaaS、自社開発アプリサービスを展開するシステム会社。自社アプリは、美術館や工場見学をサポートする音声ガイドシステムなど。文化・観光など「体験型サービス業」における先進的なデジタル技術の利活用を推進。
【設立】1982.12 【資本金】48百万円
【社長】横道彰(1973.7生 静岡大卒)
【株主】〔24.5〕横道彰32.3%
【事業】ソフトウエア開発78、ハードウエア販売5、パッケージソフト販売1、SaaSサービス16
【従業員】単151名(38.0歳)

【業績】	売上高	営業利益	経常利益	純利益
単21.7	1,653	86	78	25
単22.7	1,550	18	13	6
単23.7	1,656	45	44	22

㈱ビーマップ

東証グロース

採用内定数	倍率	3年後離職率	平均年収
11名	3.6倍	0%	582万円

●待遇、制度●
【初任給】月24万
【残業】10時間【有休】12.8日【制度】[住][在]
●新卒定着状況●
20年入社(男5、女2)→3年後在籍(男5、女2)
●採用情報●
【人数】23年:4 24年:1 25年:応募40→内定11
【内定内訳】(男9、女2)(文4、理7)(総11、他0)
【試験】〔筆記〕有〔性格〕有
【時期】エントリー24.10～11→内々定24.12(一次はWEB面接可)【インターン】有
【採用実績校】愛知教大1、釧路公大1、東海大1、東京電機大1、東洋大1、法政大1
【求める人材】積極的な人、チャレンジしたい人、議論し合える人

【本社】101-0047 東京都千代田区内神田2-12-5 内山ビル ☎03-5297-2180
【特色・近況】モバイル端末向けにソフト、サービスを提供。無線LAN設置、鉄道向けサービス、メディア連動サービスが3本柱。無線LAN端末販売や、賃貸・病院用Wi-Fiサービスを提供しDX支援を行う。私鉄向けアプリ開発や、見守りサービス用AI開発も。
【設立】1998.9 【資本金】932百万円
【社長】杉野文則(1963.1生 農工大工卒)
【株主】〔24.3〕杉野文則7.1%
【連結事業】モビリティ・イノベーション7、ワイヤレス・イノベーション44、ソリューション49
【従業員】連72名 単67名(41.7歳)

【業績】	売上高	営業利益	経常利益	純利益
連22.3	1,021	▲144	▲148	▲155
連23.3	1,042	▲181	▲188	▲224
連24.3	1,598	▲71	▲72	155

#有休取得が多い

㈱日立システムズエンジニアリングサービス

株式公開計画なし

採用内定数	倍率	3年後離職率	平均年収
49名	42.7倍	20%	㊍692万円

●待遇、制度●

【初任給】月25万
【残業】23.9時間【有休】17.7日【制度】フ 住 在

●新卒定着状況●

20年入社(男21、女24)→3年後在籍(男18、女18)

●採用情報●

【人数】23年:84 24年:50 25年:応募2093→内定49*
【内定内訳】(男21、女28)(文37、理12)(総49、他0)
【試験】〔筆記〕GAB〔Web自宅〕有〔性格〕有
【時期】エントリー25.3→内々定25.4(一次・二次以降もWEB面接可)【インターン】有【ジョブ型】有
【採用実績校】東洋大4、日大3、関西学大2、近大2、広島工大2、西南学大2、千葉工大2、明大2、愛知県大1、安田女大1、茨城大1、横国大1、他
【求める人材】顧客の現場で起こる問題を解決する、エンジニアリングのプロへ成長したい人

【本社】220-8132 神奈川県横浜市西区みなとみらい2-2-1 横浜ランドマークタワー32階☎045-228-4141
【特色・近況】日立グループのシステム開発会社。システム基盤設計・構築などITサービスを軸に独自の情報技術・システム・製品・サービスで顧客満足の向上を図る。セキュリティー系サービス事業を強化。IoT、AIを活用したデジタライゼーション事業への対応進める。
【設立】1970.3 【資本金】250百万円
【社長】桑原俊夫(1960.7生 都立大経済卒)
【株主】〔24.3〕日立システムズ100%
【事業】システム開発27、システム運用サービス58、システム基盤設計・構築14、他2
【従業員】単2,079名(43.8歳)

【業績】	売上高	営業利益	経常利益	純利益
単22.3	36,546	4,827	4,826	3,322
単23.3	36,800	4,582	4,584	2,620
単24.3	39,210	5,057	5,055	3,535

#有休取得が多い

㈱日立情報通信エンジニアリング

株式公開計画なし

採用内定数	倍率	3年後離職率	平均年収
67名	11.1倍	10.3%	‥

●待遇、制度●

【初任給】月25万
【残業】17.7時間【有休】19日【制度】住 在

●新卒定着状況●

20年入社(男57、女21)→3年後在籍(男53、女17)

●採用情報●

【人数】23年:75 24年:77 25年:応募744→内定67*
【内定内訳】(男50、女17)(文19、理42)(総67、他0)
【試験】〔Web自宅〕SPI3〔性格〕有
【時期】エントリー25.3→内々定25.6(一次・二次以降もWEB面接可)【インターン】有
【採用実績校】東海大6、日大3、神奈川大3、東京都市大2、芝工大2、東京工芸大2、茨城大2、高知大2、大阪工大2、他
【求める人材】自律(自立)意識と責任感を持ち、常に自分の成長と成果を求めてチャレンジする人

【本社】220-6122 神奈川県横浜市西区みなとみらい2-3-3 クイーンズタワーB22階☎045-227-3000
【特色・近況】日立グループ内のサーバー、ストレージ、ネットワークなど情報通信機器分野の中核を担う。ITプラットフォームの開発・設計や、組み込みソフトウェア開発を手がける。情報通信、医療、産業分野の知見を生かした製品開発向けエンジニアリングも。
【設立】1965.9 【資本金】1,350百万円
【社長】中野俊夫(1962.5生)
【株主】〔24.3〕日立製作所100%
【事業】エンジニアリング48、システムソリューション52
【従業員】単2,925名(‥歳)

【業績】	売上高	営業利益	経常利益	純利益
単22.3	72,231	5,476	5,309	1,788
単23.3	69,993	5,604	5,247	4,133
単24.3	72,228	6,152	5,521	4,254

㈱ファインデックス

東証プライム

採用内定数	倍率	3年後離職率	平均年収
7名	12.1倍	14.3%	574万円

●待遇、制度●

【初任給】月25万(諸手当2万円)
【残業】17.5時間【有休】16日【制度】フ 在

●新卒定着状況●

20年入社(男4、女3)→3年後在籍(男4、女2)

●採用情報●

【人数】23年:7 24年:2 25年:応募85→内定7*
【内定内訳】(男1、女6)(文3、理3)(総0、他7)
【試験】〔Web自宅〕SPI3
【時期】随時(一次・二次以降もWEB面接可)【インターン】有【ジョブ型】有
【採用実績校】東京電機大1、岡山大1、愛媛大院1、共立女大2、東北電子専1、明大院1
【求める人材】仕事を楽しめる人、チームワークを大切にできる人、仕事に対して真摯な人

【本社】100-0004 東京都千代田区大手町1-7-2 東京サンケイビル ☎03-6271-8958
【特色・近況】大規模医療機関向け医療用管理システムの開発・販売が主力。自治体や一般企業向け文書管理システムも強化。小型視野検査システムや在宅介護アセスメントシステムも手がける。豊田通商と提携し、海外の医療機関へ医療情報システムの販売に注力。
【設立】1985.1 【資本金】254百万円
【社長】相原輝夫(1966.9生 愛媛大教育卒)
【株主】〔24.6〕相原輝夫28.9%
【連結事業】医療ビジネス95、公共ビジネス4、ヘルステックビジネス1
【従業員】連303名 単297名(39.6歳)

【業績】	売上高	営業利益	経常利益	純利益
連21.12	4,968	920	944	636
連22.12	4,541	1,028	1,055	722
連23.12	5,191	1,496	1,527	1,059

#初任給が高い

㈱ＦＩＸＥＲ

東証グロース

採用内定数	倍率	3年後離職率	平均年収
43名	3.9倍	40%	‥

●待遇、制度●
【初任給】月33.9万(諸手当8万円、固定残業代30時間分)
【残業】17.1時間【有休】13日【制度】[フ][住][在]
●新卒定着状況●
20年入社(男21、女4)→3年後在籍(男12、女3)
●採用情報●
【人数】23年:83 24年:79 25年:応募168→内定43*
【内定内訳】(男38、女5)(文0、理14)(総0、他43)
【試験】なし
【時期】エントリー24.8→内々定‥*(一次・二次以降もWEB面接可)【インターン】有
【採用実績校】九大2、はこだて未来大2、会津大2、サイバー大2、トライデントコンピュータ専3、奈良高専3、阿南高専3、沖縄高専3、他
【求める人材】ITへの情熱を持ち、新たな挑戦を恐れず、自主的に考え行動できる人

【本社】105-0023 東京都港区芝浦1-2-3
☎03-3455-7755
【特色・近況】米マイクロソフト「Azure」を主に取り扱うクラウドインテグレーター。基幹システムなど情報システムの設計・構築・運用を手がける。メタバース基盤なども提供。自社生成AIサービスをベースにデジタル庁の生成AI利活用整備プロジェクト受託。
【設立】2008.9 【資本金】1,213百万円
【社長】松岡清一(1969.10生)
【株主】〔24.2〕松岡清一60.7%
【事業】クラウドサービス100
【従業員】単269名(28.4歳)

【業績】	売上高	営業利益	経常利益	純利益
単21.8	3,606	317	314	196
単22.8	11,360	2,394	2,391	1,495
単23.8	11,049	2,110	2,089	1,382

#年収高く倍率低い #初任給が高い

福井コンピュータホールディングス

東証プライム

採用内定数	倍率	3年後離職率	平均年収
26名	4.9倍	11.1%	[総]812万円

●待遇、制度●
【初任給】月33.5万(固定残業代15時間分)
【残業】6.9時間【有休】12.5日【制度】[フ][住][在]
●新卒定着状況●
20年入社(男7、女2)→3年後在籍(男6、女2)
●採用情報●グループ採用
【人数】23年:21 24年:15 25年:応募128→内定26*
【内定内訳】(男13、女13)(文16、理10)(総19、他7)
【試験】〔Web自宅〕SPI3
【時期】エントリー25.3→内々定25.6(一次・二次以降もWEB面接可)【インターン】有【ジョブ型】有
【採用実績校】金沢大、梅花女大、福井大、新潟大、立命館大、広島大、龍谷大、福井県大、阪大、天理大、埼玉大、福知山公大、京都橘大、他
【求める人材】相手の立場で考え、物事の本質を見極め、自ら考え解決に向け行動できる人

【本社】910-8521 福井県福井市高木中央1-2501
☎0776-53-9200
【特色・近況】建築用と測量土木用のCADベンダーで国内首位。建築用は戸建てに特化したCAD、大規模建築物向けBIM対応CADなどが主力。測量土木用は公共工事などインフラ関連に強い。DX対応のBIM／CIMサービスを深耕中。
【設立】1979.12 【資本金】1,631百万円
【代表取締役】佐藤浩一(1963.12生 青学大経営)
【株主】〔24.3〕㈱ダイテックホールディング47.0%
【連結事業】建築システム47、測量土木システム51、ITソリューション3
【従業員】連552名 単506名(44.6歳)

【業績】	売上高	営業利益	経常利益	純利益
連22.3	14,331	6,314	6,358	4,222
連23.3	13,630	5,583	5,643	3,809
連24.3	13,821	5,585	5,676	3,817

㈱Ｆｕｓｉｃ

東証グロース

採用内定数	倍率	3年後離職率	平均年収
7名	20.1倍	0%	565万円

●待遇、制度●
【初任給】月28万(固定残業代45時間分)
【残業】20時間【有休】9日【制度】[フ][在]
●新卒定着状況●
20年入社(男5、女1)→3年後在籍(男5、女1)
●採用情報●
【人数】23年:2 24年:7 25年:応募141→内定7*
【内定内訳】(男‥、女‥)(文2、理4)(総‥、他‥)
【試験】〔性格〕有
【時期】エントリー24.9→内々定25.1*(一次・二次以降もWEB面接可)【インターン】有【ジョブ型】有
【採用実績校】関西学大1、大阪工大1、熊本県大1、九州工大1、宮崎大1、東京国際工科専門職大1、HAL東京専1
【求める人材】知的好奇心が旺盛で新しいことを学ぶことが好きな人

【本社】810-0001 福岡県福岡市中央区天神4-1-7 第3明星ビル ☎092-737-2616
【特色・近況】AWSをベースとしたクラウド型システム開発が主力。AIやIoTなど先端技術を駆使してデータ収集や解析を行うデータインテグレーションサービスも。学術・研究機関など公共分野に強い。評価特化型人事評価サービスなど自社開発品を育成強化。
【設立】2003.10 【資本金】56百万円
【社長】納富貞嘉(1978.8生 九大院工修了)
【株主】〔24.6〕納富貞嘉22.4%
【事業】クラウドインテグレーション73、データインテグレーション21、他7
【従業員】単106名(33.1歳)

【業績】	売上高	営業利益	経常利益	純利益
単22.6	1,124	70	70	44
単23.6	1,532	160	148	101
単24.6	1,798	207	211	154

#採用数が多い

フューチャー

東証プライム

採用内定数	倍率	3年後離職率	平均年収
120名	19.9倍	14.2%	797万円

●待遇、制度●
【初任給】月33万(固定残業代50時間分)
【残業】23.6時間【有休】9.6日【制度】フ 在
●新卒定着状況● 21年7月、10月入社者含む
20年入社(男133、女36)→3年後在籍(男116、女29)
●採用情報● 自社・Fアーキ採用
【人数】23年:134 24年:155 25年:応募2391→内定120*
【内定内訳】(男103、女17)(文48、理72)(総120、他0)
【試験】試験あり
【時期】エントリー24.10→内々定24.12*(一次・二次以降もWEB面接可)【インターン】有
【採用実績校】早大9、東理大8、東北大6、慶大6、電通大5、立命館大4、東京科学大3、東大3、名大3、京大3、上智大2、九大2、お茶女大1、他
【求める人材】成長意欲が高く、目標に向かって自走できる人、リスクを恐れず挑戦することが好きな人

【本社】141-0032 東京都品川区大崎1-2-2 アートヴィレッジ大崎Cタワー ☎03-5740-5721
【特色・近況】グループでITコンサルと情報システムの構築を展開する持株会社。中核会社はフューチャーアーキテクト。中堅・中小企業向けに独自ブランドのERP「Infini One」の販売も行う。流通に強い経営支援会社のリヴァンプもグループ入り。
【設立】1989.11 【資本金】4,000百万円
【会長兼社長】金丸恭文(1954.3生)
【株主】〔24.6〕合同会社キーウェスト・ネットワーク31.6%
【連結事業】ITコンサルティング&サービス86、ビジネスイノベーション14、他1
【従業員】連3,505名 単244名(36.1歳)

【業績】	売上高	営業利益	経常利益	純利益
連21.12	48,698	9,000	9,289	6,369
連22.12	53,738	12,229	12,574	9,236
連23.12	59,324	13,700	14,087	9,221

#初任給が高い

㈱ブレインパッド

東証プライム

採用内定数	倍率	3年後離職率	平均年収
38名	‥	22.2%	726万円

●待遇、制度●
【初任給】月34.1万(諸手当2.5万円、固定残業代30時間分)
【残業】17.2時間【有休】‥日【制度】フ 住 在
●新卒定着状況●
20年入社(男31、女5)→3年後在籍(男24、女4)
●採用情報●
【人数】23年:51 24年:42 25年:応募‥→内定38
【内定内訳】(男32、女6)(文11、理23)(総38、他0)
【試験】〔Web自宅〕有〔性格〕有
【時期】エントリー24.10→内々定24.12(一次・二次以降もWEB面接可)【インターン】有【ジョブ型】有
【採用実績校】名大3、東大2、筑波大2、電通大2、三重大2、広島大2、東理大2、同大2、学習院大2、東洋大2、京大1、東京科学大1、一橋大1、他
【求める人材】本質に向き合える人、自ら行動を起こせる人、敬意を払える人、周囲と協働できる人

【本社】106-0032 東京都港区六本木3-1-1 六本木ティーキューブ ☎03-6721-7001
【特色・近況】AIを活用した企業データ分析によるコンサルティングや販売支援を行う。インターネット上の販売データや購買パターン情報を、統計学などを用いた独自の解析技術によって分析。他社製ソフトの仕入れ・販売やシステム構築、自社開発ソフト提供サービスも。
【設立】2004.3 【資本金】597百万円
【社長】関口朋宏(1977.3生 早大理工卒)
【株主】〔24.6〕日本マスタートラスト信託銀行信託口14.9%
【連結事業】プロフェッショナルサービス70、プロダクト30
【従業員】連545名 単528名(35.0歳)

【業績】	売上高	営業利益	経常利益	純利益
単22.6	8,561	1,144	1,166	803
連23.6	9,797	680	752	515
連24.6	10,561	1,348	1,357	909

#初任給が高い

㈱フレクト

東証グロース

採用内定数	倍率	3年後離職率	平均年収
46名	8.3倍	16.7%	591万円

●待遇、制度●
【初任給】月38.5万(諸手当1万円、固定残業代40時間分)
【残業】15時間【有休】7日【制度】フ 在
●新卒定着状況● 20～21年入社者合計
20年入社(男6、女0)→3年後在籍(男5、女0)
●採用情報●
【人数】23年:25 24年:34 25年:応募384→内定46
【内定内訳】(男33、女13)(文1、理45)(総46、他0)
【試験】なし
【時期】エントリー24.11→内々定24.12(一次・二次以降もWEB面接可)
【採用実績校】東大院3、京大院3、東北大院3、九大院2、筑波大院2、東理大院2、北大院2、はこだて未来大院2、阪大院1、慶大院1、他
【求める人材】新しい技術に挑戦し成長する意欲があり、問題解決にやりがいを感じられる人

【本社】105-0023 東京都港区芝浦1-1-1 浜松町ビルディング ☎03-5159-2090
【特色・近況】セールスフォースを中心にクラウドを活用し、大企業向けに企画から開発、運用までのDX支援サービスを提供。フロント向けシステム開発に強み。デザインから運用までの一貫体制。車両の位置・状態を可視化し、管理業務を効率化する車両管理ソフトも提供。
【設立】2005.8 【資本金】701百万円
【取締】黒川幸治(1979.2生)
【株主】〔24.3〕合同会社クロ60.5%
【事業】クラウドソリューション100
【従業員】単324名(37.1歳)

【業績】	売上高	営業利益	経常利益	純利益
単22.3	3,642	256	240	266
単23.3	5,305	258	255	222
単24.3	6,928	757	751	440

㈱ブロードバンドタワー

東証スタンダード

採用予定数	倍率	3年後離職率	平均年収
3名	‥	‥	‥

●待遇、制度●
【初任給】年324万
【残業】16.5時間【有休】‥日【制度】在

●新卒定着状況●
‥

●採用情報●
【人数】23年:4 24年:4 25年:予定3*
【内定内訳】(男‥、女‥)(文‥、理‥)(総‥、他‥)
【試験】試験あり
【時期】エントリー24.未定→内々定25.8(一次・二次以降もWEB面接可)【インターン】有
【採用実績校】‥
【求める人材】能動的かつ積極的に行動、コミュニケーションが取れる人

【本社】100-0011 東京都千代田区内幸町2-1-6 日比谷パークフロント ☎03-5202-4800
【特色・近況】インターネット業者向けの都市型データセンターの運用が主。東京・大手町に5G対応のDCを持つ。自社製・他社製クラウドサービスの提供、大容量ストレージのデータ分析・加工するサービスも行う。子会社でCATV事業者向けの配信サービスも手がける。
【設立】2000.2 【資本金】3,470百万円
【会長兼社長】藤原洋(1954.9生 京大理卒)
【株主】〔24.6〕インターネット総合研究所16.2%
【連結事業】コンピュータプラットフォーム73、メディアソリューション27
【従業員】連244名 単‥名(40.0歳)

【業績】	売上高	営業利益	経常利益	純利益
連21.12	15,529	53	403	▲3
連22.12	14,126	▲361	530	▲391
連23.12	13,243	▲84	▲152	99

㈱ベリサーブ

株式公開計画なし

採用内定数	倍率	3年後離職率	平均年収
59名	29.6倍	10%	648万円

●待遇、制度●
【初任給】月25.4万(諸手当1.2万円、固定残業代20時間分)
【残業】24時間【有休】13.6日【制度】フ 住 在

●新卒定着状況●
20年入社(男24、女6)→3年後在籍(男‥、女‥)

●採用情報●
【人数】23年:31 24年:39 25年:応募1745→内定59*
【内定内訳】(男42、女17)(文25、理34)(総59、他0)
【試験】〔筆記〕GAB〔Web自宅〕WEB-GAB
【時期】エントリー24.4→内々定25.1【インターン】有
【採用実績校】神奈川大3、立命館大3、創価大2、大阪工大2、中大2、東京工科大2、東洋大2、日大2、北大2、関大1、岐阜協大1、近大1、他
【求める人材】IT分野に興味を持ち、自ら学ぶことができ、チームで仕事がしたい人

【本社】101-0061 東京都千代田区神田三崎町3-1-16 神保町北東急ビル9階 ☎03-6629-8540
【特色・近況】ソフトウェアの検証業務に特化して事業展開。検証の有資格者が多く、組み込み系に強い。主力は自動車とアプリケーション分野。大阪、愛知に支社。愛知、栃木、広島、東京に計6カ所のテクニカルセンターを置く。SCSKの完全子会社。
【設立】2001.7 【資本金】792百万円
【社長】新堀義之(1964.7生)
【株主】〔24.3〕SCSK100%
【連結事業】システム検証
【従業員】連1,915名 単1,386名(‥歳)

【業績】	売上高	営業利益	経常利益	純利益
連22.3	16,832	1,337	‥	‥
連23.3	20,636	1,812	1,794	1,312
連24.3	23,676	2,111	2,108	1,564

HOUSEI

東証グロース

採用内定数	倍率	3年後離職率	平均年収
3名	85.7倍	50%	570万円

●待遇、制度●
【初任給】月25.7万(固定残業代40時間分)
【残業】19.2時間【有休】11.8日【制度】フ 在

●新卒定着状況●
20年入社(男2、女2)→3年後在籍(男1、女1)

●採用情報●
【人数】23年:16 24年:16 25年:応募257→内定3*
【内定内訳】(男3、女0)(文1、理2)(総3、他0)
【試験】〔Web自宅〕WEB-GAB
【時期】エントリー24.9→内々定24.10*(一次・二次以降もWEB面接可)【インターン】有【ジョブ型】有
【採用実績校】筑波大1、東大1、駿河台大1
【求める人材】熱意があり周囲にも影響を与えられる人、困難な課題にも決断を下せ、実行力のある人

【本社】162-0821 東京都新宿区津久戸町1-8 神楽坂AKビル ☎03-4346-6600
【特色・近況】組版、紙面管理、制作における各システムの受託開発・運用・保守を提供。商業印刷システムを手がける中国企業の日本市場開拓を目的に設立。顧客は新聞社を中心とした紙媒体のメディア事業者。製造業や金融業などメディア以外の顧客開拓を深耕。
【設立】1996.3 【資本金】656百万円
【社長】管祥紅(1967.1生 北京大電子卒)
【株主】〔24.6〕佰瑞祥鴻(香港)28.1%
【連結事業】情報システム96、越境EC4
【従業員】連440名 単186名(40.8歳)

【業績】	売上高	営業利益	経常利益	純利益
連21.12	4,102	202	284	271
連22.12	4,253	184	198	134
連23.12	4,639	155	204	147

北陸コンピュータ・サービス

株式公開していない

採用内定数	倍率	3年後離職率	平均年収
30名	8.2倍	13%	[総]532万円

●待遇、制度●
【初任給】月22.5万
【残業】14.4時間【有休】14.4日【制度】[住][在]

●新卒定着状況●
20年入社(男12、女11)→3年後在籍(男11、女9)

●採用情報●
【人数】23年:29 24年:26 25年:応募247→内定30
【内定内訳】(男18、女12)(文13、理17)(総30、他0)
【試験】〔Web自宅〕SPI3〔性格〕有
【時期】エントリー24.12→内々定25.2【インターン】有
【採用実績校】金沢工大9、富山大9、富山県大3、金沢大1、金沢星稜大1、小松大1、名古屋外大1、新潟大1、福井県大1、名城大1、他
【求める人材】変革の担い手として、前向きな発想とチャレンジする姿勢を持った人

【本社】939-2708 富山県富山市婦中町島本郷47-4 ☎076-495-9500
【特色・近況】北陸地盤のシステムインテグレーター。富士通、三谷産業などが出資。ソフトウェアの開発・運用・保守に加え、データセンター事業、ITインフラ構築事業などを展開。自社開発、運用のクラウドサービスを多数提供。顧客は約3000社。
【設立】1967.10 【資本金】240百万円
【社長】小嶋達也(1962.11生 金沢大法卒)
【株主】〔24.3〕富士通37.5%
【事業】ソフトウェア開発58、ハードウェア販売19、アウトソーシングサービス19、他4
【従業員】単659名(42.6歳)

【業績】	売上高	営業利益	経常利益	純利益
単22.3	9,703	1,111	1,169	749
単23.3	11,340	1,121	1,155	802
単24.3	11,718	1,607	1,688	1,170

#採用数が多い

㈱マーブル

株式公開計画なし

採用予定数	倍率	3年後離職率	平均年収
550名	‥	15.7%	‥

●待遇、制度●
【初任給】月21.6万(諸手当を除いた数値)
【残業】19.3時間【有休】14.3日【制度】‥

●新卒定着状況●
‥

●採用情報●
【人数】23年:60 24年:125 25年:予定550*
【内定内訳】(男‥、女‥)(文‥、理‥)(総‥、他‥)
【試験】〔Web自宅〕有〔性格〕有
【時期】エントリー24.9→内々定24.10*(一次・二次以降もWEB面接可)
【採用実績校】お茶女大、愛知工業大、愛知大、愛媛大、茨城大、宇都宮大院、岡山理大、下関市大、環太平洋大、関西学大、関大、他
【求める人材】やり抜く力・主体性・問題発見力・協調性・チャレンジ・ロジカルシンキングを持つ人

【本社】103-0023 東京都中央区日本橋本町4-8-14 東京建物第3室町ビル ☎03-3243-5311
【特色・近況】金融・産業・通信ネットワーク・組み込み系などのシステム開発企業。TCSグループ中核。北海道から九州まで全国に拠点を配置。経営の課題解決、DX推進などに注力。24年10月、グループのITソリューション事業会社12社を合併。
【設立】2005.10 【資本金】100百万円
【社長】田村浩一
【株主】〔24.3〕TCSホールディングス100%
【事業】ソフトウェア開発80、システムインテグレーション20
【従業員】単2,900名(38.4歳)

【業績】	売上高	営業利益	経常利益	純利益
単23.3	34,805	4,201	4,322	3,059
単24.3	36,601	2,926	3,366	2,118

業績・従業員数などは旧東京コンピュータサービスの数値

丸紅(まるべに)ITソリューションズ

株式公開計画なし

採用内定数	倍率	3年後離職率	平均年収
24名	27.6倍	13.3%	710万円

●待遇、制度●
【初任給】月20.2万
【残業】13.3時間【有休】13.2日【制度】[フ][住][在]

●新卒定着状況●
20年入社(男4、女11)→3年後在籍(男3、女10)

●採用情報●
【人数】23年:11 24年:19 25年:応募662→内定24
【内定内訳】(男‥、女‥)(文11、理13)(総24、他‥)
【試験】〔Web会場〕有〔Web自宅〕有
【時期】エントリー25.1→内々定25.3(一次・二次以降もWEB面接可)【インターン】有
【採用実績校】法政大4、東京科学大1、中大1、東邦大1、はこだて未来大1、青学大1、お茶女大1、東京電機大1、立教大1、中大1、他
【求める人材】柔軟な発想力・人間関係構築力・広い視野を持ち、新しい事に積極的に挑戦できる人

【本社】112-0004 東京都文京区後楽2-6-1 住友不動産飯田橋ファーストタワー ☎03-4512-3000
【特色・近況】丸紅グループや外部顧客向けにシステム構築・開発、運用保守、クラウドサービスの各事業を展開。クラウドストレージサービス「Box」の導入や運用を支援。丸紅I-DIGIOホールディングス、野村総合研究所の合弁会社。
【設立】2014.4 【資本金】410百万円
【社長】池田孝(1962.7生 京産大経営卒)
【株主】〔24.4〕丸紅I-DIGIOホールディングス80.0%
【事業】情報・通信システムの企画・設計、ソフトウェアの開発および販売
【従業員】単397名(43.1歳)

【業績】	売上高	営業利益	経常利益	純利益
単22.3	15,113	1,851	1,855	1,274
単23.3	17,358	2,400	2,458	1,698
単24.3	19,219	2,427	2,441	1,687

#採用数が多い

三菱電機ソフトウエア（みつびしでんき）

株式公開計画なし

採用内定数	倍率	3年後離職率	平均年収
265名	7.1倍	9%	‥

●待遇、制度●
【初任給】月25.5万
【残業】20.5時間【有休】16.9日【制度】フ 住 在
●新卒定着状況●
20年入社(男110、女34)→3年後在籍(男100、女31)
●採用情報●
【人数】23年:140 24年:229 25年:応募1878→内定265
【内定内訳】(男220、女45)(文11、理249)(総265、他0)
【試験】〔Web自宅〕有〔性格〕有
【時期】エントリー‥→内々定‥(一次・二次以降もWEB面接可)【インターン】有
【採用実績校】筑波大2、茨城大2、横国大2、東京科学大1、東北大1、日大6、明大3、東海大3、東京電機大3、東理大2、名大3、静岡大2、他
【求める人材】「モノづくりが好き・責任感・社会貢献・積極性」に共感する人

【本社】105-5129 東京都港区浜松町2-4-1 世界貿易センタービル南館29階 ☎03-6721-5831
【特色・近況】宇宙・防衛分野におけるソフトウェア開発・SI会社。宇宙開発で培った技術を基に、公共・エネルギー、宇宙・通信、FA・産業メカトロニクス、セキュリティー、ライフサイエンス、ITソリューションの分野で事業展開。三菱電機グループ。
【設立】1962.3 【資本金】1,000百万円
【社長】福嶋秀樹(1962.1生 京大院工学研修了)
【株主】〔24.4〕三菱電機100%
【事業】システムエンジニアリング・ソフト開発、システムインテグレーション
【従業員】単5,253名(42.1歳)

【業績】	売上高	営業利益	経常利益	純利益
単22.3	22,337	1,829	1,880	1,315
単23.3	85,855	5,258	5,305	4,076
単24.3	108,501	8,811	8,829	5,471

#採用数が多い

㈱ミロク情報サービス（じょうほう）

東証プライム

採用内定数	倍率	3年後離職率	平均年収
162名	6.8倍	38.8%	692万円

●待遇、制度●
【初任給】月24.5万(諸手当1.8万円)
【残業】22.8時間【有休】11.3日【制度】住 在
●新卒定着状況●
20年入社(男54、女31)→3年後在籍(男38、女14)
●採用情報●
【人数】23年:65 24年:54 25年:応募1108→内定162
【内定内訳】(男119、女43)(文139、理21)(総162、他0)
【試験】〔Web自宅〕SPI3〔性格〕有
【時期】エントリー 25.3→内々定25.6(一次・二次以降もWEB面接可)【インターン】有
【採用実績校】亜大1、愛知学大1、青学大1、開志専大1、広島大1、立命館大1、法政大1、甲南大2、国士舘大1、鹿児島大1、順天堂大1、他
【求める人材】自身で考え、行動し、積極的に知識を吸収、発揮できる人

【本社】160-0004 東京都新宿区四谷4-29-1 MJSビルディング ☎03-5361-6369
【特色・近況】企業向けERP(統合業務ソフト)と会計事務所向け会計ソフトの開発・販売が主力。導入・運用コンサルから保守サービスまで一貫提供。月額課金のサブスク型に移行。統合型DXプラットフォームの構築に重点。会計事務所や地域金融機関との提携関係を推進。
【設立】1977.11 【資本金】3,198百万円
【社長】是枝周樹(1964.2生)
【株主】〔24.3〕㈱エヌケーホールディングス29.2%
【連結事業】ハードウェア10、ソフトウェア29、ユースウェア16、サービス37、他8
【従業員】連2,267名 単1,769名(38.4歳)

【業績】	売上高	営業利益	経常利益	純利益
連22.3	36,597	4,789	4,771	4,517
連23.3	41,461	6,084	5,839	3,767
連24.3	43,971	6,110	6,306	4,238

ムトーアイテックス

株式公開いずれしたい

採用内定数	倍率	3年後離職率	平均年収
11名	14.8倍	18.7%	‥

●待遇、制度●
【初任給】月22万(諸手当を除いた数値)
【残業】19.7時間【有休】15.2日【制度】住 在
●新卒定着状況●
20年入社(男11、女5)→3年後在籍(男9、女4)
●採用情報●
【人数】23年:8 24年:12 25年:応募163→内定11*
【内定内訳】(男9、女2)(文5、理6)(総0、他11)
【試験】〔Web自宅〕有〔性格〕有
【時期】エントリー 25.3→内々定25.5(一次・二次以降もWEB面接可)【インターン】有
【採用実績校】北大院1、埼玉工大2、千葉工大1、日工大1、明星大1、大妻女大1、城西国際大1、埼玉学大1、名古屋学院大1、同女大1
【求める人材】IT社会の未来のために常に新しい技術を主体的に学ぶポジティブで創造性に富む人

【本社】154-8560 東京都世田谷区池尻3-1-3 ☎03-6758-7080
【特色・近況】MUTOHホールディングス傘下のシステム開発会社。製造業向けパッケージソフトを扱うSI事業部とIoT、エンベデット、公共、流通分野を扱うエンジニアリング事業部の2事業部体制。首都圏のほか札幌、名古屋、大阪に支店を置く。
【設立】1992.6 【資本金】100百万円
【社長】小林裕輔(1964.2生 早大法卒)
【株主】〔24.3〕MUTOHホールディングス50.1%
【事業】ソフトウエア開発80、システムソリューションサービス10、パッケージ販売5、他5
【従業員】単222名(36.9歳)

【業績】	売上高	営業利益	経常利益	純利益
単22.3	1,832	201	248	159
単23.3	1,900	250	260	183
単24.3	1,926	288	288	187

㈱メイズ

株式公開していない

採用予定数	倍率	3年後離職率	平均年収
3名	−	0%	608万円

●待遇、制度●
【初任給】月22.7万(諸手当2万円)
【残業】12.3時間【有休】13.7日【制度】フ 住 在
●新卒定着状況●
20年入社(男3、女0)→3年後在籍(男3、女0)
●採用情報●
【人数】23年:1 24年:1 25年:応募1→内定0*
【内定内訳】(男‥、女‥)(文‥、理‥)(総‥、他‥)
【試験】〔筆記〕有
【時期】エントリー25.6→内々定25.8～翌2*(一次・二次以降もWEB面接可)
【採用実績校】‥
【求める人材】誠実さのある、前向きな姿勢の人

【本社】190-0022 東京都立川市錦町2-4-2 CB立川ビル ☎042-525-1350
【特色・近況】電機メーカーからの受託開発・保守を主軸にスマホ対応にも重点をおく、独立系システム開発会社。自社開発パッケージの開発・販売やIT系技術者の派遣のほか、通所介護や居宅介護支援などの介護事業、ツアー販売など旅行事業も手がける。
【設立】1995.10 【資本金】44百万円
【社長】佐々木一博(1970.4生 東京工科専卒)
【株主】〔23.12〕大橋至100%
【事業】ソフトウエア開発85、介護15
【従業員】単45名(36.9歳)

【業績】	売上高	営業利益	経常利益	純利益
単21.12	645	44	50	38
単22.12	615	44	16	12
単23.12	666	67	68	46

㈱メイテツコム

株式公開計画なし

採用内定数	倍率	3年後離職率	平均年収
19名	7.9倍	0%	647万円

●待遇、制度●
【初任給】月23.9万
【残業】14.4時間【有休】13日【制度】住 在
●新卒定着状況●
20年入社(男7、女2)→3年後在籍(男7、女2)
●採用情報●
【人数】23年:10 24年:15 25年:応募150→内定19
【内定内訳】(男8、女11)(文8、理7)(総19、他0)
【試験】〔Web自宅〕SPI3〔性格〕有
【時期】エントリー24.5→内々定25.4【インターン】有
【採用実績校】名大1、名古屋市大2、金沢大1、滋賀大1、静岡大1、愛知県大3、立命館大1、名城大5
【求める人材】ITへの興味関心が高く、周囲と協力しながら意欲的に物事へ取り組むことができる人

【本社】450-0003 愛知県名古屋市中村区名駅南1-21-12 名鉄協商コンピュータビル ☎052-589-2001
【特色・近況】名古屋鉄道グループのシステム開発会社。グループ向け中心に、IT戦略の企画からシステム開発、保守・運用まで、ITの全領域をワンストップで提供。交通、流通、物流、公共・放送、文教、ウェブ、ホテル・レジャーなどの分野で実績。
【設立】1976.9 【資本金】100百万円
【社長】山田和利(1964.7生 名工大工卒)
【株主】〔24.4〕名古屋鉄道78.5%
【事業】ソフトウェア開発37、情報処理50、商品販売13、他1
【従業員】単380名(44.2歳)

【業績】	売上高	営業利益	経常利益	純利益
単22.3	7,932	1,115	1,126	701
単23.3	8,099	1,230	1,247	840
単24.3	9,322	1,522	1,526	1,069

メディア

株式公開準備中

採用内定数	倍率	3年後離職率	平均年収
3名	196.7倍	66.7%	581万円

●待遇、制度●
【初任給】月25.9万(固定残業代30時間分)
【残業】27.6時間【有休】10.9日【制度】住
●新卒定着状況●
20年入社(男3、女3)→3年後在籍(男1、女1)
●採用情報● 26年からグループ採用
【人数】23年:5 24年:4 25年:応募590→内定3
【内定内訳】(男1、女2)(文0、理3)(総0、他3)
【試験】〔Web自宅〕SPI3
【時期】エントリー24.11→内々定25.4(一次はWEB面接可)【インターン】有
【採用実績校】広島大院1、東京農業大1、愛知県大院1
【求める人材】責任感と誠実性がある人、学ぶ意欲をもてる人

【本社】113-0033 東京都文京区本郷3-26-6 NREG本郷三丁目ビル8階 ☎03-5684-2510
【特色・近況】歯科業界に特化したソフトウェアの企画・開発・販売を手がける。日本で初めて歯科用電子カルテシステムを開発したパイオニア。電子カルテシステムなどで蓄積された医療情報の活用を目指す。AIを活用したサービスも手がける。
【設立】1982.12 【資本金】100百万円
【社長】辻啓延(1948.9生 京大農卒)
【株主】〔23.10〕メディアグループホールディングス
【事業】歯科診療支援システム
【従業員】単257名(41.9歳)

【業績】	売上高	営業利益	経常利益	純利益
単21.10	4,530	365	348	161
単22.10	5,058	268	262	158
単23.10	5,287	238	237	176

#採用数が多い

㈱メンバーズ

[東証プライム]

採用内定数	倍率	3年後離職率	平均年収
103名	29.1倍	19.8%	481万円

[●待遇、制度●]
【初任給】月24.2万
【残業】11.3時間【有休】17.2日【制度】[在]
[●新卒定着状況●]
‥
[●採用情報●] グループ採用
【人数】23年:585 24年:411 25年:応募3000→内定103
【内定内訳】(男57、女46)(文64、理24)(総60、他43)
【試験】〔Web自宅〕有〔性格〕有
【時期】エントリー24.9→内々定24.11(一次はWEB面接可)【インターン】有
【採用実績校】早大2、慶大1、青学大1、明大2、中大2、立教大2、法政大3、東洋大6、専大4、日大4、明学大3、阿南高専3、東京工科大3、他
【求める人材】課題解決思考とビジネス思考を持ち、社会を変革し、持続可能な社会作りに挑戦したい人

【本社】104-6037 東京都中央区晴海1-8-10 晴海トリトンオフィスタワーX ☎03-5144-0660
【特色・近況】企業Webサイトやソーシャルメディアの構築・制作・運用などネットビジネス支援が主力。エンジニア、デザイナー、データアナリストからなる専任チームを編成し、顧客の内製化を支援。各種サービスに応じたカンパニー制を導入している点に特徴。
【設立】1995.6 【資本金】1,057百万円
【代表取締役】髙野明彦
【株主】〔24.3〕剣持忠21.5%
【連結事業】ネットビジネス支援100
【従業員】連3,180名 単‥名(29.7歳)

【業績】	売上高	営業利益	税前利益	純利益
連22.3	14,938	1,876	1,896	1,404
連23.3	17,662	1,441	1,399	1,010
連24.3	20,467	41	136	126

ヤマハモーターソリューション

[株式公開計画なし]

採用内定数	倍率	3年後離職率	平均年収
23名	5.1倍	6.2%	[総]694万円

[●待遇、制度●]
【初任給】月25万
【残業】12.3時間【有休】16.8日【制度】[フ][住][在]
[●新卒定着状況●]
20年入社(男10、女6)→3年後在籍(男10、女5)
[●採用情報●]
【人数】23年:20 24年:19 25年:応募117→内定23
【内定内訳】(男13、女10)(文11、理12)(総23、他0)
【試験】〔Web自宅〕SPI3
【時期】エントリー25.1→内々定25.3(一次はWEB面接可)【インターン】有
【採用実績校】静岡大4、静岡文芸大3、静岡理工科大2、信州大1、広島大1、愛知県大1、茨城大1、静岡県大1、成蹊大1、南山大1、名城大1、他
【求める人材】思考力と行動力を持ち、お客様や仲間と協力してチーム全体の力を高められる人

【本社】438-0016 静岡県磐田市岩井2000-1 ☎0538-39-2213
【特色・近況】ヤマハ発動機の完全子会社でグループIT戦略の核。製造業の開発・生産・販売など全事業領域のシステム開発・ネットワーク構築を手がける。中国・厦門とインドの現地法人でオフショア開発。QDC(品質・納期・コスト)を継続的に追求。
【設立】1987.9 【資本金】100百万円
【社長】伊藤栄紀
【株主】〔23.12〕ヤマハ発動機100%
【事業】システム構築50、システム運用サービス50
【従業員】単363名(40.1歳)

【業績】	売上高	営業利益	経常利益	純利益
単21.12	10,266	741	983	705
単22.12	12,189	620	723	491
単23.12	14,199	506	558	409

㈱ユニリタ

[東証スタンダード]

採用内定数	倍率	3年後離職率	平均年収
14名	6.4倍	11.1%	701万円

[●待遇、制度●]
【初任給】月26万(固定残業代11時間分)
【残業】23.2時間【有休】10日【制度】[フ][在]
[●新卒定着状況●]
20年入社(男12、女6)→3年後在籍(男11、女5)
[●採用情報●]
【人数】23年:7 24年:8 25年:応募90→内定14
【内定内訳】(男9、女5)(文5、理9)(総14、他0)
【試験】〔Web自宅〕玉手箱
【時期】エントリー24.10→内々定25.3(一次・二次以降もWEB面接可)【インターン】有
【採用実績校】筑波大院1、明大院1、日大院1、島根大1、東京農業大1、武蔵大1、日大2、白百合女大1、室蘭工大1、立正大1、関東学院大1、他
【求める人材】当事者意識を持って、自ら柔軟に発想し、果敢に挑戦するユニークな人

【本社】108-6029 東京都港区港南2-15-1 ☎03-5463-6381
【特色・近況】基幹業務効率化などパッケージソフトの開発・販売を手がける独立系ソフトウェア開発会社。メインフレーム向けからオープン系まで幅広くカバー。クラウドサービス開発プラットフォームやジョブ管理ツール、リモートアウトソーシングなどを提供。
【設立】1982.5 【資本金】1,330百万円
【代表取締役】北野裕行(1970.10生 近大商経卒)
【株主】〔24.3〕光通信㈱7.1%
【連結事業】プロダクト39、クラウド28、プロフェッショナル33
【従業員】連668名 単292名(40.1歳)

【業績】	売上高	営業利益	経常利益	純利益
連22.3	10,441	693	828	522
連23.3	11,549	915	1,132	752
連24.3	11,982	1,023	1,164	815

rakumo

東証グロース

採用内定数	倍率	3年後離職率	平均年収
1名	40倍	100%	㊙577万円

●待遇、制度●
【初任給】年324万
【残業】15時間【有休】10日【制度】フ 在
●新卒定着状況●
20年入社(男1、女0)→3年後在籍(男0、女0)
●採用情報●
【人数】23年:3 24年:1 25年:応募40→内定1*
【内定内訳】(男1、女0)(文1、理0)(総1、他0)
【試験】〔性格〕有
【時期】エントリー25.2→内々定25.3*(一次はWEB面接可)【インターン】有【ジョブ型】有
【採用実績校】東理大1
【求める人材】rakumo行動指針「情熱。協働。変化。」に共感でき、実際に行動が伴う人

【本社】102-0083 東京都千代田区麹町3-2 垣見麹町ビル ☎050-1746-9891
【特色・近況】企業向けグループウェア拡張製品をクラウドで展開。グーグル社のグループウェアと連携するツール(共有カレンダー、共通アドレス帳、勤怠管理システムなど)「rakumo」を提供。セールスフォース社の営業支援サービスと連携するサービスも提供。
【設立】2004.12 【資本金】394百万円
【社長】御手洗大祐(1972.4生 横国大教育卒)
【株主】〔24.6〕御手洗大祐17.2%
【連結事業】SaaSサービス91、ソリューションサービス4、ITオフショア開発サービス5
【従業員】連79名 単53名(37.4歳)

【業績】	売上高	営業利益	経常利益	純利益
連21.12	963	227	221	188
連22.12	1,096	232	225	184
連23.12	1,295	303	296	196

㈱ラック

東証スタンダード

採用内定数	倍率	3年後離職率	平均年収
61名	9.8倍	11.8%	666万円

●待遇、制度●
【初任給】年420万
【残業】14.3時間【有休】14.7日【制度】フ 在
●新卒定着状況●
20年入社(男38、女13)→3年後在籍(男32、女13)
●採用情報●
【人数】23年:68 24年:61 25年:応募598→内定61*
【内定内訳】(男45、女16)(文17、理31)(総2、他59)
【試験】〔Web自宅〕有
【時期】エントリー24.12→内々定25.2(一次・二次以降もWEB面接可)【インターン】有
【採用実績校】阪大1、東北大1、佐賀大1、鹿児島大1、新潟大2、神戸大1、東京電機大3、東理大2、九州工大1、東京女大2、他
【求める人材】何事にも興味を持ち、たえず挑戦する意欲と好奇心を持ち続けてくれる人

【本社】102-0093 東京都千代田区平河町2-16-1 平河町森タワー ☎03-6757-0100
【特色・近況】セキュリティソリューションとSIが2本柱。日本最大規模のセキュリティー監視センターを持ち、検査や監視などのネットワーク運用サービスも展開。サイバー攻撃監視に強み。野村総研やKDDIと資本業務提携し、サイバーセキュリティ事業拡大へ。
【設立】2007.10 【資本金】2,648百万円
【社長】西本逸郎(1958.9生)
【株主】〔24.3〕KDDI31.2%
【連結事業】セキュリティソリューションサービス45、システムインテグレーションサービス55
【従業員】連2,275名 単1,743名(40.6歳)

【業績】	売上高	営業利益	経常利益	純利益
連22.3	42,660	1,595	1,769	1,401
連23.3	44,018	1,775	1,813	▲147
連24.3	49,477	2,174	2,153	1,379

㈱ランドコンピュータ

東証プライム

採用内定数	倍率	3年後離職率	平均年収
28名	16.4倍	26.9%	585万円

●待遇、制度●
【初任給】月24.5万
【残業】20時間【有休】14日【制度】在
●新卒定着状況●
20年入社(男11、女15)→3年後在籍(男8、女11)
●採用情報●
【人数】23年:30 24年:36 25年:応募460→内定28*
【内定内訳】(男13、女15)(文20、理8)(総28、他0)
【試験】〔筆記〕有〔Web自宅〕SPI3〔性格〕有
【時期】エントリー24.10→内々定25.1(一次・二次以降もWEB面接可)【インターン】有
【採用実績校】名大1、名古屋市大1、東京学芸大1、兵庫県大1、静岡大1、山形大1、立命館大1、芝工大1、上智大1、立教大1、他
【求める人材】好奇心旺盛で新しいことに意欲的に挑戦することができる人

【本社】108-0023 東京都港区芝浦4-13-23 MS芝浦ビル ☎03-5232-3040
【特色・近況】コンサルからシステム開発、保守管理を手がける独立系SI。富士通が主顧客。銀行・保険など金融分野に実績。流通や製造業向けのほか、電子カルテなど医療分野や官公庁向けなど公共分野にも展開。DXビジネス推進、リピート受注、得意分野の強化に重点。
【設立】1971.1 【資本金】460百万円
【社長】福島嘉章(1969.5生)
【株主】〔24.3〕福島嘉章11.5%
【連結事業】システムインテグレーション・サービス55、インフラソリューション・サービス11、パッケージベースSI・サービス34
【従業員】連594名 単542名(40.3歳)

【業績】	売上高	営業利益	経常利益	純利益
連22.3	9,596	872	879	627
連23.3	11,578	1,222	1,238	772
連24.3	13,732	1,729	1,743	1,233

㈱琉球ネットワークサービス
株式公開 いずれしたい

採用内定数	倍率	3年後離職率	平均年収
9名	5.6倍	9.1%	‥

●待遇、制度●
【初任給】月20万
【残業】10.3時間【有休】‥日【制度】住 在
●新卒定着状況●
20年入社(男8、女3)→3年後在籍(男8、女2)
●採用情報●
【人数】23年:8 24年:12 25年:応募50→内定9*
【内定内訳】(男8、女1)(文‥、理‥)(総9、他0)
【試験】〔筆記〕SPI3〔性格〕有
【時期】エントリー25.2→内々定25.2【インターン】有
【採用実績校】琉球大4、九州工大1、沖縄職能大学校2、国際電子ビジネス専2
【求める人材】常に目標を持ち何事にも前向きな姿勢で取組む人

【本社】900-0033 沖縄県那覇市久米2-4-16 大樹生命那覇ビル8階 ☎098-864-1001
【特色・近況】教育向け、医療向けなどに上流から開発工程まで事業展開するソフトウェア開発会社。社会インフラ、組み込み開発、ロボット、AI、スマホアプリなど事業領域は幅広い。教育用・医療用アプリ開発にも注力。那覇に本社、横浜に関東事業所を置く。
【設立】1997.1 【資本金】30百万円
【社長】上原啓司(1967.6生 第一工大工卒)
【株主】〔23.12〕上原啓司100%
【事業】コンピュータソフト開発98、他2
【従業員】単198名(36.0歳)

【業績】	売上高	営業利益	経常利益	純利益
単21.12	1,109	67	88	63
単22.12	1,161	85	100	71
単23.12	1,195	64	82	59

#有休取得が多い

リンク情報(じょうほう)システム
株式公開 計画なし

採用内定数	倍率	3年後離職率	平均年収
22名	16.1倍	33.3%	㊇583万円

●待遇、制度●
【初任給】月23万
【残業】17.9時間【有休】18.5日【制度】フ 住 在
●新卒定着状況●
20年入社(男5、女1)→3年後在籍(男3、女1)
●採用情報●
【人数】23年:16 24年:20 25年:応募354→内定22
【内定内訳】(男15、女7)(文11、理7)(総22、他0)
【試験】〔Web自宅〕SPI3、他〔性格〕有
【時期】エントリー24.9→内々定24.10*(一次・二次以降もWEB面接可)【インターン】有
【採用実績校】法政大1、日大1、明大1、都立大1、立正大1、東京情報大1、神奈川大1、同大1、千葉工大1、岩手県大1、他
【求める人材】好奇心を持ちIT業界の変化に楽しみながら取り組める人

【本社】102-0082 東京都千代田区一番町13-1 メトロシティ半蔵門 ☎03-6629-0080
【特色・近況】IT総合サービス企業。放送局向けに強み。防災情報提供システム、人工衛星搭載システム、車載システムなどに実績。放送局向けは、営業システムの運用やITインフラの設計、構築支援も手がける。字幕サービスは放送局だけでなく、自治体や企業の動画にも拡大。
【設立】1976.10 【資本金】50百万円
【社長】安永登
【株主】〔24.3〕情報技術開発99.0%
【事業】ソフトウェア開発、システム運用、字幕制作
【従業員】単372名(39.1歳)

【業績】	売上高	営業利益	経常利益	純利益
単22.3	3,640	138	150	95
単23.3	3,771	122	140	90
単24.3	4,039	175	185	120

㈱ロココ
東証 スタンダード

採用内定数	倍率	3年後離職率	平均年収
38名	8.8倍	33.3%	㊇520万円

●待遇、制度●
【初任給】月22.5万(諸手当0.5万円)
【残業】13.6時間【有休】11.5日【制度】住 在
●新卒定着状況●
20年入社(男11、女10)→3年後在籍(男8、女6)
●採用情報●
【人数】23年:34 24年:21 25年:応募336→内定38*
【内定内訳】(男14、女24)(文27、理5)(総38、他0)
【試験】〔Web自宅〕有〔性格〕有
【時期】エントリー24.10→内々定24.11(一次・二次以降もWEB面接可)【インターン】有
【採用実績校】亜大1、愛媛大1、岡山大1、京都橘大3、近大2、甲南女大1、高松大1、高千穂大2、神戸松蔭女学大3、千葉商大1、早大1、他
【求める人材】常に好奇心を持ち成長し続けられる人、仕事を楽しみたいと思っている人

【本社】542-0086 大阪府大阪市中央区西心斎橋2-1-5 日本生命御堂筋八幡町ビル☎06-6214-3655
【特色・近況】IT人材常駐によるアウトソース、コールセンターやBPOなどが主力。ITアウトソーシングやDX導入支援に強み。顧客は大手企業が中心。クラウドソリューション事業では米サービスナウ社製プラットフォームや自社製品の導入支援・運用保守などを行う。
【設立】1994.6 【資本金】642百万円
【社長】長谷川一彦(1951.12生)
【株主】〔24.6〕㈱イッシン28.9%
【連結事業】ITO&BPO63、クラウドソリューション35、他2
【従業員】連710名 単631名(37.6歳)

【業績】	売上高	営業利益	経常利益	純利益
連21.12	6,304	395	408	322
連22.12	6,929	691	698	453
連23.12	7,175	480	450	289

㈱YE DIGITAL

東証スタンダード

採用内定数	倍率	3年後離職率	平均年収
32名	‥	3.4%	779万円

●待遇、制度●
【初任給】月25.6万
【残業】13.1時間【有休】15.2日【制度】住 在
●新卒定着状況●
20年入社(男24、女5)→3年後在籍(男23、女5)
●採用情報●
【人数】23年:27 24年:32 25年:応募‥→内定32
【内定内訳】(男18、女14)(文12、理20)(総32、他0)
【試験】〔Web自宅〕SPI3〔性格〕有
【時期】エントリー25.2→内々定25.4*(一次・二次以降もWEB面接可)【インターン】有
【採用実績校】九州工大4、九大2、鹿児島大2、西南学大1、福岡大2、福岡工大1、北九州市大2
【求める人材】論理的思考力、協調性、チャレンジ精神を持ち合わせた人

【本社】802-0003 福岡県北九州市小倉北区米町2-1-21 APエルテージ米町ビル☎093-522-1010
【特色・近況】システム構築と製品組み込みソフトの受託開発を展開。前者は移動体通信事業者や自動車メーカー向け、後者は半導体・液晶製造装置メーカーやメカトロ・FA機器向けが主軸。AI活用のIoTソリューション事業を強化。安川電機グループ。
【設立】1978.2【資本金】747百万円
【社長】玉井裕治(1964.1生 佐賀大農卒)
【株主】〔24.2〕安川電機38.2%
【連結事業】ビジネスソリューション77、IoTソリューション23
【従業員】連705名 単546名(41.7歳)

【業績】	売上高	営業利益	経常利益	純利益
連22.2	13,725	842	723	403
連23.2	16,151	909	836	783
連24.2	19,504	1,488	1,559	1,092

デジタルテクノロジー

株式公開計画なし

採用内定数	倍率	3年後離職率	平均年収
7名	13.9倍	33.3%	601万円

●待遇、制度●
【初任給】月23.2万(諸手当1万円)
【残業】15.1時間【有休】13.2日【制度】住 在
●新卒定着状況●
20年入社(男4、女2)→3年後在籍(男3、女1)
●採用情報●
【人数】23年:7 24年:11 25年:応募97→内定7
【内定内訳】(男6、女1)(文5、理2)(総7、他0)
【試験】〔Web自宅〕SPI3〔性格〕有
【時期】エントリー25.3→内々定25.4(一次・二次以降もWEB面接可)【インターン】有
【採用実績校】二松学舎大1、大阪学大1、専大1、青学大1、日大1、東京医療保健大1、法政大1
【求める人材】好奇心を持って仕事に取り組める人、柔軟な発想を持っている人

【本社】116-0014 東京都荒川区東日暮里5-7-18 コスモパークビル ☎03-5604-7801
【特色・近況】ITインフラ構築・機器販売やソリューション提案、ITシステムコンサルなどを展開する。ハイブリッドクラウドやプライベートクラウドのインフラ構築、バックアップやセキュリティーの関連ソリューションも展開。業界中堅。DTSの子会社。
【設立】2009.10【資本金】100百万円
【社長】木部俊明
【株主】〔24.4〕DTS100%
【事業】IT機器販売100
【従業員】単178名(40.3歳)

【業績】	売上高	営業利益	経常利益	純利益
単22.3	9,186	306	303	192
単23.3	11,330	302	300	205
単24.3	9,532	251	244	156

#採用数が多い

㈱池田泉州銀行（いけだせんしゅうぎんこう）

株式公開計画なし

採用内定数	倍率	3年後離職率	平均年収
106名	15.4倍	‥	672万円

●待遇、制度●
【初任給】月26万
【残業】18.9時間【有休】15.2日【制度】フ 住 在
●新卒定着状況●
‥
●採用情報●
【人数】23年:72 24年:71 25年:応募1636→内定106
【内定内訳】(男55、女51)(文‥、理‥)(総99、他7)
【試験】〔Web自宅〕有〔性格〕有
【時期】エントリー25.3→内々定25.5(一次はWEB面接可)【インターン】有【ジョブ型】有
【採用実績校】‥
【求める人材】‥

【本社】530-0013 大阪府大阪市北区茶屋町18-14 ☎06-6375-1005
【特色・近況】池田泉州HD傘下の地銀。大阪府・兵庫県中心に139店舗を展開。中国・蘇州、ベトナム・ホーチミンに駐在所。地元企業や個人向けのソリューションビジネスに注力。預金残高5兆6775億円、貸出金残高4兆8585億円(24年3月末)。
【設立】1951.9【資本金】61,385百万円
【頭取】鵜川淳(1956.7生 同大法卒)
【株主】〔24.3〕池田泉州ホールディングス100%
【事業】現・預け金12、有価証券10、貸出金76、他2
【従業員】連2,185名 単2,007名(38.4歳)

【業績】	経常収益	業務純益	経常利益	純利益
連22.3	81,912	‥	13,817	11,313
連23.3	90,746	‥	12,666	9,953
連24.3	83,167	‥	15,810	10,822

aｕじぶん銀行（ぎんこう） [株式公開計画なし]

採用内定数	倍率	3年後離職率	平均年収
27名	32.3倍	25%	[総]788万円

●待遇、制度●
【初任給】月23.5万(諸手当2.5万円)
【残業】36.4時間【有休】14.6日【制度】[フ][在]

●新卒定着状況●
‥

●採用情報●
【人数】23年:27 24年:23 25年:応募872→内定27
【内定内訳】(男‥、女‥)(文‥、理‥)(総‥、他‥)
【試験】〔Web自宅〕有〔性格〕有
【時期】エントリー 24.10→内々定25.1(一次・二次以降もWEB面接可)【インターン】有
【採用実績校】神奈川大2、専大2、大東文化大2、中大2、日大2、明大2、成城大1、成蹊大1、大和大1、帝京大1、他
【求める人材】明るくバイタリティがあり、チャレンジ精神が旺盛で、最後までやり遂げる人

【本社】103-0027 東京都中央区日本橋1-19-1 日本橋ダイヤビルディング14階 ☎‥
【特色・近況】auフィナンシャルHDと三菱UFJ銀行が出資するネット銀行。スマホをメインチャネルに事業展開、アプリで24時間365日利用が可能。三菱UFJ銀行はじめコンビニATMとも連携する。預金残高3.88兆円、口座数597万口座(24年3月末)。
【設立】2006.5 【資本金】93,500百万円
【社長】田中健二(1978.10生)
【株主】〔24.6〕auフィナンシャルホールディングス78.0%
【事業】現・預け金12、有価証券8、貸出金71、コールローン1、他9
【従業員】単626名(‥歳)

【業績】	経常収益	業務純益	経常利益	純利益
単22.3	59,617	6,946	7,041	5,503
単23.3	66,134	9,450	9,500	6,493
単24.3	81,602	16,773	17,049	12,091

[株]大分銀行（おおいたぎんこう） [東証プライム]

採用内定数	倍率	3年後離職率	平均年収
58名	5.7倍	30.6%	[総]656万円

●待遇、制度●
【初任給】月22万
【残業】9.8時間【有休】12.9日【制度】[住][在]

●新卒定着状況●
20年入社(男21、女28)→3年後在籍(男16、女18)

●採用情報●
【人数】23年:51 24年:45 25年:応募333→内定58*
【内定内訳】(男24、女34)(文48、理4)(総58、他0)
【試験】〔Web会場〕SPI3〔性格〕有
【時期】エントリー 25.3→内々定25.6*(一次・二次以降もWEB面接可)【インターン】有
【採用実績校】‥
【求める人材】自主自立の気概に溢れ、環境の変化に対応できる人

【本社】870-0021 大分県大分市府内町3-4-1 ☎097-534-1111
【特色・近況】大分県で預金、貸出金ともトップシェアの地方銀行。地銀の中では中位。福岡、宮崎、熊本にも店舗。地域の活性化や成長に向け自治体などと連携する「地域ビジョン」を拡大。野村證券と業務提携し、コンサルティングプラザを拠点に商品・サービスを提供する。
【設立】1893.2 【資本金】19,598百万円
【頭取】高橋靖英(1963.1生 神戸大経営卒)
【株主】〔24.3〕日本マスタートラスト信託銀行信託口8.4%
【事業】銀行業
【従業員】単1,569名(39.0歳)

【業績】	経常収益	業務純益	経常利益	純利益
連22.3	55,799	‥	7,246	5,376
連23.3	72,905	‥	7,796	5,409
連24.3	73,240	‥	9,083	6,536

オリックス銀行（ぎんこう） [株式公開計画なし]

採用内定数	倍率	3年後離職率	平均年収
29名	87.9倍	0%	818万円

●待遇、制度●
【初任給】月27万
【残業】35時間【有休】13.3日【制度】[フ][住][在]

●新卒定着状況●
20年入社(男8、女4)→3年後在籍(男8、女4)

●採用情報●
【人数】23年:32 24年:25 25年:応募2550→内定29
【内定内訳】(男16、女13)(文23、理6)(総29、他0)
【試験】〔筆記〕有〔Web自宅〕玉手箱
【時期】エントリー 24.11→内々定25.3(一次はWEB面接可)【インターン】有
【採用実績校】青学大4、中大4、明大3、関西学大3、神戸大1、千葉大1、都立大1、早大1、上智大1、同大1、立命館大1、法政大1、学習院大1、他
【求める人材】お客さま目線で自主的に考え、周囲と協力し未知なる分野に挑み続ける人

【本店】105-0014 東京都港区芝3-22-8 オリックス乾ビル ☎0120-008-884
【特色・近況】オリックスグループ。投資用不動産ローンが主力。店舗やATM持たず運営費抑制し、高水準の預金金利提供。アセットを証券化して投資家に売却するなど資産回転型モデルへの転換を図る。再エネ事業など新分野への投融資を進めるなど対象資産の拡大も進展中。
【設立】1993.8 【資本金】45,000百万円
【社長】錦織雄一(1957.1生)
【株主】〔24.3〕オリックス100%
【事業】現・預け金6、有価証券11、貸出金81、他2
【従業員】単857名(40.7歳)

【業績】	経常収益	業務純益	経常利益	純利益
単22.3	62,910	25,442	29,240	20,219
単23.3	63,339	25,863	28,199	19,503
単24.3	64,384	26,281	28,266	19,721

㈱香川銀行（かがわぎんこう）

株式公開計画なし

採用内定数	倍率	3年後離職率	平均年収
48名	22.6倍	35.6%	613万円

●待遇、制度●
【初任給】月21.5万
【残業】8.9時間【有休】14.7日【制度】フ 住
●新卒定着状況●
20年入社(男30、女57)→3年後在籍(男20、女36)
●採用情報●
【人数】23年:36 24年:37 25年:応募1085→内定48
【内定内訳】(男25、女23)(文40、理3)(総37、他11)
【試験】〔Web自宅〕SPI3
【時期】エントリー25.2→内々定25.4*(一次はWEB面接可)【インターン】有
【採用実績校】香川大4、同大2、関西学大2、近大2、京産大3、松山大4、鳥取大1、奈良先端科技院大1、愛媛大1、関大1、他
【求める人材】明るくコミュニケーション能力に優れ、地域やお客さまのために一生懸命行動できる人

【本社】760-8576 香川県高松市亀井町6-1
☎087-861-3121
【特色・近況】トモニHD傘下の第二地銀。香川県で資金量は2位。四国各県や大阪府、岡山県、広島県、東京都などに90店舗。無店舗でWeb・スマホ専用の「セルフうどん支店」も展開。預金残高1兆9058億円、貸出残高1兆5818億円(24年3月末)。
【設立】1943.2　【資本金】14,105百万円
【頭取】山田径男(1957.12生 関大経済卒)
【株主】〔24.3〕トモニホールディングス100%
【事業】有価証券22、貸出金58、他20
【従業員】連985名 単928名(40.0歳)

【業績】	経常収益	業務純益	経常利益	純利益
連22.3	33,946	‥	8,165	5,584
連23.3	35,493	‥	8,994	6,300
連24.3	39,580	‥	9,727	6,367

㈱北日本銀行（きたにっぽんぎんこう）

東証プライム

採用内定数	倍率	3年後離職率	平均年収
28名	8.9倍	34.1%	総560万円

●待遇、制度●
【初任給】月23.5万
【残業】7.1時間【有休】16.6日【制度】住 在
●新卒定着状況●
20年入社(男17、女27)→3年後在籍(男12、女17)
●採用情報●
【人数】23年:29 24年:56 25年:応募250→内定28*
【内定内訳】(男17、女11)(文26、理0)(総28、他0)
【試験】〔Web会場〕SPI3〔性格〕有
【時期】エントリー25.3→内々定25.6(一次・二次以降もWEB面接可)【インターン】有
【採用実績校】東北学大5、岩手県大4、青森公大4、盛岡大3、石巻専大2、岩手大1、東北福祉大1、富士大1、仙台白百合女大1、高崎経大1、他
【求める人材】地域に密着し貢献できる人 何事にもチャレンジする姿勢をもち、成長し続ける人

【本店】020-8666 岩手県盛岡市中央通1-6-7
☎019-653-1111
【特色・近況】岩手県が地盤で県内2番手の第二地銀。地銀中位。盛岡市に本拠置き、岩手を中心に青森、秋田、宮城、福島に店舗を展開する。ふくおかFG傘下のiBankマーケ社と資本業務提携、スマホアプリ導入。個人向けに相続手続き代行の紹介業務なども手がける。
【設立】1942.2　【資本金】7,761百万円
【頭取】石塚恭路(1960.4生 早大商卒)
【株主】〔24.3〕日本マスタートラスト信託銀行信託口7.4%
【事業】銀行業
【従業員】連810名 単796名(40.8歳)

【業績】	経常収益	業務純益	経常利益	純利益
連22.3	23,142	‥	2,779	2,111
連23.3	23,638	‥	3,500	2,659
連24.3	29,017	‥	4,098	3,073

㈱きらやか銀行（きらやかぎんこう）

株式公開計画なし

採用内定数	倍率	3年後離職率	平均年収
8名	13.8倍	40%	総542万円

●待遇、制度●
【初任給】月22.5万
【残業】13.7時間【有休】10.6日【制度】住
●新卒定着状況●
20年入社(男13、女7)→3年後在籍(男11、女1)
●採用情報●
【人数】23年:15 24年:17 25年:応募110→内定8*
【内定内訳】(男6、女2)(文7、理0)(総8、他0)
【試験】〔Web自宅〕WEB-GAB
【時期】エントリー25.3→内々定25.6*(一次・二次以降もWEB面接可)【インターン】有【ジョブ型】有
【採用実績校】東北学大2、山形大1、福島大1、青森公大1、中大1、京都橘大1、米沢女短大1
【求める人材】真摯さとコミュニケーション能力を持っている人

【本店】990-8611 山形県山形市旅篭町3-2-3
☎023-631-0001
【特色・近況】山形県の第二地銀。2012年仙台銀行と経営統合、じもとHDを設立し傘下に。山形県、宮城県、新潟県、福島県など店舗数40店(24年3月末)。地元中小企業の本業支援に取り組む。SBI証券とも提携。預金等残高1兆2300億円(24年3月末)。
【設立】1914.1　【資本金】34,183百万円
【頭取】西塚英樹
【株主】〔24.3〕じもとホールディングス100%
【事業】現・預け金17、有価証券7、貸出金74、他2
【従業員】単729名(41.6歳)

【業績】	経常収益	業務純益	経常利益	純利益
連22.3	24,024	‥	1,999	1,041
連23.3	22,700	‥	▲5,888	▲8,318
単24.3	17,272	▲7,573	▲23,778	▲24,428

㈱西京銀行（さいきょうぎんこう）

株式公開検討中

採用内定数	倍率	3年後離職率	平均年収
22名	6.8倍	18.2%	㊕609万円

●待遇、制度●
【初任給】月22万(諸手当1.5万円)
【残業】10.6時間【有休】16.1日【制度】フ 住 在
●新卒定着状況●
20年入社(男12、女10)→3年後在籍(男9、女9)
●採用情報●
【人数】23年:24 24年:46 25年:応募150→内定22*
【内定内訳】(男10、女12)(文20、理0)(総22、他0)
【試験】なし
【時期】エントリー 25.3→内々定25.6*(一次はWEB面接可)【インターン】有
【採用実績校】山口大5、福岡大4、下関市大2、西南学大2、叡啓大1、安田女大1、愛媛大1、周南公大1、山口県大1、久留米大1、他
【求める人材】素直で明るい人、自ら考え行動できる人

【本店】745-0015 山口県周南市平和通1-10-2
☎0834-31-1211
【特色・近況】山口県の第二地銀。山口県、福岡県、広島県に33店舗展開。地元で集めた預金を地元に貸し出す地域内資金循環を進める。アイザワ証券との銀証共同店舗を拡大。26年新本社ビルへ移転予定。預金量2兆130億円、貸出残高1兆7096億円(24年3月末)。
【設立】1944.2 【資本金】28,497百万円
【頭取】松岡健(1971.12生 京大卒)
【株主】〔24.3〕合人社グループ2.5%
【連結事業】現・預け金12、有価証券17、貸出金70、他1
【従業員】連612名 単591名(38.0歳)

【業績】	経常収益	業務純益	経常利益	純利益
連22.3	27,306	‥	7,505	5,086
連23.3	31,434	‥	7,991	5,400
連24.3	33,994	‥	8,319	5,531

㈱静岡中央銀行（しずおかちゅうおうぎんこう）

株式公開計画なし

採用実績数	倍率	3年後離職率	平均年収
29名	‥	‥	564万円

●待遇、制度●
【初任給】月22万
【残業】‥時間【有休】11.7日【制度】住
●新卒定着状況●
‥
●採用情報●
【人数】23年:35 24年:29 25年:予定未定*
【内定内訳】(男‥、女‥)(文‥、理‥)(総‥、他‥)
【試験】〔Web自宅〕SPI3〔性格〕有
【時期】エントリー 25.3→内々定‥(一次はWEB面接可)【インターン】有
【採用実績校】‥
【求める人材】自ら考え行動できる積極性のある人

【本社】410-0801 静岡県沼津市大手町4-76
☎055-962-2900
【特色・近況】静岡県沼津市に本店を置く第二地銀。静岡26店舗、神奈川16店舗、東京1店舗。土曜日も相談業務を行う商業施設内店舗も展開。神奈川銀行と包括業務提携締結、ローソン銀行などとATM業務提携。預金量7353億円、貸出金6108億円(24年3月末)。
【設立】1926.11 【資本金】2,000百万円
【社長】小森博史(1962.10生 阪大経済卒)
【株主】〔24.3〕損害保険ジャパン10.5%
【連結事業】現・預け金11、有価証券17、貸出金71、他2
【従業員】連417名 単411名(39.3歳)

【業績】	経常収益	業務純益	経常利益	純利益
連22.3	13,332	‥	2,684	1,878
連23.3	12,533	‥	3,257	2,295
連24.3	14,084	‥	3,649	2,522

㈱島根銀行（しまねぎんこう）

東証スタンダード

採用内定数	倍率	3年後離職率	平均年収
28名	2.3倍	39.1%	464万円

●待遇、制度●
【初任給】月20.5万
【残業】‥時間【有休】‥日【制度】フ 住
●新卒定着状況●
20年入社(男10、女13)→3年後在籍(男7、女7)
●採用情報●
【人数】23年:19 24年:21 25年:応募65→内定28
【内定内訳】(男10、女18)(文28、理0)(総28、他0)
【試験】なし
【時期】エントリー 25.3→内々定25.6(一次・二次以降もWEB面接可)【インターン】有
【採用実績校】島根大4、島根県大6、広島修道大5、他
【求める人材】‥

【本店】690-0003 島根県松江市朝日町484-19
☎0852-24-1234
【特色・近況】島根と鳥取の両県に店舗展開する第二地銀。預金残高約4900億円は上場地銀で最小規模。島根に24、鳥取に9の支店・出張所。スマホ支店も持つ。SBIホールディングスと資本業務提携、同グループ会社との共同店舗や住宅ローン媒介などで連携。
【設立】1915.5 【資本金】7,886百万円
【頭取】長岡一彦(1967.6生 広島大経済卒)
【株主】〔24.3〕SBI地銀ホールディングス20.7%
【事業】銀行業
【従業員】連330名 単322名(38.7歳)

【業績】	経常収益	業務純益	経常利益	純利益
連22.3	8,210	‥	285	294
連23.3	8,075	‥	415	418
連24.3	9,203	‥	531	419

ソニー銀行（ぎんこう）

株式公開していない

採用内定数	倍率	3年後離職率	平均年収
23名	16.8倍	‥	‥

●待遇、制度●
【初任給】月27.9万
【残業】20.6時間【有休】13.2日【制度】フ 住 在
●新卒定着状況●
‥
●採用情報●
【人数】23年:9 24年:22 25年:応募386→内定23
【内定内訳】(男8、女15)(文20、理3)(総23、他0)
【試験】試験あり
【時期】エントリー‥→内々定‥(一次・二次以降もWEB面接可)
【採用実績校】中大5、早大2、法政大2、共立女大2、東京女大2、東理大1、学習院大1、筑波大1、立教大1、日大1、専大1、帝京大1、他
【求める人材】チャレンジ精神を持ち、チームワークを大切にできる人

【本社】100-0011 東京都千代田区内幸町2-1-6
☎03-6832-5900
【特色・近況】ソニーフィナンシャルグループの個人向けネット銀行。個人の資産運用に特化したサービス、インターネットを活用した住宅ローンや低為替コストの外貨預金などを提供。預かり資産残高4.33兆円、口座数は193万件(24年3月末)。
【設立】2001.4 【資本金】38,500百万円
【社長】南啓二(1964.9生)
【株主】〔24.3〕ソニーフィナンシャルグループ100%
【事業】現・預け金13、有価証券20、貸出金65、他3
【従業員】単655名(‥歳)

【業績】	経常収益	業務純益	経常利益	純利益
連22.3	61,221	16,249	16,880	10,791
連23.3	79,398	19,341	20,653	13,007
単24.3	101,906	21,784	24,084	28,941

㈱大東銀行（だいとうぎんこう）

東証スタンダード

採用内定数	倍率	3年後離職率	平均年収
22名	6.3倍	30.8%	513万円

●待遇、制度●
【初任給】月22万
【残業】4.8時間【有休】13.8日【制度】住
●新卒定着状況●
20年入社(男7、女19)→3年後在籍(男6、女12)
●採用情報●
【人数】23年:7 24年:20 25年:応募139→内定22*
【内定内訳】(男16、女6)(文21、理0)(総22、他0)
【試験】〔筆記〕GAB〔Web会場〕C-GAB〔Web自宅〕WEB-GAB〔性格〕有
【時期】エントリー‥→内々定‥【インターン】有
【採用実績校】東北学大7、山形大3、福島大1、高崎経大1、駒澤大1、専大1、白鴎大1、他
【求める人材】自ら考え、行動に移すことのできる人、地域のために役に立ちたいと考える人

【本店】963-8004 福島県郡山市中町19-1
☎024-925-1111
【特色・近況】福島県の第二地銀で県内2位級。本店は郡山市、店舗は栃木、東京除き県内に集中。法人分野では事業承継、M&A、管理システム導入などの支援に取り組む。個人向けは金融市場情勢に合わせた資産形成支援や高齢者ニーズに対応した終活支援専門家紹介など行う。
【設立】1942.8 【資本金】14,743百万円
【会長兼社長】鈴木孝雄(1953.11生 早大社会科卒)
【株主】〔24.3〕HSホールディングス19.3%
【事業】銀行業
【従業員】連439名 単431名(40.0歳)

【業績】	経常収益	業務純益	経常利益	純利益
連22.3	12,887	‥	2,194	1,201
連23.3	13,023	‥	2,017	1,283
連24.3	13,579	‥	1,892	1,255

㈱富山銀行（とやまぎんこう）

東証スタンダード

採用内定数	倍率	3年後離職率	平均年収
19名	18.4倍	‥	‥

●待遇、制度●
【初任給】月22万
【残業】‥時間【有休】‥日【制度】在
●新卒定着状況●
‥
●採用情報●
【人数】23年:22 24年:21 25年:応募350→内定19*
【内定内訳】(男12、女7)(文18、理1)(総16、他3)
【試験】〔筆記〕有〔Web自宅〕有〔性格〕有
【時期】エントリー25.3→内々定25.5*(一次はWEB面接可)【インターン】有
【採用実績校】富山大5、都留文科大1、京産大1、神奈川大2、日大1、富山国際大2、他
【求める人材】自分で考え、主体的に行動できる人

【本店】933-8606 富山県高岡市下関町3-1
☎0766-21-3535
【特色・近況】富山県に本店を置く地方銀行。県内に38店舗、金沢に1店舗展開。預金残高は約5000億円で地銀協会加盟行中最小クラス。能登震災被災者向けに相談窓口設置と特別融資を提供。29年3月までの中期計画で連結最終利益10億円以上を目指す。
【設立】1954.1 【資本金】6,730百万円
【頭取】中沖雄(1962.7生 東大経済卒)
【株主】〔24.3〕北陸銀行4.2%
【事業】銀行業
【従業員】連332名 単327名(42.1歳)

【業績】	経常収益	業務純益	経常利益	純利益
連22.3	8,462	137	376	333
連23.3	10,821	1,211	1,602	972
連24.3	10,146	303	788	632

㈱富山第一銀行（とやまだいいちぎんこう）

東証プライム

採用予定数	倍率	3年後離職率	平均年収
35名	‥	23.5%	636万円

●待遇、制度●
【初任給】月23.5万
【残業】7.4時間【有休】14日【制度】[住][在]

●新卒定着状況●
20年入社（男11、女6）→3年後在籍（男7、女6）

●採用情報●
【人数】23年:28 24年:31 25年:予定35*
【内定内訳】（男‥、女‥）（文46、理3）（総‥、他‥）
【試験】〔Web自宅〕有〔性格〕有
【時期】エントリー24.4→内々定‥*(一次・二次以降もWEB面接可)【インターン】有
【採用実績校】‥
【求める人材】好奇心旺盛で向上心の強い人、自分で考えしっかりとした判断の座標軸を持った人

【本社】930-8630 富山県富山市西町5-1
☎076-424-1211
【特色・近況】富山県の第二地銀で県内2番手。本店は富山市で、新潟県、石川県、岐阜県、東京都、大阪府にも支店。北國銀行、福井銀行と業務提携し、ATM手数料相互無料化や共同商談会などを実施。リース、クレジット、信用保証など展開するグループ会社を完全子会社化。
【設立】1944.10 【資本金】10,182百万円
【頭取】野村充（1962.8生 東大法卒）
【株主】〔24.3〕日本マスタートラスト信託銀行信託口11.1%
【事業】銀行業
【従業員】連611名 単596名（40.3歳）

【業績】	経常収益	業務純益	経常利益	純利益
連22.3	28,351	6,580	5,233	3,486
連23.3	35,252	6,895	6,326	4,203
連24.3	38,678	6,314	9,223	5,284

㈱長崎銀行（ながさきぎんこう）

株式公開計画なし

採用内定数	倍率	3年後離職率	平均年収
17名	5.7倍	55.6%	[総]494万円

●待遇、制度●
【初任給】月21.5万
【残業】15時間【有休】12日【制度】[住]

●新卒定着状況●
20年入社（男9、女9）→3年後在籍（男3、女5）

●採用情報●
【人数】23年:10 24年:10 25年:応募97→内定17*
【内定内訳】（男13、女4）（文17、理0）（総15、他2）
【試験】〔Web会場〕C-GAB〔Web自宅〕WEB-GAB〔性格〕有
【時期】エントリー25.3→内々定25.4(一次・二次以降もWEB面接可)【インターン】有
【採用実績校】長崎大1、福岡大4、熊本大1、長崎純心大2、長崎国際大3、活水女大1、久留米大1、九産大1、九州国際大1、大正大1
【求める人材】明るく行動力があり、チャレンジ精神旺盛な人

【本社】850-8666 長崎県長崎市栄町3-14
☎095-825-4151
【特色・近況】長崎県を中心に佐賀県、熊本県に24店舗展開する第二地銀。西日本フィナンシャルHD傘下。1912年創業。預金残高2664億円(24年3月末)。個人・中小企業向けリテール取引に注力し、貸出残高2695億円のうち中小企業等比率は85%。
【設立】1912.11 【資本金】7,621百万円
【頭取】開地龍太郎（1961.8生 大分大経済卒）
【株主】〔24.3〕西日本フィナンシャルホールディングス100%
【事業】現・預け金11、有価証券4、貸出金84、他1
【従業員】単212名（37.1歳）

【業績】	経常収益	業務純益	経常利益	純利益
単22.3	4,638	215	336	232
単23.3	4,648	344	406	249
単24.3	4,807	403	427	363

㈱福島銀行（ふくしまぎんこう）

東証スタンダード

採用内定数	倍率	3年後離職率	平均年収
19名	8.3倍	45.5%	[総]579万円

●待遇、制度●
【初任給】月22万
【残業】12.5時間【有休】9日【制度】[住]

●新卒定着状況●
20年入社（男7、女15）→3年後在籍（男6、女6）

●採用情報●
【人数】23年:18 24年:22 25年:応募158→内定19*
【内定内訳】（男10、女9）（文16、理2）（総15、他4）
【試験】〔Web自宅〕有〔性格〕有
【時期】エントリー25.3→内々定25.6*(一次はWEB面接可)【インターン】有
【採用実績校】東北学大5、白鴎大2、日大2、早大1、埼玉大1、東日本国際大1、札幌学大1、桜の聖母短大1、秋田県大1、宮城学院女大1、他
【求める人材】積極的で何事にもチャレンジ精神旺盛な人

【本店】960-8625 福島県福島市万世町2-5
☎024-525-2525
【特色・近況】福島県の第二地銀で県内2位級。仙台、黒磯、水戸、大宮以外の支店は福島県内に集中。融資の7割弱が地元中小企業向けで、残りが住宅ローン中心の個人向け。SBIホールディングスと資本業務提携し、メガバンク構想に加わる。SBI製基幹システムも稼働へ。
【設立】1922.11 【資本金】18,682百万円
【社長】加藤容啓（1956.12生 中大法卒）
【株主】〔24.3〕SBI地銀ホールディングス17.8%
【事業】銀行業
【従業員】連486名 単443名（43.1歳）

【業績】	経常収益	業務純益	経常利益	純利益
連22.3	13,179	‥	794	826
連23.3	13,290	‥	1,145	868
連24.3	13,303	‥	1,190	866

㈱豊和銀行 [福証]

採用予定数	倍率	3年後離職率	平均年収
35名	‥	19.6%	494万円

[●待遇、制度●]
【初任給】月21万
【残業】13.8時間【有休】9.1日【制度】[住]
[●新卒定着状況●]
20年入社(男17、女29)→3年後在籍(男13、女24)
[●採用情報●]
【人数】23年:37 24年:35 25年:予定35*
【内定内訳】(男‥、女‥)(文‥、理‥)(総‥、他‥)
【試験】〔Web自宅〕SPI3〔性格〕有
【時期】エントリー25.3→内々定25.6(一次はWEB面接可)【インターン】有
【採用実績校】‥
【求める人材】新しいことを考えていくチャレンジ精神のある人

【本店】870-8686 大分県大分市王子中町4-10
☎097-534-2611
【特色・近況】大分県の第二地銀。地域密着で貸出金の9割弱が県内向け。取引先の本業支援、特に売上高を増やす販路開拓「Vサポート」に注力。経営改善応援ファンドを設定し、財務内容の良くない企業の課題解決にも取り組む。金融機能強化法の公的資金注入行。
【設立】1949.12 【資本金】13,495百万円
【頭取】権藤淳(1952.4生 東大法卒)
【株主】〔24.3〕日本カストディ銀行信託口4 5.6%
【事業】銀行業
【従業員】単511名(37.6歳)

【業績】	経常収益	業務純益	経常利益	純利益
単22.3	9,645	1,335	959	848
単23.3	9,886	1,474	1,456	1,302
単24.3	10,465	1,075	682	877

㈱宮崎銀行 [東証プライム]

採用実績数	倍率	3年後離職率	平均年収
71名	‥	‥	624万円

[●待遇、制度●]
【初任給】月20.5万(諸手当を除いた数値)
【残業】12時間【有休】‥日【制度】[住][在]
[●新卒定着状況●]
‥
[●採用情報●]
【人数】23年:66 24年:71 25年:予定増加
【内定内訳】(男‥、女‥)(文‥、理‥)(総‥、他‥)
【試験】‥
【時期】エントリー‥→内々定‥【インターン】有
【採用実績校】‥
【求める人材】‥

【本店】880-0805 宮崎県宮崎市橘通東4-3-5
☎0985-27-3131
【特色・近況】宮崎県地盤の地銀中位行。店舗は県内中心だが、鹿児島県や東京都など域外にも展開。法人融資は農畜産業や医療・介護分野の拡充図る。個人特化型店舗も展開。九州・沖縄11行の地銀連携に参画、半導体を軸とする地域産業活性化後押し。顧客の海外展開支援にも注力。
【設立】1932.7 【資本金】14,697百万円
【頭取】杉田浩二(1958.10生 九大経済卒)
【株主】〔24.3〕日本マスタートラスト信託銀行信託口8.3%
【事業】銀行業
【従業員】連1,482名 単1,337名(39.0歳)

【業績】	経常収益	業務純益	経常利益	純利益
連22.3	63,824	14,079	11,535	7,473
連23.3	68,488	14,350	11,847	8,126
連24.3	68,889	6,695	9,986	7,087

#採用数が多い
㈱山口フィナンシャルグループ [東証プライム]

採用内定数	倍率	3年後離職率	平均年収
106名	6.5倍	37.6%	[総]732万円

[●待遇、制度●]
【初任給】月22.5万
【残業】14.8時間【有休】15.2日【制度】[フ][住][在]
[●新卒定着状況●]
20年入社(男21、女72)→3年後在籍(男13、女45)
[●採用情報●] グループ3行合計
【人数】23年:163 24年:152 25年:応募693→内定106*
【内定内訳】(男49、女57)(文101、理4)(総106、他0)
【試験】〔Web自宅〕WEB-GAB
【時期】エントリー25.3→内々定25.6*(一次・二次以降もWEB面接可)【インターン】有
【採用実績校】早大4、慶大3、関西学大4、立命館大3、関大2、同大2、横国大1、明大1、山口大20、広島大7、他
【求める人材】当社が掲げるパーパスやビジョンに共感できる人、地域貢献意欲の高い人

【本社】750-8603 山口県下関市竹崎町4-2-36
☎083-223-5511
【特色・近況】傘下に山口銀行、もみじ銀行、北九州銀行を持つ金融持株会社。金融コングロマリット化を標榜し、証券(ワイエム証券)やリースも展開。地域活性化でドリームインキュベータと資本業務提携。山口銀行は大連、青島、香港の海外に3拠点。
【設立】2006.10 【資本金】50,000百万円
【社長】椋梨敬介(1970.4生)
【株主】〔24.3〕日本マスタートラスト信託銀行信託口11.0%
【事業】銀行業
【従業員】連3,761名 単‥名(‥歳)

【業績】	経常収益	業務純益	経常利益	純利益
連22.3	147,016	7,030	▲7,635	▲13,005
連23.3	157,324	25,169	25,698	17,894
連24.3	184,753	38,411	37,282	25,216

#残業が少ない

秋田信用金庫（あきたしんようきんこ）

株式公開計画なし

採用内定数	倍率	3年後離職率	平均年収
4名	3倍	60%	㊗425万円

●待遇、制度●
【初任給】月20万（諸手当5万円）
【残業】2.8時間【有休】10.3日【制度】‥
●新卒定着状況●
20年入社（男0、女5）→3年後在籍（男0、女2）
●採用情報●
【人数】23年:8 24年:7 25年:応募12→内定4*
【内定内訳】（男2、女2）（文3、理0）（総4、他0）
【試験】〔筆記〕有〔Web自宅〕有
【時期】エントリー25.2→内々定25.6【インターン】有
【採用実績校】八戸学大2、東北学大1、ノースアジア大1、聖霊女短大1、他
【求める人材】秋田の課題を解決したい人、お客様の喜びを自分の喜びと感じることができる人

【本部】010-0921 秋田県秋田市大町3-3-18
☎018-866-6171
【特色・近況】秋田県秋田市・男鹿市・南秋田郡を主要営業エリアとする信用金庫。本店含め16店舗体制。地域取引先企業へのコンサルティングやモニタリング方法についての規程を策定、経営改善支援行う。預金量1397億円。貸出残高794億円（24年3月末）。
【設立】1911.3 【資本金】1,250百万円
【理事長】菅原浩（1965.7生）
【株主】‥
【事業】現・預け金15、有価証券30、貸出金52、他3
【従業員】単153名（41.4歳）

【業績】	経常収益	業務純益	経常利益	純利益
単22.3	2,079	198	250	160
単23.3	2,226	389	259	191
単24.3	2,458	412	364	247

朝日信用金庫（あさひしんようきんこ）

株式公開計画なし

採用内定数	倍率	3年後離職率	平均年収
44名	13.4倍	25.6%	㊗721万円

●待遇、制度●
【初任給】月23万
【残業】11.6時間【有休】14.6日【制度】㊟㊄
●新卒定着状況●
20年入社（男18、女25）→3年後在籍（男13、女19）
●採用情報●
【人数】23年:47 24年:52 25年:応募588→内定44
【内定内訳】（男33、女11）（文43、理1）（総40、他4）
【試験】試験あり
【時期】エントリー25.3→内々定25.5【インターン】有
【採用実績校】‥
【求める人材】常に向上心を持って、自ら努力を惜しまず、前向きに取り組むことができる人

【本店】110-0016 東京都台東区台東2-8-2
☎03-3833-0251
【特色・近況】台東区、江戸川区など都内13区を中心に64店舗を展開。中小企業の密集地に営業基盤築き、中小企業者向け融資と育成に強み。東京信用保証協会の電子申請を全国初で開始。預金量2兆1506億円、貸出金1兆4828億円（24年3月末）。
【設立】1923.8 【資本金】19,102百万円
【理事長】伊藤康博（1961.3生 帝京大経済卒）
【株主】‥
【事業】現・預け金22、有価証券14、貸出金61、他3
【従業員】単1,336名（42.4歳）

【業績】	経常収益	業務純益	経常利益	純利益
連22.3	31,686	‥	5,309	3,441
連23.3	32,268	‥	5,856	4,115
連24.3	35,671	‥	7,194	4,935

#残業が少ない #有休取得が多い

あぶくま信用金庫（しんようきんこ）

株式公開計画なし

採用内定数	倍率	3年後離職率	平均年収
5名	1.4倍	50%	‥

●待遇、制度●
【初任給】月21.5万
【残業】1.3時間【有休】18.2日【制度】㊟
●新卒定着状況●
20年入社（男3、女3）→3年後在籍（男0、女3）
●採用情報●
【人数】23年:3 24年:3 25年:応募7→内定5*
【内定内訳】（男5、女0）（文5、理0）（総5、他0）
【試験】〔性格〕有
【時期】エントリー25.4→内々定25.5*
【採用実績校】東北学大2、神奈川大1、東日本国際大1、流経大1
【求める人材】‥

【本部】975-0003 福島県南相馬市原町区栄町2-4
☎0244-23-5132
【特色・近況】福島県浜通り地区と宮城県南部に17店舗を展開する信用金庫。地元企業の事業継続徹底支援を中期計画に掲げる。地域の資金ニーズを積極的に開拓中。預金量3091億円、貸出金981億円（24年3月末）。1950年に原町信用組合として発足。
【設立】1950.9 【資本金】10,648百万円
【理事長】太田福裕（1951.9生 明大法卒）
【株主】‥
【事業】現・預け金40、有価証券29、貸出金28、他1
【従業員】単93名（39.0歳）

【業績】	経常収益	業務純益	経常利益	純利益
単22.3	2,829	1,031	1,035	792
単23.3	2,737	909	972	718
単24.3	2,769	919	933	690

金融

天草信用金庫（あまくさしんようきんこ）

株式公開計画なし

採用内定数	倍率	3年後離職率	平均年収
2名	1.5倍	16.7%	480万円

●待遇、制度●
【初任給】月19万
【残業】7.5時間【有休】14.1日【制度】住
●新卒定着状況●
20年入社(男3、女3)→3年後在籍(男2、女3)
●採用情報●
【人数】23年:5 24年:4 25年:応募3→内定2*
【内定内訳】(男2、女0)(文2、理0)(総2、他0)
【試験】なし
【時期】エントリー25.3→内々定25.6
【採用実績校】熊本学大2

【求める人材】チームワークを大事にし、リーダーシップやフォロワーシップを発揮できる人

【本店】863-0032 熊本県天草市太田町9-3
☎0969-24-1177
【特色・近況】熊本県天草市、上天草市、苓北町、宇城市三角町を営業エリアとする信用金庫。店舗数11。島嶼である天草に唯一本店を置く地域金融機関として地域貢献に注力。天草市の新陸上競技場の命名権を取得。預金量1474億円、貸出残高701億円(24年3月末)。
【設立】1949.4　【資本金】434百万円
【理事長】田中豊浩(1964.1生 福岡大卒)
【株主】‥
【事業】現・預け金38、有価証券21、貸出金41、他0
【従業員】単132名(40.8歳)

【業績】	経常収益	業務純益	経常利益	純利益
単22.3	2,487	631	523	332
単23.3	2,634	596	706	547
単24.3	2,742	589	864	648

アルプス中央信用金庫（ちゅうおうしんようきんこ）

株式公開計画なし

採用内定数	倍率	3年後離職率	平均年収
6名	2.2倍	37.5%	㊕524万円

●待遇、制度●
【初任給】月20万
【残業】7.8時間【有休】9.9日【制度】住
●新卒定着状況●
20年入社(男4、女12)→3年後在籍(男2、女8)
●採用情報●
【人数】23年:11 24年:12 25年:応募13→内定6
【内定内訳】(男2、女4)(文4、理0)(総2、他4)
【試験】〔筆記〕GAB
【時期】エントリー25.3→内々定25.6【インターン】有
【採用実績校】広島大1、日大1、松本大1、岐阜女大1、信州豊南短大2

【求める人材】地元上伊那の発展に貢献したい人

【本部】396-0025 長野県伊那市荒井3438-1
☎0265-76-4533
【特色・近況】長野県伊那市を中心にその周辺地域へ店舗展開する信用金庫。通称「あるしん」。信州大農学部と連携し産官学金による地域農産物振興にも参画。日本政策金融公庫と「事業承継支援」の連携開始。預金量3386億円、貸出残高1389億円(24年3月末)。
【設立】1951.6　【資本金】997百万円
【理事長】原英則(1961.4生 明大文卒)
【株主】‥
【事業】現・預け金31、有価証券27、貸出金40、他2
【従業員】連210名 単210名(40.7歳)

【業績】	経常収益	業務純益	経常利益	純利益
連22.3	3,709	‥	346	262
連23.3	3,324	‥	257	160
連24.3	3,525	‥	▲1,660	▲1,723

#残業が少ない

羽後信用金庫（うごしんようきんこ）

株式公開計画なし

採用内定数	倍率	3年後離職率	平均年収
2名	2倍	52.6%	㊕336万円

●待遇、制度●
【初任給】月20万
【残業】3時間【有休】7.6日【制度】‥
●新卒定着状況●
20年入社(男5、女14)→3年後在籍(男2、女7)
●採用情報●
【人数】23年:9 24年:3 25年:応募4→内定2*
【内定内訳】(男2、女0)(文2、理0)(総2、他0)
【試験】〔筆記〕常識
【時期】エントリー25.4→内々定25.6*【インターン】有
【採用実績校】ノースアジア大2

【求める人材】明るく健康的で、コミュニケーションに長けている人

【本部】015-8601 秋田県由利本荘市本荘24
☎0184-23-3000
【特色・近況】由利本荘市を拠点に秋田県全域を営業区域とする信用金庫。35店舗展開。日本海側に本店持つ東奥・秋田・鶴岡の3信金と連携協定を締結し、共通する地域課題解決で協力目指す。預金量1495億円、貸出残高720億円(24年3月末)。
【設立】1953.6　【資本金】3,331百万円
【理事長】藤田直人(1960.9生 秋田南高卒)
【株主】‥
【事業】現・預け金32、有価証券19、貸出金47
【従業員】単156名(38.7歳)

【業績】	経常収益	業務純益	経常利益	純利益
単22.3	2,270	144	81	73
単23.3	2,298	328	368	366
単24.3	2,562	289	268	142

金融

#残業が少ない

宇和島信用金庫（うわじましんようきんこ）

株式公開計画なし

採用内定数	倍率	3年後離職率	平均年収
1名	1倍	25%	[総]488万円

●待遇、制度●
【初任給】月19.7万
【残業】2.1時間【有休】7日【制度】[住]

●新卒定着状況●
20年入社(男3、女1)→3年後在籍(男2、女1)

●採用情報●
【人数】23年:4 24年:4 25年:応募1→内定1*
【内定内訳】(男0、女1)(文1、理0)(総1、他0)
【試験】〔筆記〕常識
【時期】エントリー25.3→内々定25.7【インターン】有
【採用実績校】松山東雲女大

【求める人材】地域の役に立ちたいという志を持った人、主体的に考え行動できる人、個性のある人

【本部】798-0041 愛媛県宇和島市本町追手2-8-21 ☎0895-23-7000
【特色・近況】愛媛県宇和島市を本拠とする信用金庫。同市のほか西予市、南宇和島郡にも支店持ち計10店舗を展開。資金利益の増加に経費削減も加わり、業績は回復基調。100周年記念事業で本部ビル新築竣工。預金量1111億円、貸出残高691億円(24年3月末)。
【設立】1922.5 【資本金】672百万円
【理事長】濱田竜也(1965.10生 愛媛南宇和高卒)
【株主】‥
【事業】現・預け金23、有価証券18、貸出金58、他1
【従業員】単98名(41.8歳)

【業績】	経常収益	業務純益	経常利益	純利益
単22.3	1,852	370	229	237
単23.3	1,640	400	135	123
単24.3	1,773	702	202	152

遠州信用金庫（えんしゅうしんようきんこ）

株式公開計画なし

採用内定数	倍率	3年後離職率	平均年収
4名	25倍	37.5%	[総]635万円

●待遇、制度●
【初任給】月22.5万(諸手当1万円)
【残業】9.8時間【有休】13.7日【制度】[在]

●新卒定着状況●
20年入社(男4、女4)→3年後在籍(男4、女1)

●採用情報● 大卒総合職のみ
【人数】23年:8 24年:7 25年:応募100→内定4*
【内定内訳】(男3、女1)(文4、理0)(総4、他0)
【試験】〔Web自宅〕SPI3〔性格〕有
【時期】エントリー25.3→内々定25.6*(一次はWEB面接可)【インターン】有
【採用実績校】‥

【求める人材】好奇心旺盛でチャレンジ精神をもってお客さまとの多彩な人間関係を楽しめる人

【本部】430-8689 静岡県浜松市中央区中沢町81-18 ☎053-472-2111
【特色・近況】浜松市や湖西市、袋井市、磐田市など静岡県西部の遠州地域が営業エリアの信用金庫。24支店を展開。特定非営利活動法人通じた高齢者・障碍者支援など地域サポートに取り組む。預金量4785億円、貸出残高2299億円(24年3月末)。
【設立】1950.3 【資本金】583百万円
【理事長】鈴木靖
【株主】‥
【事業】現・預け金19、有価証券32、貸出金47、他2
【従業員】単232名(43.5歳)

【業績】	経常収益	業務純益	経常利益	純利益
単22.3	6,936	2,059	728	218
単23.3	6,014	1,133	745	595
単24.3	6,351	1,378	1,246	928

#残業が少ない

大阪厚生信用金庫（おおさかこうせいしんようきんこ）

株式公開計画なし

採用内定数	倍率	3年後離職率	平均年収
27名	13.6倍	29.4%	[総]528万円

●待遇、制度●
【初任給】月24.5万(諸手当1.2万円)
【残業】2.7時間【有休】13.2日【制度】‥

●新卒定着状況●
20年入社(男23、女28)→3年後在籍(男15、女21)

●採用情報●
【人数】23年:54 24年:55 25年:応募366→内定27*
【内定内訳】(男15、女12)(文26、理1)(総27、他0)
【試験】〔Web自宅〕WEB-GAB〔性格〕有
【時期】エントリー25.4→内々定25.5【インターン】有
【採用実績校】大阪商大5、関大3、京産大2、近大2、天理大2、立命館大2、龍谷大2、神戸大1、京都府大1、関西学大1、他
【求める人材】変化の激しい社会で課題を見出し、チームで協力して解決する力をもつ人、判断力、決断力、行動力のある人

【本部】542-0082 大阪府大阪市中央区島之内1-20-19 ☎06-4708-6321
【特色・近況】大阪府下に30店舗を展開する信用金庫。1922年創業の大阪厚生信用組合が前身。地元中小企業向けに、事業再生資金や、工場・店舗など施設の新増設資金などの事業ローンを販売する。預金量1兆6737億円、貸出金6868億円(24年3月末)。
【設立】1922.9 【資本金】3,973百万円
【理事長】大出重光(1957.11生)
【株主】‥
【事業】現・預け金46、有価証券15、貸出金38、他0
【従業員】単607名(35.3歳)

【業績】	経常収益	業務純益	経常利益	純利益
単22.3	34,868	17,827	14,134	10,197
単23.3	33,823	12,330	10,657	7,888
単24.3	35,310	15,644	16,043	11,874

金融

#採用数が多い

大阪シティ信用金庫（おおさかしんようきんこ）

株式公開計画なし

採用予定数	倍率	3年後離職率	平均年収
136名	‥	35.8%	‥

●待遇、制度●
【初任給】月23.5万
【残業】11.8時間【有休】13.2日【制度】‥
●新卒定着状況●
20年入社（男19、女34）→3年後在籍（男15、女19）
●採用情報●
【人数】23年:53 24年:64 25年:予定136
【内定内訳】（男‥、女‥）（文‥、理‥）（総‥、他‥）
【試験】〔Web自宅〕玉手箱
【時期】エントリー25.3→内々定25.4【インターン】有
【採用実績校】同大1、立命館大3、関大11、関西学大3、京産大7、近大6、甲南大3、龍谷大4、摂南大9、桃山学大8、他
【求める人材】自ら考え行動し、新たな魅力の発掘に向け、努力と研鑽を重ね業務にチャレンジする人

【本部】541-0041 大阪府大阪市中央区北浜2-5-4 ☎06-6201-2881
【特色・近況】旧大阪市信用金庫が母体、府下2信金と合併して現庫名に。大阪府内に85店舗を展開、兵庫県、奈良県の一部も営業地区。地元中小企業に対して経営課題解決に関するサービスを提供し、海外ビジネス支援も手がける。預金量2兆5421億円（24年3月末）。
【設立】1927.11 【資本金】26,490百万円
【理事長】髙橋知史（1950.1生 岡山大法文卒）
【株主】‥
【事業】現・預け金29、有価証券15、貸出金53、他3
【従業員】単1,521名（43.3歳）

【業績】	経常収益	業務純益	経常利益	純利益
単22.3	28,407	4,301	4,281	3,521
単23.3	27,064	4,889	4,167	3,609
単24.3	27,835	4,855	5,013	4,274

大阪商工信用金庫（おおさかしょうこうしんようきんこ）

株式公開計画なし

採用内定数	倍率	3年後離職率	平均年収
20名	22.1倍	9.1%	㊙615万円

●待遇、制度●
【初任給】月23.5万（諸手当0.5万円）
【残業】10.4時間【有休】15.6日【制度】‥
●新卒定着状況●
20年入社（男7、女4）→3年後在籍（男7、女3）
●採用情報●
【人数】23年:14 24年:16 25年:応募441→内定20
【内定内訳】（男11、女9）（文20、理0）（総20、他0）
【試験】〔Web自宅〕有〔性格〕有
【時期】エントリー25.3→内々定25.5【インターン】有
【採用実績校】関大5、近大3、摂南大2、追手門学大1、大阪学大1、大阪経大1、大阪国際大1、関西外大1、甲南大1、四天王寺大1、同大1、他
【求める人材】挑戦心を胸に秘め、常に上昇志向で、現状を変革できる人

【本部】541-0053 大阪府大阪市中央区本町2-2-8 ☎06-6267-1636
【特色・近況】大阪市を基盤に東大阪市、堺市などに21店舗を展開する信用金庫。事業性融資特化のビジネスモデル。地元企業の脱炭素経営推進に注力。CO_2排出量算定支援などを実施。預金積金残高7139億円、貸出金4938億円（24年3月末）。
【設立】1929.5 【資本金】6,901百万円
【理事長】多賀隆一
【株主】
【事業】現・預け金16、有価証券19、貸出金64、他1
【従業員】単405名（39.5歳）

【業績】	経常収益	業務純益	経常利益	純利益
連22.3	13,535	‥	3,653	2,634
連23.3	13,806	‥	4,413	3,213
連24.3	14,677	‥	5,061	3,462

おかやま信用金庫（しんようきんこ）

株式公開計画なし

採用内定数	倍率	3年後離職率	平均年収
20名	6.2倍	33.3%	㊙560万円

●待遇、制度●
【初任給】月22万（諸手当0.2万円）
【残業】6.4時間【有休】11.7日【制度】‥
●新卒定着状況●
20年入社（男7、女11）→3年後在籍（男5、女7）
●採用情報●
【人数】23年:22 24年:19 25年:応募123→内定20
【内定内訳】（男8、女12）（文15、理3）（総20、他0）
【試験】〔Web自宅〕有〔性格〕有
【時期】エントリー25.3→内々定25.6【インターン】有
【採用実績校】岡山大3、香川大1、ノートルダム清心女大2、就実大2、岡山商大4、岡山理大3、川崎医療福祉大1、山陽学大1、他
【求める人材】明るく笑顔で応対でき、物事を最後まで成し遂げようと地道に努力できる人

【本部】700-8639 岡山県岡山市北区柳町1-11-21 ☎086-223-7475
【特色・近況】岡山市を中心に玉野市、倉敷市に31店舗展開。預金量5922億円、貸出金2425億円（24年3月末）。融資先は25%占める不動産に、個人、卸・小売、建設が続く。地元若手経営者組織や大学などと連携し環境改善関連の地域ブランディングに取り組む。
【設立】1913.4 【資本金】1,769百万円
【理事長】桑田真治（1954.1生 甲南大経済卒）
【株主】‥
【事業】現・預け金22、有価証券30、貸出金35、他13
【従業員】連510名 単496名（44.8歳）

【業績】	経常収益	業務純益	経常利益	純利益
連22.3	7,208	‥	1,225	941
連23.3	6,946	‥	732	663
連24.3	7,222	‥	888	589

金融

#残業が少ない

渡島信用金庫（おしましんようきんこ）

株式公開計画なし

採用内定数	倍率	3年後離職率	平均年収
7名	2倍	66.7%	[総]439万円

●待遇、制度●

【初任給】月22万

【残業】2時間【有休】10.8日【制度】[住]

●新卒定着状況●

20年入社(男8、女10)→3年後在籍(男2、女4)

●採用情報●

【人数】23年:7 24年:6 25年:応募14→内定7

【内定内訳】(男4、女3)(文6、理1)(総7、他0)

【試験】〔Web自宅〕SPI3

【時期】エントリー25.3→内々定25.5*(一次・二次以降もWEB面接可)【インターン】有

【採用実績校】北海道教育大2、新潟県大1、青森大1、札幌学大1、弘前大1、札幌大1

【求める人材】北海道を元気にしたい人、人と関わることが好きな人、チャレンジ精神のある人

【本店】049-2326 北海道茅部郡森町字御幸町115 ☎01374-2-2024

【特色・近況】北斗市、函館市、札幌市など3市9町2村を営業エリアとして11店舗を展開する信用金庫。本店は茅部郡森町。貸出先は不動産業中心に製造業、地方公共団体、個人など。預金量2121億円、貸出金1482億円(24年3月末)。

【設立】1911.5 【資本金】783百万円

【理事長】伊藤新吉(1950.5生 森高校卒)

【株主】・・

【事業】現・預け金28、有価証券12、貸出金60、他0

【従業員】単61名(38.3歳)

【業績】	経常収益	業務純益	経常利益	純利益
単22.3	3,116	1,397	134	88
単23.3	3,323	1,755	1,227	875
単24.3	3,565	1,818	1,322	945

鹿児島相互信用金庫（かごしまそうごしんようきんこ）

株式公開計画なし

採用内定数	倍率	3年後離職率	平均年収
17名	5.8倍	11.1%	[総]665万円

●待遇、制度●

【初任給】月20.5万

【残業】13.3時間【有休】11.6日【制度】[住]

●新卒定着状況●

20年入社(男15、女21)→3年後在籍(男13、女19)

●採用情報● 25年は高卒を除く

【人数】23年:22 24年:21 25年:応募98→内定17*

【内定内訳】(男14、女3)(文17、理0)(総17、他0)

【試験】〔筆記〕有〔Web会場〕SPI3〔Web自宅〕SPI3〔性格〕有

【時期】エントリー25.3→内々定25.6(一次・二次以降もWEB面接可)【インターン】有

【採用実績校】鹿児島国際大5、志學館大4、鹿児島大2、名古屋産大1、福岡大1、高知大1、九州国際大1、鹿児島県立短大1、久留米大1

【求める人材】金融を通して地域貢献に取り組む熱意があり、お客様と気持ちを分かちあうことができる人

【本部】890-0062 鹿児島県鹿児島市与次郎1-6-30 ☎099-259-5222

【特色・近況】鹿児島市本拠の信用金庫。奄美市、大島郡除く鹿児島県一円と宮崎県都城市が営業エリア。58店舗展開。県内外の大学・自治体と連携して地域経済活性化の取り組みを研究する「地域起こし研究所」を運営。預金量5908億円(24年3月末)。

【設立】1917.6 【資本金】7,185百万円

【理事長】永倉悦雄(1957.7生 高崎経大経済卒)

【株主】・・

【事業】現・預け金30、有価証券12、貸出金53、他5

【従業員】単557名(40.2歳)

【業績】	経常収益	業務純益	経常利益	純利益
単22.3	10,187	2,226	541	325
単23.3	10,005	1,767	948	487
単24.3	9,660	1,603	428	277

蒲郡信用金庫（がまごおりしんようきんこ）

株式公開計画なし

採用内定数	倍率	3年後離職率	平均年収
42名	・・	30%	[総]592万円

●待遇、制度●

【初任給】月22.6万

【残業】15.2時間【有休】10.8日【制度】・・

●新卒定着状況●

20年入社(男16、女34)→3年後在籍(男12、女23)

●採用情報●

【人数】23年:40 24年:40 25年:応募・・→内定42*

【内定内訳】(男11、女31)(文24、理1)(総25、他17)

【試験】〔筆記〕有〔性格〕有

【時期】エントリー25.3→内々定25.4【インターン】有

【採用実績校】愛知大2、愛知学大2、大同大2、名古屋学院大2、名古屋女大2、愛知県大1、中大1、南山大1、名古屋外大1、愛知工業大1、他

【求める人材】地域のために、何事も前向きにチャレンジしていこうという志を持った人

【本社】443-0056 愛知県蒲郡市神明町4-25 ☎0533-69-5311

【特色・近況】愛知県・東三河を中心に44店舗を展開する信用金庫。預金量1兆4359億円、貸出金6205億円(24年3月末)。融資先は、個人以外では不動産、製造業、卸・小売業が多い。ビジネスマッチングなど地元企業の経営支援にも注力する。

【設立】1948.4 【資本金】832百万円

【理事長】岡本聡哉(1966.11生 愛知大法経卒)

【株主】・・

【事業】現・預け金25、有価証券34、貸出金38、他3

【従業員】単728名(39.3歳)

【業績】	経常収益	業務純益	経常利益	純利益
連22.3	14,457	・・	3,118	2,376
単23.3	13,410	2,968	2,126	1,573
単24.3	14,102	3,522	3,049	2,223

金融

加茂信用金庫（かもしんようきんこ）

株式公開計画なし

採用内定数	倍率	3年後離職率	平均年収
6名	2.7倍	0%	㊕430万円

●待遇、制度●
【初任給】月20.8万（諸手当0.5万円）
【残業】5.2時間【有休】13日【制度】住
●新卒定着状況●
20年入社（男1、女1）→3年後在籍（男1、女1）
●採用情報●
【人数】23年:6 24年:5 25年:応募16→内定6
【内定内訳】（男2、女4）（文5、理0）（総6、他0）
【試験】なし
【時期】エントリー25.3～6→内々定25.3～6(一次はWEB面接可)
【採用実績校】新潟医療福祉大1、新潟経営大1、新潟青陵大1、新潟薬大1、新潟大1、新潟青陵短大1
【求める人材】明るく元気で前向きな目標の高い人

【本店】959-1372 新潟県加茂市本町1-29
☎0256-53-2211
【特色・近況】新潟県のほぼ中央に位置する加茂市、五泉市、新潟市、田上町に7店舗展開する信用金庫。新潟経営大学と包括連携協定を締結。人材育成を含めた地域活性化を目指す。地元の産業創業ファンドにも出資を行う。預金量798億円（24年3月末）。
【設立】1954.3 【資本金】313百万円
【理事長】杵鞭久（1957.4生 新津高卒）
【株主】‥
【事業】現・預け金27、有価証券34、貸出金38、他1
【従業員】単85名（40.0歳）

【業績】	経常収益	業務純益	経常利益	純利益
単22.3	1,050	147	49	48
単23.3	1,046	135	43	42
単24.3	1,069	111	86	82

川口信用金庫（かわぐちしんようきんこ）

株式公開していない

採用内定数	倍率	3年後離職率	平均年収
23名	9.4倍	35%	㊕556万円

●待遇、制度●
【初任給】月22.5万
【残業】14.9時間【有休】12日【制度】‥
●新卒定着状況●
20年入社（男7、女13）→3年後在籍（男4、女9）
●採用情報●
【人数】23年:19 24年:24 25年:応募217→内定23
【内定内訳】（男15、女8）（文19、理0）（総23、他0）
【試験】試験あり
【時期】エントリー25.3→内々定25.6【インターン】有
【採用実績校】埼玉大、中大、東洋大、専大、城西大
【求める人材】積極的で行動力があり、明るく人と話をすることが好きな、地域の発展に貢献したい人

【本部】332-0017 埼玉県川口市栄町3-9-3
☎048-253-3227
【特色・近況】埼玉県川口市を拠点に、さいたま市など県南部が主要営業地域の信用金庫、45店舗。地域企業への創業・新規事業や企業再生への支援融資も取り組む。預金量1兆223億円（24年3月末）。貸出残高は5561億円（同）で住宅ローンなど個人向け比率高い。
【設立】1943.4 【資本金】2,124百万円
【理事長】飯田雅弘（1958.5生 明大経営卒）
【株主】‥
【事業】現・預け金27、有価証券19、貸出金52、他2
【従業員】単629名（42.9歳）

【業績】	経常収益	業務純益	経常利益	純利益
単22.3	11,149	1,634	1,481	1,116
単23.3	11,002	1,628	1,507	1,134
単24.3	11,178	1,472	1,582	1,075

#残業が少ない

観音寺信用金庫（かんおんじしんようきんこ）

株式公開計画なし

採用内定数	倍率	3年後離職率	平均年収
9名	1.7倍	31.2%	㊕555万円

●待遇、制度●
【初任給】月22.5万
【残業】3.8時間【有休】11.8日【制度】住
●新卒定着状況●
20年入社（男6、女10）→3年後在籍（男2、女9）
●採用情報●
【人数】23年:16 24年:12 25年:応募15→内定9*
【内定内訳】（男2、女7）（文6、理0）（総2、他7）
【試験】〔筆記〕SPI3〔性格〕有
【時期】エントリー25.3→内々定25.6*【インターン】有
【採用実績校】香川大1、松山大1、四国大1、甲南大1、京産大1、高千穂大1、香川短大3
【求める人材】「チャンス・チェンジ・チャレンジ」を常に実践でき、地域貢献への強い思いを持つ人

【本部】768-0060 香川県観音寺市観音寺町甲3377-3
☎0875-25-2181
【特色・近況】香川県観音寺市を本拠とする信用金庫で、三豊、丸亀、坂出、四国中央の各市も含め17店舗を展開する。地元中小企業への資金繰りや補助金・助成金申請支援による課題解決型金融を推進。預金量3737億円、貸出金1751億円（24年3月末）。
【設立】1951.10 【資本金】706百万円
【理事長】須田雅夫（1954.8生 高松商高卒）
【株主】‥
【事業】現・預け金17、有価証券46、貸出金36、他1
【従業員】単155名（36.8歳）

【業績】	経常収益	業務純益	経常利益	純利益
単22.3	4,870	2,321	2,236	1,627
単23.3	4,757	2,442	2,486	1,810
単24.3	5,661	3,499	2,801	2,044

北空知信用金庫（きたそらちしんようきんこ）

株式公開計画なし

採用内定数	倍率	3年後離職率	平均年収
3名	2倍	28.6%	382万円

●待遇、制度●
【初任給】月21.3万（諸手当1.3万円）
【残業】49.3時間【有休】13.3日【制度】住
●新卒定着状況●
20年入社（男3、女4）→3年後在籍（男1、女4）
●採用情報●
【人数】23年:2 24年:5 25年:応募6→内定3*
【内定内訳】（男3、女0）（文3、理0）（総3、他0）
【試験】〔Web自宅〕SPI3
【時期】エントリー‥→内々定‥
【採用実績校】札幌学大2、北海道科学大1
【求める人材】‥

【本店】074-8686 北海道深川市4条8-16 ☎0164-22-1212
【特色・近況】北海道深川市に本店を置く信用金庫。旭川市、滝川市など空知エリアを軸に、札幌市にも支店展開し道央エリアもカバー。本店含め14店舗。貸出先の内訳は不動産の比率高く、個人、自治体が続く。資金量1493億円（24年3月末）。
【設立】1950.8 【資本金】374百万円
【理事長】池内英二（1965.5生 深川西高卒）
【株主】‥
【事業】現・預け金20、有価証券23、貸出金56、他1
【従業員】単84名（34.0歳）

【業績】	経常収益	業務純益	経常利益	純利益
単22.3	2,075	527	557	394
単23.3	1,857	416	417	273
単24.3	1,985	801	494	337

京都中央信用金庫（きょうとちゅうおうしんようきんこ）

株式公開していない

採用実績数	倍率	3年後離職率	平均年収
113名	‥	34.4%	‥

●待遇、制度●
【初任給】月25万
【残業】‥時間【有休】‥日【制度】‥
●新卒定着状況●
20年入社（男49、女79）→3年後在籍（男39、女45）
●採用情報●
【人数】23年:107 24年:113 25年:予定増加*
【内定内訳】（男‥、女‥）（文‥、理‥）（総‥、他‥）
【試験】試験あり
【時期】エントリー25.3→内々定‥【インターン】有
【採用実績校】‥
【求める人材】地域のお客様の夢や目標に共感し、ともに考え新たな価値を創造できる人、あらゆることに挑戦し、自ら学び成長し続けることができる人間力豊かな人

【本店】600-8009 京都府京都市下京区四条通室町東入函谷鉾町91 ☎075-223-2525
【特色・近況】京都市と京都府、滋賀県、大阪府、奈良県の一部が営業エリアの信用金庫。1940年創業。資金量で信金首位。地域の産業振興や街づくり支援に注力。全職員が入学する企業内大学を設置し人材育成に積極的。資金量5兆3423億円（24年3月末）。
【設立】1940.6 【資本金】19,397百万円
【理事長】白波瀬誠
【株主】‥
【事業】現・預け金19、有価証券27、貸出金51、他3
【従業員】単2,376名（37.2歳）

【業績】	経常収益	業務純益	経常利益	純利益
連22.3	62,430	‥	16,585	11,982
連23.3	70,975	‥	11,936	9,778
連24.3	84,339	‥	18,688	13,993

桐生信用金庫（きりゅうしんようきんこ）

株式公開計画なし

採用内定数	倍率	3年後離職率	平均年収
22名	3.4倍	25%	㊙591万円

●待遇、制度●
【初任給】月23万
【残業】7.9時間【有休】13日【制度】‥
●新卒定着状況●
20年入社（男6、女14）→3年後在籍（男6、女9）
●採用情報●
【人数】23年:15 24年:18 25年:応募74→内定22
【内定内訳】（男12、女10）（文22、理0）（総21、他1）
【試験】〔筆記〕GAB〔性格〕有
【時期】エントリー25.3→内々定25.7（一次・二次以降もWEB面接可）
【採用実績校】龍谷大1、共愛学園前橋国際大4、白鴎大1、青学大1、東京国際大1、専大1、東京経大1、山梨学大1、駿河台大1、中大1、他
【求める人材】コミュニケーション能力豊かで、継続的に自分の能力を高める努力ができる人

【本店営業部】376-0023 群馬県桐生市錦町2-15-21 ☎0277-44-8181
【特色・近況】群馬県桐生市を地盤に太田市、みどり市、伊勢崎市、前橋市などに31店舗1出張所などを展開。店外ATMは22。足利市など栃木県西南部にも進出。預金量5588億円、貸出金残高3113億円（24年3月末）。県内信金では貸出金残高2位。
【設立】1925.2 【資本金】1,372百万円
【理事長】津久井真澄（1958.5生 日大卒）
【株主】‥
【事業】現・預け金10、有価証券36、貸出金53、他1
【従業員】連476名 単430名（39.8歳）

【業績】	経常収益	業務純益	経常利益	純利益
連22.3	7,123	1,738	1,027	429
連23.3	7,243	976	536	358
連24.3	7,384	1,193	373	126

金融

熊本信用金庫（くまもとしんようきんこ）

株式公開計画なし

採用内定数	倍率	3年後離職率	平均年収
11名	5.2倍	33.3%	‥

●待遇、制度●
【初任給】月21万
【残業】‥時間【有休】10.8日【制度】住
●新卒定着状況●
20年入社(男4、女2)→3年後在籍(男3、女1)
●採用情報●
【人数】23年:13 24年:8 25年:応募57→内定11
【内定内訳】(男5、女6)(文9、理1)(総5、他6)
【試験】〔筆記〕常識
【時期】エントリー25.3→内々定未定*【インターン】有
【採用実績校】‥
【求める人材】誠実で熱意のある人

【本店】860-8655 熊本県熊本市中央区手取本町2-1 ☎096-326-2211
【特色・近況】熊本市を本拠とする信用金庫。同市のほか宇土市、八代市、山鹿市、菊池市や玉名市などが営業エリアで、域内16店舗。企業・個人とも顧客の悩みの相談・解決に取り組むコンサル機能の充実化を続ける。預金量1811億円、貸出残高1069億円(24年3月末)。
【設立】1923.8 【資本金】1,077百万円
【理事長】井星伸一
【株主】‥
【事業】現・預け金34、有価証券15、貸出金48、他3
【従業員】単159名(39.5歳)

【業績】	経常収益	業務純益	経常利益	純利益
単22.3	2,856	611	555	405
単23.3	2,834	571	511	423
単24.3	2,996	605	488	382

熊本第一信用金庫（くまもとだいいちしんようきんこ）

株式公開計画なし

採用内定数	倍率	3年後離職率	平均年収
7名	15.1倍	17.6%	総660万円

●待遇、制度●
【初任給】月20万
【残業】11.1時間【有休】9.7日【制度】住
●新卒定着状況●
20年入社(男12、女5)→3年後在籍(男9、女5)
●採用情報●
【人数】23年:5 24年:6 25年:応募106→内定7*
【内定内訳】(男4、女3)(文7、理0)(総7、他0)
【試験】〔Web自宅〕SPI3
【時期】エントリー25.3→内々定25.5(一次・二次以降もWEB面接可)【インターン】有
【採用実績校】熊本大2、熊本県大1、熊本学大1、西南学大1、久留米大1、大阪学大1
【求める人材】謙虚で素直な姿勢で、学びや経験を吸収できる人、リーダーシップを持ち積極的に行動・努力する人

【本部】860-8681 熊本県熊本市中央区花畑町10-29 ☎096-355-6111
【特色・近況】熊本県地盤の信用金庫。熊本市、八代市、菊池市など県内12市と菊池郡、上益城郡などの8郡が営業エリアで22店舗を展開。地元中小企業への創業計画や売り上げ増相談などの各種支援行う。結婚支援など地域貢献活動も。預金量3144億円(24年3月末)。
【設立】1950.8 【資本金】3,647百万円
【理事長】鴻池卓児(1957.8生 東京理大理工卒)
【株主】‥
【事業】現・預け金42、有価証券7、貸出金48、他3
【従業員】単218名(42.2歳)

【業績】	経常収益	業務純益	経常利益	純利益
単22.3	4,457	875	464	308
単23.3	4,521	804	297	333
単24.3	4,551	674	608	404

気仙沼信用金庫（けせんぬましんようきんこ）

株式公開計画なし

採用内定数	倍率	3年後離職率	平均年収
6名	2.2倍	25%	総400万円

●待遇、制度●
【初任給】月19万
【残業】5.3時間【有休】12.9日【制度】住
●新卒定着状況●
20年入社(男3、女5)→3年後在籍(男2、女4)
●採用情報●
【人数】23年:9 24年:5 25年:応募13→内定6*
【内定内訳】(男1、女5)(文4、理0)(総6、他0)
【試験】〔性格〕有
【時期】エントリー25.3→内々定25.3*【インターン】有
【採用実績校】国士舘大1、宮城大1、岩手県大1、石巻専大1、仙台青葉学院短大2
【求める人材】ポジティブ思考でチャレンジ精神がある人、地域社会の未来を担う仕事に挑戦したい人

【本店】988-0084 宮城県気仙沼市八日町2-4-10 ☎0226-22-6830
【特色・近況】宮城県気仙沼市、岩手県陸前高田市・大船渡市などに11店舗展開。東京東信金、東京海洋大と協定結び、水産物など地元産業と都内事業者との結び付き図る「地産・都消プロジェクト」を展開。預金量1251億円、貸出金残高507億円(24年3月末)。
【設立】1926.9 【資本金】7,828百万円
【理事長】小山栄太郎(1953.2生)
【株主】‥
【事業】現・預け金30、有価証券35、貸出金34、他1
【従業員】単105名(39.9歳)

【業績】	経常収益	業務純益	経常利益	純利益
単22.3	1,745	315	286	230
単23.3	1,654	254	259	179
単24.3	1,652	211	108	80

#残業が少ない

興能信用金庫（こうのうしんようきんこ）

株式公開計画なし

採用内定数	倍率	3年後離職率	平均年収
5名	23.4倍	16.7%	478万円

●待遇、制度●
【初任給】月21万
【残業】1.3時間【有休】9.6日【制度】住
●新卒定着状況●
20年入社(男5、女13)→3年後在籍(男5、女10)
●採用情報●
【人数】23年:9 24年:15 25年:応募117→内定5*
【内定内訳】(男1、女4)(文5、理0)(総5、他0)
【試験】〔筆記〕常識〔性格〕有
【時期】エントリー25.3→内々定25.5*【インターン】有
【採用実績校】金沢学院短大1、金沢星稜大1、福井県大1、金沢星稜女短大2
【求める人材】明るく朗らかでお客様から親しまれる人、前向きで積極的な人

【本部】927-0493 石川県鳳珠郡能登町字宇出津ム字45-1 ☎0768-62-1122
【特色・近況】石川・能登半島を地盤とする信用金庫。金沢および周辺地域にも展開し計21店舗を持つ。3ブロック体制で各地域の特性に応じた営業を推進。預金量2515億円、貸出残高1177億円(24年3月末)。石川県の復興に職員一丸となり地域支援に取り組む。
【設立】1933.2 【資本金】828百万円
【理事長】田代克弘(1962.11生 宇出津高普通科卒)
【株主】‥
【事業】現・預け金24、有価証券30、貸出金44、他2
【従業員】単178名(40.7歳)

【業績】	経常収益	業務純益	経常利益	純利益
単22.3	2,854	152	68	53
単23.3	3,154	352	390	103
単24.3	3,661	109	▲1,241	▲1,684

滋賀中央信用金庫（しがちゅうおうしんようきんこ）

株式公開計画なし

採用内定数	倍率	3年後離職率	平均年収
18名	2.8倍	36%	㊗566万円

●待遇、制度●
【初任給】月22万
【残業】6.1時間【有休】15.8日【制度】‥
●新卒定着状況●
20年入社(男10、女15)→3年後在籍(男6、女10)
●採用情報●
【人数】23年:7 24年:14 25年:応募50→内定18
【内定内訳】(男8、女10)(文18、理0)(総7、他11)
【試験】〔Web自宅〕WEB-GAB
【時期】エントリー25.2→内々定25.5(一次はWEB面接可)【インターン】有
【採用実績校】龍谷大3、京都経済短大2、びわこ学院大2、下関市大1、立命館大1、京都文教大1、追手門学院大1、平安女学大1、大谷大1、他
【求める人材】熱意・行動力のある人、周りの皆を笑顔にする人

【本部】522-8655 滋賀県彦根市小泉町34-1 ☎0749-22-7722
【特色・近況】滋賀県琵琶湖東岸エリアが地盤の信用金庫。顧客ニーズに対応した商品とサービスを提供。支店、出張所など31営業拠点展開。預金量4748億円(24年3月末)。観光誘致や地域内新ビジネス支援に向け、県内各大学と連携協定。
【設立】1914.6 【資本金】1,281百万円
【理事長】沼尾護
【株主】‥
【事業】現・預け金14、有価証券31、貸出金52、他3
【従業員】単339名(43.3歳)

【業績】	経常収益	業務純益	経常利益	純利益
単22.3	6,876	1,429	597	84
単23.3	6,051	1,214	724	504
単24.3	6,214	1,244	438	335

しずおか焼津信用金庫（しずおかやいづしんようきんこ）

株式公開計画なし

採用内定数	倍率	3年後離職率	平均年収
47名	2.8倍	31.5%	㊗652万円

●待遇、制度●
【初任給】月22.5万
【残業】9.5時間【有休】13.1日【制度】フ 住
●新卒定着状況●
20年入社(男25、女29)→3年後在籍(男20、女17)
●採用情報●
【人数】23年:21 24年:42 25年:応募132→内定47*
【内定内訳】(男31、女16)(文47、理0)(総47、他0)
【試験】〔筆記〕有〔Web会場〕有〔Web自宅〕有〔性格〕有
【時期】エントリー25.3→内々定25.3*(一次はWEB面接可)【インターン】有
【採用実績校】静岡大2、静岡県大1、埼玉大1、長野県大1、神奈川大3、名城大1、日大1、専大1、東京経大1、中京大1、他
【求める人材】何事も前向きに考え明るく協調性のある、規律正しく責任感のある、目標に向かって最後までチャレンジできる人

【本部】420-0838 静岡県静岡市葵区相生町1-1 ☎054-247-1151
【特色・近況】静岡県中部が地盤の信用金庫。WEB含め62支店・出張所展開。2019年7月にしずおか信金と焼津信金が合併して現体制に。地域企業の本業支援・課題解決・相談業務の充実に注力。預金量は1兆8305億円、貸出金9127億円(24年3月末)。
【設立】1931.1 【資本金】3,243百万円
【理事長】田形和幸
【株主】‥
【事業】現・預け金24、有価証券24、貸出金47、他5
【従業員】連962名 単892名(42.9歳)

【業績】	経常収益	業務純益	経常利益	純利益
連22.3	20,433	‥	3,369	2,449
連23.3	20,478	‥	3,382	2,361
連24.3	20,523	‥	3,775	2,752

金融

島田掛川信用金庫（しまだかけがわしんようきんこ）

株式公開計画なし

採用内定数	倍率	3年後離職率	平均年収
27名	5.4倍	32.4%	㊍531万円

●待遇、制度●
【初任給】月22.2万
【残業】3.9時間【有休】13.5日【制度】フ
●新卒定着状況●
20年入社(男11、女23)→3年後在籍(男8、女15)
●採用情報●
【人数】23年:34 24年:35 25年:応募145→内定27*
【内定内訳】(男14、女13)(文24、理3)(総27、他0)
【試験】〔Web自宅〕玉手箱〔性格〕有
【時期】エントリー25.3→内々定25.5(一次はWEB面接可)【インターン】有
【採用実績校】静岡県大1、千葉商大1、千葉大1、東海大1、東京経大1、東京農業大1、愛知学大1、愛知大1、金城学大1、常葉大9、他
【求める人材】地域発展のパートナーシップとして一翼を担う志があり、人と触れ合うことが好きな人

【本部】436-8651 静岡県掛川市亀の甲2-203
☎0537-24-6711
【特色・近況】1879年創設で日本最古の信用金庫。東は旧清水市から西は磐田市までの広域を対象エリアとして49店舗を展開。かけがわランド・バンクと空き家・空き店舗対策で協定。預金量1兆183億円(24年3月末)。創業者岡田良一郎は二宮尊徳の弟子。
【設立】1901.6 【資本金】1,966百万円
【理事長】千葉靖史
【株主】‥
【事業】現・預け金37、有価証券28、貸出金34、他2
【従業員】単723名(‥歳)

【業績】	経常収益	業務純益	経常利益	純利益
単22.3	15,263	3,410	3,919	2,704
単23.3	15,694	▲33,770	▲32,806	▲33,902
単24.3	13,246	200	1,783	1,232

しまなみ信用金庫（しんようきんこ）

株式公開計画なし

採用内定数	倍率	3年後離職率	平均年収
14名	7.1倍	58.3%	㊍542万円

●待遇、制度●
【初任給】月20万(諸手当を除いた数値)
【残業】7.5時間【有休】16.5日【制度】住
●新卒定着状況●
20年入社(男4、女8)→3年後在籍(男3、女2)
●採用情報●
【人数】23年:19 24年:18 25年:応募100→内定14*
【内定内訳】(男5、女9)(文14、理0)(総5、他9)
【試験】〔筆記〕有〔Web会場〕C-GAB〔Web自宅〕有〔性格〕有
【時期】エントリー25.2→内々定25.4【インターン】有
【採用実績校】福山大4、広島修道大3、尾道市大2、ノートルダム清心女大1、広島大1、福山平成大1、香川大1、近大1
【求める人材】地域や人とのふれあいを大切に想う気持ちとコミュニケーション能力を持っている人

【本部】723-0017 広島県三原市港町1-8-1
☎0848-62-7111
【特色・近況】三原市など広島県東部を中心に22店舗を展開する信用金庫。預金量3774億円(24年3月末)。貸出残高は1538億円(同)で個人向けは3割弱。事業法人では不動産、製造業、卸・小売りが多い。地元企業への販路開拓支援事業、再生支援にも取り組む。
【設立】1944.7 【資本金】3,151百万円
【理事長】安原稔(1953.8生 日大法卒)
【株主】‥
【事業】現・預け金29、有価証券24、貸出金39、他8
【従業員】単273名(40.3歳)

【業績】	経常収益	業務純益	経常利益	純利益
単22.3	4,316	656	759	807
単23.3	4,150	596	504	427
単24.3	4,568	517	847	660

#残業が少ない

新庄信用金庫（しんじょうしんようきんこ）

株式公開計画なし

採用内定数	倍率	3年後離職率	平均年収
2名	1.5倍	75%	㊍435万円

●待遇、制度●
【初任給】月20万
【残業】2時間【有休】12日【制度】フ 住
●新卒定着状況●
20年入社(男1、女3)→3年後在籍(男0、女1)
●採用情報●
【人数】23年:4 24年:3 25年:応募3→内定2*
【内定内訳】(男2、女0)(文1、理1)(総2、他0)
【試験】〔筆記〕GAB
【時期】エントリー25.3→内々定25.6
【採用実績校】青森中央学大1、東北公益文科大1
【求める人材】地域に暮らす人々の豊かな暮らしの実現と、地域社会の持続的繁栄のために頑張っていく人

【本部】996-0027 山形県新庄市本町2-9
☎0233-22-4222
【特色・近況】本店所在地の新庄市はじめ山形県下に8店舗を展開する信用金庫。地元中小企業の創業支援ローンを販売、経営改善相談・支援にも取り組む。金融の「地産地消」を推進。預金量767億円、貸出残高424億円(24年3月末)。1923年創業。
【設立】1923.6 【資本金】237百万円
【理事長】井上洋一郎(1950.1生 早大商卒)
【株主】‥
【事業】現・預け金24、有価証券23、貸出金50、他2
【従業員】単71名(34.5歳)

【業績】	経常収益	業務純益	経常利益	純利益
単22.3	1,526	415	420	294
単23.3	1,633	485	464	337
単24.3	1,787	473	486	352

西武信用金庫
せいぶしんようきんこ

株式公開計画なし

採用内定数	倍率	3年後離職率	平均年収
85名	19.7倍	26%	㊋754万円

●待遇、制度●
【初任給】月25万
【残業】14時間【有休】11.4日【制度】フ 在
●新卒定着状況●
20年入社(男27、女50)→3年後在籍(男20、女37)
●採用情報●
【人数】23年:75 24年:74 25年:応募1672→内定85*
【内定内訳】(男41、女44)(文78、理1)(総65、他20)
【試験】〔筆記〕有〔性格〕有
【時期】エントリー25.3→内々定25.6【インターン】有
【採用実績校】東京経大11、日大7、帝京大6、専大5、大妻女大4、武蔵野大4、高千穂大3、亜大2、成蹊大2、明学大2、他
【求める人材】前向きに、自分の可能性にチャレンジしたい人

【本部】164-0001 東京都中野区中野2-29-10
☎03-3384-6111
【特色・近況】東京・中野本拠の信用金庫。都内ほか埼玉・所沢市や入間市、神奈川・相模原市に76店舗を展開。地元中小企業の事業支援イベントは対面開催に加えオンラインも活用。預金量2兆2441億円、貸出残高1兆5146億円(24年3月末)。
【設立】1949.4 【資本金】24,007百万円
【理事長】髙橋一朗(1960.7生 亜細亜大経営卒)
【株主】‥
【事業】現・預け金31、有価証券6、貸出金61、他2
【従業員】連1,302名 単1,179名(37.9歳)

【業績】	経常収益	業務純益	経常利益	純利益
連22.3	34,994	‥	10,568	7,332
連23.3	35,481	‥	12,163	9,072
連24.3	35,229	‥	10,836	7,981

仙南信用金庫
せんなんしんようきんこ

株式公開計画なし

採用内定数	倍率	3年後離職率	平均年収
4名	12.8倍	12.5%	㊋573万円

●待遇、制度●
【初任給】月21万
【残業】4.1時間【有休】15.5日【制度】住
●新卒定着状況●
20年入社(男6、女2)→3年後在籍(男6、女1)
●採用情報●
【人数】23年:4 24年:4 25年:応募51→内定4*
【内定内訳】(男3、女1)(文4、理0)(総3、他1)
【試験】〔筆記〕GAB〔性格〕有
【時期】エントリー25.3→内々定25.6【インターン】有
【採用実績校】東北学大2、東北工大1、尚絅学大1
【求める人材】明るく元気で人とのコミュニケーションを大切にする人

【本部】989-0277 宮城県白石市沢端町1-45
☎0224-24-3074
【特色・近況】宮城県が地盤の信用金庫。白石市を中心に角田市、岩沼市、名取市、大河原町と仙台市の一部などが営業エリア。16店舗を展開。中期経営計画に、取引先への伴走型支援、資金調達力強化、生産性向上を掲げる。預金量2293億円(24年3月末)。
【設立】1950.6 【資本金】1,850百万円
【理事長】渡邊大助(1953.2生 東大法卒)
【株主】
【事業】現・預け金25、有価証券22、貸出金51、他2
【従業員】単150名(38.1歳)

【業績】	経常収益	業務純益	経常利益	純利益
単22.3	3,151	662	650	458
単23.3	3,154	685	752	566
単24.3	3,350	360	496	341

高岡信用金庫
たかおかしんようきんこ

株式公開計画なし

採用内定数	倍率	3年後離職率	平均年収
20名	4.5倍	50%	㊋614万円

●待遇、制度●
【初任給】月22.5万
【残業】5.8時間【有休】14.1日【制度】‥
●新卒定着状況●
20年入社(男8、女6)→3年後在籍(男5、女2)
●採用情報●
【人数】23年:6 24年:8 25年:応募90→内定20*
【内定内訳】(男10、女10)(文16、理0)(総20、他0)
【試験】〔Web自宅〕有〔性格〕有
【時期】エントリー25.3→内々定25.6【インターン】有
【採用実績校】名古屋商大1、金沢星稜大3、日体大1、富山大2、長野大1、京産大2、日本福祉大1、北陸大2、名古屋学院大1、名古屋経大1、他
【求める人材】「地域のために働きたい」という熱意があり、柔軟で物事に進んで取り組む人

【本店】933-8611 富山県高岡市守山町68
☎0766-23-1221
【特色・近況】富山県呉西地区が基盤の信用金庫。高岡市に14店舗、射水市、砺波市、富山市に各1店舗を置く。従業員満足度と顧客満足度の向上を目指し、設定した項目ごとに変革の徹底を推進する。預金量3853億円、貸出残高1830億円(24年3月末)。
【設立】1923.3 【資本金】306百万円
【理事長】永岩聡(1960.7生 早大法卒)
【株主】‥
【事業】現・預け金14、有価証券39、貸出金45、他2
【従業員】単290名(41.0歳)

【業績】	経常収益	業務純益	経常利益	純利益
単22.3	4,447	611	831	726
単23.3	4,473	442	896	729
単24.3	4,583	570	969	758

金融

高松信用金庫（たかまつしんようきんこ）

株式公開計画なし

採用内定数	倍率	3年後離職率	平均年収
16名	6.9倍	50%	‥

●待遇、制度●
【初任給】月21.5万(諸手当を除いた数値)
【残業】‥時間【有休】‥日【制度】[フ]
●新卒定着状況●
20年入社(男6、女14)→3年後在籍(男4、女6)
●採用情報●
【人数】23年:24 24年:15 25年:応募110→内定16
【内定内訳】(男8、女8)(文13、理0)(総8、他8)
【試験】〔性格〕有
【時期】エントリー24.6→内々定25.4*(一次はWEB面接可)【インターン】有
【採用実績校】‥
【求める人材】‥

【本店】760-8668 香川県高松市瓦町1-9-2
☎087-861-0111
【特色・近況】高松市の16店舗を中心として県内全域に31店舗を展開する信用金庫。住宅・消費者ローンなど地元個人向け融資を推進。貸出先の業種別比率は、不動産業や地方公共団体、建設業向けが高い。預金量5198億円、貸出金2343億円(24年3月末)。
【設立】1949.5 【資本金】1,910百万円
【理事長】大橋和夫(1958.8生 高松商高卒)
【株主】‥
【事業】現・預け金26、有価証券32、貸出金39、他3
【従業員】単397名(42.5歳)

【業績】	経常収益	業務純益	経常利益	純利益
単22.3	6,529	1,084	1,294	1,032
単23.3	6,620	1,515	1,662	1,252
単24.3	7,373	975	1,039	593

館林信用金庫（たてばやししんようきんこ）

株式公開計画なし

採用内定数	倍率	3年後離職率	平均年収
4名	1.8倍	50%	[総]508万円

●待遇、制度●
【初任給】月20.5万(諸手当0.2万円)
【残業】4.1時間【有休】11.9日【制度】‥
●新卒定着状況●
20年入社(男2、女0)→3年後在籍(男1、女0)
●採用情報●
【人数】23年:2 24年:1 25年:応募7→内定4
【内定内訳】(男3、女1)(文4、理0)(総4、他0)
【試験】〔筆記〕常識
【時期】エントリー25.3→内々定25.7
【採用実績校】獨協大1、城西大1、城西国際大1、上武大1
【求める人材】元気で明るく、人と話をすることが好きな人

【本部】374-0024 群馬県館林市本町1-6-32
☎0276-72-5511
【特色・近況】群馬県館林市を拠点に10店舗展開する。栃木、埼玉両県の一部も営業区域。群馬県信用保証協会と覚書を締結し小規模事業者支援で協力。新規事業者向け「創業者・再チャレンジ支援資金」も取り扱う。預金量1380億円、貸出金672億円(24年3月末)。
【設立】1926.6 【資本金】204百万円
【理事長】早川茂(1948.12生 専大卒)
【株主】‥
【事業】現・預け金24、有価証券29、貸出金45、他2
【従業員】単105名(48.8歳)

【業績】	経常収益	業務純益	経常利益	純利益
単22.3	1,621	368	353	325
単23.3	1,596	418	399	282
単24.3	1,774	568	576	439

玉島信用金庫（たましましんようきんこ）

株式公開計画なし

採用内定数	倍率	3年後離職率	平均年収
6名	7.2倍	40%	[総]530万円

●待遇、制度●
【初任給】月22万
【残業】7.5時間【有休】13.4日【制度】[住]
●新卒定着状況●
20年入社(男5、女5)→3年後在籍(男3、女3)
●採用情報●
【人数】23年:4 24年:3 25年:応募43→内定6
【内定内訳】(男4、女2)(文5、理1)(総6、他0)
【試験】〔性格〕有
【時期】エントリー25.3→内々定25.6(一次・二次以降もWEB面接可)【インターン】有
【採用実績校】岡山大2、広島大1、尾道市大1、流通科学大1、川崎医療福祉大1
【求める人材】創造力を発揮し、お客様の立場で考え行動でき、主体的に考え行動できる人

【本部】713-8686 岡山県倉敷市玉島1438
☎086-526-1351
【特色・近況】倉敷市中心に20店を展開する信用金庫。預金量3684億円(24年3月末)。貸出金は1542億円(同)で個人以外は不動産業、金融・保険業、卸・小売業向けが多い。共同組織金融機関として地域コミュニティの再生図るべく社会的課題解決に取り組む。
【設立】1914.11 【資本金】976百万円
【理事長】宅和博彦(1958.5生 鹿大法文卒)
【株主】‥
【事業】現・預け金34、有価証券25、貸出金40、他1
【従業員】単237名(41.6歳)

【業績】	経常収益	業務純益	経常利益	純利益
単22.3	4,326	969	528	311
単23.3	4,079	786	666	581
単24.3	4,639	1,044	873	595

多摩信用金庫（たましんようきんこ）

株式公開計画なし

採用内定数	倍率	3年後離職率	平均年収
78名	7.1倍	43.5%	[総]669万円

●待遇、制度●
【初任給】月23万
【残業】15.8時間【有休】13.5日【制度】[フ][住][在]

●新卒定着状況●
20年入社(男30、女32)→3年後在籍(男21、女14)

●採用情報●
【人数】23年:56 24年:67 25年:応募552→内定78*
【内定内訳】(男48、女30)(文75、理2)(総77、他1)
【試験】試験あり
【時期】エントリー25.3→内々定25.3(一次はWEB面接可)【インターン】有
【採用実績校】明星大、東京経大、中大、帝京大、日大、亜大、高千穂大、東海大、東洋大、玉川大、跡見学園女大、桜美林大、大妻女大、他
【求める人材】「誠実さ」「向上心」「主体性」「地域貢献への熱意」

【本部】190-8681 東京都立川市緑町3-4
☎042-526-1111
【特色・近況】東京・多摩地域を基盤とする信用金庫。本支店79、出張所2、店外ATM56カ所設置。「お客さまの幸せづくり」が経営理念。行政のほか教育・研究機関ともパートナーシップ結び地域課題の解決に取り組む。預金積金残高3.2兆円(24年3月末)。
【設立】1933.12 【資本金】20,812百万円
【理事長】金井雅彦
【株主】‥
【事業】現・預け金32、有価証券32、貸出金32、他4
【従業員】単1,830名(42.8歳)

【業績】	経常収益	業務純益	経常利益	純利益
連22.3	44,162	‥	5,371	3,993
連23.3	54,567	‥	3,943	2,506
連24.3	55,468	‥	4,211	3,040

中栄信用金庫（ちゅうえいしんようきんこ）

株式公開計画なし

採用内定数	倍率	3年後離職率	平均年収
5名	11.8倍	33.3%	607万円

●待遇、制度●
【初任給】月21.5万(諸手当0.8万円)
【残業】14.3時間【有休】‥日【制度】‥

●新卒定着状況●
20年入社(男6、女6)→3年後在籍(男4、女4)

●採用情報●
【人数】23年:11 24年:10 25年:応募59→内定5*
【内定内訳】(男1、女4)(文4、理1)(総0、他5)
【試験】〔筆記〕常識〔性格〕有
【時期】エントリー25.3→内々定25.5【インターン】有
【採用実績校】中大1、日大2、東海大1、産能大1
【求める人材】‥

【本部】257-0036 神奈川県秦野市元町1-7
☎0463-81-1850
【特色・近況】神奈川県秦野市を本拠とする信用金庫。秦野、伊勢原、厚木など県内13市、中井町、大井町など9町と清川村を営業エリアとして16店舗を展開。神奈川8信用金庫と連携しビジネスマッチングを推進。預金量4724億円(24年3月末)。
【設立】1951.9 【資本金】168百万円
【理事長】北村圭一(1965.2生 中大卒)
【株主】‥
【事業】現・預け金24、有価証券40、貸出金34、他2
【従業員】単249名(40.8歳)

【業績】	経常収益	業務純益	経常利益	純利益
単22.3	5,358	1,160	909	622
単23.3	5,859	1,278	1,030	747
単24.3	5,966	889	1,063	764

#残業が少ない

中南信用金庫（ちゅうなんしんようきんこ）

株式公開計画なし

採用予定数	倍率	3年後離職率	平均年収
10名	‥	30%	‥

●待遇、制度●
【初任給】月21.5万(諸手当0.5万円)
【残業】3.4時間【有休】13.7日【制度】‥

●新卒定着状況●
20年入社(男4、女6)→3年後在籍(男3、女4)

●採用情報●
【人数】23年:10 24年:7 25年:予定10*
【内定内訳】(男‥、女‥)(文10、理0)(総‥、他‥)
【試験】‥
【時期】エントリー25.3→内々定25.未定*【インターン】有
【採用実績校】東海大2、目白大2、駒澤大1、湘北短大1、他
【求める人材】明るく元気に挨拶のできる人

【本部】255-0003 神奈川県中郡大磯町大磯1133-1
☎0463-61-2615
【特色・近況】神奈川県大磯町を地盤とする信用金庫。平塚、茅ヶ崎、小田原など県内10市と大磯、二宮、中井など8町および清川村が営業エリア。17店舗展開。「しんきんバンキングアプリ」提供。預金量3474億円、貸出金1026億円(24年3月末)。
【設立】1932.11 【資本金】539百万円
【理事長】大藤勉
【株主】‥
【事業】現・預け金34、有価証券35、貸出金27、他1
【従業員】単239名(‥歳)

【業績】	経常収益	業務純益	経常利益	純利益
単22.3	3,708	848	814	587
単23.3	3,681	599	581	380
単24.3	3,815	899	866	596

金融

鶴岡信用金庫（つるおかしんようきんこ）

株式公開計画なし

採用内定数	倍率	3年後離職率	平均年収
2名	3.5倍	25%	㊝513万円

●待遇、制度●
【初任給】月20万
【残業】9.4時間【有休】16.4日【制度】フ
●新卒定着状況●
20年入社(男2、女2)→3年後在籍(男1、女2)
●採用情報●
【人数】23年:3 24年:6 25年:応募7→内定2*
【内定内訳】(男1、女1)(文‥、理‥)(総2、他0)
【試験】〔性格〕有
【時期】エントリー25.3→内々定25.6*【インターン】有
【採用実績校】東北学大1、産業技術短大1
【求める人材】意欲を持ち挑戦する人、礼儀正しく約束を守る人、目標を持ち自己研鑽する人

【本部】997-0035 山形県鶴岡市馬場町1-14
☎0235-22-2360
【特色・近況】山形県庄内地区中心に営業展開する信用金庫。鶴岡市、酒田市、庄内町に計13店舗持つ。預金量2061億円(24年3月末)。貸出金は806億円(同)で、個人のほか建設業、卸・小売業向けが多い。地域経済の発展のため、若手経営者塾を運営。
【設立】1926.11 【資本金】4,421百万円
【理事長】佐藤祐司(1957.10生 法大経済卒)
【株主】‥
【事業】現・預け金19、有価証券45、貸出金34、他2
【従業員】単152名(42.8歳)

【業績】	経常収益	業務純益	経常利益	純利益
単22.3	3,025	696	747	550
単23.3	3,343	634	706	440
単24.3	5,690	▲883	1,542	1,112

徳島信用金庫（とくしましんようきんこ）

株式公開計画なし

採用内定数	倍率	3年後離職率	平均年収
6名	9.7倍	47.1%	㊝490万円

●待遇、制度●
【初任給】月20万
【残業】5時間【有休】10日【制度】住
●新卒定着状況●
20年入社(男10、女7)→3年後在籍(男3、女6)
●採用情報●
【人数】23年:12 24年:7 25年:応募58→内定6*
【内定内訳】(男4、女2)(文6、理0)(総6、他0)
【試験】〔筆記〕常識〔性格〕有
【時期】エントリー25.3→内々定25.6*(一次はWEB面接可)【インターン】有
【採用実績校】徳島文理大2、神戸学大1、早大1、佛教大1、大阪商大1
【求める人材】地域社会に貢献したい人、人のために何かできる人

【本部】770-0918 徳島県徳島市紺屋町8
☎088-622-3191
【特色・近況】徳島市内9店舗はじめ県内に計17店舗展開する信用金庫。中小企業の育成・支援を経営理念のひとつに掲げ、事業承継・M&Aのサポート、首都圏の購買情報の無料提供などに取り組む。預金量2081億円、貸出残高935億円(24年3月末)。
【設立】1927.9 【資本金】1,479百万円
【理事長】小濱一夫(1959.2生 立命大経済卒)
【株主】‥
【事業】現・預け金25、有価証券30、貸出金45、他0
【従業員】単205名(37.1歳)

【業績】	経常収益	業務純益	経常利益	純利益
単22.3	3,199	712	521	102
単23.3	3,087	491	275	155
単24.3	3,081	51	167	94

#残業が少ない

苫小牧信用金庫（とまこまいしんようきんこ）

株式公開計画なし

採用内定数	倍率	3年後離職率	平均年収
16名	1.4倍	48.4%	㊝440万円

●待遇、制度●
【初任給】月22万
【残業】2.2時間【有休】13日【制度】住
●新卒定着状況●
20年入社(男11、女20)→3年後在籍(男6、女10)
●採用情報●
【人数】23年:22 24年:26 25年:応募22→内定16*
【内定内訳】(男9、女7)(文14、理2)(総16、他0)
【試験】〔筆記〕有〔Web会場〕C-GAB〔性格〕有
【時期】エントリー25.3→内々定25.10(一次はWEB面接可)
【採用実績校】札幌学大3、北海商大2、弘前大1、青森公大1、北洋大1、他
【求める人材】コミュニケーション能力の高い人、資格等は不問

【本社】053-0022 北海道苫小牧市表町3-1-6
☎0144-34-2171
【特色・近況】苫小牧市を中心に胆振・日高・石狩・上川の一部地域を事業区域とする信用金庫。通称「とましん」。苫小牧市と周辺5町で指定金融機関を務める。道内人口の集中化進む札幌地区に3支店を展開。資金量5155億円、貸出残高2605億円(24年3月末)。
【設立】1948.9 【資本金】305百万円
【理事長】小林一夫(1960.11生 一橋大法卒)
【株主】‥
【事業】現・預け金25、有価証券27、貸出金45、他3
【従業員】連293名 単212名(34.7歳)

【業績】	経常収益	業務純益	経常利益	純利益
連22.3	6,169	2,474	2,523	1,794
連23.3	6,455	2,672	2,728	2,037
連24.3	7,130	2,072	2,540	1,855

金融

富山信用金庫（とやましんようきんこ）

[株式公開計画なし]

採用内定数	倍率	3年後離職率	平均年収
4名	28倍	50%	488万円

●待遇、制度●
【初任給】月21万（諸手当4万円）
【残業】8.1時間【有休】11日【制度】‥
●新卒定着状況●
20年入社（男4、女6）→3年後在籍（男2、女3）
●採用情報●
【人数】23年:3 24年:6 25年:応募112→内定4*
【内定内訳】（男1、女3）（文3、理0）（総4、他0）
【試験】〔Web会場〕C-GAB
【時期】エントリー25.4→内々定25.6*【インターン】有
【採用実績校】京産大1、金沢星稜大1、京都外大1
【求める人材】人と接するのが好きで誠実な人、何事も全力投球で挑戦する意欲のある人

【本部】930-0051 富山県富山市室町通り1-1-32
☎076-492-7300
【特色・近況】富山市を中心に高岡市、射水市、中新川郡で29店舗展開する。通称「とみしん」。1902年富山売薬信用組合として創業。預金量4585億円、貸出残高2034億円（24年3月末）で、個人、自治体以外の貸出先は不動産、金融・保険、製造業など。
【設立】1943.8 【資本金】666百万円
【理事長】鷲塚一夫（1962.2生 県立富山商高卒）
【株主】‥
【事業】現・預け金23、有価証券34、貸出金42、他1
【従業員】単196名（42.8歳）

【業績】	経常収益	業務純益	経常利益	純利益
単22.3	4,294	1,167	155	253
単23.3	4,082	870	776	579
単24.3	4,269	1,181	1,038	679

豊橋信用金庫（とよはししんようきんこ）

[株式公開計画なし]

採用内定数	倍率	3年後離職率	平均年収
24名	4.2倍	4.8%	[総]614万円

●待遇、制度●
【初任給】月22万
【残業】10.8時間【有休】13.7日【制度】‥
●新卒定着状況●
20年入社（男11、女10）→3年後在籍（男10、女10）
●採用情報●
【人数】23年:26 24年:29 25年:応募100→内定24
【内定内訳】（男13、女11）（文23、理1）（総19、他5）
【試験】〔筆記〕常識
【時期】エントリー25.3→内々定25.6【インターン】有
【採用実績校】愛知大5、椙山女学大3、愛知学大2、中京大2、名古屋学院大2、愛知工業大1、名城大1、人間環境大1、東海学園大1、同大1、他
【求める人材】柔軟な考え方を持ち、何事にも積極的に取組み自分の力を伸ばしていける人

【本部】440-8603 愛知県豊橋市小畷町579
☎0532-56-5550
【特色・近況】愛知県の東三河地域と静岡県西遠地域に34店舗（ネット支店含む）を展開する信用金庫。地域密着型金融を推進、新事業支援や経営相談のほか、外部専門機関と連携し海外事業支援も行う。預金量1兆92億円、貸出金4380億円（24年3月末）。
【設立】1921.11 【資本金】585百万円
【理事長】山口進（1956.5生 明大法卒）
【株主】‥
【事業】現・預け金22、有価証券36、貸出金41、他1
【従業員】連539名 単519名（39.9歳）

【業績】	経常収益	業務純益	経常利益	純利益
連22.3	11,879	‥	2,271	1,529
連23.3	10,646	‥	1,806	1,316
連24.3	12,565	‥	2,330	1,731

長野信用金庫（ながのしんようきんこ）

[株式公開計画なし]

採用内定数	倍率	3年後離職率	平均年収
36名	‥	‥	‥

●待遇、制度●
【初任給】月23万
【残業】13時間【有休】10.4日【制度】[在]
●新卒定着状況●
‥
●採用情報●
【人数】23年:25 24年:31 25年:応募‥→内定36
【内定内訳】（男15、女21）（文30、理1）（総24、他12）
【試験】〔Web自宅〕有〔性格〕有
【時期】エントリー25.3→内々定25.4（一次はWEB面接可）【インターン】有
【採用実績校】新潟大1、富山大1、長野県大2、高崎経大2、日大3、東洋大1、神奈川大1、清泉女学大5、松本大2、長野大1、他
【求める人材】地域愛を持つ自律した人、職員同士相手を尊重し、お客さまに徹底的に寄り添える人

【本部】380-8686 長野県長野市居町133-1
☎026-228-0221
【特色・近況】長野市中心に北信地域で38店舗展開する信用金庫。1923年創立。外部機関・専門家との連携強化による事業承継、M&Aに積極的に取り組む。女性職員の制服廃止などビジネスカジュアル導入。預金量8753億円、貸出金3600億円（24年3月末）。
【設立】1923.7 【資本金】2,352百万円
【理事長】市川公一（1958.2生 新潟大法文卒）
【株主】‥
【事業】現・預け金13、有価証券49、貸出金36、他1
【従業員】連574名 単529名（40.3歳）

【業績】	経常収益	業務純益	経常利益	純利益
連22.3	11,395	‥	2,542	1,784
連23.3	12,291	‥	3,445	2,202
連24.3	13,245	‥	3,954	2,740

金融

沼津信用金庫（ぬまづしんようきんこ）

株式公開計画なし

採用内定数	倍率	3年後離職率	平均年収
14名	‥	19%	554万円

●待遇、制度●
【初任給】月22万
【残業】4.8時間【有休】13.6日【制度】[在]
●新卒定着状況●
20年入社(男21、女21)→3年後在籍(男16、女18)
●採用情報●
【人数】23年:28 24年:15 25年:応募‥→内定14*
【内定内訳】(男9、女5)(文14、理0)(総14、他0)
【試験】〔筆記〕有
【時期】エントリー25.3→内々定25.6*【インターン】有
【採用実績校】常葉大4、日大2、神奈川大2、静岡県大1、東海大1、日女大1、拓大1、東京福祉大1、浜松学大1
【求める人材】地域を元気にする、チャレンジ精神のある人

【本社】410-8610 静岡県沼津市大手町5-6-16
☎055-962-5200
【特色・近況】沼津市はじめ静岡県東部を主な営業区域とする信用金庫。時代や環境の変化への柔軟な対応を標榜する中期経営計画を推進。全国信金が共同利用する地域の事業再生ファンドの利用覚書を締結。預金量5663億円、貸出残高2319億円(24年3月末)。
【設立】1950.4 【資本金】696百万円
【理事長】鈴木俊一(1956.10生 日大法卒)
【株主】‥
【事業】現・預け金13、有価証券48、貸出金38、他1
【従業員】[単]419名(39.2歳)

【業績】	経常収益	業務純益	経常利益	純利益
[連]22.3	9,505	2,196	2,230	1,462
[連]23.3	9,113	1,752	1,849	1,370
[連]24.3	9,474	1,491	2,348	1,875

姫路信用金庫（ひめじしんようきんこ）

株式公開計画なし

採用内定数	倍率	3年後離職率	平均年収
36名	2.9倍	37.1%	[総]639万円

●待遇、制度●
【初任給】月21.5万
【残業】6.7時間【有休】11.8日【制度】‥
●新卒定着状況●
20年入社(男17、女18)→3年後在籍(男11、女11)
●採用情報●
【人数】23年:48 24年:31 25年:応募103→内定36
【内定内訳】(男21、女15)(文34、理2)(総22、他14)
【試験】〔筆記〕常識〔性格〕有
【時期】エントリー25.3→内々定25.6【インターン】有
【採用実績校】甲南大6、神戸学大5、流通科学大4、龍谷大1、同大1、鳥取大1、東洋大1、京産大1、摂南大1、関大1、他
【求める人材】チャレンジ精神を持ち、自ら考え行動する人、人とのコミュニケーションに喜びややりがいを感じる人

【本部】670-8652 兵庫県姫路市十二所前町105
☎079-288-1121
【特色・近況】兵庫県南部を地盤とする信用金庫。姫路市を中心に、たつの市、加古川市、明石市、神戸市など46店舗を展開する。無料経営相談室設け、地元企業への事業支援相談や経営改善相談に取り組む。1910年創業。預金量9408億円(24年3月末)。
【設立】1910.2 【資本金】3,147百万円
【理事長】三宅智章(1975.3生 関西学大法卒)
【株主】‥
【事業】現・預け金22、有価証券21、貸出金55、他1
【従業員】[単]648名(42.0歳)

【業績】	経常収益	業務純益	経常利益	純利益
[単]22.3	11,589	1,307	1,069	954
[単]23.3	11,538	1,375	1,256	878
[単]24.3	11,958	1,466	1,034	1,144

兵庫信用金庫（ひょうごしんようきんこ）

株式公開計画なし

採用内定数	倍率	3年後離職率	平均年収
43名	18.6倍	38.7%	[総]602万円

●待遇、制度●
【初任給】月23万(諸手当1万円)
【残業】10.9時間【有休】10.9日【制度】[在]
●新卒定着状況●
20年入社(男5、女26)→3年後在籍(男3、女16)
●採用情報●
【人数】23年:42 24年:51 25年:応募800→内定43*
【内定内訳】(男20、女23)(文42、理1)(総27、他16)
【試験】〔Web自宅〕WEB-GAB
【時期】エントリー25.3→内々定25.4*【インターン】有
【採用実績校】神戸大1、兵庫県大1、関大2、近大1、甲南大8、龍谷大1、神戸学大15、流通科学大3、大阪商大2、環太平洋大1、天理大1、他
【求める人材】ひょうしんの理念に共感しやりがいを感じる人間力豊かな人

【本部】670-0935 兵庫県姫路市北条口3-27
☎079-282-1255
【特色・近況】姫路市、神戸市はじめ兵庫県瀬戸内沿岸地域に40店舗を展開する信用金庫。預金量7159億円、貸出残高3141億円(24年3月末)。2026年3月までの中期計画の基本方針である、地元企業の成長支援と家計の資産形成支援などに取り組む。
【設立】1964.2 【資本金】2,418百万円
【理事長】園田和彦
【株主】‥
【事業】現・預け金22、有価証券33、貸出金41、他4
【従業員】[単]453名(39.1歳)

【業績】	経常収益	業務純益	経常利益	純利益
[単]22.3	9,307	1,359	827	735
[単]23.3	10,357	841	1,497	1,481
[単]24.3	10,317	1,583	1,828	1,844

福岡ひびき信用金庫（ふくおかひびきしんようきんこ）

株式公開計画なし

採用内定数	倍率	3年後離職率	平均年収
26名	3.7倍	50%	㊜575万円

●待遇、制度●
【初任給】月21.5万
【残業】11.7時間【有休】13.3日【制度】住 在
●新卒定着状況●
20年入社(男9、女9)→3年後在籍(男5、女4)
●採用情報●
【人数】23年:23 24年:26 25年:応募96→内定26
【内定内訳】(男15、女11)(文26、理0)(総26、他0)
【試験】〔Web会場〕SPI3〔性格〕有
【時期】エントリー24.4→内々定25.5(一次・二次以降もWEB面接可)【インターン】有
【採用実績校】北九州市大8、九産大5、梅光学大3、九州国際大2、福岡工大2、西南学大1、久留米大1、広島経大1、九州女大1、他
【求める人材】福岡が好きな人、福岡で働きたい人、明るく元気で前向きな人

【本部】805-8520 福岡県北九州市八幡東区尾倉2-8-1 ☎093-661-2311
【特色・近況】北九州市に本拠を置く信用金庫。福岡県全域と山口県下関市、大分県中津市を営業地域として41店舗を展開。2003年福岡ひびき信金を核に新北九州、門司、築上、直方の5信金が合併して発足。預金量8183億円(24年3月末)。
【設立】1924.1 【資本金】3,430百万円
【理事長】井倉眞(1957.2生 関大法卒)
【株主】··
【事業】現・預け金12、有価証券35、貸出金47、他6
【従業員】単519名(39.0歳)

【業績】	経常収益	業務純益	経常利益	純利益
単22.3	15,583	2,210	2,524	1,841
単23.3	15,123	3,062	2,202	2,072
単24.3	18,571	5,527	1,815	1,273

#有休取得が多い

宮崎第一信用金庫（みやざきだいいちしんようきんこ）

株式公開計画なし

採用内定数	倍率	3年後離職率	平均年収
11名	3.1倍	28.6%	458万円

●待遇、制度●
【初任給】月20.5万
【残業】8時間【有休】18日【制度】住
●新卒定着状況●
20年入社(男4、女10)→3年後在籍(男4、女6)
●採用情報●
【人数】23年:14 24年:10～20 25年:応募34→内定11*
【内定内訳】(男8、女3)(文11、理0)(総11、他0)
【試験】〔筆記〕常識
【時期】エントリー25.3→内々定25.5*
【採用実績校】宮崎産業経営大7、日大1、九州医療科学大1、宮崎公大1、久留米大1
【求める人材】明るく誠実で、責任感がある人

【本部】880-8604 宮崎県宮崎市橘通東2-4-1 ☎0985-22-5111
【特色・近況】宮崎市、西都市、都城市、日南市、串間市、三股町を事業区域とする信用金庫、28店舗展開。県内信金と共同で日本財団の基金を活用して、地場企業の食品加工・飲食業の商品開発を支援。預金量2373億円、貸出金残高1314億円(24年3月末)。
【設立】1918.6 【資本金】2,070百万円
【理事長】落合眞一
【株主】··
【事業】現・預け金34、有価証券8、貸出金55、他3
【従業員】単253名(42.6歳)

【業績】	経常収益	業務純益	経常利益	純利益
単21.3	3,667	340	366	353
単22.3	3,671	205	340	318
単23.3	3,588	221	250	204

#残業が少ない

山梨信用金庫（やまなししんようきんこ）

株式公開計画なし

採用内定数	倍率	3年後離職率	平均年収
10名	4.7倍	··	㊜468万円

●待遇、制度●
【初任給】月21万
【残業】1.6時間【有休】11.1日【制度】住
●新卒定着状況●
··
●採用情報●
【人数】23年:13 24年:13 25年:応募47→内定10*
【内定内訳】(男7、女3)(文7、理1)(総10、他0)
【試験】〔Web自宅〕有〔性格〕有
【時期】エントリー25.3→内々定25.7【インターン】有
【採用実績校】··
【求める人材】地域の経済発展に貢献したい人、年代問わず地域の人と接することが好きな人

【本部】400-0032 山梨県甲府市中央1-12-36 ☎055-235-0311
【特色・近況】山梨県が地盤の信用金庫。県内全域と神奈川県相模原市、東京都八王子市・町田市が事業区域で計33店舗を展開。100周年となる2026年度までの新中計は「変革と挑戦」がテーマ。預金量4768億円、貸出残高1874億円(24年3月末)。
【設立】1926.11 【資本金】10,085百万円
【理事長】五味節夫(1950.9生 甲府商業高卒)
【株主】··
【事業】現・預け金39、有価証券22、貸出金38、他1
【従業員】単343名(44.2歳)

【業績】	経常収益	業務純益	経常利益	純利益
単22.3	5,420	909	1,090	1,377
単23.3	5,459	734	1,315	1,360
単24.3	5,952	855	1,465	1,300

結城信用金庫（ゆうきしんようきんこ）

株式公開計画なし

採用内定数	倍率	3年後離職率	平均年収
9名	3.7倍	35.7%	429万円

●待遇、制度●
【初任給】月21万(諸手当1.5万円)
【残業】10時間【有休】10日【制度】‥
●新卒定着状況●
20年入社(男4、女10)→3年後在籍(男3、女6)
●採用情報●
【人数】23年:11 24年:6 25年:応募33→内定9*
【内定内訳】(男4、女5)(文9、理0)(総0、他9)
【試験】〔性格〕有
【時期】エントリー 25.3→内々定25.5*【インターン】有
【採用実績校】文教大院1、関東学園大1、作新学大1、帝京大1、獨協大1、常磐大1、日大1、白鴎大2
【求める人材】チャレンジ精神あふれる若い力

【本部】307-8601 茨城県結城市大字結城557
☎0296-32-2110
【特色・近況】茨城県結城市を本拠とする信用金庫。「小口先数主義」に徹したきめ細かな営業に特徴。県内15市3郡、小山・真岡・下野等の栃木県、千葉県野田市と埼玉県加須市の一部を営業エリアとし、計24店舗を展開。預金量4088億円(24年3月末)。
【設立】1902.5 【資本金】1,924百万円
【理事長】石塚清博(1959.1生 早大商卒)
【株主】‥
【事業】現・預け金35、有価証券32、貸出金32、他1
【従業員】単228名(40.4歳)

【業績】	経常収益	業務純益	経常利益	純利益
単22.3	4,376	1,184	1,044	782
単23.3	4,575	1,139	1,071	776
単24.3	4,392	1,129	961	701

米沢信用金庫（よねざわしんようきんこ）

株式公開計画なし

採用内定数	倍率	3年後離職率	平均年収
4名	2倍	50%	[総]541万円

●待遇、制度●
【初任給】月20.3万
【残業】5.8時間【有休】11.3日【制度】‥
●新卒定着状況●
20年入社(男2、女2)→3年後在籍(男1、女1)
●採用情報●
【人数】23年:6 24年:5 25年:応募8→内定4*
【内定内訳】(男1、女3)(文2、理1)(総4、他0)
【試験】〔筆記〕有〔性格〕有
【時期】エントリー 25.3→内々定25.6*
【採用実績校】東北芸工大1、東北学大1、長野大1
【求める人材】言動は「明るく・元気に・親切に」、考え方は「明るく・楽しく・前向きに」を実践できる人

【本部】992-0031 山形県米沢市大町5-4-27
☎0238-22-3435
【特色・近況】米沢市、山形市を基盤に13店舗を展開する信用金庫。山形大学との産学金連携や、地域の中小企業の経営改善に取り組むなど、地域活性化に尽力。23年3月現在40名がコーディネーターの認定受ける。預金量1639億円(24年3月末)。
【設立】1943.12 【資本金】692百万円
【理事長】加藤秀明(1953.8生 中大経済卒)
【株主】‥
【事業】現・預け金29、有価証券29、貸出金40、他2
【従業員】単116名(44.5歳)

【業績】	経常収益	業務純益	経常利益	純利益
単22.3	3,049	581	805	570
単23.3	2,719	707	840	626
単24.3	2,999	780	858	828

アイザワ証券（しょうけん）グループ

東証プライム

採用内定数	倍率	3年後離職率	平均年収
41名	9.4倍	42%	[総]707万円

●待遇、制度●
【初任給】月27万(諸手当3万円)
【残業】17.8時間【有休】9.1日【制度】[住][在]
●新卒定着状況●
20年入社(男36、女14)→3年後在籍(男21、女8)
●採用情報● アイザワ証券採用
【人数】23年:53 24年:29 25年:応募386→内定41*
【内定内訳】(男30、女11)(文40、理1)(総41、他0)
【試験】〔Web自宅〕WEB-GAB
【時期】エントリー 25.3→内々定25.6(一次・二次以降もWEB面接可)【インターン】有
【採用実績校】帝京大3、近大2、摂南大2、専大2、東京経大2、龍谷大2
【求める人材】新しい事に興味を持ちそれに挑戦できる人

【本社】105-7307 東京都港区東新橋1-9-1 東京汐留ビルディング
☎03-6852-7744
【特色・近況】アイザワ証券を傘下に持つ持株会社、独立系で中堅。米国ほかアジア地域の株式も取り扱うアジア株のパイオニア的存在。大手が手がけないアジア関連ファンド、ファンドラップなど、独自の投資信託商品にも特徴持つ。持株会社化で総合金融化を推進。
【設立】1933.10 【資本金】8,000百万円
【社長】藍澤卓弥(1974.9生 慶大総政策卒)
【株主】〔24.3〕藍澤不動産10.1%
【連結事業】受入手数料70、トレーディング損益23、金融収益4、他4
【従業員】連758名 単53名(45.8歳)

【業績】	営業収益	営業利益	経常利益	純利益
連22.3	16,050	▲533	1,429	2,901
連23.3	12,751	▲2,782	▲1,911	▲2,375
連24.3	18,980	1,159	1,941	2,975

金融

安藤証券（あんどうしょうけん）

株式公開計画なし

採用内定数	倍率	3年後離職率	平均年収
9名	4.8倍	28.6%	721万円

●待遇、制度●
【初任給】月25.2万（諸手当2.5万円）
【残業】··時間【有休】10日【制度】住 在
●新卒定着状況●
20年入社（男2、女5）→3年後在籍（男2、女3）
●採用情報●
【人数】23年:6 24年:4 25年:応募43→内定9
【内定内訳】（男5、女4）（文7、理2）（総9、他0）
【試験】なし
【時期】エントリー25.1→内々定25.1【インターン】有【ジョブ型】有
【採用実績校】金沢大1、名城大2、愛知工科大2、名古屋女大1、金城学大1、名古屋学院大1、桃山学大1
【求める人材】変化をワクワクできる人

【本社】460-8619 愛知県名古屋市中区錦3-23-21 ☎052-971-1511
【特色・近況】中京地場証券の老舗で同地区首位。個人顧客中心。外国株や外国債券など商品群多彩。子会社に独自ファンド提供する投資信託委託会社。沖縄経済特区に業務執行拠点持ち、サービス名「美らネット24」はそれに因む。預かり資産残高7408億円（24年3月末）。
【設立】1944.4【資本金】2,280百万円
【社長】安藤敏行（1962.4生 成蹊大経済卒）
【株主】〔24.3〕大和興業85.2%
【事業】受入手数料40、トレーディング損益44、金融収益16
【従業員】単222名（47.8歳）

【業績】	営業収益	営業利益	経常利益	純利益
単22.3	4,475	522	570	357
単23.3	4,875	882	926	614
単24.3	7,638	2,951	2,995	1,955

今村証券（いまむらしょうけん）

東証スタンダード

採用内定数	倍率	3年後離職率	平均年収
16名	··	25%	852万円

●待遇、制度●
【初任給】月20.2万
【残業】··時間【有休】··日【制度】住 在
●新卒定着状況●
20年入社（男9、女7）→3年後在籍（男7、女5）
●採用情報●
【人数】23年:10 24年:9 25年:応募··→内定16*
【内定内訳】（男14、女2）（文14、理1）（総15、他1）
【試験】なし
【時期】エントリー25.1→内々定25.1（一次はWEB面接可）【インターン】有
【採用実績校】金沢星稜大4、金沢学大3、立教大1、新潟大1、富山大1、会津大1、福井県大1、埼玉大1、北陸大1、富山高専1
【求める人材】新しいものに興味がある人、変化に富むほうが好きな人、いろんな人と対話ができる人

【本社】920-0906 石川県金沢市十間町25 ☎076-263-5222
【特色・近況】北陸最大の独立系地場証券会社。本社は金沢市で石川、富山、福井の3県に支店10店舗を構える。対面営業が基本だがネット取引も展開。株式売買収益の柱。投信や外貨建て債券の販売が伸びる。北陸の上場企業を対象にアナリストレポートも発行。
【設立】1944.7【資本金】857百万円
【社長】今村直喜（1972.6生 法大文卒）
【株主】〔24.3〕今村直喜25.5%
【事業】受入手数料92、トレーディング損益7、金融収益1
【従業員】単202名（37.6歳）

【業績】	営業収益	営業利益	経常利益	純利益
単22.3	4,510	1,421	1,448	941
単23.3	3,831	884	911	608
単24.3	4,816	1,475	1,503	1,009

#残業が少ない

永和証券（えいわしょうけん）

株式公開計画なし

採用内定数	倍率	3年後離職率	平均年収
1名	30倍	0%	··

●待遇、制度●
【初任給】月22.5万（諸手当1.5万円）
【残業】3時間【有休】10.3日【制度】住
●新卒定着状況●
20年入社（男0、女1）→3年後在籍（男0、女1）
●採用情報●
【人数】23年:2 24年:2 25年:応募30→内定1*
【内定内訳】（男1、女0）（文1、理0）（総1、他0）
【試験】なし
【時期】エントリー25.3→内々定··（一次はWEB面接可）
【採用実績校】··
【求める人材】元気で粘り強く、好奇心旺盛な人

【本社】541-0042 大阪府大阪市中央区今橋1-7-22 ☎06-6231-9311
【特色・近況】1949年創業、大阪地盤の中堅証券会社。府下の岸和田市、阪南市、羽曳野市および東京・中央区に支店持つ。地域密着型の証券会社として顧客との対面型営業を重視。投資信託の販売に注力。自己資本規制比率214.9%（24年3月末）。
【設立】1949.4【資本金】500百万円
【社長】片山洋輔
【株主】〔24.3〕片山通夫19.5%
【事業】受入手数料97、トレーディング損益1、金融収益2
【従業員】単66名（50.8歳）

【業績】	営業収益	営業利益	経常利益	純利益
単22.3	961	▲108	221	190
単23.3	901	▲135	247	172
単24.3	1,216	22	378	967

ＦＦＧ証券（しょうけん）　株式公開計画なし

採用内定数	倍率	3年後離職率	平均年収
17名	16.9倍	0%	‥

●待遇、制度●
【初任給】月26万
【残業】20時間【有休】12日【制度】住 在
●新卒定着状況●
20年入社(男3、女6)→3年後在籍(男3、女6)
●採用情報●
【人数】23年:12 24年:19 25年:応募287→内定17
【内定内訳】(男11、女6)(文15、理2)(総17、他0)
【試験】〔筆記〕SPI3〔Web自宅〕SPI3〔性格〕有
【時期】エントリー25.3→内々定25.6(一次・二次以降もWEB面接可)【インターン】有
【採用実績校】福岡大4、西南学大3、長崎大2、立教大1、明大1、大分大1、山口大1、福岡女学大1、関東学院大1、久留米大1、他
【求める人材】誠実で情熱と冷静さを兼ねそなえた、フットワークの軽い人

【本社】810-0001 福岡県福岡市中央区天神2-13-1 福岡銀行本店ビル9階 ☎092-771-3836
【特色・近況】九州北部を基盤とするリテール中心の地場証券。旧前田証券。ふくおかフィナンシャルグループ(FFG)傘下。地域密着のこまめな金融サービスを標榜する。福岡県を中心に、熊本県、長崎県に8店舗展開。自己資本規制比率736.8%(24年6月末)。
【設立】1944.7　【資本金】3,000百万円
【社長】田代信行
【株主】〔24.4〕ふくおかフィナンシャルグループ100%
【事業】受入手数料94、トレーディング損益3、金融収益3
【従業員】単245名(41.0歳)

【業績】	営業収益	営業利益	経常利益	純利益
単22.3	5,267	1,353	1,358	901
単23.3	4,147	443	443	300
単24.3	4,557	387	388	199

岡三にいがた証券（おかさんにいがたしょうけん）　株式公開計画なし

採用内定数	倍率	3年後離職率	平均年収
5名	‥	44.4%	536万円

●待遇、制度●
【初任給】月22.2万(諸手当1.2万円)
【残業】35.9時間【有休】7.2日【制度】住
●新卒定着状況●
20年入社(男7、女2)→3年後在籍(男5、女0)
●採用情報●
【人数】23年:5 24年:8 25年:応募‥→内定5*
【内定内訳】(男5、女0)(文4、理0)(総5、他0)
【試験】なし
【時期】エントリー25.3→内々定25.6*【インターン】有
【採用実績校】‥
【求める人材】‥

【本社】940-0062 新潟県長岡市大手通1-5-5 ☎0258-35-0290
【特色・近況】岡三証券グループで新潟の地場証券最大手。1899年創業。県内に13店舗を置く。グループの情報力や長年の信用生かし地域密着営業。「にいがたインフラサポート」など地域応援ファンドの販売に実績。自己資本規制比率932.3%(24年3月末)。
【設立】1944.3　【資本金】852百万円
【社長】江越誠(1969.4生 早大教育卒)
【株主】〔24.3〕岡三証券グループ100%
【事業】受入手数料98、トレーディング損益1、金融収益1
【従業員】単184名(43.5歳)

【業績】	営業収益	営業利益	経常利益	純利益
単22.3	3,297	649	916	2,974
単23.3	2,817	381	477	316
単24.3	4,363	1,549	1,597	1,100

極東証券（きょくとうしょうけん）　東証プライム

採用予定数	倍率	3年後離職率	平均年収
15名	‥	52.9%	804万円

●待遇、制度●
【初任給】月27万(諸手当5.9万円)
【残業】22.9時間【有休】9.3日【制度】住 在
●新卒定着状況●
20年入社(男12、女5)→3年後在籍(男4、女4)
●採用情報●
【人数】23年:15 24年:12 25年:予定15*
【内定内訳】(男‥、女‥)(文‥、理‥)(総‥、他‥)
【試験】〔性格〕有
【時期】エントリー25.3→内々定25.4(一次はWEB面接可)【インターン】有
【採用実績校】学習院大2、明大1、青学大院1、駒澤大1、甲南大1、創価大1、神奈川大1、追手門学大1、帝京大1、中部大1、他
【求める人材】現状に満足せず、常に向上心の高い人

【本社】103-0025 東京都中央区日本橋茅場町1-4-7 ☎03-3667-9171
【特色・近況】独立系中堅証券。富裕層・シニア層向けを中心とした対面営業に特化。顧客の新規開拓は既存顧客の紹介が多い。外債や社債の顧客販売(トレーディング勘定)に強く、株式委託手数料の依存度が小さい。他社が扱わないニッチな金融商品を取りそろえる。
【設立】1947.3　【資本金】5,251百万円
【社長】菊池一広(1968.2生 慶大経済卒)
【株主】〔24.3〕日本マスタートラスト信託銀行信託口9.6%
【連結事業】受入手数料37、トレーディング損益44、金融収益19、他0
【従業員】連247名 単237名(44.2歳)

【業績】	営業収益	営業利益	経常利益	純利益
連22.3	6,492	1,300	1,880	2,117
連23.3	4,315	▲312	491	1,168
連24.3	7,730	2,951	3,706	4,341

光世証券（こうせいしょうけん）　東証スタンダード

採用実績数	倍率	3年後離職率	平均年収
1名	ー	ー	761万円

●待遇、制度●
【初任給】月24万
【残業】‥時間【有休】10日【制度】フ 住 在
●新卒定着状況●
20年入社(男0、女0)→3年後在籍(男0、女0)
●採用情報●
【人数】23年:1 24年:0 25年:応募10→内定0
【内定内訳】(男‥、女‥)(文‥、理‥)(総‥、他‥)
【試験】〔筆記〕常識
【時期】エントリー25.1→内々定25.5*(一次・二次以降もWEB面接可)【インターン】有【ジョブ型】有
【採用実績校】‥
【求める人材】何事にも挑戦する気持ちがあり、直ぐに行動に移すことができる人

【本店】541-0041 大阪府大阪市中央区北浜2-1-10 ☎06-6209-0821
【特色・近況】独立系証券会社。富裕層が主要顧客層。株式や債券などの自己勘定トレーディングが主柱。デリバティブ取引に積極的で、自己勘定取引ではアルゴリズム取引を導入。個別株オプション取引で国内シェア最大。独自開発の証券基幹業務システムはクラウド化推進。
【設立】1961.4 【資本金】12,000百万円
【社長】巽大介(1964.5生 慶大経済卒)
【株主】〔24.3〕㈱巽也蔵16.9%
【事業】受入手数料14、トレーディング損益67、金融収益8、他11
【従業員】単42名(43.3歳)

【業績】	営業収益	営業利益	経常利益	純利益
単22.3	448	▲472	▲208	▲212
単23.3	436	▲494	▲394	▲397
単24.3	1,498	435	440	377

静銀ティーエム証券（しずぎんしょうけん）　株式公開計画なし

採用内定数	倍率	3年後離職率	平均年収
25名	5.4倍	‥	‥

●待遇、制度●
【初任給】月25万
【残業】19.2時間【有休】15.5日【制度】フ 住 在
●新卒定着状況●
‥
●採用情報●
【人数】23年:22 24年:35 25年:応募134→内定25*
【内定内訳】(男12、女13)(文25、理0)(総25、他0)
【試験】〔Web自宅〕有〔性格〕有
【時期】エントリー25.3→内々定25.6*(一次はWEB面接可)【インターン】有
【採用実績校】静岡大、静岡県大、静岡文芸大、千葉大、山梨大、福井県大、立命館大、常葉大、日大、東海大、静岡産大、武蔵野大、他
【求める人材】変化に対応する広い視野と好奇心を持ち、失敗を恐れずに挑戦することができる人

【本社・本店営業部】420-0853 静岡県静岡市葵区追手町1-13 アゴラ静岡4階 ☎054-254-6111
【特色・近況】しずおかフィナンシャルグループの証券会社。静岡銀行と連携した金融商品の対面販売が中心。静岡県内を中心に神奈川、山梨、愛知にも店舗を展開。証券会社として静岡県内で最大の店舗網を持つ。山梨中央銀行、名古屋銀行との連携で資産運用商品の提案を行う。
【設立】2000.12 【資本金】3,000百万円
【社長】大石実(1963.3生 法大経済卒)
【株主】〔24.3〕しずおかフィナンシャルグループ100%
【事業】受入手数料89、トレーディング損益11、金融収益0、他0
【従業員】単326名(38.5歳)

【業績】	営業収益	営業利益	経常利益	純利益
単22.3	7,455	2,305	2,320	1,608
単23.3	6,676	1,764	1,783	1,242
単24.3	7,529	1,985	2,001	1,424

㈱証券ジャパン（しょうけん）　株式公開未定

採用内定数	倍率	3年後離職率	平均年収
4名	7倍	40%	558万円

●待遇、制度●
【初任給】月22万
【残業】12.4時間【有休】13.8日【制度】フ 住 在
●新卒定着状況●
20年入社(男7、女3)→3年後在籍(男3、女3)
●採用情報●
【人数】23年:9 24年:6 25年:応募28→内定4*
【内定内訳】(男4、女0)(文4、理0)(総4、他0)
【試験】なし
【時期】エントリー24.6→内々定25.1(一次はWEB面接可)【インターン】有
【採用実績校】帝京大1、東京成徳大1、国士舘大1、日大1
【求める人材】コミュニケーション能力があり、誠実かつ理論的思考のできる人

【本社】103-0025 東京都中央区日本橋茅場町1-2-18 ☎03-3668-2210
【特色・近況】丸和証券、ネットウィング証券、エムアンドエヌHDの3証券会社が合併し発足した証券会社。岡三証券グループ子会社。対面営業、インターネット取引、IFA(資産アドバイザー)、同業取引の4営業チャネル。自己資本規制比率588.8%(24年6月末)。
【設立】1944.4 【資本金】3,000百万円
【社長】綿川昌明(1962.9生 神奈大法卒)
【株主】〔24.3〕岡三証券グループ54.0%
【事業】受入手数料79、トレーディング損益13、金融収益8
【従業員】単214名(46.0歳)

【業績】	営業収益	営業利益	経常利益	純利益
単22.3	3,682	53	534	383
単23.3	2,822	▲579	152	27
単24.3	4,134	101	632	1,867

立花証券（たちばなしょうけん）

株式公開 いずれしたい

採用内定数	倍率	3年後離職率	平均年収
4名	8.5倍	10%	‥

●待遇、制度●
【初任給】月26.7万
【残業】‥時間【有休】11.5日【制度】住 在
●新卒定着状況●
20年入社(男7、女3)→3年後在籍(男6、女3)
●採用情報●
【人数】23年:8 24年:7 25年:応募34→内定4*
【内定内訳】(男3、女1)(文4、理0)(総4、他0)
【試験】なし
【時期】エントリー25.3→内々定25.5*(一次・二次以降もWEB面接可)
【採用実績校】‥
【求める人材】「証券のプロ」を目指し、何事にも前向きに取り組む意欲を持つ人

【本社】103-0025 東京都中央区日本橋茅場町1-13-14 ☎03-3669-3111
【特色・近況】リテール主体の老舗証券会社。営業員を通じた取引を中心に行う。「伝説の相場師」石井久氏が創業し、小粒ながら異彩を放つ。サテライト支店含め、東京、神奈川、大阪、名古屋に9店舗を構える。預かり資産増大へセミナーや投資相談会など開催。
【設立】1948.4 【資本金】6,695百万円
【社長】廣瀬千春(1960.10生 明大卒)
【株主】〔24.3〕立花商事44.9%
【連結事業】受入手数料52、トレーディング損益32、金融収益16
【従業員】連352名 単349名(51.8歳)

【業績】	営業収益	営業利益	経常利益	純利益
連22.3	6,768	▲281	360	39
連23.3	6,652	▲269	398	▲880
連24.3	13,415	4,921	5,738	2,984

内藤証券（ないとうしょうけん）

株式公開 未定

採用内定数	倍率	3年後離職率	平均年収
9名	36.2倍	45%	‥

●待遇、制度●
【初任給】月27万
【残業】4.1時間【有休】13.1日【制度】フ 住 在
●新卒定着状況●
20年入社(男17、女3)→3年後在籍(男8、女3)
●採用情報●
【人数】23年:13 24年:21 25年:応募326→内定9*
【内定内訳】(男7、女2)(文8、理1)(総9、他0)
【試験】〔筆記〕常識、SPI3、他〔性格〕有
【時期】エントリー25.3→内々定25.5(一次はWEB面接可)
【採用実績校】立命館APU1、立命館大1、京産大1、四天王寺大1、大阪経法大1、関西学大1、中京大1、日大1、武蔵大1
【求める人材】バイタリティに溢れ、向上心のある人、笑顔を絶やさず、大きな声で明るく対応ができる人、正直で誠実・前向きさを忘れない人

【本社】530-6119 大阪府大阪市北区中之島3-3-23 ☎06-4803-6501
【特色・近況】1933年創業の老舗証券会社。対面営業に加え、ネット取引、コールセンター取引を展開。日本株、中国株、投資信託が3本柱。中国株取引で先駆。上海、深圳証券取引所特別会員。自己資本規制比率424.8%(24年3月末)。
【設立】1943.4 【資本金】3,002百万円
【会長】内藤誠二郎(1945.3生 慶大商卒)
【株主】〔24.3〕ウイステリア12.1%
【事業】受入手数料56、トレーディング損益36、金融収益8
【従業員】単451名(‥歳)

【業績】	営業収益	営業利益	経常利益	純利益
単22.3	11,209	3,541	3,630	2,669
単23.3	9,273	2,073	2,182	1,512
単24.3	12,882	5,182	5,307	3,584

日本相互証券（にほんそうごしょうけん）

株式公開 計画なし

採用内定数	倍率	3年後離職率	平均年収
4名	15.5倍	50%	‥

●待遇、制度●
【初任給】月24万
【残業】19時間【有休】13.8日【制度】住 在
●新卒定着状況●
20年入社(男1、女1)→3年後在籍(男0、女1)
●採用情報●
【人数】23年:0 24年:0 25年:応募62→内定4*
【内定内訳】(男3、女1)(文4、理0)(総4、他0)
【試験】〔Web会場〕C-GAB〔性格〕有
【時期】エントリー25.3→内々定25.7*(一次・二次以降もWEB面接可)
【採用実績校】‥
【求める人材】チャレンジ精神の旺盛な人、気概のある人、コミュニケーション能力の高い人

【本社】101-0021 東京都千代田区外神田1-18-13 秋葉原ダイビル ☎03-6260-7676
【特色・近況】国債、一般債など公社債の業者間売買取引仲介の最大手。証券会社約90社の共同出資で設立。仲介はPTS(私設取引システム)などで行い、売買の相手方となって売り方と買い方の注文を対当させる。BB国債価格など市場の基礎的な情報の提供も毎営業日行う。
【設立】1973.7 【資本金】1,890百万円
【社長】中川雅久(1962.6生 慶大院修了)
【株主】〔24.3〕SMBC日興証券17.4%
【事業】公社債の業者間売買の仲介60、他40
【従業員】単104名(45.9歳)

【業績】	営業収益	営業利益	経常利益	純利益
単22.3	3,444	85	210	435
単23.3	3,603	222	341	988
単24.3	3,642	275	381	458

マネックスグループ
東証プライム

採用予定数	倍率	3年後離職率	平均年収
10名	‥	0%	‥

●待遇、制度●
【初任給】年387万
【残業】8時間【有休】8.5日【制度】フ 在
●新卒定着状況●
20年入社(男7、女1)→3年後在籍(男7、女1)
●採用情報●
【人数】23年:8 24年:6 25年:予定10*
【内定内訳】(男4、女2)(文6、理0)(総6、他0)
【試験】〔筆記〕SPI3〔Web会場〕SPI3〔Web自宅〕SPI3〔性格〕有
【時期】エントリー24.12→内々定25.6*(一次・二次以降もWEB面接可)【インターン】有【ジョブ型】有
【採用実績校】兵庫県大1、東京学芸大1、中大1、立教大1、学習院大1、同女大1
【求める人材】当社の企業理念に共感いただける人

【本社】107-6025 東京都港区赤坂1-12-32 アーク森ビル ☎03-4323-8698
【特色・近況】ネット証券大手主体の金融グループ。個人向け総合金融サービスを提供。米国でもネット証券を展開。国内は、NTTドコモと資本業務提携を結び共同出資会社を設立、傘下マネックス証券を移管。暗号資産交換業のコインチェックも子会社に持ち、米上場目指す。
【設立】2004.8 【資本金】13,144百万円
【代表執行役】清明祐子(1977.9生)
【株主】〔24.3〕しずおかフィナンシャルグループ20.7%
【連結事業】受入手数料41、トレーディング損益13、金融収益39、他8
【従業員】連1,092名 単57名(43.0歳)

【業績】	営業収益	営業利益	税前利益	純利益
連22.3	88,783	18,502	20,801	13,017
連23.3	79,304	4,398	4,669	3,392
連24.3	66,796	24,474	25,237	31,293

丸八証券（まるはちしょうけん）
東証スタンダード

採用内定数	倍率	3年後離職率	平均年収
3名	16.7倍	42.9%	総708万円

●待遇、制度●
【初任給】月25.6万
【残業】20時間【有休】8.7日【制度】住 在
●新卒定着状況●
20年入社(男4、女3)→3年後在籍(男2、女2)
●採用情報●
【人数】23年:8 24年:9 25年:応募50→内定3*
【内定内訳】(男3、女0)(文‥、理‥)(総3、他0)
【試験】〔性格〕有
【時期】エントリー25.2→内々定25.6【インターン】有
【採用実績校】中京大1、愛知学大1、名古屋外大1
【求める人材】地域密着、地域貢献に資する意欲ある人

【本社】460-0004 愛知県名古屋市中区新栄町2-4 坂種栄ビル ☎052-307-0808
【特色・近況】名古屋地盤の中堅証券会社。店舗は愛知県内に集中。対面営業に特化し、ニーズに合う商品を拡充。株式委託手数料や自己勘定取引への収益依存度高いが、投資信託の販売にも注力。親会社の東海東京フィナンシャルHD系の東海東京証券と連携。
【設立】1944.3 【資本金】3,751百万円
【社長】鈴木卓也(1966.2生)
【株主】〔24.3〕東海東京フィナンシャル・ホールディングス43.0%
【事業】受入手数料71、トレーディング損益27、金融収益2
【従業員】単147名(44.0歳)

【業績】	営業収益	営業利益	経常利益	純利益
単22.3	2,864	402	452	288
単23.3	2,502	127	129	62
単24.3	3,262	663	768	517

明和證券（めいわしょうけん）
株式公開計画なし

採用予定数	倍率	3年後離職率	平均年収
3名	‥	50%	‥

●待遇、制度●
【初任給】月23.7万(固定残業代20時間分)
【残業】9時間【有休】13日【制度】住
●新卒定着状況●
20年入社(男2、女2)→3年後在籍(男2、女0)
●採用情報●
【人数】23年:3 24年:3 25年:予定3
【内定内訳】(男‥、女‥)(文‥、理‥)(総‥、他‥)
【試験】〔Web会場〕C-GAB〔性格〕有
【時期】エントリー25.2→内々定25.3【インターン】有
【採用実績校】‥
【求める人材】誠実に向き合う姿勢を持ち、お客様が信頼を寄せられる人

【本社】104-0032 東京都中央区八丁堀2-21-6 ☎03-6891-1500
【特色・近況】1922年創業の独立系証券会社。個人相手の対面営業が主体。収益構造の多様化を目指し、資産コンサルティング営業を推進する。東京、埼玉、栃木、茨城に支店を置く。自己資本規制比率356.6%(24年3月末)。
【設立】1944.4 【資本金】511百万円
【社長】小林正浩(1966.6生 学習大経済卒)
【株主】〔24.3〕明治安田生命保険8.3%
【事業】受入手数料、トレーディング損益、金融収益
【従業員】単92名(42.5歳)

【業績】	営業収益	営業利益	経常利益	純利益
単22.3	1,274	▲53	83	131
単23.3	1,137	▲178	▲27	7
単24.3	1,624	211	364	297

#残業が少ない

豊証券（ゆたかしょうけん）

株式公開計画なし

採用内定数	倍率	3年後離職率	平均年収
9名	11.8倍	30.8%	614万円

●待遇、制度●
【初任給】月27万（固定残業代30時間分）
【残業】3.8時間【有休】12.7日【制度】[住][在]
●新卒定着状況●
20年入社（男12、女1）→3年後在籍（男8、女1）
●採用情報●
【人数】23年:15 24年:7 25年:応募106→内定9*
【内定内訳】（男7、女2）（文8、理1）（総5、他4）
【試験】〔筆記〕常識〔Web自宅〕有
【時期】エントリー25.2→内々定25.2（一次はWEB面接可）【インターン】有
【採用実績校】名古屋経大2、愛知学大1、愛知淑徳大1、名古屋学院大1、椙山女学大1、千葉工大1、法政大1、立命館大1
【求める人材】物事を忍耐強く継続し、向上心を持って取り組める人

【本社】460-0008 愛知県名古屋市中区栄3-7-1
☎052-251-3311
【特色・近況】名古屋地盤の証券会社。個人取引が主体。店舗対面取引、インターネット利用「ゆたかネット」、電話・ファクシミリ利用「ゆたかコール」の3チャネルで対応。地域密着を訴求。米国株取引に注力。自己資本規制比率607.9％（24年3月）。
【設立】1962.7 【資本金】2,540百万円
【社長】伊藤立一（1973.7生 立大院修了）
【株主】〔24.3〕伊藤立一13.7%
【事業】受入手数料48、トレーディング損益48、金融収益4
【従業員】単178名（41.0歳）

【業績】	営業収益	営業利益	経常利益	純利益
単22.3	4,139	283	400	400
単23.3	3,228	166	300	53
単24.3	4,453	909	1,023	700

リテラ・クレア証券（しょうけん）

株式公開計画なし

採用内定数	倍率	3年後離職率	平均年収
3名	12.3倍	40%	[総]580万円

●待遇、制度●
【初任給】月25.2万（諸手当2万円）
【残業】13.1時間【有休】9日【制度】[住][在]
●新卒定着状況●
20年入社（男6、女4）→3年後在籍（男3、女3）
●採用情報●
【人数】23年:2 24年:8 25年:応募37→内定3*
【内定内訳】（男1、女2）（文2、理1）（総3、他0）
【試験】〔筆記〕有〔Web会場〕有〔Web自宅〕有〔性格〕有
【時期】エントリー25.3→内々定25.6*（一次はWEB面接可）
【採用実績校】実践女大1、文教大1、帝京大1
【求める人材】日本経済の担い手として、またお客さまの資産形成に役立つよう、「ヤル気」や「熱意」のある人、自らの意志で積極的に行動する人

【本社】104-0031 東京都中央区京橋1-2-1 大和八重洲ビル3階
☎03-6385-0601
【特色・近況】大和証券グループ本社の子会社。旧・今川三澤屋証券。対面取引が主軸。日本株投資、日本株投信を中心にコンサル営業に強み。埼玉、大阪、兵庫、福井など本支店併せて6店舗体制。自己資本規制比率2025.2％（24年3月末）。
【設立】1947.12 【資本金】3,794百万円
【社長】城川博孝（1965.11生 明大商卒）
【株主】〔24.3〕大和証券グループ本社58.2%
【事業】受入手数料78、トレーディング損益16、金融収益6
【従業員】単117名（48.9歳）

【業績】	営業収益	営業利益	経常利益	純利益
単22.3	2,238	317	324	196
単23.3	1,898	74	86	70
単24.3	2,509	689	687	454

#年収高く倍率低い

SBI岡三アセットマネジメント

株式公開計画なし

採用内定数	倍率	3年後離職率	平均年収
3名	14.3倍	57.1%	[総]862万円

●待遇、制度●
【初任給】年283万
【残業】28.9時間【有休】12.6日【制度】‥
●新卒定着状況●
20年入社（男7、女0）→3年後在籍（男3、女0）
●採用情報●
【人数】23年:3 24年:1 25年:応募43→内定3*
【内定内訳】（男1、女2）（文3、理0）（総3、他0）
【試験】〔筆記〕有〔性格〕有
【時期】エントリー24.10→内々定24.12*（一次・二次以降もWEB面接可）
【採用実績校】東大院1、多摩美大1、日女大1
【求める人材】資産運用業務に興味を持ち、自ら考え行動する人、いち早く世の中の変化を認識し、情報を取得できる人、周囲と協調し影響力を発揮できる人

【本社】104-0031 東京都中央区京橋2-2-1
☎03-3516-1188
【特色・近況】SBIグループの投信会社で、資産運用ビジネスの中核企業。岡三証券グループも出資。24年3月末の投資信託の運用純資産は1兆6981億円。地域応援ファンドを多数運用。運用純資産拡大のための旗艦ファンドの育成など各種戦略を計画、実施。
【設立】1964.10 【資本金】100百万円
【社長】塩川克史
【株主】〔24.3〕SBIFS合同会社51.0%
【事業】投信運用業100
【従業員】単120名（48.4歳）

【業績】	営業収益	営業利益	経常利益	純利益
単22.3	9,463	444	570	398
単23.3	9,160	283	286	224
単24.3	10,271	920	944	590

金融

#年収が高い

日本証券金融（にほんしょうけんきんゆう）

東証プライム

採用内定数	倍率	3年後離職率	平均年収
6名	‥	20%	957万円

●待遇、制度●
【初任給】月26.4万(諸手当0.4万円)
【残業】15.1時間【有休】15.8日【制度】住 在
●新卒定着状況●
20年入社(男3、女2)→3年後在籍(男2、女2)
●採用情報●
【人数】23年:6 24年:6 25年:応募‥→内定6
【内定内訳】(男3、女3)(文6、理0)(総6、他0)
【試験】〔筆記〕有〔性格〕有
【時期】エントリー25.3→内々定25.6(一次・二次以降もWEB面接可)【インターン】有
【採用実績校】青学大1、学習院大1、慶大1、筑波大1、一橋大1、早大院1
【求める人材】証券や金融に関心を持ち、プロ意識を持ってじっくり腰を据えて働きたい人

【本社】103-0025 東京都中央区日本橋茅場町1-2-10 ☎03-3666-3184
【特色・近況】証券金融の専門機関最大手。主要業務である貸借取引業務は、証券会社に制度信用取引の決済に必要な資金や株券の貸し付けを実施。売買取引の決済に必要な貸株業務や、個人・法人向けの有価証券担保ローンも手がける。子会社で信託銀行や不動産を併営。
【設立】1927.7 【資本金】10,000百万円
【代表執行役】櫛田誠希(1958.6生 東大経済卒)
【株主】〔24.3〕SFPバリュー・リアライゼーション・マスターF15.2%
【連結事業】貸借取引23、セキュリティ・ファイナンス57、信託銀行6、不動産賃貸2、他12
【従業員】連280名 単220名(44.6歳)

【業績】	営業収益	営業利益	経常利益	純利益
連22.3	30,138	6,235	7,164	5,174
連23.3	42,518	6,354	7,601	5,966
連24.3	50,008	9,928	11,024	8,030

㈱エージェント・インシュアランス・グループ

名証メイン

採用内定数	倍率	3年後離職率	平均年収
4名	71倍	75%	㊣480万円

●待遇、制度●
【初任給】年324万
【残業】24.7時間【有休】12.5日【制度】住 在
●新卒定着状況●
20年入社(男5、女7)→3年後在籍(男1、女2)
●採用情報●
【人数】23年:5 24年:4 25年:応募284→内定4*
【内定内訳】(男0、女4)(文4、理0)(総4、他0)
【試験】〔Web自宅〕有〔性格〕有
【時期】エントリー24.8→内々定24.10*(一次・二次以降もWEB面接可)【インターン】有
【採用実績校】日女大1、國學院大1、兵庫県大1、愛知学大1
【求める人材】目の前の人のために自分は何ができるのか、とことん考え抜き行動できる人

【本社】162-0845 東京都新宿区市谷本村町3-29 ☎03-6280-7818
【特色・近況】個人、法人向けに損害保険・生命保険を販売する代理店事業を展開。保険契約の取次からアフターフォローまで手がける。子会社含め約50社と保険代理店契約を締結し、保険コンサルサービスを提供。損害保険を中心に訪問営業が主軸。住友生命保険と資本提携。
【設立】2001.6 【資本金】336百万円
【社長】一戸敏(1968.2生 明大商)
【株主】〔24.6〕住友生命保険34.0%
【連結事業】保険代理店100 <海外7>
【従業員】連155名 単144名(38.1歳)

【業績】	営業収益	営業利益	経常利益	純利益
連21.12	2,905	208	219	155
連22.12	3,267	197	187	112
連23.12	3,547	154	154	102

エムエスティ保険（ほけん）サービス

株式公開計画なし

採用内定数	倍率	3年後離職率	平均年収
41名	17.9倍	12.5%	‥

●待遇、制度●
【初任給】月23.4万
【残業】14.1時間【有休】14.2日【制度】住 在
●新卒定着状況●
20年入社(男13、女19)→3年後在籍(男10、女18)
●採用情報●総合職・業務職の合計
【人数】23年:25 24年:41 25年:応募734→内定41*
【内定内訳】(男16、女25)(文41、理0)(総27、他14)
【試験】〔Web会場〕SPI3〔Web自宅〕SPI3〔性格〕有
【時期】エントリー24.12→内々定25.3*(一次はWEB面接可)【インターン】有
【採用実績校】早大3、慶大1、法政大2、青学大3、立教大1、学習院大1、明大1、駒澤大1、明学大1、成蹊大1、玉川大2、明星大1、他
【求める人材】高度なリスクコンサルティングスキルを身につけ、お客さまに信頼・満足を提供できる人

【本社】163-1537 東京都新宿区西新宿1-6-1 新宿エルタワー ☎03-3340-3566
【特色・近況】業界最大級の総合保険代理店。損保29社、生保27社の保険を取り扱う。2006年旧UFJ銀行系と旧東京三菱銀行系2社が統合して発足。国内に3部門10支社。海外拠点も有し、顧客の海外事業のサポート行う。保険代理店支援も手がける。
【設立】2006.10 【資本金】1,010百万円
【社長】佐々木照之(京大法卒)
【株主】‥
【事業】保険代理業
【従業員】単998名(42.0歳)

【業績】	売上高	営業利益	経常利益	純利益
単22.3	13,565	2,703	3,610	2,563
単23.3	14,469	3,162	4,065	2,880
単24.3	14,376	2,481	3,401	2,631

㈱アイリックコーポレーション
東証グロース

採用内定数	倍率	3年後離職率	平均年収
34名	3.5倍	28.6%	505万円

●待遇、制度●
【初任給】月26万(固定残業代25時間分)
【残業】12.8時間【有休】10.8日【制度】フ
●新卒定着状況●
20年入社(男2、女5)→3年後在籍(男1、女4)
●採用情報●
【人数】23年:15 24年:13 25年:応募118→内定34
【内定内訳】(男9、女25)(文34、理0)(総34、他0)
【試験】〔Web自宅〕SPI3
【時期】エントリー25.2→内々定25.5(一次・二次以降もWEB面接可)【インターン】有【ジョブ型】有
【採用実績校】駒澤大1、広島女学大1、専大2、大阪産大1、大東文化大1、追手門学大1、東京経大2、東洋大1、日大1、福岡大1、立正大1
【求める人材】人に寄り添う仕事がしたい人、新しいことに興味を持ち挑戦できる人

【本社】113-0033 東京都文京区本郷2-27-20 本郷センタービル ☎03-5840-9550
【特色・近況】来店型保険ショップ「保険クリニック」を直営とFCで展開。オンライン相談の拡大を推進。独自の保険分析・検索システムが特徴。FCなど向けに保険分析・販売支援システムも販売。子会社開発の文字認識システム「スマートOCR」が成長。
【設立】1995.7 【資本金】1,354百万円
【社長】勝本竜二(1964.3生)
【株主】〔24.6〕日本・IFA・Partners27.8%
【連結事業】保険販売61、ソリューション27、システム12
【従業員】連554名 単356名(41.0歳)

【業績】	売上高	営業利益	経常利益	純利益
連22.6	5,199	418	432	255
連23.6	6,004	187	194	16
連24.6	7,921	495	538	351

㈱トータル保険(ほけん)サービス
株式公開計画なし

採用内定数	倍率	3年後離職率	平均年収
10名	9.6倍	18.2%	‥

●待遇、制度●
【初任給】月20.3万(諸手当1.8万円)
【残業】‥時間【有休】14.8日【制度】住 在
●新卒定着状況●
20年入社(男5、女6)→3年後在籍(男5、女4)
●採用情報●
【人数】23年:15 24年:8 25年:応募96→内定10*
【内定内訳】(男3、女7)(文10、理0)(総5、他5)
【試験】〔Web会場〕SPI3
【時期】エントリー25.3→内々定25.6*(一次はWEB面接可)
【採用実績校】金城学大1、中大1、駒澤大1、山梨学大1、愛知学大1、淑徳大1、亜大1、共立女大1、法政大1、大妻女大1
【求める人材】会社と共に自らを成長させ、次代を担う気概を持った活力ある人

【本社】104-0031 東京都中央区京橋2-2-1 京橋エドグラン23階 ☎03-3243-5221
【特色・近況】主要な生命保険会社、損害保険会社の保険商品を取り扱う、国内最大級の生損保併営代理店。みずほFGと親密な9社の保険代理店事業を統合して発足。法人向けには保険活用コンサルティングや福利厚生制度提案などを実施。全国に支社を設置。
【設立】2000.4 【資本金】350百万円
【社長】小木曽琢弥(1965.3生 成蹊大経済卒)
【株主】〔24.3〕中央日本土地建物
【事業】保険代理業100
【従業員】単414名(48.8歳)

【業績】	売上高	営業利益	経常利益	純利益
単22.3	7,278	976	1,196	794
単23.3	7,454	1,221	1,494	961
単24.3	7,272	1,074	1,423	890

SOMPOダイレクト損害保険
株式公開していない

採用内定数	倍率	3年後離職率	平均年収
27名	14.1倍	4.5%	㊗648万円

●待遇、制度●
【初任給】月21.4万
【残業】17.5時間【有休】12.5日【制度】フ 住 在
●新卒定着状況●
20年入社(男6、女16)→3年後在籍(男6、女15)
●採用情報●
【人数】23年:22 24年:35 25年:応募380→内定27*
【内定内訳】(男12、女15)(文25、理1)(総14、他13)
【試験】〔Web自宅〕有〔性格〕有
【時期】エントリー25.3→内々定25.4(一次・二次以降もWEB面接可)【インターン】有
【採用実績校】大妻女大4、追手門学大2、関西大1、関西外大1、学習院女子大1、京都産業大1、共立女大1、國學院大1、埼玉大1、実践女大1、他
【求める人材】当社のMVVに共鳴し、顧客志向で新たな価値創造を自律的にチャレンジできる人

【本社】160-8338 東京都新宿区西新宿1-26-1 損保ジャパン本社ビル ☎03-3988-2711
【特色・近況】損保ジャパンの連結子会社でグループの通販型損害保険事業を担う。クレディセゾンと業務提携。「おとなの自動車保険」が主力商品。サービスサイト「SA・PO・PO」に多様な機能追加。24年3月末ソルベンシーマージン比率345.2%。
【設立】1982.9 【資本金】32,260百万円
【社長】中川勝史(1973.3生)
【株主】〔24.3〕損害保険ジャパン100%
【事業】火災1、海上0、傷害2、自動車94、自賠責1、他2
【従業員】単985名(42.4歳)

【業績】	正味保険料	引受利益	経常利益	純利益
単22.3	58,185	2,168	2,421	2,433
単23.3	64,446	▲959	▲875	▲921
単24.3	69,256	▲1,167	▲1,678	▲1,116

大同火災海上保険（だいどうかさいかいじょうほけん）

[株式公開計画なし]

採用内定数	倍率	3年後離職率	平均年収
8名	6.9倍	14.3%	[総]648万円

●待遇、制度●
【初任給】月21.2万（諸手当1.8万円）
【残業】7.8時間【有休】9.5日【制度】[在]
●新卒定着状況●
20年入社（男4、女3）→3年後在籍（男3、女3）
●採用情報●
【人数】23年:8 24年:8 25年:応募55→内定8
【内定内訳】（男4、女4）（文8、理0）（総8、他0）
【試験】〔Web会場〕SPI3〔Web自宅〕SPI3〔性格〕有
【時期】エントリー25.3→内々定25.5(一次はWEB面接可)【インターン】有
【採用実績校】沖縄国際大4、関大1、景文科技大1、駒澤大1、琉球大1
【求める人材】「郷土愛、根気、向上心・自律、協調性」を兼ね備えた人

【本社】900-8586 沖縄県那覇市久茂地1-12-1
☎098-867-1161
【特色・近況】琉球火災として沖縄県で創業した、国内唯一の地方損保会社。本島と石垣島、宮古島、東京に拠点置く。個人向け保険商品「DAY-GO！」ブランド（自動車・火災・傷害保険）が主力。生保も取り扱う。24年3月末ソルベンシーマージン比率792.0%。
【設立】1971.12【資本金】1,054百万円
【社長】松川貢大（1968.5生 沖縄国際大商経卒）
【株主】〔24.3〕東京海上日動火災保険8.5%
【事業】火災9、海上1、傷害3、自動車64、自賠責13、他10
【従業員】連340名 単325名（41.0歳）

【業績】	正味保険料	引受利益	経常利益	純利益
連22.3	16,565	‥	947	751
単23.3	16,667	993	1,035	1,436
連24.3	17,135	‥	496	306

SocioFuture

[株式公開未定]

採用内定数	倍率	3年後離職率	平均年収
35名	109.3倍	7.7%	[総]604万円

●待遇、制度●
【初任給】月26万
【残業】16.4時間【有休】14.8日【制度】[住][在]
●新卒定着状況●
20年入社（男2、女11）→3年後在籍（男2、女10）
●採用情報●
【人数】23年:18 24年:60 25年:応募3825→内定35
【内定内訳】（男17、女18）（文21、理14）（総35、他0）
【試験】〔Web自宅〕有〔性格〕有
【時期】エントリー24.6→内々定24.12(一次・二次以降もWEB面接可)【インターン】有
【採用実績校】岩手大1、大阪経大1、金沢大院2、九大1、国士舘大1、成城大1、専大2、千葉大1、筑波大1、東京国際大1、日女大2、日大1、他
【求める人材】社会の変化の先を読み、自らの成長にチャレンジしながら、社会貢献したいと考えている人

【本社】105-0013 東京都港区浜松町1-30-5
☎03-5405-3100
【特色・近況】ATM監視・運用業務のアウトソーシング受託で国内トップ。監視台数はグループで10万台超。行政機関のコールセンター業務や健康診断事務も受託。行政と金融機関間の預貯金等照会の電子サービス「DAIS」を提供。
【設立】1998.10【資本金】480百万円
【代表取締役】菅原彰彦（1964.7生 中大経済卒）
【株主】〔24.1〕日本NCR15.0%
【事業】ハードウエア17、メンテナンス7、アウトソース65、システム・サービス11
【従業員】単2,719名（44.1歳）

【業績】	売上高	営業利益	経常利益	純利益
単21.12	29,222	649	1,218	824
単22.12	30,816	995	1,528	1,333
単23.12	35,699	818	1,222	1,006

(株)日本信用情報機構（にほんしんようじょうほうきこう）

[株式公開計画なし]

採用内定数	倍率	3年後離職率	平均年収
4名	20.3倍	33.3%	‥

●待遇、制度●
【初任給】月25万
【残業】14.1時間【有休】16.4日【制度】[在]
●新卒定着状況●
20年入社（男1、女2）→3年後在籍（男1、女1）
●採用情報●
【人数】23年:2 24年:5 25年:応募81→内定4
【内定内訳】（男2、女2）（文4、理0）（総4、他0）
【試験】〔筆記〕SPI3〔Web会場〕SPI3〔Web自宅〕SPI3〔性格〕有
【時期】エントリー25.3→内々定25.5(一次・二次以降もWEB面接可)【インターン】有
【採用実績校】早大1、静岡大1、明学大1、高千穂大1
【求める人材】チャレンジ精神を持ち合わせ、仲間と仕事を楽しむことができる人

【本社】110-0014 東京都台東区北上野1-10-14 住友不動産上野ビル5号館
☎‥
【特色・近況】金融、クレジット分野の信用情報機関。ローンやクレジットの取引に関する契約内容や返済状況などの信用情報を収集・提供・管理。貸金業法上の指定信用情報機関。加盟会員数1275社、総登録情報量4億8279万件（24年3月末）。
【設立】1986.6【資本金】100百万円
【代表取締役】福元一雄
【株主】‥
【事業】個人信用情報の収集・提供・管理
【従業員】単118名（44.9歳）

【業績】	売上高	営業利益	経常利益	純利益
単22.3	6,029	483	485	359
単23.3	6,326	1,055	1,057	651
単24.3	6,778	1,450	1,452	947

金融

ＳＢＩアルヒ　[東証プライム]

採用内定数	倍率	3年後離職率	平均年収
4名	3倍	40%	598万円

[待遇、制度]
【初任給】月24万
【残業】23時間【有休】14日【制度】[フ][在]
[新卒定着状況]
20年入社(男1、女4)→3年後在籍(男0、女3)
[採用情報]
【人数】23年:4 24年:3 25年:応募12→内定4*
【内定内訳】(男2、女2)(文4、理0)(総4、他0)
【試験】〔性格〕有
【時期】エントリー24.10→内々定25.4(一次・二次以降もWEB面接可)
【採用実績校】津田塾大1、拓大1、高千穂大1、山梨学大1
【求める人材】高い倫理観、お客様視点、自己変革、多様性の尊重、ワンチームを体現できる人

【本社】102-0093 東京都千代田区平河町1-4-3 プライムオフィス平河町 ☎03-6910-0020
【特色・近況】主軸は住宅ローンの融資実行業務で固定金利住宅ローン「フラット35」が国内シェア首位。FC店舗や直営店を全国展開。融資実行時の手数料が収益で、債権保有せずオフバランス化。SBIグループと連携を強化。住み替えなど不動産関連事業を強化。
【設立】2014.5【資本金】3,471百万円
【社長】伊久間努(1967.7生 早大社会科卒)
【株主】〔24.3〕SBIノンバンクホールディングス㈱62.4%
【連結事業】融資実行業務37、ファイナンス業務22、債権管理回収業務15、保険関連事業17、他業務9
【従業員】連466名 単403名(40.8歳)

【業績】	営業収益	営業利益	税前利益	純利益
連22.3	25,189	6,507	6,151	4,239
連23.3	22,601	4,244	4,119	2,821
連24.3	20,405	2,341	2,327	1,517

プレミアグループ　[東証プライム]

採用内定数	倍率	3年後離職率	平均年収
47名	27.8倍	20.7%	[総]727万円

[待遇、制度]
【初任給】月28万(諸手当3万円)
【残業】22.5時間【有休】12.1日【制度】[フ][住]
[新卒定着状況]
20年入社(男14、女15)→3年後在籍(男14、女9)
[採用情報] グループ採用
【人数】23年:27 24年:49 25年:応募1307→内定47*
【内定内訳】(男25、女22)(文46、理0)(総47、他0)
【試験】〔Web自宅〕SPI3〔性格〕有
【時期】エントリー24.8→内々定25.6*(一次・二次以降もWEB面接可)【インターン】有
【採用実績校】関大4、関西学大3、近大3、都立大2、同大2、神奈川大2、愛媛大1、関西外大1、神田外語大1、京都教大1、京産大1、甲南大1、他
【求める人材】「強い」「明るい」「優しい」の3つのバリュー（価値観）に共感し素直で一生懸命な人

【本社】105-0001 東京都港区虎ノ門2-10-4 オークラプレステージタワー ☎03-5114-5708
【特色・近況】中古車のオートクレジットとワランティ（故障保証)を2本柱とする企業グループ。購入時の信用保証と一定保証料での修理を行う。主な取引先は中古車ディーラー。モビリティ事業者向け会員組織「カープレミアクラブ」の拡大を図る。
【設立】2015.5【資本金】1,700百万円
【社長】柴田洋一(1959.12生)
【株主】〔24.3〕日本マスタートラスト信託銀行信託口13.3%
【連結事業】ファイナンス56、故障保証25、オートモビリティサービス他19
【従業員】連796名 単111名(36.4歳)

【業績】	営業収益	営業利益	税前利益	純利益
連22.3	20,827	4,040	4,017	2,941
連23.3	25,263	4,245	5,344	4,005
連24.3	31,546	6,195	6,241	4,608

#有休取得が多い

㈱ホンダファイナンス　[株式公開計画なし]

採用内定数	倍率	3年後離職率	平均年収
12名	10.6倍	14.3%	757万円

[待遇、制度]
【初任給】月24.1万
【残業】16.6時間【有休】17.5日【制度】[フ][住][在]
[新卒定着状況]
20年入社(男12、女9)→3年後在籍(男10、女8)
[採用情報]
【人数】23年:14 24年:17 25年:応募127→内定12
【内定内訳】(男6、女6)(文12、理0)(総12、他0)
【試験】〔Web自宅〕SPI3〔性格〕有
【時期】エントリー24.6→内々定25.4(一次・二次以降もWEB面接可)【インターン】有
【採用実績校】立教大1、法政大1、中大2、学習院大1、日大1、駒澤大1、東京経大2、日女大1、武蔵大1、東海大1
【求める人材】「夢」と「想い」を持ち、未来を描き、その実現に向けて挑戦し続けられる人

【東京本社】102-0074 東京都千代田区九段南2-1-30 ☎03-5210-7890
【特色・近況】ホンダの完全子会社でグループ金融部門の中核。一般顧客向けにはホンダ製品購入時のクレジット取り扱いやカーリースを展開。ホンダ系列販売会社やグループ会社向けには、資金融資や設備・試乗車のリース、保険代理店業務を行う。
【設立】1999.4【資本金】11,090百万円
【社長】岩崎則彦(1964.1生)
【株主】〔24.3〕ホンダ100%
【事業】顧客向け金融88、事業者向け金融12
【従業員】単456名(42.5歳)

【業績】	売上高	営業利益	経常利益	純利益
単22.3	55,616	14,905	14,914	10,337
単23.3	67,544	15,220	15,224	10,508
単24.3	92,036	10,219	10,228	7,088

金融

㈱ゆめカード

株式公開未定

採用内定数	倍率	3年後離職率	平均年収
1名	18倍	50%	㊙475万円

●待遇、制度●
【初任給】月22万
【残業】7.3時間【有休】14.2日【制度】フ 住 在
●新卒定着状況●
20年入社(男1、女3)→3年後在籍(男1、女1)
●採用情報●
【人数】23年:4 24年:4 25年:応募18→内定1*
【内定内訳】(男1、女0)(文1、理0)(総1、他0)
【試験】〔性格〕有
【時期】エントリー25.3→内々定25.4
【採用実績校】広島経大1

【求める人材】コミュニケーション力のある前向きで素直な人、営業職を中心に活躍が期待できる人

【本社】732-8570 広島県広島市東区二葉の里3-3-1 ☎0570-666-373
【特色・近況】中四国地盤にチェーンストアを展開するイズミ系列のクレジットカード会社。クレジットカード「ゆめカード」発行。クレジットカード会員数は会員数は132万人。電子マネー「ゆめか」累計発行枚数は1028万枚(24年2月)。
【設立】1983.7 【資本金】480百万円
【社長】岩木一也(1965.10生 武蔵大経済卒)
【株主】〔24.2〕イズミ100%
【事業】クレジットカード業50、電子マネー15、融資14、他21
【従業員】単296名(・・歳)

【業績】	営業収益	営業利益	経常利益	純利益
単22.2	9,181	2,157	2,134	1,482
単23.2	8,362	2,016	1,982	1,373
単24.2	8,244	1,871	1,857	1,116

㈱イチネン

株式公開計画なし

採用内定数	倍率	3年後離職率	平均年収
13名	13.2倍	38.5%	731万円

●待遇、制度●
【初任給】月27.5万(固定残業代16時間分)
【残業】13.4時間【有休】14日【制度】住
●新卒定着状況●
20年入社(男6、女7)→3年後在籍(男5、女3)
●採用情報●
【人数】23年:17 24年:15 25年:応募172→内定13*
【内定内訳】(男11、女2)(文13、理0)(総13、他0)
【試験】〔Web自宅〕SPI3〔性格〕有
【時期】エントリー24.6→内々定24.12*(一次はWEB面接可)【インターン】有
【採用実績校】関西学大2、近大2、摂南大2、中京大2、同大1、関大1、京都精華大1、大阪国際大1、明星大1
【求める人材】元気で快活、目標を持って努力と挑戦し続けることができる人

【本社】532-8567 大阪府大阪市淀川区西中島4-10-6 ☎06-6309-3001
【特色・近況】オートリース事業が主軸。イチネングループの中核企業。自動車メンテナンス受託や車両買い取り、燃料販売事業なども手がける。点検実施率は業界トップクラス。国内のオートリース創成期より整備工場経営の経験活かしたメンテナンスリースも開始。
【設立】2001.2 【資本金】100百万円
【社長】黒田勝彦(1960.5生 関西学大商卒)
【株主】〔24.3〕イチネンホールディングス100%
【事業】オートリース65、自動車メンテナンス受託26、燃料販売5、他4
【従業員】単266名(42.4歳)

【業績】	売上高	営業利益	経常利益	純利益
単22.3	40,562	3,689	3,710	2,437
単23.3	45,000	4,821	4,882	3,254
単24.3	43,921	4,469	4,577	3,028

#初任給が高い #年収が高い

㈱FPG

東証プライム

採用内定数	倍率	3年後離職率	平均年収
2名	・・	25%	1,010万円

●待遇、制度●
【初任給】月29万
【残業】17時間【有休】13.9日【制度】・・
●新卒定着状況●
20年入社(男3、女1)→3年後在籍(男3、女0)
●採用情報●
【人数】23年:4 24年:4 25年:応募・・→内定2*
【内定内訳】(男・・、女・・)(文・・、理・・)(総・・、他・・)
【試験】〔Web自宅〕有
【時期】エントリー通年→内々定通年(一次・二次以降もWEB面接可)
【採用実績校】・・

【求める人材】金融の分野で、中小企業をはじめとしたお客様へ貢献する人材として成長したい人

【本社】100-7029 東京都千代田区丸の内2-7-2 JPタワー ☎03-5288-5691
【特色・近況】独立系のリースアレンジメント会社。課税繰り延べメリットのオペレーティングリース商品で成長。海運会社や航空会社などに船舶、コンテナ、航空機をリース。出資持分を中小企業に販売し手数料を得る。国内外の不動産ファンドも手がける。
【設立】2004.2 【資本金】3,095百万円
【社長】谷村尚永(1959.7生)
【株主】〔24.3〕HTホールディングス㈱27.2%
【連結事業】リースファンド31、不動産ファンド67、他1
【従業員】連346名 単275名(41.5歳)

【業績】	売上高	営業利益	経常利益	純利益
連21.9	14,924	5,233	5,148	2,946
連22.9	59,193	11,744	12,466	8,475
連23.9	71,149	18,265	17,989	12,466

金融

おおさか 大阪ガスファイナンス	株式公開計画なし	採用実績数	倍率	3年後離職率	平均年収
		2名	–	–	‥

●待遇、制度●
【初任給】月22万
【残業】19.5時間【有休】15.4日【制度】フ 住 在
●新卒定着状況●
20年入社(男0、女0)→3年後在籍(男0、女0)
●採用情報●
【人数】23年:3 24年:2 25年:応募46→内定0*
【内定内訳】(男‥、女‥)(文‥、理‥)(総‥、他‥)
【試験】〔Web会場〕SPI3
【時期】エントリー25.3→内々定25.6*(一次・二次以降もWEB面接可)【インターン】有
【採用実績校】‥
【求める人材】社内外の環境や課題にポジティブに向き合うことができる人、自ら考え行動できる人

【本社】541-0051 大阪府大阪市中央区備後町3-6-14 アーバネックス備後町ビル ☎06-6264-3003
【特色・近況】大阪ガスの完全子会社。総合ファイナンスサービスを提供。個人向けは住宅設備機器のリースや購入時のクレジットが主。法人向けは設備リースのほか、集金代行サービスや法人保険も取り扱う。マンションオーナーや管理組合向けのサービスも手がける。
【設立】1983.1 【資本金】600百万円
【社長】岸本正章
【株主】〔24.3〕大阪ガス100%
【事業】リース83、クレジット・ローン5、保険代理店7、他5
【従業員】単134名(40.3歳)

【業績】	売上高	営業利益	経常利益	純利益
単22.3	12,998	2,218	2,218	1,517
単23.3	12,976	1,962	1,993	1,376
単24.3	13,540	2,011	2,020	1,415

か じま 鹿島リース	株式公開計画なし	採用予定数	倍率	3年後離職率	平均年収
		2名	‥	0%	‥

●待遇、制度●
【初任給】月24万
【残業】7時間【有休】15.3日【制度】‥
●新卒定着状況●
20年入社(男2、女0)→3年後在籍(男2、女0)
●採用情報●
【人数】23年:2 24年:4 25年:予定2*
【内定内訳】(男‥、女‥)(文‥、理‥)(総‥、他‥)
【試験】〔Web自宅〕SPI3〔性格〕有
【時期】エントリー‥→内々定‥
【採用実績校】‥
【求める人材】自らの成長意欲を持ち、何事にも積極的に立ち向かい、誠実で真摯である人

【本社】107-0051 東京都港区元赤坂1-6-6 安全ビル16階 ☎03-5474-9210
【特色・近況】収益性や資金調達の最適方法なども提案する建物リースやファイナンスリース、オペレーティングリース形態での設備機器リースなど展開。企画立案からファイナンスアレンジメント、機器、管理までのパッケージリースを推進。鹿島の完全子会社。
【設立】1984.1 【資本金】400百万円
【社長】稲葉仁(1958.3生 東大卒)
【株主】〔24.3〕鹿島100%
【事業】不動産58、リース40、他2
【従業員】単59名(38.0歳)

【業績】	売上高	営業利益	経常利益	純利益
単22.3	10,002	1,418	1,417	948
単23.3	10,838	1,837	1,834	1,274
単24.3	9,163	951	972	637

きゅうしゅう (株)九州リースサービス	東証スタンダード	採用内定数	倍率	3年後離職率	平均年収
		7名	26.1倍	60%	693万円

●待遇、制度●
【初任給】月22万
【残業】8.2時間【有休】11.4日【制度】住 在
●新卒定着状況●
20年入社(男4、女1)→3年後在籍(男1、女1)
●採用情報●
【人数】23年:6 24年:6 25年:応募183→内定7
【内定内訳】(男4、女3)(文7、理0)(総7、他0)
【試験】〔Web会場〕C-GAB〔Web自宅〕WEB-GAB〔性格〕有
【時期】エントリー25.3→内々定25.6(一次はWEB面接可)【インターン】有
【採用実績校】九大1、西南学大1、福岡大1、福岡女大1
【求める人材】コミュニケーションの大切さを理解している人、物事を主体的に考え意欲的に取り組む人

【本社】812-0011 福岡県福岡市博多区博多駅前4-3-18 ☎092-431-2530
【特色・近況】九州トップの総合リース会社。東京にも支店。地域密着で総合金融サービス展開。主力はリース・割賦。商業設備や建設機械に加え情報・事務用機器から航空機も扱う。商業施設などの不動産売買・仲介も展開。西日本フィナンシャルHDとの連携を強化。
【設立】1974.11 【資本金】2,933百万円
【社長】礒山誠二(1951.6生 慶大商卒)
【株主】〔24.3〕西日本フィナンシャルホールディングス27.4%
【連結事業】リース・割賦60、ファイナンス5、不動産30、フィービジネス1、環境ソリューション3、他0
【従業員】連192名 単134名(43.0歳)

【業績】	売上高	営業利益	経常利益	純利益
連22.3	29,555	3,250	3,299	2,127
連23.3	36,807	5,477	5,422	5,862
連24.3	33,508	4,635	4,593	3,048

新生コベルコリース

株式公開計画なし

採用内定数	倍率	3年後離職率	平均年収
5名	21.6倍	0%	‥

●待遇、制度●
【初任給】月26万
【残業】20時間【有休】15.3日【制度】フ 住 在
●新卒定着状況●
20年入社(男4、女2)→3年後在籍(男4、女2)
●採用情報●
【人数】23年:3 24年:5 25年:応募108→内定5*
【内定内訳】(男3、女2)(文5、理0)(総3、他2)
【試験】〔筆記〕有〔Web自宅〕有〔性格〕有
【時期】エントリー 25.3→内々定25.6(一次はWEB面接可)【インターン】有
【採用実績校】神戸大1、立命館大1、関西福祉大1、甲南女大2
【求める人材】私たちと一緒に「リース業」の幅広い可能性を追求・開拓していく考動力にあふれた人

【本社】651-0073 兵庫県神戸市中央区脇浜海岸通2-2-4 ☎078-261-6641
【特色・近況】ショベル、クレーンなどの建機を中心とした総合リース会社。昭和リースの連結子会社で神戸製鋼所も出資。両グループの総合力活かし多彩な金融ソリューションを提供。仙台、名古屋、福岡、広島に支店。営業資産残高890億円余(24年3月末)。
【設立】1984.10 【資本金】3,243百万円
【社長】松井由人(1961.12生 慶大経済卒)
【株主】〔24.6〕昭和リース80.0%
【事業】総合リース
【従業員】単110名(40.0歳)

【業績】	売上高	営業利益	経常利益	純利益
単22.3	31,616	207	291	209
単23.3	31,036	499	764	513
単24.3	28,992	430	529	368

中道リース

札証

採用実績数	倍率	3年後離職率	平均年収
8名	‥	11.1%	597万円

●待遇、制度●
【初任給】月22.1万(諸手当1万円、固定残業代10時間分)
【残業】14.5時間【有休】12.4日【制度】住
●新卒定着状況●
20年入社(男7、女2)→3年後在籍(男6、女2)
●採用情報●
【人数】23年:6 24年:8 25年:予定前年並
【内定内訳】(男‥、女‥)(文‥、理‥)(総‥、他‥)
【試験】〔筆記〕有
【時期】エントリー25.3→内々定25.6【インターン】有
【採用実績校】北星学大1、東海大1、札幌大1、札幌大谷大1、札幌学大1
【求める人材】協調性、コミュニケーション能力、健康で元気な人

【本社】060-8539 北海道札幌市中央区北1条東3-3 ☎011-280-2266
【特色・近況】総合リース会社で北海道地盤だが関東、東北も開拓。売り上げの主力はリース・割賦。輸送用機器、土木建機などの取り扱いが多く、観光バス、トラックも伸長。医療機器や環境関連を強化中。商業施設や介護施設の不動産賃貸が収益柱。
【設立】1972.4 【資本金】2,297百万円
【社長】関崇博(1975.7生 北学大経済卒)
【株主】〔24.6〕関寛16.4%
【事業】リース・割賦・営業貸付90、不動産賃貸10、他0
【従業員】単193名(39.5歳)

【業績】	売上高	営業利益	経常利益	純利益
単21.12	39,293	669	761	491
単22.12	43,568	743	907	567
単23.12	43,177	1,043	1,266	748

ニッセイ・リース

株式公開計画なし

採用内定数	倍率	3年後離職率	平均年収
4名	33倍	0%	㊗569万円

●待遇、制度● 平均年収は定年後再雇用者含む
【初任給】月24.2万
【残業】22.4時間【有休】16.7日【制度】住 在
●新卒定着状況●
20年入社(男3、女2)→3年後在籍(男3、女2)
●採用情報●
【人数】23年:2 24年:5 25年:応募132→内定4
【内定内訳】(男1、女3)(文4、理0)(総4、他0)
【試験】〔Web自宅〕有〔性格〕有
【時期】エントリー 25.3→内々定25.6(一次・二次以降もWEB面接可)
【採用実績校】日大2、中大1、明大1
【求める人材】成長意欲の強い人(特にファイナンス領域)、顧客対応が好きな人

【本社】102-0074 東京都千代田区九段南2-3-14 ☎03-6758-3400
【特色・近況】日本生命グループとオリックスの共同出資で発足したリース会社。両社の顧客基盤とノウハウを活用。不動産、車両・建設機器・航空機、設備機器などの各種リースや、資産流動化などのファイナンススキームを提供する。取引先企業数3715社(24年3月末)。
【設立】1984.3 【資本金】3,099百万円
【社長】細郷和幸(1964.7生 東大法卒)
【株主】〔24.3〕日本生命保険70.0%
【事業】賃貸95、割賦1、ファイナンス4
【従業員】単180名(40.3歳)

【業績】	売上高	営業利益	経常利益	純利益
単22.3	41,977	974	1,229	999
単23.3	44,015	1,574	1,917	1,519
単24.3	44,972	824	837	584

金融

八十二リース（はちじゅうにリース）

株式公開計画なし

採用内定数	倍率	3年後離職率	平均年収
2名	25倍	0%	‥

●待遇、制度●
【初任給】月23万
【残業】10.6時間【有休】15.4日【制度】住
●新卒定着状況●
20年入社(男1、女2)→3年後在籍(男1、女2)
●採用情報●
【人数】23年:3 24年:3 25年:応募50→内定2*
【内定内訳】(男1、女1)(文2、理0)(総1、他1)
【試験】〔筆記〕常識〔Web自宅〕有〔性格〕有
【時期】エントリー25.3→内々定25.5(一次はWEB面接可)
【採用実績校】‥
【求める人材】‥

【本社】380-0936 長野県長野市中御所岡田218-14 ☎026-226-8282
【特色・近況】八十二銀行グループのリース会社。長野県と新潟県に支店、営業所を展開。情報機器、産業機械、事務用機器、工作機械、土木建設機械、医療用機器などの一般リースが主力。割賦販売も行う。自動車リースは子会社の八十二オートリースが担当、対応行う。
【設立】1974.6 【資本金】200百万円
【社長】中村孝(1958.12生)
【株主】〔24.3〕八十二銀行100%
【事業】リース83、割賦15、他2
【従業員】単89名(‥歳)

【業績】	売上高	営業利益	経常利益	純利益
単22.3	21,746	749	1,046	725
単23.3	21,780	899	1,096	761
単24.3	19,377	613	738	512

浜銀ファイナンス（はまぎんファイナンス）

株式公開計画なし

採用内定数	倍率	3年後離職率	平均年収
2名	64倍	0%	‥

●待遇、制度●
【初任給】月23.5万
【残業】12時間【有休】16日【制度】フ 住 在
●新卒定着状況●
20年入社(男2、女5)→3年後在籍(男2、女5)
●採用情報●
【人数】23年:4 24年:4 25年:応募128→内定2
【内定内訳】(男0、女2)(文2、理0)(総1、他1)
【試験】なし
【時期】エントリー25.3→内々定25.6(一次・二次以降もWEB面接可)
【採用実績校】明学大1、成城大1
【求める人材】「お客さまと共に成長していく」という想いをもって働ける人

【本社】220-8613 神奈川県横浜市西区みなとみらい3-1-1 横浜銀行本店ビル ☎045-225-2321
【特色・近況】横浜銀行系の総合リース会社。神奈川県内トップ。リース・割賦販売・支払委託などファイナンス業務が主体。代金回収、ファクタリングにも取り組む。ESCO事業・各種補助金利用の省エネ投資など環境関連サービスに力を入れる。
【設立】1979.9 【資本金】200百万円
【社長】宮下和也(1970.6生 学習大卒)
【株主】〔24.3〕横浜銀行50.0%
【事業】リース95、代金回収4、ファクタリング他1
【従業員】単134名(46.5歳)

【業績】	売上高	営業利益	経常利益	純利益
単22.3	28,152	803	894	627
単23.3	29,339	1,267	1,441	958
単24.3	31,253	783	945	677

三菱オートリース（みつびしオートリース）

株式公開計画なし

採用内定数	倍率	3年後離職率	平均年収
24名	9.6倍	26.7%	‥

●待遇、制度●
【初任給】月26.1万(諸手当5.2万円)
【残業】21.9時間【有休】13.7日【制度】フ 住 在
●新卒定着状況● 旧三菱HCキャピタルオートリース採用含む
20年入社(男10、女5)→3年後在籍(男7、女4)
●採用情報●
【人数】23年:13 24年:20 25年:応募230→内定24*
【内定内訳】(男11、女13)(文24、理0)(総21、他3)
【試験】〔Web会場〕C-GAB
【時期】エントリー25.3→内々定25.6(一次・二次以降もWEB面接可)
【採用実績校】福島大1、都立大1、神戸大1、名古屋市大1、北九州市大1、中大2、法政大1、成蹊大2、南山大1、関西外大1、同大1、関大2、他
【求める人材】自ら考え、行動する自立型社員、市場価値を有したプロフェッショナル

【本社】108-8411 東京都港区芝5-33-11 田町タワー ☎03-5476-0111
【特色・近況】大手オートリース会社。車両リース、メンテを軸に総合ソリューションサービスを提供。介護車両やトラック・バスなどの大型車、特殊車等も扱う。車両管理業務を受託するBPOや、車両の運行情報収集などに強み。EV導入・運用に必要な統合型サービスも提供。
【設立】1972.1 【資本金】960百万円
【社長】高井直哉
【株主】〔24.3〕三菱商事50.0%
【事業】自動車に係るリース、メンテナンス等の総合ソリューションサービス
【従業員】単1,096名(44.6歳)

【業績】	売上高	営業利益	経常利益	純利益
単22.3	149,604	6,805	‥	‥
単23.3	146,198	7,867	‥	‥
単24.3	201,229	10,194	‥	‥

りそなリース

株式公開計画なし

採用内定数	倍率	3年後離職率	平均年収
27名	‥	33.3%	‥

●待遇、制度●
【初任給】月24万(諸手当を除いた数値)
【残業】‥時間【有休】‥日【制度】在
●新卒定着状況●
20年入社(男4、女2)→3年後在籍(男3、女1)
●採用情報●
【人数】23年:9 24年:9 25年:応募‥→内定27
【内定内訳】(男10、女17)(文27、理0)(総18、他9)
【試験】〔Web自宅〕SPI3
【時期】エントリー‥→内々定‥(一次はWEB面接可)
【採用実績校】‥
【求める人材】‥

【本社】101-0053 東京都千代田区神田美土代町9-1 JRE神田小川町ビル ☎03-5280-1657
【特色・近況】ファイナンス、オペレーティング、自動車、不動産リースが中心の総合リース会社。工作機械のレンタル事業も行う。PFI事業も手がける。りそなHDのグループ会社。グループ会社と連携して省エネ・再生エネ分野や海外事業に力を入れる。
【設立】1976.4 【資本金】3,300百万円
【社長】中嶋賢一(1963.9生 関西学大商卒)
【株主】〔24.3〕りそなホールディングス100%
【事業】商業用機器26、土木建設機械13、情報関連機器12、輸送用機器10、産業・工作機械13、他25
【従業員】単276名(44.8歳)

【業績】	売上高	営業利益	経常利益	純利益
単22.3	31,026	1,415	1,489	1,029
単23.3	31,517	1,418	1,481	941
単24.3	32,204	964	1,886	1,993

東京中小企業投資育成(とうきょうちゅうしょうきぎょうとうしいくせい)

株式公開計画なし

採用内定数	倍率	3年後離職率	平均年収
4名	‥	50%	‥

●待遇、制度●
【初任給】月27.5万
【残業】22時間【有休】12日【制度】住 在
●新卒定着状況●
20年入社(男2、女2)→3年後在籍(男0、女2)
●採用情報●
【人数】23年:4 24年:3 25年:応募‥→内定4
【内定内訳】(男3、女1)(文4、理0)(総4、他0)
【試験】〔筆記〕有〔Web会場〕SPI3〔性格〕有
【時期】エントリー25.3→内々定25.6(一次・二次以降もWEB面接可)【インターン】有
【採用実績校】京大1、慶大1、明大1、横浜市大1
【求める人材】日本の中堅・中小企業や経営者を応援したいという使命感のある人

【本社】150-0002 東京都渋谷区渋谷3-29-22 投資育成ビル ☎03-5469-1811
【特色・近況】官民共同で設立された日本最初の中小企業投資育成会社。現在、国は監督のみ。VCと異なり自己資金で株式保有、長期で育成図る。静岡、長野、新潟以東18都道県の中小企業が対象。累計投資2524社、1295億円、株式公開99社(24年3月末現在)。
【設立】1963.11 【資本金】6,673百万円
【社長】安藤久佳(1960.4生 東大法卒)
【株主】〔24.4〕東京都12.3%
【事業】株式配当金・社債利息62、株式売却益37、経営指導料他1
【従業員】単81名(40.0歳)

【業績】	営業収益	営業利益	経常利益	純利益
単22.3	4,436	2,539	2,668	2,652
単23.3	8,994	6,416	6,555	5,937
単24.3	6,687	4,136	4,276	3,880

名古屋中小企業投資育成(なごやちゅうしょうきぎょうとうしいくせい)

株式公開計画なし

採用内定数	倍率	3年後離職率	平均年収
2名	‥	0%	‥

●待遇、制度●
【初任給】月26.6万
【残業】19.4時間【有休】13.3日【制度】住 在
●新卒定着状況●
20年入社(男2、女1)→3年後在籍(男2、女1)
●採用情報●
【人数】23年:2 24年:0 25年:応募‥→内定2
【内定内訳】(男1、女1)(文2、理0)(総2、他0)
【試験】‥
【時期】エントリー25.3→内々定25.6【インターン】有
【採用実績校】名大1、名古屋市大1
【求める人材】人から信頼される人、真摯に職務に取り組む人、自ら考え行動できる人

【本社】450-0003 愛知県名古屋市中村区名駅南1-16-30 ☎052-581-9541
【特色・近況】ベンチャー企業、中小企業・中堅企業を対象に、長期安定資金を提供し、成長支援を行う。中小企業投資育成株式会社法に基づき設立。愛知、岐阜、三重、富山、石川の5県が担当エリア。投資累計1206社、454億円。株式公開49社(24年3月末)。
【設立】1963.11 【資本金】4,300百万円
【社長】山本亜土
【株主】〔24.3〕愛知県11.2%
【事業】中小企業に対する増資新株・新株予約権付社債等の引受
【従業員】単41名(42.2歳)

【業績】	営業収益	営業利益	経常利益	純利益
単22.3	2,100	1,310	1,333	1,299
単23.3	3,876	2,840	2,909	2,219
単24.3	1,597	753	790	772

金融

㈱イントラスト

東証スタンダード

採用内定数	倍率	3年後離職率	平均年収
12名	82倍	25%	501万円

●待遇、制度●
【初任給】月19万(諸手当2.6万円、固定残業代15時間分)
【残業】27時間【有休】10.8日【制度】フ 住 在
●新卒定着状況●
20年入社(男2、女2)→3年後在籍(男2、女1)
●採用情報●
【人数】23年:6 24年:7 25年:応募984→内定12
【内定内訳】(男7、女5)(文12、理0)(総12、他0)
【試験】〔性格〕有
【時期】エントリー24.10→内々定25.6(一次はWEB面接可)
【採用実績校】専大1、高崎経大1、新潟大1、大阪経大1、拓大1、武庫川女大1、文教大1、法政大1、目白大1
【求める人材】自分の意志を持ち、自分の考えを発信できる人、教えてもらうではなく、自ら学ぼうとする人

【本社】102-0083 東京都千代田区麹町1-4 半蔵門ファーストビル ☎03-5213-0250
【特色・近況】家賃債務保証を中心とした総合保証サービス会社。契約締結時に連帯保証人となり、賃料などの滞納リスクを引き受ける。不動産管理会社などの入居申し込み関連業務の受託も行う。介護費用保証、医療費保証などのほか、離婚後の養育費保証も手がける。
【設立】2006.3 【資本金】1,049百万円
【代表取締役】桑原豊(1958.10生)
【株主】〔24.3〕プレステージ・インターナショナル(S) 56.8%
【連結事業】保証86、ソリューション14
【従業員】連175名 単156名(37.5歳)

【業績】	売上高	営業利益	経常利益	純利益
単22.3	4,943	1,184	1,179	779
単23.3	6,491	1,627	1,625	1,005
連24.3	8,971	2,073	2,070	1,227

上田八木短資（うえだやぎたんし）

株式公開計画なし

採用内定数	倍率	3年後離職率	平均年収
10名	‥	20%	‥

●待遇、制度●
【初任給】月27万
【残業】5.5時間【有休】14.6日【制度】住 在
●新卒定着状況●
20年入社(男3、女2)→3年後在籍(男2、女2)
●採用情報●
【人数】23年:7 24年:3 25年:応募‥→内定10
【内定内訳】(男4、女6)(文9、理1)(総7、他3)
【試験】〔Web自宅〕SPI3
【時期】エントリー24.12→内々定25.2(一次・二次以降もWEB面接可)【インターン】有
【採用実績校】‥
【求める人材】前向きにものごとを捉え、チャレンジ精神が旺盛な人

【大阪本社】541-0043 大阪府大阪市中央区高麗橋2-4-2 ☎06-6202-5551
【特色・近況】国内短期金融市場での資金仲介を行う。日銀・銀行・証券会社・保険会社・一般企業を取引先とし、インターバンクコール取引の仲介、債券・株券レポ取引、国債ディーリング、CP取引などを展開する。東京・日本橋と大阪の2本社体制。
【設立】1918.6 【資本金】5,000百万円
【社長】上田晶平(1961.3生)
【株主】〔24.2〕上田晶平5.0%
【事業】コール資金取引、レポ取引、手形・CD・CP・国債の売買
【従業員】単139名(47.2歳)

【業績】	営業収益	営業利益	経常利益	純利益
単22.2	2,176	1,539	1,952	1,857
単23.2	-733	3,075	3,540	2,707
単24.2	-5,905	3,246	3,738	2,894

ジェイリース

東証プライム

採用内定数	倍率	3年後離職率	平均年収
11名	5.8倍	38.5%	558万円

●待遇、制度●
【初任給】月26.1万(固定残業代29時間分)
【残業】22時間【有休】10.2日【制度】フ 住 在
●新卒定着状況●
20年入社(男5、女8)→3年後在籍(男4、女4)
●採用情報●
【人数】23年:16 24年:24 25年:応募64→内定11*
【内定内訳】(男5、女6)(文11、理0)(総11、他0)
【試験】〔Web自宅〕SPI3
【時期】エントリー25.3→内々定‥(一次はWEB面接可)【インターン】有
【採用実績校】大分大2、関西学大1、日本文理大1、別府大1、二松学舎大1、福岡女大1、西南学大1、都留文科大1、大妻女大1、他
【求める人材】企業理念に共感し、論理的思考力があり、他に流されずに芯のある人

【大分本社】870-0034 大分県大分市都町1-3-19 大分中央ビル ☎097-534-2277
【特色・近況】住居・事業用の家賃債務保証が主力事業。賃借人から受け取る保証料などが収益源。賃借希望者の保証申し込みは業務協定を結んだ不動産業者経由で受ける。医療債務保証サービスなど医療機関向け事業も手がける。大分、東京2本社制で、大都市中心に全国展開。
【設立】2004.2 【資本金】717百万円
【社長】中島土(1982.1生 中大経済卒)
【株主】〔24.3〕JLホールディングス㈱23.9%
【連結事業】保証関連97、不動産関連3
【従業員】連440名 単431名(38.4歳)

【業績】	売上高	営業利益	経常利益	純利益
連22.3	9,162	1,971	1,946	1,340
連23.3	10,960	2,465	2,465	1,667
連24.3	13,220	2,606	2,611	1,789

#年収高く倍率低い #年収が高い

セントラル短資（たんし）

株式公開計画なし

採用内定数	倍率	3年後離職率	平均年収
3名	13.3倍	33.3%	㊕988万円

●待遇、制度●
【初任給】月27万
【残業】16.1時間【有休】13.9日【制度】住 在
●新卒定着状況●
20年入社(男2、女1)→3年後在籍(男1、女1)
●採用情報●
【人数】23年:5 24年:4 25年:応募40→内定3
【内定内訳】(男1、女2)(文3、理0)(総3、他0)
【試験】〔性格〕有
【時期】エントリー25.2→内々定25.6【インターン】有
【採用実績校】中大1、法政大1、清泉女大1
【求める人材】チームワークを大切にしつつ、チャレンジ精神に富む人

【本社】103-0021 東京都中央区日本橋本石町3-3-14 ☎03-3242-6611
【特色・近況】短期金融市場でのコール取引仲介でシェア約40%と首位。オープン市場取引にも注力。外為、デリバティブ仲介などグループ会社通じ多角化。1909年ビルブローカーで個人創業。名古屋・日本・山根の3短資が合併して誕生。
【設立】1940.3 【資本金】5,000百万円
【社長】丹治芳樹(1959.7生 東北大法卒)
【株主】〔24.3〕日本証券金融11.6%
【事業】短資資金(コール・手形)取引、TDB・CD・CPの売買
【従業員】単148名(45.6歳)

【業績】	営業収益	営業利益	経常利益	純利益
単22.3	1,237	2,905	3,450	2,225
単23.3	-522	6,084	6,658	4,703
単24.3	-589	6,083	6,741	4,885

全保連（ぜんほれん）

東証スタンダード

採用内定数	倍率	3年後離職率	平均年収
5名	19.4倍	20%	595万円

●待遇、制度●
【初任給】月26.8万(諸手当8.8万円)
【残業】33.3時間【有休】15.4日【制度】住 在
●新卒定着状況●
20年入社(男2、女3)→3年後在籍(男1、女3)
●採用情報●
【人数】23年:3 24年:4 25年:応募97→内定5
【内定内訳】(男3、女2)(文3、理2)(総5、他0)
【試験】〔Web自宅〕SPI3
【時期】エントリー25.3→内々定25.5(一次・二次以降もWEB面接可)
【採用実績校】神戸大1、日大1、武庫川女大1、琉球大2
【求める人材】自由な発想で未来の価値を自ら創造し続け、リーダーシップを自ら発揮できる人

【本社】900-8608 沖縄県那覇市字天久905 ☎098-866-4901
【特色・近況】業界最大手の家賃債務保証会社。保証業務協定契約を結んだ不動産管理会社や不動産仲介会社を介して家賃債務保証サービスを提供。協定会社拠点数は約5万社。信託口座を使用する概算払い方式の家賃集金スキームに強み。火災保険手続きサービスも拡販。
【設立】2001.11 【資本金】1,163百万円
【取締】迫幸治(1955.6生)
【株主】〔24.3〕AZ-Star3号投資事業組合28.4%
【事業】家賃債務保証100
【従業員】単608名(42.1歳)

【業績】	売上高	営業利益	経常利益	純利益
単22.3	21,705	1,699	1,619	1,387
単23.3	23,846	1,904	1,844	773
単24.3	24,510	2,224	2,189	1,538

Solvvy

東証グロース

採用内定数	倍率	3年後離職率	平均年収
28名	8.9倍	ー	516万円

●待遇、制度●
【初任給】月27.5万(固定残業代45時間分)
【残業】18.5時間【有休】8.1日【制度】・・
●新卒定着状況●
20年入社(男0、女0)→3年後在籍(男0、女0)
●採用情報●
【人数】23年:6 24年:8 25年:応募250→内定28
【内定内訳】(男21、女7)(文27、理1)(総28、他0)
【試験】〔性格〕有
【時期】エントリー25.3→内々定25.6(一次・二次以降もWEB面接可)【インターン】有
【採用実績校】東理大1、明大3、中大2、立教大1、学習院大1、日女大1、目白大1、拓大1
【求める人材】成長を求め続けている環境で、変化をポジティブに捉え楽しめる人

【本社】160-0023 東京都新宿区西新宿4-33-4 ☎03-6276-0401
【特色・近況】個人向け住宅設備の保証サービスが柱。不動産業者向け中古住宅検査補修サービスや電子マネー発行サービスも手がける。設備メーカーのコールセンター受付、保証料集金業務を受託するBPOが第二の柱。教育機関向けにタブレットやノートPCの保証も提供。
【設立】2009.3 【資本金】212百万円
【社長】安達慶高(1972.8生 東工大工卒)
【株主】〔24.6〕荒川拓也11.8%
【連結事業】HomeworthTech56、ExtendTech43、他1
【従業員】連236名 単236名(34.2歳)

【業績】	売上高	営業利益	経常利益	純利益
連22.6	3,305	650	767	546
連23.6	3,919	741	1,021	751
連24.6	5,359	1,240	1,512	973

金融

東京短資（とうきょうたんし）

株式公開計画なし

採用内定数	倍率	3年後離職率	平均年収
4名	‥	0%	‥

●待遇、制度●
【初任給】月27万
【残業】17.8時間【有休】15日【制度】住 在
●新卒定着状況●
20年入社(男4、女1)→3年後在籍(男4、女1)
●採用情報●
【人数】23年:3 24年:6 25年:応募‥→内定4
【内定内訳】(男3、女1)(文4、理0)(総4、他0)
【試験】なし
【時期】エントリー25.3→内々定25.6(一次はWEB面接可)【インターン】有
【採用実績校】‥
【求める人材】‥

【本社】103-0022 東京都中央区日本橋室町4-4-10 ☎03-5200-1120
【特色・近況】インターバンク市場での金融機関向け仲介、および債券現先・債券レポなどオープン市場での仲介業務を行う、国内3短資会社の一つ。マーケットレポートの提供・販売や、グループで市場調査・分析も手がけている。中国・上海に現地拠点を有する。
【設立】1909.4 【資本金】10,300百万円
【社長】後昌司(東大経済)
【株主】〔23.11〕大和証券グループ本社
【事業】短資(コール・手形)資金取引、TB・FB・CD・CP売買、他
【従業員】単152名(47.0歳)

【業績】	営業収益	営業利益	経常利益	純利益
単21.11	174	1,483	1,860	1,171
単22.11	-3,096	2,794	3,149	929
単23.11	-18,525	3,719	3,577	2,571

西日本建設業保証（にしにほんけんせつぎょうほしょう）

株式公開計画なし

採用内定数	倍率	3年後離職率	平均年収
14名	6.9倍	20%	735万円

●待遇、制度●
【初任給】月26万
【残業】15.1時間【有休】14.2日【制度】住 在
●新卒定着状況●
20年入社(男7、女3)→3年後在籍(男7、女1)
●採用情報●
【人数】23年:9 24年:8 25年:応募97→内定14
【内定内訳】(男6、女8)(文13、理1)(総12、他2)
【試験】〔Web会場〕C-GAB〔Web自宅〕WEB-GAB
【時期】エントリー25.3→内々定25.6(一次はWEB面接可)【インターン】有
【採用実績校】近大2、下関市大2、広島修道大2、琉球大1、関大1、奈良女大1、同大1、大阪経大1、流通科学大1、沖縄キリスト学大1、他
【求める人材】常にバランス感覚をもって物事に対応でき、良好な人間関係を築き、協働していける人

【本社】550-0012 大阪府大阪市西区立売堀2-1-2 ☎06-6543-2553
【特色・近況】西日本地盤の公共工事の前払金保証事業会社。公共工事の前払金保証、契約保証、契約保証予約(入札ボンド)など扱う。25支店体制。国土交通大臣への事業登録会社。年間保証実績は14.7万件、保証金額は2.75兆円(24.3期)。
【設立】1952.11 【資本金】1,000百万円
【社長】菱田一(1958.3生 東大法卒)
【株主】〔24.3〕三菱UFJ銀行5.0%
【連結事業】公共工事前払金保証・公共工事契約保証
【従業員】連285名 単280名(43.7歳)

【業績】	収入保証料	営業利益	経常利益	純利益
連22.3	8,678	3,695	4,350	2,749
連23.3	8,566	3,272	3,963	2,645
連24.3	9,126	3,266	4,032	2,734

ニッポンインシュア

東証スタンダード

採用実績数	倍率	3年後離職率	平均年収
2名	-	0%	460万円

●待遇、制度●
【初任給】月20.5万(諸手当3万円)
【残業】18時間【有休】‥日【制度】住
●新卒定着状況●
20年入社(男0、女2)→3年後在籍(男0、女2)
●採用情報●
【人数】23年:0 24年:2 25年:応募‥→内定0
【内定内訳】(男‥、女‥)(文‥、理‥)(総‥、他‥)
【試験】〔性格〕有
【時期】エントリー25.3→内々定25.6(一次はWEB面接可)
【採用実績校】‥
【求める人材】積極性・コミュニケーション力・向上心を持つ人

【本社】810-0001 福岡県福岡市中央区天神2-14-2 福岡証券ビル ☎092-726-1080
【特色・近況】九州と関東圏中心に家賃保証事業を展開。賃貸住宅などの家賃債務保証サービスが主軸。介護費債務保証、入院費債務保証などのサービスを拡充。コインランドリー「WASHハウス」とフィットネスクラブ「カーブス」のFC店舗も運営。
【設立】2002.4 【資本金】347百万円
【社長】坂本真也(1974.4生)
【株主】〔24.3〕豊島不動産10.7%
【事業】保証93、他7
【従業員】単114名(37.5歳)

【業績】	売上高	営業利益	経常利益	純利益
単21.9	2,169	193	193	105
単22.9	2,604	396	406	255
単23.9	2,876	291	292	196

日本住宅ローン（にほんじゅうたく）

株式公開計画なし

採用実績数	倍率	3年後離職率	平均年収
8名	‥	11.1%	719万円

●待遇、制度●
【初任給】‥万
【残業】‥時間【有休】14.3日【制度】住 在

●新卒定着状況●
20年入社(男5、女4)→3年後在籍(男5、女3)

●採用情報●
【人数】23年:10 24年:8 25年:予定前年並
【内定内訳】(男‥、女‥)(文‥、理‥)(総‥、他‥)
【試験】試験あり
【時期】エントリー25.3→内々定25.6(一次・二次以降もWEB面接可)【インターン】有
【採用実績校】京大院、青学大、明大、法政大、國學院大、他
【求める人材】チャレンジ精神、チームへの優しさ、社会貢献への思い、元気！を持っている人

【本社】151-0053 東京都渋谷区代々木2-1-1 新宿マインズタワー ☎03-6701-7710
【特色・近況】住宅金融支援機構の「フラット35」を主力商品とするモーゲージバンク。大手住宅メーカーと大手ファイナンス会社が共同で設立。住宅メーカーの顧客チャンネルと新商品開発力に強み。スマホアプリで、申込みから融資まで完全ペーパーレス化を実現。
【設立】2003.5 【資本金】1,000百万円
【代表執行役】安藤直広(1966.10生 東大法卒)
【株主】〔24.3〕積水ハウス26.0%
【事業】貸出金等99、他1
【従業員】単179名(38.1歳)

【業績】	営業収益	営業利益	経常利益	純利益
単22.3	7,301	942	910	633
単23.3	8,449	1,649	1,649	1,144
単24.3	10,437	2,561	2,561	1,766

みずほファクター

株式公開計画なし

採用実績数	倍率	3年後離職率	平均年収
6名	‥	―	‥

●待遇、制度●
【初任給】‥万
【残業】5時間【有休】‥日【制度】住

●新卒定着状況●
20年入社(男0、女0)→3年後在籍(男0、女0)

●採用情報●
【人数】23年:4 24年:6 25年:予定未定
【内定内訳】(男‥、女‥)(文‥、理‥)(総‥、他‥)
【試験】〔Web会場〕SPI3
【時期】エントリー‥→内々定‥
【採用実績校】‥
【求める人材】‥

【本社】100-0005 東京都千代田区丸の内1-6-2 新丸の内センタービルディング7階 ☎03-3286-2200
【特色・近況】国内外のファクタリング、代金回収、回収保証など金融サービス、電子債権決済サービスを提供。ファクタリングノウハウに定評。業界トップ級。情報セキュリティーマネジメントの国際・国内規格ISMS認証を取得、更新。みずほ銀行の完全子会社。
【設立】1977.4 【資本金】1,000百万円
【社長】徳本英俊
【株主】〔24.3〕みずほ銀行100%
【事業】ファクタリング業務、代金回収業務
【従業員】単223名(‥歳)

【業績】	営業収益	営業利益	経常利益	純利益
単22.3	12,689	2,853	3,042	2,099
単23.3	13,103	2,718	2,728	1,880
単24.3	13,566	2,528	2,546	1,761

三菱ＵＦＪファクター（みつびし）

株式公開計画なし

採用内定数	倍率	3年後離職率	平均年収
13名	8.1倍	6.7%	‥

●待遇、制度●
【初任給】月22.5万(諸手当1万円)
【残業】12.2時間【有休】16日【制度】住 在

●新卒定着状況●
20年入社(男7、女8)→3年後在籍(男6、女8)

●採用情報●
【人数】23年:7 24年:13 25年:応募105→内定13
【内定内訳】(男6、女7)(文13、理0)(総13、他0)
【試験】〔Web自宅〕有
【時期】エントリー25.3→内々定25.6(一次・二次以降もWEB面接可)
【採用実績校】青学大1、京産大1、京都女大1、ICU1、駒澤大1、昭和女大1、専大2、東洋大1、東洋英和女学大1、南山大1、日大1、山形大1
【求める人材】お客さまや社会の信頼と信用を得て、組織や業績に貢献できる人

【本社】101-8637 東京都千代田区神田淡路町2-101 ワテラスタワー ☎03-3251-8351
【特色・近況】日本最初の本格的ファクタリング(債権買取)会社。企業が持つ売上債権の支払保証サービスや金融機関・大手コンビニと提携した代金回収サービスを提供する。銀行系ファクタリング会社としてはトップクラスの実績。MUFGグループ。
【設立】1977.6 【資本金】2,080百万円
【社長】小川浩一
【株主】〔24.3〕三菱UFJ銀行100%
【事業】ファクタリング業務、代金回収受託業務
【従業員】単634名(48.8歳)

【業績】	営業収益	営業利益	経常利益	純利益
単22.3	29,555	7,089	7,222	5,155
単23.3	31,465	6,559	6,721	4,587
単24.3	32,925	6,488	6,702	4,858

㈱山田債権回収管理総合事務所

東証スタンダード

採用内定数	倍率	3年後離職率	平均年収
4名	7.5倍	41.7%	506万円

●待遇、制度●
【初任給】月22万
【残業】22.3時間【有休】11.7日【制度】‥
●新卒定着状況●
20年入社(男7、女5)→3年後在籍(男5、女2)
●採用情報●グループ採用
【人数】23年:14 24年:8 25年:応募30→内定4*
【内定内訳】(男0、女4)(文4、理0)(総4、他0)
【試験】〔Web自宅〕SPI3〔性格〕有
【時期】エントリー25.2→内々定25.5【インターン】有
【採用実績校】日大2、専大1、東洋英和女学大1
【求める人材】コミュニケーション能力が高く、真面目で行動力のある人

【本社】220-0004 神奈川県横浜市西区北幸1-11-15 横浜STビル ☎045-325-3933
【特色・近況】独立系の債権管理回収(サービサー)会社で人材派遣も主要事業。買い取った債権や受託した債権を回収するほか、事業再生や債務整理のコンサルも行う。人材派遣は関連グループ組織の司法書士法人などに専門性高い人材を供給。不動産関連のコンサルも手がける。
【設立】1981.10 【資本金】1,084百万円
【社長】山田晃久(1946.6生 明大法卒)
【株主】〔24.6〕山田晃久35.0%
【連結事業】サービサー30、派遣54、不動産ソリューション16、他0
【従業員】連242名 単242名(43.8歳)

【業績】	売上高	営業利益	経常利益	純利益
連21.12	2,188	96	95	144
連22.12	2,388	54	85	76
連23.12	2,483	82	165	120

㈱インテリジェントウェイブ

東証プライム

採用内定数	倍率	3年後離職率	平均年収
27名	6.3倍	11.1%	730万円

●待遇、制度●
【初任給】月25万
【残業】24.2時間【有休】12.2日【制度】住 在
●新卒定着状況●20～21年入社者合計
20年入社(男17、女10)→3年後在籍(男15、女9)
●採用情報●
【人数】23年:26 24年:21 25年:応募169→内定27
【内定内訳】(男17、女10)(文15、理11)(総27、他0)
【試験】試験あり
【時期】エントリー24.8→内々定24.11*(一次はWEB面接可)【インターン】有
【採用実績校】九大1、東北大1、明大1、法政大1、青学大1、中大1、日大1、駒澤大1、武蔵野大1、はこだて未来大2、鹿児島高専1、他
【求める人材】責任感や向上心が高く、社会インフラを支える「プロ」としての使命感に共感する人

【本社】104-0033 東京都中央区新川1-21-2 茅場町タワー ☎03-6222-7111
【特色・近況】大日本印刷傘下の金融決済システム構築会社。クレジットカード関連の決済システムで国内首位。ネットワーク接続処理やカードの使用認証機能を提供する「NET+1」、カード不正検知システム「ACEPlus」など自社製パッケージで展開している。
【設立】1984.12 【資本金】843百万円
【会長】佐藤邦光(1959.12生 関大工卒)
【株主】〔24.6〕大日本印刷50.6%
【事業】システム開発48、保守11、自社製品3、他社製品10、クラウドサービス17、セキュリティ対策製品11
【従業員】単492名(39.3歳)

【業績】	売上高	営業利益	経常利益	純利益
単22.6	11,493	1,519	1,556	1,055
単23.6	13,374	1,556	1,603	1,165
単24.6	14,518	2,030	2,072	1,420

㈱損害保険リサーチ（そんがいほけん）

株式公開計画なし

採用内定数	倍率	3年後離職率	平均年収
6名	13.3倍	42.9%	‥

●待遇、制度●
【初任給】月21.1万
【残業】‥時間【有休】15.7日【制度】住 在
●新卒定着状況●
20年入社(男3、女4)→3年後在籍(男1、女3)
●採用情報●
【人数】23年:5 24年:5 25年:応募80→内定6*
【内定内訳】(男5、女1)(文6、理0)(総6、他0)
【試験】〔Web自宅〕SPI3
【時期】エントリー25.3→内々定25.6(一次・二次以降もWEB面接可)【インターン】有
【採用実績校】聖学大1、専大1、千葉経大1、東洋大1、富山大1、武庫川女大1
【求める人材】失敗を恐れず、未知のことにも積極的に取り組むことのできるチャレンジ精神旺盛な人

【本社】112-0004 東京都文京区後楽1-7-27 後楽鹿島ビル ☎03-5842-3700
【特色・近況】損保各社の共同出資で設立された国内唯一の保険調査専門会社。全国に支社、サテライトオフィス展開。23年度の取扱調査件数は約11万件。保険金の不正請求疑義調査、交通事故の原因調査、医療調査の受託が堅調。保険金の適正支払いに貢献。
【設立】1973.8 【資本金】100百万円
【社長】菅野道生
【株主】〔24.3〕コグニビジョン14.1%
【事業】保険調査
【従業員】単395名(47.7歳)

【業績】	売上高	営業利益	経常利益	純利益
単22.3	5,835	24	57	38
単23.3	6,546	339	387	250
単24.3	6,841	386	441	290

㈱トレードワークス

東証スタンダード

採用内定数	倍率	3年後離職率	平均年収
9名	70.3倍	25%	568万円

●待遇、制度●
【初任給】年348万
【残業】9.4時間【有休】9.5日【制度】住 在
●新卒定着状況●
20年入社（男3、女1）→3年後在籍（男2、女1）
●採用情報●
【人数】23年:2 24年:12 25年:応募633→内定9*
【内定内訳】（男7、女2）（文2、理5）（総0、他9）
【試験】なし
【時期】エントリー24.8→内々定24.8*（一次・二次以降もWEB面接可）【インターン】有【ジョブ型】有
【採用実績校】総合学園ヒューマンアカデミー大阪心斎橋校専、東京経大、仙台高専、慶大、群馬大、日本薬大、跡見学園女大、玉川大、他
【求める人材】プログラミング大好きな人、諦めない、当事者意識を持って取り組める人

【本社】107-6110 東京都港区赤坂5-2-20 赤坂パークビル ☎03-6230-8900
【特色・近況】金融系システム開発・保守・運用を行う。主力はSaaS型ネット証券取引システム、投資家向けネット証券取引システム、高機能ディーリングシステム、証券取引所売買端末など金融ソリューション。インサイダー取引の監視やFXシステムの開発・運用も行う。
【設立】1999.1 【資本金】312百万円
【社長】齋藤正勝（1966.5生 多摩美大芸術卒）
【株主】〔24.6〕浅見勝弘32.8%
【連結事業】金融ソリューション75、FXシステム5、セキュリティ診断1、デジタルコマース3、ソフト受託開発他6、基幹サーバー設計他10
【従業員】連247名 単136名（39.4歳）

【業績】	売上高	営業利益	経常利益	純利益
単21.12	2,553	287	289	189
連22.12	3,270	318	327	200
連23.12	3,753	31	41	▲53

リスクモンスター

東証スタンダード

採用内定数	倍率	3年後離職率	平均年収
11名	9.5倍	33.3%	566万円

●待遇、制度●
【初任給】月24万（固定残業代20時間分）
【残業】16時間【有休】11.2日【制度】フ 住 在
●新卒定着状況●
20年入社（男3、女3）→3年後在籍（男1、女3）
●採用情報●
【人数】23年:7 24年:2 25年:応募104→内定11*
【内定内訳】（男7、女4）（文8、理3）（総11、他0）
【試験】〔Web自宅〕SPI3
【時期】エントリー24.8→内々定25.3*（一次はWEB面接可）【インターン】有
【採用実績校】産能大、立命館大院
【求める人材】プロフェッショナルになるために真摯に努力できる人

【本社】103-0027 東京都中央区日本橋2-16-5 RMGビル ☎03-6214-0331
【特色・近況】独自データベースに基づく与信管理サービスを提供。倒産確率格付けなど独自の信用情報を有料会員に配信。M&Aでポータルサイトやeラーニング、債権保証サービスなど周辺事業が拡大。金融機関向けデータ入力業務や業務請負代行業なとBPOも展開。
【設立】2000.9 【資本金】1,188百万円
【社長】藤本太一（1971.5生 阪大工卒）
【株主】〔24.3〕藤本太一10.6%
【連結事業】与信管理サービス等54、ビジネスポータルサイト16、教育関連6、BPOサービス20、他3
【従業員】連202名 単123名（38.5歳）

【業績】	売上高	営業利益	経常利益	純利益
連22.3	3,745	669	693	459
連23.3	3,744	565	552	360
連24.3	3,666	300	290	160

㈱NST新潟総合テレビ（にいがたそうごう）

株式公開未定

採用内定数	倍率	3年後離職率	平均年収
5名	19.6倍	66.7%	‥

●待遇、制度●
【初任給】月23.8万（諸手当4.7万円）
【残業】‥時間【有休】‥日【制度】住
●新卒定着状況●
20年入社（男1、女2）→3年後在籍（男1、女0）
●採用情報●
【人数】23年:0 24年:3 25年:応募98→内定5
【内定内訳】（男1、女4）（文4、理1）（総3、他2）
【試験】〔筆記〕常識〔Web自宅〕SPI3
【時期】エントリー25.3→内々定25.5【インターン】有
【採用実績校】東京女大1、法政大1、群馬県女大1、武蔵大1、津田塾大1
【求める人材】テレビを通じて新潟を盛り上げていきたいと思う熱意のある人

【本社】950-8572 新潟県新潟市中央区八千代2-3-1 ☎025-245-8181
【特色・近況】新潟県が放送エリアのローカルテレビ局。フジテレビ系。略称NST。旬の食材や旅情報などを伝える「スマイルスタジアムNST」、県内情報を伝える「八千代コースター」「潟ちゅーぶ」「NST News タッチ」などを自社制作。
【設立】1968.3 【資本金】300百万円
【社長】酒井昌彦（1958.6生 日大芸術卒）
【株主】〔24.3〕フジ・メディア・ホールディングス33.7%
【事業】タイムセールス放送36、スポットセールス放送52、制作収入等12
【従業員】単83名（40.6歳）

【業績】	売上高	営業利益	経常利益	純利益
単22.3	6,698	718	801	528
単23.3	6,589	534	626	394
単24.3	6,749	548	633	399

金融

㈱大分放送（おおいたほうそう）

株式公開計画なし

採用内定数	倍率	3年後離職率	平均年収
1名	156倍	0%	802万円

待遇、制度
【初任給】月20.4万（諸手当1.5万円）
【残業】7.1時間【有休】9.6日【制度】住 在

新卒定着状況 6月入社含む
20年入社（男0、女1）→3年後在籍（男0、女1）

採用情報
【人数】23年:1 24年:0 25年:応募156→内定1
【内定内訳】（男1、女0）（文··、理··）（総1、他0）
【試験】〔Web自宅〕SPI3
【時期】エントリー25.3→内々定25.5（一次はWEB面接可）【インターン】有
【採用実績校】熊本大1

【求める人材】テレビ、ラジオ番組に関心があり、チャレンジ精神旺盛な人

【本社】870-8620 大分県大分市今津留3-1-1 ☎097-558-1111
【特色・近況】ラジオ・テレビ兼営の放送局。通称OBS。テレビはJNN系列、ラジオはJRN・NRN系列のクロスネット。自社制作テレビ番組に月～金曜夜の「OBSイブニングプラス」、水曜ゴールデンタイムの「旬感！3ch」など。東京、大阪、福岡に支社。
【設立】1953.7 【資本金】260百万円
【社長】猪俣知三（1959.1生 明大商卒）
【株主】〔24.3〕大分県12.3%
【事業】放送96、他4
【従業員】単126名（43.3歳）

【業績】	売上高	営業利益	経常利益	純利益
単22.3	4,738	300	384	157
単23.3	4,592	13	123	65
単24.3	4,756	48	124	54

北日本放送（きたにほんほうそう）

株式公開計画なし

採用内定数	倍率	3年後離職率	平均年収
2名	46.5倍	100%	㊀815万円

待遇、制度
【初任給】月24万（諸手当3万円）
【残業】14.6時間【有休】10.6日【制度】住

新卒定着状況
20年入社（男0、女1）→3年後在籍（男0、女0）

採用情報
【人数】23年:1 24年:2 25年:応募93→内定2
【内定内訳】（男2、女0）（文2、理0）（総2、他0）
【試験】〔Web会場〕SPI3
【時期】エントリー25.3→内々定25.5【インターン】有
【採用実績校】金沢大1、武蔵大1

【求める人材】テレビ・ラジオが大好きで、新しいことに積極的にチャレンジする好奇心旺盛な人

【本社】930-8585 富山県富山市牛島町10-18 ☎076-432-5555
【特色・近況】富山県唯一のラジオ・テレビ兼営局。日本テレビ系。略称KNB。平日夕方の情報番組「いっちゃんKNB」や毎月第1金曜「ワンエフ」などを生放送。FM補完放送（AM放送をFMの周波数で放送）を全国に先駆けて放送開始。東京、大阪、金沢など5支社。
【設立】1952.3 【資本金】230百万円
【社長】島谷浩司（1964.3生 早大政経卒）
【株主】〔24.3〕北陸電力8.0%
【事業】テレビ放送92、ラジオ放送8
【従業員】単126名（43.7歳）

【業績】	売上高	営業利益	経常利益	純利益
単22.3	5,185	292	427	295
単23.3	5,073	196	347	226
単24.3	4,920	205	450	309

熊本朝日放送（くまもとあさひほうそう）

株式公開計画なし

採用内定数	倍率	3年後離職率	平均年収
2名	73倍	0%	··

待遇、制度
【初任給】··万
【残業】··時間【有休】··日【制度】··

新卒定着状況
20年入社（男1、女1）→3年後在籍（男1、女1）

採用情報
【人数】23年:3 24年:4 25年:応募146→内定2
【内定内訳】（男1、女1）（文2、理0）（総2、他0）
【試験】〔Web自宅〕SPI3〔性格〕有
【時期】エントリー25.3→内々定25.4（一次はWEB面接可）【インターン】有
【採用実績校】関西学大院1、日大1

【求める人材】··

【本社】860-8516 熊本県熊本市西区二本木1-5-12 ☎096-359-1111
【特色・近況】テレビ朝日系列の民放テレビ局。略称KAB。1989年開局。熊本県全域がエリア。自社製作番組は「くまパワ＋」「元気だけん！くまモン県プロジェクト」など。「ヒロシのひとりキャンプのすすめ」は他局やTVerでも放送・配信。東京、大阪、福岡に支社。
【設立】1988.12 【資本金】1,000百万円
【社長】竹内圭介（1963.1生 慶大法卒）
【株主】テレビ朝日
【事業】テレビ放送
【従業員】単··名（··歳）

【業績】	売上高	営業利益	経常利益	純利益
単22.3	4,332	397	412	280
単23.3	4,118	166	202	130
単24.3	4,318	290	311	205

#初任給が高い #有休取得が多い

KBCグループホールディングス

株式公開していない

採用内定数	倍率	3年後離職率	平均年収
5名	‥	0%	‥

●待遇、制度●
【初任給】月28.7万
【残業】‥時間【有休】18日【制度】住 在
●新卒定着状況●
20年入社(男3、女1)→3年後在籍(男3、女1)
●採用情報● 九州朝日放送採用
【人数】23年:2 24年:5 25年:応募‥→内定5
【内定内訳】(男3、女2)(文3、理2)(総5、他0)
【試験】試験あり
【時期】エントリー‥→内々定‥【インターン】有
【採用実績校】‥

【求める人材】‥

【本社】810-8571 福岡県福岡市中央区長浜1-1-1 ☎092-721-1234
【特色・近況】テレビはテレビ朝日系、ラジオはNRN系列の九州朝日放送(略称KBC)を傘下に持つ持株会社。テレビ番組の自社制作比率は20%超で全国ネットの番組も制作。韓国・釜山文化放送など海外4局と姉妹局、中国・上海電視台など同2局と友好協力局を形成。
【設立】1953.8 【資本金】380百万円
【社長】森山二朗(1959.1生 東大教育卒)
【株主】〔24.3〕朝日新聞社19.2%
【連結事業】民間放送90、不動産5、他5
【従業員】連393名 単39名(49.7歳)

【業績】	売上高	営業利益	経常利益	純利益
連22.3	17,474	1,694	1,921	1,295
連23.3	16,820	650	916	585
連24.3	17,349	836	1,101	932

㈱高知放送(こうちほうそう)

株式公開計画なし

採用内定数	倍率	3年後離職率	平均年収
1名	54倍	20%	㊨787万円

●待遇、制度●
【初任給】月24万(諸手当5.1万円)
【残業】23.2時間【有休】9.9日【制度】住 在
●新卒定着状況●
20年入社(男2、女3)→3年後在籍(男2、女2)
●採用情報●
【人数】23年:3 24年:3 25年:応募54→内定1
【内定内訳】(男1、女0)(文1、理0)(総1、他0)
【試験】〔筆記〕常識〔Web自宅〕有
【時期】エントリー25.4→内々定25.6(一次はWEB面接可)【インターン】有
【採用実績校】四国大1

【求める人材】鋭い先見性と洞察力により現状を改革していく、柔軟な思考と行動力のある人

【本社】780-8550 高知県高知市本町3-2-8 ☎088-825-4200
【特色・近況】高知県で最初に開局したラジオ・テレビ(日テレ系列)兼営の民間放送局。ラジオ高知として発足。略称はRKC。高知地区の平均個人視聴率、コア視聴率とも「三冠」達成。放送外事業として「ふるさとまつり」を実施。東京、大阪に支社。
【設立】1953.2 【資本金】220百万円
【社長】山﨑由幸(1960.10生 早大政経卒)
【株主】〔24.3〕高新販売オリコミ社23.5%
【事業】テレビ放送収入90、ラジオ放送収入6、事業他4
【従業員】単100名(42.0歳)

【業績】	売上高	営業利益	経常利益	純利益
単22.3	4,144	▲58	▲8	2
単23.3	4,054	▲748	▲746	▲561
単24.3	3,938	▲546	▲498	▲376

札幌テレビ放送(さっぽろテレビほうそう)

株式公開計画なし

採用内定数	倍率	3年後離職率	平均年収
6名	‥	‥	‥

●待遇、制度●
【初任給】月25.4万(諸手当4.2万円)
【残業】‥時間【有休】10.2日【制度】住
●新卒定着状況●
‥
●採用情報●
【人数】23年:3 24年:10 25年:応募‥→内定6
【内定内訳】(男1、女5)(文5、理1)(総3、他3)
【試験】〔筆記〕常識〔Web自宅〕SPI3、他〔性格〕有
【時期】エントリー‥→内々定‥【インターン】有
【採用実績校】‥

【求める人材】‥

【本社】060-8705 北海道札幌市中央区北一条西8-1-1 ☎011-241-1181
【特色・近況】日本テレビ系列で略称STV、子会社でラジオ放送。23年度個人視聴率・札幌地区における全日・ゴールデン・プライムの3冠V4を達成。「どさんこワイド179」「どさんこワイド朝」「1×8いこうよ!」など自主制作。東京と大阪に支社、モスクワに支局。
【設立】1958.4 【資本金】750百万円
【社長】井上健(1958.7生 東大文卒)
【株主】〔24.3〕日本テレビ29.9%
【事業】放送92、通信販売6、不動産2
【従業員】単225名(45.1歳)

【業績】	売上高	営業利益	経常利益	純利益
単22.3	14,804	739	1,058	729
単23.3	14,616	120	417	291
単24.3	14,653	199	511	338

㈱静岡朝日テレビ（しずおかあさひ）

株式公開計画なし

採用内定数	倍率	3年後離職率	平均年収
6名	‥	33.3%	‥

●待遇、制度●
【初任給】月25.1万
【残業】‥時間【有休】‥日【制度】‥
●新卒定着状況●
20年入社(男3、女3)→3年後在籍(男2、女2)
●採用情報●
【人数】23年:5 24年:6 25年:応募‥→内定6
【内定内訳】(男‥、女‥)(文6、理0)(総‥、他‥)
【試験】‥
【時期】エントリー‥→内々定‥
【採用実績校】‥

【求める人材】‥

【本社】420-8567 静岡県静岡市葵区東町15
☎054-251-3300
【特色・近況】テレビ朝日系列局。地域に密着し地元から信頼・支持される放送局を目指す。自主制作番組に「とびっきり！しずおか」、「霜降り明星のあてみなげ」、「スポーツパラダイス」など。東京、大阪、名古屋、浜松、沼津に支社。
【設立】1976.11 【資本金】1,000百万円
【社長】小野瀬雅久
【株主】〔24.3〕テレビ朝日ホールディングス31.6%
【事業】テレビ放送、放送外事業
【従業員】単129名(‥歳)

【業績】	売上高	営業利益	経常利益	純利益
単22.3	7,556	990	1,047	731
単23.3	7,537	1,032	1,115	773
単24.3	7,754	1,108	1,218	814

㈱瀬戸内海放送（せとないかいほうそう）

株式公開計画なし

採用内定数	倍率	3年後離職率	平均年収
6名	‥	0%	‥

●待遇、制度●
【初任給】月23.8万
【残業】‥時間【有休】‥日【制度】住 在
●新卒定着状況●
20年入社(男0、女1)→3年後在籍(男0、女1)
●採用情報●
【人数】23年:5 24年:2 25年:応募‥→内定6
【内定内訳】(男4、女2)(文5、理1)(総5、他1)
【試験】〔Web会場〕SPI3 〔性格〕有
【時期】エントリー‥→内々定‥(一次はWEB面接可)【インターン】有
【採用実績校】‥

【求める人材】‥

【高松本社】761-8581 香川県高松市上之町2-1-43
☎087-864-5555
【特色・近況】テレビ朝日系列局。略称KSB。高松、岡山の2本社制。放送エリアの香川、岡山両県における地域密着の番組制作方針を貫く。平日夕方のニュース番組「News Park KSB」、グルメ・エンタメ番組「ヒルペコ」など制作。東京と大阪に支社を配置。
【設立】1967.11 【資本金】100百万円
【社長】加藤宏一郎(1965生 東大経済卒)
【株主】〔24.3〕大洋商事49.9%
【事業】テレビ放送100
【従業員】単55名(43.4歳)

【業績】	売上高	営業利益	経常利益	純利益
単22.3	5,632	8	194	▲208
単23.3	5,454	109	297	288
単24.3	5,483	261	920	578

千葉テレビ放送（ちばテレビほうそう）

株式公開計画なし

採用内定数	倍率	3年後離職率	平均年収
1名	‥	0%	‥

●待遇、制度●
【初任給】月21万(諸手当1万円)
【残業】‥時間【有休】‥日【制度】住
●新卒定着状況●
20年入社(男3、女1)→3年後在籍(男3、女1)
●採用情報●
【人数】23年:1 24年:1 25年:応募‥→内定1
【内定内訳】(男1、女0)(文1、理0)(総1、他0)
【試験】〔筆記〕有
【時期】エントリー25.3→内々定25.7
【採用実績校】中大1

【求める人材】時代の変化に対応した、広い視野で物事を判断できるチャレンジ精神旺盛な人

【本社】260-0001 千葉県千葉市中央区都町1-1-25
☎0570-030333
【特色・近況】千葉県全域のほか東京、神奈川、埼玉、茨城の各都県が放送圏の独立放送局。愛称チバテレ。成田国際空港に支局、東京に支社。地元密着情報を豊富に発信。イベントや子供向けプログラミング教室なども展開。1971年開局。
【設立】1970.1 【資本金】1,780百万円
【社長】青柳洋治(1955.12生 立大経済卒)
【株主】〔24.3〕千葉県16.8%
【事業】テレビ放送、他
【従業員】単71名(42.2歳)

【業績】	売上高	営業利益	経常利益	純利益
単22.3	3,828	‥	519	340
単23.3	3,668	‥	294	176
単24.3	3,541	‥	157	81

中部日本放送（ちゅうぶにっぽんほうそう）

名証プレミア

採用実績数	倍率	3年後離職率	平均年収
11名	‥	‥	‥

●待遇、制度●
【初任給】月24.6万（固定残業代15時間分）
【残業】‥時間【有休】7.8日【制度】[住][在]
●新卒定着状況●
‥
●採用情報● CBCテレビ採用
【人数】23年:7 24年:11 25年:予定前年並
【内定内訳】（男‥、女‥）（文‥、理‥）（総‥、他‥）
【試験】試験あり
【時期】エントリー通年→内々定通年（一次・二次以降もWEB面接可）【インターン】有
【採用実績校】‥
【求める人材】大きい仕事にも前向きに取り組み、周囲を巻き込みながらまとめていくダイナミックな人

【本社】460-8405 愛知県名古屋市中区新栄1-2-8 ☎052-241-8111
【特色・近況】子会社にCBCテレビやCBCラジオを持つ認定放送持株会社。テレビはJNN系列。東海3県が放送エリアで中日新聞色が強い。民間ラジオは毎日放送とともに最古参。自社制作の「ゴゴスマ」が好調で放送エリア拡大。不動産賃貸やゴルフ場、保険代理業なども。
【設立】1950.12 【資本金】1,320百万円
【社長】升家誠司（1958.1生 早大法卒）
【株主】〔24.3〕中日新聞社9.8%
【連結事業】メディアコンテンツ関連91、不動産関連6、他3
【従業員】連710名 単237名（‥歳）

【業績】	売上高	営業利益	経常利益	純利益
連22.3	32,757	1,814	2,204	1,313
連23.3	32,713	1,233	1,773	1,065
連24.3	32,625	1,381	2,062	1,186

㈱テレビ岩手（いわて）

株式公開計画なし

採用内定数	倍率	3年後離職率	平均年収
2名	‥	0%	[総]820万円

●待遇、制度●
【初任給】月23万
【残業】23時間【有休】‥日【制度】[住][在]
●新卒定着状況●
20年入社（男3、女2）→3年後在籍（男3、女2）
●採用情報●
【人数】23年:0 24年:2 25年:応募‥→内定2*
【内定内訳】（男1、女1）（文0、理2）（総0、他2）
【試験】〔筆記〕常識、他
【時期】エントリー25.3→内々定25.6【インターン】有
【採用実績校】岩手県大、金沢工大
【求める人材】コミュニケーション能力の高い人

【本社】020-8650 岩手県盛岡市内丸2-10 ☎019-624-1166
【特色・近況】日本テレビ系列の地方局。略称TVI。朝日新聞とテレビ朝日HDも出資。月～金夕方放送「5きげんテレビ」など自社制作番組に注力。スポーツ中継にも意欲。23年も年間・年度でエリア視聴率三冠。県内2支社と東京、大阪、仙台に3支社を配置。
【設立】1969.1 【資本金】400百万円
【社長】福士千恵子（1960.7生 早大政経卒）
【株主】〔24.3〕読売新聞東京本社18.7%
【事業】テレビ放送96、他4
【従業員】単79名（43.5歳）

【業績】	売上高	営業利益	経常利益	純利益
単22.3	4,688	365	440	293
単23.3	4,664	131	273	181
単24.3	4,562	19	192	126

㈱テレビ愛媛（えひめ）

株式公開計画なし

採用内定数	倍率	3年後離職率	平均年収
2名	‥	0%	[総]803万円

●待遇、制度●
【初任給】月21.8万（諸手当3.2万円）
【残業】17.7時間【有休】6.4日【制度】[住]
●新卒定着状況●
20年入社（男3、女2）→3年後在籍（男3、女2）
●採用情報●
【人数】23年:5 24年:2 25年:応募‥→内定2
【内定内訳】（男0、女2）（文2、理0）（総2、他0）
【試験】〔筆記〕常識〔Web会場〕C-GAB〔Web自宅〕WEB-GAB〔性格〕有
【時期】エントリー25.3→内々定25.6（一次はWEB面接可）
【採用実績校】静岡大院1、松山大1
【求める人材】様々な事に興味を持ち、柔軟で行動力のある人

【本社】790-8537 愛媛県松山市真砂町119 ☎089-943-1111
【特色・近況】フジテレビ系列のテレビ局。略称EBC。自社制作番組は「ふるさと絶賛バラエティ いーよ！」「ゆ～ばら！」など。支社・支局は全国6カ所を展開。関連会社に番組・CM制作などのEBCプロダクション。地域情報番組やSNSを使用した情報発信にも注力。
【設立】1969.1 【資本金】300百万円
【社長】尾谷牧夫（1957.10生 阪大工卒）
【株主】〔24.3〕フジ・メディア・ホールディングス20.2%
【事業】テレビジョン放送99、他1
【従業員】単70名（42.8歳）

【業績】	売上高	営業利益	経常利益	純利益
単22.3	3,743	205	238	155
単23.3	3,627	116	155	97
単24.3	3,572	90	142	90

㈱テレビ大分（おおいた）

株式公開計画なし

採用内定数	倍率	3年後離職率	平均年収
3名	58倍	0%	‥

●待遇、制度●
【初任給】月22.6万（諸手当3.9万円）
【残業】28時間【有休】11.5日【制度】住
●新卒定着状況●
20年入社（男1、女2）→3年後在籍（男1、女2）
●採用情報●
【人数】23年:3 24年:4 25年:応募174→内定3
【内定内訳】（男2、女1）（文3、理0）（総3、他0）
【試験】〔筆記〕有〔Web会場〕SPI3〔Web自宅〕SPI3
【時期】エントリー25.3→内々定25.5*(一次はWEB面接可)【インターン】有
【採用実績校】早大2、熊本大1
【求める人材】幅広い知識欲があり主体的に行動できる人、倫理観が高く視野が広い人

【本社】870-8636 大分県大分市春日浦843-25
☎097-532-9111
【特色・近況】日本テレビ系とフジテレビ系のクロスネット局。略称TOS。大分県で2番目の民放局として1970年開局。平日夕方帯の情報生ワイド番組「ゆ～わくワイド」、土曜の情報生番組「サタデーパレット」などを制作。東京、大阪、福岡に支社。
【設立】1969.2 【資本金】500百万円
【社長】池邉強
【株主】‥
【事業】テレビ放送
【従業員】単90名（40.8歳）

【業績】	売上高	営業利益	経常利益	純利益
単22.3	4,832	256	313	133
単23.3	4,641	▲20	82	38
単24.3	4,678	95	157	112

㈱テレビ熊本（くまもと）

株式公開計画なし

採用内定数	倍率	3年後離職率	平均年収
3名	‥	‥	‥

●待遇、制度●
【初任給】‥万
【残業】‥時間【有休】‥日【制度】‥
●新卒定着状況●
‥
●採用情報●
【人数】23年:1 24年:3 25年:応募‥→内定3
【内定内訳】（男0、女3）（文3、理0）（総3、他0）
【試験】‥
【時期】エントリー‥→内々定‥
【採用実績校】上智大1、早大1、青学大1
【求める人材】‥

【本社】861-5592 熊本県熊本市北区徳王1-8-1
☎096-354-3411
【特色・近況】フジテレビ系テレビ局。略称TKU。県内2局目の民放でテレビの売上は県内トップ。自社制作番組やニュース番組を充実化。平日午前の情報番組「英太郎のかたらんね」が朝の看板番組。コンサートやイベントも主催。水資源を守る活動にも取り組む。
【設立】1968.3 【資本金】300百万円
【社長】河津延雄（1955.11生）
【株主】‥
【事業】放送収入92、他収入8
【従業員】単67名（40.1歳）

【業績】	売上高	営業利益	経常利益	純利益
単22.3	5,887	430	594	412
単23.3	5,899	314	563	392
単24.3	5,771	214	426	296

㈱テレビ高知（こうち）

株式公開計画なし

採用内定数	倍率	3年後離職率	平均年収
3名	‥	33.3%	総613万円

●待遇、制度●
【初任給】月21.4万
【残業】6.5時間【有休】9.5日【制度】住
●新卒定着状況●
20年入社（男3、女3）→3年後在籍（男2、女2）
●採用情報●
【人数】23年:5 24年:4 25年:応募‥→内定3*
【内定内訳】（男1、女2）（文3、理0）（総3、他0）
【試験】〔筆記〕常識〔Web自宅〕有〔性格〕有
【時期】エントリー25.3→内々定25.6～7(一次・二次以降もWEB面接可)【インターン】有
【採用実績校】立命館大1、梅光学大1、京産大1
【求める人材】自ら課題を見つけ、解決に向け、学び続けられる人、能動的に行動できる人

【本社】780-8577 高知県高知市北本町3-4-27
☎088-880-1111
【特色・近況】JNN系列の地方テレビ局。略称KUTV。高知県2位。月～金曜夜にローカル番組「からふる」を放送するなどローカルニュースや情報番組を強化。「がんばれ高知！！eco応援団」「あさコレ！」なども自主制作。朝日、読売両大手新聞社も出資。
【設立】1969.4 【資本金】300百万円
【社長】藤田徹也（1957.6生 上智大卒）
【株主】〔24.3〕TBSホールディングス14.0%
【事業】テレビ放送100
【従業員】単94名（39.9歳）

【業績】	営業収益	営業利益	経常利益	純利益
単22.3	2,939	322	334	234
単23.3	2,791	150	166	114
単24.3	2,745	100	125	72

マスコミ・メディア

㈱テレビ新広島（しんひろしま）

株式公開計画なし

採用内定数	倍率	3年後離職率	平均年収
5名	‥	‥	‥

●待遇、制度●
【初任給】月25万
【残業】‥時間【有休】‥日【制度】フ
●新卒定着状況●
‥
●採用情報●
【人数】23年:3 24年:4 25年:応募‥→内定5*
【内定内訳】(男1、女4)(文5、理0)(総5、他0)
【試験】‥
【時期】エントリー‥→内々定‥
【採用実績校】‥

【求める人材】課題に対する行動を自ら起こす人、仲間と共に創造する喜びを過程も含め大切にする人

【本社】734-8585 広島県広島市南区出汐2-3-19 ☎082-256-2136
【特色・近況】フジ-FNN系列の広島地盤のテレビ局。略称TSS。自社制作番組は「ひろしま満点ママ!!」「釣りごろつられごろ」など。「西村キャンプ場」は他局にもネット。「Thank you for zero」など子ども応援プロジェクトで地域に密着。
【設立】1974.8 【資本金】1,000百万円
【社長】箕輪幸人(1957.6生 早大商卒)
【株主】〔24.3〕フジ・メディア・ホールディングス33.6%
【事業】テレビ放送
【従業員】単111名(42.9歳)

【業績】	売上高	営業利益	経常利益	純利益
単22.3	7,883	307	329	273
単23.3	7,357	94	114	57
単24.3	7,291	104	137	50

テレビせとうち

株式公開計画なし

採用内定数	倍率	3年後離職率	平均年収
4名	43.8倍	0%	660万円

●待遇、制度●
【初任給】月20.6万
【残業】19時間【有休】11.8日【制度】フ
●新卒定着状況●
20年入社(男0、女1)→3年後在籍(男0、女1)
●採用情報●
【人数】23年:2 24年:1 25年:応募175→内定4
【内定内訳】(男1、女3)(文4、理0)(総4、他0)
【試験】〔筆記〕有
【時期】エントリー25.3→内々定25.5【インターン】有
【採用実績校】岡山大1、愛媛大1、島根大1、学習院大1

【求める人材】やる気があり、新しい発想のできる人

【本社】700-8677 岡山県岡山市北区柳町2-1-1 ☎086-803-7000
【特色・近況】中国・四国地方で唯一のテレビ東京系列局。1985年開局、略称TSC。岡山、香川が放送エリア。山陽新聞・日本経済新聞グループ。「プライド」「ななスパBIZ」「おばあちゃんの台所」など地域密着の自主制作番組を手がける。
【設立】1984.10 【資本金】1,600百万円
【社長】仮谷寛志(1958.5生 慶大法卒)
【株主】〔24.3〕山陽新聞社34.1%
【事業】放送業
【従業員】単79名(45.1歳)

【業績】	売上高	営業利益	経常利益	純利益
単22.3	3,162	212	218	151
単23.3	3,089	152	158	97
単24.3	3,158	215	221	131

#初任給が高い

㈱テレビ西日本（にしにっぽん）

株式公開計画なし

採用内定数	倍率	3年後離職率	平均年収
3名	159倍	0%	‥

●待遇、制度●
【初任給】月31.6万(諸手当を除いた数値)
【残業】‥時間【有休】‥日【制度】住
●新卒定着状況●
20年入社(男4、女2)→3年後在籍(男4、女2)
●採用情報●
【人数】23年:4 24年:3 25年:応募477→内定3
【内定内訳】(男1、女2)(文3、理0)(総3、他0)
【試験】〔Web自宅〕SPI3
【時期】エントリー25.2→内々定25.3(二次以降はWEB面接可)【インターン】有
【採用実績校】九大2、関西学大1

【求める人材】「テレビ局」で実現したい想いを持ち、人を巻き込み実行できる人

【本社】814-8555 福岡県福岡市早良区百道浜2-3-2 ☎092-852-5555
【特色・近況】福岡県が放送エリアのフジテレビ系列の基幹局。比較的若い年齢の視聴者層に強み。番組は「ももち浜ストア」「報道ワイド 記者のチカラ」「福岡NEWSファイルCUBE」など制作。バラエティ番組「ゴリパラ見聞録」は全国区の人気を誇る。
【設立】1958.4 【資本金】352百万円
【社長】河野雄一(1958.11生)
【株主】〔24.3〕西日本新聞社7.1%
【事業】民間放送業
【従業員】単172名(43.6歳)

【業績】	売上高	営業利益	経常利益	純利益
単22.3	13,913	1,474	1,598	1,346
単23.3	13,786	802	905	628
単24.3	12,980	574	708	482

#年収高く倍率低い

㈱テレビ宮崎（みやざき）

株式公開計画なし

採用内定数	倍率	3年後離職率	平均年収
6名	16.2倍	33.3%	㊕865万円

●待遇、制度●

【初任給】月22.7万(諸手当2.1万円、固定残業代6.1時間分)
【残業】12.8時間【有休】11.6日【制度】住 在

●新卒定着状況●

20年入社(男2、女1)→3年後在籍(男1、女1)

●採用情報●

【人数】23年:3 24年:7 25年:応募97→内定6
【内定内訳】(男‥、女4)(文4、理2)(総6、他‥)
【試験】〔筆記〕SPI3〔Web自宅〕SPI3〔性格〕有
【時期】エントリー25.3→内々定25.6(一次はWEB面接可)【インターン】有
【採用実績校】広島大1、宮崎公大2、東洋大1、鹿児島大1
【求める人材】自らの役割を認識し、新たな視点と広い視野で自ら考え判断し、新たな価値を組織にもたらすことが出来る人

【本社】880-8535 宮崎県宮崎市祇園2-78 ☎0985-31-5111
【特色・近況】宮崎県が放送エリアのテレビ局。略称UMK。フジテレビ系、日本テレビ系、テレビ朝日系の番組を編成。全国で唯一の3局クロスネット局。自社制作番組は「U-doki」「火曜ゴールデン よかばん！！」「#Link」など。グループでゴルフ場も運営。
【設立】1969.5 【資本金】330百万円
【社長】寺村明之(1956.3生 京都教大)
【株主】〔24.3〕関西テレビ放送19.5%
【事業】放送事業収入94、他6
【従業員】単139名(39.1歳)

【業績】	売上高	営業利益	経常利益	純利益
単22.3	6,880	674	841	526
単23.3	6,794	387	573	359
単24.3	6,950	164	365	160

東北放送（とうほくほうそう）

株式公開計画なし

採用内定数	倍率	3年後離職率	平均年収
4名	‥	0%	864万円

●待遇、制度●

【初任給】月25.1万
【残業】‥時間【有休】‥日【制度】‥

●新卒定着状況●

20年入社(男2、女3)→3年後在籍(男2、女3)

●採用情報●

【人数】23年:7 24年:6 25年:応募‥→内定4
【内定内訳】(男‥、女‥)(文‥、理‥)(総‥、他‥)
【試験】試験あり
【時期】エントリー‥→内々定‥
【採用実績校】‥
【求める人材】素直で好奇心旺盛な人

【本社】982-0831 宮城県仙台市太白区八木山香澄町26-1 ☎022-229-1111
【特色・近況】宮城県がエリアのラジオ・テレビ兼営局。通称tbc。テレビはTBS系。平日朝のテレビ「ウォッチン！みやぎ」、「ひるまでウォッチン！」、平日午後のラジオ「ラジオな気分」など自主制作。東京と大阪に支社。テレビ放送開始65周年のキャンペーンを展開。
【設立】1951.12 【資本金】100百万円
【社長】一力敦彦(1962.6生 中大理工卒)
【株主】〔24.3〕河北新報社10.0%
【事業】放送95、他5
【従業員】単136名(42.2歳)

【業績】	売上高	営業利益	経常利益	純利益
単22.3	6,899	▲110	▲91	▲28
単23.3	6,502	▲430	▲382	▲388
単24.3	6,657	▲22	115	128

㈱新潟テレビ21（にいがた）

株式公開計画なし

採用内定数	倍率	3年後離職率	平均年収
2名	34倍	0%	‥

●待遇、制度●

【初任給】月21.5万
【残業】36時間【有休】9.3日【制度】在

●新卒定着状況●

20年入社(男1、女1)→3年後在籍(男1、女1)

●採用情報●

【人数】23年:5 24年:4 25年:応募68→内定2
【内定内訳】(男0、女2)(文2、理0)(総2、他0)
【試験】〔Web自宅〕SPI3
【時期】エントリー25.3→内々定25.5(一次はWEB面接可)
【採用実績校】法政大1、明大1
【求める人材】ポジティブで新しいことが大好きな人、テレビが新潟が大好きな人

【本社】951-8521 新潟県新潟市中央区下大川前通六ノ町2230-19 ☎025-223-0021
【特色・近況】テレビ朝日系列のテレビ局。地域と共に環境問題に取り組む「チームエコプロジェクト」や、新潟県37市町村の魅力を紹介する「探県プロジェクト」など新潟の魅力を内外に発信。自社制作の「まるどりっ！UP」、報道番組「スーパーJにいがた」なども放映。
【設立】1983.3 【資本金】100百万円
【社長】桑原美樹(1956.8生 早大文卒)
【株主】〔24.3〕朝日新聞社21.1%
【事業】タイム放送48、スポット放送48、制作1、他3
【従業員】単81名(41.8歳)

【業績】	売上高	営業利益	経常利益	純利益
単22.3	4,638	259	268	182
単23.3	4,464	141	153	97
単24.3	4,655	172	185	124

西日本放送（にしにっぽんほうそう）　株式公開計画なし

採用内定数	倍率	3年後離職率	平均年収
3名	62倍	0%	㊗736万円

●待遇、制度●
【初任給】月22.4万(諸手当を除いた数値)
【残業】11.6時間【有休】11日【制度】在
●新卒定着状況●
20年入社(男1、女0)→3年後在籍(男1、女0)
●採用情報●
【人数】23年:1 24年:4 25年:応募186→内定3
【内定内訳】(男2、女1)(文3、理0)(総3、他0)
【試験】〔Web会場〕C-GAB〔Web自宅〕WEB-GAB
【時期】エントリー 25.3→内々定25.7*(一次はWEB面接可)
【採用実績校】岡山大2、早大1

【求める人材】放送技術等の専門能力を有するほか、様々な状況に柔軟に対応できる人

【本社】760-8575 香川県高松市丸の内8-15
☎087-826-7333
【特色・近況】香川・岡山両県が放送エリアでラジオ・テレビ兼営。略称RNC。テレビは日テレ系。毎週土曜午前「シアワセ気分！」、平日午前「さわやかラジオラ・フレッシュ」など自主制作。岡山／香川エリアで23年度男女13～49歳のコア視聴率で三冠王。
【設立】1953.7　【資本金】360百万円
【社長】中村卓朗(1958.7生 法大経営卒)
【株主】〔24.3〕日本テレビ12.8%
【事業】テレビ放送96、ラジオ放送4
【従業員】単65名(46.9歳)

【業績】	売上高	営業利益	経常利益	純利益
単22.3	6,996	644	685	403
単23.3	6,647	334	394	158
単24.3	6,437	256	333	113

#初任給が高い

㈱BS－TBS　株式公開計画なし

採用実績数	倍率	3年後離職率	平均年収
3名	‥	33.3%	‥

●待遇、制度●
【初任給】月29万(固定残業代40時間分)
【残業】‥時間【有休】9.1日【制度】在
●新卒定着状況●
20年入社(男1、女2)→3年後在籍(男0、女2)
●採用情報●
【人数】23年:4 24年:3 25年:予定0
【内定内訳】(男‥、女‥)(文‥、理‥)(総‥、他‥)
【試験】‥
【時期】エントリー 25.‥→内々定‥
【採用実績校】‥

【求める人材】‥

【本社】107-0052 東京都港区赤坂5-3-6
☎03-5575-2250
【特色・近況】BSデジタル放送事業者。各種放送番組の企画・制作のほか、各種ソフトの企画・製作、舞台・映画事業も行う。ニュース番組「報道1930」や「吉田類の酒場放浪記」などが代表番組。野球などスポーツ中継も人気。TBSホールディングスの完全子会社。
【設立】1998.11　【資本金】5,844百万円
【社長】伊佐野英樹(1962.10生 早大政経卒)
【株主】〔24.3〕TBSホールディングス100%
【事業】テレビ放送96、事業(配信・番販・DVD・イベント・舞台・ショッピング等)4
【従業員】単67名(43.3歳)

【業績】	売上高	営業利益	経常利益	純利益
単22.3	16,424	2,450	2,484	1,692
単23.3	17,218	2,780	2,817	1,932
単24.3	17,108	2,929	2,965	2,039

#年収が高い

㈱BS日本（にっぽん）　株式公開計画なし

採用内定数	倍率	3年後離職率	平均年収
2名	49倍	0%	㊗942万円

●待遇、制度●
【初任給】月26.3万
【残業】‥時間【有休】10.5日【制度】フ 在
●新卒定着状況●
20年入社(男1、女1)→3年後在籍(男1、女1)
●採用情報●
【人数】23年:2 24年:2 25年:応募98→内定2
【内定内訳】(男1、女1)(文2、理0)(総2、他0)
【試験】〔筆記〕有〔Web自宅〕SPI3〔性格〕有
【時期】エントリー 25.3→内々定25.5
【採用実績校】専大1、上智大1

【求める人材】テレビが好きで、ムードメーカーとして変化し続ける環境でチャレンジできる人

【本社】105-8644 東京都港区東新橋1-6-1
☎‥
【特色・近況】日テレ系のBSデジタル放送局。24時間ニュース、エンタメ、紀行ドキュメンタリー、読売ジャイアンツ関連など番組多彩。コンサートや舞台なども主催。YouTubeなど動画配信も積極的に行う。日本テレビHDのグループ会社。
【設立】1998.12　【資本金】4,000百万円
【社長】粕谷賢之(1960.2生)
【株主】〔24.3〕日本テレビホールディングス100%
【事業】テレビ収入87、他13
【従業員】単84名(44.0歳)

【業績】	売上高	営業利益	経常利益	純利益
単22.3	16,294	2,283	2,319	1,600
単23.3	16,300	2,125	2,164	1,474
単24.3	16,897	2,201	2,256	1,578

㈱ビーエスフジ

株式公開計画なし

採用内定数	倍率	3年後離職率	平均年収
3名	‥	0%	‥

●待遇、制度●
【初任給】‥万
【残業】‥時間【有休】‥日【制度】‥
●新卒定着状況●
20年入社(男0、女2)→3年後在籍(男0、女2)
●採用情報●
【人数】23年:3 24年:4 25年:応募‥→内定3
【内定内訳】(男1、女2)(文3、理0)(総3、他0)
【試験】‥
【時期】エントリー‥→内々定‥
【採用実績校】‥
【求める人材】‥

【本社】137-8088 東京都港区台場2-4-8 フジテレビメディアタワー22階 ☎03-5500-8000
【特色・近況】BSデジタル放送を行う衛星基幹放送事業者。フジ・メディアHDの完全子会社。報道・情報、スポーツ、映画・ドラマ、ドキュメンタリー、音楽、アニメなど多彩な番組を放映。通販事業「BSフジショッピング」などのサービスも実施。
【設立】1998.12 【資本金】6,200百万円
【社長】亀山千広(1956.6生 早大政経卒)
【株主】〔24.3〕フジ・メディア・ホールディングス100%
【事業】放送事業95、他放送3、他事業2
【従業員】単81名(38.8歳)

【業績】	売上高	営業利益	経常利益	純利益
単22.3	14,866	2,263	2,271	1,561
単23.3	15,446	2,753	2,755	1,883
単24.3	16,255	3,162	3,173	2,177

㈱東日本放送（ひがしにっぽんほうそう）

株式公開計画なし

採用内定数	倍率	3年後離職率	平均年収
2名	186倍	25%	‥

●待遇、制度●
【初任給】月24万
【残業】20.5時間【有休】12.2日【制度】住 在
●新卒定着状況●
20年入社(男2、女2)→3年後在籍(男1、女2)
●採用情報●
【人数】23年:4 24年:4 25年:応募372→内定2
【内定内訳】(男1、女1)(文2、理0)(総1、他1)
【試験】〔性格〕有
【時期】エントリー25.2→内々定25.4(一次はWEB面接可)【インターン】有
【採用実績校】早大1、津田塾大1
【求める人材】様々なことに興味を持って、果敢にチャレンジできる人、明るく前向きで積極的な人

【本社】982-8505 宮城県仙台市太白区あすと長町1-3-15 ☎022-304-5005
【特色・近況】テレビ朝日系列のテレビ局。1975年開局。略称khb。宮城県が放送エリア。中国四川電視台と友好姉妹局。平日午前の長寿番組「突撃！ナマイキTV」をはじめ、地域密着情報番組「チャージ！」などを自主制作。東京・銀座と大阪に支社。
【設立】1974.10 【資本金】1,000百万円
【社長】藤ノ木正哉(1955.6生 中大法卒)
【株主】〔24.3〕テレビ朝日ホールディングス27.0%
【事業】テレビ放送100
【従業員】単115名(42.7歳)

【業績】	売上高	営業利益	経常利益	純利益
単22.3	6,332	63	30	▲880
単23.3	6,408	▲45	▲66	▲48
単24.3	6,191	▲28	▲25	▲12

広島テレビ放送（ひろしまほうそう）

株式公開計画なし

採用内定数	倍率	3年後離職率	平均年収
4名	59.8倍	0%	‥

●待遇、制度●
【初任給】月27万(諸手当4.8万円)
【残業】19時間【有休】8.3日【制度】フ 住 在
●新卒定着状況●
20年入社(男3、女0)→3年後在籍(男3、女0)
●採用情報●
【人数】23年:2 24年:2 25年:応募239→内定4
【内定内訳】(男3、女1)(文3、理1)(総4、他0)
【試験】〔筆記〕常識〔性格〕有
【時期】エントリー25.3→内々定25.5(一次はWEB面接可)
【採用実績校】慶大1、豊橋技科大1、広島大1、千葉大1
【求める人材】テレビもネットもSNSもITビジネスも大好きなデジタル領域に強い人

【本社】732-8575 広島県広島市東区二葉の里3-5-4 ☎082-207-0404
【特色・近況】日本テレビ系列のテレビ局。「テレビ派」「元気丸」「WAWATCH」が看板番組。「広島コンベンションホール」と「エキキターレ」広場では様々なイベントを展開、地域の賑わい創出にも取り組む。東京、大阪、福山に支社、県内に2支局を有する。
【設立】1962.1 【資本金】200百万円
【社長】飯田政之(1958.10生)
【株主】〔24.3〕読売新聞グループ本社
【事業】民間テレビ放送100
【従業員】単128名(‥歳)

【業績】	売上高	営業利益	経常利益	純利益
単22.3	9,100	‥	‥	‥
単23.3	9,400	‥	‥	‥
単24.3	9,400	‥	‥	‥

マスコミ・メディア

㈱福島中央テレビ（ふくしまちゅうおう）

株式公開計画なし

採用内定数	倍率	3年後離職率	平均年収
2名	‥	‥	‥

●待遇、制度●
【初任給】月24.1万
【残業】‥時間【有休】‥日【制度】‥
●新卒定着状況●
‥
●採用情報●
【人数】23年:4 24年:6 25年:応募‥→内定2
【内定内訳】(男0、女2)(文2、理0)(総2、他0)
【試験】〔筆記〕有〔Web会場〕有
【時期】エントリー25.3→内々定25.5(一次はWEB面接可)【インターン】有
【採用実績校】‥

【求める人材】福島の素晴らしさを多くの人に届け、福島を盛り上げたいという熱意のある人

【本社】963-8533 福島県郡山市池ノ台13-23 ☎024-923-3300
【特色・近況】日テレ系のTV局。略称中テレ。自社制作地域密着型情報ワイド番組「ゴジてれChu！」は平日夕方3時間の生放送。前身番組含め放送30周年。県民の視点に立った情報発信に力を入れる。福島、会津、いわき、東京、大阪、仙台に支社。
【設立】1969.5 【資本金】400百万円
【社長】尾崎和典(1958.3生 東北大法卒)
【株主】〔24.6〕読売新聞東京本社23.8%
【事業】テレビ放送95、他・事業5
【従業員】単116名(38.1歳)

【業績】	売上高	営業利益	経常利益	純利益
単22.3	5,775	395	390	267
単23.3	5,869	308	459	279
単24.3	5,771	80	131	115

北陸放送（ほくりくほうそう）

株式公開していない

採用内定数	倍率	3年後離職率	平均年収
3名	46倍	0%	‥

●待遇、制度●
【初任給】月20.5万
【残業】17.8時間【有休】9.5日【制度】フ 住
●新卒定着状況●
20年入社(男2、女1)→3年後在籍(男2、女1)
●採用情報●
【人数】23年:0 24年:4 25年:応募138→内定3*
【内定内訳】(男1、女2)(文2、理1)(総3、他0)
【試験】〔筆記〕常識〔Web自宅〕SPI3〔性格〕有
【時期】エントリー25.3→内々定25.5【インターン】有
【採用実績校】金沢大2、富山大1

【求める人材】テレビ・ラジオが大好きで、チームワークを大切にし、地域に貢献したい！という人

【本社】920-8560 石川県金沢市本多町3-2-1 ☎076-262-8111
【特色・近況】金沢市本拠のラジオ・テレビ兼営局。略称MRO。北陸地方初の民間放送として1952年ラジオ放送、58年テレビ放送開始。テレビはTBS系列。ラジオ・テレビとも放送圏は石川県。地元密着の独自制作番組に注力。東京、関西、富山に支社。
【設立】1951.12 【資本金】180百万円
【社長】島田喜広(1960.12生)
【株主】〔24.3〕北國新聞社9.7%
【連結事業】放送関連95、他5
【従業員】連130名 単92名(44.1歳)

【業績】	売上高	営業利益	経常利益	純利益
連22.3	3,871	▲60	▲7	▲67
連23.3	3,808	▲289	▲241	▲241
連24.3	4,000	▲61	0	250

北海道放送（ほっかいどうほうそう）

株式公開計画なし

採用内定数	倍率	3年後離職率	平均年収
8名	‥	0%	‥

●待遇、制度●
【初任給】月24.4万
【残業】‥時間【有休】‥日【制度】住 在
●新卒定着状況●
20年入社(男3、女3)→3年後在籍(男3、女3)
●採用情報●
【人数】23年:4 24年:7 25年:応募‥→内定8
【内定内訳】(男3、女5)(文6、理2)(総6、他2)
【試験】〔筆記〕常識、他〔Web自宅〕SPI3
【時期】エントリー24.12→内々定25.4(一次はWEB面接可)
【採用実績校】北大2、中大2、早大1、上智大1、東理大1、千歳科技大1

【求める人材】放送に興味があり、北海道のために働きたい人

【本社】060-8501 北海道札幌市中央区北一条西5-2 ☎011-232-5800
【特色・近況】北海道初の民放局でラジオ・テレビ兼営。略称HBC。地デジ中継局157局。世帯カバー率は98.5%。ワイド情報番組「今日ドキッ！」(月曜～金曜午後)や「グッチーな！」(木曜朝)、「ジンギス談！」(日曜昼)などを自主制作。TBS系列。
【設立】1951.11 【資本金】100百万円
【社長】勝田直樹(1961.12生)
【株主】〔24.3〕共栄火災海上保険9.9%
【事業】放送関連97、事業2、不動産1
【従業員】単230名(44.9歳)

【業績】	売上高	営業利益	経常利益	純利益
単22.3	10,720	▲175	▲45	▲333
単23.3	10,819	▲175	▲70	▲177
単24.3	10,727	149	295	293

マスコミ・メディア

㈱宮城（みやぎ）テレビ放送（ほうそう）

株式公開計画なし

採用内定数	倍率	3年後離職率	平均年収
1名	187倍	0%	[総]840万円

●待遇、制度●
【初任給】月23.9万(諸手当3万円)
【残業】15.2時間【有休】10.8日【制度】[住][在]
●新卒定着状況●
20年入社(男1、女2)→3年後在籍(男1、女2)
●採用情報●
【人数】23年:5 24年:4 25年:応募187→内定1
【内定内訳】(男0、女1)(文1、理0)(総1、他0)
【試験】〔Web自宅〕SPI3
【時期】エントリー‥→内々定‥(一次はWEB面接可)【インターン】有
【採用実績校】東京女大1

【求める人材】挑戦意欲を持ち続け、協調と高いコミュニケーション力を保ちながら、フットワークよく行動できる人

【本社】983-8611 宮城県仙台市宮城野区日の出町1-5-33 ☎022-236-3411
【特色・近況】日本テレビ系列のテレビ局。略称・ミヤテレ。情報番組「OH！バンデス」は放送開始から30年目。地域密着の番組作りに注力。14年連続「年度平均視聴率・三冠王」獲得(仙台地区)。女子プロゴルフトーナメント共催などイベントも開催。東京と大阪に支社。
【設立】1970.1 【資本金】300百万円
【社長】玉井忠幸
【株主】〔24.6〕カメイ22.5%
【事業】テレビCM放送収入90、他収入10
【従業員】単106名(42.8歳)

【業績】	売上高	営業利益	経常利益	純利益
単22.3	7,690	619	676	458
単23.3	7,296	303	486	327
単24.3	7,139	173	384	253

㈱エフエムナックファイブ

株式公開計画なし

採用実績数	倍率	3年後離職率	平均年収
0名	ー	ー	‥

●待遇、制度●
【初任給】月25.2万(諸手当を除いた数値)
【残業】‥時間【有休】‥日【制度】[住]
●新卒定着状況●
20年入社(男0、女0)→3年後在籍(男0、女0)
●採用情報●
【人数】23年:0 24年:0 25年:予定0
【内定内訳】(男‥、女‥)(文‥、理‥)(総‥、他)
【試験】‥
【時期】エントリー 25.3→内々定25.7
【採用実績校】‥

【求める人材】‥

【本社】330-8579 埼玉県さいたま市大宮区錦町682-2 JACK大宮 ☎048-650-0795
【特色・近況】埼玉県のFMラジオ局。同県全域のほか東京、神奈川、千葉、群馬、栃木、茨城の一部が放送エリア。社名は周波数の79.5MHzにちなむ。大宮アルディージャのホームである大宮公園サッカー場「NACK5スタジアム大宮」の命名権を持つ。
【設立】1988.3 【資本金】800百万円
【社長】武藤昭(1958.9生 早大社会科卒)
【株主】〔24.3〕西武鉄道13.2%
【事業】放送100
【従業員】単27名(42.0歳)

【業績】	売上高	営業利益	経常利益	純利益
単22.3	2,353	65	68	36
単23.3	2,468	70	71	38
単24.3	2,640	60	63	31

㈱文化（ぶんか）放送（ほうそう）

株式公開計画なし

採用内定数	倍率	3年後離職率	平均年収
4名	‥	0%	‥

●待遇、制度●
【初任給】月25.6万(諸手当1.6万円、固定残業代10時間分)
【残業】26.4時間【有休】9.1日【制度】[在]
●新卒定着状況●
20年入社(男2、女1)→3年後在籍(男2、女1)
●採用情報●
【人数】23年:3 24年:2 25年:応募‥→内定4
【内定内訳】(男1、女3)(文4、理0)(総4、他0)
【試験】〔筆記〕常識、他
【時期】エントリー 25.1→内々定25.4
【採用実績校】慶大1、中大1、東京女大1、フェリス女学大1

【求める人材】今までの常識に捉われず新しい価値を探求し、閉塞感を突破するバイタリティ溢れる人

【本社】105-8002 東京都港区浜松町1-31 ☎03-5403-1111
【特色・近況】フジサンケイGのラジオキー局で、コールサインはJOQR。前身は聖パウロ修道会が設立した日本文化放送協会。関東広域圏が放送エリア。文化放送発・総合配信プラットフォーム「QloveR」など多彩なオリジナルコンテンツも制作・配信。
【設立】1952.3 【資本金】192百万円
【社長】齋藤清人(1964.10生 早大文卒)
【株主】〔24.3〕カトリック聖パウロ修道会27.5%
【事業】一般放送事業90、賃貸収入10
【従業員】単97名(45.0歳)

【業績】	売上高	営業利益	経常利益	純利益
単22.3	5,758	‥	▲673	▲586
単23.3	5,492	‥	▲677	▲657
単24.3	5,368	‥	▲42	▲47

[株]クオラス

株式公開計画なし

採用内定数	倍率	3年後離職率	平均年収
11名	‥	16.7%	‥

●待遇、制度●
【初任給】月27.1万(固定残業代40時間分)
【残業】‥時間【有休】10.7日【制度】[フ][在]
●新卒定着状況●
20年入社(男4、女2)→3年後在籍(男3、女2)
●採用情報●
【人数】23年:10 24年:12 25年:応募‥→内定11
【内定内訳】(男3、女8)(文10、理1)(総9、他2)
【試験】〔性格〕有
【時期】エントリー25.3→内々定25.6(一次はWEB面接可)【インターン】有【ジョブ型】有
【採用実績校】学習院大1、立教大1、明学大1、茨城大1、明大1、日大1、駒澤大1、関西学大1、甲南女大1、成蹊大1、北星学大1
【求める人材】失敗を恐れずチャレンジする強い心と、常に新しいものに興味を持つ好奇心がある人

【本社】141-6007 東京都品川区大崎2-1-1 ThinkParkTower7階 ☎03-5487-5001
【特色・近況】フジサンケイグループの広告会社。メディア広告、ネット広告のほか、イベントの企画運営、アーティストグッズビジネスなど行う。クライアント数約1400社。デジタル領域の伸張に取り組む。テレビCM効果を可視化する「qTAS」を提供。大阪に支社。
【設立】1978.7 【資本金】100百万円
【社長】松下幸生(1957.11生 東大農卒)
【株主】〔24.3〕フジ・メディア・ホールディングス
【事業】広告100
【従業員】単384名(42.5歳)

【業績】	売上高	営業利益	経常利益	純利益
単22.3	38,637	333	453	393
単23.3	48,599	1,087	1,198	751
単24.3	57,381	1,862	1,964	1,137

[株]JR東海(とうかい)エージェンシー

株式公開計画なし

採用内定数	倍率	3年後離職率	平均年収
7名	134.3倍	0%	[総]767万円

●待遇、制度●
【初任給】月21.8万
【残業】35時間【有休】14.1日【制度】[フ][住][在]
●新卒定着状況●
20年入社(男4、女6)→3年後在籍(男4、女6)
●採用情報●
【人数】23年:8 24年:13 25年:応募940→内定7
【内定内訳】(男3、女4)(文7、理0)(総7、他0)
【試験】なし
【時期】エントリー25.3→内々定25.6(一次・二次以降もWEB面接可)【インターン】有
【採用実績校】‥
【求める人材】新しいコミュニケーション開発に挑んでみたい人、人と広告がスキな人

【本社】108-0075 東京都港区港南2-1-95 ☎03-6688-4288
【特色・近況】JR東海グループ唯一の広告会社。鉄道を軸に多様なネットワークを活用。東京、名古屋の2本社制。新幹線利用者や沿線地域などのデータを収集し、広告主にアプローチを行う。デジタルサイネージなど自社媒体の開発にも注力。
【設立】1963.11 【資本金】61百万円
【社長】佐藤一哉
【株主】〔24.7〕JR東海90.0%
【事業】宣伝・広告業
【従業員】単302名(42.0歳)

【業績】	売上高	営業利益	経常利益	純利益
単22.3	11,221	▲258	▲237	▲161
単23.3	13,323	689	732	471
単24.3	14,961	1,205	1,210	833

[株]JR西日本コミュニケーションズ

株式公開計画なし

採用内定数	倍率	3年後離職率	平均年収
9名	38.8倍	0%	600万円

●待遇、制度●
【初任給】月21万(諸手当1万円)
【残業】25.9時間【有休】12.1日【制度】[フ][住][在]
●新卒定着状況●
20年入社(男1、女4)→3年後在籍(男1、女4)
●採用情報●
【人数】23年:8 24年:10 25年:応募349→内定9
【内定内訳】(男3、女6)(文8、理1)(総9、他0)
【試験】〔Web自宅〕有〔性格〕有
【時期】エントリー25.3→内々定25.6(一次はWEB面接可)【インターン】有
【採用実績校】関大1、関西学大1、同大2、大阪成蹊大1、京産大1、産能大1、岡山県大1、山口大1
【求める人材】「今」の価値観に固執せず、新しい情報・考え・技術に関心を持つ好奇心豊かな人

【本社】530-0003 大阪府大阪市北区堂島1-6-20 堂島アバンザ8階 ☎06-6344-5138
【特色・近況】JR西日本グループの広告会社。交通媒体を開発・活用し、企業・自治体へソリューションを提供。交通媒体価値の最大化と営業力強化を基盤に、ソーシャルビジネスやコンテンツ事業の拡大、デジタルコンテンツビジネスなど新分野にも積極的に挑戦。
【設立】1979.4 【資本金】200百万円
【社長】伊藤義彦
【株主】〔24.4〕JR西日本100%
【事業】ラジオ・テレビ1、新聞・雑誌1、交通広告32、SP・イベント55、インターネット7、他4
【従業員】単372名(45.2歳)

【業績】	売上高	営業利益	経常利益	純利益
単22.3	15,732	▲235	▲121	▲134
単23.3	19,446	505	542	355
単24.3	23,130	1,219	1,264	871

㈱新通（しんつう）

株式公開計画なし

採用内定数	倍率	3年後離職率	平均年収
20名	14.4倍	0%	‥

●待遇、制度●
【初任給】月23.7万(固定残業代30時間分)
【残業】7時間【有休】9日【制度】[住][在]
●新卒定着状況●
20年入社(男1、女1)→3年後在籍(男1、女1)
●採用情報●
【人数】23年:11 24年:10 25年:応募289→内定20
【内定内訳】(男1、女19)(文20、理0)(総18、他2)
【試験】〔Web自宅〕有〔性格〕有
【時期】エントリー25.3→内々定25.7【インターン】有
【採用実績校】北海学園大1、名古屋外大1、名古屋学芸大1、大阪経大3、龍谷大1、近大1、京産大1、関西外大1、京都女大1、同女大2、他
【求める人材】自分の言葉で話ができる人、チームプレーを好む人、最後までやり抜くことができる人

【本社】550-0005 大阪府大阪市西区西本町1-5-8 ☎06-6532-1682
【特色・近況】関西地盤の中堅広告会社。新聞広告では業界上位。5支社2営業所体制。住宅展示場運営や、関連会社で販売アウトソーシング、スタッフ派遣も行う。訪日観光客に対応するため中国最大級のメディア運営会社と提携。GPSによる観光案内ツールなども展開。
【設立】1947.10 【資本金】10百万円
【社長】樋口荘一郎(1959.3生 神戸大経営卒)
【株主】‥
【事業】新聞媒体55、電波媒体20、SP他25
【従業員】単250名(41.4歳)

【業績】	売上高	営業利益	経常利益	純利益
単21.10	20,057	16	137	134
単22.10	20,186	2	0	11
単23.10	20,560	45	85	61

㈱タウンニュース社（しゃ）

東証スタンダード

採用内定数	倍率	3年後離職率	平均年収
7名	5.7倍	42.9%	[総]635万円

●待遇、制度●
【初任給】月25.2万
【残業】35時間【有休】10日【制度】‥
●新卒定着状況●
20年入社(男2、女5)→3年後在籍(男1、女3)
●採用情報●
【人数】23年:9 24年:15 25年:応募40→内定7
【内定内訳】(男3、女4)(文7、理0)(総7、他0)
【試験】〔筆記〕常識〔性格〕有
【時期】エントリー24.11→内々定25.3*(一次はWEB面接可)【インターン】有
【採用実績校】明大1、駒澤大1、専大1、成城大1、大妻女大1、創価大1、國學院大1
【求める人材】人と会うのが好きな人、好奇心が旺盛な人、文章を書くのが好きな人、地域社会と深く関わりたい人

【本社】225-0014 神奈川県横浜市青葉区荏田西2-1-3 ☎045-913-4111
【特色・近況】神奈川県全域と東京多摩地区で購読無料の地域情報紙「タウンニュース」発行。新聞折り込みで約180万部発行し、広告枠販売が収益柱。Web版、メール版への展開や、地域密着情報サイト「レアリア」などデジタル事業も拡充。公民連携事業に注力。
【設立】1980.8 【資本金】501百万円
【会長兼社長】宇山知成(1972.1生 サンタモニカ大卒)
【株主】〔24.6〕㈱カネマス39.8%
【事業】タウンニュース100
【従業員】単198名(40.0歳)

【業績】	売上高	営業利益	経常利益	純利益
単22.6	3,248	378	455	310
単23.6	3,692	569	621	430
単24.6	3,736	576	686	492

トヨタ・コニック・プロ

株式公開計画なし

採用内定数	倍率	3年後離職率	平均年収
15名	‥	‥	‥

●待遇、制度●
【初任給】月26.6万(諸手当2.4万円)
【残業】‥時間【有休】13.7日【制度】[フ][在]
●新卒定着状況●
‥
●採用情報●
【人数】23年:10 24年:19 25年:応募‥→内定15
【内定内訳】(男9、女6)(文‥、理‥)(総15、他0)
【試験】試験あり
【時期】エントリー25.2→内々定25.6(一次はWEB面接可)【インターン】有
【採用実績校】‥
【求める人材】既存の殻を破り、既成概念にとらわれない新しい発想・実行力がある人

【本社】101-8343 東京都千代田区神田淡路町2-101 ワテラスタワー ☎03-6757-8200
【特色・近況】トヨタグループの広告代理店。広告・コミュニケーションとマーケティングコンサルの両軸展開。次世代モビリティ事業の創出や、従来のブランディングに加え、マーケティングコミュニケーションを強化。スノーピークと共同デザインした新業態モデル開業。
【設立】1949.3 【資本金】50百万円
【社長】山下義行
【株主】〔24.3〕トヨタ・コニック・ホールディングス100%
【事業】媒体取扱い45、SP関連55
【従業員】単650名(44.5歳)

【業績】	売上高	営業利益	経常利益	純利益
単22.3	62,789	‥	‥	‥
単23.3	60,791	‥	‥	‥
単24.3	62,983	‥	‥	‥

㈱日宣（にっせん）

東証スタンダード

採用内定数	倍率	3年後離職率	平均年収
6名	12.5倍	25%	㊗584万円

●待遇、制度●
【初任給】月26.6万(諸手当1.5万円、固定残業代30時間分)
【残業】26時間【有休】9日【制度】フ 住 在
●新卒定着状況●
20年入社(男2、女2)→3年後在籍(男2、女1)
●採用情報●
【人数】23年:5 24年:2 25年:応募75→内定6
【内定内訳】(男1、女5)(文6、理0)(総6、他0)
【試験】〔Web自宅〕有〔性格〕有
【時期】エントリー25.3→内々定25.5(一次・二次以降もWEB面接可)【インターン】有
【採用実績校】成城大1、関西学大1、東京都市大1、早大1、横国大1、宮崎大1
【求める人材】チームで仕事に取り組める、マーケティングや広告への興味が強い人

【本社】101-0048 東京都千代田区神田司町2-6-5 日宣神田第2ビル ☎03-5209-7222
【特色・近況】顧客企業から直接受注し、テレビ、ラジオのほか自社メディアを通じた広告・販促を展開。放送・通信、住まい・暮らし、医療・健康などの分野が主体。CATV加入者向けテレビ番組情報誌、ホームセンター顧客向け情報誌の制作も手がける。
【設立】1953.3【資本金】347百万円
【社長】大津裕司(1970.9生 成蹊大法卒)
【株主】〔24.2〕㈲オオツコーポレーション34.7%
【連結事業】広告宣伝97、他3
【従業員】連139名 単129名(38.5歳)

【業績】	売上高	営業利益	経常利益	純利益
連22.2	4,837	323	373	253
連23.2	5,058	320	345	244
連24.2	5,224	300	285	197

㈱日本経済広告社（にほんけいざいこうこくしゃ）

株式公開計画なし

採用内定数	倍率	3年後離職率	平均年収
22名	‥	‥	‥

●待遇、制度●
【初任給】月25.4万
【残業】29.4時間【有休】11.1日【制度】フ 住 在
●新卒定着状況●
‥
●採用情報●
【人数】23年:16 24年:32 25年:応募‥→内定22
【内定内訳】(男11、女11)(文‥、理‥)(総22、他0)
【試験】〔Web会場〕SPI3
【時期】エントリー25.3→内々定25.6(一次はWEB面接可)
【採用実績校】上智大、青学大、東京学芸大、明大、同大、関西学大、國學院大、東洋大、明学大、立命館大、関大、成蹊大、成城大、専大、他
【求める人材】高いコミュニケーション能力と開拓精神を持ち、積極的に行動できる人

【本社】101-8323 東京都千代田区神田小川町2-10 ☎03-5282-8000
【特色・近況】総合広告会社。サーチマーケティングセンター設置し効率化やデータ蓄積推進。日経グループネットワーク生かした提案に強み。心理学、行動経済学、脳神経学など科学的なアプローチや医療マーケットに特化したメソッドなど幅広く提案。
【設立】1947.3【資本金】89百万円
【社長】丹羽信宏(1975.6生 明星大情報卒)
【株主】〔24.3〕扇興産41.2%
【事業】新聞広告13、テレビ広告28、インタラクティブ27、マーケティングプロモーション10、OOH5、他17
【従業員】単411名(41.2歳)

【業績】	売上高	営業利益	経常利益	純利益
単23.3	44,602	797	861	409
単24.3	54,101	‥	‥	‥

24.3期からの売上高はグループ計

㈱ホープ

東証グロース

採用内定数	倍率	3年後離職率	平均年収
6名	18.2倍	37.5%	464万円

●待遇、制度●
【初任給】月23万(固定残業代45時間分)
【残業】24.1時間【有休】11.4日【制度】住 在
●新卒定着状況●
20年入社(男2、女6)→3年後在籍(男1、女4)
●採用情報●
【人数】23年:2 24年:11 25年:応募109→内定6
【内定内訳】(男1、女5)(文6、理0)(総6、他0)
【試験】〔Web自宅〕SPI3〔性格〕有
【時期】エントリー24.10→内々定25.1(一次・二次以降もWEB面接可)【インターン】有
【採用実績校】九大1、長崎大1、北九州市大1、高知大1、熊本県大1、武蔵野美大1
【求める人材】成長意欲が高く、変化を恐れない人、3~5年後ミドル層として活躍する人

【本社】810-0022 福岡県福岡市中央区薬院1-14-5 MG薬院ビル ☎092-716-1404
【特色・近況】自治体広告に特化した総合サービス会社。自治体広報紙などの空きスペースを買い取り販売する事業が中心。住民向け情報冊子は広告枠の売り上げで必要経費を賄い、自治体の費用負担なく発行可能な点に強み。企業版ふるさと納税支援や自治体職員向けメディアも。
【設立】2007.5【資本金】10百万円
【社長】時津孝康(1981.1生 福岡大商卒)
【株主】〔24.3〕チェンジホールディングス15.7%
【連結事業】広告65、ジチタイワークス30、他5
【従業員】連184名 単184名(33.6歳)

【業績】	売上高	営業利益	経常利益	純利益
連22.3変	35,630	▲16,651	▲16,731	▲19,730
連23.3	2,157	181	160	5,028
連24.3	2,553	228	228	261

㈱読宣（よみせん）

株式公開計画なし

採用内定数	倍率	3年後離職率	平均年収
6名	84.3倍	0%	‥

●待遇、制度●
【初任給】月23.4万(諸手当5.1万円、固定残業代23時間分)
【残業】‥時間【有休】‥日【制度】住

●新卒定着状況●
20年入社(男0、女1)→3年後在籍(男0、女1)

●採用情報●
【人数】23年:2 24年:3 25年:応募506→内定6
【内定内訳】(男2、女4)(文‥、理‥)(総6、他0)
【試験】〔筆記〕有〔性格〕有
【時期】エントリー25.3→内々定25.6(一次はWEB面接可)【インターン】有【ジョブ型】有
【採用実績校】‥

【求める人材】自ら問題を見つけ解決する意欲があり、コミュニケーション力・柔軟さのある人

【本社】530-0055 大阪府大阪市北区野崎町5-9 読売新聞大阪本社内7階 ☎06-6312-6301
【特色・近況】読売新聞系の折込広告会社。新聞・TVなどのマス・Web・交通・屋外・セールスプロモーション広告や情報処理を展開。商圏分析調査や市場調査などマーケティングサービスも行う。神戸、京都・滋賀、奈良、東京に支社を配置し、7配送センターを有する。
【設立】1966.10 【資本金】50百万円
【社長】吉田英輝
【株主】〔24.3〕読売新聞大阪本社
【事業】折込広告90、他10
【従業員】単77名(45.0歳)

【業績】	売上高	営業利益	経常利益	純利益
単22.3	16,157	‥	‥	‥
単23.3	16,480	‥	‥	‥
単24.3	14,798	‥	‥	‥

㈱イーエムネットジャパン

東証グロース

採用予定数	倍率	3年後離職率	平均年収
30名	‥	38.1%	443万円

●待遇、制度●
【初任給】月28.2万(固定残業代45時間分)
【残業】‥時間【有休】9.3日【制度】在

●新卒定着状況●
20年入社(男8、女13)→3年後在籍(男5、女8)

●採用情報●
【人数】23年:30 24年:17 25年:予定30*
【内定内訳】(男‥、女‥)(文‥、理‥)(総‥、他‥)
【試験】〔筆記〕常識
【時期】エントリー24.8→内々定24.10(一次・二次以降もWEB面接可)【インターン】有
【採用実績校】東大1、慶大1、早大1、立教大4、法政大4、青学大2、学習院大2、ICU1、関大1、同大1、他

【求める人材】目標達成に向けて能動的に行動できる人、コミュニケーションをしっかり取れる人

【本社】160-0023 東京都新宿区西新宿6-10-1 日土地西新宿ビル ☎03-6279-4111
【特色・近況】インターネット広告事業を展開。検索連動型広告や運用型ディスプレー広告を中心に、企画・運営、効果分析、改善提案まで一括提供。中小企業や地方企業に強み。韓国のオンライン広告代理店イーエムネット社の日本支社として出発し、現在はソフトバンク傘下。
【設立】2013.4 【資本金】328百万円
【社長】山本臣一郎(1971.9生 西豪州TAFE卒)
【株主】〔24.6〕ソフトバンク40.4%
【事業】インターネット広告100
【従業員】単157名(27.8歳)

【業績】	営業収益	営業利益	経常利益	純利益
単21.12	10,672	503	436	311
単22.12	1,466	230	238	175
単23.12	1,369	111	120	73

㈱インティメート・マージャー

東証グロース

採用内定数	倍率	3年後離職率	平均年収
6名	55.7倍	57.1%	640万円

●待遇、制度●
【初任給】月24万(固定残業代45時間分)
【残業】13時間【有休】‥日【制度】フ 住 在

●新卒定着状況●
20年入社(男3、女4)→3年後在籍(男2、女1)

●採用情報●
【人数】23年:4 24年:6 25年:応募334→内定6
【内定内訳】(男5、女1)(文‥、理‥)(総4、他2)
【試験】なし
【時期】エントリー24.10→内々定25.6(一次・二次以降もWEB面接可)【インターン】有
【採用実績校】東大院1、金沢大1、関大1、東京外大1、法政大1、拓大1

【求める人材】素直に前向きにチャレンジできる人

【本社】106-0032 東京都港区六本木3-5-27 六本木山田ビル ☎03-5797-7997
【特色・近況】データマネジメントプラットフォーム(DMP)国内最大手。独自のDMPを用いて、オンラインとオフラインの双方で顧客企業のマーケティングを支援。創業以来蓄積してきたデータはインターネット人口の約9割に及ぶ。
【設立】2013.6 【資本金】476百万円
【社長】簗島亮次(1984.4生 慶大院政策メ修了)
【株主】〔24.3〕フリークアウト・ホールディングス37.5%
【連結事業】DMP100
【従業員】連57名 単57名(30.4歳)

【業績】	売上高	営業利益	経常利益	純利益
連21.9	2,017	51	39	29
連22.9	2,800	94	92	70
連23.9	2,982	138	139	100

ＳＭＮ　東証スタンダード

採用内定数	倍率	3年後離職率	平均年収
2名	129倍	53.8%	[総]616万円

●待遇、制度●
【初任給】月27.5万(諸手当3.8万円、固定残業代35.7時間分)
【残業】25時間【有休】9日【制度】[フ][在]

●新卒定着状況●
20年入社(男6、女7)→3年後在籍(男3、女3)

●採用情報●
【人数】23年:6 24年:7 25年:応募258→内定2*
【内定内訳】(男2、女0)(文0、理2)(総0、他2)
【試験】〔筆記〕有〔Web自宅〕有〔性格〕有
【時期】エントリー24.12→内々定25.4*(一次・二次以降もWEB面接可)【ジョブ型】有
【採用実績校】‥

【求める人材】主体的に行動することができ、失敗を恐れずにチャレンジし続けることができる人

【本社】141-0032 東京都品川区大崎2-11-1 大崎ウィズタワー ☎03-5435-7930
【特色・近況】ネット広告配信を最適化するアドテク事業や成果報酬型広告運営を行う。ソニーグループ系。AIを活用したDSP、ビッグデータ解析、可視化技術に強みを持つ。読売新聞やDNPと連携し、テレビ・新聞・出版3媒体の接触データを活用した広告配信も展開。
【設立】2000.3 【資本金】1,268百万円
【社長】原山直樹(1967.4生)
【株主】〔24.3〕ソニーネットワークコミュニケーションズ53.4%
【連結事業】アドテクノロジー71、マーケティングソリューション9、デジタルソリューション19、他1
【従業員】連346名 単152名(35.3歳)

【業績】	売上高	営業利益	経常利益	純利益
連22.3	13,363	127	90	▲228
連23.3	11,788	17	▲14	▲117
連24.3	9,336	102	95	▲1,028

バリューコマース　東証プライム

採用内定数	倍率	3年後離職率	平均年収
15名	47.2倍	16.7%	[総]610万円

●待遇、制度●
【初任給】月25.6万(諸手当3万円、固定残業代30時間分)
【残業】11.5時間【有休】12.8日【制度】[フ][在]

●新卒定着状況●
20年入社(男4、女2)→3年後在籍(男3、女2)

●採用情報●
【人数】23年:10 24年:24 25年:応募708→内定15
【内定内訳】(男4、女11)(文11、理4)(総15、他0)
【試験】〔Web自宅〕SPI3
【時期】エントリー24.9→内々定25.4(一次・二次以降もWEB面接可)【インターン】有【ジョブ型】有
【採用実績校】中大院1、東京工芸大1、三重大院1、立正大1、滋賀大1、武蔵大1、同大1、玉川大1、金沢大院1、日大1、東洋大2、他
【求める人材】既存の枠組みを打ち破る挑戦をした人、成果に対して当事者意識を持ち取り組む人

【本社】102-8282 東京都千代田区紀尾井町1-3 東京ガーデンテラス紀尾井町 ☎03-5210-6688
【特色・近況】国内最大級のASP(アフィリエイトサービスプロバイダー)。成果報酬型広告とECサイトCRM、クリック課金型広告で展開。成果報酬型の主要顧客は金融や家電、旅行など。親会社LINEヤフーの連結を外れ、ヤフー未出店企業向けのクリック課金も育成。
【設立】1999.9 【資本金】1,728百万円
【社長】香川仁(1968.9生)
【株主】〔24.6〕Zホールディングス中間17.6%
【連結事業】マーケティングソリューション40、ECソリューション60
【従業員】連412名 単311名(37.3歳)

【業績】	売上高	営業利益	経常利益	純利益
連21.12	33,560	7,905	7,947	3,260
連22.12	35,708	8,249	8,319	5,806
連23.12	29,396	5,229	5,217	3,400

#初任給が高い

㈱ファンコミュニケーションズ　東証プライム

採用内定数	倍率	3年後離職率	平均年収
15名	42.1倍	26.9%	530万円

●待遇、制度●
【初任給】月30.8万(固定残業代45時間分)
【残業】14.3時間【有休】12.2日【制度】[在]

●新卒定着状況●
20年入社(男13、女13)→3年後在籍(男9、女10)

●採用情報●
【人数】23年:9 24年:9 25年:応募631→内定15
【内定内訳】(男9、女6)(文12、理2)(総12、他3)
【試験】〔Web自宅〕有〔性格〕有
【時期】エントリー24.12→内々定25.2(一次・二次以降もWEB面接可)【インターン】有
【採用実績校】明大1、青学大1、立教大3、日大1、東洋大1、駒澤大1、専大1、國學院大1、国士舘大1、埼玉大1、神奈川大1、愛知大1、他
【求める人材】自律型人材、自分の頭で考えて主体的に行動ができる人

【本社】150-0002 東京都渋谷区渋谷1-1-8 青山ダイヤモンドビル ☎03-5766-3530
【特色・近況】パソコン・スマホサイト向けアフィリエイト(成果報酬型)広告会社。サービス名は「A8.net」。ブログやメールマガジンなど広告を掲載する参加メディア(登録アフィリエイトサイト)数は業界首位級。スマホ広告「ネンド」は24年3月撤退。
【設立】1999.10 【資本金】1,173百万円
【社長】二宮幸司(1979.3生)
【株主】〔24.6〕柳澤安慶36.1%
【連結事業】CPAソリューション81、ADコミュニケーション15、他4
【従業員】連435名 単416名(33.4歳)

【業績】	売上高	営業利益	経常利益	純利益
連21.12	26,700	2,318	2,516	1,637
連22.12	7,737	2,407	2,447	1,535
連23.12	7,396	2,068	2,103	1,233

㈱アルファ　東証スタンダード

採用予定数	倍率	3年後離職率	平均年収
3名	−	60%	475万円

●待遇、制度●
【初任給】月16.1万（諸手当を除いた数値）
【残業】20時間【有休】9日【制度】住 在
●新卒定着状況●
20年入社（男1、女4）→3年後在籍（男1、女1）
●採用情報●
【人数】23年:13 24年:3 25年:応募1→内定0*
【内定内訳】（男‥、女‥）（文‥、理‥）（総‥、他‥）
【試験】〔性格〕有
【時期】エントリー 24.8→内々定24.10*(一次はWEB面接可)
【採用実績校】‥
【求める人材】「IDEA×ACTION＝考動力」自ら考え行動する人

【本社】702-8502 岡山県岡山市中区桑野709-6
☎086-277-4511
【特色・近況】POP・ポスター・のぼり・タペストリーなど、店頭販促用POP広告の企画制作大手。企画・デザインから事務局運営まで一括受注に対応。販促用品を扱うECサイトも運営。POP作成Webサービス、POPオンライン販売、POP作成アプリが成長。
【設立】1984.1　【資本金】100百万円
【社長】岡本悟征（1971.3生）
【株主】〔24.2〕㈱タカオコーポレイション24.9%
【連結事業】ポップギャラリー製商品45、別注製品39、役務サービス16
【従業員】連348名 単334名（39.3歳）

【業績】	売上高	営業利益	経常利益	純利益
連21.8	5,764	▲88	▲4	▲690
連22.8	5,623	▲146	▲113	▲133
連23.8	5,379	▲314	▲307	▲393

㈱北日本新聞社（きたにっぽんしんぶんしゃ）　株式公開計画なし

採用内定数	倍率	3年後離職率	平均年収
6名	12倍	16.7%	‥

●待遇、制度●
【初任給】月24.9万（諸手当2.9万円）
【残業】‥時間【有休】8.1日【制度】住
●新卒定着状況●
20年入社（男2、女4）→3年後在籍（男1、女4）
●採用情報●
【人数】23年:6 24年:5 25年:応募72→内定6
【内定内訳】（男4、女2）（文5、理1）（総6、他0）
【試験】〔Web自宅〕SPI3
【時期】エントリー 25.3→内々定25.6(一次はWEB面接可)【インターン】有
【採用実績校】富山大院1、富山大1、新潟大1、龍谷大1、明学大1、滋賀県大1
【求める人材】新聞人として柔軟な発想力、プレッシャーにへこたれないタフな心身、熱意あふれる人

【本社】930-0094 富山県富山市安住町2-14
☎076-445-3300
【特色・近況】1884年に創刊した「中越新聞」を前身とする富山県紙。発行部数約20万部。県内シェア約6割。Web新聞「webunプラス」のほか「ゼロニイ」などの地域情報誌も発行。県内・新川、砺波のほか、東京、大阪、金沢に支社。
【設立】1940.7　【資本金】99百万円
【社長】蒲地誠（1961.8生 慶大経済卒）
【株主】〔24.6〕蒲地誠5.0%
【事業】新聞発行100
【従業員】単297名（44.8歳）

【業績】	売上高	営業利益	経常利益	純利益
単22.3	9,841	‥	786	432
単23.3	9,834	‥	535	210
単24.3	9,599	‥	175	29

㈱岐阜新聞社（ぎふしんぶんしゃ）　株式公開計画なし

採用内定数	倍率	3年後離職率	平均年収
3名	14倍	66.7%	‥

●待遇、制度●
【初任給】月19.1万（諸手当3万円）
【残業】15.7時間【有休】10日【制度】住 在
●新卒定着状況●
20年入社（男2、女1）→3年後在籍（男0、女1）
●採用情報●
【人数】23年:5 24年:2 25年:応募42→内定3
【内定内訳】（男1、女2）（文2、理1）（総3、他0）
【試験】〔Web会場〕C-GAB〔Web自宅〕WEB-GAB〔性格〕有
【時期】エントリー 25.3→内々定25.5(一次はWEB面接可)【インターン】有
【採用実績校】北大1、愛知淑徳大1、朝日大1
【求める人材】地域貢献の志があり、聴く力、伝える力、実行する力がある人

【本社】500-8577 岐阜県岐阜市今小町10
☎058-264-1151
【特色・近況】1881年創刊の岐阜県紙。発行部数13万部。地域ニュースを充実。4支社4総局11支局の取材網。岐阜放送などとグループ形成。海外の杭州日報、デンバーポストと提携。スポーツ・文化事業や、「岐阜新聞Web」などデジタル分野にも注力。
【設立】1940.9　【資本金】80百万円
【社長】矢島薫（1957.2生 関大卒）
【株主】〔24.4〕公益財団法人岐阜杉山記念財団25.7%
【事業】新聞発行
【従業員】単182名（41.2歳）

【業績】	売上高	営業利益	経常利益	純利益
単21.9	5,264	174	186	95
単22.9	5,322	122	139	82
単23.9	5,242	48	65	37

#残業が少ない

㈱建通新聞社（けんつうしんぶんしゃ）

株式公開計画なし

採用内定数	倍率	3年後離職率	平均年収
12名	1.8倍	‥	‥

●待遇、制度●
【初任給】月24.5万（諸手当3万円、固定残業代20時間分）
【残業】2.3時間【有休】11.6日【制度】住 在
●新卒定着状況●
●採用情報●
【人数】23年:12 24年:14 25年:応募21→内定12*
【内定内訳】（男8、女4）（文11、理1）（総10、他2）
【試験】〔筆記〕常識〔性格〕有
【時期】エントリー25.3→内々定25.7（一次はWEB面接可）【インターン】有
【採用実績校】愛知淑徳大1、亜大1、神奈川大1、金沢工大1、國學院大1、上智大1、成城大1、大東文化大1、東海大1、日大2、広島市大1
【求める人材】挑戦する人、共感、共鳴できる人、人を、未来をつなげられる人

【静岡本社】422-8027 静岡県静岡市駿河区豊田1-9-34 ☎054-288-8111
【特色・近況】建設専門紙「建通新聞」10紙と、入札情報掲載の「日刊建通速報」1紙を発行。東京、神奈川、静岡、中部、大阪、岡山、四国12都府県で展開。読者数約12.8万人。「建通新聞電子版」、「建設技術・工法動画サイト」、建設産業向けセミナーも運営。
【設立】1953.10 【資本金】100百万円
【社長】片方賢也（1961.5生）
【株主】〔24.3〕社員持株会31.7%
【事業】新聞販売59、速報販売2、電子版収入14、広告収入19、データ・出版物収入他6
【従業員】単173名（39.7歳）

【業績】	売上高	営業利益	経常利益	純利益
単22.3	3,262	‥	943	615
単23.3	3,263	‥	711	497
単24.3	3,441	‥	848	564

㈱高知新聞社（こうちしんぶんしゃ）

株式公開計画なし

採用実績数	倍率	3年後離職率	平均年収
5名	‥	20%	‥

●待遇、制度●
【初任給】月24.6万（諸手当4.5万円）
【残業】‥時間【有休】‥日【制度】住
●新卒定着状況●
20年入社（男2、女3）→3年後在籍（男1、女3）
●採用情報●
【人数】23年:5 24年:5 25年:予定前年並*
【内定内訳】（男‥、女‥）（文‥、理‥）（総‥、他‥）
【試験】〔Web自宅〕SPI3〔性格〕有
【時期】エントリー25.3→内々定25.5～6（一次はWEB面接可）【インターン】有
【採用実績校】‥
【求める人材】誠実で温かい心を持ち、高知県という地域と共に生きようという人

【本社】780-8572 高知県高知市本町4-1-24 ☎088-822-2111
【特色・近況】1904年創刊で、高知県唯一の日刊紙。朝刊発行部数約13.5万部。県内占有率88%で全国トップクラス。東京、大阪、四万十市に支社、香川と高知県内に12総局・支局。RKC高知放送、高知広告センターなどグループ企業と共に、地域浮揚を目指す。
【設立】1921.4 【資本金】98百万円
【社長】中平雅彦（1954.12生 法大文卒）
【株主】〔24.3〕福田恵美11.0%
【事業】日刊新聞発行
【従業員】単277名（44.5歳）

【業績】	売上高	営業利益	経常利益	純利益
単22.3	8,299	32	108	64
単23.3	8,022	36	116	109
単24.3	7,692	▲491	▲255	▲266

㈱神戸新聞社（こうべしんぶんしゃ）

株式公開計画なし

採用内定数	倍率	3年後離職率	平均年収
6名	12.7倍	22.2%	‥

●待遇、制度●
【初任給】月21.3万（諸手当を除いた数値）
【残業】‥時間【有休】‥日【制度】フ 住 在
●新卒定着状況●
20年入社（男4、女5）→3年後在籍（男3、女4）
●採用情報●
【人数】23年:8 24年:4 25年:応募76→内定6*
【内定内訳】（男3、女3）（文5、理1）（総6、他0）
【試験】〔筆記〕常識、SPI3〔性格〕有
【時期】エントリー25.2→内々定25.5【インターン】有
【採用実績校】‥
【求める人材】柔軟な発想と広い視野を持ち、さまざまな分野に関心を持つ人

【本社】650-8571 兵庫県神戸市中央区東川崎町1-5-7 ☎078-362-7100
【特色・近況】1898年創刊の有力地方紙。朝刊発行部数は約37.2万部強、夕刊発行部数は約10万部。電子版神戸新聞NEXTを発行。2本社3支社7総局18支局体制。デイリースポーツ、サンテレビジョン、ラジオ関西などとグループを形成。
【設立】1931.7 【資本金】600百万円
【社長】高梨柳太郎（1956.2生 早大政経卒）
【株主】〔23.11〕川崎重工業4.1%
【連結事業】新聞・雑誌・書籍等の発行印刷・販売77、他23
【従業員】連1,239名 単443名（46.4歳）

【業績】	売上高	営業利益	経常利益	純利益
連21.11	39,490	2,258	2,338	1,454
連22.11	38,050	2,008	2,008	1,236
連23.11	37,533	1,135	1,137	▲672

㈱千葉日報社（ちばにっぽうしゃ）

株式公開計画なし

採用内定数	倍率	3年後離職率	平均年収
4名	2.8倍	0%	465万円

●待遇、制度●
【初任給】月21.7万（諸手当1.3万円、固定残業代10時間分）
【残業】13.4時間【有休】9.3日【制度】住 在
●新卒定着状況●
20年入社（男0、女2）→3年後在籍（男0、女2）
●採用情報●
【人数】23年:4 24年:6 25年:応募11→内定4*
【内定内訳】（男3、女1）（文4、理0）（総4、他0）
【試験】〔筆記〕常識、SPI3〔性格〕有
【時期】エントリー25.3→内々定25.11（一次・二次以降もWEB面接可）
【採用実績校】明大1、早大1、大東文化大1、大阪公大1
【求める人材】千葉県に愛着があり、行動力と情熱のある人

【本社】260-8628 千葉県千葉市中央区中央4-14-10 ☎043-222-9211
【特色・近況】千葉県唯一の県紙。「千葉日報オンライン」を運営。「ツール・ド・ちば」など文化・スポーツイベントでも実績。発行部数12万部弱（24年1月）。日本経済新聞社と包括的印刷協力体制を構築。日経首都圏印刷千葉工場の輪転機をリースし、自社社員が新聞印刷。
【設立】1958.5 【資本金】360百万円
【社長】中元広之（1959.12生 神奈大経済卒）
【株主】〔24.4〕三井不動産19.9%
【事業】新聞販売48、広告等39、他13
【従業員】単110名（43.3歳）

【業績】	売上高	営業利益	経常利益	純利益
単22.4	2,045	52	71	64
単23.4	1,993	33	59	55
単24.4	1,901	2	27	26

㈱新潟日報社（にいがたにっぽうしゃ）

株式公開計画なし

採用予定数	倍率	3年後離職率	平均年収
約10名	‥	0%	‥

●待遇、制度●
【初任給】月20.9万（諸手当を除いた数値）
【残業】21.9時間【有休】15.2日【制度】住 在
●新卒定着状況●
20年入社（男1、女4）→3年後在籍（男1、女4）
●採用情報●
【人数】23年:16 24年:9 25年:予定約10
【内定内訳】（男‥、女‥）（文 、理‥）（総‥、他‥）
【試験】〔筆記〕常識、他〔性格〕有
【時期】エントリー25.3→内々定25.5（一次はWEB面接可）【インターン】有
【採用実績校】‥
【求める人材】「新潟のために」人とつながる力があり、自ら考えて行動できる人

【本社】950-8535 新潟県新潟市中央区万代3-1-1 ☎025-385-7111
【特色・近況】1942年の新聞統制により新潟日日、新潟県中央、上越の3紙合併で創刊した新潟県紙。朝刊発行部数約35万部。県普及率約6割。ウェブサイト「新潟日報デジタルプラス」の運営を行い、紙面の電子版も提供する。
【設立】1942.11 【資本金】142百万円
【社長】佐藤明（1958.1生 早大政経卒）
【株主】〔23.12〕BSNメディアホールディングス8.4%
【事業】日刊新聞100
【従業員】単519名（46.3歳）

【業績】	売上高	営業利益	経常利益	純利益
単21.12	14,972	1,173	1,421	995
単22.12	14,930	759	940	647
単23.12	14,122	▲644	▲448	69

㈱日本金融通信社（にほんきんゆうつうしんしゃ）

株式公開計画なし

採用内定数	倍率	3年後離職率	平均年収
5名	3.8倍	0%	‥

●待遇、制度●
【初任給】月26.4万
【残業】16.6時間【有休】16.3日【制度】住
●新卒定着状況●
20年入社（男2、女3）→3年後在籍（男2、女3）
●採用情報●
【人数】23年:3 24年:3 25年:応募19→内定5
【内定内訳】（男3、女2）（文5、理0）（総5、他0）
【試験】〔筆記〕常識
【時期】エントリー25.3→内々定25.6（一次はWEB面接可）【インターン】有
【採用実績校】千葉大1、上智大1、日大1、大東文化大1、桜美林大1
【求める人材】新聞記者を目指す人、主体的に学び、主体的に行動できる人

【本社】102-8677 東京都千代田区九段南4-3-15 ☎03-3261-9971
【特色・近況】主力紙「ニッキン」は日本最大の金融総合専門紙。1本社・1支社・10支局体制。月刊誌、Web情報配信「ニッキンONLINE」、投信情報、書籍発行のほか、調査・研修事業、コンサルティング、金利情報など各種サービスを提供。イベント・セミナーも。
【設立】1955.8 【資本金】30百万円
【社長】宮岸順一（1954.9生 法大経済卒）
【株主】‥
【事業】新聞購読料50、広告料19、書籍2、他29
【従業員】単155名（‥歳）

【業績】	売上高	営業利益	経常利益	純利益
単22.3	2,284	▲7	152	140
単23.3	2,356	12	148	102
単24.3	2,300	▲102	64	60

㈱山梨日日新聞社（やまなしにちにちしんぶんしゃ）

株式公開計画なし

採用内定数	倍率	3年後離職率	平均年収
6名	‥	0%	588万円

●待遇、制度●

【初任給】月22.7万（諸手当3.3万円）
【残業】‥時間【有休】16.8日【制度】住

●新卒定着状況●

20年入社（男3、女2）→3年後在籍（男3、女2）

●採用情報●

【人数】23年:4 24年:6 25年:応募‥→内定6
【内定内訳】（男1、女5）（文4、理0）（総6、他0）
【試験】〔筆記〕常識〔性格〕有
【時期】エントリー 25.未定→内々定‥*【インターン】有
【採用実績校】都留文科大2、法政大1、早大1、大妻女大1、多摩美大1
【求める人材】コミュニケーション能力に長け、有益なコンテンツを生み出す想像力や企画力がある人

【本社】400-8515 山梨県甲府市北口2-6-10 ☎055-231-3040
【特色・近況】山梨を代表する県紙。通称・山日（さんにち）。発行部数約17万部で、県民の閲読率は高い。山梨放送などとともに総合メディアグループ・山日YBSグループを形成。電子版「さんにちEye」も発行。1872年創刊。
【設立】1945.11 【資本金】40百万円
【副会長】野口明美子
【株主】〔24.3〕野口英一39.7%
【事業】日刊新聞、書籍、催物企画、広告
【従業員】単170名（45.1歳）

【業績】	売上高	営業利益	経常利益	純利益
単22.3	6,448	572	750	506
単23.3	6,690	453	603	409
単24.3	6,720	706	873	590

#有休取得が多い

㈱エレクトロニック・ライブラリー

株式公開計画なし

採用内定数	倍率	3年後離職率	平均年収
3名	‥	33.3%	総748万円

●待遇、制度●

【初任給】月24.7万
【残業】10.3時間【有休】17.3日【制度】在

●新卒定着状況●

20年入社（男1、女2）→3年後在籍（男0、女2）

●採用情報●

【人数】23年:0 24年:1 25年:応募‥→内定3
【内定内訳】（男1、女2）（文3、理0）（総3、他0）
【試験】〔Web自宅〕SPI3
【時期】エントリー 25.5→内々定25.8
【採用実績校】‥
【求める人材】企業理念に共感し自律的に行動でき、リーダーシップを発揮できるポテンシャルのある人

【本社】104-0031 東京都中央区京橋2-12-6 ☎03-6271-0670
【特色・近況】新聞・雑誌記事のクリッピング・配信サービス「ELNET」を提供。新聞約100紙、雑誌約30誌、Webニュースサイト約1500から必要な記事をセレクト、掲載イメージのまま早朝に配信するモーニングクリッピングサービスも提供。
【設立】1986.12 【資本金】100百万円
【社長】麻生康式
【株主】〔24.3〕電通グループ13.2%
【事業】新聞・雑誌・WEBニュース等の情報提供サービス
【従業員】単41名（41.1歳）

【業績】	売上高	営業利益	経常利益	純利益
単22.3	2,223	143	144	95
単23.3	2,218	152	152	103
単24.3	2,327	69	69	43

㈱地域新聞社（ちいきしんぶんしゃ）

東証グロース

採用内定数	倍率	3年後離職率	平均年収
7名	4.6倍	66.7%	総420万円

●待遇、制度●

【初任給】月21.3万（固定残業代30時間分）
【残業】19時間【有休】‥日【制度】フ 在

●新卒定着状況●

20年入社（男0、女3）→3年後在籍（男0、女1）

●採用情報●

【人数】23年:2 24年:4 25年:応募32→内定7*
【内定内訳】（男1、女6）（文7、理0）（総7、他0）
【試験】〔Web会場〕有〔性格〕有
【時期】エントリー 24.12→内々定25.3*(一次はWEB面接可)
【採用実績校】千葉商大2、法政大1、和洋女大1、開智国際大1、共立女大1、専大1
【求める人材】経営理念「人の役に立つ」に共鳴できる人

【本社】276-0020 千葉県八千代市勝田台北1-11-16 VH勝田台ビル ☎047-485-1100
【特色・近況】千葉県中心にフリーペーパー「ちいき新聞」を発行、広告枠販売と折込チラシの配布事業を行う。約3万世帯ごとに細分化して地域情報を掲載し、関東2県40エリアで週に約170万部発行。地域情報サイトや求人媒体などの人材関連事業にも進出している。
【設立】1987.5 【資本金】287百万円
【社長】細谷佳津年（1965.12生）
【株主】〔24.2〕㈱エンジェル・トーチ27.6%
【事業】新聞発行41、折込チラシ配布46、販売促進総合支援8、他5
【従業員】単162名（38.8歳）

【業績】	売上高	営業利益	経常利益	純利益
単21.8	2,788	▲51	▲50	▲86
単22.8	2,887	9	7	8
単23.8	2,926	▲20	▲47	▲51

㈱秋田書店（あきたしょてん）

株式公開計画なし

採用内定数	倍率	3年後離職率	平均年収
5名	166倍	0%	[総]759万円

●待遇、制度●
【初任給】月27.2万(諸手当1.7万円)
【残業】8.7時間【有休】10.7日【制度】[フ][住][在]
●新卒定着状況●
20年入社(男2、女2)→3年後在籍(男2、女2)
●採用情報●
【人数】23年:4 24年:4 25年:応募830→内定5
【内定内訳】(男2、女3)(文4、理0)(総5、他0)
【試験】なし
【時期】エントリー24.11→内々定25.6
【採用実績校】慶大3、青学大1、九大1

【求める人材】小さな仕事に対しても創意工夫する意欲を持ち、人の意見を柔軟に受け止めることができる人

【本社】102-8101 東京都千代田区飯田橋2-10-8
☎03-3264-7011
【特色・近況】1949年創刊の月刊誌「冒険王」でスタート。「週刊少年チャンピオン」「ヤングチャンピオン」「月刊プリンセス」などコミック十数誌を刊行。電子書籍の他、「チャンピオンクロス」「Souffle」等Webサイトも運営。オンラインストアも展開。
【設立】1948.8 【資本金】57百万円
【社長】山口徳二
【株主】‥
【事業】雑誌85、書籍15
【従業員】単150名(43.0歳)

【業績】	売上高	営業利益	経常利益	純利益
単21.6	13,000	‥	‥	‥
単22.6	13,000	‥	‥	‥
単23.6	14,000	‥	‥	‥

㈱ぎょうせい

株式公開計画なし

採用予定数	倍率	3年後離職率	平均年収
20名	‥	31.2%	‥

●待遇、制度●
【初任給】月22.9万(諸手当を除いた数値)
【残業】10.2時間【有休】11.6日【制度】‥
●新卒定着状況●
20年入社(男6、女10)→3年後在籍(男3、女8)
●採用情報●
【人数】23年:20 24年:13 25年:予定20*
【内定内訳】(男‥、女‥)(文‥、理‥)(総‥、他‥)
【試験】〔Web自宅〕SPI3
【時期】エントリー25.1→内々定‥
【採用実績校】‥

【求める人材】理想像実現を目指して挑戦できる人

【本部】136-8575 東京都江東区新木場1-18-11
☎0120-953-431
【特色・近況】法務省編集「現行日本法規」、法規集、例規集、図書・雑誌を紙と電子で発行。1904年に日本初の加除式法規集を出版。自治体向けに例規整備、システム導入、調査研究、研修などを行うほか「e-Gov法令検索」公布日即日公開などにも貢献。
【設立】1970.8 【資本金】500百万円
【社長】成吉弘次(1962.1生 専大経営卒)
【株主】〔23.12〕(株)麻生他100%
【事業】出版、システム・調査研究等
【従業員】単569名(43.9歳)

【業績】	売上高	営業利益	経常利益	純利益
単21.12	21,389	‥	‥	‥
単22.12	21,560	‥	‥	‥
単23.12	22,831	‥	‥	‥

㈱サイネックス

東証スタンダード

採用内定数	倍率	3年後離職率	平均年収
19名	6.2倍	53.8%	[総]448万円

●待遇、制度●
【初任給】月22.1万(諸手当2万円、固定残業代28時間分)
【残業】7.5時間【有休】9.9日【制度】[住]
●新卒定着状況●
20年入社(男9、女30)→3年後在籍(男3、女15)
●採用情報●
【人数】23年:36 24年:44 25年:応募118→内定19*
【内定内訳】(男5、女14)(文19、理0)(総2、他17)
【試験】なし
【時期】エントリー24.10→内々定25.6(一次・二次以降もWEB面接可)【ジョブ型】有
【採用実績校】駿河台大1、拓大1、東海大1、学習院大1、成城大1、京産大1、関大1、高知県大1、追手門学大1、神戸学大1、他
【求める人材】官民協働事業を通じて地域社会に貢献したいと考え、チャレンジ精神旺盛な人

【本社】543-0001 大阪府大阪市天王寺区上本町5-3-15
☎06-6766-3333
【特色・近況】地方創生支援事業を行うサービス企業。行政情報誌「わが街事典」を市町村と発行する官民協働事業のパイオニア。累計約1100自治体との発行実績。官民協働の電子看板はじめデジタル関連が堅調。eコマースなどICT事業、DM発送代行業なども展開。
【設立】1966.2 【資本金】750百万円
【社長】村田吉優(1950.8生)
【株主】〔24.3〕㈱富士教育創研16.6%
【連結事業】メディア47、ICT13、ロジスティクス34、ヘルスケア6、投資1
【従業員】連759名 単700名(40.9歳)

【業績】	売上高	営業利益	経常利益	純利益
連22.3	14,171	454	491	278
連23.3	14,293	484	549	312
連24.3	15,390	504	603	377

㈱新学社（しんがくしゃ） 株式公開計画なし	採用内定数	倍率	3年後離職率	平均年収
	3名	93.3倍	24.1%	‥

●待遇、制度●
【初任給】月22.8万
【残業】14.2時間【有休】10.6日【制度】住
●新卒定着状況● 20～21年入社者合計
20年入社(男11、女18)→3年後在籍(男7、女15)
●採用情報●
【人数】23年:16 24年:10 25年:応募280→内定3*
【内定内訳】(男1、女2)(文3、理0)(総3、他0)
【試験】〔筆記〕有〔Web自宅〕SPI3〔性格〕有
【時期】エントリー25.3→内々定25.6*(一次はWEB面接可)
【採用実績校】京大1、阪大1、京産大1
【求める人材】リーダーシップ、コミュニケーション能力があり、チームワークを発揮できる人

【本社】607-8501 京都府京都市山科区東野中井ノ上町11-39 ☎075-581-6111
【特色・近況】幼児、小中学生向け教育教材出版社。3000点以上の学校用や家庭用教材、教員向け情報誌など。中学校向け直販で首位。小学校関係の約800、中学校関係の約500の特約店と400支部通じ販売。小学校2万校以上、中学校1万校以上に教材提供。
【設立】1957.3 【資本金】53百万円
【社長】山本伸夫
【株主】〔23.7〕新学社あゆみ会40.0%
【事業】小・中学校直販部門79、家販部門20、他1
【従業員】単331名(37.9歳)

【業績】	売上高	営業利益	経常利益	純利益
単21.7	15,339	▲201	74	73
単22.7	14,412	▲434	177	212
単23.7	14,693	221	648	646

#初任給が高い

スターツ出版（しゅっぱん） 東証スタンダード	採用内定数	倍率	3年後離職率	平均年収
	13名	78.9倍	12.5%	609万円

●待遇、制度●
【初任給】月28.5万(固定残業代30時間分)
【残業】‥時間【有休】16日【制度】住 在
●新卒定着状況●
20年入社(男2、女6)→3年後在籍(男2、女5)
●採用情報●
【人数】23年:10 24年:16 25年:応募1026→内定13
【内定内訳】(男3、女10)(文10、理3)(総11、他2)
【試験】〔Web自宅〕SPI3
【時期】エントリー25.3→内々定25.6(一次・二次以降もWEB面接可)【インターン】有
【採用実績校】青学大2、学習院女大1、京大院1、京大1、成蹊大1、摂南大1、仙台高専1、西南学大1、東北芸工大1、日大1、日女大1、他
【求める人材】コミュニケーション能力が高く、新しいサービスをつくり出したいという意志を持つ人

【本社】104-0031 東京都中央区京橋1-3-1 八重洲口大栄ビル ☎03-6202-0311
【特色・近況】不動産業スターツグループの出版子会社。小説投稿サイトを起点に、紙と電子で書籍化するワンソースマルチユースに特徴。女性向け情報誌「オズマガジン」が母体のWebサイト「オズモール」を運営。会員数は400万人。男性向けコミックにも進出。
【設立】1983.3 【資本金】540百万円
【社長】菊地修一(1960.4生 小樽商大商卒)
【株主】〔24.6〕スターツコーポレーション48.5%
【事業】書籍コンテンツ61、メディアソリューション39
【従業員】単236名(35.2歳)

【業績】	売上高	営業利益	経常利益	純利益
単21.12	5,592	815	925	566
単22.12	7,023	1,586	1,699	1,167
単23.12	8,341	2,273	2,367	1,777

#初任給が高い

㈱ダイヤモンド社（しゃ） 株式公開計画なし	採用内定数	倍率	3年後離職率	平均年収
	3名	‥	―	‥

●待遇、制度●
【初任給】月28.6万(諸手当0.6万円)
【残業】‥時間【有休】10.8日【制度】在
●新卒定着状況●
20年入社(男0、女0)→3年後在籍(男0、女0)
●採用情報●
【人数】23年:0 24年:10 25年:応募‥→内定3
【内定内訳】(男2、女1)(文3、理0)(総0、他3)
【試験】〔Web自宅〕有
【時期】エントリー‥→内々定‥(一次はWEB面接可)【ジョブ型】有
【採用実績校】‥
【求める人材】独自のコンテンツや新しい価値の創造に挑戦する気概をもった人

【本社】150-8409 東京都渋谷区神宮前6-12-17 ☎03-5778-7203
【特色・近況】1913年創業のビジネス誌「週刊ダイヤモンド」が中核の経済・経営書の老舗出版社。実務書や自己啓発書なども多数出版。「キレイはこれでつくれます」「頭のいい人が話す前に考えていること」などの書籍がヒット。不動産管理会社など関連企業9社あり。
【設立】1933.5 【資本金】140百万円
【社長】石田哲哉(1961.10生 上智大文卒)
【株主】‥
【事業】書籍、雑誌、広告、他
【従業員】単202名(45.0歳)

【業績】	売上高	営業利益	経常利益	純利益
単22.3	14,097	‥	‥	1,216
単23.3	13,425	‥	‥	747
単24.3	14,853	‥	‥	1,191

㈱帝国書院（ていこくしょいん）

株式公開計画なし

採用内定数	倍率	3年後離職率	平均年収
2名	29倍	0%	‥

●待遇、制度●
【初任給】月25万
【残業】‥時間【有休】12.1日【制度】在

●新卒定着状況●
20年入社(男1、女1)→3年後在籍(男1、女1)

●採用情報●
【人数】23年:5 24年:5 25年:応募58→内定2
【内定内訳】(男1、女1)(文2、理0)(総2、他0)
【試験】〔筆記〕有〔Web会場〕有〔性格〕有
【時期】エントリー25.4→内々定25.5
【採用実績校】‥

【求める人材】仕事本位に取り組み、創造力を発揮して、不断の努力によって成果を出す人

【本社】101-0051 東京都千代田区神田神保町3-29 ☎03-3262-4795
【特色・近況】教科書出版大手。小・中・高校の地図帳でトップシェア。中・高校向けに社会科・地理歴史科・公民科の教科書も刊行する。デジタル教科書、地球儀、パソコンソフト教材にも注力。地図に親しんでほしいとの意図から一般店頭向け商品開発も行う。1917年創業。
【設立】1926.7 【資本金】55百万円
【社長】佐藤清(1957.5生 専大卒)
【株主】‥
【事業】教科書70、指導書10、学採物(教材他)10、店頭物他10
【従業員】単106名(42.1歳)

【業績】	売上高	営業利益	経常利益	純利益
単21.8	5,292	‥	‥	‥
単22.8	5,311	‥	‥	‥
単23.8	5,212	‥	‥	‥

㈱白泉社（はくせんしゃ）

株式公開計画なし

採用実績数	倍率	3年後離職率	平均年収
4名	‥	0%	‥

●待遇、制度●
【初任給】月25.2万(諸手当を除いた数値)
【残業】‥時間【有休】‥日【制度】住 在

●新卒定着状況●
20年入社(男2、女3)→3年後在籍(男2、女3)

●採用情報●
【人数】23年:3 24年:4 25年:予定前年並
【内定内訳】(男‥、女‥)(文‥、理‥)(総‥、他‥)
【試験】〔Web自宅〕SPI3、他
【時期】エントリー‥→内々定‥
【採用実績校】‥

【求める人材】‥

【本社】101-0063 東京都千代田区神田淡路町2-2-2 ☎03-3526-8000
【特色・近況】「花とゆめ」「LaLa」「メロディ」「ヤングアニマル」などの雑誌、コミックス単行本、絵本、書籍を発行。他に「黒蜜」「花ゆめAi」「ハレム」などのWebマガジン、アプリ「マンガPark」を配信。ECショップも運営。集英社系。
【設立】1973.12 【資本金】10百万円
【社長】菅原弘文
【株主】〔23.12〕集英社100%
【事業】雑誌50、書籍50
【従業員】単114名(40.0歳)

【業績】	売上高	営業利益	経常利益	純利益
単21.9	13,620	‥	‥	‥
単22.9	13,381	‥	‥	‥
単23.9	13,953	‥	‥	‥

ひかりのくに

株式公開計画なし

採用内定数	倍率	3年後離職率	平均年収
2名	115倍	20%	572万円

●待遇、制度●
【初任給】月20.7万(固定残業代12時間分)
【残業】10時間【有休】8日【制度】住 在

●新卒定着状況●
20年入社(男2、女8)→3年後在籍(男2、女6)

●採用情報●
【人数】23年:10 24年:2 25年:応募230→内定2*
【内定内訳】(男0、女2)(文2、理0)(総1、他1)
【試験】〔筆記〕常識、他〔性格〕有
【時期】エントリー25.4～5→内々定25.7*
【採用実績校】青学大1、大妻女大1

【求める人材】バイタリティーにあふれ、自分で考え工夫し、粘り強く行動できる人

【本社】543-0001 大阪府大阪市天王寺区上本町3-2-14 ☎06-6768-1151
【特色・近況】幼児絵本「ひかりのくに」を主力に月刊誌・書籍の出版、保育用品の販売を行う。幼稚園・保育園への直販、通販、書店の3ルートで販売。営業所34カ所、代理店・特約店約100カ所。カタログ商品は6000点以上。幼稚園教諭と保育士の人材派遣も展開。
【設立】1947.3 【資本金】75百万円
【社長】岡本功(1972.7生 関大院社会修了)
【株主】〔23.10〕マルミ38.4%
【事業】月刊雑誌、書籍出版物、保育用品教材の出版・販売
【従業員】単260名(36.2歳)

【業績】	売上高	営業利益	経常利益	純利益
単21.10	10,398	‥	718	‥
単22.10	9,667	‥	365	‥
単23.10	9,287	‥	434	‥

㈱文藝春秋（ぶんげいしゅんじゅう）

[株式公開計画なし]

採用内定数	倍率	3年後離職率	平均年収
6名	88.3倍	0%	‥

●待遇、制度●
【初任給】月26.1万（固定残業代28時間分）
【残業】‥時間【有休】‥日【制度】[在]
●新卒定着状況●
20年入社（男2、女1）→3年後在籍（男2、女1）
●採用情報●
【人数】23年:8 24年:6 25年:応募530→内定6
【内定内訳】（男3、女3）（文6、理0）（総5、他1）
【試験】〔筆記〕常識
【時期】エントリー24.12→内々定25.4～5（一次はWEB面接可）【インターン】有
【採用実績校】‥

【求める人材】人間への興味とコンテンツへの愛を併せ持つ、感受性が豊かで素直な人

【本社】102-8008 東京都千代田区紀尾井町3-23 ☎03-3265-1211
【特色・近況】作家・菊池寛氏が1923年に創業した総合出版社。各種雑誌のほか単行本、文庫、新書など刊行。週刊誌部数首位の「週刊文春」はじめ「文藝春秋」「Number」「CREA」「オール讀物」など。「文春オンライン」「Number Web」も運営。
【設立】1946.6 【資本金】144百万円
【社長】飯窪成幸（1959.9生 慶大文卒）
【株主】‥
【事業】雑誌、書籍
【従業員】単348名（45.0歳）

【業績】	売上高	営業利益	経常利益	純利益
単22.3	20,703	‥	‥	‥
単23.3	19,477	‥	‥	‥
単24.3	19,012	‥	‥	‥

㈱日本能率協会マネジメントセンター

[株式公開未定]

採用内定数	倍率	3年後離職率	平均年収
5名	‥	0%	[総]652万円

●待遇、制度●
【初任給】月25万
【残業】20時間【有休】‥日【制度】[在]
●新卒定着状況●
20年入社（男0、女2）→3年後在籍（男0、女2）
●採用情報●
【人数】23年:1 24年:0 25年:応募‥→内定5
【内定内訳】（男1、女4）（文5、理0）（総5、他0）
【試験】〔筆記〕有
【時期】エントリー24.10→内々定25.10（一次・二次以降もWEB面接可）
【採用実績校】北大1、新潟大1、立命館大1、立教大1、獨協大1

【求める人材】「人がありたい姿を見つけ、学び、挑戦する」すべてのプロセスを一緒に歩める人

【本社】103-6009 東京都中央区日本橋2-7-1 東京日本橋タワー ☎03-6362-4800
【特色・近況】ビジネス書出版や人材育成支援など総合経営。手帳の「NOLTY」が著名。eラーニングやオンライン研修など様々な人材育成サービスを提供。越境学習を通じてイノベーション推進人材を育成する事業なども。タイの現地法人でも人材育成支援事業を展開。
【設立】1991.8 【資本金】1,000百万円
【社長】張士洛（1960.12生 桜美林大経済卒）
【株主】〔23.12〕JMAホールディングス24.2%
【事業】手帳、通信教育、企業内集合教育、出版、eラーニング
【従業員】連564名 単433名（46.7歳）

【業績】	売上高	営業利益	経常利益	純利益
連21.6	15,451	461	542	482
連22.6	15,634	534	552	216
連23.6	16,117	711	730	190

東映アニメーション（とうえい）

[東証スタンダード]

採用予定数	倍率	3年後離職率	平均年収
37名	‥	0%	813万円

●待遇、制度●
【初任給】月24.7万（諸手当を除いた数値）
【残業】‥時間【有休】‥日【制度】[フ][住][在]
●新卒定着状況●
20年入社（男8、女11）→3年後在籍（男8、女11）
●採用情報●
【人数】23年:18 24年:30 25年:予定37
【内定内訳】（男‥、女‥）（文‥、理‥）（総‥、他‥）
【試験】試験あり
【時期】エントリー25.1→内々定25.5【インターン】有【ジョブ型】有
【採用実績校】‥

【求める人材】‥

【本社】164-0001 東京都中野区中野4-10-1 中野セントラルパークイースト ☎03-5318-0678
【特色・近況】日本のアニメ製作会社の草分け的存在。日本最大かつ世界有数のライブラリーを保有。テレビ向けに強み。収益柱はアニメキャラクターに対してロイヤリティを得る版権事業。総コンテンツ数は「ワンピース」「プリキュア」シリーズなど約1万4000本。
【設立】1948.1 【資本金】2,867百万円
【社長】高木勝裕（1957.3生）
【株主】〔24.3〕東映33.5%
【連結事業】映像製作・販売39、版権44、商品販売12、他4 <海外54>
【従業員】連937名 単674名（39.8歳）

【業績】	売上高	営業利益	経常利益	純利益
連22.3	57,020	18,107	18,822	12,820
連23.3	87,457	28,669	29,791	20,900
連24.3	88,654	23,364	26,453	18,795

㈱mediba

株式公開していない

採用内定数	倍率	3年後離職率	平均年収
5名	14倍	0%	‥

●待遇、制度●
【初任給】月25.4万(諸手当2万円)
【残業】30時間【有休】13.5日【制度】フ 在
●新卒定着状況●
20年入社(男3、女3)→3年後在籍(男3、女3)
●採用情報●
【人数】23年:8 24年:6 25年:応募70→内定5
【内定内訳】(男3、女2)(文5、理0)(総0、他5)
【試験】〔Web自宅〕有
【時期】エントリー24.9→内々定25.2(一次・二次以降もWEB面接可)【ジョブ型】有
【採用実績校】法政大1、獨協大1、青学大1、目白大1、産能大1
【求める人材】事業を通じて世の中をより良くしようという考え方に共感できる人

【本社】141-0021 東京都品川区上大崎2-13-30 oak meguro5階 ☎‥
【特色・近況】「auスマートパス」などのau関連サービスの運営が主力事業。モバイル広告、UX／UIコンサルやオフショア開発・保守、24時間365日運用対応のBPOサービスも手がける。沖縄に支店を構える。KDDIグループ。
【設立】2000.12 【資本金】1,035百万円
【社長】新居眞吾(1961.4生)
【株主】〔24.3〕KDDI100%
【事業】広告、メディアプロデュース、コンテンツ運用、課金サービス
【従業員】単533名(37.1歳)

【業績】	売上高	営業利益	経常利益	純利益
単22.3	9,817	1,730	1,780	1,008
単23.3	7,676	▲84	1,055	663
単24.3	8,256	▲479	▲443	▲782

㈱Jストリーム

東証グロース

採用内定数	倍率	3年後離職率	平均年収
12名	77.5倍	20%	601万円

●待遇、制度●
【初任給】月22.1万(固定残業代20時間分)
【残業】18時間【有休】11.6日【制度】フ 在
●新卒定着状況●
20年入社(男12、女3)→3年後在籍(男9、女3)
●採用情報●
【人数】23年:21 24年:16 25年:応募930→内定12*
【内定内訳】(男10、女2)(文5、理5)(総0、他12)
【試験】〔Web自宅〕SPI3、他〔性格〕有
【時期】エントリー24.10→内々定25.10(一次・二次以降もWEB面接可)【ジョブ型】有
【採用実績校】専大1、獨協大1、東北学大1、芝工大院1、新潟大1、はこだて未来大1、京産大1、愛知工業大1、HAL東京専1、日大1、他
【求める人材】動画を通し、お客様の伝えたい想い・形を共に創造していきたい人、自走力がある人

【本社】105-0014 東京都港区芝2-5-6 芝256スクエアビル ☎03-5765-7000
【特色・近況】インターネットによる動画配信サービス会社。動画ライブ中継やオンデマンド放送向けに配信インフラを提供。専用中継サーバーを持ち、安定した配信に強み。ライブ配信では製薬企業向けに実績あり、金融機関や一般企業も開拓。映像制作なども手がける。
【設立】1997.5 【資本金】2,182百万円
【社長】石松俊雄(1963.2生 静岡大人文卒)
【株主】〔24.3〕トランスコスモス44.5%
【連結事業】動画ソリューション100
【従業員】連676名 単417名(36.4歳)

【業績】	売上高	営業利益	経常利益	純利益
連22.3	12,409	2,054	2,052	1,309
連23.3	12,501	1,663	1,652	873
連24.3	11,266	566	585	298

テイコクテーピングシステム

株式公開計画なし

採用内定数	倍率	3年後離職率	平均年収
4名	‥	0%	‥

●待遇、制度●
【初任給】月23万(諸手当0.5万円)
【残業】10時間【有休】‥日【制度】在
●新卒定着状況●
20年入社(男0、女1)→3年後在籍(男0、女1)
●採用情報●
【人数】23年:0 24年:3 25年:応募‥→内定4
【内定内訳】(男3、女1)(文‥、理‥)(総4、他0)
【試験】なし
【時期】エントリー‥→内々定‥
【採用実績校】‥
【求める人材】自分で考えて行動できる人

【本社】477-0032 愛知県東海市加木屋町腹太43-1 ☎0562-33-7172
【特色・近況】半導体製造装置メーカー。全自動ラミネーター装置など半導体製造用テーピング装置を製造・販売。製造装置の知能化、小型化、高度化に貢献。製品の9割超は海外メーカー向け。米国とシンガポールに拠点。アジア、欧州に代理店。日本化薬の子会社。
【設立】1995.12 【資本金】22百万円
【代表取締役】友永一郎(1970.7生)
【株主】日本化薬100%
【事業】半導体製造装置100 <輸出95>
【従業員】単25名(36.0歳)

【業績】	売上高	営業利益	経常利益	純利益
単22.3変	635	‥	19	16
単23.3	1,250	‥	667	640
単24.3	1,250	‥	486	321

マスコミ・メディア

アイコム

東証プライム

採用内定数	倍率	3年後離職率	平均年収
49名	‥	25%	643万円

●待遇、制度●

【初任給】月23.6万
【残業】6.6時間【有休】12.8日【制度】住

●新卒定着状況●

20年入社(男25、女3)→3年後在籍(男19、女2)

●採用情報●

【人数】23年:36 24年:47 25年:応募‥→内定49*
【内定内訳】(男38、女11)(文15、理33)(総49、他0)
【試験】〔筆記〕有〔Web会場〕SPI3〔性格〕有
【時期】エントリー24.12→内々定25.3【インターン】有【ジョブ型】有
【採用実績校】大阪工大11、大阪電通大4、広島工大3、長崎大2、兵庫県大2、金沢工大2、龍谷大2、東京電機大1、電通大1、富山県大1、他
【求める人材】物造りが好きで、何事にも熱意を持って「考動」できる人

【本社】547-0003 大阪府大阪市平野区加美南1-1-32 ☎06-6793-5301
【特色・近況】無線機専業メーカー。主力の陸上業務用無線機は警察、消防など官公庁向け強い。祖業のアマチュア無線もコアなファンが多く、市場は小さいが高シェアで収益柱。レジャーボート向け海上無線も手がける。海外売上比率7割弱で、大半が北米・欧州向け。
【設立】1964.7 【資本金】7,081百万円
【社長】中岡洋詞(1961.5生 北九大法卒)
【株主】〔24.3〕井上徳造13.8%
【連結事業】無線機98、ネットワーク機器2 <海外69>
【従業員】連1,083名 単647名(43.7歳)

【業績】	売上高	営業利益	経常利益	純利益
連22.3	28,277	1,058	1,574	1,093
連23.3	34,173	2,850	3,262	2,574
連24.3	37,117	3,415	4,416	3,461

愛知電機（あいちでんき）

名証プレミア

採用内定数	倍率	3年後離職率	平均年収
14名	5.1倍	6.5%	611万円

●待遇、制度●

【初任給】月23.8万(諸手当0.3万円)
【残業】‥時間【有休】13.9日【制度】住

●新卒定着状況●

20年入社(男25、女6)→3年後在籍(男24、女5)

●採用情報●

【人数】23年:39 24年:38 25年:応募71→内定14*
【内定内訳】(男10、女4)(文8、理6)(総14、他0)
【試験】〔Web自宅〕SPI3〔性格〕有
【時期】エントリー24.12→内々定25.2*(一次はWEB面接可)【インターン】有
【採用実績校】南山大3、諏訪東理大2、中部大2、福井大1、明大1、名古屋市大1、愛知大1、龍谷大1、京産大1、愛知工業大1
【求める人材】基礎学力があり、明るく前向きに取り組むことができる人

【本社】486-8666 愛知県春日井市愛知町1 ☎0568-31-1111
【特色・近況】中部電力系の変圧器メーカー。柱上変圧器に強み。小型モーター、プリント配線板も手がける。電力設備は中部電力など特定顧客の依存度が高い。モーターは中国向けエアコンや車載エアコン用途。小水力発電システムなど再エネ関連の開発に取り組む。
【設立】1942.5 【資本金】4,053百万円
【社長】小林和郎(1954.7生 成蹊大法卒)
【株主】〔24.3〕中部電力24.4%
【連結事業】電力機器30、回転機70 <海外36>
【従業員】連2,843名 単1,112名(43.9歳)

【業績】	売上高	営業利益	経常利益	純利益
連22.3	94,381	6,667	7,966	5,564
連23.3	114,286	7,504	8,793	5,954
連24.3	110,595	7,059	8,312	5,937

IDEC

東証プライム

採用内定数	倍率	3年後離職率	平均年収
6名	10.5倍	0%	717万円

●待遇、制度●

【初任給】月21.9万
【残業】5.5時間【有休】15.6日【制度】フ 住 在

●新卒定着状況●

20年入社(男6、女2)→3年後在籍(男6、女2)

●採用情報●

【人数】23年:6 24年:2 25年:応募63→内定6*
【内定内訳】(男4、女2)(文0、理6)(総6、他0)
【試験】〔Web自宅〕WEB-GAB
【時期】エントリー通年→内々定通年(一次・二次以降もWEB面接可)【インターン】有
【採用実績校】大阪工大院1、大阪公大院1、名工大院1、奈良先端科技院大1、福島大院1、和歌山大院1
【求める人材】情熱を持って最後までやり遂げることができ自律的に未来を切り開ける人

【本社】532-0004 大阪府大阪市淀川区西宮原2-6-64 ☎06-6398-2500
【特色・近況】制御機器の専業総合メーカー。工場用操作スイッチや表示ランプに強み。半導体製造装置や工作機械向けが多い。スイッチング電源などの盤内機器、安全・防爆関連機器なども。仏の制御スイッチ会社はじめ国内外で会社買収。自動搬送車分野にも注力。
【設立】1947.3 【資本金】10,056百万円
【会長兼社長】舩木俊之(1947.8生 関大工卒)
【株主】〔24.3〕日本マスタートラスト信託銀行信託口14.7%
【連結事業】HMI47、インダストリアルコンポ16、オートメーション14、安全・防爆16、システム5、他2 <海外63>
【従業員】連3,087名 単658名(44.0歳)

【業績】	売上高	営業利益	経常利益	純利益
連22.3	70,789	9,672	10,398	7,896
連23.3	83,869	14,060	14,403	10,144
連24.3	72,711	6,276	6,920	4,407

アストロデザイン

株式公開計画なし

採用内定数	倍率	3年後離職率	平均年収
4名	5倍	0%	524万円

●待遇、制度●
【初任給】月25.4万(諸手当4万円)
【残業】21.3時間【有休】11.9日【制度】フ 在
●新卒定着状況●
20年入社(男3、女0)→3年後在籍(男3、女0)
●採用情報●
【人数】23年:2 24年:2 25年:応募20→内定4
【内定内訳】(男2、女2)(文0、理3)(総4、他0)
【試験】〔Web自宅〕有
【時期】エントリー未定→内々定25.9(一次はWEB面接可)【インターン】有
【採用実績校】東京科学大1、明大1、愛知工科大1、米子高専1
【求める人材】開発過程の一部だけでなく、幅広く携わりたい人、積極的に学んでいく意欲のある人

【本社】145-0066 東京都大田区南雪谷1-5-2
☎03-5734-6300
【特色・近況】映像・放送関連機器などを開発・販売。リアルタイム高速デジタル信号処理技術に強み。創業当初より自社開発にこだわる。超高精細映像8Kテクノロジーの開発を推進し、新製品開発に積極的。8K変換技術活用で8K映像伝送実験に技術協力。
【設立】1977.2 【資本金】72百万円
【社長】鈴木茂昭(1945.1生 電機大通信工卒)
【株主】〔24.3〕鈴木茂昭47.8%
【事業】高精細映像関連47、放送制作関連8、情報通信送出関連6、電子計測関連34、他5 <輸出24>
【従業員】単150名(41.6歳)

【業績】	売上高	営業利益	経常利益	純利益
単22.3	1,927	▲515	▲408	▲394
単23.3	2,833	9	30	69
単24.3	2,858	1	30	11

㈱アドテック プラズマ テクノロジー

東証スタンダード

採用内定数	倍率	3年後離職率	平均年収
4名	6倍	0%	646万円

●待遇、制度●
【初任給】年320万
【残業】10.1時間【有休】11.6日【制度】住
●新卒定着状況●
20年入社(男3、女0)→3年後在籍(男3、女0)
●採用情報●
【人数】23年:2 24年:7 25年:応募24→内定4*
【内定内訳】(男4、女0)(文3、理1)(総4、他0)
【試験】〔Web自宅〕有〔性格〕有
【時期】エントリー24.10→内々定25.3*(一次・二次以降もWEB面接可)【インターン】有
【採用実績校】‥
【求める人材】成長を楽しめる人、モノづくりに対して前向きな人、考動と協調ができる人

【本社】721-0942 広島県福山市引野町5-6-10
☎084-945-1359
【特色・近況】プラズマ用高周波電源の専業大手。半導体・液晶基板製造装置向けが主柱。子会社IDXは研究機関・大学関連向け医療、環境装置搭載の電源扱う。がん治療に用いる重量子線加速器向け電源に定評。ベトナム、韓国に生産拠点。
【設立】1985.1 【資本金】835百万円
【社長】森下秀法(1971.10生)
【株主】〔24.2〕藤井修逸26.2%
【連結事業】半導体・液晶関連92、研究機関・大学関連8 <海外50>
【従業員】連516名 単172名(41.9歳)

【業績】	売上高	営業利益	経常利益	純利益
連21.8	8,003	1,102	1,160	875
連22.8	12,337	2,735	3,051	2,174
連23.8	12,498	2,247	2,293	1,678

㈱アルチザネットワークス

東証スタンダード

採用予定数	倍率	3年後離職率	平均年収
1名	‥	50%	578万円

●待遇、制度●
【初任給】月21.3万
【残業】20.7時間【有休】9.4日【制度】住 在
●新卒定着状況●
20年入社(男8、女2)→3年後在籍(男4、女1)
●採用情報●
【人数】23年:12 24年:2 25年:予定1*
【内定内訳】(男‥女‥)(文‥、理‥)(総‥、他‥)
【試験】〔性格〕有
【時期】エントリー24.6→内々定‥(一次はWEB面接可)
【採用実績校】‥
【求める人材】自ら考え、行動できる人、継続して物ごとにとり組むことのできる人

【本社】190-0012 東京都立川市曙町2-36-2
☎042-529-3494
【特色・近況】通信計測器開発メーカー。携帯電話基地局や交換機向けが主力。保守管理機器の販売、固定通信のネットワーク監視関連や5G基地局テストサービスも行う。取引先はドコモ主体に、国内外の通信キャリア、基地局メーカー、負荷試験機メーカーなど。
【設立】1990.12 【資本金】1,359百万円
【代表取締役】床次直之(1963.3生)
【株主】〔24.7〕床次隆志18.8%
【連結事業】モバイルネットワークソリューション94、IPネットワークソリューション6 <海外2>
【従業員】連178名 単142名(36.8歳)

【業績】	売上高	営業利益	経常利益	純利益
連22.7	4,542	1,462	1,473	1,097
連23.7	4,113	398	431	119
連24.7	2,819	32	45	▲143

#有休取得が多い

池上通信機（いけがみつうしんき）

[東証スタンダード]

採用内定数	倍率	3年後離職率	平均年収
8名	5.1倍	4.3%	603万円

●待遇、制度●
【初任給】月25万
【残業】11.8時間【有休】18.7日【制度】[フ][住][在]
●新卒定着状況●
20年入社(男10、女13)→3年後在籍(男10、女12)
●採用情報●
【人数】23年:17 24年:15 25年:応募41→内定8*
【内定内訳】(男6、女2)(文3、理4)(総8、他0)
【試験】〔筆記〕有〔Web自宅〕SPI3〔性格〕有
【時期】エントリー24.10→内々定24.12*(一次はWEB面接可)【インターン】有
【採用実績校】大阪芸大1、東海大1、玉川大1、成城大1、和歌山大1、千葉工大1、秋田大1、函館高専1
【求める人材】前例にとらわれず、新しい視点で自ら考えて行動できる人

【本社】146-8567 東京都大田区池上5-6-16
☎03-5700-1111
【特色・近況】老舗放送機器メーカー。放送局向けカメラや中継車向けの映像伝送システムに強み。8Kスーパーハイビジョンカメラを主要顧客のNHKと共同開発。監視カメラなどセキュリティー製品も手がける。一般産業・医療向けの用途開発にも注力。
【設立】1948.2 【資本金】7,000百万円
【社長】清森洋祐(1952.7生 早大政経卒)
【株主】〔24.3〕日本マスタートラスト信託銀行信託口3.8%
【連結事業】情報通信機器100 <海外27>
【従業員】連823名 単669名(46.3歳)

【業績】	売上高	営業利益	経常利益	純利益
連22.3	18,470	255	293	178
連23.3	22,146	▲997	▲1,000	▲1,074
連24.3	21,603	794	902	679

㈱因幡電機製作所（いなばでんきせいさくしょ）

[株式公開未定]

採用内定数	倍率	3年後離職率	平均年収
4名	2.5倍	33.3%	[総]546万円

●待遇、制度●
【初任給】月20.5万(諸手当0.5万円)
【残業】17時間【有休】13.7日【制度】[住][在]
●新卒定着状況●
20年入社(男7、女2)→3年後在籍(男4、女2)
●採用情報●
【人数】23年:7 24年:5 25年:応募10→内定4*
【内定内訳】(男3、女1)(文2、理0)(総2、他2)
【試験】〔筆記〕SPI3〔Web自宅〕SPI3〔性格〕有
【時期】エントリー24.8→内々定25.5(一次はWEB面接可)【インターン】有
【採用実績校】京都橘大1、大阪芸大1、前橋産業技術専、高崎産業技術専1
【求める人材】何事もコツコツ取り組める人

【本社】550-0012 大阪府大阪市西区立売堀3-1-1 大阪トヨペットビル7階 ☎06-6532-2301
【特色・近況】受配電設備、照明器具ポールなどの製造・販売。大手デベロッパー、首都高速、阪神高速や官公庁などに納入実績。マルチLED道路灯、簡単施工の分電盤の開発を推進。信号機や表示器設置用の鉄鋼構造物の設計・製造・据付工事・保守業務の受託も。
【設立】1957.5 【資本金】130百万円
【社長】川口久文(1986.10生 京大院工修了)
【株主】〔23.9〕川口久美雄39.6%
【事業】配電盤、照明用ポール、照明器具
【従業員】単187名(38.1歳)

【業績】	売上高	営業利益	経常利益	純利益
単21.9	4,938	592	642	435
単22.9	5,584	446	492	332
単23.9	5,787	395	450	298

岩崎通信機（いわさきつうしんき）

[株式公開—]

採用実績数	倍率	3年後離職率	平均年収
12名	—	27.8%	599万円

●待遇、制度●
【初任給】月25万
【残業】9時間【有休】14日【制度】[住][在]
●新卒定着状況●
20年入社(男13、女5)→3年後在籍(男10、女3)
●採用情報●
【人数】23年:6 24年:12 25年:応募150→内定0
【内定内訳】(男‥、女‥)(文‥、理‥)(総‥、他‥)
【試験】〔性格〕有
【時期】エントリー25.3→内々定25.4(一次・二次以降もWEB面接可)
【採用実績校】‥
【求める人材】チャレンジ精神と自律心を兼ね備え、前へ進む行動力のある人

【本社】168-8501 東京都杉並区久我山1-7-41
☎03-5370-5111
【特色・近況】情報通信機器の老舗メーカー。中小企業向けビジネスホンが主軸で、NTTが大口顧客。プローブ関連製品やオシロスコープなど電子計測機器も手がける。不動産事業は収益源。子会社でデジタルラベル印刷機など印刷システム事業も。
【設立】1938.8 【資本金】7,882百万円
【社長】木村彰吾(1962.1生 慶大経済卒)
【株主】〔24.3〕あい ホールディングス32.7%
【連結事業】情報通信72、印刷システム8、電子計測16、不動産4
【従業員】単‥名(48.0歳)

【業績】	売上高	営業利益	経常利益	純利益
連22.3	23,182	501	590	595
連23.3	22,903	▲983	▲905	▲1,181
連24.3	21,290	▲489	▲516	526

上田日本無線（うえだにほんむせん）

株式公開計画なし

採用内定数	倍率	3年後離職率	平均年収
5名	7倍	16.7%	㊕561万円

●待遇、制度●
【初任給】月23.3万
【残業】10時間【有休】14日【制度】住 在
●新卒定着状況●
20年入社(男10、女2)→3年後在籍(男8、女2)
●採用情報●
【人数】23年:8 24年:15 25年:応募35→内定5
【内定内訳】(男3、女2)(文1、理4)(総5、他0)
【試験】〔筆記〕常識、他〔Web会場〕SPI3〔Web自宅〕SPI3〔性格〕有
【時期】エントリー25.3→内々定25.6*(一次はWEB面接可)【インターン】有
【採用実績校】諏訪東理大1、富山大1、岩手大1、工学院大1、長野県大1
【求める人材】明朗闊達、コミュニケーション能力に長け、常に前向きな人

【本社】386-8608 長野県上田市踏入2-10-19
☎0268-26-2112
【特色・近況】日本無線グループで無線通信機器の開発・製造を手がける。親会社製品の製造とODMを軸に、自社ブランド製品も展開。EMS事業にも取り組む。無線通信技術、超音波技術をベースに新領域開拓。画像診断装置など医療機器分野にも力を入れる。
【設立】1949.10 【資本金】700百万円
【社長】小林真行(1959.3生 日大工卒)
【株主】〔23.12〕日本無線100%
【事業】マリン・ソリューション特機37、情報通信11、医用・超音波40、無線応用12 <輸出0>
【従業員】単440名(47.0歳)

【業績】	売上高	営業利益	経常利益	純利益
単21.12	12,271	41	190	186
単22.12	11,038	324	461	336
単23.12	11,871	622	744	518

EIZO

東証プライム

採用内定数	倍率	3年後離職率	平均年収
14名	‥	8%	㊕690万円

●待遇、制度●
【初任給】月25.2万
【残業】11.7時間【有休】15.9日【制度】フ 住
●新卒定着状況●
20年入社(男12、女13)→3年後在籍(男11、女12)
●採用情報●
【人数】23年:28 24年:26 25年:応募‥→内定14
【内定内訳】(男8、女6)(文5、理7)(総13、他1)
【試験】〔Web会場〕SPI3〔Web自宅〕SPI3〔性格〕有
【時期】エントリー24.12→内々定25.2(一次・二次以降もWEB面接可)【インターン】有
【採用実績校】同大3、名工大2、金沢大2、金沢工大2、北大1、関西学大1、立命館大1、石川高専1
【求める人材】最新技術に関心を持ち、広い視野をもってグローバル規模の仕事に挑戦したい人

【本社】924-8566 石川県白山市下柏野町153
☎076-275-4121
【特色・近況】EIZOブランドでディスプレー装置を製造・販売。オフィス・一般用のパソコンモニターに加え、内視鏡、手術向けなど医療用途も収益柱。映像制作、3DCG、航空管制、船舶など特定分野向けも扱う。遊技機用で成長したが比率は低下。海外売上比率は約6割。
【設立】1968.3 【資本金】4,425百万円
【社長】恵比寿正樹(1970.10生 東大農卒)
【株主】〔24.3〕日本マスタートラスト信託銀行信託口13.0%
【連結事業】B&P19、ヘルスケア46、クリエイティブワーク7、V&S13、アミューズメント8、他7 <海外59>
【従業員】連2,343名 単1,001名(40.7歳)

【業績】	売上高	営業利益	経常利益	純利益
連22.3	86,789	11,299	12,110	7,794
連23.3	80,849	5,002	6,126	5,862
連24.3	80,471	3,908	6,326	5,454

エスペック

東証プライム

採用内定数	倍率	3年後離職率	平均年収
12名	29.7倍	12.5%	㊕682万円

●待遇、制度●
【初任給】月25.5万
【残業】20.1時間【有休】13.2日【制度】フ 住 在
●新卒定着状況●
20年入社(男18、女6)→3年後在籍(男15、女6)
●採用情報●
【人数】23年:20 24年:28 25年:応募356→内定12*
【内定内訳】(男10、女2)(文5、理7)(総12、他0)
【試験】〔性格〕有
【時期】エントリー25.3→内々定25.4(一次・二次以降もWEB面接可)【インターン】有【ジョブ型】有
【採用実績校】甲南大2、立命館大1、武庫川女大1、広島市大1、近大1、神奈川工大1、大阪経大1、京都橘大1、福岡工大1、帝京大1、他
【求める人材】グローバルな人、クリエイティビティを備えた人、バイタリティ溢れる人

【本社】530-8550 大阪府大阪市北区天神橋3-5-6
☎06-6358-4741
【特色・近況】環境変化の影響を分析する試験器のトップ。環境試験器は、温度や湿度、振動などの環境を人工的に再現し、製品に対する環境因子の影響を分析する。家電、スマホ、自動車業界などが顧客。EV用2次電池や半導体関連の試験装置も供給。受託試験も手がける。
【設立】1954.1 【資本金】6,895百万円
【社長】荒田知(1966.10生 職業訓練大電気卒)
【株主】〔24.3〕日本マスタートラスト信託銀行信託口12.9%
【連結事業】装置86、サービス12、他2 <海外53>
【従業員】連1,820名 単822名(41.4歳)

【業績】	売上高	営業利益	経常利益	純利益
連22.3	41,852	1,968	2,322	1,905
連23.3	52,892	4,366	4,664	3,330
連24.3	62,126	6,585	6,919	4,969

㈱ＭＣＪ　東証スタンダード

採用内定数	倍率	3年後離職率	平均年収
6名	35.5倍	18.2%	㊗506万円

●待遇、制度●
【初任給】月23.5万
【残業】10.7時間【有休】14.7日【制度】フ 在
●新卒定着状況●
20年入社(男8、女3)→3年後在籍(男6、女3)
●採用情報● 子会社採用
【人数】23年:17 24年:21 25年:応募213→内定6*
【内定内訳】(男6、女0)(文5、理1)(総6、他0)
【試験】〔性格〕有
【時期】エントリー24.8→内々定25.3(一次はWEB面接可)【インターン】有
【採用実績校】都留文科大1、名古屋学院大1、白鴎大1、大東文化大1、獨協大1、大阪電通大1
【求める人材】企業理念に共感し失敗を恐れず遂行する意思や実行力及びチームワークを大切にできる人

【本社事務所】100-0004 東京都千代田区大手町2-3-2 大手町プレイスイーストタワー☎03-6739-3403
【特色・近況】グループでパソコン・モニターの開発・製造・販売を手がける持株会社。「マウス」ブランドが主力。M&Aに積極的で、携帯オーディオなど端末事業を拡大。欧州向けのPC液晶ディスプレー販売も行う。複合カフェの運営も手がける。
【設立】2000.9　【資本金】3,868百万円
【会長】髙島勇二(1974.4生 埼玉栄高卒)
【株主】〔24.3〕髙島勇二31.8%
【連結事業】パソコン関連97、総合エンターテインメント3 <海外33>
【従業員】連2,314名 単2,256名(‥歳)

【業績】	売上高	営業利益	経常利益	純利益
連22.3	191,247	13,435	13,680	9,283
連23.3	191,076	14,318	13,935	9,603
連24.3	187,455	17,192	17,087	12,199

応用電機（おうようでんき）　株式公開未定

採用内定数	倍率	3年後離職率	平均年収
15名	6.5倍	15%	542万円

●待遇、制度●
【初任給】月22万
【残業】14時間【有休】16.3日【制度】住
●新卒定着状況●
20年入社(男17、女3)→3年後在籍(男15、女2)
●採用情報●
【人数】23年:20 24年:19 25年:応募98→内定15*
【内定内訳】(男15、女0)(文0、理5)(総15、他0)
【試験】〔筆記〕常識、他〔Web自宅〕有
【時期】エントリー25.3→内々定25.6(一次・二次以降もWEB面接可)【インターン】有
【採用実績校】崇城大2、静岡理工科大1、高知工科大1、東京工芸大1、熊本高専1、神奈川産技短大1、他
【求める人材】ものづくりが好きな人、好きなことに情熱を持って取り組める人

【本社】610-0101 京都府城陽市平川中道表63-1 ☎0774-52-0001
【特色・近況】半導体、電子部品などの電気計測技術を応用した産業用電子機器やメカトロ装置、情報・画像処理、医用など各種機器を開発・設計・製造。熊本、静岡、神奈川など国内5工場。各拠点でものづくりが完結する生産体制が強み。福岡にテクノセンターを置く。
【設立】1980.6　【資本金】72百万円
【社長】茶屋文成
【株主】〔23.12〕茶屋誠一
【事業】半導体他各種電子部品検査装置(計測機器、制御装置) <輸出3>
【従業員】単688名(38.5歳)

【業績】	売上高	営業利益	経常利益	純利益
単21.6	13,862	2,262	2,538	1,722
単22.6	16,031	2,736	3,419	2,295
単23.6	19,447	2,832	3,231	2,431

大井電気（おおいでんき）　東証スタンダード

採用内定数	倍率	3年後離職率	平均年収
3名	8倍	15.4%	‥

●待遇、制度●
【初任給】月23.9万
【残業】21.1時間【有休】15.6日【制度】フ 住 在
●新卒定着状況●
20年入社(男12、女1)→3年後在籍(男11、女0)
●採用情報●
【人数】23年:8 24年:3 25年:応募24→内定3*
【内定内訳】(男2、女1)(文0、理3)(総3、他0)
【試験】〔筆記〕有
【時期】エントリー24.12→内々定25.3(一次はWEB面接可)【インターン】有
【採用実績校】‥
【求める人材】日々変化する通信業界の中で、一緒に成長していく人

【本社】222-0011 神奈川県横浜市港北区菊名7-3-16 ☎045-433-1361
【特色・近況】三菱電機系の情報通信機器メーカー。光伝送システム、セキュリティー・監視システム、リモート計測・センシングシステム、無線応用システムの関連機器を手がける。子会社が行う電力・通信関連のネットワーク工事・保守もグループの収益柱。
【設立】1950.1　【資本金】2,708百万円
【社長】石田甲(1963.6生 一橋大経済卒)
【株主】〔24.3〕三菱電機16.8%
【連結事業】情報通信機器製造販売55、ネットワーク工事保守45
【従業員】連984名 単424名(46.7歳)

【業績】	売上高	営業利益	経常利益	純利益
連22.3	24,735	▲819	▲794	▲1,023
連23.3	22,926	▲466	▲439	▲811
連24.3	28,117	919	839	759

大崎電気工業（おおさきでんきこうぎょう）

東証プライム

採用予定数	倍率	3年後離職率	平均年収
11名	‥	0%	676万円

●待遇、制度●
【初任給】月23.5万
【残業】15時間【有休】13.3日【制度】[フ][住][在]

●新卒定着状況●
20年入社(男9、女2)→3年後在籍(男9、女2)

●採用情報●
【人数】23年:13 24年:15 25年:予定11*
【内定内訳】(男‥、女‥)(文‥、理‥)(総‥、他‥)
【試験】〔Web自宅〕SPI3〔性格〕有
【時期】エントリー25.3→内々定25.6*(一次はWEB面接可)【インターン】有
【採用実績校】東京電機大2、ICU1、他

【求める人材】自ら考え、情熱をもって挑戦し続けられる人

【本社】141-0022 東京都品川区東五反田2-10-2 東五反田スクエア ☎03-3443-7171
【特色・近況】電力量計、変成器など計測制御機器事業を中心に展開。スマートメーター（通信機能付き電力計）で国内首位。売上高の過半は電力会社向け。国内のメーター普及一巡を見据え、英国、豪州市場に参入し海外展開を強化。国内はメーターの新用途活用を探究。
【設立】1937.1 【資本金】7,965百万円
【会長】渡辺佳英(1948.7生 慶大工卒)
【株主】〔24.3〕日本マスタートラスト信託銀行信託口12.1%
【連結事業】国内計測制御58、海外計測制御41、不動産1 ＜海外41＞
【従業員】[連]2,623名 [単]555名(43.0歳)

【業績】	売上高	営業利益	経常利益	純利益
[連]22.3	76,184	1,277	1,189	▲658
[連]23.3	89,253	2,226	1,885	1,319
[連]24.3	95,147	5,874	5,488	2,407

#初任給が高い #残業が少ない

㈱オーム電機（でんき）

株式公開計画なし

採用内定数	倍率	3年後離職率	平均年収
1名	157倍	75%	[総]520万円

●待遇、制度●
【初任給】月30万(固定残業代40時間分)
【残業】0.1時間【有休】11.3日【制度】[在]

●新卒定着状況●
20年入社(男4、女0)→3年後在籍(男1、女0)

●採用情報●
【人数】23年:1 24年:4 25年:応募157→内定1*
【内定内訳】(男1、女0)(文1、理0)(総1、他0)
【試験】〔筆記〕有〔Web自宅〕有〔性格〕有
【時期】エントリー25.1→内々定25.5(一次はWEB面接可)
【採用実績校】関東学院大1

【求める人材】将来の経営幹部候補として、起業家スピリット溢れる人

【本社】171-0022 東京都豊島区南池袋2-26-4 南池袋平成ビル ☎03-3988-7181
【特色・近況】オーディオ関連やOA用品から美容・健康機器まで、各種電気・通信機器を企画開発・製造・輸入・販売。取扱商品は約7000品目。徹底した市場調査にもとづき企画・開発した独自商品も豊富。全国8カ所の物流ネット。
【設立】1947.3 【資本金】100百万円
【社長】新里彩(1967.1生)
【株主】〔24.3〕和英68.1%
【事業】電気用品製造・輸入・卸100
【従業員】[単]312名(‥歳)

【業績】	売上高	営業利益	経常利益	純利益
[単]22.3	22,133	568	672	496
[単]23.3	22,112	▲402	▲335	▲300
[単]24.3	21,694	425	558	443

岡谷電機産業（おかやでんきさんぎょう）

東証スタンダード

採用内定数	倍率	3年後離職率	平均年収
1名	21倍	16.7%	587万円

●待遇、制度●
【初任給】月22.1万
【残業】13.8時間【有休】9.2日【制度】[住]

●新卒定着状況●
20年入社(男5、女1)→3年後在籍(男4、女1)

●採用情報●
【人数】23年:4 24年:5 25年:応募21→内定1*
【内定内訳】(男1、女0)(文1、理0)(総1、他0)
【試験】〔筆記〕常識、他
【時期】エントリー25.3→内々定25.6(一次・二次以降もWEB面接可)【インターン】有
【採用実績校】東洋大

【求める人材】グローバルな視点を持ち、主体的かつ誠意のある行動がとれる人

【本社事務所】158-8543 東京都世田谷区等々力6-16-9 ☎03-4544-7000
【特色・近況】家電や産業機器向けのノイズ・サージ対策用コンデンサーが主力の大手電子部品メーカー。エアコン向け、医療機器向けにも展開。LED照明用光源、LED表示デバイスなどの表示機器などでも大手。国内3工場、海外は中国、スリランカに工場を置く。
【設立】1939.4 【資本金】2,295百万円
【代表取締役】高屋舗明(1961.7生 金工大工卒)
【株主】〔24.3〕日本カストディ銀信託口(OKI) 15.7%
【連結事業】コンデンサ製品43、ノイズ・サージ対策製品39、表示・照明15、センサ3 ＜海外43＞
【従業員】[連]1,115名 [単]176名(43.6歳)

【業績】	売上高	営業利益	経常利益	純利益
[連]22.3	13,366	▲453	▲354	▲436
[連]23.3	17,109	668	830	613
[連]24.3	14,323	400	429	120

㈱小野測器（おのそっき） 東証スタンダード

採用内定数	倍率	3年後離職率	平均年収
20名	‥	3.7%	626万円

●待遇、制度●
【初任給】月25.4万(諸手当1.6万円)
【残業】19.5時間【有休】14.3日【制度】フ 住 在
●新卒定着状況●
20年入社(男22、女5)→3年後在籍(男21、女5)
●採用情報●
【人数】23年:13 24年:16 25年:応募‥→内定20
【内定内訳】(男12、女8)(文8、理12)(総20、他0)
【試験】〔Web自宅〕SPI3〔性格〕有
【時期】エントリー25.3→内々定25.5(一次・二次以降もWEB面接可)【インターン】有
【採用実績校】宇都宮大2、桜美林大1、阪大1、神奈川大2、神奈川工大2、関大3、神田外語大3、九大1、湘南工大1、千葉工大1、他
【求める人材】「考動力」と「自律心」を持った人

【本社】220-0012 神奈川県横浜市西区みなとみらい3-3-3 横浜コネクトスクエア ☎045-935-3888
【特色・近況】デジタル計測機器の大手メーカー。回転計、音響・振動計で首位。性能計測器など自動車業界向けが大半。開発や品質管理用の特注試験装置も手がける。受託試験やコンサルティングサービスなども展開。米国、タイ、インド、中国に現地法人。
【設立】1954.1 【資本金】7,134百万円
【社長】大越祐史(1963.2生)
【株主】〔24.6〕桂武5.3%
【連結事業】計測機器35、特注試験装置及びサービス65、他0 <海外18>
【従業員】連658名 単610名(43.6歳)

【業績】	売上高	営業利益	経常利益	純利益
連21.12	9,852	▲859	▲685	▲1,271
連22.12	10,928	55	211	246
連23.12	11,539	139	204	438

㈱オリジン 東証スタンダード

採用内定数	倍率	3年後離職率	平均年収
5名	41.2倍	−	695万円

●待遇、制度●
【初任給】月24.1万
【残業】6時間【有休】16日【制度】住
●新卒定着状況●
20年入社(男0、女0)→3年後在籍(男0、女0)
●採用情報●
【人数】23年:5 24年:10 25年:応募206→内定5*
【内定内訳】(男4、女1)(文0、理5)(総5、他0)
【試験】〔Web自宅〕SPI3〔性格〕有
【時期】エントリー25.3→内々定25.6(一次はWEB面接可)【インターン】有
【採用実績校】東京電機大2、関東職能大学校1、信州大1、千葉工大1
【求める人材】自ら考え行動し挑戦できる人、広い視野を持ち協働しながら成果を上げられる人

【本社】338-0823 埼玉県さいたま市桜区栄和3-3-27 ☎048-755-9011
【特色・近況】電源メーカー3社の一角。通信用や産業装置用の電源機器のほか、自動車やPC向け合成樹脂塗料も手がける。半導体デバイスなどコンポーネント事業や、ディスプレー貼り合わせ装置のメカトロニクス事業も展開。医療用診断市場向け製品開発に重点。
【設立】1938.5 【資本金】6,103百万円
【社長】稲葉英樹(1964.8生)
【株主】〔24.3〕損害保険ジャパン5.6%
【連結事業】エレクトロニクス24、メカトロニクス6、ケミトロニクス38、コンポーネント27、他6 <海外38>
【従業員】連1,045名 単621名(46.2歳)

【業績】	売上高	営業利益	経常利益	純利益
連22.3	32,347	2,128	2,831	2,180
連23.3	32,036	574	1,461	365
連24.3	28,205	▲583	42	▲1,468

㈱かわでん 東証スタンダード

採用実績数	倍率	3年後離職率	平均年収
25名	‥	23.8%	‥

●待遇、制度●
【初任給】‥万
【残業】19.1時間【有休】15.1日【制度】‥
●新卒定着状況●
20年入社(男21、女0)→3年後在籍(男16、女0)
●採用情報●
【人数】23年:29 24年:25 25年:予定前年並
【内定内訳】(男‥、女‥)(文‥、理‥)(総‥、他‥)
【試験】‥
【時期】エントリー25.‥→内々定25.‥
【採用実績校】‥
【求める人材】‥

【本社】999-2293 山形県南陽市小岩沢225 ☎0238-49-2011
【特色・近況】カスタム型配電制御設備の専業最大手。高圧・低圧配電盤、自動制御盤、分電盤などを顧客の指定仕様で1品ごと製作・施工する。設計・製造からアフターサービスまでの一貫体制。オフィスビルや工場、マンション、産業施設向け多い。中大型製品が得意。
【設立】1940.6 【資本金】2,124百万円
【社長】相澤利雄(1957.1生)
【株主】〔24.3〕富士化学塗料7.5%
【事業】配電制御設備100
【従業員】単820名(39.9歳)

【業績】	売上高	営業利益	経常利益	純利益
単22.3	18,306	908	996	646
単23.3	19,664	509	501	320
単24.3	21,334	1,134	1,153	744

メーカー(電機・自動車・機械)

#年収高く倍率低い

菊水ホールディングス（きくすい）

東証スタンダード

採用内定数	倍率	3年後離職率	平均年収
6名	12.7倍	0%	㊍801万円

●待遇、制度●
【初任給】月23.7万(諸手当1.9万円)
【残業】13.1時間【有休】13.1日【制度】住
●新卒定着状況●
20年入社(男6、女2)→3年後在籍(男6、女2)
●採用情報● グループ採用
【人数】23年:9 24年:7 25年:応募76→内定6*
【内定内訳】(男6、女0)(文0、理5)(総6、他0)
【試験】〔筆記〕有〔Web自宅〕有〔性格〕有
【時期】エントリー25.3→内々定25.6(一次・二次以降もWEB面接可)【インターン】有
【採用実績校】岡山理大1、工学院大1、千葉工大2、日大1、山梨産技短大1
【求める人材】モノづくりが好きな人

【本社】224-0032 神奈川県横浜市都筑区茅ケ崎中央6-1 サウスウッド ☎045-482-6912
【特色・近況】電源機器や電子計測器の独立系メーカー。耐電圧試験器、据え置き型直流安定化電源で国内トップ。安全試験関連機器や、車載用電気的ノイズ試験装置に強み。航空宇宙、電池、自動車(CASE)、サーバー・ICT(情報通信技術)が重点市場。海外市場を積極開拓。
【設立】1951.8 【資本金】2,201百万円
【社長】小林一夫(1954.3生 玉川学園高等部卒)
【株主】〔24.3〕㈱ケーティーエム9.1%
【連結事業】電子計測器20、電源機器76、サービス・部品等4 <海外41>
【従業員】連333名 単18名(45.3歳)

【業績】	売上高	営業利益	経常利益	純利益
連22.3	10,076	1,033	1,087	709
連23.3	12,066	1,531	1,528	1,072
連24.3	12,488	1,853	1,919	1,300

㈱北電子（きたでんし）

株式公開計画なし

採用内定数	倍率	3年後離職率	平均年収
5名	35倍	ー	‥

●待遇、制度●
【初任給】月23.5万(諸手当2万円)
【残業】13.8時間【有休】14.7日【制度】フ 住 在
●新卒定着状況●
20年入社(男0、女0)→3年後在籍(男0、女0)
●採用情報●
【人数】23年:3 24年:0 25年:応募175→内定5
【内定内訳】(男5、女0)(文0、理5)(総5、他0)
【試験】〔性格〕有
【時期】エントリー25.3→内々定25.6(一次・二次以降もWEB面接可)【インターン】有
【採用実績校】‥
【求める人材】斬新なアイデアを生み、それをカタチにするため意欲をもって取り組める人

【本社】171-0021 東京都豊島区西池袋1-7-7 東京西池袋ビル12階 ☎03-5985-8241
【特色・近況】パチンコホール向けスロットマシンのメーカー。ホールコンピューター、印刷・製本関連、パチスロの3事業が柱。「ジャグラー」がロングセラー機種。独創的なソフトと商品開発に定評あり。スマホ向けパチスロアプリなどの配信事業に注力。
【設立】1962.11 【資本金】76百万円
【社長】小林友也(1958.5生 東海大卒)
【株主】〔24.3〕北電子ホールディングス100%
【事業】スロットマシン80、ホールコンピュータ装置17、印刷製本検査装置2、他1
【従業員】単148名(43.2歳)

【業績】	売上高	営業利益	経常利益	純利益
単22.3	80,669	32,513	35,568	22,444
単23.3	35,407	6,426	7,073	6,267
単24.3	44,243	8,269	10,573	7,398

キヤノンアネルバ

株式公開計画なし

採用実績数	倍率	3年後離職率	平均年収
19名	‥	0%	‥

●待遇、制度●
【初任給】月22.7万(諸手当を除いた数値)
【残業】‥時間【有休】14.7日【制度】住 在
●新卒定着状況●
‥
●採用情報●
【人数】23年:16 24年:19 25年:予定前年並
【内定内訳】(男‥、女‥)(文‥、理‥)(総‥、他‥)
【試験】試験あり
【時期】エントリー25.3→内々定25.6(一次はWEB面接可)【インターン】有
【採用実績校】‥
【求める人材】新しいことに果敢にチャレンジしていく気概をもった人

【本社】215-8550 神奈川県川崎市麻生区栗木2-5-1 ☎044-980-5111
【特色・近況】半導体、HDD、電子部品などの製造装置メーカー。真空コンポーネントや産業用X線源なども。コア技術は極高真空技術、成膜・加工のプロセス技術。デジタル化進展を支える社会インフラや半導体などデバイス需要増加が製造装置の売上を牽引。
【設立】1950.10 【資本金】1,800百万円
【社長】中島卓実(早大法)
【株主】〔23.12〕キヤノン100%
【事業】半導体製造装置37、電子部品製造装置30、サービス・他33 <輸出46>
【従業員】単1,054名(‥歳)

【業績】	売上高	営業利益	経常利益	純利益
単21.12	30,646	‥	‥	‥
単22.12	25,892	‥	‥	‥
単23.12	34,538	‥	‥	‥

㈱京三製作所（きょうさんせいさくしょ）

東証プライム

採用予定数	倍率	3年後離職率	平均年収
30名	‥	9.1%	783万円

●待遇、制度●

【初任給】月23万
【残業】30.6時間【有休】14.2日【制度】フ 住 在

●新卒定着状況●

20年入社(男19、女3)→3年後在籍(男17、女3)

●採用情報●

【人数】23年:11 24年:28 25年:予定30
【内定内訳】(男‥、女‥)(文‥、理‥)(総‥、他‥)
【試験】〔Web会場〕SPI3〔性格〕有
【時期】エントリー25.2→内々定25.4(一次はWEB面接可)
【採用実績校】都立大3、同大2、大阪経大2、芝工大1、東京電機大1、立命館大1、日大1、工学院大1、中大、神奈川大1、他
【求める人材】積極的に学ぶ姿勢で何事にも自ら本気でチャレンジできる人

【本社】230-0031 神奈川県横浜市鶴見区平安町2-29-1 ☎045-501-1261
【特色・近況】3大信号メーカーの一角。私鉄に強い。自動列車制御装置など鉄道信号、道路交通管制システムを扱う信号システム事業が主力。半導体・液晶製造装置用の電源装置主体の電気機器は事業の柱に成長。台湾、中国、インドはじめ海外市場を開拓中。
【設立】1917.9 【資本金】6,270百万円
【取締】國澤良治(1961.12生 電通大電気通卒)
【株主】〔24.3〕日本生命保険9.6%
【連結事業】信号システム86、パワーエレクトロニクス14 <海外27>
【従業員】連2,085名 単1,399名(43.7歳)

【業績】	売上高	営業利益	経常利益	純利益
連22.3	72,916	2,969	3,424	11,859
連23.3	72,327	2,207	2,683	2,070
連24.3	70,525	2,491	3,259	3,434

㈱共和電業（きょうわでんぎょう）

東証スタンダード

採用内定数	倍率	3年後離職率	平均年収
11名	‥	22.2%	674万円

●待遇、制度●

【初任給】月22.8万
【残業】8.3時間【有休】15.1日【制度】住 在

●新卒定着状況●

20年入社(男8、女1)→3年後在籍(男6、女1)

●採用情報●

【人数】23年:12 24年:19 25年:応募‥→内定11*
【内定内訳】(男5、女6)(文7、理4)(総11、他0)
【試験】〔Web自宅〕SPI3〔性格〕有
【時期】エントリー25.1→内々定25.2(一次・二次以降もWEB面接可)【インターン】有
【採用実績校】東京電機大2、日大2、福岡工大1、湘南工大1、関東学院大、立命館APU1、洗足音大1、椙山女学大1、大妻女大1
【求める人材】チャレンジ精神、主体性、対応力があり、チームワークを構築できる人

【本社】182-8520 東京都調布市調布ケ丘3-5-1 ☎042-488-1111
【特色・近況】ひずみゲージと、その応用測定器メーカー。国内シェアトップ。ひずみゲージは物体の微妙な変化を電気信号として検出するセンサー。汎用センサー、測定器や高速道路向け設置型車両重力計などの特注品やシステム製品も扱う。洋上風力発電を育成中。
【設立】1949.6 【資本金】1,723百万円
【社長】田中義一(1957.3生 明大法卒)
【株主】〔24.6〕アジア電子工業6.8%
【連結事業】計測機器91、計測コンサル9 <海外14>
【従業員】連790名 単470名(40.9歳)

【業績】	売上高	営業利益	経常利益	純利益
連21.12	14,503	863	974	694
連22.12	13,823	646	753	576
連23.12	14,901	1,107	1,169	898

コイズミ照明（しょうめい）

株式公開未定

採用内定数	倍率	3年後離職率	平均年収
21名	‥	25%	‥

●待遇、制度●

【初任給】月21万
【残業】14.6時間【有休】11.3日【制度】住 在

●新卒定着状況●

20年入社(男5、女7)→3年後在籍(男4、女5)

●採用情報●

【人数】23年:15 24年:18 25年:応募‥→内定21*
【内定内訳】(男6、女15)(文‥、理‥)(総17、他4)
【試験】試験あり
【時期】エントリー‥→内々定‥【インターン】有
【採用実績校】‥
【求める人材】‥

【本社】541-0051 大阪府大阪市中央区備後町3-3-7 ☎06-6266-7801
【特色・近況】1871年創業の照明専業メーカー。住宅用から店舗・施設用まで幅広い。東京、大阪、名古屋などにショールームを設置。商業施設やホテルなどの照明の基本設計から制作、現場での調整までトータルサポート。小泉産業グループの中核。
【設立】2006.4 【資本金】450百万円
【社長】佐久間晋(1965.12生 阪電通大工卒)
【株主】〔24.3〕小泉産業100%
【事業】住宅照明60、店舗照明40
【従業員】単631名(39.9歳)

【業績】	売上高	営業利益	経常利益	純利益
単22.3	23,477	‥	‥	364
単23.3	24,578	‥	‥	654
単24.3	27,186	‥	‥	745

コーセル 東証プライム

採用内定数	倍率	3年後離職率	平均年収
7名	2.6倍	21.4%	628万円

●待遇、制度●
【初任給】月23.8万
【残業】16.8時間【有休】13日【制度】フ 住
●新卒定着状況●
20年入社(男13、女1)→3年後在籍(男10、女1)
●採用情報●
【人数】23年:14 24年:15 25年:応募18→内定7*
【内定内訳】(男6、女1)(文0、理6)(総0、他7)
【試験】〔筆記〕有〔性格〕有
【時期】エントリー25.3→内々定25.4(一次はWEB面接可)【インターン】有【ジョブ型】有
【採用実績校】富山大1、金沢工大1、富山県大2、北陸職能大学校1、富山高専1、富山大原簿記公務員医療専1
【求める人材】ものづくりが好きな人、変化を恐れず物事に挑戦する人、主体性をもってチームに貢献する人

【本社】930-0816 富山県富山市上赤江町1-6-43 ☎076-432-8151
【特色・近況】スイッチング電源メーカーで、標準品では国内2位。ユニット電源、オンボード電源、ノイズフィルタの3本柱。半導体製造装置などFA機器、携帯電話基地局、光通信設備などの標準品電源で実績豊富。台湾LITE-ON社と資本業務提携。
【設立】1969.7 【資本金】6,042百万円
【社長】斉藤盛雄(1959.7生 金工大工卒)
【株主】〔24.5〕飴久晴11.4%
【連結事業】ユニット電源53、オンボード電源28、ノイズフィルタ4、PRBX製品15 <海外37>
【従業員】連721名 単473名(40.6歳)

【業績】	売上高	営業利益	経常利益	純利益
連22.5	28,077	2,811	2,982	1,895
連23.5	35,266	4,926	5,273	3,162
連24.5	41,437	6,912	7,850	5,169

㈱コンテック 株式公開計画なし

採用内定数	倍率	3年後離職率	平均年収
4名	‥	‥	総776万円

●待遇、制度●
【初任給】月25.6万
【残業】18.7時間【有休】14.7日【制度】フ 住 在
●新卒定着状況●
‥
●採用情報●
【人数】23年:6 24年:6 25年:応募‥→内定4
【内定内訳】(男3、女1)(文0、理3)(総4、他0)
【試験】〔Web会場〕SPI3〔性格〕有
【時期】エントリー25.3→内々定25.4～6(一次・二次以降もWEB面接可)【インターン】有
【採用実績校】鳥取大1、近大1、大阪工大1、京都経済短大1
【求める人材】課題解決に向けて自主的、能動的に行動していく人

【本社】555-0025 大阪府大阪市西淀川区姫里3-9-31 経営管理部 ☎06-6472-7130
【特色・近況】周辺機器含めた産業用コンピューター、無線LAN機器などのIoT機器を総合的に展開。国内はFAと医療機器向け、米国は医療機器と空港セキュリティー向け多い。米国、中国、台湾、シンガポールなどに、販売・生産などを行う拠点を保有。
【設立】1975.4 【資本金】450百万円
【社長】西山和良(1958.12生 阪電通大電子卒)
【株主】〔24.3〕ダイフク100%
【事業】電子機器100 <海外30>
【従業員】単340名(46.0歳)

【業績】	売上高	営業利益	経常利益	純利益
単22.3	20,512	1,427	1,651	1,276
単23.3	24,252	821	961	752
単24.3	26,989	390	712	674

㈱鷺宮製作所(さぎのみやせいさくしょ) 株式公開未定

採用内定数	倍率	3年後離職率	平均年収
14名	‥	4.8%	‥

●待遇、制度●
【初任給】月23.4万
【残業】12.1時間【有休】15.3日【制度】住 在
●新卒定着状況●
20年入社(男18、女3)→3年後在籍(男17、女3)
●採用情報●
【人数】23年:35 24年:37 25年:応募‥→内定14*
【内定内訳】(男11、女3)(文3、理4)(総7、他7)
【試験】〔筆記〕有〔性格〕有
【時期】エントリー25.2→内々定25.4(一次・二次以降もWEB面接可)
【採用実績校】神奈川工大1、関東学院大1、下関市大1、大東文化大1、千葉工大1、筑波大1、東海大1、東京電機大1
【求める人材】経営理念「全従業者の幸福の創造」、社是「ひとり坐るときは自分のことを考え 二人以上在るときは相手のことを考える」に共感できる人

【本社】169-0072 東京都新宿区大久保3-8-2 新宿ガーデンタワー22階 ☎03-6205-9101
【特色・近況】自動制御機器や各種試験装置を製造・販売。用途はエアコンなど空調機器、冷凍冷蔵や暖房給湯などの冷熱機器、自動車など輸送機器用試験装置、医療機器と幅広い。ドライビングシミュレータに高評価。中国、タイ、ポーランド、米国に現地法人。
【設立】1948.4 【資本金】960百万円
【社長】西見成之(1959.4生 都立工短大卒)
【株主】〔24.3〕サギノミヤホールディングス100%
【事業】自動制御機器93、試験装置7 <輸出58>
【従業員】単1,109名(42.9歳)

【業績】	売上高	営業利益	経常利益	純利益
単22.3	39,296	3,101	4,583	3,088
単23.3	40,699	2,939	4,717	3,087
単24.3	37,988	2,064	3,941	3,024

#年収高く倍率低い

サクサ

東証スタンダード

採用内定数	倍率	3年後離職率	平均年収
22名	6.7倍	30.8%	800万円

●待遇、制度●
【初任給】月23.5万
【残業】22.5時間【有休】14.6日【制度】フ 住 在

●新卒定着状況●
20年入社(男11、女2)→3年後在籍(男8、女1)

●採用情報● 旧子会社サクサ採用
【人数】23年:14 24年:18 25年:応募148→内定22*
【内定内訳】(男14、女8)(文9、理13)(総22、他0)
【試験】〔Web自宅〕有
【時期】エントリー25.3→内々定25.4(一次はWEB面接可)【インターン】有
【採用実績校】東海大4、日大3、神奈川大2、千葉工大1、中部大1、明星大1、岡山県大1、東北工大1、清泉女大1、北九州市大1、立命館大1、他
【求める人材】会社が持続的な成長を遂げるうえで必要な3つのスキル(主体性、コミュニケーション、チャレンジ)を持った人

【本社】108-8050 東京都港区白金1-17-3 NBFプラチナタワー ☎03-5791-5511
【特色・近況】ネットワーク分野とセキュリティー分野を事業領域とする持株会社。事業子会社でオフィス向けIPネットワーク機器と、監視・防犯・マーケティング分野の映像機器を製造・販売する。パチンコ業界向けカードリーダーも手がける。
【設立】2004.2 【資本金】10,836百万円
【社長】齋藤政利(1963.12生)
【株主】〔24.3〕OKI13.0%
【連結事業】ネットワークソリューション64、セキュリティソリューション36
【従業員】連1,078名 単47名(53.0歳)

【業績】	売上高	営業利益	経常利益	純利益
連22.3	30,793	107	471	1,208
連23.3	37,320	2,416	2,386	601
連24.3	40,948	3,345	3,406	2,800

四国計測工業(しこくけいそくこうぎょう)

株式公開計画なし

採用内定数	倍率	3年後離職率	平均年収
10名	・・	0%	・・

●待遇、制度●
【初任給】月22.1万
【残業】18.1時間【有休】14.5日【制度】住 在

●新卒定着状況●
20年入社(男17、女4)→3年後在籍(男17、女4)

●採用情報●
【人数】23年:23 24年:25 25年:応募・・→内定10
【内定内訳】(男8、女2)(文2、理5)(総10、他0)
【試験】〔Web自宅〕SPI3
【時期】エントリー25.2→内々定25.4(一次・二次以降もWEB面接可)【インターン】有
【採用実績校】愛媛大1、岡山大1、岡山理大1、京産大1、広島工大1、他
【求める人材】つねにチャレンジ精神を持って、新しい事に積極的に取り組んでいける人

【本社】764-8502 香川県仲多度郡多度津町南鴨200-1 ☎0877-33-2221
【特色・近況】四国電力の完全子会社で、電力量計など計測制御機器や情報伝送システムの設計・製作、発電所の計装工事・保修が主。異業種交流や技術交流の活性化による新規事業の創出を狙いとした高松オフィスを設置。総務人事部など本部機能の一部も併設。
【設立】1951.12 【資本金】480百万円
【社長】寺井昇二(1959.11生 阪大経済卒)
【株主】〔24.3〕四国電力100%
【事業】製造51、工事45、他4 <輸出7>
【従業員】単799名(45.1歳)

【業績】	売上高	営業利益	経常利益	純利益
単22.3	19,634	923	968	1,028
単23.3	19,734	619	577	414
単24.3	18,425	526	583	508

四変テック(しへんテック)

株式公開計画なし

採用内定数	倍率	3年後離職率	平均年収
16名	・・	0%	・・

●待遇、制度●
【初任給】月21.7万
【残業】10.6時間【有休】14.1日【制度】住

●新卒定着状況●
20年入社(男12、女2)→3年後在籍(男12、女2)

●採用情報●
【人数】23年:12 24年:8 25年:応募・・→内定16*
【内定内訳】(男13、女3)(文0、理4)(総16、他0)
【試験】〔性格〕有
【時期】エントリー25.3→内々定25.6(一次はWEB面接可)【インターン】有
【採用実績校】・・
【求める人材】何事にも恐れず積極的に新しいことに取り組む姿勢の人

【本社】764-8507 香川県仲多度郡多度津町桜川2-1-97 ☎0877-33-1212
【特色・近況】変圧器、受配電設備など電力機器を主力に、電子機器や精密金型、給湯器など製造・販売。タイ、ベトナムに生産拠点、中国に金型の販社。再生可能エネルギー向けの電力設備の開発に取り組む。ダイヘン、四国電力のグループ会社。
【設立】1946.8 【資本金】318百万円
【社長】小嶋唯司(1956.8生 京大院工修了)
【株主】〔24.3〕ダイヘン65.3%
【事業】電力機器60、電子機器25、精機8、電気給湯機7
【従業員】単471名(43.1歳)

【業績】	売上高	営業利益	経常利益	純利益
単22.3	14,938	433	612	447
単23.3	14,705	465	659	515
単24.3	15,910	742	1,085	1,687

㈱昭電（しょうでん）

株式公開計画なし

採用内定数	倍率	3年後離職率	平均年収
2名	3倍	0%	620万円

●待遇、制度●
【初任給】月21.1万（諸手当を除いた数値）
【残業】19時間【有休】14.3日【制度】住
●新卒定着状況●
20年入社（男1、女0）→3年後在籍（男1、女0）
●採用情報●
【人数】23年:2 24年:2 25年:応募6→内定2*
【内定内訳】（男1、女1）（文2、理0）（総2、他0）
【試験】〔性格〕有
【時期】エントリー25.3→内々定25.4*（一次・二次以降もWEB面接可）
【採用実績校】産能大1、昭和女大1
【求める人材】好奇心と責任感のある人、他者とコミュニケーションをとることが好きな人

【本社】130-8543 東京都墨田区太平4-3-8 ☎03-5819-8811
【特色・近況】雷害対策、地震対策が軸の総合安全企業。世界最大級の雷インパルス発生装置と三次元地震波発生装置を保有。テクノセンタ（千葉市）で大電流に対する安全性評価の短絡電流試験装置を運用。環境負荷低減活動を推進。北海道から沖縄まで拠点をもつ。
【設立】1965.10 【資本金】302百万円
【社長】太田光昭（1968.6生 早大院情報工学修了）
【株主】‥
【事業】ネットワーク40、ファシリティ25、雷害対策15、地震対策10、他10 <輸出0>
【従業員】単389名（48.0歳）

【業績】	売上高	営業利益	経常利益	純利益
単21.9	17,038	847	1,297	803
単22.9	15,232	511	892	282
単23.9	16,557	678	1,109	911

㈱昭和電機製作所（しょうわでんきせいさくしょ）

株式公開いずれしたい

採用内定数	倍率	3年後離職率	平均年収
1名	3倍	0%	623万円

●待遇、制度●
【初任給】月21.1万（諸手当4.2万円）
【残業】20時間【有休】10日【制度】住
●新卒定着状況●
20年入社（男1、女0）→3年後在籍（男1、女0）
●採用情報●
【人数】23年:3 24年:1 25年:応募3→内定1*
【内定内訳】（男1、女0）（文‥、理‥）（総0、他1）
【試験】〔筆記〕常識〔性格〕有
【時期】エントリー25.3→内々定25.4*
【採用実績校】名古屋工学院専1
【求める人材】変化に対して果敢にチャレンジし、前向きな発想・行動ができる人

【本社】486-0908 愛知県春日井市西屋町字中新田84 ☎0568-31-3866
【特色・近況】鋼板や紙・フィルムなどの素材や加工技術に対応可能な電気制御機器メーカー。開発設計から製造・販売を手がける。鋼板製造用のスリッターラインは国内トップ級。タイヤ試験機の計測制御はハードからソフトまで自社開発。上海とタイに現地法人。
【設立】1950.3 【資本金】50百万円
【社長】山本洋介（1975.10生 早大理工卒）
【株主】〔23.12〕昭和電機製作所ホールディングス100%
【事業】産業用可変速ドライブシステム100 <輸出25>
【従業員】単108名（42.0歳）

【業績】	売上高	営業利益	経常利益	純利益
単21.12	2,521	424	459	288
単22.12	2,200	289	304	250
単23.12	2,400	280	281	282

シンク・エンジニアリング

株式公開計画なし

採用予定数	倍率	3年後離職率	平均年収
2名	—	—	498万円

●待遇、制度●
【初任給】年330万
【残業】13時間【有休】13日【制度】フ 住
●新卒定着状況●
20年入社（男0、女0）→3年後在籍（男0、女0）
●採用情報●
【人数】23年:0 24年:1 25年:応募0→内定0*
【内定内訳】（男‥、女‥）（文‥、理‥）（総‥、他‥）
【試験】〔筆記〕常識
【時期】エントリー通年→内々定通年【インターン】有
【採用実績校】‥
【求める人材】周囲とコミュニケーションがとれ、遊びと仕事の両方に全力で打ち込める人

【本社】152-0035 東京都目黒区自由が丘3-16-15 ☎03-3724-7201
【特色・近況】自治体向け上下水道監視用電気計装システム会社。データ処理装置、テレメータ装置が主力。開発・製造・監視から工事やメンテナンスまでワンストップでの対応に強み。東京本社、岩手、茨城、静岡、長野、京都、山口、大分など、全国にサービス網。
【設立】1978.10 【資本金】70百万円
【代表取締役】岡村勝也（1986.10生 学習大経済卒）
【株主】〔23.5〕岡村勝也49.1%
【事業】電気計装システム50、工業計器15、テレメータ・テレコン装置15、他20
【従業員】単137名（46.0歳）

【業績】	売上高	営業利益	経常利益	純利益
単21.5	1,211	191	189	124
単22.5	1,948	66	73	56
単23.5	2,016	96	98	63

新コスモス電機（しんコスモスでんき）　東証スタンダード

採用予定数	倍率	3年後離職率	平均年収
12名	‥	0%	‥

●待遇、制度●
【初任給】月21.1万（諸手当0.3万円）
【残業】16.6時間【有休】14日【制度】住
●新卒定着状況●
20年入社（男1、女1）→3年後在籍（男1、女1）
●採用情報●
【人数】23年:7 24年:14 25年:予定12*
【内定内訳】（男8、女4）（文6、理6）（総12、他0）
【試験】〔筆記〕常識〔性格〕有
【時期】エントリー25.3→内々定25.5（一次・二次以降もWEB面接可）【インターン】有
【採用実績校】‥
【求める人材】理念である「世界中のガス事故をなくしたい」に共感し、強みを活かして活躍できる人

【本社】532-0036 大阪府大阪市淀川区三津屋中2-5-4 ☎06-6308-3112
【特色・近況】ガス警報器首位。都市ガス・LPガスなど家庭用ガス警報器関連を主軸に、工業用定置式ガス検知警報器関連、業務用携帯型ガス検知器関連で収益3本柱を形成。工業用は電子機器、自動車、化学業界が主要顧客。携帯型が伸張。「ニオイセンサ」なども開発。
【設立】1960.6 【資本金】1,460百万円
【社長】髙橋良典（1953.4生 岡山理大理卒）
【株主】〔24.3〕岩谷産業27.4%
【連結事業】家庭用ガス警報器50、工業用定置式ガス検知警報器29、業務用携帯型ガス検知器16、他4 <海外45>
【従業員】連947名 単460名（44.1歳）

【業績】	売上高	営業利益	経常利益	純利益
連22.3	34,335	5,432	6,045	3,775
連23.3	37,206	5,693	6,269	3,736
連24.3	38,546	4,086	4,809	2,959

㈱正興電機製作所（せいこうでんきせいさくしょ）　東証プライム

採用内定数	倍率	3年後離職率	平均年収
18名	9.3倍	0%	642万円

●待遇、制度●
【初任給】月25万
【残業】13.7時間【有休】15.7日【制度】‥
●新卒定着状況●
20年入社（男15、女4）→3年後在籍（男15、女4）
●採用情報●
【人数】23年:23 24年:23 25年:応募167→内定18
【内定内訳】（男12、女6）（文5、理13）（総18、他0）
【試験】〔Web自宅〕有
【時期】エントリー25.3→内々定25.5*（一次・二次以降もWEB面接可）
【採用実績校】九大2、九州工大4、熊本大2、佐賀大1、福岡大1、福岡工大1、西南学大3、大分大1、福岡女大2、関西外大1
【求める人材】世の中の変化・リスクを捉え、前例に囚われず自律的に行動することができる変革者

【本社】812-0008 福岡県福岡市博多区東光2-7-25 ☎092-473-8831
【特色・近況】電力向け受変電設備や開閉機器を開発・製造。配電盤などの電力部門と受変電装置の環境エネルギー部門が主力。後者は、需要家向け受変電装置や社会インフラ向け監視制御システムを扱う。九州電力、日立製作所と親密。中国や東南アジアにも展開。
【設立】1930.7 【資本金】2,607百万円
【社長】添田英俊（1955.3生 九工大工卒）
【株主】〔24.6〕日本カストディ銀信託口（九州電）9.4%
【連結事業】電力26、環境エネルギー40、情報5、サービス17、他11
【従業員】連995名 単643名（46.1歳）

【業績】	売上高	営業利益	経常利益	純利益
連21.12	24,596	1,406	1,540	1,056
連22.12	25,007	1,440	1,612	1,082
連23.12	27,071	1,622	1,816	1,202

星和電機（せいわでんき）　東証スタンダード

採用内定数	倍率	3年後離職率	平均年収
11名	4.5倍	36.8%	622万円

●待遇、制度●
【初任給】月22万
【残業】14.9時間【有休】‥日【制度】住
●新卒定着状況●
20年入社（男15、女4）→3年後在籍（男10、女2）
●採用情報●
【人数】23年:11 24年:17 25年:応募49→内定11*
【内定内訳】（男9、女2）（文5、理5）（総11、他0）
【試験】〔性格〕有
【時期】エントリー25.1→内々定25.2（一次・二次以降もWEB面接可）
【採用実績校】‥
【求める人材】積極的に周囲との信頼関係の構築に努めることができ、何事も情熱を持って挑戦できる人

【本社】610-0192 京都府城陽市寺田新池36 ☎0774-55-8181
【特色・近況】道路情報表示システムや道路用照明器具などの製造・販売、設計・施工請負を行う。取引先は高速道路各社や国交省で官公需強い。防水性を備えたプラント用LED光源の防爆照明は国内トップ。電波暗室を活用した電磁ノイズ対策製品の拡販を強化。
【設立】1949.1 【資本金】3,648百万円
【社長】増山晃章（1953.12生 大工大工経）
【株主】〔24.6〕公益財団法人京都青少年育成スポーツ財団7.5%
【連結事業】情報機器38、照明機器36、コンポーネント23、他2
【従業員】連626名 単516名（44.3歳）

【業績】	売上高	営業利益	経常利益	純利益
連21.12	26,230	1,479	1,445	909
連22.12	23,429	1,543	1,575	1,101
連23.12	23,760	1,041	1,159	793

大同信号（だいどうしんごう） [東証スタンダード]

採用内定数	倍率	3年後離職率	平均年収
15名	4.3倍	5.6%	616万円

●待遇、制度●
【初任給】月23.1万
【残業】11.7時間【有休】13.6日【制度】[フ][住][在]
●新卒定着状況●
20年入社(男15、女3)→3年後在籍(男15、女2)
●採用情報●
【人数】23年:15 24年:11 25年:応募65→内定15*
【内定内訳】(男9、女6)(文6、理9)(総15、他0)
【試験】〔筆記〕有〔Web会場〕C-GAB〔Web自宅〕WEB-GAB〔性格〕有
【時期】エントリー25.3→内々定25.未定*(一次・二次以降もWEB面接可)【インターン】有
【採用実績校】芝工大1、日工大1、神奈川工大2、日大2、湘南工大1、桜美林大1、東京経大1、大妻女大1、東京都市大1、白鴎大1、帝京大1、他
【求める人材】自分の成長に挑戦し続けることができる意欲を持つ人

【本社】105-0004 東京都港区新橋6-17-19 新御成門ビル ☎03-3438-4111
【特色・近況】3大信号メーカーの一角。JR東日本向けが売上高の4割占める。列車制御装置や設備監視向けなどシステム製品に強み。踏切関連などフィールド製品や無線活用の監視設備も扱う。エネルギー監視など産業用機器も併営。インフラ投資旺盛なアジアでの受注を強化。
【設立】1949.12 【資本金】1,500百万円
【社長】浦壁俊光(1963.1生)
【株主】〔24.3〕日本電設工業11.6%
【連結事業】鉄道信号関連93、産業用機器関連6、不動産関連2
【従業員】連904名 単532名(43.5歳)

【業績】	売上高	営業利益	経常利益	純利益
連22.3	22,171	1,379	1,460	716
連23.3	19,496	925	1,009	588
連24.3	20,768	1,296	1,395	570

#年収高く倍率低い

竹中エンジニアリング（たけなか） [株式公開計画なし]

採用内定数	倍率	3年後離職率	平均年収
6名	17.2倍	0%	[総]860万円

●待遇、制度●
【初任給】月22.4万(諸手当1.4万円)
【残業】16時間【有休】8.7日【制度】[住]
●新卒定着状況●
20年入社(男3、女0)→3年後在籍(男3、女0)
●採用情報●
【人数】23年:8 24年:5 25年:応募103→内定6
【内定内訳】(男6、女0)(文5、理1)(総6、他0)
【試験】〔筆記〕常識〔性格〕有
【時期】エントリー24.12→内々定25.4【インターン】有
【採用実績校】京産大2、同大1、立命館大1、京都橘大1、大阪産大1
【求める人材】プラス思考でコツコツと努力を続ける素直な人

【本社】607-8156 京都府京都市山科区東野五条通外環西入83-1 ☎075-594-7211
【特色・近況】住宅や各種施設向けに、センサーや警報器などセキュリティーシステムを提供する研究開発型メーカー。空港・港湾など大規模施設まで対応。近赤外線センサーは国内首位。8社で竹中センサーグループ形成。米、英に販売会社。
【設立】1972.1 【資本金】75百万円
【社長】佐藤和昭(1961.1生 広島大卒)
【株主】〔23.12〕竹中センサーグループ46.0%
【事業】セキュリティ機器70、情報機器20、周辺機器10 <輸出10>
【従業員】単212名(44.0歳)

【業績】	売上高	営業利益	経常利益	純利益
単21.12	10,375	2,278	3,672	2,390
単22.12	10,732	2,428	6,381	4,151
単23.12	10,150	2,430	4,050	2,780

田中電機工業（たなかでんきこうぎょう） [株式公開未定]

採用内定数	倍率	3年後離職率	平均年収
8名	2倍	‥	‥

●待遇、制度●
【初任給】月24万
【残業】13時間【有休】13.6日【制度】[在]
●新卒定着状況●
‥
●採用情報●
【人数】23年:12 24年:11 25年:応募16→内定8*
【内定内訳】(男6、女2)(文5、理3)(総0、他8)
【試験】〔Web自宅〕SPI3〔性格〕有
【時期】エントリー25.3→内々定25.4
【採用実績校】日大1、広島工大2、近大1、広島経大2、安田女大2
【求める人材】チャレンジ精神が旺盛で向上心、向学心のある人、困難に屈せず柔軟に対応できる人、精神的にタフで熱意のある人

【本社】732-0802 広島県広島市南区大州1-5-24 ☎082-282-0251
【特色・近況】生産設備関連などの電機事業とコンピューター事業の2本柱。IBMのビジネスパートナー。FA向け電気制御盤などの設計・製作からメンテまで一貫。自動車、産業機械、製鉄、プラントなど製造業を中心に実績。1929年創業。独立系。
【設立】1951.9 【資本金】50百万円
【会長兼社長】田中秀和(1949.11生 大工大)
【株主】〔24.3〕田中里佳64.0%
【事業】電気電子制御盤、他
【従業員】単379名(42.3歳)

【業績】	売上高	営業利益	経常利益	純利益
単22.3	13,698	‥	‥	‥
単23.3	14,246	‥	‥	‥
単24.3	14,952	‥	‥	‥

㈱チノー　東証プライム

採用内定数	倍率	3年後離職率	平均年収
10名	5.4倍	7.7%	614万円

●待遇、制度●
【初任給】月22.5万
【残業】11.2時間【有休】12.8日【制度】住
●新卒定着状況●
20年入社(男12、女1)→3年後在籍(男12、女0)
●採用情報●
【人数】23年:11 24年:16 25年:応募54→内定10*
【内定内訳】(男7、女3)(文5、理4)(総10、他0)
【試験】〔Web自宅〕有〔性格〕有
【時期】エントリー24.12→内々定25.2(一次はWEB面接可)【インターン】有
【採用実績校】‥
【求める人材】物事に粘り強く取り組み、物怖じせず、チャレンジできる人

【本社】173-8632 東京都板橋区熊野町32-8 ☎03-3956-2111
【特色・近況】温度制御主体の計測器専業メーカー。計測制御機器、計装システム、センサーが3本柱。計測は電機・電子や電炉の温度調節計が、計装は車載・家庭用エアコン試験評価装置が軸。センサーは放射温度計など。医薬品の温度管理システムにも注力。
【設立】1936.8　【資本金】4,292百万円
【社長】豊田三喜男(1957.4生 東京理大理卒)
【株主】〔24.3〕日本マスタートラスト信託銀行信託口7.6%
【連結事業】計測制御機器33、計装システム35、センサ28、他4 <海外21>
【従業員】連1,124名 単703名(42.2歳)

【業績】	売上高	営業利益	経常利益	純利益
連22.3	21,908	1,499	1,744	1,050
連23.3	23,793	2,018	2,294	1,536
連24.3	27,425	2,173	2,413	1,756

㈱中央製作所（ちゅうおうせいさくしょ）　名証メイン

採用内定数	倍率	3年後離職率	平均年収
2名	2倍	0%	558万円

●待遇、制度●
【初任給】月22万
【残業】7.7時間【有休】14日【制度】住
●新卒定着状況●
20年入社(男6、女0)→3年後在籍(男6、女0)
●採用情報●
【人数】23年:4 24年:0 25年:応募4→内定2*
【内定内訳】(男1、女1)(文1、理1)(総2、他0)
【試験】〔筆記〕常識、他〔Web自宅〕有〔性格〕有
【時期】エントリー24.11→内々定25.4*【インターン】有
【採用実績校】愛知工業大1、名城大1
【求める人材】地元に定着し、しっかりと根付いて仕事を頑張れる人

【本社】467-8563 愛知県名古屋市瑞穂区内浜町24-1 ☎052-821-6111
【特色・近況】電源機器、表面処理装置メーカーで電気溶接機、環境機器も扱う。電源機器は自動車、電機などを中心に、エネルギー関連、研究機関向けまで顧客層広い。JRの車両速度計、モーターの鉄道試験装置にも実績。省エネ高効率電源など汎用電源の品ぞろえに注力。
【設立】1936.4　【資本金】503百万円
【社長】後藤邦之(1972.7生 デンバー大卒)
【株主】〔24.3〕後藤安邦9.0%
【事業】電源機器36、表面処理装置38、電気溶接機15、他11 <海外6>
【従業員】単200名(44.0歳)

【業績】	売上高	営業利益	経常利益	純利益
連22.3	3,974	▲16	13	5
単23.3	3,125	▲303	▲278	▲261
単24.3	3,904	136	143	181

超音波工業（ちょうおんぱこうぎょう）　株式公開計画なし

採用内定数	倍率	3年後離職率	平均年収
3名	6.3倍	0%	‥

●待遇、制度●
【初任給】月22.7万(諸手当1.7万円)
【残業】8.9時間【有休】16.6日【制度】住
●新卒定着状況●
20年入社(男1、女1)→3年後在籍(男1、女1)
●採用情報●
【人数】23年:4 24年:2 25年:応募19→内定3*
【内定内訳】(男3、女0)(文0、理3)(総3、他0)
【試験】〔筆記〕常識
【時期】エントリー25.3→内々定25.6*(一次はWEB面接可)【インターン】有
【採用実績校】秋田大1、東京電機大1、東京都市大1
【求める人材】知識と知識をつなぎ合わせ、加工し、新たな知識へと昇華できる人

【本社】190-8522 東京都立川市柏町1-6-1 ☎042-536-1212
【特色・近況】超音波技術を用いた半導体用ワイヤボンダ、洗浄装置、プラスチック溶着機などを製造・販売。音響エネルギー活用の精密洗浄や計測器にも定評。大阪、名古屋に支店。台湾、中国に連絡所。超音波技術とハード・ソフト両面の技術開発に注力。
【設立】1956.5　【資本金】100百万円
【社長】松原史郎(1963.9生 沼津高専電気工卒)
【株主】〔24.3〕山﨑明7.0%
【事業】超音波接合機69、同洗浄機4、同計測機4、他24 <輸出41>
【従業員】単182名(45.2歳)

【業績】	売上高	営業利益	経常利益	純利益
単22.3	3,998	401	406	384
単23.3	4,499	321	363	275
単24.3	4,556	390	468	297

通研電気工業（つうけんでんききこうぎょう）

株式公開計画なし

採用内定数	倍率	3年後離職率	平均年収
10名	1.8倍	0%	540万円

●待遇、制度●
【初任給】月21.6万（諸手当3万円）
【残業】13.9時間【有休】15.1日【制度】住 在
●新卒定着状況●
20年入社（男4、女1）→3年後在籍（男4、女1）
●採用情報●
【人数】23年:7 24年:10 25年:応募18→内定10
【内定内訳】（男8、女2）（文3、理7）（総10、他0）
【試験】〔筆記〕SPI3〔性格〕有
【時期】エントリー25.3→内々定25.4【インターン】有
【採用実績校】‥
【求める人材】専門知識を有し、コミュニケーション能力に長けた人

【本社】981-3206 宮城県仙台市泉区明通3-9 ☎022-377-2800
【特色・近況】情報伝送、遠隔監視制御装置の開発・設計・製造や工事保守が主軸。タブレット活用の設備保守点検システムなど多彩なサービスを提供。セキュリティーやDX分野で新規事業を模索。東北6県と新潟県に拠点。東北電力グループ。
【設立】1946.11 【資本金】100百万円
【社長】管野秀幸（1962.8生 北大工卒）
【株主】〔24.6〕東北電力
【事業】製造51、工事35、電算4、商事10
【従業員】単460名（45.7歳）

【業績】	売上高	営業利益	経常利益	純利益
単22.3	10,400	224	263	156
単23.3	9,640	▲247	▲250	▲167
単24.3	10,443	260	228	140

#残業が少ない

ティアック

東証スタンダード

採用内定数	倍率	3年後離職率	平均年収
3名	20倍	0%	684万円

●待遇、制度●
【初任給】月23.3万
【残業】2時間【有休】16日【制度】フ 住 在
●新卒定着状況●
20年入社（男2、女0）→3年後在籍（男2、女0）
●採用情報●
【人数】23年:3 24年:5 25年:応募60→内定3*
【内定内訳】（男3、女0）（文1、理2）（総3、他0）
【試験】〔Web自宅〕SPI3〔性格〕有
【時期】エントリー25.3→内々定25.6*(一次・二次以降もWEB面接可)【インターン】有【ジョブ型】有
【採用実績校】昭和音大1、日大1、愛知工業大1
【求める人材】‥

【本社】206-8530 東京都多摩市落合1-47 ☎042-356-9178
【特色・近況】音楽制作機器が主力。高級・一般オーディオ製品、音楽制作機器、業務用音響を扱う。内視鏡イメージレコーダー、手術映像記録システムなど医療用にも展開。動画機器に参入し、ビデオストリーミングサーバーを国内航空会社などに導入。
【設立】1953.8 【資本金】3,500百万円
【社長】英裕治（1961.9生 成蹊大工卒）
【株主】〔24.3〕山下良久4.0%
【連結事業】音響機器70、情報機器25、他5 <海外51>
【従業員】連582名 単255名（49.1歳）

【業績】	売上高	営業利益	税前利益	純利益
連22.3	16,004	654	481	392
連23.3	15,699	563	341	305
連24.3	15,672	445	5	▲53

テクノホライゾン

東証スタンダード

採用内定数	倍率	3年後離職率	平均年収
2名	8倍	35.3%	512万円

●待遇、制度●
【初任給】月22.5万
【残業】20時間【有休】10日【制度】フ
●新卒定着状況●
20年入社（男8、女9）→3年後在籍（男7、女4）
●採用情報●
【人数】23年:19 24年:6 25年:応募16→内定2*
【内定内訳】（男2、女0）（文0、理2）（総0、他2）
【試験】〔Web自宅〕有
【時期】エントリー25.3→内々定25.12*(一次はWEB面接可)【インターン】有
【採用実績校】愛知工業大2
【求める人材】変化する環境に対し、興味をもって恐れず立ち向かえる人

【本社】457-0071 愛知県名古屋市南区千竈通2-13-1 ☎052-823-8551
【特色・近況】経営統合したタイテックとエルモが再編し事業会社化。電子黒板、監視カメラ、光学ユニットなどの光学機器の開発・販売とロボットコントローラ、工作機械用CNC装置の開発・製造・販売を手がける。海外に40以上の拠点を持つ。M&Aに積極的。
【設立】2010.4 【資本金】2,500百万円
【社長】野村拡伸（1969.7生 電機大工卒）
【株主】〔24.3〕㈲野村トラスト7.0%
【連結事業】映像&IT82、ロボティクス18 <海外56>
【従業員】連1,400名 単‥名（46.8歳）

【業績】	売上高	営業利益	経常利益	純利益
連22.3	34,521	685	890	343
連23.3	43,765	▲530	▲405	▲1,553
連24.3	48,623	1,036	1,709	1,001

てらさきでんきさんぎょう
寺崎電気産業

東証スタンダード

採用内定数	倍率	3年後離職率	平均年収
20名	6倍	16.7%	561万円

●待遇、制度●
【初任給】月23.6万(諸手当0.5万円)
【残業】12.9時間【有休】14.7日【制度】フ 住 在
●新卒定着状況●
20年入社(男22、女2)→3年後在籍(男18、女2)
●採用情報●
【人数】23年:21 24年:17 25年:応募119→内定20*
【内定内訳】(男17、女3)(文4、理14)(総19、他1)
【試験】〔Web自宅〕有
【時期】エントリー25.3→内々定25.4*(一次はWEB面接可)【インターン】有
【採用実績校】関大2、大阪工大5、大阪電通大1、愛媛大1、京都橘大1、和歌山大1、千葉工大1、秋田県大1、大和大1、佛教大1、他
【求める人材】主体性、積極性のある人

【本社】547-0002 大阪府大阪市平野区加美東6-13-47 ☎06-6791-2701
【特色・近況】船舶用・産業用配電制御システムで国内首位。配線用ブレーカーでも国内有数。海運・造船産業への依存度高い。機関監視制御システム、コージェネシステムなども手がける。臨床検査機器や医療機器の受託生産も行う。海外展開は積極的で海外売上比率は約5割に。
【設立】1980.4 【資本金】1,236百万円
【代表取締役】寺崎泰造(1965.5生 Nカロライナ院修了)
【株主】〔24.3〕㈱寺崎16.8%
【連結事業】システム53、機器47 <海外62>
【従業員】連2,168名 単578名(40.8歳)

【業績】	売上高	営業利益	経常利益	純利益
連22.3	37,856	1,637	1,944	1,275
連23.3	44,253	2,868	3,479	2,345
連24.3	52,065	4,921	5,773	4,014

㈱デンソーエアクール

株式公開計画なし

採用内定数	倍率	3年後離職率	平均年収
6名	6.3倍	0%	634万円

●待遇、制度●
【初任給】月23.5万
【残業】18時間【有休】16.7日【制度】フ 住 在
●新卒定着状況●
20年入社(男7、女1)→3年後在籍(男7、女1)
●採用情報●
【人数】23年:13 24年:19 25年:応募38→内定6*
【内定内訳】(男4、女2)(文3、理2)(総6、他0)
【試験】〔Web会場〕C-GAB
【時期】エントリー25.3→内々定25.6(一次はWEB面接可)【インターン】有
【採用実績校】金沢工大1、富山大1、佛教大1、長野県大1、諏訪東理大1、長野県工科短大1
【求める人材】高い目標に向かって努力してきた人

【本社】399-8386 長野県安曇野市穂高北穂高2027-9 ☎0263-81-1100
【特色・近況】デンソー完全子会社の空調専門メーカー。親会社向け約9割。バス、建機・農機用エアコンや車載用冷凍機を中心に特装車用機器、空調機器など製造・販売。住宅用全館空調機器、スポット空調機器、IT冷却機器なども。国内4工場、メキシコに現法。
【設立】1966.7 【資本金】800百万円
【社長】宮沢幸央(1964.10生 芝工大卒)
【株主】〔24.3〕デンソー100%
【事業】バス・建・農機エアコン44、業務用空調機34、冷凍機13、熱交換器2、住設用空調機他7
【従業員】単566名(41.8歳)

【業績】	売上高	営業利益	経常利益	純利益
単22.3	19,186	648	767	646
単23.3	22,519	2,215	2,264	1,580
単24.3	24,438	2,609	2,668	1,868

デンヨー

東証プライム

採用内定数	倍率	3年後離職率	平均年収
13名	3.5倍	6.7%	659万円

●待遇、制度●
【初任給】月22.9万
【残業】14.8時間【有休】13日【制度】住 在
●新卒定着状況●
20年入社(男15、女0)→3年後在籍(男14、女0)
●採用情報●
【人数】23年:15 24年:14 25年:応募45→内定13*
【内定内訳】(男10、女3)(文12、理0)(総13、他0)
【試験】〔筆記〕有
【時期】エントリー25.3→内々定25.5(一次・二次以降もWEB面接可)【インターン】有
【採用実績校】中部大1、東洋大1、東海大1、立命館大1、大阪経大3、日大1、武蔵大1、神奈川大1、駒澤大1、大阪市大1、新潟青陵短大1
【求める人材】自分の考えを明確・論理的に表現でき、チームワークを大切にしながら誠実に仕事に取り組める人

【本社】103-8566 東京都中央区日本橋堀留町2-8-5 ☎03-6861-1111
【特色・近況】発電機や溶接機などのパワーソースを製造・販売。建設現場などにレンタルされる可搬式発電機で首位。震災以降は非常用電源として定置型が拡大。海外では資源開発や生活インフラ向けに展開。次世代エネルギー対応製品にも注力。米国、東南アジアで生産。
【設立】1948.7 【資本金】1,954百万円
【社長】吉永隆法(1963.4生 福井工大工卒)
【株主】〔24.3〕日本マスタートラスト信託銀行信託口8.5%
【連結事業】発電機84、溶接機6、コンプレッサ1、他9 <海外48>
【従業員】連1,417名 単620名(38.4歳)

【業績】	売上高	営業利益	経常利益	純利益
連22.3	55,168	3,653	4,029	2,753
連23.3	64,311	4,874	5,180	3,633
連24.3	73,140	7,089	7,378	5,095

東京エレクトロンデバイス長崎

株式公開計画なし

採用内定数	倍率	3年後離職率	平均年収
4名	2.5倍	0%	351万円

●待遇、制度●
【初任給】月21.3万
【残業】18.5時間【有休】13.8日【制度】‥
●新卒定着状況●
20年入社(男2、女0)→3年後在籍(男2、女0)
●採用情報●
【人数】23年:6 24年:5 25年:応募10→内定4
【内定内訳】(男3、女1)(文2、理2)(総0、他4)
【試験】〔筆記〕常識、他〔性格〕有
【時期】エントリー25.3→内々定25.6【インターン】有【ジョブ型】有
【採用実績校】長崎大1、九産大1、長崎外大1、長崎総合科学大1
【求める人材】自らを成長させようとする努力を惜しまない人

【本社】854-0065 長崎県諫早市津久葉町6-47 ☎0957-25-2001
【特色・近況】通信関連の自社製品製造と、半導体装置など産業機器の受託製品製造の2本柱。双方向デジタル制御電源や遠隔監視装置、スマート電源装置等の開発に注力。開発・設計、部材調達から製造までの一貫した体制を自社工場内に構築。
【設立】1987.11 【資本金】134百万円
【社長】松嶋富浩
【株主】〔24.3〕東京エレクトロンデバイス76.1%
【事業】産業用制御機器9、CT関連機器6、電力・省エネ関連機器8、半導体製造装置関連機器45、他32
【従業員】単151名(42.9歳)

【業績】	売上高	営業利益	経常利益	純利益
単22.3	3,467	242	246	1,604
単23.3	5,125	553	557	401
単24.3	6,333	531	553	409

#有休取得が多い

東北電機製造（とうほくでんきせいぞう）

株式公開計画なし

採用内定数	倍率	3年後離職率	平均年収
1名	4倍	0%	‥

●待遇、制度●
【初任給】月21万
【残業】15.8時間【有休】19日【制度】フ
●新卒定着状況●
20年入社(男4、女0)→3年後在籍(男4、女0)
●採用情報●
【人数】23年:4 24年:6 25年:応募4→内定1
【内定内訳】(男1、女0)(文0、理1)(総0、他1)
【試験】〔Web会場〕SPI3〔性格〕有
【時期】エントリー25.3→内々定25.4【インターン】有
【採用実績校】東北学大1
【求める人材】人を動かすことのできる人、果敢にチャレンジできる人

【本社】985-8535 宮城県多賀城市宮内2-2-1 ☎022-364-2161
【特色・近況】配電機器、電力制御システム、産業用制御システムなどを製造・販売。開発・設計・製販・メンテまで一貫体制。無電柱化に対応した地中化用配電機器や、太陽光発電用の自動電圧調整機器など扱う。バーコード方式のリアルタイム生産・品質管理システムを駆使。
【設立】1958.4 【資本金】180百万円
【社長】千葉正宏(1960.6生 東北大工卒)
【株主】〔24.3〕ダイヘン70.0%
【事業】配電機器54、制御システム46
【従業員】単285名(42.4歳)

【業績】	売上高	営業利益	経常利益	純利益
単22.3	9,008	412	439	393
単23.3	8,327	142	196	126
単24.3	‥	‥	‥	310

東北パイオニア（とうほくパイオニア）

株式公開していない

採用内定数	倍率	3年後離職率	平均年収
5名	7.6倍	0%	‥

●待遇、制度●
【初任給】月25万
【残業】23時間【有休】12.6日【制度】フ 住 在
●新卒定着状況●
20年入社(男3、女1)→3年後在籍(男3、女1)
●採用情報●
【人数】23年:4 24年:9 25年:応募38→内定5
【内定内訳】(男4、女1)(文2、理3)(総5、他0)
【試験】〔Web会場〕SPI3、他〔Web自宅〕SPI3、他〔性格〕有
【時期】エントリー25.3→内々定25.5(一次はWEB面接可)【インターン】有
【採用実績校】九大1、神奈川工大1、山形大2、東北学大1
【求める人材】チャレンジ精神があり、自ら率先して行動できる人

【本社】994-8585 山形県天童市久野本字日光1105 ☎023-654-1211
【特色・近況】各種スピーカー、メカトロ・FAシステム機器、有機ELなど生産。車載用スピーカー生産量世界首位級。ベトナム、中国、メキシコに海外生産拠点。香港に部品の購買・販売拠点。電子機器の開発・製造受託サービスも展開。パイオニアの完全子会社。
【設立】1966.8 【資本金】4,000百万円
【代表取締役】髙島直人
【株主】〔24.3〕パイオニア100%
【事業】スピーカー、メカトロ、有機EL
【従業員】連4,082名 単271名(‥歳)

【業績】	売上高	営業利益	経常利益	純利益
単22.3	30,368	639	1,825	3,790
単23.3	25,217	1,360	1,363	1,461
単24.3	26,611	2,826	2,747	1,929

東洋電機（とうようでんき）

[名証メイン]

採用内定数	倍率	3年後離職率	平均年収
7名	‥	0%	[総]585万円

●待遇、制度●
【初任給】月21.5万
【残業】11.4時間【有休】13.5日【制度】[住][在]
●新卒定着状況●
20年入社(男3、女0)→3年後在籍(男3、女0)
●採用情報●
【人数】23年:3 24年:11 25年:応募‥→内定7
【内定内訳】(男6、女1)(文3、理4)(総7、他0)
【試験】〔Web自宅〕SPI3
【時期】エントリー24.12→内々定25.3(一次はWEB面接可)【インターン】有
【採用実績校】中部大3、愛知工業大2、大同大1、京産大1
【求める人材】自ら考え行動ができる人

【本社】486-8585 愛知県春日井市味美町2-156 ☎0568-31-4191
【特色・近況】電気制御装置メーカー。監視制御装置、配電盤、変圧器、センサーなど手がける。エレベーター用センサーで首位級。耐雷変圧器にも強い。子会社で再生・機能性樹脂ペレットを製造し、自動車向けなどに供給。中国、タイに海外拠点。脱炭素相談窓口を開設。
【設立】1947.7 【資本金】1,037百万円
【代表取締役】松尾昇光(1973.1生 東洋大法卒)
【株主】〔24.3〕㈲城西9.1%
【連結事業】国内制御装置関連82、海外制御装置関連10、樹脂関連8 <海外10>
【従業員】連383名 単189名(44.9歳)

【業績】	売上高	営業利益	経常利益	純利益
連22.3	7,703	101	184	82
連23.3	7,566	▲87	▲4	▲280
連24.3	8,793	346	434	452

#有休取得が多い

東洋電機製造（とうようでんきせいぞう）

[東証スタンダード]

採用内定数	倍率	3年後離職率	平均年収
15名	3倍	0%	545万円

●待遇、制度●
【初任給】月25万
【残業】18.8時間【有休】18.3日【制度】[フ][住]
●新卒定着状況●
20年入社(男13、女1)→3年後在籍(男13、女1)
●採用情報●
【人数】23年:10 24年:15 25年:応募45→内定15
【内定内訳】(男11、女4)(文4、理9)(総15、他0)
【試験】〔Web自宅〕SPI3
【時期】エントリー25.3→内々定25.6(一次はWEB面接可)【インターン】有
【採用実績校】日大2、東京都市大2、東京電機大2、青学大1、芝工大1、群馬大1、武蔵大1、東洋大1、金城学大1、白鴎大1、他
【求める人材】主体性・協調性・課題実行力

【本社】103-0028 東京都中央区八重洲1-4-16 東京建物八重洲ビル ☎03-5202-8121
【特色・近況】駆動装置やパンタグラフなど鉄道用電機品製造大手。永久磁石モーターに強み。加工機など産業機械向けや駅務機器も手がける。中国合弁会社で高速鉄道や都市交通のメンテ需要を取り込む。電気自動車の試験装置も手がける。車両メンテの省力化需要を深堀り。
【設立】1918.6 【資本金】4,998百万円
【社長】渡部朗(1959.11生 東北大工卒)
【株主】〔24.5〕東日本旅客鉄道10.0%
【連結事業】交通65、産業32、ICTソリューション4、他0 <海外22>
【従業員】連1,147名 単791名(42.9歳)

【業績】	売上高	営業利益	経常利益	純利益
連22.5	30,158	171	766	▲930
連23.5	31,025	517	987	824
連24.5	32,140	927	1,487	935

㈱戸上電機製作所（とがみでんきせいさくしょ）

[東証スタンダード]

採用内定数	倍率	3年後離職率	平均年収
18名	2.6倍	0%	591万円

●待遇、制度●
【初任給】月25万
【残業】6.6時間【有休】13.1日【制度】‥
●新卒定着状況●
20年入社(男17、女0)→3年後在籍(男17、女0)
●採用情報●
【人数】23年:11 24年:7 25年:応募46→内定18
【内定内訳】(男16、女2)(文5、理5)(総18、他0)
【試験】〔筆記〕常識〔Web自宅〕SPI3〔性格〕有
【時期】エントリー25.3→内々定25.6【インターン】有
【採用実績校】‥
【求める人材】自分で考えて行動する人、やる気がある人、謙虚さ・素直さを持っている人

【本社】840-0802 佐賀県佐賀市大財北町1-1 ☎0952-24-4111
【特色・近況】高圧負荷開閉器主力の配電制御システム機器メーカー。電子制御器、配電用自動開閉器、配電盤、システム機器などを展開。電力会社向け依存度は約4割。環境関連や自動車関連事業などの強化進める。中国に生産子会社。配電用開閉器は東南アジアへの拡販進める。
【設立】1925.3 【資本金】2,899百万円
【社長】戸上信一(1956.4生 慶大経済卒)
【株主】〔24.3〕㈱戸上ビル9.5%
【連結事業】電子制御器22、配電用自動開閉器46、配電盤・システム機器14、プラスチック成型加工11、金属加工6、他0
【従業員】連1,348名 単551名(38.7歳)

【業績】	売上高	営業利益	経常利益	純利益
連22.3	23,575	1,478	1,784	1,288
連23.3	24,805	1,762	2,108	1,433
連24.3	26,731	2,694	3,029	2,090

#残業が少ない

徳力精工（とくりきせいこう）

株式公開計画なし

採用予定数	倍率	3年後離職率	平均年収
1名	-	100%	373万円

●待遇、制度●
【初任給】月18.5万(諸手当を除いた数値)
【残業】3.2時間【有休】16.7日【制度】[住][在]
●新卒定着状況●
20年入社(男1、女0)→3年後在籍(男0、女0)
●採用情報●
【人数】23年:0 24年:1 25年:応募1→内定0*
【内定内訳】(男‥、女‥)(文‥、理‥)(総‥、他‥)
【試験】〔筆記〕常識
【時期】エントリー25.3→内々定25.6*(一次はWEB面接可)【インターン】有【ジョブ型】有
【採用実績校】‥
【求める人材】コミュニケーション能力が高く、積極性があり主体的に行動できる人

【本社】183-0006 東京都府中市緑町3-10-1 TSKビル ☎042-358-2900
【特色・近況】屋外防水筐体やキャビネット類など情報通信機器類や、設備機器類など産業機器、業務用アミューズメント機器を製造・販売。顧客仕様に基づき、開発設計から製造・出荷、アフターサービスまで一貫提供。栃木・日光と神奈川・横須賀に工場。
【設立】1939.4 【資本金】24百万円
【社長】太田京一(1965.8生 横浜市立戸塚高卒)
【株主】〔24.4〕中村聡一郎43.0%
【事業】通信機器6、アミューズメント機器40、産業機器54
【従業員】単146名(40.0歳)

【業績】	売上高	営業利益	経常利益	純利益
単21.12	2,570	31	230	154
単22.12	2,521	▲8	83	72
単23.12	2,491	10	117	87

内外電機（ないがいでんき）

株式公開未定

採用予定数	倍率	3年後離職率	平均年収
5名	‥	10%	[総]590万円

●待遇、制度●
【初任給】月22万
【残業】13時間【有休】11日【制度】[住]
●新卒定着状況●
20年入社(男9、女1)→3年後在籍(男8、女1)
●採用情報●
【人数】23年:10 24年:15 25年:予定5*
【内定内訳】(男6、女5)(文1、理3)(総4、他7)
【試験】〔筆記〕有〔性格〕有
【時期】エントリー25.2→内々定25.2(一次はWEB面接可)【インターン】有
【採用実績校】大阪電通大3、摂南大1、龍谷大1
【求める人材】指示待ちではなく自ら考え行動する「能動的社員」

【本社】541-0053 大阪府大阪市中央区本町2-5-7 ☎06-4708-3908
【特色・近況】受配電設備・ビル管理システム関連の老舗メーカー。ビル、工場内の電力供給や制御・監視システムが主力。変電設備に対する中小企業経営強化法、生産性向上特別措置法の適用延長に対応。全国25カ所に拠点、4工場。
【設立】1953.4 【資本金】100百万円
【社長】丹羽一郎(1952.7生 ピッツバーグ大院修了)
【株主】〔24.3〕テイ・アイ・テイ産業72.2%
【事業】標準分電盤43、標準キュービクル式変電設備25、他32
【従業員】単740名(43.5歳)

【業績】	売上高	営業利益	経常利益	純利益
単22.3	13,233	▲1	48	43
単23.3	15,040	706	729	474
単24.3	16,563	1,355	1,350	953

長野日本無線（ながのにほんむせん）

株式公開計画なし

採用内定数	倍率	3年後離職率	平均年収
10名	7.3倍	0%	611万円

●待遇、制度●
【初任給】月23.5万(諸手当を除いた数値)
【残業】8.8時間【有休】15.3日【制度】[フ][住][在]
●新卒定着状況●
20年入社(男18、女2)→3年後在籍(男18、女2)
●採用情報●
【人数】23年:23 24年:19 25年:応募73→内定10*
【内定内訳】(男8、女2)(文5、理2)(総7、他3)
【試験】〔Web自宅〕SPI3、他
【時期】エントリー25.3→内々定25.5(一次はWEB面接可)【インターン】有
【採用実績校】金沢大、信州大、諏訪東理大、富山大、広島市大
【求める人材】時代の変化に対応しチャレンジできる人、失敗を恐れず意欲的に行動できる人

【本社】381-2288 長野県長野市稲里町1163 ☎026-285-1111
【特色・近況】日本無線の子会社で、日清紡グループのエレクトロニクス事業の一翼担う。ソリューション・特機・ICT・メカトロニクス・コンポーネントなどの事業分野を展開。IoT、DX、エネルギーなどに注力。中国に2現地法人。
【設立】1949.10 【資本金】3,649百万円
【社長】窪田昌治
【株主】〔23.12〕日本無線100%
【事業】ソリューション特機29、情報通信・電源41、メカトロニクス19、車載部品11、他0
【従業員】連1,422名 単868名(‥歳)

【業績】	売上高	営業利益	経常利益	純利益
連21.12	34,624	421	403	250
連22.12	33,374	599	681	481
連23.12	32,906	211	256	125

メーカー(電機・自動車・機械)

#年収高く倍率低い

日清紡(にっしんぼう)マイクロデバイス

株式公開計画なし

採用内定数	倍率	3年後離職率	平均年収
29名	9.1倍	18.5%	[総]802万円

●待遇、制度●
【初任給】月23.4万
【残業】15.5時間【有休】15.8日【制度】[フ][住][在]
●新卒定着状況●
20年入社(男48、女6)→3年後在籍(男39、女5)
●採用情報●
【人数】23年:31 24年:46 25年:応募265→内定29*
【内定内訳】(男21、女8)(文7、理20)(総27、他2)
【試験】〔Web自宅〕有
【時期】エントリー25.3→内々定25.6(一次・二次以降もWEB面接可)【インターン】有
【採用実績校】立命館大2、東理大1、東京農工大1、埼玉大1、群馬大1、広島大1、京都工繊大1、熊本大1、他
【求める人材】丁寧に相手の話を聞き、丁寧に自分の考えを伝えようとする人

【本社】103-8456 東京都中央区日本橋横山町3-10 ☎03-5642-8222
【特色・近況】電源ICなど電子デバイス製品を柱にマイクロ波製品などの開発・製造を手がける。アナログ回路の設計・プロセス・パッケージ技術がコア。電装化が進むモビリティ分野・産業機器向け領域を拡大へ。日清紡ホールディングスの子会社。
【設立】1959.9【資本金】5,220百万円
【社長】吉岡圭一(1962.5生 関西学大理卒)
【株主】〔23.12〕日清紡ホールディングス100%
【事業】電子デバイス製品、マイクロ波製品の製造・販売
【従業員】連3,765名 単1,851名(44.4歳)

【業績】	売上高	営業利益	経常利益	純利益
連21.12	51,072	2,863	1,567	1,067
連22.12	86,542	9,140	9,389	8,053
連23.12	81,301	1,196	1,115	893

日本(にっぽん)アビオニクス

東証スタンダード

採用内定数	倍率	3年後離職率	平均年収
20名	7.2倍	0%	[総]704万円

●待遇、制度●
【初任給】月25万
【残業】22.3時間【有休】16.3日【制度】[フ][住]
●新卒定着状況●
20年入社(男6、女1)→3年後在籍(男6、女1)
●採用情報●
【人数】23年:13 24年:20 25年:応募143→内定20
【内定内訳】(男13、女7)(文9、理11)(総20、他0)
【試験】〔Web自宅〕SPI3〔性格〕有
【時期】エントリー25.3→内々定25.6(一次・二次以降もWEB面接可)【インターン】有
【採用実績校】岩手大院1、共立女大1、玉川大1、甲南大1、埼玉大1、山形大1、尚美学大1、神奈川工大1、神奈川大2、東海大2、他
【求める人材】付加価値を形にできる人

【本社】224-0053 神奈川県横浜市都筑区池辺町4475 ☎045-287-0300
【特色・近況】防衛用電子機器の大手。防衛用の指揮・統制システム、表示・音響システムなどに強み。第1次バッジシステム(自動警戒管制組織)などの大規模な防衛用情報システム開発にも実績。民生用は赤外線計測器や精密接合装置などが中心。
【設立】1960.4【資本金】5,895百万円
【代表取締役】竹内正人(1964.2生 日大生産工卒)
【株主】〔24.3〕NAJホールディングス㈱57.8%
【連結事業】情報システム81、電子機器19 <海外11>
【従業員】連687名 単601名(48.5歳)

【業績】	売上高	営業利益	経常利益	純利益
連22.3	19,230	1,850	1,805	1,625
連23.3	17,754	1,951	1,925	1,820
連24.3	18,055	2,178	2,152	2,149

日本電業工作(にほんでんぎょうこうさく)

株式公開計画なし

採用予定数	倍率	3年後離職率	平均年収
2名	-	0%	[総]642万円

●待遇、制度●
【初任給】月21.5万
【残業】5.7時間【有休】15.1日【制度】[住][在]
●新卒定着状況●
20年入社(男1、女0)→3年後在籍(男1、女0)
●採用情報●
【人数】23年:0 24年:0 25年:応募‥→内定0*
【内定内訳】(男‥、女‥)(文‥、理‥)(総‥、他‥)
【試験】〔Web自宅〕SPI3
【時期】エントリー25.1→内々定25.3*(一次・二次以降もWEB面接可)【インターン】有
【採用実績校】‥
【求める人材】何かに挑戦したい人、自らをもっと成長させたい人、社会に何か貢献したい人

【本社】101-0045 東京都千代田区神田鍛冶町3-5-2 KDX鍛冶町ビル6階 ☎03-5577-7220
【特色・近況】電波関連アンテナ・フィルタメーカー。NTTドコモやKDDI向け主体。移動体通信、放送局向けなどに強い。アンテナ製品などの設置、鉄塔、電気通信工事も手がける。5G時代における国内キャリア事業分野の新たなアンテナ製品開発やインフラ整備を推進。
【設立】1947.6【資本金】100百万円
【社長】太口努(1968.1生 京大院工修了)
【株主】〔24.3〕NEC15.9%
【事業】キャリア通信79、社会インフラ21 <海外7>
【従業員】単131名(48.7歳)

【業績】	売上高	営業利益	経常利益	純利益
単22.3	10,567	869	1,321	1,315
単23.3	5,118	▲574	▲198	291
単24.3	5,358	▲635	▲466	▲713

㈱日本(にほん)トリム　東証プライム

採用予定数	倍率	3年後離職率	平均年収
7名	‥	ー	706万円

●待遇、制度●
【初任給】月25.5万(諸手当7万円)
【残業】7.6時間【有休】7.5日【制度】住
●新卒定着状況●
20年入社(男0、女0)→3年後在籍(男0、女0)
●採用情報●
【人数】23年:4 24年:5 25年:予定7*
【内定内訳】(男‥、女‥)(文‥、理‥)(総‥、他‥)
【試験】〔筆記〕常識
【時期】エントリー25.3→内々定25.6(一次はWEB面接可)【インターン】有
【採用実績校】神戸医療未来大1、愛知学大1、龍谷大1、関西福祉大1
【求める人材】「明るさ」と「積極性」、そして「誠実さ」を持っている人

【本社】530-0001 大阪府大阪市北区梅田2-2-22 ハービスENTオフィスタワー ☎06-6456-4600
【特色・近況】電解水素水整水器メーカー首位。職域販売が柱だがWeb販売も強化。整水器の浄水カートリッジ供給で安定的な収益確保。インドネシアでボトル水を製造・販売。電解水透析事業など医療分野が第2の柱。子会社でさい帯血バンクや中国の病院を運営。
【設立】1982.6　【資本金】992百万円
【社長】田原周夫(1972.5生 東大法卒)
【株主】〔24.3〕㈱ラボレムス24.4%
【連結事業】ウォーターヘルスケア87、医療関連13 <海外12>
【従業員】連691名 単338名(43.5歳)

【業績】	売上高	営業利益	経常利益	純利益
連22.3	16,276	1,998	2,091	1,940
連23.3	17,951	2,378	2,515	1,646
連24.3	20,414	3,080	3,227	2,150

日本(にほん)ハルコン　株式公開いずれしたい

採用実績数	倍率	3年後離職率	平均年収
2名	ー	ー	400万円

●待遇、制度●
【初任給】月20万(諸手当3.2万円)
【残業】10時間【有休】13日【制度】住
●新卒定着状況●
20年入社(男0、女0)→3年後在籍(男0、女0)
●採用情報●
【人数】23年:3 24年:2 25年:応募0→内定0*
【内定内訳】(男‥、女‥)(文‥、理‥)(総‥、他‥)
【試験】〔筆記〕SPI3〔性格〕有
【時期】エントリー25.3→内々定25.4
【採用実績校】‥
【求める人材】協調性があり周囲とコミュニケーションが取れる人、明るく素直な人

【本社】385-0014 長野県佐久市三河田403-5 ☎0267-63-1151
【特色・近況】オフィス入退管理などセキュリティーゲート、ETCゲート専門メーカー。豊富な機種、カスタマイズ対応、デザイン性に強み。主にオフィスや事業所・工場・テーマパーク向け。開発・設計・製造・保守まで一貫体制。長野にテクニカルセンターを有する。
【設立】1979.7　【資本金】33百万円
【社長】岡本恒生(1970.9生 北工大工卒)
【株主】〔24.5〕岡本恒生50.0%
【事業】セキュリティゲートOEM25、同自社ブランド25、ETCゲート30、出改札用ゲート10、他10
【従業員】単51名(34.8歳)

【業績】	売上高	営業利益	経常利益	純利益
単21.5	976	▲7	24	▲6
単22.5	988	41	72	50
単23.5	1,020	▲88	▲88	▲135

日本(にほん)フェンオール　東証スタンダード

採用内定数	倍率	3年後離職率	平均年収
3名	4倍	0%	581万円

●待遇、制度●
【初任給】月23万
【残業】18.2時間【有休】13日【制度】住
●新卒定着状況●
20年入社(男5、女0)→3年後在籍(男5、女0)
●採用情報●
【人数】23年:5 24年:2 25年:応募12→内定3*
【内定内訳】(男1、女2)(文3、理0)(総3、他0)
【試験】〔Web自宅〕有
【時期】エントリー25.3→内々定25.6*(一次はWEB面接可)
【採用実績校】日大1、亜大1、駿河台大1
【求める人材】企業理念に共感できる人

【本社】102-0072 東京都千代田区飯田橋1-5-10 教販九段ビル ☎03-3237-3561
【特色・近況】火災警報システムや温度調節器などを製造。ガス消火装置など特殊防災が主力。防災システムは、産業設備・オフィスビル・半導体工場や原子力発電所などに採用。熱制御技術に強み持ち、半導体製造装置用熱板も展開。人工腎臓透析の医療機器や消防ポンプも手がける。
【設立】1961.5　【資本金】996百万円
【社長】中野誉将(1968.6生)
【株主】〔24.6〕HSBC(シンガポール) PBD8221623793 22.7%
【連結事業】SSP38、サーマル20、メディカル10、PWBA7、消防ポンプ24 <海外3>
【従業員】連278名 単224名(43.8歳)

【業績】	売上高	営業利益	経常利益	純利益
連21.12	12,372	1,270	1,338	387
連22.12	12,401	1,310	1,479	826
連23.12	12,601	1,035	1,159	385

#有休取得が多い

パナソニックエレクトリックワークス池田電機

株式公開計画なし

採用内定数	倍率	3年後離職率	平均年収
2名	15倍	ー	‥

●待遇、制度●
【初任給】月24.1万
【残業】20時間【有休】18.3日【制度】フ 住
●新卒定着状況●
20年入社（男0、女0）→3年後在籍（男0、女0）
●採用情報●
【人数】23年:7 24年:14 25年:応募30→内定2*
【内定内訳】（男2、女0）（文0、理2）（総2、他0）
【試験】〔筆記〕常識
【時期】エントリー25.3→内々定25.6(一次はWEB面接可)【インターン】有
【採用実績校】大阪電通大1、京大1
【求める人材】元気で明るく常に成長する気持ちを持っている人

【本社】670-0971 兵庫県姫路市西延末397-1 ☎079-293-1131
【特色・近況】LEDなど照明用点灯装置を中心に、汎用エンジンの点火装置、各種電源充電器などの電子デバイスを開発・製造・販売。パナソニックグループの連結子会社。防塵・防水・耐低温に優れたタフ電源も手がける。中国にも生産拠点。
【設立】1951.5 【資本金】96百万円
【社長】岡本孝康（1965.5生）
【株主】〔24.3〕パナソニック98.9%
【事業】照明用LED電源他70、小型汎用エンジン点火装置15、他15
【従業員】単311名（48.4歳）

【業績】	売上高	営業利益	経常利益	純利益
単22.3	8,625	140	109	▲105
単23.3	9,527	170	170	97
単24.3	8,292	‥	‥	23

#有休取得が多い

原田工業（はらだこうぎょう）

東証スタンダード

採用内定数	倍率	3年後離職率	平均年収
6名	‥	0%	578万円

●待遇、制度●
【初任給】月20.6万
【残業】6.8時間【有休】19.6日【制度】在
●新卒定着状況●
20年入社（男2、女0）→3年後在籍（男2、女0）
●採用情報●
【人数】23年:3 24年:0 25年:応募‥→内定6
【内定内訳】（男4、女2）（文4、理2）（総6、他0）
【試験】〔性格〕有
【時期】エントリー25.3→内々定25.5(一次・二次以降もWEB面接可)【インターン】有
【採用実績校】‥
【求める人材】‥

【本社】140-0013 東京都品川区南大井6-26-2 大森ベルポートB館 ☎03-3765-4321
【特色・近況】自動車用アンテナで国内首位。自動車用ラジオ・テレビアンテナ、中継ケーブルなど自動車関連機器が主力製品。車載アンテナ専業メーカーでは世界で唯一のグローバルネットワーク体制を構築。10ヵ国11都市に拠点を構え、国内外自動車各社と取引。
【設立】1958.3 【資本金】2,019百万円
【社長】三宅康晴（1961.3生 慶大経済卒）
【株主】〔24.3〕㈱エスジーエス41.3%
【連結事業】自動車関連機器等・日本37、自動車関連機器・アジア17、同・北中米32、同・欧州14 <海外63>
【従業員】連4,352名 単243名（47.0歳）

【業績】	売上高	営業利益	経常利益	純利益
連22.3	35,811	▲1,163	▲951	▲1,105
連23.3	42,105	▲721	▲899	▲1,531
連24.3	46,993	1,026	518	885

#年収高く倍率低い #年収が高い

HIOKI

東証プライム

採用内定数	倍率	3年後離職率	平均年収
25名	6.6倍	0%	997万円

●待遇、制度●
【初任給】月25万
【残業】13.4時間【有休】13.3日【制度】フ 住 在
●新卒定着状況●
20年入社（男12、女5）→3年後在籍（男12、女5）
●採用情報●
【人数】23年:25 24年:18 25年:応募164→内定25
【内定内訳】（男15、女10）（文8、理17）（総25、他0）
【試験】〔Web会場〕SPI3〔Web自宅〕SPI3〔性格〕有
【時期】エントリー24.8→内々定24.12【インターン】有
【採用実績校】信州大4、東北大2、東理大2、新潟大2、関大2、筑波大1、千葉大1、名大1、立教大1、長野高専1
【求める人材】HIOKIの理念「人間性の尊重」「社会への貢献」に共感し、自律的・主体的に行動できる人

【本社】386-1192 長野県上田市小泉81 ☎0268-28-0555
【特色・近況】各種テスターなど電気計測器の中堅メーカー。自動試験装置、記録装置、電子測定器、現場測定器の4分野。自動試験は半導体製造用からスマホなどの回路測定、測定器はEVバッテリー検査装置など。海外売上比率は6割超で、インドネシア市場を強化へ。
【設立】1952.1 【資本金】3,299百万円
【社長】岡澤尊宏（1968.4生 県立長野工高卒）
【株主】〔24.6〕日本マスタートラスト信託銀行信託口7.7%
【連結事業】自動試験装置7、記録装置14、電子測定器55、現場測定器20、周辺装置他5 <海外63>
【従業員】連1,070名 単778名（46.4歳）

【業績】	売上高	営業利益	経常利益	純利益
連21.12	29,322	5,750	5,999	4,521
連22.12	34,371	7,070	7,287	5,330
連23.12	39,154	7,955	8,236	6,329

#年収高く倍率低い #年収が高い

フクダ電子（でんし）

東証スタンダード

採用内定数	倍率	3年後離職率	平均年収
18名	17.2倍	6.2%	㊍878万円

●待遇、制度●
【初任給】月25.9万（諸手当1.1万円）
【残業】14.8時間【有休】13日【制度】住 在
●新卒定着状況●
20年入社（男13、女3）→3年後在籍（男12、女3）
●採用情報●
【人数】23年:20 24年:22 25年:応募310→内定18*
【内定内訳】（男9、女9）（文5、理13）（総18、他0）
【試験】〔性格〕有
【時期】エントリー24.7→内々定25.3*（一次・二次以降もWEB面接可）【インターン】有
【採用実績校】東京都市大2、明大4、立命館大2、埼玉大1、立教大1、千葉大1、中大1、北里大1、多摩美大1、埼玉県大1、東京電機大1、他
【求める人材】責任を持って行動する主体性、柔軟に対応する創造性、協力的に取り組む協調性を持つ人

【本社】113-8483 東京都文京区本郷3-39-4
☎03-3815-2121
【特色・近況】医用電子機器メーカー。循環器系に強く心電計で国内首位。超音波画像診断装置、生体情報モニター、ペースメーカー、人工呼吸器などが主力製品。医療向けデータ管理サービスや在宅医療向けモニタリングシステムなどクラウドサービスにも取り組む。
【設立】1948.7 【資本金】4,621百万円
【社長】白井大治郎（1951.11生）
【株主】〔24.3〕福田孝太郎17.5%
【連結事業】生体検査装置22、生体情報モニタ7、治療装置43、消耗品等29
【従業員】連3,443名 単699名（42.7歳）

【業績】	売上高	営業利益	経常利益	純利益
連22.3	132,098	22,708	23,422	16,216
連23.3	134,648	24,093	25,081	17,278
連24.3	140,323	26,506	26,990	18,693

古河電池（ふるかわでんち）

東証プライム

採用内定数	倍率	3年後離職率	平均年収
22名	5.6倍	0%	609万円

●待遇、制度●
【初任給】月24.6万
【残業】18.1時間【有休】12.9日【制度】フ 住 在
●新卒定着状況●
20年入社（男10、女0）→3年後在籍（男10、女0）
●採用情報●
【人数】23年:16 24年:11 25年:応募124→内定22
【内定内訳】（男20、女2）（文4、理16）（総22、他0）
【試験】〔Web自宅〕有〔性格〕有
【時期】エントリー25.3→内々定25.6（一次・二次以降もWEB面接可）【インターン】有
【採用実績校】岩手大1、信州大1、千葉工大2、北里大1、東海大2、日大4、長岡技科大1、神奈川大1、横国大1、産業医大1、他
【求める人材】働く仲間と切磋琢磨しながら、大いなる目標に果敢に挑戦する人

【本社】240-0006 神奈川県横浜市保土ケ谷区星川2-4-1
☎045-336-5034
【特色・近況】自動車用バッテリー鉛蓄電池を主力に航空機、人工衛星、鉄道車両用も製造。次世代リチウム電池、非常・防災用マグネシウム空気電池などの新規事業にも取り組む。古河電気工業の電池部門が発祥。国内は福島と栃木、富山、海外はタイとインドネシアに工場を置く。
【設立】1950.9 【資本金】1,640百万円
【社長】黒田修（1959.7生）
【株主】〔24.3〕古河電気工業57.2%
【連結事業】自動車70、産業29、リチウム0、不動産0、他0 <海外38>
【従業員】連2,401名 単1,079名（39.8歳）

【業績】	売上高	営業利益	経常利益	純利益
連22.3	62,785	3,212	3,394	3,837
連23.3	69,538	1,900	2,193	797
連24.3	75,455	3,233	3,417	2,574

㈱別川製作所（べつかわせいさくしょ）

株式公開計画なし

採用内定数	倍率	3年後離職率	平均年収
3名	3.3倍	15.4%	‥

●待遇、制度●
【初任給】月21.4万
【残業】‥時間【有休】13.4日【制度】住 在
●新卒定着状況●
20年入社（男11、女2）→3年後在籍（男10、女1）
●採用情報●
【人数】23年:12 24年:11 25年:応募10→内定3
【内定内訳】（男2、女1）（文0、理3）（総3、他0）
【試験】〔筆記〕常識、SPI3〔性格〕有
【時期】エントリー24.12→内々定25.1【インターン】有
【採用実績校】金沢工大3
【求める人材】どんな局面でもあきらめずに果敢にチャレンジする人

【本社】924-8560 石川県白山市漆島町1136
☎076-277-6700
【特色・近況】受配電関連の総合システムメーカー。各種プラント制御・自動化システムのほか空調・照明コントロールなど様々な分野で価値あるサービスを提供。鉄道電機設備の設計なども手がける。KNXやIoT、AIなど新しい事業分野への取り組みを加速。
【設立】1952.2 【資本金】100百万円
【社長】川島直之（1958.5生 早大商卒）
【株主】〔24.3〕別川ホールディングス100%
【事業】配電盤43、制御盤・空調盤23、分電盤・端子盤15、他19
【従業員】単411名（39.9歳）

【業績】	売上高	営業利益	経常利益	純利益
単22.3	9,011	95	129	41
単23.3	10,179	164	195	151
単24.3	11,733	753	846	577

㈱朋栄（ほうえい）

株式公開計画なし

採用内定数	倍率	3年後離職率	平均年収
6名	9.8倍	25.8%	㊔570万円

●待遇、制度●
【初任給】月20.8万
【残業】16.5時間【有休】14日【制度】住 在
●新卒定着状況●
20年入社(男20、女11)→3年後在籍(男14、女9)
●採用情報●
【人数】23年:10 24年:11 25年:応募59→内定6*
【内定内訳】(男3、女3)(文2、理3)(総0、他6)
【試験】〔筆記〕有〔Web自宅〕有〔性格〕有
【時期】エントリー25.2→内々定‥*(一次・二次以降もWEB面接可)【インターン】有
【採用実績校】千葉工大2、北海道科学大1、跡見学園女大1、多摩美大1
【求める人材】学ぶことを楽しみつつ、周囲と協力して様々なことに主体的にチャレンジできる人

【本社】150-0013 東京都渋谷区恵比寿3-8-1 ☎03-3446-3121
【特色・近況】放送用・業務用の映像関連機器メーカー。ハイビジョン、デジタル画像、4Kテレビなどのシステム販売を強化。北米、欧州、アジア、中東に営業拠点。ハードの開発拠点は千葉県佐倉市、ソフトの開発拠点を札幌中心に本社と福岡に置く。
【設立】1971.10 【資本金】300百万円
【社長】清原克明(1967.7生)
【株主】〔23.9〕朋栄ホールディングス47.3%
【事業】放送用映像機器48、輸入品2、システム他50 <輸出20>
【従業員】単321名(35.5歳)

【業績】	売上高	営業利益	経常利益	純利益
単21.9	10,746	169	393	293
単22.9	9,413	▲324	122	▲77
単23.9	9,119	▲317	▲199	▲199

#有休取得が多い

三菱電機ホーム機器（みつびしでんききき）

株式公開計画なし

採用内定数	倍率	3年後離職率	平均年収
3名	20倍	0%	‥

●待遇、制度●
【初任給】月23.5万
【残業】15.2時間【有休】18.6日【制度】フ 住 在
●新卒定着状況●
20年入社(男4、女1)→3年後在籍(男4、女1)
●採用情報●
【人数】23年:7 24年:11 25年:応募60→内定3
【内定内訳】(男3、女0)(文2、理1)(総3、他0)
【試験】〔Web会場〕SPI3〔Web自宅〕SPI3〔性格〕有
【時期】エントリー24.12→内々定25.2(一次・二次以降もWEB面接可)【インターン】有【ジョブ型】有
【採用実績校】東洋大1、高崎経大1、東理大1
【求める人材】「自ら考え、発信し、行動する力」を求めています

【本社】369-1295 埼玉県深谷市小前田1728-1 ☎048-584-1231
【特色・近況】三菱電機グループの白モノ家電専門メーカー。炊飯器、掃除機、IHクッキングヒーターなどの企画・開発・設計・製造を手がけ、アフターサービスも行う。顧客ニーズに応える「オンリーワン技術」を通じて個性や付加価値を追求。
【設立】1984.10 【資本金】400百万円
【社長】栗崎一浩
【株主】〔24.5〕三菱電機100%
【事業】家電製品 <輸出15>
【従業員】単868名(42.7歳)

【業績】	売上高	営業利益	経常利益	純利益
単22.3	19,800	‥	‥	‥
単23.3	22,000	‥	‥	‥
単24.3	18,600	‥	‥	‥

美和電気（みわでんき）

株式公開未定

採用内定数	倍率	3年後離職率	平均年収
5名	1倍	33.3%	431万円

●待遇、制度●
【初任給】月21.7万(諸手当0.2万円)
【残業】4時間【有休】9.8日【制度】住 在
●新卒定着状況●
20年入社(男3、女0)→3年後在籍(男2、女0)
●採用情報●
【人数】23年:0 24年:3 25年:応募5→内定5*
【内定内訳】(男2、女3)(文1、理1)(総2、他3)
【試験】〔性格〕有
【時期】エントリー25.1→内々定25.3【インターン】有【ジョブ型】有
【採用実績校】聖心女大1、明星大1、千葉職能短大1
【求める人材】「ものづくり」を通じて社会に貢献できる人

【本社】211-0064 神奈川県川崎市中原区今井南町34-30 ☎044-722-7131
【特色・近況】日本初の最高指示電圧計・電流計を開発した電気計測機器メーカー。地中線事故区間検出装置、磁気反転表示器などの自社ブランド製品を電力・電機・医療企業に供給。カスタム製品やOEMにも対応。研究開発型企業を標榜し特許など多数。
【設立】1944.10 【資本金】80百万円
【社長】千葉克実(1971.1生 東海大政経卒)
【株主】〔24.6〕東京中小企業投資育成25.8%
【事業】事故区間検出装置・継電器および工事34、電気計測器15、制御機器27、磁気反転表示器20、他4 <輸出6>
【従業員】単63名(44.7歳)

【業績】	売上高	営業利益	経常利益	純利益
単22.3	801	84	101	53
単23.3	887	112	141	88
単24.3	917	114	141	95

リーダー電子（でんし）

東証スタンダード

採用内定数	倍率	3年後離職率	平均年収
1名	10倍	33.3%	658万円

●待遇、制度●
【初任給】月24.9万(諸手当2万円)
【残業】20.6時間【有休】8.2日【制度】在
●新卒定着状況●
20年入社(男3、女0)→3年後在籍(男2、女0)
●採用情報●
【人数】23年:2 24年:1 25年:応募10→内定1*
【内定内訳】(男1、女0)(文0、理1)(総0、他1)
【試験】〔筆記〕有〔性格〕有
【時期】エントリー…→内々定…
【採用実績校】宇都宮大1
【求める人材】自ら考え行動し、挑戦し続ける事ができる人、社会の変化にも柔軟に対応できる人

【本社】223-8505 神奈川県横浜市港北区綱島東2-6-33 ☎045-541-2121
【特色・近況】電気計測器の中堅ファブレスメーカー。主力製品はテレビ局、映像製作業者向けビデオ映像波形モニター。4K・8Kに対応した高機能化製品を拡充。各種生産用自動化・省力化計測器やメンテナンス用の計測器なども展開。海外は米国、中国、欧州などに拠点。
【設立】1954.5 【資本金】1,335百万円
【社長】長尾行造(1972.4生)
【株主】〔24.3〕上田八木短資4.4%
【連結事業】ビデオ関連機器91、電波関連機器6、他3 <海外62>
【従業員】連128名 単70名(45.5歳)

【業績】	売上高	営業利益	経常利益	純利益
連22.3	3,787	70	154	116
連23.3	4,063	▲314	▲214	▲644
連24.3	4,544	216	295	137

㈱石井表記（いしいひょうき）

東証スタンダード

採用内定数	倍率	3年後離職率	平均年収
2名	5.5倍	0%	㊝525万円

●待遇、制度●
【初任給】月19.3万(諸手当1.5万円)
【残業】11.5時間【有休】11.6日【制度】住
●新卒定着状況●
20年入社(男2、女0)→3年後在籍(男2、女0)
●採用情報●
【人数】23年:4 24年:7 25年:応募11→内定2*
【内定内訳】(男2、女0)(文0、理1)(総2、他0)
【試験】〔筆記〕SPI3〔Web会場〕SPI3〔Web自宅〕SPI3〔性格〕有
【時期】エントリー25.2→内々定25.3【インターン】有
【採用実績校】中国職業能力開発大学校1、福山職能短大1
【求める人材】目標を持ち、失敗を恐れず最後まで行おうとする人

【本社】720-2113 広島県福山市神辺町旭丘5 ☎084-960-1247
【特色・近況】パソコンやタブレット端末に使われるプリント基板の製造装置大手。液晶パネルの配向膜を塗布するインクジェットコーター装置で高シェア。パチスロなどアミューズメント機器や産業機械向けのスイッチパネルも手がける。中国、フィリピンに製造子会社持つ。
【設立】1973.4 【資本金】300百万円
【社長】山本晋宏(1963.7生 日大工卒)
【株主】〔24.7〕石井峯大24.0%
【連結事業】電子機器部品製造装置28、ディスプレイ・電子部品72、他0 <海外60>
【従業員】連674名 単316名(45.5歳)

【業績】	売上高	営業利益	経常利益	純利益
連22.1	14,423	1,770	1,731	1,490
連23.1	18,222	2,015	2,016	1,639
連24.1	16,729	1,580	1,721	1,101

京都電子工業（きょうとでんしこうぎょう）

株式公開計画なし

採用内定数	倍率	3年後離職率	平均年収
5名	4倍	0%	598万円

●待遇、制度●
【初任給】月22万
【残業】7時間【有休】13.8日【制度】住 在
●新卒定着状況●
20年入社(男5、女0)→3年後在籍(男5、女0)
●採用情報●
【人数】23年:4 24年:4 25年:応募20→内定5*
【内定内訳】(男3、女2)(文1、理2)(総5、他0)
【試験】〔筆記〕有〔Web会場〕C-GAB〔Web自宅〕WEB-GAB〔性格〕有
【時期】エントリー25.2→内々定25.5(一次・二次以降もWEB面接可)【インターン】有
【採用実績校】京大1、京産大1、東京通信大1
【求める人材】グローバルな感覚とコミュニケーション能力のある人

【本社】601-8317 京都府京都市南区吉祥院新田二の段町68 ☎075-691-4121
【特色・近況】微量化学物質の高精度分析計測器の専門メーカー。主力は研究用・環境用分析計と熱計測機器。企業や大学の研究用のほか、スポーツや教育現場、高温作業現場では熱中症指標計が採用される。東京、福岡、仙台などに6つの支店・営業所。
【設立】1961.7 【資本金】30百万円
【社長】岸本京子(1944.2生 同志女大院文研修了)
【株主】〔23.12〕岸本京子29.7%
【事業】分析機器・環境用分析機器製造 <輸出19>
【従業員】単359名(42.4歳)

【業績】	売上高	営業利益	経常利益	純利益
単21.12	6,499	813	858	639
単22.12	6,391	623	694	528
単23.12	6,850	641	714	539

㈱小坂研究所（こさかけんきゅうしょ）

株式公開未定

採用内定数	倍率	3年後離職率	平均年収
1名	13倍	0%	551万円

●待遇、制度●
【初任給】月22万
【残業】17.3時間【有休】9.7日【制度】住

●新卒定着状況●
20年入社(男3、女0)→3年後在籍(男3、女0)

●採用情報●
【人数】23年:2 24年:0 25年:応募13→内定1
【内定内訳】(男1、女0)(文0、理1)(総1、他0)
【試験】〔Web自宅〕SPI3
【時期】エントリー25.3→内々定25.5(一次はWEB面接可)【インターン】有
【採用実績校】東海大1

【求める人材】モノづくりが好きで、ニッチな分野で縁の下の力持ちとして仕事をしたい人

【本社】101-0021 東京都千代田区外神田6-13-10 ☎03-5812-2081
【特色・近況】独自開発技術で事業展開する精密機器メーカー。形状測定機を中心とする精密機器、スクリューポンプなどの流体機器、半導体製造関連装置、自動包装機など自動機器の三分野持つ。オーダーメイド品が多い。工場は国内の埼玉・三郷、栃木・真岡。1950年創業。
【設立】1953.7 【資本金】270百万円
【社長】小坂伊一郎(1970.6生 早大理工卒)
【株主】〔24.3〕東京中小企業投資育成19.2%
【事業】流体機器36、精密機器56、自動機器・包装機器8 <輸出40>
【従業員】単180名(42.3歳)

【業績】	売上高	営業利益	経常利益	純利益
単22.3	4,123	177	334	253
単23.3	4,104	150	186	90
単24.3	4,288	290	303	199

santec Holdings

東証スタンダード

採用内定数	倍率	3年後離職率	平均年収
5名	5.8倍	40%	‥

●待遇、制度●
【初任給】月23.6万
【残業】29時間【有休】11.1日【制度】住 在

●新卒定着状況●
20年入社(男4、女1)→3年後在籍(男3、女0)

●採用情報●
【人数】23年:3 24年:3 25年:応募29→内定5*
【内定内訳】(男4、女1)(文0、理5)(総5、他0)
【試験】〔Web会場〕SPI3〔Web自宅〕SPI3〔性格〕有
【時期】エントリー24.8→内々定25.1*(一次はWEB面接可)【インターン】有
【採用実績校】広島大1、北陸先端科技院大1

【求める人材】自ら課題を見いだし、目的意識を持って積極的にチャレンジできる人

【本社】485-0802 愛知県小牧市大草年上坂5823 ☎0568-79-3535
【特色・近況】光部品・光測定器関連製品メーカーの持株会社。光部品は光モニター、光フィルターなど独自開発品多い。光測定機器は波長可変光源関連製品とOCT光源関連製品を展開する。OCT関連は産業用と白内障検査など眼科用が軸。ベトナムに光部品の生産拠点を持つ。
【設立】1979.8 【資本金】4,978百万円
【社長】鄭元鎬(1963.9生)
【株主】〔24.3〕㈱光和16.6%
【連結事業】光部品関連20、光測定器関連74、他6 <海外77>
【従業員】連325名 単180名(‥歳)

【業績】	売上高	営業利益	経常利益	純利益
連22.3	8,890	1,642	1,948	1,656
連23.3	15,246	3,982	4,246	3,001
連24.3	18,867	5,564	6,265	3,851

#年収が高い

芝浦メカトロニクス（しばうら）

東証プライム

採用予定数	倍率	3年後離職率	平均年収
20名	‥	14.3%	887万円

●待遇、制度●
【初任給】月25万
【残業】‥時間【有休】‥日【制度】フ 住 在

●新卒定着状況●
20年入社(男6、女1)→3年後在籍(男6、女0)

●採用情報●
【人数】23年:12 24年:17 25年:予定20*
【内定内訳】(男‥、女‥)(文‥、理‥)(総‥、他‥)
【試験】‥
【時期】エントリー24.11→内々定25.1(一次はWEB面接可)【インターン】有【ジョブ型】有
【採用実績校】‥

【求める人材】‥

【本社】247-8610 神奈川県横浜市栄区笠間2-5-1 ☎045-897-2421
【特色・近況】半導体、フラットパネルディスプレー(FPD)、光ディスクなどの製造装置メーカー。液晶関連に強く、半導体向け装置も成長。枚葉式半導体ウエハ洗浄装置で世界首位。台湾の大手ロジック・ファウンドリー向けなど最先端品が軸で海外売上高比率は約6割。
【設立】1939.10 【資本金】6,761百万円
【代表取締役】今村圭吾(1962.9生 慶大理工卒)
【株主】〔24.3〕日本マスタートラスト信託銀行信託口9.0%
【連結事業】ファインメカトロニクス74、メカトロニクスシステム18、流通機器システム5、不動産賃貸3 <海外63>
【従業員】連1,244名 単627名(44.7歳)

【業績】	売上高	営業利益	経常利益	純利益
連22.3	49,272	5,050	4,877	2,983
連23.3	61,001	10,906	10,514	9,198
連24.3	67,556	11,687	11,611	8,793

セイコーインスツル

株式公開計画なし

採用内定数	倍率	3年後離職率	平均年収
6名	17倍	25%	[総] 752万円

●待遇、制度●
【初任給】月25.8万(諸手当1万円)
【残業】5時間【有休】14.8日【制度】[住][在]
●新卒定着状況●
20年入社(男6、女2)→3年後在籍(男5、女1)
●採用情報●
【人数】23年:21 24年:26 25年:応募102→内定6
【内定内訳】(男4、女2)(文1、理4)(総6、他0)
【試験】〔Web自宅〕有
【時期】エントリー24.5→内々定25.3(一次はWEB面接可)
【採用実績校】茨城大1、明大1、千葉工大2、津田塾大1、宇部高専1
【求める人材】自立・自己責任型の人

【本社】261-8507 千葉県千葉市美浜区中瀬1-8 ☎043-211-1111
【特色・近況】電子部品、情報システム機器、計測分析機器など法人向け製品を製造・販売。祖業の時計製造で培った技術を活かす。セイコーグループ完全子会社。国内に事業所や関連会社、海外は米国、ドイツ、シンガポール、タイ、中国などに拠点を展開。
【設立】1937.9 【資本金】9,756百万円
【社長】遠藤洋一
【株主】〔24.3〕セイコーグループ100%
【事業】情報関連、電子部品、生産財
【従業員】単673名(46.1歳)

【業績】	売上高	営業利益	経常利益	純利益
単22.3	33,535	…	…	…
単23.3	37,437	…	…	…
単24.3	34,235	…	…	…

㈱テセック

東証スタンダード

採用内定数	倍率	3年後離職率	平均年収
2名	10倍	−	745万円

●待遇、制度●
【初任給】月21.3万(諸手当を除いた数値)
【残業】6.2時間【有休】12.8日【制度】[住]
●新卒定着状況●
20年入社(男0、女0)→3年後在籍(男0、女0)
●採用情報●
【人数】23年:7 24年:4 25年:応募20→内定2*
【内定内訳】(男2、女0)(文0、理2)(総2、他0)
【試験】〔Web自宅〕有
【時期】エントリー25.3→内々定‥*(一次はWEB面接可)【インターン】有
【採用実績校】芝工大1、千葉工大1
【求める人材】自分の考えを持ち、自立した行動ができる人、プラス思考で、チャレンジ精神旺盛な人

【本社】207-0023 東京都東大和市上北台3-391-1 ☎042-566-1111
【特色・近況】半導体検査装置専業メーカー。半導体デバイスの良品不良品を選別するハンドラで国内上位。デバイスの電気特性などを測定するテスターは個別半導体用で世界首位級。電動化が進む自動車の車載パワーデバイス製造向けの受注増に積極対応。
【設立】1969.12 【資本金】2,521百万円
【社長】田中賢治(1963.10生)
【株主】〔24.3〕田中紘子6.5%
【連結事業】ハンドラ46、テスタ39、パーツ他15 <海外80>
【従業員】連210名 単182名(43.2歳)

【業績】	売上高	営業利益	経常利益	純利益
連22.3	7,512	1,748	2,065	1,722
連23.3	8,743	2,133	2,513	2,255
連24.3	8,619	1,731	2,137	1,515

TOWA

東証プライム

採用内定数	倍率	3年後離職率	平均年収
61名	11.6倍	12.5%	695万円

●待遇、制度●
【初任給】月24.8万
【残業】27時間【有休】12.4日【制度】[フ][住][在]
●新卒定着状況●
20年入社(男21、女3)→3年後在籍(男18、女3)
●採用情報●
【人数】23年:33 24年:36 25年:応募707→内定61*
【内定内訳】(男49、女12)(文21、理36)(総61、他0)
【試験】〔性格〕有
【時期】エントリー25.3→内々定25.3(一次・二次以降もWEB面接可)【インターン】有
【採用実績校】立命館大8、同大7、京都工繊大4、関大3、近大3、兵庫県大3、崇城大3、他
【求める人材】ものづくりが好きで、チャレンジ精神旺盛な、グローバルに活躍したい人

【本社】601-8105 京都府京都市南区上鳥羽上調子町5 ☎075-692-0250
【特色・近況】封止や切断加工など半導体後工程用製造装置の大手。超精密金型製造に強みを持ち、その応用で超硬工具なども自社開発し販売。封止装置では独自のコンプレッションモールド(圧縮)方式の世界標準化狙う。海外は中国、韓国、マレーシアに生産拠点を持つ。
【設立】1979.4 【資本金】8,955百万円
【社長】岡田博和(1951.8生 京都城南高卒)
【株主】〔24.3〕日本マスタートラスト信託銀行12.5%
【連結事業】半導体製造装置91、ファインプラスチック成形品4、レーザ加工装置5 <海外86>
【従業員】連2,047名 単659名(39.5歳)

【業績】	売上高	営業利益	経常利益	純利益
連22.3	50,666	11,505	11,724	8,129
連23.3	53,822	10,037	10,206	7,346
連24.3	50,471	8,661	9,079	6,444

㈱堀場エステック（ほりば）

株式公開未定

採用内定数	倍率	3年後離職率	平均年収
22名	30.9倍	3.8%	‥

●待遇、制度●

【初任給】月24.4万
【残業】15.5時間【有休】16.4日【制度】住 在

●新卒定着状況●

20年入社(男16、女10)→3年後在籍(男16、女9)

●採用情報●

【人数】23年:24 24年:27 25年:応募680→内定22
【内定内訳】(男16、女6)(文11、理8)(総22、他0)
【試験】〔Web自宅〕WEB-GAB
【時期】エントリー25.3→内々定25.6(一次・二次以降もWEB面接可)【インターン】有
【採用実績校】金沢工大2、同大2、立命館大2、京産大2、龍谷大2、大阪公大1、京都工繊大1、九大1、福岡大1、関西学大1、名城大1、他
【求める人材】チャレンジ精神があり、自主的・積極的に行動できる人

【本社】601-8116 京都府京都市南区上鳥羽鉾立町11-5 ☎075-693-2300
【特色・近況】半導体産業向け各種機器製造が主体。堀場製作所の完全子会社。流量計測・制御で高技術力。半導体製造プロセスや研究開発、品質管理向けに製品やソリューションを広く提供する。米シリコンバレー、京都に研究開発拠点。自動車産業向けや環境規制対応製品も手がける。
【設立】1974.1 【資本金】1,478百万円
【社長】堀場弾
【株主】〔23.12〕堀場製作所100%
【事業】半導体システム機器96、医用システム機器2、環境・プロセスシステム機器他2 <海外69>
【従業員】単666名(40.2歳)

【業績】	売上高	営業利益	経常利益	純利益
単21.12	67,352	16,402	17,098	12,254
単22.12	92,540	27,008	28,841	20,855
単23.12	83,044	23,826	25,203	18,135

ヤマト科学（かがく）

株式公開計画なし

採用内定数	倍率	3年後離職率	平均年収
17名	14倍	5.6%	516万円

●待遇、制度●

【初任給】月23.5万(諸手当2.5万円)
【残業】9時間【有休】12日【制度】住 在

●新卒定着状況●

20年入社(男14、女4)→3年後在籍(男14、女3)

●採用情報●

【人数】23年:15 24年:17 25年:応募238→内定17*
【内定内訳】(男13、女4)(文7、理9)(総17、他0)
【試験】〔Web自宅〕WEB-GAB〔性格〕有
【時期】エントリー24.6→内々定25.1*(一次・二次以降もWEB面接可)【インターン】有
【採用実績校】獨協大1、東京工科大2、東京農工大1、玉川大1、武蔵大1、東京電機大1、福山大1、桃山学大2、上智大1、他
【求める人材】科学技術の進歩発展に貢献したい人、多くのことに挑戦したい人

【本社】104-6136 東京都中央区晴海1-8-11 晴海アイランドトリトンスクエアY棟36階☎03-5548-7101
【特色・近況】科学機器メーカー。理科学機器、研究実験設備、分析計測機器、産業試験検査機器など扱う。南アルプス市と中国・重慶市に板金加工・塗装・組立の一貫拠点。国内に4研究開発拠点、国内外に販売・サービス拠点。グループで食品容器や医療機器の販売も行う。
【設立】1946.11 【資本金】100百万円
【社長】森川智(1955.1生 早大政経卒)
【株主】〔23.12〕ヤマト科学グループホールディングス59.1%
【事業】理科学機器、研究施設、分析計測機器、試験検査機器の開発・製造・販売
【従業員】単738名(43.0歳)

【業績】	売上高	営業利益	経常利益	純利益
単21.9	31,274	758	1,077	707
単22.9	34,653	756	1,180	1,027
単23.9	36,290	883	1,187	937

小泉成器（こいずみせいき）

株式公開計画なし

採用内定数	倍率	3年後離職率	平均年収
5名	14.4倍	0%	㊗682万円

●待遇、制度●

【初任給】月21万(固定残業代20時間分)
【残業】16.5時間【有休】10.5日【制度】住

●新卒定着状況●

20年入社(男2、女3)→3年後在籍(男2、女3)

●採用情報●

【人数】23年:4 24年:5 25年:応募72→内定5*
【内定内訳】(男3、女2)(文5、理0)(総5、他0)
【試験】〔Web自宅〕有
【時期】エントリー25.3→内々定25.5*(一次はWEB面接可)【インターン】有
【採用実績校】関西学大1、京産大1、情報経営イノベーション専門職大、文教大1、龍谷大1
【求める人材】何事にも主体的に取り組める人、自ら考えて行動できる人

【本社】541-0051 大阪府大阪市中央区備後町3-3-7 ☎06-6268-1415
【特色・近況】家電小物、台所用品、理美容器具の企画・開発・製造・卸。自社ブランド「KOIZUMI」のメーカー業と、国内外の有名メーカー商品を扱う代理店業の2本柱。家電量販店への効果的な売り場提案力が強み。1716年、麻布の行商で創業。
【設立】1989.1 【資本金】593百万円
【社長】橋本直志(1957.3生 滋賀大経済卒)
【株主】〔24.3〕小泉産業33.4%
【事業】調理家電・家事用品32、健康器具30、理美容器具20、シーズン商品10、音響・セキュリティ5、他3
【従業員】単309名(40.1歳)

【業績】	売上高	営業利益	経常利益	純利益
単22.3	69,494	1,257	1,569	1,480
単23.3	67,718	▲14	222	12
単24.3	67,879	▲213	30	▲1,482

メーカー(電機・自動車・機械)

日星電気（にっせいでんき）

株式公開計画なし

採用内定数	倍率	3年後離職率	平均年収
24名	10.3倍	4.5%	㊕794万円

●待遇、制度●
【初任給】月27.3万（諸手当6.8万円）
【残業】15.7時間【有休】14.1日【制度】住 在
●新卒定着状況●
20年入社（男21、女1）→3年後在籍（男20、女1）
●採用情報●
【人数】23年:23 24年:30 25年:応募248→内定24
【内定内訳】（男20、女4）（文3、理21）（総24、他0）
【試験】〔Web自宅〕有〔性格〕有
【時期】エントリー25.3→内々定25.6（一次・二次以降もWEB面接可）【インターン】有
【採用実績校】静岡大2、近大2、中京大2、名工大1、豊橋技科大1、群馬大1、岐阜大1、山形大1、富山県大1、宇都宮大1、名城大1、他
【求める人材】思い付いたことを「言葉」と「行動」で表現し、「新しい意義と付加価値」を創造できる人

【本社】432-8006 静岡県浜松市中央区大久保町1509 ☎053-485-4705
【特色・近況】電機向けワイヤー・ケーブルメーカー。フッ素樹脂、シリコンゴム、石英ガラス関連の独自技術を持ち、高機能の電線・チューブ、光ファイバーを製造、各種機器の小型化・薄型化に貢献。レーザーや光学部品も手がける。ベトナム、タイなどに生産・販売拠点。
【設立】1969.5 【資本金】1,776百万円
【社長】桐野英彦
【株主】〔23.11〕河野勝男8.0%
【事業】光ファイバ加工品、LED照明装置、ケーブル加工品、他
【従業員】単737名（42.1歳）

【業績】	売上高	営業利益	経常利益	純利益
単21.11	44,592	3,196	6,026	5,015
単22.11	41,170	4,114	8,248	6,614
単23.11	38,563	1,682	3,404	2,710

ケージーエス

株式公開計画なし

採用実績数	倍率	3年後離職率	平均年収
1名	−	100%	480万円

●待遇、制度●
【初任給】月21.3万
【残業】14時間【有休】13.5日【制度】住
●新卒定着状況●
20年入社（男0、女1）→3年後在籍（男0、女0）
●採用情報●
【人数】23年:0 24年:1 25年:予定減少*
【内定内訳】（男‥、女‥）（文‥、理‥）（総‥、他‥）
【試験】〔Web会場〕有〔性格〕有
【時期】エントリー通年→内々定通年
【採用実績校】‥
【求める人材】一緒に成長し、挑戦してくれる人

【本社】355-0321 埼玉県比企郡小川町小川1004 ☎0493-72-7311
【特色・近況】点字ディスプレーの国内オンリーワンメーカー。福祉機器とソレノイド（電磁部品）を製造・販売。福祉機器は点字ディスプレー、点字プリンターなどを手がけ、点字セルは世界シェア7割。ソレノイドは産業用機器から民生用まで幅広い用途に使用。
【設立】1953.6 【資本金】100百万円
【社長】工藤良次（1971.11生 埼玉川口高卒）
【株主】〔23.6〕東京中小企業投資育成25.2%
【事業】ソレノイド29、点字・点図セル59、視覚障害者向け点字ディスプレイ11、視覚障害者向け他機器1 <輸出60>
【従業員】単63名（48.2歳）

【業績】	売上高	営業利益	経常利益	純利益
単21.6	1,213	65	89	55
単22.6	1,104	1	▲11	▲9
単23.6	1,378	▲11	60	51

㈱不二工機（ふじこうき）

株式公開計画なし

採用内定数	倍率	3年後離職率	平均年収
11名	10.5倍	50%	㊕706万円

●待遇、制度●
【初任給】月24.8万（諸手当1.6万円）
【残業】14時間【有休】14.1日【制度】住
●新卒定着状況●
20年入社（男4、女0）→3年後在籍（男2、女0）
●採用情報●
【人数】23年:10 24年:12 25年:応募115→内定11*
【内定内訳】（男11、女0）（文7、理4）（総11、他0）
【試験】〔Web自宅〕有〔性格〕有
【時期】エントリー25.3→内々定25.6（一次・二次以降もWEB面接可）【インターン】有
【採用実績校】國學院大1、下関市大1、関西学大1、大阪公大1、東京都市大1、専大1、信州大1、駒澤大2、長崎総合科学大1、日大1
【求める人材】EV革命などの変化に対応し、チームを活用し課題を解決できる人

【本社】158-0082 東京都世田谷区等々力7-17-24 ☎03-3702-5141
【特色・近況】冷凍・空調用自動制御機器メーカー。カーエアコン用では世界シェア首位。ルームエアコン用電子リニア制御弁でも高シェア。コールドチェーン用温度膨張弁や、エコキュート用混合弁、住設機器向け製品も供給。海外は11拠点を構え注力。
【設立】1949.11 【資本金】298百万円
【社長】横山隆吉（1950.6生 東大院修了）
【株主】‥
【事業】カーエアコン部門51、ルーム・パッケージエアコン44、コールドチェーン他5 <輸出33>
【従業員】単566名（41.0歳）

【業績】	売上高	営業利益	経常利益	純利益
単22.3	46,868	‥	1,880	1,257
単23.3	46,243	‥	1,566	1,156
単24.3	45,804	‥	1,762	947

アオイ電子（でんし）

東証スタンダード

採用内定数	倍率	3年後離職率	平均年収
6名	6.8倍	28.6%	[総]607万円

待遇、制度

【初任給】月22.6万

【残業】8.2時間【有休】13.6日【制度】[住]

新卒定着状況

20年入社(男23、女5)→3年後在籍(男15、女5)

採用情報

【人数】23年:24 24年:14 25年:応募41→内定6*

【内定内訳】(男5、女1)(文0、理6)(総5、他1)

【試験】〔筆記〕有

【時期】エントリー25.3→内々定25.5(一次はWEB面接可)【インターン】有

【採用実績校】四国職能大学校1、香川大2、岡山理大1、徳島文理大1、徳島大1

【求める人材】向上心を持って、自分や会社、顧客のために行動することができる人

【本社】761-8014 香川県高松市香西南町455-1 ☎087-882-1131

【特色・近況】独立系の電子部品製造会社で半導体集積回路の組み立てや検査受託が柱。集積回路はスマホ・産業・車載用IC、光学センサー部品などを製造。機能部品は印刷ヘッド、受動部品のチップ抵抗器も手がける。主要顧客はLED大手の日亜化学工業で売上高の約3割。

【設立】1969.2 【資本金】4,545百万円

【社長】木下和洋(1957.2生)

【株主】〔24.3〕大西以知郎17.6%

【連結事業】集積回路88、機能部品12、他0 <海外9>

【従業員】連2,104名 単1,615名(40.8歳)

【業績】	売上高	営業利益	経常利益	純利益
連22.3	43,347	3,310	4,134	2,798
連23.3	37,231	158	501	14
連24.3	33,941	▲1,548	▲1,287	▲5,260

旭電器工業（あさひでんきこうぎょう）

株式公開計画なし

採用内定数	倍率	3年後離職率	平均年収
13名	‥	15.8%	[総]400万円

待遇、制度

【初任給】月22.3万

【残業】15時間【有休】14日【制度】‥

新卒定着状況

20年入社(男11、女8)→3年後在籍(男8、女8)

採用情報

【人数】23年:17 24年:17 25年:応募‥→内定13*

【内定内訳】(男5、女8)(文1、理0)(総1、他12)

【試験】〔筆記〕常識

【時期】エントリー25.2→内々定25.8*【インターン】有

【採用実績校】名城大1、他

【求める人材】住宅用配線器具・車載商品の設計・製造に興味のある人

【本社】514-0101 三重県津市白塚町2856 ☎059-233-2000

【特色・近況】パナソニック系列の配線器具・制御機器メーカー。住宅用配線器具、制御機器、情報通信機器、防災機器、車載機器など多彩な製品を手がける。開発から製造まで一貫。コア技術の精密成型、センサー関連で受注促進図る。三重県・志摩、津に工場。

【設立】1950.1 【資本金】80百万円

【社長】橋本幸一郎

【株主】〔24.3〕橋本幸司22.7%

【事業】配線器具70、制御機器12、情報機器7、他11

【従業員】単552名(41.0歳)

【業績】	売上高	営業利益	経常利益	純利益
単22.3	12,984	301	367	290
単23.3	12,324	124	178	122
単24.3	12,930	125	182	119

#残業が少ない

㈱ウエノ

株式公開未定

採用予定数	倍率	3年後離職率	平均年収
2名	—	—	‥

待遇、制度

【初任給】月20.5万

【残業】1時間【有休】11日【制度】‥

新卒定着状況

20年入社(男0、女0)→3年後在籍(男0、女0)

採用情報

【人数】23年:0 24年:0 25年:応募1→内定0*

【内定内訳】(男‥、女‥)(文‥、理‥)(総‥、他‥)

【試験】〔筆記〕常識、他

【時期】エントリー25.3→内々定25.6*【インターン】有

【採用実績校】‥

【求める人材】ものづくりが好きな人、自ら課題を見つけ、解決する力のある人

【本社】999-7634 山形県鶴岡市三和字堰中100 ☎0235-64-2254

【特色・近況】電子機器の誤作動の原因となるノイズを除去するトロイダルコイルの製造で国内首位級。自前で自動巻き線機の開発を進め、品質安定化と差別化を図る。国内は山形県に2工場、大阪に営業所。海外は中国と、タイに生産拠点を置く。

【設立】1984.5 【資本金】80百万円

【社長】上野隆一(1948.12生 農業者大卒)

【株主】〔24.4〕上野隆一59.5%

【事業】ノイズフィルターコイル95、新型ウエノコイル5 <輸出40>

【従業員】単90名(45.0歳)

【業績】	売上高	営業利益	経常利益	純利益
単21.5	2,573	58	21	11
単22.5	3,029	‥	‥	▲73
単23.5	4,345	101	45	43

㈱エスケーエレクトロニクス　東証スタンダード

採用内定数	倍率	3年後離職率	平均年収
7名	‥	10%	826万円

●待遇、制度●
【初任給】月22.2万（諸手当を除いた数値）
【残業】‥時間【有休】‥日【制度】フ 在
●新卒定着状況● 20～21年入社者合計
20年入社（男6、女4）→3年後在籍（男6、女3）
●採用情報●
【人数】23年:3 24年:5 25年:応募‥→内定7
【内定内訳】（男5、女2）（文2、理5）（総7、他0）
【試験】〔Web自宅〕SPI3〔性格〕有
【時期】エントリー25.3→内々定‥（一次・二次以降もWEB面接可）
【採用実績校】立命館大、龍谷大、近大、京産大、追手門学大、同女大
【求める人材】‥

【本社】602-0955 京都府京都市上京区東堀川通り一条上ル竪富田町436-2 ☎075-441-2333
【特色・近況】液晶パネル用大型フォトマスクで世界首位。フォトマスクはディスプレーの製造用原版。第10世代以上の大型高精彩パネル向けの量産体制持つ。中国のパネルメーカーが主要顧客。極小RFIDや高機能タグも供給。ヘルスケア分野を育成中。
【設立】2001.10 【資本金】4,109百万円
【社長】石田昌徳（1969.9生 同大商卒）
【株主】〔24.3〕㈱写真化学7.7%
【連結事業】大型フォトマスク100、ソリューション0 <海外89>
【従業員】連385名 単228名（43.4歳）

【業績】	売上高	営業利益	経常利益	純利益
連21.9	20,440	1,664	1,371	1,072
連22.9	24,876	3,817	4,302	3,320
連23.9	28,113	4,779	5,022	3,384

ＮＫＫスイッチズ　東証スタンダード

採用内定数	倍率	3年後離職率	平均年収
4名	8.3倍	0%	681万円

●待遇、制度●
【初任給】月21.2万（諸手当0.2万円）
【残業】10時間【有休】15.8日【制度】在
●新卒定着状況●
20年入社（男2、女0）→3年後在籍（男2、女0）
●採用情報●
【人数】23年:4 24年:5 25年:応募33→内定4
【内定内訳】（男2、女2）（文0、理4）（総4、他0）
【試験】〔Web自宅〕有〔性格〕有
【時期】エントリー24.6→内々定25.3（一次はWEB面接可）【インターン】有
【採用実績校】神奈川大1、立教大1、秋田県大1、東北工大1
【求める人材】自ら気づき自ら考え自ら行動のできる人

【本社】213-8553 神奈川県川崎市高津区宇奈根715-1 ☎044-813-8026
【特色・近況】産業用の高機能な小型・超小型スイッチの専業大手。品ぞろえは350万種を超え、トグルスイッチは世界でも圧倒的シェア。医用機器向けも扱う。日本と中国、フィリピンで生産。タッチパネルはスマホ、タブレット向けが中心。海外売上比率約6割。
【設立】1953.12 【資本金】951百万円
【社長】大橋智成（1963.8生 横国大工卒）
【株主】〔24.3〕㈲ビッグブリッヂ15.6%
【連結事業】産業用スイッチ・日本39、同・欧米50、同・アジア10 <海外61>
【従業員】連282名 単143名（46.3歳）

【業績】	売上高	営業利益	経常利益	純利益
連22.3	8,938	800	878	581
連23.3	10,328	889	1,042	826
連24.3	9,441	369	459	389

#初任給が高い

㈱エムジー　株式公開計画なし

採用内定数	倍率	3年後離職率	平均年収
4名	12.8倍	28.6%	684万円

●待遇、制度●
【初任給】月30.9万（固定残業代30時間分）
【残業】30時間【有休】11.4日【制度】在
●新卒定着状況●
20年入社（男4、女3）→3年後在籍（男2、女3）
●採用情報●
【人数】23年:8 24年:11 25年:応募51→内定4*
【内定内訳】（男2、女2）（文2、理0）（総4、他0）
【試験】〔筆記〕有〔Web自宅〕有〔性格〕有
【時期】エントリー24.10→内々定25.2*（一次はWEB面接可）【インターン】有
【採用実績校】近大1、武庫川女大1、大阪公大高専1、新居浜高専1
【求める人材】何らかの得意分野を持つ人

【本社】541-0042 大阪府大阪市中央区今橋2-5-8 トレードピア淀屋橋13階☎06-7525-8800
【特色・近況】各種変換器メーカー。工場や水道・電気などインフラ設備で使用される計装用信号変換器が主力製品で国内シェア首位。アナログ回路技術、高耐圧絶縁技術に強み。製品数は3900種以上、年間新規開発数は約100種。創業以来黒字決算を維持。韓国、中国に販売現法。
【設立】1972.4 【資本金】96百万円
【社長】宮道三郎（1965.12生）
【株主】〔23.9〕宮道三郎
【事業】電気信号変換器63、計装信号用避雷器5、電動アクチュエータ5、他27 <輸出13>
【従業員】単288名（42.9歳）

【業績】	売上高	営業利益	経常利益	純利益
単21.9	9,387	‥	1,111	‥
単22.9	11,087	‥	2,016	‥
単23.9	11,707	‥	1,680	‥

エムテックスマツムラ

株式公開未定

採用内定数	倍率	3年後離職率	平均年収
6名	3.8倍	−	407万円

●待遇、制度●
【初任給】月20.7万
【残業】9.1時間【有休】11.1日【制度】‥

●新卒定着状況●
20年入社(男0、女0)→3年後在籍(男0、女0)

●採用情報●
【人数】23年:4 24年:4 25年:応募23→内定6*
【内定内訳】(男5、女1)(文1、理3)(総6、他0)
【試験】〔筆記〕GAB〔性格〕有
【時期】エントリー25.3→内々定25.6*【インターン】有
【採用実績校】山形産技短大2、東北工大1、日大1、東北公益文科大1、東北職能大学校1
【求める人材】常に新しいことに挑戦できる人、柔軟で斬新な発想ができる人、環境の変化に対応できる人

【本社】994-8501 山形県天童市北久野本1-7-43
☎023-654-3211
【特色・近況】超精密加工技術を中核に、汎用・新規パッケージ開発など半導体デバイス事業、装置事業、自動車部品事業、樹脂成型事業の4事業を展開。各技術を融合させた新製品開発、自社独自技術による高効率生産ライン構築に強み。ベトナムに生産現法。
【設立】1958.5 【資本金】449百万円
【社長】松村超一郎
【株主】〔24.4〕東京中小企業投資育成42.6%
【事業】半導体デバイス76、樹脂成型14、半導体製造装置8、自動車部品2
【従業員】単231名(48.5歳)

【業績】	売上高	営業利益	経常利益	純利益
単21.4	10,967	108	179	93
単22.4	12,474	150	477	206
単23.4	11,573	354	456	118

オプテックス

株式公開していない

採用内定数	倍率	3年後離職率	平均年収
5名	70.2倍	0%	‥

●待遇、制度●
【初任給】月26万(諸手当3万円)
【残業】12.7時間【有休】12.3日【制度】フ 住 在

●新卒定着状況●
20年入社(男5、女0)→3年後在籍(男5、女0)

●採用情報●
【人数】23年:5 24年:5 25年:応募351→内定5
【内定内訳】(男4、女1)(文1、理4)(総0、他5)
【試験】〔Web自宅〕有〔性格〕有
【時期】エントリー24.11→内々定25.3(一次はWEB面接可)【インターン】有【ジョブ型】有
【採用実績校】阪大1、京都工繊大1、奈良先端科技院大1、新潟大1、龍谷大1
【求める人材】チームワークを重んじ、自分の頭で考え行動や挑戦ができる人

【本社】520-0101 滋賀県大津市雄琴5-8-12
☎077-579-8000
【特色・近況】機械警備用センサーや自動ドアセンサーなど各種センサーや関連システムの開発設計・製造販売を手がける。防犯・自動ドア・環境などの分野で、グローバルニッチトップの製品を有する。欧米、アジアなどに拠点。オプテックスグループの中核事業子会社。
【設立】2017.1 【資本金】350百万円
【社長】上村透
【株主】〔23.12〕オプテックスグループ100%
【事業】各種センサーの企画・製造・販売
【従業員】単‥名(‥歳)

【業績】	売上高	営業利益	経常利益	純利益
単21.12	12,264	‥	2,185	1,964
単22.12	13,532	‥	2,613	1,756
単23.12	14,485	‥	2,736	2,615

㈱オンテック

株式公開計画なし

採用内定数	倍率	3年後離職率	平均年収
1名	11倍	−	530万円

●待遇、制度●
【初任給】月23万
【残業】18.5時間【有休】13.7日【制度】住

●新卒定着状況●
20年入社(男0、女0)→3年後在籍(男0、女0)

●採用情報●
【人数】23年:0 24年:7 25年:応募11→内定1
【内定内訳】(男1、女0)(文0、理1)(総0、他1)
【試験】〔筆記〕常識、他
【時期】エントリー25.3→内々定25.5*(一次はWEB面接可)【ジョブ型】有
【採用実績校】大阪電通大1
【求める人材】特に「やりたい=意欲」を持った人

【本社】564-0062 大阪府吹田市垂水町3-20-27
☎06-6338-8581
【特色・近況】プリント回路設計・製造事業や組み込み機器の開発などシステムソリューション事業、映像システムなどビデオコミュニケーション事業などを展開。自動車、ロボット関連や半導体関連を中心に需要増加。EDMS、ODM生産も手がける。一貫体制構築。
【設立】1976.4 【資本金】100百万円
【社長】西山真澄(1975.10生)
【株主】〔24.3〕オンテックホールディングス24.4%
【事業】プリント回路32、エンベデッド55、ビデオコミュニケーション0、EDMS13
【従業員】単127名(47.2歳)

【業績】	売上高	営業利益	経常利益	純利益
単22.3	2,845	243	234	164
単23.3	3,228	283	275	171
単24.3	4,255	502	511	336

ＫＯＡ　東証プライム

採用実績数	倍率	3年後離職率	平均年収
57名	‥	8.1%	595万円

●待遇、制度●
【初任給】月22.3万
【残業】‥時間【有休】12.9日【制度】住 在
●新卒定着状況●
20年入社(男41、女21)→3年後在籍(男38、女19)
●採用情報●
【人数】23年:71 24年:57 25年:予定前年並
【内定内訳】(男‥、女‥)(文‥、理‥)(総‥、他‥)
【試験】〔性格〕有
【時期】エントリー24.10→内々定‥(一次・二次以降もWEB面接可)【インターン】有【ジョブ型】有
【採用実績校】‥
【求める人材】経営理念に共感し、自発的に未来に向けた行動をとることができる人

【本社】399-4697 長野県上伊那郡箕輪町大字中箕輪14016 ☎0265-70-7171
【特色・近況】固定抵抗器で世界首位級の電子部品メーカー。温度センサーやコイルも手がける。自動車向けに強みを持ち、医療、モバイル、家電、人工衛星など幅広い分野へ展開。独自のカンバン方式による短納期納品が特徴。長野中心に国内生産比率は7割超。
【設立】1947.5【資本金】6,033百万円
【社長】花形忠男(1956.1生 東海大工卒)
【株主】〔24.3〕日本マスタートラスト信託銀行信託口14.3%
【連結事業】抵抗器91、IC及びIC関連機器2、安全部品2、他4 ＜海外72＞
【従業員】連4,309名 単1,687名(40.3歳)

【業績】	売上高	営業利益	経常利益	純利益
連22.3	64,955	5,721	6,859	4,771
連23.3	75,072	10,222	10,538	7,367
連24.3	64,835	3,313	4,485	2,769

コーデンシ　株式公開いずれしたい

採用内定数	倍率	3年後離職率	平均年収
10名	7.5倍	33.3%	‥

●待遇、制度●
【初任給】月21.7万
【残業】18.2時間【有休】14.7日【制度】住
●新卒定着状況●
20年入社(男8、女4)→3年後在籍(男6、女2)
●採用情報●
【人数】23年:10 24年:5 25年:応募75→内定10*
【内定内訳】(男9、女1)(文0、理10)(総10、他0)
【試験】〔Web自宅〕有
【時期】エントリー25.2→内々定25.4*(一次・二次以降もWEB面接可)【インターン】有
【採用実績校】大阪公大1、兵庫県大1、近大1、大阪工大3、摂南大1、大阪電通大2、大和大1
【求める人材】既成概念に囚われず、絶えず目標を持って行動し、チャレンジする事を恐れない人

【本社】611-0041 京都府宇治市槇島町十一の161 ☎0774-23-7111
【特色・近況】半導体および電子応用機器を製造・販売。光技術を応用した光半導体、光センサー・光複合部品、LEDなどを手がける。設計・開発を行い、生産は中国と韓国のグループ会社が担当。京都府・宇治市に光関連ニーズの高度化に対応するデバイス・テクノセンター。
【設立】1973.6【資本金】933百万円
【社長】中嶋國雄
【株主】〔23.12〕中嶋郭和39.9%
【事業】光半導体製品99、他1 ＜輸出69＞
【従業員】単267名(‥歳)

【業績】	売上高	営業利益	経常利益	純利益
単21.12	20,720	3,873	4,561	2,961
単22.12	20,040	3,265	4,369	2,898
単23.12	17,860	2,713	3,101	2,084

㈱指月電機製作所（しづきでんきせいさくしょ）　東証スタンダード

採用内定数	倍率	3年後離職率	平均年収
2名	15倍	25%	594万円

●待遇、制度●
【初任給】月22万(諸手当0.8万円)
【残業】7.3時間【有休】12.8日【制度】住 在
●新卒定着状況●
20年入社(男8、女4)→3年後在籍(男5、女4)
●採用情報●
【人数】23年:19 24年:16 25年:応募30→内定2*
【内定内訳】(男2、女0)(文1、理1)(総2、他0)
【試験】〔性格〕有
【時期】エントリー24.10→内々定25.3*(一次・二次以降もWEB面接可)【インターン】有
【採用実績校】関大1、九州工大1
【求める人材】挑戦する意欲を持ち、円滑にコミュニケーションのとれる自律的な人

【本社】662-0867 兵庫県西宮市大社町10-45 ☎0798-74-5821
【特色・近況】コンデンサー・モジュールと、受配電設備など電力機器システムが中核事業。大型コンデンサーに定評。小型・軽量、高耐熱性、高機能化へも製品を展開。三菱電機が主要取引先、村田製作所とも緊密。太陽光パワー用、EV用各コンデンサー増産に重点。
【設立】1947.9【資本金】5,001百万円
【代表執行役】足達信章(1955.5生 同大工卒)
【株主】〔24.3〕三菱電機21.1%
【連結事業】コンデンサ・モジュール70、電力機器システム30 ＜海外21＞
【従業員】連1,280名 単279名(39.8歳)

【業績】	売上高	営業利益	経常利益	純利益
連22.3	23,874	996	1,364	946
連23.3	26,127	937	1,223	760
連24.3	26,305	1,098	1,120	182

㈱芝浦電子（しばうらでんし）　東証スタンダード

採用内定数	倍率	3年後離職率	平均年収
8名	21.3倍	0%	717万円

●待遇、制度●
【初任給】月23.5万
【残業】14.2時間【有休】13.8日【制度】フ 住
●新卒定着状況●
20年入社(男2、女0)→3年後在籍(男2、女0)
●採用情報●
【人数】23年:9 24年:9 25年:応募170→内定8*
【内定内訳】(男5、女3)(文5、理3)(総8、他0)
【試験】〔Web会場〕SPI3〔Web自宅〕SPI3〔性格〕有
【時期】エントリー 25.3→内々定25.6*【インターン】有
【採用実績校】慶大2、東理大1、芝工大1、専大1、前橋工大1、都留文科大1、大東文化大1
【求める人材】主体的に行動できる人、好奇心に満ち溢れている人、やり抜く忍耐力がある人、環境適応力に優れている人

【本社】338-0001 埼玉県さいたま市中央区上落合2-1-24 三殖ビル ☎048-615-4000
【特色・近況】サーミスタ素子を利用した温度センサー部品の最大手メーカー。素子は福島県で集中生産、センサーは国内外で生産。自動車、空調機器、家電向けが主力。高温用サーミスタに独自技術。エコ給湯器やハイブリッド車、電気自動車など環境関連を開拓。
【設立】1959.9 【資本金】2,144百万円
【社長】葛西晃(1968.5生 同大工卒)
【株主】〔24.3〕日本カストディ銀行信託口10.4%
【連結事業】ホームアプライアンス44、オートモーティブ38、インダストリアル12、他5 <海外60>
【従業員】連4,422名 単143名(42.1歳)

【業績】	売上高	営業利益	経常利益	純利益
連22.3	30,612	5,572	5,633	3,654
連23.3	33,193	5,460	5,617	3,830
連24.3	32,401	5,104	5,303	3,822

ジャパンマテリアル　東証プライム

採用内定数	倍率	3年後離職率	平均年収
10名	3.4倍	12.5%	581万円

●待遇、制度●
【初任給】月22.9万
【残業】16.3時間【有休】13.8日【制度】住
●新卒定着状況●
20年入社(男6、女2)→3年後在籍(男5、女2)
●採用情報●
【人数】23年:13 24年:23 25年:応募34→内定10*
【内定内訳】(男9、女1)(文6、理4)(総10、他0)
【試験】〔性格〕有
【時期】エントリー 24.11→内々定25.2(一次・二次以降もWEB面接可)【インターン】有
【採用実績校】三重大2、青学大1、愛知工業大1、中京大1、九産大1、東海大1、桃山学大1、至学館大1、熊本学大1
【求める人材】周りにポジティブな影響を与え、大きな仕事にもチームを率いて成果を出せる人、チャレンジを続ける人

【本社】510-1311 三重県三重郡菰野町永井3098-22 ☎059-399-3821
【特色・近況】半導体・液晶工場向けの特殊ガス供給装置の製造と特殊ガスの販売が主。半導体製造装置の保守修理や薬液の管理サービス、供給配管の設計・施工も行う。画像処理関連事業はデジタルサイネージ商品、IT・映像関連機器、放送業界向けソフトウェアなどを販売。
【設立】1999.12 【資本金】1,317百万円
【社長】田中久男(1947.7生)
【株主】〔24.3〕田中久男11.9%
【連結事業】エレクトロニクス関連97、グラフィックスソリューション3、太陽光発電0 <海外12>
【従業員】連1,600名 単430名(39.2歳)

【業績】	売上高	営業利益	経常利益	純利益
連22.3	37,988	9,330	9,712	6,735
連23.3	46,534	11,097	11,307	7,904
連24.3	48,592	7,759	8,230	5,681

㈱昭和真空（しょうわしんくう）　東証スタンダード

採用内定数	倍率	3年後離職率	平均年収
2名	3.5倍	0%	569万円

●待遇、制度●
【初任給】月22.1万(諸手当0.4万円)
【残業】9.6時間【有休】15.7日【制度】住 在
●新卒定着状況●
20年入社(男4、女1)→3年後在籍(男4、女1)
●採用情報●
【人数】23年:9 24年:1 25年:応募7→内定2*
【内定内訳】(男1、女1)(文1、理1)(総2、他0)
【試験】〔筆記〕常識〔性格〕有
【時期】エントリー 25.3→内々定25.5(一次はWEB面接可)【インターン】有
【採用実績校】神奈川工大、大分大
【求める人材】もの作りに喜びを感じ、行動力のある人、思考力に優れ、想像力に富み、粘り強く責任感のある人

【本社】252-0244 神奈川県相模原市中央区田名3062-10 ☎042-764-0321
【特色・近況】スマートフォンや車載電子部品など幅広い産業で使われる水晶デバイス製造装置でシェア約9割。受注生産で顧客の要求仕様に合わせてカスタマイズ。真空技術を基盤に光学やオプトエレクトロニクス分野向け、電子部品関連装置も展開。アルバックグループ。
【設立】1958.8 【資本金】2,177百万円
【代表取締役】小俣邦正(1952.11生 日大商卒)
【株主】〔24.3〕アルバック20.4%
【連結事業】水晶デバイス装置25、光学装置20、電子部品装置23、他装置、改造工事12、部品販売12、修理他8 <海外44>
【従業員】連242名 単196名(44.0歳)

【業績】	売上高	営業利益	経常利益	純利益
連22.3	11,964	1,670	1,700	1,240
連23.3	10,127	1,017	1,077	779
連24.3	7,463	195	243	164

㈱伸光製作所（しんこうせいさくしょ）

株式公開計画なし

採用内定数	倍率	3年後離職率	平均年収
9名	1倍	25%	㊗500万円

●待遇、制度●
【初任給】月22万
【残業】20時間【有休】14日【制度】住
●新卒定着状況●
20年入社(男5、女3)→3年後在籍(男4、女2)
●採用情報●
【人数】23年:8 24年:10 25年:応募9→内定9*
【内定内訳】(男5、女4)(文3、理1)(総4、他5)
【試験】〔筆記〕常識〔性格〕有
【時期】エントリー24.12→内々定25.3*(一次・二次以降もWEB面接可)【インターン】有
【採用実績校】‥
【求める人材】自主性と協調性を備えた人で自ら進んでコミュニケーションがとれる人

【本社】399-4692 長野県上伊那郡箕輪町大字中箕輪12238 ☎0265-79-0121
【特色・近況】電子回路基板の製造・販売を手がける。国内工場と海外協力メーカーを活用して全世界に製品供給。設計から試作・量産製造まで全工程を一貫対応する。車載関連や産業・医療関連分野に強固な顧客基盤。住友金属鉱山の子会社。
【設立】1958.7 【資本金】737百万円
【社長】稲垣俊二(1960.11生 早大商卒)
【株主】〔24.3〕住友金属鉱山100%
【事業】プリント配線板の設計・製造・販売
【従業員】単300名(42.0歳)

【業績】	売上高	営業利益	経常利益	純利益
単22.3	13,804	1,231	1,290	922
単23.3	15,049	1,499	1,517	1,106
単24.3	14,296	761	846	616

㈱精工技研（せいこうぎけん）

東証スタンダード

採用内定数	倍率	3年後離職率	平均年収
2名	40倍	20%	590万円

●待遇、制度●
【初任給】月22.2万(諸手当2.2万円)
【残業】8.5時間【有休】13.8日【制度】住
●新卒定着状況●
20年入社(男5、女0)→3年後在籍(男4、女0)
●採用情報●
【人数】23年:4 24年:4 25年:応募80→内定2*
【内定内訳】(男2、女0)(文0、理2)(総2、他0)
【試験】〔筆記〕常識、他〔性格〕有
【時期】エントリー25.2→内々定25.3*(一次はWEB面接可)【インターン】有
【採用実績校】千葉工大1、関東職能大学校1
【求める人材】Challenge、Communicate、Completeを実践できる人

【本社】270-2214 千葉県松戸市松飛台296-1 ☎047-311-5111
【特色・近況】光通信部品、光ディスク用金型が主力製品。精機部門では自動車部品や電子部品など精密成形品と各種精密金型を製造。光製品部門では光コネクターや高耐熱レンズなど光部品と、光コネクター研磨機などの製造機器手がける。海外は中国、タイに生産拠点。
【設立】1972.6 【資本金】6,791百万円
【社長】上野淳(1974.8生 横国大院国際社修了)
【株主】〔24.3〕上野昌利9.1%
【連結事業】精機55、光製品45 <海外38>
【従業員】連752名 単171名(44.3歳)

【業績】	売上高	営業利益	経常利益	純利益
連22.3	16,188	1,524	1,641	1,150
連23.3	16,282	1,390	1,606	1,082
連24.3	15,785	1,052	1,269	761

SEMITEC

東証スタンダード

採用内定数	倍率	3年後離職率	平均年収
4名	56.5倍	12.5%	㊗698万円

●待遇、制度●
【初任給】月24.4万
【残業】20時間【有休】13.8日【制度】住 在
●新卒定着状況●
20年入社(男6、女2)→3年後在籍(男5、女2)
●採用情報●
【人数】23年:5 24年:4 25年:応募226→内定4*
【内定内訳】(男2、女2)(文2、理2)(総4、他0)
【試験】〔Web自宅〕SPI3〔性格〕有
【時期】エントリー25.3→内々定25.6(一次・二次以降もWEB面接可)【インターン】有
【採用実績校】東邦大1、中京大1、國學院大1、秋田高専1
【求める人材】ポジティブで元気、自分で考え行動でき、意見をしっかり伝えられる人

【本社】130-8512 東京都墨田区錦糸1-7-7 ☎03-3621-1155
【特色・近況】センサー専業。バルクセンサー、薄膜センサー、赤外線センサーなどの温度センサーを手がける。OA機器を中心に自動車、医療機器、家電・情報機器向けなど幅広い採用実績。カテーテル用など最先端医療分野でも市場開拓に注力。
【設立】1958.3 【資本金】773百万円
【社長】石塚大助(1977.1生 千工大工卒)
【株主】〔24.3〕石塚興産24.8%
【連結事業】自動車39、家電・住設18、OA機器15、産業機器9、医療13、情報機器1、他6 <海外83>
【従業員】連3,655名 単207名(41.2歳)

【業績】	売上高	営業利益	経常利益	純利益
連22.3	21,072	3,247	3,479	2,699
連23.3	23,232	3,678	4,201	3,157
連24.3	22,675	3,571	3,879	2,148

双信電機（そうしんでんき）

株式公開 ー

採用内定数	倍率	3年後離職率	平均年収
3名	1倍	14.3%	573万円

●待遇、制度●
【初任給】月21.3万
【残業】20時間【有休】14.4日【制度】フ 住 在
●新卒定着状況●
20年入社(男5、女2)→3年後在籍(男4、女2)
●採用情報●
【人数】23年:11 24年:12 25年:応募3→内定3*
【内定内訳】(男3、女0)(文2、理1)(総3、他0)
【試験】〔性格〕有
【時期】エントリー24.12→内々定25.3(一次・二次以降もWEB面接可)【インターン】有
【採用実績校】成蹊大1、東京経大1、長野県工科短大1
【求める人材】自らの仕事に責任をもって誠実に取り組める人、仲間と価値感や目標を共有し、常に挑戦し続ける人

【本社】105-0023 東京都港区芝浦1-1-1 浜松町ビルディング ☎03-5730-4500
【特色・近況】台湾ウォルシン系列の電子部品中堅メーカー。大容量・高電圧のノイズ除去フィルター、コンデンサーに強み。半導体製造装置、工作機械、医療機器、車載電装品、太陽光関係など産業機器用と、情報通信インフラや情報通信端末などの情報通信機器用が2本柱。
【設立】1944.4 【資本金】4,256百万円
【社長】杉山雅彦(1957.12生 阪大理卒)
【株主】〔23.12〕釜屋電機48.1%
【連結事業】パワーエレクトロニクス57、情報通信43 <海外13>
【従業員】連832名 単398名(44.7歳)

【業績】	売上高	営業利益	経常利益	純利益
連22.3	12,052	1,239	1,314	1,160
連22.12変	9,503	411	512	35
連23.12	11,672	320	359	82

㈱ソノコム

東証スタンダード

採用予定数	倍率	3年後離職率	平均年収
6名	‥	25%	505万円

●待遇、制度●
【初任給】月21.2万
【残業】14.5時間【有休】11.5日【制度】住 在
●新卒定着状況●
20年入社(男6、女2)→3年後在籍(男4、女2)
●採用情報●
【人数】23年:7 24年:6 25年:予定6*
【内定内訳】(男‥、女‥)(文‥、理‥)(総‥、他‥)
【試験】〔筆記〕常識〔性格〕有
【時期】エントリー25.3→内々定25.4*(一次はWEB面接可)【インターン】有
【採用実績校】‥
【求める人材】明るく元気で、コミュニケーション能力に長けている人

【本社】152-0002 東京都目黒区目黒本町2-15-10 ☎03-3716-4101
【特色・近況】電子部品業界向け高精度スクリーンマスクやフォトマスクを製造・販売。プリント基板やIC、液晶パネルの生産用などが主体。スキージ研磨機などスクリーン印刷用資機材も取り扱う。松戸と川崎に工場を置く。AI機能搭載スクリーンマスク検査装置を独自開発。
【設立】1962.12 【資本金】925百万円
【社長】高木清啓(1955.2生 東海大文卒)
【株主】〔24.3〕峒野俊雄14.1%
【事業】スクリーンマスク76、フォトマスク10、他14
【従業員】単114名(40.8歳)

【業績】	売上高	営業利益	経常利益	純利益
単22.3	2,287	301	355	290
単23.3	2,238	228	335	167
単24.3	2,134	137	380	240

タカヤ

株式公開計画なし

採用内定数	倍率	3年後離職率	平均年収
19名	5.7倍	12%	㊔496万円

●待遇、制度●
【初任給】月21.2万
【残業】9.5時間【有休】14.9日【制度】住 在
●新卒定着状況●
20年入社(男20、女5)→3年後在籍(男19、女3)
●採用情報●
【人数】23年:32 24年:27 25年:応募108→内定19
【内定内訳】(男15、女4)(文8、理11)(総19、他0)
【試験】〔Web自宅〕SPI3〔性格〕有
【時期】エントリー25.3→内々定25.4*(一次はWEB面接可)【インターン】有
【採用実績校】広島大院1、九大1、岡山大2、香川大1、県立広島大1、尾道市大1、福山市大1、岡山理大4、ノートルダム清心女大1、他
【求める人材】「ものづくり」に興味があり、情熱と努力と責任感をもって取り組める人

【本社】715-8503 岡山県井原市井原町661-1 ☎0866-62-2015
【特色・近況】織物業で創業したが、現在は電子機器組立などの受託生産(EMS)を軸にして、自社開発のテスターやRFID製品を製造・販売。上海、タイ、ベトナムに生産現法。ジーンズなどの企画・製造・卸売のタカヤ商事などとグループを形成。
【設立】1917.2 【資本金】100百万円
【社長】岡本龍二(1956.7生 慶大工卒)
【株主】〔23.11〕大中屋46.5%
【事業】EMS57、テスタ20、RFID機器17、他6 <輸出6>
【従業員】単679名(42.0歳)

【業績】	売上高	営業利益	経常利益	純利益
単21.11	9,668	‥	1,027	251
単22.11	10,256	‥	1,715	62
単23.11	10,392	‥	1,547	89

多摩川精機（たまがわせいき） 株式公開計画なし

採用内定数	倍率	3年後離職率	平均年収
16名	2.4倍	0%	[総]743万円

●待遇、制度●
【初任給】月24万
【残業】18.9時間【有休】12.8日【制度】[フ][住][在]
●新卒定着状況●
20年入社(男3、女1)→3年後在籍(男3、女1)
●採用情報●
【人数】23年:13 24年:13 25年:応募39→内定16
【内定内訳】(男14、女2)(文4、理12)(総16、他0)
【試験】〔筆記〕常識〔Web会場〕C-GAB〔Web自宅〕WEB-GAB
【時期】エントリー24.8→内々定24.11(一次はWEB面接可)【インターン】有
【採用実績校】信州大1、新潟工大1、八戸工大2
【求める人材】グローバルな感覚を持ち、変化に対応でき、責任感を持って自発的に行動できる人

【本社】395-8515 長野県飯田市大休1879
☎0265-21-1811
【特色・近況】特殊精密モーター・センサーの製造・販売が主力。シンクロ(角度センサー)最大手。産業機械向けサーボモーター、車載・航空機用角度センサーに強み。青森県に5工場を構える。アジア、欧米などに海外代理店網。1938年東京・蒲田にて創業。
【設立】1938.3【資本金】100百万円
【社長】松尾忠則(1957.1生 名工大工卒)
【株主】〔23.11〕多摩川精機販売100%
【事業】特殊精密モーター57、計測器・自動制御装置43 <輸出21>
【従業員】単543名(44.8歳)

【業績】	売上高	営業利益	経常利益	純利益
単21.11	41,743	3,063	3,464	3,258
単22.11	46,416	4,754	5,800	3,829
単23.11	44,670	3,926	4,581	4,146

㈱多摩川電子（たまがわでんし） 株式公開計画なし

採用予定数	倍率	3年後離職率	平均年収
3名	-	80%	492万円

●待遇、制度●
【初任給】月23万(諸手当1万円)
【残業】13.1時間【有休】13.5日【制度】[住][在]
●新卒定着状況●
20年入社(男0、女5)→3年後在籍(男0、女1)
●採用情報●
【人数】23年:1 24年:5 25年:応募15→内定0*
【内定内訳】(男‥、女‥)(文‥、理‥)(総‥、他‥)
【試験】〔筆記〕常識〔Web自宅〕SPI3〔性格〕有
【時期】エントリー25.3→内々定25.4*(一次・二次以降もWEB面接可)【インターン】有【ジョブ型】有
【採用実績校】‥
【求める人材】自ら責任をもって行動できる人、主体性を持って学び、自己成長したい人

【本社】252-1113 神奈川県綾瀬市上土棚中3-11-23
☎0467-76-2291
【特色・近況】多摩川HDの中核子会社で通信用機器と部品、電子応用機器の製造・販売を手がける。陸・海・空各自衛隊などの官公庁や交通・列車無線、防災、警察・消防無線などの公共社会インフラ向け、携帯電話基地局設備などに実績。高度なアナログ高周波技術に強み。
【設立】2007.10【資本金】310百万円
【社長】小林正憲(1956.12生 幾徳工業高専卒)
【株主】〔24.3〕多摩川ホールディングス100%
【連結事業】通信用機器・部品、電子応用機器 <輸出0>
【従業員】連221名 単134名(43.5歳)

【業績】	売上高	営業利益	経常利益	純利益
連22.3	4,135	551	545	380
連23.3	2,713	21	35	▲34
連24.3	3,195	111	98	72

帝国通信工業（ていこくつうしんこうぎょう） 東証プライム

採用予定数	倍率	3年後離職率	平均年収
8名	‥	0%	600万円

●待遇、制度●
【初任給】月24.1万
【残業】5.9時間【有休】15.9日【制度】[住][在]
●新卒定着状況● 20～21年入社者合計
20年入社(男6、女2)→3年後在籍(男6、女2)
●採用情報●
【人数】23年:10 24年:11 25年:予定8*
【内定内訳】(男‥、女‥)(文‥、理‥)(総‥、他‥)
【試験】〔Web自宅〕SPI3〔性格〕有
【時期】エントリー25.3→内々定25.4(一次はWEB面接可)【インターン】有
【採用実績校】‥
【求める人材】主体的に行動し、周りと協働しながら失敗を恐れずチャレンジできる人

【本社】211-8530 神奈川県川崎市中原区苅宿45-1
☎044-422-3171
【特色・近況】「ノーブル」ブランドの可変抵抗器老舗メーカー。主力の前面操作ブロックはカスタム製品で、ゲーム機やAV機器など家電向けのほか車載向けにも展開。抵抗器からセンサーに軸足を移す。医療、ロボットや車載向けなどに新規用途開拓に注力。
【設立】1944.8【資本金】3,453百万円
【社長】羽生満寿夫(1958.11生)
【株主】〔24.3〕日本マスタートラスト信託銀行信託口10.0%
【連結事業】電子部品96、他4 <海外52>
【従業員】連1,571名 単273名(42.2歳)

【業績】	売上高	営業利益	経常利益	純利益
連22.3	15,109	1,698	2,022	1,582
連23.3	16,493	1,601	2,192	1,385
連24.3	15,223	947	1,559	1,362

㈱テクナート

株式公開 いずれしたい

採用内定数	倍率	3年後離職率	平均年収
3名	5倍	0%	540万円

●待遇、制度●
【初任給】月21万
【残業】20時間【有休】10日【制度】住 在
●新卒定着状況●
20年入社(男1、女1)→3年後在籍(男1、女1)
●採用情報●
【人数】23年:4 24年:1 25年:応募15→内定3
【内定内訳】(男3、女0)(文2、理0)(総3、他0)
【試験】〔筆記〕常識〔性格〕有
【時期】エントリー25.3→内々定25.6*(一次はWEB面接可)【インターン】有【ジョブ型】有
【採用実績校】近大1、京都外大1、京都コンピュータ学院専1
【求める人材】明るく元気で誠実な人

【本社】525-0037 滋賀県草津市西大路町2-21 ☎077-569-5881
【特色・近況】液晶表示システム、コントローラーなど産業用組み込みモニタ開発メーカー。LCD表示装置やPC用の映像処理ボードなどをカスタムメイドで開発。組込み液晶タッチモニタで国内シェア首位。モニター事業中心に通信機能付き表示器、各種特殊信号などにも対応。
【設立】1989.5 【資本金】12百万円
【社長】藤井義則(1959.8生 長岡技大工卒)
【株主】〔24.5〕テクナートラボ100%
【事業】LCDモニター表示器70、アナログRGB変換基板20、制御システム用基板0、他10
【従業員】単68名(35.0歳)

【業績】	売上高	営業利益	経常利益	純利益
単21.5	5,732	133	132	85
単22.5	6,142	116	115	107
単23.5	7,816	199	198	152

テクノクオーツ

株式公開 —

採用内定数	倍率	3年後離職率	平均年収
2名	1.5倍	0%	548万円

●待遇、制度●
【初任給】月19.7万
【残業】8.9時間【有休】11.5日【制度】住 在
●新卒定着状況●
20年入社(男0、女1)→3年後在籍(男0、女1)
●採用情報●
【人数】23年:0 24年:0 25年:応募3→内定2
【内定内訳】(男2、女0)(文0、理2)(総2、他0)
【試験】〔筆記〕有〔性格〕有
【時期】エントリー25.3→内々定25.6(一次はWEB面接可)【インターン】有
【採用実績校】山形大1、福島大1
【求める人材】活況の半導体業界において、「挑戦」と「成長」で会社を牽引してくれる人

【本社】164-0012 東京都中野区本町1-32-2 ハーモニータワー ☎03-5354-8171
【特色・近況】半導体製造装置用の高純度石英ガラスや結晶シリコンパーツの製造が主力。セル、テドラーバッグなどの理化学機器、シリコン加工、産業用加熱機器なども手がける。国内や中国で生産能力を増強。応用新製品の開発を模索。ジーエルサイエンスと共同持株会社設立し統合。
【設立】1976.10 【資本金】829百万円
【社長】園田育伸(1959.7生 福岡大工卒)
【株主】〔24.3〕ジーエルサイエンス65.1%
【連結事業】半導体100 <海外52>
【従業員】連565名 単303名(38.5歳)

【業績】	売上高	営業利益	経常利益	純利益
連22.3	15,820	3,164	3,231	2,200
連23.3	20,063	4,068	4,354	2,957
連24.3	17,065	3,615	3,838	2,729

㈱テラプローブ

東証 スタンダード

採用内定数	倍率	3年後離職率	平均年収
10名	4.2倍	-	639万円

●待遇、制度●
【初任給】月22万
【残業】23.9時間【有休】12.7日【制度】フ 住 在
●新卒定着状況●
20年入社(男0、女0)→3年後在籍(男0、女0)
●採用情報●
【人数】23年:5 24年:26 25年:応募42→内定10*
【内定内訳】(男7、女3)(文1、理9)(総10、他0)
【試験】〔Web自宅〕SPI3〔性格〕有
【時期】エントリー24.11→内々定24.12(一次・二次以降もWEB面接可)【インターン】有
【採用実績校】崇城大、鹿児島大、京都先端科学大、九産大、上智大、京都女大、ホーチミン市工科大
【求める人材】探究心・向上心が旺盛で、柔軟な思考ができる人、地道な努力もできる人

【本社】222-0033 神奈川県横浜市港北区新横浜2-7-17 ☎045-476-1011
【特色・近況】半導体製造工程におけるテスト受託サービスを提供。半導体チップを作り込む前工程、パッケージングする後工程いずれのテストも行える点に強み。自動車産業向け認証を取得し車載半導体のテスト受託を強化。台湾の合弁相手・PTIが親会社。
【設立】2005.8 【資本金】11,823百万円
【代表執行役】横山毅(1966.11生)
【株主】〔24.6〕力成科技日本合同会社47.8%
【連結事業】メモリ9、ロジック91 <海外40>
【従業員】連1,010名 単275名(43.6歳)

【業績】	売上高	営業利益	経常利益	純利益
連21.12	25,942	4,161	4,086	1,793
連22.12	33,212	6,839	7,345	3,134
連23.12	35,403	7,188	7,411	4,094

メーカー(電機・自動車・機械)

	採用実績数	倍率	3年後離職率	平均年収
東京(とうきょう)コスモス電機(でんき) 東証スタンダード	1名	-	0%	601万円

●待遇、制度●
【初任給】月24.1万
【残業】17.1時間【有休】16.1日【制度】フ 住 在
●新卒定着状況●
20年入社(男2、女0)→3年後在籍(男2、女0)
●採用情報●
【人数】23年:1 24年:1 25年:応募14→内定0*
【内定内訳】(男‥、女‥)(文‥、理‥)(総‥、他‥)
【試験】〔筆記〕有〔Web自宅〕SPI3、他〔性格〕有
【時期】エントリー25.3→内々定25.5*(一次はWEB面接可)【インターン】有
【採用実績校】‥
【求める人材】時代の変化に対応できる人、自ら考え自ら行動する人、挑戦する意欲のある人

【本社】252-0011 神奈川県座間市相武台2-12-1 ☎046-253-2111
【特色・近況】産業機器用可変抵抗器の有力メーカー。可変抵抗器や半固定抵抗器と、フィルムヒーター(面上発熱体)やセンサーなど車載用電装品が柱。車載用は非接触型角度センサーも製造する。国内は福島と大分に、海外は中国に工場を持つ。
【設立】1947.4 【資本金】1,277百万円
【社長】岩崎美樹(1955.1生)
【株主】〔24.3〕成成10.7%
【連結事業】可変抵抗器39、車載用電装部品59、他2 <海外31>
【従業員】連645名 単92名(41.3歳)

【業績】	売上高	営業利益	経常利益	純利益
連22.3	9,511	795	885	630
連23.3	10,712	1,349	1,519	1,174
連24.3	10,434	1,261	1,403	962

#有休取得が多い

	採用内定数	倍率	3年後離職率	平均年収
東芝(とうしば)ホクト電子(でんし) 株式公開計画なし	4名	1.3倍	-	‥

●待遇、制度●
【初任給】月23万(諸手当を除いた数値)
【残業】23.6時間【有休】19.4日【制度】フ 住 在
●新卒定着状況●
20年入社(男0、女0)→3年後在籍(男0、女0)
●採用情報●
【人数】23年:0 24年:2 25年:応募5→内定4*
【内定内訳】(男4、女0)(文0、理4)(総0、他4)
【試験】なし
【時期】エントリー25.3→内々定25.8【インターン】有
【採用実績校】千歳科技大1、北海道科学大3
【求める人材】コミュニケーション能力・適応力のある人

【本社】078-8335 北海道旭川市南5条通23-1975 ☎0166-31-4721
【特色・近況】東芝子会社の電子部品メーカーで、電子レンジ用マグネトロン、工業用マグネトロン、サーマルプリントヘッド、フレキシブルプリント配線板などを製造・販売。タイにマグネトロン生産現地法人をもつ。北海道、東京の2本社制。
【設立】1950.9 【資本金】988百万円
【社長】塩入健太郎
【株主】〔24.3〕東芝デバイス&ストレージ86.7%
【事業】マグネトロン51、TPH37、他12 <輸出70>
【従業員】単257名(47.9歳)

【業績】	売上高	営業利益	経常利益	純利益
単22.3	11,210	▲375	440	139
単23.3	12,044	748	823	1,195
単24.3	11,040	276	541	467

	採用内定数	倍率	3年後離職率	平均年収
㈱巴川(ともえがわ)コーポレーション 東証スタンダード	8名	20.8倍	0%	682万円

●待遇、制度●
【初任給】月23.5万
【残業】14.8時間【有休】13日【制度】フ 住
●新卒定着状況●
20年入社(男3、女0)→3年後在籍(男3、女0)
●採用情報●
【人数】23年:10 24年:10 25年:応募166→内定8*
【内定内訳】(男5、女3)(文3、理5)(総8、他0)
【試験】〔性格〕有
【時期】エントリー通年→内々定通年(一次はWEB面接可)【インターン】有
【採用実績校】東北大1、山梨大2、信州大1、静岡県大1、法政大1、明治薬大1、龍谷大1
【求める人材】好奇心を持って、トライ&エラーを繰り返しながら事業に取り組める人

【本社】104-8335 東京都中央区京橋2-1-3 京橋トラストタワー ☎03-3516-3401
【特色・近況】主力のトナーの製造・販売のほか、FPD向け光学フィルム、半導体関連の電子部品材料、洋紙・機能紙、磁気記録関連製品などセキュリティーメディアの製造・販売を手がける。トナー製造では世界屈指。米国、オランダ、香港、中国、インドに現地法人。
【設立】1917.8 【資本金】2,122百万円
【社長】井上善雄(1964.11生 慶大経済卒)
【株主】〔24.3〕TOPPANホールディングス10.9%
【連結事業】トナー35、半導体・DP19、機能性シート32、セキュリティM13、新規開発0、他1 <海外40>
【従業員】連1,311名 単396名(44.6歳)

【業績】	売上高	営業利益	経常利益	純利益
連22.3	32,785	1,982	2,310	1,650
連23.3	34,170	2,052	2,151	1,451
連24.3	33,692	1,331	1,643	594

日清紡マイクロデバイスAT

株式公開計画なし

採用内定数	倍率	3年後離職率	平均年収
2名	6倍	15.4%	[総]738万円

●待遇、制度●
【初任給】月23.4万
【残業】18.3時間【有休】13.4日【制度】[フ][住][在]

●新卒定着状況●
20年入社(男8、女5)→3年後在籍(男8、女3)

●採用情報● 25年は高卒除く
【人数】23年:19 24年:22 25年:応募12→内定2
【内定内訳】(男2、女0)(文0、理1)(総2、他0)
【試験】〔筆記〕常識〔Web会場〕有〔Web自宅〕有〔性格〕有
【時期】エントリー 24.10→内々定25.3*(一次はWEB面接可)【インターン】有【ジョブ型】有
【採用実績校】九州工大1、有明高専1
【求める人材】答えを安易に求めるのではなく、答えに至る思考プロセスを大事にする人

【本社】842-0032 佐賀県神埼郡吉野ヶ里町立野950 ☎0952-52-3181
【特色・近況】親会社の日清紡マイクロデバイスのIC製品組み立て、試験など電子デバイス製造の後工程を担当。パッケージ構造や材料仕様を踏まえ、要求される品質を量産で維持するための組立仕様を確立。海外はグループでタイに生産現法、米国・中国などに販売拠点を展開。
【設立】1965.4 【資本金】50百万円
【社長】末吉裕明
【株主】〔23.12〕日清紡マイクロデバイス100%
【事業】電子デバイス100
【従業員】単336名(41.0歳)

【業績】	売上高	営業利益	経常利益	純利益
単21.12	11,059	290	292	116
単22.12	6,705	63	130	81
単23.12	6,955	181	262	561

日清紡マイクロデバイス福岡

株式公開計画なし

採用内定数	倍率	3年後離職率	平均年収
2名	7.5倍	0%	[総]732万円

●待遇、制度●
【初任給】月23.4万
【残業】10.7時間【有休】15.4日【制度】[フ][住][在]

●新卒定着状況●
20年入社(男3、女1)→3年後在籍(男3、女1)

●採用情報●
【人数】23年:9 24年:11 25年:応募15→内定2
【内定内訳】(男1、女1)(文0、理2)(総2、他0)
【試験】〔Web自宅〕有
【時期】エントリー 25.3→内々定・・(一次はWEB面接可)
【採用実績校】佐賀大院1、佐賀大1
【求める人材】自分で考えて課題形成し、それを解決する創造力と行動力に富んだ人

【本社】819-0161 福岡県福岡市西区今宿東1-1-2 ☎092-805-4660
【特色・近況】パワーMOSFETなど個別デバイスからLSIまで各種半導体製品を生産。サブミクロン加工技術を駆使。三菱電機から製造ラインを取得し操業開始。親会社である日清紡マイクロデバイスのほか、三菱電機、オムロン、ルネサスエレクトロニクスに供給。
【設立】2003.1 【資本金】300百万円
【社長】橋本武幸
【株主】〔24.1〕日清紡マイクロデバイス100%
【事業】半導体の製造・販売
【従業員】単257名(・・歳)

【業績】	売上高	営業利益	経常利益	純利益
単21.12	6,879	・・	・・	146
単22.12	6,145	・・	・・	4
単23.12	5,543	・・	・・	▲573

日本(にっぽん)セラミック

東証プライム

採用内定数	倍率	3年後離職率	平均年収
4名	1.3倍	41.7%	387万円

●待遇、制度●
【初任給】月21.2万(諸手当1万円)
【残業】7.9時間【有休】10.1日【制度】[住]

●新卒定着状況●
20年入社(男10、女2)→3年後在籍(男6、女1)

●採用情報●
【人数】23年:13 24年:5 25年:応募5→内定4*
【内定内訳】(男3、女1)(文3、理1)(総4、他0)
【試験】〔筆記〕有〔性格〕有
【時期】エントリー 25.3→内々定25.4*(一次・二次以降もWEB面接可)【インターン】有【ジョブ型】有
【採用実績校】鳥取大2、関大1、近大1
【求める人材】センサに関心を持ち、知らないことでも進んで理解しようとする意欲のある人

【本社】689-1193 鳥取県鳥取市広岡176-17 ☎0857-53-3600
【特色・近況】セラミックセンサー、フェライト、モジュール製品などの電子部品メーカー。赤外線センサーでは国内・海外でトップシェアを誇る。超音波センサーでも世界的。製品用途は自動車ではEVモーター制御、車載安全走行用、住宅用では家庭用防犯カメラなど。
【設立】1975.6 【資本金】10,994百万円
【社長】谷口真一(1973.2生)
【株主】〔24.6〕谷口興産(有)13.8%
【連結事業】電子部材・同関連製品の開発製造販売100 <海外43>
【従業員】連1,504名 単321名(41.0歳)

【業績】	売上高	営業利益	経常利益	純利益
連21.12	21,358	3,380	3,940	2,817
連22.12	23,258	4,178	4,946	5,022
連23.12	24,449	4,574	5,313	3,693

㈱日本抵抗器製作所（にほんていこうきせいさくしょ）　東証スタンダード

採用予定数	倍率	3年後離職率	平均年収
若干	‥	0%	470万円

●待遇、制度●
【初任給】月21.7万
【残業】‥時間【有休】‥日【制度】‥
●新卒定着状況●
20年入社(男4、女0)→3年後在籍(男4、女0)
●採用情報●
【人数】23年:4 24年:10 25年:予定若干
【内定内訳】(男‥、女‥)(文‥、理‥)(総‥、他‥)
【試験】‥
【時期】エントリー‥→内々定‥
【採用実績校】‥
【求める人材】‥

【本社】939-1807 富山県南砺市北野2315
☎0763-62-1180
【特色・近況】抵抗器などの中堅電子部品メーカー。抵抗器、ポテンショメーター、ハイブリッドIC、電子機器の4分野を中心に製品を展開。製品は自動車向けを中心に電気、通信、機械、建設機械、エレベーターなどの分野で採用。中国・東南アジアへの取り組みを強化。
【設立】1943.5　【資本金】724百万円
【社長】木村準(1947.7生 慶大工卒)
【株主】〔24.6〕木村準12.6%
【連結事業】抵抗器27、ポテンショメーター10、ハイブリッドIC27、電子機器36 <海外20>
【従業員】連344名 単51名(44.9歳)

【業績】	売上高	営業利益	経常利益	純利益
連21.12	6,185	111	104	49
連22.12	7,204	311	287	133
連23.12	7,176	100	139	84

日本電波工業（にほんでんぱこうぎょう）　東証プライム

採用内定数	倍率	3年後離職率	平均年収
18名	‥	―	㊗646万円

●待遇、制度●
【初任給】月25万
【残業】15.2時間【有休】12日【制度】フ 住 在
●新卒定着状況●
20年入社(男0、女0)→3年後在籍(男0、女0)
●採用情報●
【人数】23年:22 24年:19 25年:応募‥→内定18
【内定内訳】(男12、女6)(文6、理12)(総18、他0)
【試験】〔Web自宅〕有
【時期】エントリー25.1→内々定25.2(一次・二次以降もWEB面接可)【インターン】有
【採用実績校】東京電機大2、東京都市大2、東理大1、長岡技科大1、埼玉大1、電通大1、明大1、立教大1、青学大1、東邦大1、日大1、近大1、他
【求める人材】自己の成長を促し、問題点の発見から解決に取り組める人

【本社】151-8569 東京都渋谷区笹塚1-47-1 メルクマール京王笹塚　☎03-5453-6711
【特色・近況】電波の送受信に欠かせない水晶デバイスで世界大手の専業メーカー。用途は車載向けが主体だが、スマホ向けから通信基地局、デジタル家電、ゲーム機向けなど幅広い。日本、中国、マレーシアに生産拠点。宇宙・医療分野にも拡販見据えニーズを深耕。
【設立】1948.4　【資本金】5,596百万円
【代表取締役】加藤啓美(1952.7生 慶大経済卒)
【株主】〔24.3〕日本マスタートラスト信託銀行信託口19.3%
【連結事業】水晶振動子71、水晶機器17、他12 <海外84>
【従業員】連2,387名 単697名(42.9歳)

【業績】	売上高	営業利益	税前利益	純利益
連22.3	45,408	5,180	4,920	5,455
連23.3	52,508	8,327	7,450	6,123
連24.3	50,309	4,344	3,129	2,334

#残業が少ない #有休取得が多い

日本パルスモーター（にほん）　株式公開計画なし

採用実績数	倍率	3年後離職率	平均年収
1名	―	―	㊗759万円

●待遇、制度●
【初任給】月22万
【残業】1.1時間【有休】18.2日【制度】フ 在
●新卒定着状況●
20年入社(男0、女0)→3年後在籍(男0、女0)
●採用情報●
【人数】23年:1 24年:1 25年:応募50→内定0
【内定内訳】(男‥、女‥)(文‥、理‥)(総‥、他‥)
【試験】〔筆記〕有
【時期】エントリー25.3→内々定25.4(一次はWEB面接可)
【採用実績校】‥
【求める人材】自ら問題意識をもち、自ら行動しようとする意志がある人

【本社】113-0033 東京都文京区本郷2-16-13
☎03-3813-8841
【特色・近況】空調・遊技機器用のモーターが主力の電子部品メーカー。半導体や医療製品、防衛・宇宙など先端分野にも展開。リニアステッピングモーター、シャフトモーターなどに注力。海外工場はASEAN市場への供給や工場自動化など推進。
【設立】1952.5　【資本金】100百万円
【社長】増田松敏(1958.11生 駒沢大経済卒)
【株主】〔24.4〕NPMホールディングス100%
【事業】高精度モーター80、デバイス12、モーションシステム3、他5 <輸出16>
【従業員】単155名(48.3歳)

【業績】	売上高	営業利益	経常利益	純利益
単22.4	5,780	330	459	291
単23.4	5,916	367	185	132
単24.4	5,037	▲94	▲18	▲81

㈱日本マイクロニクス（にほん）

東証プライム

採用内定数	倍率	3年後離職率	平均年収
9名	10.6倍	12.5%	587万円

●待遇、制度●
【初任給】月24.5万
【残業】19時間【有休】14.9日【制度】[フ] [住] [在]
●新卒定着状況●
20年入社(男5、女3)→3年後在籍(男5、女2)
●採用情報●
【人数】23年:14 24年:10 25年:応募95→内定9*
【内定内訳】(男6、女3)(文1、理8)(総9、他0)
【試験】〔性格〕有
【時期】エントリー25.3→内々定25.4(一次はWEB面接可)【インターン】有
【採用実績校】大分大2、東京電機大1、鹿児島大1、弘前大3、青森公大1、関大1
【求める人材】自ら考え、率先して行動できる人

【本社】180-8508 東京都武蔵野市吉祥寺本町2-6-8 ☎0422-21-2665
【特色・近況】半導体や液晶関連の検査・測定機器メーカー。半導体検査用器具プローブカードで世界3位、メモリー向けはトップ。ロジック向けにも取り組み拡大中。台湾、中国、欧米などに拠点を置く。台湾、韓国大手向けが多く海外売上比率は約7割。
【設立】1970.11 【資本金】5,018百万円
【社長】長谷川正義(1967.7生 日大経済卒)
【株主】〔24.6〕日本マスタートラスト信託銀行信託口10.9%
【連結事業】プローブカード95、TE5 <海外71>
【従業員】連1,598名 単1,161名(38.2歳)

【業績】	売上高	営業利益	経常利益	純利益
連21.12	39,998	8,243	8,688	8,237
連22.12	44,321	9,225	10,423	7,530
連23.12	38,292	5,312	5,675	4,127

#有休取得が多い

弘前航空電子（ひろさきこうくうでんし）

株式公開計画なし

採用内定数	倍率	3年後離職率	平均年収
6名	3倍	5.3%	517万円

●待遇、制度●
【初任給】月22万
【残業】7.1時間【有休】20.6日【制度】[フ] [住]
●新卒定着状況●
20年入社(男17、女2)→3年後在籍(男16、女2)
●採用情報●
【人数】23年:20 24年:20 25年:応募18→内定6
【内定内訳】(男5、女1)(文2、理4)(総6、他0)
【試験】〔筆記〕常識〔性格〕有
【時期】エントリー25.3→内々定25.4(一次はWEB面接可)【インターン】有
【採用実績校】弘前大1、八戸工大2、東北職能大学校1、日大1、青森公大1
【求める人材】高い志と新しいことへチャレンジする精神を持ち、明るく元気のある人

【本社】036-8666 青森県弘前市清野袋5-5-1 ☎0172-33-3111
【特色・近況】日本航空電子工業のグループ会社で、コネクタなどを中心に精密電子部品を幅広く製造。スマホ、パソコン、自動車、ゲーム機向けなど展開。グループの中核工場としての役割担う。プラスチック精密成形加工、プレス・メッキ加工、組み立てまで一貫生産。
【設立】1979.3 【資本金】450百万円
【社長】橋本恒男(1961.3生 関大工卒)
【株主】〔24.3〕日本航空電子工業100%
【事業】コネクタ100
【従業員】単796名(41.5歳)

【業績】	売上高	営業利益	経常利益	純利益
単22.3	43,145	‥	1,810	1,283
単23.3	38,980	‥	772	553
単24.3	37,186	‥	541	397

#有休取得が多い

富士電機パワーセミコンダクタ

株式公開計画なし

採用内定数	倍率	3年後離職率	平均年収
4名	4.8倍	0%	[総]669万円

●待遇、制度●
【初任給】月23万
【残業】12.9時間【有休】18.1日【制度】[フ] [住]
●新卒定着状況●
20年入社(男9、女1)→3年後在籍(男9、女1)
●採用情報●
【人数】23年:10 24年:11 25年:応募19→内定4*
【内定内訳】(男3、女1)(文2、理2)(総4、他0)
【試験】なし
【時期】エントリー25.3→内々定25.6【インターン】有
【採用実績校】千葉工大1、諏訪東理大1、武蔵大1、松本大1
【求める人材】自分の考えを伝えながら、チームで協働し、共に成長が期待できる人

【本社】390-0821 長野県松本市筑摩4-18-1 ☎0263-27-7425
【特色・近況】自動車・産機・社会インフラ・家電製品向けなどパワー半導体のパッケージ組立を行う。本社のほか、北陸(富山県)、飯山(長野県)、大町(長野県)に工場。富士電機の子会社。海外顧客には、親会社の現地生産拠点と連携して対応。
【設立】2010.4 【資本金】300百万円
【代表取締役】池田豊
【株主】〔24.3〕富士電機100%
【事業】パワー半導体製造100
【従業員】単688名(45.6歳)

【業績】	売上高	営業利益	経常利益	純利益
単22.3	29,402	1,262	1,244	843
単23.3	34,623	1,181	1,128	891
単24.3	36,154	1,373	1,331	970

双葉電子工業（ふたばでんしこうぎょう） 東証プライム

採用内定数	倍率	3年後離職率	平均年収
7名	11.3倍	26.7%	553万円

●待遇、制度●
【初任給】月24.1万
【残業】17.7時間【有休】13.8日【制度】フ 住 在
●新卒定着状況●
20年入社(男11、女4)→3年後在籍(男10、女1)
●採用情報●
【人数】23年:12 24年:8 25年:応募79→内定7*
【内定内訳】(男7、女0)(文2、理3)(総7、他0)
【試験】〔Web自宅〕有〔性格〕有
【時期】エントリー25.3→内々定25.5(一次・二次以降もWEB面接可)【インターン】有【ジョブ型】有
【採用実績校】北陸先端科技院大1、國學院大1、名城大1、東京工芸大1、茨城工業高専1、東邦大1、岐阜工業高専1
【求める人材】企業ビジョン実現のために多様性に富み、グローバルな活躍が期待できる人

【本社】297-8588 千葉県茂原市大芝629
☎0475-24-1111
【特色・近況】電子部品・電子機器メーカー。表示デバイスにコントロール基板を組み合わせた複合モジュールに注力。受託製造(EMS)も。産業用の無線やドローン、サーボのほか、ホビー用のラジコン機器なども展開。海外売上比率はアジアを中心に約6割。
【設立】1948.2【資本金】22,558百万円
【取締】有馬資明(1960.12生)
【株主】〔24.3〕日本マスタートラスト信託銀行10.6%
【連結事業】電子デバイス関連44、生産器材56 <海外57>
【従業員】連2,896名 単718名(43.4歳)

【業績】	売上高	営業利益	経常利益	純利益
連22.3	53,450	▲1,863	▲654	▲2,668
連23.3	60,326	▲2,387	▲1,134	▲3,499
連24.3	56,360	▲1,141	570	▲1,854

#残業が少ない

北陸電気工業（ほくりくでんきこうぎょう） 東証スタンダード

採用内定数	倍率	3年後離職率	平均年収
12名	・・	25%	511万円

●待遇、制度●
【初任給】月24.2万
【残業】1.6時間【有休】15.6日【制度】フ 住 在
●新卒定着状況●
20年入社(男4、女0)→3年後在籍(男3、女0)
●採用情報●
【人数】23年:25 24年:16 25年:応募・・→内定12*
【内定内訳】(男10、女2)(文・・、理・・)(総12、他0)
【試験】〔Web自宅〕SPI3
【時期】エントリー25.1→内々定25.3(一次・二次以降もWEB面接可)【インターン】有
【採用実績校】富山県大1、富山大1、北見工大1、岡山大1、関東学院大1、金沢工大1、金沢星稜大2、日大1、仙台大1、富山短大2
【求める人材】世の中にないものを生み出すことに挑戦し、チャレンジ精神旺盛で、やり遂げる熱い心を持った明るく元気な人

【本社】939-2292 富山県富山市下大久保3158
☎076-467-1111
【特色・近況】中堅電子部品メーカー。モジュール製品、抵抗器が主力製品。車載用を中心に家電、モバイル、FA、医療分野などに展開。センサー、水晶関連製品などの電子デバイスも手がける。国内は富山、海外はマレーシア、タイ、中国に工場。
【設立】1943.4【資本金】5,200百万円
【社長】下坂立正(1959.12生 一橋大商卒)
【株主】〔24.3〕日本マスタートラスト信託銀行信託口4.5%
【連結事業】電子部品98、金型・機械設備1、他1 <海外59>
【従業員】連1,857名 単666名(44.2歳)

【業績】	売上高	営業利益	経常利益	純利益
連22.3	40,448	2,075	2,548	1,949
連23.3	45,459	2,941	3,581	647
連24.3	40,811	2,271	3,107	2,538

マミヤ・オーピー 東証スタンダード

採用内定数	倍率	3年後離職率	平均年収
2名	28倍	−	623万円

●待遇、制度●
【初任給】月21.6万(諸手当1.9万円)
【残業】15時間【有休】10日【制度】住 在
●新卒定着状況●
20年入社(男0、女0)→3年後在籍(男0、女0)
●採用情報●
【人数】23年:0 24年:8 25年:応募56→内定2*
【内定内訳】(男0、女2)(文2、理0)(総0、他2)
【試験】〔性格〕有
【時期】エントリー25.3→内々定25.6(一次・二次以降もWEB面接可)
【採用実績校】日本文化大1、神奈川大1
【求める人材】常に高い向上心・問題意識をもち、前例にとらわれない自由な発想により、お客様を中心とした市場動向に敏感に反応した行動ができる人

【本社】160-0023 東京都新宿区西新宿6-18-1
☎03-6273-7360
【特色・近況】OEMのパチンコ・パチスロ関連機器や、自社開発の液晶小型券売機などが主力製品。ゴルフのカーボンシャフトに特化したスポーツ事業を子会社が手がけ、「ATTAS」「PROFORCE」「RECOIL」ブランドなどを展開。システム開発事業を育成中。
【設立】1948.2【資本金】4,804百万円
【社長】関口正夫(1957.7生)
【株主】〔24.3〕㈱データ・アート39.2%
【連結事業】電子機器83、スポーツ17、不動産1 <海外10>
【従業員】連1,607名 単137名(42.7歳)

【業績】	売上高	営業利益	経常利益	純利益
連22.3	12,872	510	685	634
連23.3	15,910	1,882	2,152	1,987
連24.3	27,394	4,838	5,488	3,852

#有休取得が多い

ミヨシ電子（でんし）

株式公開計画なし

採用内定数	倍率	3年後離職率	平均年収
4名	3.8倍	33.3%	㊇595万円

●待遇、制度●
【初任給】月21.6万
【残業】14時間【有休】19.4日【制度】住
●新卒定着状況●
20年入社(男3、女0)→3年後在籍(男2、女0)
●採用情報●
【人数】23年:8 24年:4 25年:応募15→内定4*
【内定内訳】(男3、女1)(文1、理2)(総1、他3)
【試験】〔Web自宅〕SPI3〔性格〕有
【時期】エントリー25.3→内々定25.5(一次はWEB面接可)【インターン】有【ジョブ型】有
【採用実績校】中国職能大学校1、追手門学大1、大阪産大1、福山職能短大1
【求める人材】変化を恐れず前向きに明るく取り組む人、目的意識を持ち自ら考え挑戦する人

【本社】666-0024 兵庫県川西市久代3-13-21 ミヨシ電子ビル ☎072-756-1331
【特色・近況】高周波モジュール・デバイス、センサーなど半導体製品と、小電力無線端末、ハンディターミナルなどの情報通信機器の開発・製造が主力。電子デバイス製品の受託生産も手がける。医療・車載市場へのアプローチ強化。三菱電機グループ。
【設立】1968.10 【資本金】400百万円
【社長】前川泰久(1962.12生 スイス・レマン高卒)
【株主】〔24.3〕三菱電機42.8%
【事業】情報通信機器および同部品37、電子デバイス関連製品60、他3 <輸出28>
【従業員】単160名(46.0歳)

【業績】	売上高	営業利益	経常利益	純利益
単22.3	9,436	148	428	362
単23.3	11,192	655	956	735
単24.3	11,376	702	1,003	749

#年収高く倍率低い #年収が高い

㈱メガチップス

東証プライム

採用内定数	倍率	3年後離職率	平均年収
20名	13.6倍	0%	㊇872万円

●待遇、制度●
【初任給】月27万
【残業】17.7時間【有休】15.5日【制度】フ 住 在
●新卒定着状況●
20年入社(男5、女3)→3年後在籍(男5、女3)
●採用情報●
【人数】23年:23 24年:18 25年:応募271→内定20*
【内定内訳】(男13、女7)(文7、理12)(総20、他0)
【試験】〔性格〕有
【時期】エントリー25.3→内々定25.4*(一次はWEB面接可)【インターン】有
【採用実績校】関大2、阪大2、千葉大2、芝工大1、奈良先端科技院大1、都立大1、早大1、長崎大1、大阪工大1、慶大1、近大1、大阪市大1、他
【求める人材】当事者意識をもって、自分の考え、自分の意志で行動できる人

【本社】532-0003 大阪府大阪市淀川区宮原1-1-1 新大阪阪急ビル ☎06-6399-2884
【特色・近況】システムLSI専業のファブレスメーカー。任天堂ゲーム機向けのASICサービスを主体に、産業機器、通信、AI、エネルギー制御、ロボット、車載分野などへの事業展開を進める。海外は米国に研究開発・販売拠点、台湾に営業拠点を置く。
【設立】1990.4 【資本金】4,840百万円
【社長】肥川哲士(1958.5生 京工繊大工芸卒)
【株主】〔24.3〕日本マスタートラスト信託銀行信託口8.9%
【連結事業】LSI100
【従業員】連339名 単329名(43.3歳)

【業績】	売上高	営業利益	経常利益	純利益
連22.3	75,256	7,030	7,857	27,544
連23.3	70,722	6,029	7,311	7,086
連24.3	57,942	5,483	3,456	4,486

#残業が少ない #有休取得が多い

モルデック

株式公開計画なし

採用実績数	倍率	3年後離職率	平均年収
2名	ー	0%	‥

●待遇、制度●
【初任給】月22万
【残業】3.5時間【有休】19日【制度】住 在
●新卒定着状況●
20年入社(男1、女0)→3年後在籍(男1、女0)
●採用情報●
【人数】23年:2 24年:0 25年:予定0*
【内定内訳】(男‥、女‥)(文‥、理‥)(総‥、他‥)
【試験】〔筆記〕常識〔Web会場〕SPI3〔性格〕有
【時期】エントリー通年→内々定通年(二次以降はWEB面接可)【インターン】有
【採用実績校】‥
【求める人材】価値観を共有し、創造的な発想力をもって課題に向き合えることを良しとする人

【本社】969-1301 福島県安達郡大玉村大山字東24-1 ☎0243-48-3000
【特色・近況】モバイル端末、デジタル家電、OA機器類、車載向け機器類などに組み込まれる精密電子部品を生産。各種コネクターをOEM供給。精密プラスチックの成形金型は設計、製作から組立まで一貫。福島、岩手に工場。伯東の子会社。
【設立】1983.6 【資本金】499百万円
【社長】橋場一祐(1968.4生 宮古水産高卒)
【株主】〔24.3〕伯東100%
【事業】コネクタ76、金型15、自社商品9
【従業員】単86名(40.4歳)

【業績】	売上高	営業利益	経常利益	純利益
単22.3	1,641	228	236	168
単23.3	1,251	6	19	3
単24.3	788	▲123	▲103	▲157

㈱東京衡機（とうきょうこうき）　東証スタンダード

採用内定数	倍率	3年後離職率	平均年収
3名	1倍	0%	601万円

●待遇、制度●
【初任給】月21.2万（諸手当を除いた数値）
【残業】10.6時間【有休】11.2日【制度】フ 住 在
●新卒定着状況●
20年入社（男2、女0）→3年後在籍（男2、女0）
●採用情報● グループ採用
【人数】23年:1 24年:1 25年:応募3→内定3*
【内定内訳】（男3、女0）（文‥、理‥）（総0、他3）
【試験】〔筆記〕SPI3
【時期】エントリー通年→内々定通年【ジョブ型】有
【採用実績校】‥
【求める人材】責任感が強く、周りに気を配り、自ら考え、行動できる人

【本社】150-0031 東京都渋谷区桜丘町22-14 N.E.SビルN棟 ☎050-3529-6502
【特色・近況】材料試験機、動力試験機の専門メーカー。開発から保守まで手がけ、試験受託も行う。自動車、輸送機器、電子機器など製造業、研究機関が顧客。特殊試験機市場でのトップシェア目指す。エンジニアリング事業は、子会社でゆるみ止めナットなど締結部材を製造。
【設立】1923.3 【資本金】500百万円
【社長】小塚英一郎（1964.3生 中大法卒）
【株主】〔24.2〕Dream Bridge㈱29.9%
【連結事業】試験機86、エンジニアリング14、他0
【従業員】連123名 単17名（46.4歳）

【業績】	売上高	営業利益	経常利益	純利益
連22.2	4,039	198	255	121
連23.2	3,054	65	111	▲698
連24.2	3,365	132	136	91

㈱山本製作所（やまもとせいさくしょ）　株式公開計画なし

採用予定数	倍率	3年後離職率	平均年収
6名	-	16.7%	総465万円

●待遇、制度●
【初任給】月23万（諸手当1.7万円）
【残業】15.1時間【有休】10.3日【制度】住
●新卒定着状況●
20年入社（男5、女1）→3年後在籍（男4、女1）
●採用情報●
【人数】23年:5 24年:2 25年:応募27→内定0*
【内定内訳】（男‥、女‥）（文‥、理‥）（総‥、他‥）
【試験】〔筆記〕常識〔性格〕有
【時期】エントリー25.1→内々定25.3*(一次はWEB面接可)【インターン】有
【採用実績校】‥
【求める人材】目標達成に向け、粘り強く挑戦し続ける事が出来る人

【本社】174-8666 東京都板橋区清水町4-4 ☎03-3961-4601
【特色・近況】産業用プリント基板の大手。祖業の腕時計の文字板は国内首位で、2位の昭工舎も兄弟会社。プリント基板は高難度・高多層板に特化し、製造技術開発や品質向上に注力。中国・東莞、香港、タイで現地生産。国内のほか米国、英国にも販売拠点。
【設立】1945.6 【資本金】365百万円
【社長】高橋俊雄（1951.4生 専大商卒）
【株主】〔23.11〕自社従業員持株会15.1%
【連結事業】プリント配線基板88、時計および精密機器部品12 <海外38>
【従業員】連751名 単378名（43.8歳）

【業績】	売上高	営業利益	経常利益	純利益
連21.11	16,021	▲942	▲762	▲680
連22.11	17,252	175	177	170
連23.11	11,231	▲996	▲1,096	▲1,153

ユナイテッド・セミコンダクター・ジャパン　株式公開計画なし

採用内定数	倍率	3年後離職率	平均年収
4名	11.5倍	0%	‥

●待遇、制度●
【初任給】月26.3万
【残業】15.5時間【有休】15.6日【制度】住
●新卒定着状況●
20年入社（男5、女1）→3年後在籍（男5、女1）
●採用情報● 高卒除く
【人数】23年:11 24年:9 25年:応募46→内定4
【内定内訳】（男4、女0）（文0、理4）（総4、他0）
【試験】〔Web自宅〕SPI3〔性格〕有
【時期】エントリー25.3→内々定25.6(一次・二次以降もWEB面接可)【インターン】有
【採用実績校】名大1、名工大1、三重大2、鈴鹿高専4、鳥羽商船高専1
【求める人材】主体性、コミュニケーション力、スピード感、事実とデータに基づく行動力のある人

【本社】221-0056 神奈川県横浜市神奈川区金港町3-1 コンカード横浜 ☎045-620-2682
【特色・近況】三重県・桑名市の半導体ウエハー工場が拠点のロジックLSI受託製造専業メーカー。低消費電力、不揮発メモリ、RF／ミリ波技術など先進テクノロジーを提供。デンソーと協業でパワー半導体生産を開始。台湾UMCグループ。
【設立】2014.12 【資本金】10,000百万円
【社長】三沢信裕（1964.10生 京大理卒）
【株主】〔24.4〕ユナイテッド・マイクロエレクトロニクス・コーポレーション100%
【事業】半導体製造受託メーカー
【従業員】単1,136名（46.8歳）

【業績】	売上高	営業利益	経常利益	純利益
単21.12	68,998	14,171	15,829	11,676
単22.12	104,129	41,985	44,679	31,486
単23.12	76,648	14,171	15,508	11,164

#初任給が高い

㈱リード

[株式公開計画なし]

採用内定数	倍率	3年後離職率	平均年収
4名	‥	28.6%	‥

●待遇、制度●
【初任給】月28.5万(諸手当0.5万円、固定残業代37.1時間分)
【残業】20時間【有休】11日【制度】[住]

●新卒定着状況●
20年入社(男5、女2)→3年後在籍(男3、女2)

●採用情報●
【人数】23年:6 24年:4 25年:応募‥→内定4*
【内定内訳】(男4、女0)(文0、理4)(総4、他0)
【試験】〔筆記〕常識、他〔Web自宅〕有〔性格〕有
【時期】エントリー24.10→内々定24.11(一次・二次以降もWEB面接可)【インターン】有【ジョブ型】有
【採用実績校】岩手大1、山形大1、他
【求める人材】変化を恐れずチャレンジし、これまでの延長線上にはない新しい未来を創出できる自律型の人

【本社】220-8143 神奈川県横浜市西区みなとみらい2-2-1 ☎045-227-2011
【特色・近況】磁気ヘッドや半導体の加工向け超精密ダイヤモンド工具を製造・販売。HDD用磁気ヘッド加工用では世界シェア首位級。コンサルティングから開発、導入、サポートまで一貫対応。新潟、福島、宮城に工場。神奈川、宮城に営業所。海外は香港とタイに拠点を置く。
【設立】1974.8 【資本金】60百万円
【社長】鍋谷陽介(1978.8生)
【株主】〔23.8〕リードマネジメント100%
【事業】各種ダイヤモンド工具の製造・販売 <輸出49>
【従業員】単189名(45.0歳)

【業績】	売上高	営業利益	経常利益	純利益
単21.8	3,187	‥	554	373
単22.8	3,399	‥	721	1,120
単23.8	2,913	‥	▲134	▲191

リズム

[東証プライム]

採用内定数	倍率	3年後離職率	平均年収
3名	17.3倍	0%	[総]494万円

●待遇、制度●
【初任給】月22.7万(諸手当0.4万円)
【残業】14.6時間【有休】16.1日【制度】[住][在]

●新卒定着状況●
20年入社(男1、女0)→3年後在籍(男1、女0)

●採用情報●
【人数】23年:9 24年:6 25年:応募52→内定3
【内定内訳】(男0、女3)(文1、理2)(総3、他0)
【試験】〔Web自宅〕SPI3
【時期】エントリー25.3→内々定25.5(一次はWEB面接可)【インターン】有
【採用実績校】京都府大1、武蔵野大1、日大1
【求める人材】‥

【本社】330-9551 埼玉県さいたま市大宮区北袋町1-299-12 ☎048-643-7211
【特色・近況】自動車や産業・光学機器向けの精密部品や、精密金型が主軸の部品メーカー。車載関連事業の拡大に注力。時計や防災行政ラジオなど生活用品事業も。時計は自社ブランドとシチズンOEMを展開。アジア中心に海外拠点を持つ。
【設立】1950.11 【資本金】12,372百万円
【社長】湯本武夫(1955.2生 新潟塩沢商工高卒)
【株主】〔24.3〕三田証券17.8%
【連結事業】精密部品77、生活用品22、他1 <海外54>
【従業員】連2,472名 単476名(43.2歳)

【業績】	売上高	営業利益	経常利益	純利益
連22.3	29,999	892	1,286	1,031
連23.3	31,231	886	1,246	794
連24.3	32,602	730	1,259	477

ワッティー

[株式公開計画なし]

採用予定数	倍率	3年後離職率	平均年収
3名	ー	0%	‥

●待遇、制度●
【初任給】月27.3万(固定残業代20時間分)
【残業】17.2時間【有休】8.8日【制度】[住]

●新卒定着状況●
20年入社(男3、女0)→3年後在籍(男3、女0)

●採用情報●
【人数】23年:3 24年:4 25年:応募0→内定0*
【内定内訳】(男‥、女‥)(文‥、理‥)(総‥、他‥)
【試験】〔筆記〕常識〔性格〕有
【時期】エントリー25.4→内々定25.12*【インターン】有
【採用実績校】‥
【求める人材】思わず笑顔で挨拶し返したくなる様な挨拶のできる人、会社が提示した役割を把握し、その役割を果たすよう努力する人

【本社】141-0031 東京都品川区西五反田7-18-2 ワッティー本社ビル1階 ☎03-3779-1001
【特色・近況】産業用ヒーター・センサーのメーカー機能と特機を販売する商社機能を併せ持つ。ヒーターは半導体製造装置向けや熱伝導率に優れたセラミックヒーターを製造。センサーはIoT関連向けを開発・生産する。ヒーターの相模原、センサーの浜松はじめ全国7拠点持つ。
【設立】1968.5 【資本金】95百万円
【社長】菅波希衣子(1972.3生 淑徳短国文卒)
【株主】〔23.12〕清水美知雄57.9%
【事業】特機54、電熱37、センサ9
【従業員】単186名(43.3歳)

【業績】	売上高	営業利益	経常利益	純利益
単21.12	15,121	2,163	2,241	1,002
単22.12	15,157	1,984	2,138	1,032
単23.12	16,436	2,091	2,259	1,486

#初任給が高い

㈱潤工社（じゅんこうしゃ）

株式公開計画なし

採用内定数	倍率	3年後離職率	平均年収
6名	7.8倍	10%	‥

●待遇、制度●
【初任給】月28.9万（諸手当5万円）
【残業】6.8時間【有休】15.9日【制度】‥
●新卒定着状況●
20年入社（男9、女1）→3年後在籍（男8、女1）
●採用情報●
【人数】23年:13 24年:10 25年:応募47→内定6
【内定内訳】（男5、女1）（文2、理4）（総6、他0）
【試験】〔Web自宅〕SPI3〔性格〕有
【時期】エントリー25.3→内々定25.6
【採用実績校】東京電機大1、日大1、茨城大1、津田塾大1、山形大1、弘前大1
【求める人材】自主責任性のある行動、チームワーク、リーダーシップを発揮できる人

【笠間ＯＳ】309-1603 茨城県笠間市福田961-20 ☎0296-70-2000
【特色・近況】フッ素ポリマーなど高性能ポリマー製品を製造・販売。独自の成形加工技術に特色。ワイヤ・ケーブル、チューブ・継手、フィルムなどを手がける。健康医療、情報通信、エネルギー、精密機械、宇宙向けと幅広い。中国・米国・英国に現地法人。
【設立】1954.4 【資本金】207百万円
【社長】十河衛
【株主】〔24.3〕東京中小企業投資育成38.7%
【事業】ハイパフォーマンスポリマー応用製品の製造・販売
【従業員】単354名（42.0歳）

【業績】	売上高	営業利益	経常利益	純利益
単22.3	16,618	‥	2,650	1,919
単23.3	20,113	‥	4,606	3,377
単24.3	18,443	‥	3,970	2,818

三光電業（さんこうでんぎょう）

株式公開計画なし

採用内定数	倍率	3年後離職率	平均年収
2名	8倍	33.3%	[総]630万円

●待遇、制度●
【初任給】月22万（固定残業代13時間分）
【残業】30時間【有休】13.8日【制度】‥
●新卒定着状況●
20年入社（男2、女1）→3年後在籍（男1、女1）
●採用情報●
【人数】23年:8 24年:9 25年:応募16→内定2*
【内定内訳】（男0、女2）（文2、理0）（総0、他2）
【試験】〔筆記〕有
【時期】エントリー25.3→内々定25.6【インターン】有
【採用実績校】県立広島大1、安田女大1
【求める人材】実直にコツコツと積み上げる事が出来る人、粘り強く仕事へ取り組む人

【本社】733-0833 広島県広島市西区商工センター5-11-7 ☎082-278-2351
【特色・近況】広島市本社の制御・電子・産業用ロボットの総合商社。制御部品販売が売り上げの8割占める。制御装置設計製作、ロボットSIer事業（ロボットシステム構築）も手がける。中国地方と大阪府、福岡県、愛媛県に営業拠点。オンラインショップも運営。
【設立】1962.3 【資本金】70百万円
【代表取締役】森脇喜美代（1950.12生）
【株主】〔24.5〕三光ホールディングス100%
【事業】制御部品販売、制御装置設計製作、産業用ロボットシステムインテグレータ
【従業員】単132名（40.7歳）

【業績】	売上高	営業利益	経常利益	純利益
単21.7	9,266	▲20	88	56
単22.7	10,143	170	310	197
単23.7	11,180	224	350	231

朝日インテック（あさひ）

東証プライム

採用内定数	倍率	3年後離職率	平均年収
49名	‥	13.2%	650万円

●待遇、制度●
【初任給】月23.1万
【残業】24.4時間【有休】‥日【制度】[フ][住][在]
●新卒定着状況●
20年入社（男38、女15）→3年後在籍（男37、女9）
●採用情報●
【人数】23年:56 24年:62 25年:応募‥→内定49*
【内定内訳】（男34、女15）（文6、理41）（総49、他0）
【試験】〔Web自宅〕WEB-GAB
【時期】エントリー25.‥→内々定25.‥【インターン】有
【採用実績校】名工大3、金沢大3、信州大2、弘前大2、関大2、他
【求める人材】自発的、積極的に考え、建設的に行動、連携し成果を出すことができる「自活力」のある人

【本社】489-0071 愛知県瀬戸市暁町3-100 ☎0561-48-5551
【特色・近況】カテーテル治療用製品の製造・販売を手がける医療機器メーカー。主力製品の循環器系PTCAガイドワイヤーは国内シェア首位。海外でも欧州、米国、中国などで高シェア。非循環器系に製品を展開し、治療領域拡大を目指す。
【設立】1976.7 【資本金】18,860百万円
【社長】宮田憲次（1970.7生）
【株主】〔24.6〕日本マスタートラスト信託銀行信託口13.9%
【連結事業】メディカル89、デバイス11 <海外84>
【従業員】連9,371名 単1,088名（36.9歳）

【業績】	売上高	営業利益	経常利益	純利益
連22.6	77,748	15,239	16,326	10,857
連23.6	90,101	18,030	17,635	13,106
連24.6	107,547	22,135	21,968	15,808

㈱シード　東証プライム

採用内定数	倍率	3年後離職率	平均年収
18名	‥	‥	[総]604万円

[●待遇、制度●]
【初任給】月24万
【残業】25.9時間【有休】13.8日【制度】[フ][住][在]
[●新卒定着状況●]
‥
[●採用情報●]
【人数】23年:25 24年:33 25年:応募‥→内定18
【内定内訳】(男6、女12)(文5、理13)(総0、他18)
【試験】試験あり
【時期】エントリー25.3→内々定25.6(一次はWEB面接可)【インターン】有【ジョブ型】有
【採用実績校】阪大、岐阜大、宇都宮大、群馬大、秋田大、前橋工大、法政大、上智大、芝工大、日女大、東洋大、東邦大、京都女大、他
【求める人材】自ら考え行動できる人、物事に対して本気で取り組める人

【本社】113-8402 東京都文京区本郷2-40-2 ☎03-3813-1111
【特色・近況】コンタクトレンズメーカー大手。1日使い捨てタイプやサークルレンズが主力。埼玉県の鴻巣研究所の製造能力は国内最大級。海外はアジア、ヨーロッパを中心に50カ国以上に展開。乱視、遠近両用などの特殊コンタクトレンズを開発中。
【設立】1957.10　【資本金】3,532百万円
【社長】浦壁昌廣(1962.6生 慶大商卒)
【株主】〔24.3〕SMBC信託銀行管理信託A001 18.0%
【連結事業】コンタクトレンズ・ケア用品100、他0 <海外12>
【従業員】連994名 単766名(36.2歳)

【業績】	売上高	営業利益	経常利益	純利益
連22.3	28,835	1,177	1,138	1,153
連23.3	30,593	629	554	▲316
連24.3	32,396	2,050	2,059	1,964

㈱JMS　東証スタンダード

採用内定数	倍率	3年後離職率	平均年収
11名	9.7倍	7.1%	[総]609万円

[●待遇、制度●]
【初任給】月21.5万
【残業】9.7時間【有休】12.7日【制度】[フ][住][在]
[●新卒定着状況●]
20年入社(男15、女13)→3年後在籍(男15、女11)
[●採用情報●]
【人数】23年:17 24年:13 25年:応募107→内定11
【内定内訳】(男7、女4)(文3、理8)(総11、他0)
【試験】〔Web自宅〕SPI3
【時期】エントリー25.2→内々定25.5(一次・二次以降もWEB面接可)【インターン】有
【採用実績校】広島市大2、近大2、山口大1、広島大1、広島工大1、都立大1、豊橋技科大1、滋慶医療科学大1、安田女大1
【求める人材】自分の考えをしっかり持ち、それを他の人に伝えることのできる人

【本社】730-8652 広島県広島市中区加古町12-17 ☎082-243-5844
【特色・近況】輸液・栄養、透析、外科治療、血液・細胞の4領域で展開する医療機器メーカー。血液透析用針などでOEM生産に注力。海外進出に積極的で製品供給先は90カ国以上。東京、広島の2本社制。国内は広島、島根に工場。
【設立】1965.6　【資本金】7,411百万円
【社長】桂龍司(1963.7生 京大院工修了)
【株主】〔24.3〕カネカ10.2%
【連結事業】輸液・栄養領域35、透析領域30、外科治療領域9、血液・細胞領域24、他2 <海外42>
【従業員】連5,409名 単1,611名(40.5歳)

【業績】	売上高	営業利益	経常利益	純利益
連22.3	58,169	980	1,126	826
連23.3	63,740	724	586	281
連24.3	65,292	▲268	145	▲36

㈱松風(しょうふう)　東証プライム

採用内定数	倍率	3年後離職率	平均年収
8名	‥	8.3%	[総]792万円

[●待遇、制度●]
【初任給】月24万
【残業】9.8時間【有休】‥日【制度】[在]
[●新卒定着状況●]
20年入社(男7、女5)→3年後在籍(男6、女5)
[●採用情報●]
【人数】23年:8 24年:8 25年:応募‥→内定8
【内定内訳】(男4、女4)(文5、理2)(総8、他0)
【試験】〔筆記〕SPI3〔Web会場〕SPI3〔性格〕有
【時期】エントリー25.3→内々定25.5(一次・二次以降もWEB面接可)【インターン】有【ジョブ型】有
【採用実績校】‥
【求める人材】自律心があり、前向きにチャレンジしていける人

【本社】605-0983 京都府京都市東山区福稲上高松町11 ☎075-561-1112
【特色・近況】歯科用材料・機器の総合メーカー大手。歯科治療から口腔内の予防衛生、審美まで豊富な製品群。人工歯、研削材で国内シェア高い。海外は北米、欧州、アジアに拠点。歯科材料の開発力を活かし、プロ向けジェルネイル製品も手がける。
【設立】1922.5　【資本金】5,968百万円
【社長】髙見哲夫(1960.6生 京産大法卒)
【株主】〔24.3〕三井化学20.0%
【連結事業】デンタル関連93、ネイル関連7、他0 <海外56>
【従業員】連1,396名 単513名(43.1歳)

【業績】	売上高	営業利益	経常利益	純利益
連22.3	28,137	3,217	3,658	2,546
連23.3	31,678	3,824	4,238	3,135
連24.3	35,080	4,709	5,118	3,655

#初任給が高い

㈱テクノメディカ

東証スタンダード

採用内定数	倍率	3年後離職率	平均年収
4名	13.3倍	50%	662万円

●待遇、制度●
【初任給】月29万(諸手当4万円)
【残業】18.5時間【有休】10日【制度】フ 住 在
●新卒定着状況●
20年入社(男3、女1)→3年後在籍(男1、女1)
●採用情報●
【人数】23年:5 24年:4 25年:応募53→内定4*
【内定内訳】(男3、女1)(文0、理4)(総4、他0)
【試験】なし
【時期】エントリー25.3→内々定25.6(一次・二次以降もWEB面接可)【インターン】有
【採用実績校】東京科学大院1、富山大院1、明大1、広島工大1
【求める人材】自ら考え実現する力、目標に向かって成長し続ける力、周囲と協力する力を兼ね備えた人

【本社】224-0041 神奈川県横浜市都筑区仲町台5-5-1 ☎045-948-1961
【特色・近況】採血・採尿検査の受付業務から採血までの一連の作業を自動化する採血管準備装置、血液などの検体検査装置、採血管、ラベル、ハルンカップなど消耗品の製造・販売を手がける。採血管準備装置は高シェア。装置製造はファブレスで研究開発・販売に特化。
【設立】1987.9 【資本金】1,069百万円
【社長】實吉政知(1973.4生)
【株主】〔24.3〕㈱オートニクス11.0%
【事業】採血管準備装置・システム42、検体検査装置6、消耗品等52 <海外9>
【従業員】単241名(40.6歳)

【業績】	売上高	営業利益	経常利益	純利益
単22.3	9,699	1,861	1,851	1,281
単23.3	9,367	1,649	1,668	1,150
単24.3	10,283	1,840	1,870	1,348

メディキット

東証スタンダード

採用内定数	倍率	3年後離職率	平均年収
8名	10.3倍	22.2%	600万円

●待遇、制度●
【初任給】月25万(諸手当2.5万円、固定残業代20時間分)
【残業】20時間【有休】12.1日【制度】フ 住
●新卒定着状況●
20年入社(男8、女1)→3年後在籍(男7、女0)
●採用情報●
【人数】23年:8 24年:6 25年:応募82→内定8*
【内定内訳】(男4、女4)(文6、理2)(総8、他0)
【試験】〔性格〕有
【時期】エントリー25.3→内々定25.6*(一次はWEB面接可)
【採用実績校】日大1、都立大1、大東文化大1、立命館大1、他
【求める人材】誠実で前向きで熱意がある人

【本社】113-0034 東京都文京区湯島1-13-2 ☎03-3839-8870
【特色・近況】人工透析用留置針で国内トップシェアの医療機器メーカー。点滴時に使用する静脈留置針、血管造影用カテーテルも扱う。誤刺防止機能付き留置針など市場ニーズに合わせた製品を開発。ベトナムに生産拠点。中国での拡販を目指す。
【設立】1984.9 【資本金】1,241百万円
【社長】景山洋二(1960.10生)
【株主】〔24.3〕㈱ナカジマコーポレーション29.8%
【連結事業】人工透析類35、静脈留置針類31、インターベンション類34、他0 <海外15>
【従業員】連977名 単181名(39.6歳)

【業績】	売上高	営業利益	経常利益	純利益
連22.3	20,130	4,422	4,548	2,993
連23.3	21,607	4,118	4,177	2,864
連24.3	21,850	4,677	4,781	3,069

リオン

東証プライム

採用内定数	倍率	3年後離職率	平均年収
24名	6.2倍	5.9%	764万円

●待遇、制度●
【初任給】月24.1万
【残業】20.3時間【有休】‥日【制度】住
●新卒定着状況●
20年入社(男9、女8)→3年後在籍(男8、女8)
●採用情報●
【人数】23年:21 24年:15 25年:応募149→内定24
【内定内訳】(男18、女6)(文7、理17)(総8、他16)
【試験】〔筆記〕有〔Web自宅〕SPI3〔性格〕有
【時期】エントリー25.3→内々定25.6(一次はWEB面接可)【インターン】有
【採用実績校】日大5、東理大2、工学院大2、芝工大2、千葉工大2、鹿児島大1、近大1、埼玉大1、静岡大1、中大1、筑波大1、東京電機大1、他
【求める人材】企業理念に共感し、主体的に物事を考え、行動できる人

【本社】185-8533 東京都国分寺市東元町3-20-41 ☎042-359-7830
【特色・近況】補聴器、医用検査機器、音響・振動計測器、微粒子計測器の4製品群軸に事業展開。主力の「リオネット補聴器」は国内シェア首位。微粒子計測器は半導体業界向けに強み。先端半導体用フッ化水素液中測定製品を育成。ノルウェー子会社が騒音計など欧州で販売。
【設立】1944.6 【資本金】2,052百万円
【社長】岩橋清勝(1956.12生 信州大工卒)
【株主】〔24.3〕一般財団法人小林理学研究所25.3%
【連結事業】微粒子計測器29、医療機器50、環境機器21 <海外26>
【従業員】連1,026名 単508名(41.5歳)

【業績】	売上高	営業利益	経常利益	純利益
連22.3	22,635	3,104	3,212	2,229
連23.3	23,868	2,844	3,007	1,799
連24.3	25,726	3,474	3,562	2,652

パ ー パ ス

株式公開 いずれしたい

採用内定数	倍率	3年後離職率	平均年収
12名	4.3倍	30.8%	‥

●待遇、制度●
【初任給】月19.1万(諸手当を除いた数値)
【残業】21時間【有休】10日【制度】住 在
●新卒定着状況●
20年入社(男9、女4)→3年後在籍(男6、女3)
●採用情報●
【人数】23年:34 24年:28 25年:応募51→内定12*
【内定内訳】(男10、女2)(文6、理6)(総12、他0)
【試験】〔Web自宅〕有
【時期】エントリー24.11→内々定25.2*(一次・二次以降もWEB面接可)【インターン】有【ジョブ型】有
【採用実績校】立正大2、静岡理工科大2、諏訪東理大1、中央学大1、愛知学大1、常葉大1、帝京大1、湘南工大1、愛知淑徳大1、神奈川大1
【求める人材】自分自身で考え行動できる人、幅広い年代の方とコミュニケーション取れる人

【本社】417-8505 静岡県富士市西柏原新田201 ☎0545-33-0700
【特色・近況】「パーパス」ブランドのガス給湯器、ハイブリッド給湯システム機器など住宅設備関連機器メーカー。家庭用と業務用の両方を扱う。IoT関連資材も提供。産業用電子制御機器の製造、LPG販売用ソフトも手がけ、全国に営業・サービス網を有する。
【設立】1952.3 【資本金】98百万円
【社長】髙木裕三(1956.10生)
【株主】〔23.12〕パーパスホールディングス100%
【事業】住宅関連設備機器部門、電子制御機器部門、情報処理ソフト、他
【従業員】単829名(42.4歳)

【業績】	売上高	営業利益	経常利益	純利益
単21.12	23,221	472	540	390
単22.12	25,446	475	332	307
単23.12	19,326	▲398	▲294	▲983

㈱アグリス

株式公開 未定

採用内定数	倍率	3年後離職率	平均年収
1名	119倍	‥	‥

●待遇、制度●
【初任給】月26万
【残業】6.5時間【有休】10.5日【制度】住
●新卒定着状況●
‥
●採用情報●
【人数】23年:7 24年:8 25年:応募119→内定1*
【内定内訳】(男1、女0)(文0、理1)(総1、他0)
【試験】〔筆記〕常識〔Web自宅〕SPI3〔性格〕有
【時期】エントリー25.3→内々定25.6*(一次はWEB面接可)【インターン】有
【採用実績校】東京農業大1
【求める人材】コミュニケーション能力が高く積極的に自ら挑戦することが好きな人、課題形成・解決能力がある人

【本社】834-0055 福岡県八女市鵜池477-1 ☎0943-30-1177
【特色・近況】医療用機器・器具と農業用生産資材の開発・製造・販売を行う。人工透析用消毒処置キットの先駆で専用工場も新設。消毒処理用具や止血補助品などを含む医療関連が売上の約8割。農業資材は接ぎ木用資材、イチゴの高設栽培システムなどを販売する。
【設立】1984.5 【資本金】100百万円
【社長】中村裕之(1947.7生 明学大経済)
【株主】〔24.3〕中村裕之27.0%
【事業】医療用具47、透析ケアセット30、農業資材20、海外事業3 <輸出2>
【従業員】単213名(37.5歳)

【業績】	売上高	営業利益	経常利益	純利益
単22.3	10,315	290	255	176
単23.3	10,058	301	310	219
単24.3	9,091	59	69	9

アコマ医科工業（いかこうぎょう）

株式公開 計画なし

採用内定数	倍率	3年後離職率	平均年収
1名	7倍	−	441万円

●待遇、制度●
【初任給】月21.1万
【残業】9.5時間【有休】10.9日【制度】在
●新卒定着状況●
20年入社(男0、女0)→3年後在籍(男0、女0)
●採用情報●
【人数】23年:4 24年:1 25年:応募7→内定1*
【内定内訳】(男1、女0)(文0、理1)(総0、他1)
【試験】〔筆記〕常識〔性格〕有
【時期】エントリー25.3→内々定25.6*(一次・二次以降もWEB面接可)【ジョブ型】有
【採用実績校】千葉工大1
【求める人材】果敢にチャレンジし、社内に変革をもたらす人

【本社】113-0033 東京都文京区本郷2-14-14 ☎03-3811-4151
【特色・近況】麻酔器、人工呼吸器が主力の医療機器メーカー。1921年創業で国産初のアネロイド型血圧計の製造に成功。動物用麻酔器も扱う。首都圏とその近県に協力工場約40社。各営業所から全国の代理特約医科器械商約400社へ納入。
【設立】1943.2 【資本金】10百万円
【社長】須賀陽介(1981.5生 農工大院修了)
【株主】〔24.3〕アコマ不動産100%
【事業】全身麻酔器25、人工呼吸器10、他65 <輸出13>
【従業員】単136名(41.8歳)

【業績】	売上高	営業利益	経常利益	純利益
単22.3	3,087	333	273	215
単23.3	2,932	217	181	129
単24.3	2,795	191	145	102

#有休取得が多い

㈱ A&Dホロンホールディングス

東証プライム

採用内定数	倍率	3年後離職率	平均年収
18名	18.2倍	8.7%	[総]791万円

●待遇、制度●
【初任給】月25万
【残業】18.6時間【有休】18.2日【制度】[住][在]
●新卒定着状況●
20年入社(男18、女5)→3年後在籍(男16、女5)
●採用情報● エー・アンド・デイ採用
【人数】23年:19 24年:19 25年:応募327→内定18*
【内定内訳】(男13、女5)(文5、理13)(総18、他0)
【試験】〔Web会場〕SPI3〔Web自宅〕SPI3
【時期】エントリー25.3→内々定25.6(一次はWEB面接可)【インターン】有
【採用実績校】芝工大院1、前橋工大院2、成蹊大1、埼玉大院2、東京電機大1、信州大院1、青学大1、東洋大2、東洋大院1、東京海洋大院1、他
【求める人材】柔軟な発想ができ自ら考え行動できる人、探究心旺盛な人

【本社】170-0013 東京都豊島区東池袋3-23-14
☎03-5391-6124
【特色・近況】産業・医療用の計量・計測機器のエー・アンド・デイから発祥した持株会社。アナログからデジタル、デジタルからアナログへの高精度・高速信号変換技術が強みで、計量・計測機器、医療用・家庭用血圧計事業を展開。半導体マスク検査装置のホロンも傘下。
【設立】1977.5 【資本金】6,388百万円
【代表取締役】森島泰信(1947.9生 名工大機工卒)
【株主】〔24.3〕日本マスタートラスト信託銀行信託口20.5%
【連結事業】計測・計量機器45、半導体関連17、医療・健康機器38 <海外59>
【従業員】連2,471名 単749名(42.0歳)

【業績】	売上高	営業利益	経常利益	純利益
連23.3	59,028	7,475	7,643	5,524
連24.3	61,955	7,955	8,240	5,299

待遇、制度などはエー・アンド・デイの数値

#初任給が高い #残業が少ない

長田電機工業（おさだでんきこうぎょう）

株式公開計画なし

採用内定数	倍率	3年後離職率	平均年収
5名	29.4倍	23.1%	580万円

●待遇、制度●
【初任給】月29万(固定残業代20時間分)
【残業】1.6時間【有休】15.3日【制度】[在]
●新卒定着状況●
20年入社(男7、女6)→3年後在籍(男5、女5)
●採用情報●
【人数】23年:5 24年:3 25年:応募147→内定5
【内定内訳】(男2、女3)(文4、理1)(総0、他5)
【試験】〔性格〕有
【時期】エントリー24.11→内々定25.4(一次・二次以降もWEB面接可)【インターン】有
【採用実績校】東北芸工大1、城西大2、目白大1、愛知淑徳大1
【求める人材】粘り強く責任感があり、挑戦することを通じて成長していきたい人

【本社】141-8517 東京都品川区西五反田5-17-5
☎03-3492-7651
【特色・近況】歯科医療機器の開発・製造・販売を行う。1935年治療用電気エンジンの開発で創業。現在は各種機器・治療用チェアユニットから歯科医院の開業支援まで幅広く展開する。医科・獣医科用部門、メンテナンス部門も持つ。北海道から沖縄まで営業網。米国に現法。
【設立】1948.4 【資本金】100百万円
【社長】長田吉弘(1967.8生 明大商卒)
【株主】〔23.7〕オリダ100%
【事業】歯科医療機器の製造販売 <輸出5>
【従業員】単196名(41.0歳)

【業績】	売上高	営業利益	経常利益	純利益
単21.7	6,183	‥	‥	‥
単22.7	5,055	‥	‥	‥
単23.7	4,885	‥	‥	‥

京セラSOC（きょうセラSOC）

株式公開計画なし

採用内定数	倍率	3年後離職率	平均年収
10名	3.5倍	7.7%	‥

●待遇、制度●
【初任給】月26万
【残業】15.4時間【有休】15.4日【制度】[住]
●新卒定着状況●
20年入社(男5、女8)→3年後在籍(男5、女7)
●採用情報●
【人数】23年:18 24年:14 25年:応募35→内定10*
【内定内訳】(男6、女4)(文0、理3)(総3、他7)
【試験】〔Web自宅〕SPI3〔性格〕有
【時期】エントリー25.3→内々定25.3
【採用実績校】‥
【求める人材】フットワークが軽い人、会話をするのが好きな人、野心がある人

【本社】226-0006 神奈川県横浜市緑区白山1-22-1
☎045-931-6511
【特色・近況】精密光学機器・部品、固体レーザー発信器などを製造・販売。顧客仕様に合わせた設計・製造。レーザー製品はバイオ、医療、計測分野向け中心に10万台以上出荷。航空宇宙機器や半導体検査用向けにも実績を持つ。精密研磨と高耐力コーティング技術向上に注力。
【設立】1954.1 【資本金】50百万円
【社長】土川稔(1959.9生)
【株主】〔24.6〕京セラ100%
【事業】レーザ発振器27、特定光学機器15、光学システム39、光学部品19 <輸出14>
【従業員】単272名(42.8歳)

【業績】	売上高	営業利益	経常利益	純利益
単22.3	6,839	‥	‥	1,015
単23.3	7,777	‥	‥	1,287
単24.3	8,629	‥	‥	1,539

クリエートメディック　東証スタンダード

採用内定数	倍率	3年後離職率	平均年収
3名	4倍	75%	627万円

●待遇、制度●
【初任給】月22.6万(諸手当1万円)
【残業】5.5時間【有休】13.5日【制度】住 在
●新卒定着状況●
20年入社(男3、女1)→3年後在籍(男1、女0)
●採用情報●
【人数】23年:8 24年:3 25年:応募12→内定3*
【内定内訳】(男3、女0)(文0、理3)(総3、他0)
【試験】〔筆記〕常識、他
【時期】エントリー 25.3→内々定25.6*(一次はWEB面接可)
【採用実績校】東洋大1、東洋大院1、東海大院1
【求める人材】‥

【本社】224-0037 神奈川県横浜市都筑区茅ヶ崎南2-5-25 ☎045-943-2611
【特色・近況】使い捨て医療器具メーカー。患者負担の軽いシリコーン樹脂製のカテーテルやチューブが主力製品。泌尿器系から消化器・外科関連へ領域拡大。自社販売のほか、OEM提供も行う。中国・大連やベトナムで生産を行い、アジア、新興国向けの販売も拡大図る。
【設立】1974.8　【資本金】1,461百万円
【会長兼社長】佐藤正浩(1960.3生 神奈大法卒)
【株主】〔24.6〕つづき企画11.9%
【連結事業】泌尿器系45、消化器系28、外科系9、血管系7、看護・検査系他11 <海外34>
【従業員】連971名 単318名(45.9歳)

【業績】	売上高	営業利益	経常利益	純利益
連21.12	11,698	866	1,009	660
連22.12	12,257	737	809	460
連23.12	12,585	803	872	154

㈱ケツト科学研究所(かがくけんきゅうしょ)　株式公開計画なし

採用内定数	倍率	3年後離職率	平均年収
3名	‥	ー	‥

●待遇、制度●
【初任給】月24.1万
【残業】‥時間【有休】‥日【制度】‥
●新卒定着状況●
20年入社(男0、女0)→3年後在籍(男0、女0)
●採用情報●
【人数】23年:0 24年:2 25年:応募‥→内定3
【内定内訳】(男3、女0)(文1、理2)(総3、他0)
【試験】‥
【時期】エントリー‥→内々定‥
【採用実績校】‥
【求める人材】‥

【本社】143-8507 東京都大田区南馬込1-8-1 ☎03-3776-1111
【特色・近況】農業用水分計をはじめとする各種測定器の研究開発・販売を行う。コメや麦は重量で取り引きされるため、水分測定が必要で需要多い。膜厚計は塗装の厚さを計測、コストである塗装材の適切な分量示す。輸出比率3割超。海外でも検査機器のスタンダードとの評価。
【設立】1946.10　【資本金】72百万円
【社長】江守栄(1949.11生 早大)
【株主】〔23.12〕江守元彦14.2%
【事業】水分測定機器60、膜厚計15、近赤外分析機器7、品質測定器6、他12 <輸出33>
【従業員】単70名(41.8歳)

【業績】	売上高	営業利益	経常利益	純利益
単21.12	2,155	209	222	96
単22.12	2,151	101	125	▲329
単23.12	2,180	46	56	102

#年収高く倍率低い #年収が高い

GEヘルスケア・ジャパン　株式公開していない

採用内定数	倍率	3年後離職率	平均年収
26名	9.5倍	10%	㊔892万円

●待遇、制度●
【初任給】月22.5万(諸手当を除いた数値)
【残業】13.7時間【有休】11日【制度】フ 住 在
●新卒定着状況●
20年入社(男5、女5)→3年後在籍(男5、女4)
●採用情報●
【人数】23年:20 24年:19 25年:応募247→内定26*
【内定内訳】(男20、女6)(文0、理21)(総26、他0)
【試験】なし
【時期】エントリー24.12→内々定25.5*(一次・二次以降もWEB面接可)【インターン】有【ジョブ型】有
【採用実績校】順天堂大院1、阪大院1、テキサス大院オースティン校1、東北大院1、京大院1、横国大院1、広島大院1、千葉大院1、他
【求める人材】医療業界の仕事を通じて、社会の役に立つことに情熱を向けられる人

【本社】191-8503 東京都日野市旭が丘4-7-127 ☎042-585-5111
【特色・近況】MRI、CT、超音波など画像診断装置を開発・製造・販売。AI導入や画像処理高速化、デジタル診断支援など新展開に注力。本社に研究開発・製造・サービスの各部門を集約。全国約60カ所に拠点。GEヘルスケア・テクノロジーズの日本法人。
【設立】1982.4　【資本金】1,000百万円
【社長】若林正基(1973.1生 阪大院理学研修了)
【株主】〔24.4〕GE HealthCare Technologies Inc. 100%
【事業】医用画像診断装置の開発・製造・輸出入・販売・サービス、他
【従業員】単1,500名(‥歳)

【業績】	売上高	営業利益	経常利益	純利益
単21.12	129,977	8,402	9,992	6,431
単22.12	134,392	8,407	8,465	5,579
単23.12	127,379	6,897	7,579	4,968

ジーエルサイエンス　株式公開 —

採用内定数	倍率	3年後離職率	平均年収
12名	‥	0%	[総]734万円

[●待遇、制度●]
【初任給】月22万
【残業】12.4時間【有休】14.4日【制度】[住][在]
[●新卒定着状況●]
20年入社(男2、女1)→3年後在籍(男2、女1)
[●採用情報●]大卒以上
【人数】23年:7 24年:12 25年:応募‥→内定12
【内定内訳】(男9、女3)(文0、理12)(総12、他0)
【試験】〔Web自宅〕SPI3
【時期】エントリー25.2→内々定25.5(一次はWEB面接可)【インターン】有
【採用実績校】日大2、福島大2、山形大1、埼玉大1、東京農工大1、東京海洋大1、中大1、東洋大1、麻布大1、千葉工大1
【求める人材】対話を通してお互いの意見を尊重しながら豊かな創造力を発揮できる人

【本社】163-1130 東京都新宿区西新宿6-22-1 新宿スクエアタワー ☎03-5323-6633
【特色・近況】気体・液体用の分析機器クロマトグラフィーと関連消耗品の製造・販売が主。非接触ICカードなど自動認識分野も手がける。半導体用石英治具はグループ会社のテクノクオーツが担う。海外はアジア市場強化で、中国工場増設、分析機器製造で広州に拠点。
【設立】1968.2【資本金】1,207百万円
【社長】長見善博(1959.8生)
【株主】〔24.3〕島津製作所5.1%
【連結事業】分析機器49、半導体46、自動認識5 ＜海外35＞
【従業員】単465名(42.9歳)

【業績】	売上高	営業利益	経常利益	純利益
連22.3	33,119	4,806	4,998	2,795
連23.3	38,679	6,034	6,468	3,499
連24.3	37,148	5,714	6,108	3,430

シグマ光機(こうき)　東証スタンダード

採用予定数	倍率	3年後離職率	平均年収
16名	‥	40%	489万円

[●待遇、制度●]
【初任給】月20.9万(諸手当1.4万円)
【残業】23.2時間【有休】13.5日【制度】[住]
[●新卒定着状況●]
20年入社(男12、女3)→3年後在籍(男8、女1)
[●採用情報●]
【人数】23年:16 24年:13 25年:予定16*
【内定内訳】(男‥、女‥)(文‥、理‥)(総‥、他‥)
【試験】〔筆記〕常識〔Web自宅〕有〔性格〕有
【時期】エントリー24.12→内々定25.3(一次はWEB面接可)【インターン】有
【採用実績校】‥
【求める人材】素直で柔軟性のある人、発想豊かで、挑戦する姿勢のある人、情熱と実行力のある人

【東京本社】130-0021 東京都墨田区緑1-19-9 ☎03-5638-8221
【特色・近況】研究・開発用や産業用のレーザー光学機器メーカー。レンズやミラー、光学素子などの要素部品事業が主力。ユーザー仕様で設計・製造するシステム製品事業も営む。少量多品種、難易度高い特注品に強み。大学や公的研究機関との連携を創業以来続ける。
【設立】1977.4【資本金】2,623百万円
【社長】近藤洋介(1963.4生 神奈川工大工化卒)
【株主】〔24.5〕浜松ホトニクス13.2%
【連結事業】要素部品82、システム製品18 ＜海外33＞
【従業員】連526名 単371名(39.9歳)

【業績】	売上高	営業利益	経常利益	純利益
連22.5	10,354	1,437	1,614	1,170
連23.5	11,367	1,504	1,690	1,493
連24.5	11,213	1,178	1,349	687

東亜(とうあ)ディーケーケー　東証スタンダード

採用内定数	倍率	3年後離職率	平均年収
14名	6倍	30%	624万円

[●待遇、制度●]
【初任給】月24万
【残業】8.6時間【有休】14.8日【制度】[住]
[●新卒定着状況●]
20年入社(男10、女0)→3年後在籍(男7、女0)
[●採用情報●]
【人数】23年:17 24年:19 25年:応募84→内定14*
【内定内訳】(男6、女8)(文9、理5)(総9、他5)
【試験】〔性格〕有
【時期】エントリー24.10→内々定25.1(一次・二次以降もWEB面接可)【ジョブ型】有
【採用実績校】宇都宮大院1、富山県大院1、日大院1、フェリス女学大院1、神奈川大1、駒澤大1、関大1、明星大1、東邦大1、他
【求める人材】自ら学び考え、課題の解決に積極的に責任感を持って取り組み、チームとの連係を図っていける実行力・行動力を持つ人

【本社】169-8648 東京都新宿区高田馬場1-29-10 ☎03-3202-0211
【特色・近況】環境計測器・工業用計測器メーカー。大気測定装置や上下水道用分析計などの環境・プロセス分析機器や科学分析機器が柱。産業用ガス検知警報器にも展開する。PM2.5測定装置では国内シェアトップ。医療用の透析薬剤溶解装置が収益に貢献。
【設立】1944.9【資本金】1,842百万円
【社長】高橋俊夫(1953.3生 立命大産社会卒)
【株主】〔24.3〕ハック・カンパニー33.4%
【連結事業】計測機器99、不動産賃貸1 ＜海外13＞
【従業員】連608名 単381名(42.1歳)

【業績】	売上高	営業利益	経常利益	純利益
連22.3	16,424	1,909	1,968	1,347
連23.3	16,540	1,649	1,732	1,218
連24.3	17,444	1,768	1,849	1,292

㈱東横エルメス（とうよこ）

株式公開計画なし

採用内定数	倍率	3年後離職率	平均年収
1名	1倍	0%	‥

●待遇、制度●
【初任給】月22.8万
【残業】20時間【有休】15日【制度】住

●新卒定着状況●
20年入社(男1、女0)→3年後在籍(男1、女0)

●採用情報●
【人数】23年:0 24年:0 25年:応募1→内定1
【内定内訳】(男1、女0)(文1、理0)(総0、他1)
【試験】なし
【時期】エントリー通年→内々定通年(一次はWEB面接可)
【採用実績校】松蔭大1
【求める人材】積極的に行動できる＝ヤル気がある人、覚え・のみこみが早い人、コミュニケーションがとれる人

【本社】243-0401 神奈川県海老名市東柏ケ谷5-15-18 ☎046-233-7744
【特色・近況】ダム、トンネル、橋、超高層ビルなどの大型構造物の建設現場で使用される、岩盤の変動やコンクリート内部のひずみなどを検知するための計測器を製造・販売。山留め計測、地盤変状計測、コンクリート構造物の非破壊検査なども行う。
【設立】1976.5 【資本金】80百万円
【社長】鈴木敦(1967.1生 千葉商大商卒)
【株主】〔24.4〕東京中小企業投資育成25.0%
【事業】製品40、工事21、貸出25、商品8、他6 <海外0>
【従業員】単60名(40.2歳)

【業績】	売上高	営業利益	経常利益	純利益
単21.12	935	55	57	41
単22.12	953	46	61	45
単23.12	1,034	122	124	80

長野計器（ながのけいき）

東証プライム

採用内定数	倍率	3年後離職率	平均年収
8名	2.3倍	0%	576万円

●待遇、制度●
【初任給】月23.5万
【残業】14.6時間【有休】14.8日【制度】フ 住

●新卒定着状況●
20年入社(男7、女1)→3年後在籍(男7、女1)

●採用情報●
【人数】23年:9 24年:8 25年:応募18→内定8*
【内定内訳】(男7、女1)(文4、理4)(総8、他0)
【試験】〔Web自宅〕SPI3
【時期】エントリー25.3→内々定25.6(一次はWEB面接可)【インターン】有
【採用実績校】東北福祉大1、東京電機大1、松本大1、日工大2、長野大1、城西国際大1、長野県工科短大1
【求める人材】前例にとらわれず常に新しいことを考えている、前向きなチャレンジ精神にあふれた人

【本社】143-8544 東京都大田区東馬込1-30-4 ☎03-3776-5311
【特色・近況】圧力計と圧力センサーのリーディングカンパニー。機械式圧力計はグループで世界シェア首位。圧力センサーは自動車・半導体・産業機械・建設機械向けが多い。世界最大の電子圧力センサー工場を持つ。米子会社はじめ国際展開に積極的、海外売上比率5割超。
【設立】1948.12 【資本金】4,380百万円
【社長】佐藤正継(1954.5生 長野岩村田高卒)
【株主】〔24.3〕日本マスタートラスト信託銀行信託口8.8%
【連結事業】圧力計50、圧力センサ33、計測制御機器6、ダイカスト8、他3 <海外54>
【従業員】連2,415名 単783名(41.7歳)

【業績】	売上高	営業利益	経常利益	純利益
連22.3	54,952	3,552	4,312	2,514
連23.3	60,543	4,725	4,954	3,410
連24.3	67,935	7,150	7,390	5,409

㈱ニデック

株式公開計画なし

採用内定数	倍率	3年後離職率	平均年収
38名	6.1倍	5.4%	600万円

●待遇、制度●
【初任給】月22.6万
【残業】15.4時間【有休】15.4日【制度】フ 住 在

●新卒定着状況●
20年入社(男23、女14)→3年後在籍(男21、女14)

●採用情報●
【人数】23年:25 24年:38 25年:応募230→内定38
【内定内訳】(男21、女17)(文20、理16)(総38、他0)
【試験】〔Web自宅〕SPI3〔性格〕有
【時期】エントリー25.3→内々定25.5(一次はWEB面接可)【インターン】有
【採用実績校】名大1、静岡大1、福井大1、岡山大2、東北大1、豊橋技科大3、筑波大1、名城大5、愛知大1、東京外大1、他
【求める人材】「新しいこと」を喜びとして、リスクを取ってでもチャレンジできる人

【本社】443-0038 愛知県蒲郡市拾石町前浜34-14 ☎0533-67-6611
【特色・近況】眼科医療機器や眼鏡関連機器の大手メーカー。販売の約6割が海外輸出。人工網膜の開発などエレクトロニクスと光学を融合した最先端技術開発に力を入れる。眼科領域において国内初の再生医療用の自家培養角膜上皮を拡販。海外9現法・1駐在員事務所。
【設立】1971.7 【資本金】461百万円
【社長】小澤素生(1962.10生 ロチェスタ大院修了)
【株主】〔24.3〕小澤素生13.4%
【事業】眼科医療機器・眼鏡店向け機器93、光学部品等コーティング7 <輸出62>
【従業員】単1,658名(43.0歳)

【業績】	売上高	営業利益	経常利益	純利益
単22.3	41,990	‥	3,144	‥
単23.3	38,511	‥	470	‥
単24.3	43,803	‥	2,342	‥

日本分光（にほんぶんこう）

株式公開計画なし

採用内定数	倍率	3年後離職率	平均年収
7名	71.4倍	0%	‥

●待遇、制度●
【初任給】月24万(諸手当1.2万円)
【残業】6.5時間【有休】14.2日【制度】住 在
●新卒定着状況●
20年入社(男5、女1)→3年後在籍(男5、女1)
●採用情報●
【人数】23年:9 24年:9 25年:応募500→内定7*
【内定内訳】(男2、女5)(文0、理7)(総7、他0)
【試験】〔Web会場〕SPI3
【時期】エントリー25.3→内々定25.6*(一次はWEB面接可)【インターン】有【ジョブ型】有
【採用実績校】横浜市大1、群馬大1、法政大1、近大1、東京薬大1、日本獣医生命科学大1、新居浜高専1
【求める人材】一定以上の思考力・理解力があり、自律的に行動できる人

【本社】192-0032 東京都八王子市石川町2967-5
☎042-646-4111
【特色・近況】光分析機器、分離分析機器を手がける研究開発型企業。1958年東京教育大学光学研究所の研究成果を企業化。円二色性分散計、超臨界ラマン測定装置のシェアはトップクラス。東京・八王子に本社・工場。米国、イタリア、中国、ドイツに拠点。
【設立】1958.4 【資本金】90百万円
【社長】佐藤賢治(1958.9生 東海大海洋卒)
【株主】‥
【事業】光分析機器75、液体クロマトグラフ15、他10 <輸出37>
【従業員】単294名(42.6歳)

【業績】	売上高	営業利益	経常利益	純利益
単21.7	6,898	409	343	332
単22.7	7,753	714	724	446
単23.7	8,020	595	745	541

㈱オキサイド

東証グロース

採用内定数	倍率	3年後離職率	平均年収
4名	5.3倍	28.6%	570万円

●待遇、制度●
【初任給】月25万(諸手当3万円)
【残業】17.1時間【有休】9.3日【制度】住 在
●新卒定着状況●
20年入社(男2、女5)→3年後在籍(男1、女4)
●採用情報●
【人数】23年:23 24年:25 25年:応募21→内定4*
【内定内訳】(男4、女0)(文0、理2)(総0、他4)
【試験】なし
【時期】エントリー24.12→内々定25.3*(一次・二次以降もWEB面接可)【インターン】有【ジョブ型】有
【採用実績校】信州大1、電通大1、千葉大1、秋田高専1
【求める人材】多様性を受け入れ、相手の立場で考えられる人、変化に対応し、自己革新を続ける人

【本社】408-0302 山梨県北杜市武川町牧原1747-1
☎0551-26-0022
【特色・近況】単結晶・光デバイス・レーザー光源・光計測装置などの研究開発型会社。単結晶育成と波長変換に独自技術を持つ。光学製品や半導体ウエハ検査装置向けに加え、PET装置などヘルスケア領域も手がける。博士課程就学支援も行う。
【設立】2000.10 【資本金】3,177百万円
【社長】山本正幸(1967.6生 慶大商卒)
【株主】〔24.2〕ケーエルエー・テンコール㈱8.6%
【連結事業】新領域28、半導体48、ヘルスケア24 <海外83>
【従業員】連394名 単296名(40.4歳)

【業績】	売上高	営業利益	経常利益	純利益
単22.2	4,756	596	598	495
単23.2	5,752	537	687	557
連24.2	6,606	▲983	▲766	▲422

㈱ガスター

株式公開計画なし

採用内定数	倍率	3年後離職率	平均年収
4名	1.3倍	0%	479万円

●待遇、制度●
【初任給】月22.2万
【残業】9.9時間【有休】9.4日【制度】在
●新卒定着状況● 高卒のみ
20年入社(男1、女0)→3年後在籍(男1、女0)
●採用情報● 25年は高卒除く
【人数】23年:7 24年:1 25年:応募5→内定4
【内定内訳】(男3、女1)(文0、理4)(総0、他4)
【試験】〔筆記〕有
【時期】エントリー25.3→内々定25.4【インターン】有
【採用実績校】玉川大1、神奈川大2、工学院大1
【求める人材】主役になれるような人

【本社】242-8577 神奈川県大和市深見台3-4
☎046-262-0161
【特色・近況】リンナイグループのガス器具メーカー。給湯暖房熱源器、床暖房用温水マットなどの各種住設機器を製造。高効率給湯器「エコジョーズ」を中心に、家庭用燃料電池「エネファーム」などを扱う。横浜にテクニカルセンターを置く。
【設立】1959.8 【資本金】2,450百万円
【社長】石川文信(1959.10生)
【株主】〔24.4〕リンナイ90.0%
【事業】住宅設備機器製造販売、倉庫賃貸
【従業員】単441名(31.6歳)

【業績】	売上高	営業利益	経常利益	純利益
単22.3	14,440	708	771	531
単23.3	17,831	710	769	533
単24.3	16,403	545	608	416

㈱京都科学（きょうとかがく）

株式公開計画なし

採用内定数	倍率	3年後離職率	平均年収
2名	150倍	0%	[総]768万円

●待遇、制度●
【初任給】月24.5万(諸手当0.5万円)
【残業】9.5時間【有休】17日【制度】[住][在]

●新卒定着状況●
20年入社(男0、女1)→3年後在籍(男0、女1)

●採用情報●
【人数】23年:7 24年:3 25年:応募300→内定2*
【内定内訳】(男0、女2)(文2、理0)(総2、他0)
【試験】〔筆記〕有〔Web自宅〕有〔性格〕有
【時期】エントリー24.6→内々定25.3(一次・二次以降もWEB面接可)【インターン】有
【採用実績校】同女大1、関西外大1

【求める人材】周囲を巻き込み行動できる、創造力のある人

【本社】612-8388 京都府京都市伏見区北寝小屋町15 ☎075-605-2500
【特色・近況】医学・看護教育用人体モデルを製造・販売。前身は島津製作所の標本部で、国内では医学・看護教育教材の草分け的存在。60カ国以上の大学や医療機関で採用。各種シミュレーター開発・製造に注力し医療人材育成を支援。医療機関や教育現場と開発で連携。
【設立】1948.6 【資本金】80百万円
【社長】髙山俊之(1954.9生)
【株主】〔23.5〕大阪中小企業投資育成26.9%
【事業】医学・看護教育用教材 <輸出30>
【従業員】単97名(41.2歳)

【業績】	売上高	営業利益	経常利益	純利益
単21.5	4,218	830	922	587
単22.5	5,787	1,285	1,488	979
単23.5	5,123	975	1,046	780

ダイニチ工業（こうぎょう）

東証スタンダード

採用内定数	倍率	3年後離職率	平均年収
6名	11.5倍	25%	593万円

●待遇、制度●
【初任給】月22.2万(諸手当1.1万円)
【残業】8.4時間【有休】16日【制度】[フ][住][在]

●新卒定着状況●
20年入社(男6、女2)→3年後在籍(男4、女2)

●採用情報●
【人数】23年:9 24年:10 25年:応募69→内定6*
【内定内訳】(男5、女1)(文3、理3)(総0、他6)
【試験】〔Web自宅〕SPI3〔性格〕有
【時期】エントリー24.12→内々定25.3*(一次はWEB面接可)【インターン】有
【採用実績校】新潟大2、長岡技科大1、駒澤大1、日大1、関大1

【求める人材】自分の頭で考え、行動できる人、何事もプラス思考で取り組める人

【本社】950-1295 新潟県新潟市南区北田中780-6 ☎025-362-1101
【特色・近況】石油ファンヒーターや業務用大型石油ストーブの大手。加湿器でもトップシェア。全量国内生産で、製品の企画・設計や主要部品の生産、最終組み立てを新潟工場で行う。再参入のコーヒー豆焙煎機と空気洗浄機が好調。家庭用燃料電池ユニットの受託製造も行う。
【設立】1964.4 【資本金】4,058百万円
【社長】吉井唯(1976.4生 立命大院理工修了)
【株主】〔24.3〕㈱ビー・エッチ9.6%
【事業】暖房機器73、環境機器20、他7 <海外12>
【従業員】単485名(42.1歳)

【業績】	売上高	営業利益	経常利益	純利益
単22.3	21,087	1,362	1,543	1,073
単23.3	21,212	1,447	1,657	1,210
単24.3	19,650	1,100	1,294	888

㈱長府製作所（ちょうふせいさくしょ）

東証プライム

採用内定数	倍率	3年後離職率	平均年収
16名	4.9倍	28%	583万円

●待遇、制度●
【初任給】月25万
【残業】13時間【有休】12日【制度】[住][在]

●新卒定着状況●
20年入社(男10、女15)→3年後在籍(男10、女8)

●採用情報●
【人数】23年:38 24年:20 25年:応募79→内定16*
【内定内訳】(男12、女4)(文9、理5)(総16、他0)
【試験】〔筆記〕常識〔Web自宅〕SPI3〔性格〕有
【時期】エントリー25.3→内々定25.未定*(一次・二次以降もWEB面接可)【インターン】有
【採用実績校】同大1、山口大2、長崎大2、福岡大2、山口東理大2、九産大1、広島修道大1、水産大1、大阪経大1、釧路公大1、他
【求める人材】何事にも興味を抱き、失敗を恐れないチャレンジ精神を持っている人

【本社】752-8555 山口県下関市長府扇町2-1 ☎083-248-2777
【特色・近況】石油給湯器で国内首位級の住宅設備機器メーカー。主力の給湯機器は石油から電力、ガスなど各種熱源対応商品そろえる。ヒートポンプ式熱源機など空調関連は欧州で販売拡大。太陽熱温水器や冷暖房機も展開し、ソーラー関連など環境配慮型製品も手がける。
【設立】1954.7 【資本金】7,000百万円
【社長】種田清隆(1955.2生 神戸大工卒)
【株主】〔24.6〕JPモルガン・チェース・バンク380055 13.9%
【連結事業】給湯機器42、空調機器45、システム機器3、ソーラー機器他5、エンジニアリング部門5
【従業員】単1,152名(40.7歳)

【業績】	売上高	営業利益	経常利益	純利益
連21.12	44,858	2,219	4,141	2,913
連22.12	49,792	2,969	5,370	3,866
連23.12	48,506	3,343	5,668	3,998

㈱マツダE＆T

株式公開計画なし

採用内定数	倍率	3年後離職率	平均年収
18名	3.7倍	12.5%	‥

●待遇、制度●
【初任給】月22万
【残業】16時間【有休】17日【制度】フ 住 在

●新卒定着状況●
20年入社(男28、女4)→3年後在籍(男24、女4)

●採用情報●
【人数】23年:19 24年:25 25年:応募67→内定18
【内定内訳】(男13、女5)(文4、理9)(総13、他5)
【試験】〔筆記〕SPI3〔Web自宅〕SPI3〔性格〕有
【時期】エントリー25.3→内々定25.4(一次はWEB面接可)【インターン】有
【採用実績校】大島商船高専1、弓削商船高専1、松江高専1、広島工大4、久留米工大1、山口大1、他

【求める人材】自動車開発(設計・解析・実研)、モノづくりに興味のある人

【本社】734-0026 広島県広島市南区仁保2-1-26 ☎082-283-3435
【特色・近況】マツダ車の設計・解析・実験などのエンジニアリング事業と福祉車両、教習車などのカスタマイズ事業の2本柱。新型教習車を量産。スロープ式車いす移動車は生産累計6万台超。固有技術で少量生産車開発・製造を実現。マツダの完全子会社。
【設立】1979.4 【資本金】480百万円
【社長】清角肇
【株主】〔24.3〕マツダ100%
【事業】自動車開発エンジニアリング82、特殊架装18
【従業員】単1,372名(43.0歳)

【業績】	売上高	営業利益	経常利益	純利益
単22.3	14,298	555	565	392
単23.3	14,712	419	431	273
単24.3	14,730	160	173	37

㈱矢野特殊自動車（やのとくしゅじどうしゃ）

株式公開計画なし

採用内定数	倍率	3年後離職率	平均年収
19名	‥	0%	総625万円

●待遇、制度●
【初任給】月22.4万
【残業】26時間【有休】14日【制度】住

●新卒定着状況●
20年入社(男11、女2)→3年後在籍(男11、女2)

●採用情報●
【人数】23年:6 24年:7 25年:応募‥→内定19
【内定内訳】(男16、女3)(文1、理2)(総11、他8)
【試験】〔Web自宅〕SPI3〔性格〕有
【時期】エントリー24.4→内々定25.4(一次はWEB面接可)【インターン】有【ジョブ型】有
【採用実績校】九大1、福岡工大1、中村学園大1

【求める人材】正直で真面目な人、ピンチをチャンスと思えるプラス思考の出来る人、努力を厭わない人

【本社】811-0123 福岡県糟屋郡新宮町上府北4-2-1 ☎092-963-2000
【特色・近況】特装車のパイオニア。1916年に創業者が国産最古の乗用車アロー号を製作。58年に国産冷凍車第1号を開発、大型冷凍車はシェアトップクラス。IoTで温度管理する冷凍ウイング車や、国内では2社のみ製造する航空機給油車も手がける。
【設立】1953.11 【資本金】100百万円
【社長】矢野彰一(1961.2生 早大院理工修了)
【株主】〔24.3〕矢野彰一30.6%
【事業】冷凍・冷蔵車他バン型車82、タンクローリー他タンク車8、他12
【従業員】単370名(43.0歳)

【業績】	売上高	営業利益	経常利益	純利益
単22.3	12,180	228	273	178
単23.3	8,949	▲685	▲608	▲609
単24.3	13,166	246	277	285

㈱東京アールアンドデー（とうきょう）

株式公開計画なし

採用内定数	倍率	3年後離職率	平均年収
1名	8倍	25%	620万円

●待遇、制度●
【初任給】月21万(諸手当2万円)
【残業】9時間【有休】11日【制度】住

●新卒定着状況●
20年入社(男4、女0)→3年後在籍(男3、女0)

●採用情報●
【人数】23年:0 24年:3 25年:応募8→内定1*
【内定内訳】(男1、女0)(文‥、理‥)(総1、他0)
【試験】〔筆記〕常識〔Web自宅〕有〔性格〕有
【時期】エントリー24.10→内々定24.11(一次はWEB面接可)【インターン】有【ジョブ型】有
【採用実績校】明大1、ホンダテクニカルカレッジ関西専1、神奈川工大1

【求める人材】ものづくりに関心があり、コミュニケーション力に富んでいる人

【本社】100-0011 東京都千代田区内幸町2-2-2 ☎03-3595-0862
【特色・近況】自動車の研究開発専門。2輪車・4輪車のデザインから設計、試作、評価まで一貫。早くから電気自動車を開発し、電気バス開発で実績。新潟県からの事業委託で、国内初となる小型燃料電池バスを開発。競技車の開発で創業。
【設立】1981.9 【資本金】250百万円
【社長】松本浩征(1964.3生 関東学大工卒)
【株主】〔24.3〕東レ11.7%
【事業】開発試作100
【従業員】連250名 単96名(40.3歳)

【業績】	売上高	営業利益	経常利益	純利益
連22.3変	1,708	80	83	‥
連23.3	4,221	224	277	‥
連24.3	4,568	301	421	‥

#残業が少ない

安福(やすふく)ゴム工業(こうぎょう)

株式公開計画なし

採用予定数	倍率	3年後離職率	平均年収
4名	—	20%	㊗590万円

●待遇、制度●

【初任給】月23万

【残業】1時間【有休】11.2日【制度】住

●新卒定着状況●

20年入社(男3、女2)→3年後在籍(男3、女1)

●採用情報●

【人数】23年:6 24年:4 25年:応募0→内定0*

【内定内訳】(男‥、女‥)(文‥、理‥)(総‥、他‥)

【試験】なし

【時期】エントリー25.2→内々定25.2*(一次はWEB面接可)【ジョブ型】有

【採用実績校】‥

【求める人材】コミュニケーション能力と協調性のある人、チャレンジ精神のある人

【本社】651-2413 兵庫県神戸市西区福吉台1-1-1 ☎078-967-1313

【特色・近況】二輪車、自動車向けゴム・樹脂部品の専門メーカー。エアーダクトや各種ブーツなどを製造する。金型設計、原材料調達から製品まで一貫体制。兵庫、静岡、神奈川に工場。海外は米国、インドネシア、ベトナム、ブラジル、タイ、フィリピンに生産拠点持つ。

【設立】1967.4 【資本金】98百万円

【会長】安福忠昭(1944.7生)

【株主】〔24.5〕ヤスフクホールディングス100%

【事業】工業用ゴム・樹脂製品の製造販売100 <輸出30>

【従業員】単144名(41.5歳)

【業績】	売上高	営業利益	経常利益	純利益
単21.5	3,478	‥	350	250
単22.5	3,899	‥	392	280
単23.5	4,091	‥	398	278

ビューテック

株式公開計画なし

採用内定数	倍率	3年後離職率	平均年収
18名	4倍	45.5%	‥

●待遇、制度●

【初任給】月22.3万

【残業】26時間【有休】14日【制度】住

●新卒定着状況●

20年入社(男7、女4)→3年後在籍(男4、女2)

●採用情報●

【人数】23年:8 24年:5 25年:応募72→内定18

【内定内訳】(男12、女6)(文17、理1)(総18、他0)

【試験】〔筆記〕有〔性格〕有

【時期】エントリー25.3→内々定25.10【インターン】有

【採用実績校】愛知県大1、宇都宮大1、関西外大1、関西学大1、岐阜大1、同大1、名大1、名古屋外大1、日大1、立命館大1、他

【求める人材】若いうちから様々なことにチャレンジし、グローバルに活躍したい人

【本社】471-8522 愛知県豊田市梅坪町9-30-3 ☎0565-31-5521

【特色・近況】自動車用のガラス組付けや外・内装用の樹脂部品の製造を手がける自動車部品メーカー。特殊ガラス技術は新幹線用にも採用。グループで自動車部品や石油・ガス等エネルギー輸送を行う物流事業も展開。北米、中南米とアジアで計20カ所の現地法人。

【設立】1965.9 【資本金】5,500百万円

【社長】柳川信司(1960.12生)

【株主】〔23.12〕Vグループ持株会23.6%

【事業】ガラス加工25、輸送28、製造請負17、樹脂成形品製造9、他21

【従業員】単3,095名(39.2歳)

【業績】	売上高	営業利益	経常利益	純利益
単21.12	44,757	‥	‥	3,526
単22.12	44,131	‥	‥	4,354
単23.12	50,166	‥	‥	7,217

理研鍛造(りけんたんぞう)

株式公開計画なし

採用予定数	倍率	3年後離職率	平均年収
1名	—	0%	㊗636万円

●待遇、制度●

【初任給】月23.2万(諸手当0.3万円)

【残業】15時間【有休】15日【制度】フ 住

●新卒定着状況●

20年入社(男1、女1)→3年後在籍(男1、女1)

●採用情報●

【人数】23年:1 24年:2 25年:予定1*

【内定内訳】(男‥、女‥)(文‥、理‥)(総‥、他‥)

【試験】〔筆記〕常識

【時期】エントリー24.10→内々定24.12*(一次はWEB面接可)【インターン】有

【採用実績校】‥

【求める人材】自ら考え、実行できる行動力がある人、既存のやり方を踏襲するだけでなく改善、挑戦する人

【本社】371-0846 群馬県前橋市元総社町395-3 ☎027-251-1831

【特色・近況】日野自動車系の部品メーカー。高強度の熱間鍛造品を製造、トラック・バスのエンジン・足回り部品として供給する。建設機械・産業機械の部品も扱う。インドネシアでも現地生産。技術力高く高耐熱亀裂性持つ大型トラックのディスクブレーキ部品は製造特許取得。

【設立】1950.5 【資本金】444百万円

【社長】江山創一

【株主】〔24.3〕日野自動車92.6%

【事業】鍛造品、鍛造用金型 <輸出1>

【従業員】単330名(‥歳)

【業績】	売上高	営業利益	経常利益	純利益
単23.3	16,095	‥	‥	428
単24.3	10,351	‥	‥	497

24.3期より新収益認識基準を適用

㈱青山製作所（あおやませいさくしょ）

株式公開計画なし

採用内定数	倍率	3年後離職率	平均年収
22名	4.5倍	40%	566万円

●待遇、制度●
【初任給】月23万
【残業】25.8時間【有休】12日【制度】フ 住 在
●新卒定着状況●
20年入社(男12、女3)→3年後在籍(男9、女0)
●採用情報● 総合職のみ
【人数】23年:11 24年:16 25年:応募100→内定22
【内定内訳】(男16、女6)(文8、理14)(総22、他0)
【試験】〔Web自宅〕有〔性格〕有
【時期】エントリー25.2→内々定25.4*(一次はWEB面接可)【インターン】有
【採用実績校】大同大5、大同大院1、名城大3、中部大3、中部大院1、愛知工業大2、中京大2、名古屋外大2、岐阜大1、南山大1、拓大1
【求める人材】主体性と協調性を持って、未来を見据えて進むことができる人

【本社】480-0198 愛知県丹羽郡大口町高橋1-8 ☎0587-95-1151
【特色・近況】ボルト、ナットなど自動車用ファスナーのリーディングカンパニー。トヨタ自動車向けが主力。独自の技術力に強み。製品の6割弱が自社開発品。北米、タイ、チェコ、中国、インドネシアの拠点でクルマ1台すべての部位のファスナー供給が可能な一貫生産体制を備える。
【設立】1950.11 【資本金】100百万円
【社長】青山幸義(1974.9生 バージニア大院修了)
【株主】〔23.12〕青山幸義70.0%
【事業】ボルト56、ナット18、タッピング3、樹脂製品5、他18 <輸出19>
【従業員】単2,454名(39.2歳)

【業績】	売上高	営業利益	経常利益	純利益
単21.12	90,437	‥	2,441	1,483
単22.12	95,123	‥	2,481	1,507
単23.12	114,494	‥	4,929	5,250

アート金属工業（きんぞくこうぎょう）

株式公開計画なし

採用内定数	倍率	3年後離職率	平均年収
18名	2.4倍	25%	624万円

●待遇、制度●
【初任給】月22.1万
【残業】16.6時間【有休】16.3日【制度】フ 住 在
●新卒定着状況●
20年入社(男3、女1)→3年後在籍(男2、女1)
●採用情報●
【人数】23年:17 24年:9 25年:応募43→内定18
【内定内訳】(男16、女2)(文6、理7)(総18、他0)
【試験】〔性格〕有
【時期】エントリー25.3→内々定25.4(一次・二次以降もWEB面接可)【インターン】有
【採用実績校】信州大2、諏訪東理大2、新潟工大1、埼玉工大1、日大1、東洋大1、松本大1、専大1、神奈川大1、名古屋商大1、他
【求める人材】コミュニケーションが好きな人、柔軟な発想で物事に取り組むことができる人

【本社】386-0027 長野県上田市常磐城2-2-43 ☎0268-22-3000
【特色・近況】アイシングループで、4輪・2輪・汎用などピストン専門の自動車部品メーカー。生産高、生産数量ともに国内トップクラス。創業来、生産設備や金型などを内製化。長野県に本社と2工場。タイ、中国、インドネシアに海外グループ会社。
【設立】1945.12 【資本金】2,397百万円
【社長】三城伸五(1960.7生 中大経済卒)
【株主】〔24.3〕アイシン80.2%
【事業】内燃機関用ピストン・ピストンピン87、他13 <輸出19>
【従業員】単745名(40.3歳)

【業績】	売上高	営業利益	経常利益	純利益
単22.3	27,591	148	1,180	980
単23.3	27,945	511	2,497	2,100
単24.3	26,459	697	2,071	1,697

㈱アイキテック

株式公開計画なし

採用内定数	倍率	3年後離職率	平均年収
4名	25.5倍	20%	‥

●待遇、制度●
【初任給】月23.3万(諸手当1.9万円)
【残業】18.4時間【有休】13日【制度】フ 住
●新卒定着状況●
20年入社(男5、女0)→3年後在籍(男4、女0)
●採用情報●
【人数】23年:8 24年:5 25年:応募102→内定4*
【内定内訳】(男4、女0)(文0、理3)(総4、他0)
【試験】〔Web自宅〕SPI3〔性格〕有
【時期】エントリー25.3→内々定25.5【インターン】有
【採用実績校】愛知工科大2、大同大1、名古屋工学院専1
【求める人材】問題意識が高く、自ら解決できる人

【本社】470-2101 愛知県知多郡東浦町森岡栄東1-1 ☎0562-82-3270
【特色・近況】4輪および2輪車のトランスミッションのギア加工が主力。ホンダ向けが5割超。成形、旋削・歯車加工、熱処理、研削加工の一貫生産。技術水準の高さに定評。工場は国内2拠点、海外は米国、インドネシア、中国に拠点。社名は旧愛知機器に由来。
【設立】1956.1 【資本金】499百万円
【社長】林俊哉
【株主】〔24.3〕ホンダ33.4%
【事業】4輪96、2輪1、他3 <輸出5>
【従業員】連1,482名 単400名(43.1歳)

【業績】	売上高	営業利益	経常利益	純利益
連22.3	32,869	475	577	381
連23.3	33,182	87	189	16
連24.3	44,613	1,367	1,423	748

#有休取得が多い

アイコクアルファ

[株式公開未定]

採用内定数	倍率	3年後離職率	平均年収
10名	‥	0%	‥

●待遇、制度●
【初任給】月23万(諸手当を除いた数値)
【残業】20.6時間【有休】22.5日【制度】[住]
●新卒定着状況●
20年入社(男9、女1)→3年後在籍(男9、女1)
●採用情報●
【人数】23年:9 24年:8 25年:応募‥→内定10
【内定内訳】(男10、女0)(文0、理10)(総10、他0)
【試験】〔筆記〕常識〔性格〕有
【時期】エントリー24.12→内々定25.1【インターン】有
【採用実績校】中部大4、福井大1、大同大2、愛知工業大1、豊橋技科大1、名城大1
【求める人材】目標を自ら決め、仕事の主人公となって面白おかしく仕事に取組める人

【本社】495-8501 愛知県稲沢市祖父江町森上本郷十一,4-1 ☎0587-97-1111
【特色・近況】精密冷間鍛造、精密切削加工による自動車部品、航空宇宙関連部品製造が主軸。省力化機械「ラクラクハンド」や、CAD/CAMシステム開発・販売も展開。JAXA・H3ロケット用部品も開発製造。愛知に工場、関東や大阪、福岡にも拠点。海外は米国に関連会社。
【設立】1943.8 【資本金】1,200百万円
【社長】樋田克史(1953.5生 立命大工卒)
【株主】〔24.3〕アイコクアルファリース
【事業】自動車部品48、開発ソフト販売15、ラクラクハンド14、航空機・精密機器部品23 <輸出38>
【従業員】単1,021名(44.7歳)

【業績】	売上高	営業利益	経常利益	純利益
単22.3	26,500	1,539	1,793	1,357
単23.3	25,743	503	482	444
単24.3	28,764	1,613	1,712	1,199

#有休取得が多い

曙ブレーキ工業

（あけぼの こう ぎょう）

[東証プライム]

採用内定数	倍率	3年後離職率	平均年収
10名	7.9倍	0%	690万円

●待遇、制度●
【初任給】月22万
【残業】13.9時間【有休】18.3日【制度】[フ][住][在]
●新卒定着状況●
20年入社(男1、女0)→3年後在籍(男1、女0)
●採用情報●
【人数】23年:8 24年:17 25年:応募79→内定10
【内定内訳】(男9、女1)(文6、理3)(総10、他0)
【試験】〔Web自宅〕WEB-GAB
【時期】エントリー25.3→内々定25.4～6(一次・二次以降もWEB面接可)【インターン】有
【採用実績校】岩手大2、日大1、芝工大1、青学大1、近大1、大東文化大1、江戸川大1、小山高専1、八戸高専1
【求める人材】自ら変化を起こし、最後まで必ずやり遂げるという情熱に溢れた人

【本社事務所】348-8508 埼玉県羽生市東5-4-71 ☎048-560-1500
【特色・近況】自動車ブレーキメーカーの独立系大手。主要顧客はトヨタ、日産、いすゞ、ホンダなど。商用車用、2輪車用、産業機械用なども製造。新幹線用は国内50%のシェアを有する。製造過程でのCO_2発生量を従来比で50%削減できるブレーキパッドの開発を推進。
【設立】1936.1 【資本金】19,939百万円
【代表取締役】宮地康弘(1957.5生 関東学大工卒)
【株主】〔24.3〕トヨタ自動車11.3%
【連結事業】ブレーキ製品関連100 <海外67>
【従業員】連5,507名 単802名(45.4歳)

【業績】	売上高	営業利益	経常利益	純利益
連22.3	135,498	4,240	6,072	4,154
連23.3	153,984	185	2,256	960
連24.3	166,301	3,153	3,780	3,452

㈱浅野歯車工作所

（あさの はぐるまこうさくしょ）

[株式公開計画なし]

採用内定数	倍率	3年後離職率	平均年収
1名	8倍	20%	[総]620万円

●待遇、制度●
【初任給】月22.6万
【残業】29.1時間【有休】16.8日【制度】[住]
●新卒定着状況●
20年入社(男10、女0)→3年後在籍(男8、女0)
●採用情報●
【人数】23年:12 24年:5 25年:応募8→内定1*
【内定内訳】(男1、女0)(文0、理1)(総1、他0)
【試験】〔Web会場〕SPI3
【時期】エントリー24.6→内々定25.3*(一次・二次以降もWEB面接可)【インターン】有
【採用実績校】岡山県大院1
【求める人材】失敗を恐れず、自ら変わることに挑戦する人

【本社】589-0004 大阪府大阪狭山市東池尻4-1402-1 ☎072-365-0801
【特色・近況】各種歯車加工で創業した老舗メーカー。現在は自動車・建機用アクスル、エンジン・ミッション用単体歯車などを幅広く製造・販売。自動車向けが約8割。ダイハツの持分法適用関連会社。高精度ギヤの諸元設計などは世界トップレベルの技術。
【設立】1935.4 【資本金】324百万円
【社長】藤田一(1960.4生 阪大工卒)
【株主】〔24.3〕ダイハツ工業40.0%
【事業】自動車関連74、建機産機関連18、トラック関連8 <輸出0>
【従業員】単680名(40.8歳)

【業績】	売上高	営業利益	経常利益	純利益
単21.9	31,608	▲69	701	‥
単22.9	34,429	▲240	536	‥
単23.9	36,605	▲470	539	‥

朝日電装（あさひでんそう）

株式公開計画なし

採用内定数	倍率	3年後離職率	平均年収
3名	‥	9.1%	‥

●待遇、制度●
【初任給】月22.8万
【残業】15.3時間【有休】14.9日【制度】住

●新卒定着状況●
20年入社(男10、女1)→3年後在籍(男9、女1)

●採用情報●
【人数】23年:5 24年:9 25年:応募‥→内定3*
【内定内訳】(男1、女2)(文2、理1)(総3、他0)
【試験】〔筆記〕SPI3〔Web会場〕SPI3〔性格〕有
【時期】エントリー25.2→内々定25.7(一次・二次以降もWEB面接可)【インターン】有
【採用実績校】愛知大1、常葉大1、静岡理工科大1
【求める人材】バランスのとれた感覚を持ち、失敗を恐れず何事にも挑戦し続ける人

【本社】434-0046 静岡県浜松市浜名区染地台6-2-1 ☎053-587-2111
【特色・近況】2輪、4輪、船舶、建機、産機など向け各種スイッチ、ロック、電装品などの独立系専門メーカー。先進国向け二輪用電子制御スロットルは世界首位級。台湾、タイ、インドネシア、ベトナム、インドに拠点を展開し、バンコクとバンガロールにはR&D拠点を持つ。
【設立】1961.8 【資本金】80百万円
【社長】山田和紀
【株主】〔23.12〕手嶋寛征30.0%
【事業】オートバイ用電装品45、自動車用電装品10、船舶用電装品25、建・農・産機用電装品20
【従業員】単630名(39.3歳)

【業績】	売上高	営業利益	経常利益	純利益
単21.12	18,522	‥	‥	‥
単22.12	19,901	‥	‥	‥
単23.12	21,135	‥	‥	‥

芦森工業（あしもりこうぎょう）

東証スタンダード

採用内定数	倍率	3年後離職率	平均年収
22名	6.4倍	36.4%	㊙652万円

●待遇、制度●
【初任給】月22.5万
【残業】7.1時間【有休】15.6日【制度】フ 住 在

●新卒定着状況●
20年入社(男11、女0)→3年後在籍(男7、女0)

●採用情報●
【人数】23年:10 24年:10 25年:応募140→内定22*
【内定内訳】(男19、女3)(文6、理16)(総22、他0)
【試験】〔Web自宅〕有
【時期】エントリー25.2→内々定25.3(一次・二次以降もWEB面接可)【インターン】有
【採用実績校】関大5、大阪産大3、龍谷大3、大阪工大2、近大2、高知工科大2、摂南大2、大阪電通大1、神戸市外大1、広島工大1
【求める人材】コミュニケーション能力に長け、何事にもチャレンジ精神をもって取り組む人

【本社】566-0001 大阪府摂津市千里丘7-11-61 ☎06-6388-1212
【特色・近況】シートベルトやエアバッグなど自動車安全部品が主力。祖業の消防用ホース製造は大手。上下水道など地下管路を掘り起こさず補修する非開削工法用などホース技術を活かした機能性製品も手がける。海外はタイ、中国、インド、メキシコ、韓国、ドイツに生産拠点。
【設立】1935.12 【資本金】8,388百万円
【社長】財津裕真(1963.3生)
【株主】〔24.3〕豊田合成28.1%
【連結事業】自動車安全部品73、機能製品27、他0 <海外32>
【従業員】連2,442名 単431名(41.9歳)

【業績】	売上高	営業利益	経常利益	純利益
連22.3	53,514	536	671	510
連23.3	65,624	2,152	2,796	1,017
連24.3	68,389	3,753	4,202	3,217

#有休取得が多い

㈱アツミテック

株式公開未定

採用内定数	倍率	3年後離職率	平均年収
2名	1.5倍	0%	㊙623万円

●待遇、制度●
【初任給】月21万
【残業】11.2時間【有休】17.4日【制度】住

●新卒定着状況●
20年入社(男3、女1)→3年後在籍(男3、女1)

●採用情報●
【人数】23年:7 24年:3 25年:応募3→内定2*
【内定内訳】(男1、女1)(文2、理0)(総2、他0)
【試験】〔Web自宅〕SPI3〔性格〕有
【時期】エントリー25.3→内々定25.6(一次はWEB面接可)
【採用実績校】帝京大1、静岡文芸大1
【求める人材】対人関係が良好に築け、発想力が豊かで自ら迅速に課題に立ち向かえる人

【本社】433-8118 静岡県浜松市中央区高丘西4-6-1 ☎053-438-6711
【特色・近況】2輪、4輪、汎用機のトランスミッション製造が主。制御部品やエンジン機能部品も手がける。水素を可視化する検知フィルムなども商品展開。効率化・低コスト化を実現するため生産設備は自社で設計・製作。欧米アジア7カ国に9拠点。ホンダの関連会社。
【設立】1954.4 【資本金】310百万円
【社長】鈴木秀幸(1962.2生)
【株主】〔24.6〕ホンダ48.0%
【事業】四輪部品、二輪部品、汎用機械部品、試作他 <輸出13>
【従業員】連3,448名 単727名(44.7歳)

【業績】	売上高	営業利益	経常利益	純利益
連22.3	58,698	1,757	2,177	1,352
連23.3	55,544	▲384	▲488	▲1,201
連24.3	61,510	1,718	2,093	▲1,344

市光工業（いちこうこうぎょう）　東証プライム

採用内定数	倍率	3年後離職率	平均年収
18名	9.2倍	－	628万円

●待遇、制度●
【初任給】月22.3万
【残業】18時間【有休】15日【制度】フ 住 在

●新卒定着状況●
20年入社(男0、女0)→3年後在籍(男0、女0)

●採用情報●
【人数】23年:16 24年:22 25年:応募166→内定18*
【内定内訳】(男14、女4)(文2、理15)(総18、他0)
【試験】なし
【時期】エントリー25.3→内々定25.6*(一次・二次以降もWEB面接可)【インターン】有
【採用実績校】神奈川大2、中大1、東海大2、足利大1、東京農業大1、東京工芸大4、中部大1、秋田県大1、湘南工大2、大阪経大1、他
【求める人材】ものづくりに興味があり、周囲と協力し合って仕事を進められる行動力・積極性のある人

【本社】259-1192 神奈川県伊勢原市板戸80
☎0463-96-1451
【特色・近況】自動車照明の大手メーカー。各車種のデザインに合わせ純正品のヘッドライトを供給。ディーラーオプションや市販品のアフター用品も展開。世界大手の仏ヴァレオ社傘下。トヨタや日産向け主体に日系メーカー各社と取引行う。海外生産はアジアが中心。
【設立】1939.12　【資本金】9,003百万円
【社長】ヴィラット・C.(1972.5生)
【株主】〔24.6〕ヴァレオ・バイエン61.0%
【連結事業】自動車部品関連94、用品6 <海外26>
【従業員】連3,163名 単1,521名(41.6歳)

【業績】	売上高	営業利益	経常利益	純利益
連21.12	125,510	5,562	6,506	3,983
連22.12	135,451	3,937	5,351	4,423
連23.12	145,897	7,422	8,130	7,838

臼井国際産業（うすいこくさいさんぎょう）　株式公開計画なし

採用内定数	倍率	3年後離職率	平均年収
16名	4倍	13.3%	㊟658万円

●待遇、制度●
【初任給】月21.8万
【残業】24.7時間【有休】13.1日【制度】住

●新卒定着状況●
20年入社(男12、女3)→3年後在籍(男11、女2)

●採用情報●
【人数】23年:12 24年:12 25年:応募64→内定16
【内定内訳】(男12、女4)(文7、理3)(総16、他0)
【試験】〔Web自宅〕SPI3
【時期】エントリー25.3→内々定25.6(一次はWEB面接可)【インターン】有
【採用実績校】日大3、電通大1、東海大1、立正大1、常葉大1、愛知大1、獨協大1、復旦大1、沼津高専1
【求める人材】協調性があり、他者を気遣える人、ゼロベース志向で積極的に活動できる人

【本社】411-8610 静岡県駿東郡清水町長沢131-2
☎055-972-2111
【特色・近況】細物パイプが主力の独立系自動車部品メーカー。コモンレール式ディーゼル用高圧燃料噴射管は世界シェア5割超。完成車メーカー拠点周辺に工場展開。米国、中国、メキシコ、東南アジアなどに現地法人をもち、海外拠点のネットワークを強化。
【設立】1941.2　【資本金】305百万円
【会長】臼井隆晶(1968.1生 明大工卒)
【株主】‥
【事業】自動車部品93、電機部品1、他5 <輸出28>
【従業員】単699名(44.0歳)

【業績】	売上高	営業利益	経常利益	純利益
単21.12変	62,932	3,986	7,681	4,982
単22.12	86,473	3,735	13,504	8,880
単23.12	91,938	5,537	17,852	11,838

エイケン工業（こうぎょう）　東証スタンダード

採用実績数	倍率	3年後離職率	平均年収
2名	‥	0%	414万円

●待遇、制度●
【初任給】月20.5万(諸手当を除いた数値)
【残業】12.9時間【有休】15.4日【制度】住

●新卒定着状況●
20年入社(男2、女0)→3年後在籍(男2、女0)

●採用情報●
【人数】23年:3 24年:2 25年:予定未定*
【内定内訳】(男‥、女‥)(文‥、理‥)(総‥、他‥)
【試験】なし
【時期】エントリー25.3→内々定25.10【インターン】有
【採用実績校】‥
【求める人材】目標に向かってみんなで一致団結してやれる人

【本社】437-1698 静岡県御前崎市門屋1370
☎0537-86-3105
【特色・近況】自動車の各種補修用フィルターを製造。自動車全メーカー対応の市販品でトップ。オイルフィルター、エアフィルターなどが柱。カーショップやガソリンスタンド向け商品卸など販路広い。海外は独自ブランドで現地の日本車用に販売拡大。バーナーなど燃焼機器も。
【設立】1969.2　【資本金】601百万円
【社長】早馬義光(1956.12生 日大理工卒)
【株主】〔24.4〕育実企画㈱12.0%
【事業】フィルター95、燃焼機器5、他0 <海外46>
【従業員】単252名(40.0歳)

【業績】	売上高	営業利益	経常利益	純利益
単21.10	6,802	567	591	424
単22.10	6,954	339	365	274
単23.10	6,796	116	147	135

エヌデーシー

株式公開計画なし

採用内定数	倍率	3年後離職率	平均年収
4名	2倍	41.7%	482万円

●待遇、制度●
【初任給】月21万
【残業】23.2時間【有休】13.4日【制度】フ 住 在
●新卒定着状況●
20年入社(男10、女2)→3年後在籍(男‥、女‥)
●採用情報●
【人数】23年:1 24年:4 25年:応募8→内定4*
【内定内訳】(男‥、女‥)(文2、理2)(総4、他‥)
【試験】〔筆記〕常識〔性格〕有
【時期】エントリー24.10→内々定随時*【インターン】有
【採用実績校】愛知工業大1、東邦大1、中国学大1、麗澤大1
【求める人材】自ら考え行動できる人

【本社】275-0002 千葉県習志野市実籾2-39-1 ☎047-477-1122
【特色・近況】自動車用エンジン平軸受の製造で生産量は国内トップクラス。全ての国内自動車メーカーに採用される。軸受のほか低周波から高周波まで対応する焼結アルミニウム吸音板なども製造。軸受メタル最大手の大同メタルの子会社。日産自動車も出資。
【設立】1962.1 【資本金】1,575百万円
【社長】澁谷泰(1966.12生 名城大理工卒)
【株主】〔24.3〕大同メタル工業58.8%
【事業】軸受メタル100
【従業員】単265名(42.9歳)

【業績】	売上高	営業利益	経常利益	純利益
単22.3	6,941	▲118	▲66	▲101
単23.3	8,133	▲172	▲108	▲198
単24.3	8,181	▲262	▲185	▲36

#有休取得が多い

㈱FTS

株式公開計画なし

採用内定数	倍率	3年後離職率	平均年収
3名	77倍	17.6%	‥

●待遇、制度●
【初任給】月23万
【残業】20.7時間【有休】18.2日【制度】フ 住 在
●新卒定着状況●
20年入社(男24、女10)→3年後在籍(男18、女10)
●採用情報●
【人数】23年:37 24年:18 25年:応募231→内定3
【内定内訳】(男2、女1)(文0、理3)(総3、他0)
【試験】〔Web会場〕SPI3〔性格〕有
【時期】エントリー25.3→内々定25.4(一次はWEB面接可)【インターン】有
【採用実績校】名城大1、愛知工業大2
【求める人材】自ら考え理解し、行動することができる人

【本社】471-8510 愛知県豊田市鴻ノ巣町2-26 ☎0565-29-2211
【特色・近況】燃料タンクなど自動車燃料系部品メーカー。トヨタグループ。燃料タンクを軸にエンジン部品やハイブリッド部品の開発、設計、製造・販売。鋼板加工の販売も手がける。国内7拠点のほか、米国、タイ、インドネシア、台湾、メキシコで現地生産。
【設立】1942.7 【資本金】3,000百万円
【社長】磯部利行(1959.10生 名工大工卒)
【株主】〔24.3〕トヨタ自動車47.1%
【事業】燃料タンク、他燃料系部品、鋼板加工品
【従業員】単1,346名(40.9歳)

【業績】	売上高	営業利益	経常利益	純利益
単22.3	69,901	‥	‥	‥
単23.3	80,763	‥	‥	‥
単24.3	96,790	‥	‥	‥

大岡技研(おおおかぎけん)

株式公開計画なし

採用実績数	倍率	3年後離職率	平均年収
20名	‥	51.7%	‥

●待遇、制度●
【初任給】月21.8万(諸手当0.5万円)
【残業】18.6時間【有休】14.8日【制度】フ 住 在
●新卒定着状況●
20年入社(男24、女5)→3年後在籍(男10、女4)
●採用情報●
【人数】23年:17 24年:20 25年:予定減少*
【内定内訳】(男‥、女‥)(文‥、理‥)(総‥、他‥)
【試験】〔筆記〕有〔性格〕有
【時期】エントリー通年→内々定通年【ジョブ型】有
【採用実績校】‥
【求める人材】チャレンジ精神のある人、自分の実力をとことん発揮してみたい人

【本社】473-0933 愛知県豊田市高岡町秋葉山1-1 ☎0565-52-3441
【特色・近況】自動車用の精密鍛造歯車品メーカー。高強度・高精度・複雑形状の超精密鍛造技術に強み。MT部品で世界トップシェア。EV関連メーカーからギア部品の受注も。国内は愛知、北海道に工場。海外は米国、ドイツ、アジアに営業拠点。
【設立】1961.12 【資本金】98百万円
【社長】大岡由典(1973.8生)
【株主】〔23.12〕大岡由典37.8%
【事業】MT部品91、AT部品2、CVT部品2、トランスファー部品4、エンジン部品1 <輸出80>
【従業員】単852名(‥歳)

【業績】	売上高	営業利益	経常利益	純利益
単21.12	17,236	142	466	322
単22.12	20,980	204	252	179
単23.12	22,007	142	556	498

㈱オーハシテクニカ　東証プライム

採用内定数	倍率	3年後離職率	平均年収
5名	8.8倍	0%	[総]703万円

●待遇、制度●
【初任給】月24.8万（固定残業代30時間分）
【残業】20時間【有休】13.7日【制度】[住]

●新卒定着状況●
20年入社（男5、女0）→3年後在籍（男5、女0）

●採用情報●
【人数】23年:7 24年:5 25年:応募44→内定5*
【内定内訳】（男4、女1）（文5、理0）（総5、他0）
【試験】〔Web自宅〕有
【時期】エントリー 24.6→内々定25.2（一次・二次以降もWEB面接可）
【採用実績校】拓大2、早大1、神戸学大1、中大1

【求める人材】明るく素直であり、目的に向かって、自分で考えて工夫しながら行動できる人

【本社】105-0001 東京都港区虎ノ門4-3-13 ヒューリック神谷町ビル ☎03-5404-4411
【特色・近況】エンジンやトランスミッション、ブレーキ関連などの自動車用部品を手がける独立系メーカー。日本、米国、中国、タイなどで自社生産するほか、300社以上の協力企業によるファブレス生産も展開。携帯電話用ヒンジは、家庭用モバイルゲーム機にも利用される。
【設立】1953.3　【資本金】1,825百万円
【社長】廣瀬正也（1964.5生 東京スクールＢ卒）
【株主】〔24.3〕日本マスタートラスト信託銀行信託口8.6%
【連結事業】自動車関連部品97、他関連部品3 <海外51>
【従業員】連756名 単160名（46.0歳）

【業績】	売上高	営業利益	経常利益	純利益
連22.3	32,545	2,272	2,536	1,791
連23.3	34,974	2,061	2,396	1,283
連24.3	39,212	1,641	1,992	1,006

小倉（おぐら）クラッチ　東証スタンダード

採用内定数	倍率	3年後離職率	平均年収
11名	14.2倍	58.8%	515万円

●待遇、制度●
【初任給】月21.7万
【残業】15.7時間【有休】13.4日【制度】[フ][住][在]

●新卒定着状況●
20年入社（男15、女2）→3年後在籍（男6、女1）

●採用情報●
【人数】23年:35 24年:27 25年:応募156→内定11*
【内定内訳】（男7、女4）（文6、理5）（総11、他0）
【試験】〔Web会場〕SPI3〔Web自宅〕SPI3〔性格〕有
【時期】エントリー 25.1→内々定25.2（一次・二次以降もWEB面接可）【インターン】有【ジョブ型】有
【採用実績校】足利大1、上武大1、日工大1、帝京大1、東京成徳大1、金沢工大1、共愛学園前橋国際大1、埼玉工大1、群馬大1、福島大1、他
【求める人材】周囲を巻き込みながら自立的に動ける人

【本社】376-0011 群馬県桐生市相生町2-678 ☎0277-54-7101
【特色・近況】産業用クラッチの大手。自動車向けはカーエアコン用クラッチに強く、国内シェア首位、世界でも上位。スライドドア用・駆動力切り替え用も製造。事務機器、工作機械、ロボットなどに使われる一般産業用も手がける。海外は米国、中国、東南アジアなどに生産現法。
【設立】1948.5　【資本金】1,858百万円
【社長】小倉康宏（1964.6生 帝京大法卒）
【株主】〔24.3〕第一共栄ビル18.5%
【連結事業】輸送機器用71、一般産業用28、他1 <海外57>
【従業員】連1,887名 単759名（42.7歳）

【業績】	売上高	営業利益	経常利益	純利益
連22.3	38,914	▲1,001	▲752	▲1,134
連23.3	44,201	498	791	509
連24.3	43,491	▲320	▲229	▲598

㈱カネミツ　東証スタンダード

採用予定数	倍率	3年後離職率	平均年収
5名	‥	0%	588万円

●待遇、制度●
【初任給】月22.5万
【残業】10時間【有休】14日【制度】[住][在]

●新卒定着状況●
20年入社（男2、女4）→3年後在籍（男2、女4）

●採用情報●
【人数】23年:2 24年:0 25年:予定5*
【内定内訳】（男‥、女‥）（文‥、理‥）（総‥、他‥）
【試験】〔筆記〕常識
【時期】エントリー 25.3→内々定25.4*（一次はWEB面接可）【インターン】有
【採用実績校】‥

【求める人材】自ら課題を考え、問題解決できる人、新しいことに積極的にチャレンジできる人

【本社】673-0874 兵庫県明石市大蔵本町20-26 ☎078-911-6645
【特色・近況】エンジン動力伝達の自動車用プーリー（滑車）で国内首位。日系完成車の全メーカーに取引実績を持つ。プーリー以外への事業展開も企図して、トランスミッション関連の比率向上に注力。海外は中国、タイ、インドネシアに生産現法。EV関連部品の開発を進める。
【設立】1984.10　【資本金】556百万円
【代表取締役】金光俊明（1959.8生 長崎大機械工卒）
【株主】〔24.3〕金光俊明9.2%
【連結事業】プーリ47、トランスミッション24、他29 <海外28>
【従業員】連587名 単226名（41.5歳）

【業績】	売上高	営業利益	経常利益	純利益
連22.3	8,762	200	239	163
連23.3	10,024	425	487	538
連24.3	11,091	576	671	632

㈱キーレックス

株式公開計画なし

採用内定数	倍率	3年後離職率	平均年収
19名	1.4倍	33.3%	502万円

●待遇、制度●
【初任給】月21.8万
【残業】25.1時間【有休】13.6日【制度】住 在
●新卒定着状況●
20年入社(男36、女3)→3年後在籍(男24、女2)
●採用情報●
【人数】23年:39 24年:39 25年:応募26→内定19*
【内定内訳】(男12、女7)(文0、理1)(総1、他18)
【試験】〔筆記〕有〔性格〕有
【時期】エントリー25.3→内々定25.5*(一次・二次以降もWEB面接可)【インターン】有
【採用実績校】広島工大1、県立広島工業高1、市立広島工業高1、清水ヶ丘高1、熊野高1、音戸高1、東高、誠英高1、高川学園高1、他
【求める人材】コミュニケーション能力が高く、何事にも積極的に取り組む人、常に新しい発想で、変革の風を吹き込める人

【本社】736-0055 広島県安芸郡海田町南明神町2-51 ☎082-822-2141
【特色・近況】マツダ系主要部品メーカー。自動車の燃料タンクなど燃料系部品、フレームやクロスメンバーなど車体部品、車両(アルミ)部品を手がける。製品のプレス加工に用いる金型を自社で内製。セル方式の生産システム採用。グループで国内6、海外3拠点。
【設立】1956.7 【資本金】90百万円
【社長】藏田亮祐(1983.10生 慶大経済卒)
【株主】‥
【事業】自動車部品90、型具2、治具装置3、試作4、他1 <輸出0>
【従業員】単1,418名(44.0歳)

【業績】	売上高	営業利益	経常利益	純利益
単22.3	38,243	‥	‥	‥
単23.3	50,356	‥	‥	‥
単24.3	53,890	‥	‥	‥

㈱キャタラー

株式公開計画なし

採用内定数	倍率	3年後離職率	平均年収
16名	4.8倍	0%	‥

●待遇、制度●
【初任給】月22.6万
【残業】24.3時間【有休】16.1日【制度】フ 住 在
●新卒定着状況●
20年入社(男18、女5)→3年後在籍(男18、女5)
●採用情報●
【人数】23年:23 24年:34 25年:応募76→内定16*
【内定内訳】(男12、女4)(文4、理12)(総16、他0)
【試験】〔Web会場〕SPI3〔Web自宅〕SPI3〔性格〕有
【時期】エントリー24.6→内々定25.2(一次はWEB面接可)【インターン】有
【採用実績校】信州大2、山形大1、静岡大2、千葉大1、近大1、愛知工業大3、奈良女大1、北陸先端科技院大1、静岡理工科大1、南山大1、他
【求める人材】仕事を楽しめる人

【本社】437-1492 静岡県掛川市千浜7800 ☎0537-72-3131
【特色・近況】排ガス浄化用触媒をはじめEVやPHV、FCVなど次世代車向け先進製品を開発・販売。世界初のNOx吸蔵還元型三元触媒を開発するなど世界トップ級の技術を持つ。国内に工場と研究開発センターを保有。トヨタ系。
【設立】1967.5 【資本金】551百万円
【社長】石田雅資(1963.2生)
【株主】〔24.3〕トヨタ自動車57.4%
【事業】触媒99、他1
【従業員】単1,093名(37.3歳)

【業績】	売上高	営業利益	経常利益	純利益
単22.3	436,600	‥	‥	‥
単23.3	376,466	‥	‥	‥
単24.3	283,550	‥	‥	‥

㈱協栄製作所（きょうえいせいさくしょ）

株式公開計画なし

採用内定数	倍率	3年後離職率	平均年収
1名	5倍	16.7%	‥

●待遇、制度●
【初任給】月22.4万
【残業】25.2時間【有休】11.8日【制度】住
●新卒定着状況●
20年入社(男6、女0)→3年後在籍(男5、女0)
●採用情報●
【人数】23年:9 24年:4 25年:応募5→内定1*
【内定内訳】(男1、女0)(文0、理1)(総1、他0)
【試験】〔筆記〕常識〔性格〕有
【時期】エントリー25.3→内々定25.6(一次はWEB面接可)【インターン】有
【採用実績校】‥
【求める人材】元気にあいさつができる人、物事を真面目にコツコツと取り組める人、失敗を恐れず、物事に挑戦できる人

【本社】435-0026 静岡県浜松市中央区金折町1417-10 ☎053-425-2511
【特色・近況】2輪車リヤアームなどプレス加工・溶接品主体でアルミ溶接に強みを持つ2輪車・4輪車部品メーカー。自社開発の鉄道保線用製品も展開。国内生産拠点は静岡・浜松。ベトナムに現地法人、インドネシアにミツバ工業との合弁会社。
【設立】1959.9 【資本金】40百万円
【代表取締役】石川翔一
【株主】〔24.3〕協栄100%
【事業】オートバイ部品製造45、自動車部品製造50、他5 <輸出1>
【従業員】単290名(42.3歳)

【業績】	売上高	営業利益	経常利益	純利益
単22.3	9,800	‥	‥	‥
単23.3	12,424	‥	‥	‥
単24.3	15,448	‥	‥	‥

#有休取得が多い

京三電機（きょうさんでんき）

株式公開計画なし

採用内定数	倍率	3年後離職率	平均年収
3名	8.3倍	9.1%	[総]744万円

●待遇、制度●
【初任給】月25.4万
【残業】18時間【有休】18日【制度】[フ][住][在]
●新卒定着状況●
20年入社(男9、女2)→3年後在籍(男8、女2)
●採用情報●
【人数】23年:20 24年:13 25年:応募25→内定3*
【内定内訳】(男3、女0)(文2、理1)(総3、他0)
【試験】〔Web自宅〕有〔性格〕有
【時期】エントリー25.3→内々定25.6(一次・二次以降もWEB面接可)【インターン】有
【採用実績校】東洋大1、中大1、南山大1
【求める人材】仲間を大切にし、チームとして活動できる人

【本社】306-0206 茨城県古河市丘里11-3 ☎0280-98-3370
【特色・近況】自動車の燃料システム関連部品メーカー。燃料濾過部品を中心にディーゼル燃料噴射制御、燃料圧力制御などの部品を生産。国内は茨城県(古河、結城)に工場。タイに海外生産拠点。デンソーの子会社。トヨタ自動車も出資。
【設立】1949.12【資本金】1,090百万円
【社長】石井康彦(1968.6生 電機大精密卒)
【株主】〔24.3〕デンソー63.0%
【事業】燃料ポンプモジュール、ディーゼルソレノイド、ディーゼルフィルタ、直噴ポンプソレノイド <輸出13>
【従業員】単1,430名(43.0歳)

【業績】	売上高	営業利益	経常利益	純利益
単22.3	44,197	6,037	7,991	6,622
単23.3	43,593	5,735	8,796	9,983
単24.3	44,459	6,205	10,717	8,390

協同電子エンジニアリング（きょうどうでんし）

株式公開計画なし

採用内定数	倍率	3年後離職率	平均年収
2名	9倍	0%	‥

●待遇、制度●
【初任給】月20.9万(諸手当0.7万円)
【残業】7.2時間【有休】16.3日【制度】[住][在]
●新卒定着状況●
20年入社(男3、女0)→3年後在籍(男3、女0)
●採用情報●
【人数】23年:2 24年:2 25年:応募18→内定2*
【内定内訳】(男2、女0)(文0、理2)(総2、他0)
【試験】〔筆記〕GAB〔性格〕有
【時期】エントリー25.2→内々定25.3*(一次はWEB面接可)【インターン】有
【採用実績校】中部大1、神奈川工大1
【求める人材】新技術や海外での挑戦に臆せず、生涯キャリアアップしようというバイタリティー溢れる人

【本社】224-0053 神奈川県横浜市都筑区池辺町4900-1 ☎045-932-2400
【特色・近況】カーオーディオ、カーナビ、ETCなど車載機器の設計・開発会社。自動運転、EV関連技術に関わる回路設計から基板・機構設計、ソフト開発、信頼性評価試験などを手がける。ハイエンドオーディオ機器の製造・販売も行う。米国に拠点。
【設立】2004.8【資本金】50百万円
【社長】北澤晶彦(1961.10生 千工大工卒)
【株主】〔23.7〕北澤晶彦60.9%
【事業】設計部門90、オーディオ機器販売10
【従業員】単95名(41.0歳)

【業績】	売上高	営業利益	経常利益	純利益
単21.7	1,125	68	91	26
単22.7	1,305	115	119	45
単23.7	1,210	86	92	46

㈱協豊製作所（きょうほうせいさくしょ）

株式公開計画なし

採用内定数	倍率	3年後離職率	平均年収
12名	26.7倍	‥	‥

●待遇、制度●
【初任給】月23.5万
【残業】26.8時間【有休】15.6日【制度】[フ][住][在]
●新卒定着状況●
‥
●採用情報●
【人数】23年:18 24年:25 25年:応募320→内定12*
【内定内訳】(男9、女3)(文7、理5)(総12、他0)
【試験】〔性格〕有
【時期】エントリー24.12→内々定25.2(一次・二次以降もWEB面接可)【インターン】有
【採用実績校】‥
【求める人材】自ら高い目標を掲げ、周囲をポジティブに巻き込み、論理的に自分の考えが伝えられる人

【本社】471-8515 愛知県豊田市トヨタ町6 ☎0565-28-1881
【特色・近況】自動車ボディ部品の製造、電動車両の電池部品製造、サーボ技術をベースにした設備の設計製造販売、工場のトータルサポートの4事業を手がける。トヨタ自動車の子会社。愛知に4工場、メキシコに生産拠点。1949年創立。
【設立】1949.3【資本金】1,088百万円
【社長】大地洋三
【株主】〔24.3〕トヨタ自動車100%
【事業】部品事業80、他20
【従業員】単836名(41.1歳)

【業績】	売上高	営業利益	経常利益	純利益
単22.3	48,954	‥	‥	‥
単23.3	60,191	‥	‥	‥
単24.3	74,197	‥	‥	‥

寿屋フロンテ（ことぶきや）

[株式公開いずれしたい]

採用内定数	倍率	3年後離職率	平均年収
3名	1.7倍	‥	‥

●待遇、制度●
【初任給】月22万（諸手当0.7万円）
【残業】15.3時間【有休】13.9日【制度】[フ][在]

●新卒定着状況●
‥

●採用情報●
【人数】23年:1 24年:1 25年:応募5→内定3*
【内定内訳】(男3、女0)(文1、理2)(総3、他0)
【試験】なし
【時期】エントリー通年→内々定通年(一次はWEB面接可)
【採用実績校】‥
【求める人材】グローバルな視点で自ら主体的に考え行動できる人、チームワークを大切にし、様々な人とコミュニケーションがとれる人

【本社】105-0003 東京都港区西新橋1-6-13 ☒荒ビル9階 ☎03-3503-6151
【特色・近況】フロアカーペット、ダッシュ＆エンジンルームインシュレーターなどの自動車内装品メーカー。マットなども主力製品。環境に配慮しながら、軽量化・静粛化に向けた商品開発・製品化に取り組む。中国、タイ、インドネシア、米国、メキシコに拠点。
【設立】1948.12 【資本金】307百万円
【社長】吉荒大祐
【株主】〔24.3〕吉荒不動産50.4%
【連結事業】自動車用フロアカーペット74、用品15、ロイヤリティ他11
【従業員】[連]2,188名 [単]543名(42.5歳)

【業績】	売上高	営業利益	経常利益	純利益
[連]22.3	25,396	560	1,146	‥
[連]23.3	27,613	210	374	‥
[連]24.3	29,042	1,423	1,266	‥

サムテック

[株式公開計画なし]

採用予定数	倍率	3年後離職率	平均年収
9名	‥	‥	560万円

●待遇、制度●
【初任給】月22.6万（諸手当1.3万円）
【残業】27.3時間【有休】9.6日【制度】[在]

●新卒定着状況●
‥

●採用情報●
【人数】23年:6 24年:12 25年:予定9
【内定内訳】(男‥、女‥)(文0、理5)(総 、他‥)
【試験】〔性格〕有
【時期】エントリー24.7→内々定24.12【インターン】有
【採用実績校】大阪工大1、電通大2、摂南大1、大和大1
【求める人材】新しいアプローチを歓迎し、固定観念に捉われず挑戦し続け、自己主導で行動できる人

【本社】582-0027 大阪府柏原市円明町1000-18 ☎072-977-8851
【特色・近況】ホイールハブユニット、自動車用ギアなど自動車用部品を製造。精密複合鍛造品主体に生産。フローフォーミング成形品も手がける。大阪・柏原と羽曳野に工場。米国、メキシコ、タイに海外拠点。高圧水素ガス容器の開発などにも取り組む。
【設立】1949.5 【資本金】95百万円
【社長】阪口善樹(1967.5生 慶大院理工修了)
【株主】〔23.11〕サムテック興産26.8%
【事業】ホイールハブユニット54、自動車用ギヤ・ドラム33、ベアリング8、他5
【従業員】[単]454名(40.1歳)

【業績】	売上高	営業利益	経常利益	純利益
[単]21.11	18,911	422	691	473
[単]22.11	21,045	6	503	345
[単]23.11	23,424	393	1,538	1,122

澤藤電機（さわふじでんき）

[東証スタンダード]

採用予定数	倍率	3年後離職率	平均年収
20名	‥	12.5%	[総]581万円

●待遇、制度●
【初任給】月23万
【残業】17.3時間【有休】17.1日【制度】[フ][在]

●新卒定着状況●
20年入社(男18、女6)→3年後在籍(男17、女4)

●採用情報●
【人数】23年:13 24年:20 25年:予定20*
【内定内訳】(男‥、女‥)(文‥、理‥)(総‥、他‥)
【試験】試験あり
【時期】エントリー25.3→内々定25.6(一次はWEB面接可)【インターン】有
【採用実績校】‥
【求める人材】‥

【本社】370-0344 群馬県太田市新田早川町3 ☎0276-56-7111
【特色・近況】日野自動車系の部品メーカーで、自動車用電装品、可搬式発電機、車載用冷蔵庫が3本柱。電装品はディーゼルエンジン用スターターやバッテリー充電用発電機を生産。発電機は北米のホンダ向けOEM品が、車載用冷蔵庫は豪州向け輸出品が中心。
【設立】1919.5 【資本金】1,080百万円
【社長】井上雅央(1959.11生 早大理工卒)
【株主】〔24.3〕日野自動車30.2%
【連結事業】電装品59、発電機23、冷蔵庫18、他1 <海外27>
【従業員】[連]881名 [単]724名(41.2歳)

【業績】	売上高	営業利益	経常利益	純利益
[連]22.3	28,761	383	599	395
[連]23.3	29,340	238	473	285
[連]24.3	26,742	563	789	517

三桜工業（さんおうこうぎょう）

[東証プライム]

採用内定数	倍率	3年後離職率	平均年収
5名	5.4倍	100%	622万円

●待遇、制度●
【初任給】月22万
【残業】14.7時間【有休】16.2日【制度】[フ][住][在]
●新卒定着状況●
20年入社(男1、女0)→3年後在籍(男0、女0)
●採用情報●
【人数】23年:10 24年:45 25年:応募27→内定5*
【内定内訳】(男4、女1)(文1、理2)(総5、他0)
【試験】〔筆記〕有
【時期】随時(一次・二次以降もWEB面接可)【インターン】有
【採用実績校】國學院大1、日工大1、長岡技科大1、小山高専1、東京IT会計公務員専1
【求める人材】世界を舞台に働く意欲がある人、新しいことにチャレンジできる人

【本社】306-0041 茨城県古河市鴻巣758
☎0280-48-1111
【特色・近況】自動車用の各種チューブや集合配管を製造する独立系メーカー。金属・樹脂加工などでブレーキ配管・燃料配管・シートベルト関連など多彩な製品を供給。国内全自動車メーカーに納入しシェアは約4割、海外メーカーにも多数納入。世界19カ国に製造拠点。
【設立】1939.4 【資本金】3,481百万円
【社長】竹田玄哉(1978.6生 Nウェスタン院修了)
【株主】〔24.3〕日本マスタートラスト信託銀行信託口9.9%
【連結事業】自動車部品98、電器部品1、設備他1 <海外82>
【従業員】連7,915名 単1,131名(43.5歳)

【業績】	売上高	営業利益	経常利益	純利益
連22.3	115,940	2,183	2,584	1,009
連23.3	137,692	1,321	1,490	▲907
連24.3	156,814	8,053	7,296	4,216

三恵工業（さんけいこうぎょう）

[株式公開計画なし]

採用内定数	倍率	3年後離職率	平均年収
6名	2.3倍	16.7%	[総]530万円

●待遇、制度●
【初任給】月21.4万
【残業】25時間【有休】10.3日【制度】[住]
●新卒定着状況●
20年入社(男8、女4)→3年後在籍(男6、女4)
●採用情報●
【人数】23年:11 24年:5 25年:応募14→内定6*
【内定内訳】(男3、女3)(文2、理0)(総3、他3)
【試験】〔筆記〕常識〔性格〕有
【時期】エントリー25.1→内々定25.1(一次はWEB面接可)【インターン】有
【採用実績校】京都光華女大1、京都橘大1、びわこ学院大1、金沢工大1、長浜バイオ大1、京都経済短大1
【求める人材】変化の激しい時代であるからこそ、自分の持つ力を最大限に発揮できる強い意思のある人

【本社】520-3045 滋賀県栗東市高野305
☎077-553-0555
【特色・近況】海外120以上の国・地域に日本車補修部品を「555」ブランドで輸出する部品メーカー。サスペンション、ステアリング系などの足回り部品が主体で取り扱い製品数は約2000品目と多品種少量生産。製造全ラインにタブレット設置などIoT化推進。
【設立】1960.9 【資本金】48百万円
【社長】中井一喜(1962.2生)
【株主】〔24.3〕ゴーシューホールディングス64.2%
【事業】ボールジョイント36、タイロットエンド35、スタビライザーリンク22、他7 <輸出90>
【従業員】単309名(38.4歳)

【業績】	売上高	営業利益	経常利益	純利益
単22.3	15,584	2,096	2,119	873
単23.3	17,404	1,507	1,527	1,393
単24.3	21,863	2,707	2,866	1,974

しげる工業（こうぎょう）

[株式公開計画なし]

採用内定数	倍率	3年後離職率	平均年収
11名	3.6倍	27.8%	[総]480万円

●待遇、制度●
【初任給】月21.3万(諸手当0.7万円)
【残業】20.4時間【有休】12.4日【制度】[住][在]
●新卒定着状況●
20年入社(男14、女4)→3年後在籍(男11、女2)
●採用情報●
【人数】23年:35 24年:40 25年:応募40→内定11*
【内定内訳】(男6、女5)(文7、理4)(総11、他0)
【試験】〔Web自宅〕有〔性格〕有
【時期】エントリー24.6→内々定24.11*(一次はWEB面接可)【インターン】有【ジョブ型】有
【採用実績校】日工大2、高崎経大2、白鴎大1、二松学舎大1、日大1、相模女大1、宇都宮大1、足利大1、ものつくり大1
【求める人材】当社が定めているフィロソフィーの中でどれか一つでも実践している人など

【本社】373-8588 群馬県太田市由良町330
☎0276-31-3913
【特色・近況】自動車内装・外装部品、医療用器具、樹脂加工品が主要事業。バス内装部品メーカーから自動車艤装部品工場として分離独立。企画から設計・製造、物流まで一貫。独自の組立ラインを保有。市場ニーズ対応と技術力に定評。米国、タイ、中国に海外生産拠点。
【設立】1960.2 【資本金】450百万円
【社長】正田敦郎(1966.9生 東北大院修了)
【株主】〔24.3〕生田興業23.7%
【事業】自動車内装・外装部品、樹脂加工品
【従業員】単1,132名(37.2歳)

【業績】	売上高	営業利益	経常利益	純利益
単22.3	41,661	106	1,171	693
単23.3	53,094	797	2,134	1,379
単24.3	52,836	513	2,555	1,412

メーカー(電機・自動車・機械)

太平洋精工（たいへいようせいこう）

株式公開計画なし

採用内定数	倍率	3年後離職率	平均年収
9名	9.7倍	12.5%	㊇794万円

●待遇、制度●
【初任給】月23.8万
【残業】17.4時間【有休】13.8日【制度】フ 住

●新卒定着状況●
20年入社(男6、女2)→3年後在籍(男5、女2)

●採用情報●
【人数】23年:12 24年:15 25年:応募87→内定9*
【内定内訳】(男8、女1)(文2、理0)(総2、他7)
【試験】〔Web自宅〕有〔性格〕有
【時期】エントリー24.12→内々定25.3*(一次・二次以降もWEB面接可)【インターン】有
【採用実績校】愛知大1、サイバー韓国外大1

【求める人材】十人十色のカラフルクリエイター、互いを尊重し違った個性を受け入れ共に成長できる人

【本社】503-0981 岐阜県大垣市桧町450
☎0584-91-3131
【特色・近況】自動車用ヒューズ製造主体で国内外シェア首位級。自動車用ヒューズ販売は累計600億本超え。精密金属板パーツの金型設計からプレス加工も手がける。メキシコ、タイに生産現法。中国、ドイツ、米国に販売現法。韓国、台湾、インド、豪州に代理店を置く。
【設立】2008.4 【資本金】98百万円
【社長】小川貴久(1962.8生 慶大経済卒)
【株主】〔24.3〕PECホールディングス100%
【事業】自動車用ヒューズ及び精密金属プレスの製造・販売 <輸出70>
【従業員】単321名(38.2歳)

【業績】	売上高	営業利益	経常利益	純利益
単22.3	22,048	‥	‥	4,647
単23.3	23,414	‥	‥	4,139
単24.3	25,101	‥	‥	5,066

㈱タツミ

東証スタンダード

採用内定数	倍率	3年後離職率	平均年収
2名	1倍	25%	444万円

●待遇、制度●
【初任給】月20.8万
【残業】15.5時間【有休】13.6日【制度】フ 住 在

●新卒定着状況●
20年入社(男3、女1)→3年後在籍(男2、女1)

●採用情報●
【人数】23年:5 24年:4 25年:応募2→内定2*
【内定内訳】(男2、女0)(文‥、理‥)(総0、他2)
【試験】〔Web自宅〕SPI3
【時期】エントリー25.3→内々定25.8*(一次はWEB面接可)【インターン】有
【採用実績校】‥

【求める人材】積極性、協調性のある人

【本社】326-0836 栃木県足利市南大町443
☎0284-71-3131
【特色・近況】電装用部品とブレーキ部品が主力の自動車用部品メーカー。電装用はワイパーやパワーウインドー部品などを生産。2輪車用部品も手がける。国内は群馬と栃木、海外はメキシコ、インドネシアに工場持つ。ミツバの子会社で同グループ向けは売上の約4割。
【設立】1951.5 【資本金】715百万円
【社長】伏島利行(1963.8生 神奈大経済卒)
【株主】〔24.3〕ミツバ53.1%
【連結事業】視界確保18、利便快適10、コミュニケーション2、エンジン補機22、四輪ブレーキ38、二輪ブレーキ1、二輪汎用5、応用4 <海外41>
【従業員】連553名 単273名(40.0歳)

【業績】	売上高	営業利益	経常利益	純利益
連22.3	6,130	▲295	▲288	▲203
連23.3	6,411	▲227	▲263	▲394
連24.3	7,415	136	230	173

知多鋼業（ちたこうぎょう）

名証メイン

採用予定数	倍率	3年後離職率	平均年収
5名	−	25%	㊇580万円

●待遇、制度●
【初任給】月22万(諸手当0.8万円)
【残業】19.8時間【有休】10.6日【制度】フ 住

●新卒定着状況●
20年入社(男4、女0)→3年後在籍(男3、女0)

●採用情報●
【人数】23年:6 24年:8 25年:応募6→内定0*
【内定内訳】(男‥、女‥)(文‥、理‥)(総‥、他‥)
【試験】〔筆記〕SPI3〔Web自宅〕SPI3〔性格〕有
【時期】エントリー25.3→内々定25.6*
【採用実績校】‥

【求める人材】責任感を持ち、自ら考えて主体的に仕事を進めていける人

【本社】486-0903 愛知県春日井市前並町2-12-4
☎0568-27-7771
【特色・近況】2輪・4輪車ばねが主力の自動車部品メーカー。独立系。2輪車のサスペンションばねでは最大手。線ばね、薄板ばねのほかプレス加工品、パイプ成形品も製造。海外は、筆頭株主カヤバとの合弁などで北米、中国、インドネシア、タイ、チェコに拠点持つ。
【設立】1956.3 【資本金】819百万円
【会長兼社長】吉田修(1946.2生 名城大理工卒)
【株主】〔24.2〕カヤバ11.5%
【連結事業】各種線ばね37、各種薄板ばね33、パイプ成形加工品24、切削加工品他6 <海外25>
【従業員】連559名 単378名(41.2歳)

【業績】	売上高	営業利益	経常利益	純利益
連22.2	13,479	1,247	2,052	1,449
連23.2	13,166	1,044	2,023	1,409
連24.2	14,526	1,069	1,936	1,373

㈱千代田製作所（ちよだせいさくしょ）

株式公開計画なし

採用内定数	倍率	3年後離職率	平均年収
1名	8倍	57.1%	㊙687万円

●待遇、制度●
【初任給】月20.6万(諸手当0.1万円)
【残業】15時間【有休】14.8日【制度】‥

●新卒定着状況●
20年入社(男14、女7)→3年後在籍(男8、女1)

●採用情報●
【人数】23年:20 24年:1 25年:応募8→内定1
【内定内訳】(男1、女0)(文0、理1)(総0、他1)
【試験】〔Web自宅〕SPI3〔性格〕有
【時期】エントリー25.2→内々定25.4(一次はWEB面接可)【インターン】有
【採用実績校】諏訪東理大1

【求める人材】逸早く一歩を踏み出せる「行動力」と、最後までやり遂げる「誠実さ」を備える人

【本社】373-0847 群馬県太田市西新町126-2
☎0276-31-8201
【特色・近況】ガーニッシュ、ルーフレール、グリル、スポイラーなど樹脂製品、エンジンハーネスなどを製造・販売する自動車部品メーカー。独立系。大型ブロー成形品から小物まで多品種少量生産に強み。国内に4工場。米国、フィリピンに生産現地法人。
【設立】1961.12 【資本金】360百万円
【社長】齊藤常文
【株主】〔24.3〕大江通浩58.0%
【事業】自動車用樹脂部品74、自動車用ワイヤリングハーネス26
【従業員】単450名(34.0歳)

【業績】	売上高	営業利益	経常利益	純利益
単22.3	24,322	91	360	313
単23.3	28,487	269	679	325
単24.3	32,300	871	930	661

㈱TBK

東証スタンダード

採用内定数	倍率	3年後離職率	平均年収
10名	5.7倍	41.2%	㊙509万円

●待遇、制度●
【初任給】月22.6万
【残業】14時間【有休】14.3日【制度】フ 住 在

●新卒定着状況●
20年入社(男15、女2)→3年後在籍(男9、女1)

●採用情報●
【人数】23年:2 24年:17 25年:応募57→内定10*
【内定内訳】(男4、女6)(文7、理3)(総10、他0)
【試験】〔Web自宅〕SPI3
【時期】エントリー25.3→内々定25.3*(一次はWEB面接可)【インターン】有【ジョブ型】有
【採用実績校】東京工科大2、東洋英和女学大2、湘南工大1、会津大1、大原学園専1、産業技術短大2
【求める人材】安定した企業環境で様々な人と連携しながら、ものづくりに携わりたい人、グローバルステージで活躍したい人

【本社】194-0045 東京都町田市南成瀬4-21-1
☎042-739-1471
【特色・近況】トラック・バス用ブレーキの首位メーカー。エンジン関連部品の水・油ポンプも高シェア。筆頭株主のいすゞ自動車向け多いが、三菱ふそうトラック・バス、日野自動車など国内商用車メーカー全社と取引。中国、タイ、インド、米国に生産拠点を有する。
【設立】1949.8 【資本金】4,617百万円
【社長】尾方馨(1962.12生)
【株主】〔24.3〕いすゞ自動車9.5%
【連結事業】自動車部品等製造・日本52、同・アジア34、同・中国6、同・北米7 <海外50>
【従業員】連1,959名 単737名(42.3歳)

【業績】	売上高	営業利益	経常利益	純利益
連22.3	51,194	598	1,232	783
連23.3	53,522	▲628	▲623	▲2,065
連24.3	56,659	903	841	332

㈱ティラド

東証プライム

採用内定数	倍率	3年後離職率	平均年収
18名	7.7倍	6.9%	617万円

●待遇、制度●
【初任給】月23.9万
【残業】16.7時間【有休】15.1日【制度】フ 住 在

●新卒定着状況●
20年入社(男27、女2)→3年後在籍(男25、女2)

●採用情報●
【人数】23年:15 24年:16 25年:応募138→内定18*
【内定内訳】(男14、女4)(文10、理8)(総18、他0)
【試験】〔Web自宅〕SPI3〔性格〕有
【時期】エントリー25.3→内々定25.4*(一次・二次以降もWEB面接可)【インターン】有
【採用実績校】亜大1、京都女大1、近大1、工学院大1、滋賀大1、芝工大1、湘南工大1、神奈川大2、相山女学大1、専大1、帝京大1、他
【求める人材】変化を恐れず、周りの人と協力しながら新たなことに挑戦をしたいと思える人

【本社】151-0053 東京都渋谷区代々木3-25-3
☎03-3373-1101
【特色・近況】自動車用や建設機械用などの独立系熱交換器メーカー。ラジエーター、オイルクーラーなど自動車向けが売上高の約8割を占める。トヨタやホンダなど幅広く納入。建機用はコマツ向けが中心。米国、チェコ、中国などに製造・販売拠点を持ち、海外売上比率は約6割。
【設立】1936.11 【資本金】8,570百万円
【代表取締役】宮﨑富夫(1977.9生 慶大院理工修了)
【株主】〔24.3〕㈱陣屋コネクト25.3%
【連結事業】自動車用78、建設機械用19、空調機器用1、他2 <海外57>
【従業員】連4,474名 単1,557名(40.9歳)

【業績】	売上高	営業利益	経常利益	純利益
連22.3	133,581	5,041	5,997	3,600
連23.3	149,413	1,050	2,083	▲3,595
連24.3	158,659	4,350	5,339	1,245

東海興業（とうかいこうぎょう）

株式公開計画なし

採用内定数	倍率	3年後離職率	平均年収
7名	10.1倍	9.5%	㊍681万円

●待遇、制度●
【初任給】月23万
【残業】20.4時間【有休】16.8日【制度】フ 住 在

●新卒定着状況●
20年入社(男15、女6)→3年後在籍(男13、女6)

●採用情報●
【人数】23年:14 24年:12 25年:応募71→内定7*
【内定内訳】(男4、女3)(文6、理1)(総7、他0)
【試験】〔Web会場〕C-GAB〔Web自宅〕有〔性格〕有
【時期】エントリー25.3→内々定25.4(一次・二次以降もWEB面接可)【インターン】有
【採用実績校】愛知工業大1、専大1、中京大1、名古屋外大1、法政大1、明大1、名城大1
【求める人材】向上心を持ち、物事に積極的に取り組むことができる人

【本社】474-8688 愛知県大府市長根町4-1
☎0562-44-1500
【特色・近況】自動車用シート、ゴム、樹脂部品メーカー。一貫生産で多品種少量生産に対応。トヨタ、ホンダ、スズキ向けが主力。北米、タイ、中国、インドネシア、ベトナム、インド、メキシコに現地生産拠点を展開するなど、グローバル供給体制を構築。
【設立】1947.3 【資本金】301百万円
【社長】木村友一(1980.9生 慶大院理工修了)
【株主】〔24.3〕東海興業ホールディングス100%
【事業】自動車部品99、建材1
【従業員】単755名(39.4歳)

【業績】	売上高	営業利益	経常利益	純利益
単22.3	34,670	▲52	1,674	1,367
単23.3	37,454	▲802	1,219	31
単24.3	42,968	809	2,768	2,034

東京ラヂエーター製造（とうきょうラヂエーターせいぞう）

東証スタンダード

採用内定数	倍率	3年後離職率	平均年収
7名	7.7倍	0%	657万円

●待遇、制度●
【初任給】月23万
【残業】17.9時間【有休】13.2日【制度】フ 住 在

●新卒定着状況●
20年入社(男4、女1)→3年後在籍(男4、女1)

●採用情報●
【人数】23年:5 24年:7 25年:応募54→内定7*
【内定内訳】(男5、女2)(文4、理3)(総7、他0)
【試験】〔性格〕有
【時期】エントリー25.3→内々定25.9*(一次はWEB面接可)【インターン】有
【採用実績校】湘南工大1、千葉工大1、明大1、東京家政大1、明星大1、同大2
【求める人材】長期的かつ安定的に組織に属して成果をあげたい人、メリハリをつけて働きたい人

【本社】252-0816 神奈川県藤沢市遠藤2002-1
☎0466-87-1231
【特色・近況】トラック・建設機械用などの熱交換機メーカー。自動車部品メーカーのマレリの関連会社。ラジエーター、EGRクーラーに加え、燃料タンクやオイルクーラーも製造。いすゞ自動車向けが5割程度。海外は、中国の重慶と無錫、インドネシア、タイに生産拠点。
【設立】1938.10 【資本金】1,317百万円
【社長】木村裕哲(1963.5生)
【株主】〔24.3〕マレリ11.1%
【連結事業】熱交換器80、車体部品20 <海外24>
【従業員】連879名 単513名(42.7歳)

【業績】	売上高	営業利益	経常利益	純利益
連22.3	26,988	▲92	95	▲801
連23.3	31,785	823	849	▲718
連24.3	33,401	1,397	1,548	1,681

東京濾器（とうきょうろき）

株式公開計画なし

採用内定数	倍率	3年後離職率	平均年収
28名	4.1倍	10.5%	㊍486万円

●待遇、制度●
【初任給】月28万
【残業】5.8時間【有休】14.9日【制度】フ 住

●新卒定着状況●
20年入社(男16、女3)→3年後在籍(男15、女2)

●採用情報●
【人数】23年:19 24年:18 25年:応募114→内定28*
【内定内訳】(男20、女8)(文15、理12)(総27、他1)
【試験】〔性格〕有
【時期】エントリー24.6→内々定25.3*【インターン】有【ジョブ型】有
【採用実績校】神奈川大3、東海大3、県立広島大2、慶大1、横浜市大1、広島大1、徳島大1、福島大1、宇都宮大1、龍谷大1、新潟大1、他
【求める人材】自律して行動できる人、信頼関係を築き仕事をしていける人、問題解決していける人

【本社】224-0041 神奈川県横浜市都筑区仲町台3-12-3
☎045-945-8511
【特色・近況】排ガス浄化装置(触媒)、EGR(排気ガス再循環装置)クーラーなど環境関連自動車部品を主力に開発・製造・販売。国内外での排ガス規制に対する自動車や産業機器メーカーからの触媒、マフラー、EGRクーラー需要が増加。独立系。
【設立】1949.3 【資本金】2,000百万円
【社長】岩本高明(1965.7生)
【株主】〔24.3〕高村育英会20.0%
【事業】排ガス用触媒など自動車部品98、事務機器部品他2 <輸出10>
【従業員】単967名(40.0歳)

【業績】	売上高	営業利益	経常利益	純利益
単22.3	69,064	980	3,952	3,154
単23.3	74,883	▲682	1,325	881
単24.3	69,983	▲995	1,749	361

㈱東洋シート（とうようシート）

株式公開計画なし

採用内定数	倍率	3年後離職率	平均年収
6名	4.5倍	38.1%	459万円

●待遇、制度●
【初任給】月21.8万
【残業】16.3時間【有休】10日【制度】フ 住 在

●新卒定着状況●
20年入社(男17、女4)→3年後在籍(男12、女1)

●採用情報●
【人数】23年:49 24年:7 25年:応募27→内定6*
【内定内訳】(男2、女4)(文3、理3)(総6、他0)
【試験】〔Web自宅〕SPI3〔性格〕有
【時期】エントリー 25.3→内々定25.5*(一次はWEB面接可)【インターン】有
【採用実績校】広島市大1、広島工大1、広島経大1、広島修道大1、比治山大1、九産大1

【求める人材】意思・個性を尊重し合い、社員一人ひとりが自立して働ける人

【本社】736-0002 広島県安芸郡海田町国信1-6-25 ☎082-822-6111
【特色・近況】マツダ向け自動車シートとコンバーチブルトップ(オープンカー用幌)、機構部品の生産が主力。列車用シート、スチール家具、福祉機器も生産。国内は山口、広島、兵庫に工場。海外は、北米、中国、フィリピン、インド、ハンガリーに展開。
【設立】1962.1 【資本金】100百万円
【社長】小濱和也(1963.9生 広島会計学院専卒)
【株主】〔24.3〕TOYO H&I100%
【事業】自動車用シート88、自動車用コンバーチブルトップ1、他10
【従業員】単728名(40.5歳)

【業績】	売上高	営業利益	経常利益	純利益
単21.12	37,273	‥	‥	‥
単22.12	37,839	‥	‥	‥
単23.12	41,800	‥	‥	‥

#年収高く倍率低い #年収が高い #有休取得が多い

トヨタ自動車北海道（じどうしゃほっかいどう）

株式公開計画なし

採用内定数	倍率	3年後離職率	平均年収
7名	8.7倍	30%	総930万円

●待遇、制度●
【初任給】月23万
【残業】17時間【有休】20.3日【制度】フ 住 在

●新卒定着状況●
20年入社(男8、女2)→3年後在籍(男7、女0)

●採用情報●
【人数】23年:6 24年:4 25年:応募61→内定7
【内定内訳】(男5、女2)(文2、理4)(総6、他1)
【試験】〔Web会場〕SPI3〔性格〕有
【時期】エントリー 25.3→内々定25.6*(一次・二次以降もWEB面接可)【インターン】有
【採用実績校】室蘭工大2、千歳科技大1、関西学大1、小樽商大1、徳島文理大1

【求める人材】想像力と創造力を養い、「誰かの為に」を念頭に、前例にとらわれず行動できる人

【本社】059-1393 北海道苫小牧市勇払145-1 ☎0144-57-2121
【特色・近況】AT(自動変速機)、CVT(無段変速機)、ハイブリッドトランスアクスル、トランスファーなど駆動ユニットを製造。トヨタ自動車の北海道唯一の製造拠点。敷地面積31万坪、建屋9.2万坪。敷地内にはオフィスと5工場を持つ。
【設立】1991.2 【資本金】27,500百万円
【社長】高橋慎弥
【株主】〔24.3〕トヨタ自動車100%
【事業】自動車部品製造100
【従業員】単3,336名(40.6歳)

【業績】	売上高	営業利益	経常利益	純利益
単22.3	188,975	‥	‥	‥
単23.3	192,951	‥	‥	‥
単24.3	199,605	‥	‥	‥

豊臣機工（とよとみきこう）

株式公開計画なし

採用内定数	倍率	3年後離職率	平均年収
20名	3.8倍	22.2%	総693万円

●待遇、制度●
【初任給】月22.5万
【残業】31.2時間【有休】15.3日【制度】フ 住

●新卒定着状況●
20年入社(男5、女4)→3年後在籍(男4、女3)

●採用情報●
【人数】23年:23 24年:27 25年:応募75→内定20
【内定内訳】(男18、女2)(文6、理2)(総8、他12)
【試験】〔Web自宅〕SPI3、他
【時期】エントリー 25.3→内々定25.6*(一次はWEB面接可)【インターン】有
【採用実績校】中部大院1、愛知工業大1、大同大1、名城大1、中京大1、愛知淑徳大1、椙山女学大1、愛知産大1、他

【求める人材】能動的に取り組み、チャレンジ精神旺盛で、協調性を大切にしている人

【本社】446-8558 愛知県安城市今本町東向山7 ☎0566-97-9131
【特色・近況】SUVなどの自動車ボディ部品のプレス、溶接、塗装が主力。トヨタ系向けに供給。フレキシブルプレスシステムに定評。試作車ボディ部品から車両部品、補給サービス用部品まで一貫。国内4工場と米国、フランス、タイの拠点でグローバルネットワーク構築。
【設立】1960.9 【資本金】481百万円
【社長】伴雅紀(1960.10生 金沢工大卒)
【株主】〔24.4〕トヨトミ41.9%
【事業】自動車部品94、プレス金型5、他1
【従業員】単1,348名(41.2歳)

【業績】	売上高	営業利益	経常利益	純利益
単22.4	45,009	‥	‥	‥
単23.4	53,950	‥	‥	‥
単24.4	60,718	‥	‥	‥

南条装備工業（なんじょうそうびこうぎょう）	株式公開計画なし	採用内定数	倍率	3年後離職率	平均年収
		8名	6.6倍	0%	[総]546万円

●待遇、制度●
【初任給】月21.3万
【残業】12.3時間【有休】16日【制度】[フ][住][在]
●新卒定着状況●
20年入社(男5、女3)→3年後在籍(男5、女3)
●採用情報●
【人数】23年:10 24年:14 25年:応募53→内定8*
【内定内訳】(男3、女5)(文5、理2)(総8、他0)
【試験】〔性格〕有
【時期】エントリー25.1→内々定25.3(一次はWEB面接可)【インターン】有
【採用実績校】広島工大1、北海道科学大1、安田女大2、広島修道大1、広島経大2、麻生建築&デザイン専1
【求める人材】チャレンジ精神旺盛な人

【本社】732-0806 広島県広島市南区西荒神町1-8 テリハ広島 ☎082-568-0150
【特色・近況】自動車のドア内装部品メーカー。低圧射出成形による表皮同時貼合に強み。内装シートの新縫製技術を開発し、高級車向け受注を拡大。マツダ向けが主体。国内は広島、山口に工場。海外は中国、メキシコに現地法人。1915年人力車の幌製造で創業。
【設立】1965.2 【資本金】100百万円
【社長】山口雄司
【株主】〔24.3〕TOYO H&I51.0%
【事業】ドアトリム95、シートトリム5
【従業員】単718名(41.3歳)

【業績】	売上高	営業利益	経常利益	純利益
単22.12	25,879	‥	‥	‥
単23.3変	7,429	‥	‥	‥
単24.3	25,332	‥	‥	‥

西川ゴム工業（にしかわごむこうぎょう）	東証スタンダード	採用内定数	倍率	3年後離職率	平均年収
		22名	7.1倍	33.3%	591万円

●待遇、制度●
【初任給】月23.5万
【残業】20時間【有休】12.2日【制度】[フ][住][在]
●新卒定着状況●
20年入社(男19、女5)→3年後在籍(男13、女3)
●採用情報●
【人数】23年:19 24年:29 25年:応募156→内定22
【内定内訳】(男16、女6)(文11、理11)(総22、他0)
【試験】なし
【時期】エントリー25.2→内々定25.3(一次はWEB面接可)【インターン】有
【採用実績校】近大1、関大1、関西学大1、県立広島大3、広島修道大1、日経大1、広島大2、広島市大1、鹿屋体大1、広島工大6、鹿児島大1、他
【求める人材】和(チームワーク)を大切にし、自らの成長と共に、楽しみながらチャレンジする人

【本社】733-8510 広島県広島市西区三篠町2-2-8 ☎082-237-9371
【特色・近況】独立系自動車部品メーカーで、ゴム製品が主力。国内の全自動車メーカーにシール製品の納入実績を持ち、特にマツダ向けが強い。メーカーの海外進出に対応し北中米、中国、アジアに生産拠点。一般産業用シール材や住宅用目地材も手がける。
【設立】1949.4 【資本金】3,364百万円
【社長】小川秀樹(1961.7生)
【株主】〔24.3〕公益財団法人西川記念財団7.4%
【連結事業】自動車用部品・一般産業資材100 <海外57>
【従業員】単1,369名(45.2歳)

【業績】	売上高	営業利益	経常利益	純利益
連22.3	84,503	2,473	3,598	2,105
連23.3	98,167	768	2,280	2,109
連24.3	117,904	6,555	8,920	5,038

(株)ニチリン	東証スタンダード	採用内定数	倍率	3年後離職率	平均年収
		4名	12.5倍	0%	733万円

●待遇、制度●
【初任給】月24.1万
【残業】9時間【有休】15.2日【制度】[フ][住][在]
●新卒定着状況●
20年入社(男0、女3)→3年後在籍(男0、女3)
●採用情報●
【人数】23年:7 24年:9 25年:応募50→内定4*
【内定内訳】(男3、女1)(文2、理2)(総4、他0)
【試験】〔Web自宅〕SPI3
【時期】エントリー25.3→内々定25.4(一次・二次以降もWEB面接可)
【採用実績校】兵庫県大1、龍谷大1、トンア大1、豊橋技科大1
【求める人材】何ごとにも積極的にチャレンジできる人

【本社事務所】671-0224 兵庫県姫路市別所町佐土1118 ☎079-252-4151
【特色・近況】独立系の自動車用ホース大手。ブレーキ、パワーステアリング、カーエアコン用ゴムホース製造で国内の先駆者的存在。2輪車ブレーキ用は高シェア。主要顧客はホンダ。カーエアコン用内部熱交換器なども開発。混合水栓用ホースなど住宅分野にも展開。
【設立】1924.3 【資本金】2,158百万円
【社長】曽我浩之(1965.4生)
【株主】〔24.6〕太陽鉱工22.3%
【連結事業】自動車ホース等100 <海外72>
【従業員】連2,376名 単357名(42.8歳)

【業績】	売上高	営業利益	経常利益	純利益
連21.12	58,260	6,841	7,531	4,781
連22.12	64,172	7,678	8,452	4,578
連23.12	70,631	9,620	10,548	5,915

#有休取得が多い

㈱日進製作所（にっしんせいさくしょ）

株式公開計画なし

採用内定数	倍率	3年後離職率	平均年収
2名	5.5倍	8.3%	総609万円

●待遇、制度●
【初任給】月21.9万
【残業】8.2時間【有休】18.1日【制度】フ 住 在
●新卒定着状況●
20年入社(男9、女3)→3年後在籍(男8、女3)
●採用情報●
【人数】23年:3 24年:2 25年:応募11→内定2*
【内定内訳】(男1、女1)(文2、理0)(総2、他0)
【試験】〔Web会場〕C-GAB〔性格〕有
【時期】エントリー25.3→内々定25.5(一次はWEB面接可)【インターン】有
【採用実績校】同大1、東北大1

【求める人材】自ら"考動"でき、夢と希望を持っている人

【本社】627-0037 京都府京丹後市峰山町千歳22
☎0772-62-1111
【特色・近況】自動車用エンジン部品や精密部品を、金属成形から熱処理、機械加工まで一貫して製造するメーカー。生産設備・治具・検具は内製化。超高精度ホーニング盤はトップブランド。中国、タイなど5カ国に海外生産拠点、米国に販売拠点。1946年創業。
【設立】1948.3【資本金】850百万円
【社長】平野卓(1957.2生 大経大卒)
【株主】〔24.3〕錦織隆5.1%
【事業】車両部品59、産業装置30、精密部品11 <輸出39>
【従業員】単783名(47.9歳)

【業績】	売上高	営業利益	経常利益	純利益
単22.3	20,107	▲186	2,849	57
単23.3	20,134	684	2,915	3,040
単24.3	20,006	381	2,995	2,509

#有休取得が多い

㈱NITTAN

東証スタンダード

採用内定数	倍率	3年後離職率	平均年収
3名	‥	18.2%	総672万円

●待遇、制度●
【初任給】月22.6万(諸手当0.5万円)
【残業】27.2時間【有休】17.7日【制度】フ 住 在
●新卒定着状況●
20年入社(男8、女3)→3年後在籍(男8、女1)
●採用情報●
【人数】23年:3 24年:7 25年:応募‥→内定3*
【内定内訳】(男3、女0)(文0、理3)(総3、他0)
【試験】〔筆記〕有〔Web自宅〕有〔性格〕有
【時期】エントリー25.3→内々定25.6*(一次はWEB面接可)【インターン】有
【採用実績校】芝工大1、福島大1

【求める人材】問題解決に向けてスピード感を持ち主体的に継続して取り組む人

【本社工場】257-0031 神奈川県秦野市曽屋518
☎0463-82-1311
【特色・近況】エンジンバルブ主体の独立系部品メーカー。ホンダ向けなど4輪の自動車用部品が主力だが2輪用も生産。精密鍛造歯車や船舶用エンジンバルブも手がけ、舶用はCO_2排出量抑制や次世代燃料対応進める。米国イートン社と技術提携、合弁の海外拠点も持つ。
【設立】1948.11【資本金】4,530百万円
【社長】李太煥(1964.12生 東海大工卒)
【株主】〔24.3〕イートン社17.1%
【連結事業】小型エンジンバルブ84、舶用部品7、歯車5、PBW2、他2 <海外67>
【従業員】連2,579名 単684名(45.2歳)

【業績】	売上高	営業利益	経常利益	純利益
連22.3	38,669	1,963	2,106	644
連23.3	41,876	1,440	1,759	391
連24.3	49,478	2,023	2,482	601

日本プラスト（にほん）

東証スタンダード

採用内定数	倍率	3年後離職率	平均年収
10名	4.5倍	18.7%	525万円

●待遇、制度●
【初任給】月21.2万
【残業】14.6時間【有休】13.6日【制度】フ 住 在
●新卒定着状況●
20年入社(男21、女11)→3年後在籍(男17、女9)
●採用情報●
【人数】23年:32 24年:28 25年:応募45→内定10
【内定内訳】(男8、女2)(文5、理5)(総10、他0)
【試験】‥
【時期】エントリー25.3→内々定25.10(一次・二次以降もWEB面接可)【インターン】有
【採用実績校】神奈川大2、静岡英和学大1、静岡理工科大1、福島大1、日大1、大阪経大1、共栄大1、広島大1、他
【求める人材】私がやる、すぐやる、協力する人、失敗を恐れない人、グローバルで活躍する人

【本社】418-0111 静岡県富士宮市山宮3507-15
☎0544-58-6830
【特色・近況】独立系の自動車部品メーカー大手で安全部品と樹脂部品を手がける。安全部品はステアリングやエアバッグ関連、樹脂はインパネやコンソールなど。売り上げは日産グループ向けが約4割。北米、中国、東南アジアに生産拠点展開し、海外売上比率は6割超える。
【設立】1948.10【資本金】3,206百万円
【社長】時田孝志(1969.1生 静岡沼津技術専卒)
【株主】〔24.3〕東京中小企業投資育成7.3%
【連結事業】ハンドル24、エアバッグ32、樹脂部品31、他13 <海外62>
【従業員】連5,944名 単996名(40.4歳)

【業績】	売上高	営業利益	経常利益	純利益
連22.3	86,504	▲722	▲289	▲8,018
連23.3	103,359	▲966	▲749	▲3,602
連24.3	124,255	2,811	2,920	2,478

林テレンプ（はやし）

株式公開計画なし

採用内定数	倍率	3年後離職率	平均年収
38名	10.2倍	16.3%	㊕715万円

●待遇、制度●
【初任給】月25.6万(諸手当0.6万円)
【残業】21.1時間【有休】16.3日【制度】フ 住
●新卒定着状況●
20年入社(男38、女5)→3年後在籍(男31、女5)
●採用情報●
【人数】23年:37 24年:41 25年:応募387→内定38*
【内定内訳】(男27、女11)(文13、理18)(総31、他7)
【試験】〔Web会場〕SPI3〔Web自宅〕SPI3〔性格〕有
【時期】エントリー25.3→内々定25.6(一次はWEB面接可)【インターン】有
【採用実績校】愛知大3、愛知学大1、愛知工業大2、愛知淑徳大1、岩手大1、岐阜大2、静岡文芸大1、下関市大1、椙山女学大1、中京大3、他
【求める人材】挑戦心、当事者意識、粘りづよさのある人

【本社】460-0013 愛知県名古屋市中区上前津1-4-5 ☎052-322-2121
【特色・近況】自動車内装品専門メーカー。主力のフロアカーペットは業界トップ。トヨタ向け内装は企画、設計、生産まで一貫して対応。米国、カナダ、メキシコ、中国、韓国、タイの6カ国に拠点。独ペルツァー社と防音材の合弁も持つ。
【設立】1947.3 【資本金】1,000百万円
【社長】林貴夫(1974.2生)
【株主】‥
【連結事業】自動車内装部品、用品、表皮、電装部品、他
【従業員】連3,760名 単1,546名(39.7歳)

【業績】	売上高	営業利益	経常利益	純利益
連21.12	242,165	‥	‥	‥
連22.12	238,236	‥	‥	‥
連23.12	311,822	‥	‥	‥

㈱ヒロテック

株式公開未定

採用内定数	倍率	3年後離職率	平均年収
12名	5.8倍	25%	567万円

●待遇、制度●
【初任給】月22.3万(諸手当1万円)
【残業】19.8時間【有休】13.1日【制度】住 在
●新卒定着状況●
20年入社(男12、女0)→3年後在籍(男9、女0)
●採用情報●
【人数】23年:18 24年:14 25年:応募70→内定12*
【内定内訳】(男10、女2)(文5、理5)(総12、他0)
【試験】〔筆記〕有〔Web自宅〕有
【時期】エントリー25.2→内々定25.4*(一次はWEB面接可)【インターン】有
【採用実績校】広島大1、広島工大4、広島経大1、広島修道大1、広島市大2、環太平洋大1、呉高専1、広島技術短大1
【求める人材】何事もあきらめず、前向きにチャレンジできる人

【本社】731-5197 広島県広島市佐伯区石内南5-2-1 ☎082-941-7800
【特色・近況】自動車用ドア、マフラーなど車体部品を製造。設備・金型生産と部品生産を手がける自社内製作体制に特徴。ロボットシステムも展開。国内は広島、大分、山口に7工場体制。海外は米国、メキシコ、中国、韓国、タイ、インド、ドイツに現地法人。
【設立】1958.11 【資本金】100百万円
【社長】鶴野徳文
【株主】〔23.12〕鶴野徳文9.0%
【事業】自動車車体部品80、プレス金型・治具装置15、他5 <輸出20>
【従業員】単1,862名(43.4歳)

【業績】	売上高	営業利益	経常利益	純利益
単21.12	46,060	‥	‥	‥
単22.12	54,982	‥	‥	‥
単23.12	64,663	‥	‥	‥

㈱ファルテック

東証スタンダード

採用内定数	倍率	3年後離職率	平均年収
5名	3.8倍	33.3%	583万円

●待遇、制度●
【初任給】月23万
【残業】13時間【有休】13.4日【制度】フ 住 在
●新卒定着状況●
20年入社(男12、女0)→3年後在籍(男8、女0)
●採用情報●
【人数】23年:5 24年:27 25年:応募19→内定5*
【内定内訳】(男2、女3)(文1、理0)(総3、他2)
【試験】〔Web自宅〕有
【時期】エントリー25.3→内々定25.4(一次はWEB面接可)【インターン】有【ジョブ型】有
【採用実績校】駒澤大1、日本工学院八王子専1、情報科学専1
【求める人材】何事も前向きに取り組み、明るく積極的で、チャレンジ精神を持って仕事に取り組める人

【本社】212-0013 神奈川県川崎市幸区堀川町580 ソリッドスクエア西館 ☎044-520-0019
【特色・近況】自動車外装部品メーカーでラジエーターグリルやウインドーモールなどを生産。新車販売時のディーラー装着オプション品も柱の1つ。主要取引先は日産自動車。海外は米国や英国、中国、タイに生産拠点。エンジン部品製造のTPRの子会社。
【設立】2004.4 【資本金】2,291百万円
【社長】河井芳浩(1964.7生 慶大商卒)
【株主】〔24.3〕TPR55.5%
【連結事業】輸送用機器・日本77、同・アジア11、同・北米他12 <海外24>
【従業員】連2,063名 単920名(45.6歳)

【業績】	売上高	営業利益	経常利益	純利益
連22.3	69,122	1,427	1,761	▲623
連23.3	74,102	▲251	▲498	▲2,310
連24.3	81,886	2,093	1,781	▲790

㈱フセラシ
株式公開計画なし

採用内定数	倍率	3年後離職率	平均年収
13名	7.8倍	26.7%	㊗720万円

●待遇、制度●
【初任給】月22.5万
【残業】7.6時間【有休】14.2日【制度】住 在
●新卒定着状況●
20年入社(男11、女4)→3年後在籍(男8、女3)
●採用情報●
【人数】23年:13 24年:20 25年:応募101→内定13
【内定内訳】(男11、女2)(文3、理0)(総2、他11)
【試験】〔Web会場〕C-GAB〔Web自宅〕WEB-GAB〔性格〕有
【時期】エントリー25.3→内々定25.6(一次はWEB面接可)【インターン】有
【採用実績校】桃山学大1、甲南大1、麗澤大1
【求める人材】環境の変化に柔軟に対応し、物事に対して広く興味を持ち、自ら率先して行動する人

【本社】577-0053 大阪府東大阪市高井田11-74
☎06-6789-7121
【特色・近況】自動車関連向け精密圧造パーツメーカー。精密ナットでは自動車部品向け中心に世界トップ。電気自動車やハイブリッド車向けの端子なども手がける。年間1万種類以上、30億個の製品を生産。国内4工場、海外(米国、中国、タイ)3工場のグローバル体制。
【設立】1943.10　【資本金】300百万円
【社長】嶋田守(1960.5生 京外大卒)
【株主】〔23.9〕フセエスト20.2%
【事業】自動車関係向精密ナット・部品89、電機メーカー他向精密ナット8、他3 <輸出24>
【従業員】単568名(39.5歳)

【業績】	売上高	営業利益	経常利益	純利益
単21.9	30,231	1,528	2,430	1,755
単22.9	28,110	1,011	3,034	2,358
単23.9	32,565	1,810	3,673	2,629

㈱ベルソニカ
株式公開計画なし

採用内定数	倍率	3年後離職率	平均年収
12名	3.2倍	8.3%	㊗655万円

●待遇、制度●
【初任給】月23.3万(諸手当0.3万円)
【残業】29時間【有休】15.7日【制度】フ
●新卒定着状況●
20年入社(男7、女5)→3年後在籍(男6、女5)
●採用情報●
【人数】23年:9 24年:15 25年:応募38→内定12*
【内定内訳】(男7、女5)(文8、理2)(総12、他0)
【試験】〔筆記〕常識〔性格〕有
【時期】エントリー25.2→内々定25.4*【インターン】有
【採用実績校】南山大1、東洋大1、静岡県大2、岐阜協大1、女子美大1、常葉大2、新潟産大1、愛知工科大1
【求める人材】何事にも活き活きと取組める人

【本社】431-0443 静岡県湖西市山口630-18
☎053-576-1551
【特色・近況】スズキの関連会社で独創性のある開発型企業。自動車部品の設計からプレス、溶接、塗装、組付まで一貫生産。静岡県内に3工場。インドとインドネシアで現地生産。産学連携し高張力鋼板の加工研究推進、超高張力鋼板分野にも挑戦。
【設立】1956.1　【資本金】156百万円
【社長】鈴木浩(1960.4生 農工大工卒)
【株主】〔24.3〕鈴木勝人27.0%
【事業】自動車部品100 <輸出0>
【従業員】単475名(41.0歳)

【業績】	売上高	営業利益	経常利益	純利益
単22.3	13,495	▲224	55	32
単23.3	19,360	509	459	304
単24.3	21,431	536	612	704

豊生ブレーキ工業(ほうせいブレーキこうぎょう)
株式公開計画なし

採用内定数	倍率	3年後離職率	平均年収
34名	3.7倍	8.8%	㊗638万円

●待遇、制度●
【初任給】月23.3万
【残業】25.8時間【有休】16.8日【制度】フ 住 在
●新卒定着状況●
20年入社(男30、女4)→3年後在籍(男28、女3)
●採用情報●
【人数】23年:46 24年:53 25年:応募126→内定34
【内定内訳】(男25、女9)(文8、理6)(総14、他20)
【試験】〔筆記〕SPI3〔Web自宅〕SPI3〔性格〕有
【時期】エントリー24.4→内々定25.1*(一次はWEB面接可)【インターン】有
【採用実績校】名城大2、福井大1、富山大1、愛知大2、愛知工業大1、同大1、立命館大1、奈良先端科技院大1、愛知学大1、大同大1、他
【求める人材】変化の兆しを捉え、柔軟な対応・チャレンジができる人

【本社】470-1293 愛知県豊田市和会町道上10
☎0565-21-1213
【特色・近況】自動車用部品の開発・設計・製販を手がける。ドラムブレーキの生産量は世界トップレベル。ドラム、ディスクの各ブレーキの電動化に積極的。CASE製品のさらなる生産拡大に取り組む。中国、タイに生産拠点。アイシングループで、アドヴィックスが筆頭株主。
【設立】1968.5　【資本金】6,436百万円
【社長】伊藤良成(1961.10生 名工大工卒)
【株主】〔24.3〕アドヴィックス50.1%
【連結事業】ドラムブレーキ25、ディスクブレーキ41、リヤパーキングブレーキ7、アクスルハウジング8、他19
【従業員】連2,035名 単1,433名(40.4歳)

【業績】	売上高	営業利益	経常利益	純利益
連22.3	75,430	2,042	‥	‥
連23.3	87,980	2,240	‥	‥
連24.3	96,801	1,460	‥	‥

マルヤス工業(こうぎょう)　[株式公開検討中]

採用内定数	倍率	3年後離職率	平均年収
28名	‥	6.2%	[総]562万円

●待遇、制度●
【初任給】月21.8万
【残業】19.3時間【有休】15.8日【制度】[フ][住][在]

●新卒定着状況●
20年入社(男15、女1)→3年後在籍(男14、女1)

●採用情報●
【人数】23年:35 24年:34 25年:応募‥→内定28*
【内定内訳】(男21、女7)(文2、理6)(総8、他20)
【試験】〔Web自宅〕有〔性格〕有
【時期】エントリー24.10→内々定25.6(一次はWEB面接可)【インターン】有
【採用実績校】中部大4、中京大2、椙山女学大1、岐阜大1
【求める人材】目的意識を持ち、主体的に動ける人

【本社】466-0058 愛知県名古屋市昭和区白金2-7-11 ☎052-871-3232
【特色・近況】エンジン周り機能部品、ブレーキ・燃料チューブなどの自動車部品メーカー。トヨタ向けが過半を占める。愛知県内に4工場。国内は愛知県を中心にグループ会社を持ち、海外はフランス、米国、中国、タイに生産拠点。海外完成車メーカーとも取引実績がある。
【設立】1956.8　【資本金】450百万円
【社長】山田泰一郎
【株主】〔23.6〕マルヤス機械15.5%
【事業】ブラケット部品19、チューブ部品18、ユニット部品62、産業用製品1
【従業員】単896名(37.9歳)

【業績】	売上高	営業利益	経常利益	純利益
単21.6	83,196	2,036	3,891	1,612
単22.6	68,823	812	3,498	1,240
単23.6	79,536	903	3,313	1,028

#有休取得が多い

㈱ミクニ　[東証スタンダード]

採用内定数	倍率	3年後離職率	平均年収
12名	19.2倍	22.2%	592万円

●待遇、制度●
【初任給】月23万
【残業】19.5時間【有休】17.3日【制度】[住][在]

●新卒定着状況●
20年入社(男9、女0)→3年後在籍(男7、女0)

●採用情報●
【人数】23年:27 24年:22 25年:応募230→内定12*
【内定内訳】(男9、女3)(文4、理8)(総12、他0)
【試験】〔性格〕有
【時期】エントリー通年→内々定通年(一次・二次以降もWEB面接可)【インターン】有
【採用実績校】明大院1、岩手県大院1、立命館大1、岩手大2、日大1、山梨大1、京産大1、明学大1、福岡工大1、大同大1、武蔵野大1
【求める人材】夢を持ち、自己変革にはげみ、目標に対しチャレンジできる人

【本社】101-0021 東京都千代田区外神田6-13-11 ☎03-3833-0392
【特色・近況】電子制御燃料噴射装置や吸排気系が主力の自動車部品メーカー。2輪車用はヤマハ発動機、4輪車用はスズキ向けが多い。家庭用ガス安全装置など生活環境機器も製造し、航空機部品の輸入販売も手がける。海外はインドはじめ北米、中国、東南アジアなどに拠点。
【設立】1948.10　【資本金】2,215百万円
【社長】生田久貴(1962.11生 慶大商卒)
【株主】〔24.3〕あいおいニッセイ同和損害保険5.5%
【連結事業】モビリティ83、ガステクノ6、商社8、他2 <海外64>
【従業員】連5,001名 単1,390名(42.5歳)

【業績】	売上高	営業利益	経常利益	純利益
連22.3	80,789	3,318	3,137	1,318
連23.3	93,847	3,089	2,644	▲1,682
連24.3	99,941	3,672	3,161	1,115

㈱村上開明堂(むらかみかいめいどう)　[東証スタンダード]

採用予定数	倍率	3年後離職率	平均年収
10名	‥	28.6%	647万円

●待遇、制度●
【初任給】月22.8万
【残業】17.9時間【有休】14日【制度】[フ][住][在]

●新卒定着状況●
20年入社(男6、女1)→3年後在籍(男5、女0)

●採用情報●
【人数】23年:10 24年:7 25年:予定10
【内定内訳】(男‥、女‥)(文‥、理‥)(総‥、他‥)
【試験】〔Web自宅〕SPI3〔性格〕有
【時期】エントリー24.12→内々定25.1【インターン】有
【採用実績校】慶大1、千葉大1、静岡大1、名城大1、神奈川大1、愛知工業大1、静岡理工科大2
【求める人材】夢や目標に向かってチャレンジできる人、現状に満足せず向上心にあふれている人

【本社】420-8550 静岡県静岡市葵区伝馬町11-5 ☎054-253-1811
【特色・近況】自動車用バックミラー製造で国内最大手。主要顧客は国内大手自動車メーカーでトヨタ自動車向けが2割超。素材から成形、塗装までの一貫生産が強み。米国、中国、タイなどに生産拠点。光学機器用ファインガラスも手がける。
【設立】1948.3　【資本金】3,165百万円
【社長】村上太郎(1958.7生)
【株主】〔24.3〕㈱豊英社15.3%
【連結事業】バックミラー等・日本48、同・アジア30、同・北米22 <海外53>
【従業員】連3,816名 単979名(43.0歳)

【業績】	売上高	営業利益	経常利益	純利益
連22.3	73,595	4,864	5,723	3,865
連23.3	90,643	5,584	6,419	5,370
連24.3	104,601	8,336	9,316	5,887

㈱ムロコーポレーション

東証スタンダード

採用内定数	倍率	3年後離職率	平均年収
1名	12倍	17.6%	531万円

●待遇、制度●
【初任給】月21.9万(諸手当0.5万円)
【残業】11.9時間【有休】12.2日【制度】住

●新卒定着状況●
20年入社(男14、女3)→3年後在籍(男12、女2)

●採用情報●
【人数】23年:11 24年:9 25年:応募12→内定1*
【内定内訳】(男1、女0)(文0、理1)(総1、他0)
【試験】〔筆記〕常識〔Web会場〕有〔Web自宅〕有〔性格〕有
【時期】エントリー25.3→内々定25.5(一次はWEB面接可)【インターン】有
【採用実績校】関東職能大学校1

【求める人材】ものづくりに興味がある人、目的意識を持って自ら考え行動できる人

【本社】321-3231 栃木県宇都宮市清原工業団地7-1 ☎028-667-7121
【特色・近況】自動車用精密プレスメーカー。エンジンやトランスミッションなど駆動系部品に強み。商用車や2輪車向けも手がける。金型の設計・製作からプレス、熱処理、表面処理加工まで一貫生産。米国、カナダ、ベトナム、インドネシア、中国に生産拠点。
【設立】1958.4 【資本金】1,095百万円
【社長】室雅文(1968.1生 信州大院機工修了)
【株主】〔24.3〕㈲インテレクチュアル25.0%
【連結事業】金属関連部品87、樹脂関連部品7、他6 <海外25>
【従業員】連1,209名 単647名(40.0歳)

【業績】	売上高	営業利益	経常利益	純利益
連22.3	20,533	1,259	1,963	1,347
連23.3	21,842	410	770	291
連24.3	23,655	1,446	1,950	1,317

㈱安永(やすなが)

東証スタンダード

採用内定数	倍率	3年後離職率	平均年収
8名	17.9倍	13.3%	598万円

●待遇、制度●
【初任給】月22.6万
【残業】20時間【有休】13.9日【制度】フ 住 在

●新卒定着状況●
20年入社(男12、女3)→3年後在籍(男10、女3)

●採用情報●
【人数】23年:9 24年:10 25年:応募143→内定8*
【内定内訳】(男7、女1)(文1、理7)(総8、他0)
【試験】〔Web会場〕SPI3〔性格〕有
【時期】エントリー24.11→内々定25.3*(一次・二次以降もWEB面接可)【インターン】有
【採用実績校】近大1、信州大1、佛教大1、摂南大1、同大2、関大1、大阪産大1

【求める人材】コミュニケーション能力があり、前向きに取り組めるチャレンジ意欲が旺盛な人

【本社】518-0834 三重県伊賀市緑ケ丘中町3860 ☎0595-24-2111
【特色・近況】自動車用エンジン部品を主事業とするメーカー。生産品目はコネクティングロッド、シリンダーヘッド、カムシャフトなど。工作機械や子会社で環境機器も手がける。電子機器向けなど非自動車領域拡大に意欲。海外は米国、メキシコ、中国、東南アジアに拠点持つ。
【設立】1949.9 【資本金】2,142百万円
【社長】安永暁俊(1973.2生 Nウェスタン院修了)
【株主】〔24.3〕㈲YASNAG8.8%
【連結事業】エンジン部品76、機械装置10、環境機器13、他1 <海外48>
【従業員】連1,709名 単603名(42.5歳)

【業績】	売上高	営業利益	経常利益	純利益
連22.3	29,026	▲533	▲430	▲1,104
連23.3	33,284	1,200	1,346	1,293
連24.3	31,946	645	567	607

#有休取得が多い

㈱山田製作所(やまだせいさくしょ)

株式公開未定

採用内定数	倍率	3年後離職率	平均年収
7名	3.7倍	16.1%	総549万円

●待遇、制度●
【初任給】月22万(諸手当0.5万円)
【残業】7.1時間【有休】20.5日【制度】フ 住 在

●新卒定着状況●
20年入社(男25、女6)→3年後在籍(男22、女4)

●採用情報●
【人数】23年:6 24年:8 25年:応募26→内定7*
【内定内訳】(男7、女0)(文1、理6)(総7、他0)
【試験】〔Web自宅〕SPI3〔性格〕有
【時期】エントリー25.3→内々定25.4(一次・二次以降もWEB面接可)【インターン】有
【採用実績校】群馬大2、前橋工大1、宇都宮大1、足利大1、埼玉工大1、関東学院大1

【求める人材】自ら考え、自ら行動できる人、夢の実現に向けて「情熱」を持ち続けられる人

【伊勢崎本社】379-2206 群馬県伊勢崎市香林町2-1296 ☎0270-40-9111
【特色・近況】4輪・2輪車用のオイルポンプ、ウォーターポンプ、ステアリング部品、トランスミッション部品などを製造。ホンダ系。米国、タイ、中国に現地生産拠点。機能部品をグローバルに供給。従業員目線をベースとした長期経営計画制定。
【設立】1946.2 【資本金】2,000百万円
【社長】佐藤賢
【株主】〔24.3〕ホンダ35.5%
【連結事業】4輪車部品95、2輪・汎用他5 <海外70>
【従業員】連3,233名 単1,285名(41.9歳)

【業績】	売上高	営業利益	経常利益	純利益
連22.3	72,082	1,768	2,713	972
連23.3	77,291	▲742	328	▲580
連24.3	91,392	4,242	4,832	3,319

ヤマハモーターエンジニアリング　株式公開計画なし

採用内定数	倍率	3年後離職率	平均年収
21名	3.7倍	0%	‥

●待遇、制度●
【初任給】月25万
【残業】20.1時間【有休】16.8日【制度】フ 住 在
●新卒定着状況●
20年入社(男11、女3)→3年後在籍(男11、女3)
●採用情報●
【人数】23年:11 24年:14 25年:応募77→内定21*
【内定内訳】(男18、女3)(文0、理13)(総21、他0)
【試験】〔筆記〕SPI3〔Web会場〕SPI3〔性格〕有
【時期】エントリー25.1→内々定25.4(一次はWEB面接可)【インターン】有
【採用実績校】静岡大3、静岡理工科大2、信州大1、東洋大1、芝工大1、金沢工大1、東京電機大1、名城大1、大阪産大1、日工大1、他
【求める人材】何事にも前向きでチャレンジ意欲が高く、努力を惜しまず自己研鑽できる人

【本社】438-0026 静岡県磐田市西貝塚3622-8 ☎0538-37-8314
【特色・近況】2輪車などの輸送用機器、マリンエンジン、産業用機器、生産用設備などを開発。EVを含む最新モデルの開発に貢献。商品開発、電装・制御、製造・生産などの蓄積技術生かし、純正部品開発や白バイ、消防用バイクなど特装車両開発も行う。
【設立】1980.7【資本金】40百万円
【社長】對野義章(九工大工卒)
【株主】〔23.12〕ヤマハ発動機100%
【事業】輸送用機器設計60、産業用機器開発20、他20 <海外5>
【従業員】単446名(39.7歳)

【業績】	売上高	営業利益	経常利益	純利益
単21.12	6,916	494	499	329
単22.12	7,648	212	221	131
単23.12	7,908	350	355	247

㈱ユニバンス　東証スタンダード

採用内定数	倍率	3年後離職率	平均年収
4名	7.5倍	45.5%	615万円

●待遇、制度●
【初任給】月22万
【残業】18時間【有休】11日【制度】住 在
●新卒定着状況●
20年入社(男9、女2)→3年後在籍(男5、女1)
●採用情報●
【人数】23年:14 24年:14 25年:応募30→内定4*
【内定内訳】(男3、女1)(文3、理1)(総4、他0)
【試験】〔Web自宅〕有〔性格〕有
【時期】エントリー25.3→内々定25.6*(一次はWEB面接可)【インターン】有
【採用実績校】静岡大1、愛知大1、中部大1、浜松職能短大1
【求める人材】変化の激しい環境下でチャレンジ精神を持ち成長し続ける人

【本社】431-0494 静岡県湖西市鷲津2418 ☎053-576-1311
【特色・近況】駆動系ユニットなど機能部品主力の自動車部品メーカー。4WD用トランスファー、マニュアルトランスミッションなどを生産。主な販売先はフォード、日産、ホンダ。EV向け駆動装置の開発を加速、開発人員も増強図る。米国、インドネシア、タイに生産拠点。
【設立】1955.9【資本金】3,500百万円
【社長】高尾紀彦(1969.11生)
【株主】〔24.3〕鈴木一和雄9.4%
【連結事業】ユニット65、部品35、他0 <海外48>
【従業員】連1,535名 単845名(44.7歳)

【業績】	売上高	営業利益	経常利益	純利益
連22.3	49,061	3,036	3,285	2,835
連23.3	48,601	1,146	1,095	787
連24.3	52,771	4,374	4,537	1,773

#有休取得が多い

㈱アイチコーポレーション　東証プライム

採用内定数	倍率	3年後離職率	平均年収
7名	12.1倍	25%	631万円

●待遇、制度●
【初任給】月22.9万
【残業】14.4時間【有休】17.5日【制度】フ 住
●新卒定着状況●
20年入社(男12、女4)→3年後在籍(男9、女3)
●採用情報●
【人数】23年:18 24年:34 25年:応募85→内定7*
【内定内訳】(男5、女2)(文2、理5)(総7、他0)
【試験】〔Web自宅〕SPI3〔性格〕有
【時期】エントリー24.11→内々定24.12(一次・二次以降もWEB面接可)【インターン】有
【採用実績校】足利大1、芝工大1、東京電機大1、東京工科大1、日工大1、文教大1、日大1
【求める人材】広い視野で物事を捉え、他者と協働し、柔軟な発想で会社に貢献してくれる人

【本社】362-8550 埼玉県上尾市大字領家山下1152-10 ☎048-781-1111
【特色・近況】高所作業車メーカー国内トップ。豊田自動織機の子会社。東京電力、中部電力などの配電工事とレンタル事業者の建設需要が中心。電柱立て替えの穴掘り建柱車も手がける。災害時はインフラの復旧支援を行う。鉄道用の軌陸両用車を育成。中国で現地生産。
【設立】1962.2【資本金】10,425百万円
【社長】山岸俊哉(1959.9生)
【株主】〔24.3〕豊田自動織機54.3%
【連結事業】特装車76、部品・修理23、他1 <海外7>
【従業員】連1,069名 単996名(43.8歳)

【業績】	売上高	営業利益	経常利益	純利益
連22.3	56,591	6,861	7,736	5,644
連23.3	60,678	7,351	8,016	5,958
連24.3	53,129	6,341	7,018	5,270

兼松エンジニアリング（かねまつ）

東証スタンダード

採用内定数	倍率	3年後離職率	平均年収
7名	4倍	10%	712万円

[待遇、制度]
【初任給】月23万
【残業】17.1時間【有休】11日【制度】[住][在]

[新卒定着状況]
20年入社(男7、女3)→3年後在籍(男6、女3)

[採用情報]
【人数】23年:13 24年:14 25年:応募28→内定7
【内定内訳】(男3、女4)(文5、理2)(総0、他7)
【試験】〔Web自宅〕SPI3〔性格〕有
【時期】エントリー24.12→内々定25.5(一次はWEB面接可)【インターン】有
【採用実績校】高知工科大2、高知大1、高知県大1、同大2、岡山大1

【求める人材】明るく誠実で、失敗を恐れず、何事にも前向きにチャレンジする人

【本社】781-5101 高知県高知市布師田3981-7
☎088-845-5511
【特色・近況】環境整備用特装車メーカー。真空ポンプ制御技術に強み。商用車メーカーから車台を購入し装置を架装する。強力吸引作業車は側溝や土木建築現場の汚泥吸引などに用い、国内シェアは8割強。下水道管、タンク洗浄に用いる高圧洗浄車は、国内シェア5割を占める。
【設立】1971.9　【資本金】313百万円
【社長】山本琴一(1958.7生 四国学大文卒)
【株主】〔24.3〕山本琴一8.4%
【事業】強力吸引作業車69、高圧洗浄車11、粉粒体吸引・圧送車2、部品売上9、他9
【従業員】単267名(39.9歳)

【業績】	売上高	営業利益	経常利益	純利益
単22.3	11,871	1,026	1,025	750
単23.3	11,335	709	732	754
単24.3	12,403	808	829	618

(株)北村製作所（きたむらせいさくしょ）

株式公開計画なし

採用実績数	倍率	3年後離職率	平均年収
5名	－	12.5%	530万円

[待遇、制度]
【初任給】月19.8万
【残業】19.2時間【有休】12.7日【制度】[住]

[新卒定着状況]
20年入社(男8、女0)→3年後在籍(男7、女0)

[採用情報]
【人数】23年:6 24年:5 25年:応募‥→内定0*
【内定内訳】(男‥、女‥)(文‥、理‥)(総‥、他‥)
【試験】〔筆記〕有
【時期】エントリー25.3→内々定25.5(一次はWEB面接可)【インターン】有
【採用実績校】‥

【求める人材】既存の考えにとらわれない柔軟な発想と、チャレンジ精神のある人

【本社】950-0322 新潟県新潟市江南区両川1-3604-12
☎025-280-7120
【特色・近況】アルミバンボディー、情報通信機器収容局舎、産業用洗浄装置、特殊車両の製造・販売の4事業を展開。アルミバンのパーツのオンライン販売も手がける。北海道から九州まで全国に拠点を配置。顧客対応充実と生産改革を推進。
【設立】1945.5　【資本金】100百万円
【社長】廣田利明(1959.5生 新潟安田高卒)
【株主】〔23.9〕(有)キタムラ28.1%
【事業】アルミバン48、シェルター37、洗浄機5、他10
【従業員】単419名(44.8歳)

【業績】	売上高	営業利益	経常利益	純利益
単21.9	13,381	240	369	464
単22.9	11,550	46	171	13
単23.9	12,125	▲269	▲222	▲205

近畿車輛（きんきしゃりょう）

東証スタンダード

採用内定数	倍率	3年後離職率	平均年収
6名	6.5倍	5.6%	[総]689万円

[待遇、制度]
【初任給】月22.3万
【残業】12時間【有休】14.9日【制度】[フ][住]

[新卒定着状況]
20年入社(男15、女3)→3年後在籍(男14、女3)

[採用情報]
【人数】23年:22 24年:21 25年:応募39→内定6*
【内定内訳】(男6、女0)(文4、理2)(総6、他0)
【試験】〔筆記〕常識、他
【時期】エントリー25.3→内々定25.6【インターン】有
【採用実績校】阪大1、神戸大1、関大1、同大1、京都精華大1、立命館APU1

【求める人材】問題意識を持って仕事に取り組み、自分の言葉で意見が言える人

【本社】577-8511 大阪府東大阪市稲田上町2-2-46
☎06-6746-5222
【特色・近況】鉄道車両専業メーカー。近鉄系だがJR西日本や東京メトロが主要顧客。新幹線から通勤車両まで製造種類は多彩。早くから海外展開を進め、エジプト、ドバイ、カタールなど中東で都市鉄道車両を納入。米国などではLRV(低床式路面電車)の実績が多い。
【設立】1939.11　【資本金】5,252百万円
【社長】吉川富雄(1955.9生 東大院工修了)
【株主】〔24.3〕日本マスター信信託口(近畿日本鉄道) 30.1%
【連結事業】鉄道車両関連98、不動産賃貸2 <海外29>
【従業員】連1,240名 単994名(44.9歳)

【業績】	売上高	営業利益	経常利益	純利益
連22.3	39,334	1,795	2,179	2,765
連23.3	35,873	1,229	1,283	1,183
連24.3	43,154	4,306	5,008	4,373

㈱ジャパンエンジンコーポレーション

東証スタンダード

採用内定数	倍率	3年後離職率	平均年収
8名	14倍	45.5%	611万円

●待遇、制度●
【初任給】月24.7万(諸手当2.8万円)
【残業】25.5時間【有休】15.1日【制度】フ 住
●新卒定着状況●
20年入社(男11、女0)→3年後在籍(男6、女0)
●採用情報●
【人数】23年:6 24年:8 25年:応募112→内定8*
【内定内訳】(男6、女2)(文3、理5)(総8、他0)
【試験】〔Web自宅〕SPI3
【時期】エントリー25.3→内々定25.4(一次・二次以降もWEB面接可)【インターン】有
【採用実績校】滋賀県大1、大阪工大1、大分大院1、千葉工大1、愛知工科大1、関西学大1、武庫川女大1、拓殖大院1
【求める人材】現状を打破し変革を推し進める気概のある人、社会に貢献できる仕事に興味がある人

【本社】674-0093 兵庫県明石市二見町南二見1
☎078-949-0800
【特色・近況】船舶用エンジンの専業メーカーで中小型に軸足。神戸発動機と三菱重工の舶用エンジン事業が統合し現社名に。開発から設計、製造、保守までの一貫サービスと、独自技術開発のUEエンジンのライセンサーであることが強み。次世代燃料エンジン開発に積極的。
【設立】1920.6【資本金】2,215百万円
【社長】川島健(1970.8生 甲南大経営卒)
【株主】〔24.3〕三菱重工業14.8%
【事業】舶用内燃機関45、修理・部品55 <海外19>
【従業員】単386名(41.1歳)

【業績】	売上高	営業利益	経常利益	純利益
連22.3	13,164	576	613	548
単23.3	15,248	442	682	808
単24.3	20,969	2,188	3,518	2,548

㈱ジャムコ

東証プライム

採用内定数	倍率	3年後離職率	平均年収
27名	4.3倍	23.5%	㊕701万円

●待遇、制度●
【初任給】月23.7万(諸手当0.6万円)
【残業】20.3時間【有休】16.6日【制度】フ 住 在
●新卒定着状況●
20年入社(男14、女3)→3年後在籍(男11、女2)
●採用情報●
【人数】23年:19 24年:23 25年:応募116→内定27*
【内定内訳】(男14、女13)(文14、理10)(総27、他0)
【試験】〔性格〕有
【時期】エントリー25.3→内々定25.5(一次はWEB面接可)【インターン】有
【採用実績校】東北大1、日大1、同大1、東洋大1、芝工大1、東京都市大2、桜美林大1、神戸高専1、仙台高専1、大阪航空専1、他
【求める人材】強い意志を持ち、自ら考え行動できる人

【本社】190-0011 東京都立川市高松町1-100
☎042-503-9900
【特色・近況】旅客機用のラバトリー(化粧室)、ギャレー(厨房設備)で世界大手。ボーイングと関係深く、ラバトリーは独占的に供給。操縦室の内装・ドアの他、熱交換器などの部材も生産。航空会社などの中・小型航空機の機体整備も手がける。
【設立】1949.3【資本金】5,359百万円
【社長】恒松孝一(1962.4生)
【株主】〔24.3〕伊藤忠商事33.3%
【連結事業】航空機内装品等製造64、航空機シート等製造14、航空機器等製造9、航空機整備等13、他0 <海外79>
【従業員】連2,399名 単1,059名(45.0歳)

【業績】	売上高	営業利益	経常利益	純利益
連22.3	39,078	▲3,174	▲3,512	▲4,081
連23.3	47,225	1,733	1,127	2,174
連24.3	63,999	2,383	999	1,710

#有休取得が多い

天龍(てんりゅう)ホールディングス

株式公開計画なし

採用実績数	倍率	3年後離職率	平均年収
0名	—	—	‥

●待遇、制度●
【初任給】月20万
【残業】4.8時間【有休】17.4日【制度】フ
●新卒定着状況●
20年入社(男0、女0)→3年後在籍(男0、女0)
●採用情報●
【人数】23年:0 24年:0 25年:応募10→内定0*
【内定内訳】(男‥、女‥)(文‥、理‥)(総‥、他‥)
【試験】〔筆記〕有〔性格〕有
【時期】エントリー25.3→内々定25.6
【採用実績校】‥
【求める人材】自ら考え行動することができ、責任感や協調性のある人

【本社】504-0814 岐阜県各務原市蘇原興亜町1-2
☎058-382-4111
【特色・近況】バス・鉄道車両・船舶用シート製造・販売の天龍工業、複合材製品製造・販売の天龍コンポジットを事業会社に持つ持株会社。内装事業は、バスやトラックの室内外艤装部品をはじめ、車両外板部品などを製造。バス用シート国内シェア90%。
【設立】1946.7【資本金】100百万円
【社長】福西彰(1969.10生 金沢経大卒)
【株主】〔24.3〕名古屋中小企業投資育成17.7%
【事業】乗物用座席、化成品等の製造販売を営む子会社の経営管理等
【従業員】単15名(43.4歳)

【業績】	売上高	営業利益	経常利益	純利益
単22.3	564	▲35	▲20	▲3,634
単23.3	471	▲40	▲114	161
単24.3	446	13	▲60	264

トーハツ

株式公開計画なし

採用内定数	倍率	3年後離職率	平均年収
3名	‥	40%	‥

●待遇、制度●
【初任給】月22.4万
【残業】5.1時間【有休】15.7日【制度】[住]
●新卒定着状況●
20年入社(男3、女2)→3年後在籍(男2、女1)
●採用情報●
【人数】23年:4 24年:3 25年:応募‥→内定3*
【内定内訳】(男2、女1)(文1、理2)(総0、他3)
【試験】〔筆記〕SPI3〔Web会場〕SPI3〔Web自宅〕SPI3〔性格〕有
【時期】エントリー25.3→内々定25.4*【インターン】有
【採用実績校】‥
【求める人材】新しい可能性に挑戦し、自ら行動できる人

【本社】174-0051 東京都板橋区小豆沢3-5-4
☎03-3966-3111
【特色・近況】小型船舶・レジャー用ボートの船外エンジンメーカー。機種豊富で圧倒的シェア。可搬消防ポンプも手がけ、国内シェア5割以上。自社所有地で、賃貸ビル・不動産管理事業も展開。長野県内に生産工場と2物流拠点。1922年創業。
【設立】1932.10 【資本金】500百万円
【社長】日向勇美(1967.11生 大東大外国語卒)
【株主】〔24.3〕三井不動産6.3%
【連結事業】マリン79、防災16、不動産賃貸5 <海外82>
【従業員】連515名 単473名(41.9歳)

【業績】	売上高	営業利益	経常利益	純利益
連22.3	38,226	2,857	2,815	2,143
連23.3	47,160	4,747	4,273	2,996
連24.3	37,495	4,003	3,940	2,819

#有休取得が多い

(株)マキタ

株式公開計画なし

採用内定数	倍率	3年後離職率	平均年収
10名	2.7倍	18.2%	[総]528万円

●待遇、制度●
【初任給】月21.6万(諸手当を除いた数値)
【残業】13時間【有休】17.3日【制度】[住][在]
●新卒定着状況●
20年入社(男11、女0)→3年後在籍(男9、女0)
●採用情報●
【人数】23年:6 24年:16 25年:応募27→内定10*
【内定内訳】(男7、女3)(文5、理5)(総10、他0)
【試験】〔Web自宅〕SPI3〔性格〕有
【時期】エントリー25.3→内々定25.4(一次はWEB面接可)【インターン】有
【採用実績校】香川大1、甲南大1、徳島文理大1、ノートルダム清心女大1、広島工大1、横国大1
【求める人材】和衷の精神に共感し、チャレンジ精神のある人

【本社】760-0065 香川県高松市朝日町4-1-1
☎087-821-5501
【特色・近況】1万～4万tクラスの貨物船向けが主の船舶用エンジンメーカー。低速小口径クラス(シリンダー径300～460㎜)で世界シェア約4割でトップ。三井E&Sと技術協定締結。長期的なアフターサービス体制を強化。1910年創業。
【設立】1941.3 【資本金】100百万円
【社長】槙田裕(1984.8生 慶大院修了)
【株主】〔24.4〕槙田裕26.5%
【事業】舶用機関製造・販売85、修理・部品15
【従業員】単372名(36.7歳)

【業績】	売上高	営業利益	経常利益	純利益
単22.3	14,973	‥	‥	‥
単23.3	18,032	‥	‥	‥
単24.3	20,592	‥	‥	‥

ヤマハモーターパワープロダクツ

株式公開計画なし

採用内定数	倍率	3年後離職率	平均年収
3名	‥	0%	‥

●待遇、制度●
【初任給】月25万
【残業】15.2時間【有休】17.2日【制度】[フ][住][在]
●新卒定着状況●
20年入社(男6、女3)→3年後在籍(男6、女3)
●採用情報●
【人数】23年:6 24年:8 25年:応募‥→内定3
【内定内訳】(男2、女1)(文1、理2)(総3、他0)
【試験】〔Web会場〕SPI3〔性格〕有
【時期】エントリー‥→内々定‥
【採用実績校】南山大2、静岡県大院1
【求める人材】主体的に行動し世界でチャレンジできる人、プレイングマネージャーとして成長できる人

【本社】436-0084 静岡県掛川市逆川200-1
☎0537-27-1110
【特色・近況】ゴルフカー、ランドカー、グリーンスローモビリティ、パワープロダクツ(発電機、汎用エンジン、除雪機)の各事業を展開。開発・製造から販売まで一貫。産業用無人ヘリコプターなどヤマハブランド製品の製造も手がける。
【設立】1944.11 【資本金】275百万円
【社長】池谷智及
【株主】〔23.12〕ヤマハ発動機100%
【事業】パワープロダクツ38、GC57、他5 <輸出50>
【従業員】単530名(43.0歳)

【業績】	売上高	営業利益	経常利益	純利益
単21.12	32,451	2,190	2,364	1,801
単22.12	36,522	1,507	1,819	1,510
単23.12	37,539	1,363	1,588	1,422

三建産業（さんけんさんぎょう）

株式公開計画なし

採用内定数	倍率	3年後離職率	平均年収
3名	3.7倍	0%	‥

●待遇、制度●
【初任給】月24万
【残業】21.1時間【有休】10.9日【制度】住
●新卒定着状況●
20年入社(男3、女0)→3年後在籍(男3、女0)
●採用情報●
【人数】23年:3 24年:3 25年:応募11→内定3*
【内定内訳】(男2、女1)(文2、理1)(総3、他0)
【試験】〔Web自宅〕SPI3〔性格〕有
【時期】エントリー25.3→内々定25.5*(一次はWEB面接可)【インターン】有
【採用実績校】広島大1、広島工大1、安田女大1
【求める人材】挑戦や成長を楽しめる人、他者と柔軟にコミュニケーションを取り、協力できる人

【本社】731-3169 広島県広島市安佐南区伴西3-1-2 ☎082-849-6790
【特色・近況】工業炉と周辺設備の設計・施工、メンテナンスが柱。自動車部品用アルミ溶解設備でトップクラス。工業炉は世界30カ国以上で採用。自動車生産現場のCO2排出削減に向けたオール電化アルミ溶解保持炉の開発や、リサイクル関連の製品開発に注力。
【設立】2009.4 【資本金】95百万円
【社長】三浦雄一郎(1972.10生 法大社会卒)
【株主】〔24.3〕三建ホールディングス100%
【事業】特殊鋼16、自動車48、鋳鍛重機10、他26 <海外7>
【従業員】単167名(45.7歳)

【業績】	売上高	営業利益	経常利益	純利益
単22.3	6,554	94	242	141
単23.3	5,964	35	302	243
単24.3	6,722	132	284	199

ニッタン

株式公開していない

採用内定数	倍率	3年後離職率	平均年収
20名	‥	4.8%	㊀683万円

●待遇、制度●
【初任給】月22万(諸手当0.4万円)
【残業】35.2時間【有休】12.3日【制度】フ 住
●新卒定着状況●
20年入社(男12、女9)→3年後在籍(男11、女9)
●採用情報●
【人数】23年:20 24年:24 25年:応募‥→内定20*
【内定内訳】(男15、女5)(文15、理4)(総20、他0)
【試験】〔Web自宅〕SPI3
【時期】エントリー25.3→内々定25.4～7(一次・二次以降もWEB面接可)【インターン】有
【採用実績校】日大3、東洋大1、大阪経大1、神奈川大1、東邦大1、東京経大1、専大1、広島経大1、立命館大1、城西大1、共立女大1、関大1、他
【求める人材】人の役に立つために妥協せず信念を持ち、自らの経験を活かした行動ができる人

【本社】151-8535 東京都渋谷区笹塚1-54-5 ☎03-5333-8601
【特色・近況】防災システムの製造・工事大手。自動火災報知設備、消火設備、防排煙設備を手がける。防災機器の開発から生産、施工、保守まで一貫体制。英、スウェーデン、ベトナムに拠点。ASEAN中心に海外各国に納入実績。セコムの完全子会社。
【設立】1925.12 【資本金】2,302百万円
【社長】沖昌徳(1965.4生 山口大経済卒)
【株主】〔24.6〕セコム100%
【事業】防災設備工事64、防災機器販売20、防災設備保守点検16 <海外1>
【従業員】単943名(43.2歳)

【業績】	売上高	営業利益	経常利益	純利益
単22.3	37,645	1,975	2,167	1,427
単23.3	41,099	2,368	2,549	2,386
単24.3	42,954	3,322	3,562	2,466

金井重要工業（かないじゅうようこうぎょう）

株式公開計画なし

採用内定数	倍率	3年後離職率	平均年収
3名	66.7倍	60%	㊀600万円

●待遇、制度●
【初任給】月22万
【残業】5.2時間【有休】12.4日【制度】住 在
●新卒定着状況●
20年入社(男2、女3)→3年後在籍(男0、女2)
●採用情報●
【人数】23年:3 24年:5 25年:応募200→内定3
【内定内訳】(男2、女1)(文1、理2)(総3、他0)
【試験】なし
【時期】エントリー25.3→内々定25.6*(一次・二次以降もWEB面接可)【インターン】有
【採用実績校】近大1、武庫川女大1、岡山大1
【求める人材】正義を持って会社に対してイノベーションを起こせる人

【本社】530-0003 大阪府大阪市北区堂島1-2-9 ☎06-6346-1471
【特色・近況】精紡・撚糸用など繊維機械部品の老舗メーカーで業界首位。第2の柱は不織布製造で空調用、自動車用、電池用資材や研磨材向け中心。アジア市場では代理店展開。賃貸マンションや飲食も手がける。子会社で有馬温泉の旅館を運営。
【設立】1943.5 【資本金】90百万円
【社長】金井宏彰(1958.6生 信州大院繊維修了)
【株主】〔24.3〕金井ホールディングス100%
【事業】繊維機器、不織布製造、他
【従業員】単236名(46.2歳)

【業績】	売上高	営業利益	経常利益	純利益
単22.3	4,948	161	328	225
単23.3	5,362	171	264	199
単24.3	5,286	175	265	201

㈱桂精機製作所（かつらせいきせいさくしょ）

株式公開計画なし

採用内定数	倍率	3年後離職率	平均年収
1名	12倍	0%	607万円

●待遇、制度●
【初任給】月20.8万
【残業】7.2時間【有休】12.6日【制度】フ 住
●新卒定着状況●
20年入社(男5、女2)→3年後在籍(男5、女2)
●採用情報●
【人数】23年:2 24年:3 25年:応募12→内定1*
【内定内訳】(男1、女0)(文0、理1)(総1、他0)
【試験】〔Web自宅〕有
【時期】エントリー25.3→内々定25.6*(一次はWEB面接可)【インターン】有【ジョブ型】有
【採用実績校】諏訪東理大1
【求める人材】目標に向けて努力や行動ができる人、主体的に行動ができる人

【本社】221-0052 神奈川県横浜市神奈川区栄町1-1 KDX横浜ビル8階 ☎045-461-2334
【特色・近況】家庭用・業務用の各種ガス供給機器を主力に、工業用燃焼機器、ガス漏れ警報器やガス緊急遮断弁など安全機器を製造・販売。保有特許13件。全国に支店・営業所、山梨と神奈川に工場。海外は中国とベトナムに現地法人。
【設立】1955.6 【資本金】100百万円
【社長】丸茂等(1955.3生 関東学大卒)
【株主】〔24.3〕KL&SHホールディングス63.1%
【事業】供給機器 <輸出1>
【従業員】単288名(41.9歳)

【業績】	売上高	営業利益	経常利益	純利益
単22.3	14,003	864	884	630
単23.3	13,875	892	931	477
単24.3	14,464	904	897	564

光洋機械産業（こうようきかいさんぎょう）

株式公開計画なし

採用内定数	倍率	3年後離職率	平均年収
11名	4.1倍	18.2%	㊗620万円

●待遇、制度●
【初任給】月25.8万
【残業】15時間【有休】12日【制度】フ 住
●新卒定着状況●
20年入社(男9、女2)→3年後在籍(男7、女2)
●採用情報●
【人数】23年:6 24年:11 25年:応募45→内定11*
【内定内訳】(男8、女3)(文6、理4)(総10、他1)
【試験】〔Web自宅〕SPI3
【時期】エントリー25.1→内々定25.4(一次はWEB面接可)【インターン】有
【採用実績校】大阪商大1、近畿職能大学校1、金沢学大1、神戸大1、立命館大院1、三重大1、関大1、東洋大1、関西外大1、神戸女学大1、他
【求める人材】主体的に仕事に取り組み、成長していこうという意欲のある人

【本社】541-0054 大阪府大阪市中央区南本町2-3-12 EDGE本町 7階 ☎06-6268-3100
【特色・近況】プラント、仮設材、コンベヤなどを手がける建設産業機械メーカー。生コンプラントのシェアは国内でトップクラス。ASEAN地域の統括拠点をシンガポールに、生産拠点をベトナムに設置。生コンプラント技術活かし産廃物などのリサイクル設備にも取り組む。
【設立】1950.4 【資本金】500百万円
【社長】直川雅俊(1960.1生 同大法卒)
【株主】〔24.3〕大和製罐
【事業】コンクリートプラント(製造・販売・メンテ)、仮設関連・コンベヤ・搬送・環境(製造・販売)
【従業員】単386名(44.8歳)

【業績】	売上高	営業利益	経常利益	純利益
単22.3	15,500	707	937	494
単23.3	14,985	353	630	382
単24.3	17,112	377	1,123	591

小原歯車工業（こはらはぐるまこうぎょう）

株式公開計画なし

採用予定数	倍率	3年後離職率	平均年収
微増	ー	0%	㊗580万円

●待遇、制度●
【初任給】月22.4万
【残業】10時間【有休】15.5日【制度】フ 住
●新卒定着状況●
20年入社(男2、女0)→3年後在籍(男2、女0)
●採用情報●
【人数】23年:1 24年:0 25年:予定微増*
【内定内訳】(男‥、女‥)(文‥、理‥)(総‥、他‥)
【試験】〔筆記〕SPI3
【時期】エントリー24.6→内々定25.10(一次はWEB面接可)【インターン】有
【採用実績校】‥
【求める人材】コミュニケーション力がある人

【本社】332-0022 埼玉県川口市仲町13-17 ☎048-255-4871
【特色・近況】標準歯車では国内首位の老舗メーカー。「KHK」ブランドで全国展開。一般機械向けが中心。「歯車工房」は追加工を短納期、品質保証で提供する受注システム。顧客ニーズに合わせ200品目2万種以上の歯車を独自に標準化し、豊富なラインナップ誇る。
【設立】1947.4 【資本金】99百万円
【代表取締役】小原敏治(1962.7生 日大機械卒)
【株主】〔23.6〕KHK野田27.0%
【事業】標準ギア80、オーダーギア20、他0 <輸出12>
【従業員】単99名(35.0歳)

【業績】	売上高	営業利益	経常利益	純利益
単21.6	3,706	▲74	49	46
単22.6	4,547	474	679	680
単23.6	4,740	367	593	417

㈱アイエイアイ 株式公開計画なし

採用内定数	倍率	3年後離職率	平均年収
34名	5.1倍	20%	㊗784万円

●待遇、制度●
【初任給】月26.3万
【残業】29.4時間【有休】11.3日【制度】‥
●新卒定着状況●
20年入社(男30、女5)→3年後在籍(男23、女5)
●採用情報●
【人数】23年:40 24年:40 25年:応募173→内定34*
【内定内訳】(男32、女2)(文14、理20)(総34、他0)
【試験】〔Web自宅〕SPI3〔性格〕有
【時期】エントリー25.3→内々定25.3【インターン】有【ジョブ型】有
【採用実績校】静岡大1、山梨大3、群馬大1、山形大1、都立大1、上智大1、同大1、南山大2、神奈川大4、金沢工大1、他
【求める人材】素直にコツコツと仕事ができる人、新しいことに向けてチャレンジできる人

【本社・工場】424-0114 静岡県静岡市清水区庵原町1210 ☎054-364-5301
【特色・近況】直交型小型産業用ロボットメーカーで国内トップ。アクチュエータ・コントローラー、ロボシリンダー、リニアサーボなどを製造・販売。グローバル展開に注力し、米・欧・中・東南アジアに拠点。静岡県・静岡市と富士宮市に工場。
【設立】1976.4 【資本金】30百万円
【社長】石田徹(1947.1生 山梨大工卒)
【株主】‥
【事業】インテリジェントアクチュエータ100
【従業員】単1,391名(37.9歳)

【業績】	売上高	営業利益	経常利益	純利益
単21.12	32,650	‥	7,232	5,004
単22.12	34,543	‥	4,813	3,631
単23.12	34,618	‥	9,652	6,353

ＩＨＩ運搬機械(うんぱんきかい) 株式公開計画なし

採用内定数	倍率	3年後離職率	平均年収
11名	10倍	11.1%	‥

●待遇、制度●
【初任給】月25万
【残業】20.5時間【有休】16.2日【制度】フ 住 在
●新卒定着状況●
20年入社(男16、女2)→3年後在籍(男14、女2)
●採用情報●
【人数】23年:33 24年:37 25年:応募110→内定11*
【内定内訳】(男7、女4)(文6、理5)(総11、他0)
【試験】〔Web自宅〕SPI3
【時期】エントリー25.3→内々定25.6*(一次・二次以降もWEB面接可)【インターン】有
【採用実績校】一橋大、早大、電通大、東京電機大、獨協大、日大、東洋大、神奈川大、関東学院大、清泉女大
【求める人材】誠実で、人との連携を大切にできる人

【本社】104-0044 東京都中央区明石町8-1 ☎03-5550-5321
【特色・近況】パーキングシステムとクレーンなどの運搬機械の製造・販売を手がける。開発から製造、据付、メンテナンス、運営管理まで一貫して提供。パーキングシステム、荷役機械でシェア首位。静岡・沼津市、広島・呉市に工場を置く。IHIの子会社。
【設立】1973.4 【資本金】2,647百万円
【社長】赤松真生
【株主】IHI100%
【事業】パーキングシステム、運搬システム
【従業員】単1,634名(42.5歳)

【業績】	売上高	営業利益	経常利益	純利益
単22.3	68,994	6,529	7,044	5,046
単23.3	69,825	3,934	4,272	2,678
単24.3	73,388	2,310	2,784	2,047

アイダエンジニアリング 東証プライム

採用内定数	倍率	3年後離職率	平均年収
12名	7倍	0%	605万円

●待遇、制度●
【初任給】月22.3万
【残業】16.9時間【有休】11.7日【制度】フ 住 在
●新卒定着状況● 高卒除く
20年入社(男16、女0)→3年後在籍(男16、女0)
●採用情報●
【人数】23年:24 24年:33 25年:応募84→内定12*
【内定内訳】(男10、女2)(文3、理9)(総12、他0)
【試験】〔Web自宅〕SPI3〔性格〕有
【時期】エントリー25.3→内々定25.4(一次はWEB面接可)【インターン】有
【採用実績校】青学大1、法政大1、工学院大1、東京電機大1、東洋大1、専大1、千葉工大1、武蔵野大1、東海大1、湘南工大1、金沢工大1、他
【求める人材】グローバルマインドを持っている人

【本社・工場】252-5181 神奈川県相模原市緑区大山町2-10 ☎042-772-5231
【特色・近況】プレス機械を中心とした成形システムの製造。サーボ駆動式プレス機で世界2強。世界最速の大型サーボプレスラインなど技術力が高い。自動車関連が大半を占める。世界4極生産体制を確立。欧米での自動機内製化強化、車体軽量化に対応した軽量素材の開発に重点。
【設立】1937.3 【資本金】7,831百万円
【社長】鈴木利彦(1961.8生 日大商卒)
【株主】〔24.3〕日本マスタートラスト信託銀行信託口11.3%
【連結事業】プレス機械72、サービス23、他6 <海外71>
【従業員】連2,032名 単840名(40.9歳)

【業績】	売上高	営業利益	経常利益	純利益
連22.3	62,466	2,505	2,432	896
連23.3	68,795	1,540	1,710	1,295
連24.3	72,742	3,615	3,595	2,808

愛知時計電機（あいちとけいでんき）

東証プライム

採用内定数	倍率	3年後離職率	平均年収
19名	10.8倍	19%	(総)631万円

●待遇、制度●
【初任給】月22.7万
【残業】15.5時間【有休】14.3日【制度】フ 住 在

●新卒定着状況●
20年入社(男29、女13)→3年後在籍(男25、女9)

●採用情報●
【人数】23年:24 24年:29 25年:応募205→内定19
【内定内訳】(男16、女3)(文10、理9)(総19、他0)
【試験】〔筆記〕有〔性格〕有
【時期】エントリー25.3→内々定25.6(一次・二次以降もWEB面接可)【インターン】有【ジョブ型】有
【採用実績校】名大院1、名工大2、愛知県大1、名城大2、南山大1、愛知大1、中京大1、大阪経大2、沖縄国際大1、他
【求める人材】コミュニケーション能力があり、行動力がある人

【本社】456-8691 愛知県名古屋市熱田区千年1-2-70 ☎052-661-5151
【特色・近況】ガス・水道メーターの大手メーカー。地方自治体やガス会社などが主要顧客。計測技術に強み。祖業の時計製造からメーター関連に進出。メーターのスマート化やデータ配信サービス、水素計測技術に注力。中国、ASEANへの市場開拓も進める。
【設立】1949.6【資本金】3,218百万円
【社長】國島賢治(1963.9生 成蹊大経済卒)
【株主】〔24.3〕HSBC(シンガポール) PBD8221623793 7.8%
【連結事業】ガス関連機器48、水道関連機器35、民需センサー・システム6、計装12、特機0 <海外8>
【従業員】連1,742名 単1,220名(44.9歳)

【業績】	売上高	営業利益	経常利益	純利益
連22.3	46,483	3,287	3,814	2,789
連23.3	50,160	3,980	4,654	3,458
連24.3	51,225	3,617	4,265	3,174

#年収高く倍率低い

AIメカテック

東証スタンダード

採用内定数	倍率	3年後離職率	平均年収
3名	8.7倍	50%	(総)820万円

●待遇、制度●
【初任給】月23.1万
【残業】16.2時間【有休】16.9日【制度】フ 住

●新卒定着状況●
20年入社(男4、女2)→3年後在籍(男2、女1)

●採用情報●
【人数】23年:5 24年:4 25年:応募26→内定3*
【内定内訳】(男3、女0)(文0、理3)(総3、他0)
【試験】〔性格〕有
【時期】エントリー25.3→内々定25.6*(一次・二次以降もWEB面接可)【インターン】有
【採用実績校】神奈川大1、東京都市大1、中部大院1
【求める人材】ものづくりに興味がある人、柔らかな思考、斬新な発想をもち、主体的に行動できる人

【本社】301-0852 茨城県龍ケ崎市向陽台5-2 ☎0297-62-9111
【特色・近況】FPD(フラットパネルディスプレー)製造装置や半導体パッケージ製造装置を提供。インクジェットにより微量の液晶を塗布する高精度技術に強み。液晶ディスプレー向けにはシール塗布装置や液晶滴下装置など、半導体関連でははんだボールマウンタ装置を製造。
【設立】2016.7【資本金】1,510百万円
【取締】阿部猪佐雄(1956.3生 静岡大工卒)
【株主】〔24.6〕東京応化工業17.7%
【連結事業】IJPソリューション13、半導体関連74、LCD13 <海外>
【従業員】連248名 単218名(46.0歳)

【業績】	売上高	営業利益	経常利益	純利益
連22.6	14,684	735	678	478
連23.6	15,461	581	469	1,193
連24.6	15,421	261	162	111

(株)赤阪鐵工所（あかさかてっこうしょ）

東証スタンダード

採用内定数	倍率	3年後離職率	平均年収
1名	7倍	14.3%	496万円

●待遇、制度●
【初任給】月22万
【残業】9.5時間【有休】‥日【制度】住

●新卒定着状況●
20年入社(男7、女0)→3年後在籍(男6、女0)

●採用情報●
【人数】23年:2 24年:4 25年:応募7→内定1*
【内定内訳】(男1、女0)(文1、理0)(総1、他0)
【試験】〔筆記〕常識、他〔Web自宅〕有〔性格〕有
【時期】エントリー25.3→内々定25.4*(一次はWEB面接可)【インターン】有
【採用実績校】‥
【求める人材】明るく元気がある人、課題に真摯に取り組める人

【本社】100-0005 東京都千代田区丸の内3-4-1 新国際ビル ☎03-6860-9081
【特色・近況】舶用ディーゼルエンジン専業の中堅メーカー。4サイクルは独自開発で2サイクルは三菱重工と連携したライセンス生産。小型・省エネ型を強化。エンジン製造設備を活用し鋳造品、鋳物部品などを手がけ非舶用分野を育成中。海外はエンジン部品の販売が成長。
【設立】1934.12【資本金】1,510百万円
【社長】阪口勝彦(1959.6生 阪大院工修了)
【株主】〔24.3〕アカサカ共栄会7.7%
【事業】内燃機関関連事業100 <海外11>
【従業員】単275名(42.5歳)

【業績】	売上高	営業利益	経常利益	純利益
単22.3	6,399	35	197	166
単23.3	6,594	112	317	254
単24.3	7,934	▲12	31	37

旭精機工業（あさひせいきこうぎょう） 名証メイン

採用内定数	倍率	3年後離職率	平均年収
8名	3.1倍	0%	573万円

●待遇、制度●
【初任給】月23万(諸手当1.1万円)
【残業】17.5時間【有休】14.2日【制度】フ 住 在
●新卒定着状況●
20年入社(男3、女0)→3年後在籍(男3、女0)
●採用情報●
【人数】23年:5 24年:7 25年:応募25→内定8
【内定内訳】(男8、女0)(文4、理4)(総8、他0)
【試験】〔筆記〕常識〔性格〕有
【時期】エントリー25.1→内々定25.4*(一次はWEB面接可)【インターン】有
【採用実績校】名大1、新潟大1、茨城大1、愛知県大1、愛知工業大1、愛知学大1
【求める人材】変革意欲が旺盛で問題意識を持って行動できる人

【本社】488-8655 愛知県尾張旭市旭前町新田洞5050-1 ☎0561-53-3112
【特色・近況】精密金属加工を主力とし自動車産業向けなどに展開。機械分野ではリチウムイオン電池缶用プレス機、ばね成形機、組み立て機など多品種を製造。三菱重工を通じて航空機部品も生産。小銃用銃弾はほぼ100%防衛省向け。同省向けの売上は全体の2割を占める。
【設立】1953.8 【資本金】4,175百万円
【社長】神谷真二(1964.5生 名城大商卒)
【株主】〔24.3〕古河電気工業14.7%
【事業】精密加工53、機械47 <海外33>
【従業員】単483名(45.3歳)

【業績】	売上高	営業利益	経常利益	純利益
単22.3	12,919	423	474	504
単23.3	13,100	348	428	295
単24.3	13,143	▲44	0	114

旭精工（あさひせいこう） 株式公開未定

採用予定数	倍率	3年後離職率	平均年収
5名	‥	20%	573万円

●待遇、制度●
【初任給】月23.3万(諸手当0.6万円)
【残業】‥時間【有休】12.1日【制度】住
●新卒定着状況●
20年入社(男5、女0)→3年後在籍(男4、女0)
●採用情報●
【人数】23年:3 24年:7 25年:予定5*
【内定内訳】(男‥、女‥)(文0、理2)(総‥、他‥)
【試験】〔筆記〕常識〔性格〕有
【時期】エントリー25.3→内々定25.6*【インターン】有
【採用実績校】摂南大1、大阪電通大1
【求める人材】周囲と協働し、自ら行動する人、またやりとげる責任感のある人

【本社】593-8324 大阪府堺市西区鳳東町6丁570-1 ☎072-271-1221
【特色・近況】軸受ユニット中心に、エアクラッチ・ブレーキ、ワーク搬送などFA・省力設備用の直線運動機器を製造・販売。国内は東北から九州まで事業所を持つ。海外は米国、中国に拠点。ボールベアリングの専門メーカーとして創業。
【設立】1938.11 【資本金】660百万円
【社長】前田繁幸(1965.9生 大阪高石高卒)
【株主】〔24.3〕伊藤忠丸紅鉄鋼12.1%
【連結事業】軸受ユニット76、エアクラッチ・ブレーキ等機械部品他24 <海外31>
【従業員】連311名 単264名(39.5歳)

【業績】	売上高	営業利益	経常利益	純利益
連22.3	10,827	1,066	1,118	885
連23.3	11,768	1,448	1,522	1,052
連24.3	12,564	1,615	1,811	1,268

旭ダイヤモンド工業（あさひダイヤモンドこうぎょう） 東証プライム

採用内定数	倍率	3年後離職率	平均年収
6名	41.2倍	16.7%	675万円

●待遇、制度●
【初任給】月22.2万
【残業】11.2時間【有休】12.5日【制度】住
●新卒定着状況●
20年入社(男10、女2)→3年後在籍(男8、女2)
●採用情報●
【人数】23年:18 24年:20 25年:応募247→内定6*
【内定内訳】(男6、女0)(文3、理3)(総6、他0)
【試験】〔Web会場〕SPI3〔Web自宅〕SPI3〔性格〕有
【時期】エントリー25.3→内々定25.4(一次・二次以降もWEB面接可)【インターン】有
【採用実績校】千葉工大1、日大1、日工大1、神田外語大1、麗澤大1、摂南大1
【求める人材】モノづくりに興味があり、自ら考え行動し、何事も前向きに挑戦する人

【本社】102-0094 東京都千代田区紀尾井町4-1 ニューオータニガーデンコート ☎03-3222-6311
【特色・近況】切削や研磨に使われるダイヤモンド工具で国内トップクラス。電子・半導体向け主体に輸送機器、機械、石材、建設・土木など需要先は幅広い。生産は国内中心だが、中国・上海、台湾、インドネシア、タイ、フランスにも製造子会社を持つ。
【設立】1937.10 【資本金】4,102百万円
【社長】片岡和喜(1952.3生)
【株主】〔24.3〕日本マスタートラスト信託銀行信託口15.7%
【連結事業】ダイヤモンド工具他100 <海外55>
【従業員】連2,059名 単1,001名(44.6歳)

【業績】	売上高	営業利益	経常利益	純利益
連22.3	37,161	2,811	3,650	3,288
連23.3	39,320	2,506	3,275	2,765
連24.3	38,653	1,526	2,408	2,109

アシザワ・ファインテック 株式公開 いずれしたい

採用内定数	倍率	3年後離職率	平均年収
2名	7倍	14.3%	㊙384万円

●待遇、制度●
【初任給】月21.7万
【残業】12.3時間【有休】16.3日【制度】住 在
●新卒定着状況●
20年入社(男5、女2)→3年後在籍(男4、女2)
●採用情報●
【人数】23年:4 24年:6 25年:応募14→内定2*
【内定内訳】(男1、女1)(文2、理0)(総2、他0)
【試験】〔筆記〕有〔性格〕有
【時期】エントリー25.3→内々定25.6【インターン】有
【採用実績校】成城大1、神田外語大1
【求める人材】専門知識よりもチャレンジ精神豊かな人、明るく素直で思いやりのある人

【本社】275-8572 千葉県習志野市茜浜1-4-2 ☎047-453-8111
【特色・近況】湿式および乾式の微粉砕機・分散機(ビーズミル)メーカー。ナノサイズまでの微粒子粉砕技術に特化。湿式粉砕機で国内首位。ビーズミル使用の受託加工なども手がける。独ネッチ社と技術提携関係。圧力容器とボイラー製造で創業。
【設立】2002.12 【資本金】90百万円
【社長】加藤厚宏(1969.1生 神奈川工大機械工卒)
【株主】〔24.3〕アシザワ・ホールディングス100%
【事業】粉砕・分散機(ビーズミル)80、攪拌機(ミキサー)10、分散・混練機(ロールミル)5、粉体混合機他5 <輸出10>
【従業員】単164名(38.4歳)

【業績】	売上高	営業利益	経常利益	純利益
単22.3	2,921	450	495	309
単23.3	3,194	135	239	140
単24.3	2,836	153	218	75

㈱天辻鋼球製作所(あまつじこうきゅうせいさくしょ) 株式公開 計画なし

採用内定数	倍率	3年後離職率	平均年収
15名	5.3倍	7.1%	626万円

●待遇、制度●
【初任給】月24万
【残業】15.9時間【有休】14.1日【制度】フ 住 在
●新卒定着状況●
20年入社(男12、女2)→3年後在籍(男11、女2)
●採用情報●
【人数】23年:19 24年:18 25年:応募80→内定15*
【内定内訳】(男13、女2)(文0、理4)(総4、他11)
【試験】〔性格〕有
【時期】エントリー25.3→内々定25.6*(一次・二次以降もWEB面接可)【インターン】有
【採用実績校】兵庫県大1、京都府大1、奈良女大1、立命館大1
【求める人材】自ら創意工夫を凝らし、常に技術の向上を目指す若々しい精鋭

【本社】571-0070 大阪府門真市上野口町1-1 ☎06-6908-2261
【特色・近況】ベアリングなどに用いる鋼球や各種材料球の専門メーカー。転がり軸受用鋼球をメインにセラミックなどの非金属球も製造する。国内外のベアリングメーカーと取引。東京、愛知に支店、滋賀に工場、海外は米国、欧州、アジアに5生産拠点。日本精工の子会社。
【設立】1933.12 【資本金】2,101百万円
【社長】篠本正美(1958.10生 同大工卒)
【株主】〔24.3〕日本精工100%
【事業】転がり軸受用鋼球・各種金属球・各種非金属球の製造・販売 <輸出27>
【従業員】単734名(41.7歳)

【業績】	売上高	営業利益	経常利益	純利益
単22.3	23,665	1,331	2,646	988
単23.3	23,681	465	2,856	2,204
単24.3	23,593	▲183	931	144

アムコン 株式公開 計画なし

採用内定数	倍率	3年後離職率	平均年収
3名	66.3倍	100%	・・

●待遇、制度●
【初任給】月28.5万(諸手当1万円、固定残業代12時間分)
【残業】10.3時間【有休】14.1日【制度】住
●新卒定着状況●
20年入社(男1、女0)→3年後在籍(男0、女0)
●採用情報●
【人数】23年:0 24年:2 25年:応募199→内定3*
【内定内訳】(男3、女0)(文2、理1)(総3、他0)
【試験】〔筆記〕有〔Web自宅〕有〔性格〕有
【時期】エントリー25.1→内々定・・*(一次はWEB面接可)【ジョブ型】有
【採用実績校】・・
【求める人材】自主性・主体性があり、新たな事への挑戦を楽しめる人、世界を舞台に活躍したい人

【本社】223-0057 神奈川県横浜市港北区新羽町1926 ☎045-540-8585
【特色・近況】排水処理装置の製造販売を行う。主力製品の汚泥脱水機「ヴァルート」は、世界77の国と地域で導入実績。ビル・マンションの給排水設備メンテナンス、水質・細菌・環境の分析事業も展開。横浜に工場、中国とチェコ、フィリピンに現地法人。
【設立】1974.11 【資本金】80百万円
【社長】相澤学(1982.5生)
【株主】〔24.3〕佐々木昌一100%
【事業】水処理装置部門86、水質分析部門8、ビル・マンション設備保守部門6 <輸出38>
【従業員】単75名(41.4歳)

【業績】	売上高	営業利益	経常利益	純利益
単21.9	1,368	45	231	191
単22.9	1,953	178	259	188
単23.9	2,095	167	225	190

有光工業（ありみつこうぎょう）

株式公開計画なし

採用内定数	倍率	3年後離職率	平均年収
6名	4.7倍	0%	462万円

●待遇、制度●
【初任給】月20.9万(諸手当2.3万円)
【残業】9.2時間【有休】12.5日【制度】住 在
●新卒定着状況●
20年入社(男2、女1)→3年後在籍(男2、女1)
●採用情報●
【人数】23年:1 24年:1 25年:応募28→内定6*
【内定内訳】(男4、女2)(文5、理1)(総6、他0)
【試験】〔性格〕有
【時期】エントリー通年→内々定通年(一次はWEB面接可)【インターン】有
【採用実績校】関大2、立命館大1、甲南女大1、同大1、桃山学大1
【求める人材】誠実な心を持ち堅実で実行力のある人、大きな夢を持ち常に学ぶ心を忘れない人、常に明るく人に接することのできる人

【本社】537-0001 大阪府大阪市東成区深江北1-3-7 ☎06-6973-2001
【特色・近況】高圧ポンプ・洗浄装置などの産業機械、防除機などの農業機械、環境機器の製造・販売が3本柱。高圧ポンプは品ぞろえ充実。全国に営業網、関東・関西に物流拠点。フロリア標準装備のレール式無人防除機オートランナー拡販。1923年創業の老舗。
【設立】1945.5 【資本金】150百万円
【社長】有光大幸
【株主】〔23.9〕光サービス(有) 14.8%
【事業】産業機械74、GHC19、海外8、他1 <輸出8>
【従業員】単215名(41.0歳)

【業績】	売上高	営業利益	経常利益	純利益
単21.9	5,500	123	212	145
単22.9	5,147	▲118	162	111
単23.9	6,200	‥	‥	‥

㈱石垣（いしがき）

株式公開計画なし

採用予定数	倍率	3年後離職率	平均年収
20名	‥	‥	‥

●待遇、制度●
【初任給】月25.7万(諸手当4.4万円)
【残業】19時間【有休】‥日【制度】住 在
●新卒定着状況●
●採用情報●
【人数】23年:14 24年:11 25年:予定20*
【内定内訳】(男‥、女‥)(文‥、理‥)(総‥、他‥)
【試験】〔Web自宅〕SPI3
【時期】エントリー24.12→内々定25.3(一次はWEB面接可)【インターン】有
【採用実績校】‥
【求める人材】周りと協調しつつ、自ら考え行動できる人

【本社】100-0005 東京都千代田区丸の内1-6-5 丸の内北口ビルディング ☎03-6848-7900
【特色・近況】水インフラと産業を支えるプラントエンジニアリングメーカー。上下水道向け設備の設計・施工、脱水機・ろ過機やポンプの製造・販売。スクリュープレス式脱水機は首位。中国、米国、ドイツ、オーストラリアに現地法人。香川県に工場、開発センターを設置。
【設立】1960.4 【資本金】100百万円
【社長】石垣真(1951.8生 慶大商卒)
【株主】〔23.6〕石垣真24.9%
【事業】脱水機・濾過機・ポンプの製造販売、上下水道設備の設計施工 <輸出11>
【従業員】単513名(41.1歳)

【業績】	売上高	営業利益	経常利益	純利益
単21.6	16,146	1,905	2,016	1,326
単22.6	18,980	1,604	2,011	1,100
単23.6	21,862	1,789	2,176	1,099

㈱イワキ

東証プライム

採用内定数	倍率	3年後離職率	平均年収
4名	25倍	12%	719万円

●待遇、制度●
【初任給】月22.6万(諸手当2.5万円)
【残業】13.9時間【有休】8.6日【制度】住
●新卒定着状況●
20年入社(男22、女3)→3年後在籍(男19、女3)
●採用情報●
【人数】23年:28 24年:17 25年:応募100→内定4*
【内定内訳】(男3、女1)(文0、理4)(総4、他0)
【試験】〔筆記〕有〔Web自宅〕有〔性格〕有
【時期】エントリー25.1→内々定25.3
【採用実績校】埼玉大1、山口大1、東京電機大1、工学院大1
【求める人材】自ら考え行動する人、最後まで諦めない人

【本社】101-8558 東京都千代田区神田須田町2-6-6 ニッセイ神田須田町ビル☎03-3254-2931
【特色・近況】化学薬液の移送用ケミカルポンプの専業メーカー。無漏洩構造マグネットポンプが主力製品。半導体製造装置用、医療・生化学分析用、水質管理用など各種ポンプを国内外で販売。取り扱いに危険を伴う化学薬液の移送に強み。海外事業の拡大を推進。
【設立】1956.4 【資本金】1,044百万円
【社長】藤中茂(1964.12生)
【株主】〔24.3〕㈱藤中ホールディングス12.0%
【連結事業】マグネットP32、定量P16、空気駆動P13、回転容積P7、エアーP6、システム製品6、仕入商品他21 <海外54>
【従業員】連1,143名 単807名(42.4歳)

【業績】	売上高	営業利益	経常利益	純利益
連22.3	32,439	2,139	2,992	2,396
連23.3	37,730	2,443	3,933	4,398
連24.3	44,539	5,465	6,222	4,459

ウエットマスター

株式公開計画なし

採用内定数	倍率	3年後離職率	平均年収
4名	‥	28.6%	[総]705万円

●待遇、制度●
【初任給】月24万
【残業】18.2時間【有休】15.8日【制度】[住]
●新卒定着状況● 20～21年入社者合計
20年入社(男7、女0)→3年後在籍(男5、女0)
●採用情報●
【人数】23年:5 24年:5 25年:応募‥→内定4*
【内定内訳】(男4、女0)(文4、理0)(総4、他0)
【試験】〔Web自宅〕有〔性格〕有
【時期】エントリー25.3→内々定25.5*(一次はWEB面接可)【インターン】有
【採用実績校】日大1、東京経大2、二松学舎大1

【求める人材】自ら周囲を巻きこみながら改善、解決に向けて行動に移せる人

【本社】161-8531 東京都新宿区中落合3-15-15 WM本社ビル ☎03-3954-1101
【特色・近況】業務用加湿器を開発、製造、販売、メンテナンスの一貫体制で手がける最大手メーカー。ビル、商業施設、医療機関、学校などに納入実績。既存顧客に対する保守と更新の提案営業に注力。技術者向けトレーニングセンター設置によりメンテナンス体制を強化。
【設立】1969.11 【資本金】100百万円
【社長】金田明雄(1956.11生 武工大機械工卒)
【株主】〔23.12〕自社役員持株会50.6%
【事業】加湿器98、流量計2、他0 <輸出7>
【従業員】単216名(44.3歳)

【業績】	売上高	営業利益	経常利益	純利益
単21.8	7,101	607	679	427
単22.8	7,297	654	747	533
単23.8	8,029	993	1,192	770

㈱宇野澤組鐵工所(うのざわぐみてっこうしょ)

東証スタンダード

採用予定数	倍率	3年後離職率	平均年収
未定	−	0%	580万円

●待遇、制度●
【初任給】月22万(諸手当0.3万円)
【残業】18時間【有休】14日【制度】‥
●新卒定着状況●
20年入社(男2、女0)→3年後在籍(男2、女0)
●採用情報●
【人数】23年:0 24年:0 25年:応募1→内定0*
【内定内訳】(男‥、女‥)(文‥、理‥)(総‥、他‥)
【試験】〔筆記〕有〔性格〕有
【時期】エントリー24.6→内々定24.12*(一次はWEB面接可)
【採用実績校】‥

【求める人材】飽くなき探究心のある人

【本社事務所】146-0092 東京都大田区下丸子2-36-40 ☎03-3759-4191
【特色・近況】工業用ポンプや送風機・圧縮機などの産業機械中堅メーカー。自社開発した半導体製造装置用ドライ式真空ポンプは、市場を独占し収益源。省電力、小設置面積、低振動に特徴。不動産賃貸が利益を下支え。生産性向上と就労環境改善目指し、本社工場を増強。
【設立】1933.12 【資本金】785百万円
【社長】樋口勉(1953.4生 日大工卒)
【株主】〔24.3〕㈱ウノザワコーポレーション33.5%
【事業】製造88、不動産12
【従業員】単171名(44.8歳)

【業績】	売上高	営業利益	経常利益	純利益
単22.3	4,380	256	269	162
単23.3	5,105	444	468	352
単24.3	5,517	636	653	424

㈱エコム

名証メイン

採用内定数	倍率	3年後離職率	平均年収
3名	2.3倍	0%	500万円

●待遇、制度●
【初任給】月21.2万
【残業】‥時間【有休】‥日【制度】[住]
●新卒定着状況●
20年入社(男2、女1)→3年後在籍(男2、女1)
●採用情報●
【人数】23年:3 24年:2 25年:応募7→内定3
【内定内訳】(男2、女1)(文‥、理‥)(総0、他3)
【試験】〔Web自宅〕SPI3
【時期】エントリー25.3→内々定25.4(一次はWEB面接可)【インターン】有
【採用実績校】静岡大1、名城大2

【求める人材】‥

【本社】434-0041 静岡県浜松市浜名区平口5277-1 ☎053-585-6661
【特色・近況】産業用工業炉の設計・製造から保守点検まで手がける、熱技術の総合エンジニアリング企業。主力の産業システム事業では大型工業炉をオーダーメードで設計・製造を行う。保守サービス事業が収益基盤。取引先の7割を自動車業界が占める。
【設立】1985.8 【資本金】131百万円
【代表取締役】髙梨智志(1970.10生 明大経営卒)
【株主】〔24.1〕髙梨智志24.7%
【事業】産業システム71、保守サービス29
【従業員】単72名(34.8歳)

【業績】	売上高	営業利益	経常利益	純利益
単22.7	1,501	97	106	101
単23.7	2,381	243	228	277
単24.7	2,465	311	303	210

㈱MSTコーポレーション 株式公開計画なし

採用内定数	倍率	3年後離職率	平均年収
7名	4.3倍	33.3%	490万円

●待遇、制度●
【初任給】月23.3万(諸手当3万円)
【残業】20時間【有休】11.3日【制度】フ
●新卒定着状況●
20年入社(男10、女2)→3年後在籍(男7、女1)
●採用情報●
【人数】23年:8 24年:9 25年:応募30→内定7*
【内定内訳】(男5、女2)(文2、理0)(総4、他3)
【試験】〔筆記〕常識〔性格〕有
【時期】エントリー25.3→内々定25.3*(一次はWEB面接可)【ジョブ型】有
【採用実績校】大阪産大1、姫路獨協大1
【求める人材】ものづくりに興味があり、積極的に取り組める人、コミニュケーション能力のある人

【本社】630-0142 奈良県生駒市北田原町1738 ☎0743-78-1184
【特色・近況】工作機械と切削工具を結ぶ工具保持具を製造・販売。NC工作機械の保持具、測定器、治具などの精密機器も手がける。金型放電加工用グラファイト電極の受託加工が増加。奈良県生駒市に本社と工場。タイで現地生産も行う。1937年創業。
【設立】1966.3 【資本金】70百万円
【社長】溝口春機(1949.7生 青学大)
【株主】〔24.2〕溝口春機22.0%
【事業】マシニングセンター用ツーリング70、汎用機械用ツーリング5、放電加工用ホルダ5、他20 <輸出33>
【従業員】単305名(36.4歳)

【業績】	売上高	営業利益	経常利益	純利益
単22.2	4,204	552	726	368
単23.2	4,654	389	547	364
単24.2	4,396	272	389	300

エムケー精工(せいこう) 東証スタンダード

採用内定数	倍率	3年後離職率	平均年収
12名	‥	30%	578万円

●待遇、制度●
【初任給】月23万
【残業】14.8時間【有休】12日【制度】フ 住
●新卒定着状況●
20年入社(男8、女2)→3年後在籍(男6、女1)
●採用情報●
【人数】23年:14 24年:14 25年:応募‥→内定12*
【内定内訳】(男7、女5)(文7、理3)(総12、他0)
【試験】〔筆記〕SPI3〔性格〕有
【時期】エントリー24.6→内々定24.11(一次・二次以降もWEB面接可)【インターン】有
【採用実績校】‥
【求める人材】企業理念・考え方や社風に共感し、それを具現化できる人間力に溢れる人

【本社】387-8603 長野県千曲市大字雨宮1825 ☎026-272-0601
【特色・近況】ガソリンスタンドやディーラー向け洗車機、店舗用・道路工事用のLED電光表示装置、農家向け農産物低温貯蔵庫や家庭用調理家電、工場向け食品加工機などが柱。子会社で保険代理、不動産賃貸・管理、印刷、ホテルなどを展開。
【設立】1956.12 【資本金】3,373百万円
【社長】丸山将一(1972.12生 早大院商修了)
【株主】〔24.3〕丸山永樹8.3%
【連結事業】モビリティ&サービス68、ライフ&サポート22、住設機器9、他1
【従業員】連1,260名 単873名(45.3歳)

【業績】	売上高	営業利益	経常利益	純利益
連22.3	24,855	1,080	1,205	566
連23.3	27,327	1,694	1,816	1,167
連24.3	28,474	2,127	2,253	713

エンシュウ 東証スタンダード

採用予定数	倍率	3年後離職率	平均年収
15名	‥	18.7%	532万円

●待遇、制度●
【初任給】月21.4万
【残業】25時間【有休】11.9日【制度】フ 住 在
●新卒定着状況●
20年入社(男11、女5)→3年後在籍(男9、女4)
●採用情報●
【人数】23年:21 24年:19 25年:予定15*
【内定内訳】(男‥、女‥)(文‥、理‥)(総‥、他‥)
【試験】〔筆記〕常識〔Web会場〕有〔性格〕有
【時期】エントリー‥→内々定‥【インターン】有
【採用実績校】‥
【求める人材】プロフェショナリズムを追求し、「熱意」「創意」「誠意」を尽くす「心」ある人

【本社】432-8522 静岡県浜松市中央区高塚町4888 ☎053-447-2111
【特色・近況】自動車製造システムや汎用複合加工機などの工作機械と部品受託加工の2本柱。受託加工はヤマハ発動機向けの大型2輪用エンジン加工などが主。レーザー加工機も手がける。北米やASEANの営業人員増員し販売体制強化。EV量産化視野に工作機械受注に注力。
【設立】1920.2 【資本金】4,640百万円
【社長】鈴木敦士(1961.9生 産能大経営情卒)
【株主】〔24.3〕ヤマハ発動機10.1%
【連結事業】工作機械関連49、部品加工関連51、他0 <海外32>
【従業員】連1,010名 単689名(43.9歳)

【業績】	売上高	営業利益	経常利益	純利益
連22.3	23,904	751	638	370
連23.3	24,813	79	▲39	▲104
連24.3	24,091	540	386	221

㈱大川原製作所（おおかわらせいさくしょ）

株式公開計画なし

採用内定数	倍率	3年後離職率	平均年収
4名	3.3倍	0%	[総]572万円

●待遇、制度●
【初任給】月23万(諸手当1万円)
【残業】9.6時間【有休】13.9日【制度】[フ][住][在]

●新卒定着状況●
20年入社(男2、女1)→3年後在籍(男2、女1)

●採用情報●
【人数】23年:5 24年:3 25年:応募13→内定4*
【内定内訳】(男4、女0)(文2、理2)(総4、他0)
【試験】〔Web自宅〕SPI3
【時期】エントリー24.12→内々定25.3*(一次はWEB面接可)【インターン】有
【採用実績校】静岡大1、静岡県大1、玉川大1

【求める人材】コミュニケーション能力が高く、学力だけではなく論理的思考ができる人

【本社】421-0304 静岡県榛原郡吉田町神戸1235 ☎0548-32-3211
【特色・近況】乾燥装置の専門メーカー。乾燥装置と汚泥処理など公害防止関連機器が軸で、製品のすべてがオーダーメイド。化学・食品・医薬品企業や自治体がユーザー。静岡に工場と技術センター。東京、大阪に営業所。ダイバーシティ経営などの社内改革実践中。
【設立】1945.4 【資本金】779百万円
【社長】大川原行雄(1956.2生 東海大工卒)
【株主】〔23.12〕オーカワラ興産10.6%
【事業】環境装置部門35、産機装置部門65 <輸出6>
【従業員】単270名(42.7歳)

【業績】	売上高	営業利益	経常利益	純利益
単21.12	6,786	443	498	382
単22.12	7,360	285	357	246
単23.12	8,108	341	347	23

オークラ輸送機（ゆそうき）

株式公開未定

採用内定数	倍率	3年後離職率	平均年収
7名	14倍	21.4%	[総]726万円

●待遇、制度●
【初任給】月24.1万
【残業】16.3時間【有休】8.2日【制度】[住][在]

●新卒定着状況●
20年入社(男14、女0)→3年後在籍(男11、女0)

●採用情報●
【人数】23年:19 24年:17 25年:応募98→内定7*
【内定内訳】(男6、女1)(文1、理6)(総7、他0)
【試験】〔筆記〕有〔性格〕有
【時期】エントリー25.1→内々定25.2(一次はWEB面接可)
【採用実績校】明大1、近大4、神戸大1、甲南大1

【求める人材】チャレンジ精神旺盛な人

【本社】675-8675 兵庫県加古川市野口町古大内900 ☎079-426-1181
【特色・近況】コンベヤー等の物流機器大手メーカー。パレタイザ(パレット積み機)で世界首位級。多関節型ロボットなどハイレベルな製品や、新型ピッキングシステムなどの開発に取り組む。国外はシンガポール、米国、マレーシア、中国、タイに拠点を擁する。
【設立】1960.10 【資本金】1,330百万円
【社長】大庫良一(1955.4生 甲南大経済卒)
【株主】〔24.3〕大庫機械製作所17.6%
【事業】パレタイジングシステム16、ソーティングシステム48、搬送システム15、物流機器21 <輸出6>
【従業員】単607名(42.6歳)

【業績】	売上高	営業利益	経常利益	純利益
単22.3	35,570	3,411	3,605	2,200
単23.3	39,369	3,411	3,596	2,094
単24.3	33,777	585	1,025	1,004

㈱オーケーエム

東証スタンダード

採用内定数	倍率	3年後離職率	平均年収
3名	10.7倍	0%	582万円

●待遇、制度●
【初任給】月20.1万
【残業】22.9時間【有休】10.4日【制度】[住][在]

●新卒定着状況●
20年入社(男3、女0)→3年後在籍(男3、女0)

●採用情報●
【人数】23年:3 24年:3 25年:応募32→内定3*
【内定内訳】(男2、女1)(文2、理1)(総0、他3)
【試験】〔Web自宅〕有〔性格〕有
【時期】エントリー25.3→内々定25.5*(一次はWEB面接可)【インターン】有
【採用実績校】京都橘大1、京都外大1、立命館大1

【求める人材】何事にも粘り強く取り組むことができ、様々な分野へのチャレンジ精神旺盛な人

【本社】520-2362 滋賀県野洲市市三宅446-1 ☎077-518-1260
【特色・近況】バタフライバルブ中心のバルブメーカーの老舗。工場や建築市場向けの陸用と、船舶エンジンやバラスト水処理装置など向けの舶用がおよそ半分ずつを占める。船舶排ガス用バルブは世界シェアトップ。開発・設計・製造・販売まで一貫した生産システム。
【設立】1962.5 【資本金】1,180百万円
【社長】奥村晋一(1966.12生 青学大院理工修了)
【株主】〔24.3〕㈲クローバー通商10.1%
【連結事業】陸用50、舶用50 <海外20>
【従業員】連346名 単255名(40.9歳)

【業績】	売上高	営業利益	経常利益	純利益
連22.3	8,456	662	724	850
連23.3	9,164	823	870	767
連24.3	9,484	667	749	511

㈱オーバル

東証スタンダード

採用内定数	倍率	3年後離職率	平均年収
6名	6.2倍	0%	660万円

●待遇、制度●
【初任給】月22万
【残業】10.6時間【有休】15.1日【制度】フ 住 在
●新卒定着状況●
20年入社(男5、女3)→3年後在籍(男5、女3)
●採用情報●
【人数】23年:6 24年:5 25年:応募37→内定6*
【内定内訳】(男5、女1)(文0、理5)(総6、他0)
【試験】〔筆記〕有〔Web自宅〕有〔性格〕有
【時期】エントリー25.3→内々定25.4(一次はWEB面接可)【インターン】有
【採用実績校】湘南工大2、青学大1、名古屋国際工科専門職大1、名城大1、産業技術短大1
【求める人材】真摯で謙虚な「知りたがり」人、質問好き、物事を深堀りし、本質を追究できる人

【本社】161-8508 東京都新宿区上落合3-10-8 ☎03-3360-5061
【特色・近況】流体計測機器の最大手。質量流量計や極微少サーボ流量計が主力。瞬時・積算流量を確認する電子機器、濾過器・整流器などの周辺機器、顧客仕様の計測システム装置も手がける。水素やアンモニアなどの脱炭素関連システムを育成中。海外はアジア事業の拡大を目指す。
【設立】1949.5 【資本金】2,200百万円
【社長】谷本淳(1957.4生 東海大工卒)
【株主】〔24.3〕明治安田生命保険7.2%
【連結事業】センサ69、システム12、サービス19 <海外26>
【従業員】連689名 単406名(42.5歳)

【業績】	売上高	営業利益	経常利益	純利益
連22.3	11,144	276	469	286
連23.3	13,312	1,105	1,228	649
連24.3	14,347	1,475	1,572	1,102

大森機械工業（おおもりきかいこうぎょう）

株式公開計画なし

採用内定数	倍率	3年後離職率	平均年収
24名	5.6倍	7.7%	㊕696万円

●待遇、制度●
【初任給】月24万(諸手当5.7万円)
【残業】20.2時間【有休】12.7日【制度】住 在
●新卒定着状況●
20年入社(男13、女0)→3年後在籍(男12、女0)
●採用情報●
【人数】23年:12 24年:21 25年:応募135→内定24*
【内定内訳】(男21、女3)(文7、理15)(総24、他0)
【試験】〔性格〕有
【時期】エントリー25.2→内々定25.3(一次・二次以降もWEB面接可)【インターン】有【ジョブ型】有
【採用実績校】日工大3、ものつくり大2、工学院大1、帝京大1、東海大1、東京電機大1、東京都市大1、東洋大2、長岡技科大1、新潟工大1、他
【求める人材】コミュニケーションがとれる人(傾聴力・伝達力)、課題に対して自分の頭で考えられる人

【本社】343-0822 埼玉県越谷市西方2761 ☎048-988-2111
【特色・近況】全自動包装機械と関連システム機器を製造・販売。個包装機械は業界首位級。高精度の機械開発力が特徴。一貫包装システム、無人化、24時間稼働などを提案。北米、インド、オランダ、中国などに拠点。沖縄に出張所を有する。
【設立】1957.12 【資本金】238百万円
【社長】大森利夫(1950.2生 日大生産工卒)
【株主】〔24.5〕大森ホールディングス100%
【事業】全自動包装機械85、補給部品等15 <輸出15>
【従業員】単654名(41.1歳)

【業績】	売上高	営業利益	経常利益	純利益
単21.5	21,701	1,378	2,032	1,551
単22.5	21,881	1,434	2,511	1,937
単23.5	22,221	1,327	3,727	3,217

オカダアイヨン

東証プライム

採用内定数	倍率	3年後離職率	平均年収
4名	27.8倍	0%	695万円

●待遇、制度●
【初任給】月25万(諸手当2万円)
【残業】24.1時間【有休】11.8日【制度】フ 住 在
●新卒定着状況●
20年入社(男4、女2)→3年後在籍(男4、女2)
●採用情報●
【人数】23年:9 24年:10 25年:応募111→内定4*
【内定内訳】(男2、女2)(文4、理0)(総4、他0)
【試験】〔性格〕有
【時期】エントリー25.3→内々定25.6*(一次・二次以降もWEB面接可)【インターン】有【ジョブ型】有
【採用実績校】甲南女大2、関西国際大1、アジュ大1
【求める人材】機械が好きで、成長意欲の高い人、コミュニケーション力の高い人

【本社】552-0022 大阪府大阪市港区海岸通4-1-18 ☎06-6576-1281
【特色・近況】油圧ブレーカーや、圧砕機、鉄骨カッターなどの破砕・解体用建設機械のアタッチメント機器を製造・販売。バイオマス発電用木材破砕機など環境機械の仕入れ販売も手がける。海外売上高の7割を占める北米では、シカゴを拠点に事業拡大を目指す。
【設立】1960.9 【資本金】2,221百万円
【社長】岡田祐司(1974.6生 修成建設専卒)
【株主】〔24.3〕日本カストディ銀行信託口7.0%
【連結事業】解体環境機械67、林業・大型環境機械等16、補材・修理18 <海外25>
【従業員】連491名 単223名(41.3歳)

【業績】	売上高	営業利益	経常利益	純利益
連22.3	20,306	1,771	1,808	1,190
連23.3	23,575	1,965	1,961	1,414
連24.3	27,095	2,719	2,814	1,886

㈱岡本工作機械製作所（おかもとこうさくきかいせいさくしょ）
東証スタンダード

採用内定数	倍率	3年後離職率	平均年収
8名	‥	20%	600万円

●待遇、制度●
【初任給】月23.4万
【残業】16.7時間【有休】15日【制度】フ 住 在

●新卒定着状況●
20年入社(男9、女1)→3年後在籍(男8、女0)

●採用情報●
【人数】23年:10 24年:12 25年:応募‥→内定8*
【内定内訳】(男6、女2)(文2、理4)(総8、他0)
【試験】〔筆記〕常識、SPI3
【時期】エントリー25.‥→内々定25.‥
【採用実績校】日工大院1、名古屋経大1、埼玉工大1、神奈川工大1、群馬大1、高崎産業技術専3

【求める人材】自身の知識・技術を磨き続け、何ができるかを考え判断し、経験を自身の糧とできる人

【本社】379-0135 群馬県安中市郷原2993
☎027-385-5800
【特色・近況】工作機械と半導体関連装置が2本柱の機械メーカー。工作機械は研削盤が中心で、平面研削盤は国内首位。半導体関連装置はポリッシュ装置などを手がける。三井物産と資本業務提携。平面研削盤・半導体ウエハ研磨装置で世界首位を目指す。
【設立】1935.6　【資本金】9,783百万円
【社長】石井常路(1956.11生 成蹊大経済卒)
【株主】〔24.6〕日本カストディ銀行信託口4.8%
【連結事業】工作機械63、半導体関連装置37 <海外50>
【従業員】連2,301名 単486名(43.0歳)

【業績】	売上高	営業利益	経常利益	純利益
連22.3	37,547	4,081	4,197	2,892
連23.3	45,524	5,598	5,552	4,029
連24.3	50,198	6,133	6,284	4,556

奥村機械製作（おくむらきかいせいさく）
株式公開計画なし

採用内定数	倍率	3年後離職率	平均年収
1名	15倍	50%	‥

●待遇、制度●
【初任給】月23万(諸手当5万円)
【残業】12.4時間【有休】10.5日【制度】フ 住 在

●新卒定着状況●
20年入社(男1、女1)→3年後在籍(男0、女1)

●採用情報●
【人数】23年:2 24年:2 25年:応募15→内定1
【内定内訳】(男1、女0)(文0、理1)(総1、他0)
【試験】〔Web自宅〕SPI3
【時期】エントリー25.2→内々定25.6(一次はWEB面接可)
【採用実績校】大阪電通大1

【求める人材】周囲と円滑なコミュニケーションがとれる人

【本社】555-0033 大阪府大阪市西淀川区姫島3-5-26
☎06-6472-3461
【特色・近況】上・下水道のシールド掘進機が主力の建機メーカー。クレーンなどの搬送設備や廃コンクリート柱連続破砕設備、免震体験装置など各種産業機械も扱う。シールドトンネルの鋼製支保工材も。大阪本社と神奈川・相模原市に工場。奥村組の子会社。
【設立】1953.3　【資本金】100百万円
【社長】廣野和正(山梨大工卒)
【株主】〔24.3〕奥村組100%
【事業】シールド掘進機械他76、セグメント14、クレーン・自動化設備他9、損害保険代理店業務1 <輸出29>
【従業員】単82名(‥歳)

【業績】	売上高	営業利益	経常利益	純利益
単22.3	5,282	442	486	333
単23.3	5,946	472	537	349
単24.3	6,262	477	548	364

オリエンタルチエン工業（こうぎょう）
東証スタンダード

採用内定数	倍率	3年後離職率	平均年収
1名	3倍	0%	467万円

●待遇、制度●
【初任給】月20.6万
【残業】3.9時間【有休】13.6日【制度】‥

●新卒定着状況●
20年入社(男1、女0)→3年後在籍(男1、女0)

●採用情報●
【人数】23年:1 24年:4 25年:応募3→内定1*
【内定内訳】(男1、女0)(文‥、理‥)(総0、他1)
【試験】〔Web自宅〕WEB-GAB
【時期】エントリー25.1→内々定25.6(一次はWEB面接可)【インターン】有
【採用実績校】職業能力開発短期大学校

【求める人材】正直であり言い訳をせず、どうすれば出来るのかを考え行動できる人

【本社】924-0016 石川県白山市宮永市町485
☎076-276-1155
【特色・近況】搬送機械、工作機械、食品機械向けなどの伝動用ローラーチェーンを主体に、コンベヤーチェーン、スプロケット類などを製造。小型チェーンに強み。特注品で大手との差別化図る。金属粉末射出成形技術を活用し医療機器向け分野に進出。
【設立】1947.8　【資本金】1,066百万円
【社長】西村武(1939.11生 金沢大法文卒)
【株主】〔24.3〕片山チエン8.4%
【事業】チェーン94、金属射出成形5、不動産賃貸1 <海外21>
【従業員】単192名(42.5歳)

【業績】	売上高	営業利益	経常利益	純利益
単22.3	3,356	108	118	28
単23.3	3,904	116	143	93
単24.3	4,082	201	219	149

㈱垣内（かきうち）

株式公開計画なし

採用内定数	倍率	3年後離職率	平均年収
2名	1倍	0%	‥

●待遇、制度●
【初任給】月20万（諸手当1.8万円）
【残業】8.2時間【有休】14.9日【制度】フ
●新卒定着状況●
20年入社（男4、女0）→3年後在籍（男4、女0）
●採用情報●
【人数】23年:1 24年:2 25年:応募2→内定2
【内定内訳】（男2、女0）（文‥、理‥）（総2、他0）
【試験】なし
【時期】エントリー25.2→内々定25.4【インターン】有
【採用実績校】‥
【求める人材】物づくりが好きで熱中できる人、創意工夫、向上心を持っている人

【本社】783-0049 高知県南国市岡豊町中島391-8 ☎088-866-2848
【特色・近況】サイレントパイラーなどの受託生産を軸に、造粒機やLPガスボンベ検査機、柑橘類搾汁装置など自社製品を製造・販売。造粒機は鶏糞、牛糞、豚糞などの家畜糞をペレット化。ペレット冷却装置も自社開発。高知県・南国市に本社と6工場を配する。
【設立】1987.8 【資本金】10百万円
【社長】垣内大輔（1965.5生 東大経済卒）
【株主】〔24.6〕大久保理栄子30.0%
【事業】受託生産65、自社製品25、機械加工製缶5、他5
【従業員】単105名（39.0歳）

【業績】	売上高	営業利益	経常利益	純利益
単21.7	2,410	8	25	▲338
単22.7	2,570	124	313	193
単23.7	2,687	154	166	165

㈱加地テック（かぢ）

東証スタンダード

採用内定数	倍率	3年後離職率	平均年収
2名	4.5倍	－	633万円

●待遇、制度●
【初任給】月22.1万（諸手当1.6万円）
【残業】‥時間【有休】8.1日【制度】住
●新卒定着状況●
20年入社（男0、女0）→3年後在籍（男0、女0）
●採用情報●
【人数】23年:2 24年:2 25年:応募9→内定2*
【内定内訳】（男2、女0）（文0、理2）（総2、他0）
【試験】〔Web会場〕SPI3〔性格〕有
【時期】エントリー25.3→内々定25.10*(一次・二次以降もWEB面接可)【インターン】有
【採用実績校】日大1、大阪公大1
【求める人材】技術・知識だけでなく周りとのコミュニケーションも大切に考えられる人

【本社】587-0064 大阪府堺市美原区菩提6 ☎072-361-0881
【特色・近況】石油化学プラントなど各種プラント向けの特殊ガス圧縮機が主力。機器の設置工事も請け負う。特殊高圧コンプレッサー、グラスファイバー用撚糸機は高シェア。水素圧縮機も手がけ、水素ステーション用はトップシェア。三井E&Sグループ。
【設立】1934.2 【資本金】1,440百万円
【社長】松岡克憲（1966.10生）
【株主】〔24.3〕三井E&S49.1%
【事業】圧縮機100 <海外27>
【従業員】単202名（42.1歳）

【業績】	売上高	営業利益	経常利益	純利益
単22.3	4,578	435	455	309
単23.3	5,975	237	296	288
単24.3	7,261	767	818	578

㈱加藤製作所（かとうせいさくしょ）

東証プライム

採用内定数	倍率	3年後離職率	平均年収
25名	3.2倍	26.7%	㊇581万円

●待遇、制度●
【初任給】月22.1万
【残業】15.5時間【有休】13.1日【制度】住 在
●新卒定着状況●
20年入社（男13、女2）→3年後在籍（男10、女1）
●採用情報●
【人数】23年:15 24年:23 25年:応募80→内定25*
【内定内訳】（男22、女3）（文9、理15）（総25、他0）
【試験】〔筆記〕常識、他
【時期】エントリー25.3→内々定25.6*(一次・二次以降もWEB面接可)【インターン】有
【採用実績校】千葉工大4、東京電機大3、日本工業大2、群馬自動車専2、大原学園専2、神奈川工大1、九産大1、福岡工大1、明星大1、他
【求める人材】パイオニア精神を抱き挑戦し続けるとともに社会の要求に機敏に対応し続けられる人

【本社】140-0011 東京都品川区東大井1-9-37 ☎03-3458-1111
【特色・近況】荷役機械（トラッククレーン、ラフテレーンクレーン）と建設機械（油圧ショベル）が2本柱の建設用機械メーカー。建設用クレーンは国内最大手級。海外はイタリアで現地生産。インド事業準備室を設置し、インド国内やアジア、中東の顧客開拓を目指す。
【設立】1935.1 【資本金】2,935百万円
【社長】加藤公康（1968.8生 玉川大工卒）
【株主】〔24.3〕第一生命保険5.5%
【連結事業】荷役機械60、建設機械39、他2 <海外33>
【従業員】連1,009名 単793名（40.9歳）

【業績】	売上高	営業利益	経常利益	純利益
連22.3	63,549	▲7,222	▲6,929	▲9,575
連23.3	57,530	1,258	1,865	2,403
連24.3	57,498	1,654	2,575	4,235

川崎油工（かわさきゆこう）

株式公開計画なし

採用内定数	倍率	3年後離職率	平均年収
3名	4倍	20%	[総]614万円

●待遇、制度●

【初任給】月22.2万（諸手当0.4万円）
【残業】25.6時間【有休】15.8日【制度】[住][在]

●新卒定着状況●

20年入社（男5、女0）→3年後在籍（男4、女0）

●採用情報●

【人数】23年:5 24年:3 25年:応募12→内定3*
【内定内訳】（男2、女1）（文1、理2）（総3、他0）
【試験】〔Web自宅〕SPI3
【時期】エントリー25.3→内々定25.6*（一次はWEB面接可）【ジョブ型】有
【採用実績校】南山大1、大阪工大1、近畿職能大学校1
【求める人材】明るく、いきいきと困難に立ち向かえる人

【本社】674-0093 兵庫県明石市二見町南二見15-1 ☎078-941-3311
【特色・近況】川崎重工業の完全子会社で、大型・超大型油圧プレス機は国内シェア首位。炭素繊維複合材用プレス機や環境配慮型プレス機の販売に注力。国内外に3000台以上の導入実績。省力化、自動化に貢献する金属加工用や樹脂成形用の各種プレス機を提供。
【設立】1944.2【資本金】436百万円
【社長】郡憲司（1959.7生 京大工卒）
【株主】〔24.3〕川崎重工業100%
【事業】液圧（油圧）プレス機械52、油圧プレス修理・改造45、他3 <輸出8>
【従業員】単144名（40.2歳）

【業績】	売上高	営業利益	経常利益	純利益
単22.3	3,157	1	16	8
単23.3	3,845	▲5	4	2
単24.3	4,542	17	30	19

[株]カワタ

東証スタンダード

採用内定数	倍率	3年後離職率	平均年収
5名	‥	20%	633万円

●待遇、制度●

【初任給】月22.1万
【残業】19時間【有休】11.8日【制度】[住][在]

●新卒定着状況●

20年入社（男5、女0）→3年後在籍（男4、女0）

●採用情報●

【人数】23年:6 24年:4 25年:応募‥→内定5
【内定内訳】（男5、女0）（文0、理5）（総5、他0）
【試験】〔Web自宅〕SPI3
【時期】エントリー24.7→内々定25.3（一次はWEB面接可）【インターン】有
【採用実績校】‥
【求める人材】自ら考え、提案し、実行できる人

【本社】550-0011 大阪府大阪市西区阿波座1-15-15 第一協業ビル ☎06-6531-8211
【特色・近況】プラスチック成形、合理化機器、自動化システムの専業メーカーでトップ級。プラスチック材料の貯蔵、混錬、計量、乾燥、着色など各工程の合理化機器・システム、金型温度調節機器などを製販。アジア軸に海外展開。国内は非成形機分野を育成。
【設立】1951.7【資本金】977百万円
【社長】白石亙（1963.12生 広島大経済卒）
【株主】〔24.3〕カワタ共伸会6.8%
【連結事業】プラスチック製品製造機器100 <海外37>
【従業員】連805名 単246名（42.5歳）

【業績】	売上高	営業利益	経常利益	純利益
連22.3	18,383	760	903	540
連23.3	18,826	638	813	351
連24.3	24,494	1,249	1,414	929

[株]川本製作所（かわもとせいさくしょ）

株式公開計画なし

採用内定数	倍率	3年後離職率	平均年収
9名	66.7倍	18.2%	‥

●待遇、制度●

【初任給】月21.6万（諸手当0.6万円）
【残業】11.8時間【有休】11.2日【制度】[住]

●新卒定着状況●

20年入社（男22、女0）→3年後在籍（男18、女0）

●採用情報●

【人数】23年:13 24年:17 25年:応募600→内定9*
【内定内訳】（男9、女0）（文8、理1）（総9、他0）
【試験】〔筆記〕常識〔Web自宅〕有
【時期】エントリー25.3→内々定25.5（一次・二次以降もWEB面接可）【インターン】有
【採用実績校】東北学大1、東京農業大1、國學院大1、中部大1、中京学大1、京産大1、久留米大2、福岡大1
【求める人材】常に熱意を持って行動し、失敗を恐れず何事にもチャレンジできる人

【本社】460-8650 愛知県名古屋市中区大須4-11-39 ☎052-251-7171
【特色・近況】ポンプ専業の大手メーカー。1919年当時珍しい鋳鉄製手動ポンプ開発し創業。省エネ、静音設計のポンプで先駆。建築設備用を中心に農漁業用、家庭用などを展開。地域密着型で全国10支店63営業所体制。中国・蘇州、タイに生産現法。
【設立】1949.12【資本金】100百万円
【社長】髙津悟（1957.9生 愛知学大卒）
【株主】〔23.8〕KAWAMOTOホールディングス100%
【事業】ポンプ製品90、部品他10 <輸出1>
【従業員】単748名（40.2歳）

【業績】	売上高	営業利益	経常利益	純利益
単21.8	43,745	6,573	7,001	5,004
単22.8	39,813	4,846	5,151	3,546
単23.8	48,568	10,976	11,964	8,090

㈱共栄社（きょうえいしゃ）

株式公開計画なし

採用内定数	倍率	3年後離職率	平均年収
1名	6倍	0%	588万円

●待遇、制度●
【初任給】月22.4万
【残業】13.5時間【有休】13.5日【制度】住
●新卒定着状況●
20年入社(男1、女0)→3年後在籍(男1、女0)
●採用情報●
【人数】23年:4 24年:5 25年:応募6→内定1*
【内定内訳】(男0、女1)(文1、理0)(総1、他0)
【試験】〔筆記〕有
【時期】エントリー25.3→内々定25.5(一次はWEB面接可)
【採用実績校】愛知大1
【求める人材】積極的に物事に取組める人、ものづくりが好きな人

【本社】442-8530 愛知県豊川市美幸町1-26 ☎0533-84-1221
【特色・近況】ゴルフ場コース管理用芝刈機、草刈機、管理機、グラウンド整地機などを製造。ブランド名は「バロネス」。業務用では国内首位。ゴルフ場のほかサッカー・野球場、河川敷の草刈りなど幅広く展開。海外は米国、英国、上海に拠点。
【設立】1918.8【資本金】300百万円
【社長】林秀訓(1977.3生 岐阜経大経営卒)
【株主】〔23.12〕林秀訓15.4%
【事業】芝刈機39、草刈機19、部品22、管理機12、他機械8 <輸出50>
【従業員】単266名(41.3歳)

【業績】	売上高	営業利益	経常利益	純利益
単21.12	6,808	228	353	498
単22.12	8,443	608	725	552
単23.12	11,727	1,462	1,535	1,378

㈱京都製作所（きょうとせいさくしょ）

株式公開計画なし

採用内定数	倍率	3年後離職率	平均年収
41名	9.8倍	15.4%	723万円

●待遇、制度●
【初任給】月25万
【残業】37.4時間【有休】12.9日【制度】住
●新卒定着状況●
20年入社(男25、女1)→3年後在籍(男21、女1)
●採用情報●
【人数】23年:30 24年:27 25年:応募400→内定41
【内定内訳】(男‥、女‥)(文5、理26)(総‥、他‥)
【試験】〔筆記〕常識〔Web会場〕有〔Web自宅〕有〔性格〕有
【時期】エントリー25.3→内々定25.3(一次はWEB面接可)【インターン】有【ジョブ型】有
【採用実績校】長岡技科大2、京大4、東北大1、神戸大1、京都工繊大3、阪大1、立命館大4、北九州高専2、大阪工大4、大阪電通大3、他
【求める人材】時代の先端で自分の力を磨きたい人、本物のエンジニアを目指す人

【本社】613-0916 京都府京都市伏見区淀美豆町377-1 ☎075-631-3151
【特色・近況】ロボットケーサー、カートニングマシンなど自動包装機械が主力。顧客ニーズに基づく生産工程の合理化のアドバイザーも手がける。DVDの全自動組立機を世界に先駆けて開発。EV電池、再生医療分野などへ積極的に開発投資。米国に包装機械の製造子会社を持つ。
【設立】1946.8【資本金】1,891百万円
【社長】木下喜平(1959.1生 福井工高専卒)
【株主】〔24.3〕TOPPANホールディングス7.3%
【事業】自動包装機械・関連機器、電子部品組立機械他・各種自動機械 <輸出20>
【従業員】連966名 単625名(42.3歳)

【業績】	売上高	営業利益	経常利益	純利益
連22.3	40,909	5,424	5,746	4,149
連23.3	45,529	5,791	6,152	4,164
連24.3	47,543	5,720	6,088	5,492

共和真空技術（きょうわしんくうぎじゅつ）

株式公開計画なし

採用内定数	倍率	3年後離職率	平均年収
2名	1.5倍	―	‥

●待遇、制度●
【初任給】月21.7万(諸手当1.6万円)
【残業】16.8時間【有休】15日【制度】住
●新卒定着状況●
20年入社(男0、女0)→3年後在籍(男0、女0)
●採用情報●
【人数】23年:0 24年:2 25年:応募3→内定2*
【内定内訳】(男2、女0)(文0、理2)(総2、他0)
【試験】〔筆記〕常識、他〔Web自宅〕有〔性格〕有
【時期】エントリー24.11→内々定25.1
【採用実績校】東洋大1、埼玉工大1
【求める人材】興味を持って物事に取り組める人、前向きな人

【本社】105-0003 東京都港区西新橋1-18-17 明産西新橋ビル ☎03-3501-0484
【特色・近況】真空凍結乾燥(フリーズドライ)機のパイオニア。メーカー商社の日精の製造部門。試験機、医薬品、食品、ファインケミカル向けなどの各種凍結乾燥機を製造販売。シェア約8割。中国・上海で現地生産。製品乾燥プログラムの開発・提供も行う。
【設立】1950.7【資本金】67百万円
【社長】駒場晃
【株主】〔24.3〕日精100%
【事業】真空凍結乾燥機製造販売60、メンテナンス40
【従業員】単88名(41.6歳)

【業績】	売上高	営業利益	経常利益	純利益
単22.3	3,147	484	534	346
単23.3	2,856	311	385	281
単24.3	3,506	727	868	604

ＫＬＡＳＳ

東証スタンダード

採用内定数	倍率	3年後離職率	平均年収
5名	7.6倍	0%	528万円

●待遇、制度●
【初任給】月21.4万
【残業】13.4時間【有休】12.1日【制度】[住][在]

●新卒定着状況●
20年入社(男5、女0)→3年後在籍(男5、女0)

●採用情報●
【人数】23年:11 24年:7 25年:応募38→内定5
【内定内訳】(男3、女2)(文4、理1)(総0、他5)
【試験】〔筆記〕常識〔Web自宅〕有
【時期】エントリー24.12→内々定24.12(一次はWEB面接可)【インターン】有
【採用実績校】奈良県大1、成蹊大1、神戸学大1、神戸芸工大1、諏訪東理大1

【求める人材】前向きな考え方ができ、仕事に熱意を持ち、何事にも素直に取り組める人

【本社】679-4195 兵庫県たつの市龍野町日飼190
☎0791-62-1771
【特色・近況】自動化・省力化の産業機械メーカー。「職人技術の自動化」を売りに自動化機械を製造。自動壁紙糊付機や床材剥がし機など内装施工機や畳製造システムが主要製品。オーダーメイド産業機器や2次電池製造装置の開発・製造も手がける。
【設立】1948.10　【資本金】631百万円
【社長】頃安雅樹(1956.5生 東大工卒)
【株主】〔24.3〕頃安憲司26.0%
【連結事業】プロフェッショナル72、コンシューマ7、インダストリー15、ニュー・インダストリー6
【従業員】連298名 単289名(43.4歳)

【業績】	売上高	営業利益	経常利益	純利益
連21.9	9,169	280	273	189
連22.9	9,681	228	194	143
連23.9	9,888	314	283	102

鉱研工業（こうけんこうぎょう）

東証スタンダード

採用内定数	倍率	3年後離職率	平均年収
7名	4.3倍	0%	588万円

●待遇、制度●
【初任給】月21.8万
【残業】7.3時間【有休】13.5日【制度】[住]

●新卒定着状況●
20年入社(男5、女3)→3年後在籍(男5、女3)

●採用情報●
【人数】23年:7 24年:5 25年:応募30→内定7*
【内定内訳】(男6、女1)(文3、理4)(総7、他0)
【試験】〔Web自宅〕有
【時期】エントリー25.3→内々定25.5*(一次・二次以降もWEB面接可)【インターン】有【ジョブ型】有
【採用実績校】東北大1、岡山大1、上智大1、福岡大1、神田外語大1、神奈川工大1、常葉大1

【求める人材】共に成長し、社会に貢献し続けられる人、新たな活力を与えてくれる人

【本社】171-8572 東京都豊島区高田2-17-22 目白中野ビル
☎03-6907-7888
【特色・近況】地下資源工事用掘削機械で有数。ボーリング機器とトンネル先進調査工事や温泉工事など工事施工も行う。ロッド(筒)の脱着を補助するロッドハンドリング装置を育成。日立建機、エンバイオと業務提携し共同事業を展開。高度なインフラ投資が続くアジア市場を深耕中。
【設立】1947.10　【資本金】1,165百万円
【社長】木山隆二郎(1959.12生 熊本大工卒)
【株主】〔24.3〕日立建機8.7%
【連結事業】ボーリング機器関連68、工事施工関連32 <海外6>
【従業員】連314名 単234名(42.3歳)

【業績】	売上高	営業利益	経常利益	純利益
連22.3	7,339	321	310	293
連23.3	8,213	261	157	185
連24.3	9,529	559	477	299

#有休取得が多い

コマツＮＴＣ

株式公開していない

採用内定数	倍率	3年後離職率	平均年収
12名	3.5倍	0%	[総]556万円

●待遇、制度●
【初任給】月23.1万
【残業】25.1時間【有休】20.1日【制度】[フ][住][在]

●新卒定着状況●
20年入社(男6、女2)→3年後在籍(男6、女2)

●採用情報● 高卒除く
【人数】23年:8 24年:11 25年:応募42→内定12
【内定内訳】(男9、女3)(文3、理9)(総12、他0)
【試験】〔筆記〕有〔性格〕有
【時期】エントリー25.3→内々定25.5【インターン】有
【採用実績校】富山高専1、金沢工大4、秋田県大1、北陸職能大学校1、富山県大1、小松大2、北陸大1、金沢星稜大1
【求める人材】探究心を持って、コミュニケーション良く、ポジティブにアクションを起こせる人

【本社】939-1595 富山県南砺市福野100
☎0763-22-2161
【特色・近況】コマツの完全子会社の総合工作機械メーカー。トランスファーマシン、マシニングセンタ、太陽電池・半導体製造装置などの工作機械、産業機械を開発・設計・製造・販売。顧客は内外の自動車、半導体、航空機、電子、シートメタルを扱うメーカーが多く幅広い。
【設立】1945.7　【資本金】6,014百万円
【社長】高橋正明
【株主】〔24.3〕コマツ100%
【事業】トランスファーマシン、研削盤、他装置等の設計・製造・販売
【従業員】単1,226名(・・歳)

【業績】	売上高	営業利益	経常利益	純利益
単22.3	28,636	1,224	1,451	182
単23.3	36,174	2,456	2,451	1,695
単24.3	34,726	▲5,767	▲5,882	▲4,745

酒井重工業（さかいじゅうこうぎょう）　東証プライム

採用内定数	倍率	3年後離職率	平均年収
11名	25.1倍	18.2%	645万円

●待遇、制度●
【初任給】月23.4万（諸手当0.5万円）
【残業】14.5時間【有休】15.4日【制度】住
●新卒定着状況●
20年入社（男16、女6）→3年後在籍（男12、女6）
●採用情報●
【人数】23年:8 24年:11 25年:応募276→内定11*
【内定内訳】（男9、女2）（文6、理5）（総11、他0）
【試験】〔筆記〕常識、他
【時期】エントリー25.2→内々定25.5（一次はWEB面接可）【インターン】有
【採用実績校】‥
【求める人材】周りとコミュニケーションがとれる人、最後まであきらめない人

【本社】105-0012 東京都港区芝大門1-9-9 野村不動産芝大門ビル ☎03-3434-3401
【特色・近況】道路舗装機械の専業大手。道路転圧用ロードローラーは国内シェア首位級。ロードスタビライザーや土木用振動ローラーなど大型機に強み。米国、インドネシア、中国で現地生産。道路維持用機械で海外事業領域拡大に重点。
【設立】1949.5 【資本金】3,337百万円
【社長】酒井一郎（1961.12生 慶大理工卒）
【株主】〔24.3〕日本マスタートラスト信託銀行信託口8.6%
【連結事業】建設機械100 <海外57>
【従業員】連618名 単305名（40.9歳）

【業績】	売上高	営業利益	経常利益	純利益
連22.3	26,599	1,383	1,407	1,427
連23.3	31,459	2,506	2,327	1,694
連24.3	33,020	3,318	3,324	2,440

㈱桜井グラフィックシステムズ　株式公開未定

採用内定数	倍率	3年後離職率	平均年収
3名	5倍	20%	470万円

●待遇、制度●
【初任給】月26万（諸手当3.3万円）
【残業】9.5時間【有休】12.8日【制度】住
●新卒定着状況●
20年入社（男4、女1）→3年後在籍（男3、女1）
●採用情報●
【人数】23年:5 24年:7 25年:応募15→内定3*
【内定内訳】（男2、女1）（文1、理0）（総1、他2）
【試験】〔筆記〕常識、他〔性格〕有
【時期】エントリー25.1→内々定25.4*（一次はWEB面接可）【インターン】有【ジョブ型】有
【採用実績校】多摩美大1、他
【求める人材】誠実、謙虚、向上心（志）のある人

【本社】135-0032 東京都江東区福住2-2-9 ☎03-3643-1131
【特色・近況】スクリーン印刷機の大手メーカー。ロールツーロールスクリーン印刷機や検査装置、複合加工機なども展開。長年培った印刷技術や知見生かし、サブスク型の受託生産事業も展開。世界100カ国との取引実績。岐阜県・美濃市に工場。
【設立】1946.10 【資本金】367百万円
【社長】桜井隆太（1962.11生 早大商卒）
【株主】〔24.3〕桜井美国15.1%
【事業】オフセット印刷機6、スクリーン印刷機70、他24 <輸出55>
【従業員】単88名（41.1歳）

【業績】	売上高	営業利益	経常利益	純利益
単22.3	3,815	68	266	365
単23.3	3,877	158	301	244
単24.3	3,320	474	833	923

佐竹マルチミクス（さたけマルチミクス）　株式公開計画なし

採用内定数	倍率	3年後離職率	平均年収
6名	‥	20%	‥

●待遇、制度●
【初任給】月23万（諸手当1万円）
【残業】12時間【有休】16日【制度】住
●新卒定着状況●
20年入社（男4、女1）→3年後在籍（男3、女1）
●採用情報●
【人数】23年:4 24年:5 25年:応募‥→内定6*
【内定内訳】（男5、女1）（文2、理4）（総4、他2）
【試験】なし
【時期】エントリー25.1→内々定25.4*【インターン】有
【採用実績校】‥
【求める人材】向上心がある人、様々な業務に積極的に取り組んでくれる人

【本社】335-0021 埼玉県戸田市新曽66 ☎048-433-8711
【特色・近況】工業用ミキサー（攪拌機）の老舗メーカーで国内首位級。環境試験装置、各種乾燥機、冷凍空調機器性能試験装置などのパイオニア。研究設備を活用し、流体計算、構造計算や培養評価の受託も手がける。埼玉・戸田市に研究所を置く。中国など海外にも展開。
【設立】1938.2 【資本金】90百万円
【社長】西岡光利（1958.3生 宇都宮大工卒）
【株主】〔23.8〕西岡光利29.3%
【事業】攪拌機器装置90、環境試験装置10 <輸出10>
【従業員】単170名（43.5歳）

【業績】	売上高	営業利益	経常利益	純利益
単21.8	4,152	70	369	182
単22.8	4,390	206	394	282
単23.8	5,577	308	602	484

㈱サムソン

株式公開 いずれしたい

採用内定数	倍率	3年後離職率	平均年収
6名	3.3倍	27.8%	㊍529万円

●待遇、制度●
【初任給】月21.2万
【残業】21.2時間【有休】11.1日【制度】住
●新卒定着状況●
20年入社(男15、女3)→3年後在籍(男12、女1)
●採用情報●
【人数】23年:26 24年:25 25年:応募20→内定6*
【内定内訳】(男4、女2)(文4、理2)(総6、他0)
【試験】なし
【時期】エントリー24.6→内々定25.4*(一次・二次以降もWEB面接可)【インターン】有
【採用実績校】広島工大2、昭和女大1、福井県大1、立命館大1、京都先端科学大1
【求める人材】使命や価値観を共有でき、何事にも目的意識をしっかり持っている人

【本社】768-8602 香川県観音寺市八幡町3-4-15
☎0875-25-4581
【特色・近況】各種ボイラー製品を主力に食品加工、水処理、コージェネ関連機器の製造・販売・メンテナンスを行う。メンテナンスは支店・営業所20拠点を含む全国約190拠点で提供。サービスエンジニアに対しては、独自の研修・修了試験を実施。
【設立】1956.3 【資本金】100百万円
【社長】吉岡龍示(1965.1生 早大院修了)
【株主】〔24.3〕吉岡龍示68.9%
【事業】ボイラ等販売58、メンテナンス42
【従業員】単382名(37.8歳)

【業績】	売上高	営業利益	経常利益	純利益
単22.3	7,696	180	294	315
単23.3	7,775	194	282	268
単24.3	8,067	130	229	201

#年収高く倍率低い #初任給が高い #年収が高い

㈱SANKYO

東証 プライム

採用内定数	倍率	3年後離職率	平均年収
29名	10.4倍	7.1%	951万円

●待遇、制度●
【初任給】月30万(諸手当2万円)
【残業】16.9時間【有休】10.5日【制度】住
●新卒定着状況●
20年入社(男13、女1)→3年後在籍(男12、女1)
●採用情報●
【人数】23年:19 24年:19 25年:応募301→内定29
【内定内訳】(男28、女1)(文22、理7)(総29、他0)
【試験】〔Web自宅〕有
【時期】エントリー25.3→内々定25.6(一次はWEB面接可)【インターン】有【ジョブ型】有
【採用実績校】早大3、明大2、法政大2、阪大1、都立大1、千葉大1、同大1、中大1、立命館大1、大阪工大1、他
【求める人材】デザイン思考とコミュニケーション力に長けており、創意工夫が出来る人

【本社】150-0002 東京都渋谷区渋谷3-29-14
☎03-5778-7777
【特色・近況】パチンコ・パチスロ機の製造大手。フィーバー台で一躍成長。開発力にも定評。「機動戦士ガンダム」「エヴァンゲリオン」シリーズなどヒット作を多く持ち、人気アニメの機種を多く手がける。1966年創業の老舗メーカー。
【設立】1966.4 【資本金】14,840百万円
【社長】石原明彦(1962.9生 早大文卒)
【株主】〔24.3〕日本マスタートラスト信託銀行信託口12.5%
【連結事業】パチンコ機関連74、パチスロ機関連16、補給機器関連10、他0
【従業員】連900名 単765名(44.5歳)

【業績】	売上高	営業利益	経常利益	純利益
連22.3	84,857	21,357	22,257	18,466
連23.3	157,296	58,532	59,341	46,893
連24.3	199,099	72,495	73,182	53,791

㈱ジェイテクトグラインディングシステム

株式公開 計画なし

採用内定数	倍率	3年後離職率	平均年収
7名	6倍	28.6%	㊍624万円

●待遇、制度●
【初任給】月22.5万
【残業】30.8時間【有休】15.1日【制度】フ 住 在
●新卒定着状況●
20年入社(男5、女2)→3年後在籍(男5、女0)
●採用情報●
【人数】23年:2 24年:1 25年:応募42→内定7
【内定内訳】(男6、女1)(文0、理7)(総7、他0)
【試験】〔筆記〕常識
【時期】エントリー25.3→内々定25.4*【インターン】有
【採用実績校】大同大院1、愛知工業大1、中部大2、愛知工科大3
【求める人材】向上心・チャレンジ精神があり、仲間と協力して目標を達成できる人

【本社】444-0113 愛知県額田郡幸田町菱池江尻1-3
☎0564-62-1211
【特色・近況】円筒研削盤が主力製品の機械装置メーカー。「JTEKT」ブランドの円筒研削盤の製造、機械装置の設計・製造に加え、納入後の製品サポート、オーバーホール・改造などを手がける。豊田工機(現ジェイテクト)から分離独立して設立。
【設立】1971.2 【資本金】100百万円
【社長】平井正彦
【株主】〔24.3〕ジェイテクト100%
【事業】研削盤・機械装置の設計・製造、修理・改造、オーバーホール <輸出0>
【従業員】単350名(42.6歳)

【業績】	売上高	営業利益	経常利益	純利益
単22.3	5,480	136	165	105
単23.3	6,204	226	243	159
単24.3	8,214	315	332	237

㈱シギヤ精機製作所（せいきせいさくしょ）

株式公開 未定

採用内定数	倍率	3年後離職率	平均年収
3名	4.3倍	12.5%	520万円

●待遇、制度●
【初任給】月22万
【残業】9.8時間【有休】11.1日【制度】住
●新卒定着状況●
20年入社（男7、女1）→3年後在籍（男7、女0）
●採用情報●
【人数】23年:7 24年:7 25年:応募13→内定3
【内定内訳】（男3、女0）（文1、理1）（総3、他0）
【試験】〔Web自宅〕有
【時期】エントリー25.3→内々定25.5（一次はWEB面接可）【インターン】有【ジョブ型】有
【採用実績校】広島工大1、福山平成大1、福山職能短大1
【求める人材】情熱を持ってモノづくりに取り組める人

【本社】721-8575 広島県福山市箕島町5378
☎084-954-2961
【特色・近況】織機製造が起点の老舗研削盤専門メーカー。主力の円筒研削盤は国内トップクラスで、自動車、電機、油空圧機器、鉄鋼など幅広い顧客ニーズに対応。工作機械の改造修理業も行う。米国、タイ、上海に販売会社。台湾に生産拠点。
【設立】1960.11　【資本金】100百万円
【社長】鴫谷憲和（1960.10生 日大生産工卒）
【株主】〔24.3〕シギヤ興産42.4%
【事業】工作機械100 <輸出46>
【従業員】単271名（43.5歳）

【業績】	売上高	営業利益	経常利益	純利益
単22.3	5,840	486	758	514
単23.3	6,247	436	722	205
単24.3	6,502	517	1,073	809

静岡製機（しずおかせいき）

株式公開 計画なし

採用内定数	倍率	3年後離職率	平均年収
1名	12倍	12.5%	565万円

●待遇、制度●
【初任給】月22.5万（諸手当0.5万円）
【残業】10時間【有休】11.7日【制度】住
●新卒定着状況●
20年入社（男4、女4）→3年後在籍（男3、女4）
●採用情報●
【人数】23年:7 24年:8 25年:応募12→内定1
【内定内訳】（男1、女0）（文0、理1）（総1、他0）
【試験】〔筆記〕有〔Web自宅〕有
【時期】エントリー24.10→内々定25.3*（一次はWEB面接可）【インターン】有
【採用実績校】三重大1
【求める人材】‥

【本社】437-1121 静岡県袋井市諸井1300
☎0538-23-2000
【特色・近況】穀物乾燥機、業務用冷・温熱機器の代表メーカー。玄米保冷庫、赤外線オイルヒーターは国内シェア首位級。食品乾燥機、選別・製粉・精米機械や、乾燥機の遠隔モニタリングシステムも手がける。1914年、製莚織機メーカーとして創業。
【設立】1941.4　【資本金】153百万円
【社長】鈴木直二郎（1952.7生 慶大商卒）
【株主】‥
【事業】穀物乾燥機、業務用熱機器、農産物低温貯蔵庫、穀物乾燥調製施設、他 <輸出5>
【従業員】単270名（41.6歳）

【業績】	売上高	営業利益	経常利益	純利益
単22.3	10,308	‥	317	‥
単23.3	10,686	‥	376	‥
単24.3	11,101	‥	488	‥

シチズンマシナリー

株式公開 計画なし

採用内定数	倍率	3年後離職率	平均年収
15名	5.6倍	11.1%	728万円

●待遇、制度●
【初任給】月23.9万
【残業】17時間【有休】16.4日【制度】住
●新卒定着状況●
20年入社（男8、女1）→3年後在籍（男8、女0）
●採用情報●
【人数】23年:14 24年:21 25年:応募84→内定15
【内定内訳】（男13、女2）（文3、理3）（総15、他0）
【試験】〔Web自宅〕SPI3〔性格〕有
【時期】エントリー25.3→内々定25.6（一次・二次以降もWEB面接可）【インターン】有
【採用実績校】神戸大1、東洋大1、千葉工大1、京都橘大1、専大1、長野大1、岩手産技短大1、長野県工科短大1、黒沢尻工業高2、他
【求める人材】常にチャレンジ精神を持ち、生涯にわたり成長しようと自己研鑽を積むことができる人間力を持つ人

【軽井沢本社】389-0206 長野県北佐久郡御代田町御代田4107-6　☎0267-32-5900
【特色・近況】中小型CNC自動旋盤で世界最大手の工作機械メーカー。自動車部品、医療機器、IT機器向けが中心。海外は中国や東南アジアに製造拠点、北米、欧州などに販売拠点。腕時計の精密部品を加工する機械製造が祖業。シチズン時計の完全子会社。
【設立】1943.7　【資本金】2,651百万円
【社長】伊奈秀雄
【株主】〔24.3〕シチズン時計100%
【事業】工作機械100 <輸出70>
【従業員】連2,000名 単822名（42.2歳）

【業績】	売上高	営業利益	経常利益	純利益
連22.3	81,011	12,591	‥	‥
連23.3	86,171	12,203	‥	‥
連24.3	81,629	9,029	‥	‥

澁谷工業（しぶやこうぎょう）　東証プライム

採用内定数	倍率	3年後離職率	平均年収
58名	1.8倍	14.3%	619万円

●待遇、制度●
【初任給】月22万
【残業】19.7時間【有休】12.9日【制度】住
●新卒定着状況●
20年入社(男62、女8)→3年後在籍(男54、女6)
●採用情報●
【人数】23年:69 24年:54 25年:応募103→内定58*
【内定内訳】(男48、女10)(文5、理45)(総52、他6)
【試験】〔筆記〕有〔Web自宅〕有〔性格〕有
【時期】エントリー24.12→内々定24.12(一次はWEB面接可)【インターン】有
【採用実績校】金沢工大22、金沢大10、小松大5、富山大2、石川県大2、東北大1、神戸大1、福井大1、石川高専1、会津大1、諏訪東理大1、他
【求める人材】何事に対しても「明るく・前向き」に臨める人

【本社】920-8681 石川県金沢市大豆田本町甲58
☎076-262-1201
【特色・近況】飲料用プラントの国内トップメーカー。自社開発のペットボトル無菌充填ラインは食品メーカー向けでは独占的。レーザー加工機、半導体製造システム、透析関連の医療機器などのメカトロシステムが第2の柱。子会社で展開する農業用選果・選別機器も強い。
【設立】1949.6　【資本金】11,392百万円
【社長】澁谷英利(1966.2生 中大経済卒)
【株主】〔24.6〕日本マスタートラスト信託銀行信託口8.8%
【連結事業】パッケージングプラント57、メカトロシステム32、農業用設備11 <海外38>
【従業員】連3,248名 単2,042名(40.9歳)

【業績】	売上高	営業利益	経常利益	純利益
連22.6	96,223	13,402	13,701	9,262
連23.6	97,842	8,039	8,171	5,928
連24.6	115,434	13,382	13,559	9,781

㈱島精機製作所（しませいきせいさくしょ）　東証プライム

採用内定数	倍率	3年後離職率	平均年収
8名	12.9倍	10%	550万円

●待遇、制度●
【初任給】月22万
【残業】7.7時間【有休】15.2日【制度】住
●新卒定着状況●
20年入社(男10、女0)→3年後在籍(男9、女0)
●採用情報●
【人数】23年:17 24年:13 25年:応募103→内定8*
【内定内訳】(男4、女4)(文3、理4)(総8、他0)
【試験】〔Web自宅〕SPI3〔性格〕有
【時期】エントリー24.6→内々定25.2*(一次はWEB面接可)【インターン】有
【採用実績校】北大1、奈良女大1、和歌山大1、近大1、関西外大1、大阪工大1、大阪産大1、京都コンピュータ学院専1
【求める人材】自律的に考え行動できる人、失敗を恐れず何事にも前向きにチャレンジできる人

【本社】641-8511 和歌山県和歌山市坂田85
☎073-471-0511
【特色・近況】編み機の世界大手。自動化技術により、電子制御の横編み機で世界首位。ニットの衣服を完全無縫製で丸ごと編めるホールガーメント機を開発。売り上げの約8割が海外だが、部品内製化からCAD／CAM含むソフト開発まで和歌山県で生産。
【設立】1961.7　【資本金】14,859百万円
【社長】島三博(1961.6生 日大精密機卒)
【株主】〔24.3〕日本マスタートラスト信託銀行信託口9.4%
【連結事業】横編機72、デザインシステム関連10、手袋靴下編機1、他17 <海外80>
【従業員】連1,789名 単1,354名(44.5歳)

【業績】	売上高	営業利益	経常利益	純利益
連22.3	30,998	▲4,296	▲3,400	▲3,589
連23.3	37,886	▲2,184	▲1,700	▲5,644
連24.3	35,910	430	1,018	1,030

㈱ジャノメ　東証プライム

採用内定数	倍率	3年後離職率	平均年収
7名	‥	18.2%	608万円

●待遇、制度●
【初任給】月23万
【残業】‥時間【有休】14.4日【制度】‥
●新卒定着状況●
20年入社(男8、女3)→3年後在籍(男7、女2)
●採用情報●
【人数】23年:14 24年:15 25年:応募‥→内定7*
【内定内訳】(男3、女4)(文4、理2)(総6、他1)
【試験】〔筆記〕有〔Web会場〕C-GAB〔Web自宅〕WEB-GAB〔性格〕有
【時期】エントリー25.3→内々定25.4(一次はWEB面接可)【インターン】有
【採用実績校】共立女大2、東京女大1、立教大1、千葉工大1、東京工芸大1、都立産技高専1
【求める人材】周囲とコミュニケーションをとりながら、困難なことにも意欲的にチャレンジできる人

【本社】193-0941 東京都八王子市狭間町1463
☎042-661-3071
【特色・近況】家庭用ミシン首位。北米や欧州で高級機種、新興国でローエンド機種の両面で展開。ミシンで培った技術で、スマホ向けなどの産業用卓上ロボットやアルミダイカスト部品が第2の柱に成長。国内ミシンは直営からネット・代理店販売にシフト。
【設立】1950.6　【資本金】11,372百万円
【社長】齋藤真(1955.1生 上智大理工卒)
【株主】〔24.3〕日本マスタートラスト信託銀行信託口11.5%
【連結事業】家庭用機器76、産業機器16、IT関連8、他1 <海外72>
【従業員】連2,497名 単425名(41.3歳)

【業績】	売上高	営業利益	経常利益	純利益
連22.3	42,916	3,659	3,824	2,549
連23.3	38,571	2,120	2,400	▲393
連24.3	36,476	1,716	1,763	1,131

新晃工業（しんこうこうぎょう）

[東証プライム]

採用内定数	倍率	3年後離職率	平均年収
12名	7.9倍	0%	670万円

●待遇、制度●
【初任給】月23.7万(諸手当2.5万円)
【残業】28.6時間【有休】13.9日【制度】[住][在]
●新卒定着状況●
20年入社(男11、女2)→3年後在籍(男11、女2)
●採用情報●
【人数】23年:17 24年:18 25年:応募95→内定12*
【内定内訳】(男9、女3)(文5、理7)(総9、他3)
【試験】〔Web自宅〕有〔性格〕有
【時期】エントリー24.12→内々定25.4(一次・二次以降もWEB面接可)【インターン】有
【採用実績校】東洋大1、関東学院大1、近大1、山梨大1、摂南大1、大阪経大1、大阪公大1、追手門学大1、長崎県大2、福岡工大2
【求める人材】常に「革新・挑戦」を続ける若さあふれる人

【本社】530-0054 大阪府大阪市北区南森町1-4-5 ☎06-6367-1811
【特色・近況】業務用空調機器の中堅メーカー。セントラル空調機器で国内トップシェア。大型機専業で再開発プロジェクトやIT産業向けクリーンルームなどに強く、開発力に定評。ダイキンと資本提携しヒートポンプを共同開発。世界各地に販売代理店を有する。
【設立】1950.6【資本金】5,822百万円
【社長】末永聡(1962.3生 東北学大工卒)
【株主】〔24.3〕㈱明晃16.5%
【連結事業】空調機器製造販売89、ビル管理等11 <海外15>
【従業員】連1,616名 単699名(41.4歳)

【業績】	売上高	営業利益	経常利益	純利益
連22.3	41,964	5,712	6,048	4,097
連23.3	44,805	5,998	6,540	4,514
連24.3	51,943	8,627	9,120	6,580

新明工業（しんめいこうぎょう）

[株式公開計画なし]

採用内定数	倍率	3年後離職率	平均年収
33名	7.2倍	11.1%	[総]602万円

●待遇、制度●
【初任給】月22.8万
【残業】26.6時間【有休】13.5日【制度】[フ][住][在]
●新卒定着状況●
20年入社(男20、女7)→3年後在籍(男19、女5)
●採用情報●
【人数】23年:34 24年:37 25年:応募238→内定33
【内定内訳】(男29、女4)(文5、理9)(総30、他3)
【試験】〔性格〕有
【時期】エントリー24.12→内々定25.1*(一次はWEB面接可)【インターン】有【ジョブ型】有
【採用実績校】愛知工業大2、中部大6、椙山女学大2、名古屋学院大1、名古屋商大1、金城学大1、福岡工大1、豊田高専2、他
【求める人材】周囲と協力しながら物事を最後までやりきることができる人、主体的に行動できる人

【本社】471-0856 愛知県豊田市衣ヶ原3-20 ☎0565-32-3450
【特色・近況】自動車生産設備全般、次世代自動車分野(EV、FCV、PHEV、HV)の生産設備を設計・製造。FAシステム、特殊車両の製作、車両整備サービスも。主な取引先はトヨタグループ。海外は、インドネシア、米国、タイ、モンゴルなど5拠点。
【設立】1939.1【資本金】98百万円
【社長】近藤恭弘(1965.11生 NC州立大)
【株主】〔24.1〕シンメイホールディングス100%
【事業】工程間搬送設備53、自動車整備・特殊車両製作37、金型6、他4
【従業員】単970名(41.3歳)

【業績】	売上高	営業利益	経常利益	純利益
単22.1	22,100	▲965	64	61
単23.1	28,365	198	701	606
単24.1	28,724	68	376	388

㈱瑞光（ずいこう）

[東証プライム]

採用内定数	倍率	3年後離職率	平均年収
3名	35.7倍	0%	619万円

●待遇、制度●
【初任給】月22.8万
【残業】30.9時間【有休】16日【制度】[住][在]
●新卒定着状況●
20年入社(男0、女1)→3年後在籍(男0、女1)
●採用情報●
【人数】23年:6 24年:11 25年:応募107→内定3*
【内定内訳】(男3、女0)(文0、理3)(総0、他3)
【試験】〔性格〕有
【時期】エントリー24.7→内々定25.‥(一次・二次以降もWEB面接可)【インターン】有
【採用実績校】大阪電通大1、九産大1、舞鶴高専1
【求める人材】いろんなものに興味が持てる人、柔軟な発想のある人、多様性を大事にできる人

【本社】567-0082 大阪府茨木市彩都はなだ2-1-2 ☎072-648-2215
【特色・近況】衛生用品製造器の国内最大手。脱脂綿製造機から出発し、生理用ナプキン・紙おむつの製造機械へ展開。小児用おむつ向けが主力。近年は大人用の紙おむつ製造機の比重が高まる。医療・介護など新事業創出にも注力。欧州やインド、アフリカなど海外も開拓。
【設立】1963.4【資本金】1,888百万円
【社長】梅林豊志(1963.9生)
【株主】〔24.2〕SFPバリュー・リアライゼーション・マスターF22.6%
【連結事業】生理用ナプキン製造機18、小児用おむつ製造機21、大人用おむつ製造機47、部品10、他4 <海外78>
【従業員】連583名 単304名(39.6歳)

【業績】	売上高	営業利益	経常利益	純利益
連22.2	23,580	2,145	2,421	1,736
連23.2	26,505	1,803	2,219	2,665
連24.2	21,737	1,027	1,427	1,378

メーカー(電機・自動車・機械)

水道機工（すいどうきこう）
東証スタンダード

採用内定数	倍率	3年後離職率	平均年収
6名	21倍	16.7%	㊎726万円

●待遇、制度●
【初任給】月23.6万
【残業】13.6時間【有休】10日【制度】フ 住 在
●新卒定着状況●
20年入社(男4、女2)→3年後在籍(男3、女2)
●採用情報●
【人数】23年:8 24年:9 25年:応募126→内定6*
【内定内訳】(男3、女3)(文0、理6)(総6、他0)
【試験】〔Web自宅〕SPI3〔性格〕有
【時期】エントリー24.10→内々定24.12(一次・二次以降もWEB面接可)【インターン】有
【採用実績校】北里大1、明大1、東京農業大1、山梨大1、都立大1
【求める人材】高い目標を掲げ、責任と情熱を持って取り組める人

【本社】156-0054 東京都世田谷区桜丘5-48-16 ☎03-3426-2131
【特色・近況】上水道施設向け浄水処理設備や下水道施設向け水処理機械設備が主力。産業用水施設や産業排水処理施設なども手がける。水処理業界のパイオニア。官需比率が約9割。親会社である東レの水処理素材・システムを活用し、民間向けメンテナンスで顧客基盤拡大図る。
【設立】1936.1 【資本金】1,947百万円
【社長】古川徹(1962.12生 農工大工卒)
【株主】〔24.3〕東レ51.0%
【連結事業】上下水道92、環境5、機器3
【従業員】連581名 単245名(43.9歳)

【業績】	売上高	営業利益	経常利益	純利益
連22.3	22,662	1,070	163	39
連23.3	21,929	761	409	273
連24.3	21,634	450	661	367

#残業が少ない
㈱スギヤス
株式公開計画なし

採用予定数	倍率	3年後離職率	平均年収
8名	ー	20%	㊎790万円

●待遇、制度●
【初任給】月21.5万(諸手当1.8万円)
【残業】2時間【有休】8日【制度】‥
●新卒定着状況●
20年入社(男5、女0)→3年後在籍(男4、女0)
●採用情報●
【人数】23年:15 24年:9 25年:応募55→内定0*
【内定内訳】(男‥、女‥)(文‥、理‥)(総‥、他‥)
【試験】〔性格〕有
【時期】エントリー25.3→内々定25.5(一次はWEB面接可)【インターン】有
【採用実績校】‥
【求める人材】失敗をおそれず、前向きにChallengeしてCreateできる人

【本社】444-1394 愛知県高浜市本郷町4-3-21 ☎0566-53-1127
【特色・近況】グリースポンプ生産で事業開始し、「ビシャモン」ブランドの自動車整備用リフトで市場を開拓、シェア約60%。物流、環境機器、介護用リフトなども扱う。愛知、福島に生産工場。東京、大阪、福岡、前橋、広島、仙台に営業拠点。
【設立】1970.9 【資本金】88百万円
【社長】杉浦安俊(1969.1生)
【株主】〔24.3〕スギヤスエンタープライズ100%
【事業】自動車整備用機器64、物流機器32、環境機器1、住宅福祉機器3 <輸出10>
【従業員】単344名(40.3歳)

【業績】	売上高	営業利益	経常利益	純利益
単22.3	10,617	506	500	281
単23.3	11,668	413	458	228
単24.3	11,557	‥	‥	‥

鈴茂器工（すずもきこう）
東証スタンダード

採用内定数	倍率	3年後離職率	平均年収
6名	4倍	25%	600万円

●待遇、制度●
【初任給】月21.5万
【残業】15.6時間【有休】11.7日【制度】フ 住
●新卒定着状況●
20年入社(男8、女0)→3年後在籍(男6、女0)
●採用情報●
【人数】23年:4 24年:2 25年:応募24→内定6*
【内定内訳】(男6、女0)(文3、理3)(総6、他0)
【試験】〔性格〕有
【時期】エントリー25.3→内々定25.6*(一次・二次以降もWEB面接可)【インターン】有
【採用実績校】東京経大1、日本電子専1、東海大1
【求める人材】食に強い関心がある人、相手の立場に立って物事を考えられる人

【本社】164-0001 東京都中野区中野4-10-1 中野セントラルパークイースト ☎03-3993-1371
【特色・近況】米飯加工ロボットの製造・販売大手。世界初開発のすしロボットが主力製品で世界シェアトップ。すしとおむすびを握る「お櫃型ロボット」、ご飯を計量し盛る「ご飯盛り付けロボット」なども製造。和食人気で北米・アジア・欧州など海外にも展開し、中東での市場創造を推進。
【設立】1961.1 【資本金】1,154百万円
【社長】鈴木美奈子(1961.8生)
【株主】〔24.3〕ガルフ・ジャパン1 13.8%
【連結事業】米飯加工機械関連100 <海外29>
【従業員】連494名 単443名(41.5歳)

【業績】	売上高	営業利益	経常利益	純利益
連22.3	11,565	1,517	1,543	1,070
連23.3	13,456	1,203	1,139	825
連24.3	14,514	1,475	1,498	1,140

#年収高く倍率低い #年収が高い

スター精密（せいみつ） 東証プライム

採用内定数	倍率	3年後離職率	平均年収
13名	22.9倍	0%	998万円

●待遇、制度●
【初任給】月23.7万
【残業】14.3時間【有休】15.2日【制度】フ 住 在
●新卒定着状況● 20年入社者対象
20年入社(男6、女1)→3年後在籍(男6、女1)
●採用情報●
【人数】23年:11 24年:7 25年:応募298→内定13*
【内定内訳】(男12、女1)(文2、理10)(総13、他0)
【試験】〔Web自宅〕SPI3〔性格〕有
【時期】エントリー25.1→内々定25.3(一次・二次以降もWEB面接可)【インターン】有【ジョブ型】有
【採用実績校】静岡大4、沼津高専3、金沢大1、静岡文芸大1、芝工大1、千葉工大1、東京電機大1、東京農工大1
【求める人材】責任と誇りを持ち、主体的に考え、判断し、行動することができる人

【本社】422-8654 静岡県静岡市駿河区中吉田20-10 ☎054-263-1111
【特色・近況】自動旋盤等の工作機械が主力のメーカー。自動車や医療機器、通信機器向けが主。レジ周りで使用される小型プリンターや自動釣り銭機なども手がける。欧米や中国を中心に海外売上高が約9割。創業から培ってきた精密加工技術を生かし、時計用の精密部品事業も展開。
【設立】1950.7 【資本金】12,721百万円
【社長】佐藤衛(1960.1生)
【株主】〔24.6〕日本マスタートラスト信託銀行信託口15.6%
【連結事業】特機21、工作機械79 <海外89>
【従業員】連1,660名 単501名(42.4歳)

【業績】	売上高	営業利益	経常利益	純利益
連21.12	64,360	7,415	7,795	5,740
連22.12	87,368	13,925	14,199	10,298
連23.12	78,196	10,350	10,960	8,175

ストラパック 株式公開計画なし

採用内定数	倍率	3年後離職率	平均年収
6名	5.7倍	36.4%	㊙581万円

●待遇、制度●
【初任給】月21.5万(諸手当0.9万円)
【残業】21時間【有休】11日【制度】住
●新卒定着状況●
20年入社(男11、女0)→3年後在籍(男7、女0)
●採用情報●
【人数】23年:6 24年:7 25年:応募34→内定6*
【内定内訳】(男6、女0)(文4、理1)(総6、他0)
【試験】〔Web自宅〕有
【時期】エントリー25.3→内々定25.4*(一次はWEB面接可)【インターン】有
【採用実績校】国際武道大2、麗澤大1、関東学院大1、大同大1
【求める人材】変革を恐れず自立的に行動することができる人、常に謙虚で誠意ある行動のとれる人

【本社】104-0061 東京都中央区銀座8-16-6 銀座ストラパックビル ☎03-6278-1801
【特色・近況】自動梱包機メーカー最大手。製封函機、自動梱包ライン、包装用資材、荷役運搬機器などを製造・販売。人員不足対策や効率化に貢献。主力の梱包機は60カ国で累計販売台数70万台超。海外はタイと中国・上海に生産拠点。
【設立】1960.5 【資本金】100百万円
【社長】下島敏章(1964.8生 慶大商卒)
【株主】〔24.3〕下島敏男46.9%
【事業】梱包機・包装ライン68、包装関連機器7、包装関連資材25 <輸出15>
【従業員】単437名(44.9歳)

【業績】	売上高	営業利益	経常利益	純利益
単22.3	15,528	1,198	1,356	948
単23.3	15,850	1,083	1,403	993
単24.3	16,694	1,058	1,311	708

静甲（せいこう） 東証スタンダード

採用内定数	倍率	3年後離職率	平均年収
13名	11.2倍	5%	542万円

●待遇、制度●
【初任給】月22万
【残業】14.2時間【有休】14.9日【制度】住
●新卒定着状況●
20年入社(男17、女3)→3年後在籍(男16、女3)
●採用情報●
【人数】23年:10 24年:13 25年:応募145→内定13*
【内定内訳】(男13、女0)(文4、理8)(総13、他0)
【試験】〔Web会場〕SPI3〔Web自宅〕SPI3、他
【時期】エントリー25.3→内々定25.4(一次はWEB面接可)【インターン】有
【採用実績校】諏訪東理大3、神奈川大2、茨城大1、東京都市大1、富山県大1、金沢工大1、東海大1、名城大1、常葉大1、静岡工科短大1
【求める人材】常に改善の意識を持ち続け、新しいことにも粘り強く挑戦していく向上心を持つ人

【本社】424-0809 静岡県静岡市清水区天神2-8-1 ☎054-366-1030
【特色・近況】静岡県地盤の機械メーカー。鈴与グループ。食品、トイレタリー、医療品など液体製品における自動充填・包装機械と、電動工具や自動車向けの冷間鍛造部品を製造。FA・空調機器の代理店販売も行う。傘下の静岡スバル自動車がグループ売り上げの4割弱を稼ぐ。
【設立】1939.5 【資本金】100百万円
【社長】鈴木孝典(1973.12生)
【株主】〔24.3〕鈴与ホールディングス28.2%
【連結事業】産業機械21、冷間鍛造4、電機機器19、車両関係56、不動産等賃貸0
【従業員】連904名 単428名(40.3歳)

【業績】	売上高	営業利益	経常利益	純利益
連22.3	31,401	559	696	750
連23.3	34,535	548	675	331
連24.3	36,102	882	998	779

精電舎電子工業（せいでんしゃでんしこうぎょう）

株式公開いずれしたい

採用内定数	倍率	3年後離職率	平均年収
2名	1倍	ー	[総]677万円

●待遇、制度●

【初任給】月24万
【残業】22.1時間【有休】12.8日【制度】[住]

●新卒定着状況●

20年入社(男0、女0)→3年後在籍(男0、女0)

●採用情報●

【人数】23年:1 24年:2 25年:応募2→内定2*
【内定内訳】(男2、女0)(文0、理2)(総2、他0)
【試験】〔Web自宅〕SPI3
【時期】エントリー通年→内々定通年
【採用実績校】足利大1、室蘭工大1

【求める人材】自主性を持ってチャレンジができ、ものづくりが好きな人

【本社】116-0013 東京都荒川区西日暮里2-2-17 ☎03-3802-5101
【特色・近況】超音波、高周波、レーザーなどを応用したプラスチック溶着溶断装置の総合メーカー。超音波溶着機(ウェルダー)は国内で高シェア。米国、中国、タイに海外拠点。北海道・室蘭に産学官連携や研究開発の拠点事務所。1924年創業。
【設立】1956.7 【資本金】88百万円
【社長】渡邉公彦(1967.4生 日工学北海道専卒)
【株主】〔23.9〕東京中小企業投資育成30.1%
【事業】超音波ウェルダー、高周波ウェルダー、レーザー加工機、振動溶着機、熱板溶着機 <輸出28>
【従業員】単147名(44.9歳)

【業績】	売上高	営業利益	経常利益	純利益
単21.9	3,153	233	245	161
単22.9	3,301	106	133	84
単23.9	3,346	177	198	132

ゼネラルパッカー

東証スタンダード

採用内定数	倍率	3年後離職率	平均年収
1名	65倍	16.7%	603万円

●待遇、制度●

【初任給】月23万
【残業】18.8時間【有休】11.8日【制度】[住]

●新卒定着状況●

20年入社(男6、女0)→3年後在籍(男5、女0)

●採用情報●

【人数】23年:6 24年:6 25年:応募65→内定1*
【内定内訳】(男1、女0)(文0、理1)(総1、他0)
【試験】〔筆記〕有〔Web自宅〕有〔性格〕有
【時期】エントリー25.2→内々定25.3(一次はWEB面接可)【インターン】有
【採用実績校】愛知工業大

【求める人材】機械が好きで、向上心があり、問題意識が持てる人

【本社】481-8601 愛知県北名古屋市宇福寺神明65 ☎0568-23-3111
【特色・近況】自動包装機械中堅メーカー。給袋式、製袋式、ガス充填式などの自動包装機を手がける。袋取りから印字、充填、シール、排出までの工程を省スペース化したロータリー式に特徴。食品、医薬品、化粧品などで使用。海外売上高比率4割を目指す。
【設立】1966.2 【資本金】251百万円
【社長】牧野研二(1961.5生 愛工大工卒)
【株主】〔24.7〕㈱FAMS15.0%
【連結事業】包装機械86、生産機械14 <海外33>
【従業員】連206名 単170名(39.1歳)

【業績】	売上高	営業利益	経常利益	純利益
連22.7	8,643	1,126	1,135	778
連23.7	9,054	930	939	665
連24.7	9,853	1,000	1,019	721

ダイジエット工業（こうぎょう）

東証スタンダード

採用内定数	倍率	3年後離職率	平均年収
1名	21倍	25%	[総]524万円

●待遇、制度●

【初任給】月21万
【残業】6.1時間【有休】16.1日【制度】[住]

●新卒定着状況●

20年入社(男5、女3)→3年後在籍(男3、女3)

●採用情報●

【人数】23年:5 24年:3 25年:応募21→内定1*
【内定内訳】(男0、女1)(文1、理0)(総1、他0)
【試験】〔Web自宅〕SPI3〔性格〕有
【時期】エントリー25.1→内々定25.3(一次はWEB面接可)【インターン】有【ジョブ型】有
【採用実績校】北海道教育大1

【求める人材】創造・改善への挑戦意欲・当事者意識を持ち、周囲と協力できる素直・誠実・謙虚な人

【本社】547-0002 大阪府大阪市平野区加美東2-1-18 ☎06-6791-6781
【特色・近況】切削工具を軸とする総合超硬工具メーカー。金属加工用切削工具や耐摩耗工具などを製造。素材開発から原料粉末の調製や最終製品まで、社内一貫生産に強み。ドイツや米国に現地法人。需要先は航空宇宙から鉱山土木まで幅広いが、自動車向けの比率高い。
【設立】1950.12 【資本金】3,099百万円
【社長】生悦住歩(1962.9生 上智大経済卒)
【株主】〔24.3〕みずほ銀行4.9%
【連結事業】焼肌チップ6、切削工具83、耐摩耗工具11、他1 <海外57>
【従業員】連368名 単355名(41.9歳)

【業績】	売上高	営業利益	経常利益	純利益
連22.3	8,067	10	19	64
連23.3	8,803	288	312	362
連24.3	8,344	112	174	▲130

#有休取得が多い

大同工業（だいどうこうぎょう）

東証スタンダード

採用内定数	倍率	3年後離職率	平均年収
15名	4.5倍	12.5%	535万円

●待遇、制度●
【初任給】月21.9万（諸手当0.4万円）
【残業】16.2時間【有休】18.5日【制度】住
●新卒定着状況● 高卒除く
20年入社（男6、女2）→3年後在籍（男5、女2）
●採用情報● 高卒除く
【人数】23年:15 24年:17 25年:応募68→内定15
【内定内訳】（男13、女2）（文4、理11）（総15、他0）
【試験】〔Web自宅〕SPI3〔性格〕有
【時期】エントリー25.2→内々定25.4（一次はWEB面接可）【インターン】有
【採用実績校】金沢大1、富山大1、福井大1、新潟大1、金沢工大4、福井工大1、京産大1、神戸学大1、他
【求める人材】好奇心旺盛で、チャレンジ精神溢れる人

【本社】922-8686 石川県加賀市熊坂町イ197
☎0761-72-1234
【特色・近況】2輪車・4輪車用、産業機械用などの各種チェーンの製造大手。主力の2輪車用チェーンは国内シェアトップ。4輪車用も北米市場で攻勢中。チェーン供給先はホンダ向けが中心。2輪車用リムや農機ホイールのほか、工場のコンベヤーシステムなども手がける。
【設立】1933.5　【資本金】3,536百万円
【社長】新家啓史（1971.8生 早大理工卒）
【株主】〔24.3〕㈱飯田6.4%
【連結事業】二輪自動車部品等・日本47、同・アジア30、同・北米5、同・南米9、同・欧州9 <海外58>
【従業員】単844名（37.3歳）

【業績】	売上高	営業利益	経常利益	純利益
連22.3	49,847	2,707	3,119	2,347
連23.3	55,054	1,379	1,652	▲257
連24.3	56,041	227	778	342

大同マシナリー（だいどう）

株式公開計画なし

採用内定数	倍率	3年後離職率	平均年収
10名	2.6倍	16.7%	‥

●待遇、制度●
【初任給】月24万
【残業】16.5時間【有休】14.1日【制度】フ 住 在
●新卒定着状況●
20年入社（男6、女0）→3年後在籍（男5、女0）
●採用情報●
【人数】23年:14 24年:12 25年:応募26→内定10
【内定内訳】（男9、女1）（文0、理3）（総3、他7）
【試験】なし
【時期】エントリー25.3→内々定25.6（一次はWEB面接可）【インターン】有
【採用実績校】大同大3
【求める人材】モノづくりが好きで、やる気のある人

【本社・本社工場】457-8577 愛知県名古屋市南区滝春町9
☎052-611-7171
【特色・近況】産業機械の開発とエンジニアリングが主要事業。インフラ、エネルギー、鉄鋼、自動車など幅広い分野で展開。開発・設計から製造、メンテナンスまで一気通貫対応。愛知県内中心に大阪、神奈川などに営業拠点を置く。大同特殊鋼の連結子会社。
【設立】1937.1　【資本金】310百万円
【社長】川西邦仁（1961.1生 東京理大卒）
【株主】〔24.3〕大同特殊鋼96.0%
【事業】産業機械の開発、エンジニアリング
【従業員】単361名（43.6歳）

【業績】	売上高	営業利益	経常利益	純利益
単22.3	11,590	519	510	64
単23.3	12,473	521	518	355
単24.3	‥	‥	‥	531

大平洋機工（たいへいようきこう）

株式公開計画なし

採用予定数	倍率	3年後離職率	平均年収
3名	‥	50%	580万円

●待遇、制度●
【初任給】月21.7万
【残業】10.5時間【有休】15.2日【制度】住
●新卒定着状況●
20年入社（男2、女0）→3年後在籍（男1、女0）
●採用情報●
【人数】23年:2 24年:1 25年:予定3*
【内定内訳】（男‥、女‥）（文‥、理‥）（総‥、他‥）
【試験】〔性格〕有
【時期】エントリー25.3→内々定25.4【インターン】有
【採用実績校】‥
【求める人材】常に自らの能力を磨き、新たなことへの挑戦と改善や工夫を積極的に進める人

【本社】275-8528 千葉県習志野市東習志野7-5-2
☎047-473-6181
【特色・近況】各種ポンプ、ミキサー、粉体プラント、コンクリート製造設備などの産業機械メーカー。スラリーポンプで業界シェアトップ。流体システム、選別分級機械、乳化分散機器・設備も扱う。製鉄所、石炭火力発電所、下水処理場、化学工場向けが主体。
【設立】1984.2　【資本金】490百万円
【社長】前原隆史（1957.4生 早大理工卒）
【株主】〔24.3〕ラサ商事45.5%
【連結事業】ポンプ57、粉体43
【従業員】連187名 単174名（44.3歳）

【業績】	売上高	営業利益	経常利益	純利益
連22.3	5,308	663	694	498
連23.3	5,615	624	650	302
連24.3	5,922	859	892	649

#有休取得が多い

大豊精機（たいほうせいき）

株式公開計画なし

採用内定数	倍率	3年後離職率	平均年収
4名	7倍	50%	595万円

●待遇、制度●
【初任給】月22.4万(諸手当0.3万円)
【残業】23.4時間【有休】18.6日【制度】フ 住 在
●新卒定着状況●
20年入社(男4、女0)→3年後在籍(男2、女0)
●採用情報●
【人数】23年:5 24年:9 25年:応募28→内定4*
【内定内訳】(男3、女1)(文1、理3)(総4、他0)
【試験】〔筆記〕有〔性格〕有
【時期】エントリー25.2→内々定25.5*【インターン】有
【採用実績校】愛知工業大2、大同大1、愛知大1
【求める人材】チャレンジ精神がある人、何事にも恐れず諦めずに物事に挑戦する人

【本社】470-0341 愛知県豊田市上原町折橋1-15 ☎0565-43-0801
【特色・近況】トヨタ自動車系大豊工業の子会社で搬送装置、溶接設備などの設備事業、プレス金型などの試作・型事業、自動車足回り部品などの部品事業を展開。本社工場に1500tのメガプレス配備。車両軽量化、新技術獲得への取り組み強化。技術開発センター擁す。
【設立】1973.5【資本金】878百万円
【社長】神谷忠弥(1966.3生 東京理大理工)
【株主】〔24.3〕大豊工業100%
【事業】搬送装置34、自動車部品9、溶接設備10、プレス金型24、他2、試作部品18 <輸出0>
【従業員】単409名(41.8歳)

【業績】	売上高	営業利益	経常利益	純利益
単22.3	13,260	▲246	▲167	▲151
単23.3	14,898	347	362	258
単24.3	13,555	30	40	28

㈱太陽工機（たいようこうき）

東証スタンダード

採用内定数	倍率	3年後離職率	平均年収
10名	9倍	0%	674万円

●待遇、制度●
【初任給】月25万
【残業】16.5時間【有休】13.2日【制度】住
●新卒定着状況●
20年入社(男3、女0)→3年後在籍(男3、女0)
●採用情報●
【人数】23年:12 24年:13 25年:応募90→内定10*
【内定内訳】(男8、女2)(文5、理5)(総10、他0)
【試験】〔性格〕有
【時期】エントリー25.3→内々定25.4(一次はWEB面接可)【インターン】有
【採用実績校】東北大1、金沢大1、長岡技科大1、新潟大1、三条市大1、工学院大1、金沢工大1、新潟国際情報大2、京都芸大1
【求める人材】チャレンジ精神旺盛で積極的にコミュニケーションがとれる人、海外への興味がある人

【本社】940-2045 新潟県長岡市西陵町221-35 ☎0258-42-8808
【特色・近況】研削盤専業の工作機械中堅で、立形研削盤で国内首位。独自開発の立形研削盤は横形に比べ高精度で、スマート化、自動化を積極推進。産業機械、自動車、工作機械関連メーカーが主要顧客。DMG森精機の子会社で、海外は同社の拠点を活用。
【設立】1988.5【資本金】700百万円
【社長】渡辺剛(1977.11生 千工大工卒)
【株主】〔24.6〕DMG森精機50.1%
【事業】立形研削盤80、横形研削盤15、他専用研削盤5 <海外35>
【従業員】単293名(36.6歳)

【業績】	売上高	営業利益	経常利益	純利益
単21.12	6,687	599	652	441
単22.12	9,041	621	624	440
単23.12	10,231	554	561	415

㈱タカキタ

東証スタンダード

採用内定数	倍率	3年後離職率	平均年収
7名	1.4倍	‥	‥

●待遇、制度●
【初任給】月22万
【残業】15.8時間【有休】‥日【制度】住 在
●新卒定着状況●
‥
●採用情報●
【人数】23年:10 24年:10 25年:応募10→内定7*
【内定内訳】(男5、女2)(文2、理3)(総5、他2)
【試験】なし
【時期】エントリー25.3→内々定25.6*(一次はWEB面接可)【インターン】有【ジョブ型】有
【採用実績校】摂南大1、島根大1、三重大1、国士舘大1、山形大1、帝塚山大1、近大高専1
【求める人材】ものづくり・農業に興味のある人

【本社】518-0441 三重県名張市夏見2828 ☎0595-63-3111
【特色・近況】飼料関連農機メーカー。クボタ、井関農機などの農機メーカーと資本提携。肥料・堆肥散布機械や牧草・トウモロコシなど飼料収穫機械を製造・販売。酪農生産、有機農業など成長市場に注目。国内の農機ビジネスを中核としながら海外市場への拡大・展開を図る。
【設立】1945.3【資本金】1,350百万円
【社長】藤澤龍也(1971.8生 大阪学大国際卒)
【株主】〔24.3〕クボタ4.7%
【事業】農機95、軸受5 <海外10>
【従業員】単286名(43.7歳)

【業績】	売上高	営業利益	経常利益	純利益
単22.3	7,026	529	593	400
単23.3	7,730	609	673	476
単24.3	8,482	972	1,030	692

㈱高見沢サイバネティックス 東証スタンダード

採用内定数	倍率	3年後離職率	平均年収
4名	12.5倍	20%	524万円

●待遇、制度●
【初任給】月21.7万（諸手当2.4万円）
【残業】17時間【有休】13.8日【制度】住

●新卒定着状況●
20年入社（男8、女2）→3年後在籍（男7、女1）

●採用情報●
【人数】23年:11 24年:17 25年:応募50→内定4*
【内定内訳】（男4、女0）（文3、理0）（総4、他0）
【試験】〔筆記〕有
【時期】エントリー25.3→内々定25.7（一次はWEB面接可）【インターン】有
【採用実績校】日大2、東海大1、大原簿記情報ビジネス医療専1
【求める人材】人の話を聞ける人、コミュニケーションがとれる人、自分の考えをもって行動できる人

【本社】164-0011 東京都中野区中央2-48-5 ☎03-3227-3361
【特色・近況】自動券売機、ICカード自動化機器などの役務システムやホームドアシステムなどの交通システム機器の製造・販売が主体。ATM向け硬貨・紙幣・カード処理関連機器やパーキングシステム、セキュリティーシステム、防災計測システムなども手がける。
【設立】1969.10 【資本金】700百万円
【社長】高見澤和夫（1955.11生 東海大工卒）
【株主】〔24.3〕富士電機13.6%
【連結事業】電子制御機器100
【従業員】連566名 単413名（45.7歳）

【業績】	売上高	営業利益	経常利益	純利益
連22.3	9,913	246	215	109
連23.3	10,713	650	634	451
連24.3	13,050	983	938	655

㈱タクミナ 東証スタンダード

採用内定数	倍率	3年後離職率	平均年収
1名	15倍	14.3%	669万円

●待遇、制度●
【初任給】月22.9万
【残業】9時間【有休】12.4日【制度】フ 住 在

●新卒定着状況●
20年入社（男6、女1）→3年後在籍（男5、女1）

●採用情報●
【人数】23年:5 24年:7 25年:応募15→内定1*
【内定内訳】（男1、女0）（文0、理1）（総1、他0）
【試験】〔Web会場〕有〔Web自宅〕有〔性格〕有
【時期】エントリー25.3→内々定25.6*（一次はWEB面接可）【インターン】有
【採用実績校】近大1
【求める人材】チャレンジ力・創造力・人間力のある人、お客様に喜びと感動を与えることができる人

【本社】541-0047 大阪府大阪市中央区淡路町2-2-14 Daiwa北浜ビル ☎06-6208-3971
【特色・近況】定量ポンプの大手。主な用途は水処理用、プールや上下水道などの塩素滅菌用、化学・医薬・食品などの生産プロセス用、廃水・廃液処理などの環境保全用など。船舶のバラスト水処理装置向けポンプに強み。高精密塗工用も拡大。
【設立】1977.4 【資本金】892百万円
【社長】山田圭祐（1982.12生 関西学院大院経営戦修了）
【株主】〔24.3〕山田義彦7.1%
【連結事業】高性能Sポンプ40、汎用型薬液注入ポンプ26、C移送ポンプ7、計測機器・装置12、流体機器4、Cタンク7、他4 <海外21>
【従業員】連320名 単312名（40.4歳）

【業績】	売上高	営業利益	経常利益	純利益
連22.3	8,676	1,217	1,266	880
連23.3	9,744	1,458	1,475	1,060
連24.3	11,015	1,582	1,611	1,195

㈱竹内製作所（たけうちせいさくしょ） 東証プライム

採用内定数	倍率	3年後離職率	平均年収
18名	7.3倍	8%	659万円

●待遇、制度●
【初任給】月25.5万（諸手当0.5万円）
【残業】22.4時間【有休】12.4日【制度】住

●新卒定着状況●
20年入社（男23、女2）→3年後在籍（男21、女2）

●採用情報●
【人数】23年:38 24年:65 25年:応募132→内定18
【内定内訳】（男15、女3）（文5、理12）（総18、他0）
【試験】〔Web自宅〕SPI3〔性格〕有
【時期】エントリー25.3→内々定25.4（一次・二次以降もWEB面接可）【インターン】有
【採用実績校】立命館大1、信州大8、金沢工大3、諏訪東理大1、専大1、法政大1、同大1、北大1、長野県工科短大1
【求める人材】グローバルに活躍できる、バイタリティ溢れる挑戦志向の人

【本社】389-0605 長野県埴科郡坂城町大字上平205 ☎0268-81-1100
【特色・近況】製品重量6t未満のミニショベルが主力の中堅建機メーカー。クローラーローダーを世界初開発。海外売上比率はほぼ100%で、欧州と北米が大半を占め、シェアも上位。欧州ではミニショベル、北米ではミニショベルとクローラーローダーを展開。
【設立】1963.8 【資本金】3,632百万円
【社長】竹内敏也（1963.1生）
【株主】〔24.2〕日本マスタートラスト信託銀行信託口11.9%
【連結事業】建設機械100、他0 <海外99>
【従業員】連1,265名 単738名（37.3歳）

【業績】	売上高	営業利益	経常利益	純利益
連22.2	140,892	17,764	18,080	13,348
連23.2	178,966	21,221	21,379	15,979
連24.2	212,627	35,296	35,455	26,149

タケダ機械（きかい）　東証スタンダード

採用予定数	倍率	3年後離職率	平均年収
5名	－	0%	505万円

●待遇、制度●
【初任給】月20.8万
【残業】9.2時間【有休】13日【制度】‥
●新卒定着状況●
20年入社(男3、女0)→3年後在籍(男3、女0)
●採用情報●
【人数】23年:1 24年:3 25年:応募20→内定0*
【内定内訳】(男‥、女‥)(文‥、理‥)(総‥、他‥)
【試験】なし
【時期】エントリー25.3→内々定25.5【インターン】有
【採用実績校】‥
【求める人材】SDGsにおける目標「働きがいも経済成長も」を実現したい人

【本社】923-1101 石川県能美市粟生町西132
☎0761-58-8211
【特色・近況】形鋼加工機の業界大手。ドリルマシン、丸鋸切断機など鋼材加工機、各種鋼材の穴あけ・切断加工を施す金属加工機械を製造。建築鉄骨・製缶板金・自動車関連業界などが主要顧客。海外は東南アジアでの鋼構造物、インフラ整備の需要を模索。
【設立】1971.6　【資本金】1,874百万円
【社長】竹田雄一(1975.4生 金工大院経営工修了)
【株主】〔24.5〕㈱テーエスワイ11.4%
【連結事業】形鋼加工機68、丸鋸切断機5、金型9、他製品5、部品11、サービス2
【従業員】連182名 単144名(40.8歳)

【業績】	売上高	営業利益	経常利益	純利益
連22.5	4,444	373	409	260
連23.5	4,689	383	416	316
連24.5	5,464	636	659	427

#有休取得が多い

多田電機（ただでんき）　株式公開計画なし

採用内定数	倍率	3年後離職率	平均年収
3名	32.7倍	18.2%	‥

●待遇、制度●
【初任給】月23.2万
【残業】16.9時間【有休】21.3日【制度】フ 住
●新卒定着状況●
20年入社(男11、女0)→3年後在籍(男9、女0)
●採用情報●
【人数】23年:6 24年:7 25年:応募98→内定3*
【内定内訳】(男3、女0)(文2、理1)(総3、他0)
【試験】〔Web会場〕SPI3〔Web自宅〕SPI3〔性格〕有
【時期】エントリー24.6→内々定25.3*【インターン】有
【採用実績校】中京大1、関西学大1、兵庫県大1
【求める人材】積極的にコミュニケーションを取り、仕事に責任感を持って取り組むことができる人

【本社】661-0001 兵庫県尼崎市塚口本町8-1-1 三菱電機(株)伊丹製作所内　☎06-6496-2291
【特色・近況】各種熱交換器、電子ビーム加工機、鉄鋼プロセス用溶接機を製造販売。各製品とも国内トップシェア、世界でも首位級。製品は世界約70カ国で稼働。親会社と共同で金属用3Dプリンターの技術開発を推進。三菱電機の完全子会社。
【設立】1963.10　【資本金】300百万円
【社長】越智与志夫(1960.7生 岡山大院理学研修了)
【株主】〔24.4〕三菱電機100%
【事業】各種熱交換器62、鉄鋼用溶接機20、電子ビーム加工機18
【従業員】単337名(42.2歳)

【業績】	売上高	営業利益	経常利益	純利益
単22.3	7,957	▲143	▲128	146
単23.3	7,454	▲476	▲455	▲350
単24.3	9,551	180	202	172

タツモ　東証プライム

採用内定数	倍率	3年後離職率	平均年収
13名	3.2倍	16.7%	総653万円

●待遇、制度●
【初任給】月22.5万
【残業】20.4時間【有休】13.5日【制度】住
●新卒定着状況●
20年入社(男18、女0)→3年後在籍(男15、女0)
●採用情報●
【人数】23年:15 24年:12 25年:応募41→内定13*
【内定内訳】(男13、女0)(文4、理8)(総13、他0)
【試験】〔Web自宅〕SPI3〔性格〕有
【時期】エントリー25.3→内々定25.4(一次はWEB面接可)【インターン】有
【採用実績校】岡山県大3、広島工大1、岡山理大1、山口東理大1、愛媛大2、岡山大1、岡山情報ITクリエイター専1、就実大1、神戸学大1、他
【求める人材】文系・理系を問わずグローバルに活躍できる人

【本社】701-1221 岡山県岡山市北区芳賀5311
☎086-239-5000
【特色・近況】半導体製造装置が主軸。半導体製造用の塗布・現像装置や、製造工程間の搬送機器、製造装置の洗浄機などを手がける。液晶カラーフィルター用塗布装置では高シェア。金型・樹脂成形品や表面処理用機器も。岡山、ベトナム、中国に生産拠点。
【設立】1972.2　【資本金】3,568百万円
【社長】佐藤泰之(1965.12生 徳島大工卒)
【株主】〔24.6〕㈱大江屋15.0%
【連結事業】プロセス機器80、金型・樹脂成形5、表面処理用機器15 <海外46>
【従業員】連1,156名 単394名(44.8歳)

【業績】	売上高	営業利益	経常利益	純利益
連21.12	22,001	2,092	2,218	1,749
連22.12	24,356	2,806	3,138	2,263
連23.12	28,161	3,654	3,890	2,356

㈱ツガミ　東証プライム

採用内定数	倍率	3年後離職率	平均年収
6名	4.5倍	0%	691万円

●待遇、制度●
【初任給】月25.5万
【残業】18.5時間【有休】11.5日【制度】フ 住
●新卒定着状況●
20年入社(男10、女1)→3年後在籍(男10、女1)
●採用情報●
【人数】23年:16 24年:18 25年:応募27→内定6*
【内定内訳】(男6、女0)(文1、理5)(総6、他0)
【試験】〔性格〕有
【時期】エントリー25.3→内々定25.6(一次はWEB面接可)【インターン】有
【採用実績校】‥
【求める人材】超精密加工技術で躍進するツガミの将来を担うチャレンジ精神旺盛な人

【本社】103-0006 東京都中央区日本橋富沢町12-20 日本橋T＆Dビル ☎03-3808-1711
【特色・近況】工作機械中堅メーカー。小型自動旋盤、研削盤、複合加工機を展開。超精密加工は世界最高水準。スマホなどIT精密部品と自動車エンジン周辺部品の量産加工に強み。アジア市場を重視。海外売上高のうち中国、アジアが8割超を占める。
【設立】1937.3　【資本金】12,345百万円
【社長】渡部昇弘(1971.1生)
【株主】〔24.3〕日本マスタートラスト信託銀行信託口13.0%
【連結事業】自動旋盤84、研削盤5、マシニングセンタ・転造盤・専用機6、他5 <海外90>
【従業員】連3,063名 単491名(43.8歳)

【業績】	売上高	営業利益	税前利益	純利益
連22.3	93,174	18,860	18,776	9,486
連23.3	94,963	16,758	16,467	7,695
連24.3	83,928	13,095	13,795	5,376

津田駒工業(つだこまこうぎょう)　東証スタンダード

採用内定数	倍率	3年後離職率	平均年収
7名	6.6倍	0%	485万円

●待遇、制度●
【初任給】月20.7万(諸手当3.2万円)
【残業】11.7時間【有休】14.2日【制度】フ 住 在
●新卒定着状況●
20年入社(男7、女1)→3年後在籍(男7、女1)
●採用情報●
【人数】23年:0 24年:5 25年:応募46→内定7
【内定内訳】(男6、女1)(文2、理5)(総7、他0)
【試験】〔Web自宅〕有
【時期】エントリー25.3→内々定25.5【インターン】有【ジョブ型】有
【採用実績校】金沢工大4、小松大1、金沢星稜大1、ライデン大1
【求める人材】人間性が豊かで協調性がある意志の強い人

【本社】921-8650 石川県金沢市野町5-18-18 ☎076-242-1110
【特色・近況】繊維機械で総合首位の独立系メーカー。空気や水の噴射を利用した織機のジェットルームで世界最先端。大型NC円テーブルなど工作機械も手がける。繊維機械は中国向け主力に、インドなど輸出が大半。炭素繊維複合材の積層機械なども育成中。
【設立】1939.12　【資本金】12,316百万円
【会長兼社長】高納伸宏(1954.2生 名大経済卒)
【株主】〔24.5〕日本カストディ銀行信託口8.8%
【連結事業】繊維機械85、工作機械関連15 <海外79>
【従業員】連1,122名 単748名(45.7歳)

【業績】	売上高	営業利益	経常利益	純利益
連21.11	27,796	▲3,723	▲3,605	▲4,495
連22.11	31,189	▲2,497	▲2,583	▲2,567
連23.11	39,278	▲1,216	▲1,295	▲1,246

㈱TOK　株式公開いずれしたい

採用実績数	倍率	3年後離職率	平均年収
4名	‥	33.3%	501万円

●待遇、制度●
【初任給】月24.6万(諸手当を除いた数値)
【残業】5.2時間【有休】12.2日【制度】在
●新卒定着状況●
20年入社(男1、女2)→3年後在籍(男0、女2)
●採用情報●
【人数】23年:0 24年:4 25年:予定0
【内定内訳】(男‥、女‥)(文‥、理‥)(総‥、他‥)
【試験】‥
【時期】エントリー‥→内々定‥
【採用実績校】‥
【求める人材】自ら進んで考え、学び、新しい価値の実現に向けて挑み続けられる人

【本社】174-8501 東京都板橋区小豆沢1-17-12 ☎03-3969-1531
【特色・近況】小型の軽荷重用プラスチックベアリングメーカー。プラスチックベアリング、ロータリーダンパーはOA機器や鋼製家具など多用途。POMやPEEK樹脂利用のベアリングに強み。山梨工場のほか中国にも2工場。米国やドイツにも販売拠点。
【設立】1938.12　【資本金】100百万円
【社長】吉川桂介(1977.1生 青学大理工卒)
【株主】〔24.4〕東京中小企業投資育成26.0%
【事業】プラスチックベアリング36、ロータリーダンパー31、ワンウェイクラッチ5、他28 <輸出34>
【従業員】単159名(43.4歳)

【業績】	売上高	営業利益	経常利益	純利益
単21.9	3,983	55	101	94
単22.9	3,891	50	106	67
単23.9	3,485	▲32	24	7

㈱ＴＶＥ

東証スタンダード

採用内定数	倍率	3年後離職率	平均年収
1名	22倍	28.6%	591万円

●待遇、制度●
【初任給】月23万
【残業】8.7時間【有休】16.9日【制度】[住]
●新卒定着状況●
20年入社(男7、女0)→3年後在籍(男5、女0)
●採用情報●
【人数】23年:7 24年:3 25年:応募22→内定1*
【内定内訳】(男1、女0)(文1、理0)(総1、他0)
【試験】〔Web自宅〕有〔性格〕有
【時期】エントリー25.3→内々定25.6(一次はWEB面接可)【インターン】有
【採用実績校】京産大1

【求める人材】モノづくりに対する情熱をもち、常に学ぶ姿勢を忘れず目標に向かってチャレンジし続けられる人

【本社】660-0054 兵庫県尼崎市西立花町5-12-1 ☎06-6416-1184
【特色・近況】原子力・火力発電所用の高温高圧バルブ、産業用バルブの製造・販売と保守が主力事業。加圧水型原発(PWR)向けバルブの国内大手。定期検査工事が復調へ。製鋼製品の製造・販売も手がける。発電プラント関連、産業用バルブに強い西華産業と資本業務提携。
【設立】2000.3 【資本金】1,739百万円
【社長】奥井一史(1965.10生 立命大経営卒)
【株主】〔24.3〕西華産業20.5%
【連結事業】バルブ70、製鋼12、電気設備関連15、他2
【従業員】連404名 単300名(43.7歳)

【業績】	売上高	営業利益	経常利益	純利益
連21.9	10,451	696	773	455
連22.9	8,514	▲86	27	▲60
連23.9	9,396	476	538	435

テイサ産業（さんぎょう）

株式公開計画なし

採用予定数	倍率	3年後離職率	平均年収
3名	－	16.7%	‥

●待遇、制度●
【初任給】月20万(諸手当1.1万円)
【残業】13.5時間【有休】10.7日【制度】[住]
●新卒定着状況●
20年入社(男6、女0)→3年後在籍(男5、女0)
●採用情報●
【人数】23年:2 24年:1 25年:応募‥→内定0*
【内定内訳】(男‥、女‥)(文‥、理‥)(総‥、他‥)
【試験】〔Web自宅〕有
【時期】エントリー25.3→内々定25.6(一次はWEB面接可)
【採用実績校】‥

【求める人材】失敗を恐れないでチャレンジ精神に富み、明るく積極的に行動できる人

【本社】569-0834 大阪府高槻市大字唐崎1270 ☎072-678-6609
【特色・近況】独自開発の各種チェーンコンベヤーが主力製品。都市ごみ処理場や産業廃棄物処理場、バイオマス発電など環境プラント向け中心に納入。製鉄、製紙、電力、化学などの分野の製造関連施設向けにも実績。大阪・高槻と山口・宇部に工場。
【設立】1954.2 【資本金】60百万円
【会長兼社長】尾山啓二
【株主】〔24.5〕大阪中小企業投資育成32.8%
【事業】各種コンベヤプラント45、チェーンおよび付属品49、熱処理6
【従業員】単124名(‥歳)

【業績】	売上高	営業利益	経常利益	純利益
単20.7	2,141	153	165	112
単21.7	1,735	35	50	37
単22.7	1,980	100	118	101

#年収高く倍率低い #年収が高い

㈱テクノスマート

東証スタンダード

採用内定数	倍率	3年後離職率	平均年収
6名	1.2倍	0%	[総]920万円

●待遇、制度●
【初任給】月22.2万(諸手当0.6万円)
【残業】18.9時間【有休】15日【制度】[住]
●新卒定着状況●
20年入社(男2、女0)→3年後在籍(男2、女0)
●採用情報●
【人数】23年:8 24年:7 25年:応募7→内定6
【内定内訳】(男6、女0)(文0、理6)(総6、他0)
【試験】〔筆記〕有〔Web自宅〕有〔性格〕有
【時期】エントリー25.3→内々定25.3【インターン】有【ジョブ型】有
【採用実績校】摂南大2、富山大1、関西学大1、龍谷大1、京都先端科学大1
【求める人材】ものづくりが好きでチームワークを重視し、コミュニケーション力と行動力がある人

【本社】541-0056 大阪府大阪市中央区久太郎町2-5-28 ☎06-6253-7200
【特色・近況】大阪地盤の機械メーカー。各種紙やフィルムに関する塗工乾燥・熱処理装置のほか、金属箔や不織布に関する同装置、化工機などを展開。光学フィルム向けや2次電池向けに強み。中国、韓国、台湾、欧州、米国からの受注が多いが、国内生産体制堅持。
【設立】1936.1 【資本金】1,953百万円
【社長】飯田陽弘(1964.10生)
【株主】〔24.3〕㈱エスアイエル8.7%
【事業】ディスプレイ関連機器33、機能性紙・フイルム関連機器23、電子部品関連機器10、エネルギー関連機器27、化工機器0、他7 <海外63>
【従業員】単245名(42.8歳)

【業績】	売上高	営業利益	経常利益	純利益
単22.3	16,939	1,642	1,692	1,164
単23.3	19,677	2,232	2,277	1,607
単24.3	19,242	2,588	2,630	1,804

テラル　[株式公開計画なし]

採用内定数	倍率	3年後離職率	平均年収
21名	5.9倍	37%	[総]538万円

●待遇、制度●
【初任給】月24.3万(固定残業代17時間分)
【残業】15.3時間【有休】13.7日【制度】[住][在]
●新卒定着状況●
20年入社(男18、女9)→3年後在籍(男11、女6)
●採用情報●
【人数】23年:29 24年:24 25年:応募123→内定21*
【内定内訳】(男16、女5)(文13、理8)(総20、他1)
【試験】〔Web自宅〕有〔性格〕有
【時期】エントリー25.2→内々定25.4(一次はWEB面接可)【インターン】有
【採用実績校】愛媛大1、福山市大1、追手門学大3、岡山理大1、近大2、広島工大4、広島修道大3、福山大5、安田女大1
【求める人材】何事にも粘り強くチャレンジ精神にあふれ共に造り上げることに喜びを感じる人

【本社】720-0003 広島県福山市御幸町大字森脇230 ☎084-955-1111
【特色・近況】ポンプ、送風機、給水装置の大手。濾過・ディスポーザー装置も扱う。高効率化・小型化・ユニット化・多機能化などに対応用途を拡大。作業環境改善サービスなどソリューション提供も展開。中国、東南アジア、中東、カナダなどにグループ会社。
【設立】1950.4　【資本金】78百万円
【社長】菅田博文(1955.9生 立大経済卒)
【株主】〔24.3〕テラルホールディングス100%
【事業】ポンプ25、送風機16、給水装置24、防災・環境関連機器等35 <輸出2>
【従業員】単987名(40.5歳)

【業績】	売上高	営業利益	経常利益	純利益
単22.3	30,128	1,117	1,395	1,149
単23.3	33,394	1,468	1,291	873
単24.3	39,440	3,089	3,419	2,267

㈱電業社機械製作所（でんぎょうしゃきかいせいさくしょ）　[東証スタンダード]

採用内定数	倍率	3年後離職率	平均年収
7名	2.7倍	0%	694万円

●待遇、制度●
【初任給】月23.9万(諸手当0.5万円)
【残業】17.4時間【有休】12.9日【制度】[フ][住]
●新卒定着状況●
20年入社(男3、女1)→3年後在籍(男3、女1)
●採用情報●
【人数】23年:6 24年:12 25年:応募19→内定7*
【内定内訳】(男6、女1)(文3、理4)(総1、他6)
【試験】〔Web自宅〕WEB-GAB
【時期】エントリー25.1→内々定25.3(一次はWEB面接可)【インターン】有【ジョブ型】有
【採用実績校】佐賀大1、早大1、都立大1、学習院大1、専大1、大阪産大1、工学院大1
【求める人材】前向きでやる気のある人、責任のある仕事にチャレンジしていける人

【本社】143-8558 東京都大田区大森北1-5-1 ☎03-3298-5115
【特色・近況】大型ポンプと送風機が2本柱。ポンプは大手5社の一角で、石油化学プラントでの液体圧送ポンプや上水送水に用いるポンプなどを手がける。送風機はプラントでの冷却工程やトンネル換気などで使用。インドやサウジなど海外でも積極展開。
【設立】1955.3　【資本金】810百万円
【社長】彦坂典男(1959.2生 明星大人文卒)
【株主】〔24.3〕㈱GM INVESTMENTS10.6%
【連結事業】ポンプ78、送風機16、バルブ1、他5 <海外14>
【従業員】連553名 単490名(40.2歳)

【業績】	売上高	営業利益	経常利益	純利益
連22.3	22,820	2,425	2,563	1,877
連23.3	23,874	2,545	2,654	1,871
連24.3	24,096	2,283	2,457	1,750

㈱東京自働機械製作所（とうきょうじどうきかいせいさくしょ）　[東証スタンダード]

採用内定数	倍率	3年後離職率	平均年収
9名	19.7倍	0%	681万円

●待遇、制度●
【初任給】月22.4万
【残業】15時間【有休】13.2日【制度】[フ][住][在]
●新卒定着状況●
20年入社(男6、女1)→3年後在籍(男6、女1)
●採用情報●
【人数】23年:8 24年:7 25年:応募177→内定9*
【内定内訳】(男8、女1)(文2、理7)(総9、他0)
【試験】〔筆記〕常識〔Web会場〕有〔Web自宅〕有〔性格〕有
【時期】エントリー25.3→内々定25.5(一次はWEB面接可)【インターン】有
【採用実績校】千葉工大3、工学院大1、東洋大1、東京電機大1、日大1、流経大1、獨協大1
【求める人材】ものづくりが好きな人、誠実で粘り強く仕事に取り組める人、新しいことに積極的にチャレンジしたい人

【本社】101-0032 東京都千代田区岩本町3-10-7 ☎03-3866-7171
【特色・近況】総合包装機械メーカー。たばこの自動包装機から出発し、ガムなど食品の包装機や菓子などの製袋充填機、CDなどのフィルム包装機のほか、古紙圧縮梱包機などのリサイクル機械へ多面展開。銘産品・贈答品用包装機では高シェア。
【設立】1944.6　【資本金】954百万円
【社長】佐藤康公(1961.4生 ハワイロア大卒)
【株主】〔24.3〕明治安田生命保険5.3%
【事業】包装機械36、生産機械64 <海外66>
【従業員】単275名(42.7歳)

【業績】	売上高	営業利益	経常利益	純利益
単22.3	8,819	386	526	373
単23.3	13,306	985	1,138	799
単24.3	13,458	1,388	1,546	1,116

トーヨーエイテック

株式公開計画なし

採用内定数	倍率	3年後離職率	平均年収
5名	10.2倍	6.2%	‥

●待遇、制度●
【初任給】月21.5万
【残業】18.9時間【有休】17.1日【制度】住
●新卒定着状況●
20年入社(男15、女1)→3年後在籍(男14、女1)
●採用情報●
【人数】23年:22 24年:23 25年:応募51→内定5*
【内定内訳】(男5、女0)(文1、理4)(総1、他4)
【試験】〔Web会場〕C-GAB
【時期】エントリー25.3→内々定25.4*(一次はWEB面接可)【インターン】有
【採用実績校】広島工大3、広島市大1、広島修道大1
【求める人材】理想を描き、その実現に向けてチャレンジできる人、自分初で行動できる人

【本社】734-8501 広島県広島市南区宇品東5-3-38 ☎082-252-5212
【特色・近況】工作機械、自動車部品、表面処理を手がけるメーカー。内面研削盤は国内シェアトップクラス。国内は本社工場ほか自動車部品の東広島、表面処理の東日本、中部日本の4工場。タイにも工作機械サービス拠点を置く。伊藤忠商事とマツダの合弁会社。
【設立】1950.7 【資本金】3,000百万円
【社長】早野祐一(1960.7生 明大政経卒)
【株主】〔24.3〕伊藤忠商事50.0%
【事業】工作機械62、自動車部品28、表面処理10 <輸出39>
【従業員】単694名(42.5歳)

【業績】	売上高	営業利益	経常利益	純利益
単22.3	20,767	1,061	1,403	1,113
単23.3	25,524	1,634	1,826	1,421
単24.3	30,316	2,223	2,643	1,919

巴工業(ともえこうぎょう)

東証プライム

採用内定数	倍率	3年後離職率	平均年収
14名	32.9倍	11.5%	㊙903万円

●待遇、制度● 平均年収は在籍一年以上のみ
【初任給】月27万(諸手当0.4万円)
【残業】6.3時間【有休】14.6日【制度】住 在
●新卒定着状況● 大卒のみ。20～21年入社者合計
20年入社(男23、女3)→3年後在籍(男21、女2)
●採用情報●
【人数】23年:10 24年:10 25年:応募461→内定14
【内定内訳】(男10、女4)(文3、理11)(総14、他0)
【試験】〔筆記〕有〔Web会場〕SPI3〔Web自宅〕SPI3
【時期】エントリー25.2→内々定25.5(一次・二次以降もWEB面接可)【インターン】有
【採用実績校】早大1、青学大1、関大1、工学院大2、静岡大1、愛媛大1、大分大1、東京農業大1、明学大1、成蹊大1、東京工科大1、近大1、他
【求める人材】自ら考え行動し、新たな価値を創造出来る人、先端技術に触れ、グローバルに働きたい人

【本社】141-0001 東京都品川区北品川5-5-15 大崎ブライトコア ☎03-3442-5120
【特色・近況】中堅化学機械メーカー。遠心分離機の専門メーカーと化学工業製品の専門商社の2つの機能を持つ。デカンター型遠心分離機では国内トップ。化学工業品は、合成樹脂、工業材料、化成品、機能材料、電子材料などで大半が輸入品。
【設立】1941.5 【資本金】1,061百万円
【社長】玉井章友(1957.2生)
【株主】〔24.4〕日本マスタートラスト信託銀行信託口8.0%
【連結事業】機械製造販売26、化学工業製品販売74 <海外22>
【従業員】連789名 単478名(40.0歳)

【業績】	売上高	営業利益	経常利益	純利益
連21.10	45,132	2,843	2,905	2,108
連22.10	45,588	3,299	3,421	2,659
連23.10	49,628	4,048	4,115	2,733

㈱酉島製作所(とりしませいさくしょ)

東証プライム

採用内定数	倍率	3年後離職率	平均年収
24名	4.6倍	13.3%	㊙610万円

●待遇、制度●
【初任給】月25.2万
【残業】12.3時間【有休】13.7日【制度】住 在
●新卒定着状況●
20年入社(男27、女3)→3年後在籍(男23、女3)
●採用情報●
【人数】23年:32 24年:45 25年:応募111→内定24*
【内定内訳】(男16、女8)(文15、理9)(総24、他0)
【試験】〔筆記〕有
【時期】エントリー25.3→内々定25.5【インターン】有
【採用実績校】北大院1、阪大院1、九大院1、大阪工大院1、関大院1、阪大1、神戸大1、広島大1、九大1、大分大1、関大5、関西学大1、近大1、他
【求める人材】明るく社交的な人、突破力のある人、粘り強い人、ポンプを愛せる人

【本社】569-8660 大阪府高槻市宮田町1-1-8 ☎072-695-0551
【特色・近況】ポンプ専業メーカーで国内大手3社の一角。水・電力・インフラ向けが主体。発電用高効率ポンプは国内トップ。海外での海水淡水化プラント向けでも高シェア。国内は官公需比率高いが、省電力エコポンプなどの民間企業向けにも注力。
【設立】1928.4 【資本金】1,592百万円
【社長】原田耕太郎(1961.10生 早大商卒)
【株主】〔24.3〕公益財団法人原田記念財団9.6%
【連結事業】ポンプ98、他2 <海外62>
【従業員】連1,958名 単1,026名(39.0歳)

【業績】	売上高	営業利益	経常利益	純利益
連22.3	52,240	4,445	5,163	3,626
連23.3	64,659	5,927	5,693	4,404
連24.3	81,103	6,822	6,297	6,225

#初任給が高い

中西金属工業（なかにしきんぞくこうぎょう）

株式公開 計画なし

採用内定数	倍率	3年後離職率	平均年収
15名	10.6倍	13.3%	‥

●待遇、制度●
【初任給】月30万
【残業】12.6時間【有休】12.4日【制度】フ 住 在
●新卒定着状況●
20年入社(男11、女4)→3年後在籍(男9、女4)
●採用情報●
【人数】23年:14 24年:11 25年:応募159→内定15*
【内定内訳】(男6、女9)(文6、理7)(総15、他0)
【試験】〔Web会場〕SPI3〔性格〕有
【時期】エントリー25.3→内々定25.6(一次はWEB面接可)【インターン】有
【採用実績校】大阪公大院1、金沢工大院1、大阪公大高専1、奈良高専1、和歌山大1、岡山大1、関西学大1、関大1、関西外大1、近大1、他
【求める人材】積極性、向上心を持って仕事ができる人、グローバルに活躍できる人

【本社】530-8566 大阪府大阪市北区天満橋3-3-5
☎06-6351-4832
【特色・近況】ベアリング・リテーナー、自動車の各種生産ラインに対応するコンベアシステム、サッシなど住宅用製品の3分野を核に製造・販売する老舗メーカー。メカトロ化推進。グループで国内に7工場。海外は北米や欧州、アジア、豪州、メキシコなどに拠点を展開。
【設立】1941.6 【資本金】90百万円
【社長】中西竜雄
【株主】〔24.3〕NKC100%
【事業】軸受保持器部門、コンベア部門、他
【従業員】連4,078名 単602名(44.7歳)

【業績】	売上高	営業利益	経常利益	純利益
単22.3	53,402	3,229	4,082	▲851
単23.3	54,550	3,325	3,917	2,467
単24.3	56,855	2,621	3,963	2,730

中日本鋳工（なかにっぽんちゅうこう）

名証 メイン

採用内定数	倍率	3年後離職率	平均年収
3名	4.7倍	－	㊗562万円

●待遇、制度●
【初任給】月21.5万(諸手当1.4万円)
【残業】45時間【有休】11日【制度】フ 住
●新卒定着状況●
20年入社(男0、女0)→3年後在籍(男0、女0)
●採用情報●
【人数】23年:0 24年:1 25年:応募14→内定3*
【内定内訳】(男0、女3)(文3、理0)(総3、他0)
【試験】なし
【時期】エントリー‥→内々定‥(一次はWEB面接可)【ジョブ型】有
【採用実績校】中京大、星城大、高松大
【求める人材】元気でコミュニケーション力の高い人

【本社】444-0335 愛知県西尾市港町6-6
☎0563-55-4477
【特色・近況】愛知地盤の独立系鋳物部品メーカー。前身の鋳物工場を引き継ぎ設立、自動車の変速機械部品や建機用油圧部品などへ展開。環境負荷が少ない鋳物部品の販売に注力が進む。愛知県内3工場で生産。不動産賃貸事業や発電・売電事業も展開。
【設立】1943.5 【資本金】30百万円
【社長】鳥居良彦(1979.3生 青学大際政経卒)
【株主】〔24.3〕㈲大西屋34.9%
【事業】鋳物97、不動産賃貸2、発電・売電1
【従業員】単162名(42.9歳)

【業績】	売上高	営業利益	経常利益	純利益
単22.3	5,243	▲200	▲12	193
単23.3	5,367	▲56	45	▲483
単24.3	5,812	197	254	243

中野冷機（なかのれいき）

東証 スタンダード

採用内定数	倍率	3年後離職率	平均年収
12名	4.5倍	15.2%	706万円

●待遇、制度●
【初任給】月23万(諸手当0.3万円)
【残業】32時間【有休】10.7日【制度】住
●新卒定着状況●
20年入社(男29、女4)→3年後在籍(男25、女3)
●採用情報●
【人数】23年:13 24年:19 25年:応募54→内定12
【内定内訳】(男5、女7)(文10、理1)(総12、他0)
【試験】〔Web会場〕C-GAB〔Web自宅〕有〔性格〕有
【時期】エントリー25.3→内々定‥(一次はWEB面接可)【インターン】有
【採用実績校】阪大1、学習院大1、成城大1、成蹊大1、東洋大1、近大1、東京農業大1、昭和女大1、大阪商大1、四国大1、他
【求める人材】他人の意見に真摯に耳を傾け、協調・協働できる人

【本社】108-8543 東京都港区芝浦2-15-4
☎03-3455-1311
【特色・近況】冷凍機・冷凍ショーケース専業メーカーで国内大手。スーパー、コンビニが主顧客で、セブン&アイグループ向けに強い。様々な店舗に対応できる低温食品流通システムを提供。省エネやフロン排出抑制の環境対応を推進。上海に生産子会社を置き、中国市場開拓。
【設立】1946.2 【資本金】822百万円
【社長】山木功(1961.7生 東洋大経済卒)
【株主】〔24.6〕アイング㈱32.8%
【連結事業】ショーケース38、冷凍機9、工事他53
【従業員】連612名 単427名(40.1歳)

【業績】	売上高	営業利益	経常利益	純利益
連21.12	32,606	1,939	2,054	1,406
連22.12	27,534	909	1,011	750
連23.12	32,990	2,434	2,535	1,904

鍋屋バイテック（なべや）　株式公開計画なし

採用内定数	倍率	3年後離職率	平均年収
10名	8.2倍	25%	㊗520万円

●待遇、制度●
【初任給】月22.2万（諸手当0.2万円）
【残業】12時間【有休】14日【制度】住 在
●新卒定着状況●
20年入社（男5、女3）→3年後在籍（男5、女1）
●採用情報●
【人数】23年:7 24年:7 25年:応募82→内定10*
【内定内訳】（男4、女6）（文6、理3）（総10、他0）
【試験】なし
【時期】エントリー25.3→内々定25.3*【インターン】有
【採用実績校】岐阜大3、岐阜高専1、金城学大1、滋賀県大1、南山大1、富山大1、名大1、名城大1
【求める人材】素敵な笑顔と元気な挨拶、よく考え、「こうしたらどうだろう」と発想する姿勢、好奇心が強い人

【本社】501-3939 岐阜県関市桃紅大地1 ☎0575-23-1121
【特色・近況】プーリー（滑車）、シャフトカップリング、特殊ネジ、リニア・モーション関連機器などを製販。メカトロニクスやIoT分野で新商品を積極的に投入することに注力。海外は中国・蘇州に生産現法、米国・ペンシルバニア州に販売現法。1560年鋳造業で創業。
【設立】1940.5　【資本金】96百万円
【社長】岡本友二郎（1974.12生 フェアフィル大卒）
【株主】〔24.1〕NBKホールディングス100%
【事業】伝動機器55、他45 <輸出6>
【従業員】単334名（37.5歳）

【業績】	売上高	営業利益	経常利益	純利益
単21.12	10,585	1,088	1,196	696
単22.12	11,519	873	1,006	740
単23.12	11,135	489	640	711

日工（にっこう）　東証プライム

採用内定数	倍率	3年後離職率	平均年収
35名	6倍	10.3%	686万円

●待遇、制度●
【初任給】月25.6万
【残業】25.9時間【有休】11.4日【制度】住 在
●新卒定着状況●
20年入社（男26、女3）→3年後在籍（男24、女2）
●採用情報●
【人数】23年:32 24年:32 25年:応募210→内定35*
【内定内訳】（男28、女7）（文20、理13）（総35、他0）
【試験】〔Web自宅〕SPI3
【時期】エントリー25.3→内々定25.5*（一次・二次以降もWEB面接可）【インターン】有
【採用実績校】鹿児島大1、高知大1、兵庫県大3、関大1、南山大1、近大7、神戸市外大2、日大1、京産大1、甲南大2、龍谷大1、神奈川大1、他
【求める人材】積極性、コミュニケーションスキル、協調性がある人

【本社】674-8585 兵庫県明石市大久保町江井島1013-1 ☎078-947-3131
【特色・近況】アスファルトやコンクリートなどの土木用プラントメーカー。アスファルトプラントで首位。ベルトコンベアなどの搬送機械や、汚染土壌浄化プラントなどの環境機械も手がける。海外は中国、タイで現地生産。ASEANでの展開に注力。
【設立】1919.8　【資本金】9,197百万円
【社長】辻勝（1960.6生 埼玉大院建設工修了）
【株主】〔24.3〕日本マスタートラスト信託銀行信託口8.9%
【連結事業】アスファルトプラント関連41、コンクリートプラント関連27、環境及び搬送関連8、他25 <海外8>
【従業員】連1,158名 単657名（39.7歳）

【業績】	売上高	営業利益	経常利益	純利益
連22.3	38,846	2,053	2,274	1,649
連23.3	39,665	1,028	1,255	1,020
連24.3	44,097	1,968	2,144	1,312

日進工具（にっしんこうぐ）　東証プライム

採用実績数	倍率	3年後離職率	平均年収
12名	‥	28.6%	631万円

●待遇、制度●
【初任給】月22万
【残業】20.4時間【有休】12.9日【制度】住
●新卒定着状況●
20年入社（男4、女3）→3年後在籍（男3、女2）
●採用情報●
【人数】23年:7 24年:12 25年:予定微減
【内定内訳】（男‥、女‥）（文‥、理‥）（総‥、他‥）
【試験】〔筆記〕有〔Web会場〕有〔性格〕有
【時期】エントリー25.3→内々定25.6*（一次はWEB面接可）【ジョブ型】有
【採用実績校】‥
【求める人材】モノづくりに関わることを、お客様と一緒に楽しめる人

【本社】140-0014 東京都品川区大井1-28-1 住友不動産大井町駅前ビル ☎03-6423-1135
【特色・近況】切削工具中堅メーカー。高精度の超硬小径エンドミルが売上高の約8割。精密加工分野では国内高シェアでOSGと双璧。自動車や家電の金型向けと部品加工向けの2本柱。長寿命のCBN工具とダイヤモンド工具を育成。アジア、欧州に販路。
【設立】1979.12　【資本金】455百万円
【社長】後藤弘治（1962.2生 関東学大経済卒）
【株主】〔24.3〕日本マスタートラスト信託銀行信託口12.3%
【連結事業】エンドミル（6㎜以下）79、エンドミル（6㎜超）9、他エンドミル5、他製品7 <海外25>
【従業員】連365名 単235名（38.0歳）

【業績】	売上高	営業利益	経常利益	純利益
連22.3	9,524	2,111	2,156	1,522
連23.3	9,656	2,108	2,131	1,475
連24.3	9,040	1,867	1,908	1,320

#有休取得が多い

日精（にっせい）

株式公開いずれしたい

採用内定数	倍率	3年後離職率	平均年収
2名	156倍	0%	㊕684万円

●待遇、制度●
【初任給】月22.2万
【残業】16時間【有休】17.6日【制度】住 在
●新卒定着状況●
20年入社(男2、女1)→3年後在籍(男2、女1)
●採用情報●
【人数】23年:3 24年:9 25年:応募312→内定2*
【内定内訳】(男1、女1)(文1、理1)(総2、他0)
【試験】〔筆記〕有〔Web自宅〕有〔性格〕有
【時期】エントリー24.9→内々定25.1(一次はWEB面接可)【ジョブ型】有
【採用実績校】東洋大1、阪大1

【求める人材】誠実でコミュニケーション能力が高い人、変化と守りのバランスがとれる人、個性を大切にする人

【本社】105-8411 東京都港区西新橋1-18-17 明産西新橋ビル ☎03-3502-3471
【特色・近況】メーカー機能と商社機能を併せ持ち、メーカーとしては機械式駐車設備や凍結乾燥機を、商社としては産業機械や情報通信機器などを扱う。凍結乾燥設備では業界のリーダー。大分、神戸に工場を持ち、海外はシンガポールに支店、中国に現地法人を展開。
【設立】1953.12 【資本金】450百万円
【社長】川畑淳一(1957.3生 東大工卒)
【株主】〔24.3〕日精ホールディングス100%
【事業】機械式駐車設備37、商品事業50、凍結乾燥機事業13 <輸出2>
【従業員】単323名(44.7歳)

【業績】	売上高	営業利益	経常利益	純利益
単22.3	28,312	‥	1,146	803
単23.3	30,716	‥	1,197	935
単24.3	30,292	‥	2,456	2,059

日精エー・エス・ビー機械（にっせい・きかい）

東証プライム

採用内定数	倍率	3年後離職率	平均年収
3名	3.3倍	25%	㊕739万円

●待遇、制度●
【初任給】月23.5万
【残業】19時間【有休】10.3日【制度】住
●新卒定着状況●
20年入社(男2、女2)→3年後在籍(男1、女2)
●採用情報●
【人数】23年:6 24年:3 25年:応募10→内定3*
【内定内訳】(男3、女0)(文0、理3)(総3、他0)
【試験】〔Web自宅〕有〔性格〕有
【時期】エントリー24.9→内々定24.11*(一次・二次以降もWEB面接可)【インターン】有
【採用実績校】信州大1、金沢工大1、諏訪東理大1

【求める人材】ものづくりが好きで、世界初の技術に挑戦し、グローバルに活躍したい人

【本社】384-8585 長野県小諸市甲4586-3 ☎0267-23-1560
【特色・近況】PETなどプラスチック容器を製造するストレッチブロー成形機で世界首位級。成形機の専用金型も扱う。国内とインドに生産拠点。海外売上比率は約9割。国内は高機能品と新製品開発に集中。生分解性プラスチック100%の飲料用ボトル開発は国内初。
【設立】1978.11 【資本金】3,860百万円
【社長】藤原誠(1966.2生 京大工卒)
【株主】〔24.3〕エー・エス・ビーインコーポレーテッド㈱42.5%
【連結事業】ストレッチブロー成形機51、金型30、付属機器6、部品他13 <海外89>
【従業員】連1,977名 単210名(42.5歳)

【業績】	売上高	営業利益	経常利益	純利益
連21.9	*35,890	8,735	9,576	6,680
連22.9	30,277	5,556	8,927	6,130
連23.9	34,798	7,166	6,953	5,085

日東工器（にっとうこうき）

東証プライム

採用内定数	倍率	3年後離職率	平均年収
7名	9.4倍	25%	677万円

●待遇、制度●
【初任給】月24.8万(諸手当2.2万円)
【残業】13.5時間【有休】11.2日【制度】住 在
●新卒定着状況●
20年入社(男10、女6)→3年後在籍(男7、女5)
●採用情報●
【人数】23年:10 24年:28 25年:応募66→内定7*
【内定内訳】(男5、女2)(文4、理3)(総7、他0)
【試験】〔Web会場〕SPI3〔Web自宅〕SPI3〔性格〕有
【時期】エントリー25.随時→内々定25.3(一次はWEB面接可)【インターン】有
【採用実績校】亜大1、大阪経大1、湘南工大1、玉川大1、千葉工大1、東京電機大1、東洋英和女学大1
【求める人材】誠実で前向きに物事に取り組める人、グローバルに活躍したい人、協調性のある人

【本社】146-8555 東京都大田区仲池上2-9-4 ☎03-3755-1111
【特色・近況】配管同士を接続する迅速流体継ぎ手(カプラ)の最大手。機械工具やリニア駆動ポンプも。カプラは半導体、自動車関連などに供給。機械工具は鋼材穴あけ加工機が主力。ポンプは健康・医療機器向け中心。タイに製造子会社を保有し、海外販売を強化中。
【設立】1956.10 【資本金】1,850百万円
【社長】小形明誠(1954.8生 慶大経済卒)
【株主】〔24.3〕㈱日器33.3%
【連結事業】迅速流体継手44、機械工具33、リニア駆動ポンプ15、建築機器8 <海外34>
【従業員】連1,075名 単489名(43.3歳)

【業績】	売上高	営業利益	経常利益	純利益
連22.3	25,281	3,355	3,514	1,927
連23.3	28,091	3,665	3,818	2,625
連24.3	27,072	2,958	3,100	2,050

日本トムソン（にっぽん）　東証プライム

採用内定数	倍率	3年後離職率	平均年収
18名	12.1倍	0%	684万円

●待遇、制度●
【初任給】月24.2万
【残業】8.5時間【有休】14日【制度】住
●新卒定着状況●
20年入社(男11、女3)→3年後在籍(男11、女3)
●採用情報●
【人数】23年:31 24年:39 25年:応募218→内定18*
【内定内訳】(男12、女6)(文12、理6)(総18、他0)
【試験】〔Web自宅〕WEB-GAB〔性格〕有
【時期】エントリー24.12→内々定25.3(一次・二次以降もWEB面接可)【インターン】有
【採用実績校】武蔵大3、明大2、同女大2、東洋大1、昭和女大1、中部大1、南山大1、関大1、和歌山大1、龍谷大1
【求める人材】前向き・誠実に取り組み、協働し、最後までやり遂げる実行力のある人

【本社】108-8586 東京都港区高輪2-19-19 ☎03-3448-5811
【特色・近況】ニードルベアリングや直動案内機器などの有力メーカー。ニードルベアリングは4輪車、2輪車、建設機械向けが中心で多品種少量が特徴。直動案内機器は半導体製造装置など超精密分野に強い。「IKO」ブランドで製品を展開。海外売上比率は約5割。
【設立】1950.2　【資本金】9,533百万円
【社長】宮地茂樹(1956.4生)
【株主】〔24.3〕日本マスタートラスト信託銀行信託口12.1%
【連結事業】軸受等88、機械部品12 <海外51>
【従業員】連2,455名 単‥名(39.8歳)

【業績】	売上高	営業利益	経常利益	純利益
連22.3	62,284	5,898	7,488	4,134
連23.3	68,260	9,459	10,479	7,469
連24.3	55,048	3,164	4,525	2,674

日本ドライケミカル（にっぽん）　東証スタンダード

採用内定数	倍率	3年後離職率	平均年収
10名	8倍	4.2%	650万円

●待遇、制度●
【初任給】月22万
【残業】15.3時間【有休】13.1日【制度】フ 住 在
●新卒定着状況●
20年入社(男22、女2)→3年後在籍(男22、女1)
●採用情報●
【人数】23年:25 24年:23 25年:応募80→内定10*
【内定内訳】(男8、女2)(文5、理5)(総10、他0)
【試験】〔Web会場〕C-GAB
【時期】エントリー24.11→内々定25.2(一次はWEB面接可)【インターン】有
【採用実績校】東理大、関大、茨城大、名城大、千葉工大、日大、東海大、国士舘大、日工大、追手門学大
【求める人材】能動的・積極的でコミュニケーション能力に長け、責任感と粘り強さを持つ人

【本社】114-0014 東京都北区田端6-1-1 田端ASUKAタワー ☎03-5815-5050
【特色・近況】防災設備・機器の製造・販売・工事が主力。消火技術に強み。火力発電や石油化学などのプラント、船舶向けも手がけ、メンテナンスが安定収益源。消火器や消防車両も自社製造。需要が拡大するデータセンター向けの防災システムに注力する。
【設立】1955.4　【資本金】700百万円
【社長】亀井正文(1957.10生 早大社会科卒)
【株主】〔24.3〕ALSOK15.3%
【連結事業】防災設備63、メンテナンス16、商品21 <海外14>
【従業員】連1,150名 単781名(40.9歳)

【業績】	売上高	営業利益	経常利益	純利益
連22.3	44,793	2,827	2,777	1,890
連23.3	50,224	3,858	3,950	2,539
連24.3	55,878	4,775	5,180	3,287

二宮産業（にのみやさんぎょう）　株式公開いずれしたい

採用内定数	倍率	3年後離職率	平均年収
1名	7倍	0%	総796万円

●待遇、制度●
【初任給】月23万(諸手当1万円)
【残業】18.9時間【有休】15.3日【制度】住
●新卒定着状況●
20年入社(男3、女0)→3年後在籍(男3、女0)
●採用情報●
【人数】23年:1 24年:1 25年:応募7→内定1*
【内定内訳】(男0、女1)(文1、理0)(総0、他1)
【試験】なし
【時期】エントリー25.3→内々定25.5*(一次はWEB面接可)【インターン】有
【採用実績校】中央学大1
【求める人材】コミュニケーション能力に優れ、行動力があり、どんな業務でも責任感を持って取り組む人

【本社】263-0005 千葉県千葉市稲毛区長沼町334-2 ☎043-259-6311
【特色・近況】建設機械運転室と機械式立体駐車装置の大手。建機運転室の設計・製作では世界トップ級。立体駐車場は全国に6万8000台超の納入実績。豪フィリップ・スクリーン社のスクリーニング用バケットを輸入・販売・保守。中国・インドに生産合弁。
【設立】1948.2　【資本金】250百万円
【社長】大串隆(1970.3生 早大商卒)
【株主】〔24.3〕ナタミ34.7%
【事業】立体駐車装置10、建設機械用構造品88、他2
【従業員】単293名(45.0歳)

【業績】	売上高	営業利益	経常利益	純利益
単22.3	12,349	1,270	1,349	835
単23.3	13,775	1,140	1,204	817
単24.3	14,014	1,212	1,274	809

日本(にほん)エアーテック　東証スタンダード

採用内定数	倍率	3年後離職率	平均年収
6名	8倍	66.7%	639万円

●待遇、制度●
【初任給】月21.5万
【残業】26.4時間【有休】12.7日【制度】在
●新卒定着状況●
20年入社(男2、女1)→3年後在籍(男1、女0)
●採用情報●
【人数】23年:7 24年:10 25年:応募48→内定6*
【内定内訳】(男6、女0)(文1、理5)(総6、他0)
【試験】〔性格〕有
【時期】エントリー24.6→内々定25.2(一次はWEB面接可)【インターン】有
【採用実績校】日大2、日工大2、近大1、追手門学大1
【求める人材】行動力・積極性・チームワークを大切にできる人

【本社】110-8686 東京都台東区入谷1-14-9 ☎03-3872-6611
【特色・近況】クリーンルームと関連装置の専業メーカー。電子分野では微細な粒子を、バイオ分野では菌・ウイルスを制御するクリーンエアシステムに関連する機器を製造。高付加価値品だけでなく、安価・軽量化を図った製品も開発。北関東のほか中国・蘇州で製造。
【設立】1973.3　【資本金】2,133百万円
【社長】平沢真也(1972.3生 早大理工卒)
【株主】〔24.6〕エアーテックアシスト㈱17.9%
【事業】クリーンルーム11、同機器29、クリーンブース18、同ベンチ1、バイオロジカリー機器16、据付・保守サービス20、他5
【従業員】単448名(43.6歳)

【業績】	売上高	営業利益	経常利益	純利益
単21.12	14,289	1,991	2,195	1,584
単22.12	13,172	1,105	1,396	1,017
単23.12	13,646	707	1,010	731

日本(にほん)ギア工業(こうぎょう)　東証スタンダード

採用予定数	倍率	3年後離職率	平均年収
3名	‥	‥	704万円

●待遇、制度●
【初任給】月23万
【残業】25.8時間【有休】13.6日【制度】在
●新卒定着状況●
‥
●採用情報●
【人数】23年:3 24年:5 25年:予定3*
【内定内訳】(男‥、女‥)(文‥、理‥)(総‥、他‥)
【試験】〔Web自宅〕SPI3
【時期】エントリー25.3→内々定25.6*(一次・二次以降もWEB面接可)【インターン】有
【採用実績校】‥
【求める人材】自ら考え、行動できる人

【本社】105-0003 東京都港区西新橋1-7-14 京阪神虎ノ門ビル ☎03-6363-3170
【特色・近況】バルブアクチュエーターが主力製品でジャッキや増減速機なども手がける歯車製品のメーカー。米国メーカーとの技術提携により製品多様化。高精度歯車に強みを持ち、発電所、上下水道浄化設備、船舶で利用される。継続的保守で製品寿命が長い点に定評。
【設立】1938.12　【資本金】1,388百万円
【社長】寺田治夫(1955.12生)
【株主】〔24.3〕成和39.4%
【事業】歯車及び歯車装置74、工事26
【従業員】単290名(42.4歳)

【業績】	売上高	営業利益	経常利益	純利益
単22.3	7,568	118	123	295
単23.3	7,520	964	999	685
単24.3	9,622	2,128	2,151	1,539

日本金銭機械(にほんきんせんきかい)　東証プライム

採用内定数	倍率	3年後離職率	平均年収
4名	7.5倍	―	㊕705万円

●待遇、制度●
【初任給】月22.5万
【残業】15時間【有休】12.7日【制度】フ 住 在
●新卒定着状況●
20年入社(男0、女0)→3年後在籍(男0、女0)
●採用情報●
【人数】23年:3 24年:2 25年:応募30→内定4
【内定内訳】(男4、女0)(文0、理4)(総0、他4)
【試験】〔Web自宅〕SPI3〔性格〕有
【時期】エントリー25.1→内々定25.7*(一次・二次以降もWEB面接可)【インターン】有
【採用実績校】大阪工大1、大阪産大1、岩手大1、豊橋技科大1
【求める人材】向上心が高く、新しいことに挑戦する意欲が旺盛で、モノづくりが好きな人

【本社】556-0011 大阪府大阪市浪速区難波中2-11-18 ☎06-6643-8400
【特色・近況】紙幣識別機や硬貨計数機などの貨幣処理機の大手。欧米市場が主力で米国カジノ向けでは高シェア。金融機関の窓口などで、真偽鑑別に使用される紙幣鑑別機の開発成功から発展。パチンコ・パチスロ店向けのメダル自動補給システムなど遊技場向け機器も生産。
【設立】1955.1　【資本金】2,220百万円
【社長】上東洋次郎(1959.6生 関西外大短大部卒)
【株主】〔24.3〕上東興産15.7%
【連結事業】グローバルゲーミング55、海外コマーシャル19、国内コマーシャル8、遊技場向機器18 <海外73>
【従業員】連573名 単266名(42.7歳)

【業績】	売上高	営業利益	経常利益	純利益
連22.3	20,040	568	1,384	605
連23.3	25,258	622	1,267	3,146
連24.3	31,610	2,839	3,568	3,281

採用内定数	倍率	3年後離職率	平均年収
3名	8.7倍	0%	㊗615万円

日本スピンドル製造（にほんスピンドルせいぞう） 株式公開していない

●待遇、制度●
【初任給】月22.5万
【残業】15.2時間【有休】11.2日【制度】フ 住 在

●新卒定着状況●
20年入社(男5、女2)→3年後在籍(男5、女2)

●採用情報●
【人数】23年:6 24年:4 25年:応募26→内定3*
【内定内訳】(男2、女1)(文1、理2)(総3、他0)
【試験】〔Web自宅〕SPI3〔性格〕有
【時期】エントリー25.3→内々定25.6(一次・二次以降もWEB面接可)【インターン】有
【採用実績校】関大1、岡山理大1、山口東理大1

【求める人材】学校で基礎をしっかり習得しており、入社後も学習意欲のある人

【本社】661-8510 兵庫県尼崎市潮江4-2-30
☎06-6499-5551
【特色・近況】スピニングマシン、混練機、集塵機、クリーンルーム、精密空調ユニット、冷却塔などを製造。東京に支社、愛知・名古屋に支店。海外は中国、マレーシア、ドイツに拠点。1918年紡績機械部品スピンドルの製造で創業。住友重機械工業の子会社。
【設立】1949.4 【資本金】3,275百万円
【社長】近藤茂雄
【株主】〔24.3〕住友重機械工業100%
【事業】産業機械、環境、空調冷熱
【従業員】単340名(‥歳)

【業績】	売上高	営業利益	経常利益	純利益
単22.3	6,942	▲320	97	9
単22.12変	5,784	▲356	2	▲3,149
単23.12	10,738	185	545	490

採用内定数	倍率	3年後離職率	平均年収
1名	2倍	−	645万円

ニューロング 株式公開計画なし

●待遇、制度●
【初任給】月25.5万(固定残業代20時間分)
【残業】20時間【有休】10.4日【制度】住

●新卒定着状況●
20年入社(男0、女0)→3年後在籍(男0、女0)

●採用情報●
【人数】23年:1 24年:1 25年:応募2→内定1*
【内定内訳】(男1、女0)(文1、理0)(総1、他0)
【試験】〔性格〕有
【時期】エントリー25.2→内々定25.6*(一次はWEB面接可)【インターン】有
【採用実績校】関大1

【求める人材】機械をいじることが好きで、ものづくりに興味のある人

【本社】110-0015 東京都台東区東上野6-4-14
☎03-3843-7311
【特色・近況】印刷・加工技術関連はじめ、製袋・包装・シーラー・結束機械の製造販売メーカー。加工関連の銅箔製造装置、製袋機械、自動包装機など堅調。千葉、秋田で子会社工場。米国、オランダ、中国、台湾、東南アジア各国に拠点をもつ。
【設立】1955.5 【資本金】300百万円
【社長】巻秀樹(1961.2生 旭川農北海道高卒)
【株主】〔23.10〕エヌエルコーポレーション17.8%
【事業】ミシン・製袋機類販売100 <輸出37>
【従業員】単164名(48.4歳)

【業績】	売上高	営業利益	経常利益	純利益
単21.6	13,777	910	1,053	587
単22.6	13,719	794	1,053	722
単23.6	16,624	1,109	1,291	868

採用予定数	倍率	3年後離職率	平均年収
3名	−	0%	㊗618万円

ニューロング精密工業（ニューロングせいみつこうぎょう） 株式公開計画なし

●待遇、制度●
【初任給】月21.5万(諸手当0.7万円)
【残業】7.6時間【有休】15.4日【制度】‥

●新卒定着状況●
20年入社(男2、女0)→3年後在籍(男2、女0)

●採用情報●
【人数】23年:3 24年:2 25年:応募0→内定0*
【内定内訳】(男‥、女‥)(文‥、理‥)(総‥、他‥)
【試験】なし
【時期】エントリー25.3→内々定25.6【インターン】有
【採用実績校】‥

【求める人材】タフな人

【本社】141-0022 東京都品川区東五反田3-21-5
☎03-3473-1155
【特色・近況】スクリーン印刷機メーカー。治具、搬送システム、検査・乾燥装置など、低コストで高機能なスクリーン印刷関連の総合システムを提案。新潟・南魚沼市に工場。スクリーン印刷機の市場拡大に注力。1948年東京・蒲田で創業。
【設立】1950.11 【資本金】40百万円
【社長】板垣昌幸(1964.3生 東工大工卒)
【株主】〔23.9〕板垣千香子29.3%
【事業】スクリーン印刷機90、部品10 <輸出10>
【従業員】単122名(45.9歳)

【業績】	売上高	営業利益	経常利益	純利益
単21.9	2,973	35	60	‥
単22.9	3,330	111	138	‥
単23.9	4,251	300	328	‥

#年収高く倍率低い #年収が高い

野村(のむら)マイクロ・サイエンス　東証プライム

採用内定数	倍率	3年後離職率	平均年収
19名	5.8倍	0%	927万円

●待遇、制度●
【初任給】月27.5万
【残業】25.8時間【有休】12.4日【制度】フ 住 在
●新卒定着状況●
20年入社(男7、女3)→3年後在籍(男7、女3)
●採用情報●
【人数】23年:17 24年:17 25年:応募110→内定19*
【内定内訳】(男14、女5)(文4、理15)(総19、他0)
【試験】〔筆記〕常識〔Web自宅〕有〔性格〕有
【時期】エントリー24.12→内々定25.3(一次はWEB面接可)【インターン】有
【採用実績校】中大2、法政大2、日大2、九大1、埼玉大1、群馬大1、山形大1、弘前大1、愛媛大1、東邦大1、北里大1、東京電機大1、他
【求める人材】率先して業務に取り組み、意見に責任を持ち、仲間と協力して目標を目指せる人

【本社】243-0021 神奈川県厚木市岡田2-9-10 ☎046-228-3946
【特色・近況】超純水装置のエンジニアリング会社。北興化学工業から分岐。韓国サムスングループと関係が深く、半導体関連納入実績が豊富。微粒子やイオンの分析技術に定評。医療関係企業へ注射用水製造装置の営業強化。韓国、中国、台湾、米国に子会社。
【設立】1969.4【資本金】2,236百万円
【社長】内田誠(1958.2生)
【株主】〔24.3〕北興化学工業10.8%
【連結事業】水処理装置97、他3 <海外82>
【従業員】連575名 単406名(42.3歳)

【業績】	売上高	営業利益	経常利益	純利益
連22.3	31,901	4,433	4,581	3,291
連23.3	49,595	6,550	6,416	5,806
連24.3	73,021	10,647	10,819	7,978

㈱ハーモニック・ドライブ・システムズ　東証スタンダード

採用内定数	倍率	3年後離職率	平均年収
7名	5.6倍	0%	㊓760万円

●待遇、制度●
【初任給】月24.1万(諸手当1.3万円)
【残業】14時間【有休】16日【制度】フ 住 在
●新卒定着状況●
20年入社(男5、女1)→3年後在籍(男5、女1)
●採用情報●
【人数】23年:12 24年:13 25年:応募39→内定7*
【内定内訳】(男6、女1)(文2、理4)(総7、他0)
【試験】〔Web自宅〕有
【時期】エントリー24.12→内々定25.2(一次はWEB面接可)【インターン】有
【採用実績校】信州大1、日大1、日工大1、大東文化大1、獨協大1、千葉工大1、長野県南信工科短大1
【求める人材】何事にも強い好奇心を持ち、自らが変わり、変化を起こしていくことができる人

【本社】140-0013 東京都品川区南大井6-25-3 いちご大森ビル ☎03-5471-7800
【特色・近況】産業ロボットや半導体・液晶製造装置向けの精密制御減速機が主力。波動歯車を用いた小型軽量の減速機に特徴。受注生産方式で生産単位は小ロットが大半。減速機に各種駆動装置を組み合わせたメカトロ製品を収益柱に育成中。
【設立】1970.10【資本金】7,100百万円
【社長】丸山顕(1962.1生 電機大工卒)
【株主】〔24.3〕㈱KODENホールディングス34.7%
【連結事業】減速装置71、メカトロニクス製品29 <海外63>
【従業員】連1,378名 単542名(42.2歳)

【業績】	売上高	営業利益	経常利益	純利益
連22.3	57,087	8,739	9,108	6,643
連23.3	71,527	10,224	10,757	7,595
連24.3	55,796	124	570	▲24,806

㈱日阪製作所(ひさかせいさくしょ)　東証プライム

採用内定数	倍率	3年後離職率	平均年収
13名	8.8倍	0%	654万円

●待遇、制度●
【初任給】月24万
【残業】16.9時間【有休】14.8日【制度】住 在
●新卒定着状況●
20年入社(男12、女2)→3年後在籍(男12、女2)
●採用情報●
【人数】23年:23 24年:16 25年:応募114→内定13*
【内定内訳】(男11、女2)(文1、理12)(総13、他0)
【試験】〔Web自宅〕有
【時期】エントリー25.3→内々定25.3(一次・二次以降もWEB面接可)【インターン】有
【採用実績校】近大院1、近大2、大阪産大1、大阪電通大1、鹿児島大1、関大1、福井大1、金沢工大1、四国職能大学校1、神奈川大1、他
【求める人材】多様な価値観を認め人間関係を構築し、自ら考え行動できる人、熱意を持ち諦めない人

【本社】530-0057 大阪府大阪市北区曽根崎2-12-7 清和梅田ビル ☎06-6363-0006
【特色・近況】熱交換器、医薬・食品装置の大手。プレート式熱交換器で国内トップシェア、ライバルはスウェーデンのアルファ・ラバル。舶用、LNG、石油化学など大型プラント向けの一方、レトルト食品殺菌装置、輸液滅菌装置、液流染色機の生活産業機器も柱。
【設立】1942.5【資本金】4,150百万円
【社長】宇佐美俊哉(1959.11生 佐賀大理工卒)
【株主】〔24.3〕日本マスタートラスト信託銀行信託口7.6%
【連結事業】熱交換器44、プロセスエンジニアリング41、バルブ14、他0 <海外22>
【従業員】連1,011名 単692名(40.4歳)

【業績】	売上高	営業利益	経常利益	純利益
連22.3	30,085	1,819	2,270	2,058
連23.3	34,074	1,912	2,392	2,040
連24.3	34,180	2,457	2,896	2,420

メーカー(電機・自動車・機械)

採用内定数	倍率	3年後離職率	平均年収
16名	2.8倍	9.1%	㊔699万円

㈱日立建機ティエラ（ひたちけんき）
株式公開計画なし

●待遇、制度●
【初任給】月25.3万（諸手当0.3万円）
【残業】23.8時間【有休】15.6日【制度】フ 住 在
●新卒定着状況●
20年入社（男21、女1）→3年後在籍（男19、女1）
●採用情報● 25年は製造職除く
【人数】23年:49 24年:27 25年:応募45→内定16*
【内定内訳】（男11、女5）（文2、理12）（総16、他0）
【試験】〔Web自宅〕SPI3
【時期】エントリー25.3→内々定25.6(一次はWEB面接可)【インターン】有
【採用実績校】摂南大2、同大1、金沢工大1、滋賀大2、福井大2、岡山県大1、大阪工大1、龍谷大1、京都光華女大1、立命館大1、他
【求める人材】コミュニケーション力があり、自発的に行動できる人、明るく向上心・主体性がある人

【本社】528-0061 滋賀県甲賀市水口町笹が丘1-2 ☎0748-62-6431
【特色・近況】ミニショベルを中心に小型油圧ショベルの開発・製造・販売支援を手がける。コンパクトホイールローダ事業も展開。欧州、北米、中国など海外市場に注力。甲賀市(滋賀)と大東市(大阪)に工場。日立建機の完全子会社。
【設立】1949.3 【資本金】1,440百万円
【社長】一村和弘(1967.5生 徳山工高専機械電気卒)
【株主】〔24.3〕日立建機100%
【事業】建設機械100 <輸出81>
【従業員】単632名(36.3歳)

【業績】	売上高	営業利益	経常利益	純利益
単22.3	108,751	9,423	9,439	6,767
単23.3	124,402	16,141	16,045	11,080
単24.3	173,434	31,291	31,016	22,083

採用内定数	倍率	3年後離職率	平均年収
1名	1倍	0%	‥

㈱ヒューズ・テクノネット
株式公開未定

●待遇、制度●
【初任給】月24.5万（諸手当2.5万円、固定残業代10時間分）
【残業】20時間【有休】16日【制度】‥
●新卒定着状況●
20年入社（男1、女0）→3年後在籍（男1、女0）
●採用情報●
【人数】23年:1 24年:1 25年:応募1→内定1*
【内定内訳】（男1、女0）（文0、理1）（総1、他0）
【試験】なし
【時期】エントリー25.4→内々定25.10*
【採用実績校】長岡技科大1
【求める人材】コミュニケーション力があり、まじめな人

【本社】192-0045 東京都八王子市大和田町5-24-14 ☎042-660-1907
【特色・近況】半導体、FPD、太陽電池など産業用流体制御システムの設計・製造会社。半導体・FPD製造用のガス供給システムが主力製品。MEMS、ナノ・テクノロジー関連の実験装置も手がける。東京・八王子市と兵庫・伊丹市に工場。
【設立】1996.3 【資本金】99百万円
【代表取締役】津田欣範(1958.1生 近大農卒)
【株主】〔24.2〕津田欣範46.6%
【事業】FPD20、半導体15、太陽電池30、燃料電池5、他30 <輸出1>
【従業員】単85名(44.5歳)

【業績】	売上高	営業利益	経常利益	純利益
単22.2	2,517	26	33	23
単23.2	3,080	181	187	118
単24.2	3,637	291	287	202

採用内定数	倍率	3年後離職率	平均年収
3名	7倍	33.3%	㊔541万円

㈱ヒ ラ カ ワ
株式公開計画なし

●待遇、制度●
【初任給】年308.7万
【残業】12時間【有休】11.6日【制度】住
●新卒定着状況●
20年入社（男2、女1）→3年後在籍（男1、女1）
●採用情報●
【人数】23年:7 24年:4 25年:応募21→内定3*
【内定内訳】（男3、女0）（文2、理0）（総2、他1）
【試験】なし
【時期】エントリー25.3→内々定25.4*(一次はWEB面接可)
【採用実績校】大阪経大1、大阪産大1、JAPANサッカーカレッジ専1
【求める人材】主体性と向上心を持った、チャレンジ精神のある人

【本社】531-0077 大阪府大阪市北区大淀北1-9-5 ☎06-6458-8687
【特色・近況】過熱蒸気・潜熱回収ボイラーなどを製造・販売するボイラー専業メーカー。研究開発、設計、製造、設置工事から品質管理まで自社一貫体制。東京・丸の内の地域冷暖房など実績。日本全国に支店、営業所などを展開、宮崎に工場を有する。1912年創業。
【設立】1947.1 【資本金】90百万円
【社長】平川亮一(1986.5生 慶大卒)
【株主】〔24.3〕平川晋一84.1%
【事業】蒸気ボイラー14、温水ヒーター17、メンテナンス67、他2 <輸出1>
【従業員】単310名(43.3歳)

【業績】	売上高	営業利益	経常利益	純利益
単22.3	6,589	209	226	146
単23.3	6,767	128	167	70
単24.3	7,681	509	560	373

平田機工（ひらたきこう）

東証プライム

採用内定数	倍率	3年後離職率	平均年収
25名	‥	4%	[総]690万円

●待遇、制度●
【初任給】月22.4万
【残業】22.4時間【有休】9.6日【制度】[住][在]
●新卒定着状況●
20年入社(男21、女4)→3年後在籍(男21、女3)
●採用情報● 25年は高卒除く
【人数】23年:45 24年:78 25年:応募‥→内定25*
【内定内訳】(男19、女6)(文6、理10)(総25、他0)
【試験】試験あり
【時期】エントリー25.3→内々定25.6(一次・二次以降もWEB面接可)【インターン】有
【採用実績校】熊本高専2、崇城大3、九大1、九州工大1、福岡工大2、鹿児島高専1、長崎大1、九州職能大学校1、小山高専1、舞鶴高専1、他
【求める人材】情熱を持ち、チャレンジすることを楽しめる人

【本社】861-0198 熊本県熊本市北区植木町一木111 ☎096-272-5558
【特色・近況】生産設備エンジニアリング会社。自動車関連と半導体・液晶パネル向けが柱。自動車関連はエンジン、トランスミッションなどの自動車部品自動組立ライン、半導体関連はシリコンウエハ搬送設備が主体。新規事業として取り組んでいた植物遺伝資源研究が事業化。
【設立】1951.12 【資本金】2,633百万円
【代表取締役】平田雄一郎(1961.8生 東海大工卒)
【株主】〔24.3〕日本マスタートラスト信託銀行信託口8.7%
【連結事業】自動車関連45、半導体関連33、他自動省力機器19、他3 <海外53>
【従業員】連2,065名 単1,235名(40.8歳)

【業績】	売上高	営業利益	経常利益	純利益
連22.3	67,087	3,856	4,258	2,682
連23.3	78,443	5,920	5,802	4,269
連24.3	82,839	6,047	6,259	4,344

㈱福井製作所（ふくいせいさくしょ）

株式公開計画なし

採用内定数	倍率	3年後離職率	平均年収
1名	150倍	50%	520万円

●待遇、制度●
【初任給】月22.3万
【残業】18時間【有休】15日【制度】‥
●新卒定着状況●
20年入社(男4、女0)→3年後在籍(男2、女0)
●採用情報●
【人数】23年:6 24年:3 25年:応募150→内定1*
【内定内訳】(男1、女0)(文1、理0)(総1、他0)
【試験】〔Web自宅〕SPI3
【時期】エントリー25.3→内々定25.12*(一次・二次以降もWEB面接可)【インターン】有
【採用実績校】近大1
【求める人材】自ら考え計画し率先して行動出来る人、何事にも前向きにチャレンジ出来る人

【本社】573-1132 大阪府枚方市招提田近1-6 ☎072-857-4521
【特色・近況】ガスタンクや発電ボイラー設備、化学プラントなどエネルギーインフラ向けの安全弁専門メーカー。LNG運搬船市場では世界シェア90%を占める。アンモニア・水素燃料、メタネーションなどで脱炭素社会のエネルギーインフラ構築に取り組む。
【設立】1948.12 【資本金】100百万円
【代表取締役】福井洋(1972.8生 京産大法卒)
【株主】〔24.3〕大阪中小企業投資育成35.0%
【事業】安全弁の製造・販売 <海外80>
【従業員】単176名(40.8歳)

【業績】	売上高	営業利益	経常利益	純利益
単22.3	7,226	1,043	1,136	514
単23.3	9,049	1,749	1,840	1,168
単24.3	9,469	2,073	2,173	1,453

㈱フジキカイ

株式公開計画なし

採用内定数	倍率	3年後離職率	平均年収
30名	6.5倍	15.4%	[総]669万円

●待遇、制度●
【初任給】月24万
【残業】22時間【有休】8.7日【制度】[住][在]
●新卒定着状況●
20年入社(男35、女4)→3年後在籍(男30、女3)
●採用情報●
【人数】23年:30 24年:30 25年:応募194→内定30
【内定内訳】(男29、女1)(文6、理24)(総30、他0)
【試験】〔Web自宅〕WEB-GAB
【時期】エントリー25.3→内々定25.4(一次・二次以降もWEB面接可)【インターン】有
【採用実績校】愛知工業大8、大同大5、中部大4、同大1、東海学園大2、金沢工大1、豊田工大1、日工大1、琉球大1、近大1、他
【求める人材】自発的に考え、行動できる人、ものづくりを通して社会、世界に貢献したい人

【本社】453-0013 愛知県名古屋市中村区亀島2-14-10 ☎0568-20-9300
【特色・近況】自動包装機の老舗メーカー。主力は横形ピロー包装機。製品の企画開発からラインシステム全般の高度なコンサルまでの一貫体制。愛知県・北名古屋市、岐阜県・美濃市に工場。アジア、北米、欧州、アフリカなどに拠点設置し、グローバル展開。
【設立】1948.6 【資本金】94百万円
【社長】生田涌希(1978.1生 多摩大卒)
【株主】〔24.3〕(有)アイテイワイ31.5%
【事業】包装機械100 <輸出23>
【従業員】単772名(40.1歳)

【業績】	売上高	営業利益	経常利益	純利益
単21.3	27,156	2,991	3,710	2,836
単22.3	29,129	1,742	2,564	1,821
単23.3	27,092	1,469	2,308	1,146

不二精機（ふじせいき）
東証スタンダード

採用内定数	倍率	3年後離職率	平均年収
1名	8倍	25%	469万円

●待遇、制度●
【初任給】月23万
【残業】27時間【有休】10.3日【制度】住
●新卒定着状況●
20年入社(男6、女2)→3年後在籍(男4、女2)
●採用情報●
【人数】23年:3 24年:1 25年:応募8→内定1*
【内定内訳】(男0、女1)(文0、理1)(総1、他0)
【試験】〔筆記〕有〔Web会場〕有〔Web自宅〕有〔性格〕有
【時期】エントリー24.10→内々定24.12(一次・二次以降もWEB面接可)【インターン】有
【採用実績校】愛媛大1
【求める人材】ものづくりへの関心やチャレンジ精神が強く、日本の将来を担う可能性のある人、仕事もプライベートも楽しめる人、グローバルな舞台で活躍したい人

【本社】541-0048 大阪府大阪市中央区瓦町4-8-4 井門瓦町第2ビル ☎06-7166-6820
【特色・近況】金型、成形品の中堅メーカー。精密金型から成形システム、成形品受託加工へと発展。2輪・4輪車部品から光学部品まで広範囲。精密金型は人工透析や点滴など医療機器用や食品容器用に用途拡大。中国や東南アジアに製販拠点。EV部品開発が本格化。
【設立】1965.7 【資本金】500百万円
【社長】伊井剛(1962.5生)
【株主】〔24.6〕一般社団法人千尋会10.0%
【連結事業】射出成形用精密金型・成形システム36、精密成形品他64 <海外75>
【従業員】連765名 単110名(40.7歳)

【業績】	売上高	営業利益	経常利益	純利益
連21.12	7,467	605	615	505
連22.12	7,832	482	502	338
連23.12	8,263	424	397	232

不二精機（ふじせいき）
株式公開計画なし

採用内定数	倍率	3年後離職率	平均年収
12名	7.1倍	23.1%	総638万円

●待遇、制度●
【初任給】月23.3万
【残業】9.5時間【有休】14.6日【制度】住
●新卒定着状況●
20年入社(男10、女3)→3年後在籍(男7、女3)
●採用情報●
【人数】23年:14 24年:18 25年:応募85→内定12*
【内定内訳】(男5、女7)(文7、理3)(総5、他7)
【試験】〔筆記〕常識、GAB〔Web自宅〕SPI3
【時期】エントリー25.3→内々定25.5*(一次はWEB面接可)【インターン】有
【採用実績校】福岡大4、福岡工大2、麻生情報ビジネス専2、立命館APU1、九州職能大学校1、九産大1、筑紫女学大1
【求める人材】感・即・動(感じたら・気づいたら／すぐに／動く・行動を起こす)

【本社】812-9588 福岡県福岡市博多区西月隈3-2-35 ☎092-411-2977
【特色・近況】おにぎり、すし、弁当などのロボットメーカー。おにぎりマシンではシェア8割強。包装機や製麺機、ペットフード向け製品など幅広いラインナップを揃える。タイ、アメリカに現地法人を設置。饅頭、おはぎの自動成形機(包あん機)で創業。
【設立】1989.4 【資本金】100百万円
【社長】青木太志(1986生 明大卒)
【株主】〔24.5〕青木太志
【事業】おにぎりロボット、製麺機、寿司ロボット、弁当ロボット、他 <輸出12>
【従業員】単418名(38.4歳)

【業績】	売上高	営業利益	経常利益	純利益
単21.12	9,297	758	779	‥
単22.12	10,522	1,751	1,714	‥
単23.12	11,832	590	596	‥

富士ダイス（ふじダイス）
東証プライム

採用内定数	倍率	3年後離職率	平均年収
8名	‥	16.7%	547万円

●待遇、制度●
【初任給】月21.6万(諸手当を除いた数値)
【残業】17.3時間【有休】10.4日【制度】フ 住 在
●新卒定着状況●
20年入社(男13、女5)→3年後在籍(男12、女3)
●採用情報●
【人数】23年:21 24年:19 25年:応募‥→内定8*
【内定内訳】(男7、女1)(文3、理3)(総8、他0)
【試験】〔性格〕有
【時期】エントリー25.3→内々定25.4(一次はWEB面接可)【インターン】有
【採用実績校】法政大1、東洋大1、福井工大1、中国職能大学校1、東北職能大学校1、千葉商大1、熊本技術短大2
【求める人材】何事にも興味をもって積極的に取り組める人、地道に着実に成長しようとする人

【本社】146-0092 東京都大田区下丸子2-17-10 ☎03-3759-7183
【特色・近況】超硬合金製の耐摩耗工具、高精度金型で国内トップシェア。受注生産型で取引社数は約3000社。カスタムメイドの多品種少量生産で耐摩耗性、長寿命に強み。設計から原料調製、焼結、加工、検査までの一貫生産体制。海外はタイとインドネシアに生産拠点。
【設立】1956.4 【資本金】164百万円
【社長】春田善和(1963.11生 慶大文卒)
【株主】〔24.3〕新庄美智子9.0%
【連結事業】超硬製工具類29、超硬製金型類24、他の超硬24、他24 <海外19>
【従業員】連1,106名 単869名(43.3歳)

【業績】	売上高	営業利益	経常利益	純利益
連22.3	16,874	1,113	1,202	790
連23.3	17,179	1,150	1,225	1,292
連24.3	16,678	809	882	709

富士変速機（ふじへんそくき）

株式公開 —

採用内定数	倍率	3年後離職率	平均年収
4名	4.3倍	37.5%	㊗502万円

●待遇、制度●
【初任給】月21.2万
【残業】14時間【有休】10.4日【制度】住
●新卒定着状況●
20年入社(男6、女2)→3年後在籍(男3、女2)
●採用情報●
【人数】23年:8 24年:6 25年:応募17→内定4*
【内定内訳】(男4、女0)(文3、理1)(総4、他0)
【試験】〔筆記〕SPI3〔Web自宅〕SPI3〔性格〕有
【時期】エントリー25.3→内々定25.3(一次はWEB面接可)【インターン】有
【採用実績校】愛知学大2、名古屋学院大1、中部大1
【求める人材】思いやりの心、向上心、積極性、協調性を持つ人

【本社】500-8448 岐阜県岐阜市中洲町18 ☎058-271-6521
【特色・近況】減速機と機械式立体駐車場装置を手がける。立体駐車場装置では業界大手。自社開発のエレベーター方式・くし歯式システムは高速運転、省力化を実現。減速機は倉庫向け無人搬送車用やレントゲン車用など高付加価値特殊品に強み。
【設立】1965.1　【資本金】2,507百万円
【社長】市原英孝(1964.5生 名商科大商卒)
【株主】〔24.6〕立川ブラインド工業52.3%
【事業】減速機関連53、駐車場装置関連45、室内外装品関連2
【従業員】単225名(39.6歳)

【業績】	売上高	営業利益	経常利益	純利益
単21.12	7,188	512	537	362
単22.12	7,482	502	532	359
単23.12	7,144	517	547	394

#有休取得が多い

フリュー

東証プライム

採用内定数	倍率	3年後離職率	平均年収
13名	130.8倍	21.4%	623万円

●待遇、制度●
【初任給】月26.7万
【残業】17.8時間【有休】20.6日【制度】フ 住 在
●新卒定着状況●
20年入社(男4、女10)→3年後在籍(男4、女7)
●採用情報●
【人数】23年:17 24年:12 25年:応募1700→内定13
【内定内訳】(男6、女7)(文9、理3)(総13、他0)
【試験】〔Web自宅〕WEB-CAB
【時期】エントリー25.3→内々定25.5【インターン】有
【採用実績校】東大1、早大1、法政大1、立教大1、中大1、関西学大1、奈良工業高専1、京産大1、近大1、専大1、共立女大1、大阪芸大1、他
【求める人材】真面目で誠実、何に対しても前向きに取り組める人

【本社】150-0032 東京都渋谷区鶯谷町2-3 COMSビル ☎03-5728-1761
【特色・近況】プリントシール機の開発・販売で首位。アミューズメント施設向けに販売・レンタル行う。消耗品シール販売と、スマホ経由のプリントシール画像取得・閲覧サービスなどアプリ有料会員事業で稼ぐ。キャラクター版権利用事業も展開。
【設立】2006.10　【資本金】1,639百万円
【社長】三嶋隆(1965.10生 芝工大工卒)
【株主】〔24.3〕風流商事15.3%
【連結事業】世界観ビジネス55、ガールズトレンドビジネス37、フリューニュービジネス8
【従業員】連533名 単520名(37.5歳)

【業績】	売上高	営業利益	経常利益	純利益
連22.3	34,058	3,709	3,707	2,544
連23.3	36,400	2,134	2,179	1,443
連24.3	42,768	3,771	3,735	2,491

フルード工業（こうぎょう）

株式公開いずれしたい

採用内定数	倍率	3年後離職率	平均年収
1名	1倍	−	㊗560万円

●待遇、制度●
【初任給】月24.5万
【残業】13時間【有休】14.4日【制度】住 在
●新卒定着状況●
20年入社(男0、女0)→3年後在籍(男0、女0)
●採用情報●
【人数】23年:1 24年:1 25年:応募1→内定1*
【内定内訳】(男1、女0)(文1、理0)(総1、他0)
【試験】〔筆記〕常識〔Web会場〕SPI3〔Web自宅〕SPI3〔性格〕有
【時期】エントリー24.9→内々定25.3*(一次はWEB面接可)【ジョブ型】有
【採用実績校】中大1
【求める人材】自ら考え、主体性を持って前向きに行動し、実現できる人

【本社】112-8700 東京都文京区小日向4-6-19 共立会館ビル ☎03-3944-7111
【特色・近況】粉粒体機器メーカー。ロータリーバルブが主力製品。空気輸送装置、集塵装置、エアスライダーなども手がける。混相流体技術に強み。空気輸送装置は食品、化学、医薬、鉱工業などのニーズに対応。茨城県つくばみらい市に工場。
【設立】1970.11　【資本金】50百万円
【代表取締役】明珍裕之(1972.2生 千工大工卒)
【株主】〔24.5〕鈴木雷太83.9%
【事業】ロータリーバルブ70、空気輸送・集塵装置15、他粉体機器等15 <輸出5>
【従業員】単21名(45.1歳)

【業績】	売上高	営業利益	経常利益	純利益
単22.3	457	53	53	38
単23.3	496	102	103	41
単24.3	718	177	179	178

㈱古川製作所（ふるかわせいさくしょ）

株式公開計画なし

採用内定数	倍率	3年後離職率	平均年収
9名	3.7倍	33.3%	[総]541万円

●待遇、制度●
【初任給】月22.4万
【残業】22時間【有休】12.6日【制度】[住][在]
●新卒定着状況●
20年入社(男8、女1)→3年後在籍(男5、女1)
●採用情報●
【人数】23年:2 24年:7 25年:応募33→内定9*
【内定内訳】(男5、女4)(文8、理0)(総9、他0)
【試験】なし
【時期】エントリー25.3→内々定25.5(一次・二次以降もWEB面接可)【インターン】有
【採用実績校】福岡大1、広島修道大2、共立女大1、広島女学大1、京産大1、広島大1、福山大1、広島商船高専1
【求める人材】向上心が旺盛で行動力のある人

【本部・広島工場】729-0492 広島県三原市沼田西町小原200-65 ☎0848-86-2100
【特色・近況】国産初の真空包装機を開発した包装機械メーカー。「OLD RIVERS」ブランドで展開。2万5000社以上への納入実績。国内13カ所に営業所、広島に工場。海外50カ国超に輸出。中国、タイに現地法人。台湾、インドネシアなどの市場を開拓。
【設立】1962.3 【資本金】1,600百万円
【社長】古川雅章(1967.5生 明学大卒)
【株主】〔24.1〕ハイパック29.0%
【事業】ロータリー真空包装機20、全自動竪型袋詰真空包装機18、他62 <輸出45>
【従業員】単241名(40.0歳)

【業績】	売上高	営業利益	経常利益	純利益
単22.1	10,640	2,069	2,199	1,500
単23.1	11,565	2,937	3,054	2,103
単24.1	11,011	2,660	2,754	1,885

フロイント産業（さんぎょう）

東証スタンダード

採用内定数	倍率	3年後離職率	平均年収
5名	26倍	0%	615万円

●待遇、制度●
【初任給】月25.6万(諸手当4万円)
【残業】16.3時間【有休】10.7日【制度】[フ][住][在]
●新卒定着状況●
20年入社(男3、女1)→3年後在籍(男3、女1)
●採用情報●
【人数】23年:4 24年:3 25年:応募130→内定5
【内定内訳】(男0、女5)(文2、理3)(総5、他0)
【試験】〔Web自宅〕SPI3〔性格〕有
【時期】エントリー25.3→内々定25.6(一次・二次以降もWEB面接可)【インターン】有
【採用実績校】静岡大1、島根大1、西南学大1、長岡技科大1、大阪樟蔭女大1
【求める人材】「創造力で未来を拓く」の企業理念に共感し、グローバルな視点で夢と未来を語りあえる人

【本社】160-0023 東京都新宿区西新宿6-25-13 フロイントビル ☎03-6890-0750
【特色・近況】錠剤の造粒・コーティング装置が主力の機械メーカー。製薬会社向けでは国内トップで世界3強の一角。食品品質保持剤、医薬品添加剤、栄養補助食品などの化成品受託生産も行う。製薬機械は開発型で生産は外注。研究開発型企業として多数の特許を保有。
【設立】1964.4 【資本金】1,035百万円
【社長】伏島巖(1969.12生)
【株主】〔24.2〕㈱伏島揺光社8.9%
【連結事業】機械71、化成品29 <海外39>
【従業員】連461名 単261名(45.3歳)

【業績】	売上高	営業利益	経常利益	純利益
連22.2	17,632	981	1,032	543
連23.2	19,658	451	559	▲538
連24.2	22,903	1,270	1,285	764

#残業が少ない

㈱PEGASUS

東証プライム

採用内定数	倍率	3年後離職率	平均年収
5名	6.4倍	25%	[総]596万円

●待遇、制度●
【初任給】月24.5万(諸手当3.5万円)
【残業】1.7時間【有休】10.7日【制度】[住][在]
●新卒定着状況●
20年入社(男4、女0)→3年後在籍(男3、女0)
●採用情報●
【人数】23年:13 24年:11 25年:応募32→内定5*
【内定内訳】(男4、女1)(文3、理2)(総5、他0)
【試験】〔性格〕有
【時期】エントリー25.1→内々定25.5(一次はWEB面接可)【インターン】有
【採用実績校】関大2、龍谷大1、近大1、大阪産大1
【求める人材】様々な業務に取り組もうとするチャレンジ精神や向上心を持っている人

【本社】553-0002 大阪府大阪市福島区鷺洲5-7-2 ☎06-6451-1351
【特色・近況】工業用ミシンメーカー。ニットなど伸縮性生地の縫製に適した環縫いミシンで世界トップ級。高級ニットに強い。中国はじめアジアや欧米などに販売し、海外売上比率約9割超。中国、ベトナムでの海外生産が大半。メキシコにも工場。自動車用金型部品も手がける。
【設立】1947.1 【資本金】2,255百万円
【社長】美馬成望(1968.5生 大経大経済卒)
【株主】〔24.3〕日本カストディ銀行信託口9.1%
【連結事業】工業用ミシン55、オートモーティヴ45 <海外89>
【従業員】連1,500名 単211名(47.2歳)

【業績】	売上高	営業利益	経常利益	純利益
連22.3	20,498	1,847	1,941	1,572
連23.3	25,288	2,657	2,946	2,294
連24.3	17,542	38	512	▲72

㈱放電精密加工研究所（ほうでんせいみつかこうけんきゅうしょ）

東証スタンダード

採用内定数	倍率	3年後離職率	平均年収
10名	3.4倍	0%	571万円

●待遇、制度●
【初任給】月21.1万
【残業】29.3時間【有休】14日【制度】住 在
●新卒定着状況●
20年入社(男7、女1)→3年後在籍(男7、女1)
●採用情報●
【人数】23年:13 24年:11 25年:応募34→内定10*
【内定内訳】(男7、女3)(文3、理7)(総10、他0)
【試験】〔筆記〕常識〔性格〕有
【時期】エントリー25.3→内々定25.6(一次はWEB面接可)【インターン】有
【採用実績校】中部大2、関東学院大1、四国職能大学校1、日工大1、山口大1、東海大1、千葉工大1、東京電機大1、国士舘大1
【求める人材】「変化に前向きで取り組んでいける柔軟性」と「諦めず我武者羅になって技術を磨くことができる探究心」を持った人

【本社】222-8580 神奈川県横浜市港北区新横浜3-17-6 イノテックビル ☎045-277-0330
【特色・近況】国内最大規模の放電加工メーカー。産業用ガスタービン部品の加工や表面処理を手がける。金型は住宅用アルミや自動車排ガス浄化装置のセラミックスハニカムの押出用が中心。創業初期より手がけたアルミ押出用金型では首位。航空機エンジン部品、防衛装備品にも注力。
【設立】1961.12 【資本金】1,889百万円
【社長】村田力(1956.6生 関東学大工卒)
【株主】〔24.2〕三菱重工業34.1%
【連結事業】放電加工・表面処理60、金型30、機械装置等10 <海外17>
【従業員】連649名 単419名(40.9歳)

【業績】	売上高	営業利益	経常利益	純利益
連22.2	12,976	634	607	1,413
連23.2	11,679	▲311	▲322	▲1,288
連24.2	12,160	230	169	231

豊和工業（ほうわこうぎょう）

東証スタンダード

採用内定数	倍率	3年後離職率	平均年収
11名	13.5倍	0%	534万円

●待遇、制度●
【初任給】月21.3万
【残業】13.2時間【有休】‥日【制度】住
●新卒定着状況●
20年入社(男10、女2)→3年後在籍(男10、女2)
●採用情報●
【人数】23年:9 24年:12 25年:応募149→内定11*
【内定内訳】(男9、女2)(文4、理7)(総11、他0)
【試験】なし
【時期】エントリー25.3→内々定25.6(一次はWEB面接可)【インターン】有
【採用実績校】愛知工業大2、愛知淑徳大1、信州大1、成蹊大1、中京大2、東大1、名城大2、和歌山高専1
【求める人材】目標に向け挑戦し続けるチャレンジ精神のある人、意欲的かつ柔軟に知識を吸収できる人

【本社】452-8601 愛知県清須市須ケ口1900-1 ☎052-408-1111
【特色・近況】産業用機械の老舗。マシニングセンターなど工作機械や空油圧機器、電子機械が主力品目。自衛隊用銃器や基地周辺住宅用防音サッシなど防衛省向け製品も手がける。路面清掃車は国内シェア首位。防音サッシのJIS表示許可は国内初。
【設立】1907.2 【資本金】9,019百万円
【社長】塚本高広(1954.7生 同大商卒)
【株主】〔24.3〕日本マスタートラスト信託銀行信託口5.1%
【連結事業】工作機械関連34、火器23、特装車両9、建材16、不動産賃貸2、国内販売子会社11、他5 <海外22>
【従業員】連765名 単636名(45.1歳)

【業績】	売上高	営業利益	経常利益	純利益
連22.3	19,697	988	1,300	1,062
連23.3	19,738	452	622	524
連24.3	19,786	388	466	▲873

#初任給が高い

北越工業（ほくえつこうぎょう）

東証プライム

採用内定数	倍率	3年後離職率	平均年収
19名	3.9倍	0%	666万円

●待遇、制度●
【初任給】月30.3万(諸手当4.1万円、固定残業代20時間分)
【残業】20時間【有休】11.6日【制度】住 在
●新卒定着状況●
20年入社(男16、女0)→3年後在籍(男16、女0)
●採用情報●
【人数】23年:25 24年:28 25年:応募74→内定19*
【内定内訳】(男16、女3)(文14、理5)(総19、他0)
【試験】〔Web自宅〕SPI3
【時期】エントリー25.3→内々定25.4【インターン】有【ジョブ型】有
【採用実績校】新潟大3、秋田県大2、新潟国際情報大2、大阪経大1、開志専大1、長岡大1、福井工大1、織央大1、新潟医療福祉大1、他
【求める人材】入社後も自己成長の努力を惜しまず、チームワークを重視して行動できる人

【本社】959-0293 新潟県燕市下粟生津3074 ☎0256-93-5571
【特色・近況】建設現場用などの可搬式コンプレッサーで国内首位。高所作業車やエンジン発電機も国内シェア高く、有力製品を多数持つ。工場設備用のモーターコンプレッサーなど産業機械にも強み。脱炭素社会に向けて化石燃料を利用しない製品の開発を推進。
【設立】1938.5 【資本金】3,416百万円
【社長】佐藤豪一(1971.5生 英暁星国大国際経卒)
【株主】〔24.3〕日本マスタートラスト信託銀行信託口8.4%
【連結事業】建設機械81、産業機械19 <海外46>
【従業員】連761名 単484名(38.0歳)

【業績】	売上高	営業利益	経常利益	純利益
連22.3	36,650	3,570	4,055	2,748
連23.3	49,000	4,842	5,380	3,752
連24.3	51,900	6,187	7,323	5,098

ポバール興業（こうぎょう）

東証スタンダード

採用内定数	倍率	3年後離職率	平均年収
3名	1倍	0%	520万円

◯待遇、制度◯
【初任給】月22.6万
【残業】10時間【有休】‥日【制度】住

◯新卒定着状況◯
20年入社(男1、女0)→3年後在籍(男1、女0)

◯採用情報◯
【人数】23年:2 24年:1 25年:応募3→内定3
【内定内訳】(男2、女1)(文2、理1)(総2、他1)
【試験】〔筆記〕常識
【時期】エントリー 25.1→内々定25.3*(一次はWEB面接可)【インターン】有
【採用実績校】椙山女学大1、名城大1
【求める人材】元気で明るく積極的に行動する人

【本社】453-0858 愛知県名古屋市中村区野田町中深30 ☎052-411-1050
【特色・近況】工業用樹脂ベルト製造の草分け。カスタム品の工業用ベルトとガラス研磨用部材が2本柱。ベルトは接着や樹脂加工技術に強み。研磨用部材は鉄鋼向けやAGC向けが多い。本社と三重県いなべ市の2工場のほか、タイ、韓国、中国でも生産。
【設立】1964.11 【資本金】179百万円
【社長】松井孝敏(1965.4生)
【株主】〔24.3〕㈱KAY33.3%
【連結事業】総合接着・樹脂加工81、特殊設計機械19 <海外18>
【従業員】連196名 単110名(43.4歳)

【業績】	売上高	営業利益	経常利益	純利益
連22.3	3,475	370	380	279
連23.3	3,566	368	383	256
連24.3	3,589	317	345	185

本多機工（ほんだきこう）

株式公開計画なし

採用予定数	倍率	3年後離職率	平均年収
2名	‥	25%	‥

◯待遇、制度◯
【初任給】月20.6万(諸手当を除いた数値)
【残業】15時間【有休】12日【制度】‥

◯新卒定着状況◯
‥

◯採用情報◯
【人数】23年:2 24年:2 25年:予定2
【内定内訳】(男‥、女‥)(文‥、理‥)(総‥、他‥)
【試験】なし
【時期】エントリー 25.4→内々定‥
【採用実績校】‥
【求める人材】‥

【本社】820-0202 福岡県嘉麻市山野2055 ☎0948-42-3111
【特色・近況】産業用特殊ポンプメーカー。高粘度・高圧など特殊液対応のプロセスポンプ、各種廃水処理ポンプで豊富な実績。マイクロナノバブル発生装置にも定評。欧州、米国、アジアに提携企業を持ち、グローバルなサポート体制を構築。
【設立】1949.9 【資本金】90百万円
【社長】龍造寺健介(1960.6生 カリフォルニア美術大卒)
【株主】〔23.8〕龍造寺健介24.5%
【事業】ポンプ・部品97、工事2、加工1 <輸出40>
【従業員】単148名(42.8歳)

【業績】	売上高	営業利益	経常利益	純利益
単21.8	2,545	336	332	211
単22.8	2,676	303	301	203
単23.8	2,764	324	324	220

前澤給装工業（まえざわきゅうそうこうぎょう）

東証スタンダード

採用内定数	倍率	3年後離職率	平均年収
4名	‥	33.3%	601万円

◯待遇、制度◯
【初任給】月23.7万(諸手当0.2万円)
【残業】7.8時間【有休】11.9日【制度】フ 住 在

◯新卒定着状況◯
20年入社(男6、女0)→3年後在籍(男4、女0)

◯採用情報◯
【人数】23年:11 24年:7 25年:応募‥→内定4
【内定内訳】(男4、女0)(文3、理1)(総4、他0)
【試験】〔Web自宅〕有〔性格〕有
【時期】エントリー 25.3→内々定‥(一次はWEB面接可)【インターン】有
【採用実績校】‥
【求める人材】自分で考えて行動ができ、新しいことに積極的に取り組める人

【本社】152-8510 東京都目黒区鷹番2-14-4 ☎03-3716-1511
【特色・近況】上水道の給水バルブ、継手など埋設製品の最大手。自治体ごとにサイズ・形状が異なり多品種小ロット生産で対応。給水装置では水道管の耐震化需要の取り込みに注力。住宅向け床暖房用配管やハウスメーカー向けユニット配管設備の拡販を図る。
【設立】1957.1 【資本金】3,358百万円
【社長】谷合祐一(1958.8生)
【株主】〔24.3〕日本マスタートラスト信託銀行信託口8.4%
【連結事業】給水装置53、住宅・建築設備39、商品販売8
【従業員】連488名 単438名(42.0歳)

【業績】	売上高	営業利益	経常利益	純利益
連22.3	28,789	2,139	2,287	1,498
連23.3	31,008	2,184	2,267	1,433
連24.3	32,008	2,466	2,598	1,681

メーカー(電機・自動車・機械)

前澤工業（まえざわこうぎょう）

東証スタンダード

採用内定数	倍率	3年後離職率	平均年収
7名	7.1倍	23.5%	641万円

●待遇、制度●
【初任給】月22.8万(諸手当0.9万円)
【残業】18時間【有休】12.3日【制度】[住][在]
●新卒定着状況●
20年入社(男13、女4)→3年後在籍(男11、女2)
●採用情報●
【人数】23年:14 24年:12 25年:応募50→内定7*
【内定内訳】(男5、女2)(文4、理3)(総7、他0)
【試験】〔筆記〕常識〔性格〕有
【時期】エントリー25.3→内々定25.9*(一次はWEB面接可)【インターン】有
【採用実績校】大東文化大2、神奈川工大1、千葉工大1、東海大1、白鴎大1、淑徳大1
【求める人材】自ら考え行動できる人、好奇心旺盛で新しいことにチャレンジできる人

【本社】332-8556 埼玉県川口市仲町5-11 ☎048-251-5511
【特色・近況】上下水道用機械専業大手。バルブ・制水扉など弁栓類から、膜ろ過設備などの上水処理設備、沈砂池などの下水処理設備を手がける。上水道と下水道の比率は半々。官公需比率は9割超。国のウォーターPPP(官民連携)推進に対応し部署新設、官民連携事業を推進する。
【設立】1947.9【資本金】5,233百万円
【社長】宮川多正(1959.6生 中大法卒)
【株主】〔24.5〕公益財団法人前澤育英財団6.1%
【連結事業】環境35、バルブ34、メンテナンス32
【従業員】連1,046名 単747名(45.1歳)

【業績】	売上高	営業利益	経常利益	純利益
連22.5	30,903	3,038	3,164	2,142
連23.5	32,369	3,226	3,345	2,630
連24.5	36,511	4,875	4,993	3,531

(株)前田製作所（まえだせいさくしょ）

株式公開計画なし

採用内定数	倍率	3年後離職率	平均年収
13名	3.3倍	17.6%	[総]690万円

●待遇、制度●
【初任給】月22.1万
【残業】27.1時間【有休】13.4日【制度】[フ][住][在]
●新卒定着状況●
20年入社(男15、女2)→3年後在籍(男12、女2)
●採用情報●
【人数】23年:17 24年:11 25年:応募43→内定13*
【内定内訳】(男9、女4)(文7、理1)(総13、他0)
【試験】〔筆記〕常識〔Web会場〕SPI3〔Web自宅〕SPI3
【時期】エントリー25.3→内々定25.4*(一次はWEB面接可)【インターン】有
【採用実績校】新潟大1、順天堂大1、東京都市大1、清泉女学大1、中京大1、国士舘大1、東海大1、神奈川大1、長野高専1、名鉄自動車専2
【求める人材】誠実で常に意欲を持って技術の向上にチャレンジし続ける事ができる人

【本社】388-8522 長野県長野市篠ノ井御幣川1095 ☎026-292-2222
【特色・近況】建設機械、産業用機械メーカー。建設機械はコマツの総代理店の最大手として、油圧ショベル、ホイルローダ、ブルドーザなどの販売・レンタル・整備を行う。産業用機械は、自社製品のかに・クローラークレーンなどを手がける。前田建設工業グループ。
【設立】1962.11【資本金】3,160百万円
【社長】塩入正章(1958.2生 芝工大卒)
【株主】〔24.3〕インフロニア・ホールディングス100%
【事業】建設機械本部68、産業機械本部32
【従業員】連692名 単563名(42.4歳)

【業績】	売上高	営業利益	経常利益	純利益
連22.3	37,146	1,769	1,869	1,188
連23.3	39,487	1,726	1,829	1,489
連24.3	41,903	2,214	2,438	1,738

(株)松井製作所（まついせいさくしょ）

株式公開未定

採用内定数	倍率	3年後離職率	平均年収
17名	26.3倍	14.3%	[総]625万円

●待遇、制度●
【初任給】月22万
【残業】21.6時間【有休】13.7日【制度】[フ][住][在]
●新卒定着状況●
20年入社(男5、女2)→3年後在籍(男4、女2)
●採用情報●
【人数】23年:6 24年:9 25年:応募447→内定17
【内定内訳】(男11、女6)(文11、理6)(総17、他0)
【試験】〔筆記〕SPI3〔Web自宅〕SPI3〔性格〕有
【時期】エントリー24.11→内々定25.1*(一次はWEB面接可)【インターン】有【ジョブ型】有
【採用実績校】立命館大2、京都女大1、龍谷大1、近大3、関西外大1、京都外大2、大和大1、大阪経大1、大阪電通大1、愛知淑徳大1、他
【求める人材】何事も「楽しむ」姿勢で積極的に行動できる人

【大阪本社】540-0001 大阪府大阪市中央区城見1-4-70 OBPプラザビル17階 ☎06-6942-9555
【特色・近況】プラスチック成形工場の合理化関連機器やシステムを製造・販売する老舗メーカー。樹脂ペレット乾燥技術の先駆け。電子、化学、自動車、容器向けが中心。グローバル展開も加速させ、ドイツ、ASEAN、中国、韓国、北南米に拠点。
【設立】1967.8【資本金】200百万円
【社長】松井宏信(1963.11生 東大院工修了)
【株主】〔24.3〕松井宏信23.4%
【事業】粉粒体乾燥装置・同温調装置、計量混合・同輸送装置、粉砕機器装置・同システム機器 <輸出18>
【従業員】単315名(45.0歳)

【業績】	売上高	営業利益	経常利益	純利益
単22.3	12,265	529	908	
単23.3	12,924	▲115	729	・・
単24.3	11,794	153	823	・・

㈱松浦機械製作所（まつうらきかいせいさくしょ）

株式公開計画なし

採用予定数	倍率	3年後離職率	平均年収
11名	‥	11.1%	‥

●待遇、制度●
【初任給】月22.4万
【残業】18.3時間【有休】10.2日【制度】フ 住
●新卒定着状況●
20年入社(男7、女2)→3年後在籍(男6、女2)
●採用情報●
【人数】23年:13 24年:12 25年:予定11
【内定内訳】(男‥、女‥)(文‥、理‥)(総‥、他‥)
【試験】〔性格〕有
【時期】エントリー 25.3→内々定25.5(一次・二次以降もWEB面接可)【インターン】有
【採用実績校】金沢大院1、福井大4、福井工大3、福井県大1、大阪電通大1、大阪経大1、北九州市大1
【求める人材】文理問わず当社の事業や製品に関心や共感を持ってくれる人

【本社】910-8530 福井県福井市東森田4-201
☎0776-56-8100
【特色・近況】マシニングセンタ(切削加工用工作機械)の大手専業メーカー。販売製品のうち約7割は5軸制御マシニングセンタ。欧米中心に海外輸出の比率高い。海外はドイツ、英国、カナダ、米国、台湾、中国に拠点。1935年、旋盤の生産・販売で創業。
【設立】1960.9 【資本金】90百万円
【社長】松浦勝俊(1966.1生 日大理工卒)
【株主】〔23.12〕大阪中小企業投資育成30.0%
【事業】マシニングセンタ90、他10 <輸出72>
【従業員】単404名(39.8歳)

【業績】	売上高	営業利益	経常利益	純利益
単21.12	13,060	▲322	669	548
単22.12	18,461	1,199	2,592	1,934
単23.12	17,787	849	1,807	1,453

松山（まつやま）

株式公開計画なし

採用予定数	倍率	3年後離職率	平均年収
11名	‥	11.8%	‥

●待遇、制度●
【初任給】月23.1万
【残業】9.1時間【有休】15.7日【制度】住
●新卒定着状況●
20年入社(男15、女2)→3年後在籍(男14、女1)
●採用情報●
【人数】23年:9 24年:5 25年:予定11
【内定内訳】(男‥、女‥)(文6、理5)(総‥、他‥)
【試験】〔Web自宅〕SPI3
【時期】エントリー 24.3→内々定24.6(一次はWEB面接可)【インターン】有
【採用実績校】‥
【求める人材】人とコミュニケーションを取り、目標に向かって前向きに取り組むことができる人

【本社】386-0497 長野県上田市塩川5155
☎0268-42-7500
【特色・近況】「ニプロ」ブランドのトラクター用作業機(ロータリー、ウィングハローなど)のトップメーカー。耕起用ロータリー、自走式野菜収穫機など自社開発品が主体。農業機械メーカーやJAが主な納入先。1902年、馬耕用農機具製造で創業。
【設立】1950.6 【資本金】100百万円
【社長】松山信久(1964.5生 慶大理工卒)
【株主】〔23.12〕東京中小企業投資育成18.4%
【事業】農業機械100 <輸出1>
【従業員】単340名(40.8歳)

【業績】	売上高	営業利益	経常利益	純利益
単21.12	21,849	‥	1,633	687
単22.12	21,543	‥	969	469
単23.12	22,064	‥	1,308	655

マルヤス機械（きかい）

株式公開計画なし

採用内定数	倍率	3年後離職率	平均年収
12名	5.2倍	0%	‥

●待遇、制度●
【初任給】月21.7万
【残業】‥時間【有休】11日【制度】住
●新卒定着状況●
20年入社(男10、女2)→3年後在籍(男10、女2)
●採用情報●
【人数】23年:10 24年:19 25年:応募62→内定12
【内定内訳】(男9、女3)(文2、理1)(総8、他4)
【試験】〔筆記〕有〔Web自宅〕SPI3
【時期】エントリー 24.6→内々定25.3*【インターン】有
【採用実績校】諏訪東理大、松本大、松本大松商短大、長野県工科短大、エプソン情報科学専、日本工学院八王子専
【求める人材】常に問題意識を持って仕事に取り組み、自ら高い目標へ挑戦できる人

【本社】394-8540 長野県岡谷市成田町2-11-6
☎0266-23-5630
【特色・近況】ローラコンベヤー、ベルトコンベヤーなどコンベヤー専業メーカー。世界初の非接触駆動方式が特徴。食品業界を中心に幅広い分野へ搬送省力機械を供給。部品も内製化。長野県内に2工場、北海道から九州まで営業拠点を展開。製糸機械で創業。
【設立】1938.3 【資本金】100百万円
【社長】林広一郎(1960.2生)
【株主】〔23.12〕セキソー16.7%
【事業】搬送省力機械・自動化機器・各種コンベヤー100 <輸出1>
【従業員】単460名(37.4歳)

【業績】	売上高	営業利益	経常利益	純利益
単21.12	11,217	1,372	1,399	767
単22.12	11,715	1,299	1,258	655
単23.12	12,108	1,401	1,425	807

㈱丸山製作所（まるやませいさくしょ）

東証スタンダード

採用実績数	倍率	3年後離職率	平均年収
26名	・・	8.3%	㊣678万円

●待遇、制度●
【初任給】月22.6万
【残業】10.9時間【有休】13.8日【制度】フ 住 在
●新卒定着状況●
20年入社(男10、女2)→3年後在籍(男9、女2)
●採用情報●
【人数】23年:23 24年:26 25年:予定微減*
【内定内訳】(男‥、女‥)(文‥、理‥)(総‥、他‥)
【試験】〔Web自宅〕SPI3
【時期】エントリー25.3→内々定25.6(一次はWEB面接可)【インターン】有
【採用実績校】‥
【求める人材】誠意をもって人と事に當ろうの社是に共感し、チャレンジ精神のある人

【本社】101-0047 東京都千代田区内神田3-4-15 ☎03-3252-2271
【特色・近況】噴霧機、散布機など防除機の大手メーカー。農家向けが7割を占める。自社製エンジンを使用した刈払機やチェーンソーなど林業機械も手がける。工業用高圧ポンプ、高圧洗浄機にも強み。日本で初めて消火器を製造したメーカー。
【設立】1937.11【資本金】4,651百万円
【社長】内山剛治(1971.9生 テンプル大経済卒)
【株主】〔24.3〕みずほ銀行4.1%
【連結事業】農林業用機械73、工業用機械21、他機械6、不動産賃貸他0 <海外27>
【従業員】連940名 単576名(45.1歳)

【業績】	売上高	営業利益	経常利益	純利益
連21.9	37,503	1,387	1,302	855
連22.9	39,639	1,521	1,635	1,158
連23.9	41,426	1,732	1,726	1,218

#残業が少ない

三笠産業（みかささんぎょう）

株式公開計画なし

採用予定数	倍率	3年後離職率	平均年収
5名	−	0%	㊣812万円

●待遇、制度●平均年収は海外出向者除く
【初任給】月22万(諸手当3万円)
【残業】1.6時間【有休】11.8日【制度】住
●新卒定着状況●
20年入社(男4、女0)→3年後在籍(男4、女0)
●採用情報●
【人数】23年:1 24年:4 25年:応募1→内定0*
【内定内訳】(男‥、女‥)(文‥、理‥)(総‥、他‥)
【試験】〔筆記〕有
【時期】エントリー24.12→内々定25.3
【採用実績校】‥
【求める人材】チャレンジ精神旺盛で、自ら考えて積極的に行動できる人

【本社】101-0064 東京都千代田区神田猿楽町1-4-3 ☎03-3292-1411
【特色・近況】ランマー、コンパクターなど転圧機械や、コンクリートバイブレーターなどを扱う小型建設機械メーカー。小型締め固め機械分野では国内シェア6割強。海外でも堅調維持。国内は全国に営業拠点、群馬と埼玉に工場。海外は中国に営業拠点、ベトナムに工場。
【設立】1947.7【資本金】240百万円
【社長】京谷弘也(1958.3生)
【株主】〔21.5〕東京中小企業投資育成25.0%
【事業】土木建設機械製造100 <輸出55>
【従業員】単147名(41.4歳)

【業績】	売上高	営業利益	経常利益	純利益
単21.5	12,409	1,078	1,164	770
単22.5	14,934	1,659	1,800	1,223
単23.5	15,141	1,526	1,719	1,176

三井精機工業（みついせいきこうぎょう）

株式公開未定

採用内定数	倍率	3年後離職率	平均年収
8名	7.4倍	0%	㊣566万円

●待遇、制度●
【初任給】月21.3万
【残業】18.2時間【有休】14.8日【制度】フ 住
●新卒定着状況●
20年入社(男8、女0)→3年後在籍(男8、女0)
●採用情報●
【人数】23年:7 24年:6 25年:応募59→内定8*
【内定内訳】(男8、女0)(文3、理5)(総8、他0)
【試験】〔Web自宅〕SPI3〔性格〕有
【時期】エントリー25.3→内々定25.4(一次・二次以降もWEB面接可)【インターン】有
【採用実績校】東洋大2、立命館大1、日大1、群馬大1、桃山学大1、日工大1、金沢工大1
【求める人材】何事も粘り強く諦めずに対処できる人、自ら考え活路を見出す、自走力のある人

【本社】350-0193 埼玉県比企郡川島町八幡6-13 ☎049-297-5555
【特色・近況】マシニングセンタなど精密工作機械と定置式空気圧縮機を軸に展開。航空機エンジン向け5軸マシニングセンタは高評価。ねじ研削盤シェアは世界首位。米国、中国、タイに現法人、他に駐在員事務所も。三井グループで、ジェイテクトも大株主。
【設立】1950.4【資本金】948百万円
【社長】川上博之(1957.7生)
【株主】〔24.3〕ジェイテクト30.4%
【事業】工作機械55、産業機械45 <海外24>
【従業員】単522名(42.7歳)

【業績】	売上高	営業利益	経常利益	純利益
単22.3	17,797	117	280	197
単23.3	20,148	1,084	1,145	866
単24.3	21,230	1,747	1,893	1,232

#有休取得が多い

㈱三井三池製作所（みついみいけせいさくしょ）

[株式公開計画なし]

採用内定数	倍率	3年後離職率	平均年収
2名	7.5倍	8.3%	[総]520万円

[待遇、制度]
【初任給】月22.7万
【残業】10.5時間【有休】17.4日【制度】[住]
[新卒定着状況]
20年入社(男12、女0)→3年後在籍(男11、女0)
[採用情報]
【人数】23年:14 24年:9 25年:応募15→内定2*
【内定内訳】(男2、女0)(文0、理2)(総2、他0)
【試験】〔Web自宅〕SPI3〔性格〕有
【時期】エントリー25.3→内々定25.4*【インターン】有
【採用実績校】福岡大1

【求める人材】周囲と協力し合いながら仕事に取組める人、自発的に行動できる人

【本店】103-0022 東京都中央区日本橋室町2-1-1
☎03-3270-2001
【特色・近況】三井系の老舗産業機械メーカー。荷役運搬機械、コンベヤ、プラント設備、原動機、精密部品が主力製品。電力、鉄鋼、製紙産業に製品を供給。オープンヤード貯蔵設備の国内シェア首位。バイオマス発電および小水力発電にかかる設備納入も行う。
【設立】1959.10　【資本金】1,000百万円
【社長】中村元彦(1963.3生 九大工卒)
【株主】〔24.3〕三井E&S20.0%
【事業】荷役運搬機械55、産機流体機械14、原動機20、精密部品11、他0
【従業員】単438名(41.2歳)

【業績】	売上高	営業利益	経常利益	純利益
単22.3	23,322	1,057	1,131	753
単23.3	19,459	306	352	688
単24.3	24,185	1,712	1,812	1,216

三井ミーハナイト・メタル（みつい）

[株式公開計画なし]

採用内定数	倍率	3年後離職率	平均年収
1名	4倍	50%	400万円

[待遇、制度]
【初任給】月22.5万(諸手当0.4万円)
【残業】24.8時間【有休】12.8日【制度】[フ][住]
[新卒定着状況]
20年入社(男7、女1)→3年後在籍(男3、女1)
[採用情報]
【人数】23年:6 24年:1 25年:応募4→内定1*
【内定内訳】(男0、女1)(文0、理1)(総1、他0)
【試験】〔Web会場〕C-GAB
【時期】エントリー25.3→内々定・・*(一次はWEB面接可)【インターン】有
【採用実績校】愛知工業大1

【求める人材】もの作りが好きな人はもちろん、何事も向上心をもって取り組める人

【本社】444-0005 愛知県岡崎市岡町字上野川111
☎0564-55-6638
【特色・近況】工作機械部品や舶用ディーゼルエンジン部品などの鋳鉄製品や陸舶用バルブ、産業機械部品などの鋳鋼製品を製造・販売する鋳物専業メーカー。国内4工場体制で、品質、環境ISO認証を各工場で取得済み。三井E&Sの完全子会社。
【設立】1964.2　【資本金】492百万円
【社長】東篠温司(1968.9生 岡山大工卒)
【株主】〔24.3〕三井E&S100%
【事業】鋳造品・各種機械用部品100
【従業員】単333名(39.2歳)

【業績】	売上高	営業利益	経常利益	純利益
単22.3	9,964	▲234	▲225	▲150
単23.3	12,033	74	69	37
単24.3	11,938	371	350	234

三菱化工機（みつびしかこうき）

[東証プライム]

採用内定数	倍率	3年後離職率	平均年収
30名	5.9倍	23.5%	769万円

[待遇、制度]
【初任給】月24万
【残業】21.5時間【有休】13.1日【制度】[フ][住][在]
[新卒定着状況]
20年入社(男11、女6)→3年後在籍(男8、女5)
[採用情報]
【人数】23年:10 24年:12 25年:応募177→内定30
【内定内訳】(男21、女9)(文15、理14)(総30、他0)
【試験】〔筆記〕有〔Web自宅〕有〔性格〕有
【時期】エントリー25.3→内々定25.4～5(一次はWEB面接可)【インターン】有
【採用実績校】阪大1、東理大2、東北大1、名大1、筑波大2、早大1、日大3、静岡大1、岡山大1、法政大1、他
【求める人材】絶えず学び続ける向上心を持ち、柔軟性・行動力・コミュニケーション力のある人

【本社】210-8560 神奈川県川崎市川崎区大川町2-1
☎044-333-5354
【特色・近況】石油・化学装置中心のエンジニアリング会社。都市ガス、石油、化学などのプラント事業のほか、し尿処理、排水処理、排煙脱硫装置など環境事業も展開。水素を核としたクリーンエネルギー事業に重点。水素製造・輸送・貯蔵・供給に自社技術活用へ。
【設立】1949.9　【資本金】3,956百万円
【社長】田中利一(1959.4生 早大商卒)
【株主】〔24.3〕日本マスタートラスト信託銀行信託口10.6%
【連結事業】エンジニアリング68、単体機械32 <海外17>
【従業員】連972名 単650名(46.3歳)

【業績】	売上高	営業利益	経常利益	純利益
連22.3	45,438	2,770	3,230	2,547
連23.3	44,590	2,521	2,859	3,043
連24.3	47,774	4,410	4,709	5,397

#有休取得が多い

三菱重工マシナリーテクノロジー

株式公開計画なし

採用内定数	倍率	3年後離職率	平均年収
6名	‥	0%	‥

●待遇、制度●
【初任給】月22.1万
【残業】28.9時間【有休】18.6日【制度】フ 住 在
●新卒定着状況●
20年入社(男4、女0)→3年後在籍(男4、女0)
●採用情報●
【人数】23年:3 24年:3 25年:応募‥→内定6*
【内定内訳】(男5、女1)(文1、理5)(総6、他0)
【試験】〔筆記〕SPI3〔性格〕有
【時期】エントリー25.3→内々定25.5【インターン】有
【採用実績校】呉高専2、広島工大1、近大1、関東学院大1、広島経大1
【求める人材】エンジニアリング能力を発揮できる人、やる気と実行力のある人

【本社】733-8553 広島県広島市西区観音新町4-6-22 ☎082-291-2339
【特色・近況】産業機械や化学機械、制御システムなどの機器・機械設計から製造、工場設備メンテナンスまで一貫して手がける機器製造・エンジニアリング会社。構造解析などのエンジニアリング技術、溶接・組立などの製造技術、工場設備保守技術に特徴を持つ。
【設立】1984.10 【資本金】100百万円
【社長】日詰眞一(1961.9生 東京理大機械卒)
【株主】〔24.3〕三菱重工機械システム100%
【事業】一般産業機械他
【従業員】単353名(46.0歳)

【業績】	売上高	営業利益	経常利益	純利益
単22.3	11,337	707	685	383
単23.3	11,409	753	748	534
単24.3	14,453	1,168	1,158	667

三星ダイヤモンド工業(みつぼしダイヤモンドこうぎょう)

株式公開計画なし

採用予定数	倍率	3年後離職率	平均年収
5名	–	33.3%	総594万円

●待遇、制度●
【初任給】月21万
【残業】15.4時間【有休】14.7日【制度】住 在
●新卒定着状況●
20年入社(男1、女2)→3年後在籍(男1、女1)
●採用情報●
【人数】23年:0 24年:4 25年:応募10→内定0*
【内定内訳】(男‥、女‥)(文‥、理‥)(総‥、他‥)
【試験】〔性格〕有
【時期】エントリー25.1→内々定25.12*(一次はWEB面接可)
【採用実績校】‥
【求める人材】お客様や関係者と真摯に向き合い、粘り強くかつ柔軟な姿勢で課題に取り組める人

【本社】566-0034 大阪府摂津市香露園32-12 ☎072-648-5000
【特色・近況】半導体材料、FPD、太陽電池、電子部品の分析・加工装置、工具メーカー。海外売上比率8割、世界シェア首位。長野に2工場。韓国に生産現地法人、中国・台湾・ドイツ・米国に販売現地法人。子会社でDahua社のセキュリティーカメラシステム販売も。
【設立】1972.7 【資本金】41百万円
【社長】若林真幸(1969.8生 関西学大商卒)
【株主】〔23.12〕自社従業員持株会
【事業】装置製造53、ガラス関連工具29、他18 <輸出80>
【従業員】単203名(43.6歳)

【業績】	売上高	営業利益	経常利益	純利益
単21.12	8,014	‥	‥	‥
単22.12	6,825	‥	‥	‥
単23.12	4,355	‥	‥	‥

宮﨑機械システム(みやざききかいシステム)

株式公開計画なし

採用内定数	倍率	3年後離職率	平均年収
2名	4倍	‥	595万円

●待遇、制度● 平均年収は組合員平均
【初任給】月21.8万(諸手当を除いた数値)
【残業】14.4時間【有休】‥日【制度】住
●新卒定着状況●
‥
●採用情報●
【人数】23年:2 24年:3 25年:応募8→内定2
【内定内訳】(男2、女0)(文0、理1)(総2、他0)
【試験】〔筆記〕有〔性格〕有
【時期】エントリー25.3→内々定25.5【インターン】有
【採用実績校】関大1、近畿職能短大1
【求める人材】自発能動型人材

【本社】597-0022 大阪府貝塚市新井1 ☎072-427-7341
【特色・近況】国内唯一のワイヤフォーミングマシン総合メーカー。連続伸線機・連続抽伸機・撚線機および付帯設備など多種多様な線材加工設備を製造・販売。液晶・プラズマ用ガラス生産設備も。中国・上海に販売拠点。電気通信大学の久保木・梶川研究室と産学連携。
【設立】1945.4 【資本金】100百万円
【社長】宮﨑和昭(1955.5生 同大経済卒)
【株主】〔24.3〕持株会15.5%
【事業】撚線機22、伸線機50、抽伸機11、各種産業機械0、他17 <輸出5>
【従業員】単127名(43.2歳)

【業績】	売上高	営業利益	経常利益	純利益
単22.3	3,271	488	710	418
単23.3	3,761	497	440	325
単24.3	3,986	423	502	348

㈱メイキコウ

株式公開計画なし

採用内定数	倍率	3年後離職率	平均年収
7名	2.1倍	14.3%	‥

●待遇、制度●
【初任給】月22.8万(諸手当を除いた数値)
【残業】20時間【有休】12.8日【制度】住
●新卒定着状況●
20年入社(男6、女1)→3年後在籍(男6、女0)
●採用情報●
【人数】23年:3 24年:3 25年:応募15→内定7*
【内定内訳】(男6、女1)(文3、理0)(総3、他4)
【試験】〔筆記〕常識〔性格〕有
【時期】エントリー 25.1→内々定25.5*(一次はWEB面接可)
【採用実績校】東海大2、日本福祉大1
【求める人材】ものづくりが好きな人

【本社】470-1111 愛知県豊明市大久伝町東180 ☎0562-92-7111
【特色・近況】シザーリフト、コンベヤーシステム、クリーンルーム用搬送・ハンドリングシステムを手がけるマテハン機器メーカー。リフトは業界首位。取引先数は約300社。本社に工場、関東や西日本などに営業拠点。新東工業の子会社。
【設立】1955.3 【資本金】200百万円
【社長】保賀誠一郎(1960.8生 大経大経済卒)
【株主】〔24.3〕新東工業81.4%
【事業】コンベヤー・シザーリフト等標準汎用機器80、クリーン・搬送システム装置20
【従業員】単218名(42.0歳)

【業績】	売上高	営業利益	経常利益	純利益
単22.3	6,243	637	665	469
単23.3	6,234	504	527	368
単24.3	8,467	1,238	1,281	925

明治機械(めいじきかい)

東証スタンダード

採用内定数	倍率	3年後離職率	平均年収
1名	5倍	55.6%	485万円

●待遇、制度●
【初任給】月22万
【残業】10時間【有休】13日【制度】‥
●新卒定着状況●
20年入社(男6、女3)→3年後在籍(男3、女1)
●採用情報●
【人数】23年:0 24年:8 25年:応募5→内定1*
【内定内訳】(男1、女0)(文‥、理‥)(総0、他1)
【試験】〔筆記〕常識〔性格〕有
【時期】エントリー 24.随時→内々定25.6*(一次はWEB面接可)【インターン】有
【採用実績校】東海大1、太田産業技術専2、太田情報商科専1
【求める人材】自発的に行動でき、コミュニケーション能力がある人

【本社】101-0048 東京都千代田区神田司町2-8-1 PMO神田司町 ☎03-5295-3511
【特色・近況】製粉・飼料製造設備の業界トップメーカー。製粉機械、配合飼料機械の製造・販売と製造施設を立ち上げるプラント建設を中心に事業展開。設備需要を見据え、台湾、タイ、ベトナムでの販路開拓を深耕。太陽光パネル製造のAbalanceと提携。
【設立】1925.8 【資本金】100百万円
【社長】日根年治(1969.7生 国士大法卒)
【株主】〔24.3〕Abalance 39.2%
【連結事業】産業機械関連100
【従業員】連190名 単163名(46.7歳)

【業績】	売上高	営業利益	経常利益	純利益
連22.3	7,591	321	93	▲117
連23.3	6,306	188	231	1,764
連24.3	4,896	247	265	314

守谷輸送機工業(もりやゆそうきこうぎょう)

東証スタンダード

採用内定数	倍率	3年後離職率	平均年収
5名	3.4倍	0%	699万円

●待遇、制度●
【初任給】月25.2万(諸手当0.5万円)
【残業】28時間【有休】12日【制度】‥
●新卒定着状況●20年入社者対象
20年入社(男2、女0)→3年後在籍(男2、女0)
●採用情報●
【人数】23年:3 24年:2 25年:応募17→内定5*
【内定内訳】(男4、女1)(文0、理5)(総0、他5)
【試験】なし
【時期】エントリー 25.3→内々定25.4(一次はWEB面接可)
【採用実績校】神奈川大1、湘南工大1、東海大1、東京電機大1、千葉大1
【求める人材】自分の考えを持ち、自らの成長へ努力ができるチャレンジ精神のある人

【本社】236-0004 神奈川県横浜市金沢区福浦1-14-9 ☎045-785-3111
【特色・近況】荷物用エレベーターの製造大手。積載量2t以上の中大型エレベーターに強み、国内シェアの過半を占める。大型外航船、フェリーなど船舶向け乗用エレベーターも手がける。全国50カ所以上の拠点による24時間365日のサポート体制を敷く。
【設立】1950.3 【資本金】1,082百万円
【社長】守谷貞夫(1940.12生)
【株主】〔24.3〕㈱M2W 31.4%
【事業】荷物用エレベーター 54、船舶用エレベーター 3、保守・修理43
【従業員】単345名(40.4歳)

【業績】	売上高	営業利益	経常利益	純利益
単22.3	13,885	1,818	1,833	1,145
単23.3	15,416	777	791	641
単24.3	17,527	2,593	2,629	1,718

㈱ヤマダコーポレーション 東証スタンダード

採用内定数	倍率	3年後離職率	平均年収
6名	6.7倍	0%	697万円

●待遇、制度●
【初任給】月21.9万(諸手当1.2万円)
【残業】‥時間【有休】16.3日【制度】住 在
●新卒定着状況●
20年入社(男3、女0)→3年後在籍(男3、女0)
●採用情報●
【人数】23年:5 24年:2 25年:応募40→内定6
【内定内訳】(男5、女1)(文4、理2)(総6、他0)
【試験】〔Web自宅〕有
【時期】エントリー25.3→内々定25.3(一次はWEB面接可)【インターン】有
【採用実績校】東京電機大1、神奈川工大1、九州国際大1、関東学院大1、尚絅学大1、山形大1
【求める人材】チャレンジ精神が豊かで、問題発見解決を自ら考えて取り組める人

【本社】143-8504 東京都大田区南馬込1-1-3 ☎03-3777-5101
【特色・近況】独立系の産業関連機器メーカー。自動車整備工場やディーラー向けにオイル交換関連機器、タイヤのエアインフレーターなどを販売。接着剤、インキ、化学薬品を圧送する工業用ポンプやダイアフラムポンプなど産業用設備・機器も手がける。
【設立】1939.12 【資本金】600百万円
【社長】山田昌太郎(1963.2生 慶大法卒)
【株主】〔24.3〕山田昌太郎8.0%
【連結事業】オートモティブ機器25、インダストリアル機器63、他12 <海外60>
【従業員】連350名 単218名(43.1歳)

【業績】	売上高	営業利益	経常利益	純利益
連22.3	12,204	1,811	1,696	1,167
連23.3	13,716	1,872	2,095	1,494
連24.3	14,753	2,465	2,553	1,918

山本(やまもと)ビニター 株式公開計画なし

採用内定数	倍率	3年後離職率	平均年収
3名	8.3倍	0%	㊟630万円

●待遇、制度●
【初任給】月22.9万
【残業】13.4時間【有休】10.6日【制度】住
●新卒定着状況●
20年入社(男4、女1)→3年後在籍(男4、女1)
●採用情報●
【人数】23年:5 24年:4 25年:応募25→内定3*
【内定内訳】(男3、女0)(文1、理1)(総3、他0)
【試験】〔Web会場〕SPI3〔性格〕有
【時期】エントリー25.3→内々定25.4*(一次・二次以降もWEB面接可)【インターン】有
【採用実績校】近大1、神戸学大1、他
【求める人材】ものづくりが好きな人、探究心・好奇心があり、何事にも誠実に取り組むことができる人

【本社】543-0002 大阪府大阪市天王寺区上汐6-3-12 ☎06-6771-0605
【特色・近況】高周波・マイクロ波による誘電加熱装置メーカーで、国内首位。樹脂加工、木材建材加工、食品加工用、その他の加熱乾燥用装置を製造・販売する。医療用のがん温熱治療器も手がける。工場に試験・開発・設計・製造の一連の事業を集約。
【設立】1953.3 【資本金】85百万円
【社長】山本泰司(1957.3生 関西学大経済卒)
【株主】〔24.2〕VINITAホールディングス100%
【事業】産業用機器80、メディカル機器10、他10 <輸出10>
【従業員】単140名(41.3歳)

【業績】	売上高	営業利益	経常利益	純利益
単22.1	3,627	641	644	417
単23.1	3,826	798	807	550
単24.1	4,051	569	980	577

㈱ユーシン精機(せいき) 東証スタンダード

採用内定数	倍率	3年後離職率	平均年収
18名	‥	0%	593万円

●待遇、制度●
【初任給】月24.5万
【残業】19.6時間【有休】‥日【制度】住 在
●新卒定着状況●
20年入社(男1、女3)→3年後在籍(男1、女3)
●採用情報●
【人数】23年:6 24年:9 25年:応募‥→内定18
【内定内訳】(男12、女6)(文7、理11)(総18、他0)
【試験】〔Web自宅〕有
【時期】エントリー‥→内々定‥(一次はWEB面接可)【インターン】有
【採用実績校】千葉大1、静岡大1、福井大1、滋賀大1、和歌山大1、愛媛大1、中大1、法政大1、金沢工大1、同大1、関大1、近大1、龍谷大1、他
【求める人材】小さな改善を楽しめる、気持ちのよい対話ができる、柔軟に思考し本質に迫れる人

【本社】601-8205 京都府京都市南区久世殿城町555 ☎075-933-9555
【特色・近況】プラスチック射出成形品取り出しロボットで世界シェアトップ。横走行型取り出しロボットが主力。自動車、電子部品、医療、雑貨分野向けが多い。製品ストック用や搬送用の装置など特注機も手がける。スウェーデンの企業を買収し、欧州を強化に注力。
【設立】1973.10 【資本金】1,985百万円
【社長】小谷高代(1977.8生)
【株主】〔24.3〕㈱ユーシンインダストリー33.6%
【連結事業】ロボット57、特注機25、部品・保守サービス18 <海外65>
【従業員】連804名 単457名(41.4歳)

【業績】	売上高	営業利益	経常利益	純利益
連22.3	20,874	2,890	3,085	2,112
連23.3	22,373	2,639	2,787	1,922
連24.3	23,615	2,437	2,586	1,692

油研工業（ゆけんこうぎょう）

東証スタンダード

採用内定数	倍率	3年後離職率	平均年収
4名	4.3倍	30%	[総]636万円

●待遇、制度●
【初任給】月22.9万（諸手当3.6万円）
【残業】4.9時間【有休】14.8日【制度】[フ][住][在]

●新卒定着状況●
20年入社（男9、女1）→3年後在籍（男7、女0）

●採用情報●
【人数】23年:7 24年:5 25年:応募17→内定4*
【内定内訳】（男3、女1）（文2、理2）（総4、他0）
【試験】試験あり
【時期】エントリー25.3→内々定25.5(一次はWEB面接可)【インターン】有
【採用実績校】東京工科大1、工学院大1、法政大1、日大1

【求める人材】変化に対して前向きで、スピード感を持って行動できる人

【本社】252-1113 神奈川県綾瀬市上土棚中4-4-34 ☎0467-77-2111
【特色・近況】油圧機器の専業総合メーカー。油圧機器は射出成形機や工作機械向けが中心。電子技術と融合した独自のシステム製品やリサイクル関連の環境機器開発に強み持つ。海外売上比率は約6割で、「YUKEN」ブランドを活かしてアジアを中心にさらなる海外展開を目指す。
【設立】1947.4 【資本金】4,109百万円
【社長】永久秀治（1955.2生 一橋大商卒）
【株主】〔24.3〕第一生命保険4.5%
【連結事業】油圧製品64、システム製品23、環境製品12 <海外60>
【従業員】連1,252名 単360名（42.1歳）

【業績】	売上高	営業利益	経常利益	純利益
連22.3	29,183	1,684	1,810	1,324
連23.3	28,684	1,129	1,274	1,368
連24.3	29,511	1,378	1,603	785

ユニオンツール

東証プライム

採用実績数	倍率	3年後離職率	平均年収
13名	‥	6.2%	550万円

●待遇、制度●
【初任給】月24万
【残業】14.7時間【有休】16.1日【制度】‥

●新卒定着状況●
20年入社（男12、女4）→3年後在籍（男11、女4）

●採用情報●
【人数】23年:12 24年:13 25年:予定前年並
【内定内訳】（男‥、女‥）（文‥、理‥）（総‥、他‥）
【試験】〔筆記〕常識〔Web会場〕C-GAB〔Web自宅〕WEB-GAB〔性格〕有
【時期】エントリー25.3→内々定‥
【採用実績校】‥

【求める人材】素直で発信力のある人

【本社】140-0013 東京都品川区南大井6-17-1 ☎03-5493-1001
【特色・近況】PCB（プリント配線板）用ドリルで世界シェア3割超の首位。極小径品が得意。民生用電子機器から車載向けやスマホ関連、通信基地局関連に需要先が拡大。切削工具の第2の柱として超硬エンドミルを育成。直線運動軸受と精密測定機器も手がける。
【設立】1960.12 【資本金】2,998百万円
【社長】大平博（1957.11生 新潟大工卒）
【株主】〔24.6〕㈱晃永31.0%
【連結事業】切削工具88、他12 <海外67>
【従業員】連1,450名 単852名（41.6歳）

【業績】	売上高	営業利益	経常利益	純利益
連21.12	28,174	5,430	5,407	3,803
連22.12	29,091	6,190	6,737	4,996
連23.12	25,338	3,778	4,073	3,077

横浜エレベータ（よこはまエレベータ）

株式公開計画なし

採用内定数	倍率	3年後離職率	平均年収
1名	1倍	33.3%	[総]657万円

●待遇、制度●
【初任給】月21.8万
【残業】16時間【有休】13.1日【制度】[住]

●新卒定着状況●
20年入社（男6、女0）→3年後在籍（男4、女0）

●採用情報●
【人数】23年:6 24年:0 25年:応募1→内定1*
【内定内訳】（男1、女0）（文0、理0）（総1、他0）
【試験】〔性格〕有
【時期】エントリー通年→内々定通年【インターン】有
【採用実績校】産業技術短大1

【求める人材】明るい常識人で積極性のある人

【本社】231-0025 神奈川県横浜市中区松影町2-8-6 ☎045-662-1591
【特色・近況】ガラス張りなどの特別仕様に強いエレベーターメーカー。「昇降路なし、ガイドレールなし」のテレスコフレーム方式エレベーターで特許を取得。遠隔監視保守システムなど保守・改修も行う。官公庁、病院、美術館、大学、ダムなどに納入実績。
【設立】1946.8 【資本金】100百万円
【社長】勝治雄（1956.12生 学習大経済卒）
【株主】〔24.3〕トーソー53.0%
【事業】エレベーター販売33、駐車設備販売3、エレベーター保守・修理64
【従業員】単149名（44.1歳）

【業績】	売上高	営業利益	経常利益	純利益
単22.3	6,361	245	276	189
単23.3	5,613	52	79	34
単24.3	6,098	154	269	149

メーカー（電機・自動車・機械）

㈱ヨシタケ

東証スタンダード

採用内定数	倍率	3年後離職率	平均年収
1名	59倍	33.3%	[総]614万円

●待遇、制度●
【初任給】月22.6万
【残業】10.3時間【有休】13.8日【制度】[フ][住][在]
●新卒定着状況●
20年入社(男3、女0)→3年後在籍(男2、女0)
●採用情報●
【人数】23年:8 24年:3 25年:応募59→内定1*
【内定内訳】(男1、女0)(文0、理1)(総1、他0)
【試験】〔筆記〕常識〔性格〕有
【時期】エントリー25.3→内々定25.6*(一次・二次以降もWEB面接可)【インターン】有【ジョブ型】有
【採用実績校】中部大1
【求める人材】自ら理想を描き、それを実現する術を持つ人

【本社】466-0015 愛知県名古屋市昭和区御器所通2-27-1 ☎050-3508-5835
【特色・近況】自動調整弁の専業メーカー。減圧弁、安全弁で国内首位級。工場装置向け電磁弁も。建築設備、工場・プラント向けなど用途は幅広い。鋳造から出荷までの工程を一貫対応。配管設計のコンサル、省エネ診断、生産設備の効率化などソリューション営業に強み。
【設立】1944.2 【資本金】1,908百万円
【社長】山田哲(1969.7生)
【株主】〔24.3〕㈲プラスファイブ33.4%
【連結事業】自動調整弁他・日本63、同・アジア32、他4 <海外37>
【従業員】[連]549名 [単]192名(41.7歳)

【業績】	売上高	営業利益	経常利益	純利益
[連]22.3	7,091	910	1,352	967
[連]23.3	7,517	890	1,320	1,064
[連]24.3	8,952	874	1,484	1,133

㈱ワイビーエム

株式公開未定

採用予定数	倍率	3年後離職率	平均年収
5名	−	33.3%	480万円

●待遇、制度●
【初任給】月20.9万(諸手当2.9万円)
【残業】15.9時間【有休】17.2日【制度】[住]
●新卒定着状況●
20年入社(男6、女0)→3年後在籍(男4、女0)
●採用情報●
【人数】23年:3 24年:6 25年:応募1→内定0*
【内定内訳】(男‥、女‥)(文 、理)(総‥、他‥)
【試験】〔Web自宅〕有〔性格〕有
【時期】エントリー25.3→内々定25.6*(一次はWEB面接可)【インターン】有
【採用実績校】‥
【求める人材】自ら考え行動でき、何事にも感謝の気持ちを忘れない人

【本社】847-0031 佐賀県唐津市原1534 ☎0955-77-1121
【特色・近況】土木建設・鉱山機械の研究開発型メーカー。低騒音、軽量化した地盤調査機・地盤改良機を製造・販売。ボーリングマシン、水処理装置などのほか、地熱発電やウルトラファインバブルなど環境技術にも取り組む。石炭調査用ボーリング機械で創業。
【設立】1967.4 【資本金】100百万円
【社長】吉田力雄(1966.9生 九工大工卒)
【株主】〔24.5〕吉田力雄
【事業】地盤改良機他69、ツールス他16、ボーリングマシン・ポンプ15 <輸出2>
【従業員】[単]280名(37.0歳)

【業績】	売上高	営業利益	経常利益	純利益
[単]22.3	7,117	‥	105	‥
[単]23.3	7,270	‥	122	‥
[単]24.3	8,510	‥	380	‥

#有休取得が多い

名菱テクニカ(めいりょう)

株式公開計画なし

採用内定数	倍率	3年後離職率	平均年収
5名	7.2倍	22.2%	[総]682万円

●待遇、制度●
【初任給】月24.2万(諸手当を除いた数値)
【残業】13.5時間【有休】18.8日【制度】[フ][住][在]
●新卒定着状況●
20年入社(男9、女0)→3年後在籍(男7、女0)
●採用情報●
【人数】23年:20 24年:17 25年:応募36→内定5*
【内定内訳】(男5、女0)(文2、理3)(総5、他0)
【試験】〔Web自宅〕SPI3
【時期】エントリー25.3→内々定25.4*【インターン】有
【採用実績校】愛知工業大2、中部大1、名城大1、愛知工科大1
【求める人材】強い意志を持ち自ら行動する人、周囲と協働し、より大きな力を生み出す人、やり遂げる責任感を持つ人

【本社】461-8670 愛知県名古屋市東区矢田南5-1-14 三菱電機名古屋製作所内 ☎052-722-1949
【特色・近況】三菱電機グループの一員として、同社名古屋製作所向けに、FA・メカトロ製品のキーパーツ、主要ユニットを受託生産。モーター、インバーター、シーケンサーなどが主体。自主事業としてモーター、生産設備・試験装置の製作も手がける。
【設立】1980.11 【資本金】60百万円
【社長】松原伸治
【株主】〔24.4〕三菱電機100%
【事業】FA19、モーター46、機電30、縫製機械2、絶縁材・ロボット3
【従業員】[単]698名(41.5歳)

【業績】	売上高	営業利益	経常利益	純利益
[単]22.3	40,948	1,531	1,563	1,028
[単]23.3	42,193	1,233	1,260	908
[単]24.3	29,396	327	343	225

ＮＫＥ

株式公開 いずれしたい

採用内定数	倍率	3年後離職率	平均年収
4名	18.8倍	60%	[総]489万円

●待遇、制度●
【初任給】月21.2万
【残業】4.3時間【有休】12.8日【制度】[住][在]
●新卒定着状況●
20年入社(男3、女2)→3年後在籍(男1、女1)
●採用情報●
【人数】23年:2 24年:3 25年:応募75→内定4*
【内定内訳】(男4、女0)(文1、理2)(総4、他0)
【試験】〔Web自宅〕SPI3〔性格〕有
【時期】エントリー24.10→内々定25.1*(一次はWEB面接可)【ジョブ型】有
【採用実績校】大阪電通大1、大阪産大1、京産大1、京都工学院高1
【求める人材】自らの強みを活かし考動できる思考と行動力、責任感と真摯さを兼ね備えた人

【本社工場】612-8487 京都府京都市伏見区羽束師菱川町366-1 ☎075-924-0653
【特色・近況】産業用省力化機器、省配線機器、自動組立装置の開発・製造行う。京都本拠。自動化によるモノづくり現場の支援を標榜。部品を掴むエアチャックやコンベア、省配線ユニットなどが主製品。新型加工機導入し複雑形状部品を自前生産へ。中国、タイなどに海外拠点。
【設立】1969.8 【資本金】297百万円
【社長】中村道一(1964.1生 近大理工卒)
【株主】〔24.3〕中村道一18.9%
【事業】省配線電子制御機器10、省力化機器60、自動組立装置30 <輸出5>
【従業員】単121名(40.0歳)

【業績】	売上高	営業利益	経常利益	純利益
単22.3	1,894	▲146	▲76	▲81
単23.3	2,131	45	49	27
単24.3	2,269	19	33	26

(株)大阪真空機器製作所（おおさかしんくうききせいさくしょ）

株式公開 計画なし

採用予定数	倍率	3年後離職率	平均年収
4名	―	20%	635万円

●待遇、制度●
【初任給】月22.5万(諸手当0.5万円)
【残業】17時間【有休】12.5日【制度】[住][在]
●新卒定着状況●
20年入社(男5、女0)→3年後在籍(男4、女0)
●採用情報●
【人数】23年:3 24年:4 25年:応募24→内定0*
【内定内訳】(男‥、女‥)(文‥、理‥)(総‥、他‥)
【試験】なし
【時期】エントリー25.3→内々定25.5*(一次はWEB面接可)【インターン】有【ジョブ型】有
【採用実績校】‥
【求める人材】人と良い関係を築き、誠実で粘り強く、学ぶ意欲を持ち仕事を好きになれる人

【本社】541-0042 大阪府大阪市中央区今橋3-3-13 ニッセイ淀屋橋イースト ☎06-6203-3981
【特色・近況】真空ポンプ専業メーカー。真空技術駆使し産業向け真空システムを提供する。ターボ分子ポンプ、ドライ真空ポンプが主力。主な顧客は半導体・電子部品、光学素材、自動車関連で、顧客仕様に沿った最適真空環境を実現。中国、米国、韓国に拠点。輸出比率3割。
【設立】1950.9 【資本金】348百万円
【社長】笠岡一之(関西学大院商学研)
【株主】〔23.12〕笠岡一之30.2%
【事業】規格品61、装置30、他9 <輸出30>
【従業員】単200名(41.5歳)

【業績】	売上高	営業利益	経常利益	純利益
単21.12	6,317	142	184	165
単22.12	8,265	664	698	503
単23.12	9,859	577	579	378

樫山工業（かしやまこうぎょう）

株式公開 計画なし

採用内定数	倍率	3年後離職率	平均年収
12名	16.3倍	0%	[総]590万円

●待遇、制度●
【初任給】月22.3万
【残業】9.2時間【有休】13日【制度】[住][在]
●新卒定着状況●
20年入社(男10、女7)→3年後在籍(男10、女7)
●採用情報●
【人数】23年:33 24年:31 25年:応募196→内定12
【内定内訳】(男11、女1)(文5、理4)(総12、他0)
【試験】〔筆記〕SPI3〔Web自宅〕SPI3〔性格〕有
【時期】エントリー25.3→内々定25.10*【インターン】有
【採用実績校】豊橋技科大1、諏訪東理大1、新潟工大1、長野県工科短大3、足利大1、東洋大1、拓大1、駿河台大1、山梨学大2
【求める人材】コミュニケーション能力のある人、協調性のある人

【本社】385-8511 長野県佐久市根々井1-1 ☎0267-67-3311
【特色・近況】半導体・液晶パネル製造装置向けドライ真空ポンプ、水封真空ポンプなどを製造・販売。スキー場設備機器販売、スキー場の企画・運営も手がける。韓国、台湾、中国、ベトナム、米国、ドイツに拠点。各拠点を中心に半導体、液晶パネル関連の受注に注力。
【設立】1951.1 【資本金】85百万円
【社長】樫山彰史(1977.10生 慶大院理工修了)
【株主】〔24.3〕樫山彰史84.2%
【事業】半導体産業向真空機器99、スキー場設備1 <輸出80>
【従業員】単961名(40.1歳)

【業績】	売上高	営業利益	経常利益	純利益
単22.3	37,929	5,233	5,647	3,749
単23.3	42,165	3,522	4,158	2,688
単24.3	35,382	2,518	3,390	2,025

㈱キャステム

株式公開 いずれしたい

採用内定数	倍率	3年後離職率	平均年収
8名	6.1倍	23.5%	426万円

●待遇、制度●
【初任給】月21.2万(諸手当を除いた数値)
【残業】15.2時間【有休】9.1日【制度】住
●新卒定着状況●
20年入社(男8、女9)→3年後在籍(男6、女7)
●採用情報●
【人数】23年:28 24年:16 25年:応募49→内定8*
【内定内訳】(男8、女0)(文0、理1)(総8、他0)
【試験】〔Web自宅〕SPI3〔性格〕有
【時期】エントリー25.3→内々定25.5*(一次はWEB面接可)【インターン】有
【採用実績校】中国職能大学校1、新居浜高専2、徳山高専1、広島商船高専1、旭川高専1、弓削商船高専1、穴吹ビジネス専1
【求める人材】他の誰にもない個性を発揮し、前進できる人(実直、情熱、主体性、挑戦、創造力)

【本社】720-0004 広島県福山市御幸町大字中津原1808-1 ☎084-955-2221
【特色・近況】産業用機器部品メーカー。ロストワックス精密鋳造部品、セラミック射出焼結部品などを製造・販売。高度精密技術に定評。フィリピンなどで現地生産。子会社で金属商品や金工作家の作品を展示販売する「メタマテ」店なども展開している。
【設立】2002.3 【資本金】79百万円
【社長】戸田拓夫(1956.8生 早大理工)
【株主】〔24.3〕I-temホールディングス100%
【事業】一般産業用機器部品45、繊維機械部品10、印刷機器部品15、医療機器部品5、他25
【従業員】単225名(39.0歳)

【業績】	売上高	営業利益	経常利益	純利益
単22.3	7,488	592	529	382
単23.3	8,521	411	554	398
単24.3	7,868	175	312	143

㈱東精(とうせい)エンジニアリング

株式公開 計画なし

採用内定数	倍率	3年後離職率	平均年収
2名	‥	‥	‥

●待遇、制度●
【初任給】月25.3万(諸手当5.2万円)
【残業】28.8時間【有休】13.4日【制度】住
●新卒定着状況●
‥
●採用情報●
【人数】23年:9 24年:9 25年:応募‥→内定2
【内定内訳】(男2、女0)(文0、理2)(総2、他0)
【試験】〔Web自宅〕SPI3
【時期】エントリー24.11～12→内々定25.1(一次はWEB面接可)
【採用実績校】‥
【求める人材】Takerではなく、Giverであれ

【本社】300-0006 茨城県土浦市東中貫町4-6 ☎029-830-1888
【特色・近況】自動計測機器、半導体製造装置製造と計測器サービス行う。東京精密の完全子会社。自動計測機器は、自動車、ベアリング等の精密部品の生産ライン向けが主。そこで培った技術で半導体ウエハ製造分野の自動機器にも展開した。中国、アジア、北米などに海外拠点。
【設立】1969.4 【資本金】988百万円
【社長】後藤克志(1959.12生)
【株主】〔24.3〕東京精密100%
【事業】自動計測機器46、半導体製造装置33、計測機器サービス21 <輸出24>
【従業員】単427名(37.5歳)

【業績】	売上高	営業利益	経常利益	純利益
単22.3	13,998	2,980	5,042	4,255
単23.3	16,144	3,334	3,880	2,963
単24.3	16,813	3,559	3,636	2,631

ミツ精機(せいき)

株式公開 計画なし

採用内定数	倍率	3年後離職率	平均年収
8名	1倍	33.3%	‥

●待遇、制度●
【初任給】月21.7万
【残業】15.3時間【有休】13.3日【制度】住
●新卒定着状況●
20年入社(男3、女0)→3年後在籍(男2、女0)
●採用情報●
【人数】23年:15 24年:5 25年:応募8→内定8*
【内定内訳】(男‥、女‥)(文‥、理‥)(総‥、他‥)
【試験】なし
【時期】エントリー25.3→内々定25.4*(一次はWEB面接可)【インターン】有
【採用実績校】産業技術短大1、他
【求める人材】真面目な社風を活かしつつ、もう一歩踏み出した「オモロいこと」にチャレンジしたい人

【本社】656-1522 兵庫県淡路市下河合301 ☎0799-85-1133
【特色・近況】航空・宇宙機器部品や医療機器部品などの精密機械加工を手がける。難燃材の複雑形状切削で高い生産技術力。非破壊検査(浸透探傷試験)にも事業領域拡大。2工場体制。社員の多くが技能士資格を有す。1933年に旧海軍向け艦艇部品製作で創業。
【設立】1962.4 【資本金】49百万円
【社長】三津千久磨(1966.11生 福山大工卒)
【株主】〔24.4〕三津久直36.0%
【事業】航空機関連部品84、舶用部品5、医療機器部品8、他3
【従業員】単248名(41.0歳)

【業績】	売上高	営業利益	経常利益	純利益
単22.3	2,674	‥	164	91
単23.3	2,609	‥	82	77
単24.3	2,745	‥	178	84

リングアンドリンク

株式公開準備中

採用予定数	倍率	3年後離職率	平均年収
3名	−	0%	[総]455万円

●待遇、制度●
【初任給】月20.7万
【残業】6.3時間【有休】14日【制度】[住]
●新卒定着状況●
20年入社(男3、女0)→3年後在籍(男3、女0)
●採用情報●
【人数】23年:4 24年:1 25年:応募3→内定0*
【内定内訳】(男‥、女‥)(文‥、理‥)(総‥、他‥)
【試験】なし
【時期】エントリー25.3→内々定25.10*(一次はWEB面接可)【インターン】有
【採用実績校】‥
【求める人材】自立、自責、そして前向きな人

【本社】359-0027 埼玉県所沢市松郷151-51
☎04-2945-4180
【特色・近況】オーダーメイドの精密製品を開発・製作。試験機、測定機、加工機、組立機などを手がけ、企画、設計、部品加工、組立、検査まで一貫生産。ソフト事業部門も持ち、不動産営業支援システム「@dream」を展開。埼玉県・所沢市に本社と工場を配する。
【設立】1986.11 【資本金】86百万円
【社長】金丸信一(1962.1生 高千穂商大商)
【株主】〔23.7〕金丸信一75.4%
【事業】ソフト24、精密製品74、他2
【従業員】単60名(36.8歳)

【業績】	売上高	営業利益	経常利益	純利益
単21.7	1,024	42	52	6
単22.7	1,023	75	75	9
単23.7	931	33	33	2

赤武エンジニアリング

(あかたけ)

株式公開計画なし

採用予定数	倍率	3年後離職率	平均年収
2名	−	0%	‥

●待遇、制度●
【初任給】月20万
【残業】4.1時間【有休】14.3日【制度】‥
●新卒定着状況●
20年入社(男1、女0)→3年後在籍(男1、女0)
●採用情報●
【人数】23年:2 24年:1 25年:応募0→内定0*
【内定内訳】(男‥、女‥)(文‥、理‥)(総‥、他‥)
【試験】なし
【時期】エントリー通年→内々定通年【インターン】有
【採用実績校】‥
【求める人材】チームワークを大切にし協調性を発揮し行動力のある人

【本社】410-0302 静岡県沼津市東椎路632
☎055-925-6666
【特色・近況】粉粒体の貯蔵・供給・計量・輸送と、その周辺機器の設計・製造・販売を行う専業メーカー。粉粒体の定量供給機は業種業態問わず用途ごとに機種を揃え、提案営業を推進。コンテナ単位で多品種粉体を扱う「コーンバルブ式コンテナ」など拡販。
【設立】1971.9 【資本金】30百万円
【社長】赤堀肇紀(1949.7生 立大卒)
【株主】〔23.8〕赤堀肇紀
【事業】粉粒体ハンドリング装置100
【従業員】単83名(45.3歳)

【業績】	売上高	営業利益	経常利益	純利益
単21.8	3,283	‥	‥	‥
単22.8	3,080	‥	‥	‥
単23.8	3,370	‥	‥	‥

甲南電機

(こうなんでんき)

株式公開計画なし

採用内定数	倍率	3年後離職率	平均年収
2名	2.5倍	33.3%	609万円

●待遇、制度●
【初任給】月24.6万(諸手当0.5万円)
【残業】8時間【有休】13.6日【制度】[住]
●新卒定着状況●
20年入社(男6、女0)→3年後在籍(男4、女0)
●採用情報●
【人数】23年:3 24年:3 25年:応募5→内定2*
【内定内訳】(男2、女0)(文2、理0)(総2、他0)
【試験】〔筆記〕常識
【時期】エントリー25.6→内々定25.8*【ジョブ型】有
【採用実績校】‥
【求める人材】人との「和」を尊重し、改善(変化)を恐れない人

【本社】663-8133 兵庫県西宮市上田東町4-97
☎0798-40-6600
【特色・近況】産業用プラント向けの電磁弁やアクチュエーター(空気圧機器)などを製造・販売。分社して再統合した油圧ブレーカーを製造する建機部門との2部門で構成。中国・上海にも拠点。大口径バルブ操作用アクチュエーターの販売活動に注力。
【設立】1949.3 【資本金】479百万円
【会長兼社長】宮内寿一(1943.7生 神戸大工卒)
【株主】〔23.8〕大同生命保険7.6%
【事業】制御弁33、アクチュエータ33、空気圧回路補器11、自動装置2、建設機械20、商品1 <輸出7>
【従業員】単165名(42.3歳)

【業績】	売上高	営業利益	経常利益	純利益
単21.8	4,877	205	250	171
単22.8	4,985	102	150	93
単23.8	5,172	209	257	191

フジクリーン工業（こうぎょう）

株式公開していない

採用内定数	倍率	3年後離職率	平均年収
16名	11.8倍	20%	㊍620万円

●待遇、制度●
【初任給】月25.7万
【残業】12.5時間【有休】14.2日【制度】住 在
●新卒定着状況● 製造職（高卒）除く
20年入社（男8、女12）→3年後在籍（男6、女10）
●採用情報● 製造職（高卒）除く
【人数】23年:35 24年:25 25年:応募189→内定16
【内定内訳】（男8、女8）（文8、理7）（総16、他0）
【試験】〔筆記〕有〔Web自宅〕有〔性格〕有
【時期】エントリー24.6→内々定24.11（一次はWEB面接可）
【採用実績校】山梨大1、新潟大1、宇都宮大1、法政大1、創価大1、横国大1、名大1、南山大1、立命館大1、広島大1、他
【求める人材】「美しい水を守ることで地球環境保全に貢献したい」という企業理念に共感を持てる人

【本社】464-0850 愛知県名古屋市千種区今池4-1-4 ☎052-733-0325
【特色・近況】業界トップシェアの浄化槽メーカー。数人規模の小型から千人規模の大型までフルラインナップ。研究・開発・製造・販売・施工・メンテナンスの一貫体制。日本初の在宅血液透析廃水処理ユニット、産業廃水処理対応製品も扱う。欧州・北米・豪州に海外拠点。
【設立】1961.2 【資本金】300百万円
【社長】後藤雅司
【株主】〔24.5〕丸嘉商事51.5%
【事業】小型浄化槽50、中型浄化槽・大型浄化槽・プラント25、他25 <輸出20>
【従業員】単614名（41.2歳）

【業績】	売上高	営業利益	経常利益	純利益
単21.5	18,244	1,609	1,706	1,057
単22.5	19,198	1,491	1,889	1,222
単23.5	22,242	1,127	1,428	974

ムラテックメカトロニクス

株式公開未定

採用予定数	倍率	3年後離職率	平均年収
21名	‥	20%	592万円

●待遇、制度●
【初任給】月23.7万（諸手当3.5万円）
【残業】16.5時間【有休】13.5日【制度】住 在
●新卒定着状況●
20年入社（男5、女5）→3年後在籍（男5、女3）
●採用情報●
【人数】23年:19 24年:15 25年:予定21*
【内定内訳】（男‥、女‥）（文‥、理‥）（総‥、他‥）
【試験】〔Web自宅〕WEB-GAB
【時期】エントリー‥→内々定‥【インターン】有
【採用実績校】‥
【求める人材】‥

【本社・滋賀事業所】520-2501 滋賀県蒲生郡竜王町弓削37 ☎0748-57-2000
【特色・近況】独自のパラレルメカニズムロボットのほかデジタル複合機、クリーンFA機器、グループ会社製品などを製造・販売。プリント基板、制御盤製作、板金加工・塗装などの受託製造も手がける。埼玉に支社、本社と大分の国内2工場。村田機械グループ。
【設立】1969.10 【資本金】30百万円
【社長】村田大介（1961.10生 スタンフォード経営卒）
【株主】〔24.3〕村田機械100%
【事業】制御盤・プリント基板59、繊維機械部品3、搬送装置28、工作機械部品0、デジタル複合機3、他7
【従業員】単429名（41.5歳）

【業績】	売上高	営業利益	経常利益	純利益
単22.3	29,584	1,199	1,232	808
単23.3	36,314	1,716	1,762	1,158
単24.3	37,075	231	274	248

アピ

株式公開していない

採用内定数	倍率	3年後離職率	平均年収
70名	‥	‥	‥

●待遇、制度●
【初任給】月23万
【残業】‥時間【有休】12.8日【制度】‥
●新卒定着状況●
‥
●採用情報● グループ採用
【人数】23年:103 24年:79 25年:応募‥→内定70
【内定内訳】（男‥、女‥）（文‥、理‥）（総‥、他‥）
【試験】‥
【時期】エントリー25.3→内々定25.6（一次はWEB面接可）
【採用実績校】‥
【求める人材】‥

【本社】500-8558 岐阜県岐阜市加納桜田町1-1 ☎058-271-3838
【特色・近況】蜂蜜・プロポリスなど蜂産品を扱うほか、健康食品や医薬品を受託製造。受粉用ミツバチに代わる農業用資材ハエ「ビーフライ」の販売も。養蜂場を1つ所有。国内8工場。物流センターや先端技術センターも有する。中国に現地法人。1907年創業。
【設立】1972.10 【資本金】48百万円
【社長】野々垣孝彦（1962.7生 慶大理工卒）
【株主】〔23.8〕アピホールディングス100%
【事業】蜂蜜11、ローヤルゼリー14、健康食品等62、他13
【従業員】単1,456名（39.1歳）

【業績】	売上高	営業利益	経常利益	純利益
単21.8	36,770	‥	2,560	‥
単22.8	37,837	‥	1,563	‥
単23.8	46,183	‥	3,254	‥

アリアケジャパン [東証プライム]

採用内定数	倍率	3年後離職率	平均年収
2名	5倍	0%	[総]702万円

●待遇、制度●
【初任給】月21万(諸手当2万円、固定残業代30時間分)
【残業】20時間【有休】10.3日【制度】[住]
●新卒定着状況●
20年入社(男1、女0)→3年後在籍(男1、女0)
●採用情報●
【人数】23年:1 24年:1 25年:応募10→内定2*
【内定内訳】(男2、女0)(文・・、理・・)(総2、他0)
【試験】〔筆記〕常識
【時期】エントリー25.3→内々定25.4*(一次はWEB面接可)【インターン】有
【採用実績校】・・
【求める人材】食品に対する情熱と興味を持っている人

【本社】150-0022 東京都渋谷区恵比寿南3-2-17 ☎03-3791-3301
【特色・近況】牛・豚・鶏などが原料の業務用天然調味料のトップメーカー。抽出から加工まで一貫体制。国内はコンビニ向けが牽引。PB商品の受注生産を拡大。欧中アジアに生産拠点を設け、日本向け輸出のほか、現地食品メーカーへの販売も拡大。
【設立】1978.5 【資本金】7,095百万円
【社長】白川直樹(1957.2生 九大農卒)
【株主】〔24.3〕ジャパンフードビジネス㈱32.3%
【連結事業】液体スープ7、液体天然調味料80、粉体天然調味料9、製品他4 <海外25>
【従業員】連1,106名 単673名(38.9歳)

【業績】	売上高	営業利益	経常利益	純利益
連22.3	52,658	10,682	11,340	7,708
連23.3	55,698	8,455	9,270	6,385
連24.3	59,981	8,662	10,712	7,353

イオンフードサプライ [株式公開計画なし]

採用内定数	倍率	3年後離職率	平均年収
21名	9.6倍	50%	[総]615万円

●待遇、制度●
【初任給】月25万
【残業】14時間【有休】14日【制度】[住]
●新卒定着状況●
20年入社(男4、女4)→3年後在籍(男2、女2)
●採用情報●
【人数】23年:25 24年:18 25年:応募202→内定21
【内定内訳】(男12、女9)(文9、理12)(総19、他2)
【試験】〔筆記〕SPI3〔Web自宅〕SPI3〔性格〕有
【時期】エントリー24.10→内々定25.2(一次はWEB面接可)【インターン】有
【採用実績校】沖縄高専1、宮崎大1、宮城学院女大1、京都美工大1、近大1、金城学大1、駿河台大1、拓大1、中村学大1、東京工芸大1、他
【求める人材】製造業務(モノづくり)・機械いじりに興味がある、学び続ける人

【本社】273-0014 千葉県船橋市高瀬町24-6 ☎047-431-8396
【特色・近況】イオングループ向け食品加工・製造・配送が主。イオンリテールから仙台、京都、香川の生産拠点を承継し、全国に8センター。生産履歴の画像監視システム導入。南関東、西関東、中部、兵庫の各センターでSQF2000認証取得済み。
【設立】1981.10 【資本金】100百万円
【社長】戸田茂則(1965.3生)
【株主】〔24.2〕イオン100%
【事業】農産品35、水産品23、畜産品29、総菜品他13
【従業員】単2,123名(47.0歳)

【業績】	売上高	営業利益	経常利益	純利益
単22.2	223,152	・・	・・	・・
単23.2	230,700	・・	・・	・・
単24.2	264,500	・・	・・	・・

一正蒲鉾(いちまさかまぼこ) [東証スタンダード]

採用内定数	倍率	3年後離職率	平均年収
23名	4.1倍	28.6%	406万円

●待遇、制度●
【初任給】月20.2万
【残業】11時間【有休】16.5日【制度】[住][在]
●新卒定着状況●
20年入社(男7、女7)→3年後在籍(男7、女3)
●採用情報●
【人数】23年:23 24年:15 25年:応募94→内定23
【内定内訳】(男8、女15)(文13、理9)(総23、他0)
【試験】〔性格〕有
【時期】エントリー25.4→内々定25.5(一次はWEB面接可)【インターン】有
【採用実績校】東北大1、新潟県大1、東海大1、城西大1、東北福祉大1、長野県大1、山形大2、東京農業大1、新潟コンピュータ専1
【求める人材】失敗を恐れず、積極的に意見発信、チャレンジする人

【本社】950-8735 新潟県新潟市東区津島屋7-77 ☎025-270-7111
【特色・近況】水産練り製品で2位。「オホーツク」「サラダスティック」などのカニ風味かまぼこが主力で首位。マイタケも生産。新潟地盤で北海道、滋賀にも工場。インドネシアでカニ風味かまぼこを生産。魚肉たんぱく製品の健康機能を訴求。
【設立】1965.1 【資本金】940百万円
【社長】野崎正博(1958.2生 青学大経営卒)
【株主】〔24.6〕㈲ノザキ30.6%
【連結事業】水産練製品・惣菜88、きのこ11、他1
【従業員】連928名 単893名(39.9歳)

【業績】	売上高	営業利益	経常利益	純利益
連22.6	31,636	545	623	565
連23.6	32,814	▲193	▲146	84
連24.6	34,487	1,271	1,247	957

メーカー(素材・身の回り品)

岩田食品（いわたしょくひん）

株式公開計画なし

採用内定数	倍率	3年後離職率	平均年収
6名	4.7倍	66.7%	504万円

●待遇、制度●
【初任給】月22.4万
【残業】15.8時間【有休】8.7日【制度】住 在
●新卒定着状況●
20年入社(男3、女3)→3年後在籍(男1、女1)
●採用情報●
【人数】23年:20 24年:6 25年:応募28→内定6*
【内定内訳】(男1、女5)(文0、理6)(総6、他0)
【試験】〔筆記〕有〔性格〕有
【時期】エントリー25.3→内々定25.5【インターン】有
【採用実績校】椙山女学大1、中部大2、名古屋学芸大2、愛知学大1
【求める人材】希望と挑戦意欲を持ち、プロフェッショナルに徹する事のできる人

【本社】491-0353 愛知県一宮市萩原町松山566-8 ☎0586-71-0321
【特色・近況】和・洋総菜の製造・販売大手で、量販店などに販売。デリカ直販店を量販店内で展開し、米飯食の製造・販売も行う。直販店舗64店。惣菜DELI「今日のごはん 和saiの国」なども展開。東京、大阪に支店、神奈川県に2工場。佃煮の製造卸で創業。
【設立】1951.12 【資本金】76百万円
【社長】岩田晃明(1978.11生 早大理工卒)
【株主】〔23.11〕岩田晃明
【事業】直販40、量販59、他1
【従業員】単263名(43.0歳)

【業績】	売上高	営業利益	経常利益	純利益
単21.11	12,082	‥	‥	‥
単22.11	12,892	‥	‥	‥
単23.11	13,690	‥	‥	‥

植田製油（うえだせいゆ）

株式公開計画なし

採用内定数	倍率	3年後離職率	平均年収
8名	‥	0%	‥

●待遇、制度●
【初任給】月23.7万
【残業】10時間【有休】16.3日【制度】住
●新卒定着状況●
20年入社(男8、女1)→3年後在籍(男8、女1)
●採用情報●
【人数】23年:8 24年:8 25年:応募‥→内定8
【内定内訳】(男6、女2)(文‥、理‥)(総8、他0)
【試験】〔Web自宅〕有
【時期】エントリー24.6→内々定25.4(一次はWEB面接可)【インターン】有
【採用実績校】‥
【求める人材】今必要としている事を考え、行動できる人

【本社】658-0024 兵庫県神戸市東灘区魚崎浜町17 ☎078-451-2361
【特色・近況】業務用専門の動・植物油脂加工メーカー。顧客は即席麺、製菓、マーガリン、ファストフード、製パンなどの大手食品メーカー。原油貯蔵能力1.3万t、精製能力月産1万t、マーガリン・ショートニング同2500t。1916年創業。
【設立】1949.5 【資本金】72百万円
【社長】植田学(立命大国際関卒)
【株主】〔24.5〕植田学27.9%
【事業】食用油脂71、マーガリン・ショートニング10、ラード9、他10
【従業員】単188名(42.9歳)

【業績】	売上高	営業利益	経常利益	純利益
単21.5	15,566	‥	458	759
単22.5	20,957	‥	590	375
単23.5	26,310	‥	826	568

ウェルネオシュガー

東証プライム

採用内定数	倍率	3年後離職率	平均年収
11名	27.3倍	25%	‥

●待遇、制度●
【初任給】月22.9万
【残業】17.2時間【有休】10.2日【制度】フ 住 在
●新卒定着状況● 日新製糖採用
20年入社(男4、女0)→3年後在籍(男3、女0)
●採用情報● 日新製糖採用
【人数】23年:3 24年:7 25年:応募300→内定11
【内定内訳】(男3、女8)(文5、理5)(総11、他0)
【試験】〔性格〕有
【時期】エントリー25.3→内々定25.6(一次はWEB面接可)【インターン】有
【採用実績校】法政大1、明大1、福島大1、東理大1、香川大1、近大1、日大1、名城大1、専大1、武蔵野大1
【求める人材】‥

【本社】103-8536 東京都中央区日本橋小網町14-1 ☎03-3668-1103
【特色・近況】国内製糖大手。「カップ印」「クルルマーク」ブランドの砂糖を中心に、キビ砂糖や機能性甘味料などを展開。機能性素材の開発も行う。子会社でスポーツクラブ運営等も展開。24年10月に傘下の日新製糖と伊藤忠製糖を当社が吸収し経営統合。
【設立】2011.10 【資本金】7,000百万円
【社長】山本貢司(1966.9生 京大農卒)
【株主】〔24.3〕伊藤忠商事35.3%
【連結事業】砂糖他食品95、健康産業3、倉庫2
【従業員】連641名 単0名(‥歳)

【業績】	売上高	営業利益	税前利益	純利益
連22.3	46,062	2,164	2,414	1,715
連23.3	58,347	1,606	1,804	1,062
連24.3	92,192	5,802	7,627	5,524

㈱ＡＦＣ－ＨＤアムスライフサイエンス

東証スタンダード

採用内定数	倍率	3年後離職率	平均年収
5名	4.8倍	37.5%	404万円

●待遇、制度●
【初任給】月20.3万
【残業】18.7時間【有休】13.7日【制度】[住]
●新卒定着状況●
20年入社(男5、女3)→3年後在籍(男4、女1)
●採用情報●
【人数】23年:7 24年:8 25年:応募24→内定5*
【内定内訳】(男2、女3)(文3、理2)(総0、他5)
【試験】なし
【時期】エントリー25.2→内々定25.4*(一次・二次以降もWEB面接可)【インターン】有
【採用実績校】静岡県大2、常葉大2、千葉商大1
【求める人材】チャレンジ精神のある人、真面目に努力できる人

【本社】422-8027 静岡県静岡市駿河区豊田3-6-36 ☎054-281-0585
【特色・近況】健康食品・化粧品の総合受託製造メーカー。サプリメントや化粧品など国内は400社以上、海外は20社以上から受託製造。自社ブランド製品の販売も行い、通販や百貨店での直販、ドラッグストアへの卸売りも行う。子会社の漢方薬の本草製薬は後発医薬品も製造。
【設立】1980.12 【資本金】2,131百万円
【会長】淺山雄彦(1968.12生)
【株主】〔24.2〕淺山忠彦14.5%
【連結事業】ヘルスケア60、医薬品8、百貨店20、飲食6、他6 <海外8>
【従業員】連1,054名 単361名(39.7歳)

【業績】	売上高	営業利益	経常利益	純利益
連21.8	22,368	2,245	2,161	1,495
連22.8	22,997	1,011	1,343	735
連23.8	25,579	1,636	1,654	1,102

S FOODS

東証プライム

採用内定数	倍率	3年後離職率	平均年収
20名	24.9倍	37.5%	525万円

●待遇、制度●
【初任給】月23万
【残業】18.5時間【有休】10日【制度】[住]
●新卒定着状況●
20年入社(男15、女9)→3年後在籍(男8、女7)
●採用情報●
【人数】23年:42 24年:25 25年:応募497→内定20*
【内定内訳】(男14、女6)(文13、理7)(総17、他3)
【試験】〔Web会場〕有
【時期】エントリー25.3→内々定25.6*(一次・二次以降もWEB面接可)【インターン】有【ジョブ型】有
【採用実績校】高知県大1、岡山大1、甲南大2、東京農業大1、日本文理大1、名古屋女大1、関西学大1、他
【求める人材】主体性を持って行動し、成長のために自己啓発を継続し、目標に向かって挑戦する人

【本社】663-8142 兵庫県西宮市鳴尾浜1-22-13 ☎0798-43-1065
【特色・近況】米国産牛肉・内臓肉輸入のパイオニア。「こてっちゃん」が主力商品。焼き肉用商材を家庭用や業務用に販売。米国にも自社工場を保有。傘下で外食店や総菜店、精肉店も運営。食肉の生産から小売・外食まで、食肉に関わる事業を一貫して行う。
【設立】1970.1 【資本金】4,298百万円
【社長】村上真之助(1957.3生)
【株主】〔24.2〕村上真之助24.7%
【連結事業】食肉等の製造・卸売92、食肉等の小売6、食肉等の外食2、他0 <海外13>
【従業員】連2,467名 単887名(36.2歳)

【業績】	売上高	営業利益	経常利益	純利益
連22.2	358,824	17,427	17,999	11,944
連23.2	399,208	14,571	15,841	10,570
連24.2	425,011	12,673	14,390	9,073

越後製菓（えちごせいか）

株式公開未定

採用内定数	倍率	3年後離職率	平均年収
10名	4.3倍	31.6%	[総]367万円

●待遇、制度●
【初任給】月22.2万
【残業】7時間【有休】12.5日【制度】[住]
●新卒定着状況●
20年入社(男11、女8)→3年後在籍(男9、女4)
●採用情報●
【人数】23年:16 24年:15 25年:応募43→内定10*
【内定内訳】(男9、女1)(文3、理5)(総8、他2)
【試験】〔筆記〕常識〔性格〕有
【時期】エントリー25.4→内々定25.4【インターン】有【ジョブ型】有
【採用実績校】東京農業大、富山県大、新潟大、新潟県大、新潟経営大、新潟薬大、長岡公務員・情報ビジネス専
【求める人材】常に考え続けようと努力する人、状況の変化に気付き、柔軟に対応できる人

【本社】940-8622 新潟県長岡市呉服町1-4-5 ☎0258-32-2358
【特色・近況】餅と米菓主体の食品メーカー。あられ、せんべい、切り餅、鏡餅、米飯などを製造。食品加工へ超高圧処理技術利用が特徴。全国に幅広い営業網。新潟県内に8工場。JAXAと宇宙日本食「切り餅」を共同開発し、国際宇宙ステーションでの選定実績あり。
【設立】1947.3 【資本金】234百万円
【社長】吉原忠彦(1971.7生)
【株主】〔24.3〕山﨑彬10.3%
【事業】餅47、米菓33、麺類2、総菜・米飯17、他1
【従業員】単738名(45.4歳)

【業績】	売上高	営業利益	経常利益	純利益
単22.3	18,774	‥	123	53
単23.3	19,748	‥	10	▲266
単24.3	20,590	‥	223	85

エバラ食品工業（しょくひんこうぎょう）　東証スタンダード

採用内定数	倍率	3年後離職率	平均年収
14名	‥	0%	669万円

●待遇、制度●
【初任給】月21万
【残業】6時間【有休】16.6日【制度】フ 住 在
●新卒定着状況●
20年入社(男11、女3)→3年後在籍(男11、女3)
●採用情報●
【人数】23年:19 24年:21 25年:応募‥→内定14
【内定内訳】(男8、女6)(文5、理7)(総12、他2)
【試験】〔Web自宅〕WEB-GAB〔性格〕有
【時期】エントリー 25.3→内々定25.5(一次・二次以降もWEB面接可)【インターン】有【ジョブ型】有
【採用実績校】九大院、北大院、東理大院、東京農業大院、東京薬大、早大、明学大、日大、近大、同女大、京都女大、津山高専、他
【求める人材】自発的に動き、自ら成長し成果を出す人

【本社】220-0012 神奈川県横浜市西区みなとみらい4-4-5 横浜アイマークプレイス ☎045-226-0226
【特色・近況】調味料専門メーカー。「黄金の味」など焼き肉のたれ主体で業界首位。鍋調味料、浅漬け用調味料、がらスープ、ラーメンスープなども展開。「プチッと鍋」など1人前用ポーション調味料が拡大。海外展開に意欲的で、上海やタイに現地法人を有する。
【設立】1958.5　【資本金】1,387百万円
【社長】森村剛士(1979.9生 慶大商卒)
【株主】〔24.3〕KMST HOLDINGS㈱33.4%
【連結事業】食品84、物流15、他1
【従業員】連855名 単520名(40.7歳)

【業績】	売上高	営業利益	経常利益	純利益
連22.3	43,345	3,348	3,666	2,704
連23.3	43,419	2,972	3,180	2,177
連24.3	45,216	2,400	2,628	1,802

㈱オイシス　株式公開いずれしたい

採用内定数	倍率	3年後離職率	平均年収
7名	9.6倍	58.8%	総 391万円

●待遇、制度●
【初任給】月19.8万
【残業】9.8時間【有休】11日【制度】住
●新卒定着状況●
20年入社(男5、女12)→3年後在籍(男1、女6)
●採用情報●
【人数】23年:15 24年:12 25年:応募67→内定7
【内定内訳】(男0、女7)(文1、理6)(総7、他0)
【試験】〔筆記〕常識
【時期】エントリー 25.1→内々定25.6(一次はWEB面接可)【インターン】有
【採用実績校】近大3、徳島大1、武庫川女大2、神戸松蔭女学大1
【求める人材】協調性とリーダーシップを兼ね備えた人、困難な仕事でも根気強く対応できる人

【本社】664-0027 兵庫県伊丹市池尻2-23 ☎072-772-0144
【特色・近況】関西地盤の総合デイリーフーズメーカー。関西にある9工場でパン、調理パン、和・洋菓子、麺、総菜など1日1000種以上を生産。大手スーパー、コンビニ、特約店など約7000店で販売。小売店舗内で販売するパン屋やベーカリーも運営する。
【設立】1948.6　【資本金】91百万円
【社長】池野正明(1977.11生 関西学大経済卒)
【株主】〔24.3〕池野正明43.8%
【事業】食パン・菓子パン・調理パン49、総菜12、麺類17、スイーツ16、直営店5、他1
【従業員】単477名(38.1歳)

【業績】	売上高	営業利益	経常利益	純利益
単22.3	26,893	‥	333	310
単23.3	28,792	‥	434	293
単24.3	29,536	‥	551	435

春日井製菓（かすがいせいか）　株式公開計画なし

採用予定数	倍率	3年後離職率	平均年収
13名	‥	0%	総 545万円

●待遇、制度●
【初任給】月22.2万(諸手当0.3万円)
【残業】6.5時間【有休】13.3日【制度】フ 住 在
●新卒定着状況●
20年入社(男0、女1)→3年後在籍(男0、女1)
●採用情報●
【人数】23年:11 24年:11 25年:予定13*
【内定内訳】(男‥、女‥)(文‥、理‥)(総‥、他‥)
【試験】〔筆記〕有〔Web自宅〕有〔性格〕有
【時期】エントリー 25.3→内々定25.4
【採用実績校】‥
【求める人材】食(特にお菓子)に興味があり、変化に柔軟な人、自ら考え行動・チャレンジできる人

【本社】451-0062 愛知県名古屋市西区花の木1-3-14 ☎052-531-1677
【特色・近況】キャンディ、豆菓子、グミなどの総合菓子メーカー。新商品投入やグミキャンディ、豆菓子の伸長施策を展開中。生産、営業、商品、管理の4本部体制一丸で「愛されるお菓子づくり」目指す。愛知に4工場、兵庫に1工場。仙台、東京、大阪、福岡などに支店。
【設立】1948.4　【資本金】100百万円
【社長】春日井大介(1978.6生 名城大法卒)
【株主】〔24.5〕春日井ホールディングス100%
【事業】キャンディ55、豆菓子15、グミキャンディ30 <輸出10>
【従業員】単520名(39.0歳)

【業績】	売上高	営業利益	経常利益	純利益
単22.12	16,500	‥	‥	‥
単23.12	18,300	‥	‥	‥

業績は春日井製菓販売との合算

加藤化学（かとうかがく）

株式公開計画なし

採用内定数	倍率	3年後離職率	平均年収
17名	3.7倍	0%	650万円

●待遇、制度●
【初任給】月23万
【残業】20時間【有休】13日【制度】‥

●新卒定着状況●
20年入社(男3、女0)→3年後在籍(男3、女0)

●採用情報●
【人数】23年:1 24年:3 25年:応募63→内定17*
【内定内訳】(男9、女8)(文3、理11)(総0、他17)
【試験】なし
【時期】エントリー25.3→内々定25.6*(一次はWEB面接可)【インターン】有【ジョブ型】有
【採用実績校】三重大3、福井工大2、中部大2、近大2、愛知学大2、北大1、龍谷大2
【求める人材】自主性があり、コミュニケーションがしっかり取れる人

【本社】470-2409 愛知県知多郡美浜町河和上前田18 ☎0569-82-3311
【特色・近況】「一富士印」ブランドの水あめ、コーンスターチ、化工でんぷん、ぶどう糖、異性化糖、無水結晶果糖などを製造。名古屋、シカゴ、NY、ロンドンでホテルやオフィスビルの運営なども手がける。東京と大阪に2支店を配置。
【設立】1961.5 【資本金】100百万円
【社長】加藤憲
【株主】〔24.3〕加藤化学ホールディングス100%
【事業】製飴65、ホテル33、他2 <海外33>
【従業員】単321名(‥歳)

【業績】	売上高	営業利益	経常利益	純利益
単21.3	36,233	‥	‥	‥
単22.3	49,099	‥	‥	‥
単23.3	73,823	‥	‥	‥

カネハツ食品（しょくひん）

株式公開計画なし

採用内定数	倍率	3年後離職率	平均年収
3名	4.7倍	37.5%	‥

●待遇、制度●
【初任給】月20.3万
【残業】10時間【有休】5.2日【制度】住 在

●新卒定着状況●
20年入社(男5、女3)→3年後在籍(男4、女1)

●採用情報●
【人数】23年:10 24年:2 25年:応募14→内定3*
【内定内訳】(男1、女2)(文1、理1)(総3、他0)
【試験】〔筆記〕常識
【時期】エントリー25.3→内々定25.5【インターン】有
【採用実績校】三重大1、東海学園大1、熊本農業高1
【求める人材】チームワークを大切にできる人

【本社】457-8555 愛知県名古屋市南区豊3-19-24 ☎052-691-6113
【特色・近況】調理食品の大手。佃煮、煮豆、総菜、おせちが主力。バイヤーによる食材仕入れが特徴。「つくだに村」「サラダに！まめ」「サラダがあったら！」シリーズはロングセラー商品。東京・渋谷、大阪、熊本に事業所が所在。オンラインストアも運営。
【設立】1942.4 【資本金】100百万円
【社長】加藤英敏(1960.7生 日大商卒)
【株主】〔24.3〕岳見商事41.9%
【事業】佃煮26、煮豆10、総菜46、他17
【従業員】単305名(46.2歳)

【業績】	売上高	営業利益	経常利益	純利益
単22.3	8,174	50	47	20
単23.3	7,912	▲110	▲135	▲138
単24.3	8,186	92	64	70

カバヤ食品（しょくひん）

株式公開計画なし

採用実績数	倍率	3年後離職率	平均年収
18名	−	28.6%	475万円

●待遇、制度●
【初任給】月22.7万(諸手当2.5万円、固定残業代22時間分)
【残業】8.4時間【有休】12.8日【制度】住 在

●新卒定着状況●
20年入社(男4、女10)→3年後在籍(男3、女7)

●採用情報●
【人数】23年:18 24年:18 25年:応募0→内定0
【内定内訳】(男‥、女‥)(文‥、理‥)(総‥、他‥)
【試験】〔Web自宅〕SPI3
【時期】エントリー24.11→内々定25.6*(一次はWEB面接可)
【採用実績校】‥
【求める人材】ありたい姿、やりたいことが明確で、その実現のために変化を恐れず行動できる人

【本社】709-2196 岡山県岡山市北区御津野々口1100 ☎086-724-4300
【特色・近況】主力のチョコレート菓子のほか、グミ、玩具菓子、清涼菓子(タブレット)を全国で販売する中堅菓子総合メーカー。「さくさくぱんだ」「塩分チャージタブレッツ」「タフグミ」などが代表商品。岡山工場と茨城の関東工場で生産。
【設立】1946.12 【資本金】100百万円
【代表取締役社長】穴井哲郎
【株主】〔24.8〕D Capital 70%
【事業】チョコレート35、グミ35、清涼菓子18、玩具菓子6、他6 <輸出1>
【従業員】単684名(41.8歳)

【業績】	売上高	営業利益	経常利益	純利益
単22.3	23,381	1,003	1,151	692
単23.3	26,030	1,367	1,243	21,794
単24.3	29,840	2,051	1,927	1,192

カンロ

東証スタンダード

採用予定数	倍率	3年後離職率	平均年収
22名	‥	25%	698万円

●待遇、制度●
【初任給】月21.8万
【残業】18時間【有休】13.4日【制度】フ住在
●新卒定着状況●
20年入社(男8、女4)→3年後在籍(男7、女2)
●採用情報●
【人数】23年:14 24年:15 25年:予定22*
【内定内訳】(男‥、女‥)(文2、理3)(総5、他‥)
【試験】〔Web自宅〕SPI3〔性格〕有
【時期】エントリー25.3→内々定25.7(一次はWEB面接可)
【採用実績校】東洋大1、跡見学園女大1、慶大1、東京農工大1、金沢工大1
【求める人材】キャンディNO.1企業を目指してともに成長できる人

【本社】163-1437 東京都新宿区西新宿3-20-2 東京オペラシティビル ☎03-3370-8811
【特色・近況】キャンディーでトップ級の老舗菓子メーカー。グミも第2の柱に成長。主力ブランドは「金のミルク」「健康のど飴」「ピュレグミ」など。直営店で販売する高付加価値商品「グミッツェル」も伸長。三菱商事が販売総代理店。梅、海藻などの素材菓子も展開。
【設立】1950.5 【資本金】2,864百万円
【社長】村田哲也(1969.10生)
【株主】〔24.6〕三菱商事27.7%
【事業】飴52、グミ46、素材菓子2、他0
【従業員】単668名(39.3歳)

【業績】	売上高	営業利益	経常利益	純利益
単21.12	25,663	1,259	1,296	882
単22.12	25,118	1,933	2,001	1,346
単23.12	29,015	3,388	3,432	2,462

菊水酒造（きくすいしゅぞう）

株式公開計画なし

採用予定数	倍率	3年後離職率	平均年収
未定	‥	ー	㊗461万円

●待遇、制度●
【初任給】月21万
【残業】10.9時間【有休】13.7日【制度】住
●新卒定着状況●
20年入社(男0、女0)→3年後在籍(男0、女0)
●採用情報●
【人数】23年:3 24年:0 25年:予定前年並
【内定内訳】(男‥、女‥)(文‥、理‥)(総‥、他‥)
【試験】〔筆記〕常識、他〔Web会場〕有〔性格〕有
【時期】エントリー25.3→内々定25.‥(一次はWEB面接可)
【採用実績校】‥
【求める人材】日本酒に興味があり、チャレンジ精神溢れ、明朗快活な人

【本社】957-0011 新潟県新発田市島潟750 ☎0254-24-5111
【特色・近況】1881年創業の新潟の老舗酒造。日本初の缶入り生原酒「ふなぐち菊水一番しぼり」が売上の柱。にごり酒や梅酒も醸造し販売する。酒粕はそれ自体の販売に加え、酒粕を利用したパン・つまみの商品開発も行う。北米中心に海外展開し輸出比率15%。
【設立】1956.9 【資本金】99百万円
【社長】高澤大介(1959.10生 東農大農経卒)
【株主】〔23.9〕高澤大介52.7%
【事業】日本酒製造販売 <輸出15>
【従業員】単121名(44.0歳)

【業績】	売上高	営業利益	経常利益	純利益
単21.9	4,395	‥	‥	‥
単22.9	4,372	‥	‥	‥
単23.9	4,062	‥	‥	‥

九州プロセスセンター（きゅうしゅう）

株式公開計画なし

採用予定数	倍率	3年後離職率	平均年収
1名	ー	ー	㊗494万円

●待遇、制度●
【初任給】月22.7万
【残業】33.4時間【有休】12.9日【制度】‥
●新卒定着状況●
20年入社(男0、女0)→3年後在籍(男0、女0)
●採用情報●
【人数】23年:1 24年:0 25年:応募1→内定0*
【内定内訳】(男‥、女‥)(文‥、理‥)(総‥、他‥)
【試験】なし
【時期】エントリー25.7→内々定25.11(一次はWEB面接可)【インターン】有
【採用実績校】‥
【求める人材】礼儀礼節を大切にし、前向きに物事を考え行動を起こせる元気で明るい人

【本社】861-5511 熊本県熊本市北区楠野町1088-7 ☎096-327-9229
【特色・近況】九州エリアの大手量販店向けに食肉加工製品の製造・販売を手がける。大手外食チェーン向けの製造も手がける。食品業界大手ハニューフーズの子会社。18年11月にグループの加工会社から会社分割により設立。HACCPなど外部認証を取得。
【設立】2018.11 【資本金】100百万円
【代表取締役】中山晴雄
【株主】〔24.5〕ハニューフーズ100%
【事業】食肉加工品の製造・販売
【従業員】単79名(48.7歳)

【業績】	売上高	営業利益	経常利益	純利益
単21.12	3,321	129	133	90
単22.12	3,569	77	114	76
単23.12	3,693	61	63	45

霧島酒造（きりしましゅぞう）

株式公開計画なし

採用予定数	倍率	3年後離職率	平均年収
20名	‥	‥	‥

●待遇、制度●
【初任給】月22万（諸手当を除いた数値）
【残業】‥時間【有休】‥日【制度】‥
●新卒定着状況●
‥
●採用情報●
【人数】23年:22 24年:48 25年:予定20
【内定内訳】(男‥、女‥)(文‥、理‥)(総‥、他‥)
【試験】‥
【時期】エントリー‥→内々定‥
【採用実績校】‥
【求める人材】‥

【本社】885-0011 宮崎県都城市下川東4-28-1
☎0986-22-2323
【特色・近況】芋焼酎「霧島」「白霧島」「黒霧島」「赤霧島」「茜霧島」などを生産する焼酎メーカー。原料芋は地元産「黄金千貫」などを使用。麦焼酎やクラフトビールも手がける。工場や醸造施設の見学、ショップ、飲食店を併設したファクトリーガーデンも展開。
【設立】2014.3 【資本金】3百万円
【社長】江夏順行（1946.9生 立大経営卒）
【株主】〔24.3〕霧島ホールディングス100%
【事業】本格焼酎99、地ビール1
【従業員】単599名（35.4歳）

【業績】	売上高	営業利益	経常利益	純利益
単22.3	58,438	4,845	4,860	3,165
単23.3	59,384	5,595	5,627	3,754
単24.3	53,113	5,195	5,223	3,347

㈱湖池屋（こいけや）

東証スタンダード

採用内定数	倍率	3年後離職率	平均年収
60名	20倍	6.7%	587万円

●待遇、制度●
【初任給】月23.8万
【残業】22.1時間【有休】12.8日【制度】フ 住 在
●新卒定着状況●
‥
●採用情報●
【人数】23年:21 24年:46 25年:応募1200→内定60*
【内定内訳】(男26、女34)(文21、理18)(総31、他29)
【試験】〔Web自宅〕SPI3
【時期】エントリー25.3→内々定25.6*(一次・二次以降もWEB面接可)【インターン】有【ジョブ型】有
【採用実績校】‥
【求める人材】自らの意志や価値観に基づいて行動し、未常識を形にしたいという志を持っている人

【本社】175-0094 東京都板橋区成増5-9-7
☎03-3979-2115
【特色・近況】日本のポテトチップス製造の先駆けで国内2位。「カラムーチョ」などスナック菓子でも大手で、多ブランドを展開。高付加価値商品や個食サイズもラインナップ。乳酸菌入り菓子も手がける。海外はアジアを中心に欧米にも展開、ベトナムに自社工場を持つ。
【設立】1977.1 【資本金】2,269百万円
【会長】小池孝（1956.8生）
【株主】〔24.3〕日清食品ホールディングス45.1%
【連結事業】スナック菓子99、タブレット菓子1 <海外11>
【従業員】連1,095名 単734名（39.3歳）

【業績】	売上高	営業利益	経常利益	純利益
連22.3変	30,395	1,089	1,142	758
連23.3	44,574	1,774	1,807	1,164
連24.3	54,829	3,598	3,490	2,208

㈱コモ

東証スタンダード

採用内定数	倍率	3年後離職率	平均年収
9名	‥	33.3%	514万円

●待遇、制度●
【初任給】月22.1万
【残業】18.7時間【有休】14日【制度】住 在
●新卒定着状況●
20年入社（男1、女8）→3年後在籍（男1、女5）
●採用情報●
【人数】23年:7 24年:7 25年:応募‥→内定9*
【内定内訳】(男6、女3)(文2、理1)(総9、他0)
【試験】なし
【時期】エントリー25.3→内々定25.5*(一次はWEB面接可)【インターン】有
【採用実績校】三重大1、立命館大1、名古屋経大1
【求める人材】変化に対応し挑戦する人、自ら考動する人、ひた向きに努力する人

【本社】485-0082 愛知県小牧市大字村中字下之坪505-1
☎0568-73-7050
【特色・近況】イタリア発祥のパネトーネ種を使った、保存料無添加のロングライフパンを製造販売。賞味期限が長いという特性を生かし、本社工場のみの製造で全国販売。生協やパン自販機での売り上げが6割超を占める。通販の拡大に傾注。千葉、大阪、福岡に営業所を置く。
【設立】1984.6 【資本金】222百万円
【社長】木下克己（1947.8生 東経大経済卒）
【株主】〔24.3〕舟橋一輝4.3%
【連結事業】デニッシュ45、クロワッサン30、ワッフル8、パネトーネ0、他17
【従業員】連187名 単163名（41.5歳）

【業績】	売上高	営業利益	経常利益	純利益
連22.3	6,510	212	219	141
連23.3	7,040	46	50	30
連24.3	7,309	81	89	42

三立製菓（さんりつせいか）

株式公開計画なし

採用内定数	倍率	3年後離職率	平均年収
13名	7.2倍	47.4%	476万円

●待遇、制度●
【初任給】月22万
【残業】4.9時間【有休】14.7日【制度】住
●新卒定着状況● 20～21年入社者合計
20年入社（男12、女7）→3年後在籍（男6、女4）
●採用情報●
【人数】23年:11 24年:5 25年:応募94→内定13*
【内定内訳】（男6、女7）（文5、理7）（総13、他0）
【試験】〔性格〕有
【時期】エントリー24.6→内々定25.5（一次はWEB面接可）【インターン】有
【採用実績校】徳島大院1、名城大1、同大1、同女大1、岐阜女大1、高崎経大1、九産大1、順天堂大1、愛知学大1、静岡農林環境専門職大1、他
【求める人材】行動指針「見える化、聞ける化、言える化、やってみる化」を目指せる人

【本社】430-8686 静岡県浜松市中央区中央1-16-11
☎053-453-3111
【特色・近況】世界初の量産型パイと醗酵技術を生かした乾パンが主力の菓子メーカー。「源氏パイ」「チョコバット」「かにぱん」などのブランドを軸に展開。浜松、丹波、大阪に3工場を有する。東京、大阪、札幌、福岡などに8営業所。
【設立】1921.10 【資本金】205百万円
【社長】清水康光（1972.5生 獨協大経済卒）
【株主】〔24.3〕松島紀保子4.8%
【事業】パイ57、カンパン8、チョコ加工品12、クッキー8、パン10、他5 <輸出3>
【従業員】単236名（36.8歳）

【業績】	売上高	営業利益	経常利益	純利益
単22.3	11,034	76	234	172
単23.3	11,782	▲196	28	193
単24.3	12,468	494	515	352

三和酒類（さんわしゅるい）

株式公開計画なし

採用内定数	倍率	3年後離職率	平均年収
6名	19.5倍	0%	‥

●待遇、制度●
【初任給】月22万
【残業】8.6時間【有休】13.4日【制度】フ 住 在
●新卒定着状況●
20年入社（男3、女3）→3年後在籍（男3、女3）
●採用情報●
【人数】23年:6 24年:11 25年:応募117→内定6
【内定内訳】（男4、女2）（文3、理3）（総6、他0）
【試験】〔Web自宅〕有〔性格〕有
【時期】エントリー25.3→内々定25.6（一次はWEB面接可）【インターン】有
【採用実績校】奈良先端科技院大1、宮崎大1、東京海洋大1、日本文理大1、北九州市大1、大分大1
【求める人材】リーダーシップを発揮し、チャレンジ精神に溢れた人

【本社】879-0495 大分県宇佐市大字山本2231-1
☎0978-32-1431
【特色・近況】麦焼酎「いいちこ」が主力の酒造会社。麦焼酎の醸造過程でつくられる大麦発酵液を原料とした食品素材など、発酵に関わるものづくりを幅広く手がける。焼酎以外では、日本酒、リキュール、ワイン、ブランデーなどを製造。大分に蒸留所とワイナリーを有する。
【設立】1958.9 【資本金】1,000百万円
【社長】西和紀
【株主】〔24.5〕赤松本家酒造
【事業】酒類製造100
【従業員】単377名（‥歳）

【業績】	売上高	営業利益	経常利益	純利益
単21.7	42,710	‥	‥	‥
単22.7	25,045	‥	‥	‥
単23.7	26,035	‥	‥	‥

三和澱粉工業（さんわでんぷんこうぎょう）

株式公開計画なし

採用内定数	倍率	3年後離職率	平均年収
6名	3.7倍	0%	‥

●待遇、制度●
【初任給】月25.1万（諸手当0.8万円）
【残業】10.5時間【有休】16日【制度】フ 住 在
●新卒定着状況●
20年入社（男11、女1）→3年後在籍（男11、女1）
●採用情報●
【人数】23年:8 24年:6 25年:応募22→内定6*
【内定内訳】（男5、女1）（文0、理3）（総6、他0）
【試験】〔筆記〕常識〔性格〕有
【時期】エントリー25.3→内々定25.5（一次はWEB面接可）【インターン】有
【採用実績校】筑波大1、兵庫県大1、静岡県大1
【求める人材】自ら考え、行動を起こし、仕事の「渦」を作れる人

【本社】634-8585 奈良県橿原市雲梯町594
☎0744-22-5531
【特色・近況】コーンスターチ、食品用加工澱粉、機能性素材、糖化製品などの製造販売メーカー。天然素材が原料の増粘安定剤や、揚げ物用澱粉を開発。物流センターは6000t超の収容能力。奈良に本社工場を有し、東京にオフィスを配置。
【設立】1947.1 【資本金】500百万円
【社長】森本剛司（1986.4生 神戸大院理学研修了）
【株主】〔24.3〕三和商事33.8%
【事業】食品向け澱粉・糖化品81、工業用澱粉4、他15 <輸出1>
【従業員】単263名（42.3歳）

【業績】	売上高	営業利益	経常利益	純利益
単22.3	28,401	1,046	1,419	928
単23.3	34,203	▲188	238	199
単24.3	36,248	1,487	1,989	1,427

シマダヤ

東証スタンダード

採用内定数	倍率	3年後離職率	平均年収
11名	25.3倍	14.3%	‥

[待遇、制度]
【初任給】月22.3万
【残業】10.8時間【有休】12.9日【制度】[住][在]
[新卒定着状況]
20年入社(男5、女2)→3年後在籍(男4、女2)
[採用情報]
【人数】23年:9 24年:13 25年:応募278→内定11
【内定内訳】(男5、女6)(文4、理7)(総11、他0)
【試験】〔Web自宅〕有〔性格〕有
【時期】エントリー25.3→内々定25.‥(一次はWEB面接可)【インターン】有
【採用実績校】北里大院1、駒澤大1、十文字学女大1、相山女学大1、帝京大1、東京農業大院1、南山大1、法政大1、日大2、山梨大院1
【求める人材】困難なことにも諦めず、最後までやり抜き、自らの考えを実行に移せる人、周囲との関係を築ける人

【本社】150-0021 東京都渋谷区恵比寿西1-33-11 ☎03-5489-5511
【特色・近況】麺専業メーカー。うどん・そば・ラーメンなど多種類のチルド麺・冷凍麺を、家庭用から業務用まで幅広く供給する。水でほぐすだけで食べられる「流水麺」なども展開。海外40カ国以上に提供。メルコHDの完全子会社であったが24年スピンオフ上場。
【設立】1949.3 【資本金】1,000百万円
【社長】岡田賢二(1970.3生)
【株主】〔24.4〕メルコホールディングス100%
【事業】食品100
【従業員】単312名(43.9歳)

【業績】	売上高	営業利益	経常利益	純利益
単22.3	31,265	1,206	1,466	1,051
単23.3	34,066	1,393	1,509	1,224
単24.3	38,930	2,497	2,584	1,860

㈱十文字(じゅうもんじ)チキンカンパニー

株式公開計画なし

採用内定数	倍率	3年後離職率	平均年収
6名	4.7倍	33.3%	[総]550万円

[待遇、制度]
【初任給】月22.1万(諸手当3万円)
【残業】5.3時間【有休】11.3日【制度】[住]
[新卒定着状況]
20年入社(男1、女2)→3年後在籍(男1、女1)
[採用情報]
【人数】23年:2 24年:7 25年:応募28→内定6
【内定内訳】(男4、女2)(文3、理3)(総6、他0)
【試験】〔筆記〕SPI3〔性格〕有
【時期】エントリー25.3→内々定25.5(一次・二次以降もWEB面接可)【インターン】有
【採用実績校】東北大1、弘前大1、山形大1、北海道教育大1、駒澤大1、八戸工大1
【求める人材】素直で元気で明るい、気配りができチームに貢献できる、問題解決意識が期待できる人

【本社】028-6103 岩手県二戸市石切所字火行塚25 ☎0195-23-3377
【特色・近況】鶏肉販売大手。岩手県中心に約170の提携飼育場を持ち、雛生産から製品加工販売まで一貫。「菜彩鶏」「楽鶏」などの銘柄鶏を生育。植物性タンパク質原料のみを後期・仕上飼料とする点に特色。久慈に工場。バイオマス発電所や肥料工場も保有。
【設立】1975.4 【資本金】100百万円
【社長】十文字保雄(1963.4生 国学院大法卒)
【株主】〔24.3〕十文字保雄78.8%
【事業】鶏肉85、飼料・ひな14、電気1
【従業員】単1,032名(43.0歳)

【業績】	売上高	営業利益	経常利益	純利益
単22.3	55,519	7,446	7,733	4,531
単23.3	60,637	7,919	8,266	5,597
単24.3	63,665	7,486	8,175	6,108

#有休取得が多い

㈱白子(しらこ)

株式公開未定

採用内定数	倍率	3年後離職率	平均年収
5名	8.4倍	14.3%	[総]489万円

[待遇、制度]
【初任給】月22.9万(固定残業代25時間分)
【残業】10.1時間【有休】18.8日【制度】[住]
[新卒定着状況]
20年入社(男2、女5)→3年後在籍(男2、女4)
[採用情報]
【人数】23年:3 24年:4 25年:応募42→内定5
【内定内訳】(男2、女3)(文5、理0)(総5、他0)
【試験】〔筆記〕SPI3〔Web自宅〕SPI3〔性格〕有
【時期】エントリー25.1→内々定25.4(一次・二次以降もWEB面接可)
【採用実績校】國學院大1、駒澤大1、順天堂大1、共立女大2
【求める人材】主体的・自主的な人、チェレンジ精神旺盛な人、チームワークを大切にできる人

【本社】134-8502 東京都江戸川区中葛西7-5-9 ☎03-3804-2111
【特色・近況】海苔業界で首位級。お茶漬、ふりかけ、スープ、炊き込みご飯の素のほか、レトルト食品、健康補助食品も扱う。特定保健用食品「海苔ペプチド」を展開。群馬と大阪に2工場。海外はロサンゼルスに事業所、中国江蘇省に関連会社。
【設立】1943.6 【資本金】100百万円
【社長】原田勝裕
【株主】〔24.3〕農林中央金庫
【事業】海苔加工品90、他10
【従業員】単123名(43.0歳)

【業績】	売上高	営業利益	経常利益	純利益
単22.3	11,416	‥	154	172
単23.3	11,484	‥	67	60
単24.3	12,623	‥	▲229	▲220

メーカー(素材・身の回り品)

㈱セイヒョー

東証スタンダード

採用予定数	倍率	3年後離職率	平均年収
若干	‥	20%	401万円

●待遇、制度●
【初任給】月19万
【残業】14時間【有休】8.7日【制度】住
●新卒定着状況●
20年入社(男1、女4)→3年後在籍(男1、女3)
●採用情報●
【人数】23年:2 24年:3 25年:予定若干*
【内定内訳】(男‥、女‥)(文‥、理‥)(総‥、他‥)
【試験】〔Web自宅〕有
【時期】エントリー25.3→内々定25.8
【採用実績校】‥
【求める人材】自分の意志をしっかり持ち、自ら考えて行動できる人

【本社】950-3304 新潟県新潟市北区木崎下山1785
☎025-386-9988
【特色・近況】森永乳業向けOEMと自社製品のアイスクリーム製造販売が主力。自社製品の氷菓・アイスは首都圏、関西圏へ販路拡大図る。冷凍和菓子の製造販売、冷凍食品の仕入れ販売、冷凍倉庫業も手がける。ギフト関連や秋冬用アイスクリームなど通年商品の強化を推進。
【設立】1916.3 【資本金】417百万円
【社長】飯塚周一(1964.10生 新潟三条高卒)
【株主】〔24.2〕大協リース11.1%
【事業】アイスクリーム70、仕入販売16、和菓子9、物流保管6
【従業員】単90名(39.8歳)

【業績】	売上高	営業利益	経常利益	純利益
単22.2	3,957	56	69	63
単23.2	4,192	11	32	20
単24.2	4,256	54	66	61

第一屋製パン(だいいちやせい)

東証スタンダード

採用内定数	倍率	3年後離職率	平均年収
13名	25.7倍	47.2%	454万円

●待遇、制度●
【初任給】月21.3万
【残業】27時間【有休】8日【制度】住
●新卒定着状況●
20年入社(男19、女17)→3年後在籍(男11、女8)
●採用情報●
【人数】23年:40 24年:36 25年:応募334→内定13*
【内定内訳】(男6、女7)(文7、理6)(総0、他13)
【試験】〔Web自宅〕SPI3〔性格〕有
【時期】エントリー25.3→内々定25.5(一次・二次以降もWEB面接可)【インターン】有
【採用実績校】日大3、愛知学大1、神奈川工大1、学習院女大1、関西学大1、近大1、摂南大1、専大1、玉川大1、東京電機大1、他
【求める人材】問題意識を持ち、自分の頭で考えることができる人

【本社】187-0031 東京都小平市小川東町3-6-1
☎042-348-0211
【特色・近況】老舗中堅パンメーカー。「ポケモンパン」などアニメキャラクターや戦隊ヒーローなどを用いた子供向けの菓子パンに特色。ロングセラー製品を多数持ち、和菓子、洋菓子、大手流通企業のPB商品も手がける。横浜工場跡地は賃貸化。親会社は豊田通商。
【設立】1947.5 【資本金】3,305百万円
【社長】細貝正統(1975.5生 学習大経済卒)
【株主】〔24.6〕豊田通商33.4%
【連結事業】パン74、和洋菓子17、他9、不動産1
【従業員】連892名 単708名(39.3歳)

【業績】	売上高	営業利益	経常利益	純利益
連21.12	23,864	▲633	▲523	▲739
連22.12	24,390	▲669	▲554	▲1,145
連23.12	26,442	597	617	474

㈱ダイショー

東証スタンダード

採用内定数	倍率	3年後離職率	平均年収
30名	5.7倍	33.3%	501万円

●待遇、制度●
【初任給】月19.2万(諸手当1.7万円、固定残業代20時間分)
【残業】8.6時間【有休】10.5日【制度】住 在
●新卒定着状況●
20年入社(男14、女10)→3年後在籍(男9、女7)
●採用情報●
【人数】23年:18 24年:26 25年:応募172→内定30*
【内定内訳】(男9、女21)(文14、理16)(総0、他30)
【試験】〔Web自宅〕SPI3〔性格〕有
【時期】エントリー25.2→内々定25.6(一次・二次以降もWEB面接可)【インターン】有
【採用実績校】東京農業大3、明大1、立教大1、北九州市大1、茨城大1、佐賀大1、中村学大2、島根大1、福岡大1、関西学大1、他
【求める人材】おいしさを提供することに喜びを感じ誇りを持てる人

【本社】130-0014 東京都墨田区亀沢1-17-3
☎03-3626-9321
【特色・近況】塩コショウ、たれの大手。焼き肉のたれ「焼肉一番」を振り出しに、生鮮3品(肉、魚、野菜)向け調味料で成長。トップシェアを誇る「鍋スープ」の他、「味・塩こしょう」が主力商品。コンビニやスーパー向けに、総菜向け調味料を育成中。
【設立】1966.12 【資本金】870百万円
【会長】松本洋助(1951.11生 東福岡高卒)
【株主】〔24.3〕㈲山田興産24.7%
【事業】たれ類35、スープ類27、粉末調味料類16、ソース類12、ドレッシング類0、青汁類0、他10
【従業員】単702名(39.1歳)

【業績】	売上高	営業利益	経常利益	純利益
単22.3	22,673	861	870	561
単23.3	23,374	484	497	310
単24.3	25,351	890	901	599

太陽化学（たいようかがく）

名証メイン

採用内定数	倍率	3年後離職率	平均年収
7名	‥	8.3%	㊟748万円

●待遇、制度●
【初任給】月24.3万(諸手当を除いた数値)
【残業】13.6時間【有休】13日【制度】住 在

●新卒定着状況●
20年入社(男8、女4)→3年後在籍(男7、女4)

●採用情報●
【人数】23年:12 24年:20 25年:応募‥→内定7
【内定内訳】(男4、女3)(文0、理5)(総5、他2)
【試験】〔性格〕有
【時期】エントリー25.1→内々定25.5【インターン】有
【採用実績校】‥
【求める人材】‥

【本社】512-1111 三重県四日市市山田町800
☎059-340-0800
【特色・近況】研究開発型の食品素材メーカー。乳化剤、乳化安定剤などが主力。食品・飲料用に加え、化粧品・トイレタリー分野などにも用途拡大。農産加工素材は鶏卵加工品や即席・乾燥品など幅広く展開。海外はインド、中国での生産拠点軸に成長。
【設立】1948.1【資本金】7,730百万円
【社長】山崎長宏(1955.4生 同大経済卒)
【株主】〔24.3〕長陽物産㈲9.7%
【連結事業】ニュートリション25、インターフェイスソリューション27、ナチュラルイングリディエント48、他0 <海外21>
【従業員】連888名 単488名(45.3歳)

【業績】	売上高	営業利益	経常利益	純利益
連22.3	39,963	4,799	5,297	3,627
連23.3	42,970	4,004	4,157	2,857
連24.3	47,665	4,512	2,954	2,411

千葉製粉（ちばせいふん）

株式公開計画なし

採用実績数	倍率	3年後離職率	平均年収
8名	‥	50%	‥

●待遇、制度●
【初任給】月20.4万
【残業】‥時間【有休】15.2日【制度】住

●新卒定着状況●
20年入社(男5、女3)→3年後在籍(男2、女2)

●採用情報●
【人数】23年:10 24年:8 25年:予定増加*
【内定内訳】(男‥、女‥)(文‥、理‥)(総‥、他‥)
【試験】‥
【時期】エントリー25.3→内々定25.4【インターン】有
【採用実績校】‥
【求める人材】自ら積極的に人との関わりを求め、能動的に社会との絆を深められる夢と熱意を持った人

【本社】261-0002 千葉県千葉市美浜区新港17
☎043-241-0111
【特色・近況】製粉と食品加工分野向け機能素材を主力とする独立系製粉メーカー。糖の脂肪酸エステル化をコア技術としたレオパールなどの化粧品素材も扱う。穀物を原料にした新素材の開発に注力。千葉に本社工場を有し、大阪に営業部を配置。
【設立】1947.11【資本金】500百万円
【社長】加瀬晴久(1958.5生 千葉東金商高卒)
【株主】〔24.3〕住友商事20.0%
【事業】製粉60、機能素材10、食品28、他2
【従業員】単188名(39.5歳)

【業績】	売上高	営業利益	経常利益	純利益
単22.3	17,653	528	688	447
単23.3	20,566	474	688	532
単24.3	22,634	745	986	747

月島食品工業（つきしましょくひんこうぎょう）

株式公開計画なし

採用内定数	倍率	3年後離職率	平均年収
6名	‥	0%	‥

●待遇、制度●
【初任給】月23万
【残業】11.8時間【有休】11.7日【制度】住

●新卒定着状況● 大卒・院卒のみ
20年入社(男1、女7)→3年後在籍(男1、女7)

●採用情報●
【人数】23年:19 24年:17 25年:応募‥→内定6
【内定内訳】(男1、女5)(文1、理5)(総6、他0)
【試験】〔性格〕有
【時期】エントリー25.3→内々定25.4(一次・二次以降もWEB面接可)【インターン】有
【採用実績校】鳥取大1、昭和女大1、宮城大1、筑波大1、山口大1、大妻女大1
【求める人材】自ら考え行動を起こせる人

【本社】134-8520 東京都江戸川区東葛西3-17-9
☎03-3689-3111
【特色・近況】業務用が主力の食品素材メーカー。マーガリン、ショートニングなど食用加工油脂を主体に製パン、製菓、ラーメン、冷食メーカーへ供給。業務用チョコレートも販売。東京、神戸、つくばに工場。東京、神戸に物流センター。
【設立】1948.12【資本金】640百万円
【社長】管野清幸(1954.6生 山形大卒)
【株主】〔23.12〕公益財団法人橋谷奨学会
【事業】食用加工油脂85、他食品15
【従業員】単613名(39.1歳)

【業績】	売上高	営業利益	経常利益	純利益
単21.12	37,064	389	509	380
単22.12	41,209	▲876	▲610	▲1,163
単23.12	44,276	1,556	1,682	3,715

㈱東京かねふく（とうきょう） 株式公開 未定

採用内定数	倍率	3年後離職率	平均年収
5名	20.4倍	0%	・・

●待遇、制度●
【初任給】月23.5万
【残業】15時間【有休】12日【制度】住
●新卒定着状況●
20年入社(男1、女1)→3年後在籍(男1、女1)
●採用情報●
【人数】23年:5 24年:8 25年:応募102→内定5*
【内定内訳】(男3、女2)(文0、理5)(総5、他0)
【試験】〔Web自宅〕SPI3
【時期】エントリー25.3→内々定25.3(一次はWEB面接可)
【採用実績校】・・
【求める人材】生物・農学・水産・化学いずれかを専攻し「食」への興味が深く、好奇心旺盛な人

【本社】104-0061 東京都中央区銀座5-13-16 ヒューリック銀座イーストビル3階☎03-3542-4522
【特色・近況】辛子明太子、たらこの加工・卸主体の食品メーカー。福岡のかねふくの東京営業所が独立、名古屋以東担当。原卵の調達から洗浄・選別・二度の調味など独自工程。全国の量販店、百貨店、生協、中央卸売市場などが主要販売先。テーマパーク運営、外食事業も展開。
【設立】1981.9 【資本金】88百万円
【社長】竹内秀行(1952.12生 福岡大商卒)
【株主】〔24.3〕海藻サイエンスの会52.7%
【事業】水産食品加工卸96、外食2、不動産貸2
【従業員】単94名(33.1歳)

【業績】	売上高	営業利益	経常利益	純利益
単22.3	10,960	1,074	1,281	502
単23.3	11,455	1,353	1,549	969
単24.3	11,964	1,209	1,433	1,228

東京フード（とうきょう） 株式公開 計画なし

採用内定数	倍率	3年後離職率	平均年収
3名	8.3倍	33.3%	㊕535万円

●待遇、制度●
【初任給】月22.3万(諸手当0.3万円)
【残業】18時間【有休】10.4日【制度】住
●新卒定着状況●
20年入社(男2、女1)→3年後在籍(男2、女0)
●採用情報●
【人数】23年:3 24年:8 25年:応募25→内定3
【内定内訳】(男1、女2)(文0、理3)(総3、他0)
【試験】〔性格〕有
【時期】エントリー24.10→内々定25.3(一次はWEB面接可)【インターン】有
【採用実績校】茨城大1、茨城キリスト大1、山梨大1
【求める人材】「挑戦・変化・コミュニケーション」を常に追求し続け自己を高めていける人

【本社】300-4351 茨城県つくば市上大島字神明1687-1 ☎029-866-1587
【特色・近況】業務用チョコレート専業メーカー。製菓・製パン向けに成型チョコレート、コーディング・デコレーション用製品などを生産。つくば市と深谷市に3工場。森林保全と二酸化炭素削減を兼ねたインドネシアでのカカオ栽培支援を手がける。月島食品工業グループ。
【設立】1967.6 【資本金】200百万円
【社長】刈川武詞(1958.11生 明大卒)
【株主】〔23.12〕月島食品工業100%
【事業】業務用チョコレート100
【従業員】単341名(37.7歳)

【業績】	売上高	営業利益	経常利益	純利益
単21.12	12,222	964	966	703
単22.12	11,984	545	545	247
単23.12	13,490	378	400	293

十勝（とかち）いけだミートパッカー 株式公開 計画なし

採用予定数	倍率	3年後離職率	平均年収
3名	―	66.7%	㊕470万円

●待遇、制度●
【初任給】月22.5万
【残業】20.1時間【有休】8.6日【制度】住
●新卒定着状況●
20年入社(男2、女1)→3年後在籍(男1、女0)
●採用情報●
【人数】23年:0 24年:0 25年:応募0→内定0*
【内定内訳】(男・・、女・・)(文・・、理・・)(総・・、他・・)
【試験】〔筆記〕常識
【時期】エントリー25.3→内々定25.6*(一次はWEB面接可)
【採用実績校】・・
【求める人材】基本的な常識を備え仕事に対して真面目に取り組み、成長したいという向上心のある人

【本社】083-0022 北海道中川郡池田町字西2条11-1-14 ☎015-572-2181
【特色・近況】食肉業界大手ハニューフーズの事業子会社で、生体牛の集荷から加工、販売まで一貫体制で手がける。北海道産の国産牛を中心に年間1万5000頭のボックスミートを生産。「ファーストビーフ」ブランドとして展開。海外向け販売にも注力。
【設立】1981.3 【資本金】100百万円
【代表取締役】浅田充隆(1968.7生)
【株主】〔24.5〕ハニューフーズ100%
【事業】国産牛の製造・販売
【従業員】単104名(41.7歳)

【業績】	売上高	営業利益	経常利益	純利益
単21.12	9,183	44	63	38
単22.12	8,351	104	127	84
単23.12	7,304	69	89	61

㈱中村屋（なかむらや）

東証スタンダード

採用内定数	倍率	3年後離職率	平均年収
20名	7.3倍	5.9%	572万円

●待遇、制度●
【初任給】月22.1万
【残業】12.9時間【有休】‥日【制度】フ 在
●新卒定着状況●
20年入社(男11、女6)→3年後在籍(男10、女6)
●採用情報●
【人数】23年:18 24年:34 25年:応募146→内定20
【内定内訳】(男8、女12)(文9、理11)(総20、他0)
【試験】〔Web会場〕SPI3
【時期】エントリー25.3→内々定25.3
【採用実績校】日大5、東京農業大4、大妻女大3、法政大3、東京農工大1、成城大1、東京家政大1、東海大1、関東学院大1
【求める人材】自分で考え、行動できる、大胆な発想を持っている、コミュニケーションを大切にする人

【本社】160-0022 東京都新宿区新宿3-26-13
☎03-5325-2733
【特色・近況】和菓子の老舗。和焼菓子など贈答菓子のほか、中華まんが収益源。日本で最初に「インドカリー」を販売したことで知られ、食品事業として市販用レトルトカレーや業務用ソースを販売。飲食店運営や商業ビルの賃貸も手がける。
【設立】1923.4 【資本金】7,469百万円
【社長】島田裕之(1970.4生 麻布大獣医卒)
【株主】〔24.3〕日本マスタートラスト信託銀行信託口5.9%
【事業】菓子73、食品25、不動産賃貸2
【従業員】単789名(42.0歳)

【業績】	売上高	営業利益	経常利益	純利益
単22.3	33,058	▲255	63	232
単23.3	35,554	▲245	▲77	▲28
単24.3	37,770	830	995	405

日穀製粉（にっこくせいふん）

株式公開計画なし

採用内定数	倍率	3年後離職率	平均年収
1名	13倍	50%	㊕465万円

●待遇、制度●
【初任給】月21万
【残業】6.5時間【有休】12.7日【制度】住
●新卒定着状況●
20年入社(男1、女1)→3年後在籍(男0、女1)
●採用情報●
【人数】23年:3 24年:2 25年:応募13→内定1*
【内定内訳】(男0、女1)(文1、理0)(総1、他0)
【試験】〔Web会場〕C-GAB〔Web自宅〕WEB-GAB〔性格〕有
【時期】エントリー25.3→内々定25.5(一次はWEB面接可)【インターン】有
【採用実績校】獨協大1
【求める人材】グループ理念「夢、努力、そして感謝」を共有し、実行できる人

【本社】380-0823 長野県長野市南千歳1-16-2
☎026-228-4158
【特色・近況】そば粉、そば関連商品の製造・販売が主事業。業務用、家庭用とも扱う。長野県本拠。そば製粉とそば茶は国内首位。生麺製造をグループ会社で行う。業務用の小麦粉の販売や、外食店やオンラインショップの運営も手がける。
【設立】1945.10 【資本金】480百万円
【社長】小山紀雄(1954.9生 日大卒)
【株主】〔24.3〕土屋みつ子
【事業】そば粉74、小麦粉16、食品他10
【従業員】単193名(42.0歳)

【業績】	売上高	営業利益	経常利益	純利益
単22.3	9,615	152	188	124
単23.3	11,098	275	300	167
単24.3	12,770	865	886	621

日東富士製粉（にっとうふじせいふん）

東証スタンダード

採用内定数	倍率	3年後離職率	平均年収
8名	25倍	20%	650万円

●待遇、制度●
【初任給】月23.1万
【残業】10.5時間【有休】12.1日【制度】住 在
●新卒定着状況●
20年入社(男5、女5)→3年後在籍(男4、女4)
●採用情報●
【人数】23年:15 24年:13 25年:応募200→内定8*
【内定内訳】(男5、女3)(文5、理3)(総8、他0)
【試験】〔Web自宅〕SPI3
【時期】エントリー25.3→内々定25.6(一次はWEB面接可)
【採用実績校】北里大1、神戸大1、立命館大1、東洋大1、神奈川大1、明大1、龍谷大1、女子栄養大1
【求める人材】‥

【本社】104-0033 東京都中央区新川1-3-17
☎03-3553-8781
【特色・近況】三菱商事傘下で、小麦粉、ミックス粉類の製造販売が主体の準大手製粉メーカー。三菱商事と協力して海外展開を推し進め、ベトナム、タイの現地法人を通じ、東南アジア市場を開拓。子会社がケンタッキーフライドチキンのフランチャイジーとして外食事業を展開。
【設立】1914.3 【資本金】2,500百万円
【社長】宮原朋宏(1967.2生)
【株主】〔24.3〕三菱商事62.9%
【連結事業】製粉・食品85、外食15、運送0
【従業員】連822名 単403名(42.6歳)

【業績】	売上高	営業利益	経常利益	純利益
連22.3	59,340	4,404	4,886	3,714
連23.3	69,540	5,299	5,728	3,963
連24.3	72,598	5,237	5,816	4,238

日東ベスト（にっとう）

東証スタンダード

採用内定数	倍率	3年後離職率	平均年収
21名	6.5倍	33.3%	439万円

●待遇、制度●
【初任給】月21.4万(諸手当0.2万円)
【残業】7.8時間【有休】17.1日【制度】住
●新卒定着状況●
20年入社(男3、女12)→3年後在籍(男1、女9)
●採用情報●
【人数】23年:21 24年:28 25年:応募137→内定21
【内定内訳】(男9、女12)(文9、理12)(総21、他0)
【試験】〔筆記〕常識、他〔Web自宅〕SPI3
【時期】エントリー25.3→内々定25.5(一次はWEB面接可)【インターン】有
【採用実績校】山形大1、新潟薬大1、秋田県大2、宮城大2、東北福祉大1、山形県米沢栄養大2、東北学大1、千葉工大1、京都外大1、他
【求める人材】変化に対応できる人、積極的に挑戦できる人、思いを共有できる人

【本社】991-8610 山形県寒河江市幸町4-27 ☎0237-86-2100
【特色・近況】業務用冷凍食品が主力。畜肉調理品、麺類、デザートなどの冷食を学校・職域給食、百貨店、スーパー、外食に納入。コンビニ向けに弁当、おにぎり、パンなどを供給する日配食品事業や介護食商品も手がける。海外はベトナムに加工食品の製造販売会社。
【設立】1948.7 【資本金】1,474百万円
【会長】大沼一彦(1951.5生 山形寒河江工高卒)
【株主】〔24.3〕㈲ウチダ・コーポレート7.7%
【連結事業】冷凍食品78、日配食品16、缶詰6
【従業員】連1,875名 単1,404名(44.1歳)

【業績】	売上高	営業利益	経常利益	純利益
連22.3	49,746	843	908	607
連23.3	51,878	380	434	243
連24.3	54,271	504	546	411

日本ルナ（にっぽん）

株式公開計画なし

採用内定数	倍率	3年後離職率	平均年収
9名	70.3倍	‥	‥

●待遇、制度●
【初任給】月21.2万
【残業】24時間【有休】11.1日【制度】フ 住 在
●新卒定着状況●
‥
●採用情報●
【人数】23年:10 24年:9 25年:応募633→内定9
【内定内訳】(男4、女5)(文6、理3)(総9、他0)
【試験】〔Web自宅〕有〔性格〕有
【時期】エントリー25.3→内々定25.6(一次はWEB面接可)【インターン】有
【採用実績校】京都府大1、駒澤大1、専大1、東京工科大1、新潟医療福祉大1、日大1、日女大1、立教大1、立命館大1
【求める人材】食品に興味があり、チャレンジ精神が旺盛で、あきらめず最後まで粘り強く取り組む人

【本社】141-6012 東京都品川区大崎2-1-1 ThinkPark Tower ☎03-4555-8313
【特色・近況】日本ハムグループの発酵乳・乳酸菌飲料の専門メーカー。長時間発酵製法による「バニラヨーグルト」が主力。国内初の飲むタイプのヨーグルトを商品化した実績を持つ。京都と群馬に2工場を有する。北海道から福岡まで8営業所を配置。
【設立】1964.5 【資本金】397百万円
【社長】萩野稔之(1963.11生)
【株主】〔24.4〕日本ハム100%
【事業】はっ酵乳および乳酸菌飲料・洋菓子・各種飲料水の製造販売
【従業員】単276名(41.6歳)

【業績】	売上高	営業利益	経常利益	純利益
単22.3	18,773	‥	‥	‥
単23.3	18,645	‥	‥	‥
単24.3	20,310	‥	‥	‥

㈱にんべん

株式公開計画なし

採用内定数	倍率	3年後離職率	平均年収
7名	32倍	14.3%	‥

●待遇、制度●
【初任給】月21.3万(諸手当2万円)
【残業】5.1時間【有休】14.6日【制度】住 在
●新卒定着状況●
20年入社(男2、女5)→3年後在籍(男2、女4)
●採用情報●
【人数】23年:8 24年:8 25年:応募224→内定7
【内定内訳】(男4、女3)(文3、理4)(総7、他0)
【試験】〔Web自宅〕SPI3〔性格〕有
【時期】エントリー25.3→内々定25.5(一次はWEB面接可)【インターン】有
【採用実績校】日大2、東洋大1、亜大1、日女大1、女子栄養大1、東京家政大1
【求める人材】食に興味があり探究心のある人、体験を通じ得た事を自分の考えで語れる人

【本社】103-0022 東京都中央区日本橋室町1-5-5 室町ちばぎん三井ビルディング12階☎03-3241-0241
【特色・近況】鰹節・だしの老舗。半年の長時間熟成でつくる本枯鰹節を中心に据えて事業展開。飲食事業では「日本橋だし場」を東京などに出店。惣菜事業として直営惣菜店「日本橋だし場 OBENTO」も展開。海外事業専用商品の開発にも注力。
【設立】1951.11 【資本金】88百万円
【社長】髙津伊兵衛(1970.1生 青学大経済卒)
【株主】〔24.3〕髙津伊兵衛
【事業】つゆの素類60、鰹節・削節類25、ふりかけ他5、ギフト品類10
【従業員】単244名(39.9歳)

【業績】	売上高	営業利益	経常利益	純利益
単22.3	15,104	‥	‥	‥
単23.3	14,972	‥	‥	‥
単24.3	16,071	‥	‥	‥

ハーゲンダッツ　ジャパン

株式公開計画なし

採用内定数	倍率	3年後離職率	平均年収
9名	‥	0%	‥

●待遇、制度●
【初任給】月27.9万
【残業】15.3時間【有休】11日【制度】フ 在

●新卒定着状況●
20年入社(男2、女1)→3年後在籍(男2、女1)

●採用情報●
【人数】23年:8 24年:9 25年:応募‥→内定9
【内定内訳】(男5、女4)(文5、理4)(総9、他0)
【試験】試験あり
【時期】エントリー25.3→内々定25.6
【採用実績校】‥

【求める人材】目標に向けて、どんな状況でも諦めず、新しい視点で考え、周囲を巻き込み考動できる人

【本社】153-0051 東京都目黒区上目黒2-1-1 中目黒GTタワー5階 ☎03-5722-5900
【特色・近況】アイスクリームなど乳製品の製造・輸入・販売を行う。米ゼネラルミルズ社、サントリーHD、タカナシ乳業の合弁会社。「ハーゲンダッツ」ブランドで高級アイス国内首位。群馬・高崎に工場。札幌、仙台、名古屋、大阪、広島、福岡に拠点。
【設立】1984.8 【資本金】460百万円
【社長】五十嵐享子(1970.11生 早大教育卒)
【株主】〔23.12〕Haagen-Dazs Nederland B.V.50.0%
【事業】アイスクリーム等乳製品の製造・輸入・販売等
【従業員】単279名(‥歳)

【業績】	売上高	営業利益	経常利益	純利益
単21.12	52,800	‥	‥	‥
単22.12	50,500	‥	‥	‥
単23.12	51,700	‥	‥	‥

ハニューフードプロダクト

株式公開計画なし

採用予定数	倍率	3年後離職率	平均年収
2名	—	100%	総544万円

●待遇、制度●
【初任給】月23.7万
【残業】21時間【有休】16.2日【制度】住

●新卒定着状況●
20年入社(男1、女0)→3年後在籍(男0、女0)

●採用情報●
【人数】23年:0 24年:1 25年:応募0→内定0*
【内定内訳】(男‥、女‥)(文‥、理‥)(総‥、他‥)
【試験】なし
【時期】エントリー25.6→内々定25.10
【採用実績校】‥

【求める人材】社会人としての礼儀と信頼を大切にし、常に向上心を持って意欲的に努力・行動できる人

【本社】559-0033 大阪府大阪市住之江区南港中7-1-25 ☎06-6613-2588
【特色・近況】食肉大手ハニューフーズの子会社で、加工食肉や冷凍個食製品の製造を手がける。本社工場では冷凍食品の製造を行い、外食チェーン向けに提供。堺工場は食肉のスライスを担当。最新の機械設備、製造設備を導入し食品衛生、品質保持に注力。
【設立】1987.10 【資本金】30百万円
【代表取締役】中山晴雄(1959.3生)
【株主】〔24.5〕ハニューフーズ100%
【事業】食肉加工品の製造・販売
【従業員】単136名(51.4歳)

【業績】	売上高	営業利益	経常利益	純利益
単21.12	9,647	723	737	483
単22.12	11,141	451	478	312
単23.12	10,696	560	583	389

埴生(はにゅう)ミートパッカー

株式公開計画なし

採用内定数	倍率	3年後離職率	平均年収
2名	2.5倍	25%	総495万円

●待遇、制度●
【初任給】月23.7万
【残業】7時間【有休】11.8日【制度】住

●新卒定着状況●
20年入社(男4、女0)→3年後在籍(男3、女0)

●採用情報●
【人数】23年:2 24年:3 25年:応募5→内定2
【内定内訳】(男2、女0)(文1、理1)(総2、他0)
【試験】なし
【時期】エントリー25.3→内々定25.3(一次はWEB面接可)【インターン】有
【採用実績校】酪農学大1、大阪学大1

【求める人材】協調性があり、物事に果敢に挑戦する姿勢がある人

【本社】583-0883 大阪府羽曳野市向野2-4-14 ☎072-939-1101
【特色・近況】食肉業界大手ハニューフーズの子会社。グループの国産牛事業の中核を担う。オリジナルブランド「ファーストビーフ」「宝真牛」「旨まろやか」を展開。グループ、メーカー通じ全国販売している。東京・港区に事務所を設置。
【設立】1985.1 【資本金】100百万円
【代表取締役】浅田充隆(1968.7生)
【株主】〔24.5〕ハニューフーズ100%
【事業】国産牛肉の製造・販売
【従業員】単71名(41.1歳)

【業績】	売上高	営業利益	経常利益	純利益
単21.12	13,192	45	182	121
単22.12	13,049	185	344	227
単23.12	10,893	238	276	179

㊑浜乙女（はまおとめ）

株式公開計画なし

採用実績数	倍率	3年後離職率	平均年収
3名	‥	0%	[総]541万円

●待遇、制度●
【初任給】月21.4万
【残業】5時間【有休】12.7日【制度】[住]
●新卒定着状況●
20年入社(男2、女2)→3年後在籍(男2、女2)
●採用情報●
【人数】23年:3 24年:3 25年:予定前年並*
【内定内訳】(男‥、女‥)(文‥、理‥)(総‥、他‥)
【試験】〔Web会場〕SPI3〔Web自宅〕SPI3〔性格〕有
【時期】エントリー25.3→内々定25.5(一次はWEB面接可)【インターン】有
【採用実績校】‥
【求める人材】自ら課題を発見し考えていき、周囲を巻き込みながら積極的に行動できる人

【本社】450-0002 愛知県名古屋市中村区名駅4-16-26 ☎052-582-5551
【特色・近況】総合食品メーカーで味付のりの業界大手。ごま、パン粉、ふりかけ、茶漬、椎茸も製造。中京地区で問屋スーパー3店、スーパー1店展開。愛知県と連携し食育を推進する「あいち食育サポート企業団」に加盟。衣料品を扱う店舗も名古屋を中心に展開。
【設立】1951.5【資本金】320百万円
【社長】服部義博(1950.4生)
【株主】〔24.3〕個人30.0%
【事業】味付のり、ごま、パン粉等の製造加工・販売、他食品全般の卸販売、衣料品の小売、スーパーストアー
【従業員】単392名(‥歳)

【業績】	売上高	営業利益	経常利益	純利益
単22.3	14,132	‥	158	104
単23.3	13,886	‥	32	11
単24.3	14,316	‥	9	▲28

ハルナビバレッジ

株式公開計画なし

採用内定数	倍率	3年後離職率	平均年収
2名	5.5倍	45.5%	‥

●待遇、制度●
【初任給】月21.5万
【残業】29.6時間【有休】13.9日【制度】[フ][住][在]
●新卒定着状況●
20年入社(男5、女6)→3年後在籍(男2、女4)
●採用情報●
【人数】23年:0 24年:2 25年:応募11→内定2*
【内定内訳】(男0、女2)(文1、理1)(総2、他0)
【試験】〔筆記〕常識〔性格〕有
【時期】エントリー25.3→内々定25.6(一次はWEB面接可)【ジョブ型】有
【採用実績校】関東学院大1、共愛学園前橋国際大1
【求める人材】飲料プロデューサーとしての夢、ビジョンを一緒に描ける人

【本社】103-0027 東京都中央区日本橋3-8-4 日本橋さくら通りビル2階 ☎03-3275-0191
【特色・近況】全国の小売流通企業の飲料PB商品を手がける。企画、開発、生産、販売、物流までバリューチェーン事業を展開。約4600アイテムを生産している。現地法人があるタイを中心にアジア地域、欧州で海外向け飲料のプロデュース事業も手がける。
【設立】1996.2【資本金】487百万円
【社長】青木麻生(1969.3生 東京国際大商卒)
【株主】〔24.3〕東和銀行
【連結事業】清涼飲料、天然水、飲料製品の製造販売輸出入、ペットボトル容器成型、豆乳受託
【従業員】連538名 単13名(41.3歳)

【業績】	売上高	営業利益	経常利益	純利益
連22.3	25,357	594	500	287
連23.3	29,318	503	427	261
連24.3	34,232	758	605	360

㊑ピエトロ

東証スタンダード

採用内定数	倍率	3年後離職率	平均年収
14名	30.5倍	16.7%	500万円

●待遇、制度●
【初任給】月21万(諸手当3.3万円)
【残業】20.4時間【有休】12.3日【制度】[フ][在]
●新卒定着状況●
20年入社(男3、女9)→3年後在籍(男2、女8)
●採用情報●
【人数】23年:9 24年:8 25年:応募427→内定14
【内定内訳】(男4、女10)(文4、理10)(総9、他5)
【試験】〔Web自宅〕有
【時期】エントリー25.1→内々定25.6(一次はWEB面接可)【インターン】有【ジョブ型】有
【採用実績校】中村学大6、北九州市大1、西南女学大1、九州栄養福祉大1、近大1、佐賀大1、高知大1、四国学大1、テンプル大1
【求める人材】ピエトロが大切にしている価値観に共感し、自らの強みを活かして積極的に行動できる人

【本社】810-0001 福岡県福岡市中央区天神3-4-5 ☎092-716-0300
【特色・近況】福岡市・天神でのパスタ専門店が祖業で、現在はドレッシングの製造・販売が収益柱。中・高級品に強い。パスタソースを中心としたパスタカテゴリーが第2の柱に成長。スープカテゴリーを育成中。イタリアンレストランを国内外で展開。北米市場の開拓進める。
【設立】1985.7【資本金】1,719百万円
【社長】高橋泰行(1964.12生)
【株主】〔24.3〕㊑M・LYNX20.8%
【連結事業】商品60、店舗38、他2
【従業員】連310名 単306名(37.8歳)

【業績】	売上高	営業利益	経常利益	純利益
連22.3	8,540	353	369	165
連23.3	9,108	▲75	▲81	▲399
連24.3	10,096	218	201	109

㈱ヒガシマル　福証

採用内定数	倍率	3年後離職率	平均年収
4名	2.3倍	18.2%	440万円

●待遇、制度●
【初任給】月21万(諸手当2.5万円)
【残業】5.9時間【有休】14.4日【制度】在
●新卒定着状況●
20年入社(男6、女5)→3年後在籍(男5、女4)
●採用情報●
【人数】23年:7 24年:14 25年:応募9→内定4
【内定内訳】(男1、女3)(文2、理2)(総4、他0)
【試験】〔筆記〕常識〔性格〕有
【時期】エントリー25.3→内々定25.4*(一次・二次以降もWEB面接可)【インターン】有
【採用実績校】鹿児島国際大1、志學館大1、福山大1、東海大1
【求める人材】失敗を恐れずに、積極的にチャレンジできる人

【本社】899-2594 鹿児島県日置市伊集院町猪鹿倉20 ☎099-273-3859
【特色・近況】水産事業と食品事業の2本柱。水産では国内トップシェアのクルマエビ用配合固形飼料を中心に、魚類用配合飼料などを製造販売。配合固形飼料を実用化し、「養殖は生餌」という常識を打ち破った。食品は乾麺、即席麺、皿うどん、めんつゆが主体。
【設立】1979.10 【資本金】603百万円
【社長】東勤(1951.12生 県立鹿児島工高卒)
【株主】〔24.3〕東勤12.4%
【連結事業】水産58、食品42
【従業員】連383名 単189名(40.2歳)

【業績】	売上高	営業利益	経常利益	純利益
連22.3	11,286	205	360	3
連23.3	11,724	▲33	98	▲75
連24.3	13,010	▲11	55	▲104

ヒガシマル醤油(しょうゆ)　株式公開計画なし

採用内定数	倍率	3年後離職率	平均年収
4名	・・	20%	・・

●待遇、制度●
【初任給】月21.7万
【残業】・・時間【有休】15.2日【制度】住
●新卒定着状況●
20年入社(男3、女2)→3年後在籍(男2、女2)
●採用情報●
【人数】23年:8 24年:9 25年:応募・・→内定4
【内定内訳】(男3、女1)(文2、理2)(総4、他0)
【試験】・・
【時期】エントリー25.3→内々定・・【インターン】有
【採用実績校】・・
【求める人材】何事に対しても真摯に向き合い、探求心を持ちながら前向きに挑戦出来る人

【本社】679-4167 兵庫県たつの市龍野町富永100-3 ☎0791-63-4567
【特色・近況】淡口醤油で業界首位の醤油メーカー。万能調味料の「うどんスープ」や「揚げずに」シリーズ、「レンジでちょっと」シリーズなどの調味料も主力商品。国立循環器病研究センターと共同で減塩メニュー向け認定調味料を開発。天正年間創業の老舗。
【設立】1942.3 【資本金】100百万円
【社長】竹内宏平(1939.4生 武工大建築卒)
【株主】〔23.12〕公益財団法人東丸記念財団11.3%
【事業】醤油・液体調味料、粉末調味料、他
【従業員】単351名(45.0歳)

【業績】	売上高	営業利益	経常利益	純利益
単21.12	16,422	・・	・・	・・
単22.12	16,811	・・	・・	・・
単23.12	17,368	・・	・・	・・

フォーデイズ　株式公開未定

採用内定数	倍率	3年後離職率	平均年収
5名	6倍	50%	㊗687万円

●待遇、制度●
【初任給】月21万
【残業】10時間【有休】13.4日【制度】住
●新卒定着状況●
20年入社(男0、女4)→3年後在籍(男0、女2)
●採用情報●
【人数】23年:3 24年:5 25年:応募30→内定5
【内定内訳】(男2、女3)(文2、理3)(総5、他0)
【試験】〔筆記〕有〔性格〕有
【時期】エントリー25.4→内々定25.8*(一次はWEB面接可)
【採用実績校】立教大1、中大1、立命館大1、宇都宮大1、東京国際大1
【求める人材】どんなことにも果敢に挑戦するチャレンジ精神のある人

【東京本社】103-0016 東京都中央区日本橋小網町6-7 第2山万ビル ☎03-5643-0651
【特色・近況】核酸飲料「ナチュラルDNコラーゲン」が主力の健康食品・化粧品メーカー。核酸をサプリと化粧品を通じて内外両側から取り込むスタイルを提案。流通形態は会員制の直接販売体制。海外は香港、台湾、マレーシア、タイに拠点。
【設立】1998.4 【資本金】45百万円
【社長】和田佳子(1956.3生 明大院修了)
【株主】〔24.3〕フォーデイズホールディングス100%
【事業】健康食品78、化粧品22 <輸出0>
【従業員】単200名(42.8歳)

【業績】	売上高	営業利益	経常利益	純利益
単22.3	32,544	2,680	3,232	2,051
単23.3	31,697	2,220	2,897	1,591
単24.3	31,919	2,544	3,302	2,141

フジッコ

東証プライム

採用内定数	倍率	3年後離職率	平均年収
25名	14.6倍	15.4%	㊀554万円

●待遇、制度● 平均年収は社外への出向者除く
【初任給】月22万
【残業】10時間【有休】13.9日【制度】フ 住 在
●新卒定着状況● 高卒除く
20年入社(男9、女4)→3年後在籍(男8、女3)
●採用情報● 高卒除く
【人数】23年:1 24年:20 25年:応募365→内定25
【内定内訳】(男10、女15)(文15、理10)(総25、他0)
【試験】〔Web自宅〕有〔性格〕有
【時期】エントリー25.3→内々定25.6(一次・二次以降もWEB面接可)【インターン】有
【採用実績校】甲南大3、日大2、近大2、京産大2、和洋女大1、明大1、法政大1、武庫川女大1、東京農業大1、大阪公大1、専大1、青学大1、他
【求める人材】食や健康に興味があり、主体的に行動できる人

【本社】650-8558 兵庫県神戸市中央区港島中町6-13-4 ☎078-303-5911
【特色・近況】昆布や煮豆などの総菜食品で首位。テレビCM等も積極的。佃煮昆布の「ふじっ子煮」、煮豆の「お豆さん」は定番商品。もう1つの柱が菌管理技術を生かした「カスピ海ヨーグルト」。包装惣菜「おかず畑」も展開。年末のおせち商戦の比重大。
【設立】1960.11 【資本金】6,566百万円
【代表取締役】福井正一(1962.9生 東北大院農修了)
【株主】〔24.3〕㈲ミニマル興産20.6%
【連結事業】惣菜製品34、昆布製品28、豆製品18、ヨーグルト製品12、デザート製品5、他3
【従業員】連1,175名 単950名(42.9歳)

【業績】	売上高	営業利益	経常利益	純利益
連22.3	55,074	3,152	3,506	2,115
連23.3	53,915	1,249	1,558	1,406
連24.3	55,715	1,530	1,881	1,110

フジ日本(にほん)

東証スタンダード

採用内定数	倍率	3年後離職率	平均年収
5名	15.2倍	0%	㊀778万円

●待遇、制度●
【初任給】月27.4万(諸手当4.5万円)
【残業】6時間【有休】11.8日【制度】住
●新卒定着状況●
20年入社(男2、女2)→3年後在籍(男2、女2)
●採用情報●
【人数】23年:3 24年:2 25年:応募76→内定5
【内定内訳】(男2、女3)(文1、理4)(総5、他0)
【試験】なし
【時期】エントリー25.3→内々定25.5(一次はWEB面接可)【インターン】有
【採用実績校】明大1、武庫川女大1、慶大1、近大1、山梨大1
【求める人材】「食を科学し、世界をパワフルに」というパーパスに共感する人

【本社】103-0026 東京都中央区日本橋兜町6-7 兜町第7平和ビル ☎03-3667-7811
【特色・近況】双日系の中堅精糖会社。精製糖の製造は関連会社の太平洋製糖に委託。業務用が強い。世界で初めて食物繊維「イヌリン」を砂糖から開発した実績を持ち、機能性表示を取得し育成。食品添加物の製販等も行う。海外はタイに拠点を持ち、東南アジアを中心に展開。
【設立】1949.7 【資本金】1,524百万円
【社長】曾我英俊(1959.3生 横国大経済卒)
【株主】〔24.3〕双日27.4%
【連結事業】精糖51、機能性素材46、不動産3、他食品0
【従業員】連234名 単60名(43.2歳)

【業績】	売上高	営業利益	経常利益	純利益
連22.3	20,096	1,604	1,917	1,614
連23.3	22,677	1,814	2,124	1,672
連24.3	25,889	2,173	3,202	2,370

フタバ食品(しょくひん)

株式公開計画なし

採用内定数	倍率	3年後離職率	平均年収
7名	5.4倍	28.6%	‥

●待遇、制度●
【初任給】月21.9万
【残業】15時間【有休】8.5日【制度】‥
●新卒定着状況●
20年入社(男4、女3)→3年後在籍(男2、女3)
●採用情報●
【人数】23年:2 24年:7 25年:応募38→内定7*
【内定内訳】(男5、女2)(文5、理2)(総7、他0)
【試験】〔筆記〕有
【時期】エントリー25.3→内々定25.6*
【採用実績校】帝京大3、白鴎大1、東京家政大1、東京農業大1、松蔭大1
【求める人材】食に興味のある人、こだわりや探求心のある人、思いやりのある人

【本社】320-0821 栃木県宇都宮市一条4-1-16 ☎028-634-2441
【特色・近況】アイスクリーム、中華まんを主力に菓子類、冷凍食品を製造・販売する食品メーカー。アイスの主力は「サクレ」。公共施設や高速道SAなどでレストランも運営。宇都宮で餃子店「豚喜喜(とんきっき)」経営。オンラインショップでは通販限定商品も販売。
【設立】1948.10 【資本金】492百万円
【社長】齋藤貞大(1954.1生 明大農卒)
【株主】〔23.8〕見当邦隆7.1%
【事業】冷菓冷凍調理食品部門80、フードサービス10、コンフェクショナリー10
【従業員】単264名(44.7歳)

【業績】	売上高	営業利益	経常利益	純利益
単21.8	18,200	‥	613	321
単22.8	19,595	‥	960	445
単23.8	21,900	‥	1,398	1,013

プライムデリカ

株式公開計画なし

採用内定数	倍率	3年後離職率	平均年収
26名	9.6倍	29.3%	578万円

●待遇、制度●
【初任給】月23.7万
【残業】28.5時間【有休】12.7日【制度】住 在
●新卒定着状況●
20年入社(男21、女20)→3年後在籍(男16、女13)
●採用情報●
【人数】23年:35 24年:34 25年:応募249→内定26*
【内定内訳】(男13、女13)(文2、理23)(総26、他0)
【試験】‥
【時期】エントリー25.3→内々定25.10(一次はWEB面接可)【インターン】有
【採用実績校】玉川大3、東京工科大2、神奈川工大2、北里大1、相模女大1、京都女大1、他
【求める人材】協調性、コミュニケーション能力、リーダーシップに長けてる人

【本社】252-0328 神奈川県相模原市南区麻溝台1-7-1 ☎042-702-0011
【特色・近況】プリマハム傘下のセブン-イレブン向け総菜加工会社。最新設備の食品工場で5つのカテゴリー(調理パン、スイーツ、総菜、サラダ、軽食)を柱に、365日24時間体制で生産。全国に12工場、年間約5億食弱を供給。都市型野菜工場も運営。
【設立】1996.4 【資本金】100百万円
【社長】齊藤正義(1957.1生 鹿大水産卒)
【株主】〔24.3〕プリマハム59.1%
【事業】調理パン26、軽食13、惣菜12、サラダ29、デザート20
【従業員】単795名(35.4歳)

【業績】	売上高	営業利益	経常利益	純利益
単22.3	102,144	2,148	2,327	1,929
単23.3	101,604	1,128	1,264	▲1,738
単24.3	104,594	3,018	3,207	1,958

ブルドックソース

東証プライム

採用内定数	倍率	3年後離職率	平均年収
1名	174倍	20%	572万円

●待遇、制度●
【初任給】月22万
【残業】9.3時間【有休】10.9日【制度】フ 住 在
●新卒定着状況●
20年入社(男1、女4)→3年後在籍(男1、女3)
●採用情報●
【人数】23年:7 24年:6 25年:応募174→内定1
【内定内訳】(男0、女1)(文1、理0)(総1、他0)
【試験】試験あり
【時期】エントリー‥→内々定‥
【採用実績校】‥
【求める人材】ブルドックソースでやりたいことがある人

【本社】103-0026 東京都中央区日本橋兜町11-5 ☎03-3668-6811
【特色・近況】ソース専業で国内首位。関東でのシェアが高く、傘下に関西地盤のイカリソース、広島のお好み焼きソースのサンフーズを持ち、全国展開。定番の中濃ソースに加え、お好み焼きなど機能別製品拡充。中食向けなど業務用製品も育成。
【設立】1926.9 【資本金】1,044百万円
【代表取締役】石垣幸俊(1954.7生 小樽商大商卒)
【株主】〔24.3〕日本マスタートラスト信託銀行信託口8.2%
【連結事業】ソース類100
【従業員】連308名 単220名(43.1歳)

【業績】	売上高	営業利益	経常利益	純利益
連22.3	13,300	651	1,013	716
連23.3	13,529	430	1,234	595
連24.3	14,482	163	674	145

北海道コカ・コーラボトリング

東証スタンダード

採用内定数	倍率	3年後離職率	平均年収
1名	9倍	20%	552万円

●待遇、制度●
【初任給】月20万
【残業】15時間【有休】13.1日【制度】フ 住 在
●新卒定着状況●
20年入社(男6、女4)→3年後在籍(男5、女3)
●採用情報●
【人数】23年:6 24年:2 25年:応募9→内定1
【内定内訳】(男0、女1)(文1、理0)(総1、他0)
【試験】〔Web自宅〕SPI3
【時期】エントリー25.3→内々定25.4(一次・二次以降もWEB面接可)【インターン】有
【採用実績校】北星学大1
【求める人材】考動力がある人、自ら考えた意見を周囲に伝え、率先して行動に移す力がある人

【本社】004-8588 北海道札幌市清田区清田1条1-2-1 ☎011-888-2001
【特色・近況】北海道が地盤のコカ・コーラボトラー。大日本印刷の子会社で地元の有力企業も出資。ハスカップを使用した水飲料や北海道産牛乳使用のミルクコーヒーなど、北海道エリア独自の地域限定商品を多数保有。飲料の宅配事業も展開し、高齢者の需要を取り込む。酒類商品も販売強化。
【設立】1963.1 【資本金】2,935百万円
【社長】酒寄正太(1963.3生 立大経済卒)
【株主】〔24.6〕大日本印刷56.9%
【連結事業】飲料の製造・販売100
【従業員】連1,207名 単234名(38.6歳)

【業績】	売上高	営業利益	経常利益	純利益
連21.12	51,998	698	1,117	632
連22.12	51,605	608	833	556
連23.12	56,371	1,725	1,727	1,312

北海道ハニューフーズ（ほっかいどう）

株式公開計画なし

採用内定数	倍率	3年後離職率	平均年収
2名	5.5倍	ー	㊕532万円

●待遇、制度●
【初任給】月26万(固定残業代21時間分)
【残業】22.3時間【有休】9.2日【制度】住
●新卒定着状況●
20年入社(男0、女0)→3年後在籍(男0、女0)
●採用情報●
【人数】23年:1 24年:5 25年:応募11→内定2*
【内定内訳】(男1、女1)(文2、理0)(総2、他0)
【試験】〔筆記〕常識
【時期】エントリー25.3→内々定‥(一次はWEB面接可)【インターン】有
【採用実績校】東海大1、文教大1
【求める人材】自ら考え行動できる人、コミュニケーション能力の高い人

【本社】001-0923 北海道札幌市北区新川3条19-2-12 ☎011-765-1221
【特色・近況】食肉業界大手ハニューフーズの子会社。函館、十勝、旭川、苫小牧に営業所。ハニューフーズグループの北海道における食肉販売業務(ルートセールス、卸売り)を担い、輸入食肉や国産牛肉を取り扱う。札幌本社に食肉加工工場を保有。
【設立】1981.9 【資本金】100百万円
【代表取締役】高橋茂樹(1957.12生)
【株主】〔24.5〕ハニューフーズ100%
【事業】食肉の加工・販売
【従業員】単82名(42.1歳)

【業績】	売上高	営業利益	経常利益	純利益
単21.12	12,053	98	100	65
単22.12	11,871	117	121	79
単23.12	12,338	234	235	158

ポッカサッポロフード&ビバレッジ

株式公開計画なし

採用内定数	倍率	3年後離職率	平均年収
9名	62.3倍	17.4%	㊕587万円

●待遇、制度●
【初任給】月26.4万(諸手当3.6万円)
【残業】21.7時間【有休】10.3日【制度】フ 住 在
●新卒定着状況●
20年入社(男12、女11)→3年後在籍(男10、女9)
●採用情報●
【人数】23年:35 24年:18 25年:応募561→内定9
【内定内訳】(男2、女7)(文4、理5)(総5、他4)
【試験】〔Web自宅〕SPI3〔性格〕有
【時期】エントリー25.3→内々定25.6(一次はWEB面接可)【インターン】有【ジョブ型】有
【採用実績校】広島大院1、大阪府大院1、筑波大院1、マルティンルター大1、学習院大1、東京農業大2、日大1、中大1
【求める人材】自立的に行動し、挑戦し、やり抜く人

【本社(本店)】460-0008 愛知県名古屋市中区栄3-27-1 ☎0570-550-360
【特色・近況】サッポログループの食品・飲料事業会社。食品はレモンやスープ、プルーンなど、飲料はレモン果汁入り飲料、コーヒー、茶系飲料など展開。「ポッカレモン」がロングセラー商品。名古屋、群馬、仙台の3工場体制。全国に7支社を配置。
【設立】2012.3 【資本金】5,431百万円
【社長】時松浩(1962.2生 慶大商卒)
【株主】〔23.12〕サッポロホールディングス100%
【事業】飲料水および食品100
【従業員】単986名(43.0歳)

【業績】	売上高	営業利益	経常利益	純利益
単21.12	75,283	▲153	▲1,187	▲1,860
単22.12	73,581	▲281	▲581	▲792
単23.12	69,211	632	588	1,089

㈱ホテイフーズコーポレーション

株式公開計画なし

採用内定数	倍率	3年後離職率	平均年収
7名	6.6倍	12.5%	㊕454万円

●待遇、制度●
【初任給】月20.1万
【残業】16.3時間【有休】13.8日【制度】フ 住 在
●新卒定着状況●
20年入社(男12、女4)→3年後在籍(男11、女3)
●採用情報●
【人数】23年:6 24年:1 25年:応募46→内定7
【内定内訳】(男5、女2)(文2、理4)(総0、他7)
【試験】〔筆記〕常識、他〔性格〕有
【時期】エントリー25.3→内々定25.6(一次はWEB面接可)【インターン】有
【採用実績校】静岡英和学大1、東京栄養食糧専1
【求める人材】高く向上心を持ち、周囲と強調しながら会社を引っ張っていく人

【本社】421-3203 静岡県静岡市清水区蒲原4-26-6 ☎054-385-3131
【特色・近況】「HOTEI」ブランドの缶詰メーカー。やきとり、ツナ、貝類、総菜、フルーツなどの家庭用・業務用缶詰300種超を製造・販売。レトルト・チルド・冷凍食品、飲料も手がける。タイに生産拠点。直販のネット通販も展開。
【設立】1947.9 【資本金】97百万円
【社長】山本達也(1966.7生 玉川大工卒)
【株主】〔24.3〕山本達也
【事業】水産食料品14、畜産食料品14、農産食料品9、飲料48、他15
【従業員】単394名(42.4歳)

【業績】	売上高	営業利益	経常利益	純利益
単21.9	21,848	186	329	171
単22.9	22,168	67	262	137
単23.9	22,369	197	248	131

松谷化学工業（まつたにかがくこうぎょう）

株式公開計画なし

採用内定数	倍率	3年後離職率	平均年収
5名	21.2倍	0%	770万円

●待遇、制度●
【初任給】月22万(諸手当5.6万円)
【残業】15時間【有休】15日【制度】住
●新卒定着状況●
20年入社(男4、女5)→3年後在籍(男4、女5)
●採用情報●
【人数】23年:9 24年:11 25年:応募106→内定5
【内定内訳】(男0、女5)(文2、理3)(総5、他0)
【試験】なし
【時期】エントリー 25.3→内々定25.6(一次・二次以降もWEB面接可)【インターン】有
【採用実績校】関大1、近大1、同女大1、兵庫県大2
【求める人材】変革を恐れず、前に進むことができる人、多様な価値観の中、互いに協力できる人

【本社】664-8508 兵庫県伊丹市北伊丹5-3 ☎072-771-2001
【特色・近況】加工澱粉、澱粉分解物、ファイバー素材(難消化性デキストリン)などを製造・販売する澱粉総合メーカー。希少糖は香川大と共同研究。番の州工場(香川県)で製造する希少糖含有シロップを機能性表示食品として拡販。1919年創業。
【設立】1937.1 【資本金】100百万円
【社長】阪本紗代
【株主】‥
【事業】加工澱粉50、澱粉糖30、海外品20 <輸出5>
【従業員】単450名(40.0歳)

【業績】	売上高	営業利益	経常利益	純利益
単21.11	53,871	‥	2,897	2,096
単22.11	58,308	‥	1,087	754
単23.11	65,005	‥	2,735	338

#残業が少ない

㈱マルタイ

福証

採用内定数	倍率	3年後離職率	平均年収
2名	‥	0%	492万円

●待遇、制度●
【初任給】月20万
【残業】3時間【有休】12.7日【制度】住
●新卒定着状況●
20年入社(男2、女2)→3年後在籍(男2、女2)
●採用情報●
【人数】23年:4 24年:4 25年:応募‥→内定2
【内定内訳】(男2、女0)(文2、理0)(総2、他0)
【試験】〔Web自宅〕有〔性格〕有
【時期】エントリー 25.3→内々定25.5(一次はWEB面接可)
【採用実績校】福岡大1、中村学大1
【求める人材】自分の考えをもち、何事にも真面目に、かつひたむきに取組む人

【本社】819-0193 福岡県福岡市西区今宿青木1042-1 ☎092-807-0711
【特色・近況】九州地盤の即席麺メーカー中堅。西部ガスグループ。即席棒ラーメンの元祖でシェア首位、九州での販売が約6割。皿うどんでも大手。スーパー、食品専門店、コンビニが販路。サンヨー食品と資本業務提携し、カップ麺などの製造を委託。海外市場開拓を深耕。
【設立】1960.6 【資本金】1,989百万円
【社長】川島英広(1963.1生 明大政経卒)
【株主】〔24.3〕西部ガスホールディングス33.3%
【事業】棒ラーメン33、皿うどん26、カップめん36、袋めん5、他0
【従業員】単181名(43.7歳)

【業績】	売上高	営業利益	経常利益	純利益
単22.3	7,949	659	729	491
単23.3	8,332	300	349	228
単24.3	8,944	357	419	282

丸美屋食品工業（まるみやしょくひんこうぎょう）

株式公開計画なし

採用内定数	倍率	3年後離職率	平均年収
14名	‥	0%	‥

●待遇、制度●
【初任給】月23.1万(諸手当を除いた数値)
【残業】5時間【有休】12.2日【制度】フ 住 在
●新卒定着状況●
20年入社(男9、女3)→3年後在籍(男9、女3)
●採用情報●
【人数】23年:17 24年:14 25年:応募‥→内定14
【内定内訳】(男11、女3)(文4、理10)(総14、他0)
【試験】試験あり
【時期】エントリー 25.2→内々定25.6(一次・二次以降もWEB面接可)【インターン】有
【採用実績校】東大1、九大1、大阪市大1、宮城大1、明大1、青学大1、学習院大1、東京農業大2、東京家政大1、日大1、東洋大2、専大1
【求める人材】自ら主体的・意欲的に課題の提起を行える自律型の人

【本社】167-8520 東京都杉並区松庵1-15-18 ☎03-3332-8181
【特色・近況】袋入りふりかけ「のりたま」で知られる加工食品会社。ごはん周りの商品開発を一貫して進める。「混ぜ込みわかめ」「ソフトふりかけ」に加え、レトルトの「釜めしの素」「麻婆豆腐の素」も主力。ポケモン、プリキュアなどキャラクターシリーズも幅広く展開。
【設立】1951.4 【資本金】288百万円
【社長】阿部豊太郎(1946.12生 東大卒)
【株主】〔24.4〕丸美屋ビル
【事業】レトルト食品50、ふりかけ食品50
【従業員】単545名(41.7歳)

【業績】	売上高	営業利益	経常利益	純利益
単21.12	56,437	‥	‥	‥
単22.12	58,547	‥	‥	‥
単23.12	64,075	‥	‥	‥

丸和油脂（まるわゆし）

株式公開計画なし

採用内定数	倍率	3年後離職率	平均年収
5名	1倍	ー	㊀600万円

●待遇、制度●
【初任給】月21万
【残業】10時間【有休】‥日【制度】フ 住
●新卒定着状況●
20年入社(男0、女0)→3年後在籍(男0、女0)
●採用情報●
【人数】23年:1 24年:1 25年:応募5→内定5
【内定内訳】(男1、女4)(文5、理0)(総5、他0)
【試験】なし
【時期】エントリー25.5→内々定25.7
【採用実績校】大妻女大1、十文字学女大1、日大1
【求める人材】マジメな人

【本社】141-0031 東京都品川区西五反田3-9-23 ☎03-3491-1101
【特色・近況】マーガリン、マヨネーズ、ドレッシング類が主力商品の独立系老舗食品メーカー。ピーナッツクリームなどの甘味スプレッドも展開。学校給食など業務用に強い。家庭用は「デキシー」ブランドで展開。羽生、春日部、那須、滋賀、北海道美幌の5工場体制。
【設立】1947.3 【資本金】63百万円
【社長】高橋信行
【株主】〔24.3〕丸和ホールディングス100%
【事業】マヨネーズ類51、マーガリン類31、甘味スプレッド類12、レトルト類他6
【従業員】単231名(40.0歳)

【業績】	売上高	営業利益	経常利益	純利益
単22.3	8,955	▲75	▲163	95
単23.3	10,425	55	94	42
単24.3	11,421	717	432	22

三島食品（みしましょくひん）

株式公開計画なし

採用内定数	倍率	3年後離職率	平均年収
9名	12倍	57.1%	‥

●待遇、制度●
【初任給】月20.9万(諸手当5.7万円)
【残業】4.9時間【有休】11.7日【制度】住
●新卒定着状況●
20年入社(男5、女2)→3年後在籍(男2、女1)
●採用情報●
【人数】23年:6 24年:7 25年:応募108→内定9
【内定内訳】(男7、女2)(文4、理2)(総6、他3)
【試験】〔筆記〕有〔Web自宅〕有〔性格〕有
【時期】エントリー25.3→内々定25.6(一次・二次以降もWEB面接可)【インターン】有
【採用実績校】‥
【求める人材】与えられた職域を超え、様々な役割をこなせる人

【本社】730-8661 広島県広島市中区南吉島2-1-53 ☎082-245-3211
【特色・近況】「ゆかり」主力のふりかけやレトルト食品を製造。原料輸入は生産地と一部直取引している。ふりかけ類は業務用首位、市販用2位。海外は米国、タイ、中国に現地法人を保有。グループでレジャー事業の「ミスズガーデン」、損保の「楠振興」なども営む。
【設立】2016.1 【資本金】90百万円
【会長】三島豊(1954.1生 東大院工修了)
【株主】〔23.12〕ミシマホールディングス100%
【事業】ふりかけ37、レトルト13、ペースト17、混ぜごはんの素22、調理素材9、他2
【従業員】単415名(45.2歳)

【業績】	売上高	営業利益	経常利益	純利益
単21.12	12,597	634	630	437
単22.12	12,851	172	240	193
単23.12	13,998	701	662	372

ミヨシ油脂（ゆし）

東証スタンダード

採用内定数	倍率	3年後離職率	平均年収
30名	33.3倍	22.2%	674万円

●待遇、制度●
【初任給】月24.3万
【残業】11.7時間【有休】12.6日【制度】フ 住 在
●新卒定着状況●
20年入社(男17、女1)→3年後在籍(男13、女1)
●採用情報●
【人数】23年:11 24年:28 25年:応募1000→内定30
【内定内訳】(男15、女15)(文7、理22)(総21、他9)
【試験】〔Web会場〕SPI3〔性格〕有
【時期】エントリー25.3→内々定25.5(一次はWEB面接可)【インターン】有
【採用実績校】東京農業大4、同女大3、日大3、立命館大2、東邦大2、明大1、関大1、東北大1、東理大1、岐阜大1、信州大1、和歌山大1、他
【求める人材】主体性・率先力・創意工夫を実現する「行動力」と「やり抜く力」を持った人

【本社】124-8510 東京都葛飾区堀切4-66-1 ☎03-3603-1111
【特色・近況】マーガリンやショートニング、ホイップクリーム等の食品事業と工業用油脂・各種脂肪酸など油化事業の2本柱。油化事業では、脂肪酸やグリセリンなどの工業用油脂や界面活性剤などの化成品、重金属処理剤などの環境改善関連製品を展開。
【設立】1937.2 【資本金】9,015百万円
【社長】三木逸郎(1975.6生)
【株主】〔24.6〕山崎製パン10.0%
【連結事業】食品68、油化31、他1
【従業員】連577名 単520名(42.3歳)

【業績】	売上高	営業利益	経常利益	純利益
連21.12	47,476	698	984	677
連22.12	52,743	▲1,604	▲1,333	▲268
連23.12	56,236	2,372	2,594	2,077

名糖産業（めいとうさんぎょう）

東証プライム

採用内定数	倍率	3年後離職率	平均年収
5名	136倍	20%	569万円

●待遇、制度●
【初任給】月23.5万（諸手当0.6万円）
【残業】19.8時間【有休】11.9日【制度】フ 住 在
●新卒定着状況●
20年入社（男5、女5）→3年後在籍（男4、女4）
●採用情報●
【人数】23年:8 24年:9 25年:応募680→内定5*
【内定内訳】（男1、女4）（文1、理4）（総5、他0）
【試験】〔Web自宅〕SPI3〔性格〕有
【時期】エントリー25.3→内々定25.6（一次はWEB面接可）
【採用実績校】‥
【求める人材】‥

【本社】451-8520 愛知県名古屋市西区笹塚町2-41 ☎052-521-7111
【特色・近況】置き薬・肝油製造が発祥事業の菓子・化成品メーカー。菓子部門が事業の柱で「アルファベットチョコレート」や、レモンティーなどの粉末飲料、バウムクーヘンが主力商品。微生物由来の発酵技術を用いて酵素の生産を始めに化成品事業を拡大中。
【設立】1945.2【資本金】1,323百万円
【社長】三矢益夫（1959.9生 法大経営卒）
【株主】〔24.3〕興和9.0%
【連結事業】食品86、化成品13、不動産1
【従業員】連609名 単390名（40.8歳）

【業績】	売上高	営業利益	経常利益	純利益
連22.3	21,136	350	1,233	1,816
連23.3	22,727	95	1,132	700
連24.3	24,392	232	1,430	▲703

森永乳業クリニコ（もりながにゅうぎょう）

株式公開計画なし

採用内定数	倍率	3年後離職率	平均年収
26名	‥	22.2%	‥

●待遇、制度●
【初任給】月23万（諸手当1.1万円）
【残業】15.9時間【有休】15日【制度】フ 住 在
●新卒定着状況●
20年入社（男3、女6）→3年後在籍（男2、女5）
●採用情報●
【人数】23年:15 24年:9 25年:応募‥→内定26
【内定内訳】（男6、女20）（文20、理6）（総26、他0）
【試験】試験あり
【時期】エントリー25.3→内々定25.6（一次・二次以降もWEB面接可）【インターン】有
【採用実績校】宮崎大1、徳島大1、関大1、東京科学大1、神田外語大1、立命館大1、武庫川女大2、法政大1、関西学大1、奈良女大1、他
【求める人材】粘り強く努力できる人、周りを巻き込むことができる人、状況の変化に柔軟に対応できる人

【本社】153-0063 東京都目黒区目黒4-4-22 森永乳業中央研究所 ☎03-3793-4101
【特色・近況】経腸栄養・嚥下リハビリ食が中心の医療食や栄養補助食品を製造・販売。食品タイプの医療食ではシェアトップ。国立がんセンターとの共同開発で製品化した流動食からスタート。北海道から沖縄まで支店や営業所を有する。森永乳業の完全子会社。
【設立】1978.9【資本金】200百万円
【社長】遠藤悟（1961.5生）
【株主】〔24.3〕森永乳業100%
【事業】医療食50、栄養補助食品50
【従業員】単329名（35.8歳）

【業績】	売上高	営業利益	経常利益	純利益
単22.3	24,572	‥	‥	‥
単23.3	25,320	‥	‥	‥
単24.3	26,741	‥	‥	‥

モロゾフ

東証プライム

採用内定数	倍率	3年後離職率	平均年収
12名	41.5倍	0%	547万円

●待遇、制度●
【初任給】月21.7万（諸手当0.5万円）
【残業】8.5時間【有休】12.7日【制度】フ 住
●新卒定着状況●
20年入社（男1、女1）→3年後在籍（男1、女1）
●採用情報●
【人数】23年:22 24年:15 25年:応募498→内定12
【内定内訳】（男2、女10）（文6、理6）（総12、他0）
【試験】〔性格〕有
【時期】エントリー25.1→内々定25.4（一次・二次以降もWEB面接可）【インターン】有
【採用実績校】甲南大1、関大2、立命館大1、関西学大1、京都府大院1、神戸大1、和歌山大1、奈良女大1、日大1、琉球大1、他
【求める人材】明るく社交的で思いやりがあり、いろいろなことに興味を持って取り組んでいくことができる人

【本社】658-0046 兵庫県神戸市東灘区御影本町6-11-19 ☎078-822-5000
【特色・近況】チョコレート、洋菓子の老舗メーカー。百貨店向けが中心だが、駅ナカや商業施設にも出店。喫茶、レストランも併営。国内5工場、東京、名古屋、福岡、札幌などに支店・営業所を置く。台湾、シンガポール、香港などの百貨店を中心に出店。
【設立】1931.8【資本金】3,737百万円
【社長】山口信二（1959.3生 甲南大経済卒）
【株主】〔24.7〕日本マスタートラスト信託銀行信託口7.3%
【連結事業】洋菓子製造販売95、喫茶・レストラン5
【従業員】連586名 単561名（43.1歳）

【業績】	売上高	営業利益	経常利益	純利益
単22.1	27,207	2,012	2,126	1,028
連23.1	32,505	2,423	2,615	1,703
連24.1	34,933	2,474	2,517	1,715

やまう

株式公開していない

採用実績数	倍率	3年後離職率	平均年収
5名	ー	0%	‥

●待遇、制度●
【初任給】月20.5万
【残業】10時間【有休】15.5日【制度】住 在
●新卒定着状況●
20年入社(男1、女0)→3年後在籍(男1、女0)
●採用情報●
【人数】23年:5 24年:5 25年:応募0→内定0*
【内定内訳】(男‥、女‥)(文‥、理‥)(総‥、他‥)
【試験】〔Web自宅〕SPI3〔性格〕有
【時期】エントリー25.4→内々定25.10*(一次はWEB面接可)
【採用実績校】‥
【求める人材】真面目、素直、前向きな人

【本社】153-8510 東京都目黒区大橋1-6-8
☎03-3463-7211
【特色・近況】しば漬けのシェアは首位級の総合漬物メーカー。銀座・歌舞伎座横で全国の漬物を取り揃えた「銀座やまう」を運営。群馬に工場を有する。札幌から九州まで6営業所。中国・天津市に現地法人。カップ製品や国産福神漬が好調。惣菜系製品への取り組みも強化。
【設立】1952.7 【資本金】96百万円
【社長】梅澤綱祐(1982.1生 日大生物資卒)
【株主】〔24.2〕梅澤綱祐21.4%
【事業】漬物販売97、不動産賃貸2、他1
【従業員】単166名(43.0歳)

【業績】	売上高	営業利益	経常利益	純利益
単22.1	4,928	113	172	60
単23.1	5,080	69	189	27
単24.1	5,143	148	209	127

ヤマサ醤油(しょうゆ)

株式公開計画なし

採用内定数	倍率	3年後離職率	平均年収
23名	46.5倍	21.4%	㊕815万円

●待遇、制度●
【初任給】月23.5万
【残業】20時間【有休】13.3日【制度】住 在
●新卒定着状況●
20年入社(男8、女6)→3年後在籍(男6、女5)
●採用情報●
【人数】23年:12 24年:21 25年:応募1070→内定23
【内定内訳】(男11、女12)(文9、理14)(総23、他0)
【試験】〔Web自宅〕有
【時期】エントリー25.1→内々定25.4(一次・二次以降もWEB面接可)【インターン】有【ジョブ型】有
【採用実績校】名古屋大3、東京農業大3、東京海洋大1、東京農工大1、信州大1、山形大1、東北大1、慶大1、都立大1、同大1、他
【求める人材】現状に満足せず挑戦し続ける人、広い視野で物事を捉えられる人

【本社】288-0056 千葉県銚子市新生町2-10-1
☎0479-22-0095
【特色・近況】業界シェア2位の老舗醤油メーカー。醤油、つゆなどのほか、バイオ技術を生かして医薬品、診断薬、化成品にも進出。国内事業所は北海道から九州まで。米国、オランダ、タイに現地法人を持ち、生産・販売をグローバル展開。1645年創業。
【設立】1928.11 【資本金】100百万円
【社長】石橋直幸(1978.2生 慶大法卒)
【株主】‥
【事業】醤油・食品・調味料・医薬品類の製造販売
【従業員】単888名(‥歳)

【業績】	売上高	営業利益	経常利益	純利益
単21.12	57,763	3,257	4,151	3,174
単22.12	44,559	2,352	3,228	2,633
単23.12	44,950	1,889	2,947	2,287

ヤマダイ食品(しょくひん)

株式公開いずれしたい

採用内定数	倍率	3年後離職率	平均年収
2名	22.5倍	0%	‥

●待遇、制度●
【初任給】月21.7万
【残業】7.5時間【有休】‥日【制度】住 在
●新卒定着状況●
20年入社(男1、女5)→3年後在籍(男1、女5)
●採用情報●
【人数】23年:4 24年:6 25年:応募45→内定2*
【内定内訳】(男1、女1)(文2、理0)(総2、他0)
【試験】‥
【時期】エントリー25.3→内々定25.5(一次はWEB面接可)
【採用実績校】名古屋学芸大1、日大1
【求める人材】自発できる人、自発したい人

【本社】510-8014 三重県四日市市富田2-8-19
☎059-364-4331
【特色・近況】業務用の調理済み総菜・冷食などを製造する食品メーカー。ごま和えなどの和風総菜や混ぜご飯の素などが主力商品。家庭用冷凍総菜や冷凍フルーツも扱う。三重に2工場を有する。海外はロサンゼルス、パリ、バンコクに拠点配置。
【設立】1980.4 【資本金】86百万円
【代表取締役】樋口智一(1974.11生 学習大経済卒)
【株主】〔24.3〕樋口智一52.3%
【事業】業務用総菜92、市販用総菜4、冷凍果実3、飲料1 <輸出2>
【従業員】単199名(29.0歳)

【業績】	売上高	営業利益	経常利益	純利益
単22.3	2,643	▲264	▲133	▲159
単23.3	3,388	▲320	▲360	▲394
単24.3	3,921	▲127	▲138	▲161

㈱山野井（やまのい）

株式公開計画なし

採用実績数	倍率	3年後離職率	平均年収
3名	ー	ー	‥

●待遇、制度●
【初任給】月18.3万（諸手当0.7万円）
【残業】4.9時間【有休】11日【制度】住
●新卒定着状況●
20年入社（男0、女0）→3年後在籍（男0、女0）
●採用情報●
【人数】23年:3 24年:0 25年:応募0→内定0
【内定内訳】（男‥、女‥）（文‥、理‥）（総‥、他‥）
【試験】‥
【時期】エントリー25.3→内々定25.9（一次はWEB面接可）
【採用実績校】‥
【求める人材】チームワークを大切にし周囲に気を配ることのできる人、行動力があり目標に向かって粘り強く取り組むことができる人

【本社】899-3404 鹿児島県南さつま市金峰町高橋3075-28 ☎0993-77-3800
【特色・近況】高級焼豚「マイスター山野井」やハム・ソーセージなどを製造する食肉加工メーカー。百貨店のお歳暮・お中元や、自社運営のオンラインショップなどでも販売。ギフトや「豚干肉」、「ポークチップ」などの珍味商品も取り扱う。
【設立】1980.1 【資本金】43百万円
【社長】齋藤英樹（1984.10生 早大法）
【株主】〔23.12〕ツルヤ化成工業100%
【事業】食肉加工品100
【従業員】単58名（42.8歳）

【業績】	売上高	営業利益	経常利益	純利益
単21.12	1,063	11	17	▲11
単22.12	949	▲8	▲3	▲5
単23.12	825	▲66	▲65	▲171

㈱やまみ

東証スタンダード

採用内定数	倍率	3年後離職率	平均年収
28名	3.2倍	54.3%	459万円

●待遇、制度●
【初任給】月22.5万
【残業】18時間【有休】7日【制度】住
●新卒定着状況●
20年入社（男16、女19）→3年後在籍（男11、女5）
●採用情報●25年は高卒除く
【人数】23年:23 24年:19 25年:応募89→内定28*
【内定内訳】（男19、女9）（文12、理16）（総28、他0）
【試験】〔筆記〕有〔Web会場〕有〔Web自宅〕有〔性格〕有
【時期】エントリー25.2→内々定25.5*（一次・二次以降もWEB面接可）【インターン】有
【採用実績校】愛媛大3、福山大3、福岡大2、九大1、高知大1、長崎大1、宇都宮大1、福井県大1、早大1、立命館大1、他
【求める人材】他人を思いやり協力してものづくりができる人、自らステップアップしていく意欲のある人

【本社】729-0473 広島県三原市沼田西町小原字袖掛73-5 ☎0848-86-3788
【特色・近況】豆腐や厚揚げ、油揚げなど関連製品の製造、販売を手がける。九州から関東地方で展開し、拠点を置く中国地方で高シェア。広島と滋賀、静岡に工場。主力は「もっちり絹厚揚げ」や「切れてる豆腐」シリーズ。業務用豆腐も展開。ハウス食品と資本業務提携。
【設立】2000.3 【資本金】1,245百万円
【社長】山名徹（1984.9生 帝京大経済卒）
【株主】〔24.6〕㈱YMコーポレーション34.4%
【事業】豆腐等製造販売100
【従業員】単267名（37.9歳）

【業績】	売上高	営業利益	経常利益	純利益
単22.6	13,811	902	903	606
単23.6	16,178	1,039	1,061	802
単24.6	19,001	2,079	2,076	1,476

有楽製菓（ゆうらくせいか）

株式公開計画なし

採用実績数	倍率	3年後離職率	平均年収
37名	‥	0%	‥

●待遇、制度●
【初任給】月21万
【残業】14.7時間【有休】15日【制度】フ 住 在
●新卒定着状況●
20年入社（男1、女2）→3年後在籍（男1、女2）
●採用情報●
【人数】23年:33 24年:37 25年:予定減少
【内定内訳】（男‥、女‥）（文‥、理‥）（総‥、他‥）
【試験】〔性格〕有
【時期】エントリー25.3→内々定25.5（一次・二次以降もWEB面接可）【インターン】有
【採用実績校】‥
【求める人材】視野が広く、様々なことに関心を持って挑戦することができる人

【本社】187-0032 東京都小平市小川町1-94 ☎042-341-1811
【特色・近況】菓子の製造・販売会社で、1994年発売の「ブラックサンダー」が主力商品。台湾を中心に香港や中国等のアジア圏、米国、メキシコなど欧米諸国にも輸出。地域限定のお土産用ブラックサンダーも製造販売。本社や豊橋夢工場に直営店併設。
【設立】1959.2 【資本金】11百万円
【社長】河合辰信（1982.11生 グロービス経営大院大卒）
【株主】‥
【事業】菓子製造販売
【従業員】単435名（‥歳）

【業績】	売上高	営業利益	経常利益	純利益
単21.7	11,860	862	855	604
単22.7	13,700	636	695	554
単23.7	15,400	841	1,005	686

養命酒製造（ようめいしゅせいぞう）　東証プライム

採用内定数	倍率	3年後離職率	平均年収
5名	26.6倍	28.6%	[総]663万円

●待遇、制度●
【初任給】月21.7万(諸手当0.8万円)
【残業】9時間【有休】11.2日【制度】[住][在]
●新卒定着状況●
20年入社(男1、女6)→3年後在籍(男1、女4)
●採用情報●
【人数】23年:9 24年:3 25年:応募133→内定5
【内定内訳】(男2、女3)(文4、理1)(総5、他0)
【試験】〔Web自宅〕有〔性格〕有
【時期】エントリー25.3→内々定25.6(一次はWEB面接可)【インターン】有
【採用実績校】昭和大1、専大1、福井県大1、横浜市大1、成蹊大1
【求める人材】主体性、感じる力、情熱を持ち、それに基づき判断し行動できる人

【本店】150-8563 東京都渋谷区南平台町16-25
☎03-3462-8111
【特色・近況】「養命酒」を主要製品とする薬用酒メーカー。1602年(慶長7年)創業。薬酒製造技術活用の「ハーブの恵み」やクラフトジン「香の森」などのリキュール類やのどあめなどを育成。新規分野で顧客の裾野拡大図る。レストランやベーカリーの運営も。
【設立】1923.6　【資本金】1,650百万円
【社長】田中英雄(1952.2生)
【株主】〔24.3〕大正製薬ホールディングス20.0%
【事業】養命酒関連89、くらすわ関連11 <海外4>
【従業員】単301名(44.8歳)

【業績】	売上高	営業利益	経常利益	純利益
単22.3	10,577	996	1,361	949
単23.3	10,647	1,077	1,480	1,020
単24.3	10,242	473	949	952

よつ葉乳業（よつばにゅうぎょう）　株式公開計画なし

採用内定数	倍率	3年後離職率	平均年収
32名	10.8倍	21.2%	‥

●待遇、制度●
【初任給】‥万
【残業】9.7時間【有休】15.4日【制度】[住][在]
●新卒定着状況●
20年入社(男29、女4)→3年後在籍(男24、女2)
●採用情報●
【人数】23年:36 24年:35 25年:応募347→内定32
【内定内訳】(男25、女7)(文4、理28)(総32、他0)
【試験】〔Web会場〕SPI3〔Web自宅〕SPI3
【時期】エントリー25.2→内々定25.4(一次・二次以降もWEB面接可)【インターン】有
【採用実績校】北大6、帯畜大1、釧路公大2、北見工大1、室蘭工大1、岩手大1、山形大1、豊橋技科大1、神戸大1、近大1、他
【求める人材】物事に対し、「まっすぐ」「誠実」に行動できる人

【本社】060-0004 北海道札幌市中央区北4条西1-1
☎011-222-1311
【特色・近況】ホクレン系乳業メーカー。北海道産の生乳、乳原料にこだわる。直営デザートカフェ「よつ葉ホワイトコージ」やアンテナショップ「よつ葉ミルクプレイス」も展開。研修事業や情報提供など、酪農生産者への支援活動を進める。道内と東京に5工場体制。台湾にも支店。
【設立】1967.1　【資本金】3,100百万円
【社長】有田真
【株主】〔24.3〕ホクレン農業協同組合連合会
【事業】市乳、バター、粉乳、クリーム、チーズ、ヨーグルト、アイスクリーム、スープ、パン、焼菓子
【従業員】単705名(39.0歳)

【業績】	売上高	営業利益	経常利益	純利益
単22.3	107,794	5,012	5,107	3,500
単23.3	120,070	3,598	3,833	2,599
単24.3	123,481	5,656	5,963	4,276

#残業が少ない

理研農産化工（りけんのうさんかこう）　株式公開計画なし

採用内定数	倍率	3年後離職率	平均年収
3名	15倍	0%	‥

●待遇、制度●
【初任給】月21万
【残業】3時間【有休】14.8日【制度】‥
●新卒定着状況●
20年入社(男2、女0)→3年後在籍(男2、女0)
●採用情報●
【人数】23年:2 24年:4 25年:応募45→内定3*
【内定内訳】(男2、女1)(文1、理1)(総2、他1)
【試験】〔Web会場〕SPI3
【時期】エントリー25.3→内々定25.6(一次はWEB面接可)
【採用実績校】福岡工大1、福岡大1、大原簿記ビジネス専1
【求める人材】常に目標をもって自ら考え、前向きに仕事に取り組み、周囲とのコミュニケーションやチームワークを大切に取組める人

【佐賀本店・工場】840-0802 佐賀県佐賀市大財北町2-1
☎0952-23-4181
【特色・近況】サラダ油やキャノーラ油など食用油を柱に、小麦粉、有機肥料などを製造・販売する老舗食品メーカー。国産小麦使用比率は業界有数。オンラインショップで九州産小麦粉などを販売。福岡と佐賀に2工場。東京に支店、大阪に営業所をもつ。
【設立】1948.6　【資本金】1,100百万円
【会長】鵜池浩四郎(1962.3生 一橋大経済卒)
【株主】〔24.3〕理研運輸8.5%
【事業】食用油80、小麦粉18、有機配合肥料2
【従業員】単186名(46.1歳)

【業績】	売上高	営業利益	経常利益	純利益
単22.3	25,870	114	203	149
単23.3	32,580	▲343	▲233	▲140
単24.3	29,879	649	764	482

六甲バター（ろっこう） 東証プライム

採用内定数	倍率	3年後離職率	平均年収
12名	67.9倍	18.7%	600万円

●待遇、制度●
【初任給】月22.2万
【残業】8.8時間【有休】16日【制度】住 在
●新卒定着状況●
20年入社(男15、女1)→3年後在籍(男12、女1)
●採用情報●
【人数】23年:20 24年:20 25年:応募815→内定12
【内定内訳】(男7、女5)(文6、理6)(総7、他5)
【試験】〔Web会場〕C-GAB〔Web自宅〕WEB-GAB
【時期】エントリー25.3→内々定25.6(一次はWEB面接可)
【採用実績校】兵庫県大2、岡山大1、滋賀県大1、関大1、立教大1、京都外大1、甲南大1、京産大1、神戸学大1、大和大1、他
【求める人材】誠実かつ謙虚な姿勢で仕事に取り組む人、自分の意思を持ち、自ら考え行動できる人

【本社】651-0062 兵庫県神戸市中央区坂口通1-3-13 ☎078-231-4681
【特色・近況】チーズ製造老舗でベビーチーズで最大手。ロングセラー商品のQBBブランドが主力。世界初のスティックチーズ、日本初の個包装スライスチーズを開発。ナッツの製造、チョコレートの輸入も手がける。仕入れ、販売面で三菱商事と協力。
【設立】1948.12 【資本金】2,843百万円
【社長】塚本浩康(1975.8生 神戸学大経済卒)
【株主】〔24.6〕三菱商事15.0%
【事業】チーズ96、ナッツ1、チョコレート2、他1
【従業員】単492名(40.5歳)

【業績】	売上高	営業利益	経常利益	純利益
単21.12	55,073	2,366	2,232	2,271
単22.12	41,924	345	359	219
単23.12	44,296	626	652	446

和弘食品（わこうしょくひん） 東証スタンダード

採用内定数	倍率	3年後離職率	平均年収
4名	9.3倍	40%	540万円

●待遇、制度●
【初任給】月19.5万
【残業】18.5時間【有休】11.2日【制度】フ 住
●新卒定着状況●
20年入社(男2、女3)→3年後在籍(男2、女1)
●採用情報●
【人数】23年:4 24年:4 25年:応募37→内定4
【内定内訳】(男2、女2)(文0、理4)(総4、他0)
【試験】〔Web自宅〕有
【時期】エントリー25.3→内々定25.5(一次・二次以降もWEB面接可)【インターン】有
【採用実績校】酪農学大1、藤女大1、東京農業大1、山形大1
【求める人材】チャレンジ精神が旺盛な人、自ら考え、アクションを起こせる人

【本社事務所】047-0261 北海道小樽市銭函3-504-1 ☎0134-62-0505
【特色・近況】ラーメンスープと麺つゆで業界中堅。昆布、鶏ガラ、豚骨などを原料とする業務用調味料が柱。製麺業界以外では、外食やコンビニ向けに拡販。米国カリフォルニア州にラーメンスープ工場。日清オイリオグループと資本・業務提携。
【設立】1964.3 【資本金】1,413百万円
【社長】加世田十七七(1965.1生 立命大法卒)
【株主】〔24.3〕㈱和山商店21.8%
【連結事業】別添用スープ40、業務用スープ49、天然エキス1、商品10
【従業員】連279名 単249名(38.4歳)

【業績】	売上高	営業利益	経常利益	純利益
連22.3	11,490	461	469	461
連23.3	13,502	972	1,035	1,250
連24.3	15,416	1,489	1,540	1,090

わらべや日洋ホールディングス 東証プライム

採用内定数	倍率	3年後離職率	平均年収
57名	12.5倍	0%	746万円

●待遇、制度●
【初任給】月25万(諸手当2万円)
【残業】29.6時間【有休】15.2日【制度】住
●新卒定着状況●
20年入社(男1、女0)→3年後在籍(男1、女0)
●採用情報●わらべや日洋食品採用
【人数】23年:42 24年:84 25年:応募712→内定57
【内定内訳】(男28、女29)(文28、理28)(総57、他0)
【試験】〔性格〕有
【時期】エントリー25.3→内々定25.6(一次・二次以降もWEB面接可)【インターン】有【ジョブ型】有
【採用実績校】茨城大1、岩手大1、近大1、金沢工大2、駒澤大1、慶大1、香川大1、神奈川大3、青学大1、静岡県大1、早大1、中京大1、他
【求める人材】グローバルな視野と知見を持ち、多種多様な時代の要請に臨機応変に対応できる人

【本社】162-8020 東京都新宿区富久町13-19 ☎03-5363-7010
【特色・近況】中食業界首位で、セブン-イレブン向けが収益の柱の企業グループ。おにぎりや弁当などの米飯類や調理パン、総菜など食品製造事業が主力。チルド製品に強み。グループでセブンへの製品の配送業、水産加工品など食材事業なども展開。海外は中国とアメリカで展開。
【設立】1964.3 【資本金】8,049百万円
【社長】辻英男(1964.1生)
【株主】〔24.2〕セブン-イレブン・ジャパン12.4%
【連結事業】食品87、食材5、物流6、他1
【従業員】連2,106名 単95名(42.7歳)

【業績】	売上高	営業利益	経常利益	純利益
連22.2	192,326	4,441	5,035	3,264
連23.2	194,416	4,985	4,628	2,810
連24.2	207,009	6,380	6,824	4,273

ドギーマンハヤシ

[株式公開準備中]

採用内定数	倍率	3年後離職率	平均年収
9名	‥	31.2%	‥

●待遇、制度●
【初任給】月22万
【残業】‥時間【有休】15.1日【制度】‥
●新卒定着状況● 20～21年入社者合計
20年入社(男8、女8)→3年後在籍(男6、女5)
●採用情報●
【人数】23年:7 24年:6 25年:応募‥→内定9
【内定内訳】(男5、女4)(文3、理6)(総9、他0)
【試験】‥
【時期】エントリー‥→内々定‥
【採用実績校】‥
【求める人材】チャレンジ精神があり、新しいことに自ら挑戦できる人

【本社】537-0002 大阪府大阪市東成区深江南1-16-14 ☎06-6977-6711
【特色・近況】ペット用品総合メーカーでパイオニア的存在。「ドギーマン」ブランドで全国展開。ペットフードが主力商品。国内約300の卸商社などと取引、海外取引先約60社。中国、ベトナム、台湾、韓国、バングラデシュに拠点を展開。
【設立】1970.1 【資本金】90百万円
【社長】林雄一
【株主】〔24.3〕ドギーマンH.A.ホールディングス100%
【事業】ペット食品・用品の製造・販売・輸出入
【従業員】単200名(‥歳)

【業績】	売上高	営業利益	経常利益	純利益
単22.3	20,407	‥	‥	‥
単23.3	21,015	‥	‥	‥
単24.3	22,171	‥	‥	‥

中四国(ちゅうしこく)ハニューフーズ

[株式公開計画なし]

採用内定数	倍率	3年後離職率	平均年収
2名	1.5倍	―	[総]529万円

●待遇、制度●
【初任給】月26.5万(固定残業代21時間分)
【残業】20.8時間【有休】12.5日【制度】[住]
●新卒定着状況●
20年入社(男0、女0)→3年後在籍(男0、女0)
●採用情報●
【人数】23年:0 24年:0 25年:応募3→内定2*
【内定内訳】(男1、女1)(文2、理0)(総2、他0)
【試験】なし
【時期】エントリー24.11→内々定25.3(一次・二次以降もWEB面接可)【インターン】有
【採用実績校】広島修道大1、吉備国際大1
【求める人材】お客様の求められる商品案内及び、信頼構築ができる人

【本社】733-0832 広島県広島市西区草津港2-6-69 ☎082-277-9001
【特色・近況】中国・四国エリアの広範囲に、ルートセールスや卸売で輸入食肉や国産牛肉を販売。顧客は地場の量販店、外食、卸売など。岡山、愛媛・西条、香川・高松に営業所。食肉業界大手ハニューフーズの子会社で、グループと連携した商品開発にも取り組む。
【設立】1971.2 【資本金】100百万円
【代表取締役】髙橋茂樹(1957.12生)
【株主】〔24.5〕ハニューフーズ100%
【事業】食肉の卸売
【従業員】単42名(40.1歳)

【業績】	売上高	営業利益	経常利益	純利益
単21.12	14,158	90	95	63
単22.12	16,548	94	104	74
単23.12	17,845	238	244	165

(株)秋川牧園(あきかわぼくえん)

[東証スタンダード]

採用実績数	倍率	3年後離職率	平均年収
4名	‥	0%	496万円

●待遇、制度●
【初任給】月21万
【残業】28時間【有休】9.7日【制度】‥
●新卒定着状況●
20年入社(男0、女1)→3年後在籍(男0、女1)
●採用情報●
【人数】23年:6 24年:4 25年:予定前年並
【内定内訳】(男‥、女‥)(文‥、理‥)(総‥、他‥)
【試験】なし
【時期】エントリー25.3→内々定25.6(一次・二次以降もWEB面接可)
【採用実績校】‥
【求める人材】食づくりに関心があり、誠実に取り組める人

【本社】753-0303 山口県山口市仁保下郷10317 ☎083-929-0630
【特色・近況】産地直送型の畜産企業。無農薬・無投薬の鶏肉や鶏肉加工食、鶏卵、牛乳、ヨーグルトの製造・卸売が主力事業。農業系の企業として株式上場の第1号。販売先は生協向けが中心で、量販店向けは少ない。直販の会員制宅配事業を強化中。
【設立】1979.5 【資本金】714百万円
【社長】秋川正(1966.5生 筑波大社会工卒)
【株主】〔24.3〕秋川正26.5%
【連結事業】生産卸売78、直販22
【従業員】連320名 単250名(42.1歳)

【業績】	売上高	営業利益	経常利益	純利益
連22.3	6,638	115	237	159
連23.3	7,070	19	242	156
連24.3	7,392	11	153	98

㈱アクシーズ

東証スタンダード

採用内定数	倍率	3年後離職率	平均年収
7名	1.6倍	0%	452万円

●待遇、制度●
【初任給】月21.5万
【残業】20時間【有休】7.3日【制度】[住]
●新卒定着状況●
20年入社(男1、女0)→3年後在籍(男1、女0)
●採用情報●
【人数】23年:3 24年:2 25年:応募11→内定7*
【内定内訳】(男5、女2)(文3、理4)(総7、他0)
【試験】なし
【時期】エントリー‥→内々定‥(一次はWEB面接可)【インターン】有
【採用実績校】鹿児島大2、摂南大1、日本文理大1、他
【求める人材】積極的で向上心のある人

【本社】890-0014 鹿児島県鹿児島市草牟田2-1-8 ☎099-223-7385
【特色・近況】鹿児島地盤の鶏肉生産大手。ケンタッキー・フライド・チキン向けが主力。飼料製造から飼育・加工まで一貫して手がける。抗生物質無添加の飼料を用いた飼育にこだわり。システム管理された鶏舎運営など業界最先端の設備を持つ。外食子会社でFC店も展開。
【設立】1962.11 【資本金】452百万円
【社長】伊地知高正(1975.3生 法大卒)
【株主】〔24.6〕㈲照国興産10.6%
【連結事業】食品84、外食14、エネルギー2
【従業員】[連]1,320名 [単]874名(43.7歳)

【業績】	売上高	営業利益	経常利益	純利益
[連]22.6	21,725	2,453	2,669	1,943
[連]23.6	24,101	1,911	1,977	1,410
[連]24.6	25,836	1,570	1,780	1,239

#残業が少ない

タキイ種苗(しゅびょう)

株式公開計画なし

採用内定数	倍率	3年後離職率	平均年収
53名	18.5倍	20.7%	[総]734万円

●待遇、制度●
【初任給】月27万(諸手当3.5万円)
【残業】3.8時間【有休】11.2日【制度】[フ][住][在]
●新卒定着状況●
20年入社(男14、女15)→3年後在籍(男12、女11)
●採用情報●
【人数】23年:40 24年:47 25年:応募978→内定53
【内定内訳】(男18、女35)(文20、理33)(総23、他30)
【試験】〔筆記〕常識〔Web自宅〕SPI3〔性格〕有
【時期】エントリー24.12→内々定25.4(一次はWEB面接可)【インターン】有【ジョブ型】有
【採用実績校】お茶女大1、茨城大3、岡山大1、関西学大2、宮崎大2、京産大3、京都女大2、京都府大2、近大5、九大1、弘前大1、佐賀大1、他
【求める人材】自ら考え、決断し、行動して成果を生み出すことを楽しいと感じられる人

【本社】600-8686 京都府京都市下京区梅小路通猪熊東入南夷町180 ☎075-365-0123
【特色・近況】国内種苗メーカー大手。野菜・草花・牧草・芝草種子などの開発・生産・販売を行う。国内5カ所の研究農場で地域に根差した育種と品種開発を行う。生産は国内・海外各地の農家や委託会社と協力、技術指導も行い種子の安定供給を実現する。農業専門学校も運営。
【設立】1920.5 【資本金】200百万円
【社長】川瀬貴晴(1959.5生 帯畜大畜産卒)
【株主】〔24.4〕西陵ロイヤルビル7.1%
【事業】種子、球根・苗木、農業用資材
【従業員】[単]822名(38.2歳)

【業績】	売上高	営業利益	経常利益	純利益
[単]22.4	50,494	3,078	5,705	4,565
[単]23.4	51,793	2,933	5,091	3,276
[単]24.4	52,331	2,844	7,131	5,756

㈱フリーデン

株式公開計画なし

採用内定数	倍率	3年後離職率	平均年収
1名	20倍	33.3%	‥

●待遇、制度●
【初任給】月21.4万(諸手当を除いた数値)
【残業】10.8時間【有休】9.6日【制度】[住]
●新卒定着状況●
20年入社(男3、女6)→3年後在籍(男3、女3)
●採用情報●
【人数】23年:5 24年:5 25年:応募20→内定1*
【内定内訳】(男0、女1)(文0、理1)(総0、他1)
【試験】〔筆記〕有〔性格〕有
【時期】エントリー25.3→内々定25.4*(一次・二次以降もWEB面接可)【インターン】有
【採用実績校】北里大1
【求める人材】明るく責任感があり、協調性と進取の気質がある人

【本社】259-1201 神奈川県平塚市南金目227 ☎0463-58-0123
【特色・近況】養豚業大手。東日本に8カ所の種豚場や養豚場を有し、養豚から加工・流通・飲食店経営まで一貫して行う。農場HACCP認証を取得するなど「安全・安心・おいしさ」追求に注力。「やまと豚」ブランドが浸透。地域循環型農業を推進。
【設立】1960.5 【資本金】100百万円
【社長】小俣勝彦(1955.10生 神奈大卒)
【株主】〔24.3〕森延孝4.9%
【事業】豚規格肉等60、飼料等18、一般食品等8、豚枝肉等5、加工食品ハム等3、他6
【従業員】[単]196名(38.3歳)

【業績】	売上高	営業利益	経常利益	純利益
[連]22.3	21,294	170	247	41
[連]23.3	22,846	▲444	287	31
[単]24.3	22,554	▲551	107	62

㈱ホクリヨウ　東証スタンダード

採用予定数	倍率	3年後離職率	平均年収
5名	－	50%	458万円

●待遇、制度●
【初任給】月21万
【残業】10時間【有休】12.1日【制度】住
●新卒定着状況●
20年入社(男3、女1)→3年後在籍(男1、女1)
●採用情報●
【人数】23年:7 24年:1 25年:応募39→内定0*
【内定内訳】(男‥、女‥)(文‥、理‥)(総‥、他‥)
【試験】〔筆記〕有〔Web自宅〕SPI3〔性格〕有
【時期】エントリー25.1→内々定25.3【インターン】有
【採用実績校】‥
【求める人材】会社成長の牽引力となってくれる、チャレンジ精神旺盛な人

【本社】003-0012 北海道札幌市白石区中央二条3-6-15 ☎011-812-1131
【特色・近況】採卵養鶏場大手。北海道での鶏卵販売シェアはトップ級。自社農場で雛の育成から成鶏、産卵まで行う一貫体制や、問屋を介さない直接取引に特徴。「PG卵モーニング」「サラダ気分」など自社ブランドの比重高い。本州進出に向けて、宮城や岩手に農場を設置。
【設立】1949.5 【資本金】1,055百万円
【社長】米山大介(1958.7生 一橋大商卒)
【株主】〔24.3〕㈱ココリコ42.0%
【事業】鶏卵97、食品3、他0
【従業員】単248名(45.7歳)

【業績】	売上高	営業利益	経常利益	純利益
単22.3	15,359	878	942	1,191
単23.3	17,823	1,318	1,383	745
単24.3	18,901	2,245	2,316	1,656

㈱村上農園(むらかみのうえん)　株式公開計画なし

採用内定数	倍率	3年後離職率	平均年収
4名	64.5倍	‥	総583万円

●待遇、制度●
【初任給】月23.4万(固定残業代20時間分)
【残業】27時間【有休】8.8日【制度】住
●新卒定着状況●
‥
●採用情報●
【人数】23年:4 24年:13 25年:応募258→内定4
【内定内訳】(男4、女0)(文0、理4)(総4、他0)
【試験】〔Web会場〕SPI3〔性格〕有
【時期】エントリー通年→内々定通年(一次はWEB面接可)
【採用実績校】佐賀大2、弘前大1、近大1
【求める人材】自ら考え行動できる人、成果が出るまでやり続けることができる人

【本社】731-5128 広島県広島市佐伯区五日市中央4-16-1 広電コイン通りビル3階 ☎082-923-6080
【特色・近況】施設栽培の野菜メーカー。豆苗、かいわれ大根、スプラウト(発芽野菜)などを植物工場で生産、販売する。有用成分を高含有した高成分野菜が得意。栽培条件、植物の状態を日々記録、ネットワークで情報共有・管理するスマートアグリでブランド品質の維持図る。
【設立】1978.1 【資本金】10百万円
【代表取締役】村上清貴(1960.7生 広島大総科卒)
【株主】〔24.5〕ムラカミファームホールディングス100%
【事業】豆苗30、スプラウト60、かいわれ8、他2
【従業員】単115名(38.0歳)

【業績】	売上高	営業利益	経常利益	純利益
単21.12	9,329	‥	‥	‥
単22.12	8,983	‥	‥	‥
単23.12	9,094	‥	‥	‥

㈱雪国まいたけ(ゆきぐに)　東証プライム

採用内定数	倍率	3年後離職率	平均年収
33名	9.2倍	19%	404万円

●待遇、制度●
【初任給】月20.6万(諸手当0.5万円)
【残業】13.3時間【有休】14日【制度】フ 住 在
●新卒定着状況●
20年入社(男14、女7)→3年後在籍(男12、女5)
●採用情報●
【人数】23年:20 24年:23 25年:応募302→内定33*
【内定内訳】(男16、女17)(文11、理19)(総0、他33)
【試験】〔Web自宅〕SPI3〔性格〕有
【時期】エントリー25.3→内々定25.6(一次・二次以降もWEB面接可)【インターン】有【ジョブ型】有
【採用実績校】東京農業大3、宇都宮大2、香川大2、信州大2、東洋大2、新潟食農大2、新潟薬大2、日大2、麻布大1、学習院女大1、京大1、他
【求める人材】食を通じて健康社会の実現に貢献したい人、チャレンジ精神の高い人

【本社】949-6695 新潟県南魚沼市余川89 ☎025-778-0111
【特色・近況】きのこ生産大手。国内生産シェア50%超のマイタケを軸に、エリンギ、ブナシメジなどきのこ製品を量産。レトルトパックなど加工食品も展開。小売り業者への直接販売を中心とした流通体制に強み。コメ卸大手の神明HD子会社。1983年創業。
【設立】2017.7 【資本金】100百万円
【社長】湯澤尚史(1971.2生)
【株主】〔24.3〕神明ホールディングス50.0%
【連結事業】まいたけ55、エリンギ11、ぶなしめじ20、茸他13、他1
【従業員】連1,054名 単1,024名(41.5歳)

【業績】	売上高	営業利益	税前利益	純利益
連22.3	47,081	4,975	4,564	2,989
連23.3	42,204	2,191	1,794	1,181
連24.3	47,476	2,811	2,240	1,358

メーカー(素材・身の回り品)

㈱イムラ

[東証スタンダード]

採用内定数	倍率	3年後離職率	平均年収
5名	52倍	37.5%	580万円

●待遇、制度●
【初任給】月24万
【残業】12.3時間【有休】10.1日【制度】[住]
●新卒定着状況●
20年入社(男6、女10)→3年後在籍(男4、女6)
●採用情報●
【人数】23年:15 24年:19 25年:応募260→内定5
【内定内訳】(男3、女2)(文5、理0)(総5、他0)
【試験】〔筆記〕SPI3〔Web会場〕SPI3〔性格〕有
【時期】エントリー25.3→内々定25.4*(一次はWEB面接可)【インターン】有
【採用実績校】龍谷大1、同女大1、大阪経大1、成城大1、武蔵大1
【求める人材】顧客の立場に真摯に寄り添い、周囲を巻き込みながら主体的に行動できる人

【本社】542-0076 大阪府大阪市中央区難波5-1-60 なんばスカイオ ☎06-6586-6121
【特色・近況】封筒事業で業界首位。DM向けなどの窓あき封筒で成長し、シェアは2割強。受注製造が主体でロットの大小にも対応。金融機関など民間向けに請求書などのデータ印刷から発送までを一貫作業で受託するメーリング事業やロジスティクスサービス事業も展開。
【設立】1950.2 【資本金】1,197百万円
【社長】井村優(1963.4生 慶大経済卒)
【株主】〔24.7〕井村優4.2%
【連結事業】パッケージソリューション73、メーリングサービス18、他8
【従業員】連781名 単669名(42.4歳)

【業績】	売上高	営業利益	経常利益	純利益
連22.1	20,234	1,097	1,267	994
連23.1	21,736	1,421	1,560	1,016
連24.1	20,869	1,305	1,413	950

大石産業(おおいしさんぎょう)

[東証スタンダード]

採用内定数	倍率	3年後離職率	平均年収
11名	4.9倍	37.5%	[総]625万円

●待遇、制度●
【初任給】月22.4万
【残業】15.3時間【有休】10.8日【制度】[住]
●新卒定着状況●
20年入社(男5、女3)→3年後在籍(男3、女2)
●採用情報●
【人数】23年:8 24年:9 25年:応募54→内定11
【内定内訳】(男9、女2)(文9、理2)(総11、他0)
【試験】〔Web自宅〕WEB-GAB〔性格〕有
【時期】エントリー25.3→内々定25.5【インターン】有
【採用実績校】北九州市大1、九州工大1、九産大1、久留米大1、西南学大1、福岡工大2、福岡大2、宮崎大1、KCS北九州情報専1
【求める人材】チームワークを大切にし、自ら考えて行動できる人

【本社】805-0068 福岡県北九州市八幡東区桃園2-7-1 ☎093-661-6511
【特色・近況】包装資材の総合メーカー。食品や家電製品の包装緩衝材などに使われるパルプモウルド製品では、国内シェア首位。樹脂袋や食品容器フィルムなどの包装機能材や段ボール等も展開。東京、北海道、青森、大阪などに営業所。マレーシアに生産現法。
【設立】1947.2 【資本金】466百万円
【社長】山口博章(1958.5生)
【株主】〔24.3〕王子ホールディングス8.1%
【連結事業】緩衝機能材49、包装機能材50、他2 <海外14>
【従業員】連607名 単369名(40.6歳)

【業績】	売上高	営業利益	経常利益	純利益
連22.3	19,752	1,288	1,528	1,056
連23.3	21,788	1,125	1,398	902
連24.3	21,964	1,086	1,347	1,065

興亜工業(こうあこうぎょう)

[株式公開計画なし]

採用内定数	倍率	3年後離職率	平均年収
2名	14.5倍	54.5%	[総]756万円

●待遇、制度●
【初任給】月23.3万
【残業】15.2時間【有休】13.6日【制度】[住]
●新卒定着状況●
20年入社(男11、女0)→3年後在籍(男5、女0)
●採用情報●
【人数】23年:3 24年:5 25年:応募29→内定2*
【内定内訳】(男1、女1)(文1、理1)(総1、他1)
【試験】〔Web自宅〕SPI3〔性格〕有
【時期】エントリー25.3→内々定25.6*(一次はWEB面接可)
【採用実績校】東海大1、武蔵野大1
【求める人材】受身ではなく、主体的に行動し、責任感を持って仕事に取り組める人

【本社】417-0847 静岡県富士市比奈1286-2 ☎0545-38-0123
【特色・近況】丸紅子会社の産業用紙メーカー。段ボール原紙が主で雑誌向け更紙も扱う。単一工場での生産高は業界屈指。年間58万トンの生産設備を保有。資源の有効活用を図る独自のクローズド・システムを構築し、生産現場で発生する汚泥はすべてリサイクルを行う。
【設立】1989.2 【資本金】2,342百万円
【社長】井上淳
【株主】〔24.3〕丸紅79.9%
【事業】段ボール原紙95、更紙6
【従業員】単255名(39.9歳)

【業績】	売上高	営業利益	経常利益	純利益
単22.3	27,683	3,490	3,590	2,502
単23.3	31,787	2,062	2,161	1,431
単24.3	33,236	5,854	5,953	4,119

メーカー(素材・身の回り品)

ザ・パック （東証プライム）

採用内定数	倍率	3年後離職率	平均年収
26名	‥	30.8%	㊍795万円

●待遇、制度●
【初任給】月22.8万（諸手当1万円、固定残業代10時間分）
【残業】21.3時間【有休】8日【制度】㋫ 在

●新卒定着状況●
20年入社（男7、女6）→3年後在籍（男3、女6）

●採用情報●
【人数】23年:28 24年:42 25年:応募‥→内定26
【内定内訳】（男13、女13）（文20、理2）（総22、他4）
【試験】〔Web自宅〕有〔性格〕有
【時期】エントリー24.6→内々定25.3(一次はWEB面接可)
【採用実績校】法政大1、立教大1、大東文化大1、國學院大1、お茶女大1、東京工科大1、関大3、関西学大1、近大1、大阪経大1、大阪商大1、他
【求める人材】主体的・積極的・能動的に考動できる人

【本社】537-8911 大阪府大阪市東成区東小橋2-9-3 ☎06-4967-1221
【特色・近況】百貨店や専門店などの紙袋で最大手。洋服箱からスタートし、段ボールケース、紙袋へ展開。印刷紙器やポリ袋などでも有力。素材選定からパッケージの企画、設計・開発、生産、物流まで提供。自社工場での製造能力の向上やサプライチェーンの強化を図る。
【設立】1952.5 【資本金】2,553百万円
【社長】山下英昭（1957.6生）
【株主】〔24.6〕公益財団法人森田記念福祉財団10.4%
【連結事業】紙加工品71、化成品14、他15
【従業員】連1,206名 単869名（41.3歳）

【業績】	売上高	営業利益	経常利益	純利益
連21.12	80,177	4,144	4,422	2,824
連22.12	89,060	5,972	6,353	4,058
連23.12	97,714	7,743	8,063	5,652

スーパーバッグ （東証スタンダード）

採用予定数	倍率	3年後離職率	平均年収
約10名	‥	33.3%	㊍522万円

●待遇、制度●
【初任給】月25.7万（諸手当0.2万円、固定残業代20時間分）
【残業】9.5時間【有休】11.9日【制度】㋫ 住 在

●新卒定着状況●
20年入社（男3、女3）→3年後在籍（男2、女2）

●採用情報●
【人数】23年:6 24年:8 25年:予定約10*
【内定内訳】（男‥、女‥）（文‥、理‥）（総‥、他‥）
【試験】〔筆記〕常識〔Web自宅〕SPI3〔性格〕有
【時期】エントリー25.3→内々定25.6(一次はWEB面接可)【インターン】有
【採用実績校】‥
【求める人材】チャレンジ精神とエネルギッシュな行動力にコミュニケーション力が備わっている人

【本社】171-0021 東京都豊島区西池袋5-18-11 ☎03-3987-9201
【特色・近況】スーパーや百貨店向け紙袋の大手で業界のパイオニア。ポリエチレン製のレジ袋も製造。店舗やバックヤードなどで使用する用度品や消耗資材を一括して受注・納品するサービスも展開。新規事業の創出やバイオ素材配合など環境対応製品の開発推進。
【設立】1947.10 【資本金】1,374百万円
【社長】樋口肇（1970.5生 慶大総政策卒）
【株主】〔24.3〕福田産業26.4%
【連結事業】紙製品55、化成品20、他25
【従業員】連401名 単344名（40.7歳）

【業績】	売上高	営業利益	経常利益	純利益
連22.3	25,134	▲496	▲503	▲642
連23.3	25,253	450	472	473
連24.3	26,837	1,034	1,076	866

セッツカートン （株式公開していない）

採用予定数	倍率	3年後離職率	平均年収
18名	‥	‥	‥

●待遇、制度●
【初任給】月23.9万
【残業】11.5時間【有休】10.7日【制度】住

●新卒定着状況●
‥

●採用情報●
【人数】23年:11 24年:22 25年:予定18*
【内定内訳】（男‥、女‥）（文‥、理‥）（総‥、他‥）
【試験】〔筆記〕有
【時期】エントリー25.3→内々定25.6*(一次はWEB面接可)【インターン】有
【採用実績校】‥
【求める人材】‥

【本社】664-0845 兵庫県伊丹市東有岡5-33 ☎072-784-6001
【特色・近況】段ボール製品メーカー。自社15工場のほか、グループに製造8子会社。段ボールシートケースを柱に、防虫、抗菌、耐水などの特殊機能を付加した製品も供給。ベトナムで段ボールケースを現地生産。レンゴーグループ。
【設立】1999.3 【資本金】400百万円
【社長】丹羽俊雄（1953.4生 京産大経済卒）
【株主】〔24.3〕レンゴー100%
【事業】段ボールシート30、段ボールケース60、他10
【従業員】単887名（39.3歳）

【業績】	売上高	営業利益	経常利益	純利益
単22.3	57,269	‥	‥	‥
単23.3	60,721	‥	‥	‥
単24.3	66,427	‥	‥	‥

大昭和紙工産業（だいしょうわしこうさんぎょう）

株式公開計画なし

採用内定数	倍率	3年後離職率	平均年収
8名	49倍	21.4%	‥

●待遇、制度●
【初任給】月23.8万
【残業】‥時間【有休】‥日【制度】フ 住
●新卒定着状況●
20年入社(男5、女9)→3年後在籍(男4、女7)
●採用情報●
【人数】23年:10 24年:7 25年:応募392→内定8
【内定内訳】(男2、女6)(文8、理0)(総8、他0)
【試験】〔Web自宅〕SPI3
【時期】エントリー25.3→内々定25.6*(一次はWEB面接可)【インターン】有
【採用実績校】‥
【求める人材】互いに信頼・協力し、紙の新たな価値創造にチャレンジするバイタリティーのある人

【本社】417-8570 静岡県富士市依田橋61-1 ☎0545-32-1500
【特色・近況】紙加工品の総合メーカー。幅広い加工技術をベースに、顧客ニーズに対応した商品づくりに取り組む。企画から納品まで一貫。世界一高いティッシュなど自社開発品多い。環境問題の解決に貢献できる製品開発に積極的。中国・上海、天津、香港に現地法人。
【設立】1940.11 【資本金】469百万円
【社長】齊藤了介(1977.7生 慶大経済卒)
【株主】〔24.3〕齊藤商会49.9%
【事業】重袋・角底袋・芥袋29、洋紙・板紙38、加工紙26、家庭紙1、他6
【従業員】単557名(40.4歳)

【業績】	売上高	営業利益	経常利益	純利益
単22.3	38,227	197	151	193
単23.3	42,335	655	570	337
単24.3	44,671	1,103	1,157	757

ダイナパック

東証スタンダード

採用内定数	倍率	3年後離職率	平均年収
13名	10倍	8.3%	566万円

●待遇、制度●
【初任給】月22.1万
【残業】13.5時間【有休】12.2日【制度】住
●新卒定着状況●
20年入社(男6、女6)→3年後在籍(男6、女5)
●採用情報● グループ採用
【人数】23年:9 24年:9 25年:応募130→内定13
【内定内訳】(男8、女5)(文11、理2)(総13、他0)
【試験】〔Web会場〕SPI3〔性格〕有
【時期】エントリー25.3→内々定25.3(一次・二次以降もWEB面接可)【インターン】有
【採用実績校】南山大3、名城大2、東京経大1、大阪経済1、大阪工大1、中京大1、中部大1、名古屋商大1、名古屋学院大1、名古屋造形大1
【求める人材】主体的な行動力のある人、コミュニケーション能力の高い人、チャレンジ精神旺盛な人

【本社】460-0003 愛知県名古屋市中区錦3-14-15 ☎052-971-2651
【特色・近況】食品向け、工業製品向けが主力の段ボールメーカー。印刷紙器、軟包装材、紙製緩衝材の製造販売も行う。高機能印刷機を活用した販促資材の提案営業も強化。東海エリアを中心に関東・東北の国内拠点、海外は中国・マレーシア・ベトナムなどに営業所を置く。
【設立】1962.8 【資本金】4,000百万円
【社長】齊藤光次(1958.1生 南山大経営卒)
【株主】〔24.6〕カゴメ16.2%
【連結事業】包装材関連99、不動産賃貸1 <海外15>
【従業員】連2,285名 単665名(42.5歳)

【業績】	売上高	営業利益	経常利益	純利益
連21.12	56,300	1,217	1,997	1,395
連22.12	56,786	1,351	2,024	1,611
連23.12	58,026	1,931	2,360	1,606

㈱トーモク

東証プライム

採用内定数	倍率	3年後離職率	平均年収
12名	8.6倍	31.6%	552万円

●待遇、制度●
【初任給】月22.4万
【残業】21.3時間【有休】10.8日【制度】住 在
●新卒定着状況●
20年入社(男16、女3)→3年後在籍(男10、女3)
●採用情報●
【人数】23年:24 24年:16 25年:応募103→内定12*
【内定内訳】(男6、女6)(文8、理2)(総12、他0)
【試験】〔Web自宅〕有〔性格〕有
【時期】エントリー25.3→内々定25.6(一次・二次以降もWEB面接可)【インターン】有
【採用実績校】立命館大2、名城大2、中大1、國學院大1、大東文化大1、神戸芸工大1、近大1、鹿屋体大1、日本工学院専2
【求める人材】挑戦・研鑽を通じて上下・部門に隔てなく、自由闊達にオリジナリティを追求する人

【本社】100-0005 東京都千代田区丸の内2-2-2 丸の内三井ビル ☎03-3213-6811
【特色・近況】貼合・製函の段ボール加工専業で首位。段ボール用シートでは国内3位。飲料や加工食品用が主力。段ボール・紙器事業と木質パネル輸入住宅「スウェーデンハウス」、運輸倉庫事業の3本柱。国内17工場体制。海外は米国、ベトナムなどで展開。
【設立】1949.5 【資本金】13,669百万円
【代表取締役】中橋光男(1952.5生 東北学大経済卒)
【株主】〔24.3〕日本マスタートラスト信託銀行信託口8.4%
【連結事業】段ボール56、住宅26、運輸倉庫19
【従業員】連3,854名 単1,187名(38.9歳)

【業績】	売上高	営業利益	経常利益	純利益
連22.3	206,007	8,331	8,978	5,980
連23.3	212,817	7,452	7,983	5,251
連24.3	211,526	8,057	8,614	5,308

特種東海製紙（とくしゅとうかいせいし）

東証プライム

採用内定数	倍率	3年後離職率	平均年収
5名	10.4倍	19.5%	㊀647万円

●待遇、制度●
【初任給】月24.2万（諸手当0.4万円）
【残業】12.4時間【有休】15.7日【制度】フ 住 在
●新卒定着状況● 20～21年入社者合計
20年入社（男32、女9）→3年後在籍（男27、女6）
●採用情報●
【人数】23年:19 24年:13 25年:応募52→内定5
【内定内訳】（男3、女2）（文2、理3）（総5、他0）
【試験】〔Web自宅〕SPI3〔性格〕有
【時期】エントリー25.3→内々定25.5*(一次はWEB面接可)【インターン】有
【採用実績校】静岡大、信州大、千葉大、東京農工大、南山大
【求める人材】能動的に取組む人、協調性を持ち主体的に行動できる人

【本社】100-0005 東京都千代田区丸の内1-8-2 ☎03-5219-1810
【特色・近況】特殊紙（機能紙、ファンシーペーパー）と板紙（段ボール原紙、クラフト紙）が両輪。ペーパータオルなど生活品も展開。段ボール用板紙の製販で日本製紙と提携。産廃処理やリサイクルなど環境関連事業を育成。静岡に工場を置く。
【設立】2007.4 【資本金】11,485百万円
【社長】松田裕司（1962.6生 東大院農修了）
【株主】〔24.3〕日本マスタートラスト信託銀行信託口8.6%
【連結事業】産業素材46、特殊素材23、生活商品21、環境関連10
【従業員】連1,750名 単480名（40.9歳）

【業績】	売上高	営業利益	経常利益	純利益
連22.3	80,711	4,231	5,733	5,251
連23.3	84,130	1,640	4,058	4,130
連24.3	86,517	2,296	6,188	4,590

#有休取得が多い

ニッポン高度紙工業（こうどしこうぎょう）

東証スタンダード

採用内定数	倍率	3年後離職率	平均年収
5名	8.4倍	0%	745万円

●待遇、制度●
【初任給】月20.6万
【残業】10.6時間【有休】19日【制度】フ
●新卒定着状況●
20年入社（男2、女1）→3年後在籍（男2、女1）
●採用情報●
【人数】23年:2 24年:1 25年:応募42→内定5
【内定内訳】（男4、女1）（文1、理4）（総5、他0）
【試験】〔Web自宅〕有〔性格〕有
【時期】エントリー25.3→内々定25.4(一次はWEB面接可)【インターン】有
【採用実績校】東京農工大1、愛媛大1、高知工科大1、豊橋技科大1
【求める人材】時代の変化に対応しながら、常に前へ進み続けられる人

【本社】781-0395 高知県高知市春野町弘岡上648 ☎088-894-2321
【特色・近況】電気絶縁用セパレーター専業大手。アルミ電解コンデンサー用はエアコンや冷蔵庫から自動車まで幅広い用途。国内市場をほぼ独占し、世界市場もシェア約6割。リチウムイオン電池向けなど電池用も併営。次世代電池向け機能紙の開発に取り組む。
【設立】1941.8 【資本金】2,241百万円
【社長】近森俊二（1957.5生 成蹊大工卒）
【株主】〔24.3〕東京産業洋紙9.2%
【連結事業】セパレータ100
【従業員】連485名 単343名（43.9歳）

【業績】	売上高	営業利益	経常利益	純利益
連22.3	18,074	4,066	4,232	2,918
連23.3	17,586	3,327	3,532	2,468
連24.3	14,828	1,719	2,021	1,479

日本製紙クレシア（にっぽんせいし）

株式公開計画なし

採用内定数	倍率	3年後離職率	平均年収
55名	4.8倍	14.3%	‥

●待遇、制度●
【初任給】月21.8万
【残業】16時間【有休】14.5日【制度】フ 住 在
●新卒定着状況● 大卒以上のみ
20年入社（男12、女9）→3年後在籍（男10、女8）
●採用情報●
【人数】23年:32 24年:28 25年:応募262→内定55
【内定内訳】（男26、女29）（文33、理22）（総55、他0）
【試験】〔筆記〕有〔Web自宅〕有〔性格〕有
【時期】エントリー25.3→内々定25.5(一次はWEB面接可)【インターン】有
【採用実績校】日大3、神奈川大2、東洋大2、岩手大1、阪大1、京都外大1、近大1、県立広島大1、高知大1、国士舘大1、他
【求める人材】主体的に考え、様々なアイディアを生み出し果敢に挑戦する人

【本社】101-8215 東京都千代田区神田駿河台4-6 御茶ノ水ソラシティ ☎03-6665-5300
【特色・近況】「クリネックス」「スコッティ」ブランドのティッシュ、尿ケア専用品「ポイズ」などを製造。業務用製品では産業用紙ワイパー「キムワイプ」やワークウェアなど身体保護製品も展開。法人向けにノベルティ商品やオリジナルデザイン商品も扱う。
【設立】1963.4 【資本金】3,067百万円
【社長】安永敦美（1960.1生 九大農卒）
【株主】〔24.3〕日本製紙100%
【事業】衛生紙製品・産業用ワイパーの製造・販売
【従業員】単1,000名（44.3歳）

【業績】	売上高	営業利益	経常利益	純利益
単22.3	98,010	2,601	2,563	1,739
単23.3	103,196	▲947	▲1,061	▲1,200
単24.3	109,623	2,702	2,337	1,596

日本製紙パピリア（にっぽんせいし）

株式公開計画なし

採用実績数	倍率	3年後離職率	平均年収
6名	‥	0%	㊞754万円

●待遇、制度●
【初任給】月21万
【残業】7.9時間【有休】14.8日【制度】フ 住 在
●新卒定着状況● 総合職のみ
20年入社(男1、女1)→3年後在籍(男1、女1)
●採用情報● 総合職のみ
【人数】23年:0 24年:6 25年:予定減少*
【内定内訳】(男‥、女‥)(文‥、理‥)(総0、他‥)
【試験】〔Web自宅〕有
【時期】エントリー25.3→内々定25.6(一次はWEB面接可)
【採用実績校】‥
【求める人材】広い視野で考え主体的に行動できる人、人との関わりの中で成長し続けられる人

【本社】101-0062 東京都千代田区神田駿河台4-6 御茶ノ水ソラシティ ☎03-6665-5800
【特色・近況】日本製紙グループで、グループ内の特殊紙分野を担う。薄葉紙、特殊紙、機能品などを製造・販売。独自の抄造技術と多様な加工方法を持ち、多品種・小ロット・高品質の特注に対応。木材繊維の微細化技術を用いたスキンケアを開発し、化粧品事業に参入。
【設立】1918.7 【資本金】3,949百万円
【社長】西口恭彦(1960.8生)
【株主】〔24.4〕日本製紙100%
【事業】包装用紙・工業用紙60、印刷・出版用紙20、機能品部門20 <輸出10>
【従業員】単417名(44.7歳)

【業績】	売上高	営業利益	経常利益	純利益
単22.3	19,657	63	177	▲18
単23.3	20,132	▲984	▲202	▲317
単24.3	19,871	350	729	575

日本トーカンパッケージ（にっぽん）

株式公開計画なし

採用内定数	倍率	3年後離職率	平均年収
5名	18.6倍	7.7%	‥

●待遇、制度●
【初任給】月22.8万
【残業】18.4時間【有休】13.4日【制度】フ 住 在
●新卒定着状況●
20年入社(男6、女7)→3年後在籍(男6、女6)
●採用情報●
【人数】23年:20 24年:20 25年:応募93→内定5*
【内定内訳】(男1、女4)(文5、理0)(総5、他0)
【試験】〔性格〕有
【時期】エントリー24.6→内々定25.6*(一次はWEB面接可)【インターン】有
【採用実績校】大東文化大1、近大1、成蹊大1、成城大1、法政大1
【求める人材】柔軟性と自主性があり、新しいことへも積極的に取り組める人

【本社】141-0022 東京都品川区東五反田2-18-1 大崎フォレストビルディング ☎03-4514-2130
【特色・近況】総合包装容器メーカー。東洋製罐グループの東罐興業と日本製紙の合弁会社。段ボールを主力に、紙器類やハニカム脱臭フィルター、光触媒脱臭ユニットなどのフィルター製品を製造・販売。相模原工場をメインに、東北から九州に13の工場。
【設立】2005.10 【資本金】700百万円
【社長】浅名弘明(1964.8生 九産大経営卒)
【株主】〔24.3〕東罐興業55.0%
【事業】段ボール83、紙器12、他5
【従業員】単1,061名(42.6歳)

【業績】	売上高	営業利益	経常利益	純利益
単22.3	42,843	596	695	1,841
単23.3	46,412	▲903	▲831	▲539
単24.3	49,601	413	505	516

㈱日本デキシー（にほん）

株式公開計画なし

採用内定数	倍率	3年後離職率	平均年収
6名	25倍	0%	㊞553万円

●待遇、制度●
【初任給】月23.8万
【残業】22時間【有休】14日【制度】フ 住 在
●新卒定着状況●
20年入社(男1、女0)→3年後在籍(男1、女0)
●採用情報●
【人数】23年:8 24年:10 25年:応募150→内定6*
【内定内訳】(男1、女5)(文4、理2)(総6、他0)
【試験】〔Web自宅〕SPI3
【時期】エントリー24.6→内々定25.3(一次・二次以降もWEB面接可)【インターン】有
【採用実績校】‥
【求める人材】他人への思いやりや配慮を持ち、新たな成長に向けて積極的に挑戦することができる人

【本社】100-7008 東京都千代田区丸の内2-7-2 JPタワー8階 ☎03-3201-8721
【特色・近況】ラーメン・スープ用紙容器、紙コップ、紙皿など食品容器包材専業メーカーで高シェア。低臭や遮光、内容物保存性など機能性を持たせた製品を展開。食品・飲料メーカーが主要顧客。断熱カップは世界各国で特許を取得。
【設立】1964.8 【資本金】100百万円
【社長】大越俊幸(1960.9生 北大水産卒)
【株主】大和製罐55.6%
【事業】紙コップ、紙皿等紙器一般 <輸出0>
【従業員】単316名(43.3歳)

【業績】	売上高	営業利益	経常利益	純利益
単22.3	13,152	190	94	44
単23.3	14,285	255	174	42
単24.3	15,229	773	689	454

ネクスタ [株式公開計画なし]

採用内定数	倍率	3年後離職率	平均年収
8名	64.3倍	10%	[総]499万円

●待遇、制度●
【初任給】月23.2万（固定残業代20時間分）
【残業】20時間【有休】10.9日【制度】[住]
●新卒定着状況●
20年入社（男6、女4）→3年後在籍（男6、女3）
●採用情報●
【人数】23年:9 24年:5 25年:応募514→内定8
【内定内訳】（男2、女6）（文8、理0）（総8、他0）
【試験】なし
【時期】エントリー25.3→内々定25.4（一次はWEB面接可）【インターン】有【ジョブ型】有
【採用実績校】大妻女大1、東京女大1、東洋大1、愛知県大1、追手門学大1、関大1、近大1、関西国際大1
【求める人材】明るく何事にも前向きに取り組むことができる人

【本社】536-0004 大阪府大阪市城東区今福西3-2-24
☎06-6932-7214
【特色・近況】包装用品や環境保全商品の老舗製造・販売メーカー。紙バッグなどの包装材や宅配用袋のほか電子部品、農業、医療、食品など産業用途にも商品を展開。ラッピング用品、家庭用品、家庭菜園グッズの販売サイトも運営。1912年紙袋の手貼加工で創業。
【設立】1923.4【資本金】320百万円
【社長】鳥山浩司（1959.11生 近大商経卒）
【株主】〔24.1〕大阪中小企業投資育成18.1%
【事業】軽包材31、機能包材14、重包材9、環境保全商品12、化成品12、他22
【従業員】単155名（43.1歳）

【業績】	売上高	営業利益	経常利益	純利益
単22.1	12,623	54	120	60
単23.1	13,924	219	284	185
単24.1	15,057	378	445	223

ハビックス [東証スタンダード]

採用内定数	倍率	3年後離職率	平均年収
5名	2.8倍	20%	526万円

●待遇、制度●
【初任給】月22万（諸手当1万円）
【残業】19.7時間【有休】11.2日【制度】[住]
●新卒定着状況●
20年入社（男5、女5）→3年後在籍（男3、女5）
●採用情報●
【人数】23年:1 24年:3 25年:応募14→内定5*
【内定内訳】（男3、女2）（文3、理2）（総5、他0）
【試験】なし
【時期】エントリー25.3→内々定25.5*【インターン】有
【採用実績校】愛媛大1、朝日大1、愛知医大1
【求める人材】フレッシュな感性と旺盛な好奇心があり他者とコミュニケーションを図ることができる人

【本社】502-0813 岐阜県岐阜市福光東3-5-7
☎058-296-3911
【特色・近況】衛生用に特化した原紙と不織布（パルプ、化合繊）の製造・販売が軸。パルプ不織布原反はおしぼりなどに、化合繊不織布は紙おむつや生理用品などの用途が中心。クッキングペーパーは他社のOEM製品を中心に生産。医療・介護分野を開拓。
【設立】1950.12【資本金】593百万円
【社長】福村大介（1971.2生）
【株主】〔24.3〕酒井正吾8.3%
【連結事業】不織布関連57、紙関連43
【従業員】連206名 単201名（39.5歳）

【業績】	売上高	営業利益	経常利益	純利益
連22.3	10,897	▲62	9	▲2,448
連23.3	12,084	▲92	▲25	52
連24.3	13,204	755	882	674

日之出紙器工業（ひのでしきこうぎょう） [株式公開未定]

採用内定数	倍率	3年後離職率	平均年収
8名	2.5倍	20%	‥

●待遇、制度●
【初任給】月20.2万（諸手当1万円）
【残業】9時間【有休】12日【制度】[フ][住]
●新卒定着状況●
20年入社（男5、女0）→3年後在籍（男4、女0）
●採用情報●
【人数】23年:7 24年:13 25年:応募20→内定8*
【内定内訳】（男2、女6）（文7、理1）（総8、他0）
【試験】〔筆記〕常識〔Web自宅〕有〔性格〕有
【時期】エントリー25.3→内々定25.6*（一次はWEB面接可）【インターン】有
【採用実績校】鹿児島大1、鹿児島県立短大1、他
【求める人材】‥

【本社】899-2513 鹿児島県日置市伊集院町麦生田2158
☎099-273-9111
【特色・近況】段ボール製の梱包材、土産品など美粧紙器を製造・販売。医療用廃棄物容器や各種包装資材も手がける。九州全域と山口県が営業地盤。鹿児島、福岡、熊本、北九州、山口に工場を持ち、即納体制を構築。災害時の段ボール簡易ベッドも取り扱う。レンゴーグループ。
【設立】1952.5【資本金】81百万円
【社長】守田豊彦（1961.5生 長崎大）
【株主】〔24.3〕レンゴー99.6%
【事業】段ボールケース70、段ボールシート13、美粧箱他16
【従業員】単426名（41.7歳）

【業績】	売上高	営業利益	経常利益	純利益
単22.3	14,631	‥	370	32
単23.3	15,398	‥	181	79
単24.3	16,059	‥	404	247

メーカー（素材・身の回り品）

古林紙工（ふるばやしこう） 東証スタンダード

採用内定数	倍率	3年後離職率	平均年収
14名	21.4倍	40%	525万円

●待遇、制度●
【初任給】月23.3万
【残業】20.3時間【有休】11日【制度】住
●新卒定着状況●
20年入社(男3、女2)→3年後在籍(男1、女2)
●採用情報●
【人数】23年:7 24年:8 25年:応募299→内定14*
【内定内訳】(男8、女6)(文10、理4)(総14、他0)
【試験】〔筆記〕常識〔性格〕有
【時期】エントリー25.3→内々定25.4
【採用実績校】東京経大3、大阪工大3、大阪経大2、慶大1、東洋大1、神奈川工大1、関西学大1、近大1、大阪芸大1
【求める人材】自ら考え行動し、周囲を巻き込んで新しいことにチャレンジできる人

【本社】540-0021 大阪府大阪市中央区大手通3-1-12 ☎06-6941-8561
【特色・近況】印刷紙器主体のパッケージング総合メーカー。プラスチック包装材やラミネート加工なども手がけ、箱詰めなどを行う包装機械の仕入れ販売も展開。チョコレートなど菓子類の包装に強く、ティッシュなど雑貨類包装も。中国・上海に生産現法。
【設立】1947.8 【資本金】2,151百万円
【会長兼社長】古林敬碩(1942.9生 同大経済卒)
【株主】〔24.6〕㈱アダチメディカルレンタルリース4.7%
【連結事業】印刷紙器91、プラスチック包材8、他1 <海外16>
【従業員】連542名 単251名(41.0歳)

【業績】	売上高	営業利益	経常利益	純利益
連21.12	16,147	170	185	136
連22.12	17,059	468	490	331
連23.12	17,911	590	697	439

#残業が少ない

㈱文昌堂（ぶんしょうどう） 株式公開未定

採用内定数	倍率	3年後離職率	平均年収
3名	‥	25%	580万円

●待遇、制度●
【初任給】月22万
【残業】3.5時間【有休】11.9日【制度】住
●新卒定着状況●
20年入社(男2、女2)→3年後在籍(男1、女2)
●採用情報●
【人数】23年:1 24年:3 25年:応募‥→内定3
【内定内訳】(男3、女0)(文3、理0)(総3、他0)
【試験】〔Web自宅〕有
【時期】エントリー25.3→内々定25.4(一次はWEB面接可)
【採用実績校】武蔵野大1、帝京平成大1、大阪経大1
【求める人材】自ら仕事を作り出す事のできる人、前向きに挑戦し続けられる人

【本社】110-8532 東京都台東区上野5-1-1 ☎03-3836-1151
【特色・近況】独立系の老舗の総合紙卸。印刷、製薬、製紙、出版向け中心に段ボール原紙、板紙、洋紙を販売。環境負荷の少ない紙製飲料缶のカートカンやコピー用紙も取り扱う。総販売数量は年間50万tで推移。大阪、名古屋、福岡に支店、山形に営業所。
【設立】1919.11 【資本金】200百万円
【社長】高橋房明(1960.1生 千葉商大卒)
【株主】〔24.3〕高橋房明10.3%
【事業】段ボール原紙58、板紙34、洋紙8
【従業員】単105名(43.0歳)

【業績】	売上高	営業利益	経常利益	純利益
単22.3	42,180	401	374	457
単23.3	46,014	586	549	524
単24.3	48,165	771	733	412

北越コーポレーション（ほくえつ） 東証プライム

採用内定数	倍率	3年後離職率	平均年収
4名	12.5倍	33.3%	559万円

●待遇、制度●
【初任給】月23万(諸手当0.6万円)
【残業】13.3時間【有休】13.2日【制度】住 在
●新卒定着状況●
20年入社(男3、女0)→3年後在籍(男2、女0)
●採用情報● 本社採用のみ
【人数】23年:7 24年:6 25年:応募50→内定4*
【内定内訳】(男3、女1)(文3、理1)(総4、他0)
【試験】〔Web自宅〕SPI3〔性格〕有
【時期】エントリー25.3→内々定25.6*(一次・二次以降もWEB面接可)【インターン】有
【採用実績校】日大1、関大1、新潟大1、新潟国際情報大1
【求める人材】ものづくりに対する熱意があり、グローバルに活躍する意欲がある人

【本社事務所】103-0021 東京都中央区日本橋本石町3-2-2 ☎03-3245-4500
【特色・近況】製紙業界国内5位。印刷・情報用紙と白板紙が中心。圧着紙、バッテリーセパレーターなど特殊紙・機能材事業も展開。新潟・長岡市に印刷・情報用紙で国内最大級の工場を保有。三重、千葉、茨城、大阪などにも工場。大阪に支社、名古屋に営業所を置く。
【設立】1907.4 【資本金】42,020百万円
【社長】岸本晢夫(1945.5生 東大経済卒)
【株主】〔24.3〕美須賀海運10.0%
【連結事業】紙パルプ92、パッケージング・紙加工5、他3 <海外36>
【従業員】連3,758名 単1,495名(44.8歳)

【業績】	売上高	営業利益	経常利益	純利益
連22.3	261,616	20,455	29,514	21,206
連23.3	301,204	17,288	11,471	8,325
連24.3	297,056	15,267	17,766	8,396

㈱ＩＴＰ

株式公開計画なし

採用内定数	倍率	3年後離職率	平均年収
30名	6.7倍	40.9%	573万円

●待遇、制度●
【初任給】月28.3万
【残業】19.5時間【有休】7.2日【制度】フ 住 在
●新卒定着状況●
20年入社(男5、女17)→3年後在籍(男3、女10)
●採用情報●
【人数】23年:20 24年:30 25年:応募200→内定30
【内定内訳】(男6、女24)(文‥、理‥)(総30、他0)
【試験】〔筆記〕常識〔性格〕有
【時期】エントリー25.4→内々定25.6*
【採用実績校】‥
【求める人材】明るく前向きで向上心を持っている人、新しいことを考えるのが好きな人

【本社】604-0087 京都府京都市中京区丸太町通小川西入横鍛治町100 ☎075-211-9111
【特色・近況】マニュアルなどの編集、翻訳、チラシ・ポスター等のデザイン、印刷、Webコンテンツ作成が主力。紙媒体やWebコンテンツなど多様なメディアを組み合わせたソリューション提供も行う。国内は全国に拠点網、海外12拠点の営業ネットワーク展開。
【設立】1929.9 【資本金】90百万円
【会長】粟新二
【株主】‥
【事業】印刷業
【従業員】単825名(40.0歳)

【業績】	売上高	営業利益	経常利益	純利益
単21.6	16,443	1,647	2,178	1,431
単22.6	16,787	1,965	2,878	2,178
単23.6	18,445	2,723	3,201	2,135

朝日印刷（あさひいんさつ）

東証スタンダード

採用内定数	倍率	3年後離職率	平均年収
11名	10.6倍	27.5%	‥

●待遇、制度●
【初任給】月22.1万(諸手当1.5万円)
【残業】12時間【有休】13.7日【制度】フ 住
●新卒定着状況●
20年入社(男19、女21)→3年後在籍(男15、女14)
●採用情報●
【人数】23年:15 24年:10 25年:応募117→内定11*
【内定内訳】(男4、女7)(文7、理4)(総11、他0)
【試験】〔Web自宅〕有
【時期】エントリー‥→内々定‥(一次・二次以降もWEB面接可)【インターン】有
【採用実績校】神奈川大1、金沢学大1、金沢星稜大1、関西学大2、埼玉大1、拓大1、富山国際大1、新潟工大2、明大1
【求める人材】ものづくりを通して社会に貢献したい人、柔軟性があり、コミュニケーション能力が高い人

【本社】930-0061 富山県富山市一番町1-1 一番町スクエアビル ☎076-421-1177
【特色・近況】医薬品向け印刷包装材料で首位。医薬品添付文書や化粧品向け包材も上位。医薬品用に求められる高度な品質・精度管理技術を持つ。海外展開の拠点をマレーシアに置き、ASEANの印刷包材市場のシェア確立を目指す。
【設立】1946.5 【資本金】2,228百万円
【社長】朝日重紀(1977.5生 東経大卒)
【株主】〔24.3〕㈱サンワールド9.0%
【連結事業】印刷包材93、包装システム販売6、他1
【従業員】連1,894名 単1,165名(36.5歳)

【業績】	売上高	営業利益	経常利益	純利益
連22.3	38,806	2,295	2,523	1,776
連23.3	40,302	2,259	2,535	1,707
連24.3	41,871	2,030	2,323	1,627

大阪シーリング印刷（おおさかいんさつ）

株式公開計画なし

採用内定数	倍率	3年後離職率	平均年収
22名	43.2倍	9.1%	‥

●待遇、制度●
【初任給】月21万
【残業】18.3時間【有休】12.9日【制度】住 在
●新卒定着状況●
20年入社(男15、女18)→3年後在籍(男15、女15)
●採用情報● 大卒・院卒のみ
【人数】23年:25 24年:22 25年:応募951→内定22
【内定内訳】(男6、女16)(文13、理9)(総12、他10)
【試験】〔Web自宅〕WEB-GAB
【時期】エントリー25.1→内々定25.4(一次・二次以降もWEB面接可)【インターン】有
【採用実績校】福岡大3、関大2、近大2、広島大1、熊本大1、山形大1、神戸大1、信州大1、大阪公大1、立命館大1、他
【求める人材】誠実に、向上心をもって、失敗を恐れずに挑戦し続けることができる人

【本社】543-0028 大阪府大阪市天王寺区小橋町1-8 ☎06-6762-0001
【特色・近況】食品などに使用されるシール・ラベル、フィルム製品、紙器パッケージ、ラベリングシステムなどを製造。シール・ラベル製品は国内シェアの約3分の1を占める。デザインをはじめ、粘着紙開発から印刷まで自社で行う一貫生産体制。SDGs活動本格化。
【設立】1954.3 【資本金】324百万円
【社長】松口正(1959.5生 関大工卒)
【株主】〔24.1〕OSPホールディングス100%
【事業】シール・ラベル印刷83、軟包材・フィルム15、ラベラー2 <輸出0>
【従業員】単3,045名(36.0歳)

【業績】	売上高	営業利益	経常利益	純利益
単22.1	89,858	‥	1,530	845
単23.1	94,402	‥	1,608	1,070
単24.1	95,566	‥	▲619	▲520

大塚包装工業（おおつかほうそうこうぎょう）

株式公開計画なし

採用内定数	倍率	3年後離職率	平均年収
4名	‥	50%	‥

●待遇、制度●
【初任給】月22.8万（諸手当0.5万円）
【残業】16.4時間【有休】10.8日【制度】住 在
●新卒定着状況●
20年入社（男6、女0）→3年後在籍（男3、女0）
●採用情報●
【人数】23年:6 24年:6 25年:応募‥→内定4*
【内定内訳】（男3、女1）（文4、理0）（総4、他0）
【試験】〔筆記〕常識〔Web自宅〕SPI3〔性格〕有
【時期】エントリー25.3→内々定25.4(一次はWEB面接可)【インターン】有
【採用実績校】徳島大2、山口大1、順天堂大1
【求める人材】環境の変化、お客様のニーズに提案力と実証力ですばやく対応し、価値を創造できる人

【本社】772-8511 徳島県鳴門市大津町木津野字東辰巳1 ☎088-685-2154
【特色・近況】「カロリーメイト」「オロナイン」をはじめ、食品や医薬品などのパッケージやラベルを担当。企画・印刷から製造まで手がける。自社オリジナル製品の拡大に取り組む。1912年創業。大塚ホールディングス系の大塚倉庫のグループ会社。
【設立】1954.4 【資本金】58百万円
【社長】長浜正視
【株主】〔23.12〕大塚倉庫72.2%
【事業】紙器・段ボールケース60、樹脂成形34、その他包材6
【従業員】単340名（41.5歳）

【業績】	売上高	営業利益	経常利益	純利益
単21.12	13,380	759	794	518
単22.12	13,732	928	950	620
単23.12	13,814	1,064	1,069	690

小林クリエイト（こばやし）

株式公開計画なし

採用内定数	倍率	3年後離職率	平均年収
17名	9倍	19%	555万円

●待遇、制度●
【初任給】月21.7万
【残業】18.3時間【有休】11.2日【制度】フ 住 在
●新卒定着状況●
20年入社（男9、女12）→3年後在籍（男7、女10）
●採用情報●
【人数】23年:31 24年:31 25年:応募153→内定17*
【内定内訳】（男2、女15）（文12、理0）（総17、他0）
【試験】〔Web会場〕SPI3〔Web自宅〕SPI3〔性格〕有
【時期】エントリー25.3→内々定25.5(一次はWEB面接可)【インターン】有【ジョブ型】有
【採用実績校】大正大1、中京大2、愛知大2、愛知県大3、愛知学大1、南山大1、名城大1、同女大1、北海道情報大2、郡山女短大1、他
【求める人材】新しい価値を創造するため、変化を恐れず主体的にチャレンジし続けることができる人

【本社】448-8656 愛知県刈谷市小垣江町北高根115 ☎0566-26-5310
【特色・近況】業務用帳票・ラベルなどビジネスフォーム事業やデータプリントサービスを手がける。国内で初めて記録紙の生産販売を開始。システム開発や機器開発にも力を入れヘルスケア、自動車関連、BPS分野へ展開。植物工場使ったアグリ事業も行う。
【設立】1946.4 【資本金】100百万円
【社長】小林友也（1970.6生 Wミンスタ大院修了）
【株主】〔23.9〕小林クリエイトホールディングス100%
【事業】帳票45、ラベル16、データプリントサービス15、他24 <輸出1>
【従業員】単1,036名（42.8歳）

【業績】	売上高	営業利益	経常利益	純利益
単21.9	36,740	271	365	312
単22.9	36,843	103	168	162
単23.9	39,449	123	197	▲307

小松印刷グループ（こまついんさつ）

株式公開計画なし

採用内定数	倍率	3年後離職率	平均年収
4名	3.3倍	30%	㊛463万円

●待遇、制度●
【初任給】月20.6万（固定残業代21時間分）
【残業】27.5時間【有休】12日【制度】住 在
●新卒定着状況●
20年入社（男3、女7）→3年後在籍（男0、女7）
●採用情報●
【人数】23年:5 24年:6 25年:応募13→内定4*
【内定内訳】（男2、女2）（文4、理0）（総4、他0）
【試験】なし
【時期】エントリー25.3→内々定25.5*(一次はWEB面接可)【ジョブ型】有
【採用実績校】桜美林大1、龍谷大1、松山大1、四国大1
【求める人材】柔軟な発想を持ち、何事も積極的に取り組む人

【本社】761-1402 香川県高松市香南町由佐2100-1 ☎087-879-1248
【特色・近況】香川本拠の印刷会社。折込広告を主力にデザインから印刷まで一貫受注。香川(高松、綾川)、東大阪、筑波に工場。愛知、山口、千葉などに関連会社。ドローンを利用した空撮サービスや販促発注管理システムなども手がける。
【設立】1955.8 【資本金】90百万円
【代表取締役】小松秀敏（1971.5生 中大卒）
【株主】〔24.3〕小松秀敏35.2%
【事業】折込広告48、パンフレット・ポスター21、ボックスティッシュ8、ポップ6、他17
【従業員】単573名（41.0歳）

【業績】	売上高	営業利益	経常利益	純利益
単22.3	14,431	▲119	215	214
単23.3	15,647	▲43	150	82
単24.3	16,210	▲74	22	136

サンメッセ

東証スタンダード

採用内定数	倍率	3年後離職率	平均年収
4名	18.5倍	27.3%	[総]534万円

●待遇、制度●
【初任給】月21.6万
【残業】20時間【有休】13.7日【制度】[住][在]
●新卒定着状況●
20年入社(男6、女5)→3年後在籍(男4、女4)
●採用情報●
【人数】23年:10 24年:9 25年:応募74→内定4*
【内定内訳】(男2、女2)(文4、理0)(総3、他1)
【試験】〔筆記〕常識、SPI3
【時期】エントリー25.3→内々定25.4(一次はWEB面接可)【インターン】有
【採用実績校】愛知大1、愛知県大1、日体大1、中部大1
【求める人材】失敗を恐れず常に新しいことにチャレンジする人

【本社】503-8518 岐阜県大垣市久瀬川町7-5-1
☎0584-81-9111
【特色・近況】総合印刷の中堅。デザインから編集、製版印刷、製本、配送までの一貫体制。中京地区を地盤に首都圏などで展開。一般商業印刷を主体に出版印刷、包装印刷分野にも拡大。地方自治体向け中心の、個人情報など機密情報を印刷するIPS(情報処理印刷)も増強。
【設立】1946.9 【資本金】1,236百万円
【社長】田中尚一郎(1963.12生 駒沢大経営卒)
【株主】〔24.3〕大垣共立銀行4.3%
【連結事業】印刷96、イベント4
【従業員】連682名 単663名(43.1歳)

【業績】	売上高	営業利益	経常利益	純利益
連22.3	16,603	463	606	264
連23.3	17,148	240	397	327
連24.3	16,633	257	414	257

セキ

東証スタンダード

採用内定数	倍率	3年後離職率	平均年収
12名	17.5倍	55.6%	464万円

●待遇、制度●
【初任給】月20万(諸手当2万円)
【残業】13時間【有休】11.9日【制度】[住]
●新卒定着状況●
20年入社(男6、女3)→3年後在籍(男2、女2)
●採用情報●
【人数】23年:12 24年:16 25年:応募210→内定12*
【内定内訳】(男4、女8)(文9、理0)(総12、他0)
【試験】〔筆記〕有〔Web会場〕有〔Web自宅〕有〔性格〕有
【時期】エントリー24.10→内々定25.3(一次はWEB面接可)【インターン】有
【採用実績校】河原デザイン・アート専3、近大1、名古屋学芸大1、日体大1、武庫川女大1、愛媛大2、松山大3
【求める人材】課題をマイナスとせず、積み上げた知見や新しい視点で希望に変えることができる人

【本社】790-8686 愛媛県松山市湊町7-7-1
☎089-945-0111
【特色・近況】四国を中心に全国展開する総合印刷会社。松山と東京の2本社制。主力は印刷事業で新聞の受託印刷も行う。首都圏での受注開拓に注力。水性フレキソ印刷も。祖業の紙・板紙の卸売りの他、出版・広告代理業やカタログ販売も手がける。道後温泉に美術館持つ。
【設立】1949.3 【資本金】1,201百万円
【社長】関宏孝(1978.10生 ホフストラ大院修了)
【株主】〔24.3〕関啓三19.0%
【連結事業】印刷関連73、洋紙・板紙販売関連3、出版・広告代理関連11、美術館関連0、カタログ販売関連13
【従業員】連469名 単300名(42.4歳)

【業績】	売上高	営業利益	経常利益	純利益
連22.3	11,165	189	422	323
連23.3	11,906	441	593	429
連24.3	11,988	259	478	365

総合商研（そうごうしょうけん）

東証スタンダード

採用内定数	倍率	3年後離職率	平均年収
5名	18.2倍	20%	445万円

●待遇、制度●
【初任給】月19.6万(諸手当0.5万円)
【残業】16.5時間【有休】9.1日【制度】[住][在]
●新卒定着状況●
20年入社(男1、女4)→3年後在籍(男1、女3)
●採用情報●
【人数】23年:8 24年:8 25年:応募91→内定5
【内定内訳】(男1、女4)(文5、理0)(総0、他5)
【試験】〔Web会場〕C-GAB〔Web自宅〕WEB-GAB〔性格〕有
【時期】エントリー25.3→内々定25.5(一次・二次以降もWEB面接可)【インターン】有【ジョブ型】有
【採用実績校】北海学園大1、札幌市大2、北海道教育大1、北星学大1
【求める人材】柔軟な対応力とともに、企画力・発想力・行動力のある人

【本社】007-0802 北海道札幌市東区東苗穂二条3-4-48
☎011-780-5677
【特色・近況】折り込み広告の企画制作が主力の印刷会社。年賀状印刷は首位級。販売促進支援業を標榜し、印刷に加え市場調査・Webソリューション・イベント活動など総合的なサポートも行う。コールセンターなどのBPO業務も手がける。自治体向け受注業務を強化。
【設立】1972.12 【資本金】411百万円
【会長】片岡廣幸(1957.7生 北学大法卒)
【株主】〔24.7〕合同会社実力養成会26.4%
【連結事業】商業印刷63、年賀状印刷34、他3
【従業員】連467名 単437名(44.9歳)

【業績】	売上高	営業利益	経常利益	純利益
連22.7	15,311	121	215	178
連23.7	15,863	200	295	207
連24.7	15,796	253	346	274

㈱TAKARA & COMPANY

東証プライム

採用内定数	倍率	3年後離職率	平均年収
15名	33.9倍	15%	708万円

●待遇、制度●
【初任給】月22.8万(諸手当1.1万円)
【残業】22時間【有休】12.5日【制度】住 在
●新卒定着状況●
20年入社(男7、女13)→3年後在籍(男6、女11)
●採用情報● 宝印刷採用
【人数】23年:24 24年:23 25年:応募508→内定15*
【内定内訳】(男4、女11)(文14、理1)(総15、他0)
【試験】〔Web自宅〕SPI3〔性格〕有
【時期】エントリー25.3→内々定25.6(一次・二次以降もWEB面接可)【インターン】有
【採用実績校】青学大1、学習院大1、京産大1、産能大1、実践女大1、駿河台大1、大東文化大1、東京経大2、獨協大2、名古屋学院大1、他
【求める人材】周囲と協力しながら楽しく前向きに働きたい人、新しいことにチャレンジしてみたい人

【本社】171-0033 東京都豊島区高田3-28-8 ☎03-3971-3260
【特色・近況】傘下に上場企業のディスクロージャー事業大手・宝印刷を擁す持株会社。有価証券報告書など法定資料や株主総会招集通知、統合報告書などの開示文書作成が主。書類作成の自動化ツールなどIT商品も強化。通訳翻訳の老舗、サイマル・インターナショナルも傘下。
【設立】1960.4 【資本金】2,278百万円
【社長】堆誠一郎(1953.12生)
【株主】〔24.5〕日本マスタートラスト信託銀行信託口10.7%
【連結事業】ディスクロージャー関連72、通訳・翻訳28
【従業員】連1,193名 単37名(44.6歳)

【業績】	売上高	営業利益	経常利益	純利益
連22.5	25,317	3,560	3,680	2,249
連23.5	27,568	3,811	3,983	2,595
連24.5	29,278	4,231	4,307	3,014

竹田(たけだ)iPホールディングス

東証スタンダード

採用内定数	倍率	3年後離職率	平均年収
18名	8.7倍	―	561万円

●待遇、制度●
【初任給】月23万(諸手当1.1万円)
【残業】18.5時間【有休】12.6日【制度】フ 住 在
●新卒定着状況●
20年入社(男0、女0)→3年後在籍(男0、女0)
●採用情報● 竹田印刷採用
【人数】23年:11 24年:8 25年:応募157→内定18*
【内定内訳】(男6、女12)(文15、理1)(総16、他2)
【試験】〔筆記〕有〔性格〕有
【時期】エントリー24.10→内々定25.4*(一次・二次以降もWEB面接可)【インターン】有
【採用実績校】愛知工業大1、愛知大1、織央大1、京都女大1、国士舘大1、三重大1、中部大2、帝塚山大1、南山大1、名古屋芸大1、名城大4、他
【求める人材】新しいことに臆さず挑戦できる人、周りを巻き込む推進力のある人、正解のない課題も楽しめる人

【本社】466-0058 愛知県名古屋市昭和区白金1-11-10 ☎052-871-6351
【特色・近況】中部地盤の中堅印刷会社から出発した持株会社。子会社で展開する主事業は商業・出版印刷で、高精度商業印刷が得意。高精細製版技術を利用した半導体関連マスク事業も収益柱に。印刷機械や印刷資材、事務用品の販売会社も傘下。中国、ベトナム、タイに工場。
【設立】1946.11 【資本金】1,937百万円
【社長】木全幸治(1956.1生 名学院大経済卒)
【株主】〔24.3〕三菱UFJ銀行3.9%
【連結事業】印刷50、物販32、半導体関連マスク17、不動産賃貸0 <海外9>
【従業員】連932名 単45名(45.0歳)

【業績】	売上高	営業利益	経常利益	純利益
連22.3	30,600	813	921	758
連23.3	32,863	939	1,061	840
連24.3	31,669	820	932	851

トーイン

東証スタンダード

採用予定数	倍率	3年後離職率	平均年収
10名	‥	‥	463万円

●待遇、制度●
【初任給】月21万
【残業】11.1時間【有休】‥日【制度】住
●新卒定着状況●
20年入社(男11、女12)→3年後在籍(男‥、女‥)
●採用情報●
【人数】23年:13 24年:16 25年:予定10*
【内定内訳】(男‥、女‥)(文‥、理‥)(総‥、他‥)
【試験】‥
【時期】エントリー24.6→内々定25.6*(一次はWEB面接可)【インターン】有
【採用実績校】‥
【求める人材】熱意があり、積極的に物事に取り組める人、粘り強さと継続力がある人

【本社】136-0071 東京都江東区亀戸1-4-2 ☎03-5627-9111
【特色・近況】印刷紙器、樹脂パッケージなど包装資材の製造大手。食品や化粧品、日用品、医薬品向けが得意で、大手顧客を多く持つ。容器用ラベルや添付文書の作成も行う。特殊塗工技術を活かしスマホなどへの精密塗工受託も手がける。ベトナム、タイに現地法人。
【設立】1958.4 【資本金】2,244百万円
【社長】高橋太(1962.7生)
【株主】〔24.3〕山科統15.8%
【連結事業】包装資材90、精密塗工6、他4
【従業員】連625名 単465名(42.0歳)

【業績】	売上高	営業利益	経常利益	純利益
連22.3	11,518	▲97	▲57	▲62
連23.3	12,697	16	82	49
連24.3	13,507	411	580	487

中本(なかもと)パックス　東証スタンダード

採用内定数	倍率	3年後離職率	平均年収
7名	‥	30%	528万円

●待遇、制度●
【初任給】月22.5万(諸手当0.5万円)
【残業】‥時間【有休】10.3日【制度】在
●新卒定着状況●
20年入社(男6、女4)→3年後在籍(男4、女3)
●採用情報●
【人数】23年:11 24年:8 25年:応募‥→内定7*
【内定内訳】(男5、女2)(文6、理1)(総7、他0)
【試験】〔筆記〕常識〔性格〕有
【時期】エントリー24.10→内々定25.2(一次はWEB面接可)【インターン】有【ジョブ型】有
【採用実績校】大阪学大1、大阪経大1、関大1、帝塚山大1、東京農業大1、名古屋経大1、龍谷大1
【求める人材】前向きであきらめない人

【本社】543-0012 大阪府大阪市天王寺区空堀町2-8 ☎06-6762-0431
【特色・近況】グラビア印刷やコーティング加工を施した包装資材を製造。コンビニ向け弁当容器など食品関連から自動車内装材、医療、医薬、建材、生活関連など幅広い分野で活用される。電子部品生産時に使用される機能性フィルムも手がける。海外生産拠点は中国とベトナム。
【設立】1988.12【資本金】1,057百万円
【社長】河田淳(1975.12生 名工大工卒)
【株主】〔24.2〕㈱中本8.0%
【連結事業】食品関連65、IT・工業材関連15、医療・医薬関連3、建材関連5、生活資材関連11、他2
【従業員】連924名 単478名(41.3歳)

【業績】	売上高	営業利益	経常利益	純利益
連22.2	40,485	2,332	2,585	1,470
連23.2	43,128	1,892	2,206	1,285
連24.2	44,362	1,815	2,341	1,057

光(ひかり)ビジネスフォーム　東証スタンダード

採用内定数	倍率	3年後離職率	平均年収
11名	‥	33.3%	570万円

●待遇、制度●
【初任給】月22万
【残業】25.2時間【有休】9.4日【制度】フ 在
●新卒定着状況●
20年入社(男2、女10)→3年後在籍(男1、女7)
●採用情報●
【人数】23年:17 24年:14 25年:応募‥→内定11*
【内定内訳】(男3、女8)(文‥、理‥)(総11、他0)
【試験】なし
【時期】エントリー25.3→内々定25.5(一次・二次以降もWEB面接可)【インターン】有
【採用実績校】‥
【求める人材】新しいことに挑戦する行動力のある人

【本社】163-0261 東京都新宿区西新宿2-6-1 新宿住友ビル ☎03-3348-1431
【特色・近況】データプリントサービス大手。顧客からのデータをシステム処理や編集を行い、一般帳票や通知・案内を作成し提供。従来からのビジネスフォームや一般帳票類の受注印刷も一定比率持つ。発送・回収まで一括で請け負うBPOも。金融機関や官公庁が主要顧客。
【設立】1968.2【資本金】798百万円
【社長】松本康宏(1961.3生 産能大経営情卒)
【株主】〔24.6〕内外カーボンインキ9.4%
【事業】ビジネスフォーム26、一般帳票類14、データプリント及び関連加工57、サプライ商品3
【従業員】単390名(42.1歳)

【業績】	売上高	営業利益	経常利益	純利益
単21.12	9,565	1,199	1,229	819
単22.12	11,994	1,968	1,975	1,272
単23.12	9,876	1,270	1,308	748

㈱平賀(ひらが)　東証スタンダード

採用内定数	倍率	3年後離職率	平均年収
14名	4倍	16.7%	512万円

●待遇、制度●
【初任給】月22.5万(諸手当2万円)
【残業】18時間【有休】14.3日【制度】在
●新卒定着状況●
20年入社(男2、女4)→3年後在籍(男2、女3)
●採用情報●
【人数】23年:7 24年:3 25年:応募56→内定14
【内定内訳】(男3、女11)(文9、理2)(総10、他4)
【試験】なし
【時期】エントリー25.3→内々定25.5(一次はWEB面接可)
【採用実績校】共立女大1、日大2、相模女大1、立命館大1、昭和女大1、立正大1、東京経大1、東洋大1、大妻女大1、他
【求める人材】自分なりの考えを持ち、行動してチャレンジを恐れない人

【本社】176-0012 東京都練馬区豊玉北3-20-2 ☎03-3991-4541
【特色・近況】販売促進物の総合印刷業。折り込みチラシやDM、POPなどが主体。シールやWebも手がける。企画・デザイン、制作、配送までの一貫提供体制が強み。顧客はスーパーやドラッグストア、家電量販店など小売業中心で、各店舗ごとの個別配送にも対応する。
【設立】1956.1【資本金】434百万円
【社長】中前圭司(1957.12生)
【株主】〔24.3〕㈱スノーボールキャピタル24.2%
【事業】販売促進関連100
【従業員】単298名(46.1歳)

【業績】	売上高	営業利益	経常利益	純利益
単22.3	8,507	554	597	386
単23.3	9,010	458	523	395
単24.3	9,954	494	565	565

福島印刷（ふくしまいんさつ） 名証メイン

採用内定数	倍率	3年後離職率	平均年収
4名	14倍	0%	[総]515万円

●待遇、制度●
【初任給】月21万
【残業】20時間【有休】11.6日【制度】[在]
●新卒定着状況●
20年入社(男4、女3)→3年後在籍(男4、女3)
●採用情報●
【人数】23年:5 24年:9 25年:応募56→内定4*
【内定内訳】(男2、女2)(文3、理1)(総4、他0)
【試験】なし
【時期】エントリー25.2→内々定25.5*(一次・二次以降もWEB面接可)【インターン】有【ジョブ型】有
【採用実績校】富山大1、北陸学大1、大阪電通大1、京都芸大1
【求める人材】チャレンジ精神があり、何事にも挑戦できる人

【本社】920-0357 石川県金沢市佐奇森町ル6 ☎076-267-5111
【特色・近況】金沢市に本社・工場を持つ中堅印刷会社。帳票印刷、商業印刷からスタートし、現在は事務通知文書や販促用DMなどデータプリントサービスが中心。官公庁や金融機関が発行する保険証、請求書など通知物の印刷から発送代行まで一括で行うIP・DP事業を強化。
【設立】1952.9 【資本金】460百万円
【社長】松井睦(1974.6生 法大経営卒)
【株主】〔24.2〕㈱アジリスト25.0%
【事業】BF複合サービス10、企画商印サービス1、IPDPサービス41、DMDPサービス49
【従業員】単454名(43.5歳)

【業績】	売上高	営業利益	経常利益	純利益
単22.8	7,673	329	330	234
単23.8	7,162	103	99	62
単24.8	6,698	17	16	5

㈱プロネクサス 東証プライム

採用内定数	倍率	3年後離職率	平均年収
11名	9.3倍	12.5%	688万円

●待遇、制度●
【初任給】月22.6万
【残業】29時間【有休】13.4日【制度】[住][在]
●新卒定着状況●
20年入社(男5、女3)→3年後在籍(男4、女3)
●採用情報●
【人数】23年:11 24年:3 25年:応募102→内定11
【内定内訳】(男5、女6)(文9、理1)(総11、他0)
【試験】〔筆記〕有〔Web自宅〕有〔性格〕有
【時期】エントリー24.10→内々定25.2(一次はWEB面接可)【インターン】有
【採用実績校】早大1、昭和女大1、東洋大1、大阪経大1、専大1、亜大1、大阪工大1、杏林大1、獨協大2、仙台大原簿記情報公務員専1
【求める人材】常に目標を掲げる人、継続的に努力を惜しまない人、失敗しても周囲や環境のせいにしない人

【本社事務所】105-0022 東京都港区海岸1-2-20 汐留ビルディング ☎03-5777-3111
【特色・近況】上場企業のディスクロージャー、IR支援大手。電子開示用システムに強み。有価証券報告書などの法定開示資料、株主総会通知、ファイナンスなどの開示資料・目論見書で宝印刷と2社寡占。会計実務のコンサルや企業データベースなど周辺事業も拡大傾向。
【設立】1947.5 【資本金】3,058百万円
【社長】上野剛史(1970.1生 慶大経済卒)
【株主】〔24.3〕上野守生14.6%
【連結事業】上場会社ディスクロージャー関連40、上場会社IR・イベント関連等34、金融商品ディスクロージャー関連22、データベース関連3
【従業員】連1,674名 単913名(43.0歳)

【業績】	売上高	営業利益	税前利益	純利益
連22.3	26,142	2,482	2,623	1,762
連23.3	26,804	2,212	2,391	1,618
連24.3	30,117	2,435	2,528	1,779

㈱I－ne 東証プライム

採用内定数	倍率	3年後離職率	平均年収
10名	12.6倍	50%	666万円

●待遇、制度●
【初任給】月25万(固定残業代20時間分)
【残業】14時間【有休】11.5日【制度】[フ][在]
●新卒定着状況●
20年入社(男3、女1)→3年後在籍(男1、女1)
●採用情報●
【人数】23年:1 24年:0 25年:応募126→内定10
【内定内訳】(男2、女8)(文10、理0)(総10、他0)
【試験】〔Web自宅〕SPI3〔性格〕有
【時期】エントリー24.10→内々定24.12(一次・二次以降もWEB面接可)【インターン】有【ジョブ型】有
【採用実績校】同大2、関西学大2、学習院大2、立命館大1、東京女大1、宇都宮大1、法政大1
【求める人材】時代の変化を生き抜く未来の事業責任者

【本社】541-0058 大阪府大阪市中央区南久宝寺町4-1-2 御堂筋ダイビル ☎06-6443-0881
【特色・近況】ヘアケア製品「YOLU」「BOTANIST」、美容家電「SALONIA」を主力に、化粧品や健康食品も扱うファブレスメーカー。ブランドの運営、商品企画、卸売・小売、販売広告戦略、流通など一手に行う。海外はアジアを中心に販売を拡大。
【設立】2007.3 【資本金】3,304百万円
【社長】大西洋平(1982.5生)
【株主】〔24.6〕㈱COH41.7%
【連結事業】BOTANIST35、SALONIA22、YOLU33、他10 <海外3>
【従業員】連397名 単382名(35.1歳)

【業績】	売上高	営業利益	経常利益	純利益
連21.12	28,397	2,335	2,330	1,244
連22.12	35,269	3,235	3,469	1,927
連23.12	41,643	4,379	4,337	3,954

メーカー(素材・身の回り品)

㈱アクシージア　東証プライム

採用内定数	倍率	3年後離職率	平均年収
7名	295.1倍	ー	619万円

●待遇、制度●
【初任給】月25.1万(固定残業代40時間分)
【残業】9.6時間【有休】10.7日【制度】‥

●新卒定着状況●
20年入社(男0、女0)→3年後在籍(男0、女0)

●採用情報●
【人数】23年:5 24年:10 25年:応募2066→内定7
【内定内訳】(男1、女6)(文6、理1)(総6、他1)
【試験】〔性格〕有
【時期】エントリー25.3→内々定25.6(一次・二次以降もWEB面接可)【インターン】有
【採用実績校】東京農工大1、法政大1、駒澤大1、拓大1、明海大1、山口大院1、東洋大院1
【求める人材】グローバルな視点を持ち、新しいことにも積極的に挑戦ができる人

【本社】163-0235 東京都新宿区西新宿2-6-1 新宿住友ビル ☎03-6304-5840
【特色・近況】一般消費者向けとエステサロン向け化粧品を企画・販売。中国をターゲットにした企画やマーケティングが特徴で、中国での売上が大半。エイジングケアや目もとケアなどの化粧品やサプリメントの開発に強み。エステサロン、EC、店舗などが主な販売チャネル。
【設立】2011.12 【資本金】2,155百万円
【社長】段卓(1966.6生)
【株主】〔24.7〕創維科技實業有限公司11.9%
【連結事業】化粧品100 <海外90>
【従業員】連279名 単157名(34.4歳)

【業績】	売上高	営業利益	経常利益	純利益
連22.7	8,215	1,633	1,746	1,116
連23.7	11,341	1,899	1,902	1,330
連24.7	12,192	918	1,122	794

コタ　東証プライム

採用内定数	倍率	3年後離職率	平均年収
32名	16.6倍	45.9%	544万円

●待遇、制度●
【初任給】月24万
【残業】‥時間【有休】14.7日【制度】住

●新卒定着状況●
20年入社(男13、女24)→3年後在籍(男11、女9)

●採用情報●
【人数】23年:37 24年:34 25年:応募530→内定32*
【内定内訳】(男17、女15)(文25、理7)(総32、他0)
【試験】〔筆記〕GAB〔性格〕有
【時期】エントリー25.1→内々定25.3(一次はWEB面接可)【インターン】有
【採用実績校】関西学大2、同大2、京産大3、愛知大1、名城大1、駒澤大1、成城大1、東海大1、福岡大2、長崎大1、他
【求める人材】人と美容業界を動かすことのできる高い志と能力を兼ね備えた人

【本社】613-0036 京都府久世郡久御山町田井新荒見77 ☎0774-44-1681
【特色・近況】シャンプー、カラー剤などの美容室向けヘア化粧品メーカー。同社製品を一括採用することで、独自の経営分析ソフトを使った美容室の経営コンサルを無料で提供する「旬報店」システムを構築。美容室での対面販売に加え直販ECサイトも展開。
【設立】1979.9 【資本金】387百万円
【社長】小田博英(1959.10生 同大法卒)
【株主】〔24.3〕㈱英和商事6.7%
【事業】トイレタリー74、整髪料17、カラー剤3、育毛剤5、パーマ剤1、他1
【従業員】単404名(34.5歳)

【業績】	売上高	営業利益	経常利益	純利益
単22.3	8,691	2,151	2,177	1,393
単23.3	8,804	2,020	2,115	1,560
単24.3	9,136	1,921	1,953	1,349

#採用数が多い

㈱シーボン　東証スタンダード

採用内定数	倍率	3年後離職率	平均年収
163名	3.2倍	64.9%	405万円

●待遇、制度●
【初任給】年312万
【残業】12.2時間【有休】12.9日【制度】住 在

●新卒定着状況●
20年入社(男0、女37)→3年後在籍(男0、女13)

●採用情報●
【人数】23年:22 24年:52 25年:応募520→内定163*
【内定内訳】(男6、女157)(文124、理39)(総1、他162)
【試験】〔Web自宅〕SPI3〔性格〕有
【時期】エントリー25.1→内々定25.3(一次はWEB面接可)【インターン】有
【採用実績校】東洋大2、岩手大1、群馬大1、山梨大1、東京工科大1、成蹊大1、帝京大2、立正大2、専大1、東海大1、他
【求める人材】人、美容に興味関心が高く、人のため・自分のため、どちらにも積極的に行動できる人

【本社】106-8556 東京都港区六本木7-18-12 シーボンビル ☎03-3404-7501
【特色・近況】スキンケアを中心とした高級化粧品を製造・販売。独自開発製品を自社工場で生産し、直営サロンで販売する自社完結型に特徴。購入額に応じて無料サロンケアなどを実施。会員制度を導入し、顧客層は中高年が中心。直営サロンは全国に約100店。
【設立】1966.1 【資本金】483百万円
【社長】崎山一弘(1963.3生 高千穂商大卒)
【株主】〔24.3〕犬塚雅大17.1%
【連結事業】化粧品・医薬部外品の製造販売100
【従業員】連694名 単689名(39.5歳)

【業績】	売上高	営業利益	経常利益	純利益
連22.3	9,153	193	301	44
連23.3	8,525	▲145	▲127	▲421
連24.3	8,498	29	43	▲26

新日本製薬（しんにほんせいやく）　東証プライム

採用内定数	倍率	3年後離職率	平均年収
13名	26.7倍	40%	500万円

●待遇、制度●
【初任給】月24.4万(固定残業代25時間分)
【残業】18時間【有休】13.3日【制度】[住]
●新卒定着状況●
20年入社(男1、女4)→3年後在籍(男0、女3)
●採用情報●
【人数】23年:13 24年:10 25年:応募347→内定13
【内定内訳】(男2、女11)(文9、理4)(総13、他0)
【試験】〔Web自宅〕SPI3
【時期】エントリー25.3→内々定25.6(一次・二次以降もWEB面接可)【インターン】有
【採用実績校】関西外大2、西南学大2、香川大1、関大1、関西学大1、甲南女大1、佐賀大1、下関市大1、長崎大1、福岡大1、宮崎国際大1
【求める人材】失敗を恐れずに、何事にもチャレンジし、他人の幸せを自らの幸せと考えられる人

【本社】810-0074 福岡県福岡市中央区大手門1-4-7 ☎092-720-5800
【特色・近況】化粧品や健康食品、医薬品を開発・販売。ファブレスメーカーで製造は外部に委託。「PERFECT ONE」ブランドのオールインワン美容液ジェルが主力商品。通信販売のほか、百貨店などに直営店を出店。米国市場への本格展開に向けた取り組みを推進。
【設立】1992.3【資本金】4,158百万円
【社長】後藤孝洋(1971.1生)
【株主】〔24.3〕山田英二郎20.7%
【連結事業】通信販売91、直営店舗販売・卸売販売8、海外販売2
【従業員】連307名 単301名(38.5歳)

【業績】	売上高	営業利益	経常利益	純利益
連21.9	33,899	3,424	3,414	2,317
連22.9	36,107	3,522	3,487	2,357
連23.9	37,653	3,754	3,721	2,394

ちふれホールディングス　株式公開未定

採用内定数	倍率	3年後離職率	平均年収
10名	84倍	7.7%	[総]562万円

●待遇、制度●
【初任給】月22.5万
【残業】12.8時間【有休】14.7日【制度】[住][在]
●新卒定着状況●
20年入社(男4、女9)→3年後在籍(男4、女8)
●採用情報●
【人数】23年:16 24年:20 25年:応募840→内定10
【内定内訳】(男4、女6)(文4、理6)(総10、他0)
【試験】〔筆記〕有〔Web自宅〕SPI3〔性格〕有
【時期】エントリー25.3→内々定25.6(一次・二次以降もWEB面接可)
【採用実績校】東京農業大2、九大1、宇都宮大1、都立大1、東京工科大1、龍谷大1、明大1、お茶女大1、専大1
【求める人材】多様な価値を認め、自身が納得できる新たな挑戦と成長を続け、常に努力を怠らない人

【本社】350-0833 埼玉県川越市芳野台2-8-59 ☎049-225-6101
【特色・近況】ちふれ化粧品、アイメイト、アゼリア、エルフェンスポーツクラブを傘下に持つ事業持株会社。「ちふれ」、「綾花」、「潤肌実」などのブランドの化粧品を開発、製造し、百貨店や量販店、ドラッグストアを通じて販売。
【設立】1947.9【資本金】650百万円
【社長】片岡方和(1947.2生 京大理卒)
【株主】〔24.3〕島田恵都子22.2%
【事業】化粧品100
【従業員】単317名(39.4歳)

【業績】	売上高	営業利益	経常利益	純利益
単22.3	15,117	▲125	4	▲1,071
単23.3	15,564	▲36	▲17	35
単24.3	17,357	936	940	682

#残業が少ない

(株)ハーバー研究所（けんきゅうじょ）　東証スタンダード

採用予定数	倍率	3年後離職率	平均年収
3名	‥	‥	[総]391万円

●待遇、制度●
【初任給】年300万
【残業】2.9時間【有休】14.9日【制度】‥
●新卒定着状況●
‥
●採用情報●
【人数】23年:0 24年:4 25年:予定3*
【内定内訳】(男‥、女‥)(文‥、理‥)(総‥、他‥)
【試験】なし
【時期】エントリー通年→内々定通年(一次・二次以降もWEB面接可)
【採用実績校】‥
【求める人材】チームワークを大切に失敗を恐れず積極的にチャレンジできる人

【本社】101-0041 東京都千代田区神田須田町1-24-11 ☎03-5296-6250
【特色・近況】中堅化粧品メーカー。スクワランオイルが有名。自然派化粧品、栄養補助食品を販売し「無添加主義」を標榜。化粧品ブランドは「HABA」。主力顧客は40歳代以降の女性。通販主体に百貨店やドラッグストアなどでも販売。
【設立】1983.5【資本金】696百万円
【会長兼社長】小柳典子(1945.9生)
【株主】〔24.3〕公益財団法人小柳財団33.9%
【連結事業】基礎化粧品61、メイクアップ化粧品8、トイレタリー5、他化粧品5、他21
【従業員】連700名 単483名(42.5歳)

【業績】	売上高	営業利益	経常利益	純利益
連22.3	12,908	▲316	▲292	▲269
連23.3	12,038	▲609	▲582	▲707
連24.3	12,324	▲187	▲191	▲2,118

㈱ピカソ美化学研究所（びかがくけんきゅうしょ）

株式公開計画なし

採用内定数	倍率	3年後離職率	平均年収
5名	106倍	33.3%	㊝600万円

●待遇、制度●
【初任給】月23万（諸手当2万円）
【残業】15.2時間【有休】12.2日【制度】㊟住
●新卒定着状況●
20年入社（男3、女0）→3年後在籍（男2、女0）
●採用情報●
【人数】23年:21 24年:26 25年:応募530→内定5*
【内定内訳】（男1、女4）（文0、理3）（総3、他2）
【試験】〔筆記〕有〔性格〕有
【時期】エントリー25.3→内々定25.6【インターン】有【ジョブ型】有
【採用実績校】宇都宮大1、近大1、名城大1、日本分析化学専1、東京バイオテクノロジー専1
【求める人材】素直で謙虚な人、何事にもまずはやってみるという姿勢の人

【本社】532-0004 大阪府大阪市淀川区西宮原1-8-35 ☎06-6399-8899
【特色・近況】化粧品・医薬部外品の提案型OEM企業。研究開発から量産、プランニングまで一貫。バンコク、上海含め国内外に4つの研究開発拠点と6工場。当社を中核とした6社でグループ形成。海外展開を進めている。1935年創業。
【設立】1935.11 【資本金】80百万円
【社長】八木伸夫（1956.8生 立大卒）
【株主】〔24.3〕八木伸夫
【事業】化粧品65、医薬部外品15、研究開発15、他5 <輸出5>
【従業員】単316名（32.6歳）

【業績】	売上高	営業利益	経常利益	純利益
単22.3	12,178	‥	‥	669
単23.3	12,276	‥	‥	272
単24.3	12,325	‥	‥	291

ホーユー

株式公開計画なし

採用内定数	倍率	3年後離職率	平均年収
26名	30.3倍	15.4%	‥

●待遇、制度●
【初任給】月22.6万
【残業】7.7時間【有休】16.6日【制度】フ住在
●新卒定着状況●
20年入社（男15、女11）→3年後在籍（男14、女8）
●採用情報●
【人数】23年:23 24年:20 25年:応募788→内定26*
【内定内訳】（男8、女18）（文10、理16）（総26、他0）
【試験】試験あり
【時期】エントリー‥→内々定‥（一次はWEB面接可）【インターン】有
【採用実績校】名大2、名工大2、三重大2、名城大3、愛知大3、南山大1、都立大1、法政大1、中京大1、信州大1、富山大1、京都工繊大1、他
【求める人材】協働型フロンティアな人、責任感や誠実性を持ち、高い視座で主体的に行動できる人

【本社】461-8650 愛知県名古屋市東区徳川1-501 ☎052-935-9556
【特色・近況】ヘアカラー・頭髪化粧品・家庭薬を製造・販売するメーカー。主力の白髪用は「ビゲン」「メンズビゲン」「シエロ」の各ブランドで展開。「プロマスター」「ソマルカ」などプロ向けも。世界約70カ国に商品を提供。1905年創業の老舗。
【設立】1923.3 【資本金】110百万円
【代表取締役】佐々木義広
【株主】〔23.10〕朋友ホールディングス100%
【事業】染毛剤、頭髪関連品、家庭薬
【従業員】単1,049名（42.6歳）

【業績】	売上高	営業利益	経常利益	純利益
単21.10	49,304	3,336	4,148	3,176
単22.10	42,768	1,436	3,632	2,616
単23.10	44,579	‥	‥	3,011

ポーラ化成工業（かせいこうぎょう）

株式公開計画なし

採用内定数	倍率	3年後離職率	平均年収
5名	109.2倍	14.3%	‥

●待遇、制度●
【初任給】月26.5万
【残業】13.8時間【有休】16.1日【制度】フ住在
●新卒定着状況●
20年入社（男4、女3）→3年後在籍（男3、女3）
●採用情報●
【人数】23年:7 24年:10 25年:応募546→内定5*
【内定内訳】（男4、女1）（文0、理5）（総0、他5）
【試験】〔Web自宅〕有〔性格〕有
【時期】エントリー25.2→内々定25.5【インターン】有
【採用実績校】‥
【求める人材】自ら考え行動し、存在感、影響力を高め、個人・組織として成果を創出し続ける人

【本社】244-0812 神奈川県横浜市戸塚区柏尾町560 ☎045-826-7111
【特色・近況】化粧品大手のポーラ・オルビスグループの研究・生産を担う。グループ向け化粧品の開発と製造のほか、グループ会社以外の化粧品・製薬企業向けOEM開発も行う。横浜に研究所、静岡・袋井に工場、東京・五反田にオフィスを持つ。
【設立】1940.12 【資本金】110百万円
【社長】片桐崇行（岡山大院農芸化）
【株主】〔23.12〕ポーラ・オルビスホールディングス100%
【事業】化粧品製造100
【従業員】単429名（‥歳）

【業績】	売上高	営業利益	経常利益	純利益
単21.12	20,515	2,204	2,333	1,925
単22.12	20,270	1,995	2,121	1,746
単23.12	21,477	2,049	2,159	1,337

岩城製薬（いわきせいやく）

株式公開計画なし

採用内定数	倍率	3年後離職率	平均年収
4名	12.5倍	0%	[総]554万円

●待遇、制度●
【初任給】月23.5万
【残業】7.7時間【有休】8.3日【制度】[在]

●新卒定着状況●
20年入社(男1、女3)→3年後在籍(男1、女3)

●採用情報●
【人数】23年:3 24年:3 25年:応募50→内定4*
【内定内訳】(男0、女4)(文0、理4)(総4、他0)
【試験】なし
【時期】エントリー25.3→内々定25.6(一次はWEB面接可)【インターン】有【ジョブ型】有
【採用実績校】‥

【求める人材】コミュニケーション能力が高く主体的に行動できる人

【本社】103-8434 東京都中央区日本橋本町4-8-2 ☎03-6626-6250
【特色・近況】アステナHD傘下の医薬品メーカー。医療用外用剤主力の医薬品事業や美容医療化粧品事業を展開。外用剤のジェネリック医薬品は国内トップ。一般用医薬品はビタミンCやうがい薬などを扱う。クリーム剤・液剤などの受託製造も手がける。東京・蒲田に工場。
【設立】1948.9 【資本金】210百万円
【社長】西村泰輔
【株主】〔23.11〕アステナホールディングス100%
【事業】医薬品100 <輸出10>
【従業員】[単]173名(41.2歳)

【業績】	売上高	営業利益	経常利益	純利益
[単]21.11	9,109	‥	‥	‥
[単]22.11	8,219	‥	‥	‥
[単]23.11	9,794	‥	‥	‥

栄研化学（えいけんかがく）

東証プライム

採用内定数	倍率	3年後離職率	平均年収
20名	151.8倍	3.8%	771万円

●待遇、制度●
【初任給】月25.5万
【残業】13.9時間【有休】12.6日【制度】[フ][住][在]

●新卒定着状況●
20年入社(男15、女11)→3年後在籍(男15、女10)

●採用情報●
【人数】23年:23 24年:23 25年:応募3035→内定20*
【内定内訳】(男12、女8)(文1、理19)(総20、他0)
【試験】〔Web会場〕C-GAB〔Web自宅〕WEB-GAB〔性格〕有
【時期】エントリー25.3→内々定25.4(一次・二次以降もWEB面接可)【インターン】有【ジョブ型】有
【採用実績校】宇都宮大2、北大1、阪大1、都立大1、静岡大1、九大1、東京農業大1、東京工科大1、岩手大1、横国大1、横浜市大1、岐阜大1、他
【求める人材】自ら考え行動し様々な問題を切り開いていくことのできるチャレンジ精神旺盛な人

【本社】110-8408 東京都台東区台東4-19-9 山口ビル7 ☎03-5846-3305
【特色・近況】検体検査向け臨床検査薬の製造・販売で大手。大腸がん検査に使用される便潜血検査用試薬は国内シェア7割でトップ。尿検査薬も高シェア。食品・環境検査向けとして培地や検査用具・機材を製造・販売。栃木に工場と研究所。
【設立】1939.2 【資本金】6,897百万円
【代表執行役】納富継宣(1958.5生 九大理卒)
【株主】〔24.3〕日本マスタートラスト信託銀行信託口12.5%
【連結事業】微生物検査用試薬11、尿検査用試薬11、免疫血清検査用試薬54、生化学検査用試薬1、器具・食品環境関連培地他23 <海外25>
【従業員】[連]757名 [単]713名(42.4歳)

【業績】	売上高	営業利益	経常利益	純利益
[連]22.3	42,996	8,387	8,508	6,218
[連]23.3	43,271	7,457	7,568	5,736
[連]24.3	40,052	3,377	3,568	2,634

岡山大鵬薬品（おかやまたいほうやくひん）

株式公開計画なし

採用内定数	倍率	3年後離職率	平均年収
1名	‥	0%	‥

●待遇、制度●
【初任給】月20万
【残業】9.4時間【有休】15.8日【制度】[住][在]

●新卒定着状況●
20年入社(男1、女0)→3年後在籍(男1、女0)

●採用情報●
【人数】23年:5 24年:2 25年:応募‥→内定1*
【内定内訳】(男1、女0)(文0、理1)(総1、他0)
【試験】〔筆記〕有〔性格〕有
【時期】エントリー25.3→内々定25.7(一次はWEB面接可)
【採用実績校】‥

【求める人材】‥

【本社】705-8555 岡山県備前市久々井1775-1 ☎0869-64-1111
【特色・近況】外用剤主体の医薬メーカーで大鵬薬品工業の子会社。外用剤研究は70年以上。外用副腎皮質ホルモン剤、鎮痛・消炎パップ剤など医療用医薬品を製造する。販売は親会社等。特許権許諾後発薬(AG)の抗がん剤も製造。「チオビタドリンク」の受託製造も行う。
【設立】1943.8 【資本金】50百万円
【社長】白石和義
【株主】〔23.12〕大鵬薬品工業100%
【事業】医薬品100
【従業員】[単]176名(44.1歳)

【業績】	売上高	営業利益	経常利益	純利益
[単]21.12	9,688	‥	1,993	‥
[単]22.12	9,557	‥	151	‥
[単]23.12	10,273	‥	475	‥

#年収高く倍率低い

㈱カイノス　東証スタンダード

採用内定数	倍率	3年後離職率	平均年収
3名	16倍	0%	㊀815万円

●待遇、制度●
【初任給】月22.9万
【残業】4.6時間【有休】12.8日【制度】住
●新卒定着状況●
20年入社(男1、女0)→3年後在籍(男1、女0)
●採用情報●
【人数】23年:5 24年:7 25年:応募48→内定3*
【内定内訳】(男2、女1)(文1、理2)(総3、他0)
【試験】〔性格〕有
【時期】エントリー25.3→内々定25.7*(一次はWEB面接可)【インターン】有
【採用実績校】東邦大1、岡山理大1、愛知大1

【求める人材】自ら考えて行動し、積極的にコミュニケーションをとれる人

【本社】113-0033 東京都文京区本郷2-38-18
☎03-3816-4123
【特色・近況】臨床検査薬の中堅メーカー。生化学検査試薬、免疫検査試薬を軸に製品を展開。生化学検査試薬は腎機能検査や蛋白検査用が主力製品。輸血検査用試薬に加え、全自動輸血検査装置も扱う。遺伝子検査試薬の開発に注力。茨城に工場と研究所。
【設立】1975.5　【資本金】831百万円
【社長】長津行宏(1959.7生)
【株主】〔24.3〕旭化成ファーマ20.6%
【事業】生化学分野46、免疫分野49、他6
【従業員】単154名(44.9歳)

【業績】	売上高	営業利益	経常利益	純利益
単22.3	4,614	747	777	512
単23.3	4,923	821	853	568
単24.3	5,056	865	928	637

科研製薬(かけんせいやく)　東証プライム

採用内定数	倍率	3年後離職率	平均年収
30名	‥	7.4%	820万円

●待遇、制度●
【初任給】月25.1万
【残業】10.7時間【有休】11.7日【制度】フ 住 在
●新卒定着状況●
20年入社(男16、女11)→3年後在籍(男15、女10)
●採用情報●
【人数】23年:46 24年:32 25年:応募‥→内定30
【内定内訳】(男16、女14)(文2、理27)(総30、他0)
【試験】〔Web自宅〕玉手箱
【時期】エントリー25.3→内々定25.6(一次はWEB面接可)【インターン】有【ジョブ型】有
【採用実績校】‥

【求める人材】失敗を恐れずに高い目標を掲げ、自ら考え、行動できる人

【本社】113-8650 東京都文京区本駒込2-28-8
☎03-5977-5001
【特色・近況】医療用医薬品主体の中堅製薬メーカー。理化学研究所がルーツの名門。皮膚科と整形外科が得意領域。関節機能改善剤「アルツディスポ」や、自社創製の爪白癬治療薬「クレナフィン」など。後発医薬品や農薬、飼料添加物も展開。
【設立】1948.3　【資本金】23,853百万円
【社長】堀内裕之(1962.3生 近大理工卒)
【株主】〔24.3〕日本マスタートラスト信託銀行信託口9.8%
【連結事業】薬業97、不動産3
【従業員】連1,135名 単1,124名(41.8歳)

【業績】	売上高	営業利益	経常利益	純利益
連22.3	76,034	17,064	17,542	9,549
連23.3	72,984	7,998	8,727	5,440
連24.3	72,044	9,513	9,951	8,025

キッセイ薬品工業(やくひんこうぎょう)　東証プライム

採用内定数	倍率	3年後離職率	平均年収
50名	‥	‥	755万円

●待遇、制度●
【初任給】月25.5万
【残業】‥時間【有休】14日【制度】フ 住
●新卒定着状況●
‥
●採用情報●
【人数】23年:39 24年:50 25年:応募‥→内定50
【内定内訳】(男33、女17)(文11、理25)(総34、他16)
【試験】試験あり
【時期】エントリー‥→内々定‥(一次・二次以降もWEB面接可)【インターン】有
【採用実績校】‥

【求める人材】「創薬、育薬への熱意」と「自分らしさ」の溢れる人

【本社】399-8710 長野県松本市芳野19-48
☎0263-25-9081
【特色・近況】医療用医薬品の中堅メーカー。開発対象は泌尿器、腎・透析、未充足医療ニーズの3領域。日本初の経口喘息薬「リザベン」が著名。新規潰瘍性大腸炎薬や腎臓・血管系、婦人科系治療薬などに注力。海外は技術導出が基本。低分子を中心とした創薬研究体制を強化。
【設立】1946.8　【資本金】24,356百万円
【会長】神澤陸雄(1949.10生)
【株主】〔24.3〕日本マスタートラスト信託銀行信託口9.5%
【連結事業】医薬品84、情報サービス11、建設請負4、物品販売1 <海外6>
【従業員】単1,363名(43.6歳)

【業績】	売上高	営業利益	経常利益	純利益
連22.3	65,381	▲1,402	562	12,921
連23.3	67,493	▲1,129	598	10,528
連24.3	75,579	4,017	6,142	11,160

健栄製薬（けんえいせいやく）

株式公開計画なし

採用予定数	倍率	3年後離職率	平均年収
6~10名	‥	20%	‥

●待遇、制度●
【初任給】月25万
【残業】‥時間【有休】‥日【制度】[住]
●新卒定着状況●
20年入社(男1、女4)→3年後在籍(男1、女3)
●採用情報●
【人数】23年:4 24年:5 25年:予定6～10
【内定内訳】(男‥、女‥)(文‥、理‥)(総‥、他‥)
【試験】‥
【時期】エントリー通年→内々定通年(一次はWEB面接可)
【採用実績校】‥
【求める人材】‥

【本社】541-0044 大阪府大阪市中央区伏見町2-5-8 ☎06-6231-5626
【特色・近況】外皮用・消化器官用薬品を製造・販売する製薬会社。消毒薬・局方品分野に特化。消毒用エタノールでトップ級。「手ピカジェル」やのどの殺菌・消毒用など一般用医薬品、「ベビーワセリン」などのスキンケア商品、ハッカ油なども扱う。
【設立】1946.12 【資本金】99百万円
【社長】滝野六朗(1963.6生 慶大卒)
【株主】〔23.8〕力屋36.8%
【事業】医療用医薬品43、一般用医薬品36、医薬部外品等18、他3
【従業員】単620名(34.7歳)

【業績】	売上高	営業利益	経常利益	純利益
単21.8	24,843	4,401	4,530	3,114
単22.8	25,282	4,393	4,415	2,902
単23.8	25,060	4,140	4,075	2,658

小太郎漢方製薬（こたろうかんぽうせいやく）

株式公開計画なし

採用内定数	倍率	3年後離職率	平均年収
5名	4.4倍	20%	[総]656万円

●待遇、制度●
【初任給】月23.9万(諸手当5.8万円)
【残業】33.9時間【有休】12.2日【制度】[フ][住]
●新卒定着状況●
20年入社(男3、女2)→3年後在籍(男2、女2)
●採用情報●
【人数】23年:1 24年:3 25年:応募22→内定5
【内定内訳】(男3、女2)(文1、理4)(総5、他0)
【試験】〔筆記〕常識〔Web会場〕有〔Web自宅〕有〔性格〕有
【時期】エントリー25.4→内々定25.6(一次・二次以降もWEB面接可)【ジョブ型】有
【採用実績校】星薬大院1、東邦大1、昭和薬大1、金城学大1、神戸市外大1
【求める人材】得意先・職場で協調性があり、誠実でコツコツと物事に取り組む人

【本社】531-0071 大阪府大阪市北区中津2-5-23 ☎06-6371-9881
【特色・近況】漢方医薬品メーカー。煎じて飲んでいた漢方薬を初めてエキス化。薬価収載されているエキス製剤は現在88品目。疣贅(イボ)内服治療薬ヨクイニン「コタロー」は業界唯一の保険適用生薬製剤。石川県・白山市に工場と研究所を併設し一貫生産と品質試験を行う。
【設立】1952.1 【資本金】510百万円
【社長】鈴木一平(1970.10生 阪府大工卒)
【株主】〔24.3〕加次井商太郎
【事業】漢方医薬品の製造・販売
【従業員】単263名(43.4歳)

【業績】	売上高	営業利益	経常利益	純利益
単22.3	7,462	1,886	1,978	1,368
単23.3	7,600	1,721	1,717	1,200
単24.3	8,000	1,964	2,036	1,431

(株)ゴトー養殖研究所（ようしょくけんきゅうじょ）

株式公開上場予定

採用内定数	倍率	3年後離職率	平均年収
1名	7倍	‥	‥

●待遇、制度●
【初任給】月27万(諸手当3万円、固定残業代5.5時間分)
【残業】‥時間【有休】‥日【制度】[住]
●新卒定着状況●
‥
●採用情報●
【人数】23年:3 24年:3 25年:応募7→内定1
【内定内訳】(男1、女0)(文0、理1)(総1、他0)
【試験】なし
【時期】エントリー24.12→内々定25.6(一次はWEB面接可)
【採用実績校】北大院1
【求める人材】リーダーシップ、チャレンジ精神、スポーツマンシップ、創造力に優れた人

【本社】350-1305 埼玉県狭山市入間川3-1-4 狭山フロントさくら坂ビル ☎04-2955-0555
【特色・近況】水産用医薬品の研究開発・製造やワクチン接種などを行う日本唯一の養殖魚専門動物病院。飼料・添加物も販売。養殖ドクター・養殖経営コンサルタントを擁し、セミナー開催や技術の紹介・指導も行う。埼玉に研究所と2工場、養殖場多い九州各地に営業所。
【設立】1990.3 【資本金】50百万円
【社長】後藤清(1949.12生 中大商卒)
【株主】〔24.4〕幸福貿易50.0%
【事業】水産用医薬品10、水産用飼料添加物10、水産用飼料50、他30
【従業員】単45名(42.5歳)

【業績】	売上高	営業利益	経常利益	純利益
単22.4	5,386	62	201	132
単23.4	5,230	155	231	160
単24.4	7,758	82	176	141

サワイグループホールディングス　東証プライム

採用内定数	倍率	3年後離職率	平均年収
42名	‥	16.3%	602万円

●待遇、制度●
【初任給】月21.9万(諸手当を除いた数値)
【残業】15.8時間【有休】15.2日【制度】フ 住 在
●新卒定着状況●
20年入社(男33、女16)→3年後在籍(男28、女13)
●採用情報● 沢井製薬採用
【人数】23年:95 24年:102 25年:応募‥→内定42*
【内定内訳】(男20、女22)(文3、理30)(総42、他0)
【試験】〔Web自宅〕WEB-GAB〔性格〕有
【時期】エントリー24.12→内々定25.2*(一次はWEB面接可)【インターン】有
【採用実績校】阿南高専1、愛媛大1、宇部高専1、岩手大1、岐阜大1、京産大1、京大1、近大1、九大1、熊本高専1、広島大1、甲南大1、他
【求める人材】挑戦することに躊躇せず、会社を大きく動かす原動力となるエネルギー溢れる人

【本社】532-0003 大阪府大阪市淀川区宮原5-2-30 ☎06-6105-5818
【特色・近況】ジェネリック医薬品大手の沢井製薬を子会社に持つ持株会社。沢井製薬は一般用医薬品メーカーとして創業後、医療用医薬品へシフト。現在は生活習慣病治療剤や抗ガン剤などの後発薬を製造・販売する。販売は病院向けや調剤薬局向けで高シェア。
【設立】2021.4 【資本金】10,020百万円
【会長兼社長】澤井光郎(1956.9生 阪大院基礎工修了)
【株主】〔24.3〕日本マスタートラスト信託銀行信託口19.0%
【連結事業】循環器官24、中枢神経系用薬14、消化器官11、他代謝性医薬品10、血液・体液用薬9、抗生物質製剤5、他27
【従業員】連3,206名 単2,785名(42.0歳)

【業績】	売上高	営業利益	税前利益	純利益
連23.3	200,344	16,984	16,789	12,667
連24.3	176,862	18,620	18,262	13,695

待遇、制度などは沢井製薬の数値

㈱三和化学研究所（さんわかがくけんきゅうしょ）　株式公開していない

採用内定数	倍率	3年後離職率	平均年収
19名	‥	11.1%	‥

●待遇、制度●
【初任給】月24万
【残業】6.1時間【有休】13.7日【制度】フ 住 在
●新卒定着状況●
20年入社(男15、女12)→3年後在籍(男14、女10)
●採用情報●
【人数】23年:28 24年:23 25年:応募‥→内定19*
【内定内訳】(男10、女9)(文7、理7)(総14、他5)
【試験】〔筆記〕常識〔Web自宅〕有〔性格〕有
【時期】エントリー25.3→内々定25.6(一次・二次以降もWEB面接可)【インターン】有
【採用実績校】立命館大2、近大2、岐阜大1、信州大1、富山大1、横国大1、慶大1、京都薬大1、関大1、愛知学大1、他
【求める人材】自ら考え、行動できる人

【本社】461-8631 愛知県名古屋市東区東外堀町35 ☎052-951-8130
【特色・近況】スズケングループの製薬メーカー。医薬品、診断薬の2事業を中心に展開。医薬品は糖尿病、腎疾患領域で実績。希少疾病薬の開発も推進。新規核酸医薬品の継続的な創出を目的に、日産化学と提携関係に。熊本に工場。三重、熊本に研究所。
【設立】1953.12 【資本金】2,101百万円
【社長】磯野修作(1959.4生)
【株主】〔24.3〕スズケン100%
【事業】医薬品、診断薬の研究開発・製造販売、他
【従業員】単826名(‥歳)

【業績】	売上高	営業利益	経常利益	純利益
単22.3	43,938	780	803	▲220
単23.3	44,382	1,221	1,244	712
単24.3	46,399	976	995	665

生化学工業（せいかがくこうぎょう）　東証プライム

採用内定数	倍率	3年後離職率	平均年収
22名	‥	5.3%	846万円

●待遇、制度●
【初任給】月28.1万
【残業】23.7時間【有休】15.2日【制度】フ 在
●新卒定着状況●
20年入社(男15、女4)→3年後在籍(男14、女4)
●採用情報●
【人数】23年:19 24年:16 25年:応募‥→内定22
【内定内訳】(男15、女7)(文0、理21)(総22、他0)
【試験】〔Web自宅〕有〔性格〕有
【時期】エントリー‥→内々定‥(一次・二次以降もWEB面接可)【インターン】有【ジョブ型】有
【採用実績校】埼玉大院2、東京農工大院2、宇都宮大院1、京大院1、筑波大院1、東京薬大院1、東理大院1、東北大院1、福島大院1、他
【求める人材】糖質科学をベースとした創薬研究活動を継続的にチャレンジできる人

【本社】100-0005 東京都千代田区丸の内1-6-1 ☎03-5220-8950
【特色・近況】複合糖質に独自性を持つ製薬メーカー。開発は関節疾患関連に特化。主力である2種のヒアルロン酸製剤の販売は科研製薬と参天製薬が担当。腰椎椎間板ヘルニア治療剤を新たな柱として育成中。海外展開に積極的で海外売上高比率は約6割。
【設立】1947.6 【資本金】3,840百万円
【社長】水谷建(1948.3生 慶大経済卒)
【株主】〔24.3〕新業㈱13.8%
【連結事業】医薬品72、LAL28 <海外61>
【従業員】連988名 単565名(40.6歳)

【業績】	売上高	営業利益	経常利益	純利益
連22.3	34,851	4,495	5,395	3,733
連23.3	33,456	2,114	3,069	2,236
連24.3	36,213	433	1,691	2,186

メーカー(素材・身の回り品)

千寿製薬（せんじゅせいやく）

株式公開 未定

採用内定数	倍率	3年後離職率	平均年収
19名	11.5倍	10%	[総]770万円

●待遇、制度●
【初任給】月22万
【残業】6.2時間【有休】13.6日【制度】[住][在]

●新卒定着状況●
20年入社（男17、女3）→3年後在籍（男16、女2）

●採用情報●
【人数】23年:14 24年:26 25年:応募218→内定19
【内定内訳】（男10、女9）（文5、理14）（総19、他0）
【試験】〔Web自宅〕SPI3〔性格〕有
【時期】エントリー25.3→内々定‥（一次はWEB面接可）【インターン】有
【採用実績校】京大院3、阪大院1、大阪公大院1、岡山大院1、山口大1、関西学大1、同大1、立命館大1、松山大1、東北医薬大1、明学大1、他
【求める人材】経営理念に共感でき、主体的に行動できる人

【本社】541-0048 大阪府大阪市中央区瓦町3-1-9 ☎06-6201-2512
【特色・近況】眼科、耳鼻咽喉科領域で医薬品を開発・製造する医薬品メーカー。製品は武田薬品で販売。「マイティア」ブランドなど一般用も手がける。動物用医薬品や化粧品原料、目のサプリメント販売も。佐賀、兵庫に研究・生産拠点。米国、中国などに現地法人。
【設立】1947.4 【資本金】1,415百万円
【社長】吉田周平（1972.6生）
【株主】〔24.3〕ホロス14.8%
【連結事業】眼科・耳鼻科用医薬品99、他1
【従業員】連975名 単975名（44.4歳）

【業績】	売上高	営業利益	経常利益	純利益
連22.3	40,886	6,989	9,125	7,903
連23.3	46,407	7,427	8,759	6,689
連24.3	48,969	7,157	9,146	7,504

全星薬品工業（ぜんせいやくひんこうぎょう）

株式公開 計画なし

採用内定数	倍率	3年後離職率	平均年収
8名	12.4倍	0%	‥

●待遇、制度●
【初任給】月22.8万
【残業】15.5時間【有休】13.4日【制度】[フ][住]

●新卒定着状況●
20年入社（男2、女4）→3年後在籍（男2、女4）

●採用情報●
【人数】23年:48 24年:42 25年:応募99→内定8
【内定内訳】（男‥、女‥）（文0、理8）（総‥、他8）
【試験】〔Web自宅〕SPI3
【時期】エントリー‥→内々定25.3（一次はWEB面接可）【インターン】有
【採用実績校】関大2、京都工繊大1、近大1、神戸大1、東邦大1、奈良先端科技大院1、武庫川女大1
【求める人材】最期迄諦めずやり遂げベストを尽くす情熱と本質を見極める能力、ユーモアを持つ人

【本社】545-0051 大阪府大阪市阿倍野区旭町1-2-7 あべのメディックス13階☎06-6630-7502
【特色・近況】ニプログループの製薬会社。ジェネリック医薬品開発と内服固形剤の製造受託が柱。膨潤溶解型徐放性錠剤、苦味マスク微粒子・徐放性微粒子などの製造技術に強み。強みを活かして口腔内崩壊錠など生産。大阪府内に2工場保有し年産50億錠規模。
【設立】1951.5 【資本金】42百万円
【社長】澤井俊哉（1960.3生）
【株主】〔24.3〕ニプロ50.1%
【事業】医療用医薬品100
【従業員】単789名（35.8歳）

【業績】	売上高	営業利益	経常利益	純利益
単22.3	20,351	2,743	2,951	2,153
単23.3	22,285	3,305	3,640	3,633
単24.3	20,571	1,473	1,859	1,224

相互薬工（そうごやっこう）

株式公開 計画なし

採用内定数	倍率	3年後離職率	平均年収
1名	5倍	40%	‥

●待遇、制度●
【初任給】月21.9万（諸手当5.4万円）
【残業】11.8時間【有休】13.1日【制度】[住]

●新卒定着状況●
20年入社（男3、女2）→3年後在籍（男3、女0）

●採用情報●
【人数】23年:5 24年:1 25年:応募5→内定1*
【内定内訳】（男1、女0）（文0、理1）（総1、他0）
【試験】なし
【時期】エントリー25.3→内々定25.5*
【採用実績校】福岡大1
【求める人材】自己発信力、協調性のある人

【本社】100-0005 東京都千代田区丸の内1-8-2 鉄鋼ビル3階 ☎03-6273-4621
【特色・近況】医薬品原薬・中間体などの精密化学品メーカー。合成技術を活かし化粧品原料、記録材料、電子材料も展開。大手製薬会社、化学会社などからの製造受託に注力。技術担当責任者を配置し、内容検討から生産安定化までフォローを行う。福岡、福島に研究・製造拠点。
【設立】1955.4 【資本金】200百万円
【社長】澤田順（1962.8生 東薬大薬卒）
【株主】〔24.3〕青木匡12.5%
【事業】医薬品・医薬中間体・化粧品60、他化成品40 <輸出15>
【従業員】単97名（41.9歳）

【業績】	売上高	営業利益	経常利益	純利益
単22.3	3,192	167	273	232
単23.3	3,141	93	218	171
単24.3	3,121	98	173	146

#年収高く倍率低い

ダイト

東証プライム

採用内定数	倍率	3年後離職率	平均年収
8名	11倍	0%	[総]856万円

●待遇、制度●
【初任給】月22.4万
【残業】13.1時間【有休】13.8日【制度】[住][在]
●新卒定着状況●
20年入社(男11、女9)→3年後在籍(男11、女9)
●採用情報●
【人数】23年:30 24年:14 25年:応募88→内定8
【内定内訳】(男4、女4)(文0、理8)(総8、他0)
【試験】〔Web自宅〕SPI3〔性格〕有
【時期】エントリー25.3→内々定25.6(一次はWEB面接可)【インターン】有
【採用実績校】富山大3、石川県大1、香川大1、京産大1、千歳科技大1、武庫川女大1
【求める人材】チャレンジ精神に溢れる人、チームワークを大切にする人、自ら考え、行動する人

【本社】939-8567 富山県富山市八日町326
☎076-421-5665
【特色・近況】医療用医薬品メーカー。医薬品原薬の製造・販売と各種製剤の受託製造の2事業を軸に展開。ジェネリック医薬品向けが中心。原薬・製剤の製造と開発に経営資源を集中し、販売は他社に委託。抗がん剤などの高薬理活性製剤へ本格進出。
【設立】1942.6 【資本金】7,186百万円
【社長】松森浩士(1956.7生)
【株主】〔24.5〕日本マスタートラスト信託銀行信託口12.8%
【連結事業】原薬46、製剤53、健康食品他0
【従業員】連1,070名 単849名(38.3歳)

【業績】	売上高	営業利益	経常利益	純利益
連22.5	43,464	6,553	6,729	4,668
連23.5	45,101	5,207	5,169	3,600
連24.5	46,895	3,894	3,923	3,295

大同薬品工業（だいどうやくひんこうぎょう）

株式公開計画なし

採用内定数	倍率	3年後離職率	平均年収
5名	‥	0%	‥

●待遇、制度●
【初任給】月22.1万
【残業】25時間【有休】10.5日【制度】[住]
●新卒定着状況●
20年入社(男5、女0)→3年後在籍(男5、女0)
●採用情報●
【人数】23年:3 24年:11 25年:応募‥→内定5
【内定内訳】(男1、女4)(文1、理2)(総3、他2)
【試験】〔Web自宅〕SPI3
【時期】エントリー25.3→内々定25.8(一次はWEB面接可)
【採用実績校】‥
【求める人材】協調性があり、チャレンジ精神を持った行動力のある人

【本社・工場】639-2121 奈良県葛城市新村214-1
☎0745-62-5031
【特色・近況】「エスカップ」「アリナミン」「グロンサン」など医薬品、医薬部外品、清涼飲料水のOEM生産が主力のメーカー。累積生産品目約270種、年産3.5億本体制。本社工場、関東工場の2拠点4工場。パウチ製品製造にも対応。ダイドーグループHD傘下。
【設立】1956.7 【資本金】100百万円
【社長】宮地誠(1965.7生)
【株主】〔24.1〕ダイドーグループホールディングス100%
【事業】医薬品・医薬部外品70、飲料30 <輸出2>
【従業員】単280名(39.0歳)

【業績】	売上高	営業利益	経常利益	純利益
単22.1	11,133	▲19	308	283
単23.1	12,522	347	604	414
単24.1	12,963	367	534	349

長生堂製薬（ちょうせいどうせいやく）

株式公開未定

採用予定数	倍率	3年後離職率	平均年収
5名	―	38.1%	‥

●待遇、制度●
【初任給】月19.8万
【残業】11.7時間【有休】17日【制度】[住]
●新卒定着状況●
20年入社(男14、女7)→3年後在籍(男9、女4)
●採用情報●
【人数】23年:16 24年:7 25年:応募18→内定0*
【内定内訳】(男‥、女‥)(文‥、理‥)(総‥、他‥)
【試験】〔Web自宅〕有
【時期】エントリー24.6→内々定25.3(一次・二次以降もWEB面接可)【インターン】有
【採用実績校】‥
【求める人材】徳島の地から、医薬品製造を通して社会に貢献しようとする志の高い人

【本社】779-3122 徳島県徳島市国府町府中92
☎088-642-1101
【特色・近況】日本調剤傘下のジェネリック医薬品メーカー。自社製品のほか、GMP対応による他社製品の受託製造も行う。自社ブランドと受託製造を合わせて約300品目の後発医薬品を製造。セフェム系抗生物質製剤の製造に強み。徳島に3工場を構える。
【設立】1947.12 【資本金】340百万円
【社長】小城和紀(慶大商卒)
【株主】〔24.3〕日本ジェネリック100%
【事業】医療用医薬品の製造・販売
【従業員】単384名(35.4歳)

【業績】	売上高	営業利益	経常利益	純利益
単22.3	11,219	▲1,630	▲1,630	▲1,079
単23.3	10,332	▲634	▲576	▲561
単24.3	12,007	▲345	▲315	▲1,087

帝國製薬（ていこくせいやく）

株式公開計画なし

採用内定数	倍率	3年後離職率	平均年収
27名	1.3倍	13.3%	[総]668万円

●待遇、制度●
【初任給】月23.1万
【残業】5.3時間【有休】13.9日【制度】[フ][住][在]
●新卒定着状況●
20年入社(男10、女5)→3年後在籍(男9、女4)
●採用情報●
【人数】23年:18 24年:22 25年:応募35→内定27
【内定内訳】(男9、女18)(文6、理6)(総12、他15)
【試験】〔Web自宅〕有〔性格〕有
【時期】エントリー25.3→内々定25.5【インターン】有
【採用実績校】香川大2、徳島大2、徳島文理大1、関大1、奈良大1、神戸学大1、高知大1、島根大1、名城大1、四国大1、他
【求める人材】物事に臨機応変に対応でき、積極的で行動力のある人

【本社】769-2695 香川県東かがわ市三本松567
☎0879-25-2221
【特色・近況】医療用パップ剤(湿布薬)老舗メーカーで、生産量は世界最大手級。温感パップ剤と経皮吸収型消炎鎮痛パップ剤を世界で初めて開発。貼付剤は世界50カ国以上で販売。軟膏剤、その他医薬品なども製造。米国に研究開発・販売拠点、中国に製造販売現法。
【設立】1918.5　【資本金】100百万円
【社長】藤岡実佐子(1955.4生 東大法卒)
【株主】‥
【事業】医家向け医薬品86、一般薬6、他8 ＜輸出26＞
【従業員】単781名(47.1歳)

【業績】	売上高	営業利益	経常利益	純利益
単21.12	34,021	1,481	3,183	1,016
単22.12	35,629	4,086	7,909	7,109
単23.12	39,516	5,763	8,133	4,608

日新薬品工業（にっしんやくひんこうぎょう）

株式公開計画なし

採用実績数	倍率	3年後離職率	平均年収
1名	―	80%	421万円

●待遇、制度●
【初任給】月20.7万(諸手当3.3万円)
【残業】19時間【有休】12日【制度】[フ][住][在]
●新卒定着状況●
20年入社(男2、女3)→3年後在籍(男1、女0)
●採用情報●
【人数】23年:3 24年:1 25年:応募10→内定0
【内定内訳】(男‥、女‥)(文‥、理‥)(総‥、他‥)
【試験】〔筆記〕常識
【時期】エントリー25.3→内々定25.6(一次はWEB面接可)
【採用実績校】‥
【求める人材】何かひとつでも人に自慢できるものを持っている人

【本社】520-3426 滋賀県甲賀市甲賀町田堵野80-1
☎0748-88-4156
【特色・近況】せき・たん・のどの炎症薬トローチ剤、滋養強壮ドリンク剤が主力の一般医薬品メーカー。一般用トローチ剤では国内トップシェア。味や服用感にこだわった医薬品開発が特徴。家庭用配置薬事業も手がける。滋賀県の本社に製造工場を構える。
【設立】1947.10　【資本金】99百万円
【社長】大北正人(1958.1生 京都薬大薬卒)
【株主】〔23.12〕大阪中小企業投資育成25.0%
【事業】一般用医薬品48、医薬部外品7、健康食品2、清涼飲料2、医薬品配置販売1、他40 ＜輸出3＞
【従業員】単69名(40.4歳)

【業績】	売上高	営業利益	経常利益	純利益
単21.9	1,520	▲33	▲30	▲183
単22.9	1,608	30	33	32
単23.9	1,998	44	120	120

ニプロファーマ

株式公開計画なし

採用内定数	倍率	3年後離職率	平均年収
53名	5.5倍	‥	‥

●待遇、制度●
【初任給】月23.8万(諸手当1万円)
【残業】17.6時間【有休】14.1日【制度】[住][在]
●新卒定着状況●
20年入社(男18、女32)→3年後在籍(男‥、女‥)
●採用情報●
【人数】23年:36 24年:39 25年:応募293→内定53*
【内定内訳】(男18、女35)(文4、理44)(総53、他0)
【試験】試験あり
【時期】エントリー24.12→内々定‥*(一次はWEB面接可)【インターン】有
【採用実績校】阪大1、山形大2、秋田大3、弘前大3、三重大2、静岡大1、群馬大1、滋賀大1、福井大1、秋田県大3、宮城大1、同大1、他
【求める人材】意欲的な人、誠実・正直な人、協調性のある人

【本社】566-8510 大阪府摂津市千里丘新町3-26
☎06-7639-3190
【特色・近況】ニプログループの医薬品メーカー。医薬品受託製造で国内トップクラス。注射剤、経口剤、外用剤など各領域を広くカバー。独自の開発力と製剤化技術を持ち、高付加価値製剤に対応。注射剤のキット化で先駆。国内工場に加えベトナム製造拠点でグローバル供給。
【設立】1950.7　【資本金】8,669百万円
【社長】西田健一(1970.1生 東北大薬卒)
【株主】〔24.3〕ニプロ98.7%
【事業】医療用医薬品の製造および販売
【従業員】単3,568名(37.7歳)

【業績】	売上高	営業利益	経常利益	純利益
単22.3	89,661	2,868	3,657	1,957
単23.3	86,423	1,667	1,385	409
単24.3	98,615	1,775	1,768	556

日本ジェネリック（にほん）

株式公開未定

採用内定数	倍率	3年後離職率	平均年収
14名	12.4倍	6.7%	‥

●待遇、制度●
【初任給】月22.7万
【残業】12.6時間【有休】14.4日【制度】[フ][住][在]
●新卒定着状況●
20年入社(男11、女4)→3年後在籍(男11、女3)
●採用情報●
【人数】23年:48 24年:29 25年:応募173→内定14*
【内定内訳】(男4、女10)(文2、理9)(総0、他14)
【試験】〔筆記〕有〔性格〕有
【時期】エントリー25.3→内々定25.6(一次・二次以降もWEB面接可)【インターン】有【ジョブ型】有
【採用実績校】長岡技科大1、新潟大1、学習院大1、東海大1、静岡県大1、大阪公大1、東京医薬看護専2、近大1、他
【求める人材】社会貢献をしたい人、チャレンジを続けられる人、責任感の強い人

【本社】108-0014 東京都港区芝5-33-11 田町タワー8階 ☎03-6810-0500
【特色・近況】大手調剤薬局チェーンである日本調剤グループのジェネリック医薬品メーカー。グループ子会社の長生堂製薬の販売も担う。約600品目のジェネリック医薬品を販売する。つくばに研究所と2工場を持ち、少量多品種と大規模生産に対応。
【設立】2005.1 【資本金】1,255百万円
【社長】井上祐弘(1963.12生 阪大経済卒)
【株主】〔24.3〕日本調剤100%
【事業】医療用医薬品の製造・販売
【従業員】単535名(37.0歳)

【業績】	売上高	営業利益	経常利益	純利益
単22.3	40,267	1,408	1,337	1,610
単23.3	33,925	▲807	▲964	1,704
単24.3	36,126	593	422	632

日本臓器製薬（にほんぞうきせいやく）

株式公開計画なし

採用実績数	倍率	3年後離職率	平均年収
8名	-	0%	[総]683万円

●待遇、制度●
【初任給】月23万
【残業】14.5時間【有休】11.3日【制度】[住][在]
●新卒定着状況●
20年入社(男7、女3)→3年後在籍(男7、女3)
●採用情報●
【人数】23年:13 24年:8 25年:応募0→内定0
【内定内訳】(男‥女‥)(文‥理‥)(総‥他‥)
【試験】〔Web自宅〕有〔性格〕有
【時期】エントリー25.3→内々定25.6*(一次・二次以降もWEB面接可)【インターン】有
【採用実績校】‥
【求める人材】「次代の医療ソリューション」の創出に寄与し、社会へ貢献できる人

【本社】541-0046 大阪府大阪市中央区平野町4-2-3 オービック御堂筋ビル7階☎06-6203-0441
【特色・近況】中堅製薬会社で、医療用鎮痛剤「ノイロトロピン」は国内首位級。アレルギー性疾患も重点領域。一般用医薬品は風邪薬「コフト顆粒」や貧血治療薬「マスチゲン錠」などを販売。整形外科領域で医療機器への参入も目指す。兵庫に工場と研究所。
【設立】1939.10 【資本金】100百万円
【社長】小西崇文
【株主】
【事業】医薬品等100 <輸出6>
【従業員】単515名(46.3歳)

【業績】	売上高	営業利益	経常利益	純利益
単22.3	22,960			886
単23.3	22,685	‥	‥	45
単24.3	23,272	‥	‥	11,599

富士製薬工業（ふじせいやくこうぎょう）

東証プライム

採用内定数	倍率	3年後離職率	平均年収
12名	208.8倍	0%	693万円

●待遇、制度●
【初任給】月22.5万
【残業】13.6時間【有休】15.8日【制度】[住][在]
●新卒定着状況●
20年入社(男5、女6)→3年後在籍(男5、女6)
●採用情報●
【人数】23年:4 24年:13 25年:応募2505→内定12
【内定内訳】(男4、女8)(文5、理7)(総12、他0)
【試験】〔Web自宅〕有
【時期】エントリー25.3→内々定25.10(一次はWEB面接可)【インターン】有
【採用実績校】‥
【求める人材】‥

【本社】102-0075 東京都千代田区三番町5-7 泉館文人通り ☎03-3556-3344
【特色・近況】ジェネリック医薬品メーカーで準大手。女性医療、急性期医療の2領域が中心。女性医療では不妊症治療剤や経口避妊剤など産婦人科向けのホルモン剤、急性期医療ではX線造影剤などを扱う。バイオ後続品や抗がん剤も育成。富山に工場と研究所。
【設立】1965.4 【資本金】3,799百万円
【社長】森田周平(1974.12生)
【株主】〔24.3〕㈲FJP17.3%
【連結事業】診断用薬19、ホルモン剤42、代謝性医薬品5、循環器官用薬1、抗生物質・化学療法剤2、体外診断用医薬品0、他32
【従業員】連1,629名 単897名(42.6歳)

【業績】	売上高	営業利益	経常利益	純利益
連21.9	33,990	3,349	3,250	2,432
連22.9	35,426	3,777	3,725	2,696
連23.9	40,889	3,858	4,519	3,435

#残業が少ない

丸石製薬(まるいしせいやく)

株式公開していない

採用内定数	倍率	3年後離職率	平均年収
14名	8.3倍	0%	749万円

●待遇、制度●
【初任給】月23万
【残業】3.1時間【有休】13.7日【制度】フ 住 在

●新卒定着状況●
20年入社(男9、女10)→3年後在籍(男9、女10)

●採用情報●
【人数】23年:16 24年:11 25年:応募116→内定14
【内定内訳】(男3、女11)(文4、理10)(総14、他0)
【試験】〔性格〕有
【時期】エントリー25.3→内々定25.6(一次はWEB面接可)
【採用実績校】愛媛大1、関西外大1、関大1、京都ノートルダム女大1、京産大1、県立広島大1、広島大1、大阪医薬大3、島根大1、徳島大1、他
【求める人材】異なる価値観を尊重し、チームワークを大切にしながらチャレンジ精神を有する人

【本社】538-0042 大阪府大阪市鶴見区今津中2-4-2 ☎06-6964-3100
【特色・近況】周術期領域、感染対策領域、日本薬局方医薬品(ベーシックドラッグ)に特化した医療用医薬品メーカー。主力は吸入麻酔剤、手指消毒剤など。急性期・救急医療やがん患者の苦痛に対処する支持医療にも注力。大阪に工場と研究所。
【設立】1936.11 【資本金】285百万円
【代表取締役】井上勝人(1978生 同大卒)
【株主】‥
【事業】医療用医薬品・一般用医薬品等の製造・販売 <輸出30>
【従業員】単481名(‥歳)

【業績】	売上高	営業利益	経常利益	純利益
単22.3	35,296	‥	1,140	‥
単23.3	38,800	‥	1,000	‥
単24.3	42,300	‥	3,000	‥

#残業が少ない

丸善製薬(まるぜんせいやく)

株式公開計画なし

採用内定数	倍率	3年後離職率	平均年収
4名	11.8倍	10%	㊗724万円

●待遇、制度●
【初任給】月22万(諸手当0.7万円)
【残業】3.2時間【有休】12.6日【制度】住 在

●新卒定着状況●
20年入社(男8、女2)→3年後在籍(男7、女2)

●採用情報●
【人数】23年:17 24年:7 25年:応募47→内定4*
【内定内訳】(男2、女2)(文4、理0)(総4、他0)
【試験】〔筆記〕有〔Web自宅〕SPI3
【時期】エントリー25.3→内々定25.6*(一次はWEB面接可)
【採用実績校】徳島大1、愛媛大1、松山大1、福山大1
【求める人材】創意工夫して変革を起こす人、向学心を持ち挑戦し続ける人、感謝の心を持っている人

【本社】722-0062 広島県尾道市向東町14703-10 ☎0848-44-2200
【特色・近況】植物などの天然物由来成分を抽出、素材として医薬品、健康食品、化粧品メーカーに販売する。扱う生薬は300種以上。食品調味用甘草エキスの生産で創業。有効成分解明や機能性付与など研究開発に注力し提案型営業と一体で運営する。広島に3工場と自社農場。
【設立】1949.7 【資本金】98百万円
【社長】日暮泰広(1985.3生 同大商卒)
【株主】〔24.3〕ロンジェブ47.6%
【事業】食品素材・食品添加物・化粧品素材・医薬品原料他の製造・販売
【従業員】単443名(40.7歳)

【業績】	売上高	営業利益	経常利益	純利益
単22.3	15,674	‥	2,499	1,690
単23.3	15,681	‥	1,882	1,353
単24.3	16,111	‥	‥	1,168

マルホ

株式公開計画なし

採用内定数	倍率	3年後離職率	平均年収
60名	‥	6.5%	828万円

●待遇、制度●
【初任給】月24.1万
【残業】10.8時間【有休】15.4日【制度】フ 住 在

●新卒定着状況●
20年入社(男33、女13)→3年後在籍(男31、女12)

●採用情報●
【人数】23年:57 24年:65 25年:応募‥→内定60*
【内定内訳】(男34、女26)(文20、理35)(総60、他0)
【試験】〔Web自宅〕SPI3〔性格〕有
【時期】エントリー25.3→内々定25.6(一次はWEB面接可)【インターン】有
【採用実績校】‥
【求める人材】自ら目標・課題を掲げ、達成のためにチャレンジを続ける人

【本社】531-0071 大阪府大阪市北区中津1-5-22 ☎06-6371-8876
【特色・近況】皮膚科学領域に特化した医療用医薬品メーカー。医療用医薬品等の研究・開発・製造・販売・輸出入を行う。「ヒルドイド」「ベピオ」などの外用薬や「アメナリーフ」などの内服薬を中心に、にきびやアトピーなど皮膚疾患に幅広く対応。
【設立】1949.10 【資本金】382百万円
【社長】杉田淳(1974.6生 京大経済卒)
【株主】〔23.9〕公益社団法人マルホ・高木皮膚科学振興財団30.0%
【連結事業】医薬品90、他10
【従業員】連2,224名 単1,566名(40.6歳)

【業績】	売上高	営業利益	経常利益	純利益
連21.9	96,754	21,942	21,112	14,902
連22.9	95,390	16,431	15,035	7,972
連23.9	96,184	6,227	6,967	3,866

㈱ミノファーゲン製薬(せいやく)　株式公開計画なし

採用内定数	倍率	3年後離職率	平均年収
1名	‥	50%	‥

●待遇、制度●
【初任給】月21.8万(諸手当0.8万円)
【残業】‥時間【有休】16.6日【制度】住 在
●新卒定着状況●
20年入社(男4、女0)→3年後在籍(男2、女0)
●採用情報● 大卒以上のみ
【人数】23年:1 24年:0 25年:応募‥→内定1*
【内定内訳】(男1、女0)(文0、理1)(総0、他1)
【試験】〔筆記〕常識〔性格〕有
【時期】エントリー25.3→内々定25.‥【インターン】有【ジョブ型】有
【採用実績校】東京薬大1
【求める人材】企業理念に共感し、その実現に向かって共に進める人

【本社】160-0023 東京都新宿区西新宿3-2-11 新宿三井ビルディング二号館3階 ☎03-5909-2323
【特色・近況】肝臓用治療薬「強力ネオミノファーゲンシー」「グリチロン配合錠」などを手がける医療用医薬品メーカー。ニッチ領域の新薬開発を積極化。皮膚リンパ腫治療剤の適応症を拡大中。神奈川・座間に工場と研究所。中国・北京に現地法人持ち海外売上比率5割超。
【設立】1938.5 【資本金】30百万円
【社長】宇都宮徳一郎(1968.3生 玉川大文卒)
【株主】〔24.3〕ミノファーゲンホールディングス100%
【事業】注射20、錠剤55、カプセル剤20、他5 <海外54>
【従業員】単152名(‥歳)

【業績】	売上高	営業利益	経常利益	純利益
単22.3	5,459	558	554	413
単23.3	4,292	▲240	▲207	▲197
単24.3	4,620	256	261	200

森下仁丹(もりしたじんたん)　東証スタンダード

採用内定数	倍率	3年後離職率	平均年収
9名	17.4倍	33.3%	617万円

●待遇、制度●
【初任給】月22万(諸手当を除いた数値)
【残業】13.5時間【有休】12.4日【制度】住 在
●新卒定着状況●
20年入社(男6、女6)→3年後在籍(男4、女4)
●採用情報●
【人数】23年:6 24年:16 25年:応募157→内定9*
【内定内訳】(男3、女6)(文0、理9)(総9、他0)
【試験】〔筆記〕SPI3〔Web自宅〕SPI3
【時期】エントリー25.3→内々定25.5(一次・二次以降もWEB面接可)【インターン】有
【採用実績校】神戸大1、九大1、岐阜大1、佐賀大1、大阪公大1、関大1、京都薬大1、東京都市大1、摂南大1
【求める人材】大きな夢を描き、常に経営者的な発想をもってリーダーシップが取れる人

【本社】540-8566 大阪府大阪市中央区玉造1-2-40 ☎06-6761-1131
【特色・近況】「仁丹」で有名な老舗メーカー。仁丹製造から派生したシームレスカプセル技術をベースに、医薬品や食品のカプセル受託製造も行う。医薬品や医療機器、後発医薬品、化粧品、食品も手がける。大阪、滋賀に工場を置く。
【設立】1936.11 【資本金】3,537百万円
【社長】森下雄司(1972.7生 甲南大経営卒)
【株主】〔24.3〕㈱森下泰山26.3%
【連結事業】ヘルスケア67、カプセル受託33、他0 <海外20>
【従業員】連354名 単326名(41.9歳)

【業績】	売上高	営業利益	経常利益	純利益
連22.3	9,563	299	340	283
連23.3	11,359	569	623	491
連24.3	12,406	716	815	697

㈱リニカル　東証スタンダード

採用内定数	倍率	3年後離職率	平均年収
5名	62倍	32.1%	631万円

●待遇、制度●
【初任給】月22.3万(諸手当を除いた数値)
【残業】14.7時間【有休】15.5日【制度】フ 在
●新卒定着状況●
‥
●採用情報●
【人数】23年:0 24年:4 25年:応募310→内定5
【内定内訳】(男1、女4)(文0、理5)(総0、他5)
【試験】〔Web自宅〕有〔性格〕有
【時期】エントリー24.11→内々定25.2(一次・二次以降もWEB面接可)【インターン】有【ジョブ型】有
【採用実績校】神戸薬大1、明治薬大2、立命館大1、近大1
【求める人材】変化を恐れずグローバルで活躍したい人

【本社】532-0003 大阪府大阪市淀川区宮原1-6-1 新大阪ブリックビル ☎06-6150-2478
【特色・近況】新薬開発の臨床試験受託業(CRO)中堅。顧客は国内大手製薬に加え、海外大手、バイオベンチャーも。がん、中枢神経系、免疫系の後期治験に特化。製造販売後の臨床試験・研究を支援する育薬事業も展開。アジア、欧州、米国の約30カ国でサービス提供。
【設立】2005.6 【資本金】214百万円
【取締】秦野和浩(1965.3生 星薬大薬卒)
【株主】〔24.3〕㈱秦野18.1%
【連結事業】CRO94、育薬6 <海外62>
【従業員】連662名 単314名(36.6歳)

【業績】	売上高	営業利益	経常利益	純利益
連22.3	11,555	1,085	1,183	790
連23.3	12,516	1,256	1,283	1,004
連24.3	12,307	725	790	338

わかもと製薬（せいやく）

東証スタンダード

採用内定数	倍率	3年後離職率	平均年収
10名	20倍	0%	580万円

●待遇、制度●
【初任給】月21.8万（諸手当0.6万円）
【残業】5時間【有休】11.7日【制度】住 在
●新卒定着状況●
20年入社（男1、女2）→3年後在籍（男1、女2）
●採用情報●
【人数】23年:9 24年:11 25年:応募200→内定10*
【内定内訳】（男6、女4）（文4、理6）（総10、他0）
【試験】〔筆記〕常識〔性格〕有
【時期】エントリー25.3→内々定25.6（一次はWEB面接可）
【採用実績校】明大1、中大1、星薬大1、国際医療福祉大1、中京大1、日大2、東洋大1、東京工科大1
【求める人材】自ら考え、行動できる人

【本社】103-8330 東京都中央区日本橋本町2-2-2 ☎03-3279-0371
【特色・近況】一般用胃腸薬「強力わかもと」で有名。収益柱は医療用医薬品の点眼液や眼科手術補助剤、緑内障薬など。乳酸菌製剤「レベニン錠」も扱う。乳酸菌入り薬用歯磨き粉「アバンビース」や犬猫用のサプリなど手がけ、自社通販も展開。
【設立】1933.1 【資本金】3,395百万円
【社長】五十嵐新（1958.11生 東北大法卒）
【株主】〔24.3〕キッセイ薬品工業10.8%
【事業】医薬44、ヘルスケア32、グローバル22、不動産2
【従業員】単282名（44.1歳）

【業績】	売上高	営業利益	経常利益	純利益
単22.3	8,383	▲13	72	238
単23.3	8,660	141	242	138
単24.3	7,738	▲195	▲161	108

㈱アイセロ

株式公開いずれしたい

採用内定数	倍率	3年後離職率	平均年収
14名	5.5倍	4.5%	584万円

●待遇、制度●
【初任給】月23.5万
【残業】5.7時間【有休】13.5日【制度】住 在
●新卒定着状況●
20年入社（男19、女3）→3年後在籍（男18、女3）
●採用情報●
【人数】23年:18 24年:9 25年:応募77→内定14
【内定内訳】（男9、女5）（文4、理7）（総11、他3）
【試験】〔Web自宅〕SPI3
【時期】エントリー25.3→内々定25.5（一次・二次以降もWEB面接可）【インターン】有
【採用実績校】中部大2、名城大1、愛知工業大1、中京大1、愛知学大1、名古屋外大1、大同大1、弘前大1、愛媛大1、電通大1
【求める人材】意識が高く、積極的に仕事に取り組む、熱意のある人

【本社】441-1115 愛知県豊橋市石巻本町字越川45 ☎0532-88-4111
【特色・近況】防錆フィルム、水溶性フィルム、クリーン容器などの製造・販売を行う。主力の気化性防錆フィルム「ボーセロン」は自動車、機械、鉄鋼など各分野で実績。中国、韓国、マレーシアに製造拠点、米国、カナダ、ドイツなどに営業拠点。
【設立】1948.4 【資本金】350百万円
【社長】盛田智（1961.5生 滋賀大経済卒）
【株主】〔24.3〕アイセロホールディングス45.7%
【事業】ポリエチレンフィルム37、成形品21、PVAフィルム30、他12
【従業員】単584名（40.2歳）

【業績】	売上高	営業利益	経常利益	純利益
単22.3	22,266	3,437	3,828	2,583
単23.3	22,774	2,184	2,612	1,729
単24.3	22,618	2,286	2,604	1,807

#残業が少ない

アオイ化学工業（かがくこうぎょう）

株式公開計画なし

採用内定数	倍率	3年後離職率	平均年収
1名	13倍	66.7%	‥

●待遇、制度●
【初任給】月22万（諸手当1万円）
【残業】2.5時間【有休】11.6日【制度】住 在
●新卒定着状況●
20年入社（男6、女0）→3年後在籍（男2、女0）
●採用情報●
【人数】23年:3 24年:6 25年:応募13→内定1*
【内定内訳】（男1、女0）（文1、理0）（総1、他0）
【試験】〔筆記〕有
【時期】エントリー25.2→内々定25.3（一次はWEB面接可）【インターン】有
【採用実績校】専大1、近大1、山口大1、新潟医療福祉大1、新潟国際情報大1
【求める人材】仕事を通じて社会貢献をしたい人、インフラという責任感のある分野で仕事がしたい人

【本社】731-0141 広島県広島市安佐南区相田1-1-26 ☎082-877-1341
【特色・近況】コンクリート用目地材、接着剤・補強材、緩衝材などを扱う土木用化学資材メーカー。コンクリート用目地板の製造販売では国内首位級を誇る。消音ボードなど住宅関連資材にも注力。広島・安芸高田市と埼玉・深谷市に工場。
【設立】1952.12 【資本金】89百万円
【社長】塩本崇公（1978.1生 中大商卒）
【株主】〔24.2〕塩本崇公51.2%
【事業】目地板27、舗装資材22、注入・成型目地材他36、工事施工14 <輸出1>
【従業員】単121名（39.3歳）

【業績】	売上高	営業利益	経常利益	純利益
単22.2	4,602	169	547	263
単23.2	4,475	198	70	54
単24.2	4,192	184	368	247

メーカー（素材・身の回り品）

㈱アテクト

東証スタンダード

採用内定数	倍率	3年後離職率	平均年収
4名	6.5倍	−	535万円

●待遇、制度●
【初任給】月21.4万
【残業】20.3時間【有休】11.4日【制度】住
●新卒定着状況●
20年入社(男0、女0)→3年後在籍(男0、女0)
●採用情報●
【人数】23年:0 24年:0 25年:応募26→内定4
【内定内訳】(男3、女1)(文0、理3)(総4、他0)
【試験】〔Web自宅〕SPI3
【時期】エントリー25.3→内々定25.6
【採用実績校】長浜バイオ大3
【求める人材】徹底的に挑戦者である人

【本社】527-0082 滋賀県東近江市上羽田町3275-1 ☎0748-20-3400
【特色・近況】半導体保護資材と衛生検査器材が2本柱。半導体保護資材は、情報電子機器部品のテープ部材を製造・搬送工程で保護するスペーサーテープが主力で世界シェア首位。衛生検査器材はシャーレが主体で食品や医薬品分野で展開。PIM(粉末射出成形)事業を育成。
【設立】1969.4 【資本金】822百万円
【社長】大西誠(1961.12生 大経大卒)
【株主】〔24.3〕三甲33.1%
【連結事業】半導体資材37、衛生検査器材58、PIM4、他1 <海外28>
【従業員】連109名 単51名(41.1歳)

【業績】	売上高	営業利益	経常利益	純利益
連22.3	3,086	324	348	169
連23.3	2,961	176	193	158
連24.3	3,175	64	78	▲244

アトミクス

東証スタンダード

採用内定数	倍率	3年後離職率	平均年収
3名	1.7倍	0%	545万円

●待遇、制度●
【初任給】月23万
【残業】11.8時間【有休】11.5日【制度】‥
●新卒定着状況●
20年入社(男3、女0)→3年後在籍(男3、女0)
●採用情報●
【人数】23年:0 24年:3 25年:応募5→内定3*
【内定内訳】(男1、女2)(文0、理3)(総3、他0)
【試験】〔性格〕有
【時期】エントリー‥→内々定‥(一次はWEB面接可)【インターン】有
【採用実績校】千葉工大1、宇都宮大1、静岡大1
【求める人材】少々荒削りでも良いので変化する環境に立ち向かえる人

【本社】174-8574 東京都板橋区舟渡3-9-6 ☎03-3969-3111
【特色・近況】道路用、床・屋根・防水などの建築用、家庭用塗料の塗料中堅メーカー。センターラインや横断歩道などに使用する道路・路面標示用塗料はシェアトップ。子会社で道路用塗料施工機の製造、コンクリート構造物の保護・補修工事を手がける。
【設立】1948.5 【資本金】1,040百万円
【社長】宮里勝之(1962.11生 明大工卒)
【株主】〔24.3〕東京中小企業投資育成9.6%
【連結事業】塗料販売93、施工7
【従業員】連282名 単220名(44.2歳)

【業績】	売上高	営業利益	経常利益	純利益
連22.3	11,061	421	447	378
連23.3	11,391	155	179	81
連24.3	12,122	360	382	239

㈱有沢製作所(ありさわせいさくしょ)

東証プライム

採用内定数	倍率	3年後離職率	平均年収
5名	‥	0%	566万円

●待遇、制度●
【初任給】月22.9万
【残業】‥時間【有休】‥日【制度】フ 住 在
●新卒定着状況●
20年入社(男7、女1)→3年後在籍(男7、女1)
●採用情報●
【人数】23年:14 24年:9 25年:応募‥→内定5*
【内定内訳】(男4、女1)(文0、理5)(総5、他0)
【試験】〔筆記〕有〔性格〕有
【時期】エントリー25.3→内々定25.4【インターン】有
【採用実績校】‥
【求める人材】「創造」「革新」「挑戦」のマインドを持った人

【本社】943-8610 新潟県上越市南本町1-5-5 ☎025-524-7101
【特色・近況】プリント基板向け電子材料が主要事業。ガラス繊維製造が発祥。背面投射式テレビ用フレネルレンズやフレキシブルプリント配線板材料などで成長。電気絶縁材料や産業用構造材料も手がける。スマホ向け軸だが車載用など高付加価値化に力点。
【設立】1949.7 【資本金】7,875百万円
【社長】有沢悠太(1969.7生 慶大院経営修了)
【株主】〔24.3〕日本マスタートラスト信託銀行信託口12.8%
【連結事業】電子材料60、産業用構造材料25、電気絶縁材料6、ディスプレイ材料8、他1 <海外56>
【従業員】連1,468名 単607名(44.9歳)

【業績】	売上高	営業利益	経常利益	純利益
連22.3	43,089	3,320	4,204	3,911
連23.3	42,722	2,228	2,717	2,856
連24.3	42,114	1,483	1,488	1,639

石原ケミカル（いしはら） 東証プライム

採用内定数	倍率	3年後離職率	平均年収
9名	11.8倍	12.5%	626万円

●待遇、制度●
【初任給】月23.8万(固定残業代20時間分)
【残業】8.8時間【有休】14.7日【制度】住 在
●新卒定着状況●
20年入社(男8、女0)→3年後在籍(男7、女0)
●採用情報●
【人数】23年:9 24年:8 25年:応募106→内定9
【内定内訳】(男4、女5)(文5、理2)(総9、他0)
【試験】〔Web自宅〕SPI3
【時期】エントリー25.3→内々定25.5(一次はWEB面接可)【インターン】有
【採用実績校】公立鳥取環境大1、滋賀大1、神戸高専2、神戸大1、関西学大2、近大1、大阪経大1
【求める人材】自ら考え、自ら行動する人

【本社】652-0806 兵庫県神戸市兵庫区西柳原町5-26 ☎078-681-4801
【特色・近況】研究開発型の電子部品用メッキ液メーカー。界面化学を中核技術に、電子関連、工業薬品、自動車用品の分野で事業展開。電子部品用めっき液が主力製品。国産初の液体カーワックスを開発した実績があり、「ユニコン」ブランドで自動車関連製品を販売。
【設立】1939.3 【資本金】1,980百万円
【社長】藤本昭彦(1961.8生)
【株主】〔24.3〕ニッポン・アクティブ・バリュー・ファンド5.6%
【連結事業】金属表面処理剤・機器等51、電子材料3、自動車用化学製品等17、工業薬品29 <海外38>
【従業員】連274名 単227名(39.3歳)

【業績】	売上高	営業利益	経常利益	純利益
連22.3	19,036	2,355	2,514	2,049
連23.3	20,345	2,139	2,258	1,684
連24.3	20,705	2,328	2,457	1,906

石原産業（いしはらさんぎょう） 東証プライム

採用内定数	倍率	3年後離職率	平均年収
23名	16.2倍	0%	総696万円

●待遇、制度●
【初任給】月24.8万
【残業】11.4時間【有休】15.5日【制度】フ 住 在
●新卒定着状況●
20年入社(男15、女3)→3年後在籍(男15、女3)
●採用情報●
【人数】23年:29 24年:40 25年:応募373→内定23
【内定内訳】(男15、女8)(文1、理22)(総23、他0)
【試験】なし
【時期】エントリー通年→内々定通年(一次・二次以降もWEB面接可)
【採用実績校】‥
【求める人材】‥

【大阪本社】550-0002 大阪府大阪市西区江戸堀1-3-15 ☎06-6444-1451
【特色・近況】酸化チタン国内首位の化学メーカー。MLCC(積層セラミックコンデンサー)向けのチタン酸バリウムや導電性高分子など電子部品材料となる高純度酸化チタンの分野が拡大。有機化学事業は農薬が主体で、医薬品、動物医薬品等も手がける。
【設立】1949.6 【資本金】43,420百万円
【社長】大久保浩(1961.12生 静岡大工卒)
【株主】〔24.3〕日本マスタートラスト信託銀行信託口13.6%
【連結事業】無機化学49、有機化学49、他2 <海外56>
【従業員】連1,813名 単1,146名(43.8歳)

【業績】	売上高	営業利益	経常利益	純利益
連22.3	110,955	11,557	13,272	11,690
連23.3	131,238	8,631	10,349	6,947
連24.3	138,456	11,491	14,850	7,988

#有休取得が多い

伊勢化学工業（いせかがくこうぎょう） 東証スタンダード

採用予定数	倍率	3年後離職率	平均年収
2名	‥	0%	689万円

●待遇、制度●
【初任給】月23.7万(諸手当2万円)
【残業】16.9時間【有休】17.7日【制度】住
●新卒定着状況●
20年入社(男7、女1)→3年後在籍(男7、女1)
●採用情報●
【人数】23年:3 24年:1 25年:予定2
【内定内訳】(男‥、女‥)(文‥、理‥)(総‥、他‥)
【試験】‥
【時期】エントリー‥→内々定‥【インターン】有
【採用実績校】‥
【求める人材】‥

【本社】104-0031 東京都中央区京橋1-3-1 八重洲口大栄ビル ☎03-3242-0520
【特色・近況】ヨウ素化学で国内首位、世界でも大手級。独自工法で効率的に抽出し生産。ヨードチンキ・血液造影剤など医療向け、液晶偏光板向け、フッ素化学向けが3本柱。ヨウ素・金属化合物の電子・半導体材料関連用途の開発を推進。
【設立】1948.3 【資本金】3,599百万円
【代表取締役】平岡正司(1959.11生 阪大院基礎工修了)
【株主】〔24.6〕AGC52.4%
【連結事業】ヨウ素・天然ガス86、金属化合物14 <海外45>
【従業員】連313名 単284名(39.5歳)

【業績】	売上高	営業利益	経常利益	純利益
連21.12	20,354	2,709	2,689	1,773
連22.12	25,564	3,756	3,657	2,562
連23.12	26,413	5,296	5,117	3,672

㈱イチネンケミカルズ

株式公開計画なし

採用内定数	倍率	3年後離職率	平均年収
3名	12倍	0%	㊇596万円

●待遇、制度●
【初任給】月22.6万
【残業】5時間【有休】16.2日【制度】住 在
●新卒定着状況●高卒除く
20年入社(男5、女2)→3年後在籍(男5、女2)
●採用情報●
【人数】23年:8 24年:5 25年:応募36→内定3*
【内定内訳】(男2、女1)(文1、理2)(総3、他0)
【試験】〔Web自宅〕SPI3〔性格〕有
【時期】エントリー24.7→内々定24.12(一次はWEB面接可)【インターン】有【ジョブ型】有
【採用実績校】法政大1、中大1、日工大1
【求める人材】何事にも好奇心を持って取り組める人

【本社】108-0023 東京都港区芝浦4-2-8 住友不動産三田ツインビル東館8階 ☎03-6414-5600
【特色・近況】工業用ボイラー向け燃料添加剤などを手がける工業薬品メーカー。船舶用重油添加剤などを取り扱うマリン事業も手がける。「クリンビュー」など個人向けカーケミカル用品も扱う。関東工場(茨城)と播磨工場(兵庫)の2工場体制。神奈川・藤沢市に研究開発拠点。
【設立】1953.3 【資本金】100百万円
【社長】黒田雄彦(1963.11生 甲南大経済卒)
【株主】〔24.3〕イチネンホールディングス100%
【事業】工業薬品、化学品
【従業員】単244名(44.5歳)

【業績】	売上高	営業利益	経常利益	純利益
単22.3	11,573	1,244	1,273	868
単23.3	11,886	1,108	1,139	835
単24.3	11,918	1,087	1,132	809

イハラニッケイ化学工業(かがくこうぎょう)

株式公開計画なし

採用実績数	倍率	3年後離職率	平均年収
3名	−	0%	588万円

●待遇、制度●
【初任給】月21万(諸手当を除いた数値)
【残業】9.7時間【有休】12.6日【制度】住
●新卒定着状況●
20年入社(男3、女0)→3年後在籍(男3、女0)
●採用情報●
【人数】23年:1 24年:3 25年:予定減少
【内定内訳】(男‥、女‥)(文‥、理‥)(総‥、他‥)
【試験】〔筆記〕常識〔性格〕有
【時期】エントリー24.12→内々定25.4*
【採用実績校】‥
【求める人材】自ら考え自ら行動する人

【本社】421-3203 静岡県静岡市清水区蒲原5700-1 ☎054-388-2561
【特色・近況】トルエンとキシレンの塩素化から誘導される化学製品中心に、農・医薬、染・顔料、樹脂、繊維などファインケミカル分野に原材料を供給する化学メーカー。キシレンの誘導体事業に注力し開発展開。クミアイ化学工業グループ。
【設立】1979.3 【資本金】780百万円
【社長】松永勝之(1964.8生 駒沢大経営卒)
【株主】〔23.10〕クミアイ化学工業73.7%
【事業】各種塩素化を駆使した農薬・医薬・染顔料等の製販・研究・開発、他 <輸出50>
【従業員】単143名(34.9歳)

【業績】	売上高	営業利益	経常利益	純利益
単21.10	7,022	388	540	359
単22.10	9,280	333	817	575
単23.10	7,619	70	219	143

岩谷瓦斯(いわたにがす)

株式公開計画なし

採用内定数	倍率	3年後離職率	平均年収
16名	9.4倍	6.7%	660万円

●待遇、制度●
【初任給】月23.9万(諸手当3.7万円)
【残業】12.3時間【有休】11.2日【制度】住 在
●新卒定着状況●
20年入社(男15、女0)→3年後在籍(男14、女0)
●採用情報●
【人数】23年:14 24年:14 25年:応募150→内定16*
【内定内訳】(男12、女4)(文0、理16)(総16、他0)
【試験】〔性格〕有
【時期】エントリー25.1→内々定25.2*(一次はWEB面接可)【インターン】有
【採用実績校】長崎大1、岐阜大1、吉備国際大1、大阪工大1、関大1、中部大1、福岡大1、東京工科大1、公立鳥取環境大1、近大1、他
【求める人材】時代の変化に合わせ、常に新しいことにチャレンジする人

【本社】530-0047 大阪府大阪市北区西天満4-8-17 ☎06-6530-1011
【特色・近況】岩谷産業グループの産業ガス事業中核会社。各種産業ガスの製造と、ガス供給設備等のエンジニアリングの2事業を展開する総合産業ガスメーカー。水素ステーションの建設受注も手がける。東北から九州まで複数の工場を有する。
【設立】1947.3 【資本金】1,619百万円
【社長】上羽尚登(1952.2生 慶大商卒)
【株主】〔24.3〕岩谷産業100%
【事業】ガス84、エンジニアリング15、ガス関連1
【従業員】単508名(43.8歳)

【業績】	売上高	営業利益	経常利益	純利益
単22.3	32,211	1,582	1,722	1,066
単23.3	38,764	1,824	1,907	1,189
単24.3	43,220	2,028	2,168	1,310

上村工業（うえむらこうぎょう）　東証スタンダード

採用内定数	倍率	3年後離職率	平均年収
6名	11倍	29.4%	784万円

●待遇、制度●
【初任給】月22.5万
【残業】16.4時間【有休】12.3日【制度】[住]
●新卒定着状況●
20年入社（男11、女6）→3年後在籍（男6、女6）
●採用情報●
【人数】23年:18 24年:11 25年:応募66→内定6*
【内定内訳】（男4、女2）（文3、理3）（総3、他3）
【試験】〔Web自宅〕SPI3〔性格〕有
【時期】エントリー24.6→内々定24.10（一次はWEB面接可）【インターン】有
【採用実績校】尾道市大1、同大1、島根県大1、芝工大1、関大1、近大1
【求める人材】何ごとにも前向きに積極的に行動し、かつ組織の構成員として協調性のある人

【本社】541-0045 大阪府大阪市中央区道修町3-2-6 ☎06-6202-8518
【特色・近況】メッキ用薬品の業界首位メーカー。表面処理用機械装置の製造やグループでメッキ加工も手がけ、薬品・機械・設備の三位一体で事業展開。主力はプリント基板用とパッケージ基板用のメッキ薬品。東南アジア、中国、台湾、韓国、米国に生産拠点。
【設立】1933.12　【資本金】1,336百万円
【社長】上村寛也（1956.3生）
【株主】〔24.3〕浪花殖産25.1%
【連結事業】表面処理用資材76、表面処理用機械18、めっき加工5、不動産賃貸1、他0 <海外61>
【従業員】連1,576名 単299名（40.5歳）

【業績】	売上高	営業利益	経常利益	純利益
連22.3	72,303	13,947	14,606	9,681
連23.3	85,749	15,046	15,832	10,545
連24.3	80,256	14,994	15,871	10,920

エスケー化研（かけん）　東証スタンダード

採用内定数	倍率	3年後離職率	平均年収
13名	254.9倍	33.3%	[総]626万円

●待遇、制度●
【初任給】月24.6万
【残業】20時間【有休】11.1日【制度】[住]
●新卒定着状況●
20年入社（男15、女3）→3年後在籍（男10、女2）
●採用情報●
【人数】23年:22 24年:24 25年:応募3314→内定13*
【内定内訳】（男9、女4）（文5、理6）（総13、他0）
【試験】〔筆記〕常識〔性格〕有
【時期】エントリー25.1→内々定25.4（一次・二次以降もWEB面接可）【インターン】有
【採用実績校】近大4、関大2、関西学大1、東邦大1、東洋大1、日大1、京都橘大1、大阪公大高専1、宇部高専1
【求める人材】相手の立場で物事を考え、臨機応変に行動ができる人

【本社】567-0034 大阪府茨木市中穂積3-5-25 ☎072-621-7720
【特色・近況】建築仕上げ塗材の国内最大手。リフォーム向けがメイン。建築用塗料の基礎となる砂壁状吹付材や外装吹付タイルなどを開発。技術力に優れ、水性化では最先端。海外はシンガポール、中国、マレーシア、タイ、香港などに拠点を展開。
【設立】1958.4　【資本金】2,662百万円
【社長】藤井実広（1966.9生 阪市大商卒）
【株主】〔24.3〕四国興産㈲27.4%
【連結事業】建築仕上塗材89、耐火断熱材9、他2 <海外16>
【従業員】連2,299名 単1,633名（41.2歳）

【業績】	売上高	営業利益	経常利益	純利益
連22.3	88,282	10,402	12,928	8,833
連23.3	95,580	9,941	12,803	9,034
連24.3	100,883	12,085	17,058	11,825

#残業が少ない

OATアグリオ　東証スタンダード

採用内定数	倍率	3年後離職率	平均年収
8名	9.1倍	0%	699万円

●待遇、制度●
【初任給】月22.5万（諸手当1.5万円）
【残業】3.5時間【有休】12.8日【制度】[住][在]
●新卒定着状況●
20年入社（男4、女2）→3年後在籍（男4、女2）
●採用情報●
【人数】23年:8 24年:6 25年:応募73→内定8
【内定内訳】（男8、女0）（文1、理7）（総0、他8）
【試験】〔性格〕有
【時期】エントリー25.3→内々定‥【インターン】有【ジョブ型】有
【採用実績校】上智大1、香川大1、東京農工大1、茨城大1、東京農業大1、三重大1
【求める人材】チャレンジ精神旺盛で責任を持って行動し、世界に目を向けられる人

【本社】101-0052 東京都千代田区神田小川町1-3-1 NBF小川町ビルディング☎03-5283-0251
【特色・近況】農薬と肥料の開発・製造が主軸。主力製品は殺虫剤、殺菌剤、除草剤などの農薬。殺虫剤「オンコル」は国内ロングセラー品。肥料製品や養液土耕栽培システムの施肥灌水関連、植物成長調整剤なども手がける。アジア、中南米、アフリカの販売体制を強化。
【設立】2010.9　【資本金】461百万円
【社長】岡尚（1961.2生 三重大工卒）
【株主】〔24.6〕日本マスタートラスト信託銀行信託口6.7%
【連結事業】農薬41、肥料・バイオスティミュラント59 <海外72>
【従業員】連585名 単174名（41.7歳）

【業績】	売上高	営業利益	経常利益	純利益
連21.12	22,657	1,982	1,969	1,443
連22.12	26,960	3,346	3,385	2,261
連23.12	28,988	3,766	3,800	2,488

大阪ガスケミカル（おおさか）

株式公開計画なし

採用内定数	倍率	3年後離職率	平均年収
8名	‥	‥	‥

●待遇、制度●
【初任給】‥万
【残業】15.2時間【有休】14.1日【制度】フ 住 在
●新卒定着状況●
‥
●採用情報●
【人数】23年:8 24年:11 25年:応募‥→内定8
【内定内訳】(男8、女0)(文1、理7)(総8、他0)
【試験】
【時期】エントリー‥→内々定‥【インターン】有
【採用実績校】岡山大2、信州大1、山形大1、大阪公大1、京都府大1、福井大1、大阪経大1
【求める人材】失敗を恐れず挑戦できる人、高い倫理観を持つ人、互いを尊重しチームで成果を出せる人

【本社】550-0023 大阪府大阪市西区千代崎3-南2-37 ☎06-4393-0181
【特色・近況】光学樹脂、液晶ディスプレー材料、炭素繊維材料、木材保存剤、「白鷺」ブランドの活性炭などを開発・製造・販売。「ファイン材料」「炭素材料」「保存剤」「活性炭」の4事業を展開。大阪ガスのコークス・タール販売部門が母体。
【設立】1949.6 【資本金】14,231百万円
【社長】榊谷武史
【株主】〔24.3〕大阪ガス100%
【事業】活性炭部門55、ファイン材料部門20、保存剤事業10、炭素材15 <輸出30>
【従業員】単417名(‥歳)

【業績】	売上高	営業利益	経常利益	純利益
単22.3	34,027	2,088	2,534	2,052
単23.3	34,186	2,198	2,807	5,890
単24.3	33,516	1,210	1,752	2,845

㈱大阪ソーダ（おおさか）

東証プライム

採用実績数	倍率	3年後離職率	平均年収
23名	‥	7.1%	723万円

●待遇、制度●
【初任給】月26.1万(諸手当3.1万円)
【残業】12.4時間【有休】16.7日【制度】フ 住 在
●新卒定着状況●
20年入社(男12、女2)→3年後在籍(男11、女2)
●採用情報●
【人数】23年:16 24年:23 25年:予定前年並*
【内定内訳】(男‥、女‥)(文‥、理‥)(総‥、他‥)
【試験】〔Web自宅〕SPI3〔性格〕有
【時期】エントリー25.3→内々定25.6(一次はWEB面接可)【インターン】有
【採用実績校】阪大、金沢大、山口大、大阪公大、兵庫県大
【求める人材】人事ポリシーは『自律した社会人』『自己成長を続ける人』

【本社】550-0011 大阪府大阪市西区阿波座1-12-18 ☎06-6110-1560
【特色・近況】苛性ソーダ、塩酸、液化塩素、塩素ガスなどの基礎化学品から、アリルエーテル、ダップ樹脂、医薬品原薬・中間体などの機能化学品を展開。エポキシ樹脂原料のエピクロルヒドリンをはじめ、国内や世界シェア首位のニッチ製品を多数持つ。
【設立】1915.11 【資本金】15,871百万円
【代表取締役】寺田健志(1965.12生 京大工卒)
【株主】〔24.3〕日本マスタートラスト信託銀行信託口12.2%
【連結事業】基礎化学品38、機能化学品31、ヘルスケア13、商社部門他18 <海外34>
【従業員】連1,025名 単653名(43.3歳)

【業績】	売上高	営業利益	経常利益	純利益
連22.3	88,084	12,401	13,435	9,442
連23.3	104,208	15,557	17,164	10,570
連24.3	94,557	10,492	12,008	7,650

大阪有機化学工業（おおさかゆうきかがくこうぎょう）

東証プライム

採用内定数	倍率	3年後離職率	平均年収
10名	32.7倍	21.1%	778万円

●待遇、制度●
【初任給】月23万(諸手当を除いた数値)
【残業】23.1時間【有休】11.7日【制度】フ 住 在
●新卒定着状況●
20年入社(男13、女6)→3年後在籍(男11、女4)
●採用情報●
【人数】23年:20 24年:14 25年:応募327→内定10
【内定内訳】(男8、女2)(文0、理10)(総0、他10)
【試験】〔性格〕有
【時期】エントリー24.6→内々定24.11(一次・二次以降もWEB面接可)【インターン】有
【採用実績校】工学院大1、名工大1、金沢工大3、大阪公大1、関大1、近大1、兵庫県大1、山口大1
【求める人材】仕事に対し責任をもって行動し、熱意と意欲を持ち続け、自らを磨き共に支えあえる人

【本社】541-0052 大阪府大阪市中央区安土町1-8-15 ☎06-6264-5071
【特色・近況】独立系の中堅ファインケミカル企業。アクリル酸エステルが主力製品。塗料・インキ材料などの各種エステル化成品、ディスプレー向けの光学材料やレジスト原料を中心とした電子材料、化粧品向け原材料などの機能化学品を製造・販売する。
【設立】1946.12 【資本金】3,600百万円
【社長】安藤昌幸(1962.6生 愛媛大工卒)
【株主】〔24.5〕日本マスタートラスト信託銀行信託口12.2%
【連結事業】化成品36、電子材料44、機能化学品20 <海外25>
【従業員】連461名 単406名(40.7歳)

【業績】	売上高	営業利益	経常利益	純利益
連21.11	35,027	5,852	6,253	4,998
連22.11	32,236	5,934	6,365	4,725
連23.11	28,907	3,577	3,877	3,270

オキツモ

株式公開計画なし

採用内定数	倍率	3年後離職率	平均年収
1名	4倍	0%	㊙483万円

●待遇、制度●
【初任給】月21万
【残業】6時間【有休】10日【制度】住 在
●新卒定着状況●
20年入社(男2、女0)→3年後在籍(男2、女0)
●採用情報●
【人数】23年:5 24年:1 25年:応募4→内定1*
【内定内訳】(男1、女0)(文1、理0)(総1、他0)
【試験】〔Web自宅〕有〔性格〕有
【時期】エントリー25.3→内々定25.6*(一次はWEB面接可)
【採用実績校】京都外大1
【求める人材】自分の可能性にチャレンジし、自分が面白いと思うことをアピールして自己実現したい人

【本社】518-0751 三重県名張市蔵持町芝出1109-7 ☎0595-63-9095
【特色・近況】フッ素樹脂塗料、光触媒塗料、放熱塗料などの機能性塗料メーカー。シリコーン系耐熱塗料、光触媒塗料は国内首位。フライパン用からロケット発射台向けまで用途広範。中国、タイに生産拠点。ブラジル、スペイン、インドに販売拠点。
【設立】1945.3 【資本金】99百万円
【社長】山中重治(1966.7生 甲南大文卒)
【株主】〔23.12〕名古屋中小企業投資育成40.3%
【事業】機能性耐熱塗料46、光触媒塗料8、塗装物件16、他30
【従業員】単148名(‥歳)

【業績】	売上高	営業利益	経常利益	純利益
単21.12	3,575	163	205	14
単22.12	3,814	196	393	421
単23.12	3,660	67	328	263

小野田化学工業（おのだかがくこうぎょう）

株式公開計画なし

採用予定数	倍率	3年後離職率	平均年収
3名	―	12.5%	511万円

●待遇、制度●
【初任給】月22.2万(諸手当1.2万円)
【残業】9.9時間【有休】16.2日【制度】フ 住 在
●新卒定着状況●
20年入社(男5、女3)→3年後在籍(男5、女2)
●採用情報●
【人数】23年:0 24年:0 25年:応募17→内定0*
【内定内訳】(男‥、女‥)(文‥、理‥)(総‥、他‥)
【試験】なし
【時期】エントリー25.3→内々定25.6(一次・二次以降もWEB面接可)
【採用実績校】‥
【求める人材】協調性とチャレンジ精神に富み、主体的に物事に取り組める人

【本社】105-0022 東京都港区海岸1-15-1 スズエベイディアム6階 ☎03-5776-8222
【特色・近況】太平洋セメントグループの肥料・飼料メーカー。肥料では重焼燐(リン酸質肥料)、飼料では小野田トリカホス(リン酸三石灰)が主力製品。副生するフッ素を他物質と合成し、鉄鋼・非鉄向けの添加剤、金属表面処理剤として国内外に販売。
【設立】1939.7 【資本金】301百万円
【社長】小池敦裕(1960.5生 日大工化卒)
【株主】〔24.3〕太平洋セメント98.2%
【事業】肥料63、飼料29、化成品5、建材3 <輸出1>
【従業員】単170名(42.2歳)

【業績】	売上高	営業利益	経常利益	純利益
単22.3	8,837	‥	‥	‥
単23.3	9,934	‥	‥	‥
単24.3	9,088	‥	‥	‥

㈱カーリット

東証プライム

採用内定数	倍率	3年後離職率	平均年収
15名	‥	7.7%	667万円

●待遇、制度●
【初任給】月22.7万
【残業】16.9時間【有休】12.3日【制度】住 在
●新卒定着状況●
20年入社(男7、女6)→3年後在籍(男6、女6)
●採用情報●
【人数】23年:11 24年:10 25年:応募‥→内定15
【内定内訳】(男8、女7)(文3、理9)(総15、他0)
【試験】〔Web自宅〕SPI3〔性格〕有
【時期】エントリー25.3→内々定25.6(一次・二次以降もWEB面接可)【インターン】有
【採用実績校】群馬大3、香川大1、埼玉工大1、芝工大1、専大1、千葉工大1、中大1、前橋工大1、山梨大1、大原学園専2、他
【求める人材】主体性がある人、挑戦する意欲のある人、新しい価値を創造したい人

【本社】104-0031 東京都中央区京橋1-17-10 ☎03-6893-7070
【特色・近況】中堅化学メーカー。化学品、ボトリング、金属加工、エンジニアリングが4本柱。主力の化学品事業は産業用爆薬などの化薬、塩素酸ナトリウムなどの工業薬品、有機導電材料などの電子材料、研磨剤などのセラミックを製造。自動車用緊急保安炎筒の最大手。
【設立】2013.10 【資本金】2,099百万円
【代表取締役】金子洋文(1960.4生)
【株主】〔24.3〕日本マスタートラスト信託銀行信託口10.8%
【連結事業】化学品55、ボトリング14、金属加工20、エンジニアリングサービス11、他0
【従業員】連1,081名 単67名(41.2歳)

【業績】	売上高	営業利益	経常利益	純利益
連22.3	33,894	2,506	2,742	2,336
連23.3	36,008	2,640	2,910	2,246
連24.3	36,577	3,352	3,600	2,598

㈱カナオカホールディングス　株式公開計画なし

採用内定数	倍率	3年後離職率	平均年収
20名	6.5倍	25%	㊇505万円

●待遇、制度●
【初任給】月22.7万(諸手当0.2万円)
【残業】12.9時間【有休】11日【制度】住 在
●新卒定着状況●
20年入社(男12、女8)→3年後在籍(男8、女7)
●採用情報●
【人数】23年:21 24年:20 25年:応募130→内定20*
【内定内訳】(男10、女10)(文19、理1)(総11、他9)
【試験】〔Web自宅〕SPI3〔性格〕有
【時期】エントリー25.2→内々定25.6(一次はWEB面接可)【インターン】有【ジョブ型】有
【採用実績校】京都府大1、大東文化大1、立正大1、学習院大1、聖学大1、他
【求める人材】誠実にお客様と向きあい、努力を積み重ねることができる人

【本社】110-0016 東京都台東区台東1-34-6　☎03-3835-2013
【特色・近況】軟包材(プラスチックのフィルムからなる食品などの袋)の製造・販売。短納期・自社一貫生産体制で、独立系のパッケージ専門会社ではトップクラス。国内は埼玉、三重、福岡に工場。海外は中国、インドネシアに販売拠点、タイに製造拠点。
【設立】1965.6　【資本金】10百万円
【社長】金岡良延(1960.7生 東大経済卒)
【株主】〔24.5〕金岡良延98.8%
【連結事業】軟包装材の企画・製造・販売
【従業員】連1,024名 単89名(・・歳)

【業績】	売上高	営業利益	経常利益	純利益
連21.12	26,175	1,683	1,780	1,190
連22.12	29,999	1,076	1,211	882
連23.12	33,082	1,740	1,847	1,663

川上塗料(かわかみとりょう)　東証スタンダード

採用予定数	倍率	3年後離職率	平均年収
6名	-	100%	554万円

●待遇、制度●
【初任給】月22.9万(諸手当0.3万円、固定残業代15.1時間分)
【残業】15.1時間【有休】11.9日【制度】住
●新卒定着状況●
20年入社(男1、女0)→3年後在籍(男0、女0)
●採用情報●
【人数】23年:1 24年:1 25年:応募5→内定0*
【内定内訳】(男・・、女・・)(文・・、理・・)(総・・、他・・)
【試験】〔筆記〕常識、他〔性格〕有
【時期】エントリー25.3→内々定25.6*
【採用実績校】・・
【求める人材】常に向上心を持ち高い目標に挑戦できる人

【本社】661-0001 兵庫県尼崎市塚口本町2-41-1　☎06-6421-6325
【特色・近況】三井物産系の中堅塗料メーカー。2輪車用塗料では国内首位。建機・工作機械、住宅・建材用も展開。フタル酸樹脂塗料が得意。水性塗料や粉体塗料など環境にやさしい商品開発を推進。高機能・高付加価値製品開発に注力。尼崎本社、東京、千葉の3工場体制。
【設立】1945.1　【資本金】500百万円
【社長】西村聰一(1962.2生 早大文卒)
【株主】〔24.5〕㈱サイブリッジ15.5%
【連結事業】合成樹脂塗料92、他塗料類8
【従業員】連139名 単137名(44.9歳)

【業績】	売上高	営業利益	経常利益	純利益
連21.11	5,312	140	212	146
連22.11	5,632	161	213	162
連23.11	6,142	188	238	203

関東電化工業(かんとうでんかこうぎょう)　東証プライム

採用内定数	倍率	3年後離職率	平均年収
14名	・・	4.3%	㊇857万円

●待遇、制度●
【初任給】月24.2万(諸手当0.2万円)
【残業】21.9時間【有休】16.1日【制度】フ 住 在
●新卒定着状況●
20年入社(男20、女3)→3年後在籍(男19、女3)
●採用情報●
【人数】23年:25 24年:25 25年:応募・・→内定14*
【内定内訳】(男9、女5)(文5、理9)(総14、他0)
【試験】〔Web自宅〕有〔性格〕有
【時期】エントリー25.3→内々定25.5(一次・二次以降もWEB面接可)【インターン】有
【採用実績校】群馬大院4、同大院1、東京電機大院1、東邦大院1、秋田大院1、東理大院1、香川大院1、関西学大1、明学大1、九大1、他
【求める人材】たゆまぬ研鑽を継続する人

【本社】100-0005 東京都千代田区丸の内2-3-2 郵船ビルディング　☎03-4236-8801
【特色・近況】独自のフッ素関連技術を持つ化学品メーカー。主力は半導体・液晶用特殊ガス製品と電池材料の六フッ化リン酸リチウムなどの精密化学品で、売上高の大半を占める。三フッ化窒素、六フッ化タングステンなど世界上位シェアの品目を持つ。古河系化学会社の一角。
【設立】1938.9　【資本金】2,877百万円
【社長】長谷川淳一(1958.11生 早大理工卒)
【株主】〔24.3〕ゴールドマン・サックス・インターナショナル10.3%
【連結事業】基礎化学品14、精密化学品79、鉄系3、商事1、設備3 <海外54>
【従業員】連1,145名 単808名(39.7歳)

【業績】	売上高	営業利益	経常利益	純利益
連22.3	62,286	11,164	11,145	7,762
連23.3	78,675	12,947	13,679	9,382
連24.3	64,768	▲1,968	▲1,304	▲4,610

#残業が少ない

協友アグリ（きょうゆう）

株式公開計画なし

採用内定数	倍率	3年後離職率	平均年収
8名	7.5倍	0%	[総]649万円

●待遇、制度●
【初任給】月25.2万
【残業】3.7時間【有休】10.9日【制度】[住][在]
●新卒定着状況●
20年入社(男4、女3)→3年後在籍(男4、女3)
●採用情報●
【人数】23年:5 24年:9 25年:応募60→内定8*
【内定内訳】(男6、女2)(文0、理8)(総8、他0)
【試験】〔Web自宅〕SPI3
【時期】エントリー24.11→内々定25.6*(一次はWEB面接可)
【採用実績校】広島大1、立命館大1、岐阜大1、近大1、京大1、名城大1、島根大1、東京農工大1
【求める人材】農薬の開発普及を通じて社会に貢献する気概を持ち、何事にも全力で取り組むバイタリティを備えた人

【東京本社】103-0016 東京都中央区日本橋小網町6-1 山万ビル11階 ☎03-5645-0700
【特色・近況】住友化学・全農系の農薬メーカー。水稲一発処理除草剤が主力で、自社開発原体ピラクロニル混合の「バッチリシリーズ」は普及面積連続首位。IPM(総合的病虫害管理)関連剤の開発・普及にも取り組む。山形、長野、福岡に工場。
【設立】1938.3 【資本金】2,250百万円
【社長】安藤敏
【株主】〔23.10〕住友化学36.5%
【事業】農薬100
【従業員】単275名(40.2歳)

【業績】	売上高	営業利益	経常利益	純利益
単21.10	19,375	1,005	1,001	725
単22.10	17,109	286	284	194
単23.10	17,645	904	906	630

群栄化学工業（ぐんえいかがくこうぎょう）

東証プライム

採用内定数	倍率	3年後離職率	平均年収
10名	11.5倍	0%	663万円

●待遇、制度●
【初任給】月21.8万(諸手当0.5万円)
【残業】13.4時間【有休】14.2日【制度】[住][在]
●新卒定着状況●
20年入社(男8、女3)→3年後在籍(男8、女3)
●採用情報●
【人数】23年:13 24年:11 25年:応募115→内定10
【内定内訳】(男9、女1)(文4、理6)(総10、他0)
【試験】〔Web自宅〕SPI3〔性格〕有
【時期】エントリー25.3→内々定25.5(一次はWEB面接可)【インターン】有
【採用実績校】群馬大4、東京農業大2、神奈川大1、日大1、群馬県女大1、共愛学園前橋国際大1
【求める人材】主体的に学び、変化をもたらせる人、自らゴールを設定し、達成した経験がある人

【本社】370-0032 群馬県高崎市宿大類町700 ☎027-353-1818
【特色・近況】化学品と糖類などの食品が主力の化学品メーカー。フェノール樹脂を用いた化学品を手がけ、レジストなど電子材料用を柱に住宅、自動車関連などに展開。食品事業では、飲料の甘味料として使われる異性化糖のほか、健康機能素材なども扱う。
【設立】1946.1 【資本金】5,000百万円
【社長】有田喜一郎(1971.3生 神戸大院経営修了)
【株主】〔24.3〕日本カストディ銀信託口(三井化)6.4%
【連結事業】化学品82、食品17、不動産活用1 <海外28>
【従業員】連543名 単358名(39.9歳)

【業績】	売上高	営業利益	経常利益	純利益
連22.3	29,406	2,489	2,815	1,929
連23.3	31,390	1,659	1,939	1,201
連24.3	30,310	2,729	3,162	2,040

#年収高く倍率低い

KHネオケム

東証プライム

採用内定数	倍率	3年後離職率	平均年収
9名	6.6倍	11.1%	[総]849万円

●待遇、制度●
【初任給】月23.7万
【残業】26.3時間【有休】16.4日【制度】[フ][住][在]
●新卒定着状況●
20年入社(男7、女2)→3年後在籍(男6、女2)
●採用情報●
【人数】23年:10 24年:10 25年:応募59→内定9
【内定内訳】(男8、女1)(文0、理3)(総4、他5)
【試験】〔筆記〕SPI3〔Web自宅〕SPI3〔性格〕有
【時期】エントリー24.12→内々定25.1(一次はWEB面接可)【インターン】有【ジョブ型】有
【採用実績校】名工大院2、日大院1
【求める人材】スピード感、変革力、専門性及びネットワーク力に強みのある人

【本社】103-0022 東京都中央区日本橋室町2-3-1 室町古河三井ビルディング ☎03-3510-3550
【特色・近況】各種溶剤・可塑剤原料を中心とした基礎化学品や、化粧品原料など機能性材料を手がける化学品メーカー。エアコンを効率的に動かす冷凍機油原料のオクチル酸やイソノナン酸は世界的に高シェア。高純度溶剤など電子材料分野にも展開。
【設立】2010.12 【資本金】8,855百万円
【社長】髙橋理夫(1965.2生)
【株主】〔24.6〕日本マスタートラスト信託銀行信託口13.5%
【連結事業】基礎化学品45、機能性材料44、電子材料10、他1 <海外25>
【従業員】連836名 単664名(40.0歳)

【業績】	売上高	営業利益	経常利益	純利益
連21.12	117,110	19,685	19,809	13,691
連22.12	114,880	12,456	12,709	8,073
連23.12	115,217	9,946	9,725	6,826

ケミプロ化成（かせい）　東証スタンダード

採用内定数	倍率	3年後離職率	平均年収
2名	10.5倍	0%	515万円

●待遇、制度●
【初任給】月21.4万
【残業】5.4時間【有休】15.6日【制度】住
●新卒定着状況● 高卒除く
20年入社(男0、女1)→3年後在籍(男0、女1)
●採用情報●
【人数】23年:1 24年:2 25年:応募21→内定2*
【内定内訳】(男2、女0)(文0、理2)(総2、他0)
【試験】〔Web自宅〕SPI3
【時期】エントリー25.3→内々定25.5(一次はWEB面接可)【インターン】有
【採用実績校】大阪工大1、岡山理大1
【求める人材】コミュニケーション能力を最大限に活用して、組織の活性化を促せる人

【本社】650-0034 兵庫県神戸市中央区京町83 ☎078-393-2530
【特色・近況】添加剤が主力の化学品メーカー。紫外線吸収剤で国内トップ。写真薬中間体、製紙用薬剤も扱う、独BASF社の日本法人が主な納入先。柱の化学品事業に加えて、シロアリ防除剤や木材保存薬剤などのホーム産業事業も併営。有機EL材料の販路構築に注力。
【設立】1982.9 【資本金】2,155百万円
【社長】兼俊寿志(1961.7生 神戸大法卒)
【株主】〔24.3〕㈱ケアシステムズ20.8%
【事業】化学品90、ホーム産業10 <海外9>
【従業員】単221名(43.0歳)

【業績】	売上高	営業利益	経常利益	純利益
単22.3	9,743	552	264	179
単23.3	9,760	357	121	71
単24.3	9,236	482	132	126

高圧（こうあつ）ガス工業（こうぎょう）　東証プライム

採用実績数	倍率	3年後離職率	平均年収
17名	‥	14.8%	576万円

●待遇、制度●
【初任給】月23.1万
【残業】9.8時間【有休】10.2日【制度】住
●新卒定着状況●
20年入社(男25、女2)→3年後在籍(男21、女2)
●採用情報●
【人数】23年:11 24年:17 25年:予定減少*
【内定内訳】(男‥、女‥)(文‥、理‥)(総‥、他‥)
【試験】〔Web会場〕SPI3〔Web自宅〕SPI3〔性格〕有
【時期】エントリー25.3→内々定25.4(一次はWEB面接可)【インターン】有
【採用実績校】‥
【求める人材】自己成長意欲があり、主体的かつ前向きに色々なことに取り組める人

【本社】530-8411 大阪府大阪市北区中崎西2-4-12 梅田センタービル ☎06-7711-2570
【特色・近況】溶接・切断用の溶解アセチレンガス最大手。ボンベの製造販売や溶接溶断関連機器の販売、酸素・窒素・アルゴン・炭酸ガスなど各種高圧ガスの製造販売も手がける。瞬間強力接着剤、合成樹脂エマルジョンなどを扱う化成品事業を育成。
【設立】1958.6 【資本金】2,885百万円
【社長】黒木幹也(1965.1生 福岡大経済卒)
【株主】〔24.3〕デンカ11.3%
【連結事業】ガス74、化成品22、他4
【従業員】連1,896名 単599名(40.7歳)

【業績】	売上高	営業利益	経常利益	純利益
連22.3	82,483	4,720	5,403	4,149
連23.3	91,469	5,116	5,809	3,941
連24.3	93,275	5,737	6,657	4,503

神戸天然物化学（こうべてんねんぶつかがく）　東証グロース

採用内定数	倍率	3年後離職率	平均年収
18名	16.7倍	40%	667万円

●待遇、制度●
【初任給】月23万(諸手当0.5万円)
【残業】18.5時間【有休】13.6日【制度】住
●新卒定着状況●
20年入社(男9、女1)→3年後在籍(男6、女0)
●採用情報●
【人数】23年:13 24年:13 25年:応募301→内定18*
【内定内訳】(男14、女4)(文0、理15)(総0、他18)
【試験】〔Web自宅〕有
【時期】エントリー25.1→内々定25.1(一次はWEB面接可)【インターン】有【ジョブ型】有
【採用実績校】山口東理大2、大阪工大2、岡山大2、宇都宮大1、京都薬大1、長浜バイオ大1、近大1、富山大1、鳥取大1、名城大1、他
【求める人材】チャレンジ精神のある人、ものづくりの好きな人、チームワークを大切にする人

【本社】650-0047 兵庫県神戸市中央区港島南町7-1-19 ☎078-955-9900
【特色・近況】有機化合物の受託研究、開発、量産を手がける。半導体材料などの機能材料事業、事業医薬品の原薬などを生産する医薬事業、遺伝子組み換え微生物から有用物質を生産するバイオ事業を手がける。兵庫県内を中心に工場、研究所等を置く。
【設立】1985.1 【資本金】1,995百万円
【社長】真岡宅哉(1968.8生)
【株主】〔24.3〕KNC興産19.4%
【事業】機能材料30、医薬50、バイオ20
【従業員】単320名(41.5歳)

【業績】	売上高	営業利益	経常利益	純利益
単22.3	7,440	1,094	1,102	643
単23.3	8,628	2,163	2,199	1,542
単24.3	9,154	2,081	2,094	1,493

児玉化学工業（こだまかがくこうぎょう）

東証スタンダード

採用内定数	倍率	3年後離職率	平均年収
3名	3.7倍	0%	511万円

●待遇、制度●
【初任給】月22.2万（諸手当1.6万円）
【残業】‥時間【有休】9.6日【制度】住

●新卒定着状況●
20年入社（男1、女1）→3年後在籍（男1、女1）

●採用情報●
【人数】23年:3 24年:1 25年:応募11→内定3*
【内定内訳】（男3、女0）（文0、理3）（総3、他0）
【試験】〔Web自宅〕SPI3
【時期】エントリー25.3→内々定25.5*(一次はWEB面接可)
【採用実績校】東洋大1
【求める人材】真摯に課題に取りくみ、最後までやりとげることができる人

【本社】101-0041 東京都千代田区神田須田町2-25-16 ☎050-3645-0121
【特色・近況】成形樹脂加工の大手で、自動車の内外装部品が主軸。ミラーキャビネット、ユニットバス、冷蔵庫の内装部品やゲームソフトパッケージなども手がける。新複合材や真空成形技術を活用し、ITやエネルギー、医療・介護領域へ展開。
【設立】1946.3 【資本金】100百万円
【社長】北村以知雄（1960.9生）
【株主】〔24.3〕エンデバー・ユナイテッド2号投資事業組合25.1%
【連結事業】モビリティ65、リビングスペース31、アドバンスド＆エッセンシャル4 <海外44>
【従業員】連618名 単169名（45.0歳）

【業績】	売上高	営業利益	経常利益	純利益
連22.3	14,884	677	579	417
連23.3	15,389	381	432	189
連24.3	14,696	165	24	▲243

コニシ

東証プライム

採用内定数	倍率	3年後離職率	平均年収
20名	15倍	25.9%	740万円

●待遇、制度●
【初任給】月25.1万（諸手当0.9万円）
【残業】5.9時間【有休】13.5日【制度】フ 住

●新卒定着状況●
20年入社（男14、女13）→3年後在籍（男10、女10）

●採用情報●
【人数】23年:25 24年:30 25年:応募300→内定20*
【内定内訳】（男13、女7）（文0、理5）（総20、他0）
【試験】〔筆記〕常識〔Web会場〕SPI3〔性格〕有
【時期】エントリー25.1→内々定25.3【インターン】有
【採用実績校】関大5、早大1、明大1、神戸大2、千葉大1、同大1、大阪府大1、和歌山大1、立教大1、近大1、他
【求める人材】自律型、チャレンジ精神、誠実さを持った人

【本社】541-0045 大阪府大阪市中央区道修町1-7-1 ☎06-6228-2811
【特色・近況】「ボンド」で知られる接着剤のパイオニア。住宅の内外装接着剤や建設シーリング材、紙関連など産業資材向けに採用。住宅・建築分野に強く耐震補強技術を持つ。車載用電子材料・部品などを扱う化成品も有力事業の1つ。
【設立】1925.9 【資本金】4,603百万円
【社長】松端博文（1961.4生 広修道大商卒）
【株主】〔24.3〕日本マスタートラスト信託銀行信託口11.1%
【連結事業】ボンド54、化成品30、工事16、他0
【従業員】連1,563名 単746名（42.0歳）

【業績】	売上高	営業利益	経常利益	純利益
連22.3	113,671	7,298	7,822	5,135
連23.3	123,339	7,421	7,927	10,032
連24.3	132,969	10,286	10,806	7,344

サイデン化学（かがく）

株式公開計画なし

採用実績数	倍率	3年後離職率	平均年収
10名	‥	16.7%	‥

●待遇、制度●
【初任給】月24.9万
【残業】‥時間【有休】12.8日【制度】住

●新卒定着状況●
20年入社（男10、女2）→3年後在籍（男8、女2）

●採用情報●
【人数】23年:7 24年:10 25年:予定前年並
【内定内訳】（男‥、女‥）（文‥、理‥）（総‥、他‥）
【試験】〔性格〕有
【時期】エントリー25.3→内々定‥【インターン】有
【採用実績校】‥
【求める人材】‥

【本社】103-0023 東京都中央区日本橋本町3-4-7 新日本橋ビル ☎03-3279-4401
【特色・近況】澱粉製造が祖業の接着剤総合メーカー。合成樹脂エマルジョンが主力製品。浦和工場に研究開発用パイロットプラント備える。接着剤、粘着剤、光学用粘着剤、塗料用、コーティング剤など幅広い分野に提供。社名は旧埼玉澱粉にちなむ。
【設立】1940.12 【資本金】300百万円
【社長】籠島嘉隆（1962.5生 成蹊大工卒）
【株主】〔24.3〕サイデン興産24.5%
【事業】合成樹脂エマルジョン96、他4
【従業員】単307名（38.8歳）

【業績】	売上高	営業利益	経常利益	純利益
単22.3	22,361	1,743	2,048	1,084
単23.3	22,974	1,716	2,136	1,756
単24.3	22,973	2,033	2,346	1,576

三栄源エフ・エフ・アイ（さんえいげん）

株式公開計画なし

採用内定数	倍率	3年後離職率	平均年収
57名	53.3倍	44%	‥

●待遇、制度●
【初任給】月22.7万(諸手当0.8万円)
【残業】‥時間【有休】12.6日【制度】住 在
●新卒定着状況●
20年入社(男17、女8)→3年後在籍(男10、女4)
●採用情報●
【人数】23年:66 24年:57 25年:応募3036→内定57
【内定内訳】(男17、女40)(文21、理36)(総50、他7)
【試験】〔筆記〕有〔Web会場〕有〔Web自宅〕有〔性格〕有
【時期】エントリー24.10→内々定25.3*(一次・二次以降もWEB面接可)【インターン】有【ジョブ型】有
【採用実績校】大阪公大7、近大4、東京海洋大3、神戸大3、岡山大2、関大2、立命館大2、日大2、香川大2、龍谷大2、他
【求める人材】チャレンジ精神を持った人

【本社】561-8588 大阪府豊中市三和町1-1-11
☎06-6333-0521
【特色・近況】1911年創業の食品添加物メーカー大手。ゲル化剤、香料、着色料、調味料などを製造・販売。高甘味度甘味料「スクラロース」、発酵セルロース製剤「サンアーティスト」に注力。本社、滋賀、岡山に工場。米国、英国、シンガポール、ペルーに海外拠点。
【設立】1938.9【資本金】1,800百万円
【社長】清水康弘
【株主】‥
【事業】食品添加物全般100
【従業員】単1,006名(38.5歳)

【業績】	売上高	営業利益	経常利益	純利益
単22.3	80,500	‥	‥	‥
単23.3	85,600	‥	‥	‥
単24.3	89,400	‥	‥	‥

#年収高く倍率低い #初任給が高い

㈱ＪＳＰ

東証プライム

採用内定数	倍率	3年後離職率	平均年収
15名	18.8倍	12.5%	㊟826万円

●待遇、制度●
【初任給】月29.3万(諸手当0.5万円、固定残業代22時間分)
【残業】16.8時間【有休】14日【制度】フ 在
●新卒定着状況●
20年入社(男8、女0)→3年後在籍(男7、女0)
●採用情報●
【人数】23年:15 24年:14 25年:応募282→内定15
【内定内訳】(男11、女4)(文5、理10)(総15、他0)
【試験】〔Web会場〕SPI3
【時期】エントリー25.3→内々定25.4(一次・二次以降もWEB面接可)【インターン】有
【採用実績校】宇都宮大院2、山形大院1、大阪公大院1、奈良先端科技院大1、東理大院1、和歌山大1、山形大2、法政大1、大阪経大1、他
【求める人材】協調性のある人、主体的に仕事に取り組める人、向上心をもってスキルを高められる人

【本社】100-0005 東京都千代田区丸の内3-4-2
☎03-6212-6300
【特色・近況】樹脂発泡製品の専業大手。バンパーコアやドアパネルなど車載部材、IT関連機器運搬容器、食品包材、建築・土木資材など用途は幅広い。発泡ポリスチレン、発泡ポリプロピレンが主な製品。アジア、米国、欧州、南米などに生産拠点。
【設立】1962.1【資本金】10,128百万円
【社長】大久保知彦(1961.4生 早大法卒)
【株主】〔24.3〕三菱ガス化学39.5%
【連結事業】押出31、ビーズ65、他4 <海外49>
【従業員】単777名(41.4歳)

【業績】	売上高	営業利益	経常利益	純利益
連22.3	114,125	4,589	4,868	2,893
連23.3	131,714	2,956	3,363	2,531
連24.3	135,051	7,563	8,127	6,391

#有休取得が多い

ＪＮＣ

株式公開していない

採用内定数	倍率	3年後離職率	平均年収
22名	10.9倍	18.2%	‥

●待遇、制度●
【初任給】月23.2万
【残業】10.5時間【有休】18.7日【制度】フ 住 在
●新卒定着状況●
20年入社(男9、女2)→3年後在籍(男7、女2)
●採用情報●グループ採用
【人数】23年:19 24年:20 25年:応募240→内定22*
【内定内訳】(男16、女6)(文3、理19)(総22、他0)
【試験】〔Web自宅〕WEB-GAB〔性格〕有
【時期】エントリー25.1→内々定25.3(一次はWEB面接可)【インターン】有
【採用実績校】長岡技科大1、上智大1、明大1、関大1、九州工大1、熊本大1、山形大1、鹿児島大2、信州大1、青学大1、千葉大1、大阪公大1、他
【求める人材】自己の強みを理解し、伸ばせる人、他者の強みに共感し、共有できる人

【本社】100-8105 東京都千代田区大手町2-2-1 新大手町ビル9階
☎03-3243-6760
【特色・近況】液晶、有機EL、シリコンなどの機能材料、複合繊維の加工品や基礎化学品を手がける化学メーカー。機能性材料、環境・エネルギー関連、ライフケミカル各分野の研究開発に注力。熊本に工場、横浜に研究所。水力発電や太陽光発電事業も手がける。チッソの子会社。
【設立】2011.1【資本金】31,150百万円
【社長】浅野進
【株主】〔24.3〕チッソ100%
【連結事業】機能材料14、加工品45、化学品26、商事7、電力5、他3 <海外29>
【従業員】連2,650名 単2,650名(‥歳)

【業績】	売上高	営業利益	経常利益	純利益
連22.3	137,551	5,791	10,250	14,730
連23.3	144,237	6,383	8,103	243
連24.3	131,442	1,575	1,005	417

#年収高く倍率低い

㈱ＪＣＵ

東証プライム

採用内定数	倍率	3年後離職率	平均年収
13名	5.5倍	0%	844万円

●待遇、制度●
【初任給】月22万
【残業】4.2時間【有休】16.4日【制度】住
●新卒定着状況● 20年入社者対象
20年入社(男3、女2)→3年後在籍(男3、女2)
●採用情報●
【人数】23年:7 24年:13 25年:応募72→内定13
【内定内訳】(男12、女1)(文3、理10)(総13、他0)
【試験】なし
【時期】エントリー 25.3→内々定25.5(一次はWEB面接可)
【採用実績校】早大1、工学院大1、名城大1、日大1、東京農業大2、九大1、立教大1、熊本大1、宮崎大1、慶大1、他
【求める人材】何事にも前向きで、創造性と変化に対応しうる柔軟性を持った人

【本社】110-0015 東京都台東区東上野4-8-1 TIXTOWER UENO ☎03-6895-7001
【特色・近況】メッキ薬品大手メーカー。メッキ装置部門も併営。主要顧客は自動車部品関連と電子機器メーカー向けプリント配線板などのエレクトロニクス関連。海外売上比率は7割超。東南アジア、中国、台湾、韓国、メキシコに生産拠点。
【設立】1968.4 【資本金】1,266百万円
【会長】木村昌志(1958.2生 幾徳工大工卒)
【株主】〔24.3〕日本マスタートラスト信託銀行信託口11.9%
【連結事業】薬品87、装置13、他0 <海外73>
【従業員】連549名 単246名(45.1歳)

【業績】	売上高	営業利益	経常利益	純利益
連22.3	24,256	8,990	9,231	6,370
連23.3	27,137	9,285	9,369	6,013
連24.3	24,859	8,041	8,216	5,530

四国化成ホールディングス（しこくかせい）

東証プライム

採用内定数	倍率	3年後離職率	平均年収
23名	16.7倍	19%	㊍726万円

●待遇、制度●
【初任給】月25万
【残業】15.7時間【有休】13.7日【制度】住 在
●新卒定着状況●
20年入社(男16、女5)→3年後在籍(男12、女5)
●採用情報● 3社計採用
【人数】23年:15 24年:14 25年:応募383→内定23*
【内定内訳】(男14、女9)(文7、理13)(総23、他0)
【試験】〔Web自宅〕SPI3
【時期】エントリー 25.2→内々定25.3*(一次・二次以降もWEB面接可)【インターン】有
【採用実績校】阪大3、徳島大3、香川大2、同大2、香川高専2、東大1、九大1、神戸大1、岡山大1、愛媛大1、熊本大1、京都工繊大1、他
【求める人材】使命感にあふれ、自ら考え挑戦する人

【本社】763-8504 香川県丸亀市土器町東8-537-1 ☎0877-22-4111
【特色・近況】化学品と建材が2本柱の中堅化学メーカー。化成品の主力製品はラジアルタイヤ原料の不溶性硫黄。プリント配線板向けの水溶性防錆剤を主力製品とする電子化学材も展開。建材は壁材のほか、門扉、フェンスなどのエクステリア製品を生産。23年持ち株会社化。
【設立】1947.10 【資本金】6,867百万円
【社長】渡邊充範(1957.7生 中大文卒)
【株主】〔24.6〕日清紡ホールディングス12.4%
【連結事業】化学品69、建材29、他2 <海外36>
【従業員】連1,287名 単652名(‥歳)

【業績】	売上高	営業利益	経常利益	純利益
連22.3	54,137	8,400	9,291	6,878
連22.12変	46,566	6,462	7,270	4,997
連23.12	63,117	8,019	9,280	7,853

ジャパンコーティングレジン

株式公開計画なし

採用実績数	倍率	3年後離職率	平均年収
2名	−	‥	‥

●待遇、制度●
【初任給】月22.1万
【残業】14.8時間【有休】14.9日【制度】フ 住 在
●新卒定着状況●
‥
●採用情報●
【人数】23年:2 24年:2 25年:応募0→内定0
【内定内訳】(男‥、女‥)(文‥、理‥)(総‥、他‥)
【試験】なし
【時期】エントリー 25.3→内々定25.5(一次はWEB面接可)
【採用実績校】‥
【求める人材】柔軟な発想を持って、様々なことに取り組みたい人

【本社】541-0044 大阪府大阪市中央区伏見町4-1-1 明治安田生命大阪御堂筋ビル ☎06-6202-9876
【特色・近況】合成樹脂エマルジョン主体の化学製造メーカー。エマルジョンを粉体にするパウダー化技術や、樹脂の分散・乳化技術を持つ。環境負荷軽減を考慮した素材・製品開発に注力。大阪、茨城、岐阜、福島に工場。三菱ケミカルの子会社。
【設立】1959.4 【資本金】101百万円
【社長】中井洋(1971.10生 慶大商卒)
【株主】〔24.6〕三菱ケミカル100%
【事業】合成樹脂エマルジョン100
【従業員】単306名(45.0歳)

【業績】	売上高	営業利益	経常利益	純利益
単22.3	‥	‥	‥	220
単23.3	12,684	257	261	170
単24.3	12,266	224	231	154

昭和化学工業（しょうわかがくこうぎょう）　東証スタンダード

採用内定数	倍率	3年後離職率	平均年収
6名	13.5倍	25%	535万円

●待遇、制度●
【初任給】月22.5万
【残業】10時間【有休】‥日【制度】住 在
●新卒定着状況●
20年入社(男2、女2)→3年後在籍(男1、女2)
●採用情報●
【人数】23年:1 24年:1 25年:応募81→内定6*
【内定内訳】(男5、女1)(文0、理2)(総6、他0)
【試験】〔筆記〕常識
【時期】エントリー25.3→内々定25.5*(一次はWEB面接可)
【採用実績校】芝工大1、愛媛大1
【求める人材】何かに取り組む際に、周りを巻き込みコミュニケーションで仕事ができる人

【本社】107-0052 東京都港区赤坂2-14-32 ☎03-5575-6300
【特色・近況】天然資源の珪藻土とパーライトを原料に濾過助剤、充填剤、建材などを製造・販売。濾過助剤はビールや清涼飲料水などの飲料メーカーが主要顧客で、食品向けでは国内トップシェア。プール用塩素系殺菌剤は仕入れ販売。中国で合弁生産。
【設立】1933.11【資本金】598百万円
【社長】石橋健蔵(1968.11生 Pダイン大院修了)
【株主】〔24.3〕シグマ㈱16.1%
【連結事業】濾過助剤61、建材・充填材16、化成品16、他6 <海外19>
【従業員】連221名 単166名(48.1歳)

【業績】	売上高	営業利益	経常利益	純利益
連22.3	7,779	300	479	345
連23.3	9,225	600	835	616
連24.3	9,196	503	719	584

スイコー　株式公開計画なし

採用予定数	倍率	3年後離職率	平均年収
1名	—	—	‥

●待遇、制度●
【初任給】月24.3万(諸手当7万円)
【残業】7.1時間【有休】10.8日【制度】住
●新卒定着状況●
20年入社(男0、女0)→3年後在籍(男0、女0)
●採用情報●
【人数】23年:1 24年:2 25年:応募0→内定0*
【内定内訳】(男‥、女‥)(文‥、理‥)(総‥、他‥)
【試験】〔性格〕有
【時期】エントリー25.3→内々定25.6*
【採用実績校】‥
【求める人材】向上心がある、目標達成意欲がある、チャレンジ精神がある、人間関係を大切にする人

【本社】660-0857 兵庫県尼崎市西向島町86 ☎06-6412-5855
【特色・近況】回転成形法によるポリエチレン製容器の大手メーカー。大型プラスチック製品を国内5カ所で製造・販売。液体貯蔵タンクはプラント・工場の水処理用や薬品貯留用で実績。農業・道路保安用品や公園の滑り台など、広範なニーズに対応。
【設立】1963.9【資本金】48百万円
【社長】横山俊介(1983.2生 大阪学大卒)
【株主】〔24.5〕シンタックス36.0%
【事業】回転成形製品100
【従業員】単137名(41.3歳)

【業績】	売上高	営業利益	経常利益	純利益
単21.8	3,990	220	306	224
単22.8	4,152	150	225	160
単23.8	4,586	298	375	265

スガイ化学工業（かがくこうぎょう）　東証スタンダード

採用内定数	倍率	3年後離職率	平均年収
4名	6.3倍	20%	㊕594万円

●待遇、制度●
【初任給】月20.4万
【残業】4.2時間【有休】13日【制度】住
●新卒定着状況●
20年入社(男8、女2)→3年後在籍(男6、女2)
●採用情報●
【人数】23年:6 24年:1 25年:応募25→内定4*
【内定内訳】(男4、女0)(文0、理3)(総4、他0)
【試験】なし
【時期】エントリー25.2→内々定25.4(一次はWEB面接可)【インターン】有
【採用実績校】高知大院1、愛知工業大院1、大阪工大院1、他
【求める人材】どんな仕事でも積極的に挑戦し、自らチームを引っ張っていくような元気で明るい人

【本社】641-0043 和歌山県和歌山市宇須4-4-6 ☎073-422-1171
【特色・近況】農薬、医薬、機能性など各種中間物主体のファインケミカル専業メーカー。循環器薬向けなどの医薬中間物、殺菌剤などの農薬中間物、電子材料や樹脂などの機能性中間物が収益源。ほかに染料・顔料中間物、界面活性剤なども手がける。
【設立】1952.4【資本金】2,510百万円
【社長】野間修(1954.5生 甲南大経済卒)
【株主】〔24.3〕三菱UFJ銀行4.6%
【事業】医薬中間物24、農薬中間物63、機能性中間物7、界面活性剤5、他2 <海外11>
【従業員】単182名(40.5歳)

【業績】	売上高	営業利益	経常利益	純利益
単22.3	6,232	560	590	404
単23.3	7,059	650	749	578
単24.3	7,617	637	740	489

スターライト工業（こうぎょう）

株式公開していない

採用内定数	倍率	3年後離職率	平均年収
4名	4.8倍	50%	[総]591万円

●待遇、制度●
【初任給】月22.5万
【残業】10時間【有休】11.6日【制度】[フ][住][在]

●新卒定着状況●
20年入社(男1、女1)→3年後在籍(男0、女1)

●採用情報●
【人数】23年:5 24年:4 25年:応募19→内定4*
【内定内訳】(男3、女1)(文0、理4)(総4、他0)
【試験】〔Web自宅〕有〔性格〕有
【時期】エントリー24.12→内々定25.3*(一次・二次以降もWEB面接可)【インターン】有
【採用実績校】山口大1、近大2、広島工大1
【求める人材】積極的に飛び込んでいく前向きな気持ち、姿勢、行動力を持つ人

【本社】535-0002 大阪府大阪市旭区大宮4-23-7 ☎06-6956-2240
【特色・近況】高性能エンプラなど用いた摺動・制動部材を製造・販売するメーカー。鉄鋼、造船、自動車、産業機械、情報通信、住宅など幅広い分野に対応。国内11拠点、海外8拠点。ヘルメットなど保安・安全用品の開発・製造も手がける。
【設立】1940.3 【資本金】1,064百万円
【社長】西郷隆志
【株主】西郷隆志
【事業】トライボロジー、モビリティソリューションズ、他
【従業員】単477名(・・歳)

【業績】	売上高	営業利益	経常利益	純利益
単22.3	15,231	497	886	592
単23.3	16,353	416	769	593
単24.3	16,118	206	1,127	775

住友精化（すみともせいか）

東証プライム

採用内定数	倍率	3年後離職率	平均年収
24名	22.5倍	8.6%	658万円

●待遇、制度●
【初任給】月24.4万
【残業】15.4時間【有休】15.8日【制度】[フ][住][在]

●新卒定着状況●
20年入社(男24、女11)→3年後在籍(男21、女11)

●採用情報●
【人数】23年:32 24年:42 25年:応募540→内定24
【内定内訳】(男15、女9)(文4、理17)(総24、他0)
【試験】〔Web自宅〕SPI3〔性格〕有
【時期】エントリー25.3→内々定25.6(一次・二次以降もWEB面接可)【インターン】有
【採用実績校】岡山大2、関大2、阪大2、九大1、九州工大1、埼玉大1、静岡大1、奈良女大1、奈良先端科技院大1、大阪公大1、大阪市大1、他
【求める人材】目的意識を持って主体的に挑戦する人、熱意を持って自己成長を続ける人

【本社】541-0041 大阪府大阪市中央区北浜4-5-33 住友ビル ☎06-6220-8508
【特色・近況】吸水性樹脂と機能化学品を主体にガス・エンジニアリング事業も展開。紙おむつ用の高吸水性樹脂が稼ぎ頭で、韓国、シンガポール、フランスなどでも生産。機能化学品は医薬中間体や水溶性・微粒子ポリマーなどを手がける。住友化学系。
【設立】1944.7 【資本金】9,714百万円
【社長】小川育三(1957.2生 東北大院農修了)
【株主】〔24.3〕住友化学30.0%
【連結事業】吸水性樹脂75、機能マテリアル25、他0 <海外74>
【従業員】連1,436名 単1,073名(37.7歳)

【業績】	売上高	営業利益	経常利益	純利益
連22.3	115,583	8,072	8,915	5,895
連23.3	143,041	10,454	10,929	8,592
連24.3	142,986	9,529	10,247	6,166

綜研化学（そうけんかがく）

東証スタンダード

採用内定数	倍率	3年後離職率	平均年収
3名	18.3倍	0%	673万円

●待遇、制度●
【初任給】月23.7万
【残業】5.5時間【有休】12.2日【制度】[フ][住]

●新卒定着状況●
20年入社(男10、女2)→3年後在籍(男10、女2)

●採用情報●
【人数】23年:9 24年:7 25年:応募55→内定3
【内定内訳】(男2、女1)(文2、理1)(総3、他0)
【試験】〔筆記〕有〔Web会場〕SPI3〔Web自宅〕SPI3〔性格〕有
【時期】エントリー25.3→内々定25.4
【採用実績校】・・
【求める人材】・・

【本社】171-8531 東京都豊島区高田3-29-5 ☎03-3983-3171
【特色・近況】アクリル樹脂原料の粘着剤を製造・販売。液晶パネル向け接着材とトナーキャリア用微粒子などが主力商品。ポリマーなど特殊機能材や機能性微粉体も製造。粘着剤は情報機器やディスプレー、自動車など幅広い用途で使用。高機能粘着テープの加工製品も展開。
【設立】1948.9 【資本金】3,361百万円
【社長】冨田幸二(1969.8生)
【株主】〔24.3〕東京中小企業投資育成4.0%
【連結事業】ケミカルズ91、装置システム9 <海外62>
【従業員】連1,111名 単367名(39.5歳)

【業績】	売上高	営業利益	経常利益	純利益
連22.3	38,638	2,229	2,744	2,040
連23.3	38,129	2,034	2,169	1,436
連24.3	41,318	3,828	3,909	2,629

第一稀元素化学工業（だいいちきげんそかがくこうぎょう） 東証プライム

採用内定数	倍率	3年後離職率	平均年収
6名	13.3倍	20%	㊀709万円

●待遇、制度●
【初任給】月25.4万(諸手当0.3万円)
【残業】13.4時間【有休】13日【制度】フ 住 在
●新卒定着状況●
20年入社(男8、女2)→3年後在籍(男7、女1)
●採用情報●
【人数】23年:14 24年:11 25年:応募80→内定6*
【内定内訳】(男6、女0)(文1、理5)(総6、他0)
【試験】〔Web自宅〕有〔性格〕有
【時期】エントリー24.12→内々定25.3*(一次・二次以降もWEB面接可)【インターン】有
【採用実績校】愛媛大1、金沢大1、島根大1、京都工繊大1、北九州市大1、大阪産大1
【求める人材】研究心を持って粘り強く仕事に取り組める人、高い目標や大きな志を持つ人、それを実現するために自らを高める努力を惜しまない人

【本社】541-0041 大阪府大阪市中央区北浜4-4-9 ☎06-6206-3311
【特色・近況】世界有数の酸化ジルコニウム化合物の専門メーカー。原鉱石の溶解・析出・精製・焼成・製品化までの全工程をグループで一貫生産。主力の自動車排ガス触媒材料はベルギー企業と市場を2分。半導体・電子、エネルギー、ヘルスケアの3分屋に注力。
【設立】1956.5 【資本金】787百万円
【代表取締役】國部洋(1972.2生)
【株主】〔24.3〕日本マスタートラスト信託銀行信託口10.2%
【連結事業】戦略分野16、自動車排ガス浄化触媒分野64、基盤分野20 <海外55>
【従業員】連642名 単443名(38.8歳)

【業績】	売上高	営業利益	経常利益	純利益
連22.3	29,365	3,768	6,000	1,849
連23.3	35,748	5,391	5,969	4,020
連24.3	35,220	2,422	2,942	1,140

第一工業製薬（だいいちこうぎょうせいやく） 東証プライム

採用内定数	倍率	3年後離職率	平均年収
18名	10.6倍	10.3%	695万円

●待遇、制度●
【初任給】月22.3万(諸手当を除いた数値)
【残業】8.9時間【有休】14.9日【制度】フ 住 在
●新卒定着状況●
20年入社(男17、女12)→3年後在籍(男14、女12)
●採用情報●
【人数】23年:22 24年:14 25年:応募190→内定18
【内定内訳】(男11、女7)(文2、理10)(総18、他0)
【試験】〔Web自宅〕有
【時期】エントリー25.3→内々定25.4(一次はWEB面接可)【インターン】有
【採用実績校】秋田大1、大阪大1、大阪公大1、関大2、岐阜大1、京大1、京都工繊大1、神戸大1、福井大1、山口大1、学習院大1、鈴鹿高専1、他
【求める人材】市場価値が高く、コミュニケーション能力に長け、自己完結の仕事ができる人

【本社】601-8002 京都府京都市南区東九条上殿田町48-2 ☎075-276-3030
【特色・近況】工業用薬剤の首位メーカー。界面活性剤、アメニティ材料、ウレタン材料、機能材料、電子デバイス材料、ライフサイエンスの6つの事業を展開。光硬化樹脂用材料、難燃剤などの機能材が有力商品。健康補助食品を扱うライフサイエンスを育成中。
【設立】1918.8 【資本金】8,895百万円
【社長】山路直貴(1964.4生 近大院農修了)
【株主】〔24.3〕日本マスタートラスト信託銀行信託口9.6%
【連結事業】界面活性剤29、アメニティ13、ウレタン14、機能材料34、電デバ9、ライフサイエンス1 <海外23>
【従業員】連1,128名 単602名(41.1歳)

【業績】	売上高	営業利益	経常利益	純利益
連22.3	62,672	4,626	4,192	2,492
連23.3	65,081	1,186	1,200	▲407
連24.3	63,118	2,077	2,060	1,174

大伸化学（だいしんかがく） 東証スタンダード

採用内定数	倍率	3年後離職率	平均年収
4名	‥	0%	652万円

●待遇、制度●
【初任給】月22.3万(諸手当1.2万円)
【残業】5時間【有休】12.6日【制度】住
●新卒定着状況●
20年入社(男3、女2)→3年後在籍(男3、女2)
●採用情報●
【人数】23年:3 24年:7 25年:応募‥→内定4
【内定内訳】(男4、女0)(文2、理2)(総0、他4)
【試験】〔性格〕有
【時期】エントリー25.2→内々定25.6*(一次はWEB面接可)
【採用実績校】神奈川大院1、室蘭工大院1、神戸学大1、大阪経大1
【求める人材】考動力(自発的に考え、行動・実行できる力)がある人

【本社】105-0012 東京都港区芝大門1-9-9 野村不動産芝大門ビル ☎03-3432-4786
【特色・近況】国内首位のシンナー専業メーカー。合成樹脂塗料用、洗浄用、印刷インキ用などが主用途。塗料・インキ業界が主顧客。多品種少量販売と全国約1000社の代理店による即納体制に強み。自動車メーカー納品溶剤を回収し再生溶剤の原料とするなどリサイクルも行う。
【設立】1952.12 【資本金】729百万円
【社長】堀越進(1960.6生)
【株主】〔24.3〕坪井典明13.1%
【連結事業】ラッカーシンナー2、合成樹脂塗料用シンナー2、洗浄用シンナー7、印刷用溶剤18、特殊シンナー11、単一溶剤39、他21
【従業員】連234名 単196名(42.5歳)

【業績】	売上高	営業利益	経常利益	純利益
単22.3	31,301	993	1,032	694
連23.3	34,391	1,253	1,307	955
連24.3	32,461	825	939	627

#残業が少ない

大同化学(だいどうかがく)

株式公開計画なし

採用予定数	倍率	3年後離職率	平均年収
2名	ー	0%	‥

●待遇、制度●
【初任給】月23万(諸手当3万円)
【残業】2時間【有休】13日【制度】住 在
●新卒定着状況●
20年入社(男1、女0)→3年後在籍(男1、女0)
●採用情報●
【人数】23年:0 24年:2 25年:予定2
【内定内訳】(男‥、女‥)(文‥、理‥)(総‥、他‥)
【試験】なし
【時期】エントリー24.10→内々定‥*
【採用実績校】‥
【求める人材】常に働く意欲を燃やし品質の向上を計る人

【本社】530-0001 大阪府大阪市北区梅田1-2-2-1400 大阪駅前第2ビル14階 ☎06-6346-5111
【特色・近況】圧延油・切削油・研削油など金属加工油剤の製造・販売を手がける。電子部品の加工も行う。主力製品は切削・研磨油剤「ダイカトール」「シミロン」、防錆油「ダイラスト」。ブラジルに生産現地法人。欧米やアジアに幅広い提携先をもつ。
【設立】1947.3 【資本金】99百万円
【社長】黒川展行(1965.9生 玉川大卒)
【株主】〔24.2〕黒川展行12.1%
【事業】金属加工油剤97、機械装置・器具備品3 <輸出6>
【従業員】単155名(47.1歳)

【業績】	売上高	営業利益	経常利益	純利益
単22.2	7,093	▲93	9	6
単23.2	8,672	120	171	127
単24.2	9,363	571	483	412

ダイトーケミックス

東証スタンダード

採用内定数	倍率	3年後離職率	平均年収
4名	14.8倍	0%	639万円

●待遇、制度●
【初任給】月24.2万
【残業】15.4時間【有休】14.3日【制度】フ 住
●新卒定着状況●
20年入社(男5、女1)→3年後在籍(男5、女1)
●採用情報● 23年は10月入社含む
【人数】23年:8 24年:10 25年:応募59→内定4*
【内定内訳】(男4、女0)(文0、理4)(総3、他1)
【試験】〔筆記〕有〔Web会場〕SPI3〔Web自宅〕SPI3〔性格〕有
【時期】エントリー25.3→内々定25.4(一次はWEB面接可)
【採用実績校】岡山大1、静岡大1、近大2
【求める人材】‥

【本社】538-0031 大阪府大阪市鶴見区茨田大宮3-1-7 ☎06-6911-9310
【特色・近況】大阪地盤の中堅化学メーカー。半導体やフラットパネルディスプレー向け感光性材料、写真材料が主力。医薬品メーカー向けの医薬中間体を育成中。顔料「群青」の製造で発祥し、合成染料で基盤築く。子会社で産業廃棄物処理も手がける。
【設立】1949.12 【資本金】2,901百万円
【代表取締役】住友朱之助(1964.9生 近大理工卒)
【株主】〔24.3〕平松裕将6.7%
【連結事業】化成品90、環境関連10 <海外11>
【従業員】連304名 単231名(41.9歳)

【業績】	売上高	営業利益	経常利益	純利益
連22.3	16,134	1,763	1,751	1,583
連23.3	16,377	1,283	1,291	922
連24.3	15,811	776	▲732	▲1,005

大日本塗料(だいにっぽんとりょう)

東証プライム

採用内定数	倍率	3年後離職率	平均年収
14名	11.1倍	27.8%	580万円

●待遇、制度●
【初任給】月22.1万
【残業】13.7時間【有休】11.4日【制度】フ 住 在
●新卒定着状況●
20年入社(男16、女2)→3年後在籍(男11、女2)
●採用情報●
【人数】23年:15 24年:21 25年:応募155→内定14*
【内定内訳】(男9、女5)(文7、理7)(総14、他0)
【試験】〔Web会場〕C-GAB〔性格〕有
【時期】エントリー‥→内々定‥【インターン】有
【採用実績校】千葉工大院3、静岡大院1、龍谷大1、大阪工大院1、奈良大1、立命館大2、同大1、神戸大1、高知大院1、桃山学大1、他
【求める人材】主体的な人、粘り強い人、誠実な人

【本社】542-0081 大阪府大阪市中央区南船場1-18-11 SRビル長堀 ☎06-6266-3100
【特色・近況】国内4位の老舗塗料メーカー。構造物塗料、重防食用塗料、建築塗料、工業用金属焼付塗料に強み。グループ企業が店舗用などの照明機器、蛍光色材事業も手がける。東京スカイツリーや東京ゲートブリッジにも塗料が採用。三菱色強い。
【設立】1929.7 【資本金】8,827百万円
【社長】里隆幸(1961.1生 鹿大院理工修了)
【株主】〔24.3〕日本マスタートラスト信託銀行信託口9.2%
【連結事業】国内塗料70、海外塗料12、照明機器13、蛍光色材2、他3 <海外13>
【従業員】連2,130名 単730名(41.0歳)

【業績】	売上高	営業利益	経常利益	純利益
連22.3	66,948	3,183	3,465	2,031
連23.3	72,849	3,946	4,316	3,458
連24.3	71,940	4,901	5,336	4,600

大八化学工業（だいはちかがくこうぎょう）

株式公開計画なし

採用内定数	倍率	3年後離職率	平均年収
5名	8倍	28.6%	㊕710万円

●待遇、制度●
【初任給】月22.2万
【残業】3.9時間【有休】12.3日【制度】住
●新卒定着状況●
20年入社(男5、女2)→3年後在籍(男3、女2)
●採用情報●
【人数】23年:2 24年:4 25年:応募40→内定5
【内定内訳】(男5、女0)(文2、理3)(総5、他0)
【試験】〔Web自宅〕有〔性格〕有
【時期】エントリー24.12→内々定25.2(一次はWEB面接可)
【採用実績校】徳島大1、大分大1、千葉大1、関東学院大1、関西学大1
【求める人材】主体性を持ち、物事に対して前向きにチャレンジできる人

【本社】541-0053 大阪府大阪市中央区本町4-3-9
☎06-6258-0166
【特色・近況】可塑剤・難燃剤を主とする有機化学薬品メーカー。自動車や家電、情報機器など幅広い分野で使われている。主力のリン系難燃剤では世界トップ級。シンガポール、中国に現地法人。大阪、愛知、福井に工場。大阪技術開発センターに研究関連部門を集約。
【設立】1937.6 【資本金】825百万円
【社長】妹尾義行(1956.1生 立大経済卒)
【株主】〔24.3〕ダイセル18.6%
【事業】有機化学薬品99、不動産賃貸1 <輸出49>
【従業員】単271名(43.4歳)

【業績】	売上高	営業利益	経常利益	純利益
単22.3	20,882	1,124	1,765	1,386
単23.3	19,504	584	1,019	750
単24.3	15,903	▲506	425	355

太平化学製品（たいへいかがくせいひん）

株式公開していない

採用内定数	倍率	3年後離職率	平均年収
1名	4倍	-	535万円

●待遇、制度●
【初任給】月22.2万(諸手当1万円)
【残業】7.9時間【有休】16日【制度】フ 住
●新卒定着状況●
20年入社(男0、女0)→3年後在籍(男0、女0)
●採用情報●
【人数】23年:0 24年:3 25年:応募4→内定1*
【内定内訳】(男0、女1)(文1、理0)(総1、他0)
【試験】なし
【時期】エントリー25.5→内々定25.10*
【採用実績校】実践女大1
【求める人材】自ら考え行動ができる人、一緒に長く歩んでくれる人

【本社】332-0004 埼玉県川口市領家4-5-19
☎048-222-1122
【特色・近況】硬質塩化ビニルフィルム・シートや、ICカードなどに利用されるPETG、照明用のPMMAなど各種合成樹脂加工を手がける化学メーカー。カラーチップ(顔料高度分散体)などの化成品事業や、受託加工も手がける。埼玉・川口と草加に工場。東ソーの子会社。
【設立】1938.2 【資本金】1,222百万円
【社長】工藤雅之(1960.7生 早大法卒)
【株主】〔24.3〕東ソー81.3%
【事業】合成樹脂、化成品 <輸出6>
【従業員】単‥名(‥歳)

【業績】	売上高	営業利益	経常利益	純利益
連22.3	4,106	▲51	▲34	▲58
連23.3	4,099	▲176	▲192	▲228
単24.3	4,299	179	158	187

大明化学工業（たいめいかがくこうぎょう）

株式公開計画なし

採用内定数	倍率	3年後離職率	平均年収
3名	16.7倍	33.3%	‥

●待遇、制度●
【初任給】月22.3万(諸手当を除いた数値)
【残業】15.8時間【有休】11日【制度】住
●新卒定着状況●
20年入社(男5、女1)→3年後在籍(男3、女1)
●採用情報●
【人数】23年:6 24年:1 25年:応募50→内定3
【内定内訳】(男2、女1)(文2、理1)(総3、他0)
【試験】〔Web会場〕有〔Web自宅〕有〔性格〕有
【時期】エントリー25.3→内々定25.6(一次・二次以降もWEB面接可)【インターン】有
【採用実績校】北里大院1、神奈川大1、東京農業大1
【求める人材】協調性やコミュニケーション能力、誠実さ、素直等の資質と社会人になってからも常に勉強して新しい知識や教養を身につけていこうとする積極性のある人

【本社】399-4597 長野県上伊那郡南箕輪村3685-2
☎0265-72-4151
【特色・近況】上下水道用、産業排水用浄水剤の大手メーカー。浄水剤のポリ塩化アルミニウムは東日本主体にシェアトップ。食品添加物のミョウバンも首位。無添加全身化粧水「天使の美肌水」も販売。ファインセラミックス製品用高純度アルミナ粉体も製販。
【設立】1948.9 【資本金】90百万円
【社長】武井淳
【株主】〔24.3〕東京投資育成27.8%
【事業】浄水剤39、高塩基度PAC16、アルミナ繊維15、他30 <輸出1>
【従業員】単217名(40.2歳)

【業績】	売上高	営業利益	経常利益	純利益
単21.9	10,912	990	1,024	635
単22.9	11,846	1,080	1,120	871
単23.9	13,161	1,158	1,195	830

#初任給が高い #年収が高い

太陽(たいよう)ホールディングス

東証プライム

採用内定数	倍率	3年後離職率	平均年収
26名	39.8倍	6.5%	915万円

●待遇、制度●
【初任給】月31万(諸手当を除いた数値)
【残業】16.3時間【有休】12.5日【制度】フ 在
●新卒定着状況●
20年入社(男21、女10)→3年後在籍(男20、女9)
●採用情報● グループ採用
【人数】23年:32 24年:28 25年:応募1034→内定26
【内定内訳】(男14、女12)(文4、理21)(総26、他0)
【試験】〔Web会場〕C-GAB〔性格〕有
【時期】エントリー24.9→内々定24.12(一次はWEB面接可)【インターン】有
【採用実績校】東理大4、信州大3、埼玉大2、東京農工大2、東北大2、熊本大1、群馬大1、慶大1、電通大1、東大1、東京外大1、東京科学大1、他
【求める人材】大きな志と好奇心を持ちまだ見ぬ価値創造のために前進できる人

【本社】171-0021 東京都豊島区西池袋1-11-1 メトロポリタンプラザビル ☎03-5953-5200
【特色・近況】プリント配線板用レジストインキメーカー。プリント基板の保護膜に用いるソルダーレジストインキで世界トップシェア。FPD用部材も製造。韓国、台湾、中国、米国、ベトナムに生産拠点。医療用医薬品の受託製造など医療・医薬品事業を第2の柱に育成中。
【設立】1953.9 【資本金】9,903百万円
【社長】佐藤英志(1969.5生)
【株主】〔24.3〕DIC 19.2%
【連結事業】電子機器用部材68、医療・医薬品28、他4 <海外64>
【従業員】連2,210名 単156名(39.9歳)

【業績】	売上高	営業利益	経常利益	純利益
連22.3	97,966	17,958	18,062	11,803
連23.3	97,338	15,972	15,462	11,405
連24.3	104,775	18,203	17,310	8,654

田岡化学工業(たおかかがくこうぎょう)

東証スタンダード

採用内定数	倍率	3年後離職率	平均年収
11名	‥	27.8%	662万円

●待遇、制度●
【初任給】月23.7万(諸手当0.5万円)
【残業】9.4時間【有休】16.4日【制度】フ 住 在
●新卒定着状況●
20年入社(男14、女4)→3年後在籍(男9、女4)
●採用情報●
【人数】23年:13 24年:11 25年:応募‥→内定11
【内定内訳】(男7、女4)(文1、理10)(総11、他0)
【試験】〔性格〕有
【時期】エントリー24.12→内々定25.3【インターン】有
【採用実績校】関大、山口大、滋賀県大、大阪公大、岡山大、近大、千歳科技大、立命館大、室蘭工大、愛媛大、甲南大
【求める人材】自らキャリアを描き、実現する力を有する、「自立・自律」の精神を持つ人

【本社】532-0033 大阪府大阪市淀川区新高3-9-14 ピカソ三国ビル ☎06-7639-7400
【特色・近況】医・農薬中間体など精密化学品、接着剤やゴム薬品など機能剤、加工樹脂やワニスなど機能樹脂、可塑剤など化成品を製造。スマホ用レンズ向け樹脂が高成長のほか、自動車用絶縁被覆材向けワニスが稼ぎ頭に。新規商品開発・事業探索に力点。住友化学の子会社。
【設立】1934.10 【資本金】1,572百万円
【社長】佐々木康彰(1962.5生 慶大経済卒)
【株主】〔24.3〕住友化学50.1%
【連結事業】化学工業98、化学分析受託2 <海外13>
【従業員】連468名 単398名(40.7歳)

【業績】	売上高	営業利益	経常利益	純利益
連22.3	32,374	2,708	2,798	2,063
連23.3	30,166	451	457	310
連24.3	28,544	1,074	1,141	820

多木化学(たきかがく)

東証プライム

採用実績数	倍率	3年後離職率	平均年収
6名	‥	0%	632万円

●待遇、制度●
【初任給】月22.8万
【残業】8.2時間【有休】15.1日【制度】住
●新卒定着状況●
20年入社(男4、女2)→3年後在籍(男4、女2)
●採用情報●
【人数】23年:6 24年:6 25年:予定前年並
【内定内訳】(男‥、女‥)(文3、理4)(総7、他‥)
【試験】〔Web自宅〕有〔性格〕有
【時期】エントリー25.3→内々定25.5(一次はWEB面接可)【インターン】有
【採用実績校】岡山大院1、京都府大院1、鳥取大院1、滋賀県大1、立命館大2、神戸市外大1
【求める人材】時代の変化に対応できる、チャレンジ精神旺盛で、ファイト溢れる人

【本社】675-0131 兵庫県加古川市別府町新野辺3050 ☎079-437-6002
【特色・近況】日本初の人造肥料開発会社。肥料と化学品が2本柱。機能性材料の微粉末ケイ酸や超高純度金属酸化物、石膏ボード、水処理薬剤のポリ塩化アルミニウムも生産。リチウムイオン電池向け酸化ニオブゾルを開発。商業施設賃貸も展開。子会社で運輸事業も。
【設立】1918.12 【資本金】2,147百万円
【社長】多木勝彦(1983.11生)
【株主】〔24.6〕日本マスタートラスト信託銀行信託口7.8%
【連結事業】アグリ29、化学品45、建材9、石油6、不動産4、運輸7
【従業員】連614名 単478名(44.6歳)

【業績】	売上高	営業利益	経常利益	純利益
連21.12	32,812	2,658	2,982	1,916
連22.12	35,846	2,751	3,144	2,056
連23.12	34,852	912	1,337	1,356

竹本油脂（たけもとゆし）

株式公開計画なし

採用内定数	倍率	3年後離職率	平均年収
19名	5.8倍	0%	‥

●待遇、制度●
【初任給】月25.1万
【残業】10.2時間【有休】12.6日【制度】[フ][住]
●新卒定着状況●
20年入社(男17、女2)→3年後在籍(男17、女2)
●採用情報●
【人数】23年:20 24年:21 25年:応募110→内定19
【内定内訳】(男15、女4)(文2、理9)(総19、他0)
【試験】〔筆記〕有〔性格〕有
【時期】エントリー24.10→内々定25.3(一次はWEB面接可)【インターン】有
【採用実績校】名大、名工大、静岡大、岐阜大、神戸大、信州大、専大、立命館大、他
【求める人材】自主自律的に行動し、挑戦心のある人

【本社】443-8611 愛知県蒲郡市港町2-5 ☎0533-68-2111
【特色・近況】ごま油などの食用油と界面活性剤・繊維用油剤などファインケミカル製品を軸に事業展開する食品・化学メーカー。米国、インド、中国、台湾に事業所。コンクリート用化学混和剤の開発は国内初。1725年、菜種・綿実からの灯明油と油粕肥料製造で創業。
【設立】1945.6　【資本金】100百万円
【社長】竹本元泰(1962.1生 慶大経済卒)
【株主】〔23.12〕竹本元泰
【事業】ゴマ油、界面活性剤 <輸出50>
【従業員】単684名(42.1歳)

【業績】	売上高	営業利益	経常利益	純利益
単21.12	93,437	‥	‥	‥
単22.12	102,230	‥	‥	‥
単23.12	107,710	‥	‥	‥

タマポリ

株式公開計画なし

採用実績数	倍率	3年後離職率	平均年収
8名	‥	0%	[総]695万円

●待遇、制度●
【初任給】月23.1万
【残業】17時間【有休】12.2日【制度】[住]
●新卒定着状況●
20年入社(男2、女2)→3年後在籍(男2、女2)
●採用情報●
【人数】23年:9 24年:8 25年:予定未定*
【内定内訳】(男‥女‥)(文‥、理‥)(総‥、他‥)
【試験】試験あり
【時期】エントリー25.3→内々定‥【インターン】有
【採用実績校】‥
【求める人材】高い当事者意識、強い意志をもって周囲と協働し、より大きな力を生み出せる人

【本社】171-0022 東京都豊島区南池袋1-16-15 ダイヤゲート池袋10階 ☎03-3981-1431
【特色・近況】ポリエチレンフィルムとラミネート加工が主軸の包装材料メーカー。食品包材、生活製品、医薬品、建材、IT関連向けを手がける。加工技術は医療・薬品分野、電子材料分野でも定評。群馬・邑楽郡に研究所。TOPPANホールディングスの子会社。
【設立】1956.5　【資本金】472百万円
【社長】松木康雄(1957.5生 横国大教育卒)
【株主】〔24.3〕TOPPANホールディングス64.2%
【事業】ポリエチレンフィルム73、ポリエチレンラミネート27 <輸出19>
【従業員】単432名(40.0歳)

【業績】	売上高	営業利益	経常利益	純利益
単22.3	25,422	2,945	2,984	2,069
単23.3	27,244	2,198	2,235	1,560
単24.3	26,151	2,298	2,340	1,621

中興化成工業（ちゅうこうかせいこうぎょう）

株式公開計画なし

採用内定数	倍率	3年後離職率	平均年収
7名	‥	12.5%	[総]545万円

●待遇、制度●
【初任給】月22.2万
【残業】7.9時間【有休】11.7日【制度】[住]
●新卒定着状況●
20年入社(男7、女1)→3年後在籍(男6、女1)
●採用情報●
【人数】23年:14 24年:16 25年:応募‥→内定7
【内定内訳】(男1、女6)(文4、理3)(総7、他0)
【試験】〔Web自宅〕有〔性格〕有
【時期】エントリー25.3→内々定25.5(一次・二次以降もWEB面接可)【インターン】有
【採用実績校】長崎大1、熊本大1、関大1、専大1、近大1、千葉工大院1、山形大院1
【求める人材】未知の世界に踏み出す勇気と、周囲と協調し物事を成し遂げる柔軟な感性を持つ人

【本社】107-0052 東京都港区赤坂2-11-7 ATT新館10階 ☎03-6230-4414
【特色・近況】フッ素樹脂等の高機能樹脂の総合加工メーカー。化学・半導体・通信・液晶・食品・医療・建築等に粘着テープや基板、チューブ、屋根膜材等を供給。屋根膜材は東京ドーム、ナゴヤドーム等に実績。東京、名古屋、大阪、福岡に営業拠点、国内外に生産拠点。
【設立】1963.3　【資本金】300百万円
【代表取締役】庄野直之(1957.2生 早大政経卒)
【株主】〔24.3〕東京中小企業投資育成16.8%
【事業】化成品、環境関連製品 <輸出8>
【従業員】単449名(43.1歳)

【業績】	売上高	営業利益	経常利益	純利益
単22.3	13,254	2,094	2,270	1,636
単23.3	14,148	2,005	2,219	1,644
単24.3	14,218	2,037	2,268	1,690

#有休取得が多い

テイカ

[東証プライム]

採用内定数	倍率	3年後離職率	平均年収
17名	8.9倍	33.3%	[総]755万円

●待遇、制度●
【初任給】月23.2万(諸手当0.5万円)
【残業】20.5時間【有休】17.9日【制度】[フ][住][在]
●新卒定着状況●
20年入社(男1、女2)→3年後在籍(男0、女2)
●採用情報●
【人数】23年:17 24年:23 25年:応募151→内定17*
【内定内訳】(男14、女3)(文1、理13)(総12、他5)
【試験】〔Web自宅〕SPI3〔性格〕有
【時期】エントリー25.3→内々定25.6(一次・二次以降もWEB面接可)【インターン】有
【採用実績校】広島大1、鳥取大3、山口大1、島根大1、香川大2、佐賀大1、龍谷大1、大阪工大1、山口東理大1、日本分析化学専2、他
【求める人材】自ら考え、行動し、新しいことに意欲的に取り組める人

【本社】540-0012 大阪府大阪市中央区谷町4-11-6 ☎06-6943-6401
【特色・近況】硫酸関連技術を基盤とし、酸化チタンと界面活性剤が2本柱。自動車の塗料や化粧品用途の微粒子酸化チタンに強い。日焼け止めに使用される微粒子酸化チタンでのシェアは特に高い。電子材料の導電性高分子薬剤、圧電材料も手がける。タイとベトナムで界面活性剤を製造。
【設立】1919.12 【資本金】9,855百万円
【社長】出井俊治(1964.3生 岡山大工卒)
【株主】〔24.3〕カセイスバンク・クインテット(ルクス) UCITSC9.5%
【連結事業】機能性材料53、電子材料・化成品45、他2 <海外42>
【従業員】連846名 単565名(41.9歳)

【業績】	売上高	営業利益	経常利益	純利益
連22.3	46,362	3,651	4,156	2,845
連23.3	54,773	4,224	4,717	2,986
連24.3	52,993	2,325	2,802	1,866

東京インキ（とうきょう）

[東証スタンダード]

採用内定数	倍率	3年後離職率	平均年収
6名	29.2倍	20%	702万円

●待遇、制度●
【初任給】月24.1万
【残業】6.4時間【有休】12.6日【制度】[フ][住][在]
●新卒定着状況●
20年入社(男5、女0)→3年後在籍(男4、女0)
●採用情報●
【人数】23年:7 24年:8 25年:応募175→内定6
【内定内訳】(男4、女2)(文2、理3)(総5、他1)
【試験】〔Web自宅〕有〔性格〕有
【時期】エントリー25.3→内々定25.5(一次はWEB面接可)【インターン】有
【採用実績校】東京経大1、東京電機大2、長岡技科大1、亜大1、共立女短大1
【求める人材】広範囲への興味を持って、価値創造型思考ができる人

【本社】114-0002 東京都北区王子1-12-4 TIC王子ビル ☎03-5902-7651
【特色・近況】共同印刷系の中堅インキメーカー。印刷インキはオフセット用のほかにグラビア印刷用、インクジェット用も手がける。樹脂着色剤や機能性添加剤など化成品事業が収益柱。包装材や土木資材、農業資材などの加工品事業も併営。不動産賃貸が利益に貢献。
【設立】1923.12 【資本金】3,246百万円
【社長】堀川聡(1963.3生 日大法卒)
【株主】〔24.3〕共同印刷8.8%
【連結事業】インキ33、化成品49、加工品18、不動産賃貸0
【従業員】連693名 単557名(44.7歳)

【業績】	売上高	営業利益	経常利益	純利益
連22.3	41,401	675	898	725
連23.3	43,406	▲21	4,783	1,645
連24.3	43,922	768	986	881

東特塗料（とうとくとりょう）

[株式公開計画なし]

採用実績数	倍率	3年後離職率	平均年収
2名	-	0%	600万円

●待遇、制度●
【初任給】月21.7万
【残業】16.9時間【有休】16.9日【制度】[フ]
●新卒定着状況●
20年入社(男2、女0)→3年後在籍(男2、女0)
●採用情報●
【人数】23年:0 24年:2 25年:応募6→内定0
【内定内訳】(男・・、女・・)(文・・、理・・)(総・・、他・・)
【試験】〔筆記〕有
【時期】エントリー25.3→内々定25.6(一次はWEB面接可)
【採用実績校】・・
【求める人材】自ら考え行動できる積極性を持ちながら、基本(基礎)を忠実(丁寧)に守る謙虚な姿勢と忍耐力を兼ね備えた人

【本社】130-0014 東京都墨田区亀沢4-5-6 ☎03-3621-4141
【特色・近況】エナメル線用ワニス、プリント基板用接着剤、評価機器などの製造・販売を手がけるメーカー。電気絶縁エナメル線用ワニスは世界シェア2位、国内シェア4割。台湾、インドネシア、中国で現地生産を行う。ニッチ分野の電気絶縁塗料で創業。
【設立】1950.3 【資本金】247百万円
【社長】荒川淳也
【株主】〔24.2〕東京中小企業投資育成33.3%
【事業】電気絶縁ワニス95、機能性接着剤3、電線評価機器1、他1 <輸出17>
【従業員】単64名(40.7歳)

【業績】	売上高	営業利益	経常利益	純利益
単22.2	3,540	83	406	302
単23.2	3,910	166	757	560
単24.2	3,425	275	798	621

戸田工業（とだこうぎょう）

[東証スタンダード]

採用内定数	倍率	3年後離職率	平均年収
12名	6.3倍	14.3%	669万円

●待遇、制度●
【初任給】月22.9万
【残業】10時間【有休】14.3日【制度】[住][在]
●新卒定着状況●
20年入社(男5、女2)→3年後在籍(男4、女2)
●採用情報●
【人数】23年:8 24年:11 25年:応募76→内定12*
【内定内訳】(男6、女6)(文3、理9)(総12、他0)
【試験】〔筆記〕SPI3〔Web自宅〕SPI3〔性格〕有
【時期】エントリー25.3→内々定25.6【インターン】有
【採用実績校】近大1、山口大1、関大1、山口東理大1、高知工科大1、広島修道大1、鳥取大1、広島大1、愛媛大1、福岡大1、他
【求める人材】アイデアや発想を積極的に提案し、ストイックに仕事に取り組み、会社の発展に情熱を持てる人

【本社】732-0828 広島県広島市南区京橋町1-23 大樹生命広島駅前ビル ☎082-577-0055
【特色・近況】酸化鉄メーカーの老舗。微粒子合成技術を応用したプリンター用キャリア・トナーの機能性顔料や、家電・電子部品に使われるフェライト磁性材料などが主力。リチウムイオン電池用正極材料で独BASFと合弁会社を持つ。TDKと資本業務提携。
【設立】1933.11 【資本金】7,477百万円
【社長】久保恒晃(1964.10生 広島大工卒)
【株主】〔24.3〕TDK20.6%
【連結事業】機能性顔料31、電子素材69 <海外49>
【従業員】連1,112名 単377名(47.1歳)

【業績】	売上高	営業利益	経常利益	純利益
連22.3	35,332	2,519	4,184	3,116
連23.3	34,934	1,367	3,349	3,268
連24.3	26,234	117	1,168	▲3,581

富山薬品工業（とみやまやくひんこうぎょう）

[株式公開未定]

採用内定数	倍率	3年後離職率	平均年収
2名	8.5倍	0%	641万円

●待遇、制度●
【初任給】月20.9万(諸手当0.4万円)
【残業】6.8時間【有休】15日【制度】[住][在]
●新卒定着状況●
20年入社(男1、女0)→3年後在籍(男1、女0)
●採用情報●
【人数】23年:5 24年:5 25年:応募17→内定2*
【内定内訳】(男2、女0)(文0、理2)(総2、他0)
【試験】〔Web会場〕C-GAB〔Web自宅〕WEB-GAB〔性格〕有
【時期】エントリー25.2→内々定25.6(一次・二次以降もWEB面接可)
【採用実績校】群馬大1、長崎大1
【求める人材】自発的に物事に挑戦する積極性と、状況変化に対応できる柔軟性のある人

【本社】103-0023 東京都中央区日本橋本町1-2-6 日本橋本町スクエア ☎03-3242-5141
【特色・近況】高純度化学薬品・試薬メーカー。試薬や電子材料用など各種薬品のファインケミカル分野に加えキャパシタ分野、リチウムイオン電池用電解液で先駆。エレクトロニクス用高純度化学薬品でも安定的。欧米、アジア各国にも積極展開している。
【設立】1946.6 【資本金】151百万円
【社長】内藤広已(1953.10生 東海大工卒)
【株主】〔23.11〕東京中小企業投資育成24.0%
【事業】コンデンサ薬品43、電材薬品37、特殊薬品20 <輸出30>
【従業員】単128名(43.2歳)

【業績】	売上高	営業利益	経常利益	純利益
単21.11	6,062	550	677	473
単22.11	6,978	620	798	558
単23.11	6,104	350	566	403

(株)トリケミカル研究所（けんきゅうじょ）

[東証プライム]

採用内定数	倍率	3年後離職率	平均年収
11名	4.8倍	0%	[総]693万円

●待遇、制度●
【初任給】月28万(諸手当2.5万円)
【残業】5時間【有休】12.4日【制度】[フ][住][在]
●新卒定着状況●
20年入社(男10、女3)→3年後在籍(男10、女3)
●採用情報●
【人数】23年:11 24年:16 25年:応募53→内定11
【内定内訳】(男10、女1)(文0、理11)(総11、他0)
【試験】〔Web会場〕C-GAB〔Web自宅〕WEB-GAB〔性格〕有
【時期】エントリー25.2→内々定25.4(一次・二次以降もWEB面接可)【インターン】有
【採用実績校】東理大2、茨城大2、工学院大1、静岡大1、埼玉大1、千葉大1、山梨大1、芝工大1、東京電機大1
【求める人材】コミュニケーションが取れる人

【本社】409-0112 山梨県上野原市上野原8154-217 ☎0554-63-6600
【特色・近況】半導体や光ファイバー、太陽電池向けの高純度化学薬品メーカー。シリコンウエハに薄膜を堆積させるメタル化学蒸着法材料、ウエハ内部に不純物を注入させる拡散材料などに強み。多品種・小ロット生産の特注品が多く、ニッチ市場で高シェア。
【設立】1978.12 【資本金】3,278百万円
【代表取締役】太附聖(1964.10生)
【株主】〔24.7〕日本カストディ銀行信託口14.3%
【連結事業】半導体製造用高純度化学化合物事業他100 <海外68>
【従業員】連271名 単228名(34.8歳)

【業績】	売上高	営業利益	経常利益	純利益
連22.1	11,574	2,976	5,294	4,095
連23.1	13,803	3,504	6,186	4,832
連24.1	11,246	1,947	3,276	2,470

ナトコ

東証スタンダード

採用内定数	倍率	3年後離職率	平均年収
7名	11.7倍	16.7%	㊣638万円

●待遇、制度●
【初任給】月24.3万(諸手当0.9万円)
【残業】8.7時間【有休】12.4日【制度】住 在

●新卒定着状況●
20年入社(男6、女0)→3年後在籍(男5、女0)

●採用情報●
【人数】23年:4 24年:5 25年:応募82→内定7*
【内定内訳】(男4、女3)(文0、理7)(総7、他0)
【試験】〔筆記〕常識〔性格〕有
【時期】エントリー25.3→内々定25.3*(一次はWEB面接可)【インターン】有
【採用実績校】名城大3、名大1、富山大1、札幌市大1、武蔵野美大1

【求める人材】自発的に行動できる人、コミュニケーション力のある人

【本社】470-0213 愛知県みよし市打越町生賀山18
☎0561-32-2285
【特色・近況】中堅塗料メーカー。金属用、内・外装建材用の塗料が中心。高機能性樹脂を用いたフィルム用などの各種コーティング材も手がける。スマホ向けにも強み。蒸留事業で新品と再生品のシンナーも展開。環境対応型塗料を拡充。ファインケミカルを育成。
【設立】1948.11 【資本金】1,626百万円
【社長】粕谷太一(1974.10生 成城大法卒)
【株主】〔24.4〕粕谷忠晴14.3%
【連結事業】塗料61、ファインケミカル13、蒸留26 <海外17>
【従業員】連405名 単219名(42.3歳)

【業績】	売上高	営業利益	経常利益	純利益
連21.10	19,046	2,024	2,214	1,639
連22.10	20,445	1,673	2,104	1,514
連23.10	20,164	1,253	1,360	951

日華化学（にっかかがく）

東証スタンダード

採用内定数	倍率	3年後離職率	平均年収
27名	9.9倍	10%	546万円

●待遇、制度●
【初任給】月22.5万(固定残業代5時間分)
【残業】10.4時間【有休】9.7日【制度】フ 住 在

●新卒定着状況●
20年入社(男6、女4)→3年後在籍(男6、女3)

●採用情報●
【人数】23年:31 24年:27 25年:応募266→内定27*
【内定内訳】(男10、女17)(文9、理17)(総27、他0)
【試験】〔Web自宅〕有
【時期】エントリー25.3→内々定25.6(一次はWEB面接可)【インターン】有
【採用実績校】フェリス女学大、学習院大、関大、京産大、金沢大院、工学院大、弘前大院、室蘭工大院、信州大、信州大院、神戸大、他
【求める人材】自律的に行動する、巻き込む力を身に付けて業務を推進する、失敗を恐れず挑戦する人

【本社】910-8670 福井県福井市文京4-23-1
☎0776-24-0213
【特色・近況】福井地盤の化学メーカー。紡織から染色、仕上げまでの各種の繊維加工用界面活性剤で高シェア。金属加工・紙パルプ・自動車用の工業用薬剤や、クリーニング用薬剤、美容室向けヘアケア製品なども展開。アジアを中心に海外売上比率は5割弱。
【設立】1941.9 【資本金】2,898百万円
【社長】江守康昌(1962.2生 慶大理工卒)
【株主】〔24.6〕㈱江守プランニング13.3%
【連結事業】化学品71、化粧品28、他1 <海外49>
【従業員】連1,529名 単629名(41.8歳)

【業績】	売上高	営業利益	経常利益	純利益
連21.12	48,474	2,453	2,706	2,595
連22.12	50,627	2,628	3,132	2,114
連23.12	50,169	2,039	2,528	1,691

日信化学工業（にっしんかがくこうぎょう）

株式公開計画なし

採用内定数	倍率	3年後離職率	平均年収
3名	5.7倍	33.3%	610万円

●待遇、制度●
【初任給】月23.5万(諸手当1.8万円)
【残業】6.4時間【有休】14.8日【制度】フ 住 在

●新卒定着状況●
20年入社(男3、女0)→3年後在籍(男2、女0)

●採用情報●
【人数】23年:2 24年:3 25年:応募17→内定3
【内定内訳】(男2、女1)(文0、理3)(総3、他0)
【試験】なし
【時期】エントリー25.3→内々定25.5(一次・二次以降もWEB面接可)【インターン】有
【採用実績校】同大1、福井工大1、長浜バイオ大1

【求める人材】変化への対応能力、コミュニケーション能力の高い人

【本社】915-0802 福井県越前市北府2-17-33
☎0778-22-5100
【特色・近況】信越化学の完全子会社でグループのケミカル部門中核。塩化ビニル系変性樹脂、各種合成樹脂エマルジョン、シリコン系変性樹脂など、産業向け機能性樹脂を製造・販売。資材の安定調達・製品の安定供給体制確立。中国・上海に現地法人。
【設立】1955.3 【資本金】500百万円
【社長】小野猪智郎(1959.3生 千葉大応用化卒)
【株主】〔24.2〕信越化学工業100%
【事業】化学製品製造100 <輸出29>
【従業員】単252名(41.6歳)

【業績】	売上高	営業利益	経常利益	純利益
単22.2	18,300	2,585	2,722	1,883
単23.2	18,937	2,743	2,820	1,788
単24.2	19,747	2,602	2,851	1,963

新田（にった）ゼラチン

東証スタンダード

採用内定数	倍率	3年後離職率	平均年収
3名	420.7倍	0%	784万円

●待遇、制度●
【初任給】月25万
【残業】11.5時間【有休】15.7日【制度】フ 住 在
●新卒定着状況●
20年入社(男1、女1)→3年後在籍(男1、女1)
●採用情報●
【人数】23年:6 24年:6 25年:応募1262→内定3
【内定内訳】(男2、女1)(文0、理2)(総3、他0)
【試験】〔Web自宅〕有〔性格〕有
【時期】エントリー24.10→内々定25.5(一次・二次以降もWEB面接可)【インターン】有
【採用実績校】福井県大1、九大1、日本分析化学専1
【求める人材】チャレンジ精神が旺盛で、グローバルに活躍し仕事を通じて自分の人生を楽しみたい人

【本社・大阪工場】581-0024 大阪府八尾市二俣2-22 ☎072-949-5381
【特色・近況】ゼラチン、コラーゲンペプチドなどを製造販売。ゼラチンの国内販売シェア首位、世界製造シェア6位。食品、健康・美容、医療の3分野が事業の柱。海外はアジア、北米に製販拠点。1918年にゼラチン・にかわ製造で創業。
【設立】1945.2 【資本金】3,144百万円
【社長】竹宮秀典(1965.1生)
【株主】〔24.3〕アイビーピー㈱19.0%
【連結事業】フードソリューション40、ヘルスサポート49、スペシャリティーズ11 <海外52>
【従業員】連946名 単249名(42.4歳)

【業績】	売上高	営業利益	経常利益	純利益
連22.3	31,783	1,560	1,734	726
連23.3	39,186	2,259	2,248	1,558
連24.3	40,420	1,836	2,382	▲1,850

#有休取得が多い

日東化成（にっとうかせい）

株式公開計画なし

採用予定数	倍率	3年後離職率	平均年収
未定	‥	ー	㊇754万円

●待遇、制度●
【初任給】月26万(諸手当2.1万円)
【残業】3.8時間【有休】18.1日【制度】住
●新卒定着状況●
20年入社(男0、女0)→3年後在籍(男0、女0)
●採用情報●
【人数】23年:‥ 24年:‥ 25年:予定未定
【内定内訳】(男‥、女‥)(文0、理2)(総‥、他‥)
【試験】‥
【時期】エントリー25.3→内々定25.3*
【採用実績校】‥
【求める人材】向上心がある人、勉強熱心な人、好奇心がある人、変化を恐れず成長意欲がある人

【本社】533-0031 大阪府大阪市東淀川区西淡路3-17-14 ☎06-6322-4351
【特色・近況】塩ビ樹脂用安定剤の大手メーカー。船底塗料用ワニスや漁網防汚剤を中心に医薬中間体、機能性材料などの受託生産も手がける。グリニヤール反応技術で実績。粉体塗装向け粉体ビスマス触媒の製造販売も。シンガポールに生産現法。タイに事務所。
【設立】1947.7 【資本金】140百万円
【社長】勝村能貴(1971.10生 京大経済卒)
【株主】〔24.1〕大阪中小企業投資育成27.3%
【事業】塩化ビニル樹脂用安定剤、海中生物防汚剤、触媒、他 <輸出38>
【従業員】単175名(43.0歳)

【業績】	売上高	営業利益	経常利益	純利益
単22.1	15,946	2,071	2,138	1,438
単23.1	17,905	2,513	2,559	1,936
単24.1	17,964	3,055	3,101	2,182

㈱ニッピ

東証スタンダード

採用内定数	倍率	3年後離職率	平均年収
6名	15.3倍	16.7%	584万円

●待遇、制度●
【初任給】月22.1万
【残業】6.2時間【有休】15日【制度】住
●新卒定着状況●
20年入社(男6、女0)→3年後在籍(男5、女0)
●採用情報●
【人数】23年:17 24年:10 25年:応募92→内定6
【内定内訳】(男4、女2)(文2、理4)(総6、他0)
【試験】〔Web会場〕C-GAB〔性格〕有
【時期】エントリー25.3→内々定25.5(一次・二次以降もWEB面接可)
【採用実績校】‥
【求める人材】チャレンジ精神が旺盛、継続して努力できる、臨機応変な対応ができる人

【本社】120-8601 東京都足立区千住緑町1-1-1 ☎03-3888-5111
【特色・近況】ゼラチン、コラーゲンの製造・販売を手がける。ゼラチンは食品、医薬品向けに加え、接着剤用途など工業用にも展開。祖業の皮革は自動車内装用を扱い、ハンドル用革は国内全自動車メーカーが採用。東京・足立や大阪・浪速での不動産賃貸事業が高収益。
【設立】1907.4 【資本金】4,404百万円
【社長】伊藤裕子(1969.8生)
【株主】〔24.3〕リーガルコーポレーション14.3%
【連結事業】コラーゲン・ケーシング19、ゼラチン28、化粧品関連16、皮革関連16、賃貸・不動産2、食品他19 <海外22>
【従業員】連627名 単449名(38.5歳)

【業績】	売上高	営業利益	経常利益	純利益
連22.3	39,349	1,759	1,776	1,144
連23.3	44,811	1,471	1,553	1,169
連24.3	49,046	3,612	3,740	2,548

日本カーバイド工業（にっぽんカーバイドこうぎょう）　東証プライム

採用内定数	倍率	3年後離職率	平均年収
12名	12.9倍	12.5%	㊓697万円

●待遇、制度●
【初任給】月23.6万
【残業】14.7時間【有休】15.3日【制度】フ 住 在
●新卒定着状況●
20年入社(男6、女2)→3年後在籍(男5、女2)
●採用情報●
【人数】23年:5 24年:15 25年:応募155→内定12*
【内定内訳】(男8、女4)(文6、理6)(総12、他0)
【試験】〔Web自宅〕有
【時期】エントリー 25.3→内々定25.6(一次・二次以降もWEB面接可)【インターン】有
【採用実績校】‥
【求める人材】若いうちからグローバルな環境で裁量の多い仕事にチャレンジしてみたい人

【本社】108-8466 東京都港区港南2-16-2 ☎03-5462-8200
【特色・近況】粘・接着剤などの機能樹脂、セラミック基板、フィルム・ステッカー、道路標識用の再反射シートなどを展開。東南アジアが主戦場の2輪車用ステッカーに強み。コア技術である樹脂重合技術、フィルム・シート技術、セラミック焼成技術を軸に製品を展開。
【設立】1935.10　【資本金】7,797百万円
【社長】杉山孝久(1959.11生 千葉大工卒)
【株主】〔24.3〕日本マスタートラスト信託銀行信託口11.9%
【連結事業】電子・機能製品38、フィルム・シート40、建材関連16、エンジニアリング6 <海外50>
【従業員】連3,329名 単524名(43.8歳)

【業績】	売上高	営業利益	経常利益	純利益
連22.3	47,003	3,192	4,055	1,930
連23.3	44,008	1,261	1,902	332
連24.3	43,231	849	1,573	999

日本精化（にっぽんせいか）　東証プライム

採用内定数	倍率	3年後離職率	平均年収
3名	407倍	0%	712万円

●待遇、制度●
【初任給】月27万(諸手当1.2万円)
【残業】15.7時間【有休】13.8日【制度】フ 住 在
●新卒定着状況●
20年入社(男2、女2)→3年後在籍(男2、女2)
●採用情報●
【人数】23年:6 24年:6 25年:応募1221→内定3
【内定内訳】(男1、女2)(文0、理3)(総3、他0)
【試験】〔Web自宅〕SPI3
【時期】エントリー 24.10→内々定25.1(一次・二次以降もWEB面接可)
【採用実績校】徳島大1、神戸学大1、立命館大1
【求める人材】失敗や変化を恐れず、勇気をもって前向きにチャレンジするバイタリティにあふれた人

【本社】541-0051 大阪府大阪市中央区備後町2-4-9 ☎06-6231-4781
【特色・近況】工業用原料、家庭用原料を製造。樟脳・脂肪酸誘導体で高シェア。医薬原料や電子材料を扱う精密化学品分野、植物由来の化粧品材料を扱う香粧品分野と環境衛生分野で展開。医薬分野の技術を応用し化粧品原料としたリン脂質はスキンケア分野で幅広く使用される。
【設立】1918.2　【資本金】5,933百万円
【社長】矢野浩史(1964.6生 立命大法卒)
【株主】〔24.3〕太陽鉱工15.1%
【連結事業】機能性製品78、環境衛生製品21、他1 <海外25>
【従業員】連727名 単423名(41.6歳)

【業績】	売上高	営業利益	経常利益	純利益
連22.3	33,448	4,881	5,127	3,472
連23.3	36,838	5,057	5,389	4,079
連24.3	33,531	4,197	4,452	3,327

日本化学工業（にほんかがくこうぎょう）　東証プライム

採用内定数	倍率	3年後離職率	平均年収
5名	6倍	25%	644万円

●待遇、制度●
【初任給】月24.1万
【残業】13.1時間【有休】15.3日【制度】住 在
●新卒定着状況●
20年入社(男4、女0)→3年後在籍(男3、女0)
●採用情報●
【人数】23年:31 24年:22 25年:応募30→内定5*
【内定内訳】(男2、女3)(文1、理4)(総5、他0)
【試験】〔Web会場〕SPI3〔Web自宅〕SPI3
【時期】エントリー 25.3→内々定25.6(一次はWEB面接可)【インターン】有
【採用実績校】学習院大1、山梨大1、東邦大1、山形大1、明大1
【求める人材】自分で考え、行動し、常にクリエイティブなチャレンジができる人

【本社】136-8515 東京都江東区亀戸9-11-1 ☎03-3636-8111
【特色・近況】クロム塩、ケイ酸ソーダ、硫酸アルミニウムなど工業薬品を国産化した老舗化学メーカー。リンやバリウム製品も加わり、無機化学品では専業首位級。機能品事業の電子セラミック材料を強化。医薬中間体、農薬原体なども手がける。
【設立】1915.9　【資本金】5,757百万円
【社長】棚橋洋太(1976.3生 東京理大院理修了)
【株主】〔24.3〕日本マスタートラスト信託銀行信託口11.3%
【連結事業】化学品46、機能品49、賃貸2、他2 <海外13>
【従業員】連747名 単652名(41.3歳)

【業績】	売上高	営業利益	経常利益	純利益
連22.3	37,275	3,921	3,864	3,735
連23.3	38,075	1,292	1,412	855
連24.3	38,538	2,264	2,383	1,590

日本化学産業（にほんかがくさんぎょう） 東証スタンダード

採用内定数	倍率	3年後離職率	平均年収
5名	‥	11.1%	596万円

●待遇、制度●
【初任給】月23.1万
【残業】5.8時間【有休】11.6日【制度】住 在
●新卒定着状況●
20年入社(男7、女2)→3年後在籍(男7、女1)
●採用情報● 25年は高卒除く
【人数】23年:10 24年:12 25年:応募‥→内定5*
【内定内訳】(男3、女2)(文1、理4)(総0、他5)
【試験】なし
【時期】エントリー25.3→内々定25.6(一次はWEB面接可)【ジョブ型】有
【採用実績校】‥
【求める人材】主体性をもち、周囲とコミュニケーションを取ることができる人

【本社】110-0015 東京都台東区東上野4-8-1 TIXTOWER UENO ☎03-5246-3540
【特色・近況】無機系の表面処理薬品の大手メーカー。生産する薬品類は表面処理用、塗料用、印刷インキ用、導電剤用、セラミック・ガラス用など多岐にわたり、2次電池用正極材の受託加工も収益柱のひとつ。防火・通気・防水に着目した住宅用建材も手がける。
【設立】1924.10 【資本金】1,034百万円
【社長】角谷博樹(1957.2生 東工大院理工修了)
【株主】〔24.3〕日本カストディ銀行信託口5.8%
【連結事業】薬品83、建材17 <海外16>
【従業員】連448名 単384名(42.4歳)

【業績】	売上高	営業利益	経常利益	純利益
連22.3	23,716	4,223	4,510	3,236
連23.3	24,062	2,899	3,265	2,234
連24.3	22,444	2,177	2,560	1,742

日本高純度化学（にほんこうじゅんどかがく） 東証プライム

採用内定数	倍率	3年後離職率	平均年収
3名	‥	50%	783万円

●待遇、制度●
【初任給】月27.5万
【残業】21.3時間【有休】15.4日【制度】‥
●新卒定着状況●
20年入社(男2、女0)→3年後在籍(男1、女0)
●採用情報●
【人数】23年:4 24年:2 25年:応募‥→内定3*
【内定内訳】(男1、女2)(文0、理3)(総3、他0)
【試験】〔Web会場〕C-GAB〔性格〕有
【時期】エントリー24.12→内々定25.6(一次はWEB面接可)【インターン】有
【採用実績校】東北大1、東京工科大1、東邦大1
【求める人材】「能動型自律人材」に当てはまる人

【本社】179-0081 東京都練馬区北町3-10-18 ☎03-3550-1048
【特色・近況】電子部品向け貴金属メッキ薬品専業メーカー。研究開発型のファブレス経営。プリント基板、コネクター、リードフレームなどの接点・接続部位に使用される。スマホ・車載向けが伸張。半導体超微細加工など先端分野を加速。2次電池関連で新規需要を発掘。
【設立】1971.7 【資本金】1,283百万円
【社長】小島智敬(1972.8生)
【株主】〔24.3〕日本マスタートラスト信託銀行信託口9.4%
【事業】プリント基板・半導体搭載基板用41、コネクタ・マイクロスイッチ用19、リードフレーム用38、他2 <海外56>
【従業員】単49名(38.3歳)

【業績】	売上高	営業利益	経常利益	純利益
単22.3	18,714	1,201	1,339	974
単23.3	16,254	567	753	569
単24.3	11,419	354	553	548

日本特殊塗料（にほんとくしゅとりょう） 東証スタンダード

採用内定数	倍率	3年後離職率	平均年収
5名	‥	16.7%	640万円

●待遇、制度●
【初任給】月22.3万(諸手当0.3万円)
【残業】11.7時間【有休】12.6日【制度】住 在
●新卒定着状況●
20年入社(男10、女2)→3年後在籍(男9、女1)
●採用情報●
【人数】23年:17 24年:16 25年:応募‥→内定5*
【内定内訳】(男4、女1)(文3、理2)(総4、他1)
【試験】〔筆記〕常識〔Web自宅〕有〔性格〕有
【時期】エントリー25.3→内々定25.6(一次はWEB面接可)【インターン】有
【採用実績校】‥
【求める人材】‥

【本社】114-8584 東京都北区王子3-23-2 ☎03-3913-6131
【特色・近況】自動車製品関連が売上高の約7割を占め、防音・防錆塗料から発展した制振や吸音・遮音などの自動車用防音材が主力。祖業は航空機塗料。もう1つの柱の塗料は、塗り床材など建築用と防水材が主体。海外は米国、中国、タイ、インドネシアで生産。
【設立】1929.6 【資本金】4,753百万円
【社長】遠田比呂志(1959.2生)
【株主】〔24.3〕オートニウム・ホールディング13.1%
【連結事業】塗料関連32、自動車製品関連68、他0 <海外13>
【従業員】連1,185名 単642名(40.4歳)

【業績】	売上高	営業利益	経常利益	純利益
連22.3	54,779	1,482	2,625	1,300
連23.3	60,738	1,631	3,141	2,103
連24.3	64,693	3,905	5,963	3,947

メーカー(素材・身の回り品)

日本（にほん）リファイン　株式公開計画なし

採用内定数	倍率	3年後離職率	平均年収
8名	12.6倍	25%	㊧618万円

●待遇、制度●
【初任給】月22.6万
【残業】21.5時間【有休】11.7日【制度】フ 住 在
●新卒定着状況●
20年入社(男8、女4)→3年後在籍(男6、女3)
●採用情報● 親会社採用
【人数】23年:6 24年:12 25年:応募101→内定8*
【内定内訳】(男8、女0)(文0、理8)(総8、他0)
【試験】〔Web自宅〕SPI3
【時期】エントリー 25.3→内々定25.6(一次・二次以降もWEB面接可)【インターン】有
【採用実績校】千葉大2、日大2、徳島大1、東京海洋大1、静岡県大1、静岡大1
【求める人材】好奇心旺盛な人、成長意欲のある人、最後までやり抜く力のある人、変革が好きな人

【本社】503-0212 岐阜県安八郡輪之内町中郷新田2574-1 ☎0584-69-3155
【特色・近況】使用済み溶剤の精製リサイクルと、排ガス・排水中の微量溶剤成分回収装置開発の環境エンジニアリングが2本柱。地上資源由来の溶剤販売や溶剤リサイクルに積極的。岐阜、千葉に工場。海外は、グループで米国、中国、台湾に現地法人。
【設立】2017.8　【資本金】310百万円
【社長】長谷川光彦
【株主】〔24.1〕リファインホールディングス100%
【事業】溶剤のリサイクル・環境機器のエンジニアリング100 <輸出2>
【従業員】単278名(41.1歳)

【業績】	売上高	営業利益	経常利益	純利益
単21.12	10,812	858	789	569
単22.12	11,423	613	539	167
単23.12	12,059	677	606	427

ネクサス　株式公開計画なし

採用予定数	倍率	3年後離職率	平均年収
若干	ー	66.7%	326万円

●待遇、制度●
【初任給】月19.2万
【残業】9時間【有休】10日【制度】住 在
●新卒定着状況●
20年入社(男3、女0)→3年後在籍(男1、女0)
●採用情報●
【人数】23年:6 24年:3 25年:応募3→内定0*
【内定内訳】(男‥、女‥)(文‥、理‥)(総‥、他‥)
【試験】なし
【時期】エントリー 25.2→内々定25.3*(一次はWEB面接可)
【採用実績校】‥
【求める人材】常に考え自ら率先して行動する人

【本社】861-0821 熊本県玉名郡南関町下坂下1683-4 ☎0968-53-8181
【特色・近況】プラスチック製品の射出成形加工、同射出成形用の精密金型を製作するベンチャー型企業。開発段階から生産、成形、塗装まで一貫体制。マグネシウム合金成形品の製作や工場の自動化ラインの設計・構築も手がける。熊本、岐阜に工場。
【設立】1964.7　【資本金】91百万円
【社長】平澤純一(1962.2生 熊本工大工卒)
【株主】〔24.5〕平澤純一100%
【事業】プラ成形品25、ユニット組立品58、プラ・マグネシウム成形用金型7、マグネシウム成形品他10
【従業員】単169名(45.1歳)

【業績】	売上高	営業利益	経常利益	純利益
単21.6	2,502	‥	‥	‥
単22.6	2,818	‥	‥	‥
単23.6	4,085	‥	‥	‥

㈱パーカーコーポレーション　東証スタンダード

採用内定数	倍率	3年後離職率	平均年収
4名	16.3倍	25%	740万円

●待遇、制度●
【初任給】月24万
【残業】7.8時間【有休】13.4日【制度】住
●新卒定着状況●
20年入社(男4、女0)→3年後在籍(男3、女0)
●採用情報●
【人数】23年:8 24年:3 25年:応募65→内定4*
【内定内訳】(男2、女2)(文1、理3)(総4、他0)
【試験】〔Web自宅〕SPI3
【時期】エントリー 25.3→内々定25.5(一次はWEB面接可)
【採用実績校】東京電機大1、東京工科大1、工学院大1、関西外大1
【求める人材】明朗活発な人、常に好奇心を持ち、学ぶ事を忘れず、柔軟な発想ができる人

【本社】103-8588 東京都中央区日本橋人形町2-22-1 ☎03-5644-0600
【特色・近況】国内シェアトップ級の工業用洗剤などの化学品、防錆材料など自動車向けの化成品、自動車とエアコン向けの防音材を中心とする産業用素材が主力製品。鋼板用補強材事業取得によりEV対応の制振技術を強化。商社から化学品メーカーへの転換が進む。
【設立】1951.8　【資本金】2,201百万円
【社長】里見嘉重(1967.10生 Wミシガン大卒)
【株主】〔24.3〕日本パーカライジング22.6%
【連結事業】機械4、化成品46、化学品10、産業用素材26、化工品10、他4 <海外44>
【従業員】連2,217名 単221名(41.0歳)

【業績】	売上高	営業利益	経常利益	純利益
連22.3	49,979	2,684	3,066	1,521
連23.3	56,786	3,655	3,809	2,478
連24.3	67,733	4,555	5,022	3,601

ハイモ

株式公開未定

採用実績数	倍率	3年後離職率	平均年収
14名	‥	‥	‥

●待遇、制度●
【初任給】月23.2万
【残業】11時間【有休】14日【制度】フ 住 在
●新卒定着状況●
‥
●採用情報●
【人数】23年:8 24年:14 25年:予定未定
【内定内訳】(男‥、女‥)(文‥、理‥)(総‥、他‥)
【試験】〔Web自宅〕WEB-GAB
【時期】エントリー24.‥→内々定‥(一次はWEB面接可)【インターン】有
【採用実績校】‥
【求める人材】‥

【本社】100-0005 東京都千代田区丸の内3-4-1 新国際ビル ☎03-6212-3838
【特色・近況】水処理薬剤メーカー。水処理用高分子凝集剤「ハイモロック」のほか、製紙用高分子薬剤、土木用薬剤、生化学分析用ゲルなどを6000社以上の顧客に供給する。青森、神奈川、山口、福岡に工場、神奈川に研究拠点を持つ。
【設立】1961.4 【資本金】281百万円
【社長】相曾淳
【株主】〔24.3〕SNF Group
【事業】水処理用高分子凝集剤、製紙用高分子薬剤、機能性高分子薬剤 <輸出6>
【従業員】単203名(44.3歳)

【業績】	売上高	営業利益	経常利益	純利益
単22.3	13,378	471	490	370
単23.3	14,983	601	660	453
単24.3	16,289	743	782	561

林純薬工業（はやしじゅんやくこうぎょう）

株式公開計画なし

採用内定数	倍率	3年後離職率	平均年収
6名	10.3倍	20%	㊙468万円

●待遇、制度●
【初任給】月21万
【残業】11時間【有休】12日【制度】‥
●新卒定着状況●
20年入社(男10、女5)→3年後在籍(男8、女4)
●採用情報●
【人数】23年:8 24年:7 25年:応募62→内定6*
【内定内訳】(男2、女4)(文0、理6)(総6、他0)
【試験】なし
【時期】エントリー25.3→内々定25.3*(一次はWEB面接可)【ジョブ型】有
【採用実績校】三重大1、佐賀大1、関西学大1、愛知工業大1、龍谷大1、崇城大1
【求める人材】チームの一翼を担う、当事者意識をもって行動できる人

【本社】540-0037 大阪府大阪市中央区内平野町3-2-12 ☎06-6910-7335
【特色・近況】液晶・半導体などの製造に用いられる機能性薬品と、試験研究用試薬・標準品などの試薬化成品が主力。機能性薬品の受託製造や、試薬調整・調液、有機化合物合成の受託サービスも提供。半導体基板、液晶基板などの画像観察や薬液処理も。個別テーマごとの共同研究に強み。
【設立】1932.4 【資本金】100百万円
【社長】和田清之(1968.1生 神戸大工卒)
【株主】〔24.3〕和田清之91.3%
【事業】電子工業用薬品80、分析用標準品・試薬20 <輸出1>
【従業員】単293名(39.8歳)

【業績】	売上高	営業利益	経常利益	純利益
単21.12	15,219	‥	181	‥
単22.12	16,158	‥	260	‥
単23.12	16,182	‥	287	‥

#年収高く倍率低い #年収が高い

ハリマ化成（かせい）グループ

東証プライム

採用内定数	倍率	3年後離職率	平均年収
11名	12.7倍	12.1%	㊙928万円

●待遇、制度●
【初任給】月24万
【残業】15.4時間【有休】14.9日【制度】フ 住 在
●新卒定着状況●
20年入社(男25、女8)→3年後在籍(男21、女8)
●採用情報●ハリマ化成採用
【人数】23年:17 24年:13 25年:応募140→内定11
【内定内訳】(男7、女4)(文4、理7)(総11、他0)
【試験】〔Web自宅〕SPI3〔性格〕有
【時期】エントリー24.12→内々定25.3(一次はWEB面接可)【インターン】有
【採用実績校】青学大1、長浜バイオ大1、兵庫県大1、東京農業大1、名大1、明大1、関大1、関西学大1、同大1、愛媛大1、岡山商大1
【求める人材】知的で感性豊かなチャレンジャー

【大阪本社】541-0042 大阪府大阪市中央区今橋4-4-7 ☎06-6201-2461
【特色・近況】松から得られる化学物質の応用製品を製造するパイオニア。製造過程で松材から工業的に得られるトールロジン、トール脂肪酸を国内で唯一生産。グループで製紙用薬品、インク樹脂、塗料用粘着材樹脂、電子機器に使われる接合材などを展開。
【設立】1947.11 【資本金】10,012百万円
【社長】長谷川吉弘(1947.8生 早大理工卒)
【株主】〔24.3〕長谷川興産11.1%
【連結事業】樹脂化成品23、製紙用薬品27、電子材料12、ローター34、他4 <海外57>
【従業員】連1,739名 単120名(45.6歳)

【業績】	売上高	営業利益	経常利益	純利益
連22.3	76,093	3,250	3,433	1,746
連23.3	94,510	1,706	2,541	885
連24.3	92,330	▲211	▲275	▲1,161

#年収高く倍率低い #年収が高い

扶桑化学工業（ふそうかがくこうぎょう）

[東証プライム]

採用内定数	倍率	3年後離職率	平均年収
12名	12.6倍	12.5%	[総]906万円

●待遇、制度●
【初任給】月26.9万
【残業】13.4時間【有休】13.8日【制度】[フ][住][在]
●新卒定着状況●
20年入社(男4、女4)→3年後在籍(男4、女3)
●採用情報●
【人数】23年:15 24年:10 25年:応募151→内定12*
【内定内訳】(男6、女6)(文0、理12)(総11、他1)
【試験】〔Web自宅〕WEB-GAB
【時期】エントリー25.1→内々定25.2(一次はWEB面接可)【インターン】有
【採用実績校】大阪公大1、関西学大1、京産大1、神戸大1、佐賀大1、東北大1、徳島大1、北大2、立命館大1、和歌山大1、早大1
【求める人材】「チャレンジ精神」や「向上心」があり、「主体性」や「自律性」が強く、高い「論理思考力」を持つ人

【本社】541-0041 大阪府大阪市中央区北浜3-5-29 日本生命淀屋橋ビル ☎06-6203-4771
【特色・近況】リンゴ酸やクエン酸、グルコン酸など果実酸類の総合メーカー。果実酸類は食品添加物のほか、工業用途にも使用される。収益柱は半導体ウエハ研磨剤の原料となる電子材料の超高純度コロイダルシリカで、生産能力増強に注力。海外は中国、タイ、米国に拠点。
【設立】1957.6 【資本金】4,334百万円
【社長】杉田真一(1955.10生)
【株主】〔24.3〕㈱壽世堂15.7%
【連結事業】ライフサイエンス58、電子材料・機能性化学品42 <海外47>
【従業員】連930名 単567名(41.9歳)

【業績】	売上高	営業利益	経常利益	純利益
連22.3	55,760	15,034	15,509	10,890
連23.3	68,459	18,930	19,740	14,129
連24.3	58,970	11,083	11,883	8,343

フタムラ化学（かがく）

[株式公開計画なし]

採用内定数	倍率	3年後離職率	平均年収
8名	13.4倍	11.1%	‥

●待遇、制度●
【初任給】月21.5万
【残業】6時間【有休】15.7日【制度】[住]
●新卒定着状況●
20年入社(男14、女4)→3年後在籍(男12、女4)
●採用情報●
【人数】23年:14 24年:11 25年:応募107→内定8
【内定内訳】(男7、女1)(文2、理6)(総8、他0)
【試験】〔Web自宅〕有
【時期】エントリー25.3→内々定25.4(一次はWEB面接可)【インターン】有
【採用実績校】東大1、名大1、三重大1、山梨大1、宮崎大1、名城大1、中京大1、南山大1
【求める人材】経営理念に共感し、自分のやるべきことを考え行動できる人

【本社】450-0002 愛知県名古屋市中村区名駅2-29-16 ☎052-565-1212
【特色・近況】流通業向け包装フィルム材料の総合メーカー。プラスチックフィルムを軸に、セルロース、活性炭、フェノール樹脂積層板も扱う。ポリプロピレンフィルム、活性炭は国内首位級。セロハン世界1位。愛知、茨城、岐阜、広島、神奈川に工場。
【設立】1950.10 【資本金】500百万円
【社長】長江泰雄
【株主】〔24.3〕太閤ホールディング61.0%
【事業】ポリプロピレンフィルム、セロハン、活性炭、ポリエステルフィルム、他
【従業員】単1,397名(41.0歳)

【業績】	売上高	営業利益	経常利益	純利益
単22.3	76,595	‥	3,361	1,796
単23.3	95,176	‥	5,297	351
単24.3	88,023	‥	5,603	3,900

#残業が少ない

プラス・テク

[株式公開未定]

採用内定数	倍率	3年後離職率	平均年収
1名	2倍	100%	456万円

●待遇、制度●
【初任給】月21.8万
【残業】3.1時間【有休】15.1日【制度】[フ][住][在]
●新卒定着状況●
20年入社(男1、女0)→3年後在籍(男0、女0)
●採用情報●
【人数】23年:2 24年:1 25年:応募2→内定1*
【内定内訳】(男1、女0)(文0、理1)(総1、他0)
【試験】なし
【時期】エントリー25.3→内々定25.10*(一次はWEB面接可)
【採用実績校】山形大1
【求める人材】明るく素直でどんな仕事でも一生懸命頑張れる人、自分の意見を持っている人

【本社】300-0315 茨城県稲敷郡阿見町大字香澄の里1-1 ☎029-889-2222
【特色・近況】プラスチック原料(コンパウンド)の製造・販売が事業柱。ガーデンホースや農・工業用のホース、コンクリート構造物の継ぎ目を埋める止水板など、成形品も手がける。自動車用や建材用など高付加価値分野への積極展開図る。東ソーの子会社。
【設立】1939.10 【資本金】870百万円
【社長】八村哲郎(1964.8生 早大社会卒)
【株主】〔24.3〕東ソー74.2%
【事業】コンパウンド84、成形品16
【従業員】単168名(41.4歳)

【業績】	売上高	営業利益	経常利益	純利益
単22.3	6,142	207	228	173
単23.3	6,594	▲21	91	69
単24.3	6,326	▲39	11	0

㈱星医療酸器（ほしいりょうさんき）

東証スタンダード

採用内定数	倍率	3年後離職率	平均年収
5名	20.4倍	18.2%	535万円

●待遇、制度●
【初任給】月25.8万（固定残業代30時間分）
【残業】20時間【有休】8.5日【制度】住 在

●新卒定着状況●
20年入社（男7、女4）→3年後在籍（男7、女2）

●採用情報●
【人数】23年:7 24年:7 25年:応募102→内定5*
【内定内訳】（男4、女1）（文5、理0）（総5、他0）
【試験】〔筆記〕有〔Web自宅〕SPI3〔性格〕有
【時期】エントリー25.3→内々定25.4*（一次・二次以降もWEB面接可）【インターン】有
【採用実績校】東京国際大1、共栄大1、明海大1、駒澤大1、日本福祉大1
【求める人材】使命感・責任感があり、主体的に行動ができる人

【本社】121-0836 東京都足立区入谷7-11-18 ☎03-3899-2101
【特色・近況】病院向け医療用ガスを扱う。国内シェア首位、関東でシェア3割強。全国展開を志向。医師の処方箋で酸素発生器を個人レンタルする在宅医療関連が収益柱に成長。有料老人ホーム運営や介護機器レンタルなど介護事業も展開する。
【設立】1974.4【資本金】436百万円
【社長】星幸男（1959.9生 千葉商大商経卒）
【株主】〔24.3〕㈱UH Partners 2 6.8%
【連結事業】医療用ガス関連26、在宅医療関連43、医療用ガス設備工事関連14、介護福祉関連8、施設介護関連2、他7
【従業員】連501名 単348名（39.6歳）

【業績】	売上高	営業利益	経常利益	純利益
連22.3	12,771	1,595	1,620	1,107
連23.3	13,779	1,777	1,817	1,253
連24.3	14,778	1,961	2,038	1,393

北興化学工業（ほっこうかがくこうぎょう）

東証スタンダード

採用内定数	倍率	3年後離職率	平均年収
16名	18.2倍	20%	665万円

●待遇、制度●
【初任給】月22.1万
【残業】17.3時間【有休】12.7日【制度】住

●新卒定着状況●
20年入社（男23、女2）→3年後在籍（男19、女1）

●採用情報●
【人数】23年:18 24年:21 25年:応募291→内定16
【内定内訳】（男12、女4）（文2、理14）（総16、他0）
【試験】なし
【時期】エントリー25.3→内々定25.6（一次・二次以降もWEB面接可）【インターン】有
【採用実績校】愛媛大1、熊本大1、弘前大1、山口大2、神奈川大1、青森公大1、千葉大1、東京農業大1、東邦大1、日大2、法政大1、名大1、他
【求める人材】責任感があり、自主的・自律的に自ら考え行動を起こせる人

【本社】103-8341 東京都中央区日本橋本町1-5-4 住友不動産日本橋ビル ☎03-3279-5151
【特色・近況】全農系の農薬メーカー。水稲用や園芸用の殺虫剤、殺菌剤、除草剤を供給。ファインケミカルが収益柱。創業来の有機金属化合物合成技術を活かし、液晶原料や半導体封止材など電子材料原料、樹脂添加剤、医農薬中間体などを製造。東南アジアへの拠点拡大に注力。
【設立】1950.2【資本金】3,214百万円
【社長】佐野健一（1957.8生）
【株主】〔24.5〕日本マスタートラスト信託銀行信託口9.3%
【連結事業】農薬57、ファインケミカル39、繊維資材4、他0 <海外20>
【従業員】連757名 単641名（45.1歳）

【業績】	売上高	営業利益	経常利益	純利益
連21.11	40,287	2,865	3,843	2,927
連22.11	44,864	4,727	5,905	4,214
連23.11	45,227	4,417	5,474	3,724

保土谷化学工業（ほどがやかがくこうぎょう）

東証プライム

採用内定数	倍率	3年後離職率	平均年収
7名	55.9倍	7.1%	644万円

●待遇、制度●
【初任給】月24.1万
【残業】10時間【有休】13.9日【制度】フ 住 在

●新卒定着状況●
20年入社（男13、女1）→3年後在籍（男12、女1）

●採用情報●
【人数】23年:18 24年:12 25年:応募391→内定7
【内定内訳】（男4、女3）（文1、理4）（総7、他0）
【試験】〔Web会場〕SPI3
【時期】エントリー25.3→内々定25.6*（一次はWEB面接可）
【採用実績校】茨城大1、東京農業大1、長崎大1、東理大1、日女大1、大原学園専2
【求める人材】成長意欲・挑戦意欲・革新志向を持った、自ら学び考え行動できる人

【本社】105-0021 東京都港区東新橋1-9-2 汐留住友ビル ☎03-6852-0300
【特色・近況】有機工業薬品メーカー。精密化学品が収益柱で、機能性色素、機能性樹脂、基礎化学品、アグロサイエンスなどの事業を展開。デジタル家電向けアルミ着色染料は国内トップシェア。トナー材料の電荷制御技術をベースに有機ELに進出し、戦略的に育成中。
【設立】1916.12【資本金】11,196百万円
【社長】松本祐人（1960.11生）
【株主】〔24.3〕日本マスタートラスト信託銀行信託口12.9%
【連結事業】機能性色素48、機能性樹脂19、基礎化学品18、アグロサイエンス11、物流関連4、他0 <海外50>
【従業員】連922名 単489名（41.6歳）

【業績】	売上高	営業利益	経常利益	純利益
連22.3	41,879	6,421	6,914	3,251
連23.3	43,324	3,701	4,211	2,223
連24.3	44,261	3,951	4,711	2,480

#年収高く倍率低い #年収が高い #有休取得が多い

ポリプラスチックス

株式公開計画なし

採用内定数	倍率	3年後離職率	平均年収
15名	7.3倍	12.5%	㊔929万円

●待遇、制度●
【初任給】月25.3万(諸手当1.1万円)
【残業】21.6時間【有休】17.9日【制度】住 在
●新卒定着状況●
20年入社(男12、女4)→3年後在籍(男10、女4)
●採用情報●
【人数】23年:18 24年:16 25年:応募109→内定15*
【内定内訳】(男15、女0)(文0、理9)(総9、他6)
【試験】〔Web自宅〕SPI3〔性格〕有
【時期】エントリー25.3→内々定25.4(一次・二次以降もWEB面接可)【インターン】有
【採用実績校】名工大1、東京農工大1、都立大1、筑波大1、信州大2、山形大1、金沢大1、京都工繊大1
【求める人材】互いに信頼・協力し、新たな価値創造にチャレンジできる人

【本社】108-8280 東京都港区港南2-18-1 JR品川イーストビル ☎03-6711-8600
【特色・近況】自動車、電機、電子部品向けに強度、耐熱性、耐薬品性、難燃性などに優れた高機能樹脂を供給する樹脂メーカー。POM樹脂と液晶ポリマーは世界シェア首位級。中国や韓国、東南アジア、ドイツ、北米などで事業展開。ダイセルグループ。
【設立】1964.5 【資本金】3,000百万円
【社長】宮本仰(1962.5生 信州大繊維卒)
【株主】〔24.3〕ダイセル100%
【連結事業】ポリアセタール樹脂、液晶ポリマー、ポリブチレンテレフタレート樹脂、他 <輸出30>
【従業員】連2,383名 単952名(43.4歳)

【業績】	売上高	営業利益	経常利益	純利益
連22.3	169,762	21,548	20,965	13,039
連23.3	192,597	26,218	25,133	19,963
連24.3	186,868	20,541	20,374	14,646

#有休取得が多い

本州化学工業（ほんしゅうかがくこうぎょう）

株式公開計画なし

採用内定数	倍率	3年後離職率	平均年収
6名	‥	0%	‥

●待遇、制度●
【初任給】月22.5万
【残業】13.5時間【有休】18.7日【制度】フ 住 在
●新卒定着状況●
20年入社(男4、女0)→3年後在籍(男4、女0)
●採用情報●
【人数】23年:14 24年:10 25年:応募‥→内定6*
【内定内訳】(男4、女2)(文0、理6)(総6、他0)
【試験】〔Web自宅〕SPI3
【時期】エントリー25.3→内々定25.6(一次はWEB面接可)【インターン】有
【採用実績校】‥
【求める人材】チャレンジ精神に溢れ固定観念に囚われずあらゆる方向から思考する柔軟な発想を持つ人

【本社】103-0027 東京都中央区日本橋3-3-9 ☎03-3272-1481
【特色・近況】中間原料であるクレゾール誘導体やフェノール系誘導品が柱の化学メーカー。ビフェノール、シェア首位級の特殊ビスフェノール、電子材料等のファインケミカル製品が主力。和歌山に生産拠点。国内で最初にアニリン、フェノールなどの生産を開始した実績を持つ。
【設立】1949.3 【資本金】1,500百万円
【社長】木下雅幸(1961.12生)
【株主】〔24.3〕三井化学51.0%
【事業】化学品61、機能材料20、工業材料16、他3
【従業員】連410名 単372名(42.5歳)

【業績】	売上高	営業利益	経常利益	純利益
連22.3	23,320	3,619	3,546	2,254
連23.3	27,635	4,717	4,616	1,683
連24.3	25,120	2,302	2,160	1,225

本町化学工業（ほんちょうかがくこうぎょう）

株式公開計画なし

採用実績数	倍率	3年後離職率	平均年収
2名	−	0%	651万円

●待遇、制度●
【初任給】月23.2万
【残業】‥時間【有休】8日【制度】住 在
●新卒定着状況●
20年入社(男1、女3)→3年後在籍(男1、女3)
●採用情報●
【人数】23年:1 24年:2 25年:応募0→内定0*
【内定内訳】(男‥、女‥)(文‥、理‥)(総‥、他‥)
【試験】〔筆記〕有
【時期】エントリー通年→内々定通年
【採用実績校】‥
【求める人材】健康で真面目な人

【本社・営業本部】105-0012 東京都港区芝大門1-3-4 グランファースト芝大門☎03-3434-5281
【特色・近況】水の殺菌・消毒用の工業薬品を取り扱う商社兼メーカー。独自の研究開発による商品群に定評。「サンラック」ブランドの殺菌剤は上下水道やプール、食品、医療用と幅広い用途で提供。千葉、大阪、神奈川などに工場を置く。
【設立】1954.7 【資本金】97百万円
【社長】小田利明(1959.4生)
【株主】〔23.12〕野口ヨシ子10.3%
【事業】一般工業薬品販売100
【従業員】単86名(40.5歳)

【業績】	売上高	営業利益	経常利益	純利益
単21.12	24,102	418	759	542
単22.12	26,189	393	637	532
単23.12	29,307	651	1,176	893

丸尾カルシウム（まるお）

東証スタンダード

採用内定数	倍率	3年後離職率	平均年収
2名	19倍	0%	549万円

●待遇、制度●
【初任給】月22.4万
【残業】9.2時間【有休】15.6日【制度】住 在
●新卒定着状況●
20年入社(男1、女2)→3年後在籍(男1、女2)
●採用情報●
【人数】23年:2 24年:2 25年:応募38→内定2
【内定内訳】(男1、女1)(文2、理0)(総2、他0)
【試験】〔筆記〕有〔性格〕有
【時期】エントリー25.3→内々定25.6(一次・二次以降もWEB面接可)【ジョブ型】有
【採用実績校】‥
【求める人材】‥

【本社】674-0084 兵庫県明石市魚住町西岡1455
☎078-942-2112
【特色・近況】合成樹脂、塗料、ゴムなど補強充填剤の工業カルシウムメーカー。炭酸カルシウムで薬品や食品添加物にも展開。建築資材や自動車向けが多い。周辺素材や電子部品向け高付加価値品の開発に注力。東京、名古屋、大阪に販売拠点。
【設立】1948.11【資本金】876百万円
【社長】丸尾治男(1957.9生 一橋大法卒)
【株主】〔24.3〕中国砿業10.5%
【連結事業】化合炭酸カルシウム40、重質炭酸カルシウム31、他29 <海外18>
【従業員】連259名 単230名(44.5歳)

【業績】	売上高	営業利益	経常利益	純利益
連22.3	11,567	138	292	190
連23.3	12,594	33	246	117
連24.3	12,889	137	357	249

#有休取得が多い

丸善石油化学（まるぜんせきゆかがく）

株式公開していない

採用内定数	倍率	3年後離職率	平均年収
41名	‥	8.1%	‥

●待遇、制度●
【初任給】月22.7万
【残業】16.8時間【有休】20.4日【制度】フ 住 在
●新卒定着状況●
20年入社(男31、女6)→3年後在籍(男28、女6)
●採用情報●
【人数】23年:25 24年:31 25年:応募‥→内定41
【内定内訳】(男27、女14)(文5、理9)(総41、他0)
【試験】〔Web会場〕SPI3〔Web自宅〕SPI3〔性格〕有
【時期】エントリー25.3→内々定25.10(一次はWEB面接可)【インターン】有
【採用実績校】東大1、東京科学大1、京大1、阪大1、同大1、東京農工大1、東理大1、早大1、東京学芸大1、明大2
【求める人材】向上心と協調性のある人

【本社】104-8502 東京都中央区入船2-1-1
☎03-3552-9361
【特色・近況】エチレン、プロピレン等の基礎石油化学製品などを開発・製造・販売するメーカー。機能化学品のメチルエチルケトンは世界トップ級の生産能力を持つ。半導体レジスト用樹脂は世界トップ級のシェア。コスモエネルギーHDの子会社。
【設立】1959.10【資本金】10,000百万円
【社長】馬場稔温
【株主】〔24.3〕コスモエネルギーホールディングス52.7%
【事業】基礎化学品、機能化学品
【従業員】単‥名(‥歳)

【業績】	売上高	営業利益	経常利益	純利益
単22.3	320,461	‥	16,454	10,687
単23.3	388,192	2,638	5,357	3,893
単24.3	330,792	▲4,959	▲1,365	▲2,225

水澤化学工業（みずさわかがくこうぎょう）

株式公開計画なし

採用内定数	倍率	3年後離職率	平均年収
3名	13.3倍	0%	㊙502万円

●待遇、制度●
【初任給】月22万
【残業】6.1時間【有休】14.4日【制度】フ 住 在
●新卒定着状況●
20年入社(男12、女0)→3年後在籍(男12、女0)
●採用情報●
【人数】23年:10 24年:8 25年:応募40→内定3
【内定内訳】(男3、女0)(文0、理3)(総3、他0)
【試験】〔Web会場〕SPI3
【時期】エントリー24.6→内々定25.6(一次はWEB面接可)
【採用実績校】芝工大1、新潟大1、長岡技科大1
【求める人材】誠実であり新しいことに前向きに挑戦できる人、地道にコツコツ頑張れる人

【本社】103-0012 東京都中央区日本橋堀留町1-10-13
☎03-6700-3960
【特色・近況】活性白土などの吸着材と、樹脂用機能性フィラー、塩化ビニル用安定剤などの樹脂添加剤を製造販売。活性白土は国内首位で、世界でもトップ3の一角を占める。山形と新潟に工場を有し、大阪に営業所配置。大阪ガスケミカルグループ。
【設立】1937.2【資本金】1,519百万円
【社長】中川英之(1965.6生 水産大卒)
【株主】〔24.3〕大阪ガスケミカル100%
【事業】活性白土22、微粉シリカ12、PVC用安定剤19、他48 <輸出17>
【従業員】単369名(40.8歳)

【業績】	売上高	営業利益	経常利益	純利益
単22.3	10,551	1,112	1,065	687
単23.3	10,120	568	566	271
単24.3	10,607	689	794	650

三井化学クロップ&ライフソリューション

株式公開 計画なし

採用予定数	倍率	3年後離職率	平均年収
12名	‥	‥	‥

●待遇、制度●
【初任給】月25.5万
【残業】‥時間【有休】‥日【制度】フ 在

●新卒定着状況●
‥

●採用情報●
【人数】23年:8 24年:9 25年:予定12
【内定内訳】(男‥、女‥)(文‥、理‥)(総‥、他‥)
【試験】‥
【時期】エントリー‥→内々定‥
【採用実績校】‥

【求める人材】自ら考え、多様な人に働きかけながら、行動できる人

【本社】103-0027 東京都中央区日本橋1-19-1 日本橋ダイヤビルディング15・16階 ☎03-5290-2700
【特色・近況】農薬や殺虫剤などを手がける化学品メーカー。主力製品「スタークル」は、水稲本田処理分野の殺虫剤では国内シェアトップクラス。高度な農薬創製技術が強み。殺虫剤は非農業向けも。アジア、欧州、南米などに海外展開し、100を超える国・地域で農薬登録を取得。
【設立】2003.4 【資本金】350百万円
【代表取締役】垣元剛(1968.11生 九大院農修了)
【株主】〔24.3〕三井化学100%
【事業】農業化学品
【従業員】単588名(45.3歳)

【業績】	売上高	営業利益	経常利益	純利益
単22.3	54,776	‥	‥	‥
単23.3	69,743	‥	‥	‥
単24.3	81,166	‥	‥	‥

ミツエイ

株式公開 いずれしたい

採用予定数	倍率	3年後離職率	平均年収
2名	－	－	380万円

●待遇、制度●
【初任給】月21万(諸手当を除いた数値)
【残業】21.6時間【有休】11.3日【制度】住 在

●新卒定着状況●
20年入社(男0、女0)→3年後在籍(男0、女0)

●採用情報●
【人数】23年:0 24年:0 25年:応募0→内定0*
【内定内訳】(男‥、女‥)(文‥、理‥)(総‥、他‥)
【試験】なし
【時期】エントリー25.10→内々定25.12
【採用実績校】‥

【求める人材】コミュニケーション能力があり、常に向上心をもって何事にも挑戦しようという気持ちのある人

【本社】972-8338 福島県いわき市中部工業団地6-5 ☎0246-72-1218
【特色・近況】台所用や衣料用など家庭用の漂白・殺菌剤が主力の洗浄剤メーカー。一部業務用も手がける。ボディーソープ、薬用ハンドソープも扱う。福島に本社工場、東京に本部、大阪、熊本に営業所。ベトナム工場はアルコール殺菌剤を生産。
【設立】1969.5 【資本金】100百万円
【社長】安部徹(1940.2生 群馬大工卒)
【株主】〔24.1〕安部徹36.1%
【事業】家庭用ハウスホールド製品80、業務用製品20
【従業員】単240名(37.0歳)

【業績】	売上高	営業利益	経常利益	純利益
単21.12	8,741	469	522	604
単22.12	9,651	260	349	390
単23.12	10,421	590	734	572

(株)武蔵野化学研究所

(むさしのかがくけんきゅうしょ)

株式公開 未定

採用内定数	倍率	3年後離職率	平均年収
5名	‥	50%	‥

●待遇、制度●
【初任給】月22.4万(諸手当2.9万円)
【残業】‥時間【有休】10.8日【制度】フ 住

●新卒定着状況●
20年入社(男2、女0)→3年後在籍(男1、女0)

●採用情報●
【人数】23年:5 24年:1 25年:応募‥→内定5
【内定内訳】(男2、女3)(文‥、理‥)(総5、他0)
【試験】試験あり
【時期】エントリー‥→内々定‥
【採用実績校】‥

【求める人材】‥

【本社】100-0005 東京都千代田区丸の内1-8-2 鉄鋼ビルディング5階 ☎03-6810-0241
【特色・近況】合成乳酸の世界的パイオニア。食品・医薬品・化粧品や工業品用途向けに乳酸、アラニン、ピルビル酸などの高機能化学製品を製造・販売。高純度、高品質なポリ乳酸も手がける。中国・宜春市の現地法人でも乳酸など生産。製品は世界各国に供給。
【設立】1949.11 【資本金】237百万円
【社長】砂原三利(1942.6生 千葉大工卒)
【株主】‥
【事業】乳酸・乳酸誘導品69、アラニン29、ベルフ2 <輸出22>
【従業員】単137名(45.2歳)

【業績】	売上高	営業利益	経常利益	純利益
単22.3	7,710	426	466	356
単23.3	7,757	121	221	120
単24.3	7,948	491	732	500

メック

東証プライム

採用内定数	倍率	3年後離職率	平均年収
4名	5.8倍	0%	㊗774万円

●待遇、制度●
【初任給】月26.2万(諸手当0.5万円)
【残業】14.8時間【有休】13日【制度】フ 住 在
●新卒定着状況●
20年入社(男2、女1)→3年後在籍(男2、女1)
●採用情報●
【人数】23年:2 24年:3 25年:応募23→内定4
【内定内訳】(男3、女1)(文2、理2)(総4、他0)
【試験】〔Web自宅〕SPI3
【時期】エントリー25.3→内々定25.4【インターン】有
【採用実績校】岡山大院1、奈良先端科技院大院1、兵庫県大院1、関西学大1
【求める人材】自立自走のもと、周囲と協働しながら、新たなことに挑戦していける人

【本社】660-0822 兵庫県尼崎市杭瀬南新町3-4-1
☎06-6401-8160
【特色・近況】密着向上剤、エッチング剤など電子基板向けの薬品を製造。銅表面処理剤を中心に高い技術力を持つ研究開発型企業。コンピューター用の半導体パッケージ基板やディスプレー用のCOF基板製造用が主力。中国、台湾、タイ、ベルギーに製造拠点。
【設立】1969.5 【資本金】594百万円
【社長】前田和夫(1962.4生)
【株主】〔24.6〕日本カストディ銀行信託口14.6%
【連結事業】電子基板用薬品98、電子基板用機械1、電子基板用資材1、他0 <海外62>
【従業員】連469名 単270名(42.8歳)

【業績】	売上高	営業利益	経常利益	純利益
連21.12	15,038	3,939	4,104	2,949
連22.12	16,329	4,004	4,246	3,064
連23.12	14,020	2,492	2,683	2,304

㈱MORESCO

東証スタンダード

採用内定数	倍率	3年後離職率	平均年収
3名	10.7倍	0%	674万円

●待遇、制度●
【初任給】月23.2万(諸手当を除いた数値)
【残業】‥時間【有休】14.6日【制度】フ 住 在
●新卒定着状況●
20年入社(男5、女0)→3年後在籍(男5、女0)
●採用情報●
【人数】23年:5 24年:3 25年:応募32→内定3*
【内定内訳】(男2、女1)(文1、理2)(総3、他0)
【試験】なし
【時期】エントリー25.3→内々定25.6(一次・二次以降もWEB面接可)
【採用実績校】熊本大1、近大1、甲南大1
【求める人材】自分の「枠」を広げていける人

【本社】650-0047 兵庫県神戸市中央区港島南町5-5-3
☎078-303-9010
【特色・近況】ハイテク油剤の総合メーカー。1958年に石油卸会社の研究開発部門が独立した松村石油研究所が前身。自動車・鉄鋼・工作機械向け特殊潤滑油、高温用潤滑剤、ハードディスク表面潤滑剤、流動パラフィン、ホットメルト接着剤が主要製品。
【設立】1958.10 【資本金】2,118百万円
【社長】両角元寿(1962.4生 日大国際関卒)
【株主】〔24.2〕松村石油11.0%
【連結事業】化学品100 <海外41>
【従業員】連821名 単387名(43.9歳)

【業績】	売上高	営業利益	経常利益	純利益
連22.2	27,300	1,434	2,011	1,808
連23.2	30,333	523	1,046	615
連24.2	31,886	1,225	1,826	1,283

有機合成薬品工業（ゆうきごうせいやくひんこうぎょう）

東証スタンダード

採用内定数	倍率	3年後離職率	平均年収
1名	16倍	16.7%	629万円

●待遇、制度●
【初任給】月24.2万
【残業】13.8時間【有休】16.6日【制度】住 在
●新卒定着状況●
20年入社(男4、女2)→3年後在籍(男3、女2)
●採用情報●
【人数】23年:5 24年:5 25年:応募16→内定1*
【内定内訳】(男1、女0)(文0、理1)(総0、他1)
【試験】〔Web自宅〕有〔性格〕有
【時期】エントリー25.1→内々定25.4【ジョブ型】有
【採用実績校】日工大1
【求める人材】自己改革力と既成概念にとらわれない柔軟な発想力を持った人

【本社】103-0013 東京都中央区日本橋人形町3-10-4
☎03-3664-3980
【特色・近況】食品添加物に用いられるアミノ酸、タイヤ接着剤原料などの化成品、医薬品の3事業が柱。グリシンなどのアミノ酸の製造販売は日本初で、世界最大級の製造設備を持つ。汎用工業製品やジェネリック原薬・中間体等の受託製造も行う。ヘルスケア分野にも展開。
【設立】1947.11 【資本金】3,471百万円
【代表取締役】松本清一郎(1966.1生 茨城大農卒)
【株主】〔24.3〕ニプロ15.0%
【事業】アミノ酸関係33、化成品関係34、医薬品関係33 <海外44>
【従業員】単290名(42.7歳)

【業績】	売上高	営業利益	経常利益	純利益
単22.3	12,361	413	397	248
単23.3	12,839	897	660	556
単24.3	12,932	1,125	1,130	776

淀川ヒューテック（よどがわ）

株式公開計画なし

採用内定数	倍率	3年後離職率	平均年収
5名	2.4倍	14.3%	[総]750万円

●待遇、制度●
【初任給】月23.5万(諸手当0.6万円、固定残業代14時間分)
【残業】20時間【有休】12日【制度】[住][在]
●新卒定着状況●
20年入社(男17、女4)→3年後在籍(男14、女4)
●採用情報●
【人数】23年:21 24年:19 25年:応募12→内定5*
【内定内訳】(男3、女2)(文4、理1)(総4、他1)
【試験】〔性格〕有
【時期】エントリー25.3→内々定25.6*(一次・二次以降もWEB面接可)【インターン】有
【採用実績校】近大2、ボストン大1、南山大1、東海大1
【求める人材】何事にも探究心と興味を持ち、自分の頭で考え、行動できる主体性のある人

【本社】564-0063 大阪府吹田市江坂町2-4-8
☎06-6386-2466
【特色・近況】フッ素樹脂の総合メーカー。フラットパネル製造関連製品、半導体や薬液供給関連製品、ディスプレーなどのエレクトロニクス市場向けなど幅広く事業展開。大阪、滋賀、千葉など国内6工場。中国などに生産拠点、台湾やベトナムなどに販売拠点。
【設立】1964.7　【資本金】50百万円
【社長】小川克己(1971.12生 阪大院工修了)
【株主】〔24.3〕小川克己80.0%
【事業】フッ素樹脂製品素材・加工品、射出成型品、液晶製造設備
【従業員】単574名(39.0歳)

【業績】	売上高	営業利益	経常利益	純利益
単22.3	41,520	5,744	7,321	4,812
単23.3	47,573	7,771	9,133	5,896
単24.3	46,662	8,736	11,111	7,402

ラサ工業（こうぎょう）

東証プライム

採用実績数	倍率	3年後離職率	平均年収
9名	‥	0%	641万円

●待遇、制度●
【初任給】月24.3万(諸手当5.2万円)
【残業】6.4時間【有休】15.3日【制度】[住]
●新卒定着状況●
20年入社(男6、女1)→3年後在籍(男6、女1)
●採用情報●
【人数】23年:9 24年:9 25年:予定前年並*
【内定内訳】(男‥、女‥)(文‥、理‥)(総‥、他‥)
【試験】〔筆記〕常識〔性格〕有
【時期】エントリー‥→内々定‥(一次はWEB面接可)
【採用実績校】弘前大1、東京外大1、鳥取大1、宇都宮大1、東洋大1、聖心女大1
【求める人材】行動力、コミュニケーション能力、責任感のある人

【本社】101-0021 東京都千代田区外神田1-18-13
☎03-3258-1812
【特色・近況】沖縄県ラサ島のリン鉱脈発見を機に創業し、現在は半導体製造工程などで使用される高純度リン酸やリン酸塩など化成品事業が主力。掘進機や破砕関連機械などの機械事業や、半導体向け高純度無機素材や放射性ヨウ素吸着剤などの電子材料事業も展開。
【設立】1913.5　【資本金】8,443百万円
【取締】坂尾耕作(1958.12生 関大院工修了)
【株主】〔24.3〕日本マスタートラスト信託銀行信託口12.2%
【連結事業】化成品80、機械13、電子材料4、他3 <海外40>
【従業員】連628名 単458名(44.4歳)

【業績】	売上高	営業利益	経常利益	純利益
連22.3	35,411	3,475	3,562	2,538
連23.3	49,600	4,622	4,690	3,232
連24.3	42,788	3,591	3,396	2,382

レジノカラー工業（こうぎょう）

株式公開計画なし

採用内定数	倍率	3年後離職率	平均年収
1名	7倍	33.3%	[総]561万円

●待遇、制度●
【初任給】月23.1万
【残業】4.6時間【有休】12.3日【制度】[住]
●新卒定着状況●
20年入社(男6、女0)→3年後在籍(男4、女0)
●採用情報●
【人数】23年:5 24年:4 25年:応募7→内定1*
【内定内訳】(男0、女1)(文‥、理‥)(総1、他0)
【試験】〔Web会場〕C-GAB〔Web自宅〕WEB-GAB
【時期】エントリー25.1→内々定25.4(一次・二次以降もWEB面接可)【インターン】有
【採用実績校】京都工繊大1
【求める人材】チャレンジする人、ゼロベースで考える人、やる気のある人

【本社】532-0028 大阪府大阪市淀川区十三元今里3-1-102
☎06-6301-0636
【特色・近況】合成樹脂、合成ゴム、インキ、塗料、繊維、壁材などの着色剤を製造・販売するメーカー。微粒子分散加工技術などを持ち、受託開発・生産にも対応。環境負荷低減のための新しい製品開発に取り組む。堺化学工業の完全子会社。
【設立】1956.3　【資本金】200百万円
【社長】髙橋秀行(1964.4生 信州大工卒)
【株主】〔24.3〕堺化学工業100%
【事業】合成樹脂関連等着色剤53、各種機能性材料38、他7
【従業員】単124名(37.0歳)

【業績】	売上高	営業利益	経常利益	純利益
単22.3	5,155	‥	‥	‥
単23.3	5,129	‥	‥	‥
単24.3	5,125	‥	‥	‥

㈱ワイエムシィ

株式公開いずれしたい

採用内定数	倍率	3年後離職率	平均年収
23名	3.3倍	100%	‥

[●待遇、制度●]
【初任給】月21.9万
【残業】8.7時間【有休】11.4日【制度】[住]
[●新卒定着状況●]
20年入社(男4、女3)→3年後在籍(男0、女0)
[●採用情報●]
【人数】23年:28 24年:22 25年:応募76→内定23
【内定内訳】(男13、女10)(文0、理23)(総23、他0)
【試験】‥
【時期】エントリー25.3→内々定25.4*(一次はWEB面接可)【インターン】有
【採用実績校】‥
【求める人材】「独創・革新・チャレンジ」を実践できる人

【本社】600-8106 京都府京都市下京区五条通烏丸西入醍醐町284 ☎075-342-4510
【特色・近況】液体クロマトグラフィー用充填剤、充填カラムを製造・販売。分析用の製品から工業用の大型クロマト装置まで自社で開発・製造する。継続的な成長が見込まれるバイオ医薬品企業や医薬品製造開発受託機関(CDMO)を重点顧客に。京都、東京、石川に拠点。
【設立】1980.1 【資本金】687百万円
【会長】山村隆治(1942.4生 京工繊大繊維化卒)
【株主】〔24.3〕YMCインベストメント27.5%
【事業】クロマト消耗品、クロマト装置 <輸出70>
【従業員】単352名(36.6歳)

【業績】	売上高	営業利益	経常利益	純利益
単22.3	10,917	2,626	2,614	1,743
単23.3	11,288	2,373	2,356	1,644
単24.3	9,927	2,246	2,306	1,723

#残業が少ない

パレス化学(かがく)

株式公開いずれしたい

採用内定数	倍率	3年後離職率	平均年収
4名	3.5倍	−	[総]584万円

[●待遇、制度●]
【初任給】月22.8万
【残業】3.4時間【有休】11.5日【制度】[住]
[●新卒定着状況●]
20年入社(男0、女0)→3年後在籍(男0、女0)
[●採用情報●]
【人数】23年:3 24年:1 25年:応募14→内定4
【内定内訳】(男3、女1)(文0、理4)(総4、他0)
【試験】〔筆記〕GAB
【時期】エントリー25.3→内々定‥【インターン】有
【採用実績校】筑波大1、神奈川大2、関東学院大1
【求める人材】好奇心と探求心があり、人とのコミュニケーションを大切にする人

【本社】236-0004 神奈川県横浜市金沢区福浦1-11-16 ☎045-784-7240
【特色・近況】工業用油剤メーカー。金属の切削・研削・塑性加工油剤と、スライスオイルやラッピングオイルなど電子材料加工油剤が主力。切り花の鮮度保持剤やプリザーブドフラワー加工液などアグリケミカル製品も手がける。タイ、マレーシアに現地法人。
【設立】1965.6 【資本金】193百万円
【社長】山村洋雄(1957.8生)
【株主】〔24.4〕山村洋雄14.9%
【事業】電子部品加工油43、金属加工油45、アグリケミカル関連製品6、工業・車両用潤滑油1、他5 <輸出20>
【従業員】単81名(41.8歳)

【業績】	売上高	営業利益	経常利益	純利益
単21.10	3,168	67	103	123
単22.10	3,651	▲59	▲5	▲7
単23.10	4,074	70	128	100

㈱田中化学研究所(たなかかがくけんきゅうしょ)

東証スタンダード

採用予定数	倍率	3年後離職率	平均年収
15名	‥	0%	535万円

[●待遇、制度●]
【初任給】月21.9万
【残業】9.5時間【有休】14.2日【制度】[住]
[●新卒定着状況●]
20年入社(男4、女2)→3年後在籍(男4、女2)
[●採用情報●]
【人数】23年:10 24年:10 25年:予定15
【内定内訳】(男‥、女‥)(文‥、理‥)(総‥、他‥)
【試験】‥
【時期】エントリー25.3→内々定25.4(一次・二次以降もWEB面接可)【インターン】有
【採用実績校】‥
【求める人材】‥

【本社】910-3131 福井県福井市白方町45字砂浜割5-10 ☎0776-85-1801
【特色・近況】2次電池向け正極材料の専門メーカー。パソコン・モバイル機器や環境対応車などに利用されるリチウムイオン電池やニッケル水素電池などの正極材料が主力製品。売上高の5割弱はパナソニック向け。生産は福井工場における一極生産体制。住友化学の連結子会社。
【設立】1957.12 【資本金】9,155百万円
【代表取締役】横川和史(1961.3生 東北大院理修了)
【株主】〔24.3〕住友化学50.4%
【事業】リチウムイオン電池向け製品88、ニッケル水素電池向け製品9、他3 <海外40>
【従業員】単357名(36.5歳)

【業績】	売上高	営業利益	経常利益	純利益
単22.3	40,531	825	769	731
単23.3	57,672	1,773	1,579	1,290
単24.3	47,987	2,771	2,782	2,555

旭化学工業（あさひかがくこうぎょう）

東証スタンダード

採用予定数	倍率	3年後離職率	平均年収
4名	ー	0%	382万円

●待遇、制度●
【初任給】‥万
【残業】21.8時間【有休】13.2日【制度】住 在
●新卒定着状況●
20年入社(男2、女1)→3年後在籍(男2、女1)
●採用情報●
【人数】23年:1 24年:1 25年:予定4*
【内定内訳】(男‥、女‥)(文‥、理‥)(総‥、他‥)
【試験】〔筆記〕常識
【時期】エントリー24.9→内々定24.9*
【採用実績校】‥
【求める人材】‥

【本社】444-1205 愛知県安城市城ケ入町広見133-3 ☎0566-92-4181
【特色・近況】工業用樹脂の成形・加工メーカー。マキタ向けの電動工具用成形品が主力。外装・内装部品主体の自動車関連はトヨタ向けなどが中心。自社開発商品のアンカープラグなど建築用資材にも力を入れる。中国とタイに生産現地法人持つ。海外売上比率約6割。
【設立】1966.9 【資本金】671百万円
【社長】杉浦武(1967.6生 函館大商卒)
【株主】〔24.2〕杉浦武11.3%
【連結事業】電動工具成形品56、自動車部品成形品31、樹脂金型10、自社製品1、他成形品2 <海外59>
【従業員】連491名 単155名(39.7歳)

【業績】	売上高	営業利益	経常利益	純利益
連21.8	10,409	806	772	552
連22.8	10,720	527	662	389
連23.8	8,663	169	279	23

永大化工（えいだいかこう）

東証スタンダード

採用内定数	倍率	3年後離職率	平均年収
4名	4.5倍	33.3%	509万円

●待遇、制度●
【初任給】月21.5万
【残業】5.9時間【有休】15.6日【制度】‥
●新卒定着状況●
20年入社(男1、女2)→3年後在籍(男1、女1)
●採用情報●
【人数】23年:3 24年:3 25年:応募18→内定4*
【内定内訳】(男3、女1)(文3、理1)(総4、他0)
【試験】〔性格〕有
【時期】エントリー通年→内々定通年(一次はWEB面接可)【インターン】有【ジョブ型】有
【採用実績校】日大1、大阪大谷大1、皇學館大1、大阪樟蔭女大1
【求める人材】ものづくりに興味があり、協調し行動に移せる人

【本社】547-0041 大阪府大阪市平野区平野北2-3-9 ☎06-6791-3355
【特色・近況】合成樹脂各種成形品の製造・販売を行い、柱は自動車用フロアマット。ベトナムで集中生産。ホンダ、スズキ向けアフターパーツのOEM純正品も生産。エアコンダクト、冷蔵庫用部材など電子・家電部品や下水道補修用部材などの産業資材事業も展開。
【設立】1956.11 【資本金】1,241百万円
【社長】浦義則(1964.4生)
【株主】〔24.3〕和田正行18.2%
【連結事業】自動車用品66、産業資材34
【従業員】連493名 単140名(42.7歳)

【業績】	売上高	営業利益	経常利益	純利益
連22.3	8,288	92	185	160
連23.3	8,296	▲312	▲194	▲238
連24.3	9,088	148	240	179

近江化工（おうみかこう）

株式公開計画なし

採用内定数	倍率	3年後離職率	平均年収
4名	3.8倍	25%	㊗420万円

●待遇、制度●
【初任給】月23.4万(諸手当1.9万円)
【残業】5時間【有休】10日【制度】フ 住
●新卒定着状況●
20年入社(男2、女2)→3年後在籍(男2、女1)
●採用情報●
【人数】23年:2 24年:3 25年:応募15→内定4*
【内定内訳】(男3、女1)(文‥、理‥)(総4、他0)
【試験】〔筆記〕有
【時期】エントリー25.4→内々定25.6*【インターン】有
【採用実績校】‥
【求める人材】積極性があり、素直で元気な人

【本社】544-0001 大阪府大阪市生野区新今里2-4-2 ☎06-6752-2821
【特色・近況】精密機能部品など超小型から大型まで幅広い成形品を製造。プラスチック成形が柱で、空調機器や弱電機器向けに強み。開発設計から金型製造、射出成形、組立・仕上げまで一貫体制を構築。中国・無錫、ベトナムに生産拠点。
【設立】1951.5 【資本金】50百万円
【社長】藤池由章(1958.1生)
【株主】〔23.10〕大阪中小企業投資育成20.0%
【事業】プラスチック射出成形品45、同製品用金型25、同二次加工・組立品30
【従業員】単265名(38.0歳)

【業績】	売上高	営業利益	経常利益	純利益
単21.10	9,113	314	471	272
単22.10	8,705	81	299	176
単23.10	8,247	128	358	197

大阪銘板（おおさかめいばん）

株式公開計画なし

採用内定数	倍率	3年後離職率	平均年収
3名	11.3倍	50%	[総]558万円

●待遇、制度●
【初任給】月21.3万(諸手当2万円)
【残業】10時間【有休】10日【制度】[フ][住][在]

●新卒定着状況●
20年入社(男0、女2)→3年後在籍(男0、女1)

●採用情報●
【人数】23年:1 24年:4 25年:応募34→内定3*
【内定内訳】(男2、女1)(文1、理2)(総3、他0)
【試験】〔筆記〕有〔性格〕有
【時期】エントリー24.5→内々定24.12*(一次はWEB面接可)【インターン】有【ジョブ型】有
【採用実績校】岡山大1、吉備国際大1、大阪産大1

【求める人材】変革を恐れずに何事にもチャレンジできる人、協調性のある人

【本社】577-0005 大阪府東大阪市七軒家18-15
☎06-6745-6309
【特色・近況】プラスチック射出成形金型、プラスチック成形品の総合加工メーカー。成形、塗装、印刷、組み立てまで一貫生産体制。家電、カメラ、自動車、遊技関連向けが主体。大阪、岡山などグループで6拠点。海外はシンガポール・マレーシア・中国に拠点。
【設立】1932.10 【資本金】98百万円
【社長】山口徹(1969.1生 同大院工修了)
【株主】〔24.3〕山口徹10.7%
【事業】家電20、自動車関係40、遊戯関連30、他10
【従業員】単65名(39.8歳)

【業績】	売上高	営業利益	経常利益	純利益
単22.3	9,487	‥	124	119
単23.3	8,470	‥	163	135
単24.3	7,860	▲20	224	211

紀伊産業（きいさんぎょう）

株式公開計画なし

採用内定数	倍率	3年後離職率	平均年収
8名	9.6倍	0%	‥

●待遇、制度●
【初任給】月21.1万
【残業】22.6時間【有休】8日【制度】[住]

●新卒定着状況●
20年入社(男1、女2)→3年後在籍(男1、女2)

●採用情報●
【人数】23年:9 24年:8 25年:応募77→内定8*
【内定内訳】(男3、女5)(文0、理8)(総8、他0)
【試験】〔Web自宅〕有〔性格〕有
【時期】エントリー25.3→内々定25.6(一次・二次以降もWEB面接可)【インターン】有
【採用実績校】立教大院、岡山理大院、東京工科大、神奈川工大、京産大、玉川大

【求める人材】素直さと謙虚さ、感謝の心をもち、何事にも当事者意識をもって取り組める人

【本社】541-0053 大阪府大阪市中央区本町1-3-20
☎06-6271-5171
【特色・近況】プラスチック成形、化粧品製造、アグリプロダクツを展開。化粧品はOEMで容器のデザイン、設計、開発から製造、充填まで一貫。アグリプロダクツは施設園芸用資材を手がける。大阪、神奈川に工場。海外は中国・大連とベトナム・ホーチミンに生産拠点。
【設立】1972.6 【資本金】180百万円
【社長】紀伊國信一(1954.6生 甲南大経済卒)
【株主】紀伊國信一21.8%
【事業】プラスチック部門52、化粧品部門28、農業資材部門20 <輸出1>
【従業員】単642名(‥歳)

【業績】	売上高	営業利益	経常利益	純利益
単22.3	13,263	‥	‥	‥
単23.3	14,700	‥	‥	‥
単24.3	16,372	209	893	353

岐阜プラスチック工業（ぎふプラスチックこうぎょう）

株式公開計画なし

採用内定数	倍率	3年後離職率	平均年収
16名	11.4倍	7.1%	[総]589万円

●待遇、制度● 平均年収はグループの数値
【初任給】月21.3万
【残業】13時間【有休】11.4日【制度】[住]

●新卒定着状況●
20年入社(男36、女6)→3年後在籍(男36、女3)

●採用情報● グループ合計
【人数】23年:33 24年:32 25年:応募182→内定16*
【内定内訳】(男10、女6)(文9、理7)(総16、他0)
【試験】〔筆記〕有〔性格〕有
【時期】エントリー24.10→内々定25.3*(一次・二次以降もWEB面接可)【インターン】有【ジョブ型】有
【採用実績校】愛知大2、愛知学大1、愛知工業大1、愛知東邦大1、朝日大1、岐阜聖徳学大1、信州大1、名城大1、共愛学園前橋国際大1、他
【求める人材】自ら考え行動できる人

【本社】500-8721 岐阜県岐阜市神田町9-27
☎058-265-2232
【特色・近況】樹脂製品の総合メーカー。物流産業資材、工業部品、医療関連品などを製造。物流資材では、独自開発の高強度・超軽量素材のハニカムコア材「テクセル」が強み。吸音ブース「REMUTE」も。海外は米国に工場を建設、25年9月竣工予定。
【設立】1953.4 【資本金】211百万円
【社長】大松栄太(1976.12生 慶大商卒)
【株主】〔24.3〕大松利幸17.4%
【事業】産業資材58、工業用部品3、日用雑貨品31、水道管継手他8
【従業員】連2,389名 単848名(39.1歳)

【業績】	売上高	営業利益	経常利益	純利益
連22.3	108,483	5,612	5,454	3,777
連23.3	113,538	5,817	5,970	4,279
連24.3	111,100	‥	‥	‥

㈱コバヤシ

株式公開計画なし

採用内定数	倍率	3年後離職率	平均年収
9名	14.3倍	29.2%	[総]681万円

●待遇、制度●
【初任給】月23万
【残業】11.3時間【有休】15.2日【制度】[住][在]

●新卒定着状況●
20年入社(男15、女9)→3年後在籍(男11、女6)

●採用情報●
【人数】23年:18 24年:13 25年:応募129→内定9*
【内定内訳】(男4、女5)(文5、理4)(総7、他2)
【試験】〔Web自宅〕SPI3
【時期】エントリー25.3→内々定25.5(一次はWEB面接可)【インターン】有【ジョブ型】有
【採用実績校】日大2、静岡大1、神奈川大1、専大1、桐蔭横浜大1、東京国際大1、神田外語大1、大正大1
【求める人材】勉強好きで素直な努力家

【本社】111-8620 東京都台東区浅草橋3-26-5
☎03-3865-5500
【特色・近況】商社機能を持つプラスチック製品メーカー。食品容器・トレー、プラスチックシートなどを扱う。独自コンパウンド技術による「コバゾール」は主に工業用部品、玩具、雑貨向けに展開。工業用とうもろこし澱粉を使用した環境配慮プラスチック「レジームST」も。
【設立】1952.5　【資本金】80百万円
【社長】小林達夫(1952.4生 慶大法卒)
【株主】〔24.3〕KBホールディングス100%
【事業】コバゾール10、容器49、流通資材19、産業機材13、新規開発4、他5 <輸出6>
【従業員】単633名(38.8歳)

【業績】	売上高	営業利益	経常利益	純利益
単22.3	30,298	442	826	663
単23.3	33,318	17	366	301
単24.3	34,420	528	1,148	853

三甲（さんこう）

株式公開計画なし

採用内定数	倍率	3年後離職率	平均年収
60名	33.9倍	19.2%	[総]752万円

●待遇、制度●
【初任給】月27.3万(諸手当4万円、固定残業代22.7時間分)
【残業】16.8時間【有休】10.6日【制度】[住]

●新卒定着状況●
20年入社(男55、女23)→3年後在籍(男45、女18)

●採用情報●
【人数】23年:54 24年:68 25年:応募2035→内定60*
【内定内訳】(男50、女10)(文46、理14)(総54、他6)
【試験】〔筆記〕常識〔性格〕有
【時期】エントリー25.3→内々定25.6*(一次はWEB面接可)【インターン】有
【採用実績校】岐阜大、名大、名工大、早大、慶大、三重大、一橋大、中大、南山大、名城大、他
【求める人材】何事にも積極的・主体的に取り組む人、成長意欲の高い人

【本社】501-0236 岐阜県瑞穂市本田474-1
☎058-327-3535
【特色・近況】プラスチック製の産業資材や物流資材のトップメーカー。コンテナ、パレットなどが主要製品。グループでリース・レンタル、繊維、開発、総合レジャーを展開。全国26工場の生産体制と9支店69営業所の販売ネットワークを有する。
【設立】1951.12　【資本金】100百万円
【社長】後藤利彦(1984.7生 慶大商卒)
【株主】〔24.5〕後藤甲平38.0%
【事業】合成樹脂100
【従業員】単4,275名(34.6歳)

【業績】	売上高	営業利益	経常利益	純利益
単21.5	101,331	6,967	9,053	5,749
単22.5	124,698	12,029	13,451	9,916
単23.5	117,753	8,282	10,397	6,685

ショーワグローブ

株式公開計画なし

採用内定数	倍率	3年後離職率	平均年収
17名	14.2倍	23.5%	[総]542万円

●待遇、制度●
【初任給】月22.5万(諸手当0.8万円)
【残業】8.5時間【有休】11.8日【制度】[住][在]

●新卒定着状況●
20年入社(男12、女5)→3年後在籍(男9、女4)

●採用情報●
【人数】23年:19 24年:12 25年:応募242→内定17
【内定内訳】(男9、女8)(文6、理4)(総11、他6)
【試験】〔筆記〕SPI3〔Web自宅〕SPI3〔性格〕有
【時期】エントリー25.3→内々定25.5(一次・二次以降もWEB面接可)【インターン】有
【採用実績校】立命館大3、甲南大2、信州大1、京産大1、関大1、近大1、南山大1、神戸電子専1、他
【求める人材】国内外を問わずフレキシブルに挑戦する意欲と困難に立ち向かう果敢な意志を持つ人

【本社】670-0802 兵庫県姫路市砥堀565
☎079-264-1234
【特色・近況】合成ゴム・塩ビ・ウレタン製手袋メーカーの最大手。家庭用から食品加工や半導体関連など産業用まで2000種以上の品ぞろえに強み。手型から製造ラインまで自社で構築。米国・オランダに販売現地法人。米国、ベトナムなどに生産拠点。
【設立】1954.10　【資本金】48百万円
【社長】星野達也(1972.5生 東大院工学研修了)
【株主】〔23.12〕自社従業員持株会
【事業】手袋製造販売100 <輸出38>
【従業員】単389名(37.3歳)

【業績】	売上高	営業利益	経常利益	純利益
単21.12	27,120	1,751	…	…
単22.12	30,995	1,385	…	…
単23.12	28,554	154	…	…

メーカー(素材・身の回り品)

信越ポリマー（しんえつ） 東証プライム

採用内定数	倍率	3年後離職率	平均年収
8名	‥	11.1%	663万円

●待遇、制度●
【初任給】月24万
【残業】11.8時間【有休】14.9日【制度】フ 住

●新卒定着状況●
20年入社(男14、女4)→3年後在籍(男12、女4)

●採用情報●
【人数】23年:8 24年:9 25年:応募‥→内定8*
【内定内訳】(男4、女4)(文4、理4)(総8、他0)
【試験】〔Web会場〕有〔性格〕有
【時期】エントリー25.3→内々定25.6(一次はWEB面接可)【インターン】有
【採用実績校】山形大1、甲南大1、明大2、千葉工大1、中大1、近大1、京都外大1
【求める人材】モノづくりへの好奇心と向上心を持ち、グローバルな視点で創造と変革を推し進める人

【本社】100-0004 東京都千代田区大手町1-1-3 大手センタービル ☎03-5288-8400
【特色・近況】半導体搬送用ボックスが主力で世界でも高シェア。信越化学工業の上場子会社で塩ビ樹脂や珪素樹脂(シリコン)の加工行う。精密成形品部門の他に、電子デバイスでは車載用キースイッチやPC用のパソコン用タッチパッド、住環境・生活資材では塩ビ管などを手がける。
【設立】1960.9 【資本金】11,635百万円
【社長】出戸利明(1952.12生)
【株主】〔24.3〕信越化学工業52.0%
【連結事業】電子デバイス24、精密成形品46、住環境・生活資材23、他7 <海外51>
【従業員】連4,463名 単970名(44.6歳)

【業績】	売上高	営業利益	経常利益	純利益
連22.3	92,640	9,732	10,129	6,308
連23.3	108,278	12,749	12,986	8,529
連24.3	104,379	11,050	11,530	8,674

伸晃化学（しんこうかがく） 株式公開計画なし

採用内定数	倍率	3年後離職率	平均年収
3名	‥	13.3%	‥

●待遇、制度●
【初任給】月22.2万(諸手当1.2万円)
【残業】‥時間【有休】14.6日【制度】‥

●新卒定着状況●
20年入社(男5、女10)→3年後在籍(男5、女8)

●採用情報●
【人数】23年:9 24年:6 25年:応募‥→内定3*
【内定内訳】(男0、女3)(文1、理2)(総3、他0)
【試験】〔筆記〕常識、他
【時期】エントリー‥→内々定‥
【採用実績校】富山県大1、金沢工大1、金沢星稜大1
【求める人材】何事にも情熱を持って取り組んでくれる人

【本社】920-0346 石川県金沢市藤江南2-4 ☎076-267-3235
【特色・近況】プラスチック製医薬品容器の専業メーカー。錠・細粒剤容器、目薬容器、鼻腔用薬スプレー容器、細胞培養容器などを製造。金型製作、成形、印刷、滅菌・洗浄まで一貫体制。化粧品容器、電子部品、オーダーメイド製品も対応。環境負荷の低減を推進。
【設立】1947.9 【資本金】90百万円
【社長】荒井昭充(1970.5生 高岡法大法卒)
【株主】〔23.9〕荒井昭充グループ
【事業】合成樹脂医薬品容器製造95、他5
【従業員】単573名(43.7歳)

【業績】	売上高	営業利益	経常利益	純利益
単21.9	11,720	‥	‥	117
単22.9	11,784	‥	‥	794
単23.9	12,250	‥	‥	526

積水化成品工業（せきすいかせいひんこうぎょう） 東証プライム

採用内定数	倍率	3年後離職率	平均年収
7名	25.4倍	0%	702万円

●待遇、制度●
【初任給】月22.4万
【残業】15.5時間【有休】15.1日【制度】フ 住 在

●新卒定着状況●
20年入社(男4、女2)→3年後在籍(男4、女2)

●採用情報●
【人数】23年:10 24年:7 25年:応募178→内定7*
【内定内訳】(男5、女2)(文2、理5)(総7、他0)
【試験】なし
【時期】エントリー24.10→内々定25.1(一次・二次以降もWEB面接可)【インターン】有
【採用実績校】滋賀県大1、龍谷大1、鳥取大1、大阪工大1、神戸大1、武庫川女大1、工学院大1
【求める人材】思いを持ち、創造力、自立心、コミュニケーション力、実行力のある人

【本社】530-8565 大阪府大阪市北区西天満2-4-4 堂島関電ビル ☎06-6365-3014
【特色・近況】積水化学グループの発泡樹脂素材・成形品の大手。発泡ポリスチレンビーズなどの発泡樹脂で首位。生活関連ではカップ麺容器向けなどが強く、産業向けでは自動車の内装や液晶梱包用、薄型表示装置材料を供給する。自動車部材をはじめ海外事業拡大を推進。
【設立】1959.10 【資本金】16,533百万円
【社長】柏原正人(1959.6生 静岡大理卒)
【株主】〔24.3〕積水化学工業20.9%
【連結事業】ヒューマンライフ分野38、インダストリー分野62 <海外43>
【従業員】連3,463名 単432名(45.4歳)

【業績】	売上高	営業利益	経常利益	純利益
連22.3	117,567	1,463	1,401	▲5,917
連23.3	124,683	793	704	452
連24.3	130,265	1,261	2,733	1,083

積水樹脂（せきすいじゅし） 東証プライム

採用内定数	倍率	3年後離職率	平均年収
14名	11倍	20%	685万円

●待遇、制度●
【初任給】月24.3万(諸手当6.2万円)
【残業】13.4時間【有休】10.1日【制度】住 在
●新卒定着状況●
20年入社(男8、女2)→3年後在籍(男6、女2)
●採用情報●
【人数】23年:11 24年:21 25年:応募154→内定14*
【内定内訳】(男7、女7)(文11、理3)(総14、他0)
【試験】〔Web自宅〕SPI3〔性格〕有
【時期】エントリー25.3→内々定25.4*(一次はWEB面接可)【インターン】有
【採用実績校】関大1、関西学大1、立命館大2、滋賀県大1、阪大1、京産大1、近大1、龍谷大1、中大1、日大1、他
【求める人材】当社グループの経営理念・ビジョンの実現に向け自ら考え行動し挑戦し続ける人

【本社】530-8565 大阪府大阪市北区西天満2-4-4 堂島関電ビル ☎06-6365-3204
【特色・近況】車線分離標や歩行者保護柵など道路資材でトップ。交通安全対策・景観資材の他、外構フェンス、建材、人工芝も手がける。金属や繊維などの非樹脂素材と樹脂を組み合わせた製品が得意。海外は欧州で交通安全に加え物流関連製品も販売。積水化学工業グループ。
【設立】1954.11 【資本金】12,334百万円
【社長】馬場浩志(1963.5生 同大工卒)
【株主】〔24.3〕日本マスタートラスト信託銀行信託口12.3%
【連結事業】公共／交通環境・景観・スポーツ46、民間／住建材・総合物流・アグリ・他54
【従業員】連1,514名 単352名(45.2歳)

【業績】	売上高	営業利益	経常利益	純利益
連22.3	65,903	10,883	11,397	7,662
連23.3	65,897	9,007	9,501	6,653
連24.3	62,790	6,298	6,969	4,671

積水成型工業（せきすいせいけいこうぎょう） 株式公開計画なし

採用内定数	倍率	3年後離職率	平均年収
3名	11.3倍	33.3%	‥

●待遇、制度●
【初任給】月21万
【残業】14.1時間【有休】14日【制度】住 在
●新卒定着状況●
20年入社(男3、女0)→3年後在籍(男2、女0)
●採用情報●
【人数】23年:5 24年:2 25年:応募34→内定3*
【内定内訳】(男3、女0)(文0、理3)(総3、他0)
【試験】〔筆記〕SPI3〔Web自宅〕SPI3〔性格〕有
【時期】エントリー25.3→内々定25.8【インターン】有
【採用実績校】千葉工大1、奈良先端科技院大2
【求める人材】「自律型人材」を目指し、自分を高めていける強い意志のある人

【本社】530-6125 大阪府大阪市北区中之島3-3-23 中之島ダイビル25階 ☎06-6479-0230
【特色・近況】シートなど産業用資材、食品・医薬品向け液体用容器などプラスチック製品を製造。積水化学グループ。セキスイ畳「MIGUSA」も生産。高純度薬品容器、リチウムイオン電池や医療器具向け部材なども扱う。千葉、兵庫など国内に5工場。
【設立】1964.2 【資本金】450百万円
【社長】廣野裕治(1971.11生 横市大商卒)
【株主】〔24.3〕積水化学工業100%
【事業】押出(シート・プレート)部門35、ブロー部門55、延伸部門10
【従業員】単243名(44.8歳)

【業績】	売上高	営業利益	経常利益	純利益
単22.3	17,767	3,069	3,079	2,173
単23.3	17,527	2,416	2,423	1,676
単24.3	17,102	2,195	2,223	1,556

㈱ソフト９９コーポレーション 東証スタンダード

採用内定数	倍率	3年後離職率	平均年収
1名	30倍	0%	㊔799万円

●待遇、制度●
【初任給】月25.6万(諸手当2万円)
【残業】10.4時間【有休】9.8日【制度】住 在
●新卒定着状況●
20年入社(男4、女0)→3年後在籍(男4、女0)
●採用情報●
【人数】23年:5 24年:4 25年:応募30→内定1*
【内定内訳】(男1、女0)(文‥、理‥)(総1、他0)
【試験】なし
【時期】エントリー24.6→内々定25.5*(一次・二次以降もWEB面接可)【インターン】有
【採用実績校】東北福祉大
【求める人材】固定観念にとらわれず、創意工夫を持って挑戦する人

【本社】540-0012 大阪府大阪市中央区谷町2-6-5 ☎06-6942-8761
【特色・近況】カーワックス、補修剤などカー用品の製造・販売大手。自動車分野では洗車用品、ワックス、コーティング剤などを、家庭用分野では室内や洗面所・浴室用などの掃除用品を展開。産業資材分野では、半導体製造工程で使用する洗浄・吸水素材などを手がける。
【設立】1954.10 【資本金】2,310百万円
【社長】田中秀明(1971.8生 同大経済卒)
【株主】〔24.3〕サントレード㈱14.5%
【連結事業】ファインケミカル49、ポーラスマテリアル28、サービス18、不動産関連5 <海外23>
【従業員】連811名 単204名(43.4歳)

【業績】	売上高	営業利益	経常利益	純利益
連22.3	28,435	3,760	3,962	2,755
連23.3	30,170	3,256	3,440	2,063
連24.3	29,874	3,579	3,782	2,631

タイガースポリマー

東証スタンダード

採用内定数	倍率	3年後離職率	平均年収
8名	5.6倍	20%	573万円

●待遇、制度●
【初任給】月25.6万
【残業】6.7時間【有休】14.9日【制度】住 在
●新卒定着状況●
20年入社(男4、女1)→3年後在籍(男3、女1)
●採用情報●
【人数】23年:11 24年:9 25年:応募45→内定8*
【内定内訳】(男6、女2)(文4、理4)(総8、他0)
【試験】〔Web自宅〕有〔性格〕有
【時期】エントリー25.3→内々定25.5～8*(一次はWEB面接可)【インターン】有
【採用実績校】明大1、大阪工大1、岡山理大1、山口大1、山口大院1、鹿児島大1、奈良先端科技院大1、大谷大1
【求める人材】損得ではなく「善悪」で行動できる人、「若さ」を活かし様々なことに挑戦できる人

【本社】560-0082 大阪府豊中市新千里東町1-4-1
☎06-6834-1551
【特色・近況】自動車部品用ゴム、樹脂成形品やゴムシート、ホースの大手メーカー。販売先は自動車、家電・OA機器、土木・建築、食品など幅広い。自動車向けは国内外ともホンダが主要顧客。家電用ホースも高シェア。海外は5カ国拠点を展開し、海外売上高は50%超える。
【設立】1948.12【資本金】4,149百万円
【社長】澤田宏治(1967.10生 甲南大経営卒)
【株主】〔24.3〕タイガー興産9.7%
【連結事業】ホース29、ゴムシート11、成形品58、他2 <海外58>
【従業員】連1,988名 単575名(43.1歳)

【業績】	売上高	営業利益	経常利益	純利益
連22.3	40,878	1,280	1,797	831
連23.3	45,285	1,090	1,869	816
連24.3	47,862	3,194	4,286	3,019

大成(たいせい)ラミック

東証スタンダード

採用内定数	倍率	3年後離職率	平均年収
1名	80倍	50%	592万円

●待遇、制度●
【初任給】月21.5万
【残業】22.8時間【有休】14.5日【制度】フ 住
●新卒定着状況●
20年入社(男2、女0)→3年後在籍(男1、女0)
●採用情報●
【人数】23年:0 24年:3 25年:応募80→内定1*
【内定内訳】(男1、女0)(文‥、理‥)(総1、他0)
【試験】〔Web自宅〕有〔性格〕有
【時期】エントリー25.3→内々定25.6*(一次はWEB面接可)
【採用実績校】日本電子専1
【求める人材】自ら考え、仲間と協創し、実行できる人

【本社】349-0293 埼玉県白岡市下大崎873-1
☎0480-97-0224
【特色・近況】即席麺のスープなど液体・粘体の軟包装用フィルムで首位。液漏れ防止や易開封性といった高機能有し国内シェア3割超。食品業界が主顧客だが化粧品はじめ非食品向けも手がける。高速液体充填機を開発、フィルムとの同時販売も行う。米国、マレーシアに現地法人。
【設立】1966.3【資本金】3,426百万円
【社長】長谷部正(1965.5生)
【株主】〔24.3〕日本マスタートラスト信託銀行信託口9.0%
【連結事業】液体充填用フィルム74、ラミネート汎用品11、他製品4、包装機械5、周辺機器3、他商品4 <海外16>
【従業員】連649名 単538名(40.6歳)

【業績】	売上高	営業利益	経常利益	純利益
連22.3	28,161	2,999	3,070	2,163
連23.3	29,220	2,518	2,624	1,919
連24.3	28,029	1,621	1,651	1,084

竹本容器(たけもとようき)

東証スタンダード

採用内定数	倍率	3年後離職率	平均年収
12名	13.6倍	‥	493万円

●待遇、制度●
【初任給】月22.5万
【残業】14.7時間【有休】12.9日【制度】‥
●新卒定着状況●
‥
●採用情報●
【人数】23年:8 24年:6 25年:応募163→内定12
【内定内訳】(男8、女4)(文4、理8)(総12、他0)
【試験】〔筆記〕有〔性格〕有
【時期】エントリー25.3→内々定25.‥【インターン】有
【採用実績校】東京工科大2、東京電機大1、神奈川工大1、東京国際大1、神田外語大1、共立女大2、宇都宮大1、岡山県大1、近大1
【求める人材】眼前の課題に立ち向かい、積極的に挑戦しようとする意欲にあふれた人

【本社】111-0036 東京都台東区松が谷2-21-5
☎03-3845-6107
【特色・近況】プラスチック製容器の専業メーカー。化粧品・美容向けが主力で、食品、日用雑貨、化学・医薬品など幅広い分野に販売。自社開発の金型を約4000保有し独自性を実現。短納期・小ロット生産にも柔軟に対応する。中国、インドはじめ海外展開も積極的。
【設立】1953.5【資本金】803百万円
【社長】竹本笑子(1975.8生 中大法卒)
【株主】〔24.6〕竹本笑子22.9%
【連結事業】化粧・美容59、日用・雑貨7、食品・健康食品10、化学・医薬5、卸他19 <海外21>
【従業員】連798名 単383名(39.3歳)

【業績】	売上高	営業利益	経常利益	純利益
連21.12	15,776	1,754	1,837	1,193
連22.12	14,885	836	908	368
連23.12	14,317	522	607	294

天馬（てんま）　東証プライム

採用内定数	倍率	3年後離職率	平均年収
8名	5.4倍	0%	560万円

●待遇、制度●
【初任給】月21.1万
【残業】7時間【有休】7.5日【制度】住 在
●新卒定着状況●
20年入社（男2、女1）→3年後在籍（男2、女1）
●採用情報●
【人数】23年:11 24年:6 25年:応募43→内定8
【内定内訳】（男3、女5）（文7、理1）（総0、他8）
【試験】‥
【時期】エントリー 24.12→内々定25.4（一次・二次以降もWEB面接可）
【採用実績校】日大2、関大1、東京造形大1、桑沢デザイン研究所専1
【求める人材】発想力・行動力・向上心を持ってグローバルに挑戦する意欲のある人

【本社】115-0045 東京都北区赤羽1-63-6 ☎03-3598-5511
【特色・近況】樹脂成形の中堅メーカー。金型設計・製作から成形まで一貫生産行う。OA・家電・自動車部品の受託製造が過半。キヤノンなど納入先工場に随伴して海外進出。国内は、家庭用「Fits」ブランドの収納ケースが有名で、台所・浴室・洗濯用品も扱う。
【設立】1949.8 【資本金】19,225百万円
【社長】廣野裕彦（1970.3生 桃山学大経営卒）
【株主】〔24.3〕㈱カネダ興産12.0%
【連結事業】ハウスウエア合成樹脂関連18、工業品合成樹脂関連78、他4 <海外79>
【従業員】連7,868名 単623名（41.3歳）

【業績】	売上高	営業利益	経常利益	純利益
連22.3	82,697	1,970	2,430	1,058
連23.3	102,053	3,006	3,800	2,800
連24.3	92,931	1,361	3,984	3,090

フィルネクスト　株式公開計画なし

採用内定数	倍率	3年後離職率	平均年収
3名	17.3倍	0%	㊗618万円

●待遇、制度●
【初任給】月24万（諸手当2.6万円、固定残業代14.8時間分）
【残業】16.3時間【有休】15.1日【制度】住 在
●新卒定着状況●
20年入社（男3、女1）→3年後在籍（男3、女1）
●採用情報●
【人数】23年:3 24年:9 25年:応募52→内定3
【内定内訳】（男2、女1）（文2、理1）（総0、他3）
【試験】〔Web会場〕C-GAB〔Web自宅〕WEB-GAB〔性格〕有
【時期】エントリー 25.3→内々定25.6（一次はWEB面接可）【インターン】有【ジョブ型】有
【採用実績校】龍谷大院1、関大1、大阪経大1
【求める人材】仕事に前向きに取り組めるチャレンジ精神のある人

【本社】615-0054 京都府京都市右京区西院月双町5 ☎075-311-0185
【特色・近況】食品用、トイレタリー用、医療用、機能材包装用などを供給する包装資材の大手メーカー。食品用が8割強で、チーズ、レトルト食品、スナック菓子向け軟包材が主力。東京、大阪、北海道に支店。茨城、京都、北海道に工場。1933年創業。
【設立】1950.1 【資本金】301百万円
【社長】但田哲男（1954.5生 明大商卒）
【株主】〔23.12〕大阪中小企業投資育成13.6%
【事業】製品売上78、商品売上20、販売上2
【従業員】単443名（42.4歳）

【業績】	売上高	営業利益	経常利益	純利益
単21.12	20,939	‥	309	90
単22.12	23,541	‥	329	238
単23.12	26,011	‥	650	427

フクビ化学工業（かがくこうぎょう）　東証スタンダード

採用実績数	倍率	3年後離職率	平均年収
10名	‥	8.3%	605万円

●待遇、制度●
【初任給】月22万
【残業】‥時間【有休】12.7日【制度】住 在
●新卒定着状況●
20年入社（男8、女4）→3年後在籍（男7、女4）
●採用情報●
【人数】23年:12 24年:10 25年:予定前年並
【内定内訳】（男‥、女‥）（文‥、理‥）（総‥、他‥）
【試験】〔Web自宅〕SPI3〔性格〕有
【時期】エントリー 25.3→内々定25.4（一次・二次以降もWEB面接可）【インターン】有【ジョブ型】有
【採用実績校】福井大、福井県大、近大、京産大、福岡大、福井工大
【求める人材】何事に対しても誠実に取り組み積極的に挑戦できる人、成長のための自己研鑽ができる人

【本社】918-8585 福井県福井市三十八社町33字66 ☎0776-38-8001
【特色・近況】建築資材が軸の合成樹脂製品製造の大手。車両、電子機器向けなどの産業資材も手がける。異形押出成形技術に定評。戸建てやマンションの外装・内装建材、床関連材を扱い施工も行う。非住宅・リフォーム分野の開拓進める。産業資材は車載用低反射パネルが強み。
【設立】1953.5 【資本金】2,194百万円
【取締】森克則（1959.10生）
【株主】〔24.3〕八木熊12.4%
【連結事業】建築資材75、産業資材25
【従業員】連981名 単753名（42.7歳）

【業績】	売上高	営業利益	経常利益	純利益
連22.3	36,741	1,270	1,626	1,136
連23.3	39,567	1,554	1,902	1,482
連24.3	39,735	1,753	2,117	1,704

前澤化成工業（まえざわかせいこうぎょう）

東証プライム

採用内定数	倍率	3年後離職率	平均年収
4名	11.8倍	50%	647万円

●待遇、制度●
【初任給】月22.9万(諸手当1.3万円)
【残業】8.7時間【有休】12.5日【制度】[フ][住]
●新卒定着状況●
20年入社(男4、女0)→3年後在籍(男2、女0)
●採用情報●
【人数】23年:6 24年:9 25年:応募47→内定4*
【内定内訳】(男4、女0)(文3、理1)(総4、他0)
【試験】〔筆記〕SPI3〔Web会場〕SPI3〔性格〕有
【時期】エントリー25.3→内々定25.4*(一次・二次以降もWEB面接可)【インターン】有【ジョブ型】有
【採用実績校】龍谷大、東海学園大、國學院大、東京科学大、他
【求める人材】自ら学び、考え、答えを導き、行動する「自律型人材」

【本社】103-0016 東京都中央区日本橋小網町17-10 日本橋小網町スクエアビル ☎03-5962-0711
【特色・近況】継ぎ手など塩ビ製の上下水道製品の製造・販売が主力。プラスチック成形分野や、浄化槽など水処理関連施設の施工・管理も手がける。防災・減災製品の強化、ビル設備、エクステリア分野の拡充に注力。公共事業に強みを持つ子会社との連携を強化。
【設立】1954.12 【資本金】3,387百万円
【社長】久保淳一(1958.9生 駒沢大法卒)
【株主】〔24.3〕日本マスタートラスト信託銀行信託口6.6%
【連結事業】管工機材90、水・環境エンジニアリング5、各種プラスチック成形4
【従業員】連573名 単510名(43.4歳)

【業績】	売上高	営業利益	経常利益	純利益
連22.3	21,879	1,342	1,628	797
連23.3	23,495	1,946	2,226	1,462
連24.3	23,925	1,773	2,072	1,362

未来工業（みらいこうぎょう）

東証プライム

採用内定数	倍率	3年後離職率	平均年収
15名	29.9倍	9.1%	[総]651万円

●待遇、制度●
【初任給】月21.9万
【残業】4.6時間【有休】11.7日【制度】[フ][住][在]
●新卒定着状況●
20年入社(男9、女2)→3年後在籍(男8、女2)
●採用情報●
【人数】23年:9 24年:25 25年:応募448→内定15
【内定内訳】(男12、女3)(文9、理6)(総15、他0)
【試験】〔筆記〕常識〔性格〕有
【時期】エントリー25.3→内々定25.6(一次はWEB面接可)【インターン】有
【採用実績校】岐阜大院1、南山大1、愛知学大2、愛知工業大1、豊橋技科大1、東海学園大1、北海学園大1、青森公大1、明大1、明星大1、他
【求める人材】自主的に考え、行動できる人

【本社】503-0201 岐阜県安八郡輪之内町楡俣1695-1 ☎0584-68-0010
【特色・近況】電設資材メーカー。工具、金具、照明など電材、排水・給水・空調用管材を扱う。製品数約2万点。スイッチボックスは国内シェア圧倒的。使いやすさと創意工夫を追求した独自商品開発に特化。非住宅分野への展開に注力。年間休日約140日で残業は原則禁止。
【設立】1965.8 【資本金】7,067百万円
【社長】中島靖(1965.1生 名学院大経済卒)
【株主】〔24.3〕未来A.K.O9.3%
【連結事業】電材・管材77、配線器具15、他7
【従業員】連1,252名 単837名(47.8歳)

【業績】	売上高	営業利益	経常利益	純利益
連22.3	36,905	4,044	3,954	2,531
連23.3	39,568	4,044	4,152	2,742
連24.3	44,091	7,332	7,477	5,116

リスパック

株式公開計画なし

採用内定数	倍率	3年後離職率	平均年収
16名	11.4倍	7.1%	[総]589万円

●待遇、制度● 平均年収はグループの数値
【初任給】月21.3万
【残業】13時間【有休】11.4日【制度】[住]
●新卒定着状況●
20年入社(男36、女6)→3年後在籍(男36、女3)
●採用情報● グループ合計
【人数】23年:33 24年:32 25年:応募182→内定16*
【内定内訳】(男10、女6)(文9、理7)(総16、他0)
【試験】〔筆記〕有〔性格〕有
【時期】エントリー24.10→内々定25.3*(一次・二次以降もWEB面接可)【インターン】有【ジョブ型】有
【採用実績校】愛知大2、愛知学大1、愛知工業大1、愛知東邦大1、朝日大1、岐阜聖徳学大1、信州大1、名城大1、共愛学園前橋国際大1、他
【求める人材】自ら考え行動できる人

【本社】500-8721 岐阜県岐阜市神田町9-27 ☎058-265-2232
【特色・近況】食品用のバイオマスプラ容器、機能性容器などを開発・製造・提案するプラスチック容器メーカー。「リス」ブランドで展開。カップ、トレーなどスーパー・コンビニ・外食テイクアウト向けに開発製造。岐阜プラスチック工業の子会社。
【設立】1975.11 【資本金】630百万円
【社長】大松栄太(1976.12生 慶大商卒)
【株主】〔24.3〕岐阜プラスチック工業100%
【事業】トレー等プラスチック汎用容器25、カップ容器31、調理容器33、他11
【従業員】単1,034名(38.6歳)

【業績】	売上高	営業利益	経常利益	純利益
単22.3	51,812	2,777	2,704	1,972
単23.3	52,809	2,263	2,360	1,673
単24.3	53,419	3,161	3,282	2,607

#有休取得が多い

ロンシール工業（こうぎょう）

東証スタンダード

採用内定数	倍率	3年後離職率	平均年収
5名	6倍	50%	569万円

●待遇、制度●
【初任給】月22万
【残業】28.7時間【有休】18日【制度】フ 住
●新卒定着状況●
20年入社(男3、女3)→3年後在籍(男2、女1)
●採用情報●
【人数】23年:11 24年:4 25年:応募30→内定5
【内定内訳】(男2、女3)(文0、理5)(総5、他0)
【試験】〔Web自宅〕有〔性格〕有
【時期】エントリー25.3→内々定25.6(一次はWEB面接可)【インターン】有
【採用実績校】千葉工大、室蘭工大、大同大

【求める人材】自調自考(自ら調べ考え)とチャレンジ精神、チームワークの3つのバランス感覚を持った人

【本社】130-8570 東京都墨田区緑4-15-3 ☎03-5600-1876
【特色・近況】軟質塩化ビニールシートの加工メーカー。ビル・マンションの屋上で使われる防水シートが主力。建物の内装に使われる長尺床材や壁装材も手がける。鉄道車両用床シートは国内で高シェア。抗ウイルス製品は老健施設などの採用多い。東ソーが筆頭株主。
【設立】1943.12 【資本金】5,007百万円
【社長】西岡秀明(1962.8生)
【株主】〔24.3〕東ソー38.0%
【連結事業】合成樹脂加工品98、不動産賃貸2 <海外14>
【従業員】連430名 単380名(42.3歳)

【業績】	売上高	営業利益	経常利益	純利益
連22.3	18,129	1,280	1,370	965
連23.3	19,560	568	668	448
連24.3	21,021	1,071	1,186	835

MP五協（ごきょう）フード&ケミカル

株式公開計画なし

採用内定数	倍率	3年後離職率	平均年収
5名	62倍	0%	‥

●待遇、制度●
【初任給】月23.2万(諸手当を除いた数値)
【残業】5.5時間【有休】12.2日【制度】フ 住 在
●新卒定着状況● メディパルフーズ採用除く
20年入社(男2、女1)→3年後在籍(男2、女1)
●採用情報● メディパルフーズ採用除く
【人数】23年:3 24年:3 25年:応募310→内定5*
【内定内訳】(男1、女4)(文3、理2)(総5、他0)
【試験】〔Web自宅〕WEB-GAB
【時期】エントリー25.4→内々定25.6(一次はWEB面接可)
【採用実績校】‥

【求める人材】好奇心が強く、積極的に物事に取り組める人

【本社】530-0001 大阪府大阪市北区梅田2-5-25 ハービスOSAKA 20階 ☎06-7177-6866
【特色・近況】調味料などの食品素材、化粧品・医薬品原料、電子薬剤、コーティング材・工業薬品の製造・販売、輸出入。研究開発から一貫体制。高齢者食に特化した増粘多糖類「ケルコゲルDGA」などを製品化。メディパルホールディングスの子会社。24年10月メディパルフーズを吸収合併。
【設立】1947.10 【資本金】200百万円
【社長】脇田英充
【株主】〔24.4〕メディパルホールディングス100%
【事業】食品原材料52、化学工業原材料48
【従業員】単229名(44.1歳)

【業績】	売上高	営業利益	経常利益	純利益
単22.3	33,497	‥	‥	‥
単23.3	38,299	‥	‥	‥
単24.3	37,578	‥	‥	‥

アツギ

東証スタンダード

採用実績数	倍率	3年後離職率	平均年収
0名	‥	0%	550万円

●待遇、制度●
【初任給】月24万
【残業】12.9時間【有休】11.3日【制度】住 在
●新卒定着状況●
20年入社(男1、女1)→3年後在籍(男1、女1)
●採用情報●
【人数】23年:0 24年:0 25年:予定0
【内定内訳】(男‥、女‥)(文‥、理‥)(総‥、他‥)
【試験】〔Web自宅〕有
【時期】エントリー25.3→内々定25.6(一次はWEB面接可)【インターン】有
【採用実績校】‥

【求める人材】自身で考え、学び続けられる人

【本社】243-0493 神奈川県海老名市大谷北1-3-2 ☎046-231-1111
【特色・近況】ストッキングやインナーの国内大手。シームレスストッキングの製造・販売は日本初。ヒップ立体成型ストッキングは世界初。子供用、紳士用、スポーツ用に商品を拡充。生産は中国工場に移管。不動産賃貸も手がけ収益に寄与。
【設立】1947.12 【資本金】20,000百万円
【社長】日光信二(1956.12生 関大商卒)
【株主】〔24.3〕㈱ヨシキホールディングス8.5%
【連結事業】繊維94、不動産3、他3
【従業員】連1,443名 単137名(43.3歳)

【業績】	売上高	営業利益	経常利益	純利益
連22.3	21,445	▲2,293	▲1,804	▲1,827
連23.3	20,503	▲2,131	▲1,583	▲1,215
連24.3	21,209	▲425	▲51	1,331

#有休取得が多い

イチカワ

東証スタンダード

採用内定数	倍率	3年後離職率	平均年収
2名	7倍	0%	604万円

●待遇、制度●
【初任給】月23万
【残業】5.7時間【有休】17.3日【制度】フ 住 在
●新卒定着状況●
20年入社(男2、女0)→3年後在籍(男2、女0)
●採用情報●
【人数】23年:7 24年:10 25年:応募14→内定2
【内定内訳】(男0、女2)(文1、理1)(総2、他0)
【試験】〔Web会場〕C-GAB〔Web自宅〕WEB-GAB〔性格〕有
【時期】エントリー25.3→内々定25.5*(一次・二次以降もWEB面接可)【ジョブ型】有
【採用実績校】‥
【求める人材】他の人と助け合いながら意欲・やる気をもって問題解決していける人

【本社】113-8442 東京都文京区本郷2-14-15 ☎03-3816-1111
【特色・近況】紙・パルプ用フェルトで日本フエルトと国内シェアを二分。製紙用フェルトはオーダーメイドのため専門性高い。製紙用ベルトとアルミサッシ業界向けの工業用ベルトも併営。海外売上比率は約6割。世界40カ国以上の工場と取り引き実績を持つ。
【設立】1949.11　【資本金】3,594百万円
【社長】矢崎孝信(1961.10生 セントマイケル卒)
【株主】〔24.3〕王子ホールディングス8.3%
【連結事業】抄紙用具関連96、工業用4 <海外59>
【従業員】連674名 単559名(44.6歳)

【業績】	売上高	営業利益	経常利益	純利益
連22.3	12,355	531	758	523
連23.3	13,344	800	1,044	833
連24.3	13,603	1,115	1,168	1,018

イトキン

株式公開計画なし

採用内定数	倍率	3年後離職率	平均年収
11名	11.8倍	50%	‥

●待遇、制度●
【初任給】年300万
【残業】‥時間【有休】‥日【制度】フ 住
●新卒定着状況●
20年入社(男0、女10)→3年後在籍(男0、女5)
●採用情報●
【人数】23年:14 24年:12 25年:応募130→内定11*
【内定内訳】(男3、女8)(文10、理0)(総4、他7)
【試験】なし
【時期】エントリー25.3→内々定25.6(一次はWEB面接可)
【採用実績校】‥
【求める人材】「いい服をつくろう」「いい服を届けよう」という気持ちを誰より熱く持ち、自ら考え行動する人

【東京本社】106-0032 東京都港区六本木3-1-1 六本木ティーキューブ ☎‥
【特色・近況】婦人服を中心に百貨店、ファッションビル、ショッピングセンターに展開するアパレル大手メーカー。企画・製造・販売まで一貫体制。主力ブランドは「a. v. v」「Sybilla」「modulation」など。茨城・笠間に物流センターを配置。
【設立】1955.4　【資本金】100百万円
【社長】前田和久(1959.9生 立大社会卒)
【株主】〔24.1〕インテグラル2号投資事業有限責任組合72.0%
【連結事業】婦人服85、紳士服6、子供服2、雑貨6、他1
【従業員】連1,475名 単‥名(‥歳)

【業績】	売上高	営業利益	経常利益	純利益
連23.1	32,602	‥	‥	‥
連24.1	32,096	‥	‥	‥

連結従業員数は国内のみ

オーベクス

東証スタンダード

採用予定数	倍率	3年後離職率	平均年収
3名	‥	ー	488万円

●待遇、制度●
【初任給】月21万
【残業】6.2時間【有休】12.4日【制度】フ 在
●新卒定着状況●
20年入社(男0、女0)→3年後在籍(男0、女0)
●採用情報●
【人数】23年:0 24年:0 25年:予定3*
【内定内訳】(男‥、女‥)(文0、理1)(総‥、他‥)
【試験】〔Web自宅〕SPI3〔性格〕有
【時期】エントリー25.7→内々定‥*(一次はWEB面接可)
【採用実績校】日大1
【求める人材】好奇心があり、常に向上心を持って自ら行動できる人

【本社】130-0026 東京都墨田区両国4-31-11 ヒューリック両国ビル ☎03-6701-3200
【特色・近況】主力はフェルト生産技術を応用したペン先と医療用具。ペン先はマーカーペンなどに使用し、国内外の筆記具メーカーに納入。医療用具は薬液流量制御チューブなどを手がける。渋沢栄一が創業した日本初の帽子製造会社だが、帽子事業は2007年に譲渡。
【設立】1893.12　【資本金】1,939百万円
【社長】栗原則義(1955.7生 東京理大理工卒)
【株主】〔24.3〕昭和化学工業15.2%
【連結事業】テクノ製品70、メディカル製品30 <海外60>
【従業員】連346名 単125名(47.1歳)

【業績】	売上高	営業利益	経常利益	純利益
連22.3	5,486	706	727	536
連23.3	5,315	623	639	469
連24.3	5,387	560	600	436

㈱キング

東証スタンダード

採用内定数	倍率	3年後離職率	平均年収
3名	105.3倍	33.3%	[総]740万円

[待遇、制度]
【初任給】月25万(諸手当0.2万円)
【残業】10.2時間【有休】10日【制度】[住]
[新卒定着状況]
20年入社(男3、女0)→3年後在籍(男2、女0)
[採用情報]
【人数】23年:4 24年:7 25年:応募316→内定3
【内定内訳】(男3、女0)(文3、理0)(総3、他0)
【試験】〔Web自宅〕有
【時期】エントリー25.3→内々定25.3(一次はWEB面接可)【インターン】有
【採用実績校】近大1、桜美林大1、専大1

【求める人材】ファッションが好きという想いを大切にし、新しいものづくりにチャレンジしたい人

【東京本社】141-0031 東京都品川区西五反田2-14-9 ☎03-3490-1371
【特色・近況】レディース向け中堅アパレルメーカー。キャリア・ミセス向けが中心。主力ブランドは「PINORE」。専門店での販売が中心。生産は商社、国内メーカーに委託。オフィスビルの不動産賃貸事業のほか、グループでテキスタイル事業も展開。
【設立】1948.9 【資本金】2,346百万円
【社長】長島希吉(1967.10生 東海大体育卒)
【株主】〔24.3〕山田育英財団4.5%
【連結事業】アパレル80、テキスタイル9、エステート11
【従業員】連153名 単90名(45.1歳)

【業績】	売上高	営業利益	経常利益	純利益
連22.3	8,050	673	726	422
連23.3	8,422	1,073	1,129	755
連24.3	8,548	993	1,060	533

呉羽テック(くれはテック)

株式公開計画なし

採用予定数	倍率	3年後離職率	平均年収
7名	‥	11.1%	‥

[待遇、制度]
【初任給】月20.7万
【残業】‥時間【有休】10.9日【制度】[住]
[新卒定着状況]
20年入社(男9、女0)→3年後在籍(男8、女0)
[採用情報]
【人数】23年:3 24年:1 25年:予定7*
【内定内訳】(男‥、女‥)(文‥、理‥)(総‥、他‥)
【試験】〔筆記〕常識〔性格〕有
【時期】エントリー通年→内々定通年
【採用実績校】‥

【求める人材】前向きに業務に取り組める人、周囲とコミュニケーションが取れる人

【本社】520-3012 滋賀県栗東市岡255 ☎077-553-5660
【特色・近況】高機能不織布メーカー。自動車向け機能材や内装材を中心に医療・衛材、空調、建材・土木資材など工業用から生活用までの製品群を製造・販売。海外は台湾、米国、タイに合弁を含む現地法人を置く。東洋紡エムシー傘下からニッケ(日本毛織)の完全子会社に。
【設立】1960.4 【資本金】400百万円
【社長】仲尾正人(1962.10生 関大卒)
【株主】〔24.4〕東洋紡エムシー100%
【事業】ニードルパンチングフェルト45、レジンボンド不織布26、他29 <輸出9>
【従業員】単260名(40.2歳)

【業績】	売上高	営業利益	経常利益	純利益
単22.3	8,723	222	312	224
単23.3	7,704	▲151	63	▲155
単24.3	7,867	51	213	138

#残業が少ない

桑村繊維(くわむらせんい)

株式公開計画なし

採用内定数	倍率	3年後離職率	平均年収
2名	2倍	ー	[総]635万円

[待遇、制度]
【初任給】月26.2万(諸手当4.6万円)
【残業】0.9時間【有休】9日【制度】[住]
[新卒定着状況]
20年入社(男0、女0)→3年後在籍(男0、女0)
[採用情報]
【人数】23年:5 24年:3 25年:応募4→内定2
【内定内訳】(男1、女1)(文2、理0)(総2、他0)
【試験】〔筆記〕常識
【時期】エントリー25.3→内々定25.6(一次はWEB面接可)【インターン】有
【採用実績校】甲南大1、関大1

【求める人材】ファッションが好きで、何事にも前向きに取り組める人

【本社】679-1131 兵庫県多可郡多可町中区曽我井315 ☎0795-32-1180
【特色・近況】織物専門商社。企画提案型企業としてあらゆる繊維素材を使い、ジャガード、ドビーなどの特長を生かしファッション衣料から資材品まで多彩な製品を提供。東京営業所での展示会を中心に、海外の展示会にも出展。中国・上海に現地法人を置く。
【設立】1950.10 【資本金】210百万円
【社長】桑村達郎(1971.9生 米シティ大卒)
【株主】〔23.9〕大阪中小企業投資育成22.3%
【事業】織物100 <輸出24>
【従業員】単114名(43.8歳)

【業績】	売上高	営業利益	経常利益	純利益
単21.9	6,127	137	214	134
単22.9	6,677	226	291	173
単23.9	6,769	255	367	239

㈱ゴールドウイン 東証プライム

採用内定数	倍率	3年後離職率	平均年収
28名	20倍	3%	617万円

●待遇、制度●
【初任給】月26万
【残業】‥時間【有休】14.7日【制度】住 在
●新卒定着状況●
20年入社(男16、女17)→3年後在籍(男16、女16)
●採用情報●
【人数】23年:22 24年:37 25年:応募560→内定28
【内定内訳】(男14、女14)(文‥、理‥)(総14、他14)
【試験】〔Web自宅〕SPI3〔性格〕有
【時期】エントリー25.3→内々定25.6【インターン】有
【採用実績校】立教大1、筑波大1、早大1、法政大1、同大1、学習院大1、長崎大1、金沢工大1、富山大1、他
【求める人材】企業理念を理解し、性別や国籍、障がい有無を問わず、自らの意志を持ち自律できる人

【東京本社】107-0061 東京都港区北青山3-5-6 青朋ビル ☎03-6777-9800
【特色・近況】アウトドア・スポーツウェア専業中堅。自社ブランド「ゴールドウイン」のほか、「エレッセ」「ヘリーハンセン」「カンタベリー」など多くの海外ブランド抱える。「ザ・ノース・フェイス」が収益柱。米国など海外にも直営店出店。
【設立】1951.12 【資本金】7,079百万円
【社長】渡辺貴生(1960.3生 亜細亜大法卒)
【株主】〔24.3〕日本マスタートラスト信託銀行信託口10.1%
【連結事業】スポーツ用品関連100
【従業員】連1,494名 単1,225名(45.1歳)

【業績】	売上高	営業利益	経常利益	純利益
連22.3	98,235	16,501	20,285	14,350
連23.3	115,052	21,904	28,083	20,977
連24.3	126,907	23,847	32,601	24,281

小松マテーレ（こまつ） 東証プライム

採用内定数	倍率	3年後離職率	平均年収
17名	14.1倍	21.2%	㊈665万円

●待遇、制度●
【初任給】月22.2万
【残業】10時間【有休】10.2日【制度】住
●新卒定着状況●
20年入社(男17、女16)→3年後在籍(男14、女12)
●採用情報●
【人数】23年:43 24年:57 25年:応募239→内定17
【内定内訳】(男9、女8)(文11、理6)(総16、他1)
【試験】〔性格〕有
【時期】エントリー25.3→内々定25.4(一次・二次以降もWEB面接可)【インターン】有
【採用実績校】福井大院2、金沢星稜大3、金沢大2、金沢工大2、京都芸大1、京都橘大1、近大1、小松大1、神戸女大1、福井大1、武蔵大1、他
【求める人材】自分の思いや意見を堂々と述べることができ、ポジティブ思考でスピーディーな考動姿勢がある人

【本社】929-0124 石川県能美市浜町ヌ167 ☎0761-55-1111
【特色・近況】ポリエステル織編物の精練・染色・捺染加工の大手。大株主の東レが主な納入先。ファッションやスポーツ向け機能素材から、建材や自動車、医療分野など幅広く展開。耐震補強材に使用される熱可塑性炭素繊維複合材料など先端材料も製造・販売。
【設立】1943.10 【資本金】4,680百万円
【社長】中山大輔(1969.10生)
【株主】〔24.3〕東レ8.6%
【連結事業】繊維99、他1 <海外39>
【従業員】連1,177名 単870名(39.1歳)

【業績】	売上高	営業利益	経常利益	純利益
連22.3	31,449	1,593	2,154	2,184
連23.3	35,438	1,605	1,683	1,118
連24.3	36,670	1,856	2,643	1,843

#残業が少ない

サイボー 東証スタンダード

採用予定数	倍率	3年後離職率	平均年収
若干	‥	0%	622万円

●待遇、制度●
【初任給】月25万
【残業】2.5時間【有休】10.1日【制度】住
●新卒定着状況●
20年入社(男1、女0)→3年後在籍(男1、女0)
●採用情報●
【人数】23年:0 24年:1 25年:予定若干
【内定内訳】(男‥、女‥)(文‥、理‥)(総‥、他‥)
【試験】なし
【時期】エントリー25.2→内々定25.6
【採用実績校】‥
【求める人材】人との繋がりを大切にできる人、創造力に長けている人

【本社】333-0842 埼玉県川口市前川1-1-70 ☎048-267-5151
【特色・近況】繊維メーカー。祖業の紡績は撤退し、本社工場跡地を活用した商業施設賃貸収入が安定収益源。繊維部門は原糸や生地の仕入れ販売、制服やユニホームの企画・製造、子会社での刺繍レースの製造などを展開。ゴルフ練習場の運営も。
【設立】1948.6 【資本金】1,402百万円
【社長】飯塚榮一(1951.8生 日大生産工卒)
【株主】〔24.3〕埼栄不動産16.0%
【連結事業】繊維59、不動産活用30、ゴルフ練習場8、他3
【従業員】連115名 単55名(48.8歳)

【業績】	売上高	営業利益	経常利益	純利益
連22.3	8,958	645	740	499
連23.3	10,182	1,092	1,186	733
連24.3	11,422	987	1,421	945

メーカー(素材・身の回り品)

シキボウ

東証プライム

採用予定数	倍率	3年後離職率	平均年収
20名	‥	‥	[総]644万円

●待遇、制度●
【初任給】月23.6万
【残業】4.6時間【有休】12日【制度】[フ][住][在]
●新卒定着状況●
‥
●採用情報●
【人数】23年:14 24年:22 25年:予定20
【内定内訳】(男‥、女‥)(文‥、理‥)(総‥、他‥)
【試験】〔Web自宅〕SPI3〔性格〕有
【時期】エントリー25.3→内々定25.4(一次・二次以降もWEB面接可)【インターン】有
【採用実績校】福井大1、富山大1、静岡大1、大阪工大2、滋賀県大1、大阪公大1、関大1、近大1、奈良先端科技院大1、金沢星稜大1、明大1、他
【求める人材】責任感、粘り強さ、情熱をもって物事に取り組むことができる人

【本社】541-8516 大阪府大阪市中央区備後町3-2-6 ☎06-6268-5493
【特色・近況】紡績名門メーカー。繊維事業は糸・布から2次製品まで幅広く展開。製紙用ドライヤーカンバスなど産業材事業や、食品添加物などの化成品事業も手がける。航空機向け複合材など機能材料を育成。不動産資産の活用も推進。
【設立】1892.8 【資本金】11,820百万円
【代表取締役】尻家正博(1965.4生 関西学大法卒)
【株主】〔24.3〕日本マスタートラスト信託銀行信託口7.5%
【連結事業】繊維51、産業材35、不動産・サービス14 <海外16>
【従業員】連2,198名 単570名(45.5歳)

【業績】	売上高	営業利益	経常利益	純利益
連22.3	35,670	1,356	1,038	49
連23.3	37,893	1,217	1,125	1,568
連24.3	38,681	1,428	1,322	800

昭和西川（しょうわにしかわ）

株式公開計画なし

採用内定数	倍率	3年後離職率	平均年収
3名	‥	ー	[総]525万円

●待遇、制度●
【初任給】月21.4万
【残業】5時間【有休】14.3日【制度】[住][在]
●新卒定着状況●
20年入社(男0、女0)→3年後在籍(男0、女0)
●採用情報●
【人数】23年:3 24年:6 25年:応募‥→内定3
【内定内訳】(男1、女2)(文3、理0)(総3、他0)
【試験】〔Web自宅〕有〔性格〕有
【時期】エントリー‥→内々定‥【インターン】有
【採用実績校】城西国際大1、共立女大1、獨協大1
【求める人材】自ら動き、周りに働きかけていく行動力のある人

【本社】103-0007 東京都中央区日本橋浜町1-4-15 ☎03-6858-5670
【特色・近況】寝具メーカー。ムアツふとんと羽毛ふとんが2本柱。西川甚五郎商店(1566年創業)の寝具製造部門として設立。日本将棋連盟と業務提携し、体調管理をサポートするための寝具提供や、対局用ムアツ座布団の開発を行う。埼玉県に工場を持つ。
【設立】1942.11 【資本金】40百万円
【社長】齊藤淨一
【株主】〔24.2〕西川恵
【事業】寝具98、不動産賃貸2
【従業員】単216名(47.6歳)

【業績】	売上高	営業利益	経常利益	純利益
単22.2	13,894			
単23.2	14,431	‥	‥	‥
単24.2	14,335	‥	‥	‥

住江織物（すみのえおりもの）

東証プライム

採用内定数	倍率	3年後離職率	平均年収
26名	‥	0%	580万円

●待遇、制度●
【初任給】月22.1万
【残業】11.5時間【有休】11.7日【制度】[住][在]
●新卒定着状況●
20年入社(男4、女2)→3年後在籍(男4、女2)
●採用情報●
【人数】23年:20 24年:14 25年:応募‥→内定26
【内定内訳】(男16、女10)(文13、理13)(総26、他0)
【試験】〔Web自宅〕SPI3〔性格〕有
【時期】エントリー25.3→内々定25.6(一次はWEB面接可)【インターン】有
【採用実績校】九大1、福井大2、信州大1、山形大1、徳島大1、大阪公大1、都立大1、宇都宮大1、千葉工大1、滋賀県大1、京都府大1、関大1、他
【求める人材】チャレンジ精神と好奇心を持ち、自ら行動し続けられる人

【本社】542-8504 大阪府大阪市中央区南船場3-11-20 ☎06-6251-6801
【特色・近況】カーテンやカーペット、自動車用内装材などを製造販売。鉄道車両や船舶、航空機の内装材も手がけ、国会議事堂の赤じゅうたんも納入する名門繊維企業。リサイクル繊維や消臭などの機能性資材も展開。米国、中国など海外7カ国に生産拠点。
【設立】1930.12 【資本金】9,554百万円
【社長】永田鉄平(1957.3生)
【株主】〔24.5〕高島屋12.0%
【連結事業】インテリア36、自動車・車両内装61、機能資材3、他0 <海外34>
【従業員】連2,812名 単258名(45.3歳)

【業績】	売上高	営業利益	経常利益	純利益
連22.5	81,713	110	950	281
連23.5	94,828	1,294	1,575	320
連24.5	103,478	3,300	3,668	874

ダイニック 東証スタンダード

採用内定数	倍率	3年後離職率	平均年収
3名	8.7倍	33.3%	563万円

●待遇、制度●
【初任給】月22.4万(諸手当0.8万円)
【残業】9.6時間【有休】9.1日【制度】フ 住 在
●新卒定着状況●
20年入社(男17、女1)→3年後在籍(男11、女1)
●採用情報●
【人数】23年:4 24年:6 25年:応募26→内定3*
【内定内訳】(男3、女0)(文0、理3)(総3、他0)
【試験】〔筆記〕常識
【時期】エントリー25.3→内々定25.6*【インターン】有
【採用実績校】東洋大1、神奈川工大1、大阪電通大1
【求める人材】明朗快活な人

【東京本社】105-0004 東京都港区新橋6-17-19 ☎03-5402-1811
【特色・近況】書籍装幀用クロスと染色から出発し、現在は複写機向け熱転写リボンや品質表示用ラベルなど印刷情報関連が売上の4割強を占める。自動車内装材、不織布、住宅の床材・壁材など多様な製品群を生産。海外は東南アジアを中心に欧米で展開。
【設立】1919.8 【資本金】5,795百万円
【社長】山田英伸(1965.10生 明大商卒)
【株主】〔24.3〕ニックグループ持株会5.6%
【連結事業】印刷情報関連45、住生活環境関連33、包材関連17、他5 <海外24>
【従業員】連1,116名 単622名(41.4歳)

【業績】	売上高	営業利益	経常利益	純利益
連22.3	38,946	1,444	1,614	960
連23.3	41,553	755	1,043	519
連24.3	42,101	1,237	1,488	847

#採用数が多い

㈱TSIホールディングス 東証プライム

採用内定数	倍率	3年後離職率	平均年収
103名	9倍	‥	451万円

●待遇、制度● 平均年収はTSIの数値
【初任給】月26.1万
【残業】4.8時間【有休】10.6日【制度】フ 住 在
●新卒定着状況●
‥
●採用情報● TSI採用
【人数】23年:120 24年:110 25年:応募927→内定103*
【内定内訳】(男16、女87)(文69、理2)(総5、他98)
【試験】〔Web自宅〕有
【時期】エントリー25.3→内々定25.6*(一次・二次以降もWEB面接可)【インターン】有
【採用実績校】東北大1、立教大1、大阪市大1、立命館大1、関西外大1、順天堂大2、学習院大1、文化服装学院専1、文化学園大3、他
【求める人材】ファッションビジネスに興味があり、困難な問題、課題にも諦めずに自分で解決策を考え、周囲を巻き込んで取組むことが出来る人

【本社】107-0052 東京都港区赤坂8-5-27 住友不動産青山ビル ☎03-5785-6400
【特色・近況】婦人服主体のアパレルメーカーであり国内の大手。20代向けから50代向けまで数多く擁し、50以上のブランドを展開。主力は「ナノ・ユニバース」「ナチュラルビューティーベーシック」など。ゴルフブランドにも強みを持つ。
【設立】2011.6 【資本金】15,000百万円
【社長】下地毅(1964.12生)
【株主】〔24.2〕日本マスタートラスト信託銀行信託口10.5%
【連結事業】アパレル関連97、他3
【従業員】連4,102名 単13名(60.0歳)

【業績】	売上高	営業利益	経常利益	純利益
連23.2	154,456	2,329	3,859	3,063
連24.2	155,383	1,760	3,758	4,849

採用情報・年収・制度などはTSIのデータ

㈱東京(とうきょう)ソワール 東証スタンダード

採用内定数	倍率	3年後離職率	平均年収
3名	24倍	33.3%	602万円

●待遇、制度●
【初任給】月22.4万
【残業】5.7時間【有休】12.3日【制度】住 在
●新卒定着状況●
20年入社(男1、女2)→3年後在籍(男1、女1)
●採用情報●
【人数】23年:1 24年:11 25年:応募72→内定3
【内定内訳】(男1、女2)(文2、理0)(総3、他0)
【試験】〔Web自宅〕有〔性格〕有
【時期】エントリー25.3→内々定25.5【インターン】有
【採用実績校】東京未来大1、京産大1、名古屋学芸大1
【求める人材】コミュニケーション能力に優れ、自ら考え行動できる人、学び続ける意欲のある人

【本社】104-0061 東京都中央区銀座7-16-12 G-7ビルディング ☎03-4531-9881
【特色・近況】婦人フォーマルウェアの専業トップ。ブラックフォーマル、カラーフォーマル、服飾雑貨が3本柱で、百貨店・量販店向けの割合が大きい。日常生活でも着られるフォーマル服も販売。レンタルドレスのサービスも展開。EC事業を強化。
【設立】1969.1 【資本金】4,049百万円
【社長】小泉純一(1964.1生 東洋大経済卒)
【株主】〔24.6〕フリージア・マクロス16.9%
【事業】ブラックフォーマル66、カラーフォーマル17、アクセサリー類17
【従業員】単220名(42.8歳)

【業績】	売上高	営業利益	経常利益	純利益
単21.12	11,822	▲1,185	▲911	299
単22.12	14,241	339	449	519
単23.12	15,026	520	617	798

㈱トーア紡コーポレーション

東証スタンダード

採用予定数	倍率	3年後離職率	平均年収
若干	ー	0%	㊗728万円

●待遇、制度●
【初任給】月23万
【残業】7.6時間【有休】13.1日【制度】住 在
●新卒定着状況●
20年入社(男0、女1)→3年後在籍(男0、女1)
●採用情報● グループ採用
【人数】23年:0 24年:0 25年:応募12→内定0*
【内定内訳】(男‥、女‥)(文‥、理‥)(総‥、他‥)
【試験】〔Web自宅〕SPI3
【時期】エントリー25.3→内々定25.6(一次はWEB面接可)
【採用実績校】‥
【求める人材】小さなことでもコツコツと、周りと協力しながら自ら積極的に行動できる人

【本社】540-6018 大阪府大阪市中央区城見1-2-27 クリスタルタワー ☎06-7178-1151
【特色・近況】毛織物など老舗衣料メーカー。衣料のほか、自動車用内装材が主力のインテリア産業資材、半導体・電子機器を製造するエレクトロニクス、医薬中間体などのファインケミカルなど多角化。不動産賃貸収入が安定収益源。海外は中国、東南アジアに展開。
【設立】2003.6 【資本金】3,940百万円
【社長】長井渡(1956.9生 早大政経卒)
【株主】〔24.6〕ソトー 6.1%
【連結事業】衣料38、インテリア産業資材39、エレクトロニクス8、ファインケミカル6、不動産5、他4
【従業員】連457名 単67名(48.2歳)

【業績】	売上高	営業利益	経常利益	純利益
連21.12	15,532	358	417	258
連22.12	17,000	516	528	269
連23.12	19,042	742	811	573

㈱トンボ

株式公開計画なし

採用内定数	倍率	3年後離職率	平均年収
18名	13.1倍	11.1%	‥

●待遇、制度●
【初任給】月21.8万
【残業】15.1時間【有休】10.8日【制度】住 在
●新卒定着状況●
20年入社(男5、女4)→3年後在籍(男4、女4)
●採用情報●
【人数】23年:13 24年:15 25年:応募235→内定18*
【内定内訳】(男7、女11)(文17、理1)(総18、他0)
【試験】〔Web自宅〕SPI3〔性格〕有
【時期】エントリー25.3→内々定25.6*(一次・二次以降もWEB面接可)【インターン】有
【採用実績校】明大1、神奈川大1、大東文化大1、東京家政大2、関西学大1、京産大1、南山大1、中京大2、岡山県大1、就実大2、他
【求める人材】前向きで挑戦意欲がある人、自ら進んで行動できる人、相手の立場を尊重できる人

【岡山本社】700-0985 岡山県岡山市北区厚生町2-2-9 ☎086-232-0311
【特色・近況】学生服と体操着の大手で、スポーツ、病院、介護用なども展開する総合ユニフォームメーカー。学校制服は幼稚園から扱う。全国に販売会社、支店、代理店網。自社ECも展開。岡山の玉野本社工場のほか、中国、四国、九州の工場で生産。
【設立】1924.5 【資本金】261百万円
【社長】藤原竜也(1961.4生 神戸学大法卒)
【株主】〔23.6〕大阪中小企業投資育成23.6%
【連結事業】学生衣料74、スポーツ衣料17、介護・メディカルウエア9 <海外11>
【従業員】連1,852名 単786名(40.7歳)

【業績】	売上高	営業利益	経常利益	純利益
連21.6	40,162	1,991	2,096	1,331
連22.6	41,872	2,325	2,376	1,445
連23.6	42,299	1,411	1,423	940

ナカダ産業(さんぎょう)

株式公開計画なし

採用予定数	倍率	3年後離職率	平均年収
4名	‥	40%	‥

●待遇、制度●
【初任給】‥万
【残業】20.3時間【有休】11.8日【制度】‥
●新卒定着状況●
20年入社(男2、女3)→3年後在籍(男1、女2)
●採用情報●
【人数】23年:2 24年:3 25年:予定4
【内定内訳】(男‥、女‥)(文‥、理‥)(総‥、他‥)
【試験】‥
【時期】エントリー‥→内々定‥
【採用実績校】‥
【求める人材】明るく前向きな人、チームワークを大切にする人

【本社】428-0019 静岡県島田市志戸呂880-3 ☎0547-45-3141
【特色・近況】ゴルフ場、野球場などのスポーツネット、建築現場用安全ネットの製造、施工が主力。陸上ネットの一貫生産で業界トップ級。洗掘防止、防風、防獣、防鳥、護岸などネット利用用途が拡大。国内5工場体制。海外は中国に生産拠点。
【設立】1973.6 【資本金】52百万円
【社長】蓑川的人(1978.8生 千葉商大商卒)
【株主】〔24.3〕蓑川和道44.2%
【事業】ネット製造70、各種ネット設備工事30
【従業員】単120名(40.0歳)

【業績】	売上高	営業利益	経常利益	純利益
単21.5	3,200	66	29	4
単22.5	3,338	179	137	132
単23.5	3,709	240	209	128

ニッケ 東証プライム

採用予定数	倍率	3年後離職率	平均年収
9名	‥	7.7%	561万円

●待遇、制度●
【初任給】月22.9万(諸手当を除いた数値)
【残業】7.2時間【有休】13.6日【制度】住 在
●新卒定着状況●
20年入社(男6、女7)→3年後在籍(男6、女6)
●採用情報●
【人数】23年:8 24年:8 25年:予定9
【内定内訳】(男‥、女‥)(文‥、理‥)(総‥、他‥)
【試験】〔Web会場〕SPI3〔Web自宅〕SPI3
【時期】エントリー25.2→内々定25.4(一次はWEB面接可)【インターン】有
【採用実績校】神戸大1、信州大1、大阪工大1、関大3、大阪教大1、関西学大1、東洋大1

【求める人材】果敢に挑み、様々な環境変化の中で考動できる人

【本社】541-0048 大阪府大阪市中央区瓦町3-3-10 ☎06-6205-6600
【特色・近況】「ニッケ」ブランドの羊毛紡績老舗企業。制服などユニホーム向け中心の衣料繊維事業と、化合繊やフェルト、不織布などの産業機材事業が主体。不動産賃貸、介護なども手がけ、羊毛紡織の有力会社ではあるが商業施設の賃貸収入が収益柱。
【設立】1896.12【資本金】6,465百万円
【社長】長岡豊(1961.9生)
【株主】〔24.5〕日本マスタートラスト信託銀行信託口8.2%
【連結事業】衣料繊維28、産業機材22、人とみらい開発29、生活流通18、他3
【従業員】連4,157名 単502名(45.5歳)

【業績】	売上高	営業利益	経常利益	純利益
連21.11	106,619	9,900	9,784	8,308
連22.11	109,048	10,707	11,715	7,283
連23.11	113,497	11,016	11,634	7,643

#残業が少ない

日本(にほん)フエルト 東証スタンダード

採用内定数	倍率	3年後離職率	平均年収
2名	16.5倍	0%	652万円

●待遇、制度●
【初任給】月23.5万
【残業】2時間【有休】15日【制度】フ 住
●新卒定着状況●
20年入社(男1、女1)→3年後在籍(男1、女1)
●採用情報●
【人数】23年:10 24年:8 25年:応募33→内定2*
【内定内訳】(男2、女0)(文2、理0)(総2、他0)
【試験】〔筆記〕有
【時期】エントリー24.5→内々定25.3*(一次・二次以降もWEB面接可)【インターン】有
【採用実績校】早大1、明大1

【求める人材】強い意志と熱意を持って、自ら行動する人

【本社】115-0055 東京都北区赤羽西1-7-1 パルロード3 ☎03-5993-2030
【特色・近況】紙・パルプ用の国内製紙フェルト市場をイチカワと二分。ゴミ焼却場や道路アスファルト向けなど高耐熱の工業用フィルターも展開。中国現地法人と台湾生産子会社の連携で東南アジアへの販売を強化。商業施設や介護施設など不動産業も展開。
【設立】1917.7【資本金】2,435百万円
【社長】矢﨑荘太郎(1956.9生 中大法卒)
【株主】〔24.3〕王子ホールディングス9.1%
【連結事業】紙・パルプ用フェルト78、工業用フェルト16、不動産賃貸6 <海外21>
【従業員】連585名 単418名(44.8歳)

【業績】	売上高	営業利益	経常利益	純利益
連22.3	9,839	629	829	499
連23.3	10,399	824	1,055	750
連24.3	10,082	468	663	487

富士紡(ふじぼう)ホールディングス 東証プライム

採用内定数	倍率	3年後離職率	平均年収
9名	22.3倍	37.5%	624万円

●待遇、制度●
【初任給】月23.3万(諸手当2.5万円)
【残業】7.4時間【有休】11.1日【制度】フ 住 在
●新卒定着状況●
20年入社(男14、女2)→3年後在籍(男8、女2)
●採用情報● グループ採用
【人数】23年:20 24年:13 25年:応募201→内定9*
【内定内訳】(男6、女3)(文2、理6)(総8、他1)
【試験】〔Web自宅〕有〔性格〕有
【時期】エントリー25.3→内々定25.6(一次・二次以降もWEB面接可)【インターン】有
【採用実績校】都立産技高専2、富山大1、京都工繊大1、埼玉大1、立教大1、青学大1、東海大1

【求める人材】経営幹部候補として、当社のさらなる技術革新に挑戦意欲のある人

【本社】103-0013 東京都中央区日本橋人形町1-18-12 ☎03-3665-7777
【特色・近況】綿紡績が得意な総合紡績中堅メーカー。繊維事業では下着ブランド「BVD」のライセンス製品が柱。液晶ガラス、ハードディスク、シリコンウエハなど向けの精密加工用研磨剤が利益柱。医薬・農薬中間体などの化学工業品事業も成長。
【設立】1896.3【資本金】6,673百万円
【社長】井上雅偉(1964.4生 京工繊大繊維卒)
【株主】〔24.3〕日本マスタートラスト信託銀行信託口14.8%
【連結事業】研磨材37、化学工業品35、生活衣料19、他9 <海外11>
【従業員】連1,299名 単106名(41.1歳)

【業績】	売上高	営業利益	経常利益	純利益
連22.3	35,916	5,877	6,045	4,455
連23.3	37,669	4,872	5,041	3,399
連24.3	36,108	2,818	3,276	2,117

㈱ホギメディカル　東証プライム

採用内定数	倍率	3年後離職率	平均年収
9名	12.3倍	38.9%	[総]673万円

●待遇、制度●
【初任給】月23.5万（諸手当1.4万円）
【残業】7時間【有休】13.9日【制度】[住][在]
●新卒定着状況●
20年入社（男9、女9）→3年後在籍（男4、女7）
●採用情報●
【人数】23年:11 24年:15 25年:応募111→内定9*
【内定内訳】（男4、女5）（文7、理2）（総9、他0）
【試験】〔Web自宅〕有
【時期】エントリー24.10→内々定25.3*(一次はWEB面接可)【インターン】有
【採用実績校】‥
【求める人材】「基本に忠実・変化に対応」を体現し、医療進歩のために常に最新を学び続けられる人

【本社】107-8615 東京都港区赤坂2-7-7 ☎03-6229-1300
【特色・近況】医療用不織布で首位。手術用品、滅菌用品、治療用品などを取り扱う。手術ごとの医療用品をセットにした「プレミアムキット」が主力商品。キット製品に受発注システムまで組み込んだ「オペラマスター」も展開。海外はインドネシア中心にシンガポールでも展開。
【設立】1961.4　【資本金】7,123百万円
【社長】川久保秀樹（1971.2生 早大人間科卒）
【株主】〔24.3〕日本マスタートラスト信託銀行信託口12.9%
【連結事業】滅菌用品類9、手術用品類89、治療用品類0、他2
【従業員】連1,416名 単738名（44.1歳）

【業績】	売上高	営業利益	経常利益	純利益
連22.3	36,778	6,135	6,285	4,370
連23.3	38,981	6,634	6,653	4,316
連24.3	39,100	4,169	4,245	2,804

ムーンバット　東証スタンダード

採用内定数	倍率	3年後離職率	平均年収
2名	6.5倍	―	552万円

●待遇、制度●
【初任給】月21.8万（諸手当2.8万円）
【残業】9.5時間【有休】10.7日【制度】[住]
●新卒定着状況●
20年入社（男0、女0）→3年後在籍（男0、女0）
●採用情報●
【人数】23年:1 24年:7 25年:応募13→内定2*
【内定内訳】（男0、女2）（文2、理0）（総2、他0）
【試験】〔Web自宅〕有
【時期】エントリー24.12→内々定25.3(一次はWEB面接可)
【採用実績校】東洋英和女学大1、専大1
【求める人材】主体的に行動できる人、他分野にも興味を持つ人、人との繋がりを大切にできる人

【本社】600-8491 京都府京都市下京区室町通四条南入鶏鉾町493 ☎075-361-0381
【特色・近況】服飾雑貨の老舗で洋傘で国内シェア首位。スカーフなどの洋品小物、毛皮、宝飾品、帽子は百貨店向けが主体。高級ブランド品以外は委託先による海外生産が多い。Eコマース事業と直営店事業である「プラスムーンバット」等の小売事業の強化を推進。
【設立】1941.9　【資本金】1,000百万円
【代表取締役】鎌田尚
【株主】〔24.3〕㈱ニード12.6%
【連結事業】衣服装飾品6、身回り品94
【従業員】連209名 単128名（41.9歳）

【業績】	売上高	営業利益	経常利益	純利益
連22.3	7,455	▲556	▲449	▲379
連23.3	9,580	114	176	140
連24.3	10,610	434	488	545

ヤマト　インターナショナル　東証スタンダード

採用内定数	倍率	3年後離職率	平均年収
9名	5.6倍	50%	542万円

●待遇、制度●
【初任給】月22.3万
【残業】5時間【有休】12.7日【制度】[住][在]
●新卒定着状況●
20年入社（男2、女0）→3年後在籍（男1、女0）
●採用情報●
【人数】23年:6 24年:7 25年:応募50→内定9
【内定内訳】（男3、女6）（文9、理0）（総9、他0）
【試験】〔筆記〕常識
【時期】エントリー25.3→内々定25.6(一次・二次以降もWEB面接可)【インターン】有
【採用実績校】阪南大2、甲南大1、同大1、駒澤大2、日女大1、京都女大1、東京家政大1
【求める人材】自ら考え、素直に吸収していける人

【本社】577-0061 大阪府東大阪市森河内西1-3-1 ☎06-6747-9500
【特色・近況】カジュアルウェア軸の中堅アパレル。「クロコダイル」が基幹ブランドでメンズとレディースとも取り扱う。量販店が主な売り場。レディースカジュアル「スウィッチモーション」も主要ブランドの1つ。大阪、東京2本社制。
【設立】1947.6　【資本金】4,917百万円
【社長】盤若智基（1972.1生 ワシントン大社会卒）
【株主】〔24.2〕セネシオ㈲12.2%
【連結事業】繊維製品製造販売99、不動産賃貸1
【従業員】連167名 単158名（42.8歳）

【業績】	売上高	営業利益	経常利益	純利益
連21.8	13,691	▲364	92	30
連22.8	19,398	144	641	452
連23.8	20,801	302	588	563

㈱ユタックス

株式公開計画なし

採用内定数	倍率	3年後離職率	平均年収
5名	‥	‥	‥

●待遇、制度●
【初任給】月21.1万
【残業】6時間【有休】14.9日【制度】住
●新卒定着状況●
‥
●採用情報●
【人数】23年:5 24年:3 25年:応募‥→内定5
【内定内訳】(男3、女2)(文3、理2)(総0、他5)
【試験】‥
【時期】エントリー‥→内々定‥【インターン】有
【採用実績校】‥
【求める人材】前向きにいろいろな業務に挑戦していける人

【本社】677-0054 兵庫県西脇市野村町201-1 ☎0795-23-5511
【特色・近況】女性向けインナーやインナー副資材、スポーツウェアなどの製造・販売。アジャスター、アンダーワイヤーなど30種超を品揃え、国内シェア首位。繊維・金属・樹脂など多岐にわたる素材を加工。医療分野へも販路を拡大。海外は中国、香港、タイに製造拠点。
【設立】1967.4 【資本金】90百万円
【社長】宇高大介(1976.5生 甲南大卒)
【株主】〔24.3〕宇高大介26.7%
【連結事業】NF商品67、アンダーウェア5、製品スポーツ6、他23 <輸出9>
【従業員】連2,700名 単170名(41.4歳)

【業績】	売上高	営業利益	経常利益	純利益
連22.3	8,037	151	410	248
連23.3	10,161	897	1,065	746
連24.3	12,135	1,120	1,302	712

ユニ・チャーム国光ノンウーヴン

株式公開計画なし

採用内定数	倍率	3年後離職率	平均年収
1名	6倍	50%	570万円

●待遇、制度●
【初任給】月24.6万(諸手当3.1万円)
【残業】13時間【有休】14日【制度】住
●新卒定着状況●
20年入社(男4、女0)→3年後在籍(男2、女0)
●採用情報●
【人数】23年:6 24年:5 25年:応募6→内定1*
【内定内訳】(男1、女0)(文1、理0)(総1、他0)
【試験】〔Web自宅〕SPI3
【時期】エントリー 24.7→内々定25.6(一次はWEB面接可)【インターン】有
【採用実績校】中部大1
【求める人材】常に目標を持ち目標達成に努力する人

【本社】769-1602 香川県観音寺市豊浜町和田浜1531-15 ☎0875-52-6111
【特色・近況】生理用品、紙おむつなど衛生用を中心に不織布や紙製品を製造。ユニ・チャームグループ。ウエットティッシュの加工分野で素材技術を活かした付加価値を追求し、産業用・医療用資材の供給も行う。除菌、ペット関連用品も手がける。
【設立】1999.5 【資本金】40百万円
【社長】山内昭史
【株主】〔24.4〕ユニ・チャーム100%
【事業】不織布製品70、紙製品30 <輸出7>
【従業員】単300名(40.0歳)

【業績】	売上高	営業利益	経常利益	純利益
単21.12	21,012	1,809	1,819	1,203
単22.12	23,521	1,865	1,863	1,218
単23.12	22,325	1,194	1,244	810

#残業が少ない

㈱カイタックファミリー

株式公開計画なし

採用内定数	倍率	3年後離職率	平均年収
41名	3.5倍	21.1%	‥

●待遇、制度●
【初任給】月22万
【残業】2.8時間【有休】10.6日【制度】住 在
●新卒定着状況●
20年入社(男7、女12)→3年後在籍(男6、女9)
●採用情報● グループ採用
【人数】23年:12 24年:15 25年:応募142→内定41*
【内定内訳】(男16、女25)(文21、理1)(総25、他16)
【試験】〔筆記〕SPI3〔Web会場〕SPI3〔Web自宅〕SPI3〔性格〕有
【時期】エントリー 25.3→内々定25.5(一次・二次以降もWEB面接可)【インターン】有【ジョブ型】有
【採用実績校】就実大3、関西学大2、専大2、ノートルダム清心女大1、岡山理大1、岡山商大1、岡山県大1、岡山ビジネスカレッジ専7、他
【求める人材】誠実・変化対応・チャレンジという当社の理念に共感できる人

【本社】700-0032 岡山県岡山市北区昭和町3-12 ☎086-255-5100
【特色・近況】カイタックグループの総合アパレルメーカー。紳士・婦人・子供のカジュアルウェア、デニム、ホームウェア、インナーウェアなどを扱う。スリーピングウェアの生産販売数は国内首位。自社ブランドに加え、海外の人気ブランドもライセンス生産。
【設立】1983.4 【資本金】100百万円
【社長】赤木政一
【株主】〔24.2〕カイタックホールディングス100%
【事業】インナーウェア、カジュアルウェア、雑貨
【従業員】単389名(‥歳)

【業績】	売上高	営業利益	経常利益	純利益
単22.2	39,800	909	1,003	683
単23.2	41,828	307	343	13
単24.2	42,300	‥	‥	‥

メーカー(素材・身の回り品)

グロリア

株式公開計画なし

採用内定数	倍率	3年後離職率	平均年収
12名	5.8倍	50%	[総]416万円

●待遇、制度●
【初任給】月25万（諸手当3万円、固定残業代40時間分）
【残業】11.5時間【有休】10.5日【制度】‥
●新卒定着状況● グループ合計
20年入社（男1、女1）→3年後在籍（男1、女0）
●採用情報● 25年はグループ合計
【人数】23年:8 24年:7 25年:応募70→内定12
【内定内訳】（男1、女11）（文7、理0）（総8、他4）
【試験】〔Web自宅〕有〔性格〕有
【時期】エントリー25.3→内々定25.4（一次はWEB面接可）【インターン】有【ジョブ型】有
【採用実績校】福岡女学大1、筑紫女学園大1、関西外大2、桃山学大1、京都女大1、香蘭ファッションデザイン専3、東京モード学園専1、他
【求める人材】何事にも明るく素直な姿勢で取り組めるチャレンジ精神旺盛な人

【本社】813-0034 福岡県福岡市東区多の津2-8-1 ☎092-622-3377
【特色・近況】服飾雑貨、シューズ、インテリア雑貨、インナー・ハウスウェアの企画・製造・販売を手がける。ベーシック、ナチュラルを基調としている。10代後半からヤングミセス層が顧客ターゲット。旧グロリアがアドヴェンチャーHDとなり、傘下の事業会社として設立。
【設立】2017.4 【資本金】50百万円
【社長】大築貞廣（1977.2生）
【株主】〔23.5〕アドヴェンチャーホールディングス100%
【事業】ソックス・Tシャツ・靴40、キャミ10、マット・同カバー10、バック・ベルト10、ルーム小物・同カーテン5、他25
【従業員】単78名（35.7歳）

【業績】	売上高	営業利益	経常利益	純利益
単21.5	3,949	109	110	109
単22.5	3,431	78	77	55
単23.5	3,414	‥	‥	‥

#残業が少ない

タカヤ商事（しょうじ）

株式公開計画なし

採用内定数	倍率	3年後離職率	平均年収
2名	‥	0%	‥

●待遇、制度●
【初任給】月22.4万（固定残業代13時間分）
【残業】2.5時間【有休】12.5日【制度】[住][在]
●新卒定着状況●
20年入社（男2、女0）→3年後在籍（男2、女0）
●採用情報●
【人数】23年:3 24年:6 25年:応募‥→内定2*
【内定内訳】（男1、女1）（文1、理0）（総1、他1）
【試験】〔筆記〕SPI3〔Web会場〕SPI3〔Web自宅〕SPI3〔性格〕有
【時期】エントリー25.1→内々定25.4（一次はWEB面接可）
【採用実績校】上田安子服飾専1
【求める人材】ファッション、アパレルが好きな人

【本社】720-8525 広島県福山市千田町千田1741-1 ☎084-955-3777
【特色・近況】ジーンズやユニホームの商品開発から自社工場での製造・販売まで一貫して行う。レディース向け「スウィートキャメル」など自社ブランドを持つ。ワークウェアは機能性、快適性を重点に商品開発。国内24、海外15の協力工場。1894年創業。
【設立】1956.12 【資本金】80百万円
【社長】落合豊（1956.8生 関西学大商卒）
【株主】〔24.2〕タカヤ48.1%
【事業】ジーンズ25、OEM30、ワークウェア23、他22 <輸出0>
【従業員】単295名（46.5歳）

【業績】	売上高	営業利益	経常利益	純利益
単22.2	5,955	‥	16	41
単23.2	5,894	69	105	28
単24.2	5,867	58	101	27

西川（にしかわ）

株式公開計画なし

採用内定数	倍率	3年後離職率	平均年収
33名	8.6倍	22.2%	[総]602万円

●待遇、制度●
【初任給】月23万
【残業】3.8時間【有休】12.7日【制度】[フ][住][在]
●新卒定着状況●
20年入社（男12、女15）→3年後在籍（男9、女12）
●採用情報●
【人数】23年:23 24年:19 25年:応募285→内定33
【内定内訳】（男13、女20）（文30、理3）（総30、他3）
【試験】〔Web自宅〕有〔性格〕有
【時期】エントリー24.12→内々定25.3（一次はWEB面接可）【インターン】有
【採用実績校】日大1、拓大5、学習院大1、関大2、東海大2、東京農工大1、多摩大1、中大1、関西学大2、東洋学大1、東京経大1、他
【求める人材】失敗を恐れることなく何事にも挑戦できるチャレンジ精神旺盛な人

【東京オフィス】103-0006 東京都中央区日本橋富沢町8-8 ☎03-3664-8161
【特色・近況】1566年創業の寝具・寝装品最大手。「アンドフリー」「エアー」などのオリジナルブランドに加え、「ウェッジウッド」などライセンスブランドも多数展開。直営店舗「シエスタリア」を運営。有名スポーツ選手をモデルやイメージキャラクターに積極採用。
【設立】1947.6 【資本金】100百万円
【会長】西川八一行（1967.9生 早大法卒）
【株主】〔24.1〕西川総業
【事業】寝具寝装86、インテリア14、他0
【従業員】単1,217名（44.8歳）

【業績】	売上高	営業利益	経常利益	純利益
単22.1	59,542	‥	‥	‥
単23.1	53,872	‥	‥	‥
単24.1	49,943	‥	‥	‥

#残業が少ない #有休取得が多い

㈱あぶち

株式公開計画なし

採用予定数	倍率	3年後離職率	平均年収
未定	‥	0%	‥

[●待遇、制度●]
【初任給】月21.8万
【残業】0時間【有休】18日【制度】[住]
[●新卒定着状況●]
20年入社(男0、女1)→3年後在籍(男0、女1)
[●採用情報●]
【人数】23年:1 24年:0 25年:予定未定*
【内定内訳】(男‥、女‥)(文‥、理‥)(総‥、他‥)
【試験】なし
【時期】エントリー通年→内々定通年
【採用実績校】‥
【求める人材】‥

【本社】164-0011 東京都中野区中央1-40-2 ☎03-3369-9621
【特色・近況】企画から製造、販売まで手がけるアパレルメーカー。ブランドは「アップルハウス」。国内生産に特長。首都圏中心に約30店舗を展開。オンラインショップも。東京に本社を置き、浜松に事業所と流通センター、米沢に1工場を有する。
【設立】1976.8 【資本金】50百万円
【代取】伊藤雄高
【株主】〔24.2〕高畑啓子87.5%
【事業】婦人服販売96、生地付属販売4 <輸出0>
【従業員】[単]64名(45.4歳)

【業績】	売上高	営業利益	経常利益	純利益
[単]22.2	1,274	91	103	58
[単]23.2	1,249	114	124	72
[単]24.2	1,182	93	98	59

昭和コンクリート工業（しょうわこうぎょう）

株式公開未定

採用内定数	倍率	3年後離職率	平均年収
20名	3倍	35%	[総]620万円

[●待遇、制度●]
【初任給】月23万
【残業】12.1時間【有休】9.9日【制度】[住]
[●新卒定着状況●]
20年入社(男19、女1)→3年後在籍(男13、女0)
[●採用情報●]
【人数】23年:18 24年:13 25年:応募61→内定20*
【内定内訳】(男18、女2)(文9、理11)(総20、他0)
【試験】〔筆記〕有〔Web会場〕有〔Web自宅〕有〔性格〕有
【時期】エントリー25.3→内々定25.3(一次はWEB面接可)【インターン】有
【採用実績校】岩手大2、千葉大1、岐阜大1、東北学大1、工学院大1、ものつくり大1、愛知工業大1、中部大1、大同大1、愛知学大1、他
【求める人材】明るく前向きで、最後まであきらめず努力し目標を達成する人

【本社】500-8703 岐阜県岐阜市香蘭1-1 ☎058-255-3333
【特色・近況】国内有数のコンクリート総合メーカー。ボックスカルバートなどコンクリート2次製品の製造販売とPC橋梁工事が2本柱。岐阜を本拠に東北から九州まで営業拠点網を構築。国内9工場。グループで建設コンサルサント、旅行業、農業、貿易など幅広く展開。
【設立】1956.2 【資本金】100百万円
【社長】村瀬大一郎(1972.5生 明大理工)
【株主】〔24.3〕昭和総合開発34.1%
【事業】コンクリート二次製品・製造60、建設業40
【従業員】[単]753名(45.7歳)

【業績】	売上高	営業利益	経常利益	純利益
[単]22.3	26,662	1,683	1,906	1,201
[単]23.3	25,633	1,379	1,730	1,269
[単]24.3	27,237	2,095	2,311	1,258

㈱朝日ラバー（あさひ）

東証スタンダード

採用内定数	倍率	3年後離職率	平均年収
1名	5倍	27.3%	523万円

[●待遇、制度●]
【初任給】月20.2万
【残業】11.3時間【有休】14.1日【制度】[住]
[●新卒定着状況●]
20年入社(男8、女3)→3年後在籍(男5、女3)
[●採用情報●]
【人数】23年:3 24年:0 25年:応募5→内定1*
【内定内訳】(男1、女0)(文0、理1)(総0、他1)
【試験】なし
【時期】エントリー‥→内々定‥【インターン】有
【採用実績校】山形大1
【求める人材】成長意欲があり自主性を持つ人

【本社】330-0801 埼玉県さいたま市大宮区土手町2-7-2 ☎048-650-6051
【特色・近況】工業用ゴム製品メーカー。自動車メーター表示照明用の青色LEDを白色へ変換する「ASA COLOR LED」では圧倒的。医療・衛生、RFIDタグ、卓球用ラケット用製品も手がける。シリコーンゴムの超親水性処理技術を開発、生命科学分野に展開。
【設立】1976.6 【資本金】516百万円
【社長】渡邉陽一郎(1967.1生 日大工卒)
【株主】〔24.3〕㈲伊藤コーポレーション10.3%
【連結事業】工業用ゴム79、医療・衛生用ゴム21 <海外26>
【従業員】[連]490名 [単]317名(41.4歳)

【業績】	売上高	営業利益	経常利益	純利益
[連]22.3	7,024	291	313	238
[連]23.3	7,205	185	194	203
[連]24.3	7,180	156	195	133

内山工業（うちやまこうぎょう）

株式公開計画なし

採用内定数	倍率	3年後離職率	平均年収
13名	5.4倍	10%	[総]633万円

●待遇、制度●
【初任給】月20.4万(諸手当4.4万円)
【残業】10時間【有休】11日【制度】[フ][住]
●新卒定着状況●
20年入社(男4、女6)→3年後在籍(男3、女6)
●採用情報●
【人数】23年:7 24年:14 25年:応募70→内定13*
【内定内訳】(男5、女8)(文11、理2)(総13、他0)
【試験】〔筆記〕有〔Web会場〕SPI3〔Web自宅〕SPI3〔性格〕有
【時期】エントリー25.2→内々定25.4(一次・二次以降もWEB面接可)【インターン】有
【採用実績校】岡山大4、香川大1、山口大1、就実大1、ノートルダム清心女大2、岡山商大2、環太平洋大1、神戸学大1
【求める人材】物事を主体的に考え、集団の中で力を発揮し、元気でやる気が溢れる人

【本社】703-8588 岡山県岡山市中区小橋町2-1-10 ☎086-272-7557
【特色・近況】自動車部品向けなどのガスケット、シールを製造。ラバーガスケットは国内シェアトップ。コルク床材や断熱材、酒類のコルク・キャップシールも手がける。米国、中国など海外拠点は約10社超。岡山大学と学生レーサーで産学連携。コルク栓の製造で創業。
【設立】1956.10 【資本金】120百万円
【社長】内山兼三(1967.1生 京外大外国語卒)
【株主】〔23.9〕東洋コルク38.6%
【事業】自動車関連製品70、建設・住宅関連製品11、王冠・キャップ材4、他15
【従業員】単987名(41.3歳)

【業績】	売上高	営業利益	経常利益	純利益
単21.9	49,615	‥	‥	‥
単22.9	49,129	‥	‥	‥
単23.9	51,641	‥	‥	2,959

㈱共和（きょうわ）

株式公開いずれしたい

採用内定数	倍率	3年後離職率	平均年収
8名	‥	33.3%	‥

●待遇、制度●
【初任給】月21.3万
【残業】7.5時間【有休】14.2日【制度】[住]
●新卒定着状況●
20年入社(男8、女1)→3年後在籍(男5、女1)
●採用情報●
【人数】23年:7 24年:11 25年:応募‥→内定8
【内定内訳】(男5、女3)(文7、理1)(総8、他0)
【試験】〔Web自宅〕有
【時期】エントリー24.12→内々定24.12(一次はWEB面接可)【インターン】有
【採用実績校】阪大1、熊本学大1、甲南大1、帝塚山大1、天理大1、獨協大1、武庫川女大1、龍谷大1
【求める人材】論理的に考え、行動できる意志のある人

【本社】557-0051 大阪府大阪市西成区橘3-20-28 ☎06-6658-8211
【特色・近況】輪ゴムでトップブランドの「オーバンド」や粘着テープなどの老舗包装用品メーカー。医療・スポーツ用テープや自転車用タイヤ、チューブ、各種電線・電材用品、入れ歯安定剤も手がける。国内5工場のほか、マレーシア、中国で生産。
【設立】1931.12 【資本金】750百万円
【社長】杉原正博(1962.1生 天理大外国語卒)
【株主】〔24.3〕西島歩12.1%
【事業】包装用品40、電材・工業用ゴム用品17、医療・ウエルネス用品他43 <輸出4>
【従業員】単392名(44.9歳)

【業績】	売上高	営業利益	経常利益	純利益
単22.3	13,945	▲1	116	72
単23.3	13,387	9	275	186
単24.3	12,617	180	311	227

㈱金陽社（きんようしゃ）

株式公開計画なし

採用内定数	倍率	3年後離職率	平均年収
4名	9倍	18.2%	‥

●待遇、制度●
【初任給】月21.7万(諸手当2.2万円)
【残業】17.7時間【有休】13.3日【制度】[住][在]
●新卒定着状況●
20年入社(男8、女3)→3年後在籍(男7、女2)
●採用情報●
【人数】23年:若干 24年:若干 25年:応募36→内定4*
【内定内訳】(男2、女2)(文2、理2)(総4、他0)
【試験】〔Web自宅〕SPI3
【時期】エントリー25.3→内々定25.6*(一次・二次以降もWEB面接可)【インターン】有
【採用実績校】‥
【求める人材】困難な仕事も最後までやり遂げる、継続力・責任感のある人

【本社】141-0032 東京都品川区大崎1-2-2 アートヴィレッジ大崎セントラルタワー6階 ☎03-5745-6200
【特色・近況】印刷・工業・OA機器用のゴムロールやゴムブランケットの老舗大手メーカー。高速輪転機用ゴムロールの発明で創業。電子機器用途の熱プレス用緩衝材、フッ素ゴム塗料、熱伝導パテシートの製造・販売も。米国、中国、ベトナム、タイ、ドイツでも生産。
【設立】1930.12 【資本金】100百万円
【社長】服部琢夫(1960.10生 東大卒)
【株主】中村一雄
【事業】ゴムロール、ゴムブランケット
【従業員】単701名(‥歳)

【業績】	売上高	営業利益	経常利益	純利益
単22.3	18,433	743	998	736
単23.3	20,759	1,011	1,686	1,055
単24.3	‥	‥	‥	1,024

興国インテック

株式公開計画なし

採用内定数	倍率	3年後離職率	平均年収
10名	4.1倍	20%	‥

●待遇、制度●
【初任給】月24.4万(諸手当0.6万円)
【残業】7.1時間【有休】11.1日【制度】住 在
●新卒定着状況●
20年入社(男10、女0)→3年後在籍(男8、女0)
●採用情報●
【人数】23年:8 24年:17 25年:応募41→内定10*
【内定内訳】(男5、女5)(文1、理9)(総10、他0)
【試験】〔Web自宅〕SPI3
【時期】エントリー24.6→内々定24.6*(一次・二次以降もWEB面接可)【インターン】有【ジョブ型】有
【採用実績校】千葉工大1、神奈川工大1、長岡技科大1、芝工大1、福岡大1、近大1、埼玉大1、芝工大1、静岡理工科大1、関西外大1
【求める人材】自ら考えて行動できる、自主独立の精神がある人

【本社】102-0083 東京都千代田区麹町2-1 PMO半蔵門3階 ☎03-3230-4661
【特色・近況】独立系の研究開発型精密ゴム部品メーカー。自動車向けを主力に、エレクトロニクス、OA機器、医療、機械向けに展開。ハイブリッド車用の電池部品、燃料電池車用のスタック部品なども積極的に研究・開発。国内のほか米国、タイ、中国、インドに生産拠点。
【設立】1944.2 【資本金】315百万円
【社長】江野眞一郎(1966.11生 専大経済卒)
【株主】〔23.9〕江野眞一郎
【事業】自動車59、家電7、OA7、医療14、他13
【従業員】単631名(43.0歳)

【業績】	売上高	営業利益	経常利益	純利益
単21.9	21,459	‥	4,280	3,281
単22.9	20,678	‥	4,889	3,419
単23.9	21,196	‥	4,075	1,645

#残業が少ない

㈱阪上製作所

株式公開計画なし

採用内定数	倍率	3年後離職率	平均年収
1名	4倍	0%	586万円

●待遇、制度●
【初任給】月22.4万
【残業】1.7時間【有休】12.5日【制度】住 在
●新卒定着状況●
20年入社(男3、女0)→3年後在籍(男3、女0)
●採用情報●
【人数】23年:10 24年:7 25年:応募4→内定1
【内定内訳】(男1、女0)(文1、理0)(総1、他0)
【試験】〔筆記〕常識
【時期】エントリー25.‥→内々定25.‥
【採用実績校】‥
【求める人材】明るく前向きで、意欲的に仕事に取り組める人

【本社】130-0013 東京都墨田区錦糸4-17-6 ☎03-3625-1111
【特色・近況】油圧・空気圧機器向けシール専門メーカー。油圧機器、自動車、空気圧機器などのパッキン・シールを手がける。名古屋と広島に営業所。生産拠点は東京、千葉のほか青森工場も。海外は中国・杭州に技術出張所、アジアや欧米などに販路を持つ。1897年創業。
【設立】1934.5 【資本金】200百万円
【社長】髙石昌雄(1964.3生 東海大院工修了)
【株主】〔24.3〕髙石昌雄5.7%
【事業】合成ゴム66、フッ素樹脂15、合成樹脂製品9、Oリング6、他5
【従業員】単418名(‥歳)

【業績】	売上高	営業利益	経常利益	純利益
単22.3	6,331	558	484	370
単23.3	5,868	112	62	▲147
単24.3	‥	‥	‥	▲7

西武ポリマ化成

株式公開計画なし

採用内定数	倍率	3年後離職率	平均年収
3名	‥	12.5%	‥

●待遇、制度●
【初任給】月22.1万(諸手当3.3万円)
【残業】‥時間【有休】15日【制度】住
●新卒定着状況●
20年入社(男7、女1)→3年後在籍(男6、女1)
●採用情報●
【人数】23年:4 24年:3 25年:応募‥→内定3*
【内定内訳】(男2、女1)(文0、理3)(総3、他0)
【試験】〔筆記〕常識、他
【時期】エントリー25.3→内々定25.9*【インターン】有
【採用実績校】愛知工業大2、名城大1
【求める人材】製品の開発、設計またはゴム・樹脂等材料開発等に興味のあるチャレンジ意欲を持った人

【本社】103-0027 東京都中央区日本橋3-8-2 ☎03-3527-9811
【特色・近況】土木・工事向け、港湾向け、産業・工業製品向けの各種ゴム資材メーカー。国や自治体、独立行政法人、電力・ガス、高速道路など公益企業などが主要納入先。本州四国連絡橋のゴム支承など橋梁関連にも実績。1917年東京護謨として創立。
【設立】1919.12 【資本金】95百万円
【社長】合田裕一
【株主】〔24.3〕美和テック
【事業】土木資材40、産業資材28、海洋資材32
【従業員】単271名(41.0歳)

【業績】	売上高	営業利益	経常利益	純利益
単22.3	7,526	500	508	‥
単23.3	7,135	335	350	‥
単24.3	6,993	576	602	‥

高石工業（たかいしこうぎょう）

株式公開していない

採用予定数	倍率	3年後離職率	平均年収
1名	ー	ー	‥

●待遇、制度●
【初任給】月21.8万(諸手当0.8万円)
【残業】10時間【有休】15.6日【制度】住
●新卒定着状況●
20年入社(男0、女0)→3年後在籍(男0、女0)
●採用情報●
【人数】23年:2 24年:2 25年:応募21→内定0*
【内定内訳】(男‥、女‥)(文‥、理‥)(総‥、他‥)
【試験】〔筆記〕常識〔Web会場〕有〔性格〕有
【時期】エントリー通年→内々定通年(一次はWEB面接可)【インターン】有
【採用実績校】‥
【求める人材】ゴムの仕事に興味を持って、素直に学び、会社とともに成長できる人

【本社・大阪工場】567-0897 大阪府茨木市主原町3-18 ☎072-632-3365
【特色・近況】住宅設備メーカー向け中心に工業用ゴム製品を製造・販売。水素ステーション向け耐水素用ゴムも開発。ゴムパッキンの試作や、ゴム配合薬品の性能評価試験も手がける。本社工場に加え、兵庫、鳥取、ベトナムに工場。1948年創業。
【設立】1948.4 【資本金】10百万円
【社長】髙石秀之(1972.9生 阪大卒)
【株主】‥
【事業】工業用精密ゴム製品製造
【従業員】単97名(40.3歳)
【業績】NA

早川ゴム（はやかわゴム）

株式公開いずれしたい

採用内定数	倍率	3年後離職率	平均年収
2名	13倍	0%	総653万円

●待遇、制度●
【初任給】月20.6万(諸手当0.1万円)
【残業】4.8時間【有休】14.4日【制度】住
●新卒定着状況●
20年入社(男3、女1)→3年後在籍(男3、女1)
●採用情報●
【人数】23年:5 24年:4 25年:応募26→内定2
【内定内訳】(男1、女1)(文0、理2)(総2、他0)
【試験】〔筆記〕有〔Web会場〕C-GAB〔Web自宅〕WEB-GAB〔性格〕有
【時期】エントリー25.3→内々定25.4【インターン】有
【採用実績校】高知工科大1、福山大1
【求める人材】意欲と情熱を持って自分づくりができる人

【本社】721-8540 広島県福山市箕島町南丘5351 ☎084-954-7801
【特色・近況】ゴムの機能性を生かした製品開発・販売を展開する老舗メーカー。主力の土木・建築資材、産業用資材のほかUV塗料などファインケミカル関連事業を展開。放射線環境下で使用可能なゴム製品なども扱う。船舶用パネル式防音浮き床を開発。福山市と浜松市に工場。
【設立】1947.3 【資本金】494百万円
【社長】小川浩司
【株主】〔23.12〕大阪中小企業投資育成15.0%
【事業】建設用資材(土木用止水材・建築用防水材)、産業用資材(住宅防音・化成品)、他
【従業員】単359名(45.0歳)

【業績】	売上高	営業利益	経常利益	純利益
単21.12	9,000	‥	207	159
単22.12	9,724	‥	229	157
単23.12	9,871	‥	154	126

武蔵オイルシール工業（むさしオイルシールこうぎょう）

株式公開計画なし

採用実績数	倍率	3年後離職率	平均年収
5名	‥	‥	‥

●待遇、制度●
【初任給】月20.5万(諸手当を除いた数値)
【残業】‥時間【有休】‥日【制度】住 在
●新卒定着状況●
‥
●採用情報●
【人数】23年:3 24年:5 25年:予定前年並
【内定内訳】(男‥、女‥)(文‥、理‥)(総‥、他‥)
【試験】‥
【時期】エントリー‥→内々定‥
【採用実績校】‥
【求める人材】主体性をもって仕事に取り組み、協調・協力し合って物事を進められる人、自己啓発に努め、自分の能力を高められる人

【本社】106-0032 東京都港区六本木5-11-29 ☎03-3404-6341
【特色・近況】オイルシール、オーリング、シールキャップ、工業用ゴム製品など産業機械向けに加え、自動車用のオイルシールも手がける総合シールメーカー。自動車補修用製品は国内主要メーカー全車種に対応。船橋(千葉)、大田原(栃木)の2工場体制。
【設立】1953.1 【資本金】62百万円
【社長】武藤正弘(1952.6生)
【株主】〔24.3〕東京中小企業投資育成27.2%
【事業】オイルシール70、オーリング10、他工業用ゴム製品20 <輸出20>
【従業員】単295名(40.1歳)

【業績】	売上高	営業利益	経常利益	純利益
単22.3	4,427	190	198	144
単23.3	4,611	69	73	36
単24.3	4,866	90	90	45

メーカー(素材・身の回り品)

㈱明治ゴム化成（めいじゴムかせい）

株式公開していない

採用内定数	倍率	3年後離職率	平均年収
3名	3.7倍	40%	562万円

●待遇、制度●
【初任給】月22万(諸手当1.5万円)
【残業】10.5時間【有休】15.2日【制度】フ 住 在
●新卒定着状況●
20年入社(男5、女0)→3年後在籍(男3、女0)
●採用情報●
【人数】23年:7 24年:3 25年:応募11→内定3*
【内定内訳】(男3、女0)(文0、理3)(総0、他3)
【試験】〔Web自宅〕SPI3〔性格〕有
【時期】エントリー25.3→内々定25.6(一次はWEB面接可)【インターン】有
【採用実績校】‥
【求める人材】「自律自働」の人

【東京事務所】160-0023 東京都新宿区西新宿7-22-35 ☎03-5338-4691
【特色・近況】1900年創業の工業用ゴム、プラスチック製品メーカー。三菱系。印刷用ブランケットシート、プラスチックケース・パレット、自動車・産業機器用ホースなどを製造。大阪と名古屋に事務所、神奈川に2工場。海外は中国、タイ、マレーシア、インドネシア、欧州に拠点。
【設立】1936.11【資本金】692百万円
【社長】岩崎吉夫(1958.3生 中大理工卒)
【株主】〔24.3〕ヨネイ19.9%
【連結事業】ゴム製品80、合成樹脂製品20
【従業員】連1,086名 単190名(43.5歳)

【業績】	売上高	営業利益	経常利益	純利益
連22.3	16,059	411	680	375
連23.3	16,449	393	561	408
連24.3	17,916	718	852	672

八洲ゴム工業（やしまこうぎょう）

株式公開計画なし

採用予定数	倍率	3年後離職率	平均年収
2名	―	0%	334万円

●待遇、制度●
【初任給】‥万
【残業】18.2時間【有休】10.3日【制度】‥
●新卒定着状況●
20年入社(男2、女0)→3年後在籍(男2、女0)
●採用情報●
【人数】23年:0 24年:1 25年:予定2
【内定内訳】(男‥、女‥)(文‥、理‥)(総‥、他‥)
【試験】なし
【時期】エントリー25.9→内々定25.9*
【採用実績校】‥
【求める人材】‥

【本社】969-6581 福島県河沼郡会津坂下町大字片門字仲ノ坂51-1 ☎0242-85-2031
【特色・近況】建設機械・自動車向け工業ゴム製品のメーカー。各種ゴムホース、工業用ゴム製品、防振ゴムなどを製造。高機能シリコンホースが主力製品。他にシール、パッキン類なども手がける。中国・上海に販売現地法人。マレーシア、インドネシア、韓国に協力会社。
【設立】1951.6【資本金】80百万円
【社長】山中瑞久
【株主】〔24.3〕鬼怒川ゴム工業100%
【事業】建設機械67、自動車18、産業用10、他5
【従業員】単124名(40.4歳)

【業績】	売上高	営業利益	経常利益	純利益
単22.3	3,338	6	21	20
単23.3	3,614	152	160	136
単24.3	3,818	443	452	455

アサノコンクリート

株式公開計画なし

採用内定数	倍率	3年後離職率	平均年収
2名	1倍	25%	644万円

●待遇、制度●
【初任給】月22.1万(諸手当0.2万円)
【残業】26.4時間【有休】10.7日【制度】住
●新卒定着状況●
20年入社(男4、女0)→3年後在籍(男3、女0)
●採用情報●
【人数】23年:3 24年:2 25年:応募2→内定2*
【内定内訳】(男2、女0)(文0、理2)(総2、他0)
【試験】なし
【時期】エントリー通年→内々定通年【インターン】有
【採用実績校】日大2
【求める人材】積極的に仕事に取り組み、行動力のある人

【本社】103-0004 東京都中央区東日本橋2-27-8 アサノ東日本橋ビル ☎03-5823-6168
【特色・近況】老舗の生コン製造・販売メーカー。東京が地盤。都区内3工場(深川、品川、浮間)、三多摩地区1工場(生産委託)のグループ4工場体制。原材料管理、工程管理を徹底し、良質な生コンの安定供給を推進。太平洋セメントのグループ会社。
【設立】1951.11【資本金】300百万円
【社長】本宮秀明(1964.7生 早大社会科卒)
【株主】〔24.3〕太平洋セメント99.9%
【事業】生コンクリート95、不動産賃貸5
【従業員】単67名(40.1歳)

【業績】	売上高	営業利益	経常利益	純利益
単22.3	5,668	269	262	174
単23.3	6,175	80	72	47
単24.3	6,526	82	106	76

旭コンクリート工業（あさひこうぎょう）　東証スタンダード

採用内定数	倍率	3年後離職率	平均年収
6名	29.5倍	50%	512万円

●待遇、制度●
【初任給】月23万
【残業】20時間【有休】11.5日【制度】住
●新卒定着状況●
20年入社(男1、女3)→3年後在籍(男1、女1)
●採用情報●
【人数】23年:4 24年:2 25年:応募177→内定6*
【内定内訳】(男3、女3)(文3、理2)(総6、他0)
【試験】なし
【時期】エントリー24.12→内々定25.4*
【採用実績校】神奈川大1、明星大1、京都外大1、東洋大1、國學院大1、京都建築専1
【求める人材】気持ちの切り替えができる人、想像力に富みその力を仕事に活かせる人

【本社】104-0045 東京都中央区築地1-8-2 ☎03-3542-1201
【特色・近況】コンクリート2次製品の専業メーカー。ボックスカルバート(矩形コンクリ管)の大手。電線地中化用共同溝や防火水槽も手がける。工期短縮可能で耐震性が強い、タッチボンド(TB)工法に定評。下水道用が主力のため官需への依存度が高い。
【設立】1923.11　【資本金】1,204百万円
【社長】狩野堅太郎(1962.7生 鳥取大工卒)
【株主】〔24.3〕日本ヒューム29.5%
【事業】コンクリート関連99、不動産1
【従業員】単194名(46.6歳)

【業績】	売上高	営業利益	経常利益	純利益
単22.3	6,467	365	480	309
単23.3	6,584	345	430	311
単24.3	7,071	412	467	337

アジアパイルホールディングス　東証プライム

採用内定数	倍率	3年後離職率	平均年収
10名	‥	33.3%	㊕702万円

●待遇、制度●
【初任給】月25万
【残業】17.1時間【有休】14.1日【制度】住
●新卒定着状況●
20年入社(男7、女2)→3年後在籍(男4、女2)
●採用情報●ジャパンパイル採用
【人数】23年:7 24年:6 25年:応募‥→内定10*
【内定内訳】(男8、女2)(文5、理5)(総10、他0)
【試験】〔筆記〕有〔Web自宅〕有〔性格〕有
【時期】エントリー25.3→内々定25.5【インターン】有
【採用実績校】愛知工業大1、福岡大1、大阪工大1、修正建設専1、都立大1、帝京大1、東京経大1、近大1、創価大1、追手門学大1
【求める人材】向上心を持ち自己研鑽に努め、革新の気概がある人、正義感・責任感があり、互いに協力し合える人

【本社】103-0015 東京都中央区日本橋箱崎町36-2 Daiwaリバーゲート ☎03-5843-4173
【特色・近況】コンクリートパイル(基礎杭)の製造・施工の大手。グループで設計から建設まで独自の一貫請負体制を構築。鋼管杭や場所打ち杭の施工でも高シェア。ベトナム、ミャンマーでも事業展開し、風力発電等再生可能エネルギー分野における基礎工事関連事業を推進。
【設立】2005.4　【資本金】6,621百万円
【社長】黒瀬修介(1956.12生)
【株主】〔24.3〕日本マスタートラスト信託銀行信託口16.3%
【連結事業】基礎工事・コンクリート杭79、同・鋼管杭6、同・場所打ち杭13、他3 <海外16>
【従業員】連2,604名 単794名(43.2歳)

【業績】	売上高	営業利益	経常利益	純利益
連22.3	93,176	2,184	2,169	1,494
連23.3	110,245	6,283	5,844	4,130
連24.3	103,151	7,016	6,247	3,821

㈱アドマテックス　株式公開未定

採用内定数	倍率	3年後離職率	平均年収
15名	‥	5.3%	㊕743万円

●待遇、制度●
【初任給】月23.2万
【残業】22.2時間【有休】14.9日【制度】フ 住 在
●新卒定着状況●
20年入社(男13、女6)→3年後在籍(男12、女6)
●採用情報●
【人数】23年:31 24年:16 25年:応募‥→内定15
【内定内訳】(男12、女3)(文2、理2)(総4、他11)
【試験】〔Web自宅〕SPI3〔性格〕有
【時期】エントリー24.10→内々定‥*(一次はWEB面接可)【インターン】有【ジョブ型】有
【採用実績校】名大1、名工大1、三重大1、秋田大1
【求める人材】自分のアイデアや発想を活かし、積極的に取り組むことのできる人

【本社】470-0201 愛知県みよし市黒笹町丸根1099-20 ☎0561-33-0215
【特色・近況】真球状のシリカ、アルミナなど半導体封止材向けセラミックス粉末を製造・販売。トヨタ自動車の社内公募ベンチャー初の半導体向け材料メーカー。トヨタ自動車、信越化学工業の各グループとの合弁。愛知、岐阜に工場。VMC燃焼技術を基盤に研究開発を推進。
【設立】1990.2　【資本金】631百万円
【社長】中野修(1962.9生 名大院工修了)
【株主】〔24.3〕トヨタ自動車50.1%
【事業】シリカ・アルミナ等の材料およびその加工品の製造販売
【従業員】単419名(34.7歳)

【業績】	売上高	営業利益	経常利益	純利益
単22.3	20,837	‥	‥	‥
単23.3	18,216	‥	‥	‥
単24.3	17,393	‥	‥	‥

石塚硝子（いしづかがらす） 東証スタンダード

採用予定数	倍率	3年後離職率	平均年収
5名	‥	‥	‥

●待遇、制度●
【初任給】月21万
【残業】4.6時間【有休】14日【制度】フ 住 在

●新卒定着状況●
‥

●採用情報●
【人数】23年:5 24年:6 25年:予定5
【内定内訳】(男2、女3)(文3、理0)(総5、他0)
【試験】〔Web自宅〕有
【時期】エントリー25.3→内々定25.4*(一次はWEB面接可)【インターン】有
【採用実績校】‥
【求める人材】自分の考えを持って、新しいことに挑戦しようと行動できる人

【本社】482-8510 愛知県岩倉市川井町1880
☎0587-37-2111
【特色・近況】ガラス瓶・容器の大手メーカー。ガラス瓶やガラス食器のほか、紙容器などの容器関連にも展開。ガラス瓶はビール瓶などアルコール飲料向けが主。ペットボトル用プリフォーム(予備成形品)も手がけ収益柱に成長。消臭ガラス技術を応用した口臭ケア歯磨き粉も展開。
【設立】1941.4　【資本金】6,344百万円
【代表取締役】石塚久継(1965.4生 青学大理工卒)
【株主】〔24.3〕明治安田生命保険5.2%
【連結事業】ガラスびん21、ハウスウェア24、紙容器15、プラスチック容器26、産業器材5、他9
【従業員】連1,840名 単422名(43.7歳)

【業績】	売上高	営業利益	経常利益	純利益
連22.3	69,384	2,612	2,791	2,254
連23.3	56,749	2,210	2,317	252
連24.3	57,882	5,456	5,362	4,707

㈱イトーヨーギョー 東証スタンダード

採用予定数	倍率	3年後離職率	平均年収
5名	−	0%	511万円

●待遇、制度●
【初任給】月23.8万(固定残業代15時間分)
【残業】18.6時間【有休】13.7日【制度】住

●新卒定着状況●
20年入社(男1、女2)→3年後在籍(男1、女2)

●採用情報●
【人数】23年:3 24年:3 25年:応募16→内定0*
【内定内訳】(男‥、女‥)(文‥、理‥)(総‥、他‥)
【試験】〔Web自宅〕有〔性格〕有
【時期】エントリー25.3→内々定25.6(一次はWEB面接可)【インターン】有【ジョブ型】有
【採用実績校】‥
【求める人材】仕事に対してのこだわりや向上心を持ちたいと考えている人

【大阪本社】531-0071 大阪府大阪市北区中津6-3-14
☎06-4799-8850
【特色・近況】マンホールやパイプなどコンクリート2次製品の中堅メーカー。マンホール需要減を受け、水路内蔵型歩車道境界ブロックなどの道路製品やマンホール型油水分離装置に注力。無電柱化対策や豪雨対策の側溝製品、空調設備を中心とする建設設備関連機器も取り扱う。
【設立】1950.12　【資本金】500百万円
【社長】畑中雄介(1988.12生)
【株主】〔24.3〕畑中千弘18.5%
【事業】コンクリート関連59、建築設備機器関連37、不動産関連4
【従業員】単123名(43.7歳)

【業績】	売上高	営業利益	経常利益	純利益
単22.3	2,934	62	58	317
単23.3	3,467	179	176	131
単24.3	3,132	108	101	101

岩尾磁器工業（いわおじきこうぎょう） 株式公開計画なし

採用予定数	倍率	3年後離職率	平均年収
5名	−	−	‥

●待遇、制度●
【初任給】月19.1万(固定残業代25時間分)
【残業】12.5時間【有休】15.8日【制度】住

●新卒定着状況●
20年入社(男0、女0)→3年後在籍(男0、女0)

●採用情報●
【人数】23年:0 24年:1 25年:応募5→内定0*
【内定内訳】(男‥、女‥)(文‥、理‥)(総‥、他‥)
【試験】‥
【時期】エントリー25.3→内々定25.7【インターン】有
【採用実績校】‥
【求める人材】前向きで意欲を持って行動ができ、一人で頑張り過ぎずチームに助けを求められる人

【本社】844-8555 佐賀県西松浦郡有田町外尾町丙1436-2
☎0955-43-2111
【特色・近況】化学工業用セラミックスのメーカーで、耐酸磁器れんがは国内最大級のシェア。製品は海外50数カ国に輸出。磁器を活用した水処理関連設備・装置や、建築アートに使用されるレリーフやメモアール、タイルなど磁芸景観材も手がける。
【設立】1936.11　【資本金】200百万円
【社長】岩尾慶一(1950.4生 立大経済卒)
【株主】岩尾エンヂニヤリング44.0%
【事業】化学工業用磁器80、水処理環境装置13、耐蝕FRP機器8
【従業員】単147名(48.3歳)

【業績】	売上高	営業利益	経常利益	純利益
単22.3	2,808	209	167	106
単23.3	2,855	133	109	33
単24.3	2,812	135	108	29

㈱内山（うちやま）アドバンス

株式公開未定

採用内定数	倍率	3年後離職率	平均年収
4名	1.8倍	20%	・・

●待遇、制度●
【初任給】月22万
【残業】25時間【有休】‥日【制度】住

●新卒定着状況●
20年入社(男4、女1)→3年後在籍(男3、女1)

●採用情報●
【人数】23年:8 24年:8 25年:応募7→内定4*
【内定内訳】(男3、女1)(文0、理4)(総4、他0)
【試験】〔Web自宅〕SPI3〔性格〕有
【時期】エントリー25.3→内々定25.6*(一次はWEB面接可)【インターン】有
【採用実績校】ものつくり大2、日大1、工学院大1

【求める人材】自らの可能性を信じ、何事にも前向きかつ積極果敢に挑戦できる人

【本部】272-0144 千葉県市川市新井3-6-10 ☎047-398-8801
【特色・近況】東京、千葉、神奈川を中心に7工場、子会社含めグループ全体で16工場を有する生コンクリート業界の大手。千葉県・浦安市に技術センターを持ち、コンクリートの試験研究、製造技術の研究開発、関係業界との提携に力を入れる。肥料や壁材などの販売で創業。
【設立】1963.5 【資本金】100百万円
【社長】柳内光子(1939.7生 明大院修了)
【株主】〔24.3〕山一興産31.5%
【事業】生コンクリート製造80、他20
【従業員】単235名(42.7歳)

【業績】	売上高	営業利益	経常利益	純利益
単22.3	13,784	824	794	503
単23.3	14,411	860	834	476
単24.3	15,891	940	954	541

㈱エーアンドエーマテリアル

東証スタンダード

採用内定数	倍率	3年後離職率	平均年収
5名	5.8倍	28.6%	554万円

●待遇、制度●
【初任給】月23.2万
【残業】13.1時間【有休】10.8日【制度】住 在

●新卒定着状況●
20年入社(男5、女2)→3年後在籍(男4、女1)

●採用情報●
【人数】23年:4 24年:9 25年:応募29→内定5*
【内定内訳】(男4、女1)(文3、理2)(総5、他0)
【試験】〔Web自宅〕有
【時期】エントリー25.3→内々定25.4(一次はWEB面接可)
【採用実績校】‥

【求める人材】失敗を恐れず常に挑戦していく気概のある人、柔軟な思考力で積極的に取り組む人

【本社】230-8511 神奈川県横浜市鶴見区鶴見中央2-5-5 ☎045-503-5760
【特色・近況】太平洋セメントグループの建材会社。各種不燃ボード、化粧ボードの内外装材の製造販売と電力・ガスプラント用の配管・機器類の保温材や伸縮継手、船舶用の防熱・防音材、耐火箱などの防災製品を扱う。保温・保冷・断熱工事も手がける。
【設立】1924.3 【資本金】3,889百万円
【社長】巻野徹(1956.1生 慶大経済卒)
【株主】〔24.3〕太平洋セメント42.3%
【連結事業】建設・建材43、工業製品・エンジニアリング57、他0
【従業員】連844名 単215名(47.0歳)

【業績】	売上高	営業利益	経常利益	純利益
連22.3	35,923	1,440	1,563	958
連23.3	39,200	1,489	1,453	931
連24.3	41,282	2,318	2,403	2,699

エスビック

株式公開計画なし

採用内定数	倍率	3年後離職率	平均年収
5名	2.8倍	0%	560万円

●待遇、制度●
【初任給】月23万
【残業】13.1時間【有休】12.3日【制度】住

●新卒定着状況●
20年入社(男8、女2)→3年後在籍(男8、女2)

●採用情報●
【人数】23年:5 24年:7 25年:応募14→内定5*
【内定内訳】(男3、女2)(文4、理0)(総5、他0)
【試験】〔筆記〕SPI3〔Web自宅〕SPI3〔性格〕有
【時期】エントリー24.12→内々定25.2*(一次はWEB面接可)【インターン】有
【採用実績校】金沢学大1、淑徳大1、東洋大1、国際武道大1、東北生活文化大短大1

【求める人材】学ぶ意欲があり、チームのために自ら考え、行動できる人

【本社】370-1207 群馬県高崎市綿貫町1729-5 ☎027-384-4190
【特色・近況】住宅塀など化粧ブロック、歩道舗装用ブロック、造成用擁壁ブロックを製造・販売。煉瓦・石材などの景観材も販売する。環境や安全配慮型の製品に注力。科学的根拠に基づく温室効果ガス排出削減目標設定で、ブロック業界初の「中小企業SBT」認定取得。
【設立】1953.8 【資本金】100百万円
【社長】柳澤佳雄(1949.7生 大学院工修了)
【株主】〔23.12〕柳澤佳雄37.6%
【事業】各種コンクリートブロック73、エクステリア商品27
【従業員】単366名(42.1歳)

【業績】	売上高	営業利益	経常利益	純利益
単21.12	10,470	633	721	449
単22.12	11,086	1,011	1,080	669
単23.12	11,506	1,377	1,515	855

㈱オハラ

東証スタンダード

採用内定数	倍率	3年後離職率	平均年収
6名	19倍	0%	636万円

●待遇、制度●
【初任給】月22.4万
【残業】12.4時間【有休】13.4日【制度】フ 住
●新卒定着状況● 高卒除く
20年入社(男2、女1)→3年後在籍(男2、女1)
●採用情報● 高卒除く
【人数】23年:10 24年:9 25年:応募114→内定6
【内定内訳】(男4、女2)(文1、理4)(総6、他0)
【試験】〔Web自宅〕SPI3〔性格〕有
【時期】エントリー25.3→内々定25.5(一次はWEB面接可)【インターン】有
【採用実績校】大阪公大1、京大1、横国大1、工学院大1、大東文化大1、日本工学院八王子専1
【求める人材】あらゆることの可能性を突き詰め、失敗を恐れずに自ら挑戦し、最後までやりきる人

【本社】252-5286 神奈川県相模原市中央区小山1-15-30 ☎042-772-2101
【特色・近況】光学ガラスの老舗メーカーで生産量国内トップ。デジタル一眼レフカメラ用、プロジェクター用、内視鏡用、車載カメラ用などの製品を供給。半導体・FPD露光装置向けが第2の柱に成長。原料設計から出荷までの一貫生産に強み。
【設立】1944.2 【資本金】5,855百万円
【代表取締役】齋藤弘和(1959.9生 専大法卒)
【株主】〔24.4〕セイコーグループ18.4%
【連結事業】光56、エレクトロニクス44 <海外55>
【従業員】連1,466名 単492名(41.5歳)

【業績】	売上高	営業利益	経常利益	純利益
連21.10	23,521	1,368	1,733	1,460
連22.10	28,304	2,976	3,665	2,116
連23.10	28,123	2,233	2,603	1,572

クニミネ工業(こうぎょう)

東証スタンダード

採用予定数	倍率	3年後離職率	平均年収
若干	-	40%	‥

●待遇、制度●
【初任給】月21.5万
【残業】8時間【有休】13日【制度】住 在
●新卒定着状況●
20年入社(男3、女2)→3年後在籍(男1、女2)
●採用情報●
【人数】23年:0 24年:5 25年:応募30→内定0*
【内定内訳】(男‥、女‥)(文‥、理‥)(総‥、他‥)
【試験】〔Web自宅〕SPI3
【時期】エントリー25.3→内々定25.7(一次はWEB面接可)
【採用実績校】‥
【求める人材】自主的に行動できる人、好奇心旺盛な人、チャレンジ精神豊富な人

【本社】101-0032 東京都千代田区岩本町1-10-5 ☎03-3866-7255
【特色・近況】ベントナイト(特殊粘土鉱物)専業メーカーの最大手。用途は自動車や建機のエンジンやブレーキを成型する鋳物向けが中心で、土木建築関連、ペット用トイレ砂なども手がける。農薬基剤などアグリ事業、ファインケミカルなど化成品事業にも展開。
【設立】1943.6 【資本金】1,617百万円
【社長】國峯保彦(1946.6生 明大商卒)
【株主】〔24.3〕クニミネエンタープライズ㈱33.9%
【連結事業】ベントナイト72、クレイサイエンス28
【従業員】連297名 単238名(41.9歳)

【業績】	売上高	営業利益	経常利益	純利益
連22.3	15,257	1,666	1,913	1,301
連23.3	15,325	828	1,373	842
連24.3	15,675	1,231	1,644	1,043

クリオン

株式公開計画なし

採用内定数	倍率	3年後離職率	平均年収
2名	4倍	26.7%	625万円

●待遇、制度●
【初任給】月23.3万
【残業】11.9時間【有休】10日【制度】住
●新卒定着状況●
20年入社(男11、女4)→3年後在籍(男8、女3)
●採用情報●
【人数】23年:12 24年:6 25年:応募8→内定2*
【内定内訳】(男2、女0)(文1、理1)(総2、他0)
【試験】なし
【時期】エントリー25.3→内々定25.6*【インターン】有
【採用実績校】‥
【求める人材】努力ができる人、前向きにチャレンジできる人

【本社】135-0044 東京都江東区越中島1-2-21 ヤマタネビル6階 ☎03-6458-5400
【特色・近況】ALC(軽量気泡コンクリート)の最大手。太平洋セメントグループ。中低・高層建築向けDDDパネル、倉庫建築向けSGパネルなど高性能、高機能商品を提供する。工場埋設アンカーパネルを業界で唯一標準化。農業や畜産分野向けのケイ酸カルシウムも展開。
【設立】1970.10 【資本金】3,075百万円
【社長】牛木保司(1960.1生)
【株主】〔24.3〕太平洋セメント99.2%
【事業】ALC商品96、他4
【従業員】単303名(45.5歳)

【業績】	売上高	営業利益	経常利益	純利益
単22.3	13,663	845	863	581
単23.3	15,336	113	131	55
単24.3	16,839	794	812	544

神島化学工業（こうのしまかがくこうぎょう）

東証スタンダード

採用内定数	倍率	3年後離職率	平均年収
12名	5.5倍	0%	555万円

●待遇、制度●
【初任給】月20.6万
【残業】15.6時間【有休】16.9日【制度】住 在

●新卒定着状況●
20年入社(男3、女0)→3年後在籍(男3、女0)

●採用情報●
【人数】23年:13 24年:4 25年:応募66→内定12*
【内定内訳】(男9、女3)(文4、理8)(総12、他0)
【試験】〔性格〕有
【時期】エントリー25.3→内々定25.6*(一次はWEB面接可)【インターン】有
【採用実績校】‥

【求める人材】仕事に対して自主的に考え、意見・行動し、周囲と連携して物事を進めることが出来る人

【本社】541-0042 大阪府大阪市中央区今橋4-4-7 京阪神淀屋橋ビル ☎06-6232-5350
【特色・近況】窯業系の不燃内外装建材が主軸。窯業系建材のケイ酸カルシウム板の生産に成功し、ビル・住宅用建材を製品化。透明化技術により世界で唯一のセラミックス製品を開発。X線天文衛星「ひとみ」や製造・医療分野のレーザー装置に使用される。
【設立】1946.3 【資本金】1,320百万円
【社長】布川明(1953.7生 関大院工修了)
【株主】〔24.4〕DOWAホールディングス9.1%
【事業】建材54、化成品46 <海外26>
【従業員】単657名(40.6歳)

【業績】	売上高	営業利益	経常利益	純利益
単22.4	21,787	2,078	2,084	1,365
単23.4	23,986	2,167	2,142	1,533
単24.4	25,974	2,117	2,073	1,620

ＪＦＥミネラル

株式公開計画なし

採用内定数	倍率	3年後離職率	平均年収
13名	32.8倍	0%	750万円

●待遇、制度●
【初任給】月28万
【残業】14.9時間【有休】16.7日【制度】フ 住 在

●新卒定着状況●
20年入社(男3、女0)→3年後在籍(男3、女0)

●採用情報●
【人数】23年:6 24年:12 25年:応募427→内定13
【内定内訳】(男11、女2)(文5、理8)(総13、他0)
【試験】〔Web自宅〕有〔性格〕有
【時期】エントリー25.3→内々定25.5*(一次・二次以降もWEB面接可)【インターン】有
【採用実績校】東大1、早大1、日大3、富山大1、島根大1、東京電機大1、山形大1、香川大1、関西学大1、白百合大1、他
【求める人材】周囲とのバランスや関係性に気を配ることができ、責任感を持って物事に取り組める人

【本社】105-0014 東京都港区芝3-8-2 住友不動産芝公園ファーストビル ☎03-5445-5200
【特色・近況】JFEグループの資源素材会社。鉱産品、合金鉄、製鉄関連、機能素材、土壌環境浄化の5事業を軸に展開。鉱産品は石灰石や珪石、製鉄関連は各種スラグ製品を製販。ニッケル超微粉などの機能性材料は世界大手。土壌・地下水の調査・浄化も行う。
【設立】1958.7 【資本金】2,000百万円
【社長】斉藤輝弘(1960.7生 東大工卒)
【株主】〔24.4〕JFEスチール100%
【事業】鉱産品5、水島合金鉄31、クロム＆リサイクル16、製鉄関連37、機能素材10、他1 <輸出0>
【従業員】単1,322名(44.4歳)

【業績】	売上高	営業利益	経常利益	純利益
単22.3	83,880	7,778	7,081	4,893
単23.3	184,110	26,403	26,139	16,952
単24.3	145,949	6,229	5,676	4,631

ジオスター

東証スタンダード

採用内定数	倍率	3年後離職率	平均年収
3名	4倍	0%	734万円

●待遇、制度●
【初任給】月23.1万(諸手当2.7万円)
【残業】20.1時間【有休】15.7日【制度】フ 住

●新卒定着状況●
20年入社(男2、女2)→3年後在籍(男2、女2)

●採用情報●
【人数】23年:3 24年:2 25年:応募12→内定3*
【内定内訳】(男1、女2)(文1、理2)(総3、他0)
【試験】〔Web自宅〕SPI3〔性格〕有
【時期】随時(一次はWEB面接可)【インターン】有
【採用実績校】芝工大1、明大1、日大1

【求める人材】主体性があり周囲と協働できる人、何事にも疑問を持ち、より良い方法に改善できる人

【本社】112-0002 東京都文京区小石川1-4-1 住友不動産後楽園ビル ☎03-5844-1200
【特色・近況】建築用コンクリート製品の大手メーカーで、RC製セグメントで最大手。RC製セグメントは地下鉄や上下水道など大型トンネル工事で使用される内壁部材。護岸用コンクリート矢板なども製造。官公需の比率が高い。日本製鉄子会社。
【設立】1970.3 【資本金】3,352百万円
【社長】堀田穣(1966.5生 早大政経卒)
【株主】〔24.3〕日本製鉄40.3%
【連結事業】土木100
【従業員】連467名 単284名(47.8歳)

【業績】	売上高	営業利益	経常利益	純利益
連22.3	30,860	2,204	2,214	1,455
連23.3	25,236	1,522	1,543	645
連24.3	26,910	1,831	1,852	1,102

#有休取得が多い

品川(しながわ)リフラクトリーズ

東証プライム

採用内定数	倍率	3年後離職率	平均年収
16名	6.1倍	11.1%	㊍794万円

●待遇、制度●
【初任給】月23.7万
【残業】16.2時間【有休】17.3日【制度】フ 住 在
●新卒定着状況●
20年入社(男6、女3)→3年後在籍(男6、女2)
●採用情報●
【人数】23年:12 24年:15 25年:応募97→内定16
【内定内訳】(男11、女5)(文2、理13)(総16、他0)
【試験】〔Web自宅〕有〔性格〕有
【時期】エントリー‥→内々定‥(一次はWEB面接可)【インターン】有
【採用実績校】岡山大3、秋田大1、慶大1、岡山理大1、日大1、法政大1、福岡大1、千葉大1、神田外語大1、佛教大1、國學院大1、立教大1、他
【求める人材】自分で考え、粘り強く行動できる人

【本社】100-0004 東京都千代田区大手町2-2-1 新大手町ビル ☎03-6265-1600
【特色・近況】高炉内で使われる耐火物の大手メーカー。日本製鉄系の黒崎播磨と業界を二分。グループで耐火耐熱れんが、不定形耐火物、セラミックファイバー、ファインセラミックスの製造・販売を手がける。築炉工事も展開。JFEスチール、神戸製鋼と親密。
【設立】1903.6 【資本金】3,300百万円
【社長】藤原弘之(1960.9生 早大政経卒)
【株主】〔24.3〕JFEスチール33.7%
【連結事業】耐火物68、断熱材12、セラミックス2、エンジニアリング17、他1 <海外30>
【従業員】連3,373名 単1,201名(44.2歳)

【業績】	売上高	営業利益	経常利益	純利益
連22.3	110,784	10,107	10,716	5,308
連23.3	124,963	10,844	11,457	8,307
連24.3	144,175	13,887	14,903	15,280

関(せき)ヶ原(はら)石(せき)材(ざい)

株式公開計画なし

採用内定数	倍率	3年後離職率	平均年収
1名	100倍	33.3%	㊍590万円

●待遇、制度●
【初任給】月22万
【残業】10.6時間【有休】10日【制度】フ 住
●新卒定着状況●
20年入社(男3、女3)→3年後在籍(男2、女2)
●採用情報●
【人数】23年:4 24年:4 25年:応募100→内定1*
【内定内訳】(男1、女0)(文1、理0)(総1、他0)
【試験】〔筆記〕有〔性格〕有
【時期】エントリー24.10→内々定25.3*(一次はWEB面接可)【インターン】有
【採用実績校】北京外大
【求める人材】コミュニケーション能力が高く、人との関わりの中で自分を高めていける人

【本社】503-1595 岐阜県不破郡関ケ原町大字関ケ原2682 ☎0584-43-1234
【特色・近況】大理石、御影石など建築用石材の輸入から施工販売まで一貫で行う。商社・メーカー・建設業の機能を兼ね備えた業界最大手。岐阜に本社・工場、全国に拠点。ホテルやリゾート、邸宅向けの高級大理石を開拓し、大理石調の新素材やタイルも手がける。
【設立】1951.11 【資本金】96百万円
【会長】矢橋達郎(1961.5生 学習大文卒)
【株主】〔24.3〕セキストーンホールディングス100%
【連結事業】石材加工・施工と原石・石製品の工事90、製品売上6、他4 <輸出0>
【従業員】連378名 単201名(45.5歳)

【業績】	売上高	営業利益	経常利益	純利益
連22.3	7,574	▲78	76	25
連23.3	8,747	30	109	20
連24.3	9,952	233	287	175

敦賀(つるが)セメント

株式公開計画なし

採用内定数	倍率	3年後離職率	平均年収
1名	10倍	0%	㊍632万円

●待遇、制度●
【初任給】月21.6万(諸手当0.1万円)
【残業】10時間【有休】16.1日【制度】住 在
●新卒定着状況●
20年入社(男2、女1)→3年後在籍(男2、女1)
●採用情報●
【人数】23年:4 24年:0 25年:応募10→内定1*
【内定内訳】(男0、女1)(文1、理0)(総1、他0)
【試験】〔筆記〕GAB〔性格〕有
【時期】エントリー25.3→内々定25.4【インターン】有
【採用実績校】福井県大1
【求める人材】前向きな姿勢、考える力、実行力、協調性、コミュニケーション能力を有する人

【本社】914-8686 福井県敦賀市泉2-6-1 ☎0770-22-1100
【特色・近況】各種セメント、地盤改良材、タンカル、珪石粉、コンクリート補修材などを製造・販売。環境事業として廃棄物を受け入れ、無害化処理や再資源化も手がける。太平洋セメントグループの一員として、サプライチェーン全体でカーボンニュートラル実現に取り組む。
【設立】1935.11 【資本金】1,050百万円
【社長】山本学
【株主】〔24.3〕太平洋セメント100%
【事業】セメント67、他33 <輸出4>
【従業員】連237名 単100名(44.8歳)

【業績】	売上高	営業利益	経常利益	純利益
連22.3	9,333	127	156	352
連23.3	9,898	194	269	172
連24.3	10,338	125	292	▲364

㈱ＴＹＫ

東証スタンダード

採用内定数	倍率	3年後離職率	平均年収
13名	4.6倍	33.3%	634万円

●待遇、制度●
【初任給】月21.5万
【残業】11.3時間【有休】11日【制度】住
●新卒定着状況●
20年入社(男7、女2)→3年後在籍(男5、女1)
●採用情報●
【人数】23年:7 24年:8 25年:応募60→内定13*
【内定内訳】(男10、女3)(文5、理8)(総13、他0)
【試験】〔筆記〕常識
【時期】エントリー‥→内々定‥(一次はWEB面接可)【インターン】有
【採用実績校】中部大2、名城大2、名大1、鳥取大1、信州大1、宇都宮大1、愛知学大1、愛知大1、神戸大1、関西学大1、他
【求める人材】グローバルに活躍したい人、物作りを通じて世界産業に貢献したい人

【本社】507-8607 岐阜県多治見市大畑町3-1 ☎0572-22-8151
【特色・近況】鉄鋼向け耐火物の大手メーカー。鉄鋼向け耐火煉瓦、非鉄金属向け黒鉛るつぼなどを製造。海外は米国、英国、台湾、中国に製造拠点。ファインセラミックス用いたディーゼル排ガス用フィルター、金属とセラミックスの複合材料開発などの研究開発が進む。
【設立】1947.2 【資本金】2,398百万円
【社長】牛込伸隆(1964.9生 東大法卒)
【株主】〔24.3〕大同特殊鋼11.4%
【連結事業】耐火物関連99、他1 <海外34>
【従業員】連901名 単383名(44.6歳)

【業績】	売上高	営業利益	経常利益	純利益
連22.3	25,907	3,092	3,555	1,732
連23.3	28,680	3,199	3,797	2,115
連24.3	30,011	3,182	4,051	2,378

東北(とうほく)ポール

株式公開計画なし

採用内定数	倍率	3年後離職率	平均年収
2名	6.5倍	0%	507万円

●待遇、制度●
【初任給】月21.1万(諸手当9.4万円)
【残業】10.7時間【有休】13.6日【制度】住
●新卒定着状況●
20年入社(男3、女0)→3年後在籍(男3、女0)
●採用情報●
【人数】23年:1 24年:5 25年:応募13→内定2
【内定内訳】(男1、女1)(文2、理0)(総2、他0)
【試験】〔Web自宅〕SPI3
【時期】エントリー25.3→内々定25.4【インターン】有
【採用実績校】東北学大1、山形大1
【求める人材】誠実できちんとコミュニケーションを取りながらチームワークを大切にできる人

【本社】980-0804 宮城県仙台市青葉区大町2-15-28 藤崎大町ビル ☎022-263-5252
【特色・近況】コンクリートポール、パイルを主力に、地中配電用コンクリート製品などの製造・販売・施工を手がける。消波ブロックなどのリース事業も展開。福島県・白河市と岩手県・北上市に工場を置く。日本コンクリート工業グループ。
【設立】1951.8 【資本金】236百万円
【社長】只野恵二(1960.2生)
【株主】〔24.3〕日本コンクリート工業85.4%
【事業】ポール61、パイル22、関連製品・商事17
【従業員】単228名(42.4歳)

【業績】	売上高	営業利益	経常利益	純利益
単22.3	8,188	‥	‥	57
単23.3	10,031	‥	‥	337
単24.3	9,642	‥	‥	250

㈱トーヨーアサノ

東証スタンダード

採用内定数	倍率	3年後離職率	平均年収
2名	2.5倍	33.3%	㈱593万円

●待遇、制度●
【初任給】月20.7万(諸手当8万円、固定残業代17時間分)
【残業】22時間【有休】12日【制度】住 在
●新卒定着状況●
20年入社(男1、女2)→3年後在籍(男0、女2)
●採用情報●
【人数】23年:4 24年:2 25年:応募5→内定2
【内定内訳】(男1、女1)(文1、理1)(総2、他0)
【試験】〔Web自宅〕SPI3
【時期】エントリー25.3→内々定25.4*(一次はWEB面接可)【インターン】有
【採用実績校】都留文科大1、職能大学校1
【求める人材】努力を惜しまない人、何事も継続できる人、コミュニケーション能力のある人

【本社】410-0312 静岡県沼津市原315-2 ☎055-967-3535
【特色・近況】コンクリート2次製品の中堅メーカー。1997年に東洋パイルヒューム管製作所と東扇アサノポールが合併して現体制に。建物の基礎に使用されるコンクリートパイルが主力。生産は東京・西多摩の工場に集約。沼津工場跡地の不動産賃貸が安定的な収益源。
【設立】1951.12 【資本金】100百万円
【社長】植松泰右(1979.7生 慶大院経営管修了)
【株主】〔24.2〕東洋鉄工25.4%
【連結事業】基礎99、不動産賃貸1
【従業員】連198名 単150名(44.8歳)

【業績】	売上高	営業利益	経常利益	純利益
連22.2	17,760	142	178	114
連23.2	18,259	228	206	▲191
連24.2	15,067	922	911	603

㈱ニッカトー [東証スタンダード]

採用内定数	倍率	3年後離職率	平均年収
5名	8.8倍	50%	[総]687万円

●待遇、制度●
【初任給】月22.1万
【残業】7.1時間【有休】14.2日【制度】[住]
●新卒定着状況● 大卒のみ
20年入社(男1、女1)→3年後在籍(男0、女1)
●採用情報● 大卒のみ
【人数】23年:4 24年:3 25年:応募44→内定5*
【内定内訳】(男2、女3)(文4、理1)(総3、他2)
【試験】〔Web会場〕C-GAB〔性格〕有
【時期】エントリー25.3→内々定25.4(一次・二次以降もWEB面接可)【インターン】有【ジョブ型】有
【採用実績校】関大1、関西外大1、甲南大1、長崎大1、龍谷大1
【求める人材】探究心・発想力・熱意をもって変化に挑める人

【本社】590-0001 大阪府堺市堺区遠里小野町3-2-24 ☎072-238-3641
【特色・近況】工業用耐摩耗・耐熱セラミックスの中堅メーカー。工業用セラミックスの需要先は、電子部品、化学、窯業、環境、エネルギーと広範囲。新商品・新技術の共同開発に積極的。エンジニアリング部門で加熱装置や計測機器の販売も手がける。
【設立】1921.5 【資本金】1,320百万円
【社長】大西宏司(1958.3生 京工繊大工芸卒)
【株主】〔24.3〕東ソー4.9%
【事業】セラミックス74、エンジニアリング26
【従業員】単288名(40.6歳)

【業績】	売上高	営業利益	経常利益	純利益
単22.3	9,979	972	1,027	671
単23.3	10,733	1,102	1,177	835
単24.3	10,239	918	992	701

日本(にっぽん)コンクリート工業(こうぎょう) [東証プライム]

採用内定数	倍率	3年後離職率	平均年収
5名	6倍	0%	587万円

●待遇、制度●
【初任給】月21.2万
【残業】30時間【有休】13.1日【制度】[フ][住]
●新卒定着状況●
20年入社(男4、女0)→3年後在籍(男4、女0)
●採用情報●
【人数】23年:8 24年:6 25年:応募30→内定5*
【内定内訳】(男4、女1)(文2、理3)(総5、他0)
【試験】〔Web自宅〕有〔性格〕有
【時期】エントリー25.3→内々定25.4*(一次・二次以降もWEB面接可)【インターン】有
【採用実績校】明大1、東海大院2、桜美林大1、愛知工業大1
【求める人材】タフでめげない人、貪欲に己を成長させる人、柔軟で前向きな人

【本社】108-8560 東京都港区芝浦4-6-14 NC芝浦ビル ☎03-3452-1025
【特色・近況】ポール(電柱)やパイルのほか、PC壁体やセグメントなど、土木向け主体のコンクリート製品を手がける。電力各社やNTT向けのポールでは圧倒的シェア。パイルも大手3社の一角で、大径高支持力杭など高付加価値製品が拡大。
【設立】1948.8 【資本金】5,111百万円
【社長】塚本博(1965.2生 茨城大工卒)
【株主】〔24.3〕日本製鉄12.0%
【連結事業】基礎49、コンクリート二次製品50、不動産・太陽光発電1
【従業員】連1,346名 単359名(43.4歳)

【業績】	売上高	営業利益	経常利益	純利益
連22.3	47,376	1,228	1,553	874
連23.3	52,986	▲228	97	▲439
連24.3	53,650	1,807	2,242	614

日本(にっぽん)ヒューム [東証プライム]

採用内定数	倍率	3年後離職率	平均年収
10名	8.6倍	12.5%	650万円

●待遇、制度●
【初任給】月23.2万(諸手当2.5万円)
【残業】18.5時間【有休】‥日【制度】[フ][住][在]
●新卒定着状況●
20年入社(男4、女4)→3年後在籍(男4、女3)
●採用情報●
【人数】23年:8 24年:8 25年:応募86→内定10*
【内定内訳】(男7、女3)(文3、理6)(総10、他0)
【試験】〔Web自宅〕有
【時期】エントリー25.3→内々定25.6(一次はWEB面接可)【インターン】有
【採用実績校】神奈川大1、大阪産大2、宇都宮大2、北九州市大1、鹿児島高専1、浅野工学専1、日大1、中大1
【求める人材】「主体性」「リーダーシップ」「論理性」の3つを兼ね備えている人

【本社】105-0004 東京都港区新橋5-33-11 ☎03-3433-4111
【特色・近況】ヒューム管やパイルなどのコンクリート製品の製造と施工工事が主事業。下水道向けヒューム管首位で国内シェア約2割。施行工事は下水道や杭打などの工事が中心。施行法、工法の研究開発に意欲的。下水道工事の提供エリア拡大に重点。
【設立】1925.10 【資本金】5,251百万円
【社長】増渕智之(1964.11生 宇都宮大農卒)
【株主】〔24.3〕日本カストディ銀信託口(太平洋セメ)8.1%
【連結事業】基礎65、下水道関連30、太陽光発電・不動産4、他0
【従業員】連552名 単425名(45.0歳)

【業績】	売上高	営業利益	経常利益	純利益
連22.3	29,501	1,449	2,526	2,136
連23.3	31,876	1,236	2,102	1,642
連24.3	33,732	1,381	2,391	1,912

日本興業（にほんこうぎょう） 東証スタンダード

採用内定数	倍率	3年後離職率	平均年収
7名	‥	11.1%	495万円

●待遇、制度●
【初任給】月22万
【残業】13.9時間【有休】11.7日【制度】住 在
●新卒定着状況●
20年入社(男6、女3)→3年後在籍(男6、女2)
●採用情報●
【人数】23年:8 24年:10 25年:応募‥→内定7
【内定内訳】(男4、女3)(文5、理1)(総7、他0)
【試験】〔筆記〕有〔Web会場〕C-GAB〔性格〕有
【時期】エントリー25.3→内々定25.5(一次はWEB面接可)【インターン】有
【採用実績校】‥
【求める人材】挑戦(challenge)する姿勢と、変革(change)する勇気を持った人

【本社】769-2101 香川県さぬき市志度4614-13 ☎087-894-8130
【特色・近況】コンクリート2次製品大手。主力の土木資材部門は公共事業向けのボックスカルバートやヒューム管などを製造・販売。景観資材部門は公共スペース向けの舗装材や擬木・擬石など、エクステリア部門は民間向けのガーデン製品を取り扱う。
【設立】1956.8【資本金】2,019百万円
【社長】山口芳美(1957.5生 松山商大経済卒)
【株主】〔24.3〕積水樹脂22.5%
【連結事業】土木資材70、景観資材23、エクステリア7
【従業員】連400名 単304名(43.4歳)

【業績】	売上高	営業利益	経常利益	純利益
連22.3	11,768	364	420	273
連23.3	11,336	280	323	198
連24.3	13,673	414	464	295

㈱ノザワ 東証スタンダード

採用内定数	倍率	3年後離職率	平均年収
2名	142.5倍	0%	636万円

●待遇、制度●
【初任給】月22.3万
【残業】24.7時間【有休】10日【制度】住 在
●新卒定着状況●
20年入社(男2、女2)→3年後在籍(男2、女2)
●採用情報●
【人数】23年:6 24年:6 25年:応募285→内定2*
【内定内訳】(男1、女1)(文0、理1)(総2、他0)
【試験】〔筆記〕常識〔Web会場〕C-GAB〔性格〕有
【時期】エントリー25.3→内々定25.4*(一次・二次以降もWEB面接可)【インターン】有【ジョブ型】有
【採用実績校】日大1、東京テクニカルカレッジ専1
【求める人材】新しい時代にチャレンジするバイタリティあふれる人

【本社】650-0035 兵庫県神戸市中央区浪花町15 ☎078-333-4111
【特色・近況】ビル外壁に使われる押出成形セメント板メーカー。独自開発の外壁材を「アスロックNeo」ブランドで展開。軽量で耐火性、耐震性に優れ、ビル向け主体に需要高い。タイルや塗装を施した製品も豊富。一般住宅向け外壁材、遮音材も手がける。
【設立】1913.9【資本金】2,449百万円
【社長】野澤俊也(1962.8生 甲南大経営卒)
【株主】〔24.3〕三井住友銀行4.7%
【連結事業】押出成形セメント製品77、スレート関連4、耐火被覆等6、他13
【従業員】連348名 単326名(44.9歳)

【業績】	売上高	営業利益	経常利益	純利益
連22.3	20,546	1,848	1,987	1,713
連23.3	20,975	1,007	1,147	486
連24.3	23,074	1,780	1,938	874

㈱フジミインコーポレーテッド 東証プライム

採用内定数	倍率	3年後離職率	平均年収
15名	‥	0%	815万円

●待遇、制度●
【初任給】月22.4万
【残業】18.8時間【有休】12.1日【制度】住
●新卒定着状況●
20年入社(男6、女1)→3年後在籍(男6、女1)
●採用情報●
【人数】23年:18 24年:16 25年:応募‥→内定15
【内定内訳】(男13、女2)(文0、理14)(総15、他0)
【試験】〔Web自宅〕有〔性格〕有
【時期】エントリー‥→内々定‥(一次・二次以降もWEB面接可)【ジョブ型】有
【採用実績校】大阪公大1、金沢大1、岐阜大3、九大1、滋賀県大1、千葉工大1、筑波大1、富山県大1、名大3、奈良先端科技院大1、新潟大1
【求める人材】自身の成長に喜びを感じられ粘り強く努力できる人、誠実な対応を心がけられる人

【本社】452-8502 愛知県清須市西枇杷島町地領2-1-1 ☎052-503-8181
【特色・近況】高精度研磨材、鏡面加工材の大手メーカー。超精密研磨材では世界シェア圧倒的首位。半導体製造工程のCMP(化学的機械的研磨)に用いるスラリーが主力で、台湾TSMC社など巨大デバイスメーカーが顧客。国内は愛知・岐阜、海外はアジア・米国に製造拠点。
【設立】1953.3【資本金】4,753百万円
【社長】関敬史(1964.4生 慶大法卒)
【株主】〔24.3〕㈲コマ16.7%
【連結事業】ウエハーラッピング11、同ポリシング19、CMP向け53、ハードディスク向け3、自社品他14 <海外78>
【従業員】連1,110名 単791名(42.4歳)

【業績】	売上高	営業利益	経常利益	純利益
連22.3	51,731	12,059	12,490	9,156
連23.3	58,394	13,243	13,595	10,594
連24.3	51,423	8,251	8,958	6,499

松阪興産（まつさかこうさん）

株式公開 いずれしたい

採用内定数	倍率	3年後離職率	平均年収
5名	8.6倍	33.3%	505万円

●待遇、制度●
【初任給】月21.3万（諸手当2万円）
【残業】17.2時間【有休】10.3日【制度】住

●新卒定着状況●
20年入社（男9、女0）→3年後在籍（男6、女0）

●採用情報●
【人数】23年:16 24年:10 25年:応募43→内定5*
【内定内訳】（男5、女0）（文4、理0）（総0、他5）
【試験】〔Web自宅〕SPI3
【時期】エントリー25.3→内々定25.4*(一次はWEB面接可)【インターン】有【ジョブ型】有
【採用実績校】芦屋大1、静岡大1、東北福祉大1、四日市大1、名古屋ビジュアルアーツアカデミー専1
【求める人材】常に自分で考え理解しようと努力する人、何事にも粘り強く取り組める人

【本社】515-0005 三重県松阪市鎌田町253-5 ☎0598-51-0211
【特色・近況】三重県の大手建設土木資材メーカーで、砕石、生コン、コンクリート2次製品の製造販売が主体。舗装土木工事、システム開発、基礎工事、農業なども手がける。三重を中心に、関東、関西、福島県などに営業所。工業は三重県と福島県に多数。
【設立】1979.8【資本金】100百万円
【社長】中川祐（1979.7生 名古屋音大）
【株主】〔24.5〕中川祐7.6%
【事業】砂利・砂・砕石等44、コンクリート二次製品47、他9
【従業員】単610名（45.0歳）

【業績】	売上高	営業利益	経常利益	純利益
単21.6	19,147	1,613	1,694	974
単22.6	20,340	1,633	1,686	1,098
単23.6	20,439	1,399	1,465	944

#残業が少ない

松下産業（まつしたさんぎょう）

株式公開 計画なし

採用内定数	倍率	3年後離職率	平均年収
1名	24倍	－	総582万円

●待遇、制度●
【初任給】月26.5万（諸手当7.5万円）
【残業】0.7時間【有休】8.4日【制度】住 在

●新卒定着状況●
20年入社（男0、女0）→3年後在籍（男0、女0）

●採用情報●
【人数】23年:1 24年:2 25年:応募24→内定1*
【内定内訳】（男0、女1）（文1、理0）（総1、他0）
【試験】〔筆記〕常識〔Web自宅〕有
【時期】エントリー25.3→内々定25.5*(一次はWEB面接可)【インターン】有
【採用実績校】九産大1
【求める人材】常に問題意識を持って、積極的に物事に取組むことができる人

【本社】160-0023 東京都新宿区西新宿7-2-12 ☎03-3361-9141
【特色・近況】建築、環境、墓石用など各種石材の輸入・加工・販売で国内最大手。調達・加工から施工・メンテナンスまで一貫提供。海外20カ国以上にネットワークを構築し、良質な原石・石材を調達。イタリアに駐在事務所。三重の工場で石材加工。国内5店のショールーム。
【設立】1939.11【資本金】99百万円
【社長】百田貴宏（1969.3生 九産大芸術卒）
【株主】百田貴宏7.5%
【事業】建築用石材・墓石・他石材・建材関連100
【従業員】単91名（48.3歳）

【業績】	売上高	営業利益	経常利益	純利益
単22.3	4,353	83	124	64
単23.3	4,346	80	140	36
単24.3	4,279	59	102	23

松浪硝子工業（まつなみがらすこうぎょう）

株式公開 計画なし

採用実績数	倍率	3年後離職率	平均年収
9名	－	0%	総545万円

●待遇、制度●
【初任給】月22万
【残業】4.2時間【有休】7.5日【制度】住

●新卒定着状況●
20年入社（男2、女3）→3年後在籍（男2、女3）

●採用情報●
【人数】23年:12 24年:9 25年:応募1→内定0*
【内定内訳】（男‥、女‥）（文‥、理‥）（総‥、他‥）
【試験】〔筆記〕SPI3、他〔性格〕有
【時期】エントリー25.2→内々定25.6*(一次はWEB面接可)【インターン】有【ジョブ型】有
【採用実績校】‥
【求める人材】常に自己研鑽に努め、自発的に行動し、明るく、楽しく、元気よく、働く意欲の高い人

【本社・工場】596-0049 大阪府岸和田市八阪町2-1-10 ☎072-433-4546
【特色・近況】薄玻璃素材の合わせ鏡製造で創業し特殊薄板ガラスへ展開。電子・医療部門との両輪。顕微鏡用カバーガラス、スライドガラスは国内シェア65%でトップ。光電子事業ではオーダーメイド製品を製造。従業員の約8割が品質管理検定合格者。
【設立】1948.12【資本金】90百万円
【社長】安原弘泰
【株主】〔23.12〕マツナミ通商25.5%
【事業】電子材部門34、医療部門66 <輸出20>
【従業員】単300名（41.5歳）

【業績】	売上高	営業利益	経常利益	純利益
単21.12	6,382	820	885	527
単22.12	7,218	986	1,017	744
単23.12	8,008	1,038	1,090	790

メーカー（素材・身の回り品）

丸栄(まるえい)コンクリート工業(こうぎょう)

[株式公開計画なし]

採用内定数	倍率	3年後離職率	平均年収
3名	13.3倍	60%	[総]728万円

●待遇、制度● 平均年収は中途入社を除く
【初任給】月26万(固定残業代16時間分)
【残業】11.6時間【有休】14.2日【制度】[住]
●新卒定着状況●
20年入社(男4、女1)→3年後在籍(男2、女0)
●採用情報●
【人数】23年:8 24年:3 25年:応募40→内定3*
【内定内訳】(男2、女1)(文2、理1)(総3、他0)
【試験】〔筆記〕SPI3〔Web自宅〕SPI3〔性格〕有
【時期】エントリー24.9→内々定25.4*(一次はWEB面接可)【インターン】有【ジョブ型】有
【採用実績校】関大1、龍谷大1、帝塚山大1

【求める人材】日本のインフラ・ライフラインを支える若い人

【本社】501-6293 岐阜県羽島市福寿町間島1518 ☎058-393-0211
【特色・近況】河川や道路など公共事業用コンクリート2次製品の老舗大手メーカー。製品の施工から機能診断・補修工事まで幅広く手がける。USJ、中部国際空港、東京ディズニーランドなどに納入実績。ボックスカルバートなどオリジナル製品多彩。
【設立】1949.4 【資本金】69百万円
【社長】棚橋肇(1952.9生)
【株主】〔24.3〕丸栄ホールディングス100%
【事業】公共事業用コンクリート製品90、民間工事用コンクリート製品10
【従業員】単658名(44.1歳)

【業績】	売上高	営業利益	経常利益	純利益
単22.3	28,481	1,606	871	527
単23.3	29,939	2,585	1,625	1,198
単24.3	27,540	2,467	1,559	992

#初任給が高い

㈱MARUWA

[東証プライム]

採用内定数	倍率	3年後離職率	平均年収
6名	‥	28.6%	853万円

●待遇、制度●
【初任給】月30.1万
【残業】‥時間【有休】‥日【制度】[フ][住]
●新卒定着状況●
20年入社(男5、女2)→3年後在籍(男4、女1)
●採用情報●
【人数】23年:16 24年:13 25年:応募‥→内定6*
【内定内訳】(男6、女0)(文0、理6)(総6、他0)
【試験】〔Web自宅〕有〔性格〕有
【時期】エントリー25.3→内々定25.4(一次・二次以降もWEB面接可)【インターン】有
【採用実績校】静岡大1、名城大1、愛知工業大2、北見工大1、豊田工大1

【求める人材】自ら考えて行動でき、ハングリー精神旺盛な人

【本社】488-0044 愛知県尾張旭市南本地ケ原町3-83 ☎0561-51-0841
【特色・近況】回路・機構部品などのセラミック部品大手メーカー。アルミナ基板などセラミック基板で世界シェア首位。他にも電子部品・デバイス、石英ガラス製品、LED道路照明などを手がけるほか、子会社のYAMAGIWAが高級照明器具を製造・販売。
【設立】1973.4 【資本金】8,646百万円
【社長】神戸俊郎(1977.1生)
【株主】〔24.3〕㈱神戸アート29.4%
【連結事業】セラミック部品86、照明機器14 <海外68>
【従業員】連1,382名 単648名(43.4歳)

【業績】	売上高	営業利益	経常利益	純利益
連22.3	54,344	18,215	19,182	13,350
連23.3	58,804	20,142	21,187	15,020
連24.3	61,564	19,801	21,121	15,216

三谷(みたに)セキサン

[東証スタンダード]

採用内定数	倍率	3年後離職率	平均年収
11名	9.1倍	0%	[総]769万円

●待遇、制度●
【初任給】月24.8万(諸手当2.7万円)
【残業】11.3時間【有休】13.7日【制度】[住]
●新卒定着状況●
20年入社(男5、女1)→3年後在籍(男5、女1)
●採用情報●
【人数】23年:3 24年:12 25年:応募100→内定11
【内定内訳】(男10、女1)(文6、理5)(総11、他0)
【試験】〔Web自宅〕SPI3〔性格〕有
【時期】エントリー25.3→内々定25.5(一次・二次以降もWEB面接可)【インターン】有
【採用実績校】法政大1、愛知工業大1、関西外大1、関大1、京産大1、福井県大1、甲南大1、中京大1、東海大1、富山県大1、和歌山大1
【求める人材】明るく元気で、常に前向きな人、新しいことにチャレンジできる人

【福井本社】910-8571 福井県福井市豊島1-3-1 ☎0776-20-3333
【特色・近況】コンクリートパイル(基礎工事用杭)、コンクリートポール(電柱)の大手。地盤改良から現場打ちまで基礎工事全般に対応。消波ブロックなど防災関連にも注力。システム開発、廃棄物処理、ホテル運営、不動産賃貸など多角的に事業展開。
【設立】1946.2 【資本金】2,146百万円
【社長】三谷進治(1970.12生 早大政経卒)
【株主】〔24.3〕三谷市民文化振興財団8.7%
【連結事業】コンクリート二次製品82、情報関連9、他9
【従業員】連1,172名 単348名(41.0歳)

【業績】	売上高	営業利益	経常利益	純利益
連22.3	77,320	7,602	8,373	5,322
連23.3	86,075	9,997	10,900	8,201
連24.3	83,116	12,108	13,417	9,251

美濃窯業（みのようぎょう） 東証スタンダード

採用内定数	倍率	3年後離職率	平均年収
6名	20倍	20%	646万円

●待遇、制度●
【初任給】月22.1万
【残業】17.9時間【有休】15.1日【制度】[フ][住]
●新卒定着状況●
20年入社(男4、女1)→3年後在籍(男4、女0)
●採用情報●
【人数】23年:4 24年:6 25年:応募120→内定6
【内定内訳】(男5、女1)(文2、理4)(総6、他0)
【試験】〔Web自宅〕SPI3〔性格〕有
【時期】エントリー25.3→内々定25.4(一次はWEB面接可)【インターン】有
【採用実績校】愛知工業大1、岐阜大1、名城大2、愛知淑徳大1、中部大1
【求める人材】自ら課題を見出し、チームで協力して解決する力がある人

【本社事務所】450-0003 愛知県名古屋市中村区名駅南1-17-28 ☎052-551-9221
【特色・近況】耐火物の中堅メーカー。セメント、鉄、ガラスなどの製造工程で使われる耐火れんがが主力。セメント業界が主な納入先。熱処理・焼成炉の施工・販売などプラント事業、建材・舗装用材事業も手がける。ニューセラミック製品の開発に注力。
【設立】1918.8 【資本金】877百万円
【社長】太田滋俊(1951.12生 東工大院修了)
【株主】〔24.3〕太田事務所5.4%
【連結事業】耐火物43、プラント36、建材及び舗装用材18、不動産賃貸3、他1
【従業員】連342名 単274名(42.6歳)

【業績】	売上高	営業利益	経常利益	純利益
連22.3	12,410	864	945	680
連23.3	14,609	1,394	1,528	1,072
連24.3	14,159	1,352	1,469	1,054

ヤマウホールディングス 東証スタンダード

採用内定数	倍率	3年後離職率	平均年収
4名	2.3倍	20%	[総]600万円

●待遇、制度●
【初任給】月20.9万
【残業】11.4時間【有休】10日【制度】[住]
●新卒定着状況●
20年入社(男4、女1)→3年後在籍(男3、女1)
●採用情報● ヤマウ採用
【人数】23年:7 24年:4 25年:応募9→内定4*
【内定内訳】(男3、女1)(文2、理2)(総4、他0)
【試験】〔性格〕有
【時期】エントリー24.12→内々定25.1(一次はWEB面接可)【インターン】有
【採用実績校】福岡大、九産大、福岡工大、近大
【求める人材】誠実に物事と向き合うことができ、主体的に考え、行動できる人

【本社】810-0073 福岡県福岡市中央区舞鶴3-2-1 ☎092-718-2260
【特色・近況】土木用中心のプレキャストコンクリート2次製品メーカー。主力は河川、擁壁、函渠・暗渠向けなどの土木製品。舗装材などの景観製品、レジンコンクリート製品も生産。公共工事が約7割で依存度が高い。地質調査、水門、除塵機の製造・施工・保守も手がける。
【設立】1968.2 【資本金】800百万円
【社長】有田徹也(1960.1生 早大社会科卒)
【株主】〔24.3〕福岡商事13.9%
【連結事業】コンクリート48、水門・堰19、地質調査11、道路用伸縮装置16、構造物の点検5、情報機器1、不動産0
【従業員】連815名 単‥名(‥歳)

【業績】	売上高	営業利益	経常利益	純利益
連22.3	19,503	2,228	2,340	1,526
連23.3	18,509	1,997	2,105	1,324
連24.3	19,745	2,582	2,647	1,737

㈱ヤマックス 東証スタンダード

採用内定数	倍率	3年後離職率	平均年収
8名	‥	0%	525万円

●待遇、制度●
【初任給】月21万
【残業】8.3時間【有休】10.5日【制度】‥
●新卒定着状況●
20年入社(男10、女0)→3年後在籍(男10、女0)
●採用情報●
【人数】23年:23 24年:14 25年:応募‥→内定8
【内定内訳】(男8、女0)(文4、理4)(総8、他0)
【試験】〔Web自宅〕SPI3
【時期】エントリー24.6→内々定25.5*(一次はWEB面接可)【インターン】有
【採用実績校】熊本学大1、熊本県大1、久留米大1、久留米工大2、崇城大2、吉備国際大1
【求める人材】創造的で前に出ることを恐れないチャレンジ精神を持った人

【本社】862-0950 熊本県熊本市中央区水前寺3-9-5 ☎096-381-6411
【特色・近況】九州地盤のコンクリート2次製品メーカー。道路用や景観用などの土木用コンクリート製品が中心。PCカーテンウォールや住宅用PC板など建築用製品は、首都圏、関西圏、福岡主体に展開。道路、トンネル、橋梁などインフラ老朽化対策を深耕。
【設立】1963.10 【資本金】1,752百万円
【社長】茂森拓(1964.12生 日大農獣医卒)
【株主】〔24.3〕茂森潔6.5%
【連結事業】土木用セメント製品78、建築用セメント製品18、他4
【従業員】連593名 単519名(44.0歳)

【業績】	売上高	営業利益	経常利益	純利益
連22.3	15,771	536	537	364
連23.3	18,031	833	830	540
連24.3	20,807	1,824	1,834	1,297

#年収高く倍率低い

㈱ヨータイ

[東証プライム]

採用内定数	倍率	3年後離職率	平均年収
7名	17.1倍	0%	[総]846万円

●待遇、制度●
【初任給】月24.2万
【残業】21時間【有休】13日【制度】[住]

●新卒定着状況●
20年入社(男7、女1)→3年後在籍(男7、女1)

●採用情報●
【人数】23年:7 24年:6 25年:応募120→内定7
【内定内訳】(男6、女1)(文3、理4)(総7、他0)
【試験】〔Web自宅〕有
【時期】エントリー25.1→内々定25.5(一次はWEB面接可)【インターン】有
【採用実績校】山形大1、岡山商大1、京産大1、大阪工大1、九州工大1、桃山学大1、和歌山大1

【求める人材】フットワークが軽く積極的に動く人

【本社】597-0093 大阪府貝塚市二色中町8-1 ☎072-430-2100
【特色・近況】耐火れんが中堅メーカー。耐火物販売は鉄鋼から非鉄のセメント・ガラスまで幅広い。自社で製造した耐火物を使用した工業炉のライニング設計・施工も手がける。電子部品の焼成炉用ニューセラミックにも力を入れる。住友大阪セメント系。
【設立】1936.8【資本金】2,654百万円
【社長】田口三男(1960.10生 横国大工卒)
【株主】〔24.3〕住友大阪セメント17.3%
【連結事業】耐火物等82、エンジニアリング18
【従業員】連531名 単510名(40.5歳)

【業績】	売上高	営業利益	経常利益	純利益
連22.3	25,912	4,089	4,123	2,966
連23.3	28,250	4,012	4,143	2,971
連24.3	29,128	3,602	3,704	3,878

琉球セメント（りゅうきゅう）

[株式公開未定]

採用内定数	倍率	3年後離職率	平均年収
4名	9.3倍	16.7%	523万円

●待遇、制度●
【初任給】月20.8万
【残業】5.2時間【有休】15.6日【制度】‥

●新卒定着状況●
20年入社(男5、女1)→3年後在籍(男4、女1)

●採用情報●
【人数】23年:2 24年:3 25年:応募37→内定4
【内定内訳】(男4、女0)(文0、理3)(総4、他0)
【試験】〔Web会場〕有〔性格〕有
【時期】エントリー25.3→内々定25.5～6【インターン】有
【採用実績校】琉球大院1、工学院大1、沖縄職能大学校1、那覇日経ビジネス専1

【求める人材】コミュニケーション能力が高く、協調性のある人

【本社】901-2123 沖縄県浦添市西洲2-2-2 ☎098-870-1080
【特色・近況】沖縄県唯一のセメント製造企業。自社鉱山の石灰石など原料の大部分を県内で調達、島嶼にもセメントセンターを有す。防波堤に用いる捨石など鉱産品や、建材も扱う。高温焼成技術を応用し産業廃棄物のリサイクルにも取り組む。子会社で生コンクリートも製造・販売。
【設立】1959.9【資本金】1,411百万円
【社長】喜久里忍(1958.8生 明大商卒)
【株主】〔24.3〕UBE三菱セメント9.9%
【連結事業】セメント・セメント関連41、鉱産品42、商事関連8、他9
【従業員】連293名 単101名(39.8歳)

【業績】	売上高	営業利益	経常利益	純利益
連22.3	15,851	2,157	2,380	1,755
連23.3	16,450	434	601	522
連24.3	17,641	1,249	1,548	1,194

キーパー

[株式公開いずれしたい]

採用内定数	倍率	3年後離職率	平均年収
4名	2.5倍	0%	‥

●待遇、制度●
【初任給】‥万
【残業】8.5時間【有休】14.8日【制度】[フ][住][在]

●新卒定着状況●
20年入社(男6、女1)→3年後在籍(男6、女1)

●採用情報●
【人数】23年:9 24年:7 25年:応募10→内定4*
【内定内訳】(男4、女0)(文1、理3)(総4、他0)
【試験】〔筆記〕SPI3
【時期】エントリー25.2→内々定25.4*(一次はWEB面接可)【インターン】有
【採用実績校】神奈川大3、帝京大1

【求める人材】粘り強くチャレンジしていける人

【本社】251-8515 神奈川県藤沢市辻堂神台2-4-36 ☎0466-33-2111
【特色・近況】オイルシール、ブーツ、パッキン、工業用ゴムなどの密封製品を手がける総合部品メーカー。材料・製品の開発・設計から生産・販売まで一貫体制で展開。自動車、鉄道車両、産業機械向けが主力。船舶や家電用も。国内3工場。海外は米国・タイ・韓国・台湾に拠点。
【設立】1943.2【資本金】693百万円
【社長】小西悟(1960.5生 玉川大卒)
【株主】〔24.3〕山崎徳之6.1%
【連結事業】輸送用機器製造販売100 <輸出10>
【従業員】連987名 単473名(43.0歳)

【業績】	売上高	営業利益	経常利益	純利益
連22.3	15,030	▲94	236	68
連23.3	15,151	▲985	▲620	▲832
連24.3	15,561	▲678	▲379	▲298

昭和ＫＤＥ（しょうわ）

株式公開計画なし

採用予定数	倍率	3年後離職率	平均年収
2名	−	0%	509万円

●待遇、制度●
【初任給】月22.4万
【残業】11.1時間【有休】14.9日【制度】[住]
●新卒定着状況●
20年入社(男0、女1)→3年後在籍(男0、女1)
●採用情報●
【人数】23年:1 24年:0 25年:応募2→内定0*
【内定内訳】(男‥、女‥)(文‥、理‥)(総‥、他‥)
【試験】〔筆記〕GAB〔性格〕有
【時期】エントリー 25.3→内々定25.6(一次はWEB面接可)
【採用実績校】‥
【求める人材】共に事業の発展に力を注いでくれる行動力のある人

【本社】141-0022 東京都品川区東五反田1-2-33 白雉子ビル6階 ☎03-5422-9525
【特色・近況】グラスファイバー原料、耐火物、ファインメタル事業が3本柱。無機鉱産物や金属原材料も扱う。鉱物やセラミックの分析や加工も受託。広島や栃木など国内7工場、宇都宮に鉱山を持つ。キョウデンの完全子会社。非鉄金属鉱山の精錬業で創業。
【設立】1934.1 【資本金】100百万円
【社長】田中基博(1958.11生 近大工卒)
【株主】〔24.3〕キョウデン100%
【事業】工業材料100
【従業員】単216名(48.0歳)

【業績】	売上高	営業利益	経常利益	純利益
単22.3	9,275	672	720	538
単23.3	10,632	623	670	488
単24.3	10,687	542	623	425

#年収高く倍率低い #年収が高い

エム・エムブリッジ

株式公開計画なし

採用内定数	倍率	3年後離職率	平均年収
8名	4倍	0%	[総]961万円

●待遇、制度●
【初任給】月26.1万(諸手当2.9万円)
【残業】21.9時間【有休】15.1日【制度】[フ][住][在]
●新卒定着状況●
20年入社(男10、女1)→3年後在籍(男10、女1)
●採用情報●
【人数】23年:11 24年:14 25年:応募32→内定8*
【内定内訳】(男4、女4)(文2、理6)(総8、他0)
【試験】〔Web自宅〕SPI3〔性格〕有
【時期】エントリー 25.3→内々定25.6(一次はWEB面接可)【インターン】有
【採用実績校】立教大1、神戸高専1、広島市大1、広島工大1、山口大1、九州工大1、宮崎大1、鹿児島高専1
【求める人材】自ら行動し、責任を持って最後までやりとげる人

【広島本社】733-0036 広島県広島市西区観音新町1-20-24 リョーコーセンタービル☎082-292-1111
【特色・近況】橋梁専業のエンジニアリング会社。長大橋から中小橋まで、あらゆる橋を製作・架設・メンテナンス。横浜ベイブリッジや本四連絡橋など実績多い。大規模修繕など保全事業に注力。フェリー乗り場や防波堤、海中トンネルなど海関連施設の製作・架設等も。
【設立】2006.4 【資本金】450百万円
【社長】池浦正裕(1959.2生 九大経済卒)
【株主】〔24.3〕宮地エンジニアリンググループ51.0%
【事業】橋梁100
【従業員】単213名(44.3歳)

【業績】	売上高	営業利益	経常利益	純利益
単22.3	24,821	2,543	2,538	2,031
単23.3	25,927	2,018	2,009	1,505
単24.3	29,639	3,426	3,432	2,441

㈱葵商店（あおいしょうてん）

株式公開計画なし

採用内定数	倍率	3年後離職率	平均年収
2名	5倍	50%	‥

●待遇、制度●
【初任給】月21.6万
【残業】‥時間【有休】‥日【制度】[住]
●新卒定着状況●
20年入社(男1、女1)→3年後在籍(男1、女0)
●採用情報●
【人数】23年:1 24年:4 25年:応募10→内定2*
【内定内訳】(男1、女1)(文1、理0)(総1、他1)
【試験】‥
【時期】エントリー 25.3→内々定25.6*(一次はWEB面接可)【インターン】有
【採用実績校】‥
【求める人材】ルールや納期を守ることができる真面目な人、周囲と協力し業務をすることが苦でない人

【本社】444-3624 愛知県岡崎市牧平町字岩田3-28 ☎0564-82-3432
【特色・近況】メタルワングループで鉄鋼の流通加工を手がける。自動車メーカー向け各種鋼板の剪断(スリット、レベラー、ブランク、シャーリング)、TWB(板厚や材質の異なる鋼板の接合)などが主力。ハイテン材などの高度な加工に対応。
【設立】1964.2 【資本金】37百万円
【社長】南塚優(1965.5生)
【株主】〔24.3〕メタルワン86.7%
【事業】鋼材加工業100
【従業員】単128名(41.0歳)

【業績】	売上高	営業利益	経常利益	純利益
単22.3	19,698	‥	‥	‥
単23.3	29,614	‥	‥	‥
単24.3	36,444	‥	‥	‥

アズマックス

株式公開 未定

採用内定数	倍率	3年後離職率	平均年収
2名	5倍	−	575万円

●待遇、制度●
【初任給】月20.9万(諸手当1.7万円)
【残業】18.5時間【有休】13.9日【制度】住 在
●新卒定着状況●
20年入社(男0、女0)→3年後在籍(男0、女0)
●採用情報●
【人数】23年:3 24年:0 25年:応募10→内定2
【内定内訳】(男2、女0)(文0、理2)(総2、他0)
【試験】〔性格〕有
【時期】エントリー 25.3→内々定25.5(一次はWEB面接可)
【採用実績校】山形大1、明星大1
【求める人材】何事にも一生懸命、コツコツと取り組める人

【本社】103-0027 東京都中央区日本橋1-15-1 パーカービル ☎03-6848-9960
【特色・近況】異形みがき棒鋼、みがき平鋼、ステンレスなどの大手鋼材加工メーカー。千葉と茨城の2工場体制。特殊異形品で首位。冷間引抜加工技術による高精度化に強み。供給先は自動車、産業機械や半導体製造装置向けなど。不動産・ホテルの森トラスト子会社。
【設立】1947.8 【資本金】499百万円
【社長】津田聡(1962.4生 千工大金属工卒)
【株主】〔23.12〕森トラスト72.7%
【事業】みがき棒鋼製品100
【従業員】単141名(46.4歳)

【業績】	売上高	営業利益	経常利益	純利益
単21.12	6,302	195	199	138
単22.12	7,842	392	395	260
単23.12	7,240	82	96	67

近江鍛工(おうみたんこう)

株式公開 計画なし

採用実績数	倍率	3年後離職率	平均年収
1名	−	50%	‥

●待遇、制度●
【初任給】月22.3万
【残業】23.9時間【有休】12.8日【制度】住
●新卒定着状況●
20年入社(男1、女1)→3年後在籍(男0、女1)
●採用情報●
【人数】23年:3 24年:1 25年:応募2→内定0*
【内定内訳】(男‥、女‥)(文‥、理‥)(総‥、他‥)
【試験】なし
【時期】エントリー 25.3→内々定25.4*
【採用実績校】‥
【求める人材】明るく元気な人

【本社】520-2152 滋賀県大津市月輪1-4-6 ☎077-545-3281
【特色・近況】建設機械、造船、自動車、新幹線、風力発電、航空機向けなどの特殊鋼リング鍛造の草分け的メーカー。ローリング鍛造では世界首位級。新幹線の車軸用軸受け部品鍛造で約7割のシェア。鍛造、焼鈍、旋削加工、調質工程までの一貫生産。
【設立】1956.10 【資本金】99百万円
【会長】坂口康一(1944.4生 関大法卒)
【株主】〔23.11〕坂口康一47.2%
【事業】土木建設機械部品20、ベアリング部品42、自動車・船舶17、他21 <輸出3>
【従業員】単258名(42.0歳)

【業績】	売上高	営業利益	経常利益	純利益
単21.11	12,812	219	448	293
単22.11	15,956	684	979	652
単23.11	18,131	978	1,198	804

㈱岡島パイプ製作所(おかじまパイプせいさくしょ)

株式公開 計画なし

採用内定数	倍率	3年後離職率	平均年収
3名	3.7倍	66.7%	㊕766万円

●待遇、制度●
【初任給】月22.5万(諸手当0.5万円)
【残業】20.5時間【有休】10日【制度】住
●新卒定着状況●
20年入社(男2、女1)→3年後在籍(男1、女0)
●採用情報●
【人数】23年:2 24年:9 25年:応募11→内定3*
【内定内訳】(男2、女1)(文3、理0)(総3、他0)
【試験】なし
【時期】エントリー 24.10→内々定25.4*【インターン】有
【採用実績校】名城大2、東海学園大1
【求める人材】明るく元気で、自ら考えて行動できる人、新しいことにチャレンジすることが好きな人

【本社】477-0031 愛知県東海市大田町上浜田58 ☎0562-33-2135
【特色・近況】小径薄肉精密鋼管の専業メーカー。4輪車・2輪車・家電の部品用鋼管、普通鋼鋼管、表面処理鋼管、特殊鋼鋼管など各種鋼管の製造・販売を手がける。海外はタイ、インドネシアに造管工場を持ちASEANでの展開に意欲。
【設立】1952.1 【資本金】240百万円
【社長】岡島威彦(1959.5生 東海大海洋卒)
【株主】〔23.9〕岡島威彦29.0%
【事業】鋼管98、他2 <輸出3>
【従業員】単126名(38.4歳)

【業績】	売上高	営業利益	経常利益	純利益
単21.9	6,978	839	1,021	669
単22.9	7,245	502	703	476
単23.9	8,760	351	601	416

#有休取得が多い

日鉄建材（にってつけんざい）

株式公開計画なし

採用内定数	倍率	3年後離職率	平均年収
5名	60倍	0%	‥

●待遇、制度●
【初任給】月25.7万
【残業】17.2時間【有休】17.4日【制度】フ 住 在
●新卒定着状況●
20年入社(男4、女2)→3年後在籍(男4、女2)
●採用情報●
【人数】23年:7 24年:7 25年:応募300→内定5*
【内定内訳】(男3、女2)(文4、理1)(総5、他0)
【試験】〔Web自宅〕SPI3
【時期】エントリー25.2→内々定25.2(一次はWEB面接可)【インターン】有
【採用実績校】埼玉大1、東洋大1、大阪市大1、関大1、慶大1
【求める人材】目標に向かって努力し、前向きでチャレンジ精神があり、誠実で信頼できる人

【本社】101-0021 東京都千代田区外神田4-14-1 秋葉原UDXビル ☎03-6625-6000
【特色・近況】日本製鉄完全子会社の老舗建材総合メーカー。建築・土木分野の鉄鋼製品が主軸。建築土木用の鋼材、意匠鋼板、製鋼用パウダーなどを製造・販売。ベトナムと台湾に生産・販売拠点。国内は宮城、千葉、栃木、大阪、兵庫、福岡に製造拠点。
【設立】1973.4 【資本金】5,912百万円
【社長】美濃部慎次
【株主】〔24.3〕日本製鉄100%
【連結事業】建築商品52、土木商品21、他27
【従業員】連1,792名 単866名(‥歳)

【業績】	売上高	営業利益	経常利益	純利益
連22.3	132,923	4,268	4,552	4,395
連23.3	176,979	‥	12,918	‥
連24.3	176,400	‥	13,700	‥

東尾メック（ひがしおメック）

株式公開計画なし

採用内定数	倍率	3年後離職率	平均年収
5名	6.4倍	‥	‥

●待遇、制度●
【初任給】月22.5万(固定残業代20時間分)
【残業】20時間【有休】7.6日【制度】住
●新卒定着状況●
‥
●採用情報●
【人数】23年:1 24年:4 25年:応募32→内定5*
【内定内訳】(男5、女0)(文2、理3)(総5、他0)
【試験】〔筆記〕GAB〔性格〕有
【時期】エントリー24.9→内々定24.10*(一次はWEB面接可)【インターン】有【ジョブ型】有
【採用実績校】京産大1、摂南大1、大阪電通大1、関西外大1、京都外大1
【求める人材】明るく素直でバイタリティーがあり、会社経営の変化への対応力と統率力を持つ人

【本社】586-0012 大阪府河内長野市菊水町8-22 ☎0721-53-2281
【特色・近況】空調、給水、給湯向けの各種管継手メーカー。樹脂管用継手、空調など冷媒銅管用継手、建築用継手が主力。オリジナル継手の研究・開発に注力し、製造特許も多数保有。試験立ち合いや施工講習など顧客をサポート。主要顧客は積水化学とダイキン工業。
【設立】1950.3 【資本金】441百万円
【社長】東尾清吾(1970.10生 法大経済卒)
【株主】〔24.3〕大阪中小企業投資育成14.0%
【事業】樹脂管用継手、冷媒銅管用継手、建築用継手、他
【従業員】単139名(43.8歳)

【業績】	売上高	営業利益	経常利益	純利益
単22.3	6,418	123	258	142
単23.3	7,129	225	305	196
単24.3	7,034	‥	‥	170

中越合金鋳工（ちゅうえつごうきんちゅうこう）

株式公開計画なし

採用内定数	倍率	3年後離職率	平均年収
4名	3倍	50%	‥

●待遇、制度●
【初任給】月22.6万
【残業】8.1時間【有休】12.9日【制度】住
●新卒定着状況●
20年入社(男2、女0)→3年後在籍(男1、女0)
●採用情報●
【人数】23年:7 24年:6 25年:応募12→内定4
【内定内訳】(男3、女1)(文‥、理‥)(総3、他1)
【試験】〔筆記〕常識
【時期】エントリー24.10→内々定25.4【インターン】有
【採用実績校】‥
【求める人材】協調性がありかつ創造力のある人、柔軟にメンタルコントロールができる人

【本社】930-0298 富山県中新川郡立山町西芦原新1-1 ☎076-463-1211
【特色・近況】世界最大級の銅合金鋳物メーカー、原材料の溶解・鋳造から精密仕上げ・加工完成品まで一貫生産体制を持つ。トランスミッションやベアリング部品、油圧機器関連、鉄鋼・非鉄金属の連続鋳造用モールド(金型)を生産。中国、インドネシアに現地法人。
【設立】1949.6 【資本金】499百万円
【社長】本多真貴
【株主】〔24.3〕中越興業29.3%
【事業】自動車関係26、ベアリング17、油圧機器13、鉄鋼関係12、連鋳製品11、継手7、他14
【従業員】単499名(41.8歳)

【業績】	売上高	営業利益	経常利益	純利益
単22.3	19,038	360	468	409
単23.3	19,518	175	235	617
単24.3	18,747	268	284	327

愛鋼（あいこう）

株式公開計画なし

採用内定数	倍率	3年後離職率	平均年収
1名	2倍	ー	‥

●待遇、制度●
【初任給】月18.4万（諸手当0.3万円）
【残業】16時間【有休】13日【制度】住
●新卒定着状況●
20年入社（男0、女0）→3年後在籍（男0、女0）
●採用情報●
【人数】23年:0 24年:1 25年:応募2→内定1*
【内定内訳】（男1、女0）（文‥、理‥）（総0、他1）
【試験】なし
【時期】エントリー25.3→内々定25.6*(一次はWEB面接可)【ジョブ型】有
【採用実績校】‥
【求める人材】‥

【本社】476-0001 愛知県東海市南柴田町ハノ割138-5 ☎052-601-1111
【特色・近況】切断、穴あけ、引き抜き、圧延、溶接・組み立てなどの金属加工と、特殊鋼など金属材料の販売を手がける。自社加工技術に定評。愛知県に工場、東京に営業所。トヨタグループの特殊鋼メーカーである愛知製鋼の子会社。
【設立】1953.8 【資本金】225百万円
【社長】古寺実（1962.8生）
【株主】〔24.3〕愛知製鋼73.7%
【事業】特殊鋼の加工および販売
【従業員】単123名（‥歳）

【業績】	売上高	営業利益	経常利益	純利益
単22.3	25,408	458	474	325
単23.3	27,871	491	509	344
単24.3	31,572	603	626	426

アイジー工業（こうぎょう）

株式公開計画なし

採用内定数	倍率	3年後離職率	平均年収
5名	6.2倍	0%	591万円

●待遇、制度●
【初任給】月21.4万
【残業】12時間【有休】14日【制度】フ 住
●新卒定着状況●
20年入社（男7、女3）→3年後在籍（男7、女3）
●採用情報●
【人数】23年:15 24年:21 25年:応募31→内定5
【内定内訳】（男2、女3）（文3、理2）（総5、他0）
【試験】〔Web会場〕SPI3〔性格〕有
【時期】エントリー25.3→内々定25.6(一次はWEB面接可)
【採用実績校】山形大4、日大1
【求める人材】明るく、元気に、前向きな人、自ら物事を考え取り組み、やり抜ける人

【本社】999-3716 山形県東根市大字蟹沢字上縄目1816-12 ☎0237-43-1830
【特色・近況】建築用金属断熱サイディング（外壁材）が主力の建材メーカー。屋根材や非居住建築用の金属断熱サンドイッチパネルも製品化。外壁・屋根のリフォームも手がける。北海道から福岡まで全国に営業所を置く。住友商事の連結子会社。
【設立】1970.4 【資本金】253百万円
【代表取締役】森安弘（1970.3生 京大法卒）
【株主】〔24.3〕住友商事65.6%
【事業】アイジーサイディング62、他38
【従業員】単412名（40.5歳）

【業績】	売上高	営業利益	経常利益	純利益
単22.3	24,538	2,492	2,605	1,833
単23.3	25,000	1,568	1,668	1,150
単24.3	30,194	2,214	2,251	1,592

㈱アドバネクス

東証スタンダード

採用内定数	倍率	3年後離職率	平均年収
3名	4倍	0%	503万円

●待遇、制度●
【初任給】月22万
【残業】12.4時間【有休】13.2日【制度】フ 住 在
●新卒定着状況●
20年入社（男2、女1）→3年後在籍（男2、女1）
●採用情報●
【人数】23年:8 24年:8 25年:応募12→内定3*
【内定内訳】（男3、女0）（文0、理3）（総3、他0）
【試験】〔Web自宅〕SPI3〔性格〕有
【時期】エントリー25.3→内々定25.4*(一次はWEB面接可)【インターン】有
【採用実績校】新潟工大2、工学院大1
【求める人材】ユニークな発想で失敗を恐れず、常に挑戦し続ける人

【本社】114-8581 東京都北区田端6-1-1 田端アスカタワー ☎03-3822-5860
【特色・近況】精密ばねメーカー大手。自動車、医療機器、OA機器向けが主体で、点滴などに使う留置針用ばねは国内シェア6割。米国、欧州、東南アジア、中国などに現地法人を持ち、生産・納入体制を整備。医療、航空機用コイルスレッド、自動車、インフラ・住設分野に注力。
【設立】1946.11 【資本金】100百万円
【会長兼社長】朝田英太郎（1946.10生 明大商卒）
【株主】〔24.3〕AAA㈱10.7%
【連結事業】精密ばね100 <海外67>
【従業員】連1,945名 単364名（43.2歳）

【業績】	売上高	営業利益	経常利益	純利益
連22.3	21,722	148	354	▲82
連23.3	24,628	61	585	60
連24.3	26,549	365	832	268

#残業が少ない

㈱井口一世（いぐちいっせい）

株式公開 いずれしたい

採用予定数	倍率	3年後離職率	平均年収
10名	−	60%	[総]601万円

●待遇、制度●
【初任給】月22.5万
【残業】3.6時間【有休】13.4日【制度】[住]
●新卒定着状況●
20年入社(男2、女3)→3年後在籍(男1、女1)
●採用情報●
【人数】23年:3 24年:3 25年:応募100→内定0*
【内定内訳】(男‥、女‥)(文‥、理‥)(総‥、他‥)
【試験】〔筆記〕有〔性格〕有
【時期】エントリー25.3→内々定25.5*(一次はWEB面接可)【インターン】有
【採用実績校】‥

【求める人材】最後まであきらめず、前向きに物事に取り組める人

【所沢事業所】359-0006 埼玉県所沢市所沢新町2553-3 ☎04-2990-5400
【特色・近況】精密機器部品を中心に製造販売。多品種少量生産対応。ドイツから導入の最新鋭機器などで、超高精度な加工を行う。金型不要・切削不要の塑性加工も訴求。設備投資と人材育成に注力。ノウハウなどのビックデータ化・検索システムの開発進める。
【設立】2001.4 【資本金】95百万円
【社長】井口一世(1955.9生 農工大院工修了)
【株主】〔24.6〕井口一世100%
【事業】精密機器部品の製造販売77、各種機器の設計開発16、ソフトウェア開発販売5、工場・生産技術コンサル2
【従業員】単42名(33.2歳)

【業績】	売上高	営業利益	経常利益	純利益
単22.3	14,347	662	642	327
単23.3	16,579	642	606	264
単24.3	18,660	1,038	1,025	332

㈱稲葉製作所（いなばせいさくしょ）

東証スタンダード

採用内定数	倍率	3年後離職率	平均年収
4名	3.8倍	39.4%	606万円

●待遇、制度●
【初任給】月22.5万
【残業】16.5時間【有休】12.2日【制度】[住]
●新卒定着状況●
20年入社(男29、女4)→3年後在籍(男17、女3)
●採用情報●
【人数】23年:21 24年:19 25年:応募15→内定4*
【内定内訳】(男4、女0)(文2、理2)(総4、他0)
【試験】〔Wob自宅〕有〔性格〕有
【時期】エントリー24.12→内々定25.1(一次・二次以降もWEB面接可)【インターン】有
【採用実績校】明大1、大正大1、千葉工大2

【求める人材】学習意欲やチャレンジ精神を持ち、責任感が強く積極的に行動できる人、柔軟な考えやコミュニケーションができる人

【本社】146-8543 東京都大田区矢口2-5-25 ☎03-3759-5201
【特色・近況】物置やオフィス家具を製造・販売。「100人乗っても大丈夫」のテレビCMで知名度高く、鋼製物置市場で国内トップシェア。オフィス家具はOEMが中心。洗練されたデザインの高級ガレージも開発。材料切断から梱包までの一貫生産体制が強みで自社生産比率は9割超。
【設立】1950.11 【資本金】1,132百万円
【社長】稲葉裕次郎(1976.9生 拓大政経卒)
【株主】〔24.7〕㈱イナバホールディングス20.0%
【連結事業】鋼製物置70、オフィス家具30
【従業員】連1,098名 単874名(41.4歳)

【業績】	売上高	営業利益	経常利益	純利益
連22.7	39,152	1,890	2,286	1,520
連23.7	41,824	2,754	3,106	1,970
連24.7	42,414	3,064	3,402	2,441

イワブチ

東証スタンダード

採用内定数	倍率	3年後離職率	平均年収
3名	2.7倍	50%	628万円

●待遇、制度●
【初任給】月22.6万
【残業】12.1時間【有休】13.2日【制度】‥
●新卒定着状況●
20年入社(男9、女1)→3年後在籍(男4、女1)
●採用情報●
【人数】23年:1 24年:3 25年:応募8→内定3*
【内定内訳】(男2、女1)(文2、理1)(総3、他0)
【試験】〔筆記〕常識〔性格〕有
【時期】エントリー25.3→内々定25.6(一次はWEB面接可)【インターン】有
【採用実績校】千葉工大1、獨協大1、千葉商大1

【求める人材】限界を定めず前向きで、自身の考えを積極的に発信できる人

【本社】271-0064 千葉県松戸市上本郷167 ☎047-368-2222
【特色・近況】電力架線用金具で首位、信号用もほぼ独占する架線金物メーカー。CATV・情報通信関連分野にも進出。金型レスにより多品種・少量生産、短納期生産に対応する。再生可能エネルギー関連、EV用充電設備関連の開発に注力。
【設立】1950.8 【資本金】1,496百万円
【社長】内田秀吾(1958.7生 千工大金属工卒)
【株主】〔24.3〕松井証券4.7%
【連結事業】交通信号・標識・学校体育施設12、CATV・防災無線8、情報通信関連24、配電・線路関連32、他25
【従業員】連424名 単261名(46.0歳)

【業績】	売上高	営業利益	経常利益	純利益
連22.3	10,262	414	487	755
連23.3	11,082	255	348	785
連24.3	11,768	852	923	674

岡部（おかべ）
東証プライム

採用内定数	倍率	3年後離職率	平均年収
10名	‥	26.7%	665万円

●待遇、制度●
【初任給】月23万
【残業】13.5時間【有休】10.9日【制度】[住][在]
●新卒定着状況●
20年入社(男12、女3)→3年後在籍(男10、女1)
●採用情報●
【人数】23年:10 24年:14 25年:応募‥→内定10*
【内定内訳】(男8、女2)(文9、理1)(総10、他0)
【試験】〔Web自宅〕有〔性格〕有
【時期】エントリー‥→内々定25.10*(一次・二次以降もWEB面接可)【インターン】有
【採用実績校】帝京大1、南山大1、流経大1、千葉商大1、近大1、水産大1、東洋大1、神奈川大1、駿河台大1、国士舘大1
【求める人材】チャレンジ精神のある人、コミュニケーション力のある人、協調性を持って行動できる人

【本社】131-8505 東京都墨田区押上2-8-2 ☎03-3624-5111
【特色・近況】建設業界向け仮設・型枠や構造機材の老舗メーカー。工場や住宅向け耐震・制振・免震構造機材を強化中。米国では子会社が建材の製造販売、現地法人が自動車向けボルト・ナット類の販売を展開。魚礁など海洋事業にも進出。建設関連製品事業の拡大へM&Aを積極化。
【設立】1944.2 【資本金】6,911百万円
【代表取締役】河瀬博英(1965.11生 北工大工卒)
【株主】〔24.6〕トルク10.9%
【連結事業】建設関連製品82、自動車関連製品13、他5 <海外35>
【従業員】連916名 単608名(40.8歳)

【業績】	売上高	営業利益	経常利益	純利益
連21.12	64,829	4,334	4,726	2,627
連22.12	76,854	5,271	5,471	3,848
連23.12	78,152	4,082	4,303	▲5,472

興津螺旋（おきつらせん）
株式公開計画なし

採用実績数	倍率	3年後離職率	平均年収
2名	ー	75%	[総] 368万円

●待遇、制度●
【初任給】月21.6万
【残業】6.3時間【有休】11.7日【制度】[住]
●新卒定着状況●
20年入社(男0、女4)→3年後在籍(男0、女1)
●採用情報●
【人数】23年:2 24年:2 25年:応募3→内定0*
【内定内訳】(男‥、女‥)(文‥、理‥)(総‥、他‥)
【試験】〔筆記〕有〔Web自宅〕SPI3
【時期】エントリー25.3→内々定25.5*【インターン】有
【採用実績校】‥
【求める人材】チャレンジ精神を持ち、失敗を恐れない人

【本社】424-0204 静岡県静岡市清水区興津中町1424 ☎054-369-0111
【特色・近況】静岡市清水区に本社工場を置くネジの専業メーカー。「カニマーク」のネジを製造販売。年間約7000種超のネジを生産し、ステンレスネジでは業界トップ級。即時納品体制やニッケルベースの合金で耐熱性に優れる開発製品にも強み。
【設立】1944.6 【資本金】35百万円
【社長】柿澤宏一(1972.10生 上智大経済卒)
【株主】〔24.5〕柿澤宏平46.9%
【事業】金属製品製造100
【従業員】単68名(38.8歳)

【業績】	売上高	営業利益	経常利益	純利益
単21.12	1,154	8	63	40
単22.12	1,315	9	89	64
単23.12	1,146	▲129	▲160	▲68

(株)カクダイ
株式公開計画なし

採用内定数	倍率	3年後離職率	平均年収
5名	40.6倍	0%	668万円

●待遇、制度●
【初任給】月23万
【残業】‥時間【有休】11.4日【制度】[住]
●新卒定着状況●
20年入社(男1、女0)→3年後在籍(男1、女0)
●採用情報●
【人数】23年:9 24年:6 25年:応募203→内定5*
【内定内訳】(男4、女1)(文3、理2)(総5、他0)
【試験】〔Web会場〕SPI3〔性格〕有
【時期】エントリー25.3→内々定25.6*(一次はWEB面接可)【インターン】有【ジョブ型】有
【採用実績校】法政大1、関大2、立命館大1、近大1
【求める人材】誰かの役に立ちたい、誰かを守りたいと思う気持ちを持つ人

【本社】550-0012 大阪府大阪市西区立売堀1-4-4 ☎06-6538-1121
【特色・近況】水栓金具、配管部材、洗面・手洗器、カウンター・アクセサリーなど「KAKUDAI」ブランドの水回り器具メーカー。アイキャッチ水栓「Da Reya」、衛生面に特化した「衛生水栓」など多様な商品を展開。1879年創業。
【設立】1954.1 【資本金】98百万円
【副社長】多田修三(1963.6生 山口大経営卒)
【株主】〔23.12〕大阪中小企業投資育成18.5%
【事業】混合栓・水栓類26、配管部材・バルブ28、洗面・バス・トイレ関連品39、緑化庭園他7 <輸出1>
【従業員】単501名(38.4歳)

【業績】	売上高	営業利益	経常利益	純利益
単21.12	27,762	1,807	1,919	814
単22.12	27,383	1,839	1,805	1,123
単23.12	28,234	2,520	2,576	1,705

カネソウ

名証メイン

採用内定数	倍率	3年後離職率	平均年収
1名	10倍	33.3%	508万円

●待遇、制度●
【初任給】月21.5万(諸手当2.3万円)
【残業】8.6時間【有休】15.3日【制度】フ 住 在
●新卒定着状況●
20年入社(男3、女9)→3年後在籍(男2、女6)
●採用情報●
【人数】23年:3 24年:7 25年:応募10→内定1*
【内定内訳】(男1、女0)(文0、理1)(総1、他0)
【試験】なし
【時期】エントリー 25.1→内々定25.5*(一次・二次以降もWEB面接可)【インターン】有
【採用実績校】中部大1
【求める人材】向上心があり、誠実な人

【本社】510-8101 三重県三重郡朝日町大字縄生81 ☎059-377-4747
【特色・近況】建築用金属製品の総合メーカー。排水溝に使用するスリットやマンホール、屋上に設置し雨水を排水させるルーフドレインなどを製造・販売。地震時に横揺れを防ぐ免震製品が主力製品に成長。免震EXジョイント、スリット溝ぶたを軸に首都圏で拡販に注力。
【設立】1979.10 【資本金】1,820百万円
【社長】豊田悟志(1965.2生 名城大理工卒)
【株主】〔24.3〕小林鋳造26.0%
【事業】鋳鉄器材28、スチール機材15、製作金物49、他8
【従業員】単246名(42.6歳)

【業績】	売上高	営業利益	経常利益	純利益
単22.3	6,817	67	80	39
単23.3	8,096	1,012	1,050	709
単24.3	8,664	1,278	1,291	1,041

兼房(かねふさ)

東証スタンダード

採用内定数	倍率	3年後離職率	平均年収
10名	14.5倍	21.9%	㊀555万円

●待遇、制度●
【初任給】月23.9万
【残業】9.5時間【有休】15日【制度】住
●新卒定着状況●
20年入社(男30、女2)→3年後在籍(男24、女1)
●採用情報●
【人数】23年:31 24年:22 25年:応募145→内定10*
【内定内訳】(男8、女2)(文4、理6)(総10、他0)
【試験】〔筆記〕SPI3〔Web会場〕SPI3〔Web自宅〕SPI3〔性格〕有
【時期】エントリー 25.3→内々定25.6(一次・二次以降もWEB面接可)【インターン】有
【採用実績校】愛知学大1、愛知工業大1、京大1、大同大4、中大1、都留文科大1、名古屋外大1
【求める人材】自分でやるべきことを考え、周囲に働きかけながら課題解決できる行動力のある人

【本社】480-0192 愛知県丹羽郡大口町中小口1-1 ☎0587-95-2821
【特色・近況】工業用機械刃物の専業最大手メーカー。金属切断用丸鋸が主力だが、木工用平鋸刃など平鋸も強い。自動車向け金属切断用刃物が伸長。産業別では住宅関連が、地域別では国内が売上の約半分を占めるが、業種や地域に偏らない構成へ移行中。グローバル展開を推進。
【設立】1948.11 【資本金】2,142百万円
【代表取締役】磯谷岳摩(1962.3生 大工大工卒)
【株主】〔24.3〕大口興産16.0%
【連結事業】平刃類32、精密刃具類20、丸鋸類46、商品2 <海外51>
【従業員】連1,245名 単647名(39.9歳)

【業績】	売上高	営業利益	経常利益	純利益
連22.3	19,668	1,766	1,921	1,332
連23.3	21,119	1,440	1,663	1,276
連24.3	20,080	1,054	1,444	886

上板塑性(かみいたそせい)

株式公開計画なし

採用内定数	倍率	3年後離職率	平均年収
3名	3.7倍	25%	㊀499万円

●待遇、制度●
【初任給】月23万(諸手当1万円)
【残業】11時間【有休】12.1日【制度】フ 住
●新卒定着状況●
20年入社(男2、女2)→3年後在籍(男2、女1)
●採用情報●
【人数】23年:0 24年:2 25年:応募11→内定3*
【内定内訳】(男2、女1)(文1、理2)(総3、他0)
【試験】〔筆記〕常識〔性格〕有
【時期】エントリー 25.3→内々定25.10*(一次・二次以降もWEB面接可)【インターン】有
【採用実績校】ものつくり大1、日大1、学習院大1
【求める人材】常に問題意識を持ち、自ら考え行動できる人、用意されたレールに乗るのではなく、自らの意見を持ち、それを伝える力を持った人

【本社】354-0045 埼玉県入間郡三芳町上富181 ☎049-258-6000
【特色・近況】冷間鍛造技術による金属製品メーカー。エンジン部品、サスペンション部品など自動車部品、2輪車部品、音響部品などを製造。精密技術に定評。高精度金型も自社で短納期に対応。メキシコに生産拠点を持ち、北米での製品供給が可能。
【設立】1959.10 【資本金】85百万円
【代表取締役】武山睦子(1952.1生 富士見高卒)
【株主】〔23.9〕上板ホールディングス52.5%
【事業】自動車部品91、スピーカー部品1、機構部品8 <輸出3>
【従業員】単110名(38.3歳)

【業績】	売上高	営業利益	経常利益	純利益
単21.9	2,243	107	144	97
単22.9	2,113	11	79	59
単23.9	2,111	24	61	8

川岸工業（かわぎしこうぎょう）

[東証スタンダード]

採用内定数	倍率	3年後離職率	平均年収
17名	1.2倍	13.3%	626万円

●待遇、制度●
【初任給】月22.7万
【残業】25.8時間【有休】‥日【制度】[フ][住]
●新卒定着状況●
20年入社(男12、女3)→3年後在籍(男10、女3)
●採用情報●
【人数】23年:15 24年:17 25年:応募21→内定17*
【内定内訳】(男15、女2)(文5、理1)(総17、他0)
【試験】〔筆記〕常識、他
【時期】エントリー25.3→内々定25.4(一次はWEB面接可)【インターン】有【ジョブ型】有
【採用実績校】福山大2、千葉商大2、山口県大1、防衛大学校1、東京経大1、千葉工大1、他
【求める人材】粘り強く、困難にもあきらめず、仲間や同僚を思いやり、チームの成果につながる行動ができる人

【本社】105-0021 東京都港区東新橋1-2-13
☎03-3572-5401
【特色・近況】鉄骨専業メーカー。高炉など鉄鋼関連設備建設に実績多い。超高層ビル向け鉄骨、建築向けプレキャストコンクリートの製造販売にも進出。千葉、筑波、大阪、岡山、山口に工場。千葉第一工場はあらゆる建築物の鉄骨製作が可能な国交省認定Sグレードを取得。
【設立】1947.3 【資本金】955百万円
【社長】清時康夫(1956.11生)
【株主】〔24.3〕伊藤忠丸紅住商テクノスチール16.6%
【事業】鉄骨94、プレキャストコンクリート6
【従業員】単359名(40.9歳)

【業績】	売上高	営業利益	経常利益	純利益
単21.9	18,873	1,852	2,040	1,348
単22.9	22,049	1,242	1,466	951
単23.9	25,998	1,415	1,708	1,248

川田工業（かわだこうぎょう）

[株式公開計画なし]

採用内定数	倍率	3年後離職率	平均年収
28名	2.8倍	18.2%	‥

●待遇、制度●
【初任給】月26.3万(諸手当2.3万円)
【残業】23.5時間【有休】14.5日【制度】[住][在]
●新卒定着状況●
20年入社(男38、女6)→3年後在籍(男30、女6)
●採用情報●
【人数】23年:29 24年:31 25年:応募77→内定28*
【内定内訳】(男20、女8)(文7、理11)(総28、他0)
【試験】なし
【時期】エントリー25.3→内々定25.10(一次はWEB面接可)【インターン】有
【採用実績校】都立大1、長岡技科大1、芝工大1、東海大1、金沢工大2、愛知工業大1、大阪工大1、前橋工大1、日工大1、大阪商大1、他
【求める人材】自分の意見をしっかりと持ち、周囲の人と協力して物事に取り組むことができる人

【東京本社】114-8562 東京都北区滝野川1-3-11
☎03-3915-4321
【特色・近況】川田テクノロジーズ傘下でグループの基幹事業会社。複合構造橋梁、工場や物流センターなどの短工期化を実現するシステム建築に強み。橋梁、建築とも多くのビッグプロジェクトに参画。親会社と3Dデジタル溶接マスクシステムを開発。富山、栃木、香川に工場。
【設立】1940.5 【資本金】9,601百万円
【社長】川田忠裕(1962.11生 サンディエゴ州大院修了)
【株主】〔24.3〕川田テクノロジーズ100%
【事業】橋梁44、鉄構34、建築22
【従業員】単1,096名(42.5歳)

【業績】	売上高	営業利益	経常利益	純利益
単22.3	59,740	3,846	4,154	2,526
単23.3	70,264	2,000	2,359	1,637
単24.3	79,305	4,361	4,562	3,290

菊地歯車（きくちはぐるま）

[株式公開計画なし]

採用内定数	倍率	3年後離職率	平均年収
3名	5倍	33.3%	[総]489万円

●待遇、制度●
【初任給】月21.4万
【残業】14.1時間【有休】14日【制度】‥
●新卒定着状況●
20年入社(男2、女1)→3年後在籍(男1、女1)
●採用情報●
【人数】23年:2 24年:4 25年:応募15→内定3*
【内定内訳】(男3、女0)(文0、理0)(総3、他0)
【試験】〔筆記〕常識
【時期】エントリー25.1→内々定25.4*(一次はWEB面接可)【インターン】有
【採用実績校】太田情報専1
【求める人材】当事者意識を持って自主的な行動ができ、周囲とのコミュニケーションがとれる人

【本社】326-0332 栃木県足利市福富新町726-30
☎0284-71-4315
【特色・近況】1940年創業の中型・小型精密歯車メーカー。歯車専業では首位級。油圧建機をはじめとして、航空・宇宙産業、HV・EVなど次世代自動車関連、ロボット関連に注力。本社工場を中心として栃木・足利市に7工場を置く。
【設立】1969.7 【資本金】30百万円
【社長】菊地義典(1969.10生 早大理工卒)
【株主】〔23.6〕菊地義典59.5%
【事業】自動車関連歯車44、油圧機器28、航空・宇宙9、建設機械5、産業機械4、他10
【従業員】単168名(38.0歳)

【業績】	売上高	営業利益	経常利益	純利益
単21.6	3,023	102	112	62
単22.6	3,047	▲21	11	23
単23.6	3,329	146	196	42

㈱桐井製作所（きりいせいさくしょ）

[株式公開 いずれしたい]

採用内定数	倍率	3年後離職率	平均年収
9名	28.8倍	27.3%	‥

●待遇、制度●
【初任給】月21.2万（固定残業代12時間分）
【残業】10時間【有休】10日【制度】[住][在]
●新卒定着状況●
20年入社（男7、女4）→3年後在籍（男5、女3）
●採用情報●
【人数】23年:14 24年:14 25年:応募259→内定9*
【内定内訳】（男6、女3）（文8、理0）（総8、他1）
【試験】〔Web自宅〕WEB-GAB〔性格〕有
【時期】エントリー24.11→内々定25.4(一次・二次以降もWEB面接可)【インターン】有【ジョブ型】有
【採用実績校】尾道市大1、釧路公大1、大分県芸術文化短大1、愛知淑徳大1、大阪学大1、西南学大1、東洋大1、武蔵大1、大原学園専1
【求める人材】自ら考え行動できる主体性がある人

【本社】100-6605 東京都千代田区丸の内1-9-2 グラントウキョウサウスタワー5階☎03-4345-6000
【特色・近況】大規模建築物の内装建築に必要なスチール製建材（鋼製下地材）の製造・販売を行う。揺れに強い天井「耐震天井」を中心に展開。自社製品に加え、石膏ボードなど仕入商品も販売し商社機能強化。北海道から沖縄まで営業網を構築。
【設立】1964.3 【資本金】100百万円
【社長】桐井隆（1970.6生 立大社会卒）
【株主】〔24.3〕KMC33.5%
【事業】建築用鋼製下地材（自社製品）50、建材商品50 <輸出0>
【従業員】単591名（39.3歳）

【業績】	売上高	営業利益	経常利益	純利益
単22.3	105,804	268	1,024	184
単23.3	125,761	4,294	4,370	3,315
単24.3	126,286	9,213	8,669	5,669

㈱久世ベローズ工業所（くぜ こうぎょうしょ）

[株式公開 計画なし]

採用内定数	倍率	3年後離職率	平均年収
1名	12倍	8.3%	[総]550万円

●待遇、制度●
【初任給】月21.5万
【残業】20時間【有休】15日【制度】‥
●新卒定着状況●
20年入社（男10、女2）→3年後在籍（男10、女1）
●採用情報●
【人数】23年:9 24年:8 25年:応募12→内定1*
【内定内訳】（男1、女0）（文1、理0）（総0、他1）
【試験】なし
【時期】エントリー25.4→内々定25.10*(一次はWEB面接可)
【採用実績校】北陸大1
【求める人材】目標を定め、組織をまとめながら成果を出す能力がある人

【本社】929-0343 石川県河北郡津幡町字南中条リ74-1 ☎076-289-4740
【特色・近況】金属ベローズ、シームレスステンレスパイプ、ステンレス継手などの専業メーカー。1974年に生産部門が独立し、製品はグループ会社で製造。金属塑性加工を得意とする。国内は本社と石川県・羽咋市に工場。日鉄物産と合弁で韓国に工場も。
【設立】1956.4 【資本金】40百万円
【社長】久世太郎（1973.8生 慶大理工卒）
【株主】〔24.3〕久世靖51.0%
【連結事業】継目無ステンレス鋼鋼管56、継目無ステンレス鋼継手22、金属ベローズ22 <輸出60>
【従業員】連550名 単550名（39.0歳）

【業績】	売上高	営業利益	経常利益	純利益
連22.3	16,853	3,560	3,573	2,493
連23.3	20,485	4,462	4,469	3,109
連24.3	20,069	3,206	3,518	2,627

㈱熊平製作所（くまひらせいさくしょ）

[株式公開 計画なし]

採用内定数	倍率	3年後離職率	平均年収
10名	2.9倍	16.7%	‥

●待遇、制度●
【初任給】月24万
【残業】5.5時間【有休】15.3日【制度】[フ][住][在]
●新卒定着状況●
20年入社（男5、女1）→3年後在籍（男4、女1）
●採用情報●
【人数】23年:10 24年:14 25年:応募29→内定10*
【内定内訳】（男9、女1）（文0、理7）（総7、他3）
【試験】〔Web会場〕C-GAB〔性格〕有
【時期】エントリー25.3→内々定25.5【インターン】有
【採用実績校】愛媛大1、広島市大1、広島工大5、広島県立広島工業高1、広島市立広島工業高1、広島県立千代田高1
【求める人材】粘り強さと行動力があり好奇心が旺盛でコミュニケーション能力が高い人

【本社】734-8567 広島県広島市南区宇品東2-1-42 ☎082-252-7003
【特色・近況】金庫・セキュリティーシステムのクマヒラグループの製品開発・製造を担う。金融機関向けの金庫室設備は国内シェア7～8割と圧倒的。入退室管理機器やセキュリティーゲート、映像録画装置なども展開。1898年に金庫販売で創業。
【設立】2007.1 【資本金】450百万円
【社長】熊平明宣（1972.12生 慶大文）
【株主】〔24.3〕クマヒラ・ホールディングス100%
【事業】金庫・金庫室設備43、セキュリティ機器54、他3 <輸出5>
【従業員】単464名（43.7歳）

【業績】	売上高	営業利益	経常利益	純利益
単22.3	8,599	307	347	341
単23.3	8,717	304	254	203
単24.3	8,644	301	404	235

ＫＴＣ
東証スタンダード

採用内定数	倍率	3年後離職率	平均年収
10名	25倍	0%	㊙579万円

●待遇、制度●
【初任給】月23万（諸手当0.5万円）
【残業】12.9時間【有休】9.7日【制度】住 在
●新卒定着状況●
20年入社（男1、女3）→3年後在籍（男1、女3）
●採用情報●
【人数】23年:8 24年:9 25年:応募250→内定10
【内定内訳】（男8、女2）（文6、理4）（総10、他0）
【試験】〔Web会場〕C-GAB〔Web自宅〕WEB-GAB
【時期】エントリー25.1→内々定25.4（一次・二次以降もWEB面接可）【インターン】有
【採用実績校】中央学大1、拓大1、文教大1、広島国際大1、京産大1、大阪産大1、同女大2、大阪電通大1、トヨタ神戸自動車大学校専1
【求める人材】気づく人、考える人、共感・協働できる人

【本社事務所】613-0034 京都府久世郡久御山町佐山新開地128 ☎0774-46-3700
【特色・近況】レンチ、スパナなど作業工具の大手メーカー。品目数、生産量とも国内首位。工具は自動車整備用が過半。センサー搭載工具や、工具類から作業履歴を記録管理・分析可能なシステムも提供。HVやEV向けの絶縁工具などにも注力。けいはんなエリアに研究開発拠点。
【設立】1950.8 【資本金】1,032百万円
【社長】田中滋（1956.12生 舞鶴工高専卒）
【株主】〔24.3〕宇城邦英6.8%
【連結事業】工具97、ファシリティマネジメント3
【従業員】連251名 単206名（40.6歳）

【業績】	売上高	営業利益	経常利益	純利益
連22.3	7,940	733	759	505
連23.3	8,396	793	826	593
連24.3	8,428	910	964	645

㈱ＫＶＫ
東証スタンダード

採用内定数	倍率	3年後離職率	平均年収
21名	3倍	4.2%	514万円

●待遇、制度●
【初任給】月21.5万
【残業】14.5時間【有休】11.5日【制度】フ 住
●新卒定着状況●
20年入社（男19、女5）→3年後在籍（男18、女5）
●採用情報●
【人数】23年:28 24年:19 25年:応募63→内定21
【内定内訳】（男17、女4）（文19、理2）（総21、他0）
【試験】〔Web会場〕SPI3〔Web自宅〕SPI3〔性格〕有
【時期】エントリー24.7→内々定25.3*（一次・二次以降もWEB面接可）
【採用実績校】名古屋経大1、名古屋学院大3、南山大1、滋賀大1、岐阜協大1、愛知大1、愛知淑徳大1、龍谷大1、名城大1、大同大1、他
【求める人材】今すべきこと、求められていることを自分で見つけて実行に移せる人

【本社】501-3304 岐阜県加茂郡富加町高畑字稲荷641 ☎0574-55-1120
【特色・近況】浴室やキッチンなどの給水栓専業のトップメーカー。温水混合水栓が主力製品。納入先は、大口のパナソニック系住宅設備会社から、地域の工務店までと幅広い。岐阜のほか、中国・大連、フィリピンの3拠点で生産。東南アジア等海外も高機能品で開拓。
【設立】1949.1 【資本金】2,854百万円
【社長】末松正幸（1961.11生 南山大経営卒）
【株主】〔24.3〕㈲北村興産14.3%
【連結事業】単独水栓12、湯水混合水栓41、シャワー付湯水混合水栓32、他15
【従業員】連1,073名 単636名（39.8歳）

【業績】	売上高	営業利益	経常利益	純利益
連22.3	27,960	2,439	2,440	1,689
連23.3	29,742	2,450	2,615	1,773
連24.3	29,799	2,530	2,866	1,980

小岩金網（こいわかなあみ）
株式公開計画なし

採用予定数	倍率	3年後離職率	平均年収
4名	－	66.7%	㊙547万円

●待遇、制度●
【初任給】月23.2万（諸手当2万円、固定残業代20時間分）
【残業】14.5時間【有休】14.5日【制度】フ 住 在
●新卒定着状況●
20年入社（男3、女0）→3年後在籍（男1、女0）
●採用情報●
【人数】23年:3 24年:0 25年:応募0→内定0*
【内定内訳】（男‥、女‥）（文‥、理‥）（総‥、他‥）
【試験】〔性格〕有
【時期】エントリー25.3→内々定25.3*（一次はWEB面接可）【インターン】有
【採用実績校】‥
【求める人材】明るく、まわりに気配りができ、一歩一歩地道に進んでいける人

【本社】111-0035 東京都台東区西浅草3-20-14 ☎03-5828-7685
【特色・近況】技術力に定評がある金網メーカー。一般フェンスから土木法面資材、メッシュアート（すだれ、インテリア、エクステリア）まで多用途。官民比率6対4。北海道、岩手、愛知などに8工場。全国に支店や営業網を幅広く展開。
【設立】1970.3 【資本金】100百万円
【社長】西村康志（1981.9生）
【株主】〔24.3〕西村康志29.8%
【事業】各種金網、法面保護・緑化工法関係資材、各種フェンス設計・施工
【従業員】単273名（49.0歳）

【業績】	売上高	営業利益	経常利益	純利益
単22.3	10,895	261	360	199
単23.3	10,564	276	406	276
単24.3	10,432	308	469	323

㈱興和工業所（こうわこうぎょうしょ）

株式公開計画なし

採用内定数	倍率	3年後離職率	平均年収
27名	2.3倍	0%	[総]647万円

●待遇、制度●
【初任給】月21万
【残業】22.6時間【有休】11.6日【制度】[住]
●新卒定着状況●
20年入社(男4、女1)→3年後在籍(男4、女1)
●採用情報●
【人数】23年:23 24年:22 25年:応募62→内定27
【内定内訳】(男21、女6)(文4、理23)(総27、他0)
【試験】なし
【時期】エントリー24.10→内々定25.3【インターン】有
【採用実績校】三重大院1、三重大1、名工大院1、大同大1、名城大院1、名城大4、中部大院1、中部大2、岐阜大1、名古屋学院大1
【求める人材】コミュニケーション能力と何か特徴を持った辞めない人

【本社】467-0861 愛知県名古屋市瑞穂区二野町2-28 ☎052-871-7151
【特色・近況】溶融亜鉛メッキ、樹脂コーティングなどの金属表面処理と機械加工、プレス板金加工、リユース高欄製造、再生メッキなどを手がける。国内13工場体制。独自ブランド開発にも積極的。米国にメッキ、中国に製販、タイに販売の各拠点を展開。
【設立】1948.12 【資本金】381百万円
【社長】六車壽夫(1956.7生)
【株主】〔24.3〕興明39.4%
【事業】めっき38、機械加工22、プレス塗装12、土木建材10、表面処理9、他10 <輸出1>
【従業員】単1,112名(40.8歳)

【業績】	売上高	営業利益	経常利益	純利益
単22.3	28,038	1,082	1,661	871
単23.3	29,546	174	831	649
単24.3	31,991	1,015	1,508	947

㈱ゴール

株式公開いずれしたい

採用内定数	倍率	3年後離職率	平均年収
1名	3倍	22.2%	[総]554万円

●待遇、制度●
【初任給】月23万
【残業】10.3時間【有休】13.5日【制度】[フ][住]
●新卒定着状況●
20年入社(男6、女3)→3年後在籍(男4、女3)
●採用情報●
【人数】23年:4 24年:2 25年:応募3→内定1*
【内定内訳】(男1、女0)(文0、理1)(総1、他0)
【試験】なし
【時期】エントリー24.7→内々定24.12*(一次はWEB面接可)【インターン】有【ジョブ型】有
【採用実績校】京産大1
【求める人材】物事に対し俯瞰的に見る感性を持ちイノベーションに向けた行動力のある人

【本社】532-0032 大阪府大阪市淀川区三津屋北2-16-6 ☎06-6309-1271
【特色・近況】日本初の電気錠開発を手がけた老舗錠前メーカー。国内シェア約3割。扉錠、電気錠を中心に出入口管理システム、カードロックなども手がける。高い防犯性を備えたグランブイ・シリンダーに特色。佐賀、鳥取、徳島に生産工場を持つ。
【設立】1957.11 【資本金】300百万円
【社長】岸本俊仁(1952.1生 立大卒)
【株主】〔24.3〕ASSA ABLOY 46.3%
【事業】ドアーロック51、電気錠システム機器28、他21 <輸出1>
【従業員】単436名(42.6歳)

【業績】	売上高	営業利益	経常利益	純利益
単21.9	8,109	275	542	457
単22.9	8,986	396	667	483
単23.9	9,008	163	244	164

コスモ工機（こうき）

株式公開計画なし

採用予定数	倍率	3年後離職率	平均年収
20名	‥	18.7%	630万円

●待遇、制度●
【初任給】月25.1万(諸手当1.7万円、固定残業代10時間分)
【残業】4.9時間【有休】12.2日【制度】[住]
●新卒定着状況●
20年入社(男14、女2)→3年後在籍(男11、女2)
●採用情報●
【人数】23年:20 24年:17 25年:予定20*
【内定内訳】(男‥、女‥)(文‥、理‥)(総‥、他‥)
【試験】〔性格〕有
【時期】エントリー25.3→内々定25.6*(一次・二次以降もWEB面接可)【インターン】有
【採用実績校】‥
【求める人材】仕事の意義を見出し、周囲との協調を大切にしながら課題を達成できる明るい人

【本社】105-0003 東京都港区西新橋3-9-5 ☎03-3435-8812
【特色・近況】管路維持管理関連製品の製販と施工が2本柱。不断水分岐やインサーティングなど一連の不断水工法に強み。管継手類、飲料水兼用耐震性貯水槽で高シェア。水道管路更新スピードアップのための製品開発に注力。海外で水道事業支援活動を展開。
【設立】1959.5 【資本金】498百万円
【社長】加藤正明(1954.2生 専大経済卒)
【株主】〔24.3〕自社従業員持株会37.8%
【事業】継手製品41、不断水製品24、工事18、他17
【従業員】単458名(39.2歳)

【業績】	売上高	営業利益	経常利益	純利益
単22.3	17,568	2,644	2,732	1,861
単23.3	18,426	3,115	3,217	2,265
単24.3	20,279	4,330	4,416	4,633

金剛（こんごう）

株式公開未定

採用予定数	倍率	3年後離職率	平均年収
7名	‥	‥	‥

●待遇、制度●
【初任給】月23.6万
【残業】‥時間【有休】‥日【制度】住 在
●新卒定着状況●
‥
●採用情報●
【人数】23年:4 24年:5 25年:予定7*
【内定内訳】(男‥、女‥)(文‥、理‥)(総‥、他‥)
【試験】‥
【時期】エントリー25.3→内々定25.8(一次・二次以降もWEB面接可)【インターン】有
【採用実績校】熊本学大1、尚絅大2、福岡大1、熊本技術短大1
【求める人材】様々なことに興味・関心を持ち、挑戦・行動ができる人

【本社】860-8508 熊本県熊本市西区上熊本3-8-1 ☎096-355-1111
【特色・近況】図書館、博物館、美術館などの什器や設備の専業メーカー。倉庫、オフィス、病院、金融機関向けの保管機器や図書館向けの書架・閲覧家具も手がける。移動棚製造のシェア首位。図書館などの地震対策方針や地震対策製品を提案。東北から沖縄まで拠点をもつ。
【設立】1951.1 【資本金】60百万円
【社長】田中稔彦(1960.2生 熊本大工卒)
【株主】‥
【事業】保管・保存関連58、セキュリティ関連2、エンジニアリング＆サービス5、他市販品関連35
【従業員】単300名(45.3歳)

【業績】	売上高	営業利益	経常利益	純利益
単21.9	7,637	‥	‥	‥
単22.9	7,267	‥	‥	‥
単23.9	8,304	‥	‥	‥

㈱佐賀鉄工所（さがてっこうしょ）

株式公開計画なし

採用内定数	倍率	3年後離職率	平均年収
6名	‥	33.3%	‥

●待遇、制度●
【初任給】月25万
【残業】8.4時間【有休】13.3日【制度】住
●新卒定着状況●
20年入社(男3、女0)→3年後在籍(男2、女0)
●採用情報●
【人数】23年:10 24年:14 25年:応募‥→内定6
【内定内訳】(男6、女0)(文0、理6)(総6、他0)
【試験】〔筆記〕有〔性格〕有
【時期】エントリー25.3→内々定25.4～5【インターン】有
【採用実績校】三重大1、長崎大1、福岡工大2、日本文理大1、佐世保高専1
【求める人材】何事にも積極的にチャレンジできる人、前向きでバイタリティのある人

【本社】840-0806 佐賀県佐賀市神園1-5-30 ☎0952-31-2111
【特色・近況】業界首位のボルト専門メーカーで、ホンダ、SUBARUなど自動車向け、クボタなど農機具向けが中心。酸洗などの素材処理から表面処理まで一貫生産。「DEXTECH」ブランドで製品展開。米国・中国・タイ・メキシコに生産拠点。
【設立】1950.3 【資本金】310百万円
【社長】久富勝則(1963.2生 同大文卒)
【株主】〔24.3〕パイオラックス20.0%
【連結事業】ボルト100
【従業員】連1,663名 単572名(39.2歳)

【業績】	売上高	営業利益	経常利益	純利益
連22.3	72,142	4,923	6,558	4,545
連23.3	78,860	3,701	5,182	3,714
連24.3	90,343	2,761	4,265	2,963

三晃金属工業（さんこうきんぞくこうぎょう）

東証スタンダード

採用内定数	倍率	3年後離職率	平均年収
16名	‥	35.7%	㊕846万円

●待遇、制度●
【初任給】月26万
【残業】6.6時間【有休】11.9日【制度】住 在
●新卒定着状況●
20年入社(男11、女3)→3年後在籍(男6、女3)
●採用情報●
【人数】23年:17 24年:17 25年:応募‥→内定16
【内定内訳】(男10、女6)(文7、理9)(総16、他0)
【試験】〔Web自宅〕WEB-GAB、他
【時期】エントリー25.3→内々定25.6(一次はWEB面接可)【インターン】有
【採用実績校】北九州市大1、豊橋技科大1、武蔵野大1、日大2、日工大1、東北工大1、東京農業大1、東京国際大1、東海大1、大和大1、他
【求める人材】柔軟な発想と行動力、チャレンジ精神に溢れた人

【本社】108-0023 東京都港区芝浦4-13-23 MS芝浦ビル ☎03-5446-5600
【特色・近況】日本製鉄系の金属屋根の大手メーカー。長尺屋根では首位。官公庁関連のほか、空港、車両基地、競馬場、ドーム球場、スタジアムなどに施工実績を持つ。ソーラー発電用屋根、緑化屋根などを育成。意匠性に優れた外壁材やプレハブ向け住宅部材も手がける。
【設立】1949.6 【資本金】1,980百万円
【社長】青木栄一(1965.2生 慶大経済卒)
【株主】〔24.3〕日本製鉄31.4%
【事業】屋根92、建材8、他0
【従業員】単523名(43.0歳)

【業績】	売上高	営業利益	経常利益	純利益
単22.3	34,772	2,425	2,421	1,648
単23.3	39,797	3,375	3,366	2,372
単24.3	42,914	3,711	3,709	2,593

#残業が少ない

サンコーテクノ

東証スタンダード

採用内定数	倍率	3年後離職率	平均年収
2名	37.5倍	37.5%	514万円

●待遇、制度●
【初任給】月22.1万(固定残業代15時間分)
【残業】3.7時間【有休】11.6日【制度】住
●新卒定着状況●
20年入社(男3、女5)→3年後在籍(男2、女3)
●採用情報●
【人数】23年:7 24年:3 25年:応募75→内定2*
【内定内訳】(男2、女0)(文2、理0)(総2、他0)
【試験】〔Web会場〕C-GAB〔Web自宅〕WEB-GAB〔性格〕有
【時期】エントリー25.3→内々定25.5(一次はWEB面接可)【インターン】有
【採用実績校】江戸川大2
【求める人材】新たな価値を提案し、失敗を恐れず行動できる人、共に高め合える人

【本社】270-0163 千葉県流山市南流山3-10-16
☎04-7157-3535
【特色・近況】建造物のコンクリート面などへ機器を取り付ける特殊ネジなどの最大手。コンクリート硬化後にモノを固定する「あと施工アンカー」ではトップシェア。締結に用いるドリルの製造や締結技術を応用した耐震補強事業、FRPシートや電動油圧工具などの機能材事業も展開。
【設立】1964.5 【資本金】768百万円
【社長】洞下英人(1965.8生)
【株主】〔24.3〕洞下英人13.5%
【連結事業】ファスニング84、機能材16
【従業員】連682名 単356名(40.4歳)

【業績】	売上高	営業利益	経常利益	純利益
連22.3	18,735	1,716	1,697	1,071
連23.3	20,604	1,978	1,948	1,395
連24.3	21,142	2,066	2,042	1,740

㈱山王（さんのう）

東証スタンダード

採用内定数	倍率	3年後離職率	平均年収
4名	‥	55.6%	502万円

●待遇、制度●
【初任給】月21万(諸手当0.5万円)
【残業】35.3時間【有休】9.1日【制度】フ 住 在
●新卒定着状況●
20年入社(男10、女8)→3年後在籍(男4、女4)
●採用情報●
【人数】23年:14 24年:11 25年:応募‥→内定4*
【内定内訳】(男1、女3)(文1、理1)(総1、他3)
【試験】〔筆記〕常識〔性格〕有
【時期】エントリー25.4→内々定25.4*(一次はWEB面接可)
【採用実績校】鶴見大1、日大1
【求める人材】新たな進路を切り開き、ともに成長していく活力あふれる人

【本社】223-0052 神奈川県横浜市港北区綱島東5-8-8
☎045-542-8241
【特色・近況】携帯端末、OA機器など電子機器用コネクターのメッキ加工会社。接点の精密プレス加工や金型製作、貴金属表面処理加工などを手がける。国内はスマホ用などの先端品に対応、海外はフィリピンに工場を持ち車載用などを生産。
【設立】1969.4 【資本金】962百万円
【社長】荒巻拓也(1980.10生)
【株主】〔24.1〕荒巻芳幸14.7%
【連結事業】表面処理加工90、精密プレス加工10 <海外21>
【従業員】連389名 単293名(39.6歳)

【業績】	売上高	営業利益	経常利益	純利益
連22.7	9,453	501	507	355
連23.7	9,563	205	239	154
連24.7	8,802	232	363	312

三和ニードル・ベアリング（さんわ）

株式公開計画なし

採用実績数	倍率	3年後離職率	平均年収
4名	ー	50%	総532万円

●待遇、制度●
【初任給】月22.6万
【残業】11時間【有休】17.1日【制度】住
●新卒定着状況●
20年入社(男1、女1)→3年後在籍(男1、女0)
●採用情報●
【人数】23年:5 24年:4 25年:応募0→内定0
【内定内訳】(男‥、女‥)(文‥、理‥)(総‥、他‥)
【試験】〔Web自宅〕有〔性格〕有
【時期】エントリー25.3→内々定25.6*【インターン】有
【採用実績校】‥
【求める人材】チャレンジ精神にあふれ、新たなフィールド開拓に取り組む意欲と行動力のある人

【本社】300-4351 茨城県つくば市上大島1904
☎029-866-0811
【特色・近況】精密マイクロシャフトのトップメーカー。リードスクリューや炭素繊維強化プラスチック複合部品(CFRP)も。研削、塑性、切削、熱処理の一貫生産体制を確立。サブミクロン精度の超精密研磨加工で優位性。中国に生産と販売の各拠点。
【設立】1951.7 【資本金】100百万円
【社長】中村卓也(1983.5生 上智大経済卒)
【株主】〔24.3〕東京中小企業投資育成20.5%
【事業】自動車関連70、情報関連20、機械・医療等10 <輸出29>
【従業員】単208名(45.0歳)

【業績】	売上高	営業利益	経常利益	純利益
単22.3	4,394	503	632	483
単23.3	3,816	118	258	84
単24.3	3,654	69	172	82

㈱スーパーツール

東証スタンダード

採用実績数	倍率	3年後離職率	平均年収
1名	‥	50%	551万円

●待遇、制度●
【初任給】月20.2万
【残業】10.7時間【有休】9.9日【制度】住
●新卒定着状況●
20年入社(男1、女1)→3年後在籍(男0、女1)
●採用情報●
【人数】23年:4 24年:1 25年:予定前年並*
【内定内訳】(男‥、女‥)(文‥、理‥)(総‥、他‥)
【試験】〔性格〕有
【時期】エントリー通年→内々定通年(一次・二次以降もWEB面接可)
【採用実績校】‥
【求める人材】物事を柔軟に捉え、自ら学び、行動ができる人

【本社】599-8243 大阪府堺市中区見野山158 ☎072-236-5521
【特色・近況】レンチ、スパナ、プライヤーなど作業工具の大手メーカー。治工具類、吊りクランプなど産業機器も手がける。台湾、中国に下請け工場を確保し低価格品にも参入。北米のマーケット開拓推進。子会社で太陽光パネルの販売・施工、太陽光発電による売電事業を行う。
【設立】1942.9 【資本金】2,235百万円
【社長】平野量夫(1967.1生)
【株主】〔24.3〕HSBC(シンガポール) PBD8221623793 13.1%
【連結事業】金属製品89、環境関連11 <海外17>
【従業員】連102名 単102名(42.4歳)

【業績】	売上高	営業利益	経常利益	純利益
連22.3	7,957	691	610	414
連23.3	6,981	523	538	364
連24.3	5,853	428	446	305

スガツネ工業(こうぎょう)

株式公開計画なし

採用内定数	倍率	3年後離職率	平均年収
9名	55.6倍	18.2%	617万円

●待遇、制度●
【初任給】月22.9万
【残業】11時間【有休】13日【制度】住 在
●新卒定着状況●
20年入社(男7、女4)→3年後在籍(男6、女3)
●採用情報●
【人数】23年:14 24年:12 25年:応募500→内定9*
【内定内訳】(男2、女7)(文9、理0)(総9、他0)
【試験】〔筆記〕常識、他〔Web自宅〕有〔性格〕有
【時期】エントリー25.3→内々定25.5*(一次・二次以降もWEB面接可)【インターン】有
【採用実績校】武蔵大1、東京国際大1、実践女大1、立命館APU1、愛知学大1、神田外語大1、京都女大1、近大1、愛知県大1
【求める人材】挑戦心、行動力、粘り強さ、創意工夫の精神がある人

【本社】101-8633 東京都千代田区岩本町2-9-13 ☎03-3864-1122
【特色・近況】建築金物・家具金物と産業機器用機構部品の総合メーカー。「LAMP」ブランドで製品展開。ハンドル、ヒンジ、スライドレールなど幅広い製品を手がける。技術力とデザイン力に定評。米国、カナダ、英国、ドイツ、中国、インド、韓国に現地法人。
【設立】1943.11 【資本金】400百万円
【社長】菅佐原純(1961.11生 武蔵大卒)
【株主】〔24.4〕常豊20.1%
【事業】建築・家具部品50、産業機器部品50 <輸出15>
【従業員】単502名(40.8歳)

【業績】	売上高	営業利益	経常利益	純利益
単21.12	19,891	‥	3,638	2,350
単22.12	22,204	‥	4,402	2,691
単23.12	21,769	‥	4,498	2,854

住電機器(すみでんきき)システム

株式公開計画なし

採用予定数	倍率	3年後離職率	平均年収
8名	‥	0%	‥

●待遇、制度●
【初任給】月23.5万
【残業】21.9時間【有休】15.5日【制度】フ 住 在
●新卒定着状況●
20年入社(男5、女2)→3年後在籍(男5、女2)
●採用情報● 高卒のみ
【人数】23年:5 24年:3 25年:予定8*
【内定内訳】(男‥、女‥)(文‥、理‥)(総‥、他‥)
【試験】〔筆記〕常識、他
【時期】エントリー24.9→内々定25.9
【採用実績校】‥
【求める人材】‥

【本社】664-0837 兵庫県伊丹市北河原6-1-3 ☎072-782-0671
【特色・近況】架空送電線機器、電力工事用安全装置、ケーブル機器、バスダクトなどの開発・製造を行う。架空送電線機器は国内の電力会社、工事会社に加え海外にも輸出。東京に支店、名古屋に営業所、兵庫・川辺郡に研究所を置く。住友電工グループ。
【設立】1939.1 【資本金】310百万円
【社長】杁本広治
【株主】〔24.3〕住友電気工業100%
【事業】電線ケーブル用機器92、精密機器・精密工具5、バスダクト機器3 <輸出0>
【従業員】単457名(43.0歳)

【業績】	売上高	営業利益	経常利益	純利益
単22.3	16,343	820	735	503
単23.3	17,900	1,333	1,273	888
単24.3	17,142	913	1,073	872

㈱ダイクレ

株式公開計画なし

採用実績数	倍率	3年後離職率	平均年収
5名	‥	‥	‥

●待遇、制度●
【初任給】月23.4万
【残業】12.5時間【有休】12.7日【制度】[フ][住][在]
●新卒定着状況●
‥
●採用情報●
【人数】23年:7 24年:5 25年:予定未定
【内定内訳】(男‥、女‥)(文‥、理‥)(総‥、他‥)
【試験】〔Web会場〕SPI3〔Web自宅〕SPI3〔性格〕有
【時期】エントリー25.3→内々定25.3【インターン】有
【採用実績校】‥
【求める人材】自立的に仕事ができる人

【本社】737-8513 広島県呉市築地町1-24 ☎0823-21-1331
【特色・近況】グレーチング(金属格子構造の溝蓋)の首位メーカー。法面補強の「グリーンパネル」や、フィンチューブなどの熱交換器も収益柱に。橋梁製品や建築関連製品も扱う。北海道から九州まで工場や支店・営業所を展開。海外はタイに現地法人。
【設立】1951.5 【資本金】100百万円
【社長】山本貴(1962.3生 成城大経済卒)
【株主】〔24.3〕ダイクレホールディングス100%
【事業】スチールグレーチング70、熱交換機器10、他20
【従業員】単421名(42.1歳)

【業績】	売上高	営業利益	経常利益	純利益
単22.3	19,812	‥	663	‥
単23.3	22,534	‥	686	‥
単24.3	22,618	‥	894	‥

㈱ダイケン

東証スタンダード

採用内定数	倍率	3年後離職率	平均年収
5名	5.8倍	20%	574万円

●待遇、制度●
【初任給】月22.1万(諸手当2.1万円)
【残業】10.2時間【有休】12.5日【制度】[住]
●新卒定着状況●
20年入社(男3、女2)→3年後在籍(男2、女2)
●採用情報●
【人数】23年:4 24年:6 25年:応募29→内定5*
【内定内訳】(男5、女0)(文4、理1)(総5、他0)
【試験】なし
【時期】エントリー25.3→内々定25.5*(一次はWEB面接可)【ジョブ型】有
【採用実績校】立命館大2、富山大1、龍谷大1、大阪工大1
【求める人材】あらゆる環境の変化に対応し、チャレンジを続ける人

【本社】532-0033 大阪府大阪市淀川区新高2-7-13 ☎06-6392-5551
【特色・近況】建築金物・建材の中堅。外装用建材、建築金物など多品種、小ロット生産に特徴。扉が走行する軌道となるハンガーレール、自転車置き場装置は業界首位。ハンガーレールは農業搬送用などにも拡大、ビル窓清掃用メンテナンスレールは顧客開拓に注力。
【設立】1948.3 【資本金】481百万円
【社長】藤岡洋一(1964.7生 関大商卒)
【株主】〔24.2〕藤岡洋一18.6%
【事業】金物32、建材20、エクステリア30、他17、不動産2
【従業員】単329名(42.1歳)

【業績】	売上高	営業利益	経常利益	純利益
単22.2	9,864	374	389	257
単23.2	10,599	430	473	316
単24.2	10,881	448	485	328

大成機工(たいせいきこう)

株式公開いずれしたい

採用内定数	倍率	3年後離職率	平均年収
5名	8倍	16.7%	[総]655万円

●待遇、制度●
【初任給】月21.9万
【残業】6.8時間【有休】11.3日【制度】[住][在]
●新卒定着状況●
20年入社(男4、女2)→3年後在籍(男3、女2)
●採用情報●
【人数】23年:6 24年:3 25年:応募40→内定5*
【内定内訳】(男5、女0)(文5、理0)(総5、他0)
【試験】〔性格〕有
【時期】エントリー25.1→内々定25.3*(一次・二次以降もWEB面接可)【インターン】有
【採用実績校】立命館大、近大、他
【求める人材】何事にも主体的に取り組み、周囲との協力関係を築きながら行動できる人

【本社】530-0001 大阪府大阪市北区梅田1-1-3-2700 大阪駅前第3ビル ☎06-6344-7771
【特色・近況】上下水道・ガス管用特殊継手の製造・販売と各種工事の施工を行う。不断水工法のパイオニア。ダクタイル製伸縮可撓管で高シェア。水道維持管理製品・工法に強み。知財戦略強化し、国内外で500件以上。日本各地に工場、支店・営業所を持つ。
【設立】1948.3 【資本金】98百万円
【社長】中村稔(1963.11生 西南大経済卒)
【株主】‥
【事業】上下水道・ガス管用特殊継手、ダクタイル製伸縮可撓管、各種不断水工事、他 <輸出1>
【従業員】単404名(46.2歳)

【業績】	売上高	営業利益	経常利益	純利益
単21.12	15,750	1,273	1,365	941
単22.12	15,935	1,413	1,539	999
単23.12	17,061	1,675	1,790	1,167

高田機工（たかだきこう）

東証スタンダード

採用内定数	倍率	3年後離職率	平均年収
4名	‥	11.1%	649万円

●待遇、制度●
【初任給】月23.3万
【残業】11.8時間【有休】‥日【制度】[住][在]
●新卒定着状況●
20年入社(男7、女2)→3年後在籍(男6、女2)
●採用情報●
【人数】23年:11 24年:9 25年:応募‥→内定4*
【内定内訳】(男2、女2)(文2、理2)(総4、他0)
【試験】〔性格〕有
【時期】エントリー25.4→内々定‥*(一次はWEB面接可)
【採用実績校】‥
【求める人材】情熱を持って仕事に取り組む人、地図に残るモノづくり、生活を支えるモノづくりが好きな人

【本社】556-0011 大阪府大阪市浪速区難波中2-10-70 パークスタワー ☎06-6649-5100
【特色・近況】関西地盤の中堅橋梁・鉄骨メーカー。幹線自動車道や海上連絡橋など大空間の鋼構造物に強み。国交省向けが販売の約5割。和歌山工場に拠点集約、設備を更新し機能を拡張。鉄構事業のコラム柱組立、簡易溶接などで効率化を目的としたロボットを導入。
【設立】1932.3 【資本金】5,178百万円
【社長】中村達郎(1958.7生 関大法卒)
【株主】〔24.3〕ブラック・クローバー・リミテッド8.2%
【事業】橋梁79、鉄構21
【従業員】単278名(43.8歳)

【業績】	売上高	営業利益	経常利益	純利益
単22.3	15,669	763	937	747
単23.3	15,978	374	491	340
単24.3	19,695	1,348	1,438	898

髙橋金属（たかはしきんぞく）

株式公開計画なし

採用内定数	倍率	3年後離職率	平均年収
2名	2.5倍	50%	[総]491万円

●待遇、制度●
【初任給】月21.5万
【残業】20.5時間【有休】12日【制度】[住]
●新卒定着状況●
20年入社(男2、女0)→3年後在籍(男1、女0)
●採用情報●
【人数】23年:3 24年:5 25年:応募5→内定2*
【内定内訳】(男1、女1)(文1、理0)(総2、他0)
【試験】〔筆記〕常識〔Web自宅〕SPI3
【時期】エントリー24.12→内々定25.5*(一次はWEB面接可)【ジョブ型】有
【採用実績校】龍谷大1、滋賀県立高等技術専1
【求める人材】ものづくりが好きで元気で明るく前向きに、何事にも積極的に挑戦する考動力のある人

【本社】526-0105 滋賀県長浜市細江町864-4 ☎0749-72-3980
【特色・近況】金属塑性加工総合メーカー。洗浄装置、電解イオン水など環境商品事業、プレス加工や金型製作など部品加工事業、水陸両用車事業を手がける。設計・製作から輸送・設置までのワンストップサービス、品質・技術基盤の開発型経営に強み。タイ、中国に工場。
【設立】1958.10 【資本金】98百万円
【社長】髙橋康之(1974.6生 芦屋大教育卒)
【株主】〔24.3〕髙橋康之50.1%
【事業】健康・住宅20、農機・船舶産機・建材55、OA機器3、環境9、自動車7、他6 <輸出1>
【従業員】単356名(40.0歳)

【業績】	売上高	営業利益	経常利益	純利益
単22.3	9,213	473	552	262
単23.3	9,574	316	602	349
単24.3	10,774	462	539	275

瀧上工業（たきがみこうぎょう）

東証スタンダード

採用内定数	倍率	3年後離職率	平均年収
4名	2.8倍	25%	611万円

●待遇、制度●
【初任給】月22万
【残業】22.2時間【有休】12.1日【制度】[住]
●新卒定着状況●
20年入社(男3、女1)→3年後在籍(男3、女0)
●採用情報●
【人数】23年:7 24年:7 25年:応募11→内定4*
【内定内訳】(男4、女0)(文2、理2)(総4、他0)
【試験】〔Web自宅〕SPI3〔性格〕有
【時期】エントリー25.2→内々定25.3*【インターン】有
【採用実績校】愛知産大1、富山大1、桃山学大1、豊橋技科大1
【求める人材】当社のモットーである「誠実」に仕事に向き合える人、失敗を恐れずチャレンジできる人

【本社】475-0826 愛知県半田市神明町1-1 ☎0569-89-2101
【特色・近況】中部地盤の老舗橋梁・鉄骨中堅メーカー。橋梁事業は設計・製作・施工まで一貫体制。本州四国連絡橋プロジェクトにも参画。鉄骨事業では火力・原子力発電所の建屋用の鉄骨でシェアトップ級。橋梁の大規模保全工事の受注に注力。
【設立】1937.1 【資本金】1,361百万円
【社長】瀧上晶義(1961.12生 早大法卒)
【株主】〔24.3〕ブラック・クローバー・リミテッド14.4%
【連結事業】鋼構造物製造84、不動産賃貸4、材料販売11、運送1、工作機械0、他0
【従業員】連465名 単320名(46.8歳)

【業績】	売上高	営業利益	経常利益	純利益
連22.3	14,678	▲197	219	138
連23.3	18,617	363	825	1,017
連24.3	23,328	625	1,219	986

立川ブラインド工業 （東証プライム）

採用内定数	倍率	3年後離職率	平均年収
18名	14.8倍	30%	㊕719万円

●待遇、制度●
【初任給】月22.2万
【残業】15.2時間【有休】10.3日【制度】住
●新卒定着状況●
20年入社(男27、女13)→3年後在籍(男20、女8)
●採用情報●
【人数】23年:25 24年:38 25年:応募266→内定18*
【内定内訳】(男16、女2)(文16、理2)(総18、他0)
【試験】〔Web自宅〕有
【時期】エントリー25.3→内々定25.6(一次・二次以降もWEB面接可)【インターン】有
【採用実績校】日大、関東学院大、拓大2、愛知学大、中部大、同大、京産大、京都橘大、大阪経法大、山口大
【求める人材】物事をやり遂げる意欲を持ち、自発的に行動を起こせる人

【本社】108-8334 東京都港区三田3-1-12 ☎03-5484-6140
【特色・近況】各種ブラインド、可動式間仕切類、ブラインドシャッターなどのトップメーカー。家庭向けが主だが、オフィスビル、ホテル、大型商業施設向けの製品も展開。多品種・短納期生産に強み。子会社で機械式立体駐車装置、減速機なども手がける。
【設立】1947.10 【資本金】4,475百万円
【社長】池崎久也(1966.2生 近大法卒)
【株主】〔24.6〕立川恒産19.8%
【連結事業】室内外装品関連83、駐車場装置関連8、減速機関連9
【従業員】連1,331名 単865名(42.0歳)

【業績】	売上高	営業利益	経常利益	純利益
連21.12	41,236	4,557	4,663	2,868
連22.12	41,296	3,822	4,005	2,520
連23.12	41,305	4,046	4,327	2,708

中央可鍛工業 （名証メイン）

採用内定数	倍率	3年後離職率	平均年収
5名	6.8倍	0%	633万円

●待遇、制度●
【初任給】月22万
【残業】17.8時間【有休】13.7日【制度】フ 住 在
●新卒定着状況●
20年入社(男3、女1)→3年後在籍(男3、女1)
●採用情報●
【人数】23年:6 24年:6 25年:応募34→内定5*
【内定内訳】(男5、女0)(文2、理3)(総2、他3)
【試験】〔筆記〕有〔Web自宅〕有〔性格〕有
【時期】エントリー25.3→内々定25.4*(一次はWEB面接可)【インターン】有
【採用実績校】金沢工大2、中部大1、愛知工業大1、愛知学大1
【求める人材】リーダーシップとフロンティアスピリッツをもった人

【本社事務所】470-0128 愛知県日進市浅田平子1-300 ☎052-805-8600
【特色・近況】鋳鉄部品、アルミダイカスト部品製造の鋳造製品メーカー。各種ブラケット、ハブ、ギアボックスなど自動車向けが主力。パワーショベルなど建設機械用部品や産業ロボット部品、オフィス用椅子なども製造。トヨタグループが主要顧客。
【設立】1944.1 【資本金】1,161百万円
【社長】武山豊(1984.10生 慶大法卒)
【株主】〔24.3〕トヨタ自動車4.9%
【連結事業】可鍛97、金属家具3 <海外17>
【従業員】連978名 単530名(39.2歳)

【業績】	売上高	営業利益	経常利益	純利益
連22.3	33,195	167	1,081	784
連23.3	33,522	▲288	790	670
連24.3	33,198	321	1,326	813

㈱デンロコーポレーション （株式公開いずれしたい）

採用内定数	倍率	3年後離職率	平均年収
10名	8倍	27.9%	㊕675万円

●待遇、制度●
【初任給】月25.7万(諸手当1.2万円)
【残業】16.7時間【有休】12日【制度】住
●新卒定着状況●
20年入社(男39、女4)→3年後在籍(男27、女4)
●採用情報●
【人数】23年:37 24年:27 25年:応募80→内定10*
【内定内訳】(男5、女5)(文5、理5)(総9、他1)
【試験】〔性格〕有
【時期】エントリー25.3→内々定25.4*(一次・二次以降もWEB面接可)【インターン】有
【採用実績校】岡山大2、奈良女大2、広島大1、愛媛大1、長崎大1、立命館大1、関西学大1、他
【求める人材】ものづくりが好きで、チャレンジする意欲を持ち、チームをまとめて成果を出したい人

【本社】537-0001 大阪府大阪市東成区深江北2-11-17 ☎06-6976-1161
【特色・近況】鉄塔、鉄構、鉄柱類の販売・施工が主軸。通信、電力用鉄塔で国内首位。鉄鋼加工設備の設計・製造販売や溶融亜鉛メッキ受託加工も行う。太陽光や風力など再生可能エネルギー分野も展開。国内のほか中国にも生産拠点。鉄線焼鈍用の電気加熱炉を開発し創業。
【設立】1947.9 【資本金】96百万円
【社長】冨永充久(1955.7生 京大卒)
【株主】‥
【事業】鉄塔、設備、メッキ加工
【従業員】単698名(37.7歳)

【業績】	売上高	営業利益	経常利益	純利益
単21.12	9,437	749	2,399	1,649
単22.12	11,637	454	1,093	815
単23.12	16,554	2,224	2,789	1,866

東京製綱（とうきょうせいこう）

東証プライム

採用内定数	倍率	3年後離職率	平均年収
3名	10.7倍	16.7%	604万円

●待遇、制度●
【初任給】月23.5万
【残業】16.3時間【有休】17日【制度】[フ][住][在]
●新卒定着状況●
20年入社(男3、女3)→3年後在籍(男2、女3)
●採用情報●
【人数】23年:3 24年:5 25年:応募32→内定3*
【内定内訳】(男3、女0)(文3、理0)(総3、他0)
【試験】〔Web自宅〕SPI3〔性格〕有
【時期】エントリー25.3→内々定25.5(一次はWEB面接可)【インターン】有
【採用実績校】埼玉大1、法政大1、関大1
【求める人材】柔軟で行動力があり、新たなテーマに向かって手を挙げることのできる人

【本社】135-8306 東京都江東区永代2-37-28 澁澤シティプレイス永代 ☎03-6366-7777
【特色・近況】ワイヤロープ老舗で国内最大手メーカー。タイヤ用スチールコードも高シェア。橋梁用ケーブルは国内外の長大橋梁に実績。グループで土木構造物の補強や架空送電線に用いるCFCC(炭素繊維複合材ケーブル)を製造販売、北米やインドネシアなどでも展開する。
【設立】1887.4 【資本金】1,000百万円
【社長】原田英幸(1963.12生 東大工卒)
【株主】〔24.3〕日本製鉄19.8%
【連結事業】鋼索鋼線関連44、スチールコード関連12、開発製品関連28、産業機械関連6、エネルギー不動産10 <海外13>
【従業員】連1,494名 単533名(40.8歳)

【業績】	売上高	営業利益	経常利益	純利益
連22.3	63,780	1,621	2,021	1,306
連23.3	67,135	3,305	3,653	3,783
連24.3	64,231	3,901	4,753	2,040

東邦シートフレーム（とうほう）

株式公開計画なし

採用内定数	倍率	3年後離職率	平均年収
1名	3倍	100%	[総]631万円

●待遇、制度●
【初任給】月21.1万
【残業】10時間【有休】14日【制度】[住]
●新卒定着状況●
20年入社(男1、女0)→3年後在籍(男0、女0)
●採用情報●
【人数】23年:2 24年:0 25年:応募3→内定1
【内定内訳】(男1、女0)(文0、理1)(総1、他0)
【試験】〔筆記〕常識
【時期】エントリー25.3→内々定25.6【インターン】有
【採用実績校】日大1
【求める人材】コミュニケーション力があり、向上心・倫理観を持つ人、発想力のある人

【本社】103-0027 東京都中央区日本橋3-12-2 朝日ビル ☎03-3274-6214
【特色・近況】日本製鉄系の金属加工メーカー。「TOHO」ブランド。住宅用外壁や屋根用などのファインメタル製品、ドラム缶やステンレス容器、ポリカーボネート製品、ビル用建材などを製造・販売する。千葉に工場、仙台、新潟などに営業所。
【設立】1937.3 【資本金】350百万円
【社長】鈴木康友(1966.10生 北大法卒)
【株主】〔24.3〕相川39.2%
【事業】金属加工関連事業100
【従業員】単172名(44.9歳)

【業績】	売上高	営業利益	経常利益	純利益
単22.3	9,617	270	395	119
単23.3	10,897	488	592	207
単24.3	9,648	364	445	190

東洋シヤッター（とうよう）

東証スタンダード

採用内定数	倍率	3年後離職率	平均年収
4名	14.5倍	66.7%	651万円

●待遇、制度●
【初任給】月22.1万(諸手当0.6万円)
【残業】22.8時間【有休】12.8日【制度】[住]
●新卒定着状況●
20年入社(男9、女0)→3年後在籍(男3、女0)
●採用情報●
【人数】23年:17 24年:16 25年:応募58→内定4*
【内定内訳】(男3、女1)(文2、理2)(総4、他0)
【試験】〔筆記〕常識〔Web自宅〕有
【時期】エントリー25.3→内々定25.6(一次はWEB面接可)【インターン】有
【採用実績校】大阪成蹊大、東海大
【求める人材】向上心があり、何事にも好奇心旺盛な人

【本社】542-0081 大阪府大阪市中央区南船場2-3-2 南船場ハートビル ☎06-4705-2110
【特色・近況】業界3位のシャッターメーカー。売上の過半を占める重量シャッターが主力で、スチールドアも手がける。独大手ハーマン社と資本業務提携し、同社製品輸入により品ぞろえを強化。スチールドアは常時換気と遮音・防火性能を両立した製品などに特徴。
【設立】1955.9 【資本金】2,024百万円
【社長】岡田敏夫(1962.11生 龍谷大経営卒)
【株主】〔24.3〕ドイツ銀行ハーマン・ベタイリグ4004020 19.7%
【連結事業】軽量シャッター12、重量シャッター58、シャッター関連9、スチールドア18、建材他3
【従業員】連550名 単530名(43.2歳)

【業績】	売上高	営業利益	経常利益	純利益
連22.3	19,737	689	650	412
連23.3	20,687	865	813	559
連24.3	21,487	1,480	1,367	959

㈱東和製作所（とうわせいさくしょ）

株式公開計画なし

採用内定数	倍率	3年後離職率	平均年収
1名	3倍	−	400万円

●待遇、制度●
【初任給】月22.5万
【残業】25時間【有休】14.4日【制度】住 在

●新卒定着状況●
20年入社(男0、女0)→3年後在籍(男0、女0)

●採用情報●
【人数】23年:2 24年:2 25年:応募3→内定1*
【内定内訳】(男1、女0)(文0、理1)(総0、他1)
【試験】〔性格〕有
【時期】エントリー25.6→内々定25.8*【インターン】有
【採用実績校】中部大1

【求める人材】成長意欲が高く、チームワークを考え、主体的に考動できる人

【本社】505-0022 岐阜県美濃加茂市川合町4-5-2 ☎0574-25-3828
【特色・近況】特装車用油圧シリンダーの設計・製造では国内トップ。長尺ロッドのメッキ処理や海外製シリンダの修理・再生も手がける。センサー内蔵シリンダは無人芝刈り機やロボットなどに採用される。岐阜県・美濃加茂市に3拠点目の工場建設を進める。
【設立】1958.11 【資本金】52百万円
【社長】板津英仁(1960.10生 東外大卒)
【株主】〔24.3〕板津英仁84.7%
【事業】油圧製品99、修理1
【従業員】単227名(42.8歳)

【業績】	売上高	営業利益	経常利益	純利益
単22.3	4,013	178	216	128
単23.3	4,195	74	109	93
単24.3	4,788	430	466	282

特殊電極（とくしゅでんきょく）

東証スタンダード

採用内定数	倍率	3年後離職率	平均年収
1名	60倍	0%	620万円

●待遇、制度●
【初任給】月22.3万(固定残業代5時間分)
【残業】12時間【有休】16.3日【制度】住 在

●新卒定着状況●
20年入社(男1、女0)→3年後在籍(男1、女0)

●採用情報●
【人数】23年:7 24年:9 25年:応募60→内定1*
【内定内訳】(男0、女1)(文1、理0)(総1、他0)
【試験】〔Web自宅〕有〔性格〕有
【時期】エントリー25.3→内々定25.6*(一次はWEB面接可)【インターン】有【ジョブ型】有
【採用実績校】兵庫県大2、室蘭工大1、和歌山大1、崇城大1、甲南大1

【求める人材】自ら考え、実践する人

【本社】675-0104 兵庫県加古川市平岡町土山899-5 ☎078-941-9421
【特色・近況】特殊溶接の施工と溶接材料の製造・販売が中心。鉄鋼・自動車の生産設備などに耐摩耗・耐腐食性を付与する特殊溶接工事が主力で、表面に特殊材料を盛り上げて摩耗部分を再生する肉盛溶接技術に特徴。冷却・脱臭など環境関連装置も手がける。
【設立】1950.1 【資本金】484百万円
【社長】西川誉(1970.8生)
【株主】〔24.3〕㈱UH Partners 2 9.7%
【連結事業】工事施工74、溶接材料15、環境関連装置4、他7
【従業員】単244名(41.1歳)

【業績】	売上高	営業利益	経常利益	純利益
連22.3	8,617	614	687	486
連23.3	9,699	809	825	696
連24.3	9,587	495	518	379

特殊発條興業（とくしゅはつじょうこうぎょう）

株式公開計画なし

採用内定数	倍率	3年後離職率	平均年収
1名	8倍	0%	㊓597万円

●待遇、制度●
【初任給】月22万(諸手当1.3万円)
【残業】13時間【有休】12.6日【制度】住

●新卒定着状況●
20年入社(男2、女0)→3年後在籍(男2、女0)

●採用情報●
【人数】23年:0 24年:0 25年:応募8→内定1*
【内定内訳】(男1、女0)(文1、理0)(総1、他0)
【試験】〔Web自宅〕SPI3〔性格〕有
【時期】エントリー25.4→内々定25.10*(一次はWEB面接可)【インターン】有【ジョブ型】有
【採用実績校】・・

【求める人材】向上心があり、周囲を巻き込む力がある人、新しい価値や考えを追い求める人

【本社】664-0837 兵庫県伊丹市北河原1-1-1 ☎072-782-6966
【特色・近況】自動車向けや産業機器向けに座金、薄板ばね、皿ばねなどを製造・販売。微細溝加工技術によるプレート製品を供給。プレス技術によるミクロン単位の微細溝に定評。兵庫県内に本社を含めた2工場、中国に生産拠点。ニッパツの完全子会社。
【設立】1938.6 【資本金】150百万円
【社長】新開康弘(1966.9生 横市大商卒)
【株主】〔24.3〕ニッパツ100%
【事業】座金、薄板ばね、フリクションプレート、機能用ばね <輸出1>
【従業員】単178名(42.5歳)

【業績】	売上高	営業利益	経常利益	純利益
単22.3	6,855	545	584	553
単23.3	6,850	132	173	122
単24.3	7,110	260	275	192

㈱寿原テクノス（としはら）

株式公開計画なし

採用予定数	倍率	3年後離職率	平均年収
1名	ー	0%	[総]432万円

●待遇、制度●
【初給給】月21.4万
【残業】24.2時間【有休】13.9日【制度】[住]

●新卒定着状況●
20年入社(男1、女0)→3年後在籍(男1、女0)

●採用情報●
【人数】23年:0 24年:0 25年:応募5→内定0*
【内定内訳】(男‥、女‥)(文‥、理‥)(総‥、他‥)
【試験】〔筆記〕常識
【時期】エントリー 24.10→内々定25.4*
【採用実績校】‥

【求める人材】明るく、コミュニケーション力があり、ものづくりが好きな人

【本社】492-8038 愛知県稲沢市陸田町上東之川2425-18 ☎0587-32-1110
【特色・近況】アルミダイカスト金型メーカー。自動車部品向けが主力で、エンジン周辺から各種モーター、アルミホイールの製造用途で使用。設計、製作、メンテまで一貫体制。3次元複雑形状にも対応。ガラスや新セラミックス素材、特殊加工技術、精密加工に定評。
【設立】1964.12 【資本金】19百万円
【代表取締役】伊藤彰(1942.12生 愛知一宮高卒)
【株主】〔24.5〕新寿原テクノス100%
【事業】ダイカスト金型製造95、セラミックス部品加工5 ＜輸出4＞
【従業員】単113名(42.5歳)

【業績】	売上高	営業利益	経常利益	純利益
単21.10	1,522	34	55	103
単22.10	1,631	4	34	27
単23.10	1,895	27	84	56

TONE

東証スタンダード

採用内定数	倍率	3年後離職率	平均年収
6名	6倍	33.3%	718万円

●待遇、制度●
【初給給】月24.8万(諸手当3.1万円、固定残業代8時間分)
【残業】8時間【有休】10.1日【制度】[フ][住][在]

●新卒定着状況●
20年入社(男2、女1)→3年後在籍(男2、女0)

●採用情報●
【人数】23年:2 24年:8 25年:応募36→内定6*
【内定内訳】(男4、女2)(文3、理0)(総6、他0)
【試験】〔Web自宅〕有
【時期】エントリー 25.2→内々定25.4*(一次・二次以降もWEB面接可)【インターン】有
【採用実績校】大阪商大1、京都外大1、京都芸大1、和歌山高専1、奈良高専1、明石高専1

【求める人材】主体性、成長意欲、チャレンジ精神のある人

【本社】116-0014 東京都荒川区東日暮里4-7-5 ☎03-3801-7077
【特色・近況】レンチ、ボルトなど締結機器を中心とする工具メーカー。ソケットレンチなどの業務用作業工具や、国内外で首位級の鉄骨建築用シャーレンチなどを製造・販売。ベトナムに製造販売拠点、米国に販売拠点。レースサポートやレース協賛などモータースポーツに熱心。
【設立】1949.7 【資本金】605百万円
【取締】矢野大司郎(1957.4生 千工大工卒)
【株主】〔24.5〕スパイラルキャピタルパートナーズ㈱12.6%
【連結事業】工具61、機器39 ＜海外20＞
【従業員】連155名 単127名(44.7歳)

【業績】	売上高	営業利益	経常利益	純利益
連22.5	6,446	985	1,086	692
連23.5	6,800	1,222	1,266	866
連24.5	7,578	1,124	1,254	942

#残業が少ない

日東精工（にっとうせいこう）

東証プライム

採用内定数	倍率	3年後離職率	平均年収
8名	5.1倍	0%	539万円

●待遇、制度●
【初給給】月23万
【残業】2.9時間【有休】16.6日【制度】[フ][住]

●新卒定着状況●
20年入社(男6、女3)→3年後在籍(男6、女3)

●採用情報●
【人数】23年:15 24年:17 25年:応募41→内定8
【内定内訳】(男7、女1)(文5、理0)(総8、他0)
【試験】〔筆記〕有〔Web自宅〕有〔性格〕有
【時期】エントリー 24.12→内々定25.1(一次はWEB面接可)【インターン】有
【採用実績校】金沢工大2、京都工繊大1、龍谷大1、京都経済短大1、京都職能短大2

【求める人材】自ら考えて行動し、豊かな感性で創造力にあふれ、粘り強く挑戦する人

【本社】623-0054 京都府綾部市井倉町梅ケ畑20 ☎0773-42-3111
【特色・近況】工業用ネジの大手メーカー。家電向け工業用ネジから出発し、地盤調査機や流量計などの制御システム機器、ネジ締め機などの産業機械にも展開。主力のネジは自動車関連が主要顧客で、デジタル家電向けの精密微細ネジにも強み。ネジ生産能力は世界首位級。
【設立】1938.2 【資本金】3,522百万円
【社長】荒賀誠(1968.10生 関大社会卒)
【株主】〔24.6〕日本マスタートラスト信託銀行信託口9.4%
【連結事業】ファスナー73、産機13、制御13、メディカル0 ＜海外30＞
【従業員】連1,905名 単525名(42.8歳)

【業績】	売上高	営業利益	経常利益	純利益
連21.12	40,518	3,249	3,487	2,200
連22.12	44,021	2,931	3,235	1,828
連23.12	44,744	2,614	2,835	1,734

日本継手（にっぽんつぎて）

株式公開計画なし

採用予定数	倍率	3年後離職率	平均年収
2名	－	33.3%	㊓661万円

●待遇、制度●
【初任給】月22.7万
【残業】18.6時間【有休】13.8日【制度】住
●新卒定着状況●
20年入社(男3、女0)→3年後在籍(男2、女0)
●採用情報●
【人数】23年:3 24年:1 25年:応募5→内定0*
【内定内訳】(男‥、女‥)(文‥、理‥)(総‥、他‥)
【試験】〔筆記〕有〔Web会場〕有
【時期】エントリー25.3→内々定‥*(一次はWEB面接可)
【採用実績校】‥
【求める人材】自ら考え、課題解決のために積極的に行動できる人、常に向上心を持って取り組める人

【本社】596-0805 大阪府岸和田市田治米町153-1 ☎072-445-0285
【特色・近況】リケンの連結子会社で、約90年の実績を持つ配管システム専業メーカー。ガス・水道配管用継手2位。製品は本社工場を中心に各種専門工場で生産。北海道から九州まで営業拠点。加工、組立、梱包の自動化進め品質安定化に注力。
【設立】1935.4 【資本金】99百万円
【社長】木島博正(1961.7生 早大商卒)
【株主】〔24.3〕リケン76.6%
【事業】鋳物製継手・部品49、鋼・銅合金管製継手・部品34、他17
【従業員】単309名(46.7歳)

【業績】	売上高	営業利益	経常利益	純利益
単22.3	12,021	259	273	▲63
単23.3	12,814	385	410	352
単24.3	12,581	271	288	6

日本ベアリング（にっぽん）

株式公開計画なし

採用実績数	倍率	3年後離職率	平均年収
2名	－	27.3%	‥

●待遇、制度●
【初任給】月20.7万
【残業】20.1時間【有休】13.7日【制度】住
●新卒定着状況●
20年入社(男6、女5)→3年後在籍(男6、女2)
●採用情報●
【人数】23年:9 24年:2 25年:応募4→内定0*
【内定内訳】(男‥、女‥)(文‥、理‥)(総‥、他‥)
【試験】〔筆記〕常識〔Web自宅〕有〔性格〕有
【時期】エントリー25.3→内々定25.4【インターン】有
【採用実績校】‥
【求める人材】何事にも積極的に取組み、年代や価値観の異なる相手とも楽しんで仕事ができる人

【本社】947-8503 新潟県小千谷市千谷甲2833 ☎0258-82-5711
【特色・近況】ベアリング専門メーカーで直線運動用軸受(リニアシステム)のパイオニア。スライドブッシュ、スライドウェイ、スプライン製造が主力。新潟・小千谷の本社工場や山形・東根の子会社工場で純国内生産貫く。米国、オランダ、中国、マレーシアに現地法人。
【設立】1959.5 【資本金】30百万円
【社長】福永暢彦
【株主】〔24.6〕山﨑亨
【事業】ベアリング100
【従業員】単521名(41.6歳)

【業績】	売上高	営業利益	経常利益	純利益
単22.3	11,690	‥	‥	‥
単23.3	12,110	‥	‥	‥
単24.3	11,088	‥	‥	‥

#残業が少ない

日本フイルコン（にほん）

東証スタンダード

採用内定数	倍率	3年後離職率	平均年収
1名	35倍	12.5%	602万円

●待遇、制度●
【初任給】月22.9万
【残業】3.7時間【有休】15.3日【制度】フ 住 在
●新卒定着状況●
20年入社(男6、女2)→3年後在籍(男6、女1)
●採用情報●
【人数】23年:9 24年:13 25年:応募35→内定1*
【内定内訳】(男0、女1)(文1、理0)(総1、他0)
【試験】〔Web自宅〕有〔性格〕有
【時期】エントリー25.3→内々定25.4(一次はWEB面接可)
【採用実績校】立命館大1
【求める人材】まじめで柔軟性のある人、新しいことに挑戦したい人

【本社】206-8577 東京都稲城市大丸2220 ☎042-377-5711
【特色・近況】国内首位の抄紙網(紙の原形を作るワイヤー)メーカー。各種フィルター、コンベヤーのほか工業用特殊網も手がける。精密加工技術を応用し、エッチング加工やフォトマスクの製造販売も展開。子会社でプールやろ過装置を扱うアクア事業も行う。
【設立】1936.3 【資本金】2,685百万円
【社長】名倉宏之(1958.11生 芝工大工化卒)
【株主】〔24.5〕王子ホールディングス12.1%
【連結事業】産業用機能フィルター・コンベア66、電子部材・フォトマスク15、環境・水処理関連15、不動産賃貸4 <海外34>
【従業員】連1,281名 単459名(44.4歳)

【業績】	売上高	営業利益	経常利益	純利益
連21.11	24,781	1,103	1,615	1,084
連22.11	25,950	1,060	1,685	1,077
連23.11	27,986	631	1,019	1,270

ハードロック工業（こうぎょう） [株式公開計画なし]

採用内定数	倍率	3年後離職率	平均年収
2名	3倍	66.7%	‥

[待遇、制度]
【初任給】月21.5万
【残業】4.3時間【有休】13.4日【制度】[在]
[新卒定着状況]
20年入社(男2、女1)→3年後在籍(男1、女0)
[採用情報]
【人数】23年:5 24年:4 25年:応募6→内定2*
【内定内訳】(男2、女0)(文0、理1)(総2、他0)
【試験】〔性格〕有
【時期】エントリー25.3→内々定25.6*(一次はWEB面接可)【インターン】有【ジョブ型】有
【採用実績校】大阪工業大1、近大高専1

【求める人材】利他の心を持ち、素直に受入れ実行し、感謝の気持ちを持てる人

【本社】577-0063 大阪府東大阪市川俣1-6-24
☎06-6784-1131
【特色・近況】ネジゆるみ防止ナット専門メーカー。自社独自開発の「ハードロックナット」「ハードロックベアリングナット」などが主力製品。全国即納体制を構築する。欧州、カナダ、中国、韓国などに代理店。自社ECサイトでも販売する。
【設立】1977.3 【資本金】10百万円
【社長】若林雅彦(1967.7生 岡山大工卒)
【株主】〔23.6〕若林克彦35.0%
【事業】ハードロックナット77、HLBナット16、スペースロックナット4、ハードロックセットスクリュー3 <輸出15>
【従業員】単99名(42.3歳)

【業績】	売上高	営業利益	経常利益	純利益
単21.6	1,906	100	125	97
単22.6	2,008	104	120	99
単23.6	1,900	38	43	30

パウダーテック [東証スタンダード]

採用内定数	倍率	3年後離職率	平均年収
2名	5倍	0%	651万円

[待遇、制度]
【初任給】月26.3万
【残業】8.7時間【有休】16.3日【制度】[フ][住][在]
[新卒定着状況]
20年入社(男2、女0)→3年後在籍(男2、女0)
[採用情報]
【人数】23年:0 24年:1 25年:応募10→内定2*
【内定内訳】(男1、女1)(文0、理1)(総0、他2)
【試験】〔筆記〕GAB〔Web会場〕C-GAB〔Web自宅〕WEB-GAB〔性格〕有
【時期】エントリー25.3→内々定25.6【インターン】有
【採用実績校】順天堂大1、大原簿記法律専1

【求める人材】誠実、チャレンジ精神、開拓精神のある人

【本社】277-8557 千葉県柏市十余二217
☎04-7145-5751
【特色・近況】オフィス用複写機に用いられる電子写真用キャリア粉末で国内シェア7割超の最大手。フルカラーに強み。粒子設計技術に定評。環境負荷の少ない軽金属系フェライトキャリアを拡大中。食品包装向け脱酸素剤や酸素検知剤も手がける。
【設立】1966.4 【資本金】1,557百万円
【社長】丸山憲行(1962.5生 同大経済卒)
【株主】〔24.3〕南悠商社36.8%
【連結事業】機能性材料87、品質保持剤13
【従業員】連258名 単212名(45.8歳)

【業績】	売上高	営業利益	経常利益	純利益
連22.3	8,837	1,115	1,135	817
連23.3	8,834	700	741	544
連24.3	8,548	406	478	280

パンチ工業（こう ぎょう） [東証スタンダード]

採用予定数	倍率	3年後離職率	平均年収
14名	−	28.6%	[総]527万円

[待遇、制度]
【初任給】月23.2万(諸手当1.5万円)
【残業】18.3時間【有休】14.1日【制度】[住][在]
[新卒定着状況]高卒のみ
20年入社(男6、女1)→3年後在籍(男4、女1)
[採用情報]
【人数】23年:13 24年:3 25年:応募2→内定0*
【内定内訳】(男‥、女‥)(文‥、理‥)(総‥、他‥)
【試験】〔性格〕有
【時期】エントリー25.3→内々定‥(一次はWEB面接可)
【採用実績校】‥

【求める人材】自ら考え行動を起こす人、志に向かって突き進める人

【本社】140-0013 東京都品川区南大井6-22-7 大森ベルポートE館 ☎03-5753-3130
【特色・近況】金型部品の特注品で国内トップクラス。自動車、電子部品、精密機器が主要顧客。中国では8000社の顧客基盤を持ち、シェアはトップ級。豊富な標準部品と特注品への対応に強み。国内工場は特注品に特化、カタログ品の生産は中国・ベトナムへの移管を進める。
【設立】1975.3 【資本金】3,406百万円
【社長】森久保哲司(1977.1生 明大経済卒)
【株主】〔24.3〕エム・ティ興産15.4%
【連結事業】金型部品100 <海外68>
【従業員】連3,512名 単657名(39.3歳)

【業績】	売上高	営業利益	経常利益	純利益
連22.3	39,358	3,041	3,007	2,040
連23.3	42,799	2,436	2,394	1,390
連24.3	38,344	1,240	1,421	▲577

㈱深江工作所（ふかえこうさくしょ）

株式公開計画なし

採用実績数	倍率	3年後離職率	平均年収
9名	－	33.3%	523万円

●待遇、制度●
【初任給】月23.1万（諸手当4.1万円）
【残業】7.6時間【有休】14.6日【制度】住
●新卒定着状況●
20年入社（男3、女0）→3年後在籍（男2、女0）
●採用情報●
【人数】23年:10 24年:9 25年:応募2→内定0*
【内定内訳】（男‥、女‥）（文‥、理‥）（総‥、他‥）
【試験】なし
【時期】エントリー25.2→内々定25.6【インターン】有
【採用実績校】‥
【求める人材】チャレンジ精神に富み、自ら考え行動できる人、覇気がありコミュニケーション能力が高い人

【本社】807-0831 福岡県北九州市八幡西区則松5-3-9 ☎093-691-1731
【特色・近況】精密金型とプレス加工製品の製造開発を手がける。AV・OA機器部品や自動車用電装関連部品、家電関連部品などを中心に生産。順送金型からトランスファー金型まで高精度の金型を提供。北九州市が地盤で、本社含めて5工場体制。
【設立】1961.5 【資本金】48百万円
【社長】深江浩司（1963.3生 日大卒）
【株主】〔24.4〕深江浩司
【事業】金型45、プレス加工55
【従業員】単312名（42.5歳）

【業績】	売上高	営業利益	経常利益	純利益
単22.1	6,701	48	403	185
単23.1	7,688	103	535	377
単24.1	7,606	▲623	91	67

福井鋲螺（ふくいびょうら）

株式公開計画なし

採用内定数	倍率	3年後離職率	平均年収
5名	5.8倍	0%	‥

●待遇、制度●
【初任給】月23.3万
【残業】14.3時間【有休】12.8日【制度】フ 住 在
●新卒定着状況●
20年入社（男4、女1）→3年後在籍（男4、女1）
●採用情報●
【人数】23年:16 24年:15 25年:応募29→内定5
【内定内訳】（男5、女0）（文1、理4）（総1、他4）
【試験】〔筆記〕有〔Web会場〕有〔Web自宅〕有〔性格〕有
【時期】エントリー24.6→内々定25.5【インターン】有
【採用実績校】小松大1、福井工大2、金沢工大1、福井県大1
【求める人材】自らしっかり考え行動する力があり、チャレンジ精神が旺盛で、コミュニケーション能力がある人

【本社】919-0898 福井県あわら市山十楽1-7 ☎0776-73-1000
【特色・近況】独自の冷間圧造技術や、加工技術で微小・特殊形状のネジ、リベットを製造・販売するメーカー。長尺ネジ生産で個人創業。自動車、家電、通信機器、住宅設備、日用品向け中心に納入実績。米国、ドイツ、タイに現地法人。
【設立】1963.2 【資本金】450百万円
【社長】打本幸雄（1948.7生 武工大経営工卒）
【株主】〔23.12〕ピコラ52.3%
【事業】特殊圧造パーツ80、ブラインドリベット9、中空リベット8、打込みリベット2、省力機器1 <輸出18>
【従業員】単474名（42.4歳）

【業績】	売上高	営業利益	経常利益	純利益
単21.12	14,799	1,673	1,947	1,340
単22.12	15,150	1,741	1,968	1,403
単23.12	16,064	1,540	1,715	1,278

不二サッシ（ふじ）

東証スタンダード

採用内定数	倍率	3年後離職率	平均年収
10名	4.8倍	20.8%	565万円

●待遇、制度●
【初任給】月23.4万（固定残業代22時間分）
【残業】23時間【有休】13.7日【制度】住 在
●新卒定着状況●
20年入社（男17、女7）→3年後在籍（男13、女6）
●採用情報●
【人数】23年:17 24年:32 25年:応募48→内定10*
【内定内訳】（男6、女4）（文3、理6）（総0、他10）
【試験】〔Web自宅〕玉手箱
【時期】エントリー25.3→内々定25.6（一次・二次以降もWEB面接可）【インターン】有
【採用実績校】千葉工大2、芝工大1、法政大1、武蔵野大1、龍谷大1、目白大1、関大1、大阪産大1、国際理工カレッジ専1
【求める人材】これだけは他人に負けないというユニークな感性や能力を持っている人

【本社】212-0058 神奈川県川崎市幸区鹿島田1-1-2 ☎044-520-0034
【特色・近況】アルミサッシの草分けで国内4位。主軸はビルサッシで、カーテンウォール工法のパイオニア。アルミを加工した形材・加工品の外販、ごみ焼却灰処理や廃棄物処理プラントの施工も展開。LED内蔵建材を開発。子会社で医療用マグネシウム合金を開発。文化シヤッター傘下。
【設立】1969.5 【資本金】1,709百万円
【社長】江崎裕之（1964.9生）
【株主】〔24.3〕文化シヤッター23.4%
【連結事業】建材73、形材外販21、環境3、物流3、他0
【従業員】連2,961名 単928名（46.6歳）

【業績】	売上高	営業利益	経常利益	純利益
連22.3	90,430	885	1,101	▲3,326
連23.3	101,700	735	960	338
連24.3	101,260	1,773	2,186	1,714

藤田螺子工業（ふじたらしこうぎょう）

株式公開計画なし

採用内定数	倍率	3年後離職率	平均年収
9名	14.1倍	－	504万円

●待遇、制度●
【初任給】月22.6万
【残業】9時間【有休】14日【制度】在
●新卒定着状況●
20年入社(男0、女0)→3年後在籍(男0、女0)
●採用情報●
【人数】23年:14 24年:9 25年:応募127→内定9
【内定内訳】(男5、女4)(文9、理0)(総9、他0)
【試験】〔Web自宅〕有〔性格〕有
【時期】エントリー25.1→内々定25.3(一次はWEB面接可)【インターン】有
【採用実績校】名城大3、名古屋外大2、愛知大1、岐阜聖徳学大2、名古屋学院大1
【求める人材】現状に甘んじず自己成長を怠らない人、チームで協働し仲間と成果を喜び合える人

【本社】450-8620 愛知県名古屋市中村区名駅南3-9-3 ☎052-586-1181
【特色・近況】自動車関連メーカー向けに精密ネジ等ファスナー類、機能部品を製造販売。航空機、船舶、家電、医療、産業機器向けにも展開。開発・試作から量産まで一貫。自動車関連7割超。独自技術磨く。アジア中心に海外展開を強化。
【設立】2007.11 【資本金】89百万円
【社長】藤田尚大(1978.7生)
【株主】FJTホールディングス100%
【事業】ファスナー類89、自動省力化機械3、ジオメット処理1、他7 <輸出17>
【従業員】単424名(35.0歳)

【業績】	売上高	営業利益	経常利益	純利益
単21.6	26,729	590	826	586
単22.6	26,816	541	1,003	992
単23.6	28,418	109	476	332

#年収高く倍率低い

宮地エンジニアリング（みやぢ）

株式公開していない

採用内定数	倍率	3年後離職率	平均年収
9名	3.2倍	15.8%	㊟860万円

●待遇、制度●
【初任給】月26万
【残業】14.8時間【有休】13.7日【制度】住
●新卒定着状況●
20年入社(男13、女6)→3年後在籍(男10、女6)
●採用情報●
【人数】23年:17 24年:14 25年:応募29→内定9*
【内定内訳】(男9、女0)(文3、理4)(総9、他0)
【試験】〔筆記〕有〔Web自宅〕SPI3
【時期】エントリー25.3→内々定25.5*【インターン】有
【採用実績校】岩手大1、山梨大1、法政大1、関西学大2、成蹊大1、福岡大1、長岡高専1、石川高専1
【求める人材】物事に誠実に取り組み、現状に満足せず一歩先に進む努力・挑戦ができる人

【本社】103-0006 東京都中央区日本橋富沢町9-19 ☎03-3639-2111
【特色・近況】橋梁ほか鋼構造物の製作架設が主力の総合エンジニアリング企業。明石海峡大橋、関門橋、東京ゲートブリッジなど橋梁建設に実績。南米、東南アジア、中東、アフリカなど海外の工事実績も多い。札幌から沖縄まで全国7カ所に営業拠点を置く。
【設立】1949.3 【資本金】1,500百万円
【社長】上原正(1960.4生)
【株主】〔24.3〕宮地エンジニアリンググループ100%
【事業】橋梁、建築他
【従業員】単488名(‥歳)

【業績】	売上高	営業利益	経常利益	純利益
単22.3	34,119	3,263	‥	‥
単23.3	36,103	3,097	‥	‥
単24.3	39,729	4,452	‥	‥

宮脇鋼管（みやわきこうかん）

株式公開いずれしたい

採用内定数	倍率	3年後離職率	平均年収
2名	2倍	－	㊟434万円

●待遇、制度●
【初任給】月21万(諸手当を除いた数値)
【残業】20時間【有休】14.7日【制度】フ 住 在
●新卒定着状況●
20年入社(男0、女0)→3年後在籍(男0、女0)
●採用情報●
【人数】23年:4 24年:10 25年:応募4→内定2*
【内定内訳】(男2、女0)(文2、理0)(総2、他0)
【試験】〔性格〕有
【時期】エントリー25.3→内々定25.6*(二次以降はWEB面接可)
【採用実績校】北翔大1、金沢学大1
【求める人材】共に学び挑戦し続けてくれる人

【本社】557-0062 大阪府大阪市西成区津守3-7-10 ☎06-6658-3801
【特色・近況】鋼管のリサイクルから鋼構造物のあらゆる加工をワンストップ受注する事業が柱。東西に物流拠点。千葉県・浦安に加工センター。大阪万博、都市再開発など鋼管構造物加工の需要拡大を見込む。1918年鉄パイプ販売などで創業。
【設立】1961.3 【資本金】100百万円
【社長】宮脇健(1966.2生 関大卒)
【株主】〔24.3〕宮脇健56.4%
【事業】鋼管・鋼材販売、鋼管加工
【従業員】単173名(36.6歳)

【業績】	売上高	営業利益	経常利益	純利益
単22.3	11,785	595	619	424
単23.3	12,298	635	666	438
単24.3	10,916	496	601	398

メテック

株式公開未定

採用内定数	倍率	3年後離職率	平均年収
1名	12倍	50%	‥

●待遇、制度●
【初任給】月21.5万(諸手当1.5万円)
【残業】19時間【有休】8.5日【制度】‥
●新卒定着状況●
20年入社(男1、女3)→3年後在籍(男0、女2)
●採用情報●
【人数】23年:5 24年:3 25年:応募12→内定1*
【内定内訳】(男0、女1)(文1、理0)(総0、他1)
【試験】〔Web自宅〕有〔性格〕有
【時期】エントリー25.3→内々定25.5(一次・二次以降もWEB面接可)【インターン】有
【採用実績校】京産大1
【求める人材】社訓の誠意、積極進取、和合を大切に出来る人

【本社】601-8133 京都府京都市南区上鳥羽薬田町32 ☎075-661-4900
【特色・近況】電子部品の表面処理メッキを手がける。半導体、電子部品、車載産業機器メーカーなどが主ユーザー。車載半導体やEV充電設備向け等のめっき研究進める。製造拠点は本社・北海道・徳島・宮崎・鹿児島の国内5カ所、海外はタイとマレーシアに生産現法。
【設立】1950.6 【資本金】97百万円
【社長】北村隆幸(1959.10生 同大工卒)
【株主】〔23.8〕北村隆幸31.2%
【事業】電子部品95、機械部品3、他2
【従業員】単269名(43.3歳)

【業績】	売上高	営業利益	経常利益	純利益
単21.8	5,929	452	600	544
単22.8	5,680	330	549	467
単23.8	4,639	▲121	101	77

㈱八幡ねじ(やはた)

株式公開計画なし

採用内定数	倍率	3年後離職率	平均年収
11名	22.7倍	22.2%	[総]530万円

●待遇、制度●
【初任給】月21.9万(諸手当0.6万円)
【残業】6.8時間【有休】12日【制度】[住][在]
●新卒定着状況●
20年入社(男5、女4)→3年後在籍(男4、女3)
●採用情報●
【人数】23年:16 24年:10 25年:応募250→内定11*
【内定内訳】(男6、女5)(文7、理0)(総7、他4)
【試験】〔性格〕有
【時期】エントリー25.3→内々定25.5*【インターン】有
【採用実績校】愛知大2、名城大2、中京大2、名古屋学院大1
【求める人材】ものづくりに関わりたい、好奇心旺盛な、人の為に努力できる、社会に貢献したい人

【本社】481-8555 愛知県北名古屋市山之腰天神東18 ☎0568-22-2629
【特色・近況】ボルト、ナット、金属製品などの締結部品メーカー。工業用部品からDIY関連まで約40万点の商品群。IT技術を生かした物流改善や企業のデザインマネジメントにも取り組む。タイ、中国、インドネシア、台湾にグループ生産拠点。
【設立】1953.7 【資本金】20百万円
【社長】村田和弘
【株主】〔23.6〕ヤハタホールディングス100%
【事業】締結部品(ボルト・ナット類)製造販売、ホームセンター向パッケージ商品
【従業員】単287名(41.2歳)

【業績】	売上高	営業利益	経常利益	純利益
単21.6	22,975	940	1,039	670
単22.6	24,193	301	581	394
単23.6	25,821	791	936	291

#有休取得が多い

㈱山田製作所(やまだせいさくしょ)

株式公開計画なし

採用予定数	倍率	3年後離職率	平均年収
未定	‥	‥	[総]600万円

●待遇、制度●
【初任給】月22万(諸手当を除いた数値)
【残業】6時間【有休】19日【制度】[住]
●新卒定着状況●
‥
●採用情報●
【人数】23年:0 24年:0 25年:予定未定
【内定内訳】(男‥、女‥)(文‥、理‥)(総‥、他‥)
【試験】なし
【時期】エントリー‥→内々定‥【インターン】有
【採用実績校】‥
【求める人材】物事を積極的にとらえ、他者と協調して職場を明るく盛り上げてくれるような人

【本社】490-1205 愛知県あま市花正七反地19 ☎052-442-1491
【特色・近況】ポペット、プランジャー、スプールなどの精密油圧部品を製造する国内で数少ない研削専門メーカー。IoTを活用し作業工程の標準化・簡易化を実現した生産体制を整備。静岡県・浜松に営業所。海外は、米国、タイ、中国に生産拠点を展開。
【設立】1986.5 【資本金】10百万円
【社長】山田英登(1974.7生)
【株主】〔24.5〕山田英登82.0%
【事業】精密機械部品の製作、各種部品の研削 <輸出1>
【従業員】単48名(28.9歳)

【業績】	売上高	営業利益	経常利益	純利益
単22.4	464	10	13	10
単23.4	506	9	17	12
単24.4	530	28	30	21

㈱横森製作所（よこもりせいさくしょ）

株式公開計画なし

採用内定数	倍率	3年後離職率	平均年収
8名	2.5倍	0%	636万円

●待遇、制度●
【初任給】月28.5万(諸手当2.5万円、固定残業代17時間分)
【残業】12時間【有休】11.5日【制度】住 在

●新卒定着状況●
20年入社(男10、女0)→3年後在籍(男10、女0)

●採用情報●
【人数】23年:20 24年:19 25年:応募20→内定8
【内定内訳】(男7、女1)(文5、理3)(総8、他0)
【試験】〔筆記〕常識、他
【時期】エントリー25.3→内々定25.6(一次はWEB面接可)【インターン】有
【採用実績校】工学院大1、國學院大1、国士舘大1、作新学大1、摂南大1、椙山女学大1、東海大1、南山大1
【求める人材】明るく元気で、チャレンジ精神が旺盛な人、世の中を支えるものづくりがしたい人

【本社】151-0073 東京都渋谷区笹塚1-47-1 メルクマール京王笹塚 ☎03-3460-9211
【特色・近況】国内最大の鉄骨階段専門メーカー。国内200m超の高層ビル約8割で採用。多くの特許を保有し静音、施工性、高精度に配慮。住宅用階段や階段リニューアル事業にも注力。北海道から九州まで国内9工場。中国と米国に現地法人。
【設立】1961.12 【資本金】60百万円
【社長】有明威(1987.8生 立大経営卒)
【株主】〔23.9〕有明威46.1%
【事業】鉄骨製階段91、階段手すり9 <輸出0>
【従業員】単523名(39.9歳)

【業績】	売上高	営業利益	経常利益	純利益
単21.9	15,483	1,420	1,689	1,017
単22.9	14,988	705	757	472
単23.9	16,501	1,829	1,588	1,041

#残業が少ない

和田ステンレス工業（わだこうぎょう）

株式公開計画なし

採用内定数	倍率	3年後離職率	平均年収
2名	1倍	0%	365万円

●待遇、制度●
【初任給】月19.7万
【残業】1時間【有休】9.9日【制度】住

●新卒定着状況●
20年入社(男1、女0)→3年後在籍(男1、女0)

●採用情報●
【人数】23年:2 24年:1 25年:応募2→内定2
【内定内訳】(男1、女1)(文‥、理‥)(総0、他2)
【試験】なし
【時期】エントリー25.4→内々定25.6
【採用実績校】‥
【求める人材】‥

【本社】959-0215 新潟県燕市吉田下中野1473 ☎0256-92-3160
【特色・近況】新潟県燕市に本社を置くステンレス加工メーカー。1934年洋食器の製造で創業。化学向けステンレス製高純度薬品容器、飲料用容器(ビール樽)を主力に製造・販売行う。加工から溶接・表面処理・組立検査まで一貫生産体制。本社に工場、東京に支店。
【設立】1964.1 【資本金】64百万円
【社長】和田克行(1963.3生 大学卒)
【株主】〔23.12〕和田克行41.5%
【事業】ビア樽31、薬品用容器35、飲料用容器7、ハウジング4、医療機器15、他8 <輸出1>
【従業員】単97名(44.5歳)

【業績】	売上高	営業利益	経常利益	純利益
単21.12	2,233	287	351	263
単22.12	2,847	622	468	335
単23.12	2,923	613	400	237

㈱戸畑ターレット工作所（とばたこうさくしょ）

株式公開計画なし

採用実績数	倍率	3年後離職率	平均年収
1名	―	25%	‥

●待遇、制度●
【初任給】月20.3万
【残業】12.3時間【有休】10.9日【制度】‥

●新卒定着状況●
20年入社(男4、女0)→3年後在籍(男3、女0)

●採用情報●
【人数】23年:4 24年:1 25年:応募0→内定0*
【内定内訳】(男‥、女‥)(文‥、理‥)(総‥、他‥)
【試験】〔筆記〕常識〔性格〕有
【時期】エントリー25.3→内々定25.3(一次はWEB面接可)
【採用実績校】‥
【求める人材】論理的な思考力のある人、コミュニケーション能力のある人、文理問わずモノづくりが好きな人

【本社】800-0211 福岡県北九州市小倉南区新曽根11-31 ☎093-471-7403
【特色・近況】北九州唯一の非鉄鍛造・アルミダイカスト・摩擦圧接量産メーカー。非鉄鍛造、アルミダイカスト、摩擦圧接接合、アッセンブリなどがコア技術。素材から表面処理まで一貫。自動車部品、電力部品、住宅設備部品などを製造。北九州市内に3工場。
【設立】1962.12 【資本金】22百万円
【社長】松本大毅(1977.5生 山口大工卒)
【株主】〔24.3〕松本大毅69.8%
【事業】電力部品22、住宅設備部品17、自動車部品58、他3
【従業員】単167名(39.0歳)

【業績】	売上高	営業利益	経常利益	純利益
単21.3	1,876	▲4	6	6
単22.3	2,123	▲24	1	1
単23.3	2,365	▲20	8	8

三和テッキ（さんわ）

株式公開 いずれしたい

採用内定数	倍率	3年後離職率	平均年収
4名	‥	0%	‥

●待遇、制度●
【初任給】月24.2万(諸手当1.2万円)
【残業】23.5時間【有休】13.3日【制度】住
●新卒定着状況●
20年入社(男7、女1)→3年後在籍(男7、女1)
●採用情報●
【人数】23年:8 24年:9 25年:応募‥→内定4*
【内定内訳】(男3、女1)(文3、理1)(総4、他0)
【試験】〔筆記〕常識〔Web自宅〕有
【時期】エントリー25.3→内々定25.6(一次はWEB面接可)【インターン】有
【採用実績校】法政大1、武蔵大1、九産大1、関大1
【求める人材】「なければ誰もが困る」そんな仕事にやりがいを感じ、自ら考え判断し、行動できる人

【本社】140-8669 東京都品川区南品川6-4-6 ☎03-3474-4111
【特色・近況】鉄道・電力用架線金具メーカーでトップ。1907年創業。鉄道と電力向けが9割占める。発電所の管系支持装置にも強み。制振・免震装置も提案営業。鉄道広場にてE2型新幹線の先頭車両を静態保存し、毎月1回一般公開。海外への製品販売にも注力。
【設立】1927.10 【資本金】423百万円
【社長】野島正
【株主】〔24.3〕一般財団法人STCみらいサポート
【事業】電車線・送変電用金具・管系支持装置100
【従業員】単390名(‥歳)

【業績】	売上高	営業利益	経常利益	純利益
単22.3	11,214	‥	‥	440
単23.3	11,554	‥	‥	831
単24.3	12,657	‥	‥	677

#有休取得が多い

㈱浅野（あさの）

株式公開 計画なし

採用予定数	倍率	3年後離職率	平均年収
5名	−	−	506万円

●待遇、制度●
【初任給】月25万
【残業】25時間【有休】17.5日【制度】住
●新卒定着状況●
20年入社(男0、女0)→3年後在籍(男0、女0)
●採用情報●
【人数】23年:0 24年:0 25年:応募5→内定0*
【内定内訳】(男‥、女‥)(文‥、理‥)(総‥、他‥)
【試験】〔筆記〕常識
【時期】エントリー25.4→内々定25.7(一次はWEB面接可)【インターン】有
【採用実績校】‥
【求める人材】誠実・真面目・温厚かつ忍耐力のある人

【本社】372-0011 群馬県伊勢崎市三和町2718-1 ☎0270-75-1700
【特色・近況】自動車、電気機器、航空機を中心とした試作部品製作会社。生産品目は年間3万種類以上。自動車部品用では国内有数。光学機器や医療機器分野などへも展開。試作金型から量産金型まで一貫受注。群馬、静岡、京都に工場。
【設立】1953.6 【資本金】90百万円
【社長】浅野圭祐(1984.3生 テキサス州大卒)
【株主】〔24.3〕浅野誠53.9%
【事業】自動車他試作部品85、樹脂成形用精密金型15
【従業員】単241名(45.7歳)

【業績】	売上高	営業利益	経常利益	純利益
単22.3	4,015	▲176	▲142	▲160
単23.3	3,843	▲248	▲195	▲586
単24.3	3,537	▲135	▲139	▲181

第一工業（だいいちこうぎょう）

株式公開 未定

採用内定数	倍率	3年後離職率	平均年収
3名	5.3倍	22.7%	‥

●待遇、制度●
【初任給】月21.5万(諸手当0.5万円)
【残業】5時間【有休】12日【制度】住
●新卒定着状況●
20年入社(男21、女1)→3年後在籍(男16、女1)
●採用情報● 高卒除く
【人数】23年:3 24年:5 25年:応募16→内定3*
【内定内訳】(男1、女2)(文0、理1)(総3、他0)
【試験】〔筆記〕常識〔性格〕有
【時期】エントリー24.8→内々定25.4(一次はWEB面接可)【インターン】有【ジョブ型】有
【採用実績校】東京工科大1、浜松未来総合専2
【求める人材】常に前向きでバイタリティがありフットワークのある人

【本社】431-3112 静岡県浜松市中央区大島町955-9 ☎053-433-1111
【特色・近況】2輪・4輪車用部品、精密ボルト・ナットなどのネジ類、机・いすなどの学校・OA用家具の製販が3本柱。中国、インドに生産拠点。国内は本社工場のほか豊岡、新平山、富山の3工場。新平山工場内にはR&Dセンターも併設。
【設立】1948.9 【資本金】200百万円
【社長】鈴木崇嗣(1972.10生 早大院修了)
【株主】〔24.3〕鈴木悦夫グループ26.5%
【事業】2・4輪車部品52、ボルト・ナット37、机・イス他11
【従業員】単517名(41.0歳)

【業績】	売上高	営業利益	経常利益	純利益
単22.3	21,972	‥	1,054	388
単23.3	26,149	‥	1,347	515
単24.3	26,486	‥	2,000	1,328

[株]トピア

株式公開計画なし

採用内定数	倍率	3年後離職率	平均年収
15名	4.2倍	23.5%	[総]606万円

●待遇、制度●
【初任給】月22.2万
【残業】20.5時間【有休】8日【制度】[住][在]
●新卒定着状況●
20年入社(男15、女2)→3年後在籍(男12、女1)
●採用情報●
【人数】23年:16 24年:14 25年:応募63→内定15*
【内定内訳】(男11、女4)(文11、理4)(総15、他0)
【試験】〔Web自宅〕SPI3〔性格〕有
【時期】エントリー25.3→内々定25.4(一次・二次以降もWEB面接可)【インターン】有
【採用実績校】愛知大1、名古屋学院大1、名城大2、中京大1、中部大1、皇學館大1、愛知学大2、四日市大1、愛知淑徳大1、長崎大院1、他
【求める人材】モノづくりに興味がある人、チャレンジ精神が旺盛な人

【本社】513-0031 三重県鈴鹿市一ノ宮町1477-1
☎059-383-7322
【特色・近況】金属加工試作品の専業メーカー。自動車部品、電気機器部品メーカーが主要顧客。3Dデザイン、試作板金加工など企画・設計から量産立ち上げまでサポート。本社と平塚、中国・常熟などに工場。中国、ブラジル、ドイツ、米国に現地法人。
【設立】1973.8 【資本金】86百万円
【社長】佐々木英樹(1964.1生)
【株主】‥
【事業】自動車部品試作製造85、電気機械試作製造10、他5
【従業員】単750名(41.0歳)

【業績】	売上高	営業利益	経常利益	純利益
単22.3	10,500	‥	1,500	1,130
単23.3	14,480	‥	3,480	1,750
単24.3	13,700	‥	3,040	1,980

日発精密工業(にっぱつせいみつこうぎょう)

株式公開計画なし

採用実績数	倍率	3年後離職率	平均年収
5名	―	0%	[総]667万円

●待遇、制度●
【初任給】月22.2万(諸手当0.3万円)
【残業】4時間【有休】14.2日【制度】[住]
●新卒定着状況●
20年入社(男4、女0)→3年後在籍(男4、女0)
●採用情報●
【人数】23年:4 24年:5 25年:応募5→内定0*
【内定内訳】(男‥、女‥)(文‥、理‥)(総‥、他‥)
【試験】‥
【時期】エントリー25.3→内々定25.3
【採用実績校】‥
【求める人材】創造性豊かで、明るく行動的で失敗を恐れない人

【本社】259-1126 神奈川県伊勢原市沼目2-1-49 日本発条(株)内3階
☎0463-94-5235
【特色・近況】ブレーキディスクなど自動車部品や、国内唯一生産の継ぎ手用重ね板ばねなど精密部品、ねじ工具を製造・販売。熱処理、塑性加工、研磨などを融合した超精密技術に定評。タイ、インドネシア、中国・杭州に生産拠点。ニッパツのグループ会社。
【設立】1958.2 【資本金】480百万円
【社長】神作武志(1963.7生)
【株主】〔24.3〕ニッパツ100%
【事業】ねじ工具、自動車部品、情報処理機器部品、産業用精密部品 <輸出14>
【従業員】単195名(41.9歳)

【業績】	売上高	営業利益	経常利益	純利益
単22.3	6,257	1,293	1,565	1,133
単23.3	5,663	655	797	573
単24.3	4,269	22	172	197

[株]タナカ

株式公開いずれしたい

採用内定数	倍率	3年後離職率	平均年収
10名	3.3倍	28.6%	[総]504万円

●待遇、制度●
【初任給】月21.2万
【残業】6.3時間【有休】12.8日【制度】[住]
●新卒定着状況●
20年入社(男6、女1)→3年後在籍(男5、女0)
●採用情報●
【人数】23年:5 24年:1 25年:応募33→内定10*
【内定内訳】(男1、女9)(文9、理0)(総10、他0)
【試験】〔性格〕有
【時期】エントリー25.3→内々定25.5*(一次・二次以降もWEB面接可)【インターン】有
【採用実績校】茨城大1、常磐大2、金沢学大1、茨城キリスト大2、追手門学大1、江戸川大1、京都精華大1、つくばビジネスカレッジ専1
【求める人材】何事にも真剣に取り組み周囲と調和のとれる人

【本社】300-4115 茨城県土浦市藤沢3495-1
☎029-862-1234
【特色・近況】筋かい金物や柱接合金物など住宅資材の製造販売を中心に、DMを利用した販売促進の提案、印刷、発送代行などの情報メディア部門も展開。選挙ディスプレイ部門では公営ポスター掲示板も手がけ、全国でトップの市場シェア。
【設立】1961.5 【資本金】98百万円
【会長兼社長】田中司郎(1956.6生 拓大卒)
【株主】〔24.3〕田中司郎56.8%
【事業】住宅資材69、ビジネスフォーム印刷・商業印刷27、特殊印刷4
【従業員】単466名(44.0歳)

【業績】	売上高	営業利益	経常利益	純利益
単22.3	17,840	1,575	1,777	1,143
単23.3	20,359	2,077	2,272	1,444
単24.3	19,425	1,570	1,759	1,187

㈱ベン

株式公開 いずれしたい

採用内定数	倍率	3年後離職率	平均年収
7名	3.6倍	0%	[総]680万円

●待遇、制度●
【初任給】月20.6万(諸手当1万円)
【残業】10時間【有休】11.3日【制度】[住]
●新卒定着状況●
20年入社(男4、女0)→3年後在籍(男4、女0)
●採用情報●
【人数】23年:6 24年:7 25年:応募25→内定7*
【内定内訳】(男6、女1)(文5、理0)(総7、他0)
【試験】なし
【時期】エントリー25.3→内々定25.6(一次はWEB面接可)【インターン】有
【採用実績校】横浜商大1、千葉商大1

【求める人材】大きな声で挨拶ができ、やる気のある人

【本社】231-0013 神奈川県横浜市中区住吉町3-30 ☎045-227-5241
【特色・近況】ビル・住宅・工場等の設備向け弁の専門メーカー。減圧・安全・一次圧力調整等、各種流体に関する弁や継手類を手がける。小流量用定量弁などの拡販に注力。岩手と相模原に工場。営業拠点は国内17カ所、ベトナムに出張所。
【設立】1950.11 【資本金】449百万円
【社長】鈴木一実(1962.5生)
【株主】〔24.3〕きらぼし銀行4.1%
【事業】各種弁、管継手
【従業員】単281名(39.4歳)

【業績】	売上高	営業利益	経常利益	純利益
単22.3	7,884	1,076	1,216	798
単23.3	8,041	1,214	1,387	963
単24.3	8,155	853	980	706

大阪精工(おおさかせいこう)

株式公開 計画なし

採用内定数	倍率	3年後離職率	平均年収
6名	‥	ー	‥

●待遇、制度●
【初任給】月21.2万
【残業】17時間【有休】14日【制度】[住][在]
●新卒定着状況●大卒、大学院卒
20年入社(男0、女0)→3年後在籍(男0、女0)
●採用情報●
【人数】23年:10 24年:7 25年:応募‥→内定6*
【内定内訳】(男6、女0)(文2、理4)(総3、他3)
【試験】なし
【時期】エントリー24.10→内々定25.3*(一次はWEB面接可)【インターン】有
【採用実績校】豊橋技科大1、広島大院1、大阪電通大1、広島工大1、追手門学大1、名桜大1

【求める人材】新しいことに果敢に挑戦する前向きな人

【本社】579-8014 大阪府東大阪市中石切町5-7-59 ☎072-982-2721
【特色・近況】冷間圧造用鋼線を主力に軸受用鋼線、異形鋼線、冷間鍛造部品などを製造。自動車向けが主体。提案型設計や様々な鋼種の取り扱い、技術ノウハウの蓄積に強み。国内3工場。米国、中国に合弁生産拠点。神鋼商事の持分法適用会社。
【設立】1960.3 【資本金】44百万円
【社長】澤田展明(1976.3生 関西学大院修了)
【株主】〔23.12〕神鋼商事39.7%
【事業】冷間圧造用鋼線72、冷間圧造部品18、他10 <輸出2>
【従業員】単265名(37.1歳)

【業績】	売上高	営業利益	経常利益	純利益
単21.12	17,502	513	537	93
単22.12	19,671	208	185	37
単23.12	21,816	218	136	74

㈱シンクスコーポレーション

株式公開 計画なし

採用実績数	倍率	3年後離職率	平均年収
3名	‥	0%	‥

●待遇、制度●
【初任給】月22.3万(諸手当を除いた数値)
【残業】25.2時間【有休】15.1日【制度】[住][在]
●新卒定着状況●
20年入社(男3、女0)→3年後在籍(男3、女0)
●採用情報●
【人数】23年:6 24年:3 25年:予定未定*
【内定内訳】(男‥、女‥)(文‥、理‥)(総‥、他‥)
【試験】〔筆記〕SPI3〔Web会場〕SPI3〔Web自宅〕SPI3〔性格〕有
【時期】エントリー通年→内々定通年【インターン】有【ジョブ型】有
【採用実績校】‥

【求める人材】顧客との信頼関係を大切にし、継続的な取引に繋がる仕組み作りを構築できる人

【本社】243-0303 神奈川県愛甲郡愛川町中津桜台4057-2 ☎046-284-3494
【特色・近況】独立系非鉄金属プレートメーカー。顧客指定サイズでの4面・6面フライスプレート加工で即納対応する。東南アジア向け輸出を推進。メイン販売品目のアルミ・ステンレス材料は半導体製造装置に多く使用され、5Gや自動運転の普及で需要高まる。
【設立】1997.4 【資本金】88百万円
【代表取締役】郡司克彦
【株主】〔24.4〕東京中小企業投資育成39.9%
【事業】アルミ軽圧品90、ステンレス10 <輸出7>
【従業員】単407名(35.4歳)

【業績】	売上高	営業利益	経常利益	純利益
単22.3	16,285	1,073	1,139	755
単23.3	17,485	736	923	612
単24.3	14,361	285	392	264

㈱テツゲン

株式公開計画なし

採用内定数	倍率	3年後離職率	平均年収
14名	6.1倍	20%	‥

●待遇、制度●
【初任給】月25万(諸手当を除いた数値)
【残業】21.8時間【有休】15.9日【制度】住 在

●新卒定着状況●
20年入社(男5、女0)→3年後在籍(男4、女0)

●採用情報●
【人数】23年:15 24年:13 25年:応募85→内定14*
【内定内訳】(男11、女3)(文8、理6)(総14、他0)
【試験】〔Web自宅〕有〔性格〕有
【時期】エントリー25.3→内々定25.6(一次はWEB面接可)【インターン】有
【採用実績校】秋田大1、都立大1、國學院大1、東京外大1、西南学大1、千葉工大2、西日本工大2、福岡工大1、聖心女大1、日体大1、他
【求める人材】成長意欲の高い人、探求心の強い人

【本社】102-8142 東京都千代田区富士見1-4-4 ☎03-3262-4142
【特色・近況】日本製鉄の各製鉄所構内で、酸回収・処理、排水処理など、製鉄プロセスで発生した物質のリサイクル処理を行う。酸化鉄、脱硫剤、水処理薬品などの販売や、水処理技術を活用した魚の養殖、水耕栽培の循環型農業も。東京に本社、全国に6支店。
【設立】1939.1 【資本金】1,000百万円
【社長】佐藤博恒(1956.4生 慶大経済卒)
【株主】〔24.3〕野村明代40.3%
【事業】原料26、スラグ21、塩酸・酸化鉄17、水処理15、エネルギー・石炭処理12、不動産1、他8 <輸出1>
【従業員】単1,323名(41.0歳)

【業績】	売上高	営業利益	経常利益	純利益
単22.3	37,352	1,440	1,586	2,062
単23.3	39,166	1,681	1,821	1,282
単24.3	41,327	1,762	1,903	1,252

㈱イチネンTASCO

株式公開計画なし

採用内定数	倍率	3年後離職率	平均年収
1名	8倍	―	総736万円

●待遇、制度●
【初任給】月28.4万(固定残業代30時間分)
【残業】15時間【有休】15日【制度】住

●新卒定着状況●
20年入社(男0、女0)→3年後在籍(男0、女0)

●採用情報●
【人数】23年:0 24年:1 25年:応募8→内定1*
【内定内訳】(男0、女1)(文1、理0)(総1、他0)
【試験】〔Web自宅〕SPI3〔性格〕有
【時期】エントリー25.1→内々定25.3(一次はWEB面接可)
【採用実績校】青学大1
【求める人材】元気で快活、目標に向かって努力と挑戦をし続けることができる人

【本社】577-0002 大阪府東大阪市稲田上町1-17-20 ☎06-6748-9260
【特色・近況】空調工具を中心に環境計測器も製造・販売。空調冷凍機器工具の開発・製造・輸入販売を主とし、「TASCO」ブランドは国内で業界最大手。タイで合弁事業も展開。自社製品の強化、海外展開の拡大図る。イチネンHDの完全子会社。
【設立】1976.5 【資本金】40百万円
【社長】岩田全弘(1961.10生 近大法卒)
【株主】〔24.3〕イチネンホールディングス100%
【事業】空調冷凍機器工具、環境計測器
【従業員】単45名(43.6歳)

【業績】	売上高	営業利益	経常利益	純利益
単22.3	5,391	‥	‥	‥
単23.3	5,358	‥	‥	‥
単24.3	5,657	‥	‥	‥

㈱ISS山崎機械(やまざききかい)

株式公開計画なし

採用内定数	倍率	3年後離職率	平均年収
3名	43倍	―	総833万円

●待遇、制度●
【初任給】月27.6万(固定残業代26.5時間分)
【残業】14.1時間【有休】15.7日【制度】住

●新卒定着状況●
20年入社(男0、女0)→3年後在籍(男0、女0)

●採用情報●
【人数】23年:4 24年:6 25年:応募129→内定3
【内定内訳】(男1、女2)(文3、理0)(総3、他0)
【試験】〔Web会場〕SPI3〔性格〕有
【時期】エントリー24.9→内々定25.3*
【採用実績校】京都女大1、都留文科大1、立命館大1
【求める人材】ものづくりが好きな人、多くの人と協力しながら仕事を進めたい人

【本社】520-3203 滋賀県湖南市日枝町3-2 ☎0748-75-1187
【特色・近況】型打鍛造はじめ鍛造品の製造会社。多様な設備と技術力でサイズの大小や材質問わず対応。建設機械や船舶・鉄道車輌の部品、建築部材として使用される。金型製作から機械加工など後工程まで請け負う一貫体制。滋賀県と高知県に5工場。ISSグループ。
【設立】1948.10 【資本金】87百万円
【社長】井上寿一(1958.7生 慶大経済卒)
【株主】〔23.12〕ISSホールディングス100%
【事業】建設用重機械部品55、他産業用機械部品45 <輸出2>
【従業員】単219名(38.4歳)

【業績】	売上高	営業利益	経常利益	純利益
単21.12	9,768	1,047	1,258	677
単22.12	12,837	1,449	1,743	585
単23.12	11,800	831	1,084	402

㈱宇部スチール（うべ）

株式公開計画なし

採用内定数	倍率	3年後離職率	平均年収
9名	1倍	50%	‥

●待遇、制度●
【初任給】月23.5万
【残業】20時間【有休】13.6日【制度】フ 住
●新卒定着状況●
20年入社(男6、女0)→3年後在籍(男3、女0)
●採用情報●
【人数】23年:8 24年:6 25年:応募9→内定9
【内定内訳】(男9、女0)(文0、理0)(総0、他9)
【試験】〔Web自宅〕SPI3〔性格〕有
【時期】エントリー24.10→内々定25.6(一次・二次以降もWEB面接可)【インターン】有
【採用実績校】‥
【求める人材】チャレンジ精神を持ち、創造力が豊かでコミュニケーション能力を持つ人

【本社】755-0067 山口県宇部市小串字沖の山1978-19 ☎0836-35-1300
【特色・近況】鉄スクラップを主原料として産業向け鋳造品、機械・自動車部品向け高品質ビレットなどを製造・販売するメーカー。国内50社以上、海外30社以上の電炉、高炉、鍛造メーカーなどに納入実績。鋳造品は超大物から小物までに対応。UBEマシナリーグループ。
【設立】1989.3 【資本金】1,000百万円
【社長】山根久雄(1959.4生 九大工卒)
【株主】〔24.3〕UBEマシナリー100%
【事業】ビレット80、鋳造品20 <輸出40>
【従業員】単274名(39.9歳)

【業績】	売上高	営業利益	経常利益	純利益
単22.3	30,721	200	158	108
単23.3	32,217	313	270	182
単24.3	27,768	804	826	552

㈱エンビプロ・ホールディングス

東証プライム

採用内定数	倍率	3年後離職率	平均年収
5名	5.4倍	33.3%	723万円

●待遇、制度●
【初任給】月22.2万(諸手当0.3万円)
【残業】24時間【有休】13日【制度】フ 住 在
●新卒定着状況●
20年入社(男3、女3)→3年後在籍(男1、女3)
●採用情報●
【人数】23年:2 24年:4 25年:応募27→内定5*
【内定内訳】(男3、女2)(文4、理1)(総5、他0)
【試験】〔Web自宅〕有
【時期】エントリー24.10→内々定25.1(一次・二次以降もWEB面接可)【インターン】有
【採用実績校】静岡大1、明大1、三重大1、創価大2
【求める人材】企業理念に共感し、挑戦と成長に意欲を持って、主体的に考え行動ができる人

【本社】418-0075 静岡県富士宮市田中町87-1 ☎0544-21-3160
【特色・近況】解体業者や自動車ディーラーから建築廃材、廃車を仕入れ、鉄スクラップや非鉄、プラスチックなどにリサイクルして販売。中間処理を行う子会社エコネコルが中核。韓国、中国など海外との取引が多い。中古車輸出も行う。子会社でリチウムイオン電池のリサイクルも展開。
【設立】2010.5 【資本金】1,553百万円
【社長】佐野富和(1952.3生)
【株主】〔24.6〕㈱ウィンデライト35.8%
【連結事業】資源循環31、グローバルトレーディング66、リチウムイオン電池リサイクル2、他1 <海外>
【従業員】連640名 単68名(38.4歳)

【業績】	売上高	営業利益	経常利益	純利益
連22.6	57,319	3,343	4,166	3,111
連23.6	49,189	1,542	1,901	1,236
連24.6	52,214	1,409	1,782	537

王子製鉄（おうじせいてつ）

株式公開計画なし

採用内定数	倍率	3年後離職率	平均年収
17名	‥	27.3%	719万円

●待遇、制度●
【初任給】月25万
【残業】17.4時間【有休】13.2日【制度】住
●新卒定着状況●
20年入社(男11、女0)→3年後在籍(男8、女0)
●採用情報●
【人数】23年:12 24年:8 25年:応募‥→内定17
【内定内訳】(男15、女2)(文4、理1)(総5、他12)
【試験】〔筆記〕有
【時期】エントリー25.3→内々定25.4【インターン】有
【採用実績校】秋田大1、信州大1、高崎経大1、共愛学園前橋国際大1、上武大1
【求める人材】自主性のもとに、積極的に仕事に取り組める人、何事にも柔軟に対応できる人

【本社】103-0027 東京都中央区日本橋3-2-5 ☎03-5201-7711
【特色・近況】日本製鉄グループの中核電炉メーカー。月産能力は製鋼4万t、圧延3.5万t。平鋼専業で国内首位。建築、土木、産業機械など多分野で使用され、多様なサイズ、形状、鋼種の平鋼を製造する体制を整備。理研コンツェルンの一角として創業。
【設立】1956.5 【資本金】345百万円
【社長】貴戸信治(1963.7生 立命大院修了)
【株主】〔24.3〕日本製鉄51.5%
【事業】平鋼96、角鋼4
【従業員】連417名 単350名(39.7歳)

【業績】	売上高	営業利益	経常利益	純利益
単22.3	36,946	4,337	4,517	3,172
単23.3	42,001	7,470	7,672	5,348
連24.3	41,926	8,410	8,420	6,000

大阪鋼管（おおさかこうかん）

株式公開計画なし

採用実績数	倍率	3年後離職率	平均年収
2名	‥	25%	‥

●待遇、制度●
【初任給】月22.5万
【残業】‥時間【有休】14日【制度】住

●新卒定着状況●
20年入社(男4、女0)→3年後在籍(男3、女0)

●採用情報●
【人数】23年:3 24年:2 25年:予定0
【内定内訳】(男‥、女‥)(文‥、理‥)(総‥、他‥)
【試験】〔筆記〕有〔Web会場〕有〔Web自宅〕有〔性格〕有
【時期】エントリー25.3→内々定25.‥*(一次はWEB面接可)【インターン】有
【採用実績校】‥
【求める人材】自ら考え、行動できる人

【本社】859-3454 長崎県佐世保市針尾北町813-1 ☎0956-58-5611
【特色・近況】日本製鉄傘下の会社で、鋼管の製造・加工・販売を手がける。冷間引抜加工による多様な異形管の製造に強み。太陽光発電事業にも取り組む。国内に9営業所を構える。1921年に鋼管技術「冷間引抜鋼管」を国内初導入して創業。
【設立】1933.12 【資本金】100百万円
【社長】坂根毅(1977.12生 東大工卒)
【株主】〔24.6〕日本製鉄23.9%
【事業】鋼管77、鋼板等4、建材その他14、不動産5
【従業員】単122名(43.0歳)

【業績】	売上高	営業利益	経常利益	純利益
単22.3	9,962	725	915	515
単23.3	10,934	897	993	572
単24.3	11,470	715	824	511

大阪製鐵（おおさかせいてつ）

東証スタンダード

採用内定数	倍率	3年後離職率	平均年収
6名	19.2倍	23.1%	総 769万円

●待遇、制度●
【初任給】月25万
【残業】20.9時間【有休】16日【制度】フ 住 在

●新卒定着状況●
20年入社(男11、女2)→3年後在籍(男8、女2)

●採用情報●
【人数】23年:4 24年:8 25年:応募115→内定6*
【内定内訳】(男5、女1)(文3、理3)(総6、他0)
【試験】なし
【時期】エントリー25.3→内々定25.6(一次・二次以降もWEB面接可)【インターン】有
【採用実績校】宮崎大1、兵庫県大院1、立命館APU1、愛媛大1、東洋大1、熊本県大1
【求める人材】モノづくりを楽しみ、チャレンジ精神に満ち、世界に向け羽ばたける人

【本社】541-0045 大阪府大阪市中央区道修町3-6-1 京阪神御堂筋ビル ☎06-6204-0300
【特色・近況】日本製鉄系の中核電炉メーカー。構造物に広く使われる建設・産業用の山形鋼や溝形鋼が主力。トロッコ用レールやエレベーターガイドレールで高シェア。鉄塔材は携帯電話基地局向けで強み持つ。製鋼から圧延までの一貫体制強化と大阪事業所の事業基盤強化を推進。
【設立】1978.5 【資本金】8,769百万円
【社長】谷潤一(1962.11生)
【株主】〔24.3〕日本製鉄60.6%
【連結事業】鋼材94、鋼片他6 <海外33>
【従業員】連1,058名 単581名(40.3歳)

【業績】	売上高	営業利益	経常利益	純利益
連22.3	104,455	3,863	3,958	2,567
連23.3	117,141	5,935	6,384	2,903
連24.3	117,340	7,013	6,304	3,121

岸和田製鋼（きしわだせいこう）

株式公開計画なし

採用内定数	倍率	3年後離職率	平均年収
2名	2倍	28.6%	総 520万円

●待遇、制度●
【初任給】月22.3万
【残業】15.3時間【有休】13.7日【制度】住

●新卒定着状況●
20年入社(男6、女1)→3年後在籍(男4、女1)

●採用情報● 25年は高卒のみ
【人数】23年:若干 24年:5 25年:応募4→内定2*
【内定内訳】(男2、女0)(文0、理0)(総0、他2)
【試験】〔筆記〕常識〔性格〕有
【時期】エントリー通年→内々定通年(一次はWEB面接可)
【採用実績校】‥
【求める人材】指示待ちでなく自ら動ける人

【本社】596-0013 大阪府岸和田市臨海町20 ☎072-438-0011
【特色・近況】独立系の大手電炉メーカー。主力は異形棒鋼「KISI-CON」。主力の鉄筋コンクリート用棒鋼は橋脚、ビルなどの補強材として地震などの耐衝撃性に強み。普通鋼ビレットは台湾、マレーシア、韓国、フィリピンなどアジアを中心に海外への輸出に実績。
【設立】1956.12 【資本金】357百万円
【社長】鞠子重孝(1955.11生 阪大経済卒)
【株主】〔24.3〕岸和田金属21.5%
【事業】鉄筋コンクリート用棒鋼100 <輸出14>
【従業員】単223名(39.6歳)

【業績】	売上高	営業利益	経常利益	純利益
単22.3	38,394	▲133	▲378	▲233
単23.3	41,547	1,816	1,606	91
単24.3	39,320	3,072	2,905	1,153

#年収高く倍率低い #年収が高い

共英製鋼（きょうえいせいこう） 東証プライム

採用内定数	倍率	3年後離職率	平均年収
9名	20倍	33.3%	[総]929万円

●待遇、制度●
【初任給】月25万
【残業】16.8時間【有休】16.3日【制度】[フ][住][在]
●新卒定着状況●
20年入社(男8、女4)→3年後在籍(男5、女3)
●採用情報●
【人数】23年:15 24年:21 25年:応募180→内定9*
【内定内訳】(男5、女4)(文6、理3)(総9、他0)
【試験】〔Web自宅〕SPI3
【時期】エントリー25.3→内々定25.4(一次・二次以降もWEB面接可)【インターン】有
【採用実績校】関大院1、関西学大2、尾道市大1、関大1、甲南大1、大阪経大1、同大1、福岡大1
【求める人材】世界を目指す気概を持った人と技術を高めあいながら働きたい人

【本社】530-0004 大阪府大阪市北区堂島浜1-4-16 ☎06-6346-5221
【特色・近況】西日本地盤の有力電炉メーカー。土木・建設用の鉄筋コンクリート用棒鋼(異形棒鋼)、構造用棒鋼などを製造。異形棒鋼は国内トップシェア。ベトナムと北米(米国、カナダ)でも事業展開。電炉技術を活用し医療廃棄物処理など環境リサイクル事業も手がける。
【設立】1947.8 【資本金】18,516百万円
【社長】廣冨靖以(1954.6生 早大政経卒)
【株主】〔24.3〕日本製鉄25.8%
【連結事業】国内鉄鋼50、海外鉄鋼47、環境リサイクル2、他1 <海外47>
【従業員】連3,926名 単1,004名(40.3歳)

【業績】	売上高	営業利益	経常利益	純利益
連22.3	292,719	8,819	10,549	6,322
連23.3	355,715	14,819	14,671	13,108
連24.3	320,982	21,055	21,034	13,826

ＪＦＥ条鋼（じょうこう） 株式公開計画なし

採用内定数	倍率	3年後離職率	平均年収
18名	6.9倍	38.9%	‥

●待遇、制度●
【初任給】月25.5万
【残業】28.3時間【有休】15.8日【制度】[住][在]
●新卒定着状況●
20年入社(男16、女2)→3年後在籍(男10、女1)
●採用情報●
【人数】23年:19 24年:20 25年:応募124→内定18*
【内定内訳】(男16、女2)(文5、理5)(総10、他8)
【試験】〔Web自宅〕SPI3〔性格〕有
【時期】エントリー25.3→内々定25.3(一次・二次以降もWEB面接可)【インターン】有
【採用実績校】近大2、島根大2、鳥取大1、香川大1、岡山大1、中京大1、北見工大1、芝工大1
【求める人材】柔軟な発想と対応力を備え、自ら考え率先して課題に臨める人

【本社】105-0004 東京都港区新橋5-11-3 新橋住友ビル5階 ☎03-5777-3811
【特色・近況】JFEスチール系の電炉大手。グループ電炉4社統合で再出発。形鋼や鉄筋コンクリート用棒鋼など条鋼製品の生産が主力。製造拠点を北海道、茨城、埼玉、兵庫、岡山に持つ。使用済み乾電池などの廃棄物を電炉で完全溶解・再活用する資源リサイクルも行う。
【設立】1991.10 【資本金】30,000百万円
【社長】渡辺敦(1960.4生 東北大院修了)
【株主】〔24.3〕JFEスチール100%
【事業】鉄鋼製品100 <輸出10>
【従業員】単932名(42.2歳)

【業績】	売上高	営業利益	経常利益	純利益
単22.3	111,717	96	1,070	1,073
単23.3	142,846	9,633	9,260	6,871
単24.3	136,603	10,588	10,527	7,705

#有休取得が多い

新関西製鐵（しんかんさいせいてつ） 株式公開計画なし

採用内定数	倍率	3年後離職率	平均年収
4名	5.8倍	0%	[総]661万円

●待遇、制度●
【初任給】月25万
【残業】15.9時間【有休】19日【制度】[住]
●新卒定着状況●
20年入社(男1、女0)→3年後在籍(男1、女0)
●採用情報●
【人数】23年:6 24年:2 25年:応募23→内定4
【内定内訳】(男3、女1)(文1、理1)(総2、他2)
【試験】〔Web会場〕SPI3〔性格〕有
【時期】エントリー25.3→内々定25.6(一次はWEB面接可)【インターン】有【ジョブ型】有
【採用実績校】愛媛大院1、明大1
【求める人材】たゆまぬ向上心と何事にも好奇心を持つ人、変化を厭わない人

【本社】590-0981 大阪府堺市堺区塩浜町5 ☎072-238-5561
【特色・近況】中堅電炉メーカー。広幅・狭幅の平鋼製品に定評。平鋼のサイズと鋼種では業界トップの品ぞろえ。条鋼類も多品種・多サイズで供給。建築資材、産機、船舶などに顧客。高温の鉄にラベルを貼り付けるラベル貼付装置も手がける。
【設立】1933.1 【資本金】100百万円
【社長】松谷修(1960.5生 関西学大商卒)
【株主】〔23.9〕メタルワン18.3%
【事業】平鋼他鋼材100
【従業員】単337名(44.2歳)

【業績】	売上高	営業利益	経常利益	純利益
単21.9	21,364	▲901	▲861	▲898
単22.9	25,987	▲1,394	▲1,364	▲1,388
単23.9	26,539	660	799	782

鈴秀工業（すずひでこうぎょう）

株式公開計画なし

採用内定数	倍率	3年後離職率	平均年収
1名	‥	0%	531万円

●待遇、制度●
【初任給】月23.3万
【残業】19.5時間【有休】15日【制度】フ 住 在

●新卒定着状況●
20年入社(男0、女1)→3年後在籍(男0、女1)

●採用情報●
【人数】23年:0 24年:3 25年:応募‥→内定1
【内定内訳】(男1、女0)(文1、理0)(総1、他0)
【試験】〔筆記〕常識、他〔性格〕有
【時期】エントリー25.‥→内々定25.‥【インターン】有
【採用実績校】‥

【求める人材】主体的に行動でき、コミュニケーション能力の高い人

【本社】459-8001 愛知県名古屋市緑区大高町南関山35 ☎052-623-3221
【特色・近況】磨棒鋼、冷間圧造用鋼線、異形磨棒鋼メーカー。自動車や工作機械、建設機器向けの鋼製部品を製造する。世界トップクラスの異形引き抜き技術など高品質の独自製法が強み。国内は愛知本社、山口、三重、中国は蘇州に工場。インドネシア社に出資・技術支援行う。
【設立】1950.6 【資本金】100百万円
【社長】鈴木雅貴
【株主】〔24.4〕スズヒデ72.2%
【事業】磨棒鋼70、冷間圧造用鋼線22、他8
【従業員】単354名(38.5歳)

【業績】	売上高	営業利益	経常利益	純利益
単21.9	16,604	653	1,474	721
単22.9	20,691	1,581	1,818	1,302
単23.9	19,967	418	882	▲546

拓南製鐵（たくなんせいてつ）

株式公開計画なし

採用内定数	倍率	3年後離職率	平均年収
2名	3倍	33.3%	306万円

●待遇、制度●
【初任給】月21.2万(諸手当1.4万円)
【残業】12.9時間【有休】14.1日【制度】住

●新卒定着状況●
20年入社(男3、女0)→3年後在籍(男2、女0)

●採用情報●
【人数】23年:15 24年:15 25年:応募6→内定2
【内定内訳】(男2、女0)(文1、理1)(総0、他2)
【試験】〔Web会場〕C-GAB〔性格〕有
【時期】エントリー25.4→内々定25.6(一次はWEB面接可)【インターン】有【ジョブ型】有
【採用実績校】琉球大1、沖縄職能大学校1

【求める人材】自分のために、皆のために頑張ることが出来る人

【本社】904-2162 沖縄県沖縄市海邦町3-26 ☎098-934-6822
【特色・近況】沖縄県唯一の電炉メーカー。鉄筋コンクリート用棒鋼、軟鋼線材、シルバー鉄筋などを製造・販売。県内の建築鉄材のシェア8割以上。グループ8社1組合で「拓伸会」結成。福岡と鹿児島に営業所。石灰やスラブも取り扱い、沖縄・名護市に石灰工場を持つ。
【設立】1956.6 【資本金】400百万円
【社長】八木実(1959.9生 沖縄国際大法卒)
【株主】〔24.3〕古波津昇26.3%
【事業】棒鋼87、バーインコイル(軟鋼線材)3、他10
【従業員】単180名(35.9歳)

【業績】	売上高	営業利益	経常利益	純利益
単22.3	14,671	▲225	▲145	▲168
単23.3	17,691	87	135	379
単24.3	17,117	953	946	835

中部鋼鈑（ちゅうぶこうはん）

東証プライム

採用内定数	倍率	3年後離職率	平均年収
10名	‥	14.3%	723万円

●待遇、制度●
【初任給】月23万
【残業】14.2時間【有休】16.5日【制度】フ 住 在

●新卒定着状況●
20年入社(男7、女0)→3年後在籍(男6、女0)

●採用情報●
【人数】23年:8 24年:7 25年:応募‥→内定10
【内定内訳】(男8、女2)(文3、理2)(総5、他5)
【試験】〔Web自宅〕SPI3〔性格〕有
【時期】エントリー通年→内々定通年(一次・二次以降もWEB面接可)【インターン】有
【採用実績校】‥

【求める人材】広い視野で課題を捉え、挑戦し続ける人

【本社】454-8506 愛知県名古屋市中川区小碓通5-1 ☎052-661-3811
【特色・近況】中堅電炉メーカー。国内最大級の200t電気炉を有し、土木、建設、産業機械向けなどに厚板鋼板を製造。世界的にもユニークな製鋼と圧延を直結した連続鋳造設備の保有など先進的な生産体制を構築。生産設備の相互有効活用などで中山製鋼所と業務提携。
【設立】1950.2 【資本金】5,907百万円
【社長】重松久美男(1956.6生 九大工卒)
【株主】〔24.3〕三井物産スチール8.4%
【連結事業】鉄鋼関連96、レンタル1、物流1、エンジニアリング2
【従業員】連521名 単372名(40.9歳)

【業績】	売上高	営業利益	経常利益	純利益
連22.3	64,399	5,554	5,525	3,785
連23.3	76,320	12,261	12,328	8,577
連24.3	67,785	10,425	10,228	7,133

#年収高く倍率低い

東京製鐵（とうきょうせいてつ） 東証プライム

採用内定数	倍率	3年後離職率	平均年収
6名	16.7倍	16.7%	831万円

●待遇、制度●
【初任給】月25.3万
【残業】20時間【有休】‥日【制度】フ 住 在
●新卒定着状況●
20年入社(男5、女1)→3年後在籍(男4、女1)
●採用情報●
【人数】23年:7 24年:7 25年:応募100→内定6
【内定内訳】(男4、女2)(文3、理1)(総6、他0)
【試験】〔Web自宅〕SPI3〔性格〕有
【時期】エントリー24.9→内々定25.3(一次・二次以降もWEB面接可)【インターン】有
【採用実績校】筑波大院1、関大2、法政大1、鶴岡高専1、久留米高専1
【求める人材】挑戦できる人、コミュニケーションを大切にする人、変化を好む人

【本社】100-0013 東京都千代田区霞が関3-7-1 霞が関東急ビル ☎03-3501-7721
【特色・近況】独立系電炉メーカーで業界首位級。国内4工場で生産されるH形鋼をはじめとした建材が主力で、機動的な価格政策に特徴。主力のH形鋼は国内電炉メーカーで最多のサイズ種類。鋼板では国内電炉メーカーで唯一、熱延薄板に進出。
【設立】1934.11 【資本金】30,894百万円
【社長】奈良暢明(1970.8生 京大文卒)
【株主】〔24.3〕合同会社TOS11.8%
【事業】鋼材97、他3 <海外20>
【従業員】単1,103名(39.3歳)

【業績】	売上高	営業利益	経常利益	純利益
単22.3	270,883	31,773	33,426	31,937
単23.3	361,245	38,063	39,257	30,848
単24.3	367,242	38,066	39,719	27,958

東北特殊鋼（とうほくとくしゅこう） 東証スタンダード

採用内定数	倍率	3年後離職率	平均年収
2名	29.5倍	0%	557万円

●待遇、制度●
【初任給】月23.7万
【残業】22.5時間【有休】13.8日【制度】住
●新卒定着状況●
20年入社(男2、女1)→3年後在籍(男2、女1)
●採用情報●
【人数】23年:4 24年:3 25年:応募59→内定2*
【内定内訳】(男0、女2)(文1、理1)(総2、他0)
【試験】〔Web自宅〕SPI3〔性格〕有
【時期】エントリー24.6→内々定25.2*(一次はWEB面接可)【インターン】有
【採用実績校】山形大1、東北学大1
【求める人材】自律、自立、自走(自らを律し、自立し、課題や問題の解決策を考え行動できる人)

【本社】989-1393 宮城県柴田郡村田町大字村田字西ヶ丘23 ☎0224-82-1010
【特色・近況】大同特殊鋼系列の特殊鋼メーカー。エンジンバルブ用耐熱鋼や電磁ステンレス鋼はともに国内シェア首位で、売上高の約7割は自動車関連。半導体製造装置向けなどの精密加工製品も。大型商業施設の賃貸事業が利益の8割超を稼ぐ。海外はタイ、インドに展開。
【設立】1937.4 【資本金】827百万円
【社長】成瀬真司(1958.9生 慶大法卒)
【株主】〔24.3〕大同特殊鋼33.7%
【連結事業】特殊鋼89、不動産賃貸11 <海外32>
【従業員】連589名 単375名(40.5歳)

【業績】	売上高	営業利益	経常利益	純利益
連22.3	19,883	2,032	2,142	1,154
連23.3	21,557	1,297	1,424	1,118
連24.3	21,337	1,263	1,384	974

㈱中山製鋼所（なかやませいこうしょ） 東証プライム

採用実績数	倍率	3年後離職率	平均年収
10名	‥	18.7%	総 808万円

●待遇、制度●
【初任給】月25.1万
【残業】‥時間【有休】16.7日【制度】住
●新卒定着状況●
20年入社(男15、女1)→3年後在籍(男12、女1)
●採用情報●
【人数】23年:16 24年:10 25年:予定前年並
【内定内訳】(男‥、女‥)(文‥、理‥)(総‥、他‥)
【試験】〔筆記〕有〔Web会場〕SPI3〔性格〕有
【時期】エントリー25.3→内々定25.4*(一次はWEB面接可)【インターン】有
【採用実績校】立命館大、関西学大、関大
【求める人材】相手の年齢や性別問わず積極的にコミュニケーションをとれる人

【本社】551-8551 大阪府大阪市大正区船町1-1-66 ☎06-6555-3029
【特色・近況】日本製鉄系の老舗鉄鋼メーカー。自社電炉と高炉で培った圧延技術に定評。鋼板は建築・橋梁・産業機械、棒鋼・線材は自動車・建設機械向け中心。コイル製品は独自の微細粒熱延鋼板(NFGシリーズ)を展開し差別化を図る。軽量形鋼などの建材事業も手がける。
【設立】1923.12 【資本金】20,044百万円
【社長】箱守一昭(1953.2生 東大院金属材修了)
【株主】〔24.3〕阪和興業12.7%
【連結事業】鉄鋼98、エンジニアリング1、不動産1
【従業員】連1,249名 単815名(43.7歳)

【業績】	売上高	営業利益	経常利益	純利益
連22.3	166,701	7,250	6,654	4,815
連23.3	188,514	13,644	13,371	10,227
連24.3	184,445	12,327	12,244	8,904

#年収高く倍率低い #有休取得が多い

日鉄（にってつ）ステンレス

[株式公開計画なし]

採用内定数	倍率	3年後離職率	平均年収
19名	6.9倍	33.3%	871万円

●待遇、制度●
【初任給】月26.5万
【残業】20.6時間【有休】18.6日【制度】[フ][住][在]
●新卒定着状況●
20年入社(男3、女0)→3年後在籍(男2、女0)
●採用情報●
【人数】23年:35 24年:52 25年:応募132→内定19*
【内定内訳】(男14、女5)(文7、理9)(総19、他0)
【試験】〔Web自宅〕有
【時期】エントリー24.6→内々定25.6(一次はWEB面接可)【インターン】有
【採用実績校】早大1、香川大1、徳山高専3、産業医大1、九州工大2、九大3、琉球大1、慶大1、國學院大2、専大1、他
【求める人材】学生時代に何かに全力で取り組んだ経験をもつ、しなやかで力強い人

【本社】100-0005 東京都千代田区丸の内1-8-2 鉄鋼ビルディング ☎03-6841-4800
【特色・近況】日本製鉄グループ傘下のステンレス総合メーカー。国内首位級。薄板、厚板、棒線など総合的に展開。技術力や開発力を生かした独自鋼種やソリューション提供などに注力。茨城県、山口県、福岡県に製造所。八幡製造所は世界屈指の生産規模を誇る厚板製造拠点。
【設立】2003.10 【資本金】5,000百万円
【社長】井上昭彦(1957.8生 東大院工学研修了)
【株主】〔24.3〕日本製鉄100%
【事業】ステンレス薄板、ステンレス厚板、ステンレス棒線、ステンレス鋼片他
【従業員】単2,617名(41.2歳)

【業績】	売上高	営業利益	経常利益	純利益
単22.3	414,061	41,059	43,391	57,061
単23.3	527,704	80,002	80,103	58,347
単24.3	432,508	29,742	29,003	24,605

日本金属（にっぽんきんぞく）

[東証スタンダード]

採用内定数	倍率	3年後離職率	平均年収
4名	10.8倍	25.6%	586万円

●待遇、制度●
【初任給】月21.8万
【残業】10.4時間【有休】12.7日【制度】[フ][住][在]
●新卒定着状況●
20年入社(男35、女4)→3年後在籍(男25、女4)
●採用情報●
【人数】23年:27 24年:18 25年:応募43→内定4*
【内定内訳】(男4、女0)(文0、理4)(総4、他0)
【試験】〔Web会場〕SPI3〔Web自宅〕SPI3〔性格〕有
【時期】エントリー25.3→内々定25.5【インターン】有
【採用実績校】茨城大1、千葉工大2、日本文理大1
【求める人材】‥

【本社】108-0014 東京都港区芝5-29-11 G-BASE田町 ☎03-5765-8111
【特色・近況】ステンレスの圧延専業メーカー。仕入れたステンレス部材をミクロン単位で冷間圧延し精密な帯鋼にして出荷する。取引先は自動車部品やIT機器、家電向けが中心。自動車向けの燃料配管や変速機部品など加工品も手がける。海外はタイ、マレーシアなどに展開。
【設立】1939.12 【資本金】6,857百万円
【社長】下川康志(1957.1生 早大政経卒)
【株主】〔24.3〕日鉄ステンレス13.0%
【連結事業】みがき帯鋼80、加工品20 <海外26>
【従業員】連872名 単591名(39.9歳)

【業績】	売上高	営業利益	経常利益	純利益
連22.3	49,117	1,437	1,337	2,517
連23.3	52,566	1,273	1,283	916
連24.3	51,411	▲1,095	▲1,261	1,545

#年収高く倍率低い #年収が高い

日本高周波鋼業（にっぽんこうしゅうはこうぎょう）

[東証スタンダード]

採用内定数	倍率	3年後離職率	平均年収
4名	7.5倍	ー	[総]973万円

●待遇、制度●
【初任給】月22.5万
【残業】19.3時間【有休】16.5日【制度】[フ][住][在]
●新卒定着状況●
20年入社(男0、女0)→3年後在籍(男0、女0)
●採用情報●
【人数】23年:2 24年:7 25年:応募30→内定4*
【内定内訳】(男4、女0)(文4、理0)(総4、他0)
【試験】〔筆記〕SPI3〔Web会場〕SPI3〔Web自宅〕SPI3〔性格〕有
【時期】エントリー25.3→内々定25.6*(一次はWEB面接可)【インターン】有
【採用実績校】明大1、秋田大1、県立広島大1
【求める人材】自ら課題を発見し、解決に向けて自らが行動できる人

【本社】101-0032 東京都千代田区岩本町1-10-5 ☎03-5687-6023
【特色・近況】神戸製鋼所傘下の特殊鋼メーカー。製鋼から鍛造、圧延、加工、熱処理までの一貫生産に特徴。金型素材となる工具鋼が主力で、特殊合金や軸受鋼製品の製造販売、自動車、産業機械向けの鋳鉄も手がける。ミニチュアベアリング材は国内シェア首位。
【設立】1950.5 【資本金】12,721百万円
【社長】小椋大輔(1968.12生)
【株主】〔24.3〕神戸製鋼所51.5%
【連結事業】特殊鋼76、鋳鉄24 <海外11>
【従業員】連1,099名 単505名(42.2歳)

【業績】	売上高	営業利益	経常利益	純利益
連22.3	41,714	530	583	417
連23.3	44,551	821	866	▲150
連24.3	36,614	▲1,635	▲1,585	6,612

日本精線（にっぽんせいせん）

東証プライム

採用内定数	倍率	3年後離職率	平均年収
5名	‥	0%	694万円

●待遇、制度●
【初任給】月23.1万
【残業】‥時間【有休】12.6日【制度】フ 住 在
●新卒定着状況●
20年入社(男9、女0)→3年後在籍(男9、女0)
●採用情報●
【人数】23年:4 24年:13 25年:応募‥→内定5
【内定内訳】(男1、女4)(文3、理2)(総5、他0)
【試験】〔Web会場〕C-GAB〔性格〕有
【時期】エントリー25.3→内々定25.6(一次・二次以降もWEB面接可)【インターン】有
【採用実績校】関大1、近大2、兵庫県大1、室蘭工大1
【求める人材】柔軟に物事を考え、状況に応えようとする前向きな人

【本社】541-0043 大阪府大阪市中央区高麗橋4-1-1 ☎06-6222-5431
【特色・近況】ステンレス鋼線2次加工最大手。ステンレス鋼線はばね、ネジ、金網、スクリーン印刷向けなど用途多彩。独自開発の金属繊維「ナスロン」や、「ナスロン」を用いたメタルフィルター、半導体・液晶製造装置向け精密ガスフィルターなども手がける。大同特殊鋼系。
【設立】1951.6 【資本金】5,000百万円
【社長】利光一浩(1962.8生 南山大法卒)
【株主】〔24.3〕大同特殊鋼49.8%
【連結事業】ステンレス鋼線86、金属繊維14 <海外27>
【従業員】連859名 単594名(42.9歳)

【業績】	売上高	営業利益	経常利益	純利益
連22.3	44,795	4,596	4,599	3,177
連23.3	49,055	4,179	4,317	3,086
連24.3	44,727	3,537	3,699	2,592

日本鋳造（にっぽんちゅうぞう）

東証スタンダード

採用内定数	倍率	3年後離職率	平均年収
1名	‥	−	564万円

●待遇、制度●
【初任給】月24.1万
【残業】21.2時間【有休】12.8日【制度】住 在
●新卒定着状況●
20年入社(男0、女0)→3年後在籍(男0、女0)
●採用情報●
【人数】23年:5 24年:5 25年:応募‥→内定1*
【内定内訳】(男1、女0)(文0、理1)(総1、他0)
【試験】〔筆記〕SPI3〔Web自宅〕SPI3〔性格〕有
【時期】エントリー25.2→内々定25.4*(一次はWEB面接可)【インターン】有
【採用実績校】秋田大1
【求める人材】モノづくりへの興味と向上心があり何事にも一生懸命取り組む人

【本社】210-9567 神奈川県川崎市川崎区白石町2-1 ☎044-322-3751
【特色・近況】JFE系の鋳鋼品・鋳鉄品の総合メーカー。建機向けの高強度・高靭性の特殊鋳造材、半導体装置向けの低熱膨張合金が主力。熱膨張ゼロの合金材も開発。橋梁の支承や伸縮装置を設計・製造するエンジニアリング事業も。3Dプリンター活用し合金を開発。
【設立】1920.9 【資本金】2,627百万円
【社長】鷲尾勝(1958.2生 阪大院工修了)
【株主】〔24.3〕JFEスチール36.1%
【連結事業】素形材54、エンジニアリング45、他2
【従業員】連293名 単290名(41.3歳)

【業績】	売上高	営業利益	経常利益	純利益
連22.3	12,106	787	814	663
連23.3	14,811	707	701	568
連24.3	15,992	1,287	1,277	651

日本冶金工業（にっぽんやきんこうぎょう）

東証プライム

採用実績数	倍率	3年後離職率	平均年収
15名	‥	11.1%	736万円

●待遇、制度●
【初任給】月25.6万
【残業】21.9時間【有休】17.2日【制度】住
●新卒定着状況● 総合職のみ
20年入社(男14、女4)→3年後在籍(男12、女4)
●採用情報● 総合職のみ
【人数】23年:15 24年:15 25年:予定前年並*
【内定内訳】(男‥、女‥)(文‥、理‥)(総‥、他‥)
【試験】〔Web自宅〕SPI3
【時期】エントリー25.3→内々定25.6(一次はWEB面接可)【インターン】有
【採用実績校】東北大2、広島大2、横浜市大1、津田塾大1、関東学院大1、近大1、関大2、大手前大1、久留米高専1
【求める人材】新しい分野へのチャレンジ精神を持ち、創業100周年その先の未来を共に担う人

【本社】104-8365 東京都中央区京橋1-5-8 ☎03-3272-1511
【特色・近況】ステンレスのトップメーカー。ステンレス専業では唯一、ニッケル精錬から圧延まで一貫体制。ステンレス鋼、耐熱鋼、高ニッケル合金鋼の鋼板、鍛鋼品などを手がける。高耐食、高耐熱、高強度など高機能材に注力。海外ではインドでの拡販に取り組む。
【設立】1925.8 【資本金】24,301百万円
【社長】浦田成己(1960.7生 千葉大人文卒)
【株主】〔24.3〕日本マスタートラスト信託銀行信託口11.5%
【連結事業】ステンレス鋼板及びその加工品100 <海外34>
【従業員】単1,169名(43.4歳)

【業績】	売上高	営業利益	経常利益	純利益
連22.3	148,925	13,966	12,807	8,471
連23.3	199,324	29,256	27,738	19,703
連24.3	180,341	20,010	19,128	13,565

丸一鋼管（まるいちこうかん） 東証プライム

採用内定数	倍率	3年後離職率	平均年収
4名	‥	0%	695万円

●待遇、制度●
【初任給】月25.4万
【残業】14.7時間【有休】10日【制度】[住]
●新卒定着状況●
20年入社(男2、女0)→3年後在籍(男2、女0)
●採用情報●
【人数】23年:4 24年:3 25年:応募‥→内定4*
【内定内訳】(男2、女2)(文3、理1)(総4、他0)
【試験】〔Web自宅〕SPI3
【時期】エントリー25.3→内々定25.5(一次はWEB面接可)【インターン】有
【採用実績校】立命館大1、桃山学大1、龍谷大1、日大1
【求める人材】「適応力」「好奇心」「柔軟な思考力」がある人

【本社】542-0076 大阪府大阪市中央区難波5-1-60 なんばスカイオ ☎06-6643-0101
【特色・近況】構造用鋼管や配管用鋼管など溶接鋼管で国内首位の独立系鋼管メーカー。用途は建築・機械・農業向けが主力。表面処理鋼板や道路の標識用・照明用柱も手がける。グループで全国に生産拠点・販売拠点を持つ。海外は北中米、アジア中心に展開。
【設立】1947.12 【資本金】9,595百万円
【社長】吉村貴典(1957.6生 阪大工卒)
【株主】〔24.3〕日本マスタートラスト信託銀行信託口10.3%
【連結事業】鋼管84、表面処理鋼板13、他3 <海外45>
【従業員】連2,565名 単598名(39.6歳)

【業績】	売上高	営業利益	経常利益	純利益
連22.3	224,218	36,276	38,458	27,760
連23.3	273,416	30,019	34,416	24,164
連24.3	271,310	34,811	38,355	26,113

#年収高く倍率低い #年収が高い

丸一ステンレス鋼管（まるいちステンレスこうかん） 株式公開計画なし

採用内定数	倍率	3年後離職率	平均年収
17名	1倍	66.7%	[総]920万円

●待遇、制度●
【初任給】月23.9万
【残業】10時間【有休】14日【制度】[フ][住]
●新卒定着状況●
20年入社(男9、女0)→3年後在籍(男3、女0)
●採用情報●
【人数】23年:13 24年:21 25年:応募17→内定17*
【内定内訳】(男12、女5)(文3、理0)(総3、他14)
【試験】〔筆記〕常識、他〔性格〕有
【時期】エントリー25.3→内々定25.6(一次はWEB面接可)【インターン】有
【採用実績校】ICU1、関大1、北九州市大1
【求める人材】「創造」と「活力」のある人

【東京本社】141-8688 東京都品川区北品川5-9-11 大崎MTビル8階 ☎03-5739-5051
【特色・近況】継ぎ目無しステンレス鋼管を中心に精密細管、特殊管を製造する。ステンレス鋼管は電力、石油精製、石油化学、各種産業機械向けなど幅広く納入。BA精密細管は半導体装置、自動車、医療機器等で使用される。研究開発で高品質達成。米テキサス州に新工場建設。
【設立】1996.1 【資本金】4,250百万円
【社長】大西隆志(1959.4生 北大法卒)
【株主】〔24.4〕丸一鋼管100%
【事業】シームレスステンレス鋼管、他 <輸出50>
【従業員】単336名(38.0歳)

【業績】	売上高	営業利益	経常利益	純利益
単22.3	24,447	3,118	3,131	2,145
単23.3	30,534	5,406	5,404	3,722
単24.3	27,752	3,857	3,877	2,616

モリ工業（モリこうぎょう） 東証スタンダード

採用内定数	倍率	3年後離職率	平均年収
3名	‥	50%	590万円

●待遇、制度●
【初任給】月22.6万
【残業】9.3時間【有休】13日【制度】[住]
●新卒定着状況●
20年入社(男1、女1)→3年後在籍(男0、女1)
●採用情報●
【人数】23年:6 24年:3 25年:応募‥→内定3*
【内定内訳】(男3、女0)(文1、理2)(総3、他0)
【試験】〔Web自宅〕有〔性格〕有
【時期】エントリー25.3→内々定25.5(一次はWEB面接可)【インターン】有
【採用実績校】近大1、滋賀県大1、桃山学大1
【求める人材】社是「進取・独創・情熱・奉仕」に共感、実行できる人

【本社事務所】542-0076 大阪府大阪市中央区難波5-1-60 なんばスカイオ ☎06-6635-0201
【特色・近況】ステンレス管の大手メーカー。普通鋼管に極薄ステンレス帯鋼で覆ったクラッド管に強み。柔軟な生産体制にするため、生産設備を自製。自社製ステンレス管を素材にした熱交換器など二次加工品の受注生産を行うほか、普通鋼管や自動パイプ切断機などの製造販売も手がける。
【設立】1944.5 【資本金】7,360百万円
【社長】森宏明(1960.8生 京大院経済修了)
【株主】〔24.3〕光通信㈱7.2%
【連結事業】ステンレス管(国内)54、ステンレス管(海外)5、ステンレス条鋼24、ステンレス加工品2、鋼管14、機械1
【従業員】連689名 単518名(39.1歳)

【業績】	売上高	営業利益	経常利益	純利益
連22.3	43,076	5,683	6,148	4,320
連23.3	48,712	6,734	7,177	5,290
連24.3	47,898	5,896	6,393	4,519

#年収が高い

大和工業（やまとこうぎょう）　東証プライム

採用内定数	倍率	3年後離職率	平均年収
6名	51倍	0%	892万円

●待遇、制度●
【初任給】月26.2万
【残業】23.7時間【有休】13.4日【制度】フ 住 在
●新卒定着状況●
20年入社(男2、女0)→3年後在籍(男2、女0)
●採用情報●3社計採用
【人数】23年:2 24年:6 25年:応募306→内定6*
【内定内訳】(男6、女0)(文1、理5)(総6、他0)
【試験】〔Web自宅〕SPI3
【時期】エントリー‥→内々定‥(一次はWEB面接可)【インターン】有
【採用実績校】阪大1、関大1、立命館大1、三重大1、鳥取大1、防衛大学校1
【求める人材】豊かな発想とチャレンジ精神を持った、グローバルに活躍したい人

【本社】671-1192 兵庫県姫路市大津区吉美380
☎079-273-1061
【特色・近況】独立系電炉メーカーの持株会社。傘下のヤマトスチールが製造するH形鋼が主力。海外事業に積極的で海外売上高比率は約5割。米国で電炉メーカーのニューコア社と現地合弁事業を展開。船の舵やプロペラを支えるスタンフレームや鉄道用の分岐器なども手がける。
【設立】1944.11　【資本金】7,996百万円
【社長】小林幹生(1957.2生 慶大法卒)
【株主】〔24.3〕日本マスタートラスト信託銀行信託口12.8%
【連結事業】鉄鋼93、軌道用品5、他2 <海外50>
【従業員】連2,534名 単88名(40.1歳)

【業績】	売上高	営業利益	経常利益	純利益
連22.3	150,029	13,290	57,646	39,917
連23.3	180,438	16,813	90,494	65,317
連24.3	163,479	17,282	99,223	70,018

#残業が少ない

新興化学工業（しんこうかがくこうぎょう）　株式公開計画なし

採用予定数	倍率	3年後離職率	平均年収
1名	−	−	総 768万円

●待遇、制度●
【初任給】月23.5万(諸手当0.6万円)
【残業】1時間【有休】16.1日【制度】住
●新卒定着状況●
20年入社(男0、女0)→3年後在籍(男0、女0)
●採用情報●
【人数】23年:1 24年:1 25年:応募0→内定0*
【内定内訳】(男‥、女‥)(文‥、理‥)(総‥、他‥)
【試験】〔筆記〕常識〔性格〕有
【時期】エントリー‥→内々定‥【インターン】有
【採用実績校】‥
【求める人材】誠実で素直な人、協調性のある人、創造力の高い人

【本社】542-0081 大阪府大阪市中央区南船場2-1-3 フェニックス南船場6階 ☎06-6263-6465
【特色・近況】バナジウム、セレン、テルル、インジウムなどのレアメタルを独自技術でリサイクル製造。バナジウム回収技術は国内で初めて工業化。合成ゴム用触媒塩化バナジウムのシェアは世界トップ。太陽電池へも供給。大阪・堺市と兵庫・尼崎市に工場。
【設立】1938.5　【資本金】100百万円
【社長】泉谷英史(1966.11生)
【株主】〔24.3〕新居田一族69.1%
【事業】バナジウム85、セレン7、他8 <輸出51>
【従業員】単87名(46.0歳)

【業績】	売上高	営業利益	経常利益	純利益
単21.9	4,070	547	579	358
単22.9	4,846	791	847	559
単23.9	4,441	502	563	388

日本重化学工業（にほんじゅうかがくこうぎょう）　株式公開計画なし

採用内定数	倍率	3年後離職率	平均年収
10名	3倍	12.5%	総 631万円

●待遇、制度●
【初任給】月25万(諸手当1.5万円)
【残業】12.5時間【有休】16.1日【制度】住 在
●新卒定着状況●
20年入社(男7、女1)→3年後在籍(男6、女1)
●採用情報●
【人数】23年:5 24年:8 25年:応募30→内定10*
【内定内訳】(男8、女2)(文2、理8)(総10、他0)
【試験】〔Web会場〕有〔性格〕有
【時期】エントリー24.10→内々定25.3*(一次・二次以降もWEB面接可)【インターン】有
【採用実績校】‥
【求める人材】‥

【本社】103-0025 東京都中央区日本橋茅場町2-12-10 PMO EX 日本橋茅場町ビル11階☎03-6704-4720
【特色・近況】製鋼用副原料の合金鉄(フェロアロイ)メーカー。合金鉄で培われた技術を機能材料事業に生かし、水素吸蔵合金、水素貯蔵システム、高純度金属なども製造。ブラジル、仏、米国子会社で各種コアードワイヤー(溶融金属用添加剤)を製造販売。
【設立】1917.8　【資本金】100百万円
【社長】角掛繁(1960.5生 岩手大院工学研修了)
【株主】〔24.3〕日重化グループ持株会100%
【事業】合金鉄44、機能材料54、エネルギー2 <輸出3>
【従業員】単482名(41.8歳)

【業績】	売上高	営業利益	経常利益	純利益
単22.3	30,081	2,476	3,696	2,988
単23.3	39,187	2,154	2,819	2,420
単24.3	44,400	2,397	3,345	2,619

石福金属興業（いしふくきんぞくこうぎょう）

株式公開計画なし

採用内定数	倍率	3年後離職率	平均年収
2名	36.5倍	0%	・・

●待遇、制度●
【初任給】月25.7万
【残業】12時間【有休】12.5日【制度】[フ][住][在]
●新卒定着状況●
20年入社(男9、女0)→3年後在籍(男9、女0)
●採用情報●
【人数】23年:4 24年:9 25年:応募73→内定2*
【内定内訳】(男1、女1)(文1、理1)(総2、他0)
【試験】〔性格〕有
【時期】エントリー25.3→内々定25.通年*(一次・二次以降もWEB面接可)【インターン】有【ジョブ型】有
【採用実績校】東北大1、神戸市外大1、他
【求める人材】自ら目標を立てて、主体的に行動ができる人、人にも仕事にも誠実に向き合える人

【本社】101-0047 東京都千代田区内神田3-20-7 ☎03-3252-3131
【特色・近況】工業用・医療用・歯科用・宝飾用など貴金属部品・材料の製造販売を行う。開発・生産から販売、回収精製まで一貫体制。ナノ構造材料に注力。積立商品はじめ個人向けに金、プラチナ、銀など地金の販売も行う。名古屋、大阪、北九州に営業所、埼玉・草加に工場。
【設立】1934.12 【資本金】100百万円
【社長】古宮基成
【株主】〔23.12〕コミヤ58.2%
【事業】金銀白金地金売買、貴金属地金精製・回収、工業用・医療用貴金属製品製販
【従業員】単346名(36.4歳)

【業績】	売上高	営業利益	経常利益	純利益
単21.12	165,741	13,480	13,112	9,432
単22.12	187,401	11,085	10,574	6,535
単23.12	167,954	4,469	3,953	2,918

オーナンバ

東証スタンダード

採用内定数	倍率	3年後離職率	平均年収
4名	7.3倍	0%	618万円

●待遇、制度●
【初任給】月22.2万
【残業】12.7時間【有休】12.4日【制度】[フ][住][在]
●新卒定着状況●
20年入社(男3、女0)→3年後在籍(男3、女0)
●採用情報●
【人数】23年:3 24年:4 25年:応募29→内定4*
【内定内訳】(男4、女0)(文1、理3)(総4、他0)
【試験】〔Web自宅〕SPI3〔性格〕有
【時期】エントリー24.11→内々定25.1*(一次はWEB面接可)【インターン】有
【採用実績校】中京大1、大阪電通大1、摂南大1、大阪工大1
【求める人材】世界的な視野で物事を考えることができる人、包括的に全体を見ることができる人

【本社】541-0058 大阪府大阪市中央区南久宝寺町4-1-2 ☎06-7639-5500
【特色・近況】産業・民生用のワイヤハーネス製造で国内最大手。ワイヤハーネス中心に、電線・ケーブル、太陽光発電関連製品などを展開。売電向け太陽光発電所監視・制御システムも手がけ、国内2900発電所で利用。海外は北米、欧州、アジアの7カ国で生産。
【設立】1941.9 【資本金】2,323百万円
【社長】木嶋忠敏(1958.3生 阪府大経済卒)
【株主】〔24.6〕カネカ6.6%
【連結事業】新エネルギー6、ワイヤーハーネス71、電線7、ハーネス加工用機械・部品15 <海外44>
【従業員】連4,061名 単155名(50.5歳)

【業績】	売上高	営業利益	経常利益	純利益
連21.12	36,952	1,104	1,287	1,017
連22.12	43,638	2,528	2,912	2,133
連23.12	44,758	2,471	2,532	1,984

光生アルミニューム工業（こうせいアルミニュームこうぎょう）

株式公開いずれしたい

採用内定数	倍率	3年後離職率	平均年収
1名	4倍	16.7%	[総]510万円

●待遇、制度●
【初任給】月20.7万
【残業】20時間【有休】5.5日【制度】[住]
●新卒定着状況●
20年入社(男6、女0)→3年後在籍(男5、女0)
●採用情報●
【人数】23年:8 24年:3 25年:応募4→内定1*
【内定内訳】(男1、女0)(文・・、理・・)(総0、他1)
【試験】〔筆記〕常識、他〔性格〕有
【時期】エントリー25.3→内々定25.6*(一次はWEB面接可)【インターン】有
【採用実績校】衣台高
【求める人材】ものづくりに興味がある、コミュニケーション能力がある、グローバルに活躍できる人

【本社】471-0804 愛知県豊田市神池町2-1236 ☎0565-80-4492
【特色・近況】自動二輪車・自動車部品素材、アルミホイールを製造・販売。アルミ鋳造加工部品は豊田本社工場で、アルミホイールは福井工場と北海道の製造子会社で生産。多品種・少ロット需要に対応。海外は米国、タイ、中国で現地生産を展開。
【設立】1954.4 【資本金】199百万円
【社長】松田冬樹(1973.1生 福井科学技術高卒)
【株主】〔24.3〕名古屋投育15.2%
【事業】ホイール56、二輪部品11、四輪部品30、他3 <輸出1>
【従業員】連1,404名 単424名(43.5歳)

【業績】	売上高	営業利益	経常利益	純利益
連22.3	40,114	▲1,108	▲434	▲335
連23.3	44,753	▲4,285	▲4,349	▲8,035
連24.3	40,999	▲1,233	▲1,551	▲2,058

㈱ＣＫサンエツ　東証プライム

採用内定数	倍率	3年後離職率	平均年収
28名	6.1倍	16.1%	712万円

●待遇、制度●
【初任給】月24.2万
【残業】11.7時間【有休】16.2日【制度】[フ][住]
●新卒定着状況●
20年入社(男29、女2)→3年後在籍(男24、女2)
●採用情報● グループ採用
【人数】23年:26 24年:35 25年:応募171→内定28
【内定内訳】(男23、女5)(文13、理15)(総0、他28)
【試験】〔筆記〕常識〔性格〕有
【時期】エントリー25.1→内々定25.2【インターン】有
【採用実績校】富山大10、富山県大1、金沢大1、金沢工大1、福井工大2、北陸大2、富山国際大1、関大4、立命館大2、名古屋市大1、他
【求める人材】積極的でコミュニケーション能力があり、努力を惜しまない人

【本社】933-0983 富山県高岡市守護町2-12-1 ☎0763-33-1212
【特色・近況】国内最大の黄銅棒・線メーカーであるサンエツ金属が中核の持株会社。黄銅棒・線、メッキ線は自動車や家電製品などの素材向けが主力。精密部品も手がけ、黄銅製カメラマウントは世界シェア約9割。環境負荷物質を一切使用しない溶融亜鉛メッキを世界で初めて実用化。
【設立】1937.12【資本金】2,756百万円
【社長】釣谷宏行(1958.11生 信州大経済卒)
【株主】〔24.3〕日本カストディ銀行信託口6.8%
【連結事業】伸銅84、精密部品5、配管・鍍金11
【従業員】連924名 単498名(38.3歳)

【業績】	売上高	営業利益	経常利益	純利益
連22.3	115,343	10,771	6,571	4,313
連23.3	123,838	8,279	8,655	5,318
連24.3	111,433	7,929	6,094	3,815

#年収が高い

新日本電工（しんにっぽんでんこう）　東証プライム

採用内定数	倍率	3年後離職率	平均年収
6名	32倍	20%	[総] 985万円

●待遇、制度●
【初任給】月24.7万
【残業】15.3時間【有休】13.2日【制度】[フ][住][在]
●新卒定着状況●
20年入社(男3、女2)→3年後在籍(男3、女1)
●採用情報●
【人数】23年:5 24年:8 25年:応募192→内定6*
【内定内訳】(男4、女2)(文3、理3)(総6、他0)
【試験】〔Web自宅〕SPI3〔性格〕有
【時期】エントリー25.3→内々定25.6(一次・二次以降もWEB面接可)【インターン】有
【採用実績校】名大1、秋田大1、香川大1、立命館大2、東京学芸大1
【求める人材】周囲と連携してチームの力を引き出せる人、自分の考えを持って積極的に挑戦する人

【本社】103-8282 東京都中央区八重洲1-4-16 東京建物八重洲ビル ☎03-6860-6800
【特色・近況】鉄の強度、靭性、耐熱・耐食性を高めるため鋼に添加する合金鉄のトップメーカー。日本製鉄向けが大半。機能材、環境、電力と事業多角化。ハイブリッド車モーター用ネオジム磁石などのほう素源であるフェロボロンの、国内唯一のメーカーで高シェア。
【設立】1935.1【資本金】11,108百万円
【社長】青木泰(1960.3生 一橋大商卒)
【株主】〔24.6〕日本製鉄22.0%
【連結事業】合金鉄69、機能材料18、環境9、電力2、他2
【従業員】連940名 単629名(41.5歳)

【業績】	売上高	営業利益	経常利益	純利益
連21.12	65,978	8,436	6,870	7,768
連22.12	79,341	8,815	10,367	7,949
連23.12	76,406	4,741	2,465	4,375

大電（だいでん）　株式公開未定

採用予定数	倍率	3年後離職率	平均年収
10名	‥	0%	627万円

●待遇、制度●
【初任給】月22.3万
【残業】9.5時間【有休】16.8日【制度】[フ][住]
●新卒定着状況●
20年入社(男7、女4)→3年後在籍(男7、女4)
●採用情報●
【人数】23年:14 24年:12 25年:予定10
【内定内訳】(男‥、女‥)(文‥、理‥)(総‥、他‥)
【試験】〔Web会場〕SPI3〔性格〕有
【時期】エントリー25.3→内々定25.5(一次はWEB面接可)【インターン】有
【採用実績校】‥
【求める人材】社会の変化に柔軟に対応し、様々なことに積極的に挑戦する姿勢を持った人

【本社】830-8511 福岡県久留米市南2-15-1 ☎0942-22-1111
【特色・近況】中堅電線メーカー。住友電工の持分法適用会社。九州電力とも緊密。電線を祖業とし、現在はFAロボット電線、通信・電力ケーブル、産業機器、ネットワーク機器の4事業を展開。ロボットケーブルは国内トップシェア。佐賀県みやき町に工場、中国に生産現法。
【設立】1951.3【資本金】412百万円
【社長】豊福真一(1964.8生)
【株主】〔23.12〕住友電気工業25.0%
【事業】電線・電力用機器48、FAロボット電線35、ネットワーク機器11、産業機器6
【従業員】単462名(38.6歳)

【業績】	売上高	営業利益	経常利益	純利益
単21.12	20,448	1,171	1,348	940
単22.12	20,928	839	1,314	974
単23.12	20,735	641	1,114	876

#残業が少ない

太陽鉱工（たいようこうこう）

株式公開 計画なし

採用内定数	倍率	3年後離職率	平均年収
3名	13倍	0%	‥

●待遇、制度●
【初任給】月22.8万
【残業】2.2時間【有休】16日【制度】フ 住 在
●新卒定着状況●
20年入社(男5、女1)→3年後在籍(男5、女1)
●採用情報●
【人数】23年:7 24年:6 25年:応募39→内定3
【内定内訳】(男2、女1)(文2、理0)(総2、他1)
【試験】〔筆記〕常識、SPI3〔性格〕有
【時期】エントリー24.12→内々定25.4(一次はWEB面接可)
【採用実績校】近大1、神戸学大1
【求める人材】挑戦する気持ちを持ち続けられる人、変化に柔軟に対応できる人

【本社】651-0084 兵庫県神戸市中央区磯辺通1-1-39 太陽ビル ☎078-231-3700
【特色・近況】モリブデン、バナジウム、ジルコニウムなどレアメタル、レアアースやセラミック原料の大手メーカー。製品は鉄鋼業や化学産業に納入。兵庫、福井、静岡に工場。研究所を設置し研究開発を推進。レアメタルのリサイクル、不動産賃貸やスポーツ施設提供も展開。
【設立】1949.3【資本金】200百万円
【社長】鈴木一史
【株主】〔24.3〕太陽林産11.7%
【事業】モリブデン72、バナジウム22、他6
【従業員】単147名(38.9歳)

【業績】	売上高	営業利益	経常利益	純利益
単22.3	23,242	2,715	3,391	2,361
単23.3	29,456	3,400	4,138	2,827
単24.3	29,034	2,278	3,160	2,442

タツタ電線（でんせん）

株式公開 ー

採用内定数	倍率	3年後離職率	平均年収
3名	67.7倍	4.5%	613万円

●待遇、制度●
【初任給】月22.9万
【残業】20時間【有休】15.4日【制度】フ 住 在
●新卒定着状況●
20年入社(男19、女3)→3年後在籍(男18、女3)
●採用情報●25年は高卒除く
【人数】23年:16 24年:11 25年:応募203→内定3*
【内定内訳】(男1、女2)(文0、理3)(総3、他0)
【試験】〔Web会場〕C-GAB〔性格〕有
【時期】エントリー25.3→内々定25.6(一次・二次以降もWEB面接可)【インターン】有
【採用実績校】大阪公大1、筑波大1、豊橋技科大1
【求める人材】変化に対しスピード感を持ってチャレンジし、自律的に行動することができる人

【本社】578-8585 大阪府東大阪市岩田町2-3-1 ☎06-6721-3331
【特色・近況】JX金属系の中堅総合電線メーカー。電線は建設・発電所等インフラ向けと産業用機械向け。銅の加工技術を活かした電磁波遮蔽フィルムは世界シェア首位で収益柱。電子機器向け導電性金属ペーストや医療機器関連部材などを育成中。機器用電線事業は海外展開を推進。
【設立】1945.9【資本金】6,676百万円
【社長】森元昌平
【株主】〔24.3〕JX金属32.4%
【連結事業】電線・ケーブル73、電子材料23、他4 <海外23>
【従業員】連1,050名 単677名(39.5歳)

【業績】	売上高	営業利益	経常利益	純利益
連22.3	59,861	2,885	3,114	2,330
連23.3	61,476	1,701	1,864	967
連24.3	64,119	2,547	2,688	1,765

#有休取得が多い

東邦チタニウム（とうほう）

東証 プライム

採用内定数	倍率	3年後離職率	平均年収
12名	17.9倍	0%	691万円

●待遇、制度●
【初任給】月24.6万
【残業】17.8時間【有休】18.1日【制度】フ 住 在
●新卒定着状況●
20年入社(男4、女0)→3年後在籍(男4、女0)
●採用情報●
【人数】23年:23 24年:5 25年:応募215→内定12*
【内定内訳】(男6、女6)(文1、理11)(総12、他0)
【試験】〔Web会場〕SPI3〔Web自宅〕SPI3〔性格〕有
【時期】エントリー25.3→内々定25.4(一次・二次以降もWEB面接可)【インターン】有
【採用実績校】北大1、東北大1、金沢大1、都立大1、兵庫県大1、九州工大1、佐賀大1、長崎大1、宮崎大1、鹿児島大1、他
【求める人材】広い視野と実行力で、変革と創造を推進できる人

【本社】220-0005 神奈川県横浜市西区南幸1-1-1 JR横浜タワー ☎045-394-5522
【特色・近況】JX金属系の金属チタニウム製錬大手。スポンジチタン、チタンインゴットなどを製造。航空機と一般工業向けが柱。プロピレン重合用触媒、電子部品材料など化学品も展開。大阪チタニウムと双璧。サウジアラビアにスポンジチタン製造の合弁会社。
【設立】1953.8【資本金】11,963百万円
【社長】山尾康二(1959.1生 九大法卒)
【株主】〔24.3〕JX金属50.3%
【連結事業】金属チタン76、触媒9、化学品15 <海外55>
【従業員】連1,179名 単1,145名(41.5歳)

【業績】	売上高	営業利益	経常利益	純利益
連22.3	55,515	5,228	5,177	3,695
連23.3	80,351	10,693	10,532	7,504
連24.3	78,404	5,628	6,273	4,951

#残業が少ない

㈱徳力本店（とくりきほんてん）

株式公開 計画なし

採用内定数	倍率	3年後離職率	平均年収
2名	19.5倍	0%	‥

●待遇、制度●
【初任給】月20.2万（諸手当を除いた数値）
【残業】3時間【有休】13.2日【制度】‥
●新卒定着状況●
20年入社（男2、女0）→3年後在籍（男2、女0）
●採用情報●
【人数】23年:4 24年:6 25年:応募39→内定2
【内定内訳】（男2、女0）（文0、理2）（総0、他2）
【試験】〔筆記〕有〔Web自宅〕有〔性格〕有
【時期】エントリー 24.8→内々定随時*（一次・二次以降もWEB面接可）
【採用実績校】‥
【求める人材】主体性、結束志向、完遂持続力、コミュニケーション力のある人

【本社】101-8548 東京都千代田区鍛冶町2-9-12 ☎03-3252-0171
【特色・近況】1727年創業の老舗貴金属メーカーで「金は神田の徳力」との評持つ。金はじめプラチナ、銀など貴金属地金を鋳造・販売。さらに工芸品やジュエリー、電子・自動車部品などの工業用や医療用材料など利用分野は幅広い。久喜、甲府、神奈川・大和の3工場体制。
【設立】1934.12 【資本金】100百万円
【社長】山口純（1969.8生 信州大工卒）
【株主】〔24.4〕徳力ホールディングス100%
【事業】貴金属地金、貴金属工業用製品、歯科材料、貴金属宝飾品
【従業員】単298名（42.8歳）

【業績】	売上高	営業利益	経常利益	純利益
単21.12	82,638	2,989	2,906	1,950
単22.12	89,384	2,550	2,459	1,637
単23.12	91,608	1,494	1,376	1,515

福田金属箔粉工業（ふくだきんぞくはくふんこうぎょう）

株式公開 未定

採用実績数	倍率	3年後離職率	平均年収
13名	‥	17.6%	‥

●待遇、制度●
【初任給】月23.8万（諸手当を除いた数値）
【残業】5.8時間【有休】15.5日【制度】住
●新卒定着状況●
20年入社（男13、女4）→3年後在籍（男10、女4）
●採用情報●
【人数】23年:14 24年:13 25年:予定未定*
【内定内訳】（男‥、女‥）（文5、理2）（総‥、他‥）
【試験】試験あり
【時期】エントリー25.3→内々定25.5【インターン】有
【採用実績校】‥
【求める人材】好奇心と問題意識のある人、周囲との連係プレーのできるコミュニケーション能力のある人

【本社】607-8305 京都府京都市山科区西野山中臣町20 ☎075-581-2161
【特色・近況】銅系非鉄金属箔、金属粉の首位メーカー。金属粉、電解箔、金属箔が3本柱。情報機器、家電製品、自動車、顔料・塗料、日用品向けなど様々な分野へ原料を供給。金属粉は1000品種超。京都、滋賀、中国・蘇州市に生産拠点。江戸時代に京都で創業。
【設立】1935.1 【資本金】700百万円
【社長】園田修三（1954.7生 姫工大工卒）
【株主】〔23.12〕福田鞭石8.6%
【事業】金属粉関連74、電解箔関連24、金属箔関連2 <輸出21>
【従業員】単545名（39.8歳）

【業績】	売上高	営業利益	経常利益	純利益
単21.12	67,570	5,680	7,121	5,157
単22.12	50,647	3,109	6,218	5,055
単23.12	48,864	3,771	4,838	3,616

富士電線（ふじでんせん）

株式公開 未定

採用内定数	倍率	3年後離職率	平均年収
1名	15倍	20%	㊍684万円

●待遇、制度●
【初任給】月22.6万
【残業】23.5時間【有休】14.1日【制度】フ 住 在
●新卒定着状況●
20年入社（男4、女1）→3年後在籍（男3、女1）
●採用情報●
【人数】23年:5 24年:7 25年:応募15→内定1*
【内定内訳】（男1、女0）（文1、理0）（総1、他0）
【試験】〔Web自宅〕有
【時期】エントリー 25.3→内々定25.6*【ジョブ型】有
【採用実績校】‥
【求める人材】自分の考えをしっかりと伝えることのできる人

【本社】259-1146 神奈川県伊勢原市鈴川10 ☎0463-94-3721
【特色・近況】SWCC（旧昭和電線HD）傘下の電線メーカー。消防用耐火耐熱ケーブルやLAN用ケーブルで業界シェア首位堅持。小ロット・多品種・短納期に対応し、豊富な在庫と即納体制に強み。本社・伊勢原と甲府、仙台に工場。大阪に支社と物流センターを置く。
【設立】1951.1 【資本金】318百万円
【社長】井上和彦（1966.1生）
【株主】〔24.3〕SWCC100%
【事業】通信用ケーブル58、消防用ケーブル41、他1
【従業員】単405名（41.9歳）

【業績】	売上高	営業利益	経常利益	純利益
単22.3	16,699	860	883	188
単23.3	20,796	786	798	846
単24.3	23,694	1,902	1,901	1,664

本荘（ほんじょう）ケミカル

株式公開未定

採用実績数	倍率	3年後離職率	平均年収
1名	ー	0%	㊙665万円

●待遇、制度●
【初任給】月23万（諸手当1万円）
【残業】15時間【有休】14.4日【制度】住
●新卒定着状況●
20年入社（男1、女0）→3年後在籍（男1、女0）
●採用情報●
【人数】23年:3 24年:1 25年:応募0→内定0
【内定内訳】（男‥、女‥）（文‥、理‥）（総‥、他‥）
【試験】〔Web自宅〕SPI3〔性格〕有
【時期】エントリー25.3→内々定25.4（一次はWEB面接可）【インターン】有
【採用実績校】‥
【求める人材】自ら考え、自らの判断で行動できる人、向上心のある人

【本社】572-0076 大阪府寝屋川市仁和寺本町4-19-7 ☎072-827-2201
【特色・近況】日本初の亜鉛末生産メーカー。現在の主力分野は、各種リチウム塩類、金属リチウム、医薬品中間体、亜鉛末や酸化亜鉛などの亜鉛製品。リチウムイオン電池の正極材の製造も行う。電子材料や医薬等の中間体などを受託生産。ゲルマンガスの生産は国内で唯一。
【設立】1968.8 【資本金】100百万円
【会長】本荘菜穂子（1963.4生 神戸松蔭女大卒）
【株主】〔23.10〕旭東88.9%
【事業】亜鉛、電池材料、医薬品等中間体の製造・販売・開発、他
【従業員】単182名（41.6歳）

【業績】	売上高	営業利益	経常利益	純利益
単21.10	8,983	1,037	1,208	645
単22.10	13,266	1,249	1,546	921
単23.10	17,475	648	742	519

㈱三ツ星（みつぼし）

東証スタンダード

採用内定数	倍率	3年後離職率	平均年収
2名	7倍	50%	512万円

●待遇、制度●
【初任給】月21.5万
【残業】6.1時間【有休】10.7日【制度】住
●新卒定着状況●
20年入社（男1、女3）→3年後在籍（男0、女2）
●採用情報●
【人数】23年:1 24年:3 25年:応募14→内定2*
【内定内訳】（男1、女1）（文1、理1）（総2、他0）
【試験】〔筆記〕有〔Web会場〕有〔性格〕有
【時期】エントリー25.3→内々定25.4*（一次・二次以降もWEB面接可）【インターン】有
【採用実績校】近大1、大阪工大1
【求める人材】真面目にコツコツ取り組める人

【本社】541-0053 大阪府大阪市中央区本町1-4-8 エスリードビル本町 ☎06-6261-8881
【特色・近況】作業現場などで使用されるキャブタイヤケーブル（通電状態のまま移動可能な電線）の専業大手。漁業機器用電線や水中建機用電線など水回りに強み。樹脂の異形押出成形品を主としたポリマテック成形品、子会社で電熱線・抵抗線なども展開。東・東南アジアに生産拠点。
【設立】1947.3 【資本金】1,136百万円
【社長】青木邦博（1948.2生 同大経済卒）
【株主】〔24.3〕本多敏行5.2%
【連結事業】電線73、ポリマテック19、電熱線8
【従業員】連316名 単162名（41.7歳）

【業績】	売上高	営業利益	経常利益	純利益
連22.3	9,187	237	302	281
連23.3	9,946	155	204	▲68
連24.3	10,329	60	111	123

高安（たかやす）

株式公開計画なし

採用予定数	倍率	3年後離職率	平均年収
3名	ー	0%	505万円

●待遇、制度●
【初任給】月21.5万（諸手当1.1万円、固定残業代10時間分）
【残業】5.4時間【有休】17.1日【制度】住
●新卒定着状況●
20年入社（男3、女0）→3年後在籍（男3、女0）
●採用情報●
【人数】23年:2 24年:0 25年:応募0→内定0*
【内定内訳】（男‥、女‥）（文‥、理‥）（総‥、他‥）
【試験】〔性格〕有
【時期】エントリー25.3→内々定25.6*【インターン】有
【採用実績校】‥
【求める人材】広い視野を持って行動できる人、スペシャリストを目指す人、柔軟性を持った人

【本社】504-0828 岐阜県各務原市蘇原村雨町3-47 ☎058-382-2231
【特色・近況】高分子廃棄物の再生・応用のパイオニア。合繊、樹脂廃材を自動車・電機部品、建設資材、生活雑貨の原料に再生する。若手人材の育成・登用を加速している。岐阜に2工場、大阪、東京に営業所。中国・江蘇省に生産現地法人を有している。
【設立】1952.10 【資本金】90百万円
【社長】高安彰（1970.4生 岐阜東高卒）
【株主】〔24.5〕名古屋投資育成29.9%
【事業】合繊27、短繊維36、樹脂16、不織布7、資材14
【従業員】単130名（41.5歳）

【業績】	売上高	営業利益	経常利益	純利益
単21.9	7,174	‥	‥	88
単22.9	7,755	‥	‥	76
単23.9	8,114	‥	‥	160

田島(たじま)ルーフィング [株式公開計画なし]

採用内定数	倍率	3年後離職率	平均年収
15名	‥	16.7%	‥

●待遇、制度●
【初任給】月23.7万
【残業】9.6時間【有休】13.9日【制度】[住][在]
●新卒定着状況●
20年入社(男11、女7)→3年後在籍(男9、女6)
●採用情報●
【人数】23年:12 24年:19 25年:応募‥→内定15*
【内定内訳】(男10、女5)(文12、理3)(総15、他0)
【試験】〔Web自宅〕有〔性格〕有
【時期】エントリー25.3→内々定25.5*(一次・二次以降もWEB面接可)【インターン】有
【採用実績校】中大4、千葉工大2、日大1、関西学大1、共立女大1、和歌山大1、大東文化大1、関大1、成蹊大1、神戸国際大1、東海学園大1
【求める人材】企業理念「和」・「革新」・「技術」を体現している人

【本社】101-8575 東京都千代田区岩本町3-11-13 ☎03-5821-7711
【特色・近況】屋上や屋根の防水資材の老舗最大手メーカー。断熱材、壁材、遮音材なども製造・販売。グループ会社が屋上緑化や内装工事、物流を担当。東京に床材専用のプロユース向け体験型ラボ、大阪にショールームを置く。1919年東京・三河島で創業。
【設立】1938.1 【資本金】82百万円
【社長】松原幸雄
【株主】〔23.12〕田島ホールディングス100%
【事業】建築用防水材(ルーフィング)・屋上緑化用材料・建築用床材等100
【従業員】単1,132名(41.4歳)

【業績】	売上高	営業利益	経常利益	純利益
単21.12	54,841	‥	‥	‥
単22.12	59,166	‥	‥	‥
単23.12	65,214	‥	‥	‥

旭(あさひ)ファイバーグラス [株式公開未定]

採用内定数	倍率	3年後離職率	平均年収
3名	48.3倍	12.5%	[総]710万円

●待遇、制度●
【初任給】月24.4万(諸手当1.1万円)
【残業】11.8時間【有休】15日【制度】[フ][住]
●新卒定着状況●
20年入社(男7、女1)→3年後在籍(男6、女1)
●採用情報●
【人数】23年:9 24年:4 25年:応募145→内定3*
【内定内訳】(男2、女1)(文1、理2)(総3、他0)
【試験】〔Web自宅〕有〔性格〕有
【時期】エントリー25.3→内々定25.4*(一次はWEB面接可)【インターン】有
【採用実績校】法政大1、豊橋技科大1、岡山理大1
【求める人材】チャレンジ精神を持ち、自ら考え行動できる人

【本社】101-0045 東京都千代田区神田鍛冶町3-6-3 神田三菱ビル ☎03-5296-2031
【特色・近況】グラスウール断熱材の大手で、ノン・ホルムアルデヒド断熱材を住宅や大型建築向けに展開。住宅用グラスウール断熱材として世界最高水準の高性能断熱材「アクリアα」を拡販。FTPペレットなど産業資材も扱う。神奈川、愛知、福岡に工場。
【設立】1956.11 【資本金】100百万円
【社長】荒木一郎
【株主】〔23.12〕吉野石膏
【事業】グラスウール・建材85、工業材料15
【従業員】単504名(41.0歳)

【業績】	売上高	営業利益	経常利益	純利益
単21.12	34,765	1,148	1,184	385
単22.12	39,157	699	744	394
単23.12	43,716	4,646	4,713	2,910

ナカ工業(こうぎょう) [株式公開予定なし]

採用内定数	倍率	3年後離職率	平均年収
12名	5.8倍	33.3%	[総]570万円

●待遇、制度●
【初任給】月21.5万
【残業】17.5時間【有休】12.6日【制度】[フ][住]
●新卒定着状況●
20年入社(男9、女3)→3年後在籍(男6、女2)
●採用情報●
【人数】23年:14 24年:10 25年:応募69→内定12*
【内定内訳】(男7、女5)(文8、理4)(総12、他0)
【試験】なし
【時期】エントリー25.2→内々定25.2(一次はWEB面接可)【インターン】有
【採用実績校】追手門学大1、神奈川大1、札幌国際大1、滋賀県大1、高千穂大1、千歳科技大1、東海大1、東北工大1、東洋大1、日大1、他
【求める人材】意欲を持ち、相手目線で物事を考えることができる人

【本社】110-0015 東京都台東区東上野2-18-10 日本生命上野ビル3階 ☎03-5817-5300
【特色・近況】札幌市発祥で国内トップクラスの建築内外装資材メーカー。医療・福祉関連など公共施設向け手すり、階段すべり止めに強み。バリアフリーの新製品やLED照明付き手すり、避難弱者向けの避難器具など独自製品で差別化。シンガポールに支店。
【設立】1959.4 【資本金】860百万円
【社長】佐久間克行(1960.4生 旭川工高専卒)
【株主】〔24.3〕エヌシーインベストメント23.2%
【事業】ビル用建材製品41、公共福祉関連製品23、住宅用建材製品19、他17
【従業員】単538名(43.1歳)

【業績】	売上高	営業利益	経常利益	純利益
単22.3	17,224	44	69	▲783
単23.3	19,317	161	277	205
単24.3	21,525	689	777	531

共同カイテック（きょうどう）

株式公開計画なし

採用内定数	倍率	3年後離職率	平均年収
8名	37.5倍	20%	[総]696万円

●待遇、制度●

【初任給】月24.1万
【残業】17.5時間【有休】13.9日【制度】[住][在]

●新卒定着状況●

20年入社(男3、女2)→3年後在籍(男2、女2)

●採用情報●

【人数】23年:7 24年:14 25年:応募300→内定8*
【内定内訳】(男7、女1)(文3、理2)(総7、他1)
【試験】〔筆記〕有〔Web自宅〕有
【時期】エントリー24.10→内々定25.2(一次・二次以降もWEB面接可)【インターン】有
【採用実績校】神奈川産技短大1、慶大1、産能大1、昭和女大1、東京農工大1、長岡技科大1、函館高専2
【求める人材】発想・技術:製品や事業を創りたい人、リーダーシップ:将来の経営幹部を目指したい人

【本社】150-6023 東京都渋谷区恵比寿4-20-3 恵比寿ガーデンプレイスタワー ☎03-6825-7020
【特色・近況】電力幹線システム(バスダクト)、OAフロアシステム、屋上・壁面緑化システムの3事業を展開。バスダクトは国内シェアトップ。都内大型再開発物件とデータセンター・物流施設、半導体関連工場向けが伸長。バスダクト製造拠点は神奈川に2カ所。
【設立】1950.11 【資本金】60百万円
【社長】吉田建(1973.8生 法大経営卒)
【株主】〔23.9〕吉田建37.8%
【事業】バスダクト(電力幹線システム)60、OAフロアシステム35、屋上緑化システム5
【従業員】単399名(42.8歳)

【業績】	売上高	営業利益	経常利益	純利益
単21.9	14,390	1,916	2,065	1,750
単22.9	16,218	2,424	2,573	2,161
単23.9	19,358	2,389	2,549	2,256

㈱共栄商事（きょうえいしょうじ）

株式公開計画なし

採用予定数	倍率	3年後離職率	平均年収
3名	ー	33.3%	‥

●待遇、制度●

【初任給】月23.4万
【残業】‥時間【有休】10日【制度】‥

●新卒定着状況●

20年入社(男4、女2)→3年後在籍(男2、女2)

●採用情報●

【人数】23年:1 24年:3 25年:応募‥→内定0*
【内定内訳】(男‥、女‥)(文‥、理‥)(総‥、他‥)
【試験】‥
【時期】エントリー‥→内々定‥
【採用実績校】‥

【求める人材】柔軟な発想・展開ができ、自発性とチャレンジ精神を備え、いつも夢を抱いていて、自分の考えを主張し、刺激を与えてくれる人

【本社】150-0022 東京都渋谷区恵比寿南1-17-7 ☎03-3719-2711
【特色・近況】「AURORA」ブランドで映像情報周辺機器の開発・製造行う。フラットディスプレーのハンガー・スタンド、AVテーブルは先駆的。デジタルサイネージ用や電動スクリーンなども展開。特許・実用新案多数。公共空間での使用も多く、製品安全性も重視する。
【設立】1966.5 【資本金】24百万円
【社長】小出隆之(1969.3生)
【株主】〔24.4〕小出隆之
【事業】映写用スクリーン16、テーブル31、FPDスタンド43、他10 <輸出1>
【従業員】単100名(43.6歳)

【業績】	売上高	営業利益	経常利益	純利益
単22.4	1,839	‥	‥	‥
単23.4	1,697	‥	‥	‥
単24.4	1,808	‥	‥	‥

㈱アートネイチャー

東証スタンダード

採用内定数	倍率	3年後離職率	平均年収
31名	‥	42.1%	448万円

●待遇、制度●

【初任給】月22.5万
【残業】11.3時間【有休】12日【制度】[住]

●新卒定着状況●

20年入社(男6、女13)→3年後在籍(男3、女8)

●採用情報●

【人数】23年:23 24年:29 25年:応募‥→内定31*
【内定内訳】(男8、女23)(文16、理8)(総24、他7)
【試験】〔Web自宅〕有〔性格〕有
【時期】エントリー25.3→内々定25.6*(一次・二次以降もWEB面接可)【インターン】有【ジョブ型】有
【採用実績校】千葉大1、東京農業大1、学習院大1、日大1、東海大1、東京電機大1、獨協大1、東京工科大1、杏林大1、國學院大1、他

【求める人材】明るく、元気、素直な人

【本社】151-0053 東京都渋谷区代々木3-40-7 ANビル ☎03-3379-3334
【特色・近況】かつらを中心とした総合毛髪製品を製造・販売。日本初の男性用かつらメーカー。主力は「3D型取りシステム」で頭部を計測して製作するオーダーメイドかつら。増毛商品「マープ」や既製品かつらも展開。男性用は業界首位で、女性用は2位。
【設立】1967.6 【資本金】3,667百万円
【会長兼社長】五十嵐祥剛(1941.8生)
【株主】〔24.3〕五十嵐祥剛17.9%
【連結事業】男性向け53、女性向け30、女性向け既製品13、他4
【従業員】連3,886名 単2,376名(44.1歳)

【業績】	売上高	営業利益	経常利益	純利益
連22.3	40,437	3,020	3,038	1,204
連23.3	43,209	3,573	3,534	1,874
連24.3	42,850	2,654	2,724	1,462

朝日(あさひ)エティック

株式公開計画なし

採用内定数	倍率	3年後離職率	平均年収
11名	18.5倍	44%	㊦634万円

●待遇、制度●
【初任給】月25万
【残業】12.5時間【有休】11.5日【制度】住
●新卒定着状況●
20年入社(男15、女10)→3年後在籍(男7、女7)
●採用情報●
【人数】23年:17 24年:10 25年:応募204→内定11*
【内定内訳】(男6、女5)(文8、理2)(総6、他5)
【試験】〔筆記〕SPI3〔Web自宅〕SPI3〔性格〕有
【時期】エントリー25.1→内々定25.3(一次・二次以降もWEB面接可)【インターン】有
【採用実績校】同大1、関西学大1、中京大1、桃山学大2、日工大1、大阪経法大1、名古屋学院大1、玉川大1、京都建築大学校1、他
【求める人材】誠実さ・協調性・行動力があり、人とのコミュニケーションを大切にする人

【大阪本社】553-0003 大阪府大阪市福島区福島7-15-26 JMFビル大阪福島01 ☎06-6343-9175
【特色・近況】商業施設などの建築事業と屋外広告・看板や電気・計装などの設備事業が柱。IoTを活用した屋外広告管理システムなどの開発・販売にも注力。給油所建築でのノウハウを生かしたロードサイド店舗の建築が得意。国内19事業所、5工場を有する。
【設立】1954.12 【資本金】96百万円
【社長】樋口知以(1948.3生 日大院理工修了)
【株主】〔24.7〕エティック100%
【事業】建築・設備工事54、屋外広告工事43、機器製造・工事3 <海外1>
【従業員】単821名(43.9歳)

【業績】	売上高	営業利益	経常利益	純利益
単22.4	17,630	187	314	197
単23.4	16,360	107	225	149
単24.4	16,810	▲239	24	7

#残業が少ない

エステールホールディングス

東証スタンダード

採用内定数	倍率	3年後離職率	平均年収
35名	5.7倍	52.7%	407万円

●待遇、制度●
【初任給】月22.3万(諸手当0.5万円、固定残業代12.5時間分)
【残業】1.4時間【有休】11.8日【制度】在
●新卒定着状況●
20年入社(男0、女112)→3年後在籍(男0、女53)
●採用情報● グループ採用
【人数】23年:70 24年:68 25年:応募200→内定35*
【内定内訳】(男0、女35)(文5、理0)(総0、他35)
【試験】〔Web自宅〕有〔性格〕有
【時期】エントリー25.2→内々定25.4*(一次・二次以降もWEB面接可)【インターン】有【ジョブ型】有
【採用実績校】専大、淑徳大、城西国際大、美作大、戸板短大、東京ウェディング＆ブライダル専、横浜ビューティー＆ブライダル専、他
【求める人材】明るく、コミュニケーション力があり、努力と創意工夫ができる人

【本社】104-0061 東京都中央区銀座1-19-7 ☎03-6628-8480
【特色・近況】指輪、ネックレスなど宝飾品の大手チェーンの持株会社。製造から販売まで一貫体制。小売りはショッピングセンター内のテナントを中心に全国展開。宝飾品事業に加え、子会社でメガネチェーンや食品販売、飲食店事業も展開。ベトナムに宝飾品生産工場。
【設立】1959.3 【資本金】1,571百万円
【社長】丸山雅史(1969.5生 明大経営卒)
【株主】〔24.3〕㈱雅コーポレーション30.9%
【連結事業】宝飾品84、眼鏡9、食品販売・飲食店7
【従業員】連2,642名 単194名(43.0歳)

【業績】	売上高	営業利益	経常利益	純利益
連22.3	29,985	566	781	73
連23.3	29,627	106	314	100
連24.3	31,699	163	303	▲979

㈱MTG

東証グロース

採用内定数	倍率	3年後離職率	平均年収
42名	107.1倍	−	609万円

●待遇、制度●
【初任給】月22万(諸手当5万円)
【残業】30時間【有休】9.7日【制度】..
●新卒定着状況●
20年入社(男0、女0)→3年後在籍(男0、女0)
●採用情報● グループ採用
【人数】23年:46 24年:39 25年:応募4500→内定42*
【内定内訳】(男23、女19)(文34、理8)(総42、他0)
【試験】〔Web自宅〕SPI3〔性格〕有
【時期】エントリー24.6→内々定24.11(一次・二次以降もWEB面接可)
【採用実績校】南山大1、同大1、中京大1、三重大1、慶大1、関大2、関西学大1、愛知工業大1、愛知学大1、日大1、他
【求める人材】理念に共感していて、今後共鳴していきたいと思っている人、成長・貢献意欲がある人、挑戦し続けられる人

【本社】453-0041 愛知県名古屋市中村区本陣通4-13 ☎052-481-5001
【特色・近況】美容・健康機器、化粧品などを企画開発・製造販売するファブレスメーカー。「ReFa」「SIXPAD」が柱。著名選手・歌手を開発パートナーとした製品も。独自ブランド多数。販路はEC・新聞通じた一般直販の他、美容室運営向けECや店舗向け卸。
【設立】1996.1 【資本金】16,781百万円
【社長】松下剛(1970.9生)
【株主】〔24.3〕松下剛42.3%
【連結事業】ダイレクトM45、プロ26、リテールストア24、グローバル2、スマートリング0、他3 <海外3>
【従業員】連1,143名 単679名(37.2歳)

【業績】	売上高	営業利益	経常利益	純利益
連21.9	42,799	3,889	4,213	5,592
連22.9	48,984	3,238	3,724	2,685
連23.9	60,154	3,597	4,168	1,984

㈱オービス	東証スタンダード	採用予定数	倍率	3年後離職率	平均年収
		2〜3名	−	100%	474万円

●待遇、制度●
【初任給】月22万（固定残業代20時間分）
【残業】23.2時間【有休】10.2日【制度】‥
●新卒定着状況●
20年入社（男1、女0）→3年後在籍（男0、女0）
●採用情報●
【人数】23年:2 24年:1 25年:応募5→内定0*
【内定内訳】（男‥、女‥）（文‥、理‥）（総‥、他‥）
【試験】〔筆記〕SPI3
【時期】エントリー25.3→内々定25.4*(一次・二次以降もWEB面接可)
【採用実績校】‥

【求める人材】向上心があり、困難な場面に直面しても、粘り強く果敢に挑戦できる人

【本社】729-0104 広島県福山市松永町6-10-1
☎084-934-2621
【特色・近況】梱包用木材の製材加工・販売会社。原木はニュージーランド松と国産材を使用。梱包材は工作・産業機械などの輸出時に使用。プレハブハウス建築、仮設建物リース、太陽光発電設備施工・販売、ゴルフ場運営など多角化を進める。
【設立】1974.9　【資本金】703百万円
【社長】中浜勇治（1964.11生）
【株主】〔24.4〕中浜勇治16.6%
【事業】木材65、ハウス・エコ27、太陽光発電売電4、ライフクリエイト4、不動産1
【従業員】単186名（46.3歳）

【業績】	売上高	営業利益	経常利益	純利益
単21.10	9,425	229	238	93
単22.10	11,338	770	792	541
単23.10	11,596	670	673	759

㈱カーメイト	東証スタンダード	採用内定数	倍率	3年後離職率	平均年収
		6名	7.7倍	8.3%	㊕644万円

●待遇、制度●
【初任給】月25万
【残業】5.5時間【有休】14日【制度】住
●新卒定着状況●
20年入社（男8、女4）→3年後在籍（男7、女4）
●採用情報●
【人数】23年:12 24年:9 25年:応募46→内定6*
【内定内訳】（男4、女2）（文4、理2）（総6、他0）
【試験】〔Web自宅〕有〔性格〕有
【時期】エントリー24.11→内々定25.3(一次はWEB面接可)【インターン】有
【採用実績校】宇都宮大1、関大1、日大2、東洋大1、神奈川大1

【求める人材】モノ創りで人の役に立ちたい＆自身のアイデアで社会を豊かにしたいという人

【本社】171-0051 東京都豊島区長崎5-33-11 NTビル
☎03-5926-1211
【特色・近況】自動車用品の製造・卸売り大手。ドライブレコーダーやチャイルドシートなどを生産。主な販売先は、オートバックスセブンとイエローハット。自動車関連売上比率9割だがアウトドア商品も展開。スノーチェーンとスノボ関連など冬季商品の割合高い。
【設立】1966.6　【資本金】1,637百万円
【社長】徳田勝（1969.12生 京大院農）
【株主】〔24.3〕㈲エム・テイ興産34.5%
【連結事業】車関連90、アウトドア・レジャー・スポーツ関連10 <海外14>
【従業員】連687名 単368名（43.9歳）

【業績】	売上高	営業利益	経常利益	純利益
連22.3	15,920	1,331	1,409	973
連23.3	16,648	473	585	361
連24.3	15,955	219	321	212

河淳（かわじゅん）	株式公開計画なし	採用内定数	倍率	3年後離職率	平均年収
		23名	‥	0%	㊕598万円

●待遇、制度●
【初任給】月28.1万（諸手当4.4万円、固定残業代22時間分）
【残業】13.1時間【有休】13日【制度】住
●新卒定着状況●
20年入社（男13、女1）→3年後在籍（男13、女1）
●採用情報●
【人数】23年:28 24年:26 25年:応募‥→内定23*
【内定内訳】（男15、女8）（文23、理0）（総13、他10）
【試験】〔Web自宅〕SPI3
【時期】エントリー25.3→内々定25.6
【採用実績校】拓大2、京産大2、産能大2、甲南大1、実践女大1、多摩美大1、岩手県大1、近大1、九州国際大1、駒澤大1、佐賀大1、他

【求める人材】どんな状況下でも常に顧客のことを考えて行動できる人

【本社】103-0007 東京都中央区日本橋浜町3-15-1
☎03-3665-1921
【特色・近況】小売店舗やホテル、医療機関向けの什器・設備品を企画販売。住設機器メーカー向けなどの住宅用建築装飾金物が第2の柱。中国、韓国、インドネシアなどに現地法人。独自商品中心のインテリアショップ「ケユカ」を全国展開。
【設立】1974.9　【資本金】256百万円
【社長】河崎淳三郎（1947.9生）
【株主】〔23.12〕河崎興産58.5%
【事業】流通（店舗用什器備品）57、ハードウエア（建築用金物）15、ホームインテリア26、他2
【従業員】単906名（38.3歳）

【業績】	売上高	営業利益	経常利益	純利益
単21.12	48,271	4,573	4,447	2,681
単22.12	48,080	3,583	3,523	2,091
単23.12	53,660	3,554	3,607	2,833

グローブライド

東証プライム

採用予定数	倍率	3年後離職率	平均年収
30名	‥	22.2%	718万円

●待遇、制度●
【初任給】月23.3万
【残業】15時間【有休】11.6日【制度】住 在
●新卒定着状況●
20年入社(男24、女3)→3年後在籍(男18、女3)
●採用情報●
【人数】23年:24 24年:28 25年:予定30*
【内定内訳】(男‥、女‥)(文‥、理‥)(総‥、他‥)
【試験】〔Web自宅〕有
【時期】エントリー25.‥→内々定25.‥(一次はWEB面接可)【インターン】有
【採用実績校】‥
【求める人材】失敗を恐れることなく自らの意思を持って行動できる人

【本社】203-8511 東京都東久留米市前沢3-14-16
☎042-475-2111
【特色・近況】「DAIWA」ブランドの釣り具を製造。竿、リールから擬似餌まで扱い、フィッシング製品では世界トップ。総合スポーツメーカーを志向し、「Prince」ブランドのテニス用品はじめゴルフ用品、輸入ブランドのサイクルスポーツ用品なども展開。
【設立】1945.12 【資本金】4,184百万円
【社長】鈴木一成(1961.12生 明学大卒)
【株主】〔24.3〕日本マスタートラスト信託銀行信託口9.5%
【連結事業】日本54、米州10、欧州12、アジア・オセアニア24 <海外46>
【従業員】連6,765名 単859名(43.2歳)

【業績】	売上高	営業利益	経常利益	純利益
連22.3	120,684	12,349	12,997	9,567
連23.3	134,583	12,125	12,659	9,188
連24.3	126,008	7,496	8,375	5,582

興研（こうけん）

東証スタンダード

採用実績数	倍率	3年後離職率	平均年収
4名	−	20%	760万円

●待遇、制度●
【初任給】月25.1万(諸手当2万円)
【残業】‥時間【有休】11.8日【制度】住 在
●新卒定着状況●
20年入社(男9、女1)→3年後在籍(男8、女0)
●採用情報●
【人数】23年:7 24年:4 25年:予定減少
【内定内訳】(男‥、女‥)(文‥、理‥)(総‥、他‥)
【試験】〔性格〕有
【時期】エントリー24.12→内々定25.3(一次はWEB面接可)
【採用実績校】‥
【求める人材】マニュアルにとらわれないクリエイティブな発想のできる人

【本社】102-8459 東京都千代田区四番町7
☎03-5276-1911
【特色・近況】防塵・防毒マスクの2大メーカーの一つ。防衛省向けは独占的。医療・産業・一般消費者用の使い捨てマスクも展開。周囲を囲わない開放式空気清浄システムも開発、研究機関や半導体関連で採用進む。全自動式の内視鏡洗浄消毒装置も手がける。
【設立】1963.12 【資本金】674百万円
【社長】村川勉(1966.1生 日大文理卒)
【株主】〔24.6〕公益財団法人酒井CHS振興財団11.7%
【連結事業】防じんマスク50、防毒マスク24、防じん・防毒マスク関連他製品14、環境関連製品9、他3 <海外1>
【従業員】連295名 単236名(41.3歳)

【業績】	売上高	営業利益	経常利益	純利益
連21.12	10,203	945	922	862
連22.12	10,604	1,184	1,160	833
連23.12	10,587	1,007	979	701

㈱光・彩（こう・さい）

東証スタンダード

採用内定数	倍率	3年後離職率	平均年収
5名	16倍	33.3%	413万円

●待遇、制度●
【初任給】月22万(諸手当0.8万円)
【残業】8.9時間【有休】10日【制度】住 在
●新卒定着状況●
20年入社(男1、女5)→3年後在籍(男0、女4)
●採用情報●
【人数】23年:6 24年:7 25年:応募80→内定5
【内定内訳】(男1、女4)(文2、理0)(総0、他5)
【試験】〔筆記〕有〔性格〕有
【時期】エントリー25.3→内々定25.3(一次はWEB面接可)【インターン】有
【採用実績校】南山大1、大原学園専2、山梨県大1、甲府商科専1
【求める人材】想いを価値にかえていく人

【本社】400-0194 山梨県甲斐市龍地3049
☎0551-28-4181
【特色・近況】山梨県に本拠を置く総合宝飾品メーカー。ジュエリーパーツ製造は国内約5割、イヤリング系は約7割と高シェア。完成品のジュエリーはOEM生産が中心だが、独自の鍛造製法技術持ち、開発提案品も強化。生産は国内のみ、職人技術と機械加工の統合が強み。
【設立】1967.4 【資本金】602百万円
【社長】深沢栄二(1965.2生)
【株主】〔24.7〕㈱エスティオ51.4%
【事業】ジュエリー29、ジュエリーパーツ70、商品1 <海外13>
【従業員】単87名(34.8歳)

【業績】	売上高	営業利益	経常利益	純利益
単22.1	2,989	13	17	30
単23.1	3,358	3	33	27
単24.1	3,525	107	115	91

㈱コーアツ

株式公開計画なし

採用内定数	倍率	3年後離職率	平均年収
5名	40倍	0%	‥

●待遇、制度●
【初任給】月23.8万(諸手当0.5万円)
【残業】23.9時間【有休】13.5日【制度】住
●新卒定着状況●
20年入社(男5、女1)→3年後在籍(男5、女1)
●採用情報●
【人数】23年:10 24年:10 25年:応募200→内定5*
【内定内訳】(男5、女0)(文4、理1)(総5、他0)
【試験】〔Web自宅〕SPI3〔性格〕有
【時期】エントリー25.3→内々定25.3【インターン】有
【採用実績校】‥
【求める人材】自分の考えをしっかり伝える発信力・主体性のある人、バイタリティ・協調性のある人

【本社】664-0836 兵庫県伊丹市北本町1-310 ☎072-782-8561
【特色・近況】ガス系消火設備メーカーで業界のパイオニア。国内シェア首位。研究開発から生産、販売・施工、保守・点検まで一貫体制。世界初の放射音抑制機能付き液体消火剤噴射ヘッド開発。三田テクノパーク(兵庫)で「みせる工場」が稼働中。
【設立】1951.2【資本金】60百万円
【社長】佐々木孝行(1965.3生 大工大工卒)
【株主】〔23.9〕能美防災20.8%
【事業】消火設備の製造・据付工事67、消火設備の保守他33 <輸出0>
【従業員】単281名(41.1歳)

【業績】	売上高	営業利益	経常利益	純利益
単21.9	11,139	1,778	1,806	1,262
単22.9	11,037	2,010	2,106	1,482
単23.9	12,547	2,363	2,396	1,699

コトブキシーティング

株式公開計画なし

採用内定数	倍率	3年後離職率	平均年収
7名	17.9倍	―	総582万円

●待遇、制度●
【初任給】月24.4万(諸手当2万円)
【残業】11.9時間【有休】12.2日【制度】フ 住 在
●新卒定着状況●
20年入社(男0、女0)→3年後在籍(男0、女0)
●採用情報●
【人数】23年:5 24年:11 25年:応募125→内定7
【内定内訳】(男3、女4)(文6、理1)(総7、他0)
【試験】〔Web自宅〕有〔性格〕有
【時期】エントリー25.3→内々定25.6(一次はWEB面接可)
【採用実績校】成城大1、中大1、畿央大1、立命館大1、大阪成蹊大1、近大1、キーウ国立言語大1
【求める人材】自主性、自律性を強く持ち、物事を論理的に考え、目的に向かって行動する人

【本社】101-0062 東京都千代田区神田駿河台1-2-1 ☎03-5280-5690
【特色・近況】ホール・劇場用の連結椅子やスポーツスタジアム・競技場の観覧席などのシートを中心に製造・販売。学校の教室、講堂、体育館などにも実績。宿泊用カプセルベッドの製造・販売も行う。欧米、東アジア、東南アジアにグループ会社。
【設立】2010.7【資本金】100百万円
【会長】深澤重幸(1941.5生 コロンビア大院経済修了)
【株主】〔24.5〕コトブキホールディングス100%
【事業】公共施設家具、カプセルベッド
【従業員】連1,052名 単305名(42.9歳)

【業績】	売上高	営業利益	経常利益	純利益
連21.6	19,637	895	977	376
連22.6	20,188	▲184	490	▲561
連23.6	25,766	1,022	1,519	597

㈱壽屋（ことぶきや）

東証スタンダード

採用内定数	倍率	3年後離職率	平均年収
3名	57倍	0%	501万円

●待遇、制度●
【初任給】月22万
【残業】9.3時間【有休】‥日【制度】在
●新卒定着状況●
20年入社(男4、女0)→3年後在籍(男4、女0)
●採用情報●
【人数】23年:4 24年:5 25年:応募171→内定3
【内定内訳】(男1、女2)(文3、理0)(総3、他0)
【試験】〔性格〕有
【時期】エントリー25.3→内々定25.7(一次はWEB面接可)【インターン】有
【採用実績校】青学大2、創価大1
【求める人材】当社理念に賛同しチームワークを尊重できる人、自律性・柔軟性・成長意欲が旺盛な人

【本社】190-8542 東京都立川市緑町4-5 ☎042-522-9810
【特色・近況】フィギュア、プラモデル、雑貨などホビー関連グッズの企画・製造を行う。アニメ、コミック、映画などのキャラクター商品が中心。版権取得、製品企画、デザイン、製造、販売までの一貫体制で版権獲得力が強い。自社コンテンツも手がける。海外売上高比率3割。
【設立】1996.11【資本金】459百万円
【社長】清水一行(1954.4生 法政第一高卒)
【株主】〔24.6〕テレビ朝日14.6%
【事業】卸売販売60、小売販売39、他1 <海外26>
【従業員】単190名(37.5歳)

【業績】	売上高	営業利益	経常利益	純利益
単22.6	14,292	2,337	2,332	1,621
単23.6	18,099	2,614	2,545	1,757
単24.6	16,379	1,656	1,600	1,103

小松ウオール工業（こまつウオールこうぎょう）　東証プライム

採用予定数	倍率	3年後離職率	平均年収
40名	‥	‥	645万円

●待遇、制度●
【初任給】月22万
【残業】16.6時間【有休】‥日【制度】住
●新卒定着状況●
‥
●採用情報●
【人数】23年:40 24年:57 25年:予定40*
【内定内訳】(男‥、女‥)(文‥、理‥)(総‥、他‥)
【試験】〔Web自宅〕SPI3〔性格〕有
【時期】エントリー‥→内々定‥【インターン】有
【採用実績校】‥
【求める人材】物事に真摯に、積極的に取り組む人、快適空間の創造に興味がある人

【本社】923-8643 石川県小松市工業団地1-72
☎0761-21-3131
【特色・近況】オフィスビルなどの固定・可動間仕切り総合メーカーで国内首位。新設ビル向けに強い。納入実績は病院、学校など公共施設向けが多いが、民間の福祉・厚生施設向けに注力。提案・受注・設計から製造・施工まで行う自社一貫システム。国内市場重視の姿勢。
【設立】1968.1　【資本金】3,099百万円
【社長】加納慎也(1983.9生 早大スポ科卒)
【株主】〔24.3〕KANO㈱15.8%
【事業】可動間仕切42、固定間仕切21、トイレブース18、移動間仕切14、ロー間仕切1、他3
【従業員】単1,410名(38.1歳)

【業績】	売上高	営業利益	経常利益	純利益
単22.3	34,541	1,780	1,847	1,240
単23.3	37,772	2,306	2,363	1,627
単24.3	43,551	3,640	3,732	2,775

#残業が少ない

小松電機産業（こまつでんきさんぎょう）　株式公開していない

採用実績数	倍率	3年後離職率	平均年収
4名	‥	20%	497万円

●待遇、制度●
【初任給】月23万
【残業】0.3時間【有休】12.6日【制度】住 在
●新卒定着状況●
20年入社(男4、女1)→3年後在籍(男3、女1)
●採用情報●
【人数】23年:2 24年:4 25年:予定未定*
【内定内訳】(男‥、女‥)(文‥、理‥)(総‥、他‥)
【試験】なし
【時期】エントリー通年→内々定通年【インターン】有
【採用実績校】‥
【求める人材】社是・経営理念・行動指針に共感し、共に行動する意志のある人

【本社】690-0046 島根県松江市乃木福富町735-188
☎0852-32-3636
【特色・近況】工場・倉庫の出入口や間仕切用のシートシャッター「門番」が主力製品。集落排水処理施設遠方監視システム「やくも水神」のクラウド総合水管理システムがもう一つの柱で、1.7万施設で採用されている。「門番」は東京築地・豊洲市場でも採用実績。
【設立】1974.2　【資本金】100百万円
【代表取締役】小松昭夫(1944.4生 松江工高卒)
【株主】〔24.3〕エコー・コンサルティング68.4%
【事業】シートシャッター門番70、上下水道システムやくも水神30 <輸出1>
【従業員】単83名(34.0歳)

【業績】	売上高	営業利益	経常利益	純利益
単22.3	4,509	821	943	649
単23.3	4,501	216	336	200
単24.3	4,693	181	348	143

㈱ザイエンス　株式公開計画なし

採用内定数	倍率	3年後離職率	平均年収
4名	8.5倍	66.7%	‥

●待遇、制度●
【初任給】月22.7万
【残業】20時間【有休】11.6日【制度】住 在
●新卒定着状況●
20年入社(男3、女0)→3年後在籍(男1、女0)
●採用情報●
【人数】23年:5 24年:4 25年:応募34→内定4*
【内定内訳】(男3、女1)(文3、理1)(総0、他4)
【試験】〔筆記〕常識〔性格〕有
【時期】エントリー25.3→内々定25.5(一次はWEB面接可)
【採用実績校】新潟大院1、獨協大1、信州大院1、長崎県大1
【求める人材】‥

【本社】100-0005 東京都千代田区丸の内2-3-2
☎03-3284-0501
【特色・近況】木材の防腐、防虫を中心とする加工技術を基礎に、建材、化成品など環境エクステリア関連製品を製造・販売。木材保存技術に定評。シロアリ対策工事も手がける。北海道から九州まで営業拠点。工場・製造所は国内8カ所。2本社制。1922年創業。
【設立】1931.12　【資本金】220百万円
【社長】荒井浩(1974.4生)
【株主】‥
【事業】住宅資材63、環境整備資材11、化成品16、素材商事5、産業用資材2、他3
【従業員】単196名(44.9歳)

【業績】	売上高	営業利益	経常利益	純利益
単21.9	16,905	‥	1,853	1,866
単22.9	22,572	‥	1,698	1,164
単23.9	18,169	‥	322	172

三洋工業(さんようこうぎょう)

東証スタンダード

採用内定数	倍率	3年後離職率	平均年収
11名	11.5倍	83.3%	564万円

●待遇、制度●
【初任給】月22.8万(諸手当2万円)
【残業】9.7時間【有休】11.1日【制度】住 在
●新卒定着状況●
20年入社(男6、女0)→3年後在籍(男1、女0)
●採用情報●
【人数】23年:6 24年:12 25年:応募127→内定11*
【内定内訳】(男9、女2)(文10、理1)(総11、他0)
【試験】〔Web自宅〕有〔性格〕有
【時期】エントリー25.3→内々定25.5(一次・二次以降もWEB面接可)【インターン】有
【採用実績校】千葉商大1、明学大1、東洋大1、駿河台大1、龍谷大1、摂南大1、帝京大1、西南学大1、城西大1、周南公大1、日大1
【求める人材】誠実で柔軟性があり、コミュニケーション能力がある人

【本社】130-0012 東京都墨田区太平2-9-4 三洋ビル ☎03-5611-3451
【特色・近況】建築用金属材料の総合メーカーで、天井・床・壁下地材や内装材の大手。鋼製OA床下地材、マンション向け遮音二重床下地材、軽量壁天井下地材などが主力事業。学校体育館などスポーツ施設向けの床下地材で高シェア。耐震補強対策など改修向けも扱う。
【設立】1947.7 【資本金】1,760百万円
【社長】山岸茂(1976.3生)
【株主】〔24.3〕㈱TNNアドバイザーズ5.0%
【連結事業】軽量壁天井下地39、床システム33、アルミ建材19、換気・採光製品4、一般建材商品2、他3
【従業員】連385名 単311名(43.2歳)

【業績】	売上高	営業利益	経常利益	純利益
連22.3	24,533	866	1,084	735
連23.3	28,283	1,756	1,988	1,621
連24.3	30,484	2,455	2,669	1,856

㈱シー・エス・ランバー

東証スタンダード

採用内定数	倍率	3年後離職率	平均年収
6名	21.5倍	33.3%	482万円

●待遇、制度●
【初任給】月26.7万(諸手当6.3万円、固定残業代10時間分)
【残業】30時間【有休】12.1日【制度】住 在
●新卒定着状況●
20年入社(男4、女2)→3年後在籍(男2、女2)
●採用情報●
【人数】23年:6 24年:8 25年:応募129→内定6*
【内定内訳】(男2、女4)(文3、理3)(総6、他0)
【試験】〔筆記〕常識〔性格〕有
【時期】エントリー24.10→内々定25.2*(一次はWEB面接可)【インターン】有
【採用実績校】山梨英和大1、前橋工大1、東洋大1、東京農工大1、愛知大1、関東職能大学校1
【求める人材】協調性があり仲間を大切にできる人、自己成長と社会貢献を両立したい人

【本社】262-0033 千葉県千葉市花見川区幕張本郷1-16-3 ☎043-213-8810
【特色・近況】建築に用いるプレカット木材の加工販売大手。現場に搬入する前に工場で木材を切断、接合などの加工を施す。在来軸組工法用、ツーバイフォー工法用ともに対応。首都圏地盤。木材の仕入れ・加工、販売まで一貫体制が強み。戸建て住宅の建築請負も手がける。
【設立】1983.4 【資本金】536百万円
【社長】中井千代助(1950.12生 法大経済卒)
【株主】〔24.5〕㈱千代35.6%
【連結事業】プレカット73、建築請負20、不動産賃貸4、他3
【従業員】連321名 単202名(39.6歳)

【業績】	売上高	営業利益	経常利益	純利益
連22.5	25,126	4,062	4,029	2,766
連23.5	24,547	3,248	3,182	2,235
連24.5	21,132	2,174	2,082	1,435

㈱CDG

東証スタンダード

採用内定数	倍率	3年後離職率	平均年収
11名	‥	33.3%	553万円

●待遇、制度●
【初任給】月20.5万(諸手当1万円)
【残業】31.4時間【有休】10.7日【制度】住 在
●新卒定着状況●
20年入社(男3、女3)→3年後在籍(男3、女1)
●採用情報●
【人数】23年:10 24年:11 25年:応募‥→内定11
【内定内訳】(男4、女7)(文11、理0)(総11、他0)
【試験】〔Web自宅〕有〔性格〕有
【時期】エントリー24.8→内々定25.6(一次・二次以降もWEB面接可)【インターン】有
【採用実績校】専大2、駒澤大1、日大1、明学大1、桃山学大1、西南学大1、他
【求める人材】仕事を通じて人間的に成長を目指す人

【本社】530-0001 大阪府大阪市北区梅田2-5-25 ハービスOSAKA ☎06-6133-5200
【特色・近況】コンテンツ(IP)やデジタルツールを用いた販促プロモーションを提供する。消費者とのリアルな接点も重視。ノベルティの製造で出発したが、近年事業領域を拡大させた。顧客管理含むBPOサービスも提供。筆頭株主は同じ販促プロモのCLホールディングス。
【設立】1974.4 【資本金】450百万円
【社長】小西秀央(1971.8生 明大政経卒)
【株主】〔24.6〕CLホールディングス40.2%
【連結事業】流通・小売17、外食・各種サービス14、情報・通信14、自動車・関連品13、飲料・嗜好品8、食品7、他28
【従業員】連274名 単253名(37.4歳)

【業績】	売上高	営業利益	経常利益	純利益
連22.3	11,261	501	559	435
連22.12変	8,044	277	316	302
連23.12	11,312	458	506	378

㈱秀光（しゅうこう）

株式公開計画なし

採用内定数	倍率	3年後離職率	平均年収
5名	5倍	72.7%	㊣594万円

●待遇、制度●
【初任給】月22万
【残業】17.3時間【有休】12.8日【制度】在

●新卒定着状況●
20年入社(男5、女6)→3年後在籍(男1、女2)

●採用情報●
【人数】23年:4 24年:7 25年:応募25→内定5*
【内定内訳】(男1、女4)(文4、理0)(総5、他0)
【試験】なし
【時期】エントリー25.3→内々定25.未定*
【採用実績校】大正大1、亜大1、富山大1、中村学大1、浅野工学専1
【求める人材】ものづくりや空間づくりに興味があり、提案やデザインすることに熱意のある人

【本社】212-0013 神奈川県川崎市幸区堀川町580
☎044-543-5320
【特色・近況】金融機関店舗を中心に一般オフィス、ショップのレイアウト、什器を提案・製作・施工。カウンタービジネス店舗のプランニングでは国内大手。欧州の10数社と技術提携し国内で製造・販売。東京・青山にモデルオフィスのショールーム。
【設立】1947.6 【資本金】100百万円
【社長】佐久間悠太(1976.11生 同大卒)
【株主】〔24.3〕佐久間悠太60.9%
【事業】銀行等金融機関・一般店舗の企画設計・施工、オフィス家具什器製造販売、展示会企画施工
【従業員】単130名(‥歳)

【業績】	売上高	営業利益	経常利益	純利益
単22.3	3,739	9	25	14
単23.3	4,077	16	22	14
単24.3	4,031	41	44	1

ゼブラ

株式公開計画なし

採用内定数	倍率	3年後離職率	平均年収
23名	‥	7.1%	‥

●待遇、制度●
【初任給】月24.6万
【残業】‥時間【有休】16.3日【制度】住 在

●新卒定着状況●
20年入社(男6、女8)→3年後在籍(男6、女7)

●採用情報●
【人数】23年:14 24年:11 25年:応募‥→内定23
【内定内訳】(男11、女12)(文11、理12)(総23、他0)
【試験】〔性格〕有
【時期】エントリー25.3→内々定25.9*(一次はWEB面接可)【インターン】有
【採用実績校】早大、横国大、京産大、立命館大、一橋大、日女大、ICU、北大、山形大、芝工大、大阪工大、工学院大、東京電機大、南山大、他
【求める人材】常にチャレンジする姿勢を持ち、和の精神の下、切磋琢磨しながら成長できる人

【本社】162-8562 東京都新宿区東五軒町2-9
☎03-3268-1181
【特色・近況】「ハイマッキー」「シャーボ」「サラサクリップ」など機能的な定番製品を持つ筆記具大手。ジェルボールペンや芯の折れないシャープペン、ストレスフリーな書き心地のボールペンなど独創性高い製品も展開。1897年鋼ペン先製造で創業。
【設立】1939.10 【資本金】90百万円
【社長】石川太郎(1981.9生 慶大商卒)
【株主】〔24.3〕ゼブラホールディングス100%
【事業】ボールペン(油性・水性)62、マーカー27、シャープ5、ペン先他6 <輸出48>
【従業員】単783名(44.8歳)

【業績】	売上高	営業利益	経常利益	純利益
単22.3	24,287	2,400	3,481	2,458
単23.3	26,010	3,089	4,761	3,968
単24.3	27,865	3,652	3,408	2,065

太陽工業（たいようこうぎょう）

株式公開計画なし

採用内定数	倍率	3年後離職率	平均年収
21名	17.7倍	36%	624万円

●待遇、制度● 平均年収は40代平均
【初任給】月24万
【残業】17.7時間【有休】8.6日【制度】住 在

●新卒定着状況●
20年入社(男17、女8)→3年後在籍(男11、女5)

●採用情報●
【人数】23年:17 24年:30 25年:応募371→内定21*
【内定内訳】(男13、女8)(文12、理6)(総21、他0)
【試験】〔Web自宅〕有〔性格〕有
【時期】エントリー25.3→内々定25.4(一次・二次以降もWEB面接可)【インターン】有
【採用実績校】関西学大2、関大2、北九州市大2、近大1、東理大1、和歌山大1、香川大1、桃山学大1、大阪市大1、東洋大1、同大1、日大院1、他
【求める人材】いろいろなことにチャレンジしたい人、「これだけは誰にも負けない」という個性豊かな人

【大阪本社】532-0012 大阪府大阪市淀川区木川東4-8-4
☎06-6306-3032
【特色・近況】大型膜面構造物(テント構造物)メーカー。大型膜構造物製造において国内トップシェア。東京ドームなどスポーツ施設、博覧会場、空港やターミナル等に実績多い。汚れても太陽光と雨で自浄する酸化チタン光触媒膜などを自社で開発。
【設立】1947.10 【資本金】2,570百万円
【社長】能村祐己(1983.2生 甲南大経済卒)
【株主】〔23.12〕太陽興産43.7%
【事業】建築系事業分野61、資材系事業分野39 <海外2>
【従業員】連1,446名 単557名(45.7歳)

【業績】	売上高	営業利益	経常利益	純利益
連21.12	47,385	2,755	3,120	1,927
連22.12	52,693	1,712	1,974	939
連23.12	55,021	2,278	2,317	1,538

タカラベルモント

株式公開計画なし

採用内定数	倍率	3年後離職率	平均年収
46名	13.3倍	19.4%	689万円

●待遇、制度●
【初任給】月23万
【残業】5.6時間【有休】5.8日【制度】住 在
●新卒定着状況●
20年入社(男26、女10)→3年後在籍(男20、女9)
●採用情報●
【人数】23年:39 24年:40 25年:応募610→内定46
【内定内訳】(男31、女15)(文24、理22)(総46、他0)
【試験】〔Web自宅〕WEB-GAB
【時期】エントリー25.1→内々定25.3～6*(一次・二次以降もWEB面接可)【インターン】有【ジョブ型】有
【採用実績校】同大5、阪大2、法政大2、立命館大2、関大2、成蹊大2、学習院大2、東京電機大2、東京農業大2、東理大2、大阪公大1、他
【求める人材】パーパス「美しい人生を、かなえよう。」に共感し、未来志向実現のチャレンジをする人

【大阪本社】542-0083 大阪府大阪市中央区東心斎橋2-1-1 ☎06-6211-2831
【特色・近況】理容・美容機器の世界大手。デンタルチェアの生産台数は世界トップクラス。頭髪化粧品、歯科・医療設備機器も手がける。理美容サロンの開業支援やエステシシャン、ネイリストの教育事業も。国内54、海外27事業所。1921年創業。
【設立】1951.7 【資本金】300百万円
【会長兼社長】吉川秀隆(1949.8生 日大経済卒)
【株主】〔24.3〕吉川秀隆8.2%
【事業】理美容器具33、医療用機器43、頭髪化粧品24 <輸出20>
【従業員】単1,636名(43.8歳)

【業績】	売上高	営業利益	経常利益	純利益
単22.3	61,968	2,470	3,406	3,106
単23.3	65,436	2,046	3,119	2,032
単24.3	63,965	2,131	3,840	1,442

㈱ツツミ

東証スタンダード

採用内定数	倍率	3年後離職率	平均年収
51名	24.5倍	53.8%	405万円

●待遇、制度●
【初任給】月21万
【残業】5.7時間【有休】13.2日【制度】‥
●新卒定着状況●
20年入社(男3、女88)→3年後在籍(男2、女40)
●採用情報●
【人数】23年:70 24年:66 25年:応募1252→内定51*
【内定内訳】(男2、女49)(文31、理0)(総51、他0)
【試験】〔性格〕有
【時期】エントリー25.2→内々定25.4(一次・二次以降もWEB面接可)【インターン】有
【採用実績校】駒沢女大3、大原トラベル・ホテル・ブライダル専3、明海大2、日大1、東海大1、大正大1、共立女大1、昭和女大1、他
【求める人材】人と話すことが好きで、相手の気持ちに共感できる人

【本社】335-0004 埼玉県蕨市中央4-24-26 ☎048-431-5111
【特色・近況】宝飾品、貴金属小売りの大手。世界の宝石産地から直接買い付け、自社で企画・生産する一貫体制に強み。内装高級化店舗での高額商品販売の一方、競合差別化のための割安販売など独自戦略。店舗は首都圏を中心に、関東、関西、中部へ展開。EC拡販に意欲。
【設立】1973.6 【資本金】13,098百万円
【社長】互智司(1965.7生 東大法卒)
【株主】〔24.3〕堤倭子51.2%
【事業】指輪30、ネックレス・ブレスレット49、小物21
【従業員】単943名(39.5歳)

【業績】	売上高	営業利益	経常利益	純利益
単22.3	16,477	1,071	1,191	684
単23.3	18,119	1,465	1,507	909
単24.3	19,907	1,671	1,738	1,155

#残業が少ない

㈱テラモト

株式公開計画なし

採用内定数	倍率	3年後離職率	平均年収
2名	31.5倍	18.2%	‥

●待遇、制度●
【初任給】月24.8万(諸手当2万円)
【残業】3.2時間【有休】11.6日【制度】‥
●新卒定着状況●
20年入社(男6、女5)→3年後在籍(男6、女3)
●採用情報● 25年は総合職のみ
【人数】23年:10 24年:7 25年:応募63→内定2
【内定内訳】(男1、女1)(文2、理0)(総2、他0)
【試験】〔筆記〕常識、他〔性格〕有
【時期】エントリー25.3→内々定25.5【インターン】有【ジョブ型】有
【採用実績校】千葉商大1、千葉経大1
【求める人材】明るく前向きに、自ら新しい快適環境へチャレンジしてくれる人

【本社】550-0012 大阪府大阪市西区立売堀3-5-29 ☎06-6541-3333
【特色・近況】環境美化用品の総合メーカーで、玄関マット、人工芝、各種清掃用品、屑入れ、傘立て、ベンチ、パネル式看板などを製造・販売。大阪と東京の2本社体制。中国に現地法人。ホテル用ハウスキーピングワゴンなどに力を入れる。1927年創業。
【設立】1960.2 【資本金】90百万円
【社長】寺本久憲
【株主】寺本久憲16.7%
【事業】マット・人工芝36、清掃用品26、環境備品33、他5 <輸出0>
【従業員】単355名(39.0歳)

【業績】	売上高	営業利益	経常利益	純利益
単22.1	10,790	‥	‥	301
単23.1	10,579	‥	‥	397
単24.1	10,718	‥	‥	597

㈱天童木工（てんどうもっこう）

株式公開計画なし

採用予定数	倍率	3年後離職率	平均年収
3名	‥	0%	‥

●待遇、制度●
【初任給】月19万
【残業】10時間【有休】10.7日【制度】住
●新卒定着状況●
20年入社(男6、女3)→3年後在籍(男6、女3)
●採用情報●
【人数】23年:10 24年:3 25年:予定3
【内定内訳】(男‥、女‥)(文‥、理‥)(総‥、他‥)
【試験】〔筆記〕常識
【時期】エントリー‥→内々定‥
【採用実績校】‥
【求める人材】やる気と協調性を備え、自分で考え行動できる人

【本社】994-8601 山形県天童市乱川1-3-10
☎023-653-3121
【特色・近況】成形合板技術を駆使した家具を主力とする高級家具メーカー。高級自動車部品の製造も手がける。大学、庁舎、図書館など公共施設も納品先。独自技術「軟質針葉樹圧密化・成形技術」に加え、木材に機能を付加する「圧密浸漬処理」の特許をもつ。
【設立】1948.11 【資本金】300百万円
【社長】加藤幸男(1944.7生 福島大経済卒)
【株主】〔24.3〕加藤由起子17.9%
【事業】業務用家具製造66、家庭用家具製造16、自動車内装部品18
【従業員】単233名(40.8歳)

【業績】	売上高	営業利益	経常利益	純利益
単22.3	2,946	▲128	76	36
単23.3	3,131	▲122	40	41
単24.3	2,965	▲22	40	37

トーソー

東証スタンダード

採用内定数	倍率	3年後離職率	平均年収
14名	101倍	36.4%	652万円

●待遇、制度●
【初任給】月21.3万
【残業】17.1時間【有休】12.1日【制度】フ 住 在
●新卒定着状況●
20年入社(男8、女3)→3年後在籍(男7、女0)
●採用情報●
【人数】23年:15 24年:13 25年:応募1414→内定14
【内定内訳】(男6、女8)(文11、理3)(総14、他0)
【試験】〔Web会場〕SPI3〔Web自宅〕SPI3〔性格〕有
【時期】エントリー25.3→内々定25.5【インターン】有
【採用実績校】千葉工大2、都立大1、立教大1、関西学大1、産能大2、関東学院大2、武庫川女大1、他
【求める人材】的確な課題形成力を持ち、変化に対応する意欲を持った人

【本社】104-0033 東京都中央区新川1-4-9
☎03-3552-1211
【特色・近況】室内装飾品の製造・販売大手で、カーテンレールは国内首位。ブラインドも強い。代理店販売主体に全国展開。ホテルや老健施設など非住宅、スーパー・コンビニ向け保冷用スクリーンなど新用途にも注力。海外事業は中国やインドのほか東南アジアを強化。
【設立】1949.9 【資本金】1,170百万円
【社長】八重島真人(1967.3生 京産大法卒)
【株主】〔24.3〕十和運送4.1%
【連結事業】室内装飾関連98、他2
【従業員】連983名 単634名(43.7歳)

【業績】	売上高	営業利益	経常利益	純利益
連22.3	20,861	785	825	531
連23.3	21,298	719	752	367
連24.3	21,605	483	534	294

㈱トーマ

株式公開計画なし

採用予定数	倍率	3年後離職率	平均年収
2名	‥	―	‥

●待遇、制度●
【初任給】月21万(諸手当1.4万円)
【残業】‥時間【有休】‥日【制度】在
●新卒定着状況●
20年入社(男0、女0)→3年後在籍(男0、女0)
●採用情報●
【人数】23年:0 24年:2 25年:予定2
【内定内訳】(男‥、女‥)(文‥、理‥)(総‥、他‥)
【試験】なし
【時期】エントリー‥→内々定‥
【採用実績校】‥
【求める人材】チャレンジ精神を持ち、コミュニケーション力のある人

【本社】635-0017 奈良県大和高田市東雲町13-4
☎0745-52-6671
【特色・近況】クローゼットドア、リビングドアなど木製品、住宅部材、住宅設備機器を製造。住宅設備機器製造のVカット工法に強み。自社ブランド第2弾の薄型シェルフの販売拡大。奈良県に2工場体制。1927年、学童机の製造・販売で創業。
【設立】1960.4 【資本金】50百万円
【社長】当麻和重(1958.9生 関西学大経済卒)
【株主】〔24.3〕当麻和重
【事業】クロゼットドア、リビングドア
【従業員】単184名(40.0歳)

【業績】	売上高	営業利益	経常利益	純利益
単22.3	6,183	‥	‥	‥
単23.3	6,313	‥	‥	‥
単24.3	6,119	‥	‥	‥

㈱トランザクション　東証プライム

採用内定数	倍率	3年後離職率	平均年収
28名	35.7倍	20%	557万円

●待遇、制度●
【初任給】月23.1万(固定残業代20時間分)
【残業】10時間【有休】14日【制度】‥
●新卒定着状況● グループ合計、大卒のみ
20年入社(男7、女8)→3年後在籍(男5、女7)
●採用情報● グループ採用
【人数】23年:37 24年:36 25年:応募1000→内定28*
【内定内訳】(男9、女19)(文26、理2)(総28、他0)
【試験】〔性格〕有
【時期】エントリー25.3→内々定25.6(一次・二次以降もWEB面接可)【インターン】有
【採用実績校】大東文化大3、法政大2、同女大2、専大1、近大1、福岡大1、都立大1、武庫川女大1、愛知大1、東京農業大1
【求める人材】「挑戦するって面白い」のCIに共感して、スピード感を持って行動できる人

【本社】150-0002 東京都渋谷区渋谷3-28-13 渋谷新南口ビル ☎03-5468-9033
【特色・近況】デザイン雑貨、エコ雑貨の企画から販売までの一貫制作を行う持株会社。生産は外部委託多いがプリント加工の自社グループ工場を持つ。SDGs関連のエコバッグなどオリジナル製品に加え、カスタムメイド品も手がける。ゲーム・アニメ・ペット関連に注力。
【設立】1990.3 【資本金】93百万円
【社長】千葉啓一(1965.10生 東北電子専卒)
【株主】〔24.2〕石川諭29.5%
【連結事業】エコプロダクツ44、ライフスタイルプロダクツ49、ウェルネスプロダクツ5、デザイン他1
【従業員】連442名 単33名(38.3歳)

【業績】	売上高	営業利益	経常利益	純利益
連21.8	17,139	2,820	2,876	2,059
連22.8	18,273	3,231	3,304	2,195
連23.8	22,958	4,658	4,786	3,305

ナカバヤシ　東証スタンダード

採用実績数	倍率	3年後離職率	平均年収
18名	‥	29.6%	502万円

●待遇、制度●
【初任給】月21.2万
【残業】7.1時間【有休】9.3日【制度】住 在
●新卒定着状況●
20年入社(男15、女12)→3年後在籍(男11、女8)
●採用情報●
【人数】23年:21 24年:18 25年:予定未定*
【内定内訳】(男‥、女‥)(文‥、理‥)(総‥、他‥)
【試験】〔性格〕有
【時期】エントリー24.10→内々定25.2(一次はWEB面接可)【インターン】有
【採用実績校】‥
【求める人材】オーナー意識を持って自分から仕事に取り組める人

【本社】540-0031 大阪府大阪市中央区北浜東1-20 ☎06-6943-5555
【特色・近況】アルバム、図書館製本の最大手。図書館向け資料の製本修復、商業印刷、手帳制作などが主事業。ノートやフリー台紙アルバム「フエルアルバム」など個人向け文具も展開。事務作業のBPOやシュレッダー、オフィス家具なども展開。
【設立】1951.6 【資本金】6,666百万円
【代表取締役】湯本秀昭(1959.3生 東北学大経済卒)
【株主】〔24.3〕日本マスタートラスト信託銀行信託口9.0%
【連結事業】ビジネスプロセスS51、コンシューマーC33、オフィスアプライアンス13、エネルギー2、他0
【従業員】連2,291名 単1,010名(41.4歳)

【業績】	売上高	営業利益	経常利益	純利益
連22.3	63,118	1,818	2,336	1,018
連23.3	61,581	455	939	▲666
連24.3	61,043	462	1,003	876

㈱ナスタ　株式公開計画なし

採用内定数	倍率	3年後離職率	平均年収
4名	1倍	20%	‥

●待遇、制度●
【初任給】月21万(諸手当0.3万円)
【残業】20時間【有休】12.3日【制度】フ 住 在
●新卒定着状況●
20年入社(男1、女4)→3年後在籍(男1、女3)
●採用情報●
【人数】23年:8 24年:6 25年:応募4→内定4*
【内定内訳】(男1、女3)(文3、理1)(総4、他0)
【試験】〔Web会場〕有〔性格〕有
【時期】エントリー24.11→内々定25.2(一次・二次以降もWEB面接可)【インターン】有
【採用実績校】東海大1、神奈川大1、成城大1、西南学大1
【求める人材】本気で世の中を変えたいと思い、実行できる力を持っている人

【本社】107-0062 東京都港区南青山5-1-3 TS AOYAMA6階 ☎03-6897-3537
【特色・近況】宅配ボックスや郵便受けなど建築金物の製造・販売が主要事業。同分野のパイオニア。ゼネコン、住宅メーカーに約2900品目納入。スマホ対応前提の24h防犯カメラ、専用宅配ボタンと自動応答機能搭載の新型インターホンなど受賞商品も多数。
【設立】2017.1 【資本金】100百万円
【代表取締役】笹川順平(慶大卒)
【株主】〔24.3〕LIVNEX100%
【事業】建築金物、サイン製品等の製造・販売
【従業員】単460名(‥歳)

【業績】	売上高	営業利益	経常利益	純利益
単22.3	11,800	‥	‥	‥
単23.3	12,400	‥	‥	‥
単24.3	12,900	‥	‥	‥

㈱ナベル

株式公開計画なし

採用内定数	倍率	3年後離職率	平均年収
2名	1倍	37.5%	㊕511万円

●待遇、制度●
【初任給】月21.2万(諸手当0.5万円)
【残業】14.2時間【有休】13.1日【制度】‥
●新卒定着状況●
20年入社(男4、女4)→3年後在籍(男1、女4)
●採用情報●
【人数】23年:4 24年:3 25年:応募2→内定2*
【内定内訳】(男2、女0)(文‥、理‥)(総2、他0)
【試験】〔Web会場〕SPI3
【時期】エントリー24.10→内々定25.3*(一次はWEB面接可)【インターン】有
【採用実績校】‥
【求める人材】協働を大切にするとともに当事者意識を持ち自律的に行動、環境の変化に柔軟に対応できる人

【本社】518-0131 三重県伊賀市ゆめが丘7-2-3 ☎0595-21-5060
【特色・近況】カメラ用蛇腹でスタートした蛇腹専門メーカー。光学機器、医療機器、測定器、レーザー加工機など向けに製造。持ち運び可能な折り畳み式ソーラーパネルを防災向けに拡販。IoT、ロボット関連の研究開発に注力。米国、中国、台湾、韓国に現地法人を展開。
【設立】1988.10 【資本金】50百万円
【社長】永井規夫(1957.2生 関大法卒)
【株主】〔23.9〕ナベルホールディングス100%
【事業】蛇腹製造・販売100 <輸出5>
【従業員】単212名(40.3歳)

【業績】	売上高	営業利益	経常利益	純利益
単21.9	2,492	303	402	303
単22.9	3,287	435	607	416
単23.9	3,175	341	510	355

㈱ニシ・スポーツ

株式公開計画なし

採用実績数	倍率	3年後離職率	平均年収
7名	－	66.7%	㊕703万円

●待遇、制度●
【初任給】月21万
【残業】10.5時間【有休】11.1日【制度】フ 住 在
●新卒定着状況●
20年入社(男3、女3)→3年後在籍(男1、女1)
●採用情報●
【人数】23年:4 24年:7 25年:予定0
【内定内訳】(男‥、女‥)(文‥、理‥)(総‥、他‥)
【試験】‥
【時期】エントリー25.3→内々定25.6(一次はWEB面接可)
【採用実績校】‥
【求める人材】仲間と協力して目標を達成でき、自分で考え、行動する事ができる人

【本社】136-0075 東京都江東区新砂3-1-18 ☎03-6369-9000
【特色・近況】アシックスの完全子会社で、陸上競技用器具の専門メーカー。タイム計測器の「NISHI」ブランドで著名。電子機器などの商品開発・改良に積極姿勢。陸上競技で培ったノウハウ生かしトレーニング・健康・生涯スポーツ分野に事業展開。
【設立】1958.4 【資本金】24百万円
【社長】松田卓巳(1977.8生 京産大教育)
【株主】〔23.12〕アシックス100%
【事業】陸上競技専用機器の製造販売、陸上競技会運営システム販売、他
【従業員】単116名(44.7歳)

【業績】	売上高	営業利益	経常利益	純利益
単21.12	4,049	160	165	103
単22.12	4,393	194	172	111
単23.12	4,467	256	237	156

日本（にっぽん）インシュレーション

東証スタンダード

採用予定数	倍率	3年後離職率	平均年収
30名	‥	33.3%	542万円

●待遇、制度●
【初任給】月23万(諸手当0.9万円)
【残業】10.8時間【有休】14.2日【制度】住
●新卒定着状況●
20年入社(男10、女2)→3年後在籍(男6、女2)
●採用情報●
【人数】23年:12 24年:11 25年:予定30*
【内定内訳】(男‥、女‥)(文‥、理‥)(総‥、他‥)
【試験】〔Web自宅〕有〔性格〕有
【時期】エントリー25.3→内々定25.10*(一次はWEB面接可)【インターン】有【ジョブ型】有
【採用実績校】‥
【求める人材】積極性と行動力のある人

【本社】542-0081 大阪府大阪市中央区南船場1-18-17 商工中金船場ビル ☎06-6210-1250
【特色・近況】建築、プラント向けの保温材・防耐火建材メーカーで施工も行う。ケイ酸カルシウムが基材で、耐火性・断熱性に優れ、軽量で加工しやすく経年劣化が少ない特性が強み。建築は高層建築物が中心、プラントは石油化学、火力発電所など。ベトナムに生産拠点。
【設立】1949.1 【資本金】1,200百万円
【社長】吉井智彦(1956.7生 山口大文理卒)
【株主】〔24.3〕大阪中小企業投資育成10.0%
【連結事業】建築関連37、プラント関連63
【従業員】連363名 単306名(42.2歳)

【業績】	売上高	営業利益	経常利益	純利益
連22.3	14,118	1,861	1,891	1,145
連23.3	12,320	1,145	1,142	723
連24.3	12,537	1,458	1,460	975

日本クロージャー（にっぽん）

株式公開計画なし

採用予定数	倍率	3年後離職率	平均年収
47名	‥	21.4%	510万円

●待遇、制度●
【初任給】月23.2万(諸手当を除いた数値)
【残業】15.3時間【有休】14.7日【制度】フ 住 在
●新卒定着状況●
20年入社(男22、女6)→3年後在籍(男17、女5)
●採用情報●
【人数】23年:16 24年:20 25年:予定47
【内定内訳】(男‥、女‥)(文‥、理‥)(総‥、他‥)
【試験】‥
【時期】エントリー‥→内々定‥【インターン】有
【採用実績校】‥
【求める人材】発信力があり、柔軟な考え方をもってコミュニケーションができる人

【本社】141-0022 東京都品川区東五反田2-18-1 大崎フォレストビルディング18階☎03-4514-2150
【特色・近況】飲料、酒類、医薬品、食品向けペットボトル、ガラス瓶用の樹脂・金属キャップの最大手。環境配慮型の製品開発にも注力。海外はタイ、ドイツ、インドネシア、インド、中国に拠点を持つ。1941年、牛乳王冠から出発。東洋製罐グループ。
【設立】1941.1 【資本金】500百万円
【代表取締役】桐基晃(1961.5生 立大経済卒)
【株主】〔24.3〕東洋製罐グループホールディングス100%
【事業】樹脂製品、アルミキャップ、スチールキャップ、王冠、関連機械他 <輸出1>
【従業員】単1,322名(40.4歳)

【業績】	売上高	営業利益	経常利益	純利益
単22.3	47,959	743	1,074	850
単23.3	50,627	▲1,644	▲1,420	▲1,129
単24.3	52,930	616	958	895

日本アイ・エス・ケイ（にほん）

東証スタンダード

採用内定数	倍率	3年後離職率	平均年収
18名	43.9倍	33.3%	487万円

●待遇、制度●
【初任給】月22.5万
【残業】15時間【有休】8.4日【制度】住
●新卒定着状況●
20年入社(男14、女4)→3年後在籍(男9、女3)
●採用情報●
【人数】23年:16 24年:19 25年:応募791→内定18*
【内定内訳】(男13、女5)(文13、理5)(総0、他18)
【試験】〔筆記〕常識〔性格〕有
【時期】エントリー 25.3→内々定25.6*(一次・二次以降もWEB面接可)【インターン】有【ジョブ型】有
【採用実績校】日工大3、足利大1、常磐大1、駒澤大1、麗澤大1、広島工大1、獨協大1、東洋大1、大阪経大1、筑波研究学園専1、他
【求める人材】こだわりや探究心の強い人、チームワークを重視する人

【本社】300-4297 茨城県つくば市寺具1395-1 ☎029-869-2001
【特色・近況】耐火金庫の中堅メーカー。金庫は操作履歴機能付き、生体認証付きなど高付加価値品に注力。書庫・ロッカーはコクヨ向けOEMが主体。歯科用機器も手がけ、診療用チェアユニットや訪問診療ユニットなど取り扱う。金属加工の広沢グループ傘下。
【設立】1948.4 【資本金】1,090百万円
【社長】曽根栄二(1947.9生 中大理工卒)
【株主】〔24.6〕廣澤興産㈲20.0%
【連結事業】鋼製品27、デンタル36、書庫ロッカー32、不動産賃貸3、他2
【従業員】連283名 単272名(39.1歳)

【業績】	売上高	営業利益	経常利益	純利益
連21.12	5,515	444	480	332
連22.12	5,246	130	173	181
連23.12	5,681	476	553	375

ニホンフラッシュ

東証プライム

採用予定数	倍率	3年後離職率	平均年収
15名	‥	64.7%	‥

●待遇、制度●
【初任給】月21.5万
【残業】18.5時間【有休】7.4日【制度】住
●新卒定着状況●
20年入社(男15、女2)→3年後在籍(男5、女1)
●採用情報●
【人数】23年:2 24年:7 25年:予定15*
【内定内訳】(男‥、女‥)(文‥、理‥)(総‥、他‥)
【試験】〔筆記〕有〔性格〕有
【時期】エントリー 25.3→内々定25.5*(一次はWEB面接可)【インターン】有
【採用実績校】‥
【求める人材】チャレンジ精神をもち、新しい業務や難題にも積極果敢に向き合えるまっすぐな人

【本社】773-8504 徳島県小松島市横須町5-26 ☎0885-32-3431
【特色・近況】マンション向け内装ドアで国内シェア首位。完全オーダーメイドが強み。受注から納品まで一元管理し、取り付けも行う。見込み在庫は持たない。中国事業に積極的で、現地生産工場を増強し利益の過半を稼ぐ。中国でショールーム付き販売代理店を展開。
【設立】1964.9 【資本金】1,117百万円
【社長】髙橋栄二(1936.5生 中大法卒)
【株主】〔24.3〕日本マスタートラスト信託銀行信託口8.2%
【連結事業】内装システム部材・日本39、同・中国61 <海外61>
【従業員】連1,418名 単225名(37.4歳)

【業績】	売上高	営業利益	経常利益	純利益
連22.3	33,094	4,869	5,401	3,841
連23.3	27,327	2,305	2,664	1,882
連24.3	25,899	1,499	1,909	1,329

㈱ノダ

東証スタンダード

採用実績数	倍率	3年後離職率	平均年収
28名	‥	21.6%	568万円

●待遇、制度●
【初任給】月23.4万
【残業】12.8時間【有休】9.9日【制度】フ 住 在
●新卒定着状況●
20年入社(男26、女11)→3年後在籍(男19、女10)
●採用情報●
【人数】23年:30 24年:28 25年:予定前年並*
【内定内訳】(男‥、女‥)(文‥、理‥)(総‥、他‥)
【試験】〔Web自宅〕有〔性格〕有
【時期】エントリー25.2→内々定25.3(一次・二次以降もWEB面接可)【インターン】有
【採用実績校】亜大1、大阪経大1、大阪工大1、産能大1、椙山女学大1、拓大1、法政大1、明大1、龍谷大1、麗澤大1、他
【求める人材】何事にも前向きで、周囲と協力しながら積極的かつ粘り強く取り組むことができる人

【本社】111-8533 東京都台東区浅草橋5-13-6 ☎03-5687-6222
【特色・近況】木材系住宅建材メーカー。木質内装建材やMDF(繊維板)の販売や住宅関連工事を請け負う住宅建材事業と、主に子会社が国産・輸入合板を生産・販売する合板事業の2本柱。内装建材商品群を生活様式別の新シリーズに再編し、全国のショールームも全面改装。
【設立】1938.1 【資本金】2,141百万円
【社長】野田励(1975.7生 慶大環情報卒)
【株主】〔24.5〕野田有一16.1%
【連結事業】住宅建材58、合板42
【従業員】連1,789名 単1,049名(43.6歳)

【業績】	売上高	営業利益	経常利益	純利益
連21.11	64,586	3,829	4,243	2,535
連22.11	81,012	9,797	10,332	6,056
連23.11	73,227	4,701	5,019	2,834

萩原工業（はぎはらこうぎょう）

東証プライム

採用内定数	倍率	3年後離職率	平均年収
22名	1.7倍	26.1%	㊦579万円

●待遇、制度●
【初任給】月22万
【残業】7.4時間【有休】11日【制度】住
●新卒定着状況●
20年入社(男17、女6)→3年後在籍(男11、女6)
●採用情報●
【人数】23年:20 24年:23 25年:応募37→内定22
【内定内訳】(男15、女7)(文8、理1)(総22、他0)
【試験】〔筆記〕SPI3〔性格〕有
【時期】エントリー25.3→内々定25.5【インターン】有
【採用実績校】大阪経大1、岡山理大1、就実大2、岡山大1、立命館大1、ノートルダム清心女大2、津山高専1、中国職能大学校1、他
【求める人材】周囲や自身の成長に喜びがもてる人、失敗を恐れず挑戦できる人、感謝の気持ちがもてる人

【本社】712-8502 岡山県倉敷市水島中通1-4 ☎086-440-0860
【特色・近況】合成樹脂繊維製品の大手。主製品は建築・土木用ブルーシートやメッシュシート、防音シートなど。原料であるポリエチレン・ポリプロピレンの原糸からの一貫生産が強み。フィルム切断・加工用スリッターなど機械製品も手がける。インドネシア、中国でも生産。
【設立】1962.11 【資本金】1,778百万円
【社長】浅野和志(1963.8生 広島大工卒)
【株主】〔24.4〕日本マスタートラスト信託銀行信託口10.4%
【連結事業】合成樹脂加工製品84、機械製品16 <海外30>
【従業員】連1,290名 単534名(40.3歳)

【業績】	売上高	営業利益	経常利益	純利益
連21.10	27,705	2,254	2,372	1,619
連22.10	29,953	1,377	1,681	943
連23.10	31,245	1,979	2,250	3,118

㈱ハマネツ

株式公開計画あり

採用内定数	倍率	3年後離職率	平均年収
3名	13.7倍	33.3%	‥

●待遇、制度●
【初任給】月22万(諸手当を除いた数値)
【残業】‥時間【有休】‥日【制度】住
●新卒定着状況●
20年入社(男2、女1)→3年後在籍(男1、女1)
●採用情報●
【人数】23年:7 24年:5 25年:応募41→内定3
【内定内訳】(男3、女0)(文2、理1)(総3、他0)
【試験】なし
【時期】エントリー‥→内々定‥(一次はWEB面接可)【インターン】有
【採用実績校】法政大1、岩手大1、京産大1
【求める人材】広い視野を持ち物事の本質を見極められるチャレンジ精神の旺盛な人

【本社】430-0926 静岡県浜松市中央区砂山町325-6 日本生命浜松駅前ビル3階☎053-450-8050
【特色・近況】業界トップクラスの屋外トイレユニットメーカー。仮設トイレを中心に常設トイレ、車載トイレなどを製造。脱臭・除菌機器や仮設資材の取り扱い、排水処理施設のエンジニアリングも行う。企画、開発、生産、販売まで一貫体制。
【設立】1962.3 【資本金】96百万円
【社長】河藤一博(1961.7生 関大文卒)
【株主】〔24.3〕河藤一博14.6%
【事業】トイレユニット96、管工事2、他2 <輸出0>
【従業員】単171名(41.3歳)

【業績】	売上高	営業利益	経常利益	純利益
単22.3	4,407	175	207	166
単23.3	4,535	145	126	62
単24.3	4,228	▲40	▲23	▲348

前田工繊（まえだこうせん） 東証プライム

採用内定数	倍率	3年後離職率	平均年収
14名	‥	‥	645万円

●待遇、制度●
【初任給】月25.1万
【残業】‥時間【有休】‥日【制度】住

●新卒定着状況●
‥

●採用情報●
【人数】23年:11 24年:3 25年:応募‥→内定14
【内定内訳】(男11、女3)(文3、理4)(総11、他3)
【試験】〔筆記〕有〔性格〕有
【時期】エントリー25.3→内々定25.4(一次はWEB面接可)【インターン】有
【採用実績校】福井大2、福井県大2、小樽商大1、金沢大1、京大1、富山大1、信州大1、南山大1、日大1、阪南大1、福井工大1、福井高専1
【求める人材】目標に向かって、現状に立ち止まることなく挑戦を繰り返しながら変化し続けられる人

【本社】919-0422 福井県坂井市春江町沖布目38-3 ☎0776-51-3535
【特色・近況】河川・道路補強などの土木用建築・資材の製造大手。主力の盛土補強材は国内高シェア。OEM生産も受託。産業資材や子会社の自動車ホイール製造も収益柱。IT業界向け洗浄用クロス、自動車向け不織布も手がける。ベトナムに生産拠点。M&Aに積極的。
【設立】1972.11 【資本金】6,422百万円
【社長】前田尚宏(1973.9生 上智大院地環境修了)
【株主】〔24.6〕日本マスタートラスト信託銀行信託口11.0%
【連結事業】ソーシャルインフラ57、インダストリーインフラ43 <海外>
【従業員】連1,218名 単410名(39.9歳)

【業績】	売上高	営業利益	経常利益	純利益
連22.6変	36,901	4,220	4,360	3,482
連23.6	50,204	8,493	8,690	5,258
連24.6	55,833	10,736	11,236	7,979

松山産業（まつやまさんぎょう） 株式公開計画なし

採用予定数	倍率	3年後離職率	平均年収
2名	―	―	㊕638万円

●待遇、制度●
【初任給】月21.5万(諸手当を除いた数値)
【残業】13.3時間【有休】12.5日【制度】‥

●新卒定着状況●
20年入社(男0、女0)→3年後在籍(男0、女0)

●採用情報●
【人数】23年:0 24年:0 25年:予定2*
【内定内訳】(男‥、女‥)(文‥、理‥)(総‥、他‥)
【試験】〔筆記〕有〔性格〕有
【時期】エントリー25.3→内々定25.6*
【採用実績校】‥
【求める人材】協調性があり物事に積極的に取り組める人

【本社】528-0211 滋賀県甲賀市土山町北土山1700 ☎0748-66-1161
【特色・近況】工場、商業施設向けにテント倉庫、作業場、スポーツテント、シートシャッターなどの設計・施工を行う建築事務所。大型倉庫、工場、農業、遮水設備やスポーツ練習場、ドローン教習所など施工事例は多様。大手ゼネコンとの取引実績多い。
【設立】1963.11 【資本金】40百万円
【社長】松山健一郎(1969.11生 立命大院法修了)
【株主】〔24.3〕ユーサ62.5%
【事業】テントシート製品71、他商品6、加工料収入23
【従業員】単67名(45.0歳)

【業績】	売上高	営業利益	経常利益	純利益
単22.3	1,763	125	135	70
単23.3	1,692	105	110	62
単24.3	1,941	155	155	91

丸玉木材（まるたまもくざい） 株式公開計画なし

採用内定数	倍率	3年後離職率	平均年収
3名	1.3倍	31.2%	㊕582万円

●待遇、制度●
【初任給】月21.8万(諸手当1.3万円)
【残業】5.2時間【有休】13.4日【制度】‥

●新卒定着状況●
20年入社(男11、女5)→3年後在籍(男8、女3)

●採用情報●
【人数】23年:9 24年:8 25年:応募4→内定3*
【内定内訳】(男2、女1)(文2、理1)(総3、他0)
【試験】〔筆記〕有
【時期】エントリー25.3→内々定25.6(一次はWEB面接可)
【採用実績校】京産大1、足利大1、拓大1
【求める人材】固定概念に捉われず、発想力の豊かな人、自ら考え、行動できる人

【本社】092-0232 北海道網走郡津別町字新町7 ☎0152-76-2111
【特色・近況】合板メーカー大手の一角。日本初のプリント合板を開発。北海道・津別などに505haの社有林。国内3工場で各種合板、建材、木工部材など生産。木材の資源循環型バイオマスグリーンサイクルにより津別工場に熱・電気エネルギーを供給。1902年創業。
【設立】1949.8 【資本金】100百万円
【社長】大越敏弘(1947.10生 慶大商卒)
【株主】〔24.3〕大越敏弘11.0%
【事業】合板60、商品36、病院2、他2
【従業員】単583名(40.0歳)

【業績】	売上高	営業利益	経常利益	純利益
単21.9	46,147	‥	1,952	1,259
単22.9	51,916	‥	3,648	2,336
単23.9	49,298	‥	2,867	1,962

㈱ムラオ	株式公開未定	採用内定数	倍率	3年後離職率	平均年収
		3名	3.3倍	‥	‥

●待遇、制度●
【初任給】月23.9万(諸手当2.3万円、固定残業代10時間分)
【残業】10時間【有休】‥日【制度】住
●新卒定着状況●
‥
●採用情報●
【人数】23年:10 24年:3 25年:応募10→内定3
【内定内訳】(男0、女3)(文‥、理‥)(総0、他3)
【試験】〔筆記〕常識
【時期】エントリー‥→内々定‥【インターン】有
【採用実績校】‥
【求める人材】‥

【本社】101-0063 東京都千代田区神田淡路町1-23 ☎03-3251-2428
【特色・近況】ネックレスチェーンメーカーで貴金属・宝飾品専業。金、プラチナ、シルバーなどを素材に社内でデザインし製造まで一貫。主にOEM製品として供給。企画デザイン力に加え、CADソフトを駆使した複雑な有機形状を製作するなど付加価値の高い商品を開発。
【設立】1976.3 【資本金】100百万円
【社長】村尾嘉章(1966.10生 明大商卒)
【株主】〔24.3〕ショウビ45.4%
【事業】貴金属・宝飾品100
【従業員】単153名(38.5歳)

【業績】	売上高	営業利益	経常利益	純利益
単22.3	9,184	506	472	324
単23.3	10,901	751	628	441
単24.3	14,643	1,083	984	654

明和(めいわ)グラビア	株式公開計画なし	採用内定数	倍率	3年後離職率	平均年収
		2名	32.5倍	54.5%	総606万円

●待遇、制度●
【初任給】月23万(諸手当2.9万円)
【残業】18.1時間【有休】13.1日【制度】住
●新卒定着状況●
20年入社(男10、女1)→3年後在籍(男5、女0)
●採用情報●
【人数】23年:14 24年:1 25年:応募65→内定2*
【内定内訳】(男1、女1)(文1、理1)(総2、他0)
【試験】〔Web自宅〕SPI3〔性格〕有
【時期】エントリー25.3→内々定25.6*(一次はWEB面接可)【ジョブ型】有
【採用実績校】大阪市大1、東洋大院1
【求める人材】好奇心・チャレンジ精神旺盛で、ものごとをやりきる人

【本社】577-8510 大阪府東大阪市柏田東町12-28 ☎06-6722-1131
【特色・近況】テーブルクロス、カーテンをはじめとする塩ビ・プリント製品の大手。独自のモールドプリント技術を家庭用品、衣料、土木建築資材、医療資材、家電などに応用。顧客ニーズに応じた受注生産も。インドネシアの現地法人は2工場体制。
【設立】1953.2 【資本金】320百万円
【社長】大島規弘(1961.9生 阪大経済卒)
【株主】〔24.3〕大島規弘44.4%
【事業】住生活用品70、床材品5、電気材料品4、他21 <輸出6>
【従業員】単282名(39.2歳)

【業績】	売上高	営業利益	経常利益	純利益
単21.9	10,407	170	189	163
単22.9	10,021	▲362	▲226	▲188
単23.9	10,295	▲408	▲149	▲238

山本光学(やまもとこうがく)	株式公開未定	採用内定数	倍率	3年後離職率	平均年収
		5名	‥	0%	‥

●待遇、制度●
【初任給】月22万
【残業】11.4時間【有休】12.5日【制度】フ 住 在
●新卒定着状況●
20年入社(男5、女4)→3年後在籍(男5、女4)
●採用情報●
【人数】23年:11 24年:12 25年:応募‥→内定5
【内定内訳】(男3、女2)(文1、理2)(総5、他0)
【試験】〔筆記〕有
【時期】エントリー25.3→内々定25.4(一次はWEB面接可)【インターン】有
【採用実績校】‥
【求める人材】自分の強みをみつけて、ナンバーワンになれる人

【本社】577-0056 大阪府東大阪市長堂3-25-8 ☎06-6783-0232
【特色・近況】「SWANS」ブランドのスポーツ用サングラスのほか、「YAMAMOTO」ブランドの溶接面・保護眼鏡など安全衛生保護具を製造販売。レンズからフレームまで一貫し設計・生産。東京に支店、大阪、兵庫、徳島に工場。1911年創業。
【設立】1935.11 【資本金】230百万円
【社長】山本直之(1973生 甲南大経営卒)
【株主】‥
【事業】スポーツ用品・眼鏡・サングラス・光学機器・バイクヘルメット産業用保護具の製造販売
【従業員】単263名(39.4歳)

【業績】	売上高	営業利益	経常利益	純利益
単22.7	6,842	‥	‥	‥
単23.7	7,170	‥	‥	‥
単23.12変	2,995	‥	‥	‥

メーカー(素材・身の回り品)

吉忠マネキン（よしちゅう）

株式公開計画なし

採用予定数	倍率	3年後離職率	平均年収
5名	−	20%	[総]491万円

●待遇、制度●
【初任給】月22万
【残業】19時間【有休】9.2日【制度】[フ][住]

●新卒定着状況●
20年入社(男1、女4)→3年後在籍(男1、女3)

●採用情報●
【人数】23年:6 24年:20 25年:応募161→内定0*
【内定内訳】(男‥、女‥)(文‥、理‥)(総‥、他‥)
【試験】〔筆記〕常識
【時期】エントリー25.3→内々定25.5*(一次・二次以降もWEB面接可)【ジョブ型】有
【採用実績校】‥

【求める人材】仕事にやりがいを感じ、お客様や周囲とのコミュニケーションを通じて心遣いができる人

【本社】604-8691 京都府京都市中京区御池通高倉西入綿屋町525 吉忠(株)本社ビル6階 ☎075-241-7551
【特色・近況】マネキン・ボディ、陳列什器、デジタルサイネージ、LED照明の製販・レンタル・リースのほか、店舗の内装やショーウインドウのディスプレーの企画・設計・施工を手がける。百貨店、アパレルメーカー、化粧品メーカーなどが主な顧客。事業所を全国展開。
【設立】1950.10　【資本金】80百万円
【社長】吉田忠嗣(1938.1生 同大卒)
【株主】〔24.3〕吉忠35.0%
【事業】店舗装飾59、陳列器具19、ウィンド装飾20、マネキン他2
【従業員】単205名(41.3歳)

【業績】	売上高	営業利益	経常利益	純利益
単22.3	8,683	▲494	▲425	557
単23.3	10,656	38	18	▲1,148
単24.3	10,659	60	10	3

#残業が少ない

(株)リーガルコーポレーション

東証スタンダード

採用内定数	倍率	3年後離職率	平均年収
10名	4.3倍	0%	577万円

●待遇、制度●
【初任給】月22万
【残業】2.2時間【有休】13.3日【制度】[住][在]

●新卒定着状況●
20年入社(男2、女2)→3年後在籍(男2、女2)

●採用情報●
【人数】23年:0 24年:1 25年:応募43→内定10*
【内定内訳】(男2、女8)(文9、理1)(総10、他0)
【試験】〔Web自宅〕有
【時期】エントリー25.3→内々定25.6(一次・二次以降もWEB面接可)【インターン】有
【採用実績校】女子美大1、多摩美大1、日大2、埼玉大1、他

【求める人材】自律的な人、挑戦し続け、粘り強く困難に立ち向かう人

【本社】279-8553 千葉県浦安市日の出2-1-8 ☎047-304-7050
【特色・近況】紳士・婦人靴の企画・製造・販売の老舗。「リーガル」を軸に「ケンフォード」「ナチュラライザー」など中高級品を主体に展開。新潟と岩手に工場を持ち、約9割が国内生産。海外は中国・蘇州に工場。中国向け越境ECやSNS活用を強化。
【設立】1902.1　【資本金】5,355百万円
【社長】青野元一(1962.3生 千葉商大商経卒)
【株主】〔24.3〕ニッピ14.3%
【連結事業】靴小売61、靴卸売39、他0
【従業員】連975名 単174名(47.4歳)

【業績】	売上高	営業利益	経常利益	純利益
連22.3	20,814	159	299	138
連23.3	22,561	293	401	491
連24.3	23,731	518	536	427

(株)リヒトラブ

東証スタンダード

採用内定数	倍率	3年後離職率	平均年収
9名	43倍	10%	510万円

●待遇、制度●
【初任給】月22.2万
【残業】4.8時間【有休】10日【制度】[住][在]

●新卒定着状況●
20年入社(男6、女4)→3年後在籍(男6、女3)

●採用情報●
【人数】23年:7 24年:15 25年:応募387→内定9
【内定内訳】(男4、女5)(文7、理1)(総9、他0)
【試験】〔筆記〕常識〔性格〕有
【時期】エントリー24.6→内々定25.5(一次・二次以降もWEB面接可)【インターン】有
【採用実績校】摂南大院1、東京経大1、愛知県大1、津田塾大1、日大1、専大1、神戸学大1、桃山学大1、桑沢デザイン研究所専1
【求める人材】自分で物事を考え、行動する人、将来当社を背負って立つ人

【本社】540-8526 大阪府大阪市中央区農人橋1-1-22 ☎06-6946-2525
【特色・近況】事務用品の中堅メーカー。主力のバインダーやクリアブックなどファイル製品に加え、収納整理用品も製造。医療分野専門商品の取り扱いやOEM生産も行う。主要販売先はアスクルなど。アイドル推し活グッズ収納など新製品開発に注力。ベトナムに製造子会社。
【設立】1948.5　【資本金】1,830百万円
【社長】田中宏和(1965.8生 芦屋大教育卒)
【株主】〔24.2〕(有)新居浜ビジネスセンター5.9%
【連結事業】事務用品等95、不動産賃貸5
【従業員】連592名 単177名(39.5歳)

【業績】	売上高	営業利益	経常利益	純利益
連22.2	8,693	344	407	262
連23.2	8,514	▲153	▲30	▲24
連24.2	8,803	▲278	▲211	▲93

㈱ロゴスコーポレーション　株式公開計画なし

採用内定数	倍率	3年後離職率	平均年収
2名	560倍	ー	㊗554万円

●待遇、制度●
【初任給】月23.7万(諸手当0.9万円)
【残業】10時間【有休】10.2日【制度】フ 住

●新卒定着状況●
20年入社(男0、女0)→3年後在籍(男0、女0)

●採用情報●
【人数】23年:5 24年:8 25年:応募1120→内定2
【内定内訳】(男0、女2)(文1、理1)(総2、他0)
【試験】〔Web自宅〕有〔性格〕有
【時期】エントリー25.3→内々定25.7【インターン】有
【採用実績校】‥

【求める人材】チャレンジ精神に富み、主体性を持って動ける人

【本社】559-0025 大阪府大阪市住之江区平林南2-11-1 ☎06-6681-8000
【特色・近況】「LOGOS」ブランドのアウトドア・キャンプ用品とウェアを主力に販売。国内品から海外有力ブランドまで扱う。ショッピングモール中心に北海道から沖縄まで店舗展開。ワークウェアや産業用作業着も扱う。1928年船舶用品問屋で創業。
【設立】1953.7【資本金】100百万円
【社長】柴田茂樹(1956.6生 同大商卒)
【株主】〔24.2〕柴田茂樹
【事業】キャンプ用品75、アウトドアウエア15、雨衣10
【従業員】単150名(38.9歳)

【業績】	売上高	営業利益	経常利益	純利益
単22.2	10,601	‥	2,203	1,374
単23.2	8,316	‥	874	654
単24.2	6,354	‥	556	357

ユニファースト　株式公開いずれしたい

採用内定数	倍率	3年後離職率	平均年収
8名	120.5倍	0%	㊗660万円

●待遇、制度●
【初任給】月24.5万
【残業】20時間【有休】‥日【制度】フ 住 在

●新卒定着状況●
20年入社(男0、女1)→3年後在籍(男0、女1)

●採用情報●
【人数】23年:0 24年:5 25年:応募964→内定8
【内定内訳】(男1、女7)(文8、理0)(総6、他2)
【試験】なし
【時期】エントリー25.3→内々定25.5*(一次・二次以降もWEB面接可)【インターン】有【ジョブ型】有
【採用実績校】法政大2、成城大1、関大1、東京農業大1、目白大1、女子美大1、静岡文芸大1

【求める人材】モノヅクリが好きな人や、クリエイティブな発想を持っている人

【本社】111-0053 東京都台東区浅草橋3-4-3 ユニファーストビル ☎03-3865-5031
【特色・近況】オリジナルグッズの制作・OEM生産などを手がける。業界を限定しない企画力と雑貨OEMが強み。企画、デザイン、生産管理から納品・物流までワンストップで提供。創業から優良顧客を堅持。OEM、SDGs、プロモーションの3領域で事業展開。
【設立】1981.2【資本金】98百万円
【社長】橋本敦(1982.5生 カリフォルニア州大メディア卒)
【株主】〔24.7〕橋本敦
【事業】物販用アイテム企画・販売、アイデア商品・自社ブランドアイテム開発、販売促進業務 <貿易95>
【従業員】単55名(38.8歳)

【業績】	売上高	営業利益	経常利益	純利益
単21.12	3,011	‥	‥	‥
単22.8変	1,992	‥	‥	‥
単23.8	4,090	‥	‥	‥

阿部興業（あべこうぎょう）　株式公開計画なし

採用実績数	倍率	3年後離職率	平均年収
9名	‥	‥	‥

●待遇、制度●
【初任給】月24万(諸手当を除いた数値)
【残業】‥時間【有休】‥日【制度】住

●新卒定着状況●
‥

●採用情報●
【人数】23年:8 24年:9 25年:予定未定*
【内定内訳】(男‥、女‥)(文‥、理‥)(総‥、他‥)
【試験】〔筆記〕有
【時期】エントリー25.3→内々定25.6*(一次はWEB面接可)
【採用実績校】‥

【求める人材】‥

【本社】160-8404 東京都新宿区新宿1-7-10 ☎03-3341-9021
【特色・近況】木製ドア、建具、家具の専門メーカー。木製防火ドアで国産防火認定第1号取得。非接触ドア、通気遮音ドアなど開発力に定評。インドネシアに製造現法。国内2工場のほか、500社に及ぶ協力工場で生産。FSC(森林管理協議会)認証材使用など環境配慮。
【設立】1945.12【資本金】200百万円
【社長】阿部清光(1974.8生 慶大経済卒)
【株主】〔24.3〕アベ・マテリアル77.3%
【事業】住宅設備商品77、建築21、賃貸収入2
【従業員】単210名(47.6歳)

【業績】	売上高	営業利益	経常利益	純利益
単22.3	10,218	371	405	199
単23.3	11,338	304	332	201
単24.3	12,659	742	780	▲131

#残業が少ない

㈱大月真珠（おおつきしんじゅ）

株式公開計画なし

採用実績数	倍率	3年後離職率	平均年収
3名	ー	ー	㊗720万円

●待遇、制度●
【初任給】月23万
【残業】0.6時間【有休】10.7日【制度】住
●新卒定着状況●
20年入社(男0、女0)→3年後在籍(男0、女0)
●採用情報●
【人数】23年:4 24年:3 25年:応募44→内定0
【内定内訳】(男‥、女‥)(文‥、理‥)(総‥、他‥)
【試験】〔筆記〕常識〔Web自宅〕SPI3〔性格〕有
【時期】エントリー24.10→内々定25.5*【インターン】有
【採用実績校】‥
【求める人材】プロフェッショナルを目指し、誠実で前向きな人

【本社】650-0046 兵庫県神戸市中央区港島中町6-4-1 ☎078-303-2111
【特色・近況】真珠の養殖から加工・卸・販売まで一貫。欧米向け輸出で業界最大手。最高級品取扱量でもシェア約4割。養殖関連会社が国内2社、海外2社。インドネシアで南洋真珠養殖も展開。「Moon Label」オンラインショップに加え、実店舗も。
【設立】1952.6 【資本金】100百万円
【社長】大月京一(1948.5生 慶大商卒)
【株主】‥
【事業】真珠90、宝石宝飾品10
【従業員】単263名(48.0歳)

【業績】	売上高	営業利益	経常利益	純利益
単21.11	10,145	909	1,234	954
単22.11	14,624	2,957	3,177	2,244
単23.11	20,589	7,063	7,354	5,438

㈱シャルマン

株式公開していない

採用内定数	倍率	3年後離職率	平均年収
4名	8.8倍	ー	‥

●待遇、制度●
【初任給】月23.1万
【残業】8時間【有休】12.5日【制度】住
●新卒定着状況●
20年入社(男0、女0)→3年後在籍(男0、女0)
●採用情報●
【人数】23年:0 24年:5 25年:応募35→内定4
【内定内訳】(男2、女2)(文1、理2)(総4、他0)
【試験】〔Web会場〕有〔性格〕有
【時期】エントリー25.1→内々定25.4*(一次・二次以降もWEB面接可)【インターン】有
【採用実績校】福井大3、福井工大1
【求める人材】自分の長所を伸展させ、能力を遺憾なく発揮し、素晴らしい結果を出していく人

【本社】916-8555 福井県鯖江市川去町6-1 ☎0778-52-4141
【特色・近況】眼鏡フレームで国内首位。世界でも五指の一角。100カ国以上で販売。米国・ドイツ・フランスなどに販社、中国に生産拠点。メガネフレームで培った技術生かし、脳神経外科用、眼科用手術機器なども手がける。東京・銀座並木通りに旗艦店。
【設立】1968.1 【資本金】617百万円
【社長】堀川耕地
【株主】‥
【連結事業】眼鏡フレーム・サングラス
【従業員】連1,740名 単‥名(‥歳)

【業績】	売上高	営業利益	経常利益	純利益
連21.12	15,934	‥	665	‥
連22.12	17,200	‥	‥	‥
連23.12	19,800	‥	‥	‥

ミドリ安全（あんぜん）

株式公開計画なし

採用内定数	倍率	3年後離職率	平均年収
26名	6.2倍	14.3%	㊗780万円

●待遇、制度●
【初任給】月21.7万
【残業】17.9時間【有休】12.6日【制度】住 在
●新卒定着状況●
20年入社(男9、女19)→3年後在籍(男8、女16)
●採用情報●
【人数】23年:30 24年:30 25年:応募162→内定26
【内定内訳】(男9、女17)(文23、理1)(総13、他13)
【試験】〔筆記〕常識、他
【時期】エントリー25.3→内々定25.6(一次はWEB面接可)
【採用実績校】法政大1、日大2、東洋大1、専大1、獨協大1、拓大3、明海大1、大妻女大1、関西学大1、立命館大2、龍谷大1、京都女大1、他
【求める人材】協調性があり、行動力のある人、向上心があり、学ぶ姿勢がある人

【本社】150-8455 東京都渋谷区広尾5-4-3 ☎03-3442-8281
【特色・近況】安全靴、ヘルメットなど産業用保護具やユニホーム、環境改善機器の製造・販売。業界首位。全国に約180の直販拠点を展開。商品開発力と技術開発力に定評。腰痛対策商品の「楽腰パンツ」、ゴルファー向けゴルフパンツ「ミドリPF1」を拡販。
【設立】1952.6 【資本金】1,454百万円
【社長】松村乾作(1979.12生 早大理工卒)
【株主】〔23.5〕ミドリ安全ホールディング
【事業】産業用安全衛生保護具、ユニホーム・産業用特殊服、環境改善機器製造販売
【従業員】単1,010名(40.8歳)

【業績】	売上高	営業利益	経常利益	純利益
単21.5	99,968	4,008	10,209	7,583
単22.5	97,438	2,857	8,409	6,392
単23.5	98,047	1,344	6,492	12,544

アイサワ工業（こうぎょう）

株式公開計画なし

採用内定数	倍率	3年後離職率	平均年収
18名	2.3倍	37.5%	㊇725万円

●待遇、制度●
【初任給】月22.1万
【残業】32.7時間【有休】11.3日【制度】住 在
●新卒定着状況●
20年入社(男16、女0)→3年後在籍(男10、女0)
●採用情報●
【人数】23年:20 24年:12 25年:応募41→内定18*
【内定内訳】(男18、女0)(文3、理9)(総18、他0)
【試験】〔Web自宅〕有〔性格〕有
【時期】エントリー25.3→内々定25.4*(一次はWEB面接可)【インターン】有
【採用実績校】愛媛大1、関東学院大1、東海大1、日大2、岡山理大3、福山大1、福山市大1、岡山大1、岡山商大1
【求める人材】自律・協調(チームワーク)・リーダーシップの発揮が環境の変化に応じて対応できる人

【本店】700-0822 岡山県岡山市北区表町1-5-1
☎086-225-2151
【特色・近況】岡山県地盤で土木建築工事やマンション経営なども展開する老舗の総合建設会社。東北から九州に営業拠点をもつ。岡山城の再建でも実績。前部で掘削を行い同時に後方で埋戻しを行うOSJ工法や、竹割り型構造物掘削工法など技術・工法に定評。
【設立】1939.7　【資本金】1,550百万円
【社長】逢澤寛人(1960.3生 慶大法卒)
【株主】〔24.5〕逢澤明子35.5%
【事業】土木工事60、建築工事40
【従業員】単396名(46.8歳)

【業績】	売上高	営業利益	経常利益	純利益
単21.5	29,761	963	1,249	791
単22.5	29,460	1,878	2,147	1,174
単23.5	27,993	2,031	2,305	1,512

#有休取得が多い

アイシン開発（かいはつ）

株式公開計画なし

採用内定数	倍率	3年後離職率	平均年収
11名	‥	‥	‥

●待遇、制度●
【初任給】月25.7万
【残業】19.8時間【有休】18.3日【制度】フ 住 在
●新卒定着状況●
‥
●採用情報●
【人数】23年:4 24年:7 25年:応募‥→内定11
【内定内訳】(男8、女3)(文4、理6)(総11、他0)
【試験】〔筆記〕有〔Web自宅〕SPI3
【時期】エントリー25.3→内々定25.6【インターン】有
【採用実績校】名城大2、愛知工業大2、中部大1、東海学園大1、金城大1、椙山女学大1、富山県大1、北海学園大1、釧路高専1
【求める人材】主体的に行動できる人

【本社】448-8525 愛知県刈谷市相生町3-3
☎0566-27-8700
【特色・近況】オフィスビル、工場などの総合建設、マンション・戸建住宅などの都市開発、保険・介護のライフサポートの3事業で展開する中堅ゼネコン。親会社は自動車部品を手がけるアイシン。工場やオフィスの建築、社宅や倉庫の賃貸・分譲などグループ向け比率が高い。
【設立】1993.12　【資本金】456百万円
【社長】中村武司(1961.4生)
【株主】〔24.3〕アイシン51.4%
【事業】建築、土木、都市開発、保険
【従業員】単268名(43.6歳)

【業績】	売上高	営業利益	経常利益	純利益
単22.3	26,931	2,102	2,989	2,590
単23.3	25,757	2,157	2,556	1,969
単24.3	33,609	2,629	3,020	2,126

青山機工（あおやまきこう）

株式公開未定

採用予定数	倍率	3年後離職率	平均年収
2名	－	0%	㊇850万円

●待遇、制度●
【初任給】月24.1万
【残業】24.7時間【有休】12.4日【制度】フ 住
●新卒定着状況●
20年入社(男1、女0)→3年後在籍(男1、女0)
●採用情報●
【人数】23年:0 24年:2 25年:応募0→内定0*
【内定内訳】(男‥、女‥)(文‥、理‥)(総‥、他‥)
【試験】〔Web自宅〕SPI3
【時期】エントリー25.3→内々定25.6*(一次はWEB面接可)【インターン】有【ジョブ型】有
【採用実績校】‥
【求める人材】コミュニケーション能力と、チームワークを大切にして、積極的にチャレンジしていける人

【本社】110-0014 東京都台東区北上野2-18-4
☎03-5830-9500
【特色・近況】アンカー・地中連続壁・地盤改良などの基礎工事、高速道路・上下水道を構築するシールド工事、ダム・トンネルなどの機械設備リース、ドローンでの空撮測量・解析などを手がける建築会社。仙台、名古屋、大阪、福岡に支店。安藤ハザマの子会社。
【設立】1972.12　【資本金】80百万円
【社長】髙植俊彰(1959.12生 中部大)
【株主】〔24.3〕安藤ハザマ100%
【事業】基礎工事38、機械設備24、重機土工12、リース7、他19
【従業員】単125名(48.9歳)

【業績】	売上高	営業利益	経常利益	純利益
単22.3	20,632	691	697	468
単23.3	24,812	748	760	492
単24.3	25,910	1,072	1,116	739

㈱浅川組（あさかわぐみ）

株式公開計画なし

採用内定数	倍率	3年後離職率	平均年収
10名	3.3倍	29.4%	㊐793万円

●待遇、制度●
【初任給】月24万
【残業】30時間【有休】8日【制度】住
●新卒定着状況●
20年入社(男14、女3)→3年後在籍(男10、女2)
●採用情報●
【人数】23年:12 24年:14 25年:応募33→内定10*
【内定内訳】(男9、女1)(文1、理6)(総10、他0)
【試験】〔筆記〕常識〔性格〕有
【時期】エントリー24.6→内々定24.12(一次・二次以降もWEB面接可)【インターン】有
【採用実績校】福井工大1、近畿職能短大3、近大1、大阪電通大1、京都建築大学校2、日大1、金沢学大1
【求める人材】明るく、元気で、積極性のある人

【本社】640-8551 和歌山県和歌山市小松原通3-69 ☎073-423-7161
【特色・近況】和歌山県海南市発祥の総合建設業。設計・施工から土木工事、建築工事まで担う。道路、上下水道など公共事業から商業施設など都市開発まで幅広く手がける。東京、大阪に支店。千葉、茨城、広島、福岡などに営業所。1922年創業。
【設立】1948.12 【資本金】300百万円
【社長】西口伸(1951.4生 近大理工卒)
【株主】〔24.5〕自社従業員持株会63.5%
【事業】土木工事、建築工事の請負・設計・監理、不動産の売買・賃貸、他
【従業員】単308名(44.2歳)

【業績】	売上高	営業利益	経常利益	純利益
単21.5	29,461	3,637	3,658	2,392
単22.5	29,474	2,496	2,516	1,670
単23.5	28,354	1,746	1,770	1,205

#年収高く倍率低い

㈱浅沼組（あさぬまぐみ）

東証プライム

採用内定数	倍率	3年後離職率	平均年収
30名	5.6倍	13.8%	806万円

●待遇、制度●
【初任給】月27.2万
【残業】19.4時間【有休】10.8日【制度】フ 住 在
●新卒定着状況●
20年入社(男45、女13)→3年後在籍(男39、女11)
●採用情報●
【人数】23年:49 24年:28 25年:応募167→内定30*
【内定内訳】(男21、女9)(文6、理21)(総30、他0)
【試験】〔Web自宅〕有
【時期】エントリー25.3→内々定25.・(一次はWEB面接可)【インターン】有
【採用実績校】・・
【求める人材】ものづくりを通して社会貢献をしたいという夢を持つ人

【本社・大阪本店】556-0017 大阪府大阪市浪速区湊町1-2-3 マルイト難波ビル ☎06-6585-5500
【特色・近況】関西を地盤に全国展開する中堅ゼネコン。庁舎・オフィスや集合住宅のほか、商業施設、学校、医療・福祉施設、物流センターなどの建築、上下水道、道路・鉄道などの土木を行う。関西を地盤に全国展開。リニューアル事業とASEAN開拓に注力。
【設立】1937.6 【資本金】9,614百万円
【社長】浅沼誠(1972.4生 関大経済卒)
【株主】〔24.3〕日本マスタートラスト信託銀行信託口11.2%
【連結事業】建築84、土木13、他2
【従業員】連1,758名 単1,298名(44.5歳)

【業績】	売上高	営業利益	経常利益	純利益
連22.3	135,478	4,835	4,904	3,748
連23.3	144,436	5,691	5,918	4,200
連24.3	152,676	4,057	4,306	4,670

朝日工業（あさひこうぎょう）

株式公開計画なし

採用内定数	倍率	3年後離職率	平均年収
2名	2.5倍	15.4%	680万円

●待遇、制度●
【初任給】月21.6万(諸手当3.2万円)
【残業】29.9時間【有休】13.5日【制度】住
●新卒定着状況●
20年入社(男13、女0)→3年後在籍(男11、女0)
●採用情報●
【人数】23年:10 24年:7 25年:応募5→内定2*
【内定内訳】(男2、女0)(文2、理0)(総2、他0)
【試験】〔筆記〕常識〔Web自宅〕SPI3〔性格〕有
【時期】エントリー25.3→内々定25.6*【インターン】有
【採用実績校】東海学園大1、広島文化学大1
【求める人材】リーダーシップのとれる人、大型のプラント機器に興味がある人、技術を身につけたい人

【本社】730-0051 広島県広島市中区大手町3-9-5 ☎082-241-8681
【特色・近況】火力発電設備、製紙・化学プラント設備、ICチップ洗浄の超純水装置、都市環境設備などの建設・補修工事を行うエンジニアリング会社。コージェネレーション発電設備やバイオマス発電設備の据付、ごみ焼却設備の延命化工事なども行う。
【設立】1950.4 【資本金】98百万円
【社長】内山克博(1961.2生 福井工大卒)
【株主】〔24.4〕あかつき会25.2%
【事業】定期補修工事57、一般補修工事26、化工機工事8、配管工事5、改造・解体4
【従業員】単239名(39.7歳)

【業績】	売上高	営業利益	経常利益	純利益
単22.4	11,575	1,267	1,295	761
単23.4	11,703	1,115	1,149	711
単24.4	10,476	1,063	1,098	1,084

建設・不動産

味の素エンジニアリング　[株式公開計画なし]

採用内定数	倍率	3年後離職率	平均年収
5名	6倍	－	‥

●待遇、制度●
【初任給】月21.2万
【残業】18時間【有休】‥日【制度】[フ][住][在]
●新卒定着状況●
20年入社(男0、女0)→3年後在籍(男0、女0)
●採用情報●
【人数】23年:1 24年:3 25年:応募30→内定5
【内定内訳】(男4、女1)(文1、理4)(総5、他0)
【試験】〔性格〕有
【時期】エントリー24.6→内々定25.3(一次はWEB面接可)【インターン】有
【採用実績校】東京海洋大1、近大1、文教大1、東洋大1、北里大1
【求める人材】気配りと共感を持って、相手の立場、考えを理解し、失敗を恐れず主体的に動き、決断できる人

【本社】144-0052 東京都大田区蒲田5-13-23 TOKYU REIT蒲田ビル2階 ☎03-5480-5065
【特色・近況】食品、医薬、化学の工場建設やプラントエンジニアリングを展開。食品工場の建設実績420社超。冷食、総菜、醸造、乳製品、農水産、外食などに幅広く対応。タイの現地法人を軸に、日本企業の海外事業を支援。味の素の完全子会社。
【設立】1973.4　【資本金】324百万円
【社長】垣内賢一(1968.2生 横国大生産工卒)
【株主】〔24.3〕味の素100%
【事業】エンジニアリング・建設・工事業100
【従業員】単185名(43.0歳)

【業績】	売上高	営業利益	経常利益	純利益
単22.3	22,900	109	125	▲26
単23.3	25,038	415	478	426
単24.3	21,871	464	526	347

アップコン　[名証ネクスト]

採用内定数	倍率	3年後離職率	平均年収
2名	5.5倍	50%	541万円

●待遇、制度●
【初任給】年301.6万
【残業】12.4時間【有休】16日【制度】[在]
●新卒定着状況●
20年入社(男4、女0)→3年後在籍(男2、女0)
●採用情報●
【人数】23年:2 24年:2 25年:応募11→内定2*
【内定内訳】(男2、女0)(文2、理0)(総0、他2)
【試験】〔筆記〕常識〔性格〕有
【時期】エントリー24.8→内々定‥*(一次はWEB面接可)【インターン】有
【採用実績校】静岡産大1
【求める人材】計画的に動ける人、自分にできることはないか気を配れる人、成長への意欲がある人

【本社】213-0012 神奈川県川崎市高津区坂戸3-2-1 KSP東棟 ☎044-820-8120
【特色・近況】ウレタン樹脂による修復工事業者。地盤沈下で生じたコンクリート床の沈下や傾き、段差、隙間をノンフロンのウレタン樹脂と小型機械を用いた独自の「アップコン工法」で修正する施工が主力。工場や商業施設、道路、港湾、住宅など事業領域は幅広い。
【設立】2004.2　【資本金】73百万円
【社長】松藤展和(1958.5生 プラット大院修了)
【株主】〔24.7〕松藤展和55.0%
【事業】民間68、公共32
【従業員】単46名(37.8歳)

【業績】	売上高	営業利益	経常利益	純利益
単22.1	673	55	53	37
単23.1	917	168	178	116
単24.1	852	89	94	67

㈱安部日鋼工業(あべにっこうこうぎょう)　[株式公開上場予定]

採用内定数	倍率	3年後離職率	平均年収
13名	2.1倍	16.7%	[総]687万円

●待遇、制度●
【初任給】月24.8万
【残業】14.2時間【有休】9.6日【制度】[住]
●新卒定着状況●
20年入社(男13、女5)→3年後在籍(男10、女5)
●採用情報●
【人数】23年:9 24年:11 25年:応募27→内定13*
【内定内訳】(男9、女4)(文3、理10)(総13、他0)
【試験】〔筆記〕常識、他〔性格〕有
【時期】エントリー24.10→内々定25.1*【インターン】有
【採用実績校】東北学大2、ものつくり大1、金城学大2、富山大1、中部学大2、鹿児島大1、専大1、千葉工大1、日大1、名城大院1
【求める人材】チームで仕事を完遂する協調性と能力向上に挑み続ける向上心を備えた人

【本社】500-8357 岐阜県岐阜市六条大溝3-13-3 ☎058-271-3391
【特色・近況】プレストレスト・コンクリート(PC)の設計・施工を中心とした総合建設業。橋梁や上下水道施設、鉄道軌道の建設を主とし、PC枕木などの2次製品の製造販売から建築工事も手がける。PCタンクとPC枕木は国内トップシェア。
【設立】1965.9　【資本金】301百万円
【社長】井手口哲朗(1955.11生 鹿大海洋工卒)
【株主】〔23.6〕GA合同会社19.7%
【事業】橋梁54、水道24、鉄道1、建築3、製品18
【従業員】単540名(47.2歳)

【業績】	売上高	営業利益	経常利益	純利益
単21.6	26,544	1,214	1,208	▲908
単22.6	20,621	242	222	▲51
単23.6	24,413	433	466	407

#初任給が高い

㈱荒木組（あらきぐみ）

株式公開未定

採用内定数	倍率	3年後離職率	平均年収
11名	1.7倍	0%	[総]679万円

●待遇、制度●
【初任給】月30.2万(諸手当1.5万円、固定残業代30時間分)
【残業】15.8時間【有休】14.8日【制度】[住][在]
●新卒定着状況●
20年入社(男5、女2)→3年後在籍(男5、女2)
●採用情報●
【人数】23年:10 24年:7 25年:応募19→内定11
【内定内訳】(男11、女0)(文0、理7)(総11、他0)
【試験】〔Web会場〕C-GAB
【時期】エントリー25.3→内々定25.5【インターン】有
【採用実績校】鳥取大2、愛媛大1、金沢工大1、広島工大1、福山大1、岡山理大1
【求める人材】責任感が強く、ポジティブかつ思考が柔軟な人

【本社】700-8540 岡山県岡山市北区天瀬4-33
☎086-222-6841
【特色・近況】岡山県地盤の総合建設会社。1921年創業。建築はビルや共同住宅、各種施設から寺社仏閣まで幅広い実績。土木は築堤、土地改良道路など手がける。プロジェクトの企画やコンセプトを明確にした設計も行う。協力業者職長対象の独自アカデミーで品質向上。
【設立】1960.12 【資本金】100百万円
【代表取締役】荒木雷太(1961.4生 阪大法卒)
【株主】〔23.6〕カルチャー21 56.6%
【事業】建築85、土木15
【従業員】単213名(44.5歳)

【業績】	売上高	営業利益	経常利益	純利益
単21.6	16,374	532	595	345
単22.6	19,510	460	539	311
単23.6	19,087	308	493	309

石黒建設（いしぐろけんせつ）

株式公開計画なし

採用内定数	倍率	3年後離職率	平均年収
7名	1.9倍	37.5%	‥

●待遇、制度●
【初任給】月23万
【残業】26.8時間【有休】9.3日【制度】[住]
●新卒定着状況●
20年入社(男7、女1)→3年後在籍(男5、女0)
●採用情報●
【人数】23年:7 24年:8 25年:応募13→内定7*
【内定内訳】(男2、女5)(文0、理2)(総6、他1)
【試験】〔筆記〕常識、他〔Web会場〕SPI3〔性格〕有
【時期】エントリー24.12→内々定24.12*【インターン】有
【採用実績校】金沢工大1、千葉工大1
【求める人材】ものづくりが好きでコミュニケーションが取れ、誠実に人と向き合うことができる人

【本社】910-8540 福井県福井市西開発3-301-1
☎0776-54-1496
【特色・近況】北陸圏では福井、富山両支店を拠点に、大都市圏では官公庁や民間建築・大規模改修・土木事業を行う。建築は教育・文化施設、医療施設、オフィス・商業ビル、集合住宅などに実績。東京、大阪、名古屋、金沢、富山に支社・支店を置く。
【設立】1948.6 【資本金】500百万円
【代表取締役】齊藤泰輔(1971.10生 明大商卒)
【株主】〔24.3〕齊藤博11.4%
【事業】建設・土木の設計・請負・監理、不動産の売買・賃貸・仲介、砂利採取・セメント販売
【従業員】単170名(46.2歳)

【業績】	売上高	営業利益	経常利益	純利益
単22.3	16,638	479	578	345
単23.3	18,055	517	630	462
単24.3	18,934	533	657	506

伊田テクノス（いだテクノス）

株式公開計画なし

採用内定数	倍率	3年後離職率	平均年収
15名	2倍	30%	[総]575万円

●待遇、制度●
【初任給】月25.6万(固定残業代21.5時間分)
【残業】18.2時間【有休】10.4日【制度】[住]
●新卒定着状況●
20年入社(男10、女0)→3年後在籍(男7、女0)
●採用情報●
【人数】23年:19 24年:15 25年:応募30→内定15*
【内定内訳】(男13、女2)(文2、理8)(総15、他0)
【試験】〔筆記〕有〔Web自宅〕有〔性格〕有
【時期】エントリー25.3→内々定25.4*【インターン】有
【採用実績校】日大、東洋大、日工大、足利大、ものつくり大、大東文化大、立正大、城西大、中央工学校専、日本工学院八王子専
【求める人材】前向きで向上心のある人、コミュニケーション力のある人、真面目で努力を惜しまない人

【本社】355-0014 埼玉県東松山市松本町2-1-1
☎0493-22-1170
【特色・近況】埼玉県中心に建築、土木、リフォームや地盤改良、不動産事業を展開するゼネコン。イージースラブ工法、オールライナ工法など新工法を積極採用。住宅リフォームも手がける。埼玉県の「エコアップ認証事業所」に認定。1910年創業。
【設立】1946.3 【資本金】100百万円
【社長】楢﨑亘(1970.7生 大東大英米卒)
【株主】〔23.6〕報徳管財78.3%
【連結事業】建設92、不動産6、介護2
【従業員】連217名 単214名(40.1歳)

【業績】	売上高	営業利益	経常利益	純利益
連21.6	11,676	635	827	472
連22.6	11,277	562	1,840	1,690
連23.6	11,222	247	417	328

㈱イチケン　東証スタンダード

採用内定数	倍率	3年後離職率	平均年収
40名	42.3倍	33.3%	㊇805万円

●待遇、制度●
【初任給】月27.8万(諸手当2.8万円)
【残業】14.7時間【有休】11.3日【制度】住 在
●新卒定着状況●
20年入社(男17、女7)→3年後在籍(男9、女7)
●採用情報●
【人数】23年:32 24年:21 25年:応募1691→内定40*
【内定内訳】(男33、女7)(文7、理28)(総40、他0)
【試験】〔性格〕有
【時期】エントリー25.3→内々定25.6(一次・二次以降もWEB面接可)【インターン】有
【採用実績校】東海大3、大阪電通大3、日大2、大和大2、西日本工大2、浅野工学専2、新潟工大専2、北大1、豊橋技科大1、佐賀大1
【求める人材】モノづくりが好きで、周りとのコミュニケーションを積極的に取ろうとする人

【本社】105-0023 東京都港区芝浦1-1-1 浜松町ビルディング ☎03-5931-5610
【特色・近況】商業施設の建設や内装・改装工事が主力の中堅建設会社。スーパーやホームセンターなどのほか、住宅、ホテル、病院・福祉施設など幅広く手がける。不動産賃貸も展開。筆頭株主のパチンコホール大手マルハンから、新規出店工事や改装工事を安定的に受注。
【設立】1930.6 【資本金】4,329百万円
【社長】長谷川博之(1960.2生 近大理工卒)
【株主】〔24.3〕マルハン32.1%
【事業】建設97、不動産3
【従業員】単666名(43.8歳)

【業績】	売上高	営業利益	経常利益	純利益
単22.3	83,776	4,674	4,636	2,985
単23.3	88,059	2,667	2,585	1,708
単24.3	96,373	4,100	4,020	2,938

伊藤組土建（いとうぐみどけん）　株式公開計画なし

採用内定数	倍率	3年後離職率	平均年収
20名	1.6倍	16.7%	‥

●待遇、制度●
【初任給】月22.5万
【残業】23.4時間【有休】13.4日【制度】住 在
●新卒定着状況●
20年入社(男17、女1)→3年後在籍(男14、女1)
●採用情報●
【人数】23年:24 24年:14 25年:応募32→内定20*
【内定内訳】(男17、女3)(文4、理16)(総20、他0)
【試験】〔Web自宅〕SPI3
【時期】エントリー25.3→内々定25.6(一次はWEB面接可)【インターン】有【ジョブ型】有
【採用実績校】室蘭工大1、北海学園大2、星槎道都大1、工学院大1、小樽商大1、札幌大1、藤女大1、北海商大1、苫小牧高専1、他
【求める人材】何事にも積極的にチャレンジする意欲をもち、誠実に仕事と向き合う人

【本社】060-8554 北海道札幌市中央区北4条西4-1 ☎011-241-8477
【特色・近況】北海道地盤の老舗総合建設会社。関東、東北にも展開。耐震補強、土木関連の補修にも取り組む。太陽光発電など環境分野に注力。「雪冷房」など土地の特性を生かした技術を持つ。年商比率は建築6割、土木4割。道内比率9割以上。
【設立】1946.2 【資本金】1,000百万円
【社長】大谷正則(1958.7生 明大工卒)
【株主】〔24.3〕伊藤美香子36.9%
【事業】建築63、土木31、他6
【従業員】単419名(44.6歳)

【業績】	売上高	営業利益	経常利益	純利益
単22.3	31,864	1,040	1,004	673
単23.3	37,938	699	727	421
単24.3	48,168	1,211	1,199	866

イビデンエンジニアリング　株式公開計画なし

採用内定数	倍率	3年後離職率	平均年収
4名	4.8倍	23.1%	㊇723万円

●待遇、制度●
【初任給】月22.3万
【残業】25.8時間【有休】13日【制度】フ 住 在
●新卒定着状況●
20年入社(男10、女3)→3年後在籍(男7、女3)
●採用情報●
【人数】23年:6 24年:7 25年:応募19→内定4*
【内定内訳】(男3、女1)(文0、理4)(総4、他0)
【試験】〔筆記〕常識〔性格〕有
【時期】エントリー25.3→内々定25.4*(一次はWEB面接可)
【採用実績校】富山大1、鹿児島大1、中部大2
【求める人材】エネルギーや環境分野に興味がありスケールの大きい仕事にチャレンジしたい人

【本社】503-0973 岐阜県大垣市木戸町1122 ☎0584-75-2301
【特色・近況】自動車、電子、土木関連などの各種分析を手がけるほか、産業排水・廃棄物処理施設や各種発電設備の設計・施工・保守などが主力事業。太陽光や小水力発電など再生可能エネルギーの建設・発電事業も手がける。イビデンのグループ企業。
【設立】1973.3 【資本金】30百万円
【社長】児玉幸三(1963.3生 岐阜大工卒)
【株主】〔24.3〕イビデン100%
【事業】ファシリティ事業本部66、環境技術17、精機17
【従業員】単299名(42.7歳)

【業績】	売上高	営業利益	経常利益	純利益
単22.3	15,914	2,232	2,310	1,546
単23.3	19,417	2,435	2,469	1,651
単24.3	20,386	2,923	3,040	2,023

建設・不動産

今井産業（いまいさんぎょう）

株式公開計画なし

採用予定数	倍率	3年後離職率	平均年収
9名	‥	25%	㊨679万円

●待遇、制度●
【初任給】月19.8万
【残業】24.1時間【有休】14.7日【制度】‥
●新卒定着状況●
20年入社(男4、女0)→3年後在籍(男3、女0)
●採用情報●
【人数】23年:10 24年:15 25年:予定9
【内定内訳】(男‥、女‥)(文‥、理‥)(総‥、他‥)
【試験】〔筆記〕常識〔性格〕有
【時期】エントリー24.12→内々定25.3【インターン】有
【採用実績校】‥
【求める人材】常にアンテナをはり情報収集できる人

【本社】699-4298 島根県江津市桜江町川戸472-1 ☎0855-92-1321
【特色・近況】島根県地盤のゼネコン。分譲マンションや廃材リサイクルも展開。島根県川本町にリサイクルプラントを保有。石州瓦再利用の舗装(かわらミック舗装)に定評。不動産賃貸、老人ホームや、浜田市で宅地分譲にも取り組む。1928年創業。
【設立】1949.8 【資本金】200百万円
【社長】今井久師(1963.11生)
【株主】〔23.12〕今井久晴32.0%
【事業】総合建設業95、他5
【従業員】単305名(46.9歳)

【業績】	売上高	営業利益	経常利益	純利益
単21.12	15,737	751	822	373
単22.12	13,283	367	446	212
単23.12	14,945	295	349	277

井森工業（いもりこうぎょう）

株式公開計画なし

採用内定数	倍率	3年後離職率	平均年収
2名	1倍	75%	672万円

●待遇、制度●
【初任給】月22.5万(諸手当を除いた数値)
【残業】13.2時間【有休】11.7日【制度】㊟
●新卒定着状況●
20年入社(男4、女0)→3年後在籍(男1、女0)
●採用情報●
【人数】23年:3 24年:2 25年:応募2→内定2*
【内定内訳】(男1、女1)(文‥、理‥)(総0、他2)
【試験】〔筆記〕常識、SPI3
【時期】エントリー25.3→内々定25.6*【インターン】有
【採用実績校】‥
【求める人材】元気があり、仕事も遊びも積極的に取り組むことができる人

【本社】742-1352 山口県柳井市伊保庄4907 ☎0820-22-1500
【特色・近況】山口県地盤のゼネコン。福祉施設、商業施設などの建築やリニューアル工事、土木、港湾工事まで幅広い実績を有する。陸上地盤改良のほか、砂杭打設船を保有し海洋土木の地盤改良工事にも取り組む。特殊な作業船使用のサンドコンパクションパイル工法に特徴。
【設立】1950.1 【資本金】100百万円
【社長】井森幹雄
【株主】〔23.6〕井森浩視4.5%
【事業】土木・港湾土木60、建築40 <輸出0>
【従業員】単105名(48.7歳)

【業績】	売上高	営業利益	経常利益	純利益
単21.6	7,397	557	541	119
単22.6	5,253	235	290	83
単23.6	6,804	417	438	124

岩田地崎建設（いわたちざきけんせつ）

株式公開計画なし

採用内定数	倍率	3年後離職率	平均年収
30名	3倍	22%	‥

●待遇、制度●
【初任給】月27万(諸手当3万円)
【残業】34.1時間【有休】11.2日【制度】㊟
●新卒定着状況●
20年入社(男37、女4)→3年後在籍(男30、女2)
●採用情報●
【人数】23年:39 24年:40 25年:応募91→内定30*
【内定内訳】(男25、女5)(文4、理22)(総30、他0)
【試験】〔Web自宅〕SPI3〔性格〕有
【時期】エントリー25.3→内々定25.‥*(一次・二次以降もWEB面接可)【インターン】有
【採用実績校】北見工大1、室蘭工大1、北海道科学大6、北海学園大1、東北工大2、八戸工大1、信州大1、日大3、東京都市大1、拓大2、他
【求める人材】良好な人間関係を築くコミュニケーション能力があり、様々な事柄に興味関心を持つ人

【本社】060-8630 北海道札幌市中央区北二条東17-2 ☎011-221-2221
【特色・近況】北海道地盤のゼネコン。ダム・トンネル・橋梁などの土木、教育文化施設、商業施設、官公庁舎などの建築工事を手がける。近年はニセコ地区の開発に注力。海外はアフリカやアジア、東欧などに実績。ICT技術を活用した工事なども施工。
【設立】1945.11 【資本金】2,000百万円
【社長】岩田圭剛(1953.4生 青学大経営卒)
【株主】〔24.3〕ICホールディングス100%
【事業】建築部門56、土木部門43、他1
【従業員】単769名(44.1歳)

【業績】	売上高	営業利益	経常利益	純利益
単22.3	89,587	3,819	3,951	2,223
単23.3	91,460	1,787	1,926	1,215
単24.3	105,834	473	871	464

㈱岩野商会（いわのしょうかい）

株式公開いずれしたい

採用予定数	倍率	3年後離職率	平均年収
10名	‥	41.7%	‥

●待遇、制度●
【初任給】月23.3万(諸手当1.8万円、固定残業代9.8時間分)
【残業】10.5時間【有休】9.2日【制度】住

●新卒定着状況●
20年入社(男10、女2)→3年後在籍(男5、女2)

●採用情報●
【人数】23年:6 24年:5 25年:予定10*
【内定内訳】(男‥、女‥)(文‥、理‥)(総‥、他‥)
【試験】〔筆記〕常識、SPI3〔Web自宅〕SPI3〔性格〕有
【時期】エントリー25.3→内々定25.4*(一次はWEB面接可)【インターン】有
【採用実績校】‥
【求める人材】「利他の心」と「互助精神」を育む気持ちで行動できる人

【本社】381-8502 長野県長野市大字北長池2051 ☎026-263-7000
【特色・近況】内装仕上工事の専門企業で全国トップ級。大型公共施設から商業ビル、工場、店舗、マンション、一般住宅まで対応。ビル清掃や防水工事事業も展開。売上高の7割は長野県内だが、首都圏や北陸圏での受注にも注力。職業訓練校を併設。
【設立】1955.2 【資本金】96百万円
【社長】岩野彰(1948.5生 明学大)
【株主】〔23.7〕岩野彰22.2%
【事業】内装仕上工事90、ビルメンテナンス9、他1
【従業員】単547名(38.3歳)

【業績】	売上高	営業利益	経常利益	純利益
単21.7	8,700	449	523	255
単22.7	8,216	181	262	105
単23.7	9,991	252	339	128

NSK

株式公開計画なし

採用内定数	倍率	3年後離職率	平均年収
1名	155倍	25%	㊗657万円

●待遇、制度●
【初任給】月24万
【残業】19時間【有休】11日【制度】住 在

●新卒定着状況●
20年入社(男1、女3)→3年後在籍(男1、女2)

●採用情報●
【人数】23年:2 24年:2 25年:応募155→内定1*
【内定内訳】(男1、女0)(文1、理0)(総1、他0)
【試験】〔Web会場〕C-GAB〔性格〕有
【時期】エントリー通年→内々定通年(一次はWEB面接可)
【採用実績校】札幌学大1
【求める人材】何事にもチャレンジでき、意欲をもった人

【本社】102-0074 東京都千代田区九段南2-3-1 青葉第一ビル ☎03-5213-1501
【特色・近況】オフィスや商業施設などのITインフラを中心とする、総合エンジニアリング会社。電気、電話、空調、衛生、セキュリティーシステム、内装全般なども、設計・施工・保守までをワンストップで行う。文具・オフィス家具製販のプラスグループ傘下。
【設立】1979.5 【資本金】100百万円
【社長】新田斉士(1960.12生)
【株主】〔23.12〕プラスロジスティクス100%
【事業】ネットワーク(通信)61、ファシリティ(内装・設備)35、サポート(監視保守・人材派遣)5
【従業員】単246名(45.3歳)

【業績】	売上高	営業利益	経常利益	純利益
単21.12	9,363	832	835	577
単22.12	8,553	537	548	354
単23.12	9,806	769	775	542

NDS

株式公開計画なし

採用内定数	倍率	3年後離職率	平均年収
35名	5.7倍	5.9%	㊗683万円

●待遇、制度●
【初任給】月23.4万(諸手当を除いた数値)
【残業】22.6時間【有休】16.7日【制度】住 在

●新卒定着状況●
20年入社(男30、女4)→3年後在籍(男28、女4)

●採用情報●
【人数】23年:27 24年:45 25年:応募200→内定35*
【内定内訳】(男26、女9)(文6、理14)(総20、他15)
【試験】〔Web自宅〕有
【時期】エントリー25.3→内々定25.3(一次はWEB面接可)【インターン】有
【採用実績校】名工大3、愛知教大1、富山大1、南山大1、名城大3、中部大2、愛知工業大3、中京大2、大同大2、愛知工科大1、他
【求める人材】環境の変化に柔軟に対応でき、ねばり強く、コミュニケーション能力の高い人

【本社】460-0012 愛知県名古屋市中区千代田2-15-18 ☎052-263-5011
【特色・近況】中部地盤のNTT設備工事業者大手。光ファイバーケーブル敷設や通信線用地下管路、移動体通信基地局の設計・施工が柱。携帯キャリア各社の基地局工事も。分譲戸建・マンションなど住宅不動産事業も併営。コムシスHD傘下。
【設立】1954.5 【資本金】5,676百万円
【社長】上山圭司(1964.11生 阪府大院工学研修了)
【株主】〔24.3〕コムシスホールディングス100%
【連結事業】総合エンジニアリング、ICTソリューション、住宅不動産
【従業員】連2,972名 単1,095名(41.1歳)

【業績】	売上高	営業利益	経常利益	純利益
連22.3	78,781	4,069	4,468	3,154
連23.3	79,206	4,151	4,574	2,876
連24.3	84,429	4,880	5,237	3,571

鳳工業（おおとりこうぎょう）

株式公開計画なし

採用内定数	倍率	3年後離職率	平均年収
13名	3.3倍	35.7%	総622万円

●待遇、制度●
【初任給】月24万
【残業】21.3時間【有休】9日【制度】フ 住 在
●新卒定着状況●
20年入社(男11、女3)→3年後在籍(男7、女2)
●採用情報●
【人数】23年:19 24年:20 25年:応募43→内定13*
【内定内訳】(男8、女5)(文7、理6)(総13、他0)
【試験】〔Web自宅〕SPI3〔性格〕有
【時期】エントリー25.3→内々定25.3(一次はWEB面接可)【インターン】有
【採用実績校】大阪電通大3、大和大2、大阪工大1、神戸大1、岡山理大1、関大1、天理大1、同女大1、神戸女学大1、阪南大1
【求める人材】自己啓発や自己改革精神にあふれる人、アグレッシブなチャレンジ精神にあふれる人、旺盛な向上心を持つ人

【本社】554-0002 大阪府大阪市此花区伝法4-3-59 ☎06-6464-6868
【特色・近況】鴻池組グループの設備工事会社。1961年に鴻池組のガス工事部門が分離独立して設立。大阪ガスの配管工事が主体。都市ガス工事と機器販売を中心に、給排水衛生・空調工事、土木工事など展開。奈良、兵庫にも拠点を持つ。
【設立】1961.2 【資本金】100百万円
【社長】齊藤伸一
【株主】〔23.11〕鴻池組100%
【事業】管工事50、土木工事28、舗装工事9、測量12、電気工事1
【従業員】単352名(43.4歳)

【業績】	売上高	営業利益	経常利益	純利益
単21.11	18,927	‥	1,573	1,153
単22.11	17,111	‥	1,588	1,014
単23.11	16,567	‥	1,258	833

#年収が高い

㈱大本組（おおもとぐみ）

東証スタンダード

採用内定数	倍率	3年後離職率	平均年収
49名	‥	17.9%	総935万円

●待遇、制度●
【初任給】月25万
【残業】18.5時間【有休】11.8日【制度】住
●新卒定着状況●
20年入社(男38、女1)→3年後在籍(男31、女1)
●採用情報●
【人数】23年:28 24年:28 25年:応募‥→内定49
【内定内訳】(男32、女17)(文17、理30)(総42、他7)
【試験】〔筆記〕常識、他〔Web自宅〕SPI3
【時期】エントリー25.3→内々定25.4【インターン】有
【採用実績校】広島工大7、岡山理大5、中部大3、日大2、関大2、甲南大2、鳥取大2、茨城大1、明大1、岡山大1、他
【求める人材】バランス感覚に優れた人

【本社】107-8514 東京都港区南青山5-9-15 青山OHMOTOビル ☎03-6752-7007
【特色・近況】中堅建設会社。土木では超大深度掘削工事での完全無人化施工や、大深度深礎工事、復旧災害工事などの遠隔操作システムなど独自技術に強み。近年は土木工事から、倉庫や流通施設など建築工事に比重がシフト。岡山を地盤に全国展開。
【設立】1937.12 【資本金】5,296百万円
【社長】三宅啓一(1968.1生)
【株主】〔24.3〕㈱OHMOTOホールディングス27.0%
【事業】建築56、土木44
【従業員】単813名(45.2歳)

【業績】	売上高	営業利益	経常利益	純利益
単22.3	71,276	2,337	2,545	1,784
単23.3	94,477	580	849	516
単24.3	83,060	1,686	1,927	1,021

#初任給が高い

㈱大盛工業（おおもりこうぎょう）

東証スタンダード

採用内定数	倍率	3年後離職率	平均年収
2名	‥	0%	685万円

●待遇、制度●
【初任給】月28.6万(諸手当9万円)
【残業】26時間【有休】8.9日【制度】住
●新卒定着状況●
20年入社(男2、女0)→3年後在籍(男2、女0)
●採用情報●
【人数】23年:8 24年:9 25年:応募‥→内定2*
【内定内訳】(男2、女0)(文2、理0)(総0、他2)
【試験】〔筆記〕常識、他〔性格〕有
【時期】エントリー25.4→内々定25.4*
【採用実績校】専大2
【求める人材】成績よりも人物本位

【本社】101-0046 東京都千代田区神田多町2-1 神田進興ビル ☎03-6262-9877
【特色・近況】上下水道・地中工事に特化した土木会社。都関連の工事が主力。特許を持つ低コストな「ピカルス工法」(パイプ・イン・パイプ工法)に強み。独自開発した「OLY工法」(路面覆工工法)で使用する各種部材等の生産工場を持つ。不動産賃貸業も展開。
【設立】1967.6 【資本金】3,101百万円
【社長】栗城幹雄(1967.4生 早大法卒)
【株主】〔24.7〕ウイン・ベース・テクノロジイス5.5%
【連結事業】建設73、不動産等21、通信関連6、他0
【従業員】連152名 単88名(39.6歳)

【業績】	売上高	営業利益	経常利益	純利益
連22.7	5,244	314	317	254
連23.7	6,054	451	433	293
連24.7	5,981	621	595	414

(株)小川組（おがわぐみ）

株式公開計画なし

採用内定数	倍率	3年後離職率	平均年収
1名	4倍	100%	[総]679万円

●待遇、制度●
【初任給】月22万
【残業】17.6時間【有休】9.2日【制度】[住]
●新卒定着状況●
20年入社(男1、女1)→3年後在籍(男0、女0)
●採用情報●
【人数】23年:2 24年:0 25年:応募4→内定1*
【内定内訳】(男1、女0)(文0、理0)(総0、他1)
【試験】〔Web会場〕SPI3〔性格〕有
【時期】エントリー25.3→内々定25.6【インターン】有【ジョブ型】有
【採用実績校】新潟日建工科専1
【求める人材】ものづくりに興味があり、チームワークやコミュニケーションを大切にする人

【本社】210-0002 神奈川県川崎市川崎区榎町3-4 ☎044-244-5661
【特色・近況】マンション、ビル、商業施設、医療福祉施設、公共施設などの新築や年1000件以上のリニューアル工事を手がける建設工事請負会社。神奈川と東京で事業を展開。メンテナンス業務や不動産の売買・仲介・賃貸・管理業務も手がける。1928年創業。
【設立】1946.9 【資本金】216百万円
【社長】長澤靖(1965.4生)
【株主】東京中小企業投資育成43.5%
【事業】新築工事70、リニューアル工事30
【従業員】単54名(45.9歳)

【業績】	売上高	営業利益	経常利益	純利益
単21.6	3,631	▲139	▲104	▲57
単22.6	4,692	290	311	102
単23.6	4,890	▲462	▲434	▲472

奥村組土木興業（おくむらぐみどぼくこうぎょう）

株式公開計画なし

採用内定数	倍率	3年後離職率	平均年収
8名	5.9倍	38%	••

●待遇、制度●
【初任給】月23万
【残業】37.3時間【有休】10.8日【制度】[住][在]
●新卒定着状況●
20年入社(男47、女3)→3年後在籍(男28、女3)
●採用情報●
【人数】23年:34 24年:51 25年:応募47→内定8*
【内定内訳】(男5、女3)(文2、理6)(総8、他0)
【試験】〔性格〕有
【時期】エントリー24.10→内々定24.12*(一次・二次以降もWEB面接可)【インターン】有
【採用実績校】愛媛大1、関東学院大1、立命館大1、摂南大1、大阪産大1、松江高専1、大阪大谷大1、松山大1
【求める人材】常に向上心と改善意識を持って物事に取組めるバイタリティ溢れる人

【本社】552-0016 大阪府大阪市港区三先1-11-18 ☎06-6572-5301
【特色・近況】土木工事主体に、建築工事、ガス工事(設備・導管)、舗装復旧工事などを展開する総合建設会社。砕石、砂など建設資材の販売、アスファルト合材・リサイクル建設資材の製造・販売や、コンクリート二次製品販売も行う。1920年創業。
【設立】1959.5 【資本金】1,000百万円
【会長兼社長】奥村安正(1946.8生 日大理工卒)
【株主】〔24.3〕兵庫奥栄建設16.7%
【事業】土木舗装管工事76、建築工事13、建材製造販売他11
【従業員】単880名(43.4歳)

【業績】	売上高	営業利益	経常利益	純利益
単22.3	54,608	2,106	2,329	1,052
単23.3	53,144	1,704	1,751	798
単24.3	55,572	2,993	3,070	1,433

小野田ケミコ（おのだ）

株式公開計画なし

採用内定数	倍率	3年後離職率	平均年収
7名	8.6倍	27.3%	680万円

●待遇、制度●
【初任給】月25万(諸手当5万円)
【残業】23.8時間【有休】13日【制度】[住]
●新卒定着状況●
20年入社(男11、女0)→3年後在籍(男8、女0)
●採用情報●
【人数】23年:11 24年:9 25年:応募60→内定7*
【内定内訳】(男7、女0)(文1、理4)(総7、他0)
【試験】〔筆記〕常識
【時期】エントリー25.3→内々定25.4*(一次はWEB面接可)【インターン】有
【採用実績校】千葉工大3、東京電機大1、九産大1、秋田高専1、福岡工業高1
【求める人材】コミュニケーション力があり、責任を持ってやり遂げる実行力がある人

【本社】101-0054 東京都千代田区神田錦町3-21 クレスト竹橋ビル ☎03-6386-7030
【特色・近況】地盤改良工事を主軸に斜面・防災工事、固化材販売、超速硬コンクリート販売施工などを展開。シールドトンネル関連の工事なども行う。大手ゼネコンなどが主要顧客。海外はミャンマーに事務所、ベトナムに現地法人。太平洋セメントの子会社。
【設立】1983.4 【資本金】400百万円
【社長】竹山幸生(1957.3生 中大理工卒)
【株主】〔24.3〕太平洋セメント100%
【連結事業】地盤改良工事73、シールド16、固化材1、他10
【従業員】連348名 単340名(45.2歳)

【業績】	売上高	営業利益	経常利益	純利益
連22.3	23,855	1,976	2,036	1,153
連23.3	23,160	1,452	1,508	1,054
連24.3	24,465	1,682	1,726	1,231

小原建設（おばらけんせつ）

株式公開計画なし

採用内定数	倍率	3年後離職率	平均年収
6名	7倍	37.5%	‥

●待遇、制度●
【初任給】月24万
【残業】32.2時間【有休】12.2日【制度】[住][在]
●新卒定着状況●
20年入社(男13、女3)→3年後在籍(男9、女1)
●採用情報●
【人数】23年:9 24年:19 25年:応募42→内定6*
【内定内訳】(男4、女2)(文2、理3)(総6、他0)
【試験】なし
【時期】エントリー24.10→内々定25.3*【インターン】有
【採用実績校】中部大1、日本福祉大1、愛知工業大1、南山大1、金城学大1、東海工業専1
【求める人材】モノづくりが好きな人、自ら考えて、+αの提案ができる人

【本社】444-0867 愛知県岡崎市明大寺町字西郷中37 ☎0564-51-2621
【特色・近況】東海地区中堅の建設会社。建築、土木施工管理、土木設計監理が主力。マンションや商業施設の改修や耐震工事などのリニューアル事業も展開。自社建設の文化会館「葵丘」を運営する。耐震技術SRF(高自由度超靭性補強)工法を訴求。
【設立】1946.3 【資本金】180百万円
【社長】小原睦(1955.6生 上智大法卒)
【株主】‥
【事業】建築工事、土木工事舗装工事
【従業員】単283名(45.3歳)

【業績】	売上高	営業利益	経常利益	純利益
単21.9	16,078	‥	‥	496
単22.9	20,666	‥	‥	675
単23.9	19,681	‥	‥	387

#年収高く倍率低い #年収が高い

オリエンタル白石（しらいし）

東証プライム

採用内定数	倍率	3年後離職率	平均年収
25名	2.5倍	12.5%	[総]981万円

●待遇、制度●
【初任給】月25万
【残業】24時間【有休】10.1日【制度】[住][在]
●新卒定着状況●
20年入社(男28、女4)→3年後在籍(男24、女4)
●採用情報●
【人数】23年:32 24年:36 25年:応募63→内定25*
【内定内訳】(男21、女4)(文3、理19)(総25、他0)
【試験】〔Web自宅〕SPI3
【時期】エントリー25.3→内々定25.6*(一次はWEB面接可)【インターン】有
【採用実績校】金沢大1、岡山大1、熊本大2、群馬大3、宇都宮大1、岐阜大1、滋賀大1、鹿児島大1、佐賀大1、琉球大1、大阪工大1、他
【求める人材】モノ作りの喜びや、社会インフラへの貢献に強い思いを持ち、仲間と共に常にチャレンジする人

【本社】135-0061 東京都江東区豊洲5-6-52 NBF豊洲キャナルフロント ☎03-6220-0630
【特色・近況】関西地盤でPC(プレストレストコンクリート)橋梁・鋼橋梁を手がける総合建設会社。ニューマチックケーソン工法を用いた建設工事や、橋梁等の補修・補強工事を展開。得意のケーソン工法で実績多く、橋梁の新設工事や補修・補強の受注に注力。
【設立】1952.10 【資本金】5,000百万円
【社長】大野達也(1958.11生 京大工卒)
【株主】〔24.3〕伊藤忠商事14.5%
【連結事業】建設82、鋼構造物13、港湾5、他0
【従業員】連1,011名 単775名(46.7歳)

【業績】	売上高	営業利益	経常利益	純利益
連22.3	60,726	5,308	5,460	3,778
連23.3	61,480	5,214	5,427	3,922
連24.3	67,382	6,533	6,580	4,632

㈱加賀田組（かがたぐみ）

株式公開計画なし

採用内定数	倍率	3年後離職率	平均年収
34名	‥	18.2%	‥

●待遇、制度●
【初任給】月24万(諸手当1万円)
【残業】25.9時間【有休】8.5日【制度】[住]
●新卒定着状況●
20年入社(男16、女6)→3年後在籍(男13、女5)
●採用情報●
【人数】23年:11 24年:31 25年:応募‥→内定34
【内定内訳】(男32、女2)(文‥、理‥)(総34、他0)
【試験】‥
【時期】エントリー‥→内々定‥【インターン】有
【採用実績校】‥
【求める人材】未知の分野に自分の力で立ち向かうバイタリティあふれる人

【本社】950-8586 新潟県新潟市中央区万代4-5-15 ☎025-247-5171
【特色・近況】新潟県上位の老舗ゼネコン。土木、建築、舗道、開発の4事業を展開。営業地盤は新潟中心に関東から東北まで。官民の売上比率は4対6。関東・東北地域の受注・売上が伸長し県外比率は5対5で推移。土木事業および県外事業のさらなる強化図る。
【設立】1952.9 【資本金】520百万円
【社長】市村稿(1959.5生 新潟明訓高卒)
【株主】〔23.9〕加賀田組ホールディングス49.6%
【事業】建築工事67、土木工事22、舗装工事9、兼業事業2
【従業員】単404名(47.1歳)

【業績】	売上高	営業利益	経常利益	純利益
単21.9	39,527	1,454	1,479	1,008
単22.9	38,102	1,203	1,237	729
単23.9	38,248	1,182	1,188	806

㈱角藤（かくとう）

株式公開 いずれしたい

採用実績数	倍率	3年後離職率	平均年収
15名	‥	25.9%	‥

●待遇、制度●
【初任給】月24万
【残業】14.4時間【有休】9日【制度】住
●新卒定着状況●
20年入社(男23、女4)→3年後在籍(男17、女3)
●採用情報●
【人数】23年:17 24年:15 25年:予定微増*
【内定内訳】(男‥、女‥)(文‥、理‥)(総‥、他‥)
【試験】〔筆記〕有
【時期】エントリー25.3→内々定25.6*(一次・二次以降もWEB面接可)【インターン】有
【採用実績校】富山大1、芝工大1、日大1、近大1、金沢工大1、金沢学大1
【求める人材】モノづくりの好きな人で何かをやり遂げた経験のある人

【本社】381-8686 長野県長野市南屋島515
☎026-221-8141
【特色・近況】鉄骨の設計・製作・施工、建築・土木系基礎工事、金属・セメント系外装工事、橋梁工事、可動式上屋工事が中心。長野を軸に全国規模のビッグプロジェクトまで幅広く展開。鉄骨工場の性能評価では最高の「Sグレード」を取得。建築物のZEB化推進にも注力。
【設立】1963.1 【資本金】90百万円
【社長】大久保公雄(1959.11生 慶大経済卒)
【株主】〔24.1〕大久保公雄21.6%
【事業】工事部門90、販売部門10
【従業員】単746名(43.1歳)

【業績】	売上高	営業利益	経常利益	純利益
単22.1	59,514	5,208	5,495	2,969
単23.1	54,751	4,417	4,780	2,741
単24.1	75,422	6,982	7,624	4,372

角文（かくぶん）

株式公開 計画なし

採用内定数	倍率	3年後離職率	平均年収
9名	2.2倍	25%	631万円

●待遇、制度●
【初任給】月24.8万(諸手当0.5万円)
【残業】5.4時間【有休】11.4日【制度】住
●新卒定着状況●
20年入社(男4、女4)→3年後在籍(男3、女3)
●採用情報●
【人数】23年:6 24年:8 25年:応募20→内定9*
【内定内訳】(男4、女5)(文4、理3)(総9、他0)
【試験】〔筆記〕常識
【時期】エントリー25.2→内々定25.4【インターン】有
【採用実績校】愛知工業大3、愛知学大1、愛知大1、名城大1、愛知淑徳大1、東海工業専2
【求める人材】何事にも意欲をもって取り組み、チーム一丸で目標に突き進める人

【本社】448-0004 愛知県刈谷市泉田町古和井1
☎0566-22-1811
【特色・近況】1823年創業の愛知県西三河地域を地盤としたゼネコン。一般建築や土木に加え、分譲マンションや分譲住宅の開発・販売、住宅のリノベーションも扱う。刈谷市と安城市にコンパクトシティのモデルとなる複合施設を建設するなど再開発事業にも力を入れる。
【設立】1960.8 【資本金】80百万円
【社長】鈴木文三郎(1957.8生 早大商卒)
【株主】〔24.6〕公益財団法人角文・鈴木環境財団47.2%
【事業】建築工事58、住宅分譲・マンション31、土木7、他4
【従業員】単127名(41.0歳)

【業績】	売上高	営業利益	経常利益	純利益
単21.6	12,821	976	1,021	507
単22.6	18,045	1,347	1,803	1,111
単23.6	12,914	422	481	332

#年収高く倍率低い

鹿島道路（かじまどうろ）

株式公開 未定

採用内定数	倍率	3年後離職率	平均年収
49名	4.7倍	35%	㊔851万円

●待遇、制度●
【初任給】月26.5万
【残業】33.3時間【有休】8.8日【制度】住
●新卒定着状況●
20年入社(男57、女3)→3年後在籍(男37、女2)
●採用情報●
【人数】23年:58 24年:63 25年:応募230→内定49*
【内定内訳】(男42、女7)(文13、理18)(総49、他0)
【試験】〔Web会場〕SPI3〔Web自宅〕SPI3〔性格〕有
【時期】エントリー24.4→内々定24.12(一次・二次以降もWEB面接可)【インターン】有
【採用実績校】‥
【求める人材】インフラを作る強い気持ちを持ち、多くの人をまとめあげ、困難な状況にも屈せず、常に挑戦心を持ってプロジェクト完遂に向けてやり抜く覚悟がある人

【本店】112-8566 東京都文京区後楽1-7-27
☎03-5802-8001
【特色・近況】道路専業大手の一角。道路のアスファルト舗装を中心に、橋梁、空港、ダム、テストコース等の舗装・土木工事を展開。国交省、NEXCOほか中央官庁工事・ICT技術・材料開発に注力。海外はタイ、ベトナムを中心にアフリカなどで実績有り。
【設立】1958.2 【資本金】4,000百万円
【社長】吉田英信(1955.9生 京大院土木工修了)
【株主】〔24.3〕鹿島100%
【事業】建設84、製造・販売16
【従業員】単1,467名(41.9歳)

【業績】	売上高	営業利益	経常利益	純利益
単22.3	125,295	5,583	5,801	4,090
単23.3	132,399	5,082	5,415	3,476
単24.3	131,474	5,910	6,249	4,419

㈱カシワバラ・コーポレーション

[株式公開計画なし]

採用内定数	倍率	3年後離職率	平均年収
36名	30.5倍	30.8%	[総]592万円

●待遇、制度●
【初任給】月21.5万(諸手当1.5万円)
【残業】27時間【有休】13.5日【制度】[フ][住][在]

●新卒定着状況●
20年入社(男21、女5)→3年後在籍(男16、女2)

●採用情報●
【人数】23年:20 24年:30 25年:応募1098→内定36*
【内定内訳】(男33、女3)(文26、理10)(総36、他0)
【試験】なし
【時期】エントリー 24.10→内々定25.1*(一次・二次以降もWEB面接可)【インターン】有
【採用実績校】明学大3、九州共立大2、近大2、城西大2、日大2、流経大2、秋田大1、大阪経大1、大阪成蹊大1、九産大1、京産大1、淑徳大1、他
【求める人材】自ら考えて実行する力のある人、コミュニケーション能力のある人

【東京本社】108-0075 東京都港区港南1-2-70 品川シーズンテラス18階 ☎03-5479-1400
【特色・近況】塗装を軸とした産業インフラの維持・保全事業で業界トップクラス。マンション大規模修繕や、オフィス・店舗・住宅などの建築、内装リフォームなども手がける。インドネシア、シンガポールに拠点を持ち海外展開も強化。
【設立】1953.3 【資本金】250百万円
【代表取締役】柏原伸介(1980.1生 明大農卒)
【株主】〔24.3〕柏原美術館27.6%
【事業】塗装工事・土木工事・建設工事99、兼業事業1
【従業員】単976名(43.9歳)

【業績】	売上高	営業利益	経常利益	純利益
単22.1	58,503	4,517	5,056	3,054
単23.1	61,174	4,105	4,702	2,989
単24.1	63,649	2,951	3,164	1,893

㈱加藤組(かとうぐみ)

[株式公開計画なし]

採用予定数	倍率	3年後離職率	平均年収
2名	-	0%	511万円

●待遇、制度●
【初任給】月21万
【残業】10.8時間【有休】12.8日【制度】[住]

●新卒定着状況●
20年入社(男2、女0)→3年後在籍(男2、女0)

●採用情報●
【人数】23年:2 24年:7 25年:応募4→内定0*
【内定内訳】(男・・、女・・)(文・・、理・・)(総・・、他・・)
【試験】〔Web自宅〕SPI3
【時期】エントリー 24.9→内々定24.11*(一次・二次以降もWEB面接可)【インターン】有
【採用実績校】・・
【求める人材】前向き実行集団にふさわしい、行動力とコミュニケーション力のある人

【本社】958-0871 新潟県村上市久保多町7-3 ☎0254-53-4165
【特色・近況】新潟県北地盤の中堅ゼネコン。道路・橋梁などの土木工事、福祉・医療施設や学校施設の建築のほか、戸建住宅建設、廃木材リサイクル、建物解体も手がける。工場・倉庫・店舗向けのシステム建築事業も展開。山形に営業所を置く。
【設立】1959.2 【資本金】40百万円
【社長】加藤善典(1976.8生)
【株主】・・
【事業】土木工事61、建築工事19、他20
【従業員】単94名(39.6歳)

【業績】	売上高	営業利益	経常利益	純利益
単21.6	3,478	276	300	212
単22.6	2,083	133	137	76
単23.6	2,845	283	300	196

㈱加藤建設(かとうけんせつ)

[株式公開計画なし]

採用内定数	倍率	3年後離職率	平均年収
19名	1.7倍	21.7%	[総]761万円

●待遇、制度●
【初任給】月25万(諸手当0.5万円)
【残業】11.3時間【有休】14.2日【制度】[住]

●新卒定着状況●
20年入社(男20、女3)→3年後在籍(男16、女2)

●採用情報●
【人数】23年:14 24年:18 25年:応募32→内定19*
【内定内訳】(男18、女1)(文1、理12)(総19、他0)
【試験】〔筆記〕SPI3〔Web自宅〕SPI3〔性格〕有
【時期】エントリー 24.9→内々定25.3*(一次・二次以降もWEB面接可)【インターン】有【ジョブ型】有
【採用実績校】中部大2、愛知工業大7、東洋大1、日大1、金沢工大1、共立女大1、東海工業専2
【求める人材】・・

【本社】497-8501 愛知県海部郡蟹江町蟹江新田字下市場19-1 ☎0567-95-2181
【特色・近況】一般土木、建築、地盤改良、圧入を主力とする総合建設会社。中層地盤改良工事のパワーブレンダー工法、都市型地下構造物を構築するアーバンリング工法などの独自技術を持つ。営業所網は北海道から九州まで広域に展開。1912年創業。
【設立】1970.11 【資本金】100百万円
【社長】加藤明(1972.10生 成城大)
【株主】〔23.9〕CE・KATO53.7%
【事業】土木工事93、舗装工事6、建築工事1、他0
【従業員】単349名(39.1歳)

【業績】	売上高	営業利益	経常利益	純利益
単21.9	24,414	2,341	2,487	1,691
単22.9	23,882	1,862	2,045	1,316
単23.9	23,022	1,342	1,497	1,058

金下建設（かねしたけんせつ）

[東証スタンダード]

採用内定数	倍率	3年後離職率	平均年収
6名	1.5倍	9.1%	570万円

●待遇、制度●
【初任給】月23.8万（諸手当2万円）
【残業】21時間【有休】11.4日【制度】[住]
●新卒定着状況●
20年入社（男8、女3）→3年後在籍（男7、女3）
●採用情報●
【人数】23年:6 24年:1 25年:応募9→内定6
【内定内訳】（男5、女1）（文0、理6）（総6、他0）
【試験】〔筆記〕GAB
【時期】エントリー25.3→内々定25.4（一次はWEB面接可）【インターン】有
【採用実績校】大阪産大2、京都建築大学校2、他
【求める人材】自ら考え、主体的に行動できる人

【本社】629-2251 京都府宮津市須津471-1
☎0772-46-3151
【特色・近況】業界中堅の総合建設会社。道路舗装など官公需に強み。分譲マンション、オフィスビル、福祉施設など民間建築部門も拡大中。注文住宅にも取り組む。創業期から専用工場を有し、アスファルト合材など各種舗装材料の製造・販売も手がける。近畿北部が地盤。
【設立】1951.4【資本金】1,000百万円
【社長】金下昌司（1964.3生 福井工大工卒）
【株主】〔24.6〕上原成商事5.2%
【連結事業】建設98、製造・販売等2
【従業員】[連]182名 [単]174名（46.5歳）

【業績】	売上高	営業利益	経常利益	純利益
[連]21.12	7,633	▲99	32	45
[連]22.12	9,898	146	287	190
[連]23.12	10,659	238	413	270

株木建設（かぶきけんせつ）

[株式公開計画なし]

採用内定数	倍率	3年後離職率	平均年収
18名	‥	28.6%	707万円

●待遇、制度●
【初任給】月26万
【残業】26.6時間【有休】11.7日【制度】[住]
●新卒定着状況●
20年入社（男11、女3）→3年後在籍（男7、女3）
●採用情報●
【人数】23年:18 24年:23 25年:応募‥→内定18*
【内定内訳】（男13、女5）（文5、理8）（総18、他0）
【試験】〔筆記〕GAB、他〔性格〕有
【時期】エントリー25.3→内々定25.4（一次はWEB面接可）【インターン】有
【採用実績校】埼玉大1、富山大1、日大2、足利大1、関東学院大1、京都美工大1、摂南大1、追手門学大1、拓大1、水戸日建工科専2、他
【求める人材】自分の変化・成長を楽しめる人、仲間を大切にできる人

【東京本社】161-0033 東京都新宿区下落合3-14-28
☎03-6908-2700
【特色・近況】茨城県で公共工事の受注トップ級。土木と建築を柱にエンジニアリング、都市開発、環境整備、不動産にも分野を広げている。北海道から九州まで全国で施工実績あり。日立セメントなど22の関連会社から構成される株木グループの中心企業。
【設立】1943.11【資本金】2,700百万円
【社長】株木康吉（1987.10生 早大理工卒）
【株主】〔24.5〕丸株23.6%
【事業】土木57、建築43
【従業員】[単]374名（45.4歳）

【業績】	売上高	営業利益	経常利益	純利益
[単]21.5	35,585	4,822	4,808	2,747
[単]22.5	31,914	2,569	2,689	1,900
[単]23.5	34,762	2,195	2,223	1,517

川口土木建築工業（かわぐちどぼくけんちくこうぎょう）

[株式公開計画なし]

採用内定数	倍率	3年後離職率	平均年収
38名	13.4倍	‥	[総]705万円

●待遇、制度●
【初任給】月26.5万
【残業】20時間【有休】8.4日【制度】[住]
●新卒定着状況●
‥
●採用情報●
【人数】23年:21 24年:35 25年:応募509→内定38
【内定内訳】（男31、女7）（文9、理28）（総38、他0）
【試験】〔Web会場〕有〔Web自宅〕有〔性格〕有
【時期】エントリー25.3→内々定25.10*（一次はWEB面接可）【インターン】有【ジョブ型】有
【採用実績校】ものつくり大3、東京農業大3、京都建築専2、東京電機大1、日大1、千葉工大1、明星大1、国士舘大1、足利大1、東洋大1、他
【求める人材】コミュニケーション能力のある人、何事にもチャレンジし、自分を高めようとする人

【本社】332-0012 埼玉県川口市本町4-11-6
☎048-224-5111
【特色・近況】建設を中心に不動産も扱う埼玉県屈指の総合建設業者。埼玉、東京が地盤。土地持ち込みによるマンション設計・施工など民間建築工事が主体で民需が約9割。単独や共同事業者として新築分譲マンションの開発も手がける。1921年創業。
【設立】1944.9【資本金】210百万円
【社長】古川元一（1962.10生 慶大経済卒）
【株主】〔24.3〕古川元一64.7%
【事業】建設78、不動産22
【従業員】[単]247名（41.5歳）

【業績】	売上高	営業利益	経常利益	純利益
[単]21.9	26,209	1,359	1,428	680
[単]22.9	36,304	1,098	1,422	897
[単]23.9	29,416	841	972	516

川本工業（かわもとこうぎょう）

株式公開計画なし

採用内定数	倍率	3年後離職率	平均年収
4名	5.8倍	60%	㊍671万円

●待遇、制度●
【初任給】月26万（諸手当2万円）
【残業】29.1時間【有休】9.3日【制度】住 在
●新卒定着状況●
20年入社（男15、女0）→3年後在籍（男6、女0）
●採用情報●
【人数】23年:14 24年:11 25年:応募23→内定4*
【内定内訳】（男4、女0）（文0、理4）（総4、他0）
【試験】〔Web自宅〕有〔性格〕有
【時期】エントリー25.3→内々定25.4*（一次はWEB面接可）【インターン】有
【採用実績校】湘南工大2、神奈川工大1、東京工芸大1、他
【求める人材】志は豊かに感謝の気持ちを忘れず、夢を想って難題に取り組み新時代を築き上げていく人

【本社】231-0026 神奈川県横浜市中区寿町2-5-1 ☎045-662-2021
【特色・近況】空調・給排水・電気・防災設備などの企画・施工を手がける総合設備工事会社。バリアフリー化や防犯・セキュリティーなどリニューアルにも対応。首都圏中心に全国展開。横浜ランドマークタワーやパシフィコ横浜、日産スタジアムなどを施工実績を持つ。
【設立】1949.6 【資本金】500百万円
【社長】川本守彦（1955.12生 慶大経済卒）
【株主】〔24.3〕川本守彦61.0%
【事業】空気調和設備工事38、給排水衛生設備工事44、他18
【従業員】単258名（45.5歳）

【業績】	売上高	営業利益	経常利益	純利益
単22.3	18,014	1,733	1,877	1,124
単23.3	23,098	2,311	2,414	1,330
単24.3	25,458	3,150	3,209	1,818

㈱関工パワーテクノ（かんこう）

株式公開計画なし

採用予定数	倍率	3年後離職率	平均年収
17名	−	25%	‥

●待遇、制度●
【初任給】月20.5万
【残業】32.3時間【有休】12.9日【制度】住
●新卒定着状況●
20年入社（男4、女0）→3年後在籍（男3、女0）
●採用情報●
【人数】23年:6 24年:2 25年:予定17*
【内定内訳】（男‥、女‥）（文‥、理‥）（総‥、他‥）
【試験】〔筆記〕常識〔性格〕有
【時期】エントリー25.4→内々定‥*【インターン】有
【採用実績校】‥
【求める人材】パワー（力）のある人（行動力、決断力、技術力など）、コミュニケーション能力のある人

【本社】144-0046 東京都大田区東六郷3-5-3 関電工ビル2階 ☎03-5713-8200
【特色・近況】関電工の完全子会社で、電力設備工事の設計・施工・施工管理を担う。発変電設備、地中送電線設備、配電線設備などの施工を中心に、原子力設備周辺工事や保守、LED化・無電柱化工事なども行う。太陽光や風力発電工事など再生可能エネルギー分野にも拡大。
【設立】1948.11 【資本金】400百万円
【社長】五十嵐力（1965.4生）
【株主】〔24.3〕関電工100%
【事業】電気工事44、管工事8、舗装工事21、とび・土工27
【従業員】単229名（47.5歳）

【業績】	売上高	営業利益	経常利益	純利益
単22.3	5,960	147	159	109
単23.3	6,538	248	259	176
単24.3	6,959	202	217	146

関西保温工業（かんさいほおんこうぎょう）

株式公開計画なし

採用内定数	倍率	3年後離職率	平均年収
8名	‥	‥	‥

●待遇、制度●
【初任給】月25万
【残業】25.4時間【有休】11.7日【制度】‥
●新卒定着状況●
20年入社（男8、女0）→3年後在籍（男‥、女‥）
●採用情報●
【人数】23年:4 24年:9 25年:応募‥→内定8*
【内定内訳】（男7、女1）（文5、理3）（総7、他1）
【試験】‥
【時期】エントリー25.3→内々定25.6
【採用実績校】‥
【求める人材】自ら考え行動できる人

【本社】542-0081 大阪府大阪市中央区南船場4-6-10 新東和ビル ☎06-6252-6321
【特色・近況】石油精製、石油化学など各種プラントの保温保冷、耐火築炉、耐火皮膜、遮熱、防音、防水・防食工事の大手。設計から施工までの一貫体制。断熱工事の経験を生かした脱煙脱臭等排ガス処理などの環境クリーン化設備の設計、製作、施工も手がける。
【設立】1948.8 【資本金】48百万円
【社長】森伸一（1949.11生 日大理工卒）
【株主】〔24.6〕森大輔
【事業】保温保冷工事55、仮設工事20、耐火築炉工事10、特殊工事・開発商品10、他5
【従業員】単250名（43.3歳）

【業績】	売上高	営業利益	経常利益	純利益
単22.3	17,837	901	1,175	288
単23.3	20,001	1,427	1,667	796
単24.3	21,007	2,050	2,401	673

㈱神崎組（かんざきぐみ）

株式公開計画なし

採用内定数	倍率	3年後離職率	平均年収
7名	2倍	0%	‥

●待遇、制度●
【初任給】月23.3万(諸手当0.5万円)
【残業】21.1時間【有休】8.3日【制度】住 在

●新卒定着状況●
20年入社(男8、女1)→3年後在籍(男8、女1)

●採用情報●
【人数】23年:2 24年:3 25年:応募14→内定7*
【内定内訳】(男5、女2)(文2、理4)(総7、他0)
【試験】〔筆記〕有
【時期】エントリー25.3→内々定25.4*【インターン】有
【採用実績校】広島工大4、関大1、武庫川女大1、龍野北高1
【求める人材】資格取得に積極的な人、視野が広い人、ものづくりが好きな人、チームワーク重視の人

【本社】670-0935 兵庫県姫路市北条口3-22 ☎079-223-2021
【特色・近況】西日本地盤の独立系老舗ゼネコン。設計、施工、アフターメンテナンスまで一貫提供。官公庁庁舎、民間企業の本社ビル・工場、病院など実績多い。姫路城の修理には大正時代から昭和、平成にかけて参画。大阪に支店、福井、山口に営業所を置く。
【設立】1943.11 【資本金】500百万円
【社長】神崎文吾
【株主】〔23.5〕神崎文吾33.1%
【事業】建築工事83、土木工事14、不動産3
【従業員】単125名(48.8歳)

【業績】	売上高	営業利益	経常利益	純利益
単21.5	9,670	406	419	230
単22.5	9,404	368	382	213
単23.5	10,122	361	380	242

関東建設工業（かんとうけんせつこうぎょう）

株式公開いずれしたい

採用内定数	倍率	3年後離職率	平均年収
15名	1.3倍	26.3%	㊀768万円

●待遇、制度●
【初任給】月27万(諸手当3万円)
【残業】25時間【有休】10日【制度】住

●新卒定着状況●
20年入社(男16、女3)→3年後在籍(男12、女2)

●採用情報●
【人数】23年:12 24年:12 25年:応募20→内定15*
【内定内訳】(男8、女7)(文0、理5)(総15、他0)
【試験】〔筆記〕有〔性格〕有
【時期】エントリー25.1→内々定25.3【インターン】有
【採用実績校】日大、足利大、駒沢女大、足利デザイン・ビューティ専、太田情報商科専、他
【求める人材】向上心を持ち自ら工夫し考えることのできる人

【本社】373-0851 群馬県太田市飯田町1547 OTAスクエアビル7階 ☎0276-30-0211
【特色・近況】関東地方を地盤とする総合建設業者。エンジニアリング事業も手がける。M&Aを駆使してグループ売上を拡大。ベトナム、モンゴルでの建設事業や、東南アジアでのODAなど海外展開。東京・中央区、さいたま市、高崎市、足利市に支店。
【設立】1972.5 【資本金】1,150百万円
【社長】髙橋明(1965.9生)
【株主】〔24.3〕関東建設工業ホールディングス100%
【事業】総合建設業
【従業員】単316名(44.9歳)

【業績】	売上高	営業利益	経常利益	純利益
単22.3	78,135	4,294	4,676	2,435
単23.3	81,663	2,630	2,880	2,142
単24.3	58,883	240	498	203

#年収高く倍率低い

岐建（ぎけん）

株式公開計画なし

採用内定数	倍率	3年後離職率	平均年収
12名	4.4倍	22.2%	㊀815万円

●待遇、制度●
【初任給】月26万(諸手当2万円)
【残業】27.5時間【有休】15日【制度】住 在

●新卒定着状況●
20年入社(男13、女5)→3年後在籍(男10、女4)

●採用情報●
【人数】23年:13 24年:16 25年:応募53→内定12*
【内定内訳】(男12、女0)(文0、理7)(総11、他1)
【試験】〔筆記〕常識、他〔性格〕有
【時期】エントリー25.1→内々定25.2*(一次はWEB面接可)【インターン】有
【採用実績校】愛知工業大3、大同大2、金沢工大1、京都府大1
【求める人材】常に主体性をもって前向きに挑戦しようとする意欲・行動力と、コミュニケーション能力・協調性を併せ持つ人

【本社】503-0918 岐阜県大垣市西崎町2-46 ☎0584-81-2121
【特色・近況】寺社建築で創業の中堅ゼネコン。建築は寺社から公共施設、医療・福祉施設、工場、オフィス、商業施設など幅広く手がける。土木工事、道路舗装やアスファルト合材の製造販売も行う。東海地区中心に東京、滋賀、大阪に支店を展開。太陽光発電施設も運営。
【設立】1946.3 【資本金】500百万円
【社長】木村志朗(1950.10生 武工大工卒)
【株主】〔23.6〕三商14.0%
【事業】建築工事79、土木工事14、舗装工6、他1
【従業員】単516名(41.2歳)

【業績】	売上高	営業利益	経常利益	純利益
単21.6	52,856	3,198	3,975	2,419
単22.6	35,401	1,870	3,014	2,189
単23.6	45,680	2,594	4,588	3,682

岸本建設（きしもとけんせつ）

[株式公開いずれしたい]

採用予定数	倍率	3年後離職率	平均年収
10名	‥	‥	[総]740万円

●待遇、制度●
【初任給】月23.5万（諸手当1万円）
【残業】27時間【有休】9.4日【制度】[住][在]

●新卒定着状況●
‥

●採用情報●
【人数】23年:5 24年:10 25年:予定10*
【内定内訳】（男‥、女‥）（文‥、理‥）（総‥、他‥）
【試験】なし
【時期】エントリー24.10→内々定‥*（一次・二次以降もWEB面接可）【インターン】有【ジョブ型】有
【採用実績校】‥
【求める人材】施行管理のプロとして活躍したい人

【本社】566-0031 大阪府摂津市昭和園9-13
☎072-632-3221
【特色・近況】関西・関東圏を主な地盤とし、土木工事専門業者として全国展開。大型工事でも実績豊富。主に大手ゼネコンの協力会社として、鉄道関連工事・道路・ダム・造成・上下水道・河川・地下工事等の施工を手がける。1943年創業。
【設立】1959.8 【資本金】261百万円
【社長】谷口賢治（1956.3生 日大生産工卒）
【株主】〔24.4〕谷口賢治12.3%
【事業】土木100、建築0、舗装0、水道0
【従業員】単240名（45.6歳）

【業績】	売上高	営業利益	経常利益	純利益
単22.4	15,534	1,273	1,313	825
単23.4	16,047	1,257	1,361	929
単24.4	17,276	1,774	1,809	1,182

北野建設（きたのけんせつ）

[東証スタンダード]

採用内定数	倍率	3年後離職率	平均年収
20名	8.3倍	4.5%	775万円

●待遇、制度●
【初任給】月27万
【残業】40.1時間【有休】10.5日【制度】[住][在]

●新卒定着状況●
20年入社（男17、女5）→3年後在籍（男16、女5）

●採用情報●
【人数】23年:19 24年:26 25年:応募165→内定20*
【内定内訳】（男15、女5）（文2、理14）（総20、他0）
【試験】〔Web自宅〕SPI3〔性格〕有
【時期】エントリー24.11→内々定25.1（一次・二次以降もWEB面接可）【インターン】有【ジョブ型】有
【採用実績校】金沢工大3、新潟工大専3、信州大2、関東学院大1、国士舘大1、東京都市大1、長野県大1、長野高専1、新潟大1、日大1、他
【求める人材】「ものづくりを通じて社会に貢献する」という思いに共感できる人、常に前向きに困難に挑戦できる人

【本社】380-8524 長野県長野市県町524
☎026-233-5111
【特色・近況】民間建築が主力の中堅ゼネコン。工場や商業施設、マンションの建築を手がける。善光寺大本願本堂など社寺建築にも実績。長野地盤に首都圏でも展開。子会社を通じてホテル、ゴルフ場、広告代理店など多角経営。長野・善光寺参道で北野文芸座を運営。
【設立】1946.8 【資本金】9,116百万円
【会長兼社長】北野貴裕（1963.10生 キーストン卒）
【株主】〔24.3〕一般財団法人北野財団11.7%
【連結事業】建設96、ゴルフ場0、ホテル3、広告代理店1
【従業員】連1,094名 単718名（44.2歳）

【業績】	売上高	営業利益	経常利益	純利益
連22.3	60,103	2,394	2,864	1,739
連23.3	85,277	3,931	4,358	1,988
連24.3	84,964	4,804	5,073	3,902

㈱岐阜造園（ぎふぞうえん）

[東証スタンダード]

採用内定数	倍率	3年後離職率	平均年収
4名	3.8倍	50%	546万円

●待遇、制度●
【初任給】月21.4万
【残業】11.5時間【有休】10.4日【制度】[住][在]

●新卒定着状況●
20年入社（男2、女2）→3年後在籍（男1、女1）

●採用情報●
【人数】23年:6 24年:5 25年:応募15→内定4*
【内定内訳】（男3、女1）（文1、理2）（総0、他4）
【試験】〔筆記〕有〔性格〕有
【時期】エントリー25.3→内々定25.5（一次はWEB面接可）【インターン】有
【採用実績校】名古屋市大1、名城大1、修成建設専1
【求める人材】柔軟な発想とねばり強さのある人

【本社】500-8268 岐阜県岐阜市茜部菱野4-79-1
☎058-272-4120
【特色・近況】造園緑化専業で、業界唯一の上場会社。設計・施工・保守の一貫体制。公共空間のランドスケープ事業と、住宅周辺環境のガーデンエクステリア事業が2本柱。官公庁や大手住宅メーカーなどが主要顧客。営業エリアは主に東海と近畿だが、首都圏にも進出。
【設立】1966.1 【資本金】406百万円
【社長】山田準（1951.3生 愛知稲沢高卒）
【株主】〔24.3〕積水ハウス20.3%
【連結事業】ランドスケープ44、ガーデンエクステリア56
【従業員】連149名 単126名（42.6歳）

【業績】	売上高	営業利益	経常利益	純利益
連21.9	4,309	313	345	221
連22.9	4,851	383	369	247
連23.9	5,002	390	398	298

(株)キャンディル [東証スタンダード]

採用内定数	倍率	3年後離職率	平均年収
12名	53.9倍	45.5%	594万円

●待遇、制度●
【初任給】月22万
【残業】20.7時間【有休】9日【制度】[住][在]
●新卒定着状況●
20年入社(男6、女5)→3年後在籍(男3、女3)
●採用情報● グループ採用
【人数】23年:8 24年:13 25年:応募647→内定12*
【内定内訳】(男3、女9)(文12、理0)(総12、他0)
【試験】〔性格〕有
【時期】エントリー25.3→内々定25.5(一次・二次以降もWEB面接可)【インターン】有
【採用実績校】亜大1、岩手大1、敬和学大1、駒沢女大1、嵯峨美大1、多摩大1、多摩美大1、東京経大1、名古屋外大1、文教大1、他
【求める人材】当事者意識を持ち、柔軟な発想で粘り強く何事にも取り組むことができる人

【本社】162-0853 東京都新宿区北山伏町1-11 牛込食糧ビル ☎03-6862-1701
【特色・近況】住宅の内装や家具などに発生した傷の補修会社。戸建てや集合住宅を対象とする「リペアサービス」が主力。住宅の定期点検やリフォーム、商業施設の内装工事、オフィスの移転工事、イケア家具の組み立て、京都迎賓館や神社仏閣の補修も手がける。
【設立】2014.8 【資本金】561百万円
【社長】林晃生(1967.5生)
【株主】〔24.3〕サカイ引越センター 23.4%
【連結事業】リペアサービス35、住環境向け建築サービス25、商環境向け建築サービス31、商材販売5、抗ウイルス抗菌サービス4
【従業員】連572名 単48名(42.6歳)

【業績】	売上高	営業利益	経常利益	純利益
連21.9	11,220	63	36	▲72
連22.9	11,268	337	303	105
連23.9	12,309	452	441	224

(株)キャンディルテクト [株式公開計画なし]

採用内定数	倍率	3年後離職率	平均年収
6名	107.8倍	33.3%	[総]702万円

●待遇、制度●
【初任給】月22万
【残業】30.3時間【有休】9.7日【制度】[住][在]
●新卒定着状況●
20年入社(男1、女2)→3年後在籍(男1、女1)
●採用情報● グループ採用
【人数】23年:2 24年:3 25年:応募647→内定6*
【内定内訳】(男3、女3)(文6、理0)(総6、他0)
【試験】〔性格〕有
【時期】エントリー25.3→内々定25.5(一次・二次以降もWEB面接可)【インターン】有
【採用実績校】多摩大1、文教大1、新潟大1、駒沢女大1、武庫川女大1、文化学園大1
【求める人材】当事者意識を持ち、柔軟な発想で粘り強く何事にも取り組むことができる人

【本社】162-0853 東京都新宿区北山伏町1-11 牛込食糧ビル3階 ☎03-5625-4587
【特色・近況】商業施設や店舗の内装工事、オフィスの移転・間仕切り工事のほか、大手家具メーカーのイケアの家具組み立てサービスなどが主力事業。マンションの補修や、ホテルやレストランのメンテナンスも。年間800社、物件数にして約2万件の現場に対応。
【設立】2008.7 【資本金】99百万円
【社長】阿部利成(1971.6生 専大卒)
【株主】〔24.3〕キャンディル100%
【事業】店舗・商業施設・オフィスの内装工事、メンテナンス、家具組立て、他
【従業員】単110名(41.5歳)

【業績】	売上高	営業利益	経常利益	純利益
単21.9	4,733	‥	▲133	▲85
単22.9	4,876	‥	172	114
単23.9	4,586	‥	132	80

極東興和(きょくとうこうわ) [株式公開計画なし]

採用内定数	倍率	3年後離職率	平均年収
14名	2.3倍	22.6%	614万円

●待遇、制度●
【初任給】月24.3万(諸手当0.5万円)
【残業】22.3時間【有休】10.4日【制度】[フ][住][在]
●新卒定着状況●
20年入社(男25、女6)→3年後在籍(男20、女4)
●採用情報●
【人数】23年:19 24年:22 25年:応募32→内定14*
【内定内訳】(男12、女2)(文0、理7)(総14、他0)
【試験】〔Web自宅〕SPI3〔性格〕有
【時期】エントリー24.11→内々定25.1(一次はWEB面接可)【インターン】有
【採用実績校】熊本大院1、秋田大1、日大1、大阪工大1、愛媛大1、高知高専1、呉高専2、苫小牧高専1、八戸高専1、都城高専1、他
【求める人材】何事に対しても挑戦する意欲のある人

【本社】732-0052 広島県広島市東区光町2-6-31 ☎082-261-1207
【特色・近況】ビーアールHDの完全子会社で、プレストレスト・コンクリ橋梁工事、補修補強、鉄道用枕木製造など手がける。高速道PC床版、北陸・九州・リニア新幹線関連の需要増に対応した生産体制確立。サステナビリティ活動にも注力。
【設立】1948.3 【資本金】1,600百万円
【社長】山根隆志(1959.5生 ネブラスカ大院工修了)
【株主】〔24.3〕ビーアールホールディングス100%
【事業】建設89、製品販売11
【従業員】単396名(45.4歳)

【業績】	売上高	営業利益	経常利益	純利益
単22.3	28,196	1,686	1,656	1,153
単23.3	29,201	1,195	1,106	732
単24.3	32,985	1,777	1,692	1,194

工藤建設（くどうけんせつ）　東証スタンダード

採用内定数	倍率	3年後離職率	平均年収
11名	32.5倍	21.4%	634万円

●待遇、制度● 平均年収は介護部門除く
【初任給】月25.2万（固定残業代10時間分）
【残業】20時間【有休】13.5日【制度】住 在
●新卒定着状況●
20年入社（男12、女2）→3年後在籍（男9、女2）
●採用情報●
【人数】23年:19 24年:15 25年:応募358→内定11*
【内定内訳】（男7、女4）（文4、理7）（総11、他0）
【試験】〔筆記〕有
【時期】エントリー25.1→内々定25.3*(一次はWEB面接可)【インターン】有【ジョブ型】有
【採用実績校】東海大4、東京工芸大1、國學院大1、相模女大1、関東職能大学校1、日本工学院専1、国際理工カレッジ専2
【求める人材】自ら積極的にチャレンジする行動力・挑戦力のある人、お客様に感動してもらうことに共感できる人

【本社】225-0003 神奈川県横浜市青葉区新石川4-33-10 ☎045-911-5300
【特色・近況】神奈川県が主地盤の中堅建設会社。大規模修繕工事に強みを持ち、リノベーション事業にも注力。建設、戸建てやマンション分譲、賃貸マンション仲介・管理に加え、介護事業を第4の柱に育成中で、首都圏で有料老人ホームを運営。
【設立】1971.7　【資本金】867百万円
【社長】藤井研児（1962.10生 東海大体育卒）
【株主】〔24.6〕㈱トップ41.8%
【事業】建設52、不動産販売1、建物管理18、介護29
【従業員】単704名（43.6歳）

【業績】	売上高	営業利益	経常利益	純利益
単22.6	17,009	240	204	121
単23.6	19,579	333	306	135
単24.6	20,521	471	442	206

久保田建装（くぼたけんそう）　株式公開計画なし

採用実績数	倍率	3年後離職率	平均年収
1名	−	0%	693万円

●待遇、制度●
【初任給】月24.5万（諸手当1万円）
【残業】33.2時間【有休】9.7日【制度】住
●新卒定着状況●
20年入社（男1、女0）→3年後在籍（男1、女0）
●採用情報●
【人数】23年:1 24年:0 25年:応募3→内定0
【内定内訳】（男‥、女‥）（文‥、理‥）（総‥、他‥）
【試験】〔性格〕有
【時期】エントリー25.3→内々定25.6*【インターン】有
【採用実績校】‥
【求める人材】活動的で人とコミュニケーションを取ることを苦にしない人

【本社】158-0095 東京都世田谷区瀬田5-3-6 ☎03-3707-2585
【特色・近況】塗装、防水板金、内装仕上などの工事専門会社。本社は東京に置くが静岡県が地盤。塗装ではビルなど新築工事のほか、高速道などの橋梁、石油・ガスタンク、鉄塔などの大型物件で多くの実績を持つ。マンションの大規模修繕も手がける。
【設立】1969.7　【資本金】66百万円
【社長】大石剛（1969.3生 東海大工高卒）
【株主】〔23.6〕大石剛34.3%
【事業】塗装工事95、防水工事3、他2
【従業員】単45名（43.0歳）

【業績】	売上高	営業利益	経常利益	純利益
単21.6	2,651	126	93	47
単22.6	2,511	35	45	17
単23.6	3,136	77	81	44

#年収高く倍率低い

栗原工業（くりはらこうぎょう）　株式公開計画なし

採用内定数	倍率	3年後離職率	平均年収
30名	3.8倍	12.5%	819万円

●待遇、制度●
【初任給】月26.1万（諸手当5万円）
【残業】31時間【有休】7日【制度】フ 住
●新卒定着状況●
20年入社（男32、女0）→3年後在籍（男28、女0）
●採用情報●
【人数】23年:34 24年:27 25年:応募115→内定30*
【内定内訳】（男24、女6）（文5、理25）（総30、他0）
【試験】〔筆記〕有〔Web会場〕有〔Web自宅〕有〔性格〕有
【時期】エントリー25.3→内々定25.6(一次・二次以降もWEB面接可)【インターン】有
【採用実績校】福島大1、日大2、工学院大1、実践女大1、関東職能大学校1、神奈川工大2、東海大1、長岡技科大院1、近大4、大和大1、他
【求める人材】積極的で柔軟性があり、周囲との調和を大切にできる人

【本社】530-0054 大阪府大阪市北区南森町1-4-24 ☎06-4709-2300
【特色・近況】独立系の大手電気設備工事会社。ビル・工場などの屋内工事が主力。空調・ソリューション事業強化と電装拡大に注力。シンガポールでの実績が豊富で中国や東南アジアにも拠点持つ。太陽光発電のシステム構築・施工も手がける。
【設立】1942.6　【資本金】1,155百万円
【社長】横井正温（1955.5生 佐賀大理工卒）
【株主】〔23.9〕栗原秀直16.2%
【事業】内線94、外線6 <海外14>
【従業員】単1,323名（43.7歳）

【業績】	売上高	営業利益	経常利益	純利益
単21.9	81,509	3,054	3,429	2,095
単22.9	94,743	3,580	4,979	3,000
単23.9	104,113	3,630	4,454	3,128

㈱クリハラント

株式公開計画なし

採用内定数	倍率	3年後離職率	平均年収
9名	4.1倍	6.5%	[総]744万円

●待遇、制度●
【初任給】月24万
【残業】25時間【有休】16.1日【制度】[フ] [住]
●新卒定着状況●
20年入社(男28、女3)→3年後在籍(男27、女2)
●採用情報●
【人数】23年:20 24年:22 25年:応募37→内定9*
【内定内訳】(男9、女0)(文3、理3)(総0、他9)
【試験】〔性格〕有
【時期】エントリー25.3→内々定25.6*(一次はWEB面接可)【インターン】有
【採用実績校】神戸国際大1、日大1、福井工大1、龍谷大1、近大1、広島工大1
【求める人材】人間性豊かで熱い心をもち、社会インフラを支えるという使命に共感でき、目標に向かって周囲と共力し努力できる人

【本社】530-0047 大阪府大阪市北区西天満4-8-17 宇治電ビルディング6階 ☎06-6311-5000
【特色・近況】電力プラントの電気計装工事が柱のエンジニアリング会社。一般電気設備工事や各種プラント工事、環境関連事業も手がける。次世代エネルギー実用化に向けた研究開発に取り組む。大阪と東京の2本社体制。海外は東南アジア中心に展開。
【設立】1946.10 【資本金】980百万円
【社長】鹿谷和久(1960.7生 福井小浜水産高卒)
【株主】〔24.3〕栗原商事27.0%
【事業】電気工事95、機械器具設置工事2、管工事1、電気通信工事2、他0
【従業員】単828名(43.3歳)

【業績】	売上高	営業利益	経常利益	純利益
単22.3	41,228	‥	3,051	2,060
単23.3	48,393	‥	6,065	4,148
単24.3	41,560	‥	5,512	3,772

㈱クリマテック

株式公開計画なし

採用内定数	倍率	3年後離職率	平均年収
6名	‥	30%	‥

●待遇、制度●
【初任給】月24.4万
【残業】36時間【有休】11.9日【制度】[住] [在]
●新卒定着状況●
20年入社(男6、女4)→3年後在籍(男5、女2)
●採用情報●
【人数】23年:12 24年:8 25年:応募‥→内定6*
【内定内訳】(男4、女2)(文1、理1)(総6、他0)
【試験】〔筆記〕SPI3〔Web会場〕SPI3〔Web自宅〕SPI3〔性格〕有
【時期】エントリー‥→内々定25.3(一次はWEB面接可)【インターン】有
【採用実績校】東洋大1、摂南大1、日本工学院専1、東海工業専2、他
【求める人材】(技術職)施工管理・ものづくりに興味のある人、(事務職)建設業界に興味のある人

【本社】104-0061 東京都中央区銀座6-17-1 銀座6丁目-SQUARE8階 ☎03-6705-0550
【特色・近況】鹿島の完全子会社で、主に建築設備工事とリニューアル工事を担う建設会社。設備工事の専門力と建設全体を効率的に推進する総合力に強み。女性中心の社内検査チーム「なでしこ」が竣工検査から中間検査へ活動領域広げ、質の向上に寄与。
【設立】1946.11 【資本金】300百万円
【社長】前原邦彦(1957.1生 早大理工卒)
【株主】〔24.3〕鹿島100%
【事業】給排水衛生・空調設備工事等の設計・施工、他
【従業員】単392名(43.8歳)

【業績】	売上高	営業利益	経常利益	純利益
単22.3	20,665	778	834	568
単23.3	19,740	855	902	628
単24.3	21,326	1,061	1,114	754

京成建設(けいせいけんせつ)

株式公開計画なし

採用内定数	倍率	3年後離職率	平均年収
11名	3.6倍	33.3%	677万円

●待遇、制度●
【初任給】月23.3万
【残業】31.1時間【有休】10.2日【制度】[住]
●新卒定着状況●
20年入社(男9、女0)→3年後在籍(男6、女0)
●採用情報●
【人数】23年:4 24年:7 25年:応募40→内定11*
【内定内訳】(男10、女1)(文4、理7)(総11、他0)
【試験】〔Web自宅〕有
【時期】エントリー24.11→内々定24.12*(一次はWEB面接可)【インターン】有【ジョブ型】有
【採用実績校】日大2、戸板短大1、文化学園大1、敬愛大2、大阪電通大1、国士舘大1、近大1、近大高専1、足利大1
【求める人材】コミュニケーション能力が高く、何事にも好奇心と積極的な心構えを持って努力できる人

【本社】273-0003 千葉県船橋市宮本4-17-3 ☎047-435-6321
【特色・近況】京成電鉄グループの総合建設会社。駅舎、駅ビル、橋梁、軌道などの鉄道関連事業、マンション、学校、病院、商業施設、ホテル・リゾート施設などの建築事業、造成、道路、橋梁などの公共土木事業に実績。鉄道関連工事に強み。
【設立】1951.5 【資本金】450百万円
【社長】田中亜夫(1965.8生 明大工卒)
【株主】〔24.3〕京成電鉄71.4%
【事業】建築工事58、土木工事42
【従業員】単321名(42.7歳)

【業績】	売上高	営業利益	経常利益	純利益
単22.3	24,155	627	627	427
単23.3	24,661	909	910	615
単24.3	27,087	1,646	1,649	1,130

㈱ケイハイ

株式公開計画なし

採用内定数	倍率	3年後離職率	平均年収
3名	2.3倍	‥	[総]590万円

●待遇、制度●
【初任給】月22.7万
【残業】17.5時間【有休】12日【制度】[フ]
●新卒定着状況●
‥
●採用情報●
【人数】23年:4 24年:6 25年:応募7→内定3*
【内定内訳】(男2、女1)(文1、理2)(総3、他0)
【試験】〔筆記〕常識〔性格〕有
【時期】エントリー25.3→内々定25.5*(一次はWEB面接可)
【採用実績校】東洋大1、流経大1、千葉工大1
【求める人材】社会に役立つ技術を身に着けたい人、何事も諦めず、コミュニケーション力に富んだ人

【本社】273-0001 千葉県船橋市市場3-17-1 ☎047-460-0813
【特色・近況】京葉瓦斯グループで、親会社の管工事が主業務。冷暖房・給排水工事、土木・舗装・下水道工事などからガス器具、住宅機器販売まで行う。千葉県内の都市ガスインフラの整備を積極推進。D-PS工法など新技術への取り組みを行う。
【設立】1967.10【資本金】70百万円
【社長】福本英敏
【株主】〔23.9〕京葉住設
【事業】ガス工事50、住宅設備20、保安10、土木他20
【従業員】単366名(47.2歳)

【業績】	売上高	営業利益	経常利益	純利益
単21.9	12,249	‥	‥	590
単22.9	12,442	‥	‥	614
単23.9	12,387	‥	‥	477

#年収高く倍率低い #年収が高い

ケミカルグラウト

株式公開計画なし

採用内定数	倍率	3年後離職率	平均年収
16名	6.1倍	21.4%	[総]875万円

●待遇、制度●
【初任給】月25万(諸手当を除いた数値)
【残業】17.8時間【有休】12日【制度】[住]
●新卒定着状況●
20年入社(男10、女4)→3年後在籍(男9、女2)
●採用情報●
【人数】23年:10 24年:10 25年:応募98→内定16
【内定内訳】(男15、女1)(文2、理13)(総16、他0)
【試験】〔筆記〕有〔Web自宅〕SPI3〔性格〕有
【時期】エントリー25.3→内々定25.3*(一次はWEB面接可)【インターン】有
【採用実績校】秋田大1、法政大1、日大1、東洋大1、摂南大2、神奈川大1、北里大院1、中央工学校専1、湘南工大1、金沢学大院1、他
【求める人材】現場で「ものづくり」のやりがいを感じたいと思う、前向きで誠実な人

【本社】100-6016 東京都千代田区霞が関3-2-5 霞が関ビルディング ☎03-6703-6767
【特色・近況】技術開発力に強みを持つ総合基礎工事会社。ジェットクリート工法やニューマックス工法などによる耐震補強、液状化対策に強み。自然冷媒使用の新地盤凍結工法、アイスクリート工法を開発。防潮堤補強などの防災や、災害復旧の工事も手がける。
【設立】1963.1【資本金】300百万円
【社長】相河清実(1956.1生 東北大工卒)
【株主】〔24.3〕鹿島100%
【事業】地盤改良・耐震・液状化・凍結38、斜面安定・アンカー14、岩盤4、基礎・連続壁41、土壌浄化3
【従業員】単333名(43.5歳)

【業績】	売上高	営業利益	経常利益	純利益
単22.3	23,521	1,473	1,701	1,194
単23.3	23,456	392	817	627
単24.3	26,182	115	476	433

㈱建研(けんけん)

株式公開計画なし

採用予定数	倍率	3年後離職率	平均年収
5名	−	40%	[総]580万円

●待遇、制度●
【初任給】月25万
【残業】18.8時間【有休】8.8日【制度】[住]
●新卒定着状況●
20年入社(男4、女1)→3年後在籍(男3、女0)
●採用情報●
【人数】23年:3 24年:2 25年:応募0→内定0*
【内定内訳】(男‥、女‥)(文‥、理‥)(総‥、他‥)
【試験】〔筆記〕常識、他
【時期】エントリー25.3→内々定25.4*【インターン】有
【採用実績校】‥
【求める人材】建築系にかかわらず、企画・計画力があり、実行力の伴う人

【本社】103-0012 東京都中央区日本橋堀留町1-4-8 ☎03-5651-8211
【特色・近況】プレキャスト・プレストレストコンクリート工法による、中高層住宅や物流施設などの建築、耐震補強工事などが主力事業。独自技術をベースに多数の特許・実用新案を保有。中・四国地方を除く全国に拠点。新日本建設のグループ会社。
【設立】1971.6【資本金】100百万円
【社長】宍戸宏(1956.3生 法大工卒)
【株主】〔24.3〕新日本建設100%
【事業】建築工事99、土木工事1
【従業員】単134名(44.6歳)

【業績】	売上高	営業利益	経常利益	純利益
単22.3	9,210	360	363	228
単23.3	8,633	304	304	188
単24.3	8,883	282	284	173

広成建設（こうせいけんせつ）

株式公開計画なし

採用内定数	倍率	3年後離職率	平均年収
16名	4.7倍	19%	[総]675万円

●待遇、制度●

【初任給】月22.2万
【残業】20時間【有休】14.1日【制度】[フ][住][在]

●新卒定着状況●

20年入社(男35、女7)→3年後在籍(男27、女7)

●採用情報●

【人数】23年:33 24年:34 25年:応募75→内定16*
【内定内訳】(男11、女5)(文7、理9)(総16、他0)
【試験】〔Web自宅〕有〔性格〕有
【時期】エントリー24.12→内々定25.3(一次はWEB面接可)【インターン】有
【採用実績校】広島工大4、西日本工大1、日本文理大1、福岡大1、西南学大1、安田女大1、広島修道大2、他
【求める人材】コミュニケーション能力の高い、柔軟かつ指導力のある人

【本社】732-0056 広島県広島市東区上大須賀町1-1 ☎082-264-1711
【特色・近況】JR西日本グループの総合建設会社。祖業の線路事業に加え土木、建築も営む。JRの委託受け線路の保守・整備や新設工事を行う。台湾新幹線にも技術指導。土木は鉄道のほか橋梁など公共土木も請け負う。建築は商業施設やマンションなどに実績。
【設立】1941.9 【資本金】780百万円
【社長】日名田高志(1963.10生)
【株主】〔24.3〕JR西日本21.5%
【事業】土木64、建築36、兼業0
【従業員】単1,030名(44.5歳)

【業績】	売上高	営業利益	経常利益	純利益
単22.3	49,715	590	736	654
単23.3	52,109	642	799	520
単24.3	66,355	1,073	1,263	834

㈱合田工務店（ごうだこうむてん）

株式公開計画なし

採用内定数	倍率	3年後離職率	平均年収
42名	2.2倍	42.9%	[総]733万円

●待遇、制度●

【初任給】月25.6万(諸手当2.3万円)
【残業】25.2時間【有休】7.6日【制度】[住]

●新卒定着状況●

20年入社(男23、女5)→3年後在籍(男12、女4)

●採用情報●

【人数】23年:24 24年:18 25年:応募93→内定42*
【内定内訳】(男32、女10)(文1、理41)(総42、他0)
【試験】〔筆記〕常識、他〔Web自宅〕SP13
【時期】エントリー25.3→内々定25.6*【インターン】有
【採用実績校】東海大1、東洋大2、関東学院大1、東京家政学大1、日本工学院八王子専3、明大1、東京都市大1、ものつくり大1、他
【求める人材】責任感が強く、コミュニケーション能力が高い人、周囲に対し感謝の気持ちが持てる人

【本社】760-0018 香川県高松市天神前9-5 ☎087-861-9155
【特色・近況】香川県内最大手のゼネコン。高松空港旅客ターミナルビルや警察署、図書館、香川大学など地域のシンボルとなる建物に実績。本店のある東京ではワンルームマンション、デザイナーズマンションを多く手がける。リフォーム、改修工事にも注力。
【設立】1951.8 【資本金】450百万円
【社長】森田紘一(1944.4生 慶大商卒)
【株主】〔24.3〕合田耕三23.2%
【事業】建築請負95、不動産5
【従業員】単384名(37.6歳)

【業績】	売上高	営業利益	経常利益	純利益
単22.3	58,661	4,953	5,015	3,116
単23.3	57,992	3,277	3,304	2,053
単24.3	67,800	4,047	4,253	2,678

#有休取得が多い

向陽プラントサービス（こうよう）

株式公開計画なし

採用内定数	倍率	3年後離職率	平均年収
1名	1倍	25%	[総]453万円

●待遇、制度●

【初任給】月22.4万(諸手当1万円)
【残業】24.5時間【有休】18.1日【制度】[住][在]

●新卒定着状況●

20年入社(男7、女1)→3年後在籍(男5、女1)

●採用情報●

【人数】23年:7 24年:7 25年:応募1→内定1*
【内定内訳】(男1、女0)(文0、理1)(総1、他0)
【試験】〔筆記〕有〔Web自宅〕有
【時期】エントリー25.3→内々定25.3(一次はWEB面接可)【インターン】有
【採用実績校】西日本工大1
【求める人材】協調性があり、自分の意見は率直に発言し、向上心、探究心がある人

【本社】882-0024 宮崎県延岡市大武町39-5 ☎0982-34-2551
【特色・近況】旭化成グループで、グループ企業のプラントのメンテ、建設工事が柱。石油化学プラントを中心に繊維、火力発電、排水処理など各種プラントを手がける。宮崎県延岡を本拠に水島(倉敷市)、関東(川崎市)などに事業拠点。
【設立】1978.9 【資本金】100百万円
【社長】桑原武
【株主】〔24.3〕旭化成エンジニアリング100%
【事業】各種プラントの建設工事・機器組立56、設備メンテナンス・日常保全工事44
【従業員】単238名(43.4歳)

【業績】	売上高	営業利益	経常利益	純利益
単22.3	11,811	1,002	1,026	658
単23.3	12,252	984	989	650
単24.3	10,311	653	653	404

	採用内定数	倍率	3年後離職率	平均年収
㈱興和（こうわ） 株式公開計画なし	3名	5.3倍	18.2%	[総]562万円

●待遇、制度●
【初任給】月21万
【残業】21時間【有休】11.7日【制度】[住][在]
●新卒定着状況●
20年入社(男9、女2)→3年後在籍(男8、女1)
●採用情報●
【人数】23年:9 24年:5 25年:応募16→内定3*
【内定内訳】(男3、女0)(文1、理1)(総3、他0)
【試験】〔筆記〕常識〔性格〕有
【時期】エントリー25.3→内々定25.3(一次はWEB面接可)【インターン】有
【採用実績校】新潟大1、新潟産大1、新潟工大専1
【求める人材】コミュニケーションを大切にする人、向上心がある人、自主性がある人

【本社】950-8565 新潟県新潟市中央区新光町6-1 ☎025-281-8811
【特色・近況】地盤の調査・解析・防災、路面の消・融雪設備の設計・施工・維持管理を手がける専門会社。降雪地域の消・融雪技術に定評あり。ICTやAI導入で生産性向上などを推進。地中熱・下水熱を活用した空調システムなどの再エネ事業にも注力。
【設立】1959.4【資本金】93百万円
【社長】齋藤浩之
【株主】〔23.12〕福田組100%
【事業】建設76、地質調査11、建設コンサルタント4、物品販売等6、不動産賃貸3
【従業員】単248名(43.7歳)

【業績】	売上高	営業利益	経常利益	純利益
単21.12	10,311	641	68	436
単22.12	8,425	391	430	272
単23.12	9,326	396	444	280

	採用内定数	倍率	3年後離職率	平均年収
コーアツ工業（こうぎょう） 東証スタンダード	3名	2倍	14.3%	[総]573万円

●待遇、制度●
【初任給】月22.3万(諸手当2.2万円)
【残業】15.5時間【有休】13日【制度】[住]
●新卒定着状況●
20年入社(男7、女0)→3年後在籍(男6、女0)
●採用情報●
【人数】23年:5 24年:12 25年:応募6→内定3*
【内定内訳】(男3、女0)(文1、理2)(総3、他0)
【試験】〔筆記〕常識、他
【時期】エントリー25.3→内々定25.4*【インターン】有
【採用実績校】‥
【求める人材】コミュニケーション能力があり、従来の考え方にとらわれず新しい発想ができる人

【本社】890-0008 鹿児島県鹿児島市伊敷5-17-5 ☎099-229-8181
【特色・近況】橋梁工事が中心の中堅ゼネコン。九州地盤だが首都圏や近畿圏でも事業展開。官公需が約8割。プレストレストコンクリート技術に定評。国土強靭化案件獲得に注力。コンクリート2次製品の製造・販売や、太陽光発電による売電事業も手がける。
【設立】1959.11【資本金】1,319百万円
【社長】出口稔(1959.9生 鹿経大経済卒)
【株主】〔24.3〕㈱植村組8.9%
【連結事業】建設88、コンクリート製品11、不動産1、売電1
【従業員】連286名 単259名(43.4歳)

【業績】	売上高	営業利益	経常利益	純利益
連21.9	10,547	1,208	1,226	643
連22.9	10,079	873	913	561
連23.9	9,844	379	397	227

	採用内定数	倍率	3年後離職率	平均年収
コーナン建設（けんせつ） 株式公開計画なし	9名	11.1倍	26.7%	[総]685万円

●待遇、制度●
【初任給】月27万(諸手当3万円)
【残業】7時間【有休】10.5日【制度】[フ][住][在]
●新卒定着状況●
20年入社(男14、女1)→3年後在籍(男10、女1)
●採用情報●
【人数】23年:15 24年:9 25年:応募100→内定9*
【内定内訳】(男8、女1)(文1、理6)(総9、他0)
【試験】なし
【時期】エントリー25.3→内々定25.8*(一次はWEB面接可)【インターン】有
【採用実績校】広島工大院1、神戸芸工大1、京都精華大1、大阪電通大1、近大1、京都建築大学校2、中央工学校専1、穴吹デザイン専1
【求める人材】ものづくりに興味があり、建築に強い関心、想いがある人

【本社】531-0075 大阪府大阪市北区大淀南1-9-10 ☎06-6456-4311
【特色・近況】関西と首都圏が基盤のゼネコン。企画から設計・施工、アフターケア、リニューアルまでトータル対応。設計段階からの工事受注に注力。神戸女子大学・同短期大学統合計画などに実績。提携している住友林業と中大規模木造建築事業も協働推進。
【設立】1960.4【資本金】485百万円
【社長】原恭平
【株主】〔24.3〕宏栄興産64.5%
【事業】建築、土木
【従業員】単272名(42.5歳)

【業績】	売上高	営業利益	経常利益	純利益
単22.3	21,356	1,698	1,716	1,152
単23.3	19,961	1,544	1,566	1,065
単24.3	19,775	1,007	1,060	714

#年収高く倍率低い #有休取得が多い

コスモエンジニアリング

株式公開計画なし

採用内定数	倍率	3年後離職率	平均年収
10名	3.3倍	0%	810万円

●待遇、制度●
【初任給】月25.4万(諸手当0.7万円)
【残業】18.2時間【有休】24日【制度】フ 住 在
●新卒定着状況●
20年入社(男3、女3)→3年後在籍(男3、女3)
●採用情報●
【人数】23年:8 24年:6 25年:応募33→内定10
【内定内訳】(男10、女0)(文0、理10)(総10、他0)
【試験】〔Web自宅〕SPI3〔性格〕有
【時期】エントリー24.6→内々定25.4(一次はWEB面接可)【インターン】有
【採用実績校】大阪公大1、群馬大1、愛媛大1、東京農業大1、熊本大1、日大1、東京電機大1、東京工科大1、神奈川大1、日工大1
【求める人材】果敢に挑戦し、成長することに意欲的な人

【本社】140-0002 東京都品川区東品川2-5-8 天王洲パークサイドビル ☎03-5462-0150
【特色・近況】石油、石油化学、都市ガス、工業ガスなどのプラント設計・施工・メンテナンスが柱の総合エンジニアリング企業。自社開発した物流システムなどの販売も手がける。アブダビに支店を構え東南アジア、中東でも事業展開。コスモエネルギーHD傘下。
【設立】1958.11 【資本金】390百万円
【社長】松林和宏(1965.6生 東海大体育卒)
【株主】〔24.3〕コスモエネルギーホールディングス100%
【事業】石油精製関連設備、貯蔵・輸送関連設備、化学関連設備、他
【従業員】単387名(43.1歳)

【業績】	売上高	営業利益	経常利益	純利益
単22.3	33,640	1,763	1,810	1,271
単23.3	33,828	123	117	3
単24.3	32,231	1,897	1,951	1,294

#年収高く倍率低い #有休取得が多い

㈱コベルコE&M

株式公開計画なし

採用内定数	倍率	3年後離職率	平均年収
15名	4.9倍	10%	総803万円

●待遇、制度●
【初任給】月25万
【残業】24.7時間【有休】17.4日【制度】フ 住 在
●新卒定着状況●
20年入社(男16、女4)→3年後在籍(男15、女3)
●採用情報●
【人数】23年:25 24年:21 25年:応募73→内定15*
【内定内訳】(男13、女2)(文1、理14)(総15、他0)
【試験】〔筆記〕常識、他〔Web会場〕有〔Web自宅〕有〔性格〕有
【時期】エントリー24.10→内々定25.3(一次はWEB面接可)【インターン】有【ジョブ型】有
【採用実績校】岡山大1、関西学大1、関大1、京都先端科学大1、近大1、九州工大1、甲南大1、大阪電通大1、兵庫県大4、神戸国際大1、他
【求める人材】自ら働きかけられる主体性があり、熱い想いをもって自分の可能性に挑戦できる人

【本社】657-0846 兵庫県神戸市灘区岩屋北町4-5-22 ☎078-803-2901
【特色・近況】製鉄・化学プラント用機器関連のエンジニアリングとメンテナンス事業を担う。機械設備、電気・計装設備の設計から保守、コンサルティングまで一貫体制。国内は兵庫県内と東京、名古屋など、海外はベトナムに拠点。神戸製鋼所グループ。
【設立】1962.4 【資本金】150百万円
【社長】浅田秀樹
【株主】〔24.3〕神戸製鋼所100%
【事業】機電事業部82、プラント18
【従業員】単1,289名(41.6歳)

【業績】	売上高	営業利益	経常利益	純利益
単22.3	42,217	1,364	1,359	885
単23.3	45,645	2,305	2,294	1,689
単24.3	51,059	3,468	3,488	2,413

㈱佐伯建設(さいきけんせつ)

株式公開計画なし

採用内定数	倍率	3年後離職率	平均年収
10名	‥	33.3%	総570万円

●待遇、制度●
【初任給】月23.5万(固定残業代10時間分)
【残業】13.9時間【有休】12.9日【制度】住
●新卒定着状況●
20年入社(男12、女0)→3年後在籍(男8、女0)
●採用情報● 総合職のみ
【人数】23年:13 24年:11 25年:応募‥→内定10*
【内定内訳】(男8、女2)(文1、理4)(総10、他0)
【試験】〔筆記〕常識、SPI3〔Web会場〕SPI3〔Web自宅〕SPI3〔性格〕有
【時期】エントリー25.2→内々定25.4*【インターン】有
【採用実績校】大分大2、関東学院大1、日本文理大2、大分工業高2、鶴崎工業高1、中津東高1、熊本工業高1
【求める人材】顧客の立場になって誠実に仕事ができる人

【本社】870-8611 大分県大分市中島西3-5-1 ☎097-536-1530
【特色・近況】九州地盤の老舗中堅ゼネコン。建設は商業施設や文教施設、医療・福祉施設などに実績。神社・仏閣の新築、改築、復元工事も得意。リフォーム・リニューアル工事や防災・耐震補強工事も手がける。福岡、熊本、大分に3支社・支店・出張所。
【設立】1959.4 【資本金】100百万円
【社長】川崎栄一(1957.1生 東工大院工修了)
【株主】〔24.3〕川崎栄一9.5%
【事業】建築工事75、土木工事23、不動産事業他2
【従業員】単247名(42.2歳)

【業績】	売上高	営業利益	経常利益	純利益
単22.3	14,679	998	1,062	668
単23.3	13,100	767	811	578
単24.3	13,914	819	843	718

斎久工業（さいきゅうこうぎょう）

株式公開 いずれしたい

採用内定数	倍率	3年後離職率	平均年収
15名	‥	31%	[総]856万円

●待遇、制度●
【初任給】月26万(諸手当2.8万円)
【残業】‥時間【有休】13.9日【制度】[住][在]
●新卒定着状況●
20年入社(男25、女4)→3年後在籍(男18、女2)
●採用情報●
【人数】23年:10 24年:9 25年:応募‥→内定15*
【内定内訳】(男12、女3)(文2、理8)(総15、他0)
【試験】〔Web自宅〕SPI3〔性格〕有
【時期】エントリー25.3→内々定25.3(一次はWEB面接可)【インターン】有
【採用実績校】岡山理大、関東学院大、熊本県大、第一工科大、東京工芸大、西日本工大、日大、福岡大、北海道科学大、他
【求める人材】「コミュニケーション能力」「リーダーシップ」「決めたことを最後までやり抜く粘り強さ」を持つ人

【本社】100-0005 東京都千代田区丸の内2-6-1 丸の内パークビルディング ☎03-3201-0319
【特色・近況】建設設備の総合エンジニアリング企業。給排水設備工事を主軸に、空調・換気設備やトイレや水槽など、老朽化した設備のリニューアルなども手がける。首都圏を中心に全国展開。集合住宅、オフィスビル、ホテル等に施工実績を持つ。
【設立】1951.1 【資本金】1,481百万円
【社長】柏葉浩一(1960.2生 九州学院大工卒)
【株主】〔24.3〕太平ホールディングス17.2%
【事業】衛生工事91、空調工事9
【従業員】単461名(43.0歳)

【業績】	売上高	営業利益	経常利益	純利益
単22.3	43,299	1,977	2,114	1,190
単23.3	48,170	1,334	1,567	1,075
単24.3	46,504	430	555	467

坂田建設（さかたけんせつ）

株式公開 計画なし

採用内定数	倍率	3年後離職率	平均年収
12名	2.2倍	22.2%	600万円

●待遇、制度●
【初任給】月24万
【残業】15.2時間【有休】10.2日【制度】[住]
●新卒定着状況●
20年入社(男8、女1)→3年後在籍(男6、女1)
●採用情報●
【人数】23年:12 24年:4 25年:応募26→内定12*
【内定内訳】(男8、女4)(文4、理6)(総12、他0)
【試験】〔筆記〕有〔性格〕有
【時期】エントリー25.3→内々定25.6*【インターン】有
【採用実績校】日大6、新潟経営大1、国士舘大1、東京家政学大1、東海大1、中央工学校専1、日本工学院専1
【求める人材】元気でコミュニケーション能力があり、協調性・向上心がある人

【本社】130-8522 東京都墨田区本所3-21-10 ☎03-5610-7810
【特色・近況】土木は官公需、建設は民需中心の総合建設会社。墨田区を拠点とする地域密着型であるが、東北地方から中部地方まで営業拠点を持つ。土木部門では都市基盤整備工事を、建築部門は高齢者住宅、マンション、学校などの建築を手がける。
【設立】1950.4 【資本金】200百万円
【社長】山下信夫(1955.2生 千工大土木工卒)
【株主】〔24.3〕徳倉建設65.0%
【事業】建築62、土木22、電気関連土木工事15、兼業売上1
【従業員】単171名(39.0歳)

【業績】	売上高	営業利益	経常利益	純利益
単22.3	11,655	647	658	442
単23.3	11,039	20	33	16
単24.3	11,428	85	94	122

佐藤建設工業（さとうけんせつこうぎょう）

株式公開 計画なし

採用予定数	倍率	3年後離職率	平均年収
10名	‥	‥	[総]680万円

●待遇、制度●
【初任給】月24.8万(諸手当2万円、固定残業代15時間分)
【残業】20時間【有休】11日【制度】[住]
●新卒定着状況●
‥
●採用情報●
【人数】23年:8 24年:3 25年:予定10*
【内定内訳】(男‥、女‥)(文‥、理‥)(総‥、他‥)
【試験】〔性格〕有
【時期】エントリー25.4→内々定25.随時*(一次はWEB面接可)【インターン】有
【採用実績校】‥
【求める人材】インフラ、施工管理、社会貢献に興味のある人、コミュニケーション力に自信のある人

【本社】140-0011 東京都品川区東大井5-12-10 大井朝陽ビル ☎03-5715-2520
【特色・近況】送電線建設工事の施工管理および保守・修繕の大手。工事従事者と協力して環境調査から設計、鉄塔建設、架線工事など全工程を管理する。新工法や新機材など技術力に強み。全国9電力会社が主要顧客だが、再生可能エネルギー関連も拡大中。関電工グループ。
【設立】1951.11 【資本金】440百万円
【社長】池田誠紀(1956.3生 熊本短大社会科卒)
【株主】〔24.3〕関電工100%
【事業】送電工事83、通信工事16、他1
【従業員】単160名(46.6歳)

【業績】	売上高	営業利益	経常利益	純利益
単22.3	5,221	179	185	146
単23.3	5,799	240	244	233
単24.3	6,980	280	290	170

#年収高く倍率低い

佐藤工業（さとうこうぎょう）

株式公開計画なし

採用内定数	倍率	3年後離職率	平均年収
7名	1.6倍	7.7%	㊗839万円

●待遇、制度●
【初任給】月22.9万
【残業】20.3時間【有休】11.2日【制度】住
●新卒定着状況●
20年入社(男11、女2)→3年後在籍(男10、女2)
●採用情報●
【人数】23年:3 24年:4 25年:応募11→内定7*
【内定内訳】(男5、女2)(文2、理3)(総7、他0)
【試験】〔筆記〕常識
【時期】エントリー24.12→内々定25.3*【インターン】有
【採用実績校】日大3、北海道教育大1、福島大1、仙台青葉学院短大1、仙台高専1
【求める人材】福島県に貢献し、ゼロからモノを作り出し、新しいことにチャレンジしたい人

【本社】960-8610 福島県福島市泉字清水内1
☎024-557-1166
【特色・近況】福島県地盤の総合建設会社。道路、橋梁、トンネルなど社会基盤整備が中心の土木・建築工事や災害復旧工事に実績。道路改良工事や体育館、商業施設、工場、公共施設なども手がける。県内と仙台に支店を構える。戸田建設グループ。
【設立】1948.10【資本金】100百万円
【社長】八巻恵一(1959.8生 獨協大経済卒)
【株主】〔24.3〕戸田建設32.7%
【事業】土木工事32、建築工事68
【従業員】単136名(43.0歳)

【業績】	売上高	営業利益	経常利益	純利益
単22.3	13,333	559	589	394
単23.3	9,645	468	539	367
単24.3	11,799	381	429	294

三栄電気工業（さんえいでんきこうぎょう）

株式公開計画なし

採用内定数	倍率	3年後離職率	平均年収
27名	5.8倍	51.5%	793万円

●待遇、制度●
【初任給】月28万(諸手当2万円)
【残業】27時間【有休】11.8日【制度】住
●新卒定着状況●
20年入社(男33、女0)→3年後在籍(男16、女0)
●採用情報●
【人数】23年:38 24年:32 25年:応募157→内定27
【内定内訳】(男25、女2)(文9、理5)(総14、他13)
【試験】〔筆記〕常識、他
【時期】エントリー24.11→内々定25.3(一次はWEB面接可)【インターン】有【ジョブ型】有
【採用実績校】関西学大1、大阪電通大1、近大1、甲南大1、大和大1、佐賀大1、学習院大1、東北学大1、福岡大1、他
【求める人材】建物に興味があり、粘り強く物事に取組め、コミュニケーションが好きな人

【本社】150-0011 東京都渋谷区東2-29-12
☎03-3407-8721
【特色・近況】電気・通信工事業。各種施設の電力設備および通信設備、防災設備工事を手がけ、直営施工体制。施工の品質・コスト面での競争力強化図る。中国山東省にCAD事務所を置く。関東、近畿(中部を一部含む)、九州・沖縄で事業展開。
【設立】1958.2【資本金】80百万円
【社長】一瓢秀次(1957.10生 慶大経済卒)
【株主】〔24.5〕エービーシー90.6%
【事業】電気工事95、通信工事5
【従業員】単366名(32.8歳)

【業績】	売上高	営業利益	経常利益	純利益
単21.5	20,277	1,041	1,530	1,092
単22.5	20,693	585	2,074	1,266
単23.5	21,734	1,672	1,969	1,364

山九プラントテクノ（さんきゅう）

株式公開計画なし

採用内定数	倍率	3年後離職率	平均年収
8名	3.5倍	13.3%	㊗721万円

●待遇、制度●
【初任給】月24.7万(諸手当0.9万円)
【残業】25時間【有休】15日【制度】住
●新卒定着状況●
20年入社(男15、女0)→3年後在籍(男13、女0)
●採用情報●
【人数】23年:7 24年:5 25年:応募28→内定8*
【内定内訳】(男8、女0)(文0、理7)(総7、他1)
【試験】〔Web自宅〕有〔性格〕有
【時期】エントリー24.8→内々定25.8(一次はWEB面接可)【インターン】有
【採用実績校】山口大1、長崎大1、琉球大1、日大1、近大1、西日本工大1、福岡工大1
【求める人材】建設現場でチームリーダーとして計画、調整、監督ができる人

【本社】104-0054 東京都中央区勝どき6-5-3 山九第二ビル
☎03-3536-3411
【特色・近況】山九の完全子会社。機工専門会社として石油精製や化学系の配管プラント中心に、鉄鋼、電力、エネルギーなどの各種プラントの設計・施工とメンテナンスを行う。市原、倉敷、北九州に工場。設備の定期補修と大型案件の受注底堅い。
【設立】1969.9【資本金】450百万円
【社長】松島由治(1971.8生)
【株主】〔24.3〕山九100%
【事業】化学プラント70、プラント・電力30
【従業員】単623名(45.5歳)

【業績】	売上高	営業利益	経常利益	純利益
単22.3	31,324	3,610	3,680	2,483
単23.3	34,921	4,196	4,309	3,061
単24.3	30,779	3,989	4,052	2,800

㈱三晃空調（さんこうくうちょう）

株式公開未定

採用内定数	倍率	3年後離職率	平均年収
28名	4.5倍	34.8%	740万円

●待遇、制度●
【初任給】月25万(諸手当1.5万円)
【残業】17時間【有休】10.2日【制度】住 在
●新卒定着状況●
20年入社(男19、女4)→3年後在籍(男12、女3)
●採用情報●
【人数】23年:13 24年:28 25年:応募125→内定28*
【内定内訳】(男23、女5)(文2、理20)(総27、他1)
【試験】〔筆記〕常識
【時期】エントリー24.10→内々定24.12(一次はWEB面接可)【インターン】有
【採用実績校】神奈川大1、日大1、国士舘大1、明大1、中部大1、愛知淑徳大1、近大1、広島工大4、西日本工大2、摂南大2、福岡工大1、他
【求める人材】ものづくりや人とのコミュニケーションが好きな人、やりがいや達成感を実感したい人

【本社】530-0047 大阪府大阪市北区西天満3-13-20 ASビル4階 ☎06-6363-1671
【特色・近況】空調・衛生設備の新築・リニューアル工事・メンテナンスを中心とする設計・施工会社。大規模ビル、ホテル、病院、生産・研究施設、クリーンルームなどを手がける。大阪・東京の2本社体制。北海道から沖縄まで支店や営業所を配し全国展開。
【設立】1947.2 【資本金】1,236百万円
【社長】山田隆三(1947.1生 県立徳島工高卒)
【株主】〔24.3〕齋藤昌宏6.2%
【事業】空調設備60、衛生設備40
【従業員】単410名(41.4歳)

【業績】	売上高	営業利益	経常利益	純利益
単22.3	32,073	2,417	2,734	1,984
単23.3	36,588	1,643	2,061	1,376
単24.3	39,242	2,229	2,604	1,834

三宝電機（さんぽうでんき）

株式公開計画なし

採用内定数	倍率	3年後離職率	平均年収
8名	2.4倍	30%	‥

●待遇、制度●
【初任給】月24.8万(諸手当2.8万円、固定残業代6.8時間分)
【残業】16時間【有休】16.3日【制度】住
●新卒定着状況●
20年入社(男13、女7)→3年後在籍(男9、女5)
●採用情報●
【人数】23年:14 24年:10 25年:応募19→内定8*
【内定内訳】(男4、女4)(文4、理4)(総4、他4)
【試験】〔筆記〕常識、他〔性格〕有
【時期】エントリー25.3→内々定25.4*【インターン】有
【採用実績校】大阪教大1、関大1、大阪電通大1、関西外大1、京産大1、龍谷大1、神戸学大1、八戸工大1
【求める人材】ものづくりに興味があり、チャレンジ精神旺盛でコミュニケーション能力に自信がある人

【本社】531-0076 大阪府大阪市北区大淀中1-5-1 ☎06-6451-3311
【特色・近況】工場やビルの中堅設備工事会社。受変電設備などの電気工事、計装・制御工事、空調・給排水・衛生工事、保守など手がける。生産工場や大規模プラント向けの工事が得意。リニューアル工事に注力。海外はインドネシア、マレーシアに拠点。
【設立】1948.12 【資本金】90百万円
【会長】嘉納秀一(1948.8生 ノックス大卒)
【株主】〔24.5〕嘉納興産33.7%
【事業】電気工事71、管工事28、他1
【従業員】単286名(41.8歳)

【業績】	売上高	営業利益	経常利益	純利益
単21.11	12,166	310	426	151
単22.11	11,854	292	541	132
単23.11	14,616	675	909	305

サンユー建設（けんせつ）

東証スタンダード

採用内定数	倍率	3年後離職率	平均年収
1名	3倍	33.3%	621万円

●待遇、制度●
【初任給】月24万
【残業】‥時間【有休】‥日【制度】住 在
●新卒定着状況●
20年入社(男2、女1)→3年後在籍(男1、女1)
●採用情報●
【人数】23年:7 24年:5 25年:応募3→内定1*
【内定内訳】(男1、女0)(文‥、理‥)(総1、他0)
【試験】〔筆記〕GAB〔性格〕有
【時期】エントリー25.3→内々定25.6(一次はWEB面接可)【インターン】有
【採用実績校】日本工学院専1
【求める人材】‥

【本社】145-0066 東京都大田区南雪谷2-17-8 ☎03-3727-5751
【特色・近況】東京都内を地盤とする中堅建設会社。首都圏に所有する賃貸ビルが安定収益源で、マンションの一棟売りや戸建て住宅の分譲など不動産業も手がける。鉄道車両用などの金属部品製造に加え、伊豆、湯河原でのホテル事業も併営。リフォーム・リニューアル工事にも注力。
【設立】1950.7 【資本金】310百万円
【社長】馬場宏二郎(1976.10生 東海大工卒)
【株主】〔24.3〕公益財団法人ホース未来福祉財団10.0%
【連結事業】建築58、不動産32、金属製品5、ホテル5
【従業員】連154名 単143名(46.3歳)

【業績】	売上高	営業利益	経常利益	純利益
連22.3	8,119	119	174	131
連23.3	9,225	120	179	119
連24.3	11,546	524	565	371

建設・不動産

㈱三冷社（さんれいしゃ）

株式公開計画なし

採用内定数	倍率	3年後離職率	平均年収
6名	1.7倍	69.2%	‥

●待遇、制度●
【初任給】月24万
【残業】‥時間【有休】‥日【制度】フ 住 在
●新卒定着状況●
20年入社(男9、女4)→3年後在籍(男3、女1)
●採用情報●
【人数】23年:8 24年:3 25年:応募10→内定6*
【内定内訳】(男4、女2)(文0、理5)(総6、他0)
【試験】〔筆記〕常識、他
【時期】エントリー25.3→内々定25.6*【インターン】有
【採用実績校】兵庫県大1、玉川大1、近大1、大阪電通大1、人間環境大1、千葉県立船橋テクノスクール専1
【求める人材】コミュニケーション力があり、前向きに挑戦を続けられる人

【本社】103-0023 東京都中央区日本橋本町3-4-6 ニューカワイビル ☎03-3231-3966
【特色・近況】空調、給排水、衛生設備主体の中堅設備工事会社。オフィス向け一般空調のほか冷凍冷蔵などの低温空調工事に強み。空調・低温・サービスを一体化させたビジネスモデルを展開。三菱重工業の販売代理店として、各種冷暖房機・冷凍機の販売も手がける。
【設立】1948.2 【資本金】300百万円
【社長】是常博(1948.7生 ドレイク大経済卒)
【株主】〔23.9〕サンレイホールディングス100%
【事業】空気調和給排水衛生・冷凍冷蔵設備・電気工事98、他2
【従業員】単277名(44.3歳)

【業績】	売上高	営業利益	経常利益	純利益
単21.9	11,441	106	54	17
単22.9	12,309	252	175	104
単23.9	12,299	262	164	82

サンワコムシスエンジニアリング

株式公開計画なし

採用内定数	倍率	3年後離職率	平均年収
10名	5.6倍	17.9%	673万円

●待遇、制度●
【初任給】月22万
【残業】30.8時間【有休】13.8日【制度】フ 住 在
●新卒定着状況●
20年入社(男20、女8)→3年後在籍(男15、女8)
●採用情報●
【人数】23年:32 24年:32 25年:応募56→内定10*
【内定内訳】(男8、女2)(文2、理8)(総10、他0)
【試験】〔Web自宅〕SPI3
【時期】エントリー25.3→内々定25.5(一次はWEB面接可)【インターン】有
【採用実績校】福岡工大2、愛知工業大1、愛知工業大1、九産大1、広島工大専1、神奈川工大院1、大妻女大1、東海大1、東北工大1
【求める人材】柔軟な考えと行動力で目標に向かって一緒にチャレンジできる人

【本社】141-0022 東京都品川区東五反田2-17-1 オーバルコート大崎マークウエスト☎03-6365-3111
【特色・近況】情報通信、電気設備の総合エンジニアリング企業。コンサル提案、設計施工、運用保守まで一貫して提供。海外はインドネシアに支店。コムシスHDグループ。ITソリューション・社会システム関連事業を同グループの日本コムシスへ事業承継、営業・施工体制を統合へ。
【設立】1947.9 【資本金】3,624百万円
【社長】大内宏之(名大院工学研修了)
【株主】〔24.3〕コムシスホールディングス100%
【連結事業】キャリア系63、メーカー・ベンダー関連12、通信・電気等コンストラクション25
【従業員】連781名 単770名(42.6歳)

【業績】	売上高	営業利益	経常利益	純利益
連22.3	67,400	7,000	7,000	4,700
連23.3	70,200	6,500	6,500	4,800
連24.3	62,600	3,900	3,900	2,600

JR西日本電気システム（にしにほんでんき）

株式公開計画なし

採用予定数	倍率	3年後離職率	平均年収
30名	‥	21.4%	‥

●待遇、制度●
【初任給】月22.3万
【残業】‥時間【有休】‥日【制度】フ 住 在
●新卒定着状況●
20年入社(男42、女0)→3年後在籍(男33、女0)
●採用情報●
【人数】23年:23 24年:12 25年:予定30*
【内定内訳】(男‥、女‥)(文‥、理‥)(総‥、他‥)
【試験】なし
【時期】エントリー25.3→内々定25.6(一次はWEB面接可)【インターン】有
【採用実績校】‥
【求める人材】決められたルールを確実に守れて、チャレンジ精神旺盛な人

【本店】564-0043 大阪府吹田市南吹田1-5-25 NESCO本店ビル ☎06-4860-9801
【特色・近況】鉄道電気工事を柱に、オフィスビル、商業施設、庁舎、住宅、病院、ホテルなどの一般電気工事も行う。設計技術センター、職業訓練校であるNESCO技術学園を設置し人材育成にも注力。JR西日本グループ。工務センター3カ所、支店4カ所を置く。
【設立】1981.6 【資本金】81百万円
【社長】三津野隆宏
【株主】〔24.3〕JR西日本100%
【事業】鉄道電気80、一般電気20
【従業員】単996名(39.6歳)

【業績】	売上高	営業利益	経常利益	純利益
単22.3	38,682	‥	452	975
単23.3	39,961	‥	238	155
単24.3	42,900	‥	‥	437

㈱塩浜工業（しおはまこうぎょう）

株式公開未定

採用内定数	倍率	3年後離職率	平均年収
12名	50倍	29.4%	834万円

●待遇、制度●
【初任給】月25万
【残業】14.2時間【有休】10.8日【制度】[住]
●新卒定着状況●
20年入社(男13、女4)→3年後在籍(男10、女2)
●採用情報●
【人数】23年:15 24年:25 25年:応募600→内定12*
【内定内訳】(男9、女3)(文5、理7)(総12、他0)
【試験】〔Web自宅〕SPI3〔性格〕有
【時期】エントリー24.10→内々定24.12(一次はWEB面接可)【インターン】有【ジョブ型】有
【採用実績校】愛媛大1、岡山大1、関西学大1、日大1、東洋大1、近大1、福井工大1、大阪産大1、愛知産大1、新潟工大1、高知工科大1、他
【求める人材】プロフェッショナルを目指す意欲のある人、何事にも積極的に取り組む実行力を持つ人

【敦賀本店】914-0039 福井県敦賀市観音町12-1 ☎0770-25-6027
【特色・近況】大都市圏が事業基盤の独立系ゼネコン。民間大型工事、官公庁工事をバランスよく受注。原子力、火力発電所の特殊鋼造部門が得意。免震・制震・耐震技術を活用した建築大型物件に加え、トンネル、メガソーラー関連など拡大。
【設立】1971.10【資本金】480百万円
【会長】塩浜都広(1948.5生 大阪商大経済卒)
【株主】〔24.6〕広商87.7%
【事業】建築工事80、土木工事20
【従業員】単342名(36.1歳)

【業績】	売上高	営業利益	経常利益	純利益
単22.3	50,535	4,825	4,856	2,216
単23.3	52,026	4,584	4,606	2,378
単24.3	58,882	5,370	5,472	3,319

#有休取得が多い

㈱SYSKEN

株式公開計画なし

採用内定数	倍率	3年後離職率	平均年収
8名	5倍	19%	[総]652万円

●待遇、制度●
【初任給】月21.8万(諸手当0.6万円)
【残業】20.4時間【有休】18.2日【制度】[住][在]
●新卒定着状況●
20年入社(男19、女2)→3年後在籍(男15、女2)
●採用情報●
【人数】23年:14 24年:21 25年:応募40→内定8*
【内定内訳】(男8、女0)(文1、理4)(総8、他0)
【試験】〔筆記〕有〔Web会場〕SPI3〔Web自宅〕SPI3〔性格〕有
【時期】エントリー24.4→内々定25.6(一次・二次以降もWEB面接可)【インターン】有
【採用実績校】崇城大3、東海大1、熊本技術短大3、専大1
【求める人材】‥

【本社】860-0832 熊本県熊本市中央区萩原町14-45 ☎096-285-1111
【特色・近況】九州地盤のNTT関連工事を主体とした電気通信工事業者。機器材料等の販売事業も手がける。官公庁、NTT以外の民間企業から設備工事の設計施工も受注。産業用太陽光発電では設計・調達・建設まで対応。コムシスHD傘下。
【設立】1954.9【資本金】801百万円
【社長】上村幸太郎(1965.6生 電通大通信工卒)
【株主】〔24.3〕コムシスホールディングス100%
【事業】情報電気通信76、総合設備22、他2
【従業員】単589名(43.9歳)

【業績】	売上高	営業利益	経常利益	純利益
単22.3	31,390	1,312	1,714	1,438
単23.3	25,703	1,117	1,550	1,377
単24.3	27,555	1,124	1,436	1,134

㈱島村工業（しまむらこうぎょう）

株式公開計画なし

採用内定数	倍率	3年後離職率	平均年収
4名	1倍	25%	730万円

●待遇、制度●
【初任給】月24.5万
【残業】10.5時間【有休】10.8日【制度】[住]
●新卒定着状況●
20年入社(男7、女1)→3年後在籍(男5、女1)
●採用情報●
【人数】23年:6 24年:2 25年:応募4→内定4*
【内定内訳】(男3、女1)(文1、理1)(総4、他0)
【試験】なし
【時期】エントリー‥→内々定‥(一次はWEB面接可)【インターン】有
【採用実績校】日大1、武蔵大1、中央工学校専1
【求める人材】コミュニケーション能力があり、主体的に行動できる人

【本店】350-0127 埼玉県比企郡川島町大字牛ケ谷戸489 ☎049-297-1177
【特色・近況】住宅や商業施設等の建築、道路や橋梁等の土木工事を中心に、リニューアル事業も手がける埼玉県地盤の建設会社。地域密着型で拠点配置。温浴施設運営や太陽光発電・売電事業も展開。子会社で再生アスファルト混合材の製造・販売も行う。
【設立】1951.12【資本金】468百万円
【社長】島村健(1959.4生 立大卒)
【株主】〔23.9〕島村健37.3%
【事業】土木工事部門40、建築工事部門60
【従業員】単236名(46.8歳)

【業績】	売上高	営業利益	経常利益	純利益
単21.9	16,959	536	597	328
単22.9	16,280	787	909	559
単23.9	17,393	260	477	285

㈱昭建（しょうけん）

株式公開計画なし

採用内定数	倍率	3年後離職率	平均年収
4名	2.8倍	14.3%	㊇674万円

●待遇、制度●
【初任給】月25.8万(諸手当5.6万円、固定残業代10時間分)
【残業】24時間【有休】12日【制度】住

●新卒定着状況●
20年入社(男7、女0)→3年後在籍(男6、女0)

●採用情報●
【人数】23年:5 24年:3 25年:応募11→内定4*
【内定内訳】(男3、女1)(文4、理0)(総0、他4)
【試験】〔Web自宅〕SPI3〔性格〕有
【時期】エントリー24.6→内々定25.4*(一次はWEB面接可)【インターン】有
【採用実績校】富山国際大1、聖泉大1、京都橘大1、三重短大1
【求める人材】フットワークがよく、何事にも興味をもって周囲と協力し行動できる人

【本社】520-0047 滋賀県大津市浜大津2-5-9
☎077-525-5131
【特色・近況】滋賀県地盤の独立系ゼネコン。大阪、三重などにも拠点。土木・道路舗装工事のほか、アスファルト合材や砕石類など資材販売を展開。建築廃材やコンクリート・アスファルト廃材の再資源化も行う。滋賀県内2カ所にメガソーラー保有。
【設立】1932.10 【資本金】500百万円
【社長】中村智(1968.9生 京都学園大経営卒)
【株主】〔23.9〕昭建グループ100%
【事業】土木・舗装工事70、アスファルト合材製造・販売30
【従業員】単159名(44.1歳)

【業績】	売上高	営業利益	経常利益	純利益
単21.9	11,582	619	659	448
単22.9	11,456	872	905	604
単23.9	9,746	675	712	475

#年収高く倍率低い #年収が高い

ショーボンド建設（けんせつ）

株式公開計画なし

採用内定数	倍率	3年後離職率	平均年収
44名	6.1倍	13.8%	㊇1,072万円

●待遇、制度●
【初任給】月28.4万(諸手当0.7万円)
【残業】15.6時間【有休】11.9日【制度】住 在

●新卒定着状況●
20年入社(男24、女5)→3年後在籍(男21、女4)

●採用情報●
【人数】23年:21 24年:31 25年:応募270→内定44
【内定内訳】(男36、女8)(文2、理33)(総44、他0)
【試験】〔Web会場〕SPI3〔Web自宅〕SPI3〔性格〕有
【時期】エントリー24.10→内々定25.1(一次はWEB面接可)【インターン】有
【採用実績校】琉球大3、九州工大3、宮崎大2、横国大2、立命館大1、東大1、早大1、広島大1、東理大1、近大1、他
【求める人材】向上心の強い真面目な人

【本社】103-0015 東京都中央区日本橋箱崎町7-8
☎03-6861-8101
【特色・近況】橋梁・トンネルなど道路構造物などの補修・補強工事で業界トップ。橋梁、鉄道、電力、港湾などの公共・民間インフラを広くカバー。つくば市に最新鋭実験設備を備える補修工学研究所を持つ。ショーボンドHDの中核事業会社。
【設立】1958.6 【資本金】10,100百万円
【社長】岸本達也(1963.4生 東大工卒)
【株主】〔23.6〕ショーボンドホールディングス100%
【事業】土木建築工事、工事材料販売
【従業員】単715名(41.7歳)

【業績】	売上高	営業利益	経常利益	純利益
単21.6	59,238	10,329	12,239	9,361
単22.6	61,748	12,321	14,401	10,844
単23.6	63,985	13,354	16,024	11,884

信幸建設（しんこうけんせつ）

株式公開計画なし

採用内定数	倍率	3年後離職率	平均年収
3名	2倍	16.7%	㊇680万円

●待遇、制度●
【初任給】月22万
【残業】20.7時間【有休】11.9日【制度】住 在

●新卒定着状況●
20年入社(男6、女0)→3年後在籍(男5、女0)

●採用情報●
【人数】23年:3 24年:3 25年:応募6→内定3*
【内定内訳】(男3、女0)(文2、理0)(総3、他0)
【試験】〔筆記〕常識、SPI3〔性格〕有
【時期】エントリー24.10→内々定24.11*(一次はWEB面接可)【インターン】有【ジョブ型】有
【採用実績校】‥
【求める人材】海が好き、規模の大きな仕事を多くの人と一緒に成し遂げ、達成感を共有できる人

【本社】101-0048 東京都千代田区神田司町2-2-7
☎03-5256-5610
【特色・近況】海上土木工事の請負、工事用船舶・資機材の賃貸、測量・建設コンサルなどの事業を展開。航路・泊地の浚渫、深層混合処理工法による地盤改良、護岸・防波堤や桟橋工事、港湾施設維持・更新などの工事実績に強み。東亜建設工業グループ。
【設立】1993.10 【資本金】50百万円
【社長】佐藤隆
【株主】〔24.6〕東亜建設工業100%
【事業】土木工事請負、工事用船舶・資機材の賃貸及び開発・管理、測量・建設コンサル等の受託
【従業員】単206名(46.2歳)

【業績】	売上高	営業利益	経常利益	純利益
単22.3	13,103	‥	‥	334
単23.3	11,873	‥	‥	193
単24.3	16,575	‥	‥	516

新生テクノス（しんせいテクノス）

株式公開計画なし

採用内定数	倍率	3年後離職率	平均年収
26名	3.4倍	22.2%	[総]686万円

●待遇、制度●
【初任給】月23.3万（諸手当4.2万円）
【残業】26.5時間【有休】13日【制度】[住]
●新卒定着状況●
20年入社（男51、女3）→3年後在籍（男39、女3）
●採用情報●
【人数】23年:36 24年:31 25年:応募89→内定26*
【内定内訳】（男26、女0）（文2、理18）（総26、他0）
【試験】〔筆記〕有〔Web自宅〕有
【時期】エントリー25.3→内々定25.4*(一次はWEB面接可)【インターン】有
【採用実績校】中京大3、名古屋工学院専3、名城大2、東京電機大2、日工大2、愛知工科大1、金沢工大1、日大1、大阪工大1、他
【求める人材】周囲とコミュニケーションをとりながら協力し、ルールをしっかり守り主体的に行動できる人

【本店】108-0014 東京都港区芝5-29-11
☎03-6899-2800
【特色・近況】JR東海グループの総合電気設備工事会社。東海道新幹線、在来線、地下鉄、私鉄など鉄道関連の各種設備を中心に、空港、道路、情報通信、エネルギーなど社会インフラを幅広く手がける。東京・名古屋に本店構え全国で展開。
【設立】1947.5　【資本金】1,091百万円
【社長】森厚人
【株主】〔24.3〕JR東海23.2%
【連結事業】鉄道72、一般28
【従業員】[連]1,335名 [単]1,325名（41.6歳）

【業績】	売上高	営業利益	経常利益	純利益
[連]22.3	51,073	1,257	1,595	156
[連]23.3	52,304	935	1,307	776
[連]24.3	55,508	1,986	2,052	1,435

新太平洋建設（しんたいへいようけんせつ）

株式公開計画なし

採用予定数	倍率	3年後離職率	平均年収
2名	−	50%	[総]552万円

●待遇、制度●
【初任給】月25.5万（諸手当3.5万円）
【残業】26.4時間【有休】10日【制度】[住]
●新卒定着状況●
20年入社（男5、女1）→3年後在籍（男3、女0）
●採用情報●
【人数】23年:3 24年:5 25年:応募2→内定0*
【内定内訳】（男‥、女‥）（文‥、理‥）（総‥、他‥）
【試験】なし
【時期】エントリー25.4→内々定25.6*【インターン】有
【採用実績校】‥
【求める人材】良好なコミュニケーション能力、問題解決力、倫理観を持っている人

【本社】060-0051 北海道札幌市中央区南1条東1-2-1 太平洋興発ビル5階　☎011-200-6000
【特色・近況】土木建築工事、電気工事、管工事が主力の総合建設業。北海道が地盤。土木は道路やトンネル、下水道工事など官庁工事が100%。建築は民間工事が80%で主にマンション、福祉施設、工場などに施工実績。道内のほか、仙台にも拠点。
【設立】1944.3　【資本金】90百万円
【社長】井出雅人（1958.9生 北海学園大商卒）
【株主】〔24.3〕谷脇組82.0%
【事業】土木建築工事
【従業員】[単]81名（45.4歳）

【業績】	売上高	営業利益	経常利益	純利益
[単]22.3	7,452	96	98	50
[単]23.3	7,797	7	42	2
[単]24.3	9,547	79	70	7

#年収高く倍率低い #初任給が高い

新日本建設（しんにほんけんせつ）

東証プライム

採用内定数	倍率	3年後離職率	平均年収
32名	7.8倍	21.7%	[総]838万円

●待遇、制度●
【初任給】月31万
【残業】27.5時間【有休】8.5日【制度】[住]
●新卒定着状況●
20年入社（男22、女1）→3年後在籍（男18、女0）
●採用情報●
【人数】23年:36 24年:39 25年:応募250→内定32*
【内定内訳】（男27、女5）（文10、理20）（総32、他0）
【試験】なし
【時期】エントリー25.3→内々定25.3(一次・二次以降もWEB面接可)【インターン】有【ジョブ型】有
【採用実績校】日大8、千葉工大3、東京科学大1、法政大1、琉球大1、弘前大1、東京電機大1、工学院大1、東海大1、大阪電通大1、他
【求める人材】向上心が高く、社会に出てからも成長を続けていける人

【本社】261-0021 千葉県千葉市美浜区ひび野1-4-3
☎043-213-1111
【特色・近況】建設と不動産開発が2本柱の中堅ゼネコン。建設は物流施設や工場、ホテルなど非住宅工事の受注拡大に注力。分譲マンション開発は請負と自社ブランド「エクセレント」の両輪で首都圏で展開。ZEH-M（ネット・ゼロ・エネルギー・ハウス・マンション）にも対応。
【設立】1969.2　【資本金】3,665百万円
【社長】髙見克司（1964.11生 明大経営卒）
【株主】〔24.3〕㈱シンニホンコム32.1%
【連結事業】建設53、開発等47
【従業員】[連]663名 [単]521名（38.0歳）

【業績】	売上高	営業利益	経常利益	純利益
[連]22.3	107,092	15,549	15,583	10,796
[連]23.3	113,725	17,186	17,225	12,013
[連]24.3	133,517	17,577	17,671	12,286

シンヨー

[株式公開検討中]

採用内定数	倍率	3年後離職率	平均年収
3名	1.7倍	33.3%	565万円

●待遇、制度●
【初任給】月24万(諸手当3万円)
【残業】28.4時間【有休】11.7日【制度】[住][在]
●新卒定着状況●
20年入社(男2、女4)→3年後在籍(男2、女2)
●採用情報●
【人数】23年:7 24年:6 25年:応募5→内定3*
【内定内訳】(男3、女0)(文0、理3)(総0、他3)
【試験】〔筆記〕常識〔性格〕有
【時期】エントリー24.12→内々定25.3*【インターン】有
【採用実績校】愛知産大1、他
【求める人材】コミュニケーション能力が高く、明るく元気で、しっかりと挨拶のできる人

【本社】210-0858 神奈川県川崎市川崎区大川町8-6 ☎044-366-4771
【特色・近況】ビル・マンションの大規模改修工事を主力に、プラントやタンクの防食工事・メンテナンスなどを全国展開。1930年塗装店として創業し、重防食塗装の分野でパイオニア。建築、土木、プラント、電気、設備など技術専門業務向けの人材派遣も行う。
【設立】1952.4 【資本金】500百万円
【社長】岩井邦夫
【株主】東京中小企業投資育成
【事業】エンジニアリング部門、技術提供部門
【従業員】単226名(‥歳)

【業績】	売上高	営業利益	経常利益	純利益
単22.3	14,170	457	553	343
単23.3	17,002	405	465	322
単24.3	15,860	141	245	148

水(す) i n g

[株式公開計画なし]

採用内定数	倍率	3年後離職率	平均年収
30名	6.5倍	11.5%	[総]796万円

●待遇、制度●
【初任給】月23.8万
【残業】16.1時間【有休】13.5日【制度】[フ][住][在]
●新卒定着状況●
20年入社(男23、女3)→3年後在籍(男21、女2)
●採用情報●
【人数】23年:22 24年:29 25年:応募194→内定30
【内定内訳】(男25、女5)(文6、理18)(総30、他0)
【試験】〔Web自宅〕有〔性格〕有
【時期】エントリー25.1→内々定25.5(一次はWEB面接可)【インターン】有
【採用実績校】北大、立命館大、東京科学大、東洋大、中大、北九州市大、東京海洋大、同大、島根大、明大、他
【求める人材】水インフラを支える想いを持ち、水を起点とした街づくりに向かって共に挑戦できる人

【本社】105-0021 東京都港区東新橋1-9-2 汐留住友ビル27階 ☎03-4346-0600
【特色・近況】公共水インフラの設計・建設や維持管理を展開する総合水事業会社。水や環境に関わる公共インフラ設備などの設計、建設、維持管理、事業運営、薬品製造・販売などを展開。下水処理で発生するガス活用の発電事業も進める。
【設立】1977.4 【資本金】5,500百万円
【社長】安田真規(1963.2生)
【株主】〔24.3〕花原33.3%
【連結事業】EPC35、O&M55、薬品10 <海外1>
【従業員】連4,292名 単‥名(46.5歳)

【業績】	売上高	営業利益	経常利益	純利益
連22.3	78,991	‥	‥	‥
連23.3	74,094	‥	‥	‥
連24.3	75,302	‥	‥	‥

須(す)賀(が)工(こう)業(ぎょう)

[株式公開計画なし]

採用内定数	倍率	3年後離職率	平均年収
28名	4.2倍	16.1%	[総]765万円

●待遇、制度●
【初任給】月26.5万(諸手当2.4万円)
【残業】29.2時間【有休】11日【制度】[フ][住][在]
●新卒定着状況●
20年入社(男21、女10)→3年後在籍(男17、女9)
●採用情報●
【人数】23年:33 24年:23 25年:応募117→内定28*
【内定内訳】(男16、女12)(文7、理14)(総28、他0)
【試験】〔Web会場〕SPI3〔Web自宅〕SPI3〔性格〕有
【時期】エントリー24.10→内々定24.12(一次はWEB面接可)【インターン】有
【採用実績校】工学院大院1、京都芸大院1、椙山女学大1、中部大1、愛知工業大2、関大2、関東学院大1、麻生建築&デザイン専4、他
【求める人材】チャレンジ精神があり、チームワークを大切にしながら前向きに仕事に取り組める人

【本社】135-0047 東京都江東区富岡1-26-20 ☎03-4214-3400
【特色・近況】空気調和設備、給排水衛生設備、防災設備などの設計施工を行う建設会社。明治時代から帝国ホテルや赤坂離宮、総理官邸などの建設工事に参画した実績を持つ。北海道から九州まで全国展開。千葉・柏市に技術研究所を置く。
【設立】1925.11 【資本金】1,950百万円
【社長】津田端孝(1954.6生 芝工大工卒)
【株主】〔24.3〕ニュービルサービス9.4%
【事業】空調衛生設備99、他1
【従業員】単545名(41.9歳)

【業績】	売上高	営業利益	経常利益	純利益
単22.3	35,359	1,349	992	397
単23.3	42,581	1,512	1,583	1,116
単24.3	45,539	2,504	2,735	1,867

㈱スガテック　株式公開計画なし

採用内定数	倍率	3年後離職率	平均年収
19名	2.4倍	13.5%	㊗679万円

●待遇、制度●
【初任給】月24.1万(諸手当5.4万円)
【残業】28.6時間【有休】16日【制度】フ 住 在
●新卒定着状況●
20年入社(男36、女1)→3年後在籍(男31、女1)
●採用情報●
【人数】23年:28 24年:36 25年:応募46→内定19*
【内定内訳】(男16、女3)(文6、理13)(総19、他0)
【試験】〔Web自宅〕SPI3
【時期】エントリー24.10→内々定25.1*(一次はWEB面接可)【インターン】有【ジョブ型】有
【採用実績校】愛媛大1、大阪商大1、金沢工大1、西南学大1、創価大1、大同大1、中大1、東京工科大1、日大1、弘前大院1、福井工大1、他
【求める人材】学ぶ心を大切に、周囲と協力できる人

【本社】108-0022 東京都港区海岸3-20-20 ヨコソーレインボータワー4階 ☎03-6275-1200
【特色・近況】日本製鉄グループのエンジニアリング会社。鉄鋼プラントを中心に電力、化学、製紙向け設備などの設計・製作・建設・保全を手がける。治水、上下水道など公共工事も展開。北海道から九州まで全国に支店と事業所を置く。IT化推進で業務の負荷軽減を図る。
【設立】1954.10 【資本金】472百万円
【社長】上野浩光(1962.2生 東大院資源工修了)
【株主】〔24.3〕スガテックマネジメント33.1%
【事業】建設工事37、設備保全63
【従業員】単1,057名(39.0歳)

【業績】	売上高	営業利益	経常利益	純利益
単22.3	44,787	4,345	4,549	3,150
単23.3	40,804	3,995	4,277	2,942
単24.3	38,285	2,706	3,126	2,168

鈴与建設（すずよけんせつ）　株式公開計画なし

採用内定数	倍率	3年後離職率	平均年収
12名	‥	25%	㊗738万円

●待遇、制度●
【初任給】月25万
【残業】20時間【有休】9.8日【制度】住 在
●新卒定着状況●
20年入社(男7、女1)→3年後在籍(男5、女1)
●採用情報●
【人数】23年:11 24年:10 25年:応募‥→内定12
【内定内訳】(男9、女3)(文3、理9)(総11、他1)
【試験】〔筆記〕常識〔性格〕有
【時期】エントリー25.3→内々定25.4【インターン】有
【採用実績校】東海大2、金沢工大1、武蔵野美大1、静岡大1、名城大1、日大1、山梨大1、中部大1、尾道市大1、神奈川大1、常葉大1
【求める人材】意欲と使命感を持ち、主体的に行動できる人

【本社】424-0825 静岡県静岡市清水区松原町5-17 ☎054-354-3401
【特色・近況】鈴与グループの中核で、静岡県内首位級の総合建設会社。建築・土木が主力。グループ連携で建設から保守・運用までワンストップサービスを提供。土壌浄化など環境関連事業を推進している。静岡県内と東京に支店と営業所を置く。
【設立】1949.3 【資本金】100百万円
【社長】櫻井重英
【株主】〔24.4〕鈴与コンストラクションホールディングス100%
【事業】土木20、建築78、他2
【従業員】単256名(38.9歳)

【業績】	売上高	営業利益	経常利益	純利益
単21.8	27,844	1,319	1,418	999
単22.8	25,313	796	1,015	726
単23.8	30,426	975	1,153	730

住電電業（すみでんでんぎょう）　株式公開計画なし

採用内定数	倍率	3年後離職率	平均年収
5名	1倍	46.2%	606万円

●待遇、制度●
【初任給】‥万
【残業】14.1時間【有休】13.4日【制度】住 在
●新卒定着状況●
20年入社(男13、女0)→3年後在籍(男7、女0)
●採用情報●
【人数】23年:8 24年:12 25年:応募5→内定5*
【内定内訳】(男5、女0)(文‥、理‥)(総0、他5)
【試験】なし
【時期】エントリー25.9→内々定25.9
【採用実績校】‥
【求める人材】明朗活発であること、又、リーダーシップも兼ね備えた人

【本社】108-8303 東京都港区三田3-12-15 ☎03-3454-6961
【特色・近況】電気設備工事、情報ネットワーク工事、工場内自動搬送システムなどのプラント工事、電力工事・通信工事の設計・施工・メンテナンスを手がける。技術者育成に注力し1級電気工事施工管理技士など資格保有者多数。住友電設の完全子会社。
【設立】1967.10 【資本金】60百万円
【社長】本江康男(1963.8生 大同工大工卒)
【株主】〔24.3〕住友電設100%
【事業】電気設備・情報ネットワーク・プラント・電力・通信工事
【従業員】単198名(39.0歳)

【業績】	売上高	営業利益	経常利益	純利益
単22.3	12,452	1,265	1,267	885
単23.3	11,057	951	954	620
単24.3	10,127	313	315	199

住友ケミカルエンジニアリング

[株式公開計画なし]

採用内定数	倍率	3年後離職率	平均年収
6名	4.5倍	0%	‥

●待遇、制度●
【初任給】‥万
【残業】18.9時間【有休】14.6日【制度】[フ][住][在]

●新卒定着状況●
20年入社(男7、女1)→3年後在籍(男7、女1)

●採用情報●
【人数】23年:7 24年:5 25年:応募27→内定6*
【内定内訳】(男4、女2)(文0、理6)(総6、他0)
【試験】〔Web自宅〕SPI3
【時期】エントリー25.3→内々定25.6(一次はWEB面接可)【インターン】有
【採用実績校】日大2、東京電機大1、千葉工大1、金沢大1、愛媛大1
【求める人材】国内外でスケールの大きい仕事をしてみたい、機械、電気電子、建築、化工系の人

【本社】261-8568 千葉県千葉市美浜区中瀬1-7-1 ☎043-299-0200
【特色・近況】住友化学グループの石油化学・基礎化学を中心とするプラントエンジニアリング会社。硫酸製造設備に強い。半導体産業、ファインケミカル、環境分野へも展開。シンガポール、マレーシアに現地拠点。東南アジアを重点に進出企業支援。
【設立】1964.9 【資本金】1,000百万円
【社長】小林伸行(1964.2生 同大院工学研修了)
【株主】〔24.3〕住友化学100%
【事業】機械器具設置工事60、管工事30、他10 <海外30>
【従業員】単174名(‥歳)

【業績】	売上高	営業利益	経常利益	純利益
単22.3	21,241	2,000	2,459	1,908
単23.3	14,152	1,384	2,119	1,739
単24.3	19,153	1,122	4,868	4,430

須山建設（すやまけんせつ）

[株式公開していない]

採用内定数	倍率	3年後離職率	平均年収
11名	‥	0%	[総]808万円

●待遇、制度●
【初任給】月24万
【残業】25.5時間【有休】10.2日【制度】[住][在]

●新卒定着状況●
20年入社(男7、女0)→3年後在籍(男7、女0)

●採用情報●
【人数】23年:6 24年:11 25年:応募‥→内定11
【内定内訳】(男8、女3)(文0、理11)(総11、他0)
【試験】〔筆記〕常識〔Web自宅〕SPI3
【時期】エントリー25.3→内々定25.4*(一次はWEB面接可)【インターン】有
【採用実績校】愛知工業大5、金沢工大2、静岡理工科大2、中部大1、京都美工大1
【求める人材】常に誠実な姿勢で最善を尽くす人

【本社】432-8562 静岡県浜松市中央区布橋2-6-1 ☎053-471-0321
【特色・近況】静岡県地盤の総合建設会社。道路、橋梁、下水道やメガソーラーなど土木事業を中心に県西部では首位級。「リワード」ブランドの賃貸マンションも展開。グループでサービス付き高齢者向け住宅や不動産、リース、リフォーム、リサイクル事業などを行う。
【設立】1946.12 【資本金】220百万円
【社長】須山雄造(1979.10生 東大教育卒)
【株主】〔24.3〕須山雄造10.1%
【事業】建築工事67、土木工事30、他3
【従業員】単173名(41.9歳)

【業績】	売上高	営業利益	経常利益	純利益
単22.3	20,042	1,511	1,621	1,011
単23.3	20,232	1,420	1,529	956
単24.3	21,102	1,491	1,668	1,037

(株)精研（せいけん）

[株式公開計画なし]

採用内定数	倍率	3年後離職率	平均年収
10名	‥	20%	693万円

●待遇、制度●
【初任給】月23万
【残業】‥時間【有休】‥日【制度】[住][在]

●新卒定着状況●
20年入社(男8、女2)→3年後在籍(男6、女2)

●採用情報●
【人数】23年:16 24年:10 25年:応募‥→内定10*
【内定内訳】(男10、女0)(文4、理6)(総10、他0)
【試験】〔Web会場〕SPI3〔Web自宅〕SPI3〔性格〕有
【時期】エントリー25.3→内々定25.3*【インターン】有
【採用実績校】東京農工大1、東京農業大1、摂南大1、東北学大1、大阪電通大1、追手門学大2、大阪産大1、大阪商大1、千葉商大1
【求める人材】既存の商品や技術の枠に捉われる事なく、自ら手を挙げて、新たな精研の原動力になってくれる人

【大阪本社】542-0081 大阪府大阪市中央区南船場2-1-3 フェニックス南船場4階 ☎06-6224-0751
【特色・近況】空調・冷凍設備、実験動物飼育施設などの特殊空調工事が主力のエンジニアリング会社。地下ライフライン工事に用いられる地盤凍結工法は独占的シェア。クレーン、自動搬送装置なども扱う。日立特約店としてエスカレーターなどの産業機器も販売。
【設立】1954.5 【資本金】200百万円
【社長】辻武寿(1964.6生)
【株主】〔23.9〕SMBCベンチャーキャピタル14.9%
【事業】空調設備工事56、地盤凍結工事12、電機・産業機器・冷凍空調機器32
【従業員】単313名(44.3歳)

【業績】	売上高	営業利益	経常利益	純利益
単21.9	15,574	925	995	635
単22.9	15,655	721	807	508
単23.9	14,188	622	723	469

西武建設（せいぶけんせつ）

株式公開計画なし

採用内定数	倍率	3年後離職率	平均年収
23名	3.5倍	18.2%	㊔698万円

●待遇、制度●
【初任給】月25.5万
【残業】28.5時間【有休】13.6日【制度】㊟

●新卒定着状況●
20年入社(男29、女4)→3年後在籍(男23、女4)

●採用情報●
【人数】23年:20 24年:30 25年:応募80→内定23*
【内定内訳】(男20、女3)(文10、理11)(総23、他0)
【試験】〔Web自宅〕有
【時期】エントリー25.3→内々定25.5*(一次はWEB面接可)【インターン】有
【採用実績校】東北工大2、創価大2、高知大1、福島大1、工学院大1、大阪工大1、大阪産大1、東洋大1、東京都市大1、日大1、他
【求める人材】コミュニケーション能力があり、目的意識をもって行動できる人

【本社】359-8550 埼玉県所沢市くすのき台1-11-1
☎04-2926-3311
【特色・近況】鉄道土木など都市基盤整備、スポーツ・レジャー施設や公共施設、住宅・マンション建設、リノベ事業を展開する総合建設会社。戸建住宅や公共施設などの大型木造施設も手がける。東北から九州まで支店・営業所を配置。ミライト・ワンの子会社。
【設立】1941.11 【資本金】11,000百万円
【社長】佐藤誠(1960.5生 早大商卒)
【株主】〔24.3〕ミライト・ワン95.0%
【事業】建築67、土木33
【従業員】単703名(46.1歳)

【業績】	売上高	営業利益	経常利益	純利益
単22.3	61,380	3,122	4,130	2,658
単23.3	51,302	1,647	1,690	1,531
単24.3	66,962	2,947	3,010	2,136

西部電気建設（せいぶでんきけんせつ）

株式公開計画なし

採用内定数	倍率	3年後離職率	平均年収
5名	6.2倍	33.3%	㊔790万円

●待遇、制度●
【初任給】月25万(諸手当1万円、固定残業代20時間分)
【残業】30.5時間【有休】6.8日【制度】㊟

●新卒定着状況●
20年入社(男15、女0)→3年後在籍(男10、女0)

●採用情報●
【人数】23年:15 24年:16 25年:応募31→内定5*
【内定内訳】(男4、女1)(文2、理3)(総5、他0)
【試験】〔筆記〕常識、他〔性格〕有
【時期】エントリー25.3→内々定25.4(一次はWEB面接可)【インターン】有
【採用実績校】大阪電通大1、近大1、神戸学大1、産業技術短大1、奈良大1
【求める人材】人づきあいの好きな人、チャレンジ精神旺盛で、やりがいのある仕事がしたい人

【本社】657-0844 兵庫県神戸市灘区都通4-1-1
☎078-882-4051
【特色・近況】関西地盤で電気設備工事専業の独立系施工管理会社。電気設備の提案から、建築現場に出向いて協力会社の監督や作業指揮を行う。大阪府、兵庫県、京都府を中心にゼネコンの工事請負に徹する。兵庫県内では電気工事業の売上首位を継続。
【設立】1949.6 【資本金】93百万円
【社長】坂上彰(1962.8生)
【株主】〔24.3〕尾崎昭治他41.0%
【事業】電気工事施工管理
【従業員】単250名(38.3歳)

【業績】	売上高	営業利益	経常利益	純利益
単22.3	15,665	1,590	1,650	1,077
単23.3	15,927	1,545	1,628	1,012
単24.3	18,553	1,515	1,617	1,107

静和工業（せいわこうぎょう）

株式公開計画なし

採用予定数	倍率	3年後離職率	平均年収
2名	‥	0%	465万円

●待遇、制度●
【初任給】月23万(固定残業代20.5時間分)
【残業】33時間【有休】14.7日【制度】㊟

●新卒定着状況●
20年入社(男1、女1)→3年後在籍(男1、女1)

●採用情報●
【人数】23年:1 24年:2 25年:予定2*
【内定内訳】(男2、女0)(文1、理0)(総0、他2)
【試験】なし
【時期】エントリー25.4→内々定25.7*【インターン】有
【採用実績校】‥
【求める人材】公共のインフラ整備に興味を持ち、積極性に富み、責任感を持った人

【本社】422-8066 静岡県静岡市駿河区泉町3-15
☎054-285-7141
【特色・近況】静岡県地盤の中堅建設会社。港湾施設、一般土木、道路舗装、補強等の官公庁向けが主。橋梁工事、砂防工事、海岸工事、法面工事など幅広く展開。マンホール蓋の取り替えなど特殊工事も行う。東京に支店を置き、駅前整備工事や配水管工事などに実績。
【設立】1952.5 【資本金】100百万円
【社長】望月元一(1958.1生 金工大土木工卒)
【株主】〔23.6〕望月元一18.5%
【事業】土木工事82、舗装工事17、建築工事他1
【従業員】単65名(46.9歳)

【業績】	売上高	営業利益	経常利益	純利益
単21.6	2,852	90	113	23
単22.6	4,232	376	540	384
単23.6	2,581	63	89	75

ゼオンノース

株式公開計画なし

採用内定数	倍率	3年後離職率	平均年収
4名	3倍	40%	557万円

●待遇、制度●
【初任給】月22.6万
【残業】14時間【有休】11.7日【制度】‥
●新卒定着状況●
20年入社(男3、女2)→3年後在籍(男2、女1)
●採用情報●
【人数】23年:5 24年:5 25年:応募12→内定4*
【内定内訳】(男4、女0)(文1、理2)(総0、他4)
【試験】〔性格〕有
【時期】エントリー25.3→内々定25.5(一次はWEB面接可)【インターン】有
【採用実績校】富山県大1、福井工大1、富山国際大1、富山高専1
【求める人材】技術向上への挑戦・社会貢献に対する高い意欲を持つ人

【本社】933-0076 富山県高岡市米島1061-2
☎0766-25-1111
【特色・近況】日本ゼオングループの総合エンジニアリング企業。各種プラント建設工事や保守などエンジニアリング事業、工業・防災資機材などを扱う商事事業、環境計量測定など環境分析事業が3本柱。北陸中心に関東や中国地方など親会社工場内に拠点。
【設立】1972.4　【資本金】100百万円
【社長】松崎肇(1958.11生 同大経済卒)
【株主】〔24.3〕日本ゼオン100%
【事業】商事19、エンジニアリング74、環境分析6
【従業員】単261名(42.9歳)

【業績】	売上高	営業利益	経常利益	純利益
単22.3	7,901	567	592	393
単23.3	8,338	599	708	444
単24.3	8,692	635	653	424

㈱ソネック

東証スタンダード

採用内定数	倍率	3年後離職率	平均年収
4名	2.5倍	22.2%	㊌625万円

●待遇、制度●
【初任給】月26.3万(諸手当3.8万円、固定残業代20時間分)
【残業】30時間【有休】8日【制度】㊟
●新卒定着状況●
20年入社(男5、女4)→3年後在籍(男4、女3)
●採用情報●
【人数】23年:7 24年:14 25年:応募10→内定4*
【内定内訳】(男3、女1)(文3、理1)(総4、他0)
【試験】〔性格〕有
【時期】エントリー25.3→内々定25.3【インターン】有
【採用実績校】流通科学大1、愛知産大1、愛知工業大1、神戸女学大1
【求める人材】素直な人、熱意がある人、感謝を忘れない人、コミュニケーション力がある人

【本社】676-0082 兵庫県高砂市曽根町2257-1
☎079-447-1551
【特色・近況】兵庫県の東播磨地区を地盤とする民間建築中心の中堅建設会社。神戸、名古屋、大阪などに支店持ち、官公庁の土木事業は全国展開。オフィスビル、集合住宅のほか、医療・福祉施設に強み。子会社でマンションメンテナンスや化学製品運輸事業も展開。
【設立】1944.3　【資本金】723百万円
【社長】山本貴弘(1970.6生 京産大経営卒)
【株主】〔24.3〕富士京不動産34.9%
【連結事業】建設98、運輸2
【従業員】連153名 単136名(41.5歳)

【業績】	売上高	営業利益	経常利益	純利益
連22.3	17,158	1,107	1,164	800
連23.3	18,039	940	1,003	688
連24.3	16,179	249	317	144

第一カッター興業(だいいちカッターこうぎょう)

東証スタンダード

採用内定数	倍率	3年後離職率	平均年収
9名	3.2倍	42.9%	㊌664万円

●待遇、制度●
【初任給】月22.5万(諸手当0.3万円、固定残業代24時間分)
【残業】20.3時間【有休】10.8日【制度】㊟
●新卒定着状況●
20年入社(男14、女0)→3年後在籍(男8、女0)
●採用情報●
【人数】23年:13 24年:12 25年:応募29→内定9*
【内定内訳】(男8、女1)(文6、理3)(総9、他0)
【試験】〔Web自宅〕SPI3〔性格〕有
【時期】エントリー25.3→内々定25.4*(一次はWEB面接可)【インターン】有
【採用実績校】中大1、近大1、千葉工大1、大阪電通大1、大正大1、国際武道大1、神奈川工大1、関東学院大1、石巻専大1
【求める人材】ヘルメットの似合う人、技術を極めていくことが好きな人

【本社】253-0071 神奈川県茅ヶ崎市萩園833
☎0467-85-3939
【特色・近況】アスファルト舗装やコンクリート構造物を工業用ダイヤモンドで切断・穿孔する工事が主力。水を高圧で噴射するウォータージェット工法も展開。マンションの配管洗浄のビルメンテナンス事業、中古パソコンのリユース事業も手がける。
【設立】1967.8　【資本金】470百万円
【社長】安達昌史(1978.2生 城西国際大経営情卒)
【株主】〔24.6〕渡邉隆13.6%
【連結事業】切断・穿孔工事96、ビルメンテナンス2、リユース・リサイクル2
【従業員】連629名 単508名(38.6歳)

【業績】	売上高	営業利益	経常利益	純利益
連22.6	20,949	2,502	2,704	1,580
連23.6	22,164	2,631	2,865	1,946
連24.6	20,918	2,455	2,829	1,973

第一建設工業（だいいちけんせつこうぎょう）

東証スタンダード

採用内定数	倍率	3年後離職率	平均年収
34名	‥	16.1%	735万円

●待遇、制度●
【初任給】月20.8万
【残業】18.2時間【有休】16.9日【制度】住
●新卒定着状況●
20年入社（男29、女2）→3年後在籍（男24、女2）
●採用情報●
【人数】23年:53 24年:39 25年:応募‥→内定34*
【内定内訳】（男31、女3）（文12、理16）（総34、他0）
【試験】〔筆記〕有
【時期】エントリー25.3→内々定25.3
【採用実績校】日大5、新潟工大専4、新潟大3、金沢工大2、東北学大3、新潟国際情報大2、新潟工大2、秋田高専2、秋田大1、東北工大1、他
【求める人材】失敗を恐れずチャレンジする勇気を持ち、自ら考え行動できる人

【本社】950-8582 新潟県新潟市中央区八千代1-4-34 ☎025-241-8111
【特色・近況】鉄道線路工事技術を得意とする中堅建設会社。JR東日本系で同社依存度約7割、うち半分は保線。信越、関東、東北を主体に事業展開。橋脚、トンネルなどコンクリートの補強・補修工事を強化。建築は独自工法の賃貸マンションを首都圏中心に展開する。
【設立】1942.9 【資本金】3,302百万円
【社長】内田海基夫（1960.6生）
【株主】〔24.3〕東日本旅客鉄道17.4%
【事業】建設98、不動産2
【従業員】単1,033名（39.6歳）

【業績】	売上高	営業利益	経常利益	純利益
単22.3	42,748	2,794	3,328	2,596
単23.3	47,367	3,569	3,882	2,643
単24.3	53,993	3,772	4,096	2,791

第一工業（だいいちこうぎょう）

株式公開未定

採用内定数	倍率	3年後離職率	平均年収
11名	13.6倍	19%	総721万円

●待遇、制度●
【初任給】月27万（諸手当を除いた数値）
【残業】23時間【有休】10日【制度】住
●新卒定着状況●
20年入社（男21、女0）→3年後在籍（男17、女0）
●採用情報●
【人数】23年:15 24年:17 25年:応募150→内定11*
【内定内訳】（男11、女0）（文1、理10）（総11、他0）
【試験】なし
【時期】エントリー24.8→内々定24.10*（一次・二次以降もWEB面接可）【インターン】有
【採用実績校】関東学院大1、東京工芸大2、神奈川工大1、日大1、東北工大1、金沢工大1、中部大1、久留米工大1、関東職能大学校1、他
【求める人材】実践する行動力・コミュニケーション能力があり、新しいことにチャレンジできる人

【本社】100-0005 東京都千代田区丸の内3-3-1 新東京ビル ☎03-3211-8511
【特色・近況】設備工事会社で、環境設備事業と搬送システム事業が2本柱。空気調和設備、給排水衛生設備を手がけ、国会議事堂はじめ庁舎、オフィスなどに施工実績。荷物の仕分けを行う搬送システムは主要郵便局などで導入。企画設計から製作施工、運用保守まで一貫体制。
【設立】1929.12 【資本金】1,017百万円
【社長】篠原直男（1962.4生 慶大理工卒）
【株主】〔24.3〕篠原直男9.6%
【事業】空気調和75、衛生10、搬送15
【従業員】単401名（45.3歳）

【業績】	売上高	営業利益	経常利益	純利益
単22.3	16,083	643	822	460
単23.3	17,724	585	737	538
単24.3	22,777	1,429	1,588	991

第一設備工業（だいいちせつびこうぎょう）

株式公開計画なし

採用内定数	倍率	3年後離職率	平均年収
9名	‥	‥	‥

●待遇、制度●
【初任給】月24.3万
【残業】31.4時間【有休】11.5日【制度】住 在
●新卒定着状況●
‥
●採用情報●
【人数】23年:11 24年:12 25年:応募‥→内定9*
【内定内訳】（男9、女0）（文‥、理‥）（総9、他0）
【試験】〔Web自宅〕SPI3〔性格〕有
【時期】エントリー25.3→内々定25.4（一次はWEB面接可）【インターン】有【ジョブ型】有
【採用実績校】西日本工大1、中部大1、足利大1、武蔵野大1、東北学大1、摂南大1、ものつくり大1、東海工業専2
【求める人材】元気があり、人と接することが好きな人

【本社】108-0023 東京都港区芝浦4-15-33 ☎03-5443-5100
【特色・近況】空調・衛生・電気・消火設備の診断から設計、施工まで一貫体制の総合設備エンジニアリング会社。リニューアル、クリーンルーム、省エネ技術提案に積極的。庁舎や学校など公共分野のほか、オフィスや商業施設など民間工事にも実績。清水建設の連結子会社。
【設立】1947.3 【資本金】400百万円
【社長】田島久男（1962.2生 早大理工卒）
【株主】〔24.3〕清水建設100%
【事業】管工事業95、電気工事業5
【従業員】単325名（43.6歳）

【業績】	売上高	営業利益	経常利益	純利益
単22.3	14,712	451	478	316
単23.3	13,197	298	322	168
単24.3	16,268	689	714	480

#年収高く倍率低い

㈱第一テクノ（だいいち）

株式公開 いずれしたい

採用内定数	倍率	3年後離職率	平均年収
10名	5倍	13.3%	㊗816万円

●待遇、制度●
【初任給】月25.2万(諸手当4万円)
【残業】17.7時間【有休】12.9日【制度】住
●新卒定着状況●
20年入社(男11、女4)→3年後在籍(男9、女4)
●採用情報●
【人数】23年:11 24年:8 25年:応募50→内定10
【内定内訳】(男8、女2)(文0、理8)(総10、他0)
【試験】〔筆記〕常識〔性格〕有
【時期】エントリー25.3→内々定25.3(一次はWEB面接可)【インターン】有
【採用実績校】東洋大2、日大2、金沢工大1、東京工科大1、埼玉大1、東京農業大1、サレジオ高専1、沼津高専1
【求める人材】「社会」「暮らし」を支えたい人、「社会」「環境」「防災」に貢献したい人、専攻分野の技術を生かしアイデアを発揮したい人

【本社】140-0013 東京都品川区南大井6-13-10 第一テクノビル ☎03-5762-8008
【特色・近況】防災・常用の発電設備工事、ポンプ・上下水道処理施設の工事が2本柱。設計・施工から保守管理まで行う。関東、関西圏の官公庁・自治体や電力、電機、建設などの大手企業が取引先。オリジナル製品の開発も行う。
【設立】1958.11 【資本金】80百万円
【社長】北島久夫(1960.4生 埼玉杉戸農高卒)
【株主】〔24.1〕自社役員持株会58.3%
【事業】内燃力発電設備・附帯設備48、上下水道施設・水処理施設・ポンプ設備・付帯設備他47、他5
【従業員】単343名(40.0歳)

【業績】	売上高	営業利益	経常利益	純利益
単21.12	18,970	2,205	2,239	1,425
単22.12	21,201	2,269	2,311	1,487
単23.12	21,575	2,777	2,848	1,866

大末建設（だいすえけんせつ）

東証 プライム

採用内定数	倍率	3年後離職率	平均年収
18名	4.9倍	22.7%	㊗750万円

●待遇、制度●
【初任給】月27.5万(諸手当3万円)
【残業】21.5時間【有休】8.9日【制度】住 在
●新卒定着状況●
20年入社(男32、女12)→3年後在籍(男23、女11)
●採用情報●
【人数】23年:45 24年:28 25年:応募88→内定18*
【内定内訳】(男12、女6)(文2、理16)(総17、他1)
【試験】〔性格〕有
【時期】エントリー25.3→内々定25.4(一次はWEB面接可)【インターン】有【ジョブ型】有
【採用実績校】愛知工業大2、京都美工大2、大阪産大1、関西学大1、龍谷大1、関東学院大1、工学院大1、帝塚山大1、武庫川女大1、他
【求める人材】コミュニケーション力と好奇心旺盛で行動力のある人

【本社】541-0056 大阪府大阪市中央区久太郎町2-5-28 ☎06-6121-7121
【特色・近況】関西の中堅建設会社。マンションなど民間建築が主体。関西中心だが首都圏にも展開。物流倉庫や工場のほか、高齢者向け住宅などマンション以外の建築や、リノベーション事業の拡大に向け、協力会社との連携強化。ミサワホームと資本業務提携。
【設立】1947.3 【資本金】4,324百万円
【社長】村尾和則(1965.1生)
【株主】〔24.3〕ミサワホーム19.2%
【連結事業】建設99、不動産等1
【従業員】連695名 単623名(41.4歳)

【業績】	売上高	営業利益	経常利益	純利益
連22.3	69,645	2,708	2,712	1,816
連23.3	71,834	1,887	1,939	1,321
連24.3	77,815	1,590	1,602	1,235

大成温調（たいせいおんちょう）

東証 スタンダード

採用内定数	倍率	3年後離職率	平均年収
8名	40.6倍	37.5%	685万円

●待遇、制度●
【初任給】月25万
【残業】33.8時間【有休】13.2日【制度】住 在
●新卒定着状況●
20年入社(男19、女5)→3年後在籍(男12、女3)
●採用情報●
【人数】23年:21 24年:18 25年:応募325→内定8*
【内定内訳】(男8、女0)(文4、理1)(総8、他0)
【試験】〔Web自宅〕有〔性格〕有
【時期】エントリー25.3→内々定25.6(一次・二次以降もWEB面接可)【インターン】有
【採用実績校】中央工学校専1、拓大2、国士舘大2、松蔭大1、東京日建工科専1、四天王寺大1
【求める人材】建設業界に興味がある人、建築設備に興味がある人、専門知識を身につけて働きたい人

【本社】140-8515 東京都品川区大井1-49-10 ☎03-5742-7301
【特色・近況】空調、給排水など管工事の中堅企業。冷凍設備工事から出発。ビルや病院、学校などの一般施設工事に加え、医療施設や産業・研究施設などの設備設計・施工も手がける。海外はハワイや中国、東南アジアなどで空調・衛生工事を展開。
【設立】1952.12 【資本金】5,195百万円
【代表取締役】水谷憲一(1976.12生 立大文卒)
【株主】〔24.3〕アクアウェッジ㈱14.4%
【連結事業】設備工事96、他4 <海外26>
【従業員】連792名 単580名(42.1歳)

【業績】	売上高	営業利益	経常利益	純利益
連22.3	49,153	1,255	1,700	974
連23.3	46,459	1,732	1,998	1,469
連24.3	61,056	3,014	3,085	1,962

#年収高く倍率低い

大成設備

株式公開計画なし

採用内定数	倍率	3年後離職率	平均年収
18名	1.8倍	19%	[総]828万円

●待遇、制度●
【初任給】月26.5万(諸手当1.5万円)
【残業】27.4時間【有休】9.9日【制度】[住][在]
●新卒定着状況●
20年入社(男17、女4)→3年後在籍(男13、女4)
●採用情報●
【人数】23年:20 24年:19 25年:応募33→内定18*
【内定内訳】(男13、女5)(文6、理11)(総18、他0)
【試験】〔筆記〕SPI3〔性格〕有
【時期】エントリー25.2→内々定25.2*【インターン】有
【採用実績校】北海道科学大3、近大3、工学院大2、関東学院大1、日大1、立命館大1、創価大1、名城大1、東洋大1、大阪経大1、中大1、他
【求める人材】変革意識を持ち、積極的に物事に取組み、人と接することで成長していきたい人

【本社】163-0217 東京都新宿区西新宿2-6-1 新宿住友ビル ☎03-6302-0150
【特色・近況】空調設備、給排水衛生設備、電気設備などを手がける総合設備工事会社。超高層ビル、ホテル、商業施設、美術館やドーム球場などを施工。既存設備を省エネ対応に更新するリニューアル工事や内装工事などを推進。大成建設の子会社。
【設立】1965.4 【資本金】625百万円
【社長】田行啓一(1957.10生 福井大院建設工修了)
【株主】〔24.3〕大成建設99.9%
【事業】給排水衛生設備工事46、冷暖房空気調和設備工事47、電気設備工事7
【従業員】単518名(42.3歳)

【業績】	売上高	営業利益	経常利益	純利益
単22.3	32,149	2,156	2,233	1,539
単23.3	37,812	2,975	3,037	2,135
単24.3	36,055	3,309	3,392	2,455

大成ユーレック

株式公開計画なし

採用内定数	倍率	3年後離職率	平均年収
13名	‥	23.1%	[総]671万円

●待遇、制度●
【初任給】月23万
【残業】25.8時間【有休】12.3日【制度】[住]
●新卒定着状況●
20年入社(男11、女2)→3年後在籍(男9、女1)
●採用情報●
【人数】23年:22 24年:17 25年:応募‥→内定13*
【内定内訳】(男12、女1)(文1、理8)(総13、他0)
【試験】〔Web会場〕SPI3〔Web自宅〕SPI3〔性格〕有
【時期】エントリー24.12→内々定25.3*(一次はWEB面接可)【インターン】有
【採用実績校】近大1、日大2、ものつくり大2、東洋大1、東京経大2、浅野工学専2、青山製図専1、宇都宮日建工科専1、久留米工大1
【求める人材】何事にも好奇心と責任感を持って、明るく前向きにチャレンジできる人

【本社】105-0001 東京都港区虎ノ門2-2-1 住友不動産虎ノ門タワー ☎03-6230-1700
【特色・近況】プレキャスト鉄筋コンクリート(PC)集合住宅の設計施工の最大手。賃貸マンション、社宅・独身寮、高齢者向け住宅などの建設、リニューアル工事、コンクリート部材の販売を行う。公共集合住宅の再生事業などにも取り組む。大成建設グループ。
【設立】1963.8 【資本金】4,500百万円
【社長】青木卓(1960.6生 東工大院社会工修了)
【株主】〔24.3〕大成建設100%
【事業】建設99、不動産等1
【従業員】単399名(45.4歳)

【業績】	売上高	営業利益	経常利益	純利益
単22.3	33,155	589	680	360
単23.3	35,728	592	701	450
単24.3	33,400	▲746	▲590	▲424

㈱大仙

株式公開計画なし

採用内定数	倍率	3年後離職率	平均年収
5名	3倍	66.7%	[総]610万円

●待遇、制度●
【初任給】月23万(固定残業代10時間分)
【残業】6.8時間【有休】10.9日【制度】[フ][住][在]
●新卒定着状況●
20年入社(男3、女0)→3年後在籍(男1、女0)
●採用情報●
【人数】23年:8 24年:10 25年:応募15→内定5*
【内定内訳】(男3、女2)(文2、理2)(総4、他1)
【試験】〔性格〕有
【時期】エントリー24.9→内々定24.11*(一次・二次以降もWEB面接可)【インターン】有【ジョブ型】有
【採用実績校】愛媛大1、京都女大1、愛知工業大1、佐賀大1
【求める人材】積極性と創造性を尊重する自由な社風の中でバイタリティあふれる人

【本社】440-8521 愛知県豊橋市下地町字柳目8 ☎0532-54-6527
【特色・近況】農業用温室・ビニールハウスなど温室建築のパイオニア。トップライトなどの採光建築、エクステリアの設計・施工、農業資材や額縁の製造販売も手がける。採光建築は植物園や研究用温室からスポーツ施設やショッピングモールまで幅広く対応。
【設立】1960.4 【資本金】100百万円
【社長】鈴木健嗣(1981.3生 名学院大経済卒)
【株主】〔24.5〕鈴木健嗣27.4%
【事業】温室・トップライト65、エクステリア23、額縁12
【従業員】単250名(40.0歳)

【業績】	売上高	営業利益	経常利益	純利益
単21.5	13,936	51	373	259
単22.5	13,505	93	286	198
単23.5	17,081	174	299	▲483

#年収高く倍率低い

大日本土木（だいにっぽんどぼく）

株式公開計画なし

採用内定数	倍率	3年後離職率	平均年収
37名	4.6倍	26.9%	[総]815万円

●待遇、制度●
【初任給】月26.5万（諸手当1.5万円）
【残業】30.3時間【有休】10日【制度】[フ][住][在]
●新卒定着状況●
20年入社（男37、女15）→3年後在籍（男31、女7）
●採用情報●
【人数】23年:36 24年:31 25年:応募170→内定37*
【内定内訳】（男28、女9）（文18、理7）（総37、他0）
【試験】なし
【時期】エントリー24.10→内々定24.12*（一次はWEB面接可）【インターン】有
【採用実績校】香川大1、福井大1、石川県大1、富山大1、中大1、関大1、日大2、愛知工業大1、大阪工大1、東海大1、他
【求める人材】協調性・コミュニケーション能力に富み、熱意・意欲を持っている人

【本店】500-8555 岐阜県岐阜市宇佐南1-3-11
☎058-276-1111
【特色・近況】道路、ビル、マンション、港湾、河川、上下水道など幅広い分野の建設・土木工事を全国規模で請け負う。海外ではODA事業を軸に52の国・地域、200件超の建設プロジェクトに実績。1924年創業。舗装土木の大手NIPPOの連結子会社。
【設立】1944.6 【資本金】2,000百万円
【社長】松雅彦（1963.1生 福岡大工卒）
【株主】〔24.3〕NIPPO84.9%
【事業】土木51、建築49、開発0 <海外13>
【従業員】[単]893名（44.0歳）

【業績】	売上高	営業利益	経常利益	純利益
[単]22.3	84,343	5,002	5,049	3,455
[単]23.3	81,947	2,678	3,159	2,124
[単]24.3	74,073	2,523	3,152	3,211

#年収高く倍率低い #年収が高い

㈱太平エンジニアリング（たいへい）

株式公開計画なし

採用内定数	倍率	3年後離職率	平均年収
14名	8.3倍	28.6%	[総]882万円

●待遇、制度●
【初任給】月24万
【残業】30.8時間【有休】9.2日【制度】[住]
●新卒定着状況●
20年入社（男12、女2）→3年後在籍（男8、女2）
●採用情報●
【人数】23年:20 24年:19 25年:応募116→内定14*
【内定内訳】（男11、女3）（文10、理4）（総12、他2）
【試験】〔Web自宅〕SPI3〔性格〕有
【時期】エントリー24.10→内々定25.1*（一次はWEB面接可）【インターン】有
【採用実績校】帝京大1、札幌学大1、明星大1、久留米大1、東京経大1、芝工大1、八戸学大1、東北学大1、東北工大1、創価大1、他
【求める人材】対話力、応用力、持続力がある人

【本社】113-8474 東京都文京区本郷1-19-6
☎03-3817-5511
【特色・近況】空調、給排水、衛生などの設計・保守・改修が主力の建築設備会社。賃貸ビル、外食、物販向けなどに全国展開。独自の建物管理システムやリノベーション事業も行う。グループ会社で外食や保険代理業など幅広く事業を運営。海外は東南アジア軸に事業展開。
【設立】1949.5 【資本金】490百万円
【社長】後藤悟志（1957.11生 青学大経営卒）
【株主】〔24.3〕後藤悟志21.0%
【事業】管工事52、ガスヒーティング・クーリング工事11、ビルメンテナンス他37
【従業員】[単]1,938名（41.9歳）

【業績】	売上高	営業利益	経常利益	純利益
[単]22.3	56,260	3,048	3,068	2,012
[単]23.3	59,796	3,311	3,382	2,274
[単]24.3	63,749	4,096	4,100	2,874

大豊建設（だいほうけんせつ）

東証スタンダード

採用内定数	倍率	3年後離職率	平均年収
84名	1.9倍	25%	794万円

●待遇、制度●
【初任給】月26万
【残業】29.8時間【有休】10日【制度】[住]
●新卒定着状況●
20年入社（男46、女6）→3年後在籍（男34、女5）
●採用情報●
【人数】23年:53 24年:49 25年:応募162→内定84*
【内定内訳】（男70、女14）（文7、理70）（総84、他0）
【試験】〔筆記〕有〔性格〕有
【時期】エントリー25.3→内々定25.6*（一次はWEB面接可）【インターン】有
【採用実績校】愛知工業大2、愛媛大1、鹿児島大1、金沢工大1、関大1、九州工大1、中大1、東理大1、東北学大1、明大1、他
【求める人材】ものづくりに興味があり、協調性を重んじることができる人、また誠実で素直な人

【本社】104-8289 東京都中央区新川1-24-4
☎03-3297-7000
【特色・近況】麻生グループの中堅ゼネコン。基礎工事で用いるニューマチックケーソン工法に定評。レインボーブリッジや東京湾アクアラインなど大型プロジェクトに参画。民間建築はマンション主体だが、物流施設など非住宅分野も育成。
【設立】1949.3 【資本金】10,000百万円
【代表取締役】森下覚恵（1956.4生 佐賀大理工卒）
【株主】〔24.3〕麻生49.0%
【連結事業】土木45、建築52、他3
【従業員】[連]1,758名 [単]1,098名（45.1歳）

【業績】	売上高	営業利益	経常利益	純利益
[連]22.3	156,520	8,857	9,316	5,987
[連]23.3	156,050	5,064	5,054	2,914
[連]24.3	163,222	466	1,259	▲2,072

大有建設（たいゆうけんせつ）

株式公開計画なし

採用内定数	倍率	3年後離職率	平均年収
20名	2倍	42.9%	711万円

●待遇、制度●
【初任給】月25.8万(諸手当0.4万円)
【残業】20時間【有休】11.1日【制度】住 在
●新卒定着状況●
20年入社(男7、女0)→3年後在籍(男4、女0)
●採用情報●
【人数】23年:16 24年:17 25年:応募40→内定20*
【内定内訳】(男‥、女‥)(文5、理15)(総20、他‥)
【試験】なし
【時期】エントリー24.11→内々定25.1*(一次・二次以降もWEB面接可)【インターン】有【ジョブ型】有
【採用実績校】愛知学大1、大同大1、愛知工業大5、中部大1、富山県大1、信州大1
【求める人材】常に向上心を持ち、新しい事を学ぶ姿勢のある人、自ら考え行動できる人

【本社】460-8383 愛知県名古屋市中区金山5-14-2 ☎052-881-1581
【特色・近況】道路舗装が柱の建設会社で、電力、ガス、上下水道工事等も行う。リサイクル土質改良プラント、産廃物再利用など環境事業、アスファルト合材などの製造・販売、道路舗装の研究も展開。海外は主に東南アジアでの道路建設に技術者を派遣。
【設立】1943.1 【資本金】100百万円
【社長】川中喜雄(1957.8生 武蔵大卒)
【株主】〔23.6〕川中喜雄20.5%
【事業】舗装工事62、他土木工事18、建築工事1、生コン製造3、アスファルト合材製造9、他7
【従業員】単436名(44.3歳)

【業績】	売上高	営業利益	経常利益	純利益
単21.6	26,951	2,514	2,697	1,632
単22.6	23,700	‥	‥	1,743
単23.6	23,338	1,443	1,860	1,200

太洋基礎工業（たいようきそこうぎょう）

東証スタンダード

採用内定数	倍率	3年後離職率	平均年収
2名	35倍	71.4%	592万円

●待遇、制度●
【初任給】月25万(諸手当3万円)
【残業】14時間【有休】10.3日【制度】住
●新卒定着状況●
20年入社(男7、女0)→3年後在籍(男2、女0)
●採用情報●
【人数】23年:5 24年:3 25年:応募70→内定2*
【内定内訳】(男0、女2)(文2、理0)(総2、他0)
【試験】なし
【時期】エントリー25.3→内々定25.6*(一次はWEB面接可)【インターン】有
【採用実績校】愛知学泉短大1、江戸川大1
【求める人材】コミュニケーション能力があり、柔軟で行動力のある人

【本社】454-0871 愛知県名古屋市中川区柳森町107 ☎052-362-6351
【特色・近況】特殊土木工事と住宅地盤改良工事が2本柱。特殊土木工事は官公需中心。下水道・電力・ガスなど管路敷設工事に加え、耐震・傾いた建物の矯正・液状化防止工事を展開。個人住宅など構造物の築造に不可欠な住宅地盤改良工事は積水ハウスが主顧客。
【設立】1967.5 【資本金】456百万円
【社長】加藤行正(1960.11生 愛知大法経卒)
【株主】〔24.7〕豊住清23.0%
【事業】特殊土木工事48、住宅関連工事30、環境関連工事7、建築16、機械製造販売0、再生可能エネルギー0
【従業員】単218名(45.3歳)

【業績】	売上高	営業利益	経常利益	純利益
単22.1	12,933	575	655	474
単23.1	14,709	797	941	613
単24.1	14,571	225	314	212

#採用数が多い

髙松建設（たかまつけんせつ）

株式公開計画なし

採用内定数	倍率	3年後離職率	平均年収
107名	7.2倍	19.3%	‥

●待遇、制度●
【初任給】月26.5万(諸手当1.1万円)
【残業】19.5時間【有休】10.1日【制度】住
●新卒定着状況●
20年入社(男89、女20)→3年後在籍(男70、女18)
●採用情報●
【人数】23年:142 24年:109 25年:応募772→内定107*
【内定内訳】(男78、女29)(文25、理82)(総107、他0)
【試験】〔Web自宅〕WEB-GAB
【時期】エントリー24.9→内々定24.12(一次はWEB面接可)【インターン】有【ジョブ型】有
【採用実績校】日大9、大阪工大9、東海大6、関西学大5、東京電機大5、近大4、関東学院大4、和歌山大3、日工大3、拓大3、大手前大3、他
【求める人材】柔軟な発想で自ら考え行動力のある人、オリジナリティ豊かな人、自らを向上させていく意欲をもった人

【本社】532-0025 大阪府大阪市淀川区新北野1-2-3 ☎06-6307-8110
【特色・近況】東京、大阪、名古屋、福岡中心に土地活用コンサルも展開する総合建設会社。賃貸マンション、オフィスビル、店舗、工場、物流施設など5000棟を超える建築実績をもつ。1917年創業で髙松コンストラクショングループの中核会社。
【設立】1980.11 【資本金】5,000百万円
【社長】髙松孝年(1970.9生 関西学大商卒)
【株主】〔24.3〕髙松コンストラクショングループ100%
【事業】建設93、不動産7
【従業員】単1,743名(37.5歳)

【業績】	売上高	営業利益	経常利益	純利益
単22.3	78,539	4,191	5,291	3,940
単23.3	86,056	5,271	6,515	4,986
単24.3	92,336	4,241	5,206	3,857

㈱田中建設（たなかけんせつ）

株式公開計画なし

採用内定数	倍率	3年後離職率	平均年収
5名	21.6倍	20%	㊇715万円

●待遇、制度●
【初任給】月24万
【残業】21.1時間【有休】11日【制度】住

●新卒定着状況●
20年入社(男5、女0)→3年後在籍(男4、女0)

●採用情報●
【人数】23年:10 24年:7 25年:応募108→内定5*
【内定内訳】(男5、女0)(文・・、理・・)(総5、他0)
【試験】〔筆記〕有〔性格〕有
【時期】エントリー25.3→内々定25.4【インターン】有
【採用実績校】明星大1、中央工学校専1、他

【求める人材】ものづくりにおいて誰にも負けたくない人、人に思いやりの持てる人

【本社】192-0083 東京都八王子市旭町11-6
☎042-656-1100
【特色・近況】東京三多摩が主力地盤の建設会社。集合住宅や公共工事、医療・福祉・教育施設や店舗・オフィスの建設が中心。遺跡調査、舗装、造成など土木工事や、マンションおよびオフィスのリノベーション事業も手がける。子会社でマンション分譲。
【設立】1946.3 【資本金】300百万円
【社長】田中義照(1971.11生 東海大工卒)
【株主】〔24.3〕田中祥皖35.8%
【事業】建築84、土木4、リフォーム8、ホテル1、不動産3
【従業員】単225名(43.8歳)

【業績】	売上高	営業利益	経常利益	純利益
単22.3	17,520	888	857	437
単23.3	18,108	818	774	550
単24.3	19,499	1,051	1,007	603

#初任給が高い

田中土建工業（たなかどけんこうぎょう）

株式公開計画なし

採用予定数	倍率	3年後離職率	平均年収
5名	-	50%	㊇817万円

●待遇、制度●
【初任給】月31.7万(諸手当2.4万円、固定残業代40時間分)
【残業】30時間【有休】6日【制度】住

●新卒定着状況●
20年入社(男8、女0)→3年後在籍(男4、女0)

●採用情報●
【人数】23年:3 24年:6 25年:応募10→内定0*
【内定内訳】(男・・、女・・)(文・・、理・・)(総・・、他・・)
【試験】〔筆記〕常識〔Web自宅〕有
【時期】エントリー25.3→内々定25.6*(一次はWEB面接可)【インターン】有【ジョブ型】有
【採用実績校】・・

【求める人材】企業理念、社会的責任に共感、理解し、仕事に責任が持てる人

【本社】160-0003 東京都新宿区四谷本塩町14-1
☎03-3353-2131
【特色・近況】首都圏が地盤のオフィス、マンション、戸建住宅など民間建築主体の中堅建設会社。賃貸ビルやマンションを約50棟保有し不動産事業も展開。省エネ・外壁などのリノベーションやリフォーム事業にも注力。故田中角栄元首相が創業。
【設立】1951.10 【資本金】1,200百万円
【社長】田中正和(1950.8生 中大理工卒)
【株主】〔24.3〕田盛不動産60.3%
【事業】建設81、不動産19
【従業員】単210名(41.0歳)

【業績】	売上高	営業利益	経常利益	純利益
単21.9	9,015	767	680	435
単22.9	9,275	676	702	444
単23.9	10,014	801	848	515

地崎道路（ちざきどうろ）

株式公開計画なし

採用内定数	倍率	3年後離職率	平均年収
3名	2.3倍	25%	㊇570万円

●待遇、制度●
【初任給】月22万
【残業】15時間【有休】8.5日【制度】住

●新卒定着状況●
20年入社(男5、女3)→3年後在籍(男3、女3)

●採用情報●
【人数】23年:10 24年:5 25年:応募7→内定3*
【内定内訳】(男2、女1)(文0、理1)(総3、他0)
【試験】〔筆記〕有〔性格〕有
【時期】エントリー25.3→内々定25.6【インターン】有
【採用実績校】東京農業大1

【求める人材】インフラへの関心が強く、仕事に対して常に挑戦する気持ちがある人

【本社】108-0075 東京都港区港南2-13-31 品川NSSビル6階
☎03-5460-1031
【特色・近況】空港施設や高速道路、一般道路などの舗装工事が主力事業。航空機着陸拘束装置の設置技術や微生物利用の油汚染浄化技術に特色。新千歳空港の滑走路や誘導路の舗装維持・除雪などメンテナンスに携わる。アスファルトやコンクリートの製販も手がける。
【設立】1968.4 【資本金】350百万円
【社長】横平聡(1954.2生 東京都市大卒)
【株主】〔24.3〕ICホールディングス100%
【事業】舗装・土木・水道施設工事83、合材製造販売他17
【従業員】単142名(45.6歳)

【業績】	売上高	営業利益	経常利益	純利益
単22.3	8,351	360	350	213
単23.3	9,384	581	571	▲1,487
単24.3	7,560	520	512	282

地熱(ちねつ)エンジニアリング

株式公開計画なし

採用内定数	倍率	3年後離職率	平均年収
2名	3倍	0%	㊕605万円

●待遇、制度●
【初任給】月24.1万
【残業】15.6時間【有休】14.8日【制度】住 在

●新卒定着状況●
20年入社(男3、女0)→3年後在籍(男3、女0)

●採用情報●
【人数】23年:1 24年:2 25年:応募6→内定2*
【内定内訳】(男1、女1)(文1、理1)(総0、他2)
【試験】〔筆記〕有〔Web会場〕SPI3〔Web自宅〕SPI3〔性格〕有
【時期】エントリー25.3→内々定25.6*(一次・二次以降もWEB面接可)【インターン】有
【採用実績校】‥
【求める人材】理工学系(資源開発分野以外も含む)の人だけではなく、地熱や再生エネルギーにかかわる仕事に興味がある人

【本社】020-0758 岩手県滝沢市大釜大清水356-6 ☎019-691-9300
【特色・近況】地熱開発・発電の調査と地熱井の掘削工事が2本柱。地熱発電所開発段階での地質調査から建設後の各種検層など地熱貯留層の管理まで手がける。NEDOによる地熱発電技術研究開発関連のプロジェクトに多数参画。掘削機器レンタル業も展開。
【設立】1976.12 【資本金】80百万円
【社長】梶原竜哉
【株主】〔24.3〕日本重化学工業100%
【事業】さく井65、探査35
【従業員】単84名(38.6歳)

【業績】	売上高	営業利益	経常利益	純利益
単22.3	2,811	241	252	174
単23.3	3,201	181	209	139
単24.3	2,718	128	140	85

中央総業(ちゅうおうそうぎょう)

株式公開いずれしたい

採用予定数	倍率	3年後離職率	平均年収
4名	‥	ー	㊕430万円

●待遇、制度●
【初任給】月24万(諸手当5万円)
【残業】5.1時間【有休】11.3日【制度】住

●新卒定着状況●
20年入社(男0、女0)→3年後在籍(男0、女0)

●採用情報●
【人数】23年:2 24年:2 25年:予定4
【内定内訳】(男‥、女‥)(文‥、理‥)(総‥、他‥)
【試験】なし
【時期】エントリー25.3→内々定25.8*(一次はWEB面接可)
【採用実績校】四天王寺大1
【求める人材】失敗を恐れないチャレンジ精神のある人

【本社】252-0303 神奈川県相模原市南区相模大野3-20-1 中央総業ビル4階 ☎042-765-5500
【特色・近況】建築あと施工アンカー工事の専門会社。アンカー工事主力に耐震補強工事、ダイヤモンド工事(コア、ワイヤソーなど)、樹脂注入工事、スクリューギア打設工事などを手がける。あと施工アンカー技術資格者数は業界トップクラス。
【設立】1985.11 【資本金】80百万円
【社長】原健一(1973.1生)
【株主】〔24.3〕中央総業グループ本社100%
【事業】アンカー工事70、耐震工事20、ダイヤモンドコア工事10
【従業員】単123名(35.0歳)

【業績】	売上高	営業利益	経常利益	純利益
単22.3	4,375	▲79	57	▲3
単23.3	4,631	▲110	150	31
単24.3	5,442	▲60	82	40

中央電気工事(ちゅうおうでんきこうじ)

株式公開計画なし

採用内定数	倍率	3年後離職率	平均年収
14名	6.1倍	15%	㊕717万円

●待遇、制度●
【初任給】月23.5万(諸手当5.5万円)
【残業】25時間【有休】10.3日【制度】住

●新卒定着状況●
20年入社(男18、女2)→3年後在籍(男15、女2)

●採用情報●
【人数】23年:11 24年:12 25年:応募85→内定14*
【内定内訳】(男12、女2)(文3、理3)(総1、他13)
【試験】〔筆記〕常識、他
【時期】エントリー25.3→内々定25.6*【インターン】有
【採用実績校】大同大2、愛知大2、愛知淑徳大1、東海職能大学校1、日本工学院専1、名古屋工学院専2、名古屋高等技術専1、他
【求める人材】リーダーシップがとれ、コミュニケーション能力のある人

【本社】460-8434 愛知県名古屋市中区栄3-14-22 ☎052-262-2151
【特色・近況】東海地区の電気工事大手。設計・施工・メンテまで一貫体制。中部電力など電力会社の配電・発変電設備工事、情報通信関連工事を手がける。風力発電設備など新エネルギー関連の大型工事に実績。中部圏・関東圏を基盤に全国展開。
【設立】1945.3 【資本金】100百万円
【社長】加藤大策(1970.9生 早大院修了)
【株主】〔23.6〕エス・エッチ・ケイ10.0%
【事業】電気工事93、電気通信工事6、土木一式工事1、他0
【従業員】単415名(40.7歳)

【業績】	売上高	営業利益	経常利益	純利益
単21.6	23,187	1,691	1,857	1,058
単22.6	23,542	1,499	1,657	1,006
単23.6	25,501	1,271	1,441	844

中央電設（ちゅうおうでんせつ）

株式公開していない

採用内定数	倍率	3年後離職率	平均年収
16名	2.8倍	14.3%	634万円

●待遇、制度●
【初任給】月22.5万
【残業】25.1時間【有休】11.7日【制度】住 在
●新卒定着状況●
20年入社(男13、女1)→3年後在籍(男11、女1)
●採用情報●
【人数】23年:15 24年:10 25年:応募45→内定16*
【内定内訳】(男14、女2)(文3、理4)(総16、他0)
【試験】〔Web自宅〕有
【時期】エントリー25.3→内々定25.4(一次・二次以降もWEB面接可)【インターン】有
【採用実績校】龍谷大1、大阪電通大1、大阪産大1、愛知工業大1、東海大1、追手門学大1、神戸学大1、小山高専1、産業技術短大1、他
【求める人材】コミュニケーション力に長け、自ら考え行動できる人

【本社】553-0001 大阪府大阪市福島区海老江1-1-31 ☎06-6453-8720
【特色・近況】阪急阪神東宝グループの総合設備工事会社。ビルや工場、阪神電鉄を中心とした駅・鉄道の電気設備、空調・衛星設備などグループネットワークを活かし幅広く展開。施工以外の技術支援やアフターフォローなど総合的な工事サービスを重視。
【設立】1948.1【資本金】323百万円
【社長】岡田康彦(1963.1生 同大工卒)
【株主】〔24.3〕阪神電気鉄道76.3%
【事業】内線工事58、鉄道工事21、設備工事12、計装工事8
【従業員】単251名(‥歳)

【業績】	売上高	営業利益	経常利益	純利益
単22.3	12,308	750	778	541
単23.3	11,127	787	825	609
単24.3	‥	‥	‥	812

㈱中部（ちゅうぶ）

株式公開計画なし

採用内定数	倍率	3年後離職率	平均年収
8名	4.6倍	16.7%	‥

●待遇、制度●
【初任給】月24万
【残業】21.9時間【有休】12.7日【制度】住 在
●新卒定着状況●
20年入社(男5、女1)→3年後在籍(男4、女1)
●採用情報●
【人数】23年:5 24年:8 25年:応募37→内定8
【内定内訳】(男5、女3)(文6、理1)(総8、他0)
【試験】〔Web自宅〕有〔性格〕有
【時期】エントリー25.1→内々定25.3(一次・二次以降もWEB面接可)【インターン】有
【採用実績校】愛知工業大1、愛知大1、専大1、中京大1、名城大1、名古屋工学院専1、名古屋商大1、名古屋学院大1
【求める人材】素直で成長意欲があり、自分の思いや考えを発言できる人

【本社】441-8588 愛知県豊橋市神野新田町字トノ割28 ☎0532-31-1111
【特色・近況】サーラコーポレーション傘下で空調・給排水・ガス設備などの設備工事会社。上下水道本管工事や舗装工事も手がけるほか、ビル建材やセメントの販売とLAN環境の構築なども行う。子会社再編など通じてグループ連携強化と経営効率化を推進。
【設立】1963.4【資本金】2,322百万円
【社長】榑林孝尚
【株主】〔23.11〕リーラコーポレーション100%
【事業】建設、建材、情報通信
【従業員】単243名(43.0歳)

【業績】	売上高	営業利益	経常利益	純利益
単21.11	18,121	1,087	1,292	1,029
単22.11	15,654	758	964	708
単23.11	17,085	1,208	1,576	1,348

千代田エクスワンエンジニアリング

株式公開未定

採用内定数	倍率	3年後離職率	平均年収
19名	4.5倍	12.5%	‥

●待遇、制度●
【初任給】月24万
【残業】23.8時間【有休】14.5日【制度】フ 住 在
●新卒定着状況●
20年入社(男22、女2)→3年後在籍(男19、女2)
●採用情報●
【人数】23年:12 24年:13 25年:応募86→内定19*
【内定内訳】(男15、女4)(文1、理15)(総19、他0)
【試験】〔Web自宅〕有
【時期】エントリー25.3→内々定25.3*(一次・二次以降もWEB面接可)【インターン】有
【採用実績校】北九州市大1、関大1、日大3、山形大1、東京都市大1、千葉工大1、徳島大1、青森公大1、鹿児島大1、豊橋技科大1、他
【求める人材】プラントエンジニアリングに興味を持ち、ものづくりに意欲のある人

【本社】221-0022 神奈川県横浜市神奈川区守屋町3-13 ☎045-441-9341
【特色・近況】千代田化工建設グループの総合エンジニアリング会社。石油・化学・エネルギー・環境・医薬などのプラントの企画から施工・メンテまで一貫体制。保険代理店事業も手がける。23年4月にグループ会社が合併し発足。新たな分野への積極的な営業展開を図る。
【設立】1974.4【資本金】150百万円
【社長】伊藤卓(1962.6生 慶大法卒)
【株主】〔24.3〕千代田化工建設100%
【事業】石油・石油化学・金属60、医薬・ライフサイエンス・一般化学30、環境・新エネ・インフラ他10
【従業員】単704名(44.0歳)

【業績】	売上高	営業利益	経常利益	純利益
単23.3	27,652	981	930	1,205
単24.3	55,336	3,327	3,318	1,771

23.3期までの財務・業績は千代田工商の数値

建設・不動産

電通工業（でんつうこうぎょう）

株式公開 いずれしたい

採用内定数	倍率	3年後離職率	平均年収
6名	1.3倍	35.7%	‥

●待遇、制度●
【初任給】月25.1万(諸手当1.8万円)
【残業】‥時間【有休】7.5日【制度】住
●新卒定着状況●
20年入社(男9、女5)→3年後在籍(男5、女4)
●採用情報●
【人数】23年:7 24年:7 25年:応募8→内定6*
【内定内訳】(男4、女2)(文3、理0)(総0、他6)
【試験】〔性格〕有
【時期】エントリー通年→内々定通年
【採用実績校】‥
【求める人材】チャレンジ精神が旺盛な人、自ら考え、周りに伝えることが出来る人

【本社】140-0011 東京都品川区東大井5-11-2 K-11ビル ☎03-5479-3711
【特色・近況】情報通信システムの販売・施工・メンテナンスが主力。回線管理サービス「回線秘書」による運用支援に特色。官公庁・金融機関のほか優良企業に強固な顧客基盤。消防設備事業やPBX(電話交換機)、ゲートウェイ機器等のレンタルサービス業も展開。
【設立】1954.3 【資本金】220百万円
【社長】有若信雄(1941.11生 中大商卒)
【株主】〔24.6〕有若信雄55.6%
【事業】通信設備85、OA・コンピュータ10、弱電設備工事5、電気工事0
【従業員】単183名(40.8歳)

【業績】	売上高	営業利益	経常利益	純利益
単22.3	4,813	191	118	114
単23.3	4,839	192	254	162
単24.3	5,290	380	415	229

東亜外業（とうあがいぎょう）

株式公開 計画なし

採用内定数	倍率	3年後離職率	平均年収
2名	3倍	14.3%	533万円

●待遇、制度●
【初任給】月22万
【残業】17.1時間【有休】12.7日【制度】住 在
●新卒定着状況●
20年入社(男7、女0)→3年後在籍(男6、女0)
●採用情報●
【人数】23年:3 24年:7 25年:応募6→内定2*
【内定内訳】(男2、女0)(文2、理0)(総2、他0)
【試験】〔性格〕有
【時期】エントリー 25.3→内々定25.6(一次はWEB面接可)
【採用実績校】神戸学大1、神戸国際大1
【求める人材】コミュニケーションを大切にし、役割意識を持って困難と向き合える人

【本社】650-0024 兵庫県神戸市中央区海岸通6 建隆ビルⅡ9階 ☎078-332-5555
【特色・近況】プラントの石油精製・化学装置の配管・機器据付や点検補修、水道・ガスなどの管工事を請け負う。工場部門を持ち大口径溶接鋼管や鋼構造物も製造。祖業である外業(船舶造修構内作業)の技術活かし業容を拡大。設計部門は仕様条件に加え安全性、作業性等の検討を行う。
【設立】1952.6 【資本金】90百万円
【社長】小本一博(1970.10生 法大工卒)
【株主】〔24.3〕小本一博46.2%
【事業】建設工事80、大口径鋼管製造18、船舶建造2
【従業員】単386名(48.0歳)

【業績】	売上高	営業利益	経常利益	純利益
単22.3	10,196	361	557	162
単23.3	11,478	905	1,119	542
単24.3	11,112	927	1,125	755

東海プラントエンジニアリング

株式公開 いずれしたい

採用内定数	倍率	3年後離職率	平均年収
7名	2倍	20%	630万円

●待遇、制度●
【初任給】月26.1万(諸手当2.1万円)
【残業】23時間【有休】15日【制度】住
●新卒定着状況●
20年入社(男14、女1)→3年後在籍(男12、女0)
●採用情報●
【人数】23年:9 24年:12 25年:応募14→内定7*
【内定内訳】(男6、女1)(文2、理2)(総7、他0)
【試験】〔性格〕有
【時期】エントリー 25.3→内々定25.4*【インターン】有
【採用実績校】高知大1、愛知学大1、中部大1、同朋大1、福岡工大短大1、名古屋工学院専2
【求める人材】物事を大局的に捉える事ができる人、明朗・快活な人

【本社】457-0856 愛知県名古屋市南区南陽通り6-1 ☎052-691-2141
【特色・近況】一般産業機械や各種設備など産業設備プラントの設計施工とメンテナンスを手がける。中部圏が地盤。安定収益源のメンテナンスを軸に、新技術開発や提案営業を強化。省エネ、省力化、環境対策設備のトータルシステム化に力を入れる。
【設立】1943.6 【資本金】200百万円
【会長】山田博之(1954.9生 青学大文卒)
【株主】〔24.3〕名古屋中小企業投資育成28.3%
【事業】機械器具設置60、管工事18、鋼構造物21、他1
【従業員】単424名(41.8歳)

【業績】	売上高	営業利益	経常利益	純利益
単22.3	14,338	668	835	612
単23.3	15,239	750	864	582
単24.3	14,282	773	950	633

#有休取得が多い

東急テクノシステム（とうきゅう）

株式公開計画なし

採用内定数	倍率	3年後離職率	平均年収
4名	13.3倍	23.5%	㊙619万円

●待遇、制度●
【初任給】月21.7万
【残業】20時間【有休】21.9日【制度】住 在

●新卒定着状況●
20年入社(男15、女2)→3年後在籍(男12、女1)

●採用情報●
【人数】23年:12 24年:14 25年:応募53→内定4*
【内定内訳】(男4、女0)(文4、理0)(総4、他0)
【試験】〔筆記〕有〔Web自宅〕WEB-GAB〔性格〕有
【時期】エントリー25.3→内々定25.4(二次以降はWEB面接可)【インターン】有
【採用実績校】専大1、日大1、亜大1、東海大1
【求める人材】公共交通の「安全・安心」と「サービス向上」のため、お客さまに「新しい価値」を提供し続けることに挑戦する人

【本社】211-0067 神奈川県川崎市中原区今井上町11-21 ☎044-733-4351
【特色・近況】電車線路や高圧配電線路など電路のほか、信号保安設備やホームドア設置鉄道電気工事を手がける。電車やバスの改造・整備・修理・保守も行う。運転士・車掌など養成用シミュレーターの製作や訓練プログラムも展開。東急の連結子会社。
【設立】1940.3 【資本金】480百万円
【社長】村田和夫(1960.4生)
【株主】〔24.3〕東急100%
【事業】交通事業42、電設事業58
【従業員】単520名(44.1歳)

【業績】	売上高	営業利益	経常利益	純利益
単22.3	10,145	514	520	435
単23.3	10,278	835	843	587
単24.3	10,865	1,184	1,194	796

東京舗装工業（とうきょうほそうこうぎょう）

株式公開計画なし

採用内定数	倍率	3年後離職率	平均年収
7名	4.3倍	75%	646万円

●待遇、制度●
【初任給】月24.6万(諸手当1.2万円)
【残業】24.2時間【有休】13.9日【制度】住 在

●新卒定着状況●
20年入社(男8、女0)→3年後在籍(男2、女0)

●採用情報●
【人数】23年:9 24年:11 25年:応募30→内定7*
【内定内訳】(男6、女1)(文3、理4)(総7、他0)
【試験】〔Web会場〕SPI3〔性格〕有
【時期】エントリー25.3→内々定25.4*
【採用実績校】東京農業大3、城西大1、関東学院大1、早大1、日大1
【求める人材】顧客の立場に立った対応ができ、チームワークを大切にし、コミュニケーション能力がある人

【本社】101-0021 東京都千代田区外神田2-4-4 第一電波ビル5階 ☎03-3253-9861
【特色・近況】道路舗装工事を中心に、アスファルト合材の製造・販売と高性能セメント関連製品の販売を手がける。合材・セメントビジネスを積極化。ICT技術を活用した効率化・省力化施工も進める。茨城、岐阜に工場。日本コムシスの完全子会社。
【設立】1947.5 【資本金】100百万円
【社長】瀬良努(1963.5生)
【株主】〔24.4〕日本コムシス100%
【事業】道路舗装80、他20
【従業員】単185名(48.1歳)

【業績】	売上高	営業利益	経常利益	純利益
単22.3	11,076	508	513	317
単23.3	12,097	246	246	133
単24.3	12,445	370	374	97

東武建設（とうぶけんせつ）

株式公開計画なし

採用内定数	倍率	3年後離職率	平均年収
2名	1.5倍	66.7%	500万円

●待遇、制度●
【初任給】月23万
【残業】34.4時間【有休】14.6日【制度】..

●新卒定着状況●
20年入社(男3、女0)→3年後在籍(男1、女0)

●採用情報●
【人数】23年:4 24年:1 25年:応募3→内定2*
【内定内訳】(男0、女2)(文1、理1)(総2、他0)
【試験】〔筆記〕有
【時期】エントリー25.3→内々定25.5*【インターン】有
【採用実績校】足利大1、聖学大1
【求める人材】自発的に行動できる人、コミュニケーション能力の高い人

【本社】321-2492 栃木県日光市大桑町138 ☎0288-21-8321
【特色・近況】東武鉄道の連結子会社。土木・建築工事、鉄道工事など行う総合建設会社。公共施設、リゾート施設、個人住宅の建設から東武線沿線の線路軌道保守など幅広く展開。不動産、測量コンサルタント、携帯基地局建設・保守なども手がける。
【設立】1946.3 【資本金】1,091百万円
【社長】飯野秀夫
【株主】〔24.6〕東武鉄道99.2%
【事業】建設99、兼業1
【従業員】単359名(46.6歳)

【業績】	売上高	営業利益	経常利益	純利益
単22.3	26,206	420	409	149
単23.3	25,117	▲511	▲515	▲512
単24.3	26,198	1,036	1,029	839

東邦建（とうほうけん）

株式公開 計画なし

採用実績数	倍率	3年後離職率	平均年収
6名	‥	33.3%	‥

●待遇、制度●
【初任給】月20.9万(諸手当4.3万円)
【残業】19.5時間【有休】13.8日【制度】‥
●新卒定着状況●
20年入社(男3、女0)→3年後在籍(男2、女0)
●採用情報●
【人数】23年:3 24年:6 25年:予定減少*
【内定内訳】(男‥、女‥)(文‥、理‥)(総‥、他‥)
【試験】〔性格〕有
【時期】エントリー25.3→内々定25.6
【採用実績校】‥
【求める人材】協調性とチャレンジする熱意のある人

【本社】327-0822 栃木県佐野市越名町2041-7
☎0283-24-5556
【特色・近況】光アクセス網整備などNTT通信工事と基地局設置など移動体通信関連工事が主。CATV、LAN、拠点間ネットワーク構築なども手がける。ミライト・ワンの子会社。24年10月にグループ会社と合併、25年1月にミライト・ワン・ネクストに社名変更予定。
【設立】1946.9 【資本金】100百万円
【社長】髙橋正行
【株主】〔24.3〕ミライト・ワン100%
【事業】通信線路部門60、モバイル部門30、IT部門10
【従業員】単134名(45.4歳)

【業績】	売上高	営業利益	経常利益	純利益
単22.3	5,249	470	494	316
単23.3	5,367	716	721	398
単24.3	4,163	293	299	160

東邦電気工業（とうほうでんきこうぎょう）

株式公開 いずれしたい

採用内定数	倍率	3年後離職率	平均年収
6名	3.3倍	20.5%	694万円

●待遇、制度●
【初任給】月21.8万(諸手当2.4万円)
【残業】18.5時間【有休】14日【制度】[住]
●新卒定着状況●
20年入社(男37、女2)→3年後在籍(男29、女2)
●採用情報●
【人数】23年:29 24年:18 25年:応募20→内定6*
【内定内訳】(男5、女1)(文1、理3)(総6、他0)
【試験】〔筆記〕常識、SPI3〔性格〕有
【時期】エントリー25.3→内々定25.4*(一次・二次以降もWEB面接可)【インターン】有
【採用実績校】日大1、関東学院大1、明星大1、大妻女大1、日本工学院八王子専1、大阪電子専1
【求める人材】コミュニケーションを取る事が好きな人、リーダーシップを発揮できる人

【本社】150-0013 東京都渋谷区恵比寿1-19-23
☎03-3448-8211
【特色・近況】鉄道電気、情報通信、一般電気設備が柱の総合電気設備工事会社。鉄道の信号・通信工事、通信事業者の基地局工事、プラント関連工事、再エネ関連、商業施設や公共施設向け工事など幅広く取り組む。鉄道は北陸新幹線や西九州新幹線などに実績。
【設立】1949.1 【資本金】2,204百万円
【社長】小保方剛(1965.10生 東工大院総理工修了)
【株主】〔24.3〕ソフトバンク13.5%
【連結事業】電気設備工事99、不動産賃貸1
【従業員】連948名 単745名(41.8歳)

【業績】	売上高	営業利益	経常利益	純利益
連22.3	34,178	1,043	1,253	782
連23.3	37,920	1,107	1,370	890
連24.3	37,674	1,286	1,610	1,064

東北緑化環境保全（とうほくりょっかかんきょうほぜん）

株式公開 計画なし

採用内定数	倍率	3年後離職率	平均年収
4名	4倍	0%	[総]596万円

●待遇、制度●
【初任給】月21.4万
【残業】11.5時間【有休】12.4日【制度】[フ][住]
●新卒定着状況●
20年入社(男5、女3)→3年後在籍(男5、女3)
●採用情報●
【人数】23年:7 24年:8 25年:応募16→内定4*
【内定内訳】(男2、女2)(文0、理3)(総0、他4)
【試験】〔Web自宅〕SPI3〔性格〕有
【時期】エントリー25.2→内々定25.3*(一次はWEB面接可)【インターン】有
【採用実績校】弘前大院1、新潟大院1、石巻専大1、一関高専1
【求める人材】責任感とプロ意識を持ち常に創意工夫を凝らし環境ソリューションにチャレンジする人

【本社】980-0014 宮城県仙台市青葉区本町2-5-1 NL仙台広瀬通ビル ☎022-263-0607
【特色・近況】緑化工事や緑地管理などの造園土木、環境調査、測定分析、放射線測定など原子力関連の事業を展開。薬品管理支援システムの販売も手がける。多賀城市に環境分析センターを置くほか、東北中心に関東まで計10支社。東北電力のグループ会社。
【設立】1972.4 【資本金】50百万円
【社長】千釜章(1957.10生 東大工卒)
【株主】〔24.3〕東北発電工業70.0%
【事業】造園土木部門、環境部門、商品販売部門
【従業員】単438名(45.3歳)

【業績】	売上高	営業利益	経常利益	純利益
単22.3	9,509	280	280	105
単23.3	10,137	478	493	328
単24.3	11,009	294	296	197

東陽工業（とうようこうぎょう）

株式公開計画なし

採用予定数	倍率	3年後離職率	平均年収
未定	－	0%	561万円

●待遇、制度●
【初任給】月22.6万
【残業】22.4時間【有休】14.8日【制度】‥
●新卒定着状況●
20年入社(男0、女1)→3年後在籍(男0、女1)
●採用情報●
【人数】23年:0 24年:0 25年:応募1→内定0*
【内定内訳】(男‥、女‥)(文‥、理‥)(総‥、他‥)
【試験】〔性格〕有
【時期】エントリー25.3→内々定25.6*【ジョブ型】有
【採用実績校】‥
【求める人材】チームワークやコミュニケーションを大切にする人

【本社】105-0003 東京都港区西新橋2-39-9 ☎03-3431-8201
【特色・近況】電話交換機などの電気通信工事、オフィスや工場などの電気設備から消防設備まで扱う電気・通信の総合エンジニアリング会社。沖電気工業・通信機器特約店としてはトップクラス。企業や官公庁からの元請として直接取引が主体。顧客数は800社超。
【設立】1948.8 【資本金】180百万円
【社長】小島知丈(1966.12生 電機大短大電気卒)
【株主】〔23.9〕東陽工業(自己株) 51.8%
【事業】電気通信工事66、電気工事31、消防設備工事3
【従業員】単80名(47.1歳)

【業績】	売上高	営業利益	経常利益	純利益
単21.9	1,945	185	194	117
単22.9	2,128	164	174	119
単23.9	1,785	54	67	51

東レ建設（とうれけんせつ）

株式公開計画なし

採用内定数	倍率	3年後離職率	平均年収
13名	2.8倍	46.2%	‥

●待遇、制度●
【初任給】月25.5万
【残業】‥時間【有休】15.9日【制度】フ 住 在
●新卒定着状況●
20年入社(男9、女4)→3年後在籍(男6、女1)
●採用情報●
【人数】23年:9 24年:11 25年:応募37→内定13*
【内定内訳】(男10、女3)(文2、理5)(総13、他0)
【試験】〔筆記〕有〔Web自宅〕有〔性格〕有
【時期】エントリー25.3→内々定25.6(一次はWEB面接可)【インターン】有
【採用実績校】京都美工大2、島根大1、鳥取大1、龍谷大1、日大1、放送大1、秋田高専1、仙台高専1、米子高専1、都城高専1、他
【求める人材】課題から逃げず、自ら考え、スピーディーに行動できる人

【本社】530-8222 大阪府大阪市北区中之島3-3-3 中之島三井ビルディング☎06-6447-5152
【特色・近況】建設事業と「シャリエ」ブランドの分譲マンション販売が2本柱。東レのグループ会社で、グループの建設・不動産部門の中核。教育、福祉、医療、物流などの各施設やオフィスビルに実績多い。砂栽培農業施設「トレファーム」事業も手がける。
【設立】1982.11 【資本金】1,503百万円
【社長】古川正人(1961.12生 信州大繊維卒)
【株主】〔24.3〕東レ100%
【事業】建設60、不動産40
【従業員】単344名(43.6歳)

【業績】	売上高	営業利益	経常利益	純利益
単22.3	39,189	1,245	1,329	893
単23.3	36,454	1,178	1,215	806
単24.3	44,069	2,106	2,134	1,460

#有休取得が多い

道路工業（どうろこうぎょう）

株式公開計画なし

採用内定数	倍率	3年後離職率	平均年収
5名	‥	14.3%	総 779万円

●待遇、制度●
【初任給】月22.3万
【残業】32時間【有休】18日【制度】住
●新卒定着状況●
20年入社(男7、女0)→3年後在籍(男6、女0)
●採用情報●
【人数】23年:6 24年:3 25年:応募‥→内定5*
【内定内訳】(男4、女1)(文2、理3)(総5、他0)
【試験】〔筆記〕有〔性格〕有
【時期】エントリー25.3→内々定25.4*【インターン】有
【採用実績校】室蘭工大1、北海道科学大2、北海商大1、藤女大1
【求める人材】自分の考えを持っている人、仲間と協調しコミュニケーションがとれる人

【本社】064-8560 北海道札幌市中央区南8条西15-2-1 ☎011-561-2251
【特色・近況】北海道地盤の土木会社。高速道路や国道のアスファルト・コンクリート舗装工事行う。道路維持や除雪も請け負い。道内に営業所・工事事務所網を構築。札幌に技術試験所と環境管理事務所を持つ。アスファルト合材製造・販売も手がける。森林整備活動でSDGs貢献。
【設立】1949.2 【資本金】100百万円
【社長】中田隆博(1961.8生 武工大院土木修了)
【株主】〔24.3〕道興グループホールディングス100%
【事業】完成工事70、兼業売上30
【従業員】単180名(44.0歳)

【業績】	売上高	営業利益	経常利益	純利益
単22.3	16,113	818	780	518
単23.3	17,353	659	1,206	928
単24.3	15,433	467	495	334

徳倉建設（とくらけんせつ）　名証メイン

採用内定数	倍率	3年後離職率	平均年収
40名	1.4倍	15.8%	740万円

●待遇、制度●
【初任給】月26.9万（諸手当0.9万円）
【残業】32.9時間【有休】8.7日【制度】住 在
●新卒定着状況●
20年入社（男17、女2）→3年後在籍（男14、女2）
●採用情報●
【人数】23年:20 24年:21 25年:応募57→内定40
【内定内訳】（男35、女5）（文5、理34）（総40、他0）
【試験】〔筆記〕常識〔Web自宅〕有〔性格〕有
【時期】エントリー24.11→内々定24.12【インターン】有
【採用実績校】愛知工業大8、中部大7、千葉工大2、名城大1、芝工大1、中京大1、上智大1、東海工業専1
【求める人材】常に前向きで行動力のある人

【本社】460-8615 愛知県名古屋市中区錦3-13-5 ☎052-961-3271
【特色・近況】名古屋地盤の中堅ゼネコン。海洋土木から一般土木、マンションなどの建築まで幅広く展開。コンクリート構造物の補修・補強工事、免震・制振工法に関連する工事が得意。海外では中南米の学校などODA（政府開発援助）工事の実績がある。
【設立】1947.4　【資本金】2,368百万円
【社長】徳倉克己（1971.7生 名城大法卒）
【株主】〔24.3〕徳友会グループ持株会9.0%
【連結事業】建築68、土木28、不動産3、他1 <海外4>
【従業員】連828名 単430名（47.4歳）

【業績】	売上高	営業利益	経常利益	純利益
連22.3	66,965	2,593	2,607	1,679
連23.3	58,523	609	649	590
連24.3	63,691	1,616	1,717	1,163

㈱巴（ともえ）コーポレーション　東証スタンダード

採用内定数	倍率	3年後離職率	平均年収
10名	2倍	4%	659万円

●待遇、制度●
【初任給】月24.5万
【残業】17.6時間【有休】14.9日【制度】フ 住 在
●新卒定着状況●
20年入社（男18、女7）→3年後在籍（男17、女7）
●採用情報●
【人数】23年:16 24年:14 25年:応募20→内定10*
【内定内訳】（男5、女5）（文3、理4）（総9、他1）
【試験】〔筆記〕常識〔性格〕有
【時期】エントリー24.6→内々定24.12*（一次・二次以降もWEB面接可）【インターン】有
【採用実績校】宇都宮大院1、日大院1、工学院大1、日大2、筑波技大1、十文字学女大1、小山高専1、苫小牧高専1、栃木県央産業技術専1
【求める人材】物作りに興味がある人、資格取得に意欲のある人、何事にもチャレンジする人

【本社】104-0054 東京都中央区勝どき4-6-2 ☎03-3533-5311
【特色・近況】体育館・パビリオンなど大空間構造建設のパイオニア。立体構造物、橋梁・鉄骨・鉄塔の設計・製作・施工、建設工事の設計・施工が主軸。虎ノ門ヒルズタワー、東京国際展示場などに実績。東京を中心にした賃貸用オフィスビルの不動産事業が安定収益源。
【設立】1934.6　【資本金】3,000百万円
【社長】深沢隆（1955.2生 東工大工卒）
【株主】〔24.3〕ブラック・クローバー・リミテッド6.4%
【連結事業】鉄構建設93、不動産7
【従業員】連488名 単403名（41.3歳）

【業績】	売上高	営業利益	経常利益	純利益
連22.3	25,301	3,497	3,931	2,756
連23.3	35,982	3,782	4,313	3,175
連24.3	33,342	3,178	3,817	2,782

ナイガイ　株式公開未定

採用内定数	倍率	3年後離職率	平均年収
8名	1.3倍	―	㊀694万円

●待遇、制度●
【初任給】月26万（固定残業代43時間分）
【残業】40時間【有休】13日【制度】住
●新卒定着状況●
20年入社（男0、女0）→3年後在籍（男0、女0）
●採用情報●
【人数】23年:0 24年:6 25年:応募10→内定8*
【内定内訳】（男6、女2）（文7、理1）（総8、他0）
【試験】〔性格〕有
【時期】エントリー24.10→内々定24.11（一次・二次以降もWEB面接可）【インターン】有
【採用実績校】日大1、駒澤大1、北海学園大1、富士大1、久留米工大1、北洋大1、仙台大1、北陸大1
【求める人材】コミュニケーション力が高い人

【本社】130-8528 東京都墨田区緑1-27-8 ☎03-3635-6211
【特色・近況】住宅・ビルなどの保温・保冷工事を主力とした建築工事会社。耐火被覆工事、換気・排煙用ダクト工事なども手がける。耐火、パネル工事、断熱、冷媒配管など複数工事をワンストップで施工。全国に営業拠点を展開。太平洋セメント系。
【設立】1923.10　【資本金】100百万円
【社長】浅井康雄
【株主】〔24.3〕太平洋セメント13.3%
【事業】保温工事60、耐火被覆工事30、他10
【従業員】単222名（42.0歳）

【業績】	売上高	営業利益	経常利益	純利益
単22.3	14,166	870	980	527
単23.3	14,619	698	921	585
単24.3	18,461	1,081	1,365	976

㈱内藤ハウス（ないとう）

株式公開計画なし

採用内定数	倍率	3年後離職率	平均年収
10名	5倍	40%	㊕650万円

●待遇、制度●
【初任給】月24万（諸手当7.5万円、固定残業代30時間分）
【残業】30時間【有休】13日【制度】フ 住 在
●新卒定着状況●
20年入社（男7、女3）→3年後在籍（男5、女1）
●採用情報●
【人数】23年:10 24年:10 25年:応募50→内定10*
【内定内訳】（男9、女1）（文5、理3）（総10、他0）
【試験】なし
【時期】エントリー24.6→内々定25.3(一次・二次以降もWEB面接可)【インターン】有
【採用実績校】東海大1、山梨学大3、山梨英和大1、日工大1、中央工学校専1、日本工学院専1、明星大1、湘南工大1
【求める人材】何事にも積極的であり、チャレンジ精神をもった人

【本社】407-8510 山梨県韮崎市円野町上円井3139 ☎0551-27-2131
【特色・近況】プレハブハウスを主力とする山梨県の建設最大手。製造・販売とリースの2本柱。関東、関西、東北、九州で営業。病院駐車場やイベント施設など施工事例多い。太陽光発電事業も。グループでホテル・温浴施設運営、地方公共団体からの指定管理事業も手がける。
【設立】1969.3 【資本金】100百万円
【社長】内藤篤（1961.3生 専大経済卒）
【株主】〔23.8〕内藤商事76.9%
【事業】プレハブハウス、プレハブハウスリース、自走式駐車場、一般建築工事、ホテル業
【従業員】単340名（42.0歳）

【業績】	売上高	営業利益	経常利益	純利益
単21.8	20,360	851	609	237
単22.8	22,179	1,687	1,754	1,088
単23.8	29,338	3,085	3,057	1,842

㈱ナカノフドー建設（けんせつ）

東証スタンダード

採用内定数	倍率	3年後離職率	平均年収
28名	3.4倍	16%	㊕731万円

●待遇、制度●
【初任給】月27.5万（諸手当1.5万円）
【残業】21.4時間【有休】13日【制度】フ 住 在
●新卒定着状況●
20年入社（男20、女5）→3年後在籍（男16、女5）
●採用情報●
【人数】23年:19 24年:31 25年:応募94→内定28*
【内定内訳】（男19、女9）（文4、理19）（総28、他0）
【試験】〔筆記〕有〔Web自宅〕SPI3〔性格〕有
【時期】エントリー24.9→内々定24.11*(一次・二次以降もWEB面接可)【インターン】有
【採用実績校】日工大1、日大2、東北学大1、東北職能大学校2、名古屋市大1、大阪工大1、福山市大1、高知工科大1、創価大3、他
【求める人材】向上心を持ち、チームワークの大切さを理解し、困難なことにも諦めず努力できる人

【本社】102-0073 東京都千代田区九段北4-2-28 ☎03-3265-4661
【特色・近況】民間建築主体の中堅ゼネコン。関東から全国へ展開。建築中心で工場、物流、教育、マンション・住宅などに強い。東南アジアにも進出し、工場、商業施設、物流センターなどの施工に実績。リノベーション営業を国内外で展開。
【設立】1942.12 【資本金】5,061百万円
【社長】飯塚隆（1958.6生 宇都宮大工卒）
【株主】〔24.3〕公益財団法人大島育英会19.5%
【連結事業】建設99、不動産1、他0 <海外21>
【従業員】連1,363名 単797名（46.1歳）

【業績】	売上高	営業利益	経常利益	純利益
連22.3	96,470	▲840	▲627	▲1,594
連23.3	114,459	2,859	3,134	1,914
連24.3	107,415	3,185	3,835	2,645

㈱中村組（なかむらぐみ）

株式公開していない

採用内定数	倍率	3年後離職率	平均年収
5名	4倍	0%	㊕745万円

●待遇、制度●
【初任給】月21.5万
【残業】16.1時間【有休】13.4日【制度】住
●新卒定着状況●
20年入社（男6、女2）→3年後在籍（男6、女2）
●採用情報●
【人数】23年:8 24年:10 25年:応募20→内定5
【内定内訳】（男5、女0）（文0、理5）（総5、他0）
【試験】〔筆記〕常識〔Web自宅〕SPI3
【時期】エントリー25.3→内々定25.4*【インターン】有
【採用実績校】静岡大1、山梨大1、日大1、福井工大1、愛知学大1
【求める人材】目標達成への強い意志を持ち、最後までやり遂げることができる人

【本社】430-0906 静岡県浜松市中央区住吉5-22-1 ☎053-412-1111
【特色・近況】東海地区地盤の中堅建設会社。建築は公共のホールや学校・保育園に加え、工場・事務所、商業施設から神社・仏閣まで幅広く手がける。建設DXを推進。土木は道路関連や河川改修などインフラ整備関連多い。土地活用コンサルやクリニック開業支援も併営。
【設立】1944.3 【資本金】155百万円
【社長】中村嘉宏（1958.5生 山梨大土木工卒）
【株主】〔23.7〕中村嘉宏7.2%
【事業】建築工事71、土木工事28、合材販売1
【従業員】単188名（41.0歳）

【業績】	売上高	営業利益	経常利益	純利益
単21.7	13,886	769	868	473
単22.7	13,278	699	787	673
単23.7	16,197	760	843	505

中村建設（なかむらけんせつ）

株式公開計画なし

採用内定数	倍率	3年後離職率	平均年収
6名	1.7倍	13.3%	‥

●待遇、制度●
【初任給】月23.6万（諸手当1.7万円）
【残業】20時間【有休】10.2日【制度】住
●新卒定着状況●
20年入社（男9、女6）→3年後在籍（男7、女6）
●採用情報●
【人数】23年:9 24年:12 25年:応募10→内定6*
【内定内訳】（男6、女0）（文0、理6）（総6、他0）
【試験】〔Web自宅〕有〔性格〕有
【時期】エントリー 25.1→内々定25.4（一次はWEB面接可）【インターン】有
【採用実績校】東京工芸大1、中部大1、日大1、長岡造形大1、東海工業専2、他
【求める人材】コミュニケーション力のある人、向上心があり技術や資格を身につけていける人

【本社】430-0904 静岡県浜松市中央区中沢町71-23 ☎053-471-3421
【特色・近況】東海地盤の総合建設会社。建築・土木・住宅・リフォームなど幅広く展開。病院、工場などに施工実績。省エネ事業や脱炭素への取り組みを推進し、消費エネルギーをゼロにすることを目指した建物の提案や、耐震・免震補強、再生エネルギー事業も展開。
【設立】1955.6 【資本金】150百万円
【社長】中村仁志（1979.4生 北大工卒）
【株主】〔23.6〕自社従業員持株会34.9%
【事業】建築部門58、土木部門36、他6 <海外0>
【従業員】単223名（42.8歳）

【業績】	売上高	営業利益	経常利益	純利益
単21.6	17,574	1,109	1,169	253
単22.6	18,884	1,095	1,144	278
単23.6	20,775	1,061	1,169	396

ナブコシステム

株式公開計画なし

採用内定数	倍率	3年後離職率	平均年収
24名	5.3倍	47.8%	㊛690万円

●待遇、制度●
【初任給】月23.1万（諸手当3.3万円）
【残業】23.6時間【有休】13.3日【制度】フ 住 在
●新卒定着状況●
20年入社（男17、女6）→3年後在籍（男8、女4）
●採用情報●
【人数】23年:11 24年:19 25年:応募128→内定24*
【内定内訳】（男17、女7）（文20、理2）（総23、他1）
【試験】〔Web自宅〕有〔性格〕有
【時期】エントリー 25.3→内々定25.4（一次はWEB面接可）【インターン】有
【採用実績校】青学大1、亜大1、共栄大5、國學院大1、札幌学大1、札幌国際大1、尚絅学大3、駿河台大1、仙台工科専1、創価大1、他
【求める人材】自動ドアの会社なので、常に前向きに「自」ら「動」くことができる人

【本社】100-6032 東京都千代田区霞が関3-2-5 霞が関ビルディング ☎03-3591-6411
【特色・近況】ナブテスコの連結子会社で、親会社製自動ドアの販売・取付業務の総代理店。担当は東日本地区。販売網41拠点。ステンレス建具、シャッタードア、セキュリティー設備、自動門扉のほか、デザイン建築素材、防火設備も取り扱う。
【設立】1957.11 【資本金】300百万円
【代表取締役】内田正則
【株主】〔23.12〕ナブテスコ84.4%
【事業】自動ドア69、ステンレスサッシ・建材28、トップライト・防煙垂壁3
【従業員】単862名（38.5歳）

【業績】	売上高	営業利益	経常利益	純利益
単21.12	22,340	1,191	1,215	854
単22.12	22,050	708	819	565
単23.12	25,868	1,101	1,227	886

南海辰村建設（なんかいたつむらけんせつ）

東証スタンダード

採用内定数	倍率	3年後離職率	平均年収
9名	4.4倍	11.1%	676万円

●待遇、制度●
【初任給】月24.7万
【残業】24.5時間【有休】12日【制度】住
●新卒定着状況●
20年入社（男7、女2）→3年後在籍（男6、女2）
●採用情報●
【人数】23年:9 24年:18 25年:応募40→内定9*
【内定内訳】（男6、女3）（文3、理6）（総9、他0）
【試験】〔Web自宅〕有
【時期】エントリー 25.3→内々定25.6*（一次はWEB面接可）【インターン】有
【採用実績校】大阪産大1、東洋大1、大阪工大1、近大2、明星大1、大手前大1、関大1、神戸女学大1
【求める人材】粘り強く、誠実に業務を遂行できる人

【本社】556-0011 大阪府大阪市浪速区難波中3-5-19 ☎06-6644-7802
【特色・近況】南海電鉄グループの中堅建設会社。マンション建設のほか堤防・水辺整備などの土木工事を展開。子会社で鉄道関連工事も行う。近畿圏と首都圏が営業エリア。オフィスビル、マンション中心に耐震補強工事、外装・内装工事などリフォーム工事の拡大に注力。
【設立】1944.6 【資本金】2,000百万円
【社長】浦地紅陽（1963.10生 慶大経済卒）
【株主】〔24.3〕南海電気鉄道57.6%
【連結事業】建設96、不動産4
【従業員】連500名 単451名（46.2歳）

【業績】	売上高	営業利益	経常利益	純利益
連22.3	37,189	1,931	1,869	1,310
連23.3	42,401	1,844	1,824	1,896
連24.3	43,626	1,686	1,625	1,100

㈱西原衛生工業所（にしはらえいせいこうぎょうしょ）

株式公開計画なし

採用内定数	倍率	3年後離職率	平均年収
12名	2倍	30.6%	‥

●待遇、制度●
【初任給】月24万
【残業】36.3時間【有休】13.3日【制度】[住]
●新卒定着状況●
20年入社(男30、女6)→3年後在籍(男19、女6)
●採用情報●
【人数】23年:30 24年:26 25年:応募24→内定12*
【内定内訳】(男10、女2)(文0、理8)(総12、他0)
【試験】〔Web自宅〕SPI3〔性格〕有
【時期】エントリー25.3→内々定25.3(一次はWEB面接可)【インターン】有
【採用実績校】北海道科学大2、国際理工カレッジ専2、明大1、日工大1、大阪工大1、工学院大1、久留米工大1、東北文化学園大1、他
【求める人材】「ものづくり」へのチャレンジ意欲が高く、チームワークを大切に考え行動する人

【本社】108-6311 東京都港区三田3-5-27 東京三田サウスタワー11階 ☎03-4218-3950
【特色・近況】ビル、ホテル、病院などの給排水衛生設備や、消防設備、空調設備の設計・施工を手がける。厨房除害、排水再利用、雨水利用各システムなど自社開発の水処理設備に注力。グループの高等職業訓練校で配管技能者を育成。きんでんの完全子会社。
【設立】1948.6 【資本金】1,367百万円
【社長】髙橋静男(1958.11生 小田原城北工高卒)
【株主】〔24.3〕きんでん100%
【事業】給排水衛生設備98、消防設備2
【従業員】単653名(41.5歳)

【業績】	売上高	営業利益	経常利益	純利益
単22.3	30,026	2,269	2,399	1,573
単23.3	36,014	3,158	3,237	2,096
単24.3	31,676	3,193	3,349	2,182

日管（にっかん）

株式公開計画なし

採用内定数	倍率	3年後離職率	平均年収
13名	1倍	17.6%	[総]729万円

●待遇、制度●
【初任給】月22.6万
【残業】34.4時間【有休】12.2日【制度】[住][在]
●新卒定着状況●
20年入社(男12、女5)→3年後在籍(男10、女4)
●採用情報●
【人数】23年:15 24年:9 25年:応募13→内定13*
【内定内訳】(男9、女4)(文4、理0)(総13、他0)
【試験】〔筆記〕常識〔Web自宅〕SPI3
【時期】エントリー24.12→内々定25.2【インターン】有
【採用実績校】静岡工科短大3、浜松学大1、浜松日建工科専1、東海工業専1、日大1、愛知大1、静岡産大1
【求める人材】責任感があり折衝力のある、やる気ある人

【本社】430-8540 静岡県浜松市中央区池町220-4 ☎053-459-3000
【特色・近況】静岡県最大手の空調設備、給排水衛生設備工事会社。上下水道インフラ、オフィス、商業施設、病院、工場などに実績。管工事が売上の約9割。地域密着型営業に注力。静岡県中心に15支店、8営業所。24時間サービスを展開。
【設立】1955.3 【資本金】1,200百万円
【会長】三輪容次郎(1946.4生 東大経済卒)
【株主】〔23.12〕東京中小企業投資育成14.6%
【事業】管工事92、機械器具設置工事2、電気工事4、他3
【従業員】単468名(44.0歳)

【業績】	売上高	営業利益	経常利益	純利益
単21.12	24,664	2,202	2,390	1,653
単22.12	25,490	2,177	2,374	1,570
単23.12	28,657	2,116	2,302	1,651

㈱日商インターライフ（にっしょう）

株式公開計画なし

採用内定数	倍率	3年後離職率	平均年収
2名	11倍	40%	‥

●待遇、制度●
【初任給】月25.4万(固定残業代38時間分)
【残業】20時間【有休】9日【制度】[フ]
●新卒定着状況●
20年入社(男5、女0)→3年後在籍(男3、女0)
●採用情報●
【人数】23年:2 24年:3 25年:応募22→内定2*
【内定内訳】(男1、女1)(文‥、理‥)(総0、他2)
【試験】〔性格〕有
【時期】エントリー25.2→内々定‥*(一次はWEB面接可)
【採用実績校】中央工学校専1、東京デザイン専1
【求める人材】物事を前向きに据えることができ、周囲とコミュニケーションを取りながら業務を進めていける人

【本社】116-0012 東京都荒川区東尾久4-16-12 ☎03-3810-7111
【特色・近況】インターライフHLD傘下で、飲食店、アパレル店、商業施設、オフィス、ホテルなどの内装工事が主体。店舗作りの企画・デザイン・設計・施工まで一貫して提供。床・クロス、不燃ボード工事など、内装の基礎工事も行う。
【設立】1975.2 【資本金】100百万円
【社長】須藤亮(1971.4生)
【株主】〔24.2〕インターライフホールディングス100%
【事業】内装工事100
【従業員】単91名(39.6歳)

【業績】	売上高	営業利益	経常利益	純利益
単22.2	5,227	89	97	62
単23.2	5,509	71	81	54
単24.2	6,342	139	149	93

日昭電気（にっしょうでんき）

株式公開計画なし

採用内定数	倍率	3年後離職率	平均年収
6名	4.5倍	0%	550万円

●待遇、制度●
【初任給】月23万
【残業】29.5時間【有休】11.9日【制度】フ 住 在

●新卒定着状況●
20年入社(男2、女0)→3年後在籍(男2、女0)

●採用情報●
【人数】23年:4 24年:4 25年:応募27→内定6
【内定内訳】(男6、女0)(文0、理6)(総0、他6)
【試験】なし
【時期】エントリー25.2→内々定25.3(一次はWEB面接可)【インターン】有
【採用実績校】神奈川大1、東海大1、東京工科大2、日工大1、千葉工大1

【求める人材】主体性、社交性、協調性、誠実、責任感、ポジティブ

【本社】107-0061 東京都港区北青山2-7-9
☎03-3402-7151
【特色・近況】独立系の電気設備工事業者。オフィスビル、マンション、百貨店などの電気設備工事の設計・施工を展開。印刷・百貨店・銀行業界などに顧客。売上の6割は元請受注。冷暖房効率化システム、太陽光発電、LED照明ビジネスなども手がける。
【設立】1947.1 【資本金】99百万円
【会長】池田秀基(1955.6生 慶大院商修了)
【株主】〔24.3〕池田洋基36.0%
【事業】電気工事業75、不動産賃貸収入7、商品売上6、売電収入12
【従業員】単101名(29.5歳)

【業績】	売上高	営業利益	経常利益	純利益
単22.3	4,586	469	452	315
単23.3	4,316	501	489	551
単24.3	5,295	486	562	420

日東工営（にっとうこうえい）

株式公開計画なし

採用内定数	倍率	3年後離職率	平均年収
2名	‥	ー	総698万円

●待遇、制度●
【初任給】月24万(諸手当2.4万円)
【残業】7.5時間【有休】9.3日【制度】住

●新卒定着状況●
20年入社(男0、女0)→3年後在籍(男0、女0)

●採用情報●
【人数】23年:0 24年:7 25年:応募‥→内定2*
【内定内訳】(男2、女0)(文1、理0)(総2、他0)
【試験】〔筆記〕有〔性格〕有
【時期】エントリー25.3→内々定25.4
【採用実績校】‥

【求める人材】チームワークを大切にする人、向上心、行動力のある人

【本社】160-0023 東京都新宿区西新宿7-7-30 小田急西新宿O-PLACE7階 ☎03-3366-1311
【特色・近況】全国展開する中堅建設会社。従来工法の一般建築と日鉄エンジニアリングのシステム建築工法による建築事業が主体。工場・倉庫、店舗、オフィス、公共施設など幅広い施工実績。自社開発の組立ハウス事業やリニューアル工事も手がける。
【設立】1961.6 【資本金】60百万円
【社長】殿山順(1954.3生)
【株主】〔24.3〕吉野家ホールディングス29.9%
【事業】建築事業65、ハウス事業35
【従業員】単112名(47.3歳)

【業績】	売上高	営業利益	経常利益	純利益
単22.3	9,810	575	593	392
単23.3	11,356	656	674	383
単24.3	10,173	528	538	395

日本乾溜工業（にほんかんりゅうこうぎょう）

福証

採用内定数	倍率	3年後離職率	平均年収
6名	1.3倍	0%	567万円

●待遇、制度●
【初任給】月21.5万(諸手当1万円、固定残業代13.1時間分)
【残業】13.1時間【有休】6.9日【制度】フ 住 在

●新卒定着状況●
20年入社(男1、女2)→3年後在籍(男1、女2)

●採用情報●
【人数】23年:6 24年:6 25年:応募8→内定6*
【内定内訳】(男‥、女‥)(文‥、理‥)(総‥、他‥)
【試験】〔性格〕有
【時期】エントリー25.3→内々定25.5*(一次はWEB面接可)【インターン】有
【採用実績校】西日本工大1、熊本学大1、福岡工大1、他

【求める人材】地元九州で環境にやさしく安全な未来を築こうとする、熱意のある人

【本社】812-0054 福岡県福岡市東区馬出1-11-11
☎092-632-1050
【特色・近況】道路の防護柵や標識など交通安全施設工事や法面工事が主力。九州地盤。防災安全用品や竹繊維入り自然土固化舗装材も手がける。防災安全用品は備蓄用食糧品から感染症対策の防護服まで品ぞろえ。22年に不溶性硫黄製造事業を売却。
【設立】1939.7 【資本金】413百万円
【社長】兼田智仁(1955.4生 一橋大経済卒)
【株主】〔24.3〕伊藤忠丸紅住商テクノスチール5.6%
【連結事業】建設87、防災安全12、化学品0
【従業員】連296名 単218名(45.5歳)

【業績】	売上高	営業利益	経常利益	純利益
連21.9	18,046	1,331	1,390	919
連22.9	16,839	926	989	323
連23.9	16,894	943	1,002	743

#初任給が高い

日本基礎技術（にほんきそぎじゅつ）　東証スタンダード

採用内定数	倍率	3年後離職率	平均年収
1名	8倍	33.3%	708万円

●待遇、制度●
【初任給】月30.4万(固定残業代45時間分)
【残業】25.3時間【有休】8.8日【制度】住 在
●新卒定着状況●
20年入社(男9、女0)→3年後在籍(男6、女0)
●採用情報●
【人数】23年:6 24年:7 25年:応募8→内定1*
【内定内訳】(男1、女0)(文0、理1)(総1、他0)
【試験】〔筆記〕常識、他〔性格〕有
【時期】エントリー24.10→内々定25.4【インターン】有
【採用実績校】東海大1
【求める人材】常に学ぶ姿勢を保ち、プラス思考で行動できる人

【本社】530-0043 大阪府大阪市北区天満1-9-14 ☎06-6351-5621
【特色・近況】地盤改良など基礎工事の専業大手。削孔・注入を基本技術とする独自工法を武器に、地質調査からダムグラウチング、地滑り対策などの地盤補強、土壌浄化、地下水汚染防止、環境保全等の工事を行う。建設コンサルタントも。米国に現地法人。
【設立】1953.11 【資本金】5,907百万円
【社長】中原巖(1951.9生 東海大院海洋修了)
【株主】〔24.3〕日本国土開発3.5%
【連結事業】法面保護工事12、ダム基礎工事5、アンカー工事13、重機工事38、注入工事16、維持修繕工事1、環境保全工事2、他13 <海外12>
【従業員】連395名 単359名(44.1歳)

【業績】	売上高	営業利益	経常利益	純利益
連22.3	22,111	751	963	498
連23.3	23,908	778	1,008	526
連24.3	23,575	1,012	1,401	932

日本建設（にほんけんせつ）　株式公開計画なし

採用内定数	倍率	3年後離職率	平均年収
21名	7.1倍	28%	総771万円

●待遇、制度●
【初任給】月28万(諸手当4.5万円)
【残業】30.3時間【有休】10日【制度】住 在
●新卒定着状況●
20年入社(男21、女4)→3年後在籍(男14、女4)
●採用情報●
【人数】23年:24 24年:23 25年:応募150→内定21*
【内定内訳】(男18、女3)(文4、理11)(総21、他0)
【試験】〔Web自宅〕有〔性格〕有
【時期】エントリー24.10→内々定25.1(一次はWEB面接可)【インターン】有
【採用実績校】近大3、愛知工業大2、鳥取大1、日大1、東北工大1、大阪電通大1、他
【求める人材】建築が好きで、真面目に何事にも一生懸命取り組める人

【東京本社】105-0014 東京都港区芝3-8-2 芝公園ファーストビル19階 ☎03-4321-0756
【特色・近況】商業施設、工場・物流施設、医療・保健施設、オフィスビルなど幅広い建築工事を柱とする中堅ゼネコン。設計から施工まで手がけ、大型案件の受注も多い。耐震補強や大規模修繕などリニューアル工事にも注力。北海道から九州まで7支店を配置。
【設立】1988.5 【資本金】2,000百万円
【社長】熊谷満(1954.4生)
【株主】〔24.2〕日建ホールディングス100%
【事業】建築工事100、土木工事0 <海外0>
【従業員】単446名(43.0歳)

【業績】	売上高	営業利益	経常利益	純利益
単22.2	87,250	6,425	6,412	4,413
単23.2	69,211	1,820	1,894	1,097
単24.2	78,733	3,341	3,459	2,317

日本設備工業（にほんせつびこうぎょう）　株式公開計画なし

採用内定数	倍率	3年後離職率	平均年収
25名	4.2倍	29.2%	総750万円

●待遇、制度●
【初任給】月25万(諸手当2万円)
【残業】31.1時間【有休】13.1日【制度】住 在
●新卒定着状況●
20年入社(男21、女3)→3年後在籍(男15、女2)
●採用情報●
【人数】23年:14 24年:23 25年:応募104→内定25*
【内定内訳】(男21、女4)(文13、理7)(総25、他0)
【試験】なし
【時期】エントリー25.3→内々定25.3*(一次はWEB面接可)【インターン】有
【採用実績校】東北工大2、工学院大1、近大1、北海道科学大1、福岡工大1、国士舘大1、北海学園大1、久留米工大1、仙台工科専4、他
【求める人材】明るく、元気がよくて、人から好かれ、体力のある人

【本社】103-0015 東京都中央区日本橋箱崎町36-2 Daiwaリバーゲート ☎03-4213-4900
【特色・近況】建築設備の総合エンジニアリング企業。空調、給排水衛生設備の設計・施工が主体。集合自宅のリニューアル工事や給水管と排水管の再生工事なども展開。北海道から九州まで5支店のほか7営業所を構える。高砂熱学工業グループ。
【設立】1966.9 【資本金】460百万円
【社長】稲上直人(1965.3生)
【株主】〔24.3〕高砂熱学工業34.0%
【事業】空調設備工事62、空調衛生工事19、衛生工事15、他3
【従業員】単360名(40.2歳)

【業績】	売上高	営業利益	経常利益	純利益
単22.3	24,144	758	903	609
単23.3	25,859	218	411	253
単24.3	27,696	557	726	538

日本(にほん)ファシリオ

株式公開未定

採用内定数	倍率	3年後離職率	平均年収
14名	6.7倍	‥	[総]648万円

●待遇、制度●
【初任給】月22.8万
【残業】19.6時間【有休】13.6日【制度】[住]

●新卒定着状況●
‥

●採用情報●
【人数】23年:14 24年:13 25年:応募94→内定14*
【内定内訳】(男11、女3)(文5、理8)(総0、他14)
【試験】なし
【時期】エントリー25.3→内々定25.4*(一次はWEB面接可)【インターン】有
【採用実績校】埼玉工大、日大、中央工学校専、流経大、京都建築大学校、京都美工大、関大、立命館大、東北工大、長崎総合科学大、他
【求める人材】コミュニケーション力に長け、向上心と情熱を持ってものづくりに取り組んでいける人

【本社】107-8647 東京都港区北青山2-12-28 青山ビル ☎03-5411-5611
【特色・近況】ALSOKグループの空調・給排水衛生設備、電気設備工事会社。種子・微生物の長期保存や、美術品の劣化を抑える特殊な空調に強い。近鉄関連や志摩観光ホテル関連工事などに実績。官公庁、ゼネコン工事のほか、ALSOKの顧客基盤活用した協調展開も。
【設立】1948.4 【資本金】2,500百万円
【代表取締役】若木輝彦(1958.8生 慶大経済卒)
【株主】〔24.3〕ALSOK91.5%
【事業】衛生・空調69、電気30、他1
【従業員】単314名(45.1歳)

【業績】	売上高	営業利益	経常利益	純利益
単22.3	16,654	850	927	566
単23.3	20,898	1,425	1,509	998
単24.3	21,958	2,389	2,471	1,687

野里電気工業(のざとでんきこうぎょう)

株式公開計画なし

採用内定数	倍率	3年後離職率	平均年収
9名	3.1倍	33.3%	‥

●待遇、制度●
【初任給】月25万(固定残業代15時間分)
【残業】‥時間【有休】10.7日【制度】[住][在]

●新卒定着状況●
20年入社(男8、女1)→3年後在籍(男5、女1)

●採用情報●
【人数】23年:13 24年:12 25年:応募28→内定9*
【内定内訳】(男9、女0)(文5、理4)(総9、他0)
【試験】〔Web自宅〕有
【時期】エントリー24.11→内々定25.1*(一次はWEB面接可)
【採用実績校】近大1、帝京大2、桃山学大2、西日本工大3、東京国際大1
【求める人材】明るく元気でチャレンジ精神のある人、工事現場でのコミュニケーションがとれる人

【本社】555-0022 大阪府大阪市西淀川区柏里2-4-1 ☎06-6477-6000
【特色・近況】電気設備工事の準大手。制御盤工場を有し、プラント工事に強み。各種制御システム、パーキングシステム、バイオガス発電システムへも事業領域拡大。東京に本部、名古屋と北九州に支店、関東と関西各地に営業所を置く。バンコクに現地法人。
【設立】1952.9 【資本金】280百万円
【社長】藤川雅浩(1963.12生 中部大工卒)
【株主】〔24.5〕自社役員持株会42.9%
【事業】電気工事76、制御盤12、パーキングシステム12
【従業員】単288名(40.8歳)

【業績】	売上高	営業利益	経常利益	純利益
単22.3	15,583	712	947	707
単23.3	15,671	648	945	638
単24.3	17,057	587	934	706

㈱ノバック

東証スタンダード

採用内定数	倍率	3年後離職率	平均年収
11名	3.5倍	25%	[総]769万円

●待遇、制度●
【初任給】月26.2万(諸手当1.2万円)
【残業】19.2時間【有休】10.7日【制度】[住]

●新卒定着状況●
20年入社(男16、女0)→3年後在籍(男12、女0)

●採用情報●
【人数】23年:20 24年:4 25年:応募39→内定11*
【内定内訳】(男6、女5)(文6、理5)(総11、他0)
【試験】〔筆記〕常識
【時期】エントリー24.10→内々定24.10【インターン】有
【採用実績校】明星大1、日大3、関大1、東海大1、城西国際大1、大阪工大1、桃山学大1、甲南大1、姫路情報システム専1
【求める人材】自ら学び、自ら考え、新たな価値の実現に向けて挑戦し続けている人

【本社】670-0947 兵庫県姫路市北条1-92 ☎079-288-3601
【特色・近況】首都圏、関西圏、中部圏を中心に土木・建築工事を手がける中堅ゼネコン。直近5年間の元請比率は100%。土木工事はダムや道路・橋梁など公共事業を軸に施工実績。建築工事はマンション、福祉・医療・物流施設などを手がける。
【設立】1965.4 【資本金】1,227百万円
【社長】立花充(1956.11生 関大工卒)
【株主】〔24.4〕立花充5.8%
【事業】土木工事34、建築工事66、他0
【従業員】単274名(44.3歳)

【業績】	売上高	営業利益	経常利益	純利益
単22.4	35,370	2,952	2,905	2,106
単23.4	31,948	2,607	2,585	2,054
単24.4	34,431	810	662	287

㈱橋本店（はしもとてん）

株式公開計画なし

採用内定数	倍率	3年後離職率	平均年収
9名	1.7倍	0%	㊀542万円

●待遇、制度●
【初任給】月26万(固定残業代3.5万円)
【残業】12.1時間【有休】12.9日【制度】フ
●新卒定着状況●
20年入社(男9、女1)→3年後在籍(男9、女1)
●採用情報●
【人数】23年:10 24年:12 25年:応募15→内定9*
【内定内訳】(男7、女2)(文1、理8)(総9、他0)
【試験】〔筆記〕常識、SPI3〔Web会場〕SPI3〔性格〕有
【時期】エントリー25.3→内々定25.4*【インターン】有
【採用実績校】東北工大4、東北学大3、東北芸工大2
【求める人材】建設業のデジタル化に向け、新しい技術提案など、世の中の変化に対応出来る人、自ら変化を創造できる人

【本社】980-0822 宮城県仙台市青葉区立町27-21 ☎022-714-7020
【特色・近況】宮城県が営業地盤の老舗中堅ゼネコン。事業比率は建築、土木ほぼ半々。官公庁、教育施設、福祉・医療施設などに実績多い。注文住宅事業や自社所有物件での不動産事業も行う。仙台市青葉区で県内最大級の太陽光発電所保有。東北中心に5営業所を置く。
【設立】1910.3 【資本金】100百万円
【社長】武田文孝
【株主】〔24.5〕佐々木宏明14.6%
【事業】土木一式工事42、建築一式工事58
【従業員】単197名(40.4歳)

【業績】	売上高	営業利益	経常利益	純利益
単21.6	20,734	832	776	466
単22.6	25,213	738	716	481
単23.6	22,079	160	186	120

㈱早野組（はやのぐみ）

株式公開計画なし

採用内定数	倍率	3年後離職率	平均年収
10名	1.4倍	0%	㊀603万円

●待遇、制度●
【初任給】月20.8万(諸手当3万円)
【残業】34.3時間【有休】8.9日【制度】住 在
●新卒定着状況●
20年入社(男6、女1)→3年後在籍(男6、女1)
●採用情報●
【人数】23年:13 24年:8 25年:応募14→内定10*
【内定内訳】(男9、女1)(文2、理3)(総0、他10)
【試験】〔筆記〕常識〔性格〕有
【時期】エントリー25.4→内々定25.6*【インターン】有
【採用実績校】東京電機大1、日大1、流経大1、静岡理工科大1、大月短大1、松本大1、甲府工業高3、青洲高1
【求める人材】明るく、真面目で、向上心のある人

【本社】400-0807 山梨県甲府市東光寺1-4-10 ☎055-235-1111
【特色・近況】甲府地盤の中堅地方ゼネコン。建築、設計、土木、舗装、リニューアル、環境、不動産事業の7部門体制。首都圏、長野、静岡でも事業展開。公共施設、工場・倉庫などに実績多い。子会社でトヨタ車ディーラーや在宅介護など手がけ、多角化も進める。1887年創業。
【設立】1954.6 【資本金】180百万円
【社長】早野正泰(1979.11生 明大卒)
【株主】〔24.5〕ハヤノ通商48.7%
【事業】建築工事57、土木工事26、舗装工事15、他2
【従業員】単283名(44.9歳)

【業績】	売上高	営業利益	経常利益	純利益
単21.5	16,369	927	948	532
単22.5	20,303	1,193	1,224	641
単23.5	19,418	‥	‥	‥

㈱パルコスペースシステムズ

株式公開未定

採用内定数	倍率	3年後離職率	平均年収
4名	67.8倍	33.3%	‥

●待遇、制度●
【初任給】月22.5万
【残業】19.9時間【有休】14.7日【制度】フ 住 在
●新卒定着状況●
20年入社(男3、女3)→3年後在籍(男1、女3)
●採用情報●
【人数】23年:9 24年:15 25年:応募271→内定4
【内定内訳】(男2、女2)(文1、理3)(総4、他0)
【試験】〔Web自宅〕SPI3
【時期】エントリー25.3→内々定25.5(一次はWEB面接可)【インターン】有
【採用実績校】京都美工大1、近大1、大同大1、武蔵野美大1
【求める人材】繋ぐ・拡げる・築くことができる人

【本社】150-0045 東京都渋谷区神泉町8-16 渋谷ファーストプレイス ☎03-5459-6811
【特色・近況】商業施設を中心に、空間の設計デザイン、ディスプレー、内装・設備・電気工事、施設管理、施設運営など一貫したサービスを提供。北海道から九州まで、大型商業施設での多数の経験と実績に定評。大阪に支店。パルコのグループ会社。
【設立】1964.6 【資本金】100百万円
【社長】車田恭之(1963.2生 日大商卒)
【株主】〔24.2〕パルコ100%
【事業】空間形成44、ビルマネジメント56
【従業員】単825名(42.3歳)

【業績】	売上高	営業利益	経常利益	純利益
単22.2	18,141	553	579	296
単23.2	18,751	‥	559	427
単24.2	22,631	‥	1,100	686

㈱ビーアールホールディングス　東証プライム

採用内定数	倍率	3年後離職率	平均年収
16名	2.3倍	20.5%	614万円

●待遇、制度●
【初任給】月24.3万(諸手当0.5万円)
【残業】22.3時間【有休】10.4日【制度】フ 住 在
●新卒定着状況●
20年入社(男31、女8)→3年後在籍(男25、女6)
●採用情報● グループ採用
【人数】23年:27 24年:26 25年:応募37→内定16*
【内定内訳】(男14、女2)(文0、理9)(総16、他0)
【試験】〔Web自宅〕SPI3〔性格〕有
【時期】エントリー24.11→内々定25.1(一次はWEB面接可)【インターン】有
【採用実績校】熊本大院1、秋田大1、日大1、大阪工大1、愛媛大1、高知高専1、呉高専2、苫小牧高専1、八戸高専1、都城高専1、他
【求める人材】何事に対しても挑戦する意欲のある人

【本社】732-0052 広島県広島市東区光町2-6-31 ☎082-261-2860
【特色・近況】極東興和を中核とする純粋持株会社。プレストレストコンクリート橋梁工事の中堅。中国・九州地盤だが、関東や東北でのM&Aにより全国規模で展開。スラブ、枕木などの製品販売や建設関連のソリューションシステム販売、不動産賃貸も手がける。
【設立】2002.9　【資本金】3,114百万円
【社長】藤田公康(1950.9生 Hフォード大院修了)
【株主】〔24.3〕日本マスタートラスト信託銀行信託口10.5%
【連結事業】建設85、製品販売14、情報システム1、不動産賃貸0
【従業員】連643名 単12名(53.3歳)

【業績】	売上高	営業利益	経常利益	純利益
連22.3	35,899	2,289	2,296	1,527
連23.3	36,022	1,636	1,624	1,025
連24.3	40,259	2,062	2,036	1,353

㈱ヒメノ　株式公開未定

採用内定数	倍率	3年後離職率	平均年収
5名	4倍	40%	㊕644万円

●待遇、制度●
【初任給】月23万
【残業】19.1時間【有休】11.5日【制度】住
●新卒定着状況●
20年入社(男5、女0)→3年後在籍(男3、女0)
●採用情報●
【人数】23年:11 24年:12 25年:応募20→内定5*
【内定内訳】(男4、女1)(文1、理3)(総5、他0)
【試験】〔筆記〕有〔性格〕有
【時期】エントリー25.2→内々定25.3*【インターン】有
【採用実績校】中部大3、大同大1、東京電子専1
【求める人材】自分の意志をもち、周囲を引っ張りつつ、意志決定のできる人

【本店】461-0022 愛知県名古屋市東区東大曽根町12-19 ☎052-935-8571
【特色・近況】電力各社の架空・地中送電線工事を軸に事業展開。名古屋市を中心とする土木、建築工事、舗装、電力・ガス・上下水道工事、太陽光パネル販売施工も行う。携帯電話用通信基地局の構築事業も。ドローン操縦者交代システムの特許保有。
【設立】1945.2　【資本金】400百万円
【社長】椋木和之(1962.9生 名古屋工芸高土木卒)
【株主】〔24.3〕姫野祐一郎20.5%
【事業】電気工事69、土木工事23、舗装工事5、通信工事2、他1
【従業員】単158名(43.0歳)

【業績】	売上高	営業利益	経常利益	純利益
単22.3	10,897	1,253	1,295	894
単23.3	11,437	851	912	647
単24.3	13,533	981	1,027	586

㈱平野組(ひらのぐみ)　株式公開していない

採用内定数	倍率	3年後離職率	平均年収
1名	2倍	16.7%	㊕553万円

●待遇、制度●
【初任給】月22万(諸手当1.5万円)
【残業】18.3時間【有休】13.2日【制度】住
●新卒定着状況●
20年入社(男4、女2)→3年後在籍(男4、女1)
●採用情報●
【人数】23年:4 24年:4 25年:応募2→内定1*
【内定内訳】(男1、女0)(文0、理1)(総1、他0)
【試験】〔筆記〕常識〔性格〕有
【時期】エントリー25.2→内々定25.6*【インターン】有
【採用実績校】八戸工大1
【求める人材】仕事を通じて社会に貢献したいと思う人

【本社】021-8555 岩手県一関市竹山町6-4 ☎0191-26-3711
【特色・近況】東北全域で建築・土木工事を展開している総合建設会社。建築・土木・リニューアルを手がけるほか、自社プラントによるアスファルトリサイクル、住宅建築、賃貸や売買仲介なども行う。マンションや医療福祉施設、道路改良などの受注を強化。
【設立】1959.3　【資本金】100百万円
【社長】須田光宏(1965.2生 東海大工卒)
【株主】〔24.3〕イチサイ22.5%
【事業】建築工事52、土木工事47、他1
【従業員】単116名(40.6歳)

【業績】	売上高	営業利益	経常利益	純利益
単21.12	12,120	558	640	427
単22.12	10,488	259	296	171
単23.12	12,425	609	643	400

深田サルベージ建設（ふかだ けんせつ）

株式公開計画なし

採用内定数	倍率	3年後離職率	平均年収
12名	4.2倍	0%	‥

●待遇、制度●
【初任給】月23.1万(諸手当3.1万円)
【残業】5.4時間【有休】9.2日【制度】住 在
●新卒定着状況●
20年入社(男4、女1)→3年後在籍(男4、女1)
●採用情報●
【人数】23年:10 24年:10 25年:応募50→内定12*
【内定内訳】(男8、女4)(文6、理6)(総10、他2)
【試験】〔筆記〕有〔性格〕有
【時期】エントリー25.1→内々定25.2*(一次はWEB面接可)【インターン】有
【採用実績校】‥
【求める人材】素養があり、良好な人間関係を築くように努め、コミュニケーション能力がある人

【本社】552-0021 大阪府大阪市港区築港4-1-1 辰巳商会ビル ☎06-6576-1871
【特色・近況】1910年海難救助(サルベージ)で創業した総合海事企業。長大橋架設など鉄構工事や、海底トンネルなどの海洋土木、海洋開発にも展開。洋上風力発電や海底資源調査といった新プロジェクトにも携わる。起重機船や深海潜水装置など専門機能を持つ船舶を多数保有。
【設立】1949.7 【資本金】650百万円
【社長】山本寿生(1958.4生 東海大海洋卒)
【株主】〔24.3〕辰巳グループ17社61.0%
【事業】海洋土木・鉄鋼構造物の運搬・組立・据付44、海難救助26、海洋開発30
【従業員】単358名(41.2歳)

【業績】	売上高	営業利益	経常利益	純利益
単22.3	20,688	1,684	1,851	1,384
単23.3	20,021	1,505	1,759	1,236
単24.3	32,897	7,175	7,251	4,965

㈱深松組（ふかまつぐみ）

株式公開していない

採用内定数	倍率	3年後離職率	平均年収
3名	3.7倍	55.6%	‥

●待遇、制度●
【初任給】月23.1万
【残業】‥時間【有休】10日【制度】住
●新卒定着状況●
20年入社(男5、女4)→3年後在籍(男2、女2)
●採用情報●
【人数】23年:5 24年:4 25年:応募11→内定3*
【内定内訳】(男2、女1)(文0、理2)(総0、他3)
【試験】〔筆記〕常識、他〔Web会場〕有〔Web自宅〕有〔性格〕有
【時期】エントリー24.7→内々定未定【インターン】有
【採用実績校】東北工大2、東北文化学園専1
【求める人材】明るく、計画的に動ける人、失敗をしても次にいかせる人

【本社】981-0966 宮城県仙台市青葉区荒巻本沢2-18-1 ☎022-271-9211
【特色・近況】発電所建設・改修のほか、官公庁の土木・建築、民間住宅建設なども行う。遊休地を利用した太陽光発電などの売電事業や、沖縄で運営するリゾートホテルなど観光関連投資も。1925年水力発電所建設を主事業として富山県で創業し、現在は仙台市に本社。
【設立】1953.8 【資本金】93百万円
【社長】深松努(1965.3生 日大理工卒)
【株主】
【事業】特定建設、不動産賃貸、不動産取引
【従業員】単154名(44.2歳)

【業績】	売上高	営業利益	経常利益	純利益
単22.3	8,843	‥	‥	‥
単23.3	10,100	‥	‥	‥
単24.3	7,912	‥	‥	‥

#年収高く倍率低い #初任給が高い #年収が高い

福田道路（ふくだどうろ）

株式公開計画なし

採用内定数	倍率	3年後離職率	平均年収
11名	1.8倍	50%	㊀880万円

●待遇、制度●
【初任給】月33万(諸手当7.7万円、固定残業代5.8万円)
【残業】16時間【有休】13.8日【制度】住
●新卒定着状況●
20年入社(男12、女2)→3年後在籍(男6、女1)
●採用情報●
【人数】23年:10 24年:17 25年:応募20→内定11*
【内定内訳】(男9、女2)(文3、理4)(総11、他0)
【試験】〔筆記〕SPI3、他
【時期】エントリー24.11→内々定25.12【インターン】有
【採用実績校】福岡大1、秋田大1、小松大1、学習院女大1、山形産技短大1、新潟国際情報大1、九産大1
【求める人材】前向きな志向を持ち、チャレンジ精神旺盛で、協調性のある人

【本社】951-8503 新潟県新潟市中央区川岸町1-53-1 ☎025-231-1211
【特色・近況】一般道路・高速道路の舗装工事が主力。工場・事務所や商業施設の建設、公園やスポーツ施設の舗装、宅地造成など幅広く展開。新潟・東京の2本社体制。北海道から九州に支店を配置し、全国に営業網を構築。新潟に技術研究所を持ち基礎研究に注力。
【設立】1970.11 【資本金】2,000百万円
【社長】坂上浩則(1961.4生 長岡技科大院工学研修了)
【株主】〔23.12〕福田組100%
【事業】舗装工事69、土木工事9、製品売上19、他3
【従業員】単509名(47.6歳)

【業績】	売上高	営業利益	経常利益	純利益
単21.12	31,123	854	1,129	799
単22.12	30,174	333	604	388
単23.12	28,477	579	827	388

不二建設（ふじけんせつ）

株式公開 検討したい

採用内定数	倍率	3年後離職率	平均年収
11名	2.7倍	30%	‥

●待遇、制度●
【初任給】月26.5万(諸手当1万円)
【残業】25.8時間【有休】13日【制度】住

●新卒定着状況●
20年入社(男19、女1)→3年後在籍(男13、女1)

●採用情報●
【人数】23年:15 24年:17 25年:応募30→内定11*
【内定内訳】(男11、女0)(文1、理7)(総11、他0)
【試験】〔Web自宅〕SPI3
【時期】エントリー25.3→内々定25.4*(一次はWEB面接可)【インターン】有
【採用実績校】大阪産大院1、近大院1、近大1、京都橘大1、神奈川大1、國學院大1、徳島大1、ものつくり大1、他
【求める人材】建築と人が好きで、一流で本物のものづくりを誠実に行うことで社会に貢献したい人

【本社】105-0014 東京都港区芝3-5-5
☎03-5476-5561
【特色・近況】関西圏と関東圏を地盤とする中堅ゼネコン。マンションを中心に、オフィスビル、商業施設、公共施設などにも実績。自社受注による元請が主体。1946年に設計事務所から施工会社として創業。長谷工コーポレーションの子会社。
【設立】1992.11 【資本金】200百万円
【社長】船橋慶一郎(1963.8生 大工大建築卒)
【株主】〔24.3〕長谷工コーポレーション100%
【事業】建築工事業99、不動産事業等1
【従業員】単243名(39.2歳)

【業績】	売上高	営業利益	経常利益	純利益
単22.3	31,686	3,001	3,109	2,136
単23.3	33,210	4,203	3,130	2,145
単24.3	39,786	2,294	2,414	1,689

フジタ道路（ふじたどうろ）

株式公開 未定

採用内定数	倍率	3年後離職率	平均年収
3名	2.7倍	25%	715万円

●待遇、制度●
【初任給】月27万(諸手当0.5万円)
【残業】18時間【有休】10.9日【制度】住

●新卒定着状況●
20年入社(男10、女2)→3年後在籍(男7、女2)

●採用情報●
【人数】23年:10 24年:9 25年:応募8→内定3*
【内定内訳】(男2、女1)(文0、理1)(総3、他0)
【試験】〔筆記〕SPI3〔Web自宅〕SPI3〔性格〕有
【時期】エントリー25.3→内々定25.未定*(一次はWEB面接可)【インターン】有
【採用実績校】足利大1、仙台工科専1、日本工学院八王子専1
【求める人材】建設業を通じてのものづくりに関心があり、元気のある人

【本社】104-6003 東京都中央区晴海1-8-10 晴海アイランドトリトンスクエアオフィスタワーX ☎03-5859-0670
【特色・近況】一般道や高速道などの道路舗装工事が主力事業。造成工事、河川改修、橋梁補修など一般土木工事も手がける。スポーツ施設向けの人工芝施工や建物の解体工事も展開。仙台、東京、名古屋、大阪、広島、福岡に支店、首都圏と山陰に営業所を置く。
【設立】1962.11 【資本金】100百万円
【社長】吉川英二(1963.1生 関大工卒)
【株主】〔24.3〕合同会社FRホールディングス76.1%
【事業】舗装工事73、土木工事13、解体工事14
【従業員】単210名(41.6歳)

【業績】	売上高	営業利益	経常利益	純利益
単22.3	13,800	1,165	1,168	765
単23.3	13,504	1,050	1,050	704
単24.3	12,182	745	746	479

富士電設（ふじでんせつ）

株式公開 いずれしたい

採用予定数	倍率	3年後離職率	平均年収
5名	-	0%	432万円

●待遇、制度●
【初任給】月22.3万
【残業】22.3時間【有休】13.7日【制度】住

●新卒定着状況●
20年入社(男3、女0)→3年後在籍(男3、女0)

●採用情報●
【人数】23年:2 24年:1 25年:予定5*
【内定内訳】(男‥、女‥)(文‥、理‥)(総‥、他‥)
【試験】〔筆記〕常識
【時期】エントリー25.3→内々定25.5*【インターン】有
【採用実績校】‥
【求める人材】コミュニケーション能力に富み、柔軟で行動力のある人

【本社】510-0063 三重県四日市市十七軒町12-13
☎059-354-0088
【特色・近況】東海地区(三重、愛知、静岡、岐阜)を地盤とする総合電気工事会社。火力発電所や変電所、環境関連の施設工事に実績多い。三重県内トップ級。中部電力の発電所とLNGセンターに常駐し、緊急時にも対応。トヨタ自動車各工場の保守も担う。
【設立】1971.2 【資本金】30百万円
【代表取締役】川合淳(1961.6生 名市大院修了)
【株主】〔24.3〕川合淳90.5%
【事業】電気工事92、消防施設工事5、電気通信工事2、管工事1
【従業員】単105名(41.5歳)

【業績】	売上高	営業利益	経常利益	純利益
単22.3	2,581	125	146	93
単23.3	2,691	124	145	99
単24.3	2,780	115	154	55

㈱不動テトラ（ふどう） 東証プライム

採用内定数	倍率	3年後離職率	平均年収
19名	4.7倍	14.6%	729万円

●待遇、制度●
【初任給】月25.7万(諸手当1万円)
【残業】23.7時間【有休】10.9日【制度】住 在
●新卒定着状況●
20年入社(男36、女5)→3年後在籍(男30、女5)
●採用情報●
【人数】23年:34 24年:23 25年:応募89→内定19*
【内定内訳】(男17、女2)(文4、理13)(総19、他0)
【試験】〔Web自宅〕SPI3〔性格〕有
【時期】エントリー25.3→内々定25.6*(一次・二次以降もWEB面接可)【インターン】有
【採用実績校】日大4、千葉工大2、東海大2、金沢工大1、八戸工大1、中大1、東京都市大1、同大1、福島大1、函館高専1、他
【求める人材】ものづくりに興味があり、ゼネコンで働くことの目的意識を持ち、世代を超えたコミュニケーションのとれる人

【本社】103-0016 東京都中央区日本橋小網町7-2 ☎03-5644-8500
【特色・近況】陸上土木と海上土木を展開。独自工法による差別化に強み。防災を主眼としたインフラ整備など民間土木分野の拡大、護岸関連の地盤改良工事などに注力。技術力を生かし海外受注にも積極的。茨城・土浦に総合技術研究所。消波ブロック「テトラポッド」も扱う。
【設立】1947.1【資本金】5,000百万円
【社長】奥田眞也(1955.1生 関大工卒)
【株主】〔24.3〕ゴールドマン・サックス・インターナショナル12.6%
【連結事業】土木40、地盤改良54、ブロック5、他1
【従業員】連1,006名 単860名(45.8歳)

【業績】	売上高	営業利益	経常利益	純利益
連22.3	66,778	3,297	3,381	2,063
連23.3	70,466	3,602	3,458	2,166
連24.3	67,947	2,656	2,947	2,009

ベステラ 東証プライム

採用内定数	倍率	3年後離職率	平均年収
4名	14.3倍	-	639万円

●待遇、制度●
【初任給】月23.5万(固定残業代10時間分)
【残業】18.3時間【有休】8.4日【制度】‥
●新卒定着状況●
20年入社(男0、女0)→3年後在籍(男0、女0)
●採用情報●
【人数】23年:4 24年:5 25年:応募57→内定4*
【内定内訳】(男3、女1)(文2、理2)(総4、他0)
【試験】なし
【時期】エントリー24.7→内々定24.10*(一次はWEB面接可)【インターン】有
【採用実績校】専大1、千葉工大1、東京電機大1、大和大1
【求める人材】関係構築力が高い人、自ら考えて積極的に行動できる人、様々な考えを取り込める人

【本社】135-0023 東京都江東区平野3-2-6 木場パークビル ☎03-3630-5555
【特色・近況】製鉄・電力・ガス・石油などのプラント解体工事を手がける。工法の提案、設計、施工監理が主体で、施工は外注先が行う。大型貯槽の切断解体、ボイラーの解体に独自技術を持つ。PCB、アスベストなど有害物質除去のノウハウに強み。溶断工事にロボットを活用。
【設立】1974.2【資本金】843百万円
【社長】本田豊(1972.5生)
【株主】〔24.7〕TERRA・ESHINO㈱16.0%
【連結事業】解体・メンテナンス97、他3
【従業員】連243名 単118名(41.4歳)

【業績】	売上高	営業利益	経常利益	純利益
連22.1	5,966	607	840	1,467
連23.1	5,458	▲215	▲94	▲64
連24.1	9,394	246	407	231

北電興業（ほくでんこうぎょう） 株式公開計画なし

採用内定数	倍率	3年後離職率	平均年収
3名	‥	0%	‥

●待遇、制度●
【初任給】月21.4万
【残業】12.6時間【有休】15.1日【制度】住 在
●新卒定着状況●
20年入社(男1、女0)→3年後在籍(男1、女0)
●採用情報●
【人数】23年:7 24年:2 25年:応募‥→内定3*
【内定内訳】(男1、女2)(文3、理0)(総3、他0)
【試験】〔性格〕有
【時期】エントリー25.3→内々定25.6【インターン】有
【採用実績校】‥
【求める人材】環境の変化に柔軟に対応できる人

【本社】060-0031 北海道札幌市中央区北1条東3-1-1 ☎011-261-1476
【特色・近況】発電所関連工事、不動産事業が主力。加えて緑化、石炭灰リサイクル、発電所向け燃料調達支援、土木・建築資材販売、省エネ関連事業、保険・旅行、広告なども手がける。北海道電力グループで、北海道電力の売上高が5割以上。道内に事業所11カ所。
【設立】1956.4【資本金】95百万円
【社長】氏家和彦(1959.8生 北大法卒)
【株主】〔24.3〕北海道電力100%
【事業】土木・建築工事26、燃料関連18、不動産管理17、商品販売他39
【従業員】単343名(49.9歳)

【業績】	売上高	営業利益	経常利益	純利益
単22.3	9,757	659	577	485
単23.3	10,649	1,180	1,145	748
単24.3	14,797	1,583	1,535	890

建設・不動産

ほくりく
北陸プラントサービス

[株式公開計画なし]

採用内定数	倍率	3年後離職率	平均年収
2名	4倍	8.3%	591万円

●待遇、制度●
【初任給】月22.1万(諸手当9.5万円)
【残業】14.1時間【有休】13.1日【制度】[住][在]

●新卒定着状況●
20年入社(男10、女2)→3年後在籍(男9、女2)

●採用情報●
【人数】23年:9 24年:4 25年:応募8→内定2*
【内定内訳】(男1、女1)(文‥、理‥)(総0、他2)
【試験】〔Web自宅〕SPI3〔性格〕有
【時期】エントリー25.3→内々定25.6(一次はWEB面接可)【インターン】有
【採用実績校】富山高専1、東京デザイン専1

【求める人材】電力インフラを守る仕事に興味がある人、機械・電気技術職を目指す人

【本社】930-2201 富山県富山市草島字鶴田1-1
☎076-435-5410
【特色・近況】北陸電力グループの設備工事会社。火力発電や原子力発電設備の据付・補修・改良・建設工事と運転関連業務が主力。北陸3県に6拠点。製造・化学プラントなどの保守も手がける。電気・管工事をはじめ監理技術者など有資格者多数。
【設立】1970.4 【資本金】95百万円
【社長】小川一彦(1962.11生 農工大工卒)
【株主】〔24.3〕北陸電力100%
【事業】機械器具設置工事73、管工事11、電気工事7、他9
【従業員】単581名(44.8歳)

【業績】	売上高	営業利益	経常利益	純利益
単22.3	15,845	1,130	1,137	745
単23.3	14,581	477	502	328
単24.3	17,816	1,511	1,546	1,050

(株)マサル

[東証スタンダード]

採用内定数	倍率	3年後離職率	平均年収
7名	2.1倍	25%	[総]690万円

●待遇、制度● 平均年収は上級職含む
【初任給】月27.8万(諸手当4万円、固定残業代20時間分)
【残業】17時間【有休】9.2日【制度】[フ][住][在]

●新卒定着状況●
20年入社(男3、女1)→3年後在籍(男2、女1)

●採用情報●
【人数】23年:7 24年:3 25年:応募15→内定7
【内定内訳】(男3、女4)(文6、理0)(総7、他0)
【試験】なし
【時期】エントリー24.11→内々定25.3*(一次はWEB面接可)【インターン】有
【採用実績校】新潟大1、國學院大1、都留文科大1、白鴎大1、駿河台大1
【求める人材】積極的なコミュニケーションをとり、自ら考え行動でき、仕事に人に誠実に向き合える人

【本社】135-8432 東京都江東区佐賀1-9-14
☎03-3643-5859
【特色・近況】ビル、マンションなどのシーリング(外壁防水)工事で業界首位。シーリング防水、メンブレン防水、リニューアルが3大柱。都内の超高層ビルの7割に施工実績あり。外壁補修・改修などのリニューアルを強化。グループで空調など設備工事も行う。
【設立】1957.9 【資本金】885百万円
【社長】勝又健(1968.11生 国学院大法卒)
【株主】〔24.3〕(株)操上16.0%
【連結事業】建設工事90、設備工事10
【従業員】連149名 単130名(46.0歳)

【業績】	売上高	営業利益	経常利益	純利益
連21.9	7,794	406	418	321
連22.9	6,959	198	232	191
連23.9	8,635	504	522	344

ます おか ぐみ
(株)増岡組

[株式公開計画なし]

採用内定数	倍率	3年後離職率	平均年収
8名	2.1倍	27.3%	‥

●待遇、制度●
【初任給】月21万
【残業】26.3時間【有休】11日【制度】[住]

●新卒定着状況●
20年入社(男7、女4)→3年後在籍(男5、女3)

●採用情報●
【人数】23年:6 24年:10 25年:応募17→内定8*
【内定内訳】(男7、女1)(文1、理7)(総8、他0)
【試験】〔Web自宅〕有〔性格〕有
【時期】エントリー25.3→内々定25.4(一次はWEB面接可)【インターン】有
【採用実績校】広島工大3、福山大2、徳島文理大1、広島女学大1、九産大1

【求める人材】熱意と創意がある人

【本社】100-0005 東京都千代田区丸の内1-8-2 鉄鋼ビルディング
☎03-6206-3451
【特色・近況】中国地方地盤ゼネコンで、官公庁、教育文化施設、医療施設、スポーツ施設、工場、テーマパークなど手がける。創業地の広島に拠点を多く置き、厳島神社の修復やマツダズーム・ズームスタジアム広島など実績豊富。自社物件の不動産売買・斡旋管理も手がける。
【設立】1948.1 【資本金】1,250百万円
【社長】増岡聡一郎(1962.10生 慶大経済卒)
【株主】〔23.9〕鉄鋼ビルディング100%
【事業】建築工事85、土木工事15
【従業員】単249名(46.3歳)

【業績】	売上高	営業利益	経常利益	純利益
単21.9	25,330	727	932	731
単22.9	20,466	425	639	485
単23.9	21,572	343	495	300

松尾建設（まつおけんせつ）

株式公開計画なし

採用内定数	倍率	3年後離職率	平均年収
27名	‥	15.4%	[総]770万円

●待遇、制度●
【初任給】月25万(諸手当1万円)
【残業】27時間【有休】12.8日【制度】[住]
●新卒定着状況●
20年入社(男21、女5)→3年後在籍(男17、女5)
●採用情報●
【人数】23年:29 24年:20 25年:応募‥→内定27*
【内定内訳】(男22、女5)(文4、理8)(総22、他5)
【試験】〔筆記〕常識〔Web会場〕SPI3〔Web自宅〕SPI3〔性格〕有
【時期】エントリー25.3→内々定25.6*(一次はWEB面接可)【インターン】有【ジョブ型】有
【採用実績校】佐賀大院1、佐賀大1、宮崎大1、兵庫県大1、崇城大1、福岡大1、久留米大1、西日本工大2、愛知産大1、環太平洋大1、他
【求める人材】ものづくりが好きで、ものづくりを通じて社会に貢献したいと思っている人

【本店】840-8666 佐賀県佐賀市多布施1-4-27
☎0952-24-1181
【特色・近況】建築・土木・舗道・リニューアル事業を柱とする九州を代表するゼネコン。医療・福祉分野に特化した専門部署を設置し、施設運営まで支援。工場・倉庫建設や宿泊施設、共同住宅、教育施設にも施工実績。14支店28営業所で全国に展開。
【設立】1948.6 【資本金】100百万円
【社長】松尾哲吾(1972.1生 早大理工卒)
【株主】〔24.6〕松尾哲吾13.9%
【連結事業】建設96、他4
【従業員】連951名 単678名(44.1歳)

【業績】	売上高	営業利益	経常利益	純利益
連22.3	71,153	3,339	3,507	1,359
連23.3	89,476	3,501	3,678	2,373
連24.3	93,053	3,541	3,698	2,313

㈱松下産業（まつしたさんぎょう）

株式公開未定

採用内定数	倍率	3年後離職率	平均年収
4名	2倍	0%	[総]798万円

●待遇、制度●
【初任給】月25万
【残業】33.1時間【有休】8.9日【制度】[住][在]
●新卒定着状況●
20年入社(男5、女0)→3年後在籍(男5、女0)
●採用情報●
【人数】23年:5 24年:7 25年:応募8→内定4*
【内定内訳】(男1、女3)(文0、理3)(総4、他0)
【試験】〔筆記〕常識、他〔Web自宅〕SPI3
【時期】エントリー24.10→内々定25.6(一次はWEB面接可)【インターン】有
【採用実績校】山口大1、京都女大1、職能大学校1、熊本高専1
【求める人材】問題解決力があり判断力に優れ、多様な人々とのコミュニケーションがとれる人

【本社】113-8447 東京都文京区本郷1-34-4
☎03-3814-6901
【特色・近況】商業施設、ビル、マンションの新築工事とリニューアル工事が主力の総合建設業。都市型土木工事も手がける。有名建築家の仕事も多い。国交省、東京都などから受賞歴多数。建物再生、倉庫、非住宅木造建築などで「+シリーズ」を展開。関連会社で不動産、工業機器、プラントも。
【設立】1964.12 【資本金】312百万円
【社長】松下和正(1956.4生 東大法卒)
【株主】〔23.6〕松下産業ホールディングス100%
【事業】建築94、土木6
【従業員】単238名(44.8歳)

【業績】	売上高	営業利益	経常利益	純利益
単21.6	17,817	920	870	604
単22.6	20,220	754	704	467
単23.6	19,040	841	794	531

丸磯建設（まるいそけんせつ）

株式公開計画なし

採用内定数	倍率	3年後離職率	平均年収
10名	1.9倍	17.6%	‥

●待遇、制度●
【初任給】月27万(諸手当3.2万円)
【残業】48.5時間【有休】8.5日【制度】[住][在]
●新卒定着状況●
20年入社(男13、女4)→3年後在籍(男10、女4)
●採用情報●
【人数】23年:8 24年:7 25年:応募19→内定10*
【内定内訳】(男7、女3)(文5、理5)(総10、他0)
【試験】〔筆記〕常識〔性格〕有
【時期】エントリー24.10→内々定25.1*(一次はWEB面接可)【インターン】有
【採用実績校】山梨学大1、東海大1、東洋大1、東北工大1、近大1、九産大1、他
【求める人材】誠実、健康、日々ベストを尽くす人

【本社】140-8680 東京都品川区北品川3-6-7
☎03-5462-8800
【特色・近況】土木中心の中堅ゼネコン。ダム、道路、宅地などの土台となる造成工事を数多く請け負う。河川護岸や災害復旧事業も手がける。遠隔操作可能なICT大型建設機械を数多く保有、駆使する。医療施設はじめとする建築事業も展開。全国に12の支店・営業所持つ。
【設立】1958.5 【資本金】98百万円
【社長】堀江秀哉(1970.4生 城西大経済卒)
【株主】〔23.9〕磯部昌江他5名67.4%
【事業】土木一式工事90、建築一式工事10
【従業員】単211名(40.6歳)

【業績】	売上高	営業利益	経常利益	純利益
単21.9	25,806	310	475	106
単22.9	26,345	506	876	112
単23.9	25,377	807	1,148	673

#初任給が高い

丸五基礎工業（まるごきそこうぎょう）

株式公開未定

採用内定数	倍率	3年後離職率	平均年収
5名	‥	0%	㊙815万円

●待遇、制度●
【初任給】月29万(諸手当3万円)
【残業】‥時間【有休】11.2日【制度】住

●新卒定着状況●
20年入社(男6、女0)→3年後在籍(男6、女0)

●採用情報●
【人数】23年:9 24年:1 25年:応募‥→内定5*
【内定内訳】(男5、女0)(文1、理3)(総5、他0)
【試験】〔筆記〕常識、他
【時期】エントリー‥→内々定‥【インターン】有
【採用実績校】日大1、麻生建築&デザイン専1、大阪産大1、敬愛大1、大手前大1
【求める人材】物造りに興味がある積極的でチャレンジ精神のある人

【本社】541-0053 大阪府大阪市中央区本町1-8-12 オーク堺筋本町ビル7階 ☎06-6264-0501
【特色・近況】超高層ビル、一般ビル、工場、発電所、高速道路高架橋など幅広い施工実績を持つ国内大手の杭基礎工事会社。拡張性が高く設計自由度を高める場所打ち鋼管コンクリート杭の技術を確立。東京、名古屋、広島、福岡に支社、上海に合弁会社を構える。
【設立】1964.1 【資本金】1,049百万円
【社長】徳山慶裕
【株主】‥
【事業】建設工事・土木工事
【従業員】単170名(‥歳)

【業績】	売上高	営業利益	経常利益	純利益
単22.3	21,358	2,499	2,562	1,633
単23.3	20,896	2,554	2,658	1,769
単24.3	19,600	1,656	1,885	1,253

美樹工業（みきこうぎょう）

東証スタンダード

採用内定数	倍率	3年後離職率	平均年収
4名	3倍	27.8%	581万円

●待遇、制度●
【初任給】月24万(諸手当3万円)
【残業】15.4時間【有休】10.1日【制度】住

●新卒定着状況●
20年入社(男17、女1)→3年後在籍(男12、女1)

●採用情報●
【人数】23年:16 24年:15 25年:応募12→内定4*
【内定内訳】(男4、女0)(文4、理0)(総4、他0)
【試験】〔性格〕有
【時期】エントリー 25.3→内々定25.6*(一次はWEB面接可)【インターン】有
【採用実績校】関大1、関西学大1、追手門学大1、姫路獨協大1
【求める人材】積極性・協調性・コミュニケーション力がある人

【本社】670-0947 兵庫県姫路市北条951-1 ☎079-281-5151
【特色・近況】建築工事を兵庫県地盤に近畿一円で展開し、マンション、介護施設、工場を手がける。大阪ガスの指定業者で導管工事、設備工事などガス関連工事も。子会社にセキスイハイムの大手代理店。不動産賃貸などストックビジネスを強化。
【設立】1962.1 【資本金】764百万円
【社長】岡田尚一郎(1956.10生 高知工高専卒)
【株主】〔24.6〕三木佳美14.4%
【連結事業】建設41、設備19、住宅32、不動産賃貸5、他3
【従業員】連552名 単278名(41.8歳)

【業績】	売上高	営業利益	経常利益	純利益
連21.12	26,370	1,266	1,323	731
連22.12	30,758	1,102	1,181	734
連23.12	32,203	1,316	1,330	839

三井住建道路（みついすみけんどうろ）

東証スタンダード

採用内定数	倍率	3年後離職率	平均年収
7名	61.4倍	43.7%	㊙706万円

●待遇、制度●
【初任給】月25万
【残業】21.4時間【有休】12.1日【制度】住 在

●新卒定着状況●
20年入社(男15、女1)→3年後在籍(男9、女0)

●採用情報●
【人数】23年:8 24年:16 25年:応募430→内定7*
【内定内訳】(男6、女1)(文4、理3)(総6、他1)
【試験】〔性格〕有
【時期】エントリー 25.3→内々定25.5*(一次はWEB面接可)【インターン】有
【採用実績校】関東学院大1、国士舘大1、東海大2、東京経大1、日大2
【求める人材】年代に関係なくコミュニケーションが図れ、困難な状況下でも想像力を発揮し、柔軟かつ前向きに行動ができる人

【本店】160-0023 東京都新宿区西新宿6-24-1 西新宿三井ビル ☎03-6258-1523
【特色・近況】三井住友建設が親会社の中堅道路舗装会社。三井住友グループ関連の工事に強みを持つが、受注依存度は低い。官公庁関連の工事比率が高い。排水性、保水性など高機能化を進め、アスファルト合材販売など周辺事業の開拓にも注力している。
【設立】1948.2 【資本金】1,329百万円
【社長】蓮井肇(1966.12生 北学大工卒)
【株主】〔24.3〕三井住友建設53.6%
【連結事業】建設82、製造・販売18、他0
【従業員】連444名 単438名(46.2歳)

【業績】	売上高	営業利益	経常利益	純利益
連22.3	31,535	933	949	627
連23.3	31,914	1,008	1,015	630
連24.3	30,913	994	1,027	587

#年収高く倍率低い #年収が高い

三菱重工環境・化学エンジニアリング

株式公開計画なし

採用内定数	倍率	3年後離職率	平均年収
11名	11.1倍	15.4%	925万円

●待遇、制度●
【初任給】月24.7万(諸手当1万円)
【残業】20.1時間【有休】16.9日【制度】フ 住 在
●新卒定着状況●
20年入社(男11、女2)→3年後在籍(男10、女1)
●採用情報●
【人数】23年:9 24年:8 25年:応募122→内定11*
【内定内訳】(男6、女5)(文6、理5)(総11、他0)
【試験】〔Web自宅〕SPI3〔性格〕有
【時期】エントリー24.11→内々定25.3*(一次はWEB面接可)【インターン】有
【採用実績校】北大1、琉球大1、名大1、東京科学大1、近大1、青学大1、獨協大1、早大1、同大1、法政大1、共立女大1
【求める人材】協調性があり、何事にも真摯に向き合い誠実に取組める人

【本社】220-0012 神奈川県横浜市西区みなとみらい4-4-2 横浜ブルーアベニュー☎045-227-1280
【特色・近況】ごみ焼却施設などの環境設備の計画、設計、建設、据え付け、運転、保守まで一貫。設備の長寿命化、基幹改良工事も手がける。排ガス中の水銀濃度を予測し水銀を除去するシステムを製品化。全国に支店網、広島と長崎に技術事務所。三菱重工業の子会社。
【設立】1976.2 【資本金】3,450百万円
【社長】野口能弘
【株主】〔24.3〕三菱重工業100%
【事業】ごみ焼却設備74、環境装置関連他26 <海外1>
【従業員】単552名(43.9歳)

【業績】	売上高	営業利益	経常利益	純利益
単22.3	69,851	9,453	11,267	8,268
単23.3	66,823	7,865	9,632	6,536
単24.3	55,061	6,736	7,345	8,462

#有休取得が多い

三菱重工交通・建設エンジニアリング

株式公開計画なし

採用内定数	倍率	3年後離職率	平均年収
6名	3.7倍	18.7%	763万円

●待遇、制度●
【初任給】月25.5万(諸手当1万円)
【残業】19.9時間【有休】17.8日【制度】フ 住 在
●新卒定着状況●
20年入社(男11、女5)→3年後在籍(男9、女4)
●採用情報●
【人数】23年:4 24年:8 25年:応募22→内定6*
【内定内訳】(男4、女2)(文1、理5)(総6、他0)
【試験】〔Web自宅〕SPI3〔性格〕有
【時期】エントリー25.3→内々定25.6【インターン】有
【採用実績校】岡山理大1、近大1、工学院大1、東京工芸大1、日女大1、北海道職能大学校1
【求める人材】積極性・成長意欲・協調性のある人

【本社】108-8015 東京都港区芝5-33-11 田町タワー ☎03-5476-6961
【特色・近況】三菱重工業の子会社。グループの土木・建築分野を担当。企画・設計・施工・保守まで一貫。交通インフラ、プラント、ビル・工場建設などの幅広い分野に展開。三菱重工業グループ各社と連携しシナジー追求。全国に拠点を展開。
【設立】2018.1 【資本金】300百万円
【社長】塚原敦(1960.7生 成蹊大機械工卒)
【株主】〔24.4〕三菱重工業100%
【事業】交通・機器事業部24、エンジニアリング事業部76
【従業員】単963名(49.2歳)

【業績】	売上高	営業利益	経常利益	純利益
単22.3	39,177	355	364	218
単23.3	45,866	1,777	1,739	1,163
単24.3	53,533	2,593	2,572	1,782

#年収高く倍率低い

みらい建設工業（けんせつこうぎょう）

株式公開計画なし

採用内定数	倍率	3年後離職率	平均年収
21名	3.6倍	37.5%	821万円

●待遇、制度●
【初任給】月26万(諸手当1.1万円)
【残業】31.7時間【有休】11.4日【制度】フ 住 在
●新卒定着状況●
20年入社(男4、女4)→3年後在籍(男2、女3)
●採用情報●
【人数】23年:10 24年:18 25年:応募76→内定21*
【内定内訳】(男14、女7)(文9、理12)(総21、他0)
【試験】〔Web自宅〕有
【時期】エントリー25.1→内々定25.1*(一次はWEB面接可)【インターン】有
【採用実績校】鹿児島大1、福山大1、石川県大2、秋田大1、日大1、関東学院大2、他
【求める人材】能力開発と成果に責任を持ち、環境の変化を踏まえながら自律的に思考し行動できる人

【本社】108-0014 東京都港区芝4-6-12 TCG芝第2ビル ☎03-6436-3710
【特色・近況】防波堤、護岸、桟橋、航路・泊地浚渫など港湾関連工事に多数の実績を持つマリンコンストラクター。作業船の保有・管理の合理化・効率化の推進とともに、海洋・港湾事業の強化を図る。民間事業にも積極的に参画。高松コンストラクショングループ傘下。
【設立】1974.10 【資本金】2,500百万円
【社長】石橋宏樹(1960.6生 佐賀大理工卒)
【株主】〔24.4〕高松コンストラクショングループ100%
【事業】土木・建築等工事、他
【従業員】単316名(45.8歳)

【業績】	売上高	営業利益	経常利益	純利益
単22.3	26,424	725	805	421
単23.3	26,929	937	1,049	738
単24.3	33,222	1,102	1,182	1,298

明清建設工業（めいせいけんせつこうぎょう）

株式公開計画なし

採用内定数	倍率	3年後離職率	平均年収
4名	4.5倍	25%	643万円

●待遇、制度●
【初任給】月26.5万(諸手当6万円、固定残業代40時間分)
【残業】7.1時間【有休】9日【制度】住
●新卒定着状況●
20年入社(男4、女0)→3年後在籍(男3、女0)
●採用情報●
【人数】23年:4 24年:1 25年:応募18→内定4*
【内定内訳】(男1、女3)(文4、理0)(総1、他3)
【試験】〔筆記〕SPI3〔性格〕有
【時期】エントリー24.10→内々定25.6*【インターン】有
【採用実績校】同大1、大谷大1、大阪樟蔭女大1、龍谷大1
【求める人材】他責でなく自責で物事を考えられる誠実な人

【本社】601-8115 京都府京都市南区上鳥羽尻切町4 ☎075-681-7561
【特色・近況】京都・滋賀地盤に道路の建設・舗装・整備を展開。高速道路、一般道路、生活道路、寺社仏閣参道などに実績。橋脚工事、橋梁補修、電柱地中化などの土木工事やアスファルト合材や景観舗装合材の販売も手がける。京都、滋賀、大阪に拠点。
【設立】1953.4 【資本金】80百万円
【社長】本間太郎(1981.5生 東大卒)
【株主】〔24.3〕本間太郎74.3%
【事業】舗装工事75、土木一式工事10、アスファルト販売15
【従業員】単64名(41.1歳)

【業績】	売上高	営業利益	経常利益	純利益
単22.3	4,303	74	88	57
単23.3	4,416	3	41	39
単24.3	4,372	59	64	62

名鉄EIエンジニア（めいてつ）

株式公開計画なし

採用内定数	倍率	3年後離職率	平均年収
12名	6.8倍	16.7%	‥

●待遇、制度●
【初任給】月22.9万(諸手当0.6万円)
【残業】14.9時間【有休】16.1日【制度】住 在
●新卒定着状況●
20年入社(男24、女0)→3年後在籍(男20、女0)
●採用情報●
【人数】23年:18 24年:18 25年:応募82→内定12*
【内定内訳】(男12、女0)(文1、理10)(総0、他12)
【試験】〔Web会場〕C-GAB〔性格〕有
【時期】エントリー24.11→内々定25.3(一次はWEB面接可)【インターン】有
【採用実績校】大同大6、愛知工業大2、中部大2、愛知大1
【求める人材】ルールを遵守し、協調性と向上心を持って仕事に取り組むことができる人

【本社】456-0031 愛知県名古屋市熱田区神宮4-3-36 ☎052-678-1771
【特色・近況】名古屋鉄道の電気・信号・通信設備の設計・施工や保守、コンサルが主事業。官公庁、企業向け各種設備工事の設計・施工・保守も展開。ビル、百貨店、ホテル、研究施設などの施設管理も。静岡、岐阜、三重に支店。名鉄グループの中核企業。
【設立】1966.12 【資本金】100百万円
【社長】浅野直宏(1968.1生 三重大工卒)
【株主】〔24.3〕名古屋鉄道88.9%
【事業】完成工事高61、他39
【従業員】単518名(43.9歳)

【業績】	売上高	営業利益	経常利益	純利益
単22.3	13,611	436	474	774
単23.3	16,300	775	790	548
単24.3	18,011	1,073	1,097	750

㈱森長組（もりちょうぐみ）

株式公開計画なし

採用内定数	倍率	3年後離職率	平均年収
2名	3倍	20%	㊕617万円

●待遇、制度●
【初任給】月23万(諸手当2万円)
【残業】7.3時間【有休】10.4日【制度】住
●新卒定着状況●
20年入社(男5、女0)→3年後在籍(男4、女0)
●採用情報●
【人数】23年:6 24年:7 25年:応募6→内定2*
【内定内訳】(男2、女0)(文2、理0)(総2、他0)
【試験】〔筆記〕有
【時期】エントリー25.3→内々定25.6*(一次はWEB面接可)【インターン】有
【採用実績校】大阪産大1、摂南大1
【求める人材】前向きな志や物事を最後までやり遂げる意志の強さを持った人

【本社】656-0595 兵庫県南あわじ市賀集823 ☎0799-54-0721
【特色・近況】土木・建築・海洋土木が柱の中堅ゼネコン。海洋土木では1800トン吊能力の全旋回式クレーン船を所有。兵庫県南が地盤だが、羽田空港拡張工事や、海外でも多くのプロジェクトにも参画するなど、国内外で幅広く事業を展開。
【設立】1956.7 【資本金】480百万円
【社長】森宏文(1969.1生 名商大院マネジ修了)
【株主】〔24.5〕森長組持株会社39.5%
【事業】土木78、建築22
【従業員】単256名(44.8歳)

【業績】	売上高	営業利益	経常利益	純利益
単21.5	11,618	995	1,028	▲528
単22.5	9,745	288	335	240
単23.5	9,985	826	907	322

㈱守谷商会（もりやしょうかい）

東証スタンダード

採用内定数	倍率	3年後離職率	平均年収
16名	2.5倍	23.1%	644万円

●待遇、制度●
【初任給】月24.2万(固定残業代20時間分)
【残業】28.2時間【有休】13.2日【制度】住 在

●新卒定着状況●
20年入社(男11、女2)→3年後在籍(男8、女2)

●採用情報●
【人数】23年:11 24年:16 25年:応募40→内定16*
【内定内訳】(男13、女3)(文6、理8)(総16、他0)
【試験】なし
【時期】エントリー24.6→内々定24.12*【インターン】有
【採用実績校】信州大4、琉球大1、愛知工業大1、ものつくり大1、中大1、大東文化大1、東洋大1、名古屋商大1、愛知学大1、東洋学大1、他
【求める人材】失敗を恐れないチャレンジ精神旺盛な人

【本社】380-8533 長野県長野市南千歳町878
☎026-226-0111
【特色・近況】長野県地盤の中堅建設会社。売り上げの約5割は長野・北陸圏だが、首都圏と中部圏でも事業展開。子会社を含め建築、土木工事や分譲マンション一棟売りなど不動産事業も手がける。地中熱利用など再生可能エネルギー事業に注力。
【設立】1955.8 【資本金】1,712百万円
【社長】伊藤由郁紀(1962.4生 明大建築卒)
【株主】〔24.3〕一般財団法人守谷奨学財団8.5%
【連結事業】建築73、土木20、不動産7
【従業員】連392名 単316名(41.1歳)

【業績】	売上高	営業利益	経常利益	純利益
連22.3	38,840	1,608	1,661	1,574
連23.3	38,975	1,201	1,299	900
連24.3	43,344	2,223	2,273	1,606

野外科学（やがいかがく）

株式公開未定

採用内定数	倍率	3年後離職率	平均年収
2名	4倍	−	534万円

●待遇、制度●
【初任給】月22万(諸手当4万円)
【残業】12.5時間【有休】13.6日【制度】フ 住 在

●新卒定着状況●
20年入社(男0、女0)→3年後在籍(男0、女0)

●採用情報●
【人数】23年:0 24年:1 25年:応募8→内定2*
【内定内訳】(男2、女0)(文0、理1)(総2、他0)
【試験】〔筆記〕常識
【時期】エントリー25.5→内定25.‥*(一次はWEB面接可)
【採用実績校】‥
【求める人材】‥

【本社】065-0043 北海道札幌市東区苗穂町12-2-39
☎011-751-5151
【特色・近況】北海道を中心に、水質や大気などの環境調査、測量、建設コンサルなどの事業を手がける。地質調査と化学分析に強み。放射線調査・測定も手がける。油汚染土壌浄化関連にも注力。ネパールとベトナムの現地法人で環境アセスメントなどの事業展開。
【設立】1971.5 【資本金】66百万円
【社長】高岡伸一(1959.8生 山形大工短大部環境卒)
【株主】〔24.4〕東京中小企業投資育成16.4%
【事業】技術コンサルタント40、環境モニタリング60
【従業員】単62名(46.8歳)

【業績】	売上高	営業利益	経常利益	純利益
単22.4	838	141	141	59
単23.4	872	98	98	59
単24.4	907	141	154	95

ヤスダエンジニアリング

株式公開計画なし

採用内定数	倍率	3年後離職率	平均年収
4名	5倍	80%	‥

●待遇、制度●
【初任給】月24.7万(固定残業代3.3万円)
【残業】11.3時間【有休】10.5日【制度】住 在

●新卒定着状況●
20年入社(男4、女1)→3年後在籍(男0、女1)

●採用情報●
【人数】23年:6 24年:4 25年:応募20→内定4*
【内定内訳】(男4、女0)(文4、理0)(総0、他4)
【試験】〔筆記〕常識〔性格〕有
【時期】エントリー25.1→内々定25.5(一次・二次以降もWEB面接可)
【採用実績校】神戸国際大1、天理大1、神戸学大1
【求める人材】明るく元気、人の話を聞きメモが取れ、自ら質問し積極的に教えてもらい向上心がある人

【本社】556-0024 大阪府大阪市浪速区塩草3-2-26
☎06-6561-5788
【特色・近況】公共下水道工事の専門事業で創業後、一般土木工事、建築工事なども手がける総合建設会社に。得意分野の推進工法は、中大口径から小口径までの掘進機を自社機で施工。ベトナムやインドネシアなど、東南アジア諸国の地下インフラ改善を目指す。
【設立】1991.8 【資本金】300百万円
【社長】安田京一(1952.11生)
【株主】‥
【事業】総合建設業
【従業員】単154名(43.2歳)

【業績】	売上高	営業利益	経常利益	純利益
単21.7	5,084	80	41	26
単22.7	5,576	88	33	11
単23.7	4,603	39	102	63

㈱ヤマウラ

[東証プライム]

採用内定数	倍率	3年後離職率	平均年収
12名	4.1倍	50%	[総]792万円

●待遇、制度●
【初任給】月27.5万(固定残業代15時間分)
【残業】21時間【有休】12.4日【制度】[住]
●新卒定着状況●
20年入社(男15、女3)→3年後在籍(男7、女2)
●採用情報●
【人数】23年:13 24年:21 25年:応募49→内定12
【内定内訳】(男6、女6)(文5、理6)(総12、他0)
【試験】〔筆記〕SPI3〔Web自宅〕SPI3、他〔性格〕有
【時期】エントリー25.3→内々定25.4*(二次以降はWEB面接可)【インターン】有【ジョブ型】有
【採用実績校】長岡造形大1、諏訪東理大1、金沢工大1、愛知工業大1、東海大1、松本大1、名城大1、京都美工大1、山口大1、京産大1、他
【求める人材】常に向上心を持ち、夢の実現のために真面目にコツコツ頑張る人

【本社】399-4195 長野県駒ヶ根市北町22-1
☎0265-81-5555
【特色・近況】長野県南部を地盤とする建設会社。長野県内での建築・土木工事が中心で、産業設備などのエンジニアリングも手がける。賃貸用自社ブランド「プレインマンション」を契約ビルダーにライセンス供与。首都圏でマンション分譲、不動産事業なども展開。
【設立】1960.8 【資本金】2,888百万円
【社長】山浦正貴(1971.5生 芝工大工卒)
【株主】〔24.3〕㈱信州エンタープライズ17.2%
【連結事業】建設79、エンジニアリング9、開発等12
【従業員】連416名 単416名(44.0歳)

【業績】	売上高	営業利益	経常利益	純利益
連22.3	27,946	2,123	2,317	1,495
連23.3	31,381	3,076	1,965	744
連24.3	37,546	4,327	4,150	2,976

㈱ヤマサキ

[株式公開計画なし]

採用予定数	倍率	3年後離職率	平均年収
10名	-	40%	[総]603万円

●待遇、制度●
【初任給】月22万
【残業】20時間【有休】10.5日【制度】[住]
●新卒定着状況●
20年入社(男4、女1)→3年後在籍(男3、女0)
●採用情報●
【人数】23年:13 24年:6 25年:応募10→内定0*
【内定内訳】(男‥、女‥)(文‥、理‥)(総‥、他‥)
【試験】〔Web自宅〕有〔性格〕有
【時期】エントリー25.3→内々定25.6*(一次はWEB面接可)【インターン】有
【採用実績校】‥
【求める人材】さまざまな年代や立場の人と良好な関係が築け、物事に迅速に対応できる人

【本社】837-0911 福岡県大牟田市大字橘11
☎0944-58-1366
【特色・近況】鉄鋼向けの築炉工事が主力の老舗の設備工事会社。大型高炉に実績多数。築炉技術は評価が高く、海外への技術指導も行う。アルミ溶解炉や低公害焼却炉も手がける。自社で運営する技術専門校での技能者の育成に注力。レストランも運営。
【設立】1969.10 【資本金】45百万円
【代表取締役】山﨑一正(1965.10生 明大工卒)
【株主】〔23.8〕ヤマサキホールディングス100%
【事業】築炉工事85、鋼構造物工事10、管工事他5
【従業員】単464名(39.8歳)

【業績】	売上高	営業利益	経常利益	純利益
単21.8	14,496	1,131	1,274	804
単22.8	15,203	1,577	1,793	597
単23.8	14,846	1,566	1,755	1,181

#年収高く倍率低い

㈱雄電社(ゆうでんしゃ)

[株式公開計画なし]

採用内定数	倍率	3年後離職率	平均年収
12名	3.3倍	27.3%	830万円

●待遇、制度●
【初任給】月26.6万(諸手当2万円)
【残業】36.6時間【有休】9.9日【制度】[フ][住]
●新卒定着状況●
20年入社(男10、女1)→3年後在籍(男8、女0)
●採用情報●
【人数】23年:9 24年:12 25年:応募40→内定12*
【内定内訳】(男11、女1)(文3、理9)(総12、他0)
【試験】〔性格〕有
【時期】エントリー24.11→内々定25.6(一次はWEB面接可)【インターン】有
【採用実績校】湘南工大4、明大1、工学院大1、神奈川工大1、東京電機大1、日工大1、東京工科大1、愛知工業大1、長岡大1
【求める人材】しっかりとした自分のビジョンを持ち、チャレンジ精神にあふれる人

【本社】142-0064 東京都品川区旗の台2-8-21
☎03-3786-1161
【特色・近況】屋内電気設備工事が主力の独立系電気工事会社。オフィスビル、マンション、ホテル、学校、病院、レジャー施設、工場などに対応。関連会社を通じ、空調設備、給排水・衛生設備工事の設計・施工、再開発事業の工事なども行う。
【設立】1942.10 【資本金】693百万円
【社長】小島兼隆(1960.12生 東海大電気卒)
【株主】〔24.6〕小島兼隆35.0%
【事業】電気工事100
【従業員】単278名(40.8歳)

【業績】	売上高	営業利益	経常利益	純利益
単22.3	18,691	3,266	3,542	1,925
単23.3	16,145	2,174	2,298	1,479
単24.3	19,184	3,780	4,002	2,688

#年収高く倍率低い #年収が高い

ユニオン建設（けんせつ）

株式公開計画なし

採用内定数	倍率	3年後離職率	平均年収
6名	3.2倍	15%	[総]883万円

●待遇、制度●
【初任給】月25万(諸手当6.3万円)
【残業】20.6時間【有休】17.3日【制度】[フ][住]

●新卒定着状況●
20年入社(男18、女2)→3年後在籍(男16、女1)

●採用情報●
【人数】23年:22 24年:17 25年:応募19→内定6*
【内定内訳】(男5、女1)(文2、理4)(総6、他0)
【試験】〔筆記〕有〔性格〕有
【時期】エントリー25.3→内々定25.6【インターン】有
【採用実績校】東京都市大1、獨協大1、立教大1、日大2、東洋大1
【求める人材】自ら考え、自ら行動できる人、チームワークで仕事ができる人

【本社】153-0061 東京都目黒区中目黒2-10-1
☎03-3719-0731
【特色・近況】鉄道の保守・改良を中心に軌道工事、土木工事を行う中堅ゼネコン。駅舎など鉄道施設の建築も手がける。JR東日本の子会社。JRグループからの受注が9割超。技術研修センター駆使し技能継承に力を入れる。総合建設企業を志向。
【設立】1958.9【資本金】120百万円
【社長】中西雅明(1964.3生 東大院工修了)
【株主】〔24.7〕JR東日本100%
【事業】軌道工事46、土木工事43、建築工事11
【従業員】単739名(45.3歳)

【業績】	売上高	営業利益	経常利益	純利益
単22.3	37,686	898	996	639
単23.3	41,097	1,482	1,633	1,113
単24.3	41,754	2,266	2,476	1,727

米沢電気工事（よねざわでんきこうじ）

株式公開計画なし

採用内定数	倍率	3年後離職率	平均年収
11名	2.8倍	12.5%	605万円

●待遇、制度●
【初任給】月22.5万
【残業】14時間【有休】11.6日【制度】[住][在]

●新卒定着状況●
20年入社(男13、女3)→3年後在籍(男12、女2)

●採用情報●
【人数】23年:14 24年:14 25年:応募31→内定11
【内定内訳】(男10、女1)(文7、理1)(総11、他0)
【試験】〔筆記〕SPI3〔性格〕有
【時期】エントリー25.3→内々定25.4*
【採用実績校】金沢学大2、金沢星稜大3、金沢情報ITクリエイター専1、金沢科学技術大学校専1、金沢工大1、北陸大2、他
【求める人材】目標に向かって行動できる人、協調性を持って行動できる人、主体性を持って行動できる人

【本社】921-8588 石川県金沢市進和町32
☎076-291-5200
【特色・近況】電力インフラ工事を主要事業とする電気工事会社。建築付帯電気設備、情報通信設備、送電線などの工事を手がける。点検・防災などの保守メンテナンスも行う。再エネ制御、省エネ・EV充電装置、社会インフラ事業にも注力。石川県地盤。
【設立】1948.3【資本金】80百万円
【社長】上田学(1965.11生 石川羽咋工高電気卒)
【株主】〔24.5〕自社従業員持株会41.7%
【事業】電気工事95、電気通信工事4、消防施設工事他1
【従業員】単356名(38.4歳)

【業績】	売上高	営業利益	経常利益	純利益
単21.12	13,627	862	871	351
単22.12	13,896	602	987	180
単23.12	18,521	1,163	1,108	662

寄神建設（よりがみけんせつ）

株式公開計画なし

採用内定数	倍率	3年後離職率	平均年収
4名	5倍	10%	[総]731万円

●待遇、制度●
【初任給】月21.7万(諸手当1.4万円)
【残業】21.2時間【有休】9.5日【制度】[住]

●新卒定着状況●
20年入社(男7、女3)→3年後在籍(男6、女3)

●採用情報●
【人数】23年:13 24年:6 25年:応募20→内定4*
【内定内訳】(男4、女0)(文1、理0)(総4、他0)
【試験】なし
【時期】エントリー25.2→内々定25.5(一次はWEB面接可)
【採用実績校】流通科学大1、他
【求める人材】何事にも一生懸命取り組む人、自ら考え自走する人

【本社】652-0831 兵庫県神戸市兵庫区七宮町2-1-1
☎078-681-3120
【特色・近況】港湾・海洋土木工事に強みを持つ総合建設企業。大型起重機船「海翔」「神翔」などを保有し、港湾工事、重量構造物、重量物運搬、上下水道、道路・橋・トンネル、一般・公共建築などに実績。太陽光発電や洋上風力発電など環境・資源エネルギー事業も。
【設立】1950.8【資本金】100百万円
【社長】寄神正文(1947.7生 関西学大卒)
【株主】〔23.6〕自社従業員持株会22.3%
【事業】土木96、建築4
【従業員】単272名(45.0歳)

【業績】	売上高	営業利益	経常利益	純利益
単21.6	14,937	‥	642	662
単22.6	14,143	‥	245	282
単23.6	18,071	‥	850	1,463

建設・不動産

四電エンジニアリング

株式公開計画なし

採用内定数	倍率	3年後離職率	平均年収
22名	3.2倍	9.5%	[総]728万円

●待遇、制度●
【初任給】月23万
【残業】21.2時間【有休】14.8日【制度】[フ][住]

●新卒定着状況●
20年入社(男20、女1)→3年後在籍(男18、女1)

●採用情報●
【人数】23年:29 24年:32 25年:応募70→内定22*
【内定内訳】(男19、女3)(文7、理15)(総22、他0)
【試験】〔性格〕有
【時期】エントリー25.3→内々定25.4(一次はWEB面接可)【インターン】有
【採用実績校】広島工大5、近大2、愛媛大1、大分大1、龍谷大1、岡山理大1、他

【求める人材】コミュニケーション能力があり、何事も前向きに捉えて積極的に行動できる人

【本店】761-8541 香川県高松市上之町3-1-4
☎087-867-1711
【特色・近況】四国電力グループの総合エンジニアリング会社。発電・変電設備の建設・保守・点検に加え、産業プラント設備の設計・施工、情報通信設備の施工、風力・太陽光発電設備の建設や水宅配事業も行う。四国各県の拠点に加え、東京にも支店。
【設立】1970.6 【資本金】360百万円
【社長】黒川肇一(1963.3生 東工大院機械工修了)
【株主】〔24.3〕四国電力100%
【事業】機械50、電気19、原子力18、情報通信6、土木建築7
【従業員】単1,068名(45.7歳)

【業績】	売上高	営業利益	経常利益	純利益
単22.3	63,312	1,969	2,353	1,709
単23.3	47,327	1,811	2,179	1,555
単24.3	58,587	3,786	4,089	2,966

立建設

株式公開計画なし

採用内定数	倍率	3年後離職率	平均年収
3名	1倍	33.3%	562万円

●待遇、制度●
【初任給】月25.7万(諸手当3.2万円、固定残業代33時間分)
【残業】26.3時間【有休】7.7日【制度】[住]

●新卒定着状況●
20年入社(男7、女2)→3年後在籍(男4、女2)

●採用情報●
【人数】23年:8 24年:7 25年:応募3→内定3*
【内定内訳】(男2、女1)(文‥、理‥)(総0、他3)
【試験】なし
【時期】エントリー25.3→内々定25.6*(一次はWEB面接可)【インターン】有
【採用実績校】神戸電子専1、他

【求める人材】明るく素直で、自ら積極的に行動し、協調性がある人

【本社】670-0971 兵庫県姫路市西延末269-6
☎079-297-2130
【特色・近況】兵庫県本拠の中堅ゼネコン。高層住宅、オフィスビル、店舗をはじめ学校、病院、福祉施設、官公庁舎などの分野で多数の施工実績。姫路城大天守の大修理事業にも参画。土地活用の提案から保守メンテナンスまで一貫体制。大阪と東京に支店を置く。
【設立】1957.3 【資本金】459百万円
【社長】井上浩二
【株主】〔24.3〕みなと銀行3.1%
【事業】建築工事
【従業員】単79名(40.9歳)

【業績】	売上高	営業利益	経常利益	純利益
単22.3	6,953	192	179	36
単23.3	6,712	393	355	36
単24.3	6,049	286	282	38

菱機工業

株式公開計画なし

採用内定数	倍率	3年後離職率	平均年収
22名	‥	22.2%	[総]730万円

●待遇、制度●
【初任給】月23万
【残業】22.6時間【有休】9日【制度】[住][在]

●新卒定着状況●
20年入社(男14、女4)→3年後在籍(男11、女3)

●採用情報●
【人数】23年:11 24年:11 25年:応募‥→内定22
【内定内訳】(男22、女0)(文7、理15)(総22、他0)
【試験】〔Web自宅〕SPI3〔性格〕有
【時期】エントリー25.3→内々定25.4*(一次・二次以降もWEB面接可)【インターン】有
【採用実績校】金沢工大9、富山県大4、小松大2、福井県大2、金沢星稜大2、金沢学大2、山形大1

【求める人材】時代と社会のニーズに対応し、人と環境の「サイテキカ」を考え続けられる人

【本社】921-8526 石川県金沢市御影町10-7
☎076-241-1141
【特色・近況】空調・給排水衛生・防災設備の設計・施工・メンテナンスを行う。三菱重工冷熱の代理店。自社開発商品やPFI、ESCO事業などにも力を入れる。省エネ空調管理や設備更新で提案営業を強化。メガソーラーや植物工場事業も展開。有資格技術者が多数。
【設立】1954.10 【資本金】100百万円
【社長】北川雅一朗(1967.7生 ボストン大院)
【株主】〔23.9〕菱機ホールディングス100%
【事業】管工事86、消防設備工事0、機械器具設置工事0、電気工事0、他14
【従業員】単336名(40.0歳)

【業績】	売上高	営業利益	経常利益	純利益
単21.9	23,406	1,192	1,309	1,292
単22.9	21,782	811	918	923
単23.9	21,238	998	1,139	943

菱和設備（りょうわせつび）

株式公開計画なし

採用内定数	倍率	3年後離職率	平均年収
11名	3.2倍	33.3%	‥

●待遇、制度●
【初任給】月25.3万（諸手当1.5万円）
【残業】15.9時間【有休】12.2日【制度】住
●新卒定着状況●
20年入社（男9、女0）→3年後在籍（男6、女0）
●採用情報●
【人数】23年:9 24年:13 25年:応募35→内定11*
【内定内訳】（男10、女1）（文2、理8）（総11、他0）
【試験】〔Web自宅〕SPI3〔性格〕有
【時期】エントリー24.6→内々定25.3*【インターン】有
【採用実績校】湘南工大2、東海大1、日大2、北海道科学大1、明星大1、東邦大1、神奈川大1、常葉大1、浜松日建工科専1
【求める人材】謙虚な姿勢と向上心に富み、大きな声で発信できる人

【本社】420-0047 静岡県静岡市葵区清閑町14-5
☎054-254-8321
【特色・近況】空調設備や給排水衛生設備の工事会社。消防防災施設、冷凍冷蔵設備などの工事も手がける。静岡市をベースに東京、横浜、浜松などに支店。東京都庁舎、みなとみらい21などに施工実績。三菱重工冷熱製品の販売総代理店も兼ねる。
【設立】1957.9 【資本金】300百万円
【社長】山名伸明（1978.1生 国際武道大体育卒）
【株主】〔23.11〕菱和企画66.9%
【事業】空調設備工事70、給排水衛生設備工事29、消防防災施設工事1、土木工事0
【従業員】単335名（37.3歳）

【業績】	売上高	営業利益	経常利益	純利益
単21.11	10,705	‥	661	196
単22.11	13,603	‥	741	397
単23.11	13,922	‥	1,365	782

若築建設（わかちくけんせつ）

東証プライム

採用内定数	倍率	3年後離職率	平均年収
41名	4.1倍	17.8%	934万円

●待遇、制度● 平均年収は新入社員、年俸制の社員除く
【初任給】月27万（諸手当1.1万円）
【残業】21.9時間【有休】9.7日【制度】住
●新卒定着状況●
20年入社（男39、女6）→3年後在籍（男32、女5）
●採用情報●
【人数】23年:37 24年:29 25年:応募168→内定41*
【内定内訳】（男34、女7）（文5、理36）（総41、他0）
【試験】〔Web自宅〕SPI3〔性格〕有
【時期】エントリー25.3→内々定25.4（一次・二次以降もWEB面接可）【インターン】有
【採用実績校】日大4、福岡大4、鹿児島大3、東洋大3、近大3、久留米工大3、宮崎大2、東海大2、西日本工大2、岐阜高専1、秋田高専1、他
【求める人材】自己研鑽に励み、常に前向きで、人とのつながりを大切にできる人

【東京本社】153-0064 東京都目黒区下目黒2-23-18
☎03-3492-0271
【特色・近況】海洋土木に強い中堅ゼネコン。浚渫や埋め立て、防波堤や海底トンネルなど港湾事業で多くの実績を持つ。官公庁向け工事が多いが、道路や鉄道など陸上土木も展開し、民間設備工事も強化。バイオマス・風力発電、太陽光発電など再生可能エネルギー分野にも注力。
【設立】1890.5 【資本金】11,374百万円
【社長】鳥田克彦（1958.8生 中大理工卒）
【株主】〔24.3〕麻生34.6%
【連結事業】建設99、不動産0、他1
【従業員】単798名（44.7歳）

【業績】	売上高	営業利益	経常利益	純利益
連22.3	89,164	6,834	6,781	4,736
連23.3	84,004	6,236	6,546	5,442
連24.3	94,917	6,976	7,699	5,092

暁飯島工業（あかつきいいじまこうぎょう）

東証スタンダード

採用予定数	倍率	3年後離職率	平均年収
10名	-	66.7%	528万円

●待遇、制度●
【初任給】月21.6万
【残業】21.3時間【有休】9.2日【制度】住
●新卒定着状況●
20年入社（男7、女2）→3年後在籍（男2、女1）
●採用情報●
【人数】23年:9 24年:5 25年:応募1→内定0*
【内定内訳】（男‥、女‥）（文‥、理‥）（総‥、他‥）
【試験】〔Web自宅〕有
【時期】エントリー25.3→内々定25.3*（一次はWEB面接可）【インターン】有
【採用実績校】‥
【求める人材】コミュニケーション能力があり、行動力・推進力のある人

【本社】310-0851 茨城県水戸市千波町2770-5
☎029-244-5111
【特色・近況】茨城県の設備工事で首位。空調、給排水衛生、空気清浄、冷凍冷蔵、エレベーターなどの設備工事設計・施工が主。集合住宅、商業施設、工場のほか庁舎、学校、病院などに実績。ビル診断、保守管理、リニューアル、土木工事も展開。
【設立】1953.9 【資本金】1,408百万円
【社長】植田俊二（1961.6生 東工芸大工卒）
【株主】〔24.2〕光通信㈱6.7%
【事業】建築設備57、リニューアル36、土木、プラント、ビルケア5、他2
【従業員】単136名（40.7歳）

【業績】	売上高	営業利益	経常利益	純利益
単21.8	7,407	957	990	669
単22.8	7,332	710	729	491
単23.8	6,637	442	470	313

㈱ＥＴＳホールディングス

株式公開 —

採用内定数	倍率	3年後離職率	平均年収
1名	22倍	35.7%	524万円

●待遇、制度●
【初任給】月22万（固定残業代20時間分）
【残業】20時間【有休】7.2日【制度】フ 住 在
●新卒定着状況●
20年入社（男14、女0）→3年後在籍（男9、女0）
●採用情報●
【人数】23年:3 24年:9 25年:応募22→内定1*
【内定内訳】（男1、女0）（文0、理1）（総1、他0）
【試験】〔筆記〕常識〔Web自宅〕有〔性格〕有
【時期】エントリー25.4→内々定25.6*(一次はWEB面接可)
【採用実績校】中部大1
【求める人材】インフラ業界に興味のある人

【本社】171-0022 東京都豊島区南池袋1-10-13 荒井ビル ☎03-5957-7661
【特色・近況】内線電気設備工事、送電線工事などの電設工事会社。電力事業は東北電力向けが主で、関西電力、中部電力、中国電力、四国電力にも取引を拡大。内線工事は官公庁向けが中心。開発途上国への電力工事支援、先進技術提供にも取り組む。
【設立】1935.12 【資本金】989百万円
【社長】加藤慎章（1974.6生）
【株主】〔24.3〕アムス・インターナショナル29.1%
【連結事業】電気工事86、建物管理・清掃14、他0
【従業員】連239名 単148名（37.5歳）

【業績】	売上高	営業利益	経常利益	純利益
連21.9	4,900	258	259	175
連22.9	6,688	266	263	212
連23.9	8,074	281	312	76

#年収高く倍率低い

㈱オーテック

東証スタンダード

採用内定数	倍率	3年後離職率	平均年収
30名	6.5倍	19%	㊕851万円

●待遇、制度●
【初任給】月25万（諸手当4.6万円）
【残業】25.2時間【有休】13日【制度】住 在
●新卒定着状況●
20年入社（男19、女2）→3年後在籍（男15、女2）
●採用情報●
【人数】23年:16 24年:16 25年:応募195→内定30*
【内定内訳】（男23、女7）（文19、理11）（総28、他2）
【試験】〔Web自宅〕SPI3
【時期】エントリー24.6→内々定25.3(一次はWEB面接可)【インターン】有
【採用実績校】日大2、中部大2、日工大1、大同大1、東北学大1、摂南大1、東海大1、専大1、東京工科大1、椙山女学大1
【求める人材】コミュニケーション能力と向上心のある人

【本社】135-0016 東京都江東区東陽2-4-2 ☎03-3699-0411
【特色・近況】工場・ビル用空調自動制御設備の建設・施工・メンテナンスが柱。管工機材類（バルブ・継手等）や住宅設備機器（衛生陶器・空調機・換気扇等）の販売も手がける。IT、自動車、製薬業界に加え、病院や学校、自治体向けの案件が多い。
【設立】1948.7 【資本金】599百万円
【社長】市原伸一（1961.4生 県立宮城工高卒）
【株主】〔24.3〕日本カストディ銀信託口（日本継手）18.3%
【連結事業】環境システム57、管工機材44
【従業員】連531名 単406名（41.7歳）

【業績】	売上高	営業利益	経常利益	純利益
連22.3	25,410	1,923	2,027	1,349
連23.3	26,138	1,953	2,038	1,246
連24.3	29,374	2,026	2,173	1,386

木村工機（きむらこうき）

東証スタンダード

採用実績数	倍率	3年後離職率	平均年収
4名	‥	‥	㊕712万円

●待遇、制度●
【初任給】月26.1万（諸手当3.3万円）
【残業】10.8時間【有休】12.5日【制度】住
●新卒定着状況●
‥
●採用情報●
【人数】23年:9 24年:4 25年:予定未定
【内定内訳】（男‥、女‥）（文‥、理‥）（総‥、他‥）
【試験】試験あり
【時期】エントリー25.3→内々定25.5(一次はWEB面接可)【インターン】有
【採用実績校】‥
【求める人材】‥

【本社】542-0062 大阪府大阪市中央区上本町西5-3-5 ☎050-3733-9400
【特色・近況】業務用空調システム機器の製造・販売や関連工事を行う。工場など産業分野が柱だが、オフィスビルや商業施設など商業分野、病院や学校など保健分野にも展開。ヒートポンプ式に強み。楕円管熱交換器など自社開発の独自性のある技術を多数保有。
【設立】1947.8 【資本金】744百万円
【代表取締役】木村晃（1961.6生）
【株主】〔24.3〕㈱KIMURA 10.9%
【事業】冷温水式AHU16、冷温水式FCU6、空冷HP式空調機&外調機51、工場用ゾーン空調機10、他17
【従業員】単370名（39.3歳）

【業績】	売上高	営業利益	経常利益	純利益
単22.3	10,200	1,088	1,331	877
単23.3	11,703	1,572	1,567	1,037
単24.3	13,852	2,679	2,682	2,065

㈱サンテック

東証スタンダード

採用内定数	倍率	3年後離職率	平均年収
3名	9.3倍	‥	608万円

●待遇、制度●
【初任給】月22万(諸手当を除いた数値)
【残業】30.7時間【有休】12日【制度】[住][在]
●新卒定着状況●
‥
●採用情報●
【人数】23年:17 24年:19 25年:応募28→内定3*
【内定内訳】(男2、女1)(文0、理2)(総3、他0)
【試験】〔性格〕有
【時期】エントリー25.3→内々定25.4(一次・二次以降もWEB面接可)
【採用実績校】北海道科学大2、佐世保高専1
【求める人材】コミュニケーションを大切にし、コツコツと努力を重ねることができる人

【本社】102-8440 東京都千代田区二番町3-13 ☎03-3265-6181
【特色・近況】独立系の電気工事会社。屋内外電気設備など内線工事、送電線など電力工事、空調給排水工事が柱。電気制御システムの設計・製作も行う。工場、空港、ホテル、ショッピングセンターなどに工事実績。東南アジア中心に10カ国に事業拠点を置く。
【設立】1948.10 【資本金】1,190百万円
【社長】八幡信孝(1974.12生 慶大理工卒)
【株主】〔24.3〕公益財団法人八幡記念育英奨学会14.3%
【連結事業】内線工事73、電力工事17、空調給排水工事10、機器製作1 <海外38>
【従業員】連1,384名 単807名(43.2歳)

【業績】	売上高	営業利益	経常利益	純利益
連22.3	39,870	▲227	487	▲31
連23.3	38,745	▲831	▲324	436
連24.3	50,936	▲1,131	▲654	▲708

JESCOホールディングス

東証スタンダード

採用内定数	倍率	3年後離職率	平均年収
2名	11倍	18.2%	602万円

●待遇、制度●
【初任給】月22万
【残業】20.1時間【有休】14.8日【制度】[住][在]
●新卒定着状況●
20年入社(男10、女1)→3年後在籍(男8、女1)
●採用情報● グループ採用
【人数】23年:7 24年:10 25年:応募22→内定2*
【内定内訳】(男2、女0)(文0、理2)(総2、他0)
【試験】〔性格〕有
【時期】エントリー25.3→内々定25.3*(一次はWEB面接可)【インターン】有
【採用実績校】東京電機大1、千葉工大1
【求める人材】積極的に周囲と関わり、責任を持って自律的に行動できる人

【本社】107-0052 東京都港区赤坂4-8-18 赤坂JEBL ☎03-5315-0331
【特色・近況】独立系電気設備工事会社が母体の持株会社。設計・調達・施工管理の一気通貫受注に強み。商業施設、防災行政無線、道路付帯設備、太陽光発電設備が得意分野。ベトナムを中心にASEANにも進出し、インフラ工事、民間住宅工事を展開。
【設立】1970.8 【資本金】1,045百万円
【社長】唐澤光子(1951.8生)
【株主】〔24.2〕柗本俊洋13.6%
【連結事業】国内EPC78、アセアンEPC20、不動産2、他 <海外15>
【従業員】連765名 単25名(40.8歳)

【業績】	売上高	営業利益	経常利益	純利益
連21.8	9,268	560	601	463
連22.8	10,381	775	726	512
連23.8	11,104	425	505	1,182

シンクレイヤ

東証スタンダード

採用実績数	倍率	3年後離職率	平均年収
2名	‥	0%	[総]589万円

●待遇、制度●
【初任給】月20.9万(諸手当0.7万円)
【残業】9.2時間【有休】12.2日【制度】[住]
●新卒定着状況●
20年入社(男2、女0)→3年後在籍(男2、女0)
●採用情報●
【人数】23年:2 24年:2 25年:予定前年並*
【内定内訳】(男‥、女‥)(文‥、理‥)(総‥、他‥)
【試験】〔Web会場〕C-GAB〔Web自宅〕有〔性格〕有
【時期】エントリー24.8→内々定24.12(一次はWEB面接可)
【採用実績校】‥
【求める人材】テレビ放送や高速通信など地域のインフラ整備に貢献することをやりがいと思える人

【本社】460-0012 愛知県名古屋市中区千代田2-21-18 ☎052-242-7871
【特色・近況】ケーブルテレビ局向けの設備・システム構築と保守運用が柱。FTTH(光ファイバーを利用した通信サービス)機器や受信用アンテナ、データ通信機器などの販売も手がける。超高速通信機器の開発を促進、防災・減災関連DXサービスなど新領域への参入も模索。
【設立】1962.5 【資本金】835百万円
【社長】山口正裕(1954.8生 バブソン大院修了)
【株主】〔24.6〕㈱MASBuddy17.6%
【連結事業】トータル・インテグレーション46、機器インテグレーション54
【従業員】連272名 単170名(44.4歳)

【業績】	売上高	営業利益	経常利益	純利益
連21.12	13,061	1,208	1,319	871
連22.12	9,965	414	438	294
連23.12	10,443	546	588	433

田辺工業	東証スタンダード	採用内定数	倍率	3年後離職率	平均年収
		8名	2.5倍	3.8%	653万円

●待遇、制度●
【初任給】月22万(諸手当1万円)
【残業】23.3時間【有休】17.1日【制度】住
●新卒定着状況●
20年入社(男24、女2)→3年後在籍(男23、女2)
●採用情報●
【人数】23年:9 24年:27 25年:応募20→内定8
【内定内訳】(男7、女1)(文1、理7)(総8、他0)
【試験】〔Web自宅〕SPI3〔性格〕有
【時期】エントリー25.3→内々定25.4(一次はWEB面接可)【インターン】有
【採用実績校】岡山理大1、九産大1、大阪工大1、福岡工大1、新潟工大1、日大1、埼玉工大1、新潟大1
【求める人材】目標達成に向け相手と互いに理解しながら助け合う姿勢を持つ人

【本社】942-0032 新潟県上越市大字福田20 ☎025-545-6500
【特色・近況】独立系の中堅総合プラント工事会社。化学、食品、医薬品を中心としたプラント設備工事、設備保全工事、電気計装工事が主。鋳造用工業炉の製造・販売も手がける。子会社がタイ国内で表面処理事業を展開。関東・中部が地盤。
【設立】1969.2 【資本金】885百万円
【社長】水澤文雄(1955.4生 日大工卒)
【株主】〔24.3〕㈲ケイアンドアイ8.0%
【連結事業】設備工事97、表面処理2、他0
【従業員】連1,061名 単802名(40.9歳)

【業績】	売上高	営業利益	経常利益	純利益
連22.3	42,526	2,814	2,898	1,872
連23.3	42,944	2,732	2,785	1,656
連24.3	51,842	2,677	2,726	1,895

#年収高く倍率低い

㈱テクノ菱和	東証スタンダード	採用内定数	倍率	3年後離職率	平均年収
		23名	3.6倍	20%	809万円

●待遇、制度●
【初任給】月25.5万
【残業】31.1時間【有休】11.2日【制度】フ 住 在
●新卒定着状況●
20年入社(男19、女11)→3年後在籍(男14、女10)
●採用情報●
【人数】23年:19 24年:21 25年:応募82→内定23
【内定内訳】(男18、女5)(文6、理12)(総23、他0)
【試験】〔Web自宅〕有
【時期】エントリー25.3→内々定25.6*(一次はWEB面接可)【インターン】有
【採用実績校】東北工大2、名城大2、関東学院大2、東北電子専2、日大1、九産大1、山形大1、椙山女学大1、工学院大1、大阪電通大1、他
【求める人材】チームワークを大事にでき、コツコツと取り組み、着実に成長していくことができる人

【本社】170-0005 東京都豊島区南大塚2-26-20 ☎03-5978-2541
【特色・近況】中堅空調工事会社。受注の9割超が工場、オフィスビルなどの空調衛生設備工事。冷熱機器販売も併営。半導体や液晶用クリーンルームに強み。精密空調技術を生かしクリーンルーム清浄度測定ロボットを開発。社員教育と採用など人的資本投資積極化。
【設立】1949.12 【資本金】2,746百万円
【社長】加藤雅也(1959.12生 琉球大理工卒)
【株主】〔24.3〕三菱重工サーマルシステムズ6.2%
【連結事業】産業設備工事63、一般ビル設備工事32、電気設備工事3、冷熱機器販売1、他0 <海外2>
【従業員】連899名 単776名(44.8歳)

【業績】	売上高	営業利益	経常利益	純利益
連22.3	56,905	3,013	3,385	2,237
連23.3	61,030	3,175	3,557	2,339
連24.3	73,688	5,792	6,374	4,506

#有休取得が多い

東レエンジニアリング	株式公開していない	採用内定数	倍率	3年後離職率	平均年収
		32名	‥	5.9%	‥

●待遇、制度●
【初任給】月25.6万
【残業】21.9時間【有休】17.4日【制度】フ 住 在
●新卒定着状況●
20年入社(男14、女3)→3年後在籍(男14、女2)
●採用情報●
【人数】23年:28 24年:33 25年:応募‥→内定32*
【内定内訳】(男26、女6)(文8、理23)(総32、他0)
【試験】〔性格〕有
【時期】エントリー24.3→内々定25.4～5*(一次・二次以降もWEB面接可)【インターン】有
【採用実績校】明大1、香川大1、大和大1、近大3、大阪体大1、西南学大1、龍谷大6、京都ノートルダム女大1、東京農工大1、大阪電通大1、他
【求める人材】多くの人と関わる仕事を楽しめる人、現場志向の人

【本社】103-0028 東京都中央区八重洲1-3-22 八重洲龍名館ビル ☎03-3241-1541
【特色・近況】東レの完全子会社でグループのエンジニアリングの中核企業。プラントや製造設備などのエンジニアリングとFPD・半導体製造装置などのメカトロファインテック事業が主軸。オープンイノベーション手法で新規開発を推進。韓国、中国、マレーシア、ドイツに海外拠点。
【設立】1960.8 【資本金】1,500百万円
【社長】岩出卓(1958.3生 信州大工卒)
【株主】〔24.3〕東レ100%
【事業】エンジニアリング31、メカトロファインテック69 <輸出57>
【従業員】連2,088名 単713名(45.0歳)

【業績】	売上高	営業利益	税前利益	純利益
連22.3	96,595	4,665	‥	4,559
連23.3	115,140	5,019	7,866	5,827
連24.3	129,634	6,016	9,397	7,078

採用内定数	倍率	3年後離職率	平均年収
14名	2.9倍	22%	654万円

日本（にっぽん）リーテック 東証プライム

●待遇、制度●
【初任給】月22.6万（諸手当1.5万円）
【残業】29.2時間【有休】15.1日【制度】フ 住 在
●新卒定着状況●
20年入社（男57、女2）→3年後在籍（男44、女2）
●採用情報●
【人数】23年:40 24年:33 25年:応募40→内定14*
【内定内訳】（男12、女2）（文1、理2）（総14、他0）
【試験】〔筆記〕有
【時期】エントリー25.3→内々定25.10*【インターン】有
【採用実績校】東北職能大学校1、西日本工大1、明学大1
【求める人材】社会貢献に働き甲斐をみいだせる人 計画を立てることが好きな人

【本社】101-0054 東京都千代田区神田錦町1-6 ☎03-6880-2710
【特色・近況】総合電気設備工事会社。主力は整備新幹線や在来線などの鉄道電気設備工事で、主要顧客のJR東日本が売上高の約5割を占める。交通信号機、道路標識など道路設備、送電線工事、屋内外電線工事も展開。送電線設備は電力会社、通信会社で利用される。
【設立】1957.4 【資本金】1,430百万円
【社長】江草茂（1963.9生 防衛大理工卒）
【株主】〔24.3〕東日本旅客鉄道16.8%
【連結事業】電気設備工事94、兼業5、不動産賃貸1
【従業員】連1,572名 単1,162名（42.4歳）

【業績】	売上高	営業利益	経常利益	純利益
連22.3	53,231	3,068	3,304	2,403
連23.3	53,745	2,688	3,081	2,137
連24.3	58,542	3,432	3,910	2,770

#年収高く倍率低い #年収が高い

採用内定数	倍率	3年後離職率	平均年収
29名	6.7倍	20%	971万円

日本電技（にほんでんぎ） 東証スタンダード

●待遇、制度●
【初任給】月27万
【残業】34.2時間【有休】16日【制度】住 在
●新卒定着状況●
20年入社（男18、女2）→3年後在籍（男14、女2）
●採用情報●
【人数】23年:18 24年:31 25年:応募193→内定29*
【内定内訳】（男26、女3）（文11、理14）（総29、他0）
【試験】〔Web自宅〕有〔性格〕有
【時期】エントリー25.3→内々定25.4*（一次・二次以降もWEB面接可）【インターン】有
【採用実績校】日大4、日本電子専4、神奈川工大2、千葉工大2、東京工科大2、岡山大1、愛知工業大1、工学院大1、中大1、東洋大1、他
【求める人材】チャレンジ精神旺盛で実行力のある人

【本社】130-8556 東京都墨田区両国2-10-14 両国シティコア ☎03-5624-1100
【特色・近況】ビル空調計装工事の大手。空調自動制御の設計・施工から調整・保守まで一貫して行う。工場搬送ライン用などの自動制御システムも展開し、総合計装エンジニアリング企業を志向。新入社員向け初級技術教育機関として「電技アカデミー」を設立。
【設立】1959.9 【資本金】470百万円
【社長】島田良介（1968.8生 青学大法卒）
【株主】〔24.3〕島田良介6.3%
【連結事業】空調計装関連90、産業システム関連10
【従業員】連930名 単894名（42.3歳）

【業績】	売上高	営業利益	経常利益	純利益
連22.3	31,669	4,074	4,139	3,029
連23.3	34,308	4,502	4,613	3,167
連24.3	38,894	6,248	6,324	4,672

#年収高く倍率低い #年収が高い

採用内定数	倍率	3年後離職率	平均年収
27名	4.3倍	6.9%	1,008万円

日比谷総合設備（ひびやそうごうせつび） 東証プライム

●待遇、制度●
【初任給】月27.5万
【残業】29.3時間【有休】11.1日【制度】住 在
●新卒定着状況●
20年入社（男23、女6）→3年後在籍（男21、女6）
●採用情報●
【人数】23年:27 24年:21 25年:応募116→内定27*
【内定内訳】（男21、女6）（文9、理18）（総27、他0）
【試験】なし
【時期】エントリー通年→内々定通年【インターン】有
【採用実績校】関東学院大4、神奈川工大2、日大2、北海学園大1、日工大1、北海道科学大1、近大1、福岡工大1、東京電機大1、広島工大1、他
【求める人材】チャレンジ精神が旺盛で物事に粘り強く取り組める人

【本社】108-6312 東京都港区三田3-5-27 ☎03-3454-1385
【特色・近況】空調・衛生主体の総合設備工事会社。IT関連ビルの床下空調システム工事が得意。NTTグループへの依存度が高く、協業で顧客基盤創出めざす。北海道から沖縄まで全国に支店を配置。ZEB（エネルギー収支ゼロビル）など脱炭素事業の拡大に注力。
【設立】1966.3 【資本金】5,753百万円
【社長】中北英孝（1963.1生 早大院修了）
【株主】〔24.3〕日本マスタートラスト信託銀行信託口8.1%
【連結事業】設備工事86、設備機器販売9、設備機器製造5
【従業員】連966名 単810名（45.3歳）

【業績】	売上高	営業利益	経常利益	純利益
連22.3	75,497	5,662	6,163	4,372
連23.3	83,978	5,953	6,617	4,644
連24.3	83,762	5,737	6,446	4,800

富士古河E&C（ふじふるかわ）

東証スタンダード

採用内定数	倍率	3年後離職率	平均年収
27名	‥	5.6%	㊕798万円

●待遇、制度●
【初任給】月25万
【残業】28.1時間【有休】13.7日【制度】㊟㊡

●新卒定着状況●
20年入社(男14、女4)→3年後在籍(男13、女4)

●採用情報●
【人数】23年:25 24年:30 25年:応募‥→内定27*
【内定内訳】(男16、女11)(文15、理11)(総27、他0)
【試験】〔Web自宅〕有〔性格〕有
【時期】エントリー25.3→内々定25.6(一次はWEB面接可)【インターン】有
【採用実績校】日大3、明学大2、立教大1、青学大1、東海大1、中大1、東洋大1、神奈川大1、東京農業大1、東京都市大1、湘南工大1、他
【求める人材】ものを創ることに喜びを感じる人、コミュニケーション力が高い人、探求心があって自立心が高い人

【本社】212-0013 神奈川県川崎市幸区堀川町580 ソリッドスクエア西館 ☎044-548-4500
【特色・近況】富士電機グループ系の総合設備企業。電気・空調・情報通信を中心とした建築設備工事、プラント設備工事の企画・設計・施工を行う。脱炭素関連やデータセンター等成長分野へ注力、DXによる生産性向上やエンジニアリング力強化、業務効率化を図る。
【設立】1923.10 【資本金】1,970百万円
【社長】日下高(1959.6生 慶大商卒)
【株主】〔24.3〕富士電機46.0%
【連結事業】電気設備工事67、空調設備工事32、他2 <海外8>
【従業員】連1,544名 単1,170名(44.4歳)

【業績】	売上高	営業利益	経常利益	純利益
連22.3	82,050	6,592	6,706	4,607
連23.3	88,109	6,926	7,014	4,536
連24.3	103,649	7,879	8,129	5,413

北陸電気工事（ほくりくでんきこうじ）

東証プライム

採用内定数	倍率	3年後離職率	平均年収
44名	3.8倍	10.5%	569万円

●待遇、制度●
【初任給】月21.3万
【残業】28.6時間【有休】16.2日【制度】㋫㊟㊡

●新卒定着状況●
20年入社(男55、女2)→3年後在籍(男49、女2)

●採用情報●
【人数】23年:75 24年:60 25年:応募165→内定44
【内定内訳】(男38、女6)(文20、理24)(総6、他38)
【試験】〔Web自宅〕有〔性格〕有
【時期】エントリー25.3→内々定25.4(一次はWEB面接可)【インターン】有
【採用実績校】金沢工大11、富山大4、福井工大4、富山県大3、小松大2、神奈川大2、新潟大1、名古屋市大1、愛知工業大1、諏訪東理大1、他
【求める人材】人と関わることが好きで、意欲があり明るく元気な人

【本社】939-8571 富山県富山市小中269 ☎076-481-6092
【特色・近況】北陸電力系列の電気工事会社。主力の屋内線電気工事と空調管工事は商業施設や工場、ホテルなどに実績あり。再生可能エネルギー、LNG燃料転換事業も展開。売上高の約3割が北陸電力グループ向け。地盤の北陸から全国展開へ。M&Aも積極化。
【設立】1944.10 【資本金】3,328百万円
【社長】山崎勇志(1962.4生 専大経済卒)
【株主】〔24.3〕北陸電力46.8%
【連結事業】内線・空調管工事63、配電線工事24、他工事10、兼業事業3
【従業員】連1,334名 単1,154名(40.0歳)

【業績】	売上高	営業利益	経常利益	純利益
連22.3	45,928	3,157	3,327	2,246
連23.3	44,846	2,356	2,531	1,628
連24.3	53,398	3,425	3,645	2,209

㈱ミゾタ

株式公開計画なし

採用内定数	倍率	3年後離職率	平均年収
10名	4.7倍	3.6%	‥

●待遇、制度●
【初任給】月23.7万
【残業】12時間【有休】11.5日【制度】㊟㊡

●新卒定着状況●
20年入社(男19、女9)→3年後在籍(男18、女9)

●採用情報●
【人数】23年:18 24年:24 25年:応募47→内定10*
【内定内訳】(男6、女4)(文3、理7)(総8、他2)
【試験】〔筆記〕有〔Web自宅〕有〔性格〕有
【時期】エントリー25.3→内々定25.6【インターン】有
【採用実績校】佐賀大4、福岡大3、福岡工大1、同女大1、宮崎公大1
【求める人材】ものづくりが好き、または興味があり、地域社会に貢献したいという意欲がある人

【本社】840-8686 佐賀県佐賀市伊勢町15-1 ☎0952-26-2551
【特色・近況】水門、ポンプ、除塵機等の設計・製造及び据付を行う水の総合エンジニアリング企業。佐賀地盤に、東北から九州まで事業展開。小水力発電や太陽光・風力発電など環境事業推進。加圧熱水抽出技術によるバイオマス関連事業にも力を入れる。
【設立】1942.9 【資本金】100百万円
【社長】井田建(1972.11生 同大商卒)
【株主】〔24.5〕持株会37.8%
【事業】鉄工事業67、水処理事業33 <輸出0>
【従業員】単428名(37.6歳)

【業績】	売上高	営業利益	経常利益	純利益
単21.6	11,207	1,279	1,309	831
単22.6	12,696	1,885	1,968	1,372
単23.6	10,340	504	679	508

明星工業（めいせいこうぎょう）

東証プライム

採用内定数	倍率	3年後離職率	平均年収
10名	14.2倍	36.4%	㊕659万円

●待遇、制度●
【初任給】月24.7万
【残業】34.5時間【有休】8.5日【制度】住 在
●新卒定着状況●
20年入社(男9、女2)→3年後在籍(男6、女1)
●採用情報●
【人数】23年:9 24年:10 25年:応募142→内定10*
【内定内訳】(男6、女4)(文8、理0)(総8、他2)
【試験】〔筆記〕有〔Web会場〕有〔Web自宅〕有〔性格〕有
【時期】エントリー25.3→内々定25.4(一次・二次以降もWEB面接可)【インターン】有
【採用実績校】関西学大1、関大1、近大2、大阪工大2、甲南大1、関西外大1、桃山学大1、大阪学大1、帝塚山大2、岡山商大2、周南公大1、他
【求める人材】何事にも積極的にチャレンジでき、周りとのコミュニケーションを大切にできる人

【本社】550-0003 大阪府大阪市西区京町堀1-8-5 明星ビル ☎06-6447-0271
【特色・近況】熱絶縁工事に強い建設工事会社。保温・保冷工事専業大手。LNG(液化天然ガス)・LPG(液化石油ガス)の超低温保冷工事で世界有数の実績。アジアやアフリカに拠点を持ち、LNG出荷基地工事に実績。構造物補強やごみ処理施設など環境分野も手がける。
【設立】1947.7 【資本金】6,889百万円
【社長】柳瀬徹次(1961.1生 成城大法卒)
【株主】〔24.3〕日本マスタートラスト信託銀行信託口7.4%
【連結事業】建設工事89、ボイラ11 <海外11>
【従業員】連715名 単361名(39.9歳)

【業績】	売上高	営業利益	経常利益	純利益
連22.3	48,389	5,339	5,641	3,793
連23.3	55,890	6,830	7,258	4,680
連24.3	60,377	8,061	8,548	6,243

㈱三技協（さんぎきょう）

株式公開再検討開始中

採用内定数	倍率	3年後離職率	平均年収
2名	10.5倍	37.5%	440万円

●待遇、制度●
【初任給】月20.3万
【残業】19時間【有休】13.2日【制度】住 在
●新卒定着状況●
20年入社(男13、女3)→3年後在籍(男9、女1)
●採用情報●
【人数】23年:13 24年:5 25年:応募21→内定2*
【内定内訳】(男2、女0)(文1、理1)(総2、他0)
【試験】〔Web自宅〕有
【時期】エントリー25.2→内々定25.3*(一次・二次以降もWEB面接可)【インターン】有
【採用実績校】多摩大1、大阪国際工科専門職大1
【求める人材】自律のマインドを持ちコミュニケーション能力の高い人

【本社】224-0053 神奈川県横浜市都筑区池辺町4509 ☎045-931-1111
【特色・近況】移動体・ブロードバンドなどIT系通信のエンジニアリングサービス行う。携帯電話の歴史とともに成長。5G無線基地局建設業者向けアウトソーシング請け負う。運用・保守もサポート。小型月着陸実証機SLIMの通信地上設備再構築でJAXAから感謝状受領。
【設立】1965.4 【資本金】296百万円
【会長】仙石通泰(1943.2生 慶大商卒)
【株主】〔23.5〕仙石通泰31.2%
【連結事業】移動体通信41、ブロードバンドインフラ40、ネットワークインテグレーション19
【従業員】連793名 単360名(44.7歳)

【業績】	売上高	営業利益	経常利益	純利益
連21.5	9,046	292	318	160
連22.5	9,344	227	295	163
連23.5	8,974	80	131	46

#有休取得が多い

オムロン フィールドエンジニアリング

株式公開計画なし

採用内定数	倍率	3年後離職率	平均年収
24名	17.2倍	5.3%	756万円

●待遇、制度●
【初任給】月23.7万
【残業】23時間【有休】18.2日【制度】フ 住 在
●新卒定着状況●
20年入社(男18、女1)→3年後在籍(男17、女1)
●採用情報●
【人数】23年:28 24年:42 25年:応募413→内定24*
【内定内訳】(男8、女16)(文11、理7)(総24、他0)
【試験】〔Web自宅〕有
【時期】エントリー25.3→内々定25.4*(一次はWEB面接可)【インターン】有
【採用実績校】立命館大1、関大2、同大3、龍谷大1、関西学大2、京都橘大2、京都先端科学大1、岡山理大1、新潟青陵大1、大妻女大1、他
【求める人材】社会や顧客に貢献する意欲が高く、自ら考え行動する人

【本社】153-0062 東京都目黒区三田1-6-21 ☎03-6773-5152
【特色・近況】オムロングループで鉄道会社向け乗車券発売機、改札機など駅務システム関連や金融機関向けATMなどの情報機器設置工事、保守サービスが主体。エンジニアリング事業にも力を入れる。太陽光発電の設置・運営・保守も手がける。
【設立】1970.7 【資本金】360百万円
【社長】立石泰輔
【株主】〔24.3〕オムロンソーシアルソリューションズ100%
【事業】保守・サービス60、設置工事30、技術指導・調整その他10
【従業員】単1,299名(‥歳)

【業績】	売上高	営業利益	経常利益	純利益
単22.3	35,274	3,349	3,614	2,497
単23.3	40,456	3,803	4,119	3,021
単24.3	47,209	4,550	4,791	3,232

#初任給が高い

㈱エヌ・シー・エヌ

東証スタンダード

採用内定数	倍率	3年後離職率	平均年収
3名	17倍	–	628万円

●待遇、制度●
【初任給】月29万(固定残業代20時間分)
【残業】20時間【有休】12.9日【制度】在
●新卒定着状況●
20年入社(男0、女0)→3年後在籍(男0、女0)
●採用情報●
【人数】23年:9 24年:3 25年:応募51→内定3
【内定内訳】(男3、女0)(文0、理3)(総3、他0)
【試験】〔Web自宅〕SPI3〔性格〕有
【時期】エントリー24.6→内々定24.10(一次はWEB面接可)【インターン】有
【採用実績校】宇都宮大1、岡山大1、日工大1
【求める人材】建築に熱意をもった人、木造が好きな人

【本社】100-0014 東京都千代田区永田町2-13-5 赤坂エイトワンビル ☎03-6897-6311
【特色・近況】耐震性の高い独自の木造建築システムを登録施工店ネットワークを通じて提供。構造加工品販売や構造計算、住宅性能保証などを行い、工務店から登録料や会費、加工品の代金、構造計算料などを得る。木造建築業界初の構造性能保証制度を提供。
【設立】1996.12 【資本金】390百万円
【社長】田鎖郁夫(1965.10生 千葉大工卒)
【株主】〔24.3〕㈲田杉総行20.5%
【連結事業】木造耐震設計(住宅分野)61、木造耐震設計(非住宅分野)35、他4
【従業員】連141名 単100名(41.0歳)

【業績】	売上高	営業利益	経常利益	純利益
連22.3	8,571	396	419	305
連23.3	9,240	422	455	302
連24.3	7,998	83	47	0

#有休取得が多い

MHIパワーエンジニアリング

株式公開計画なし

採用予定数	倍率	3年後離職率	平均年収
25名	‥	0%	754万円

●待遇、制度●
【初任給】月24.7万(諸手当1万円)
【残業】25時間【有休】18.7日【制度】フ 住 在
●新卒定着状況●
20年入社(男10、女1)→3年後在籍(男10、女1)
●採用情報●
【人数】23年:0 24年:5 25年:予定25*
【内定内訳】(男‥、女‥)(文‥、理‥)(総‥、他‥)
【試験】〔Web会場〕SPI3〔Web自宅〕SPI3〔性格〕有
【時期】エントリー25.3→内々定25.6【インターン】有
【採用実績校】‥
【求める人材】良く見て聞いて話せる人、自分で考え判断できる人、コミュニケーションに長けている人

【本社】231-8715 神奈川県横浜市中区錦町12 三菱重工業(株)横浜製作所内 ☎045-285-0120
【特色・近況】各種プラントの計画・設計から建設、試運転、保守などを担う、三菱重工グループのエンジニアリング企業。火力・水力・原子力や地熱・水力などの発電設備、総合排煙処理システムやごみ焼却プラントなど幅広い分野を手がける。製品に応じて拠点を配置。
【設立】2015.3 【資本金】100百万円
【社長】竹重聖(1964.9生 九大院医修了)
【株主】〔24.4〕三菱重工業100%
【事業】設計・製図80、一般産業機械他20
【従業員】単1,217名(47.8歳)

【業績】	売上高	営業利益	経常利益	純利益
単22.3	20,719	955	940	606
単23.3	21,396	1,029	1,004	683
単24.3	21,806	1,501	1,485	872

サ ン エ イ

株式公開計画なし

採用内定数	倍率	3年後離職率	平均年収
11名	3.2倍	7.1%	‥

●待遇、制度●
【初任給】月23万
【残業】27.9時間【有休】13.9日【制度】フ 住
●新卒定着状況●
20年入社(男11、女3)→3年後在籍(男10、女3)
●採用情報● 大卒のみ
【人数】23年:9 24年:10 25年:応募35→内定11*
【内定内訳】(男6、女5)(文7、理4)(総11、他0)
【試験】〔筆記〕有〔性格〕有
【時期】エントリー25.3→内々定25.6*【インターン】有
【採用実績校】愛知学大2、愛知産大2、名城大1、愛知大1、中京大1、日本福祉大1、金城大1、成城大1、岐阜大1
【求める人材】チーム行動ができる人、常にチャレンジできる人、責任感を持って仕事ができる人

【本社】448-8524 愛知県刈谷市桜町3-3 ☎0566-21-4301
【特色・近況】機械・プラント・超重量物の据え付けを主力に、物流、設備メンテ、土木建築、配管工事、産業廃棄物処理、車両整備など行う。建設、重機、物流、サービス、環境、営統の6事業分野が連携し一貫したサービスを提供する体制。インドネシアに現地法人を持つ。
【設立】1950.6 【資本金】80百万円
【社長】川瀬廣正(1953.12生 慶大文卒)
【株主】〔24.3〕エムアンドケイ35.2%
【事業】重機21、営統12、建設13、サービス21、物流27、環境6
【従業員】単1,585名(49.2歳)

【業績】	売上高	営業利益	経常利益	純利益
単22.3	29,494	2,452	2,648	1,714
単23.3	28,314	2,128	2,329	1,504
単24.3	30,212	2,943	3,135	2,100

成友興業（せいゆうこうぎょう）　名証メイン

採用内定数	倍率	3年後離職率	平均年収
23名	‥	25%	589万円

●待遇、制度●
【初任給】月27万
【残業】20時間【有休】‥日【制度】住
●新卒定着状況●
‥
●採用情報●
【人数】23年:10 24年:7 25年:応募‥→内定23
【内定内訳】(男15、女8)(文6、理10)(総23、他0)
【試験】〔Web自宅〕SPI3〔性格〕有
【時期】エントリー25.3→内々定25.4*(一次はWEB面接可)【インターン】有
【採用実績校】秋田大1、甲南女大1、駒澤大1、椙山女学大1、高崎経大1、千葉工大2、鶴岡高専1、東京農業大5、東洋大1、他
【求める人材】体力に自信がある人、コミュニケーションが円滑に取れる人、リーダーシップがある人

【本社】197-0802 東京都あきる野市草花1141-1　☎042-558-4111
【特色・近況】首都圏の汚染土壌処理や建設系産業廃棄物の収集運搬・中間処理行う環境事業と、公共工事の元請けや下請けを中心とする建設事業が柱。環境事業は国内初のコンクリート再生粗骨材HのJIS認証取得など最新技術を保有。建設事業は東京都が主だが地域拡大を目指す。
【設立】1975.3　【資本金】327百万円
【社長】細沼順人(1967.6生)
【株主】〔24.3〕細沼順人75.9%
【連結事業】環境58、建設35、環境エンジニアリング4、他3
【従業員】連254名 単217名(41.0歳)

【業績】	売上高	営業利益	経常利益	純利益
連21.9	11,856	430	373	236
連22.9	11,071	366	311	279
連23.9	12,262	591	523	358

㈱ダイセキ環境ソリューション　東証スタンダード

採用内定数	倍率	3年後離職率	平均年収
3名	1.7倍	0%	667万円

●待遇、制度●
【初任給】月25.7万(諸手当2.5万円)
【残業】‥時間【有休】11.5日【制度】フ 住 在
●新卒定着状況●
20年入社(男2、女4)→3年後在籍(男2、女4)
●採用情報●
【人数】23年:1 24年:2 25年:応募5→内定3
【内定内訳】(男3、女0)(文2、理1)(総3、他0)
【試験】〔筆記〕SPI3〔Web自宅〕SPI3〔性格〕有
【時期】エントリー24.9→内々定24.12(一次・二次以降もWEB面接可)【インターン】有
【採用実績校】‥
【求める人材】挑戦、主体性、リーダーシップのいずれかの要素を発揮できる人

【本社】467-0852 愛知県名古屋市瑞穂区明前町8-18　☎052-819-5310
【特色・近況】土壌汚染の調査と浄化処理が主力。産業廃棄物処理大手ダイセキの子会社。廃石膏ボードのリサイクル事業や、子会社でプラスチックや古紙のリサイクル事業も展開。土壌汚染関連は調査から処理までの一貫体制が強み。名古屋地盤だが関西や首都圏にも進出。
【設立】1996.11　【資本金】2,287百万円
【社長】山本浩也(1968.5生 一橋大社会卒)
【株主】〔24.2〕ダイセキ53.8%
【連結事業】土壌汚染調査・処理80、資源リサイクル20
【従業員】連315名 単202名(41.2歳)

【業績】	売上高	営業利益	経常利益	純利益
連22.2	17,082	2,102	2,112	1,252
連23.2	16,411	1,373	1,412	724
連24.2	24,150	2,792	2,818	1,781

㈱アールシーコア　東証スタンダード

採用内定数	倍率	3年後離職率	平均年収
1名	70倍	22.2%	771万円

●待遇、制度●
【初任給】月26万(固定残業代25時間分)
【残業】27.7時間【有休】10.6日【制度】在
●新卒定着状況●
20年入社(男2、女7)→3年後在籍(男1、女6)
●採用情報●
【人数】23年:0 24年:4 25年:応募70→内定1*
【内定内訳】(男1、女0)(文1、理0)(総1、他0)
【試験】〔Web自宅〕SPI3
【時期】エントリー25.2→内々定25.4(一次はWEB面接可)
【採用実績校】北大1
【求める人材】「住む」より「楽しむ」当社のコンセプトに共感し、会社を育てる気概のある人

【本社】150-0033 東京都渋谷区猿楽町10-1 マンサード代官山　☎03-5990-4070
【特色・近況】ログハウスなど丸太組み工法の住宅企画・製造・販売。「BESS」ブランド中心に展開。自然派のライフスタイルを提案しログハウス、木造軸組など木材を使用した家造りに特徴。キット販売のほか工事請負も行う。別荘施設を所有しタイムシェアサービスを提供。
【設立】1985.8　【資本金】671百万円
【社長】壽松木康晴(1965.3生 北大文卒)
【株主】〔24.3〕二木浩三18.0%
【連結事業】ログハウス等部材パッケージ販売29、同工事67、他4
【従業員】連219名 単130名(38.3歳)

【業績】	売上高	営業利益	経常利益	純利益
連22.3	16,341	▲336	▲362	▲436
連23.3	13,940	▲881	▲886	▲1,338
連24.3	12,142	▲496	▲504	2,121

㈱AVANTIA　東証スタンダード

採用内定数	倍率	3年後離職率	平均年収
30名	3.8倍	61.2%	504万円

●待遇、制度●
【初任給】月27.4万(諸手当5.5万円、固定残業代25時間分)
【残業】5.2時間【有休】10.2日【制度】住
●新卒定着状況● 20～21年入社者合計
20年入社(男43、女24)→3年後在籍(男14、女12)
●採用情報●
【人数】23年:18 24年:33 25年:応募115→内定30*
【内定内訳】(男21、女9)(文23、理5)(総30、他0)
【試験】〔筆記〕常識
【時期】エントリー24.12→内々定25.1*(一次はWEB面接可)【インターン】有
【採用実績校】名古屋学院大4、愛知産大2、愛知淑徳大2、東海学園大2、椙山女学大1、日本福祉大1、南山大1、名城大1、愛知大1、他
【求める人材】理念に共感し、周りに配慮しながら主体的に行動できる人、チャレンジ精神のある人

【本社】460-0003 愛知県名古屋市中区錦2-20-15 広小路クロスタワー ☎052-307-5090
【特色・近況】東海圏を地盤とする戸建て住宅中堅。「AVANTIA 01」ブランドで展開。自由設定できる土地付き戸建て注文住宅が主力。戸建てはZEH基準の断熱・省エネ性能を全棟標準化。建売住宅、マンション分譲も手がける。関西、九州、首都圏に順次進出しエリア拡大。
【設立】1989.11【資本金】3,732百万円
【社長】沢田康成(1971.5生)
【株主】〔24.2〕㈱SKエイト27.0%
【連結事業】戸建住宅78、マンション5、一般請負工事10、他7
【従業員】連614名 単198名(36.4歳)

【業績】	売上高	営業利益	経常利益	純利益
連21.8	45,327	1,740	1,937	1,352
連22.8	58,753	2,325	2,420	1,870
連23.8	58,161	1,921	1,962	1,234

㈱エストラスト　東証スタンダード

採用内定数	倍率	3年後離職率	平均年収
3名	9.3倍	25%	477万円

●待遇、制度●
【初任給】月22.5万(固定残業代26時間分)
【残業】12.3時間【有休】7.5日【制度】・
●新卒定着状況●
20年入社(男3、女1)→3年後在籍(男2、女1)
●採用情報●
【人数】23年:4 24年:7 25年:応募28→内定3*
【内定内訳】(男1、女2)(文2、理1)(総3、他0)
【試験】〔性格〕有
【時期】エントリー24.4→内々定25.3*(一次はWEB面接可)【インターン】有
【採用実績校】西日本工大1、西南学大1、北九州市大1
【求める人材】思考力、コミュニケーション能力の高い人

【本社】750-0025 山口県下関市竹崎町4-1-22 エストラストビル ☎083-229-3280
【特色・近況】分譲戸数で山口県内首位のマンション開発業者。ファミリー向け主体で、「オーヴィジョン」ブランドで展開。九州、関西にも進出。マンション管理や賃貸事業、山口県を中心に戸建て分譲事業も展開している。西部ガスHDの子会社。
【設立】1999.1【資本金】736百万円
【社長】藤田尚久(1970.6生)
【株主】〔24.2〕西部ガスホールディングス51.0%
【連結事業】不動産分譲77、不動産管理3、不動産賃貸2、他17
【従業員】連78名 単49名(39.6歳)

【業績】	売上高	営業利益	経常利益	純利益
連22.2	16,035	781	654	441
連23.2	15,619	1,358	1,223	838
連24.2	18,044	1,140	1,084	731

エスリード　東証プライム

採用内定数	倍率	3年後離職率	平均年収
69名	40.8倍	32.7%	871万円

●待遇、制度●
【初任給】月27万
【残業】28時間【有休】12.4日【制度】住
●新卒定着状況●
20年入社(男44、女11)→3年後在籍(男31、女6)
●採用情報●
【人数】23年:55 24年:62 25年:応募2818→内定69
【内定内訳】(男64、女5)(文64、理5)(総68、他1)
【試験】なし
【時期】エントリー24.6→内々定24.12*(一次はWEB面接可)【インターン】有【ジョブ型】有
【採用実績校】関大7、関西学大5、京産大5、立命館大3、近大3、神戸学大3、尾道市大2、甲南大2、阪南大2、神戸大1、大阪公大1、山口大1、他
【求める人材】自身の目標をしっかりと持ち、目標達成に向けて主体的に取り組める人

【本社】553-0003 大阪府大阪市福島区福島6-25-19 エスリードビル福島 ☎06-6345-1880
【特色・近況】大阪地盤のマンションデベロッパー。近畿圏でのマンション供給戸数はトップ級。1物件集中販売方式による短期完売が基本戦略。マンション管理、賃貸仲介、電力管理など周辺事業も手がける。商業施設や物流施設開発など総合不動産会社化を目指す。森トラスト傘下。
【設立】1992.5【資本金】1,983百万円
【社長】荒牧杉夫(1956.8生 関大経済卒)
【株主】〔24.3〕森トラスト53.5%
【連結事業】不動産販売74、他26
【従業員】連462名 単245名(33.6歳)

【業績】	売上高	営業利益	経常利益	純利益
連22.3	74,597	8,660	8,575	5,428
連23.3	79,913	9,481	9,368	6,147
連24.3	80,286	11,631	11,346	7,518

㈱ＦＪネクストホールディングス　東証プライム

採用予定数	倍率	3年後離職率	平均年収
60名	‥	56.5%	727万円

●待遇、制度●
【初任給】月26万（固定残業代24時間分）
【残業】5.2時間【有休】8.6日【制度】住
●新卒定着状況●
20年入社（男42、女20）→3年後在籍（男17、女10）
●採用情報● グループ採用
【人数】23年:39 24年:46 25年:予定60*
【内定内訳】（男‥、女‥）（文‥、理‥）（総‥、他‥）
【試験】〔筆記〕SPI3〔Web自宅〕SPI3〔性格〕有
【時期】エントリー25.3→内々定25.5*（一次・二次以降もWEB面接可）【インターン】有
【採用実績校】神奈川大4、専大3、中大3、日大3、日体大3
【求める人材】変化を恐れない積極性を持ち、仕事に誠実に向き合える人

【本社】163-1310 東京都新宿区西新宿6-5-1 新宿アイランドタワー ☎03-6733-1111
【特色・近況】首都圏地盤の投資用ワンルームマンションデベロッパー。「ガーラ」ブランドで提供。首都圏の投資用マンション供給戸数で首位級。分譲後の入居者募集、集金代行、建物維持管理なども一貫提供。ファミリー向けマンション開発、旅館運営なども手がける。
【設立】1980.7 【資本金】2,774百万円
【社長】肥田恵輔（1982.9生）
【株主】〔24.3〕㈱エム・エム・ヨーク17.7%
【連結事業】不動産開発86、不動産管理4、建設9、旅館1、他0
【従業員】連594名 単43名（37.1歳）

【業績】	売上高	営業利益	経常利益	純利益
連22.3	82,258	9,095	9,080	6,338
連23.3	84,688	8,250	8,219	5,621
連24.3	100,405	9,431	9,434	6,453

#初任給が高い #採用数が多い

㈱オープンハウスグループ　東証プライム

採用内定数	倍率	3年後離職率	平均年収
508名	15.4倍	36.4%	731万円

●待遇、制度●
【初任給】月33万（諸手当3万円、固定残業代42時間分）
【残業】38.6時間【有休】12.1日【制度】住 在
●新卒定着状況● グループ3社合計
20年入社（男195、女85）→3年後在籍（男121、女57）
●採用情報● グループ採用
【人数】23年:387 24年:433 25年:応募7800→内定508*
【内定内訳】（男331、女177）（文421、理86）（総508、他0）
【試験】〔筆記〕常識〔Web自宅〕有〔性格〕有
【時期】エントリー24.6→内々定24.8*（一次・二次以降もWEB面接可）【インターン】有
【採用実績校】法政大20、日大18、立命館大17、明大15、関大14、慶大14、近大13、関西学大12、早大12、立教大11、同大10、他
【求める人材】誠実で達成意欲と成長意欲の高い人

【本社】100-7020 東京都千代田区丸の内2-7-2 JPタワー ☎03-6213-0778
【特色・近況】東京23区や横浜、川崎など都心部の狭小戸建て住宅に強みを持つ不動産主軸の持株会社。用地取得から企画、設計、建築、販売まで一貫体制。首都圏や名古屋圏、福岡圏でマンション販売を展開。富裕層や投資家向け不動産、米国の投資用不動産も取り扱う。
【設立】1996.11 【資本金】20,131百万円
【社長】荒井正昭（1965.10生）
【株主】〔24.3〕荒井正昭31.6%
【連結事業】戸建関連51、マンション11、収益不動産16、他8、プレサンスコーポレーション14
【従業員】連5,828名 単‥名（33.5歳）

【業績】	売上高	営業利益	経常利益	純利益
連21.9	810,540	101,103	97,590	69,582
連22.9	952,686	119,358	121,166	77,884
連23.9	1,148,484	142,330	136,927	92,050

㈱グッドコムアセット　東証プライム

採用内定数	倍率	3年後離職率	平均年収
13名	33.8倍	‥	607万円

●待遇、制度●
【初任給】月26万（固定残業代30時間分）
【残業】8時間【有休】9日【制度】住
●新卒定着状況●
‥
●採用情報●
【人数】23年:37 24年:33 25年:応募440→内定13*
【内定内訳】（男8、女5）（文13、理0）（総13、他0）
【試験】〔Web自宅〕有〔性格〕有
【時期】エントリー25.3→内々定25.6*（一次はWEB面接可）【インターン】有【ジョブ型】有
【採用実績校】早大1、亜大1、帝京平成大1、昭和女大1、桐蔭横浜大1、近大1、龍谷大1、京都橘大1、広島修道大1、鹿児島国際大1
【求める人材】コミュニケーション能力があり、主体的に行動できる人

【本社】160-0023 東京都新宿区西新宿7-20-1 住友不動産西新宿ビル ☎03-5338-0170
【特色・近況】東京23区内で「ジェノヴィア」ブランドの投資用ワンルームマンションを開発・販売。ファミリー向けも手がける。人と緑が共生するエコロジーデザインがコンセプト。個人投資家向けの自社販売のほか不動産運用会社向け販売も行う。台湾に拠点。
【設立】2006.5 【資本金】1,595百万円
【社長】長嶋義和（1969.12生）
【株主】〔24.4〕長嶋義和16.6%
【連結事業】ホールセール39、リテールセールス52、リアルエステートマネジメント8、他0
【従業員】連211名 単137名（30.1歳）

【業績】	売上高	営業利益	経常利益	純利益
連21.10	34,216	3,437	3,164	1,962
連22.10	40,048	4,612	4,342	2,858
連23.10	22,190	2,141	1,788	1,030

㈱グランディーズ　[東証グロース]

採用内定数	倍率	3年後離職率	平均年収
3名	1倍	33.3%	411万円

[●待遇、制度●]
【初任給】月22.7万(固定残業代36時間分)
【残業】15時間【有休】9.3日【制度】[住]
[●新卒定着状況●]
20年入社(男1、女2)→3年後在籍(男1、女1)
[●採用情報●]
【人数】23年:3 24年:1 25年:応募3→内定3
【内定内訳】(男3、女0)(文3、理0)(総3、他0)
【試験】〔性格〕有
【時期】エントリー24.12→内々定25.2【インターン】有
【採用実績校】久留米大1
【求める人材】明るく素直で前向きな人、たえまなく立派になろうと努力する人

【本社】870-0034 大分県大分市都町2-1-10
☎097-548-6700
【特色・近況】大分県地盤の不動産会社で、建売住宅の販売が主力。若年ファミリー層や単身者をターゲットにした低価格住宅を中心とする。建築は外部業者に委託。投資用不動産の販売も扱う。宮崎市、松山市、久留米市と県外拠点を開設。
【設立】2006.11　【資本金】268百万円
【社長】亀井浩(1970.8生)
【株主】〔24.6〕亀井浩41.3%
【連結事業】不動産販売45、建築請負53、不動産賃貸管理2
【従業員】連68名 単22名(34.9歳)

【業績】	売上高	営業利益	経常利益	純利益
連21.12	2,807	265	275	182
連22.12	2,661	226	224	65
連23.12	4,600	126	122	178

㈱グローバル・リンク・マネジメント　[東証プライム]

採用予定数	倍率	3年後離職率	平均年収
3名	−	44.4%	817万円

[●待遇、制度●]
【初任給】月22万
【残業】8.3時間【有休】13.7日【制度】[フ][住][在]
[●新卒定着状況●]
20年入社(男6、女3)→3年後在籍(男4、女1)
[●採用情報●]
【人数】23年:2 24年:2 25年:応募0→内定0*
【内定内訳】(男‥、女‥)(文‥、理‥)(総‥、他‥)
【試験】〔性格〕有
【時期】エントリー24.10→内々定24.12(一次・二次以降もWEB面接可)
【採用実績校】‥
【求める人材】素直で前向きな人、主体的に行動できる人、高い成長意欲のある人

【本社】150-0043 東京都渋谷区道玄坂1-12-1
☎03-6415-6525
【特色・近況】「アルテシモ」ブランドの投資用コンパクトマンションを販売。東京23区内の主要沿線に立地し、利便性の高さや高入居率、好利回り物件として国内外の富裕層に販売。9割はサブリース。子会社でDX領域におけるIT関連事業も行う。
【設立】2005.3　【資本金】582百万円
【社長】金大仲(1974.6生 神奈大法卒)
【株主】〔24.6〕㈱G2A33.7%
【連結事業】不動産ソリューション100
【従業員】連140名 単129名(35.0歳)

【業績】	売上高	営業利益	経常利益	純利益
単21.12	30,675	1,677	1,487	1,423
連22.12	35,673	2,610	2,278	1,458
連23.12	41,258	4,586	4,260	2,878

#採用数が多い

ケイアイスター不動産(ふどうさん)　[東証プライム]

採用内定数	倍率	3年後離職率	平均年収
100名	121.5倍	43.9%	[総]529万円

[●待遇、制度●]
【初任給】月23万(固定残業代17時間分)
【残業】14.5時間【有休】9日【制度】[住][在]
[●新卒定着状況●]
20年入社(男24、女17)→3年後在籍(男12、女11)
[●採用情報●]
【人数】23年:85 24年:92 25年:応募12151→内定100*
【内定内訳】(男60、女40)(文90、理5)(総100、他0)
【試験】なし
【時期】エントリー24.8→内々定24.10(一次・二次以降もWEB面接可)【インターン】有
【採用実績校】慶大1、青学大1、法政大2、東京都市大3、関大1、福岡大2、他
【求める人材】生活に密着した実需の商売で、成長しできることを増やしたいという正しい野心がある人

【本社】367-0035 埼玉県本庄市西富田762-1
☎0495-27-2525
【特色・近況】北関東や東京を地盤とする不動産販売会社。主力は1次取得者向けの分譲住宅事業。平均価格は約3000万円以下。注文住宅事業は「IKI」「ケイアイカーザ」「はなまるハウス」などのブランドで展開。同業のM&Aに積極的。
【設立】1993.6　【資本金】4,817百万円
【社長】塙圭二(1967.5生 埼玉本庄北高卒)
【株主】〔24.3〕㈱フラワーリング21.5%
【連結事業】分譲住宅96、注文住宅2、他2
【従業員】連2,637名 単1,318名(32.6歳)

【業績】	売上高	営業利益	経常利益	純利益
連22.3	184,388	23,659	23,203	14,746
連23.3	241,879	19,189	18,467	11,845
連24.3	283,084	11,362	10,130	6,856

#初任給が高い

㈱ゴールドクレスト [東証スタンダード]

採用内定数	倍率	3年後離職率	平均年収
7名	‥	‥	621万円

●待遇、制度●
【初任給】月29.5万(諸手当1万円)
【残業】24.3時間【有休】13.5日【制度】[住][在]

●新卒定着状況●
20年入社(男9、女4)→3年後在籍(男‥、女‥)

●採用情報●
【人数】23年:12 24年:12 25年:応募‥→内定7
【内定内訳】(男3、女4)(文5、理2)(総7、他0)
【試験】〔Web会場〕SPI3〔Web自宅〕SPI3〔性格〕有
【時期】エントリー25.3→内々定25.6(一次・二次以降もWEB面接可)【インターン】有
【採用実績校】慶大1、千葉大1、明大1、立教大1、東理大1、学習院大1、専大1
【求める人材】コミュニケーション力を活かし若くから成長したい人、前例のない課題に挑戦できる人

【本店】100-0004 東京都千代田区大手町2-1-1 ☎03-3516-7111
【特色・近況】中堅マンションデベロッパー。首都圏で「クレスト」ブランドで分譲マンションを開発。都心軸にタワーマンションなど高価格帯の物件を展開。リーマンショック後の地価下落時に積極的な用地取得を行い高利益率を実現し、強固な財務基盤が強み。
【設立】1992.1【資本金】12,499百万円
【社長】安川秀俊(1961.6生 東大工卒)
【株主】〔24.3〕㈱ミューアセット44.0%
【連結事業】不動産分譲64、不動産賃貸10、不動産管理14、ホテル10、他2
【従業員】連197名 単87名(30.7歳)

【業績】	売上高	営業利益	経常利益	純利益
連22.3	34,245	11,585	11,544	7,597
連23.3	27,453	10,553	10,554	7,031
連24.3	24,845	5,735	5,521	3,753

サンヨーホームズ [東証スタンダード]

採用内定数	倍率	3年後離職率	平均年収
33名	‥	64.5%	595万円

●待遇、制度●
【初任給】月26万(固定残業代16.5時間分)
【残業】15.3時間【有休】9.5日【制度】[住]

●新卒定着状況●
‥

●採用情報●
【人数】23年:1 24年:21 25年:応募‥→内定33*
【内定内訳】(男‥、女‥)(文‥、理‥)(総‥、他‥)
【試験】〔Web自宅〕WEB-GAB〔性格〕有
【時期】エントリー25.3→内々定25.6(一次・二次以降もWEB面接可)【インターン】有
【採用実績校】‥
【求める人材】人間関係が自分の資産だと思い、積極的に人との関わりを持てる人

【本社】550-0005 大阪府大阪市西区西本町1-4-1 ☎06-6578-3403
【特色・近況】マンション事業(マンション開発・販売・賃貸)、住宅事業(戸建住宅・賃貸福祉住宅・リフォームの設計・施工・分譲など)が主軸。首都圏、中部、近畿、北九州・福岡都市圏で展開。戸建住宅のZEH(ネット・ゼロ・エネルギー・ハウス)比率はほぼ100%。
【設立】1996.10【資本金】5,945百万円
【社長】松岡久志(1963.10生)
【株主】〔24.3〕LIXIL24.5%
【連結事業】住宅45、マンション45、他10
【従業員】連782名 単346名(44.8歳)

【業績】	売上高	営業利益	経常利益	純利益
連22.3	51,123	548	545	326
連23.3	40,970	▲149	▲191	▲245
連24.3	45,860	952	935	648

#年収高く倍率低い #初任給が高い

新三平建設(しんさんぺいけんせつ) [株式公開計画なし]

採用内定数	倍率	3年後離職率	平均年収
3名	1倍	―	[総]805万円

●待遇、制度●
【初任給】月34.6万(諸手当1.5万円、固定残業代30時間分)
【残業】20時間【有休】‥日【制度】[住]

●新卒定着状況●
20年入社(男0、女0)→3年後在籍(男0、女0)

●採用情報●
【人数】23年:1 24年:7 25年:応募3→内定3*
【内定内訳】(男3、女0)(文‥、理‥)(総3、他0)
【試験】なし
【時期】エントリー25.3→内々定25.10*【インターン】有
【採用実績校】中央工学校専1、高校1
【求める人材】知識や経験よりも人柄・意欲を重視

【本社】111-0041 東京都台東区元浅草1-6-13 元浅草MNビル ☎03-3847-3311
【特色・近況】首都圏を地盤とする総合建設会社。マンション建設を柱に店舗、事務所を受注。耐震工事、大規模修繕などリニューアル工事、太陽光発電所も手がける。栃木県と宮城県に支店、営業所。中国、マレーシア、ミャンマーに現地法人持つ。
【設立】2009.1【資本金】100百万円
【社長】飯田忠房(1954.12生)
【株主】〔24.3〕新三平建設(自己株)45.0%
【事業】建設99、他1
【従業員】単97名(46.0歳)

【業績】	売上高	営業利益	経常利益	純利益
単22.3	13,270	946	959	617
単23.3	12,556	657	735	501
単24.3	15,014	592	711	465

建設・不動産

#年収高く倍率低い

㈱スズキビジネス

株式公開計画なし

採用内定数	倍率	3年後離職率	平均年収
4名	6倍	25%	㊕849万円

●待遇、制度●
【初任給】月22万
【残業】18.6時間【有休】8.9日【制度】フ 住
●新卒定着状況●
20年入社(男3、女5)→3年後在籍(男3、女3)
●採用情報●
【人数】23年:10 24年:6 25年:応募24→内定4*
【内定内訳】(男2、女2)(文3、理0)(総3、他1)
【試験】〔筆記〕GAB〔性格〕有
【時期】エントリー25.3→内々定25.4*(一次はWEB面接可)
【採用実績校】愛知学大1、常葉大1、都留文化大1、他
【求める人材】時代感覚に富み、柔軟で行動力のある人、チャレンジ精神旺盛な人

【本社】431-0201 静岡県浜松市中央区篠原町21339 しのはらプラザ ☎053-440-0860
【特色・近況】住宅地・工業団地の開発・販売から住宅リフォーム、ワイン・ハチミツなどの輸入・販売、損害保険・生命保険代理店、ゴルフ倶楽部やカー用品ショップのECサイト、SSの運営など幅広く手がける。スズキの完全子会社。
【設立】1967.12【資本金】110百万円
【社長】山口和樹
【株主】〔24.3〕スズキ100%
【事業】不動産42、石油39、特販6、オート用品6、保険3、他4
【従業員】単480名(52.6歳)

【業績】	売上高	営業利益	経常利益	純利益
単22.3	23,300	‥	‥	‥
単23.3	26,000	‥	‥	‥
単24.3	26,800	‥	‥	‥

住友林業ホームテック(すみともりんぎょう)

株式公開計画なし

採用内定数	倍率	3年後離職率	平均年収
97名	5.8倍	13.3%	‥

●待遇、制度●
【初任給】月24.9万(固定残業代40時間分)
【残業】35.3時間【有休】11.1日【制度】住 在
●新卒定着状況●
20年入社(男15、女15)→3年後在籍(男13、女13)
●採用情報●
【人数】23年:69 24年:134 25年:応募563→内定97
【内定内訳】(男51、女46)(文29、理53)(総97、他0)
【試験】〔Web自宅〕玉手箱〔性格〕有
【時期】エントリー25.3→内々定25.6(一次・二次以降もWEB面接可)【インターン】有
【採用実績校】日大6、近大4、京都建築大学校4、京都橘大3、東海大3、駒澤大3、金沢工大3、京都女大2、愛知産大2、大阪工大2、他
【求める人材】お客様の理想の住まいを実現するリフォーム事業を手掛けたいと強く思う人

【本社】101-0003 東京都千代田区一ツ橋2-6-3 一ツ橋ビル ☎03-6890-5810
【特色・近況】リフォーム専門会社。一般住宅、マンション、古民家、店舗・事務所などのリフォームと、「住友林業の家」のアフターメンテを行う。耐震リフォーム向けオリジナル工法の開発に成功し、防災技術評価認定取得。住友林業グループ。
【設立】1988.10【資本金】100百万円
【社長】新堂康之
【株主】〔24.3〕住友林業100%
【事業】増改築等95、他5
【従業員】単2,335名(43.0歳)

【業績】	売上高	営業利益	経常利益	純利益
単21.12	64,152	2,033	2,072	353
単22.12	66,110	3,119	3,131	2,031
単23.12	68,410	2,221	2,400	1,643

生和コーポレーション西日本本社

株式公開計画なし

採用内定数	倍率	3年後離職率	平均年収
57名	14.5倍	34.5%	‥

●待遇、制度●
【初任給】月26万(固定残業代20時間分)
【残業】26.2時間【有休】9.7日【制度】住 在
●新卒定着状況●
20年入社(男26、女3)→3年後在籍(男17、女2)
●採用情報●
【人数】23年:28 24年:46 25年:応募826→内定57*
【内定内訳】(男45、女12)(文23、理32)(総56、他1)
【試験】〔筆記〕有〔Web会場〕有〔Web自宅〕有〔性格〕有
【時期】エントリー25.3→内々定25.3*(一次・二次以降もWEB面接可)【インターン】有
【採用実績校】福岡大5、関大3、近大3、大阪芸大3、九産大3、京都美工大3、大阪工大2、愛知工業大2、帝塚山大2、大手前大2、島根大1、他
【求める人材】チャレンジスピリットを持ち、何事にも情熱を持って取り組める成長意欲の高い人

【本社】553-0003 大阪府大阪市福島区福島5-8-1 ☎06-6345-0661
【特色・近況】不動産会社、生和コーポレーションの西日本エリア(中部・関西・九州)の事業展開担う。アパート、マンション、貸店舗などの建設、入居者斡旋、建物管理までトータルサポート。東日本エリアは生和コーポレーション東日本本社が担当。
【設立】1971.4【資本金】1,000百万円
【社長】黒田英之(1983.2生 慶大経済卒)
【株主】〔24.3〕生和設計研究所ホールディングス100%
【事業】建築100
【従業員】単630名(39.5歳)

【業績】	売上高	営業利益	経常利益	純利益
単22.3	38,341	3,468	3,616	2,243
単23.3	41,370	3,189	3,428	2,125
単24.3	55,186	4,399	4,672	2,908

セキスイハイム東海(とうかい) [株式公開計画なし]	採用内定数	倍率	3年後離職率	平均年収
	21名	8.4倍	25%	[総]780万円

●待遇、制度●
【初任給】月25.2万(諸手当2.4万円、固定残業代30時間分)
【残業】39.2時間【有休】10.6日【制度】[住][在]
●新卒定着状況●
20年入社(男15、女13)→3年後在籍(男11、女10)
●採用情報●
【人数】23年:28 24年:15 25年:応募176→内定21*
【内定内訳】(男12、女9)(文18、理2)(総21、他0)
【試験】〔Web自宅〕SPI3〔性格〕有
【時期】エントリー24.4→内々定24.12*(一次・二次以降もWEB面接可)【インターン】有【ジョブ型】有
【採用実績校】日大4、常葉大3、静岡大2、静岡県大2、法政大1、立命館大1、東海大2、東京農業大1、神奈川大1、日本女大1、他
【求める人材】失敗を恐れずチャレンジする元気で明るい人

【本社】430-7725 静岡県浜松市中央区板屋町111-2 アクトタワー25階 ☎053-453-4560
【特色・近況】積水化学のユニット住宅「セキスイハイム」の販売・設計・施工を手がける。静岡県の注文住宅(一戸建て)着工実績20年連続トップ。新築分譲マンション事業も展開。県内全域に住宅展示場を置くほか、浜松、静岡、沼津には体験型ショールームを設置。
【設立】1971.9 【資本金】198百万円
【社長】小林昭次(1948.12生 同大商卒)
【株主】〔24.3〕積水化学工業36.3%
【事業】住宅販売84、マンション12、他4
【従業員】連1,155名 単518名(41.0歳)

【業績】	売上高	営業利益	経常利益	純利益
連22.3	51,937	1,656	1,854	1,277
連23.3	61,408	2,923	3,141	2,064
連24.3	65,258	2,147	2,326	1,440

セントラル総合開発(そうごうかいはつ) [東証スタンダード]	採用内定数	倍率	3年後離職率	平均年収
	2名	30倍	33.3%	[総]858万円

●待遇、制度●
【初任給】月22.5万
【残業】11.1時間【有休】9.5日【制度】[住]
●新卒定着状況●
20年入社(男6、女0)→3年後在籍(男4、女0)
●採用情報●
【人数】23年:1 24年:5 25年:応募60→内定2
【内定内訳】(男1、女1)(文2、理0)(総2、他0)
【試験】〔筆記〕GAB〔性格〕有
【時期】エントリー24.12→内々定25.4*(一次はWEB面接可)
【採用実績校】大和大1、東京都市大1
【求める人材】コミュニケーション能力が高く、リーダーシップと向上心を持つ人

【本社】102-8125 東京都千代田区飯田橋3-3-7 秋穂セントラルビル ☎03-3239-3611
【特色・近況】中堅のマンションデベロッパー。ファミリー向け分譲マンション「クレア」シリーズを展開。全国的な拠点網を活用し、地域特性を生かした物件の販売に強みを持つ。ビル賃貸やビル管理、マンション管理事業も手がける。九電工グループ。
【設立】1959.11 【資本金】1,352百万円
【社長】田中洋一(1965.6生 東大工卒)
【株主】〔24.3〕九電工30.0%
【連結事業】不動産販売88、不動産賃貸・管理12、他0
【従業員】連181名 単95名(45.0歳)

【業績】	売上高	営業利益	経常利益	純利益
連22.3	29,314	1,186	925	630
連23.3	30,391	1,538	1,260	845
連24.3	31,925	1,706	1,356	904

#年収高く倍率低い #初任給が高い #年収が高い

㈱ディア・ライフ [東証プライム]	採用内定数	倍率	3年後離職率	平均年収
	9名	16.1倍	0%	[総]905万円

●待遇、制度●
【初任給】年420万
【残業】5.4時間【有休】8.9日【制度】[フ][住][在]
●新卒定着状況●
20年入社(男1、女0)→3年後在籍(男1、女0)
●採用情報●
【人数】23年:3 24年:10 25年:応募145→内定9*
【内定内訳】(男8、女1)(文8、理1)(総9、他0)
【試験】〔筆記〕常識、SPI3
【時期】エントリー25.3→内々定25.6*(一次はWEB面接可)【インターン】有【ジョブ型】有
【採用実績校】京大1、早大3、阪大1、立命館大1、青学大1、明大1、中大1
【求める人材】成長意欲があり根気強く頑張り続けられる人、自発的に考えて行動できる人

【本社】102-0073 東京都千代田区九段北1-13-5 ヒューリック九段ビル ☎03-5210-3721
【特色・近況】都内中心に都市型高級分譲マンション、商業用ビルを開発・販売。デベロッパー、不動産投資ファンド、個人投資家へ1棟単位で販売。子会社で保険・金融業界にコールセンター向け人材派遣も行う。都内23区の物件開発は10億円以上の大型案件に注力。
【設立】2004.11 【資本金】4,125百万円
【社長】阿部幸広(1968.2生 早大商卒)
【株主】〔24.3〕㈲ディアネス34.5%
【連結事業】リアルエステート90、セールスプロモーション10
【従業員】連645名 単37名(30.4歳)

【業績】	売上高	営業利益	経常利益	純利益
連21.9	26,367	4,016	4,114	2,686
連22.9	51,905	5,736	5,666	4,199
連23.9	43,503	6,087	6,181	4,304

㈱NITTOH （名証メイン）

採用内定数	倍率	3年後離職率	平均年収
8名	6.6倍	18.2%	521万円

●待遇、制度●
【初任給】月22万（諸手当を除いた数値）
【残業】18.2時間【有休】10.8日【制度】住
●新卒定着状況●
20年入社（男9、女2）→3年後在籍（男7、女2）
●採用情報●
【人数】23年:9 24年:8 25年:応募53→内定8*
【内定内訳】（男4、女4）（文3、理5）（総8、他0）
【試験】〔筆記〕SPI3〔性格〕有
【時期】エントリー25.3→内々定25.6（一次はWEB面接可）【インターン】有
【採用実績校】愛知工業大1、名城大1、大同大1、愛知学大1、椙山女学大1、名古屋女大1、愛知大1、東海工業専1
【求める人材】人とコミュニケーションを取ることが好きで、協力して物事を成し遂げたい人

【本社】454-0027 愛知県名古屋市中川区広川町3-1-8 ☎052-304-8210
【特色・近況】愛知県が地盤の住宅メンテナンス会社。建設工事、住宅サービス、ビルメンテナンスの3事業を行う。白アリ・害虫駆除を得意としたが、木造家屋の減少に伴い現在は害獣駆除や植栽、草刈り等にも対応を拡大。関東や関西、北陸にも展開。
【設立】1973.4 【資本金】186百万円
【社長】中野英樹（1963.4生 東大工卒）
【株主】〔24.3〕㈱ナカノコーポレーション26.5%
【連結事業】建設工事69、住宅等サービス13、ビルメンテナンス18
【従業員】連441名 単249名（41.6歳）

【業績】	売上高	営業利益	経常利益	純利益
連22.3	9,305	407	432	261
連23.3	9,678	345	377	222
連24.3	10,121	429	459	247

㈱日本ハウスホールディングス （東証プライム）

採用内定数	倍率	3年後離職率	平均年収
43名	26.7倍	‥	総529万円

●待遇、制度●
【初任給】月23万（諸手当3万円、固定残業代18時間分）
【残業】22.5時間【有休】5日【制度】住
●新卒定着状況●
20年入社（男75、女6）→3年後在籍（男‥、女‥）
●採用情報●
【人数】23年:79 24年:55 25年:応募1146→内定43*
【内定内訳】（男35、女8）（文20、理12）（総43、他0）
【試験】〔性格〕有
【時期】エントリー24.12→内々定25.2*（一次・二次以降もWEB面接可）【ジョブ型】有
【採用実績校】中央工学校専4、東海大3、愛知学大2、流経大2、盛岡情報ビジネス＆デザイン専2、他
【求める人材】プラス思考で明るく元気良く、人と接することができる人、目標を持ち行動できる人

【本社】102-0072 東京都千代田区飯田橋4-3-8 日本ハウスHD飯田橋ビル ☎03-5215-9881
【特色・近況】在来工法の木造注文住宅の大手。ヒノキ材利用や地震に強い構造が特長。ZEH（ネットゼロエネルギーハウス）の販売に注力。セミオーダー型ローコスト住宅に注力。分譲マンション事業も手がける。子会社で住宅用の木材加工や、ホテル運営も展開する。
【設立】1969.2 【資本金】3,873百万円
【会長兼社長】成田和幸（1953.4生 北海道産業短大卒）
【株主】〔24.4〕日本マスタートラスト信託銀行信託口8.1%
【連結事業】住宅86、ホテル14、他0
【従業員】連1,039名 単860名（40.3歳）

【業績】	売上高	営業利益	経常利益	純利益
連22.10	42,778	2,523	2,329	1,474
連23.10	39,103	973	684	▲47
連24.4変	12,890	▲1,274	▲1,455	▲1,244

㈱バーンリペア （株式公開計画なし）

採用内定数	倍率	3年後離職率	平均年収
6名	107.8倍	50%	総643万円

●待遇、制度●
【初任給】月22万
【残業】27.1時間【有休】9.6日【制度】住 在
●新卒定着状況●
20年入社（男3、女1）→3年後在籍（男2、女0）
●採用情報● グループ採用
【人数】23年:2 24年:6 25年:応募647→内定6*
【内定内訳】（男2、女4）（文6、理0）（総6、他0）
【試験】〔性格〕有
【時期】エントリー25.3→内々定25.5（一次・二次以降もWEB面接可）【インターン】有
【採用実績校】名古屋外大1、東京経大1、敬和学大1、大阪府大1、嵯峨美大1、岩手大1
【求める人材】当事者意識を持ち、柔軟な発想で粘り強く何事にも取り組むことができる人

【本社】162-0853 東京都新宿区北山伏町1-11 牛込食糧ビル3階 ☎03-5227-1390
【特色・近況】戸建住宅の引き渡し直前の仕上げ業務や検査後の是正対応、竣工検査サービスなどを展開。引き渡し後のアフターサービスや住宅定期点検サービス、メンテナンス、小工事サービスも手がける。全国にサービス拠点。キャンデルグループ。
【設立】1995.8 【資本金】90百万円
【社長】藤本剛徳（1972.1生 公務員ビジネス専卒）
【株主】〔24.3〕キャンディル100%
【事業】住宅のリペア（修繕）、竣工検査、定期点検、小型修繕・各種施工、他
【従業員】単287名（41.4歳）

【業績】	売上高	営業利益	経常利益	純利益
単21.9	5,760	‥	222	135
単22.9	5,690	‥	199	121
単23.9	5,952	‥	209	125

ファーストコーポレーション [東証スタンダード]

採用内定数	倍率	3年後離職率	平均年収
4名	10.8倍	50%	[総]725万円

[待遇、制度]
【初任給】月26万
【残業】20.8時間【有休】11.2日【制度】[住]
[新卒定着状況]
20年入社(男3、女1)→3年後在籍(男1、女1)
[採用情報]
【人数】23年:12 24年:3 25年:応募43→内定4*
【内定内訳】(男3、女1)(文0、理3)(総0、他4)
【試験】なし
【時期】エントリー24.9→内々定24.9*(一次はWEB面接可)【インターン】有
【採用実績校】前橋工大2、近畿職能大学校1、国際理工カレッジ専1
【求める人材】強い探求心を持ち、どんな人とでもコミュニケーションがとれる人

【本社】167-0051 東京都杉並区荻窪4-30-16 藤澤ビルディング ☎03-5347-9103
【特色・近況】首都圏を中心に分譲マンションを建設。2011年創業。鉄筋コンクリート(RC)工法の建設工事に特化。用地仕入れから建築まで一貫の造注方式に強み。シニア向けマンションの開発や高層マンション分野にも注力。福岡に九州支店。
【設立】2011.6 【資本金】730百万円
【社長】中村利秋(1950.11生 東京デザイナー)
【株主】〔24.5〕中村利秋14.1%
【連結事業】建設77、不動産21、他1
【従業員】連182名 単166名(43.1歳)

【業績】	売上高	営業利益	経常利益	純利益
単22.5	30,178	1,919	1,891	1,269
連23.5	25,543	1,983	1,979	1,364
連24.5	28,485	1,453	1,422	944

ファースト住建（じゅうけん） [東証スタンダード]

採用内定数	倍率	3年後離職率	平均年収
12名	8倍	‥	[総]489万円

[待遇、制度]
【初任給】月23万
【残業】23.3時間【有休】15.1日【制度】‥
[新卒定着状況]
‥
[採用情報]
【人数】23年:15 24年:13 25年:応募96→内定12*
【内定内訳】(男10、女2)(文‥、理‥)(総12、他0)
【試験】〔性格〕有
【時期】エントリー24.10→内々定25.3*(一次はWEB面接可)【インターン】有
【採用実績校】京都建築専2、神戸電子専3、大阪学大1、大阪工大1、大阪産大1、京産大1、京都先端科学大1、大阪電通大1、日本福祉大1
【求める人材】‥

【本社】660-0892 兵庫県尼崎市東難波町5-6-9 ☎06-4868-5388
【特色・近況】兵庫、大阪など近畿地盤の戸建て木造住宅分譲が主軸。戸建ては1次取得層が主要顧客で、低価格帯の分譲が中心。宅地仕入れや商品企画に集中し、施工は外注。首都圏、愛知、広島、福岡など営業エリア拡大中。1999年に旧飯田建設の加古川支店が独立して設立。
【設立】1999.7 【資本金】1,584百万円
【社長】中島雄司(1957.6生 神田外語学院)
【株主】〔24.4〕中島興産27.9%
【連結事業】戸建97、他3
【従業員】連348名 単273名(38.4歳)

【業績】	売上高	営業利益	経常利益	純利益
連21.10	42,631	3,542	3,497	2,285
連22.10	39,965	3,219	3,155	2,050
連23.10	43,373	2,723	2,661	1,751

㈱FUJIジャパン [札証]

採用実績数	倍率	3年後離職率	平均年収
1名	‥	62.5%	398万円

[待遇、制度]
【初任給】月22.5万(固定残業代40時間分)
【残業】19時間【有休】‥日【制度】‥
[新卒定着状況]
20年入社(男6、女2)→3年後在籍(男3、女0)
[採用情報]
【人数】23年:7 24年:1 25年:予定微増*
【内定内訳】(男‥、女‥)(文‥、理‥)(総‥、他‥)
【試験】なし
【時期】エントリー‥→内々定‥
【採用実績校】‥
【求める人材】仲間と協力しあい、コミュニケーションを大切にできる人

【本社】060-0041 北海道札幌市中央区大通東4-4-18 ☎011-209-2005
【特色・近況】北海道を地盤に、住宅の外壁リフォーム工事を手がける。2005年3月設立。独自ブランドの外壁材を製造し、企画提案から施工、アフターケアまで一貫して展開。旭川と仙台、関東圏に計4支店、石狩に自社工場を有する。関東圏の市場開拓に注力。
【設立】2005.3 【資本金】65百万円
【代表取締役】佐々木忠幸(1967.1生 北海道工高卒)
【株主】〔24.6〕佐々木忠幸71.8%
【事業】外壁リフォーム工事84、他リフォーム工事11、材料販売5
【従業員】単47名(38.9歳)

【業績】	売上高	営業利益	経常利益	純利益
単21.12	1,694	60	65	43
単22.12	1,551	▲27	▲24	▲17
単23.12	1,337	▲49	▲45	▲63

フジ住宅（じゅうたく） 東証プライム

採用内定数	倍率	3年後離職率	平均年収
40名	‥	41.4%	㊙633万円

●待遇、制度●
【初任給】月24万
【残業】4時間【有休】9.3日【制度】フ 在
●新卒定着状況● グループ合計
20年入社(男19、女10)→3年後在籍(男12、女5)
●採用情報● グループ合計
【人数】23年:30 24年:44 25年:応募‥→内定40
【内定内訳】(男27、女13)(文29、理8)(総35、他5)
【試験】〔Web自宅〕SPI3〔性格〕有
【時期】エントリー25.3→内々定25.4【インターン】有【ジョブ型】有
【採用実績校】龍谷大7、近大5、大阪工大4、桃山学大3、関大3、甲南大2、大和大2、同大2、京都建築大学校2、立命館大1、他
【求める人材】分からないことを遠慮なく聞ける素直な人、会社・自己成長の為に努力できる人

【本社】596-8588 大阪府岸和田市土生町1-4-23 ☎072-437-9010
【特色・近況】大阪府・兵庫県南部が地盤の住宅販売会社。新築・中古戸建て住宅、個人投資家向けの木造1棟売り賃貸アパートが主力。マンション分譲も展開。分譲は顧客ニーズに対応した自由設計に特徴。改装付き中古住宅販売では、独自ノウハウを武器に地域で高シェア。
【設立】1974.4 【資本金】4,872百万円
【社長】宮脇宣綱(1961.8生 大阪和泉高卒)
【株主】〔24.3〕一般社団法人今井光郎文化道徳歴史教育研究会16.5%
【連結事業】分譲住宅29、住宅流通21、土地有効活用25、賃貸及び管理23、建設関連1、他0
【従業員】連899名 単738名(41.4歳)

【業績】	売上高	営業利益	経常利益	純利益
連22.3	118,698	5,871	5,627	3,869
連23.3	114,473	6,091	5,744	3,817
連24.3	120,388	7,264	6,643	4,559

#採用数が多い #年収が高い

㈱プレサンスコーポレーション 東証スタンダード

採用予定数	倍率	3年後離職率	平均年収
163名	‥	‥	960万円

●待遇、制度●
【初任給】‥万
【残業】‥時間【有休】‥日【制度】‥
●新卒定着状況●
‥
●採用情報●
【人数】23年:100 24年:118 25年:予定163
【内定内訳】(男‥、女‥)(文‥、理‥)(総‥、他‥)
【試験】‥
【時期】エントリー‥→内々定‥
【採用実績校】‥
【求める人材】素直で行動力のある人

【本社】540-6027 大阪府大阪市中央区城見1-2-27 クリスタルタワー ☎06-4793-1650
【特色・近況】投資用ワンルームマンションとファミリー向けマンションの開発・販売が主軸。ファミリータイプは「プレサンスロジェ」シリーズで展開。中古マンションの買取再販や戸建て分譲など事業を多角化。戸建て大手のオープンハウスグループ傘下。
【設立】1997.10 【資本金】7,673百万円
【社長】原田昌紀(1983.7生)
【株主】〔24.3〕オープンハウスグループ63.2%
【連結事業】不動産販売95、他5
【従業員】連1,099名 単466名(30.5歳)

【業績】	売上高	営業利益	経常利益	純利益
連21.9変	99,752	14,225	13,888	9,121
連22.9	145,205	20,648	20,809	14,111
連23.9	161,311	25,529	25,322	17,511

#初任給が高い

明和地所（めいわじしょ） 東証スタンダード

採用内定数	倍率	3年後離職率	平均年収
46名	21.9倍	‥	661万円

●待遇、制度●
【初任給】月30万(諸手当1.2万円、固定残業代36時間分)
【残業】22.8時間【有休】8日【制度】住
●新卒定着状況●
‥
●採用情報●
【人数】23年:85 24年:46 25年:応募1009→内定46*
【内定内訳】(男38、女8)(文‥、理‥)(総44、他2)
【試験】〔性格〕有
【時期】エントリー25.3→内々定25.4(一次・二次以降もWEB面接可)【インターン】有
【採用実績校】日大、国士舘大、東京経大、関東学院大、産能大、成蹊大、東海大、法政大、亜大、一橋大、玉川大、駒澤大、慶大、札幌学大、他
【求める人材】粘り強くチャレンジできる人、チームワークを大切にできる人

【本社】150-8555 東京都渋谷区神泉町9-6 ☎03-5489-0111
【特色・近況】マンション分譲の中堅デベロッパー。神奈川、東京を中心に「クリオ」ブランドで展開。札幌、福岡、名古屋にも拠点を広げる。不動産の売買仲介・賃貸仲介、買い取り再販など不動産流通事業にも力を入れる。富裕層向け資産運用を育成中。
【設立】1986.4 【資本金】3,537百万円
【社長】原田英明(1968.7生 明大文卒)
【株主】〔24.3〕㈱英興発37.3%
【連結事業】分譲69、流通21、管理8、賃貸1、他0
【従業員】連657名 単450名(35.0歳)

【業績】	売上高	営業利益	経常利益	純利益
連22.3	57,209	4,169	3,160	2,597
連23.3	62,319	5,941	4,989	4,415
連24.3	71,250	4,973	3,990	2,781

㈱安江工務店（やすえこうむてん）

東証スタンダード

採用内定数	倍率	3年後離職率	平均年収
14名	12.9倍	‥	[総]503万円

●待遇、制度●

【初任給】月24万(固定残業代38時間分)
【残業】25時間【有休】9.1日【制度】[住]

●新卒定着状況●

‥

●採用情報●

【人数】23年:11 24年:15 25年:応募180→内定14*
【内定内訳】(男10、女4)(文5、理6)(総14、他0)
【試験】〔性格〕有
【時期】エントリー25.3→内々定25.3(一次・二次以降もWEB面接可)【インターン】有
【採用実績校】名古屋学院大2、東海学院大2、愛知大1、名古屋学芸大1、愛知産大1、大同大1、湘南工大1、名古屋造形大1、他
【求める人材】失敗を恐れないチャレンジ精神を持ち、仲間と協力しながら果敢に行動できる人

【本社】460-0008 愛知県名古屋市中区栄2-2-23 アーク白川公園ビルディング ☎052-223-1100
【特色・近況】愛知県内で住宅リフォーム請負を中心に、新築注文住宅の設計・請負・施工、不動産仲介・買取再販などを展開。無添加厚塗りしっくいなどオリジナル素材の品質、デザイン性の高さに強み。地域密着型を前提に、既存エリアの深耕に向けたドミナント戦略を推進。
【設立】1975.6 【資本金】263百万円
【社長】山本賢治(1962.2生 明大農卒)
【株主】〔24.6〕ニッソウ20.8%
【連結事業】住宅リフォーム82、新築住宅6、不動産流通12
【従業員】連213名 単160名(38.9歳)

【業績】	売上高	営業利益	経常利益	純利益
連21.12	6,913	208	207	90
連22.12	7,046	226	232	135
連23.12	7,399	336	335	204

ヨシコン

東証スタンダード

採用内定数	倍率	3年後離職率	平均年収
5名	3.2倍	50%	602万円

●待遇、制度●

【初任給】月26.5万
【残業】21時間【有休】‥日【制度】[住]

●新卒定着状況●

20年入社(男3、女1)→3年後在籍(男2、女0)

●採用情報●

【人数】23年:2 24年:4 25年:応募16→内定5
【内定内訳】(男4、女1)(文4、理1)(総5、他0)
【試験】〔Web自宅〕SPI3
【時期】エントリー24.7→内々定25.3*(一次はWEB面接可)【インターン】有
【採用実績校】静岡県大2、静岡大1、常葉大2
【求める人材】‥

【本社】420-0034 静岡県静岡市葵区常磐町1-4-12 第一ヨシコン常磐町ビル ☎054-205-6363
【特色・近況】静岡県地盤の総合不動産会社。不動産開発が主軸で工場や企業、商業施設を誘致したのち投資家向けに売却する。分譲マンション開発、商業施設や居住用施設の賃貸・管理も行う。祖業のコンクリート2次製品製造は撤退し、設計に特化したファブレス経営に移行。
【設立】1969.1 【資本金】100百万円
【社長】吉田尚洋(1975.6生 日大経済卒)
【株主】〔24.3〕ワイズ㈱31.1%
【連結事業】レジデンス12、不動産開発67、賃貸・管理等18、マテリアル3、他0
【従業員】連57名 単38名(36.1歳)

【業績】	売上高	営業利益	経常利益	純利益
連22.3	20,067	2,373	2,619	1,643
連23.3	14,704	1,414	1,714	1,166
連24.3	23,913	3,044	3,289	2,102

㈱Lib Work

東証グロース

採用内定数	倍率	3年後離職率	平均年収
28名	6.3倍	51.9%	481万円

●待遇、制度●

【初任給】月22.8万(諸手当0.3万円、固定残業代30時間分)
【残業】13.8時間【有休】11.4日【制度】[住][在]

●新卒定着状況●

20年入社(男35、女17)→3年後在籍(男18、女7)

●採用情報●

【人数】23年:34 24年:11 25年:応募177→内定28*
【内定内訳】(男10、女18)(文17、理7)(総28、他0)
【試験】〔Web自宅〕SPI3
【時期】エントリー24.6→内々定25.1(一次・二次以降もWEB面接可)【インターン】有【ジョブ型】有
【採用実績校】熊本学大5、久留米工大4、熊本大2、九州ルーテル学大2、熊本県大1、西南学大1、福岡大1、久留米大1、長崎県大1、他
【求める人材】常に誠実で、決してうそをつかずいち早く報告する人、前向きに考えて行動し、謙虚さと素直な心で行動する人

【本社】861-0541 熊本県山鹿市鍋田178-1 ☎0968-36-9112
【特色・近況】熊本県、福岡県が地盤の注文住宅メーカー。設計自由度が高い注文住宅が主力商品。ネット広告から自社の住宅見学会に繋げる営業手法。住宅展示場などへの出店も。関東への営業エリア拡大や、異業種とのコラボ住宅の開発など事業の幅の拡大に取り組む。
【設立】2000.6 【資本金】1,321百万円
【社長】瀬口力(1973.12生 熊本大院法修了)
【株主】〔24.6〕㈱CSホールディングス33.4%
【連結事業】戸建住宅100
【従業員】連308名 単256名(31.0歳)

【業績】	売上高	営業利益	経常利益	純利益
連22.6	13,761	666	706	444
連23.6	14,183	299	314	173
連24.6	15,435	495	598	387

建設・不動産

和田興産（わだこうさん）

東証スタンダード

採用内定数	倍率	3年後離職率	平均年収
4名	52.3倍	20%	787万円

●待遇、制度●
【初任給】月21.8万
【残業】9.8時間【有休】14.3日【制度】住 在
●新卒定着状況●
20年入社(男1、女4)→3年後在籍(男1、女3)
●採用情報●
【人数】23年:0 24年:4 25年:応募209→内定4
【内定内訳】(男4、女0)(文4、理0)(総4、他0)
【試験】〔Web自宅〕有
【時期】エントリー24.12→内々定25.4(一次はWEB面接可)
【採用実績校】兵庫県大1、関大1、神戸学大1、流通科学大1
【求める人材】自分自身を客観視でき、変革意識を持って自ら考え、積極的にコミュニケーションを図り行動する人

【本社】650-0023 兵庫県神戸市中央区栄町通4-2-13 ☎078-361-1100
【特色・近況】マンションデベロッパー中堅。姫路から阪神にかけてが地盤。大阪・神戸地区でマンション分譲で高シェア。「ワコーレ」ブランドで展開。販売は外部に委託し企画、デザインに特化。戸建て住宅の開発も扱う。賃貸用不動産の管理・運営も手がけ、稼働率は高水準。
【設立】1979.9 【資本金】1,403百万円
【社長】溝本俊哉(1961.1生 甲南大経済卒)
【株主】〔24.2〕㈱四三二22.5%
【事業】分譲マンション販売77、戸建住宅販売5、他不動産販売9、不動産賃貸収入8、他0
【従業員】単122名(42.1歳)

【業績】	売上高	営業利益	経常利益	純利益
単22.2	41,785	3,883	3,162	2,337
単23.2	42,712	4,387	3,607	2,382
単24.2	38,825	4,528	3,820	2,638

アムス・インターナショナル

株式公開未定

採用予定数	倍率	3年後離職率	平均年収
10名	‥	―	‥

●待遇、制度●
【初任給】年320万
【残業】‥時間【有休】‥日【制度】住
●新卒定着状況●
20年入社(男0、女0)→3年後在籍(男0、女0)
●採用情報●
【人数】23年:5 24年:9 25年:予定10*
【内定内訳】(男3、女1)(文4、理0)(総4、他0)
【試験】〔Web自宅〕SPI3〔性格〕有
【時期】エントリー25.3→内々定25.8*(一次はWEB面接可)【インターン】有
【採用実績校】文化学園大1、武蔵野大1、桜美林大1、明海大1
【求める人材】コミュニケーション能力に長け、自発的に行動できる人

【本社】170-0013 東京都豊島区東池袋1-15-12 アムスビル ☎03-5958-0011
【特色・近況】アパート・マンション経営のサブリース会社。サブリース事業、不動産流通事業、管理事業の3事業で展開。不動産流通事業は、不動産投資・運用のコンサル、不動産関連の権利を証券発行する証券化事業を手がける。首都圏が主な営業圏。
【設立】1986.11 【資本金】100百万円
【会長】徳原榮輔(1958.5生 東京韓国学校卒)
【株主】〔24.5〕徳原榮輔68.2%
【事業】サブリース93、不動産流通1、他6
【従業員】単136名(42.3歳)

【業績】	売上高	営業利益	経常利益	純利益
単21.5	9,323	563	640	363
単22.5	8,866	494	484	324
単23.5	9,232	682	671	472

㈱And Doホールディングス

東証プライム

採用内定数	倍率	3年後離職率	平均年収
63名	11.7倍	67.5%	513万円

●待遇、制度●
【初任給】月23.2万(諸手当2万円、固定残業代20時間分)
【残業】12.8時間【有休】14.4日【制度】住 在
●新卒定着状況●
20年入社(男43、女40)→3年後在籍(男12、女15)
●採用情報● グループ採用
【人数】23年:51 24年:41 25年:応募738→内定63
【内定内訳】(男32、女31)(文53、理3)(総59、他4)
【試験】〔性格〕有
【時期】エントリー24.7→内々定24.10(一次・二次以降もWEB面接可)【インターン】有
【採用実績校】明海大6、神戸学大3、桃山学大3、立命館大2、佛教大2、東洋大2、追手門学大2、東京法律公務員専2、近大2、高千穂大2、他
【求める人材】自らが源の精神を持ち、周囲のために行動ができる人

【本店】604-8152 京都府京都市中京区烏丸通錦小路上ル手洗水町670 ☎075-229-3200
【特色・近況】不動産関連事業子会社擁する持株会社。売却後も自宅に住み続けられるハウス・リースバック事業で成長。フランチャイズチェーン(FC)への指導料が収益柱で、「ハウスドゥ」ブランドの不動産売買仲介は約700のFC店を展開。不動産売買も比率高い。
【設立】2009.1 【資本金】3,457百万円
【社長】安藤正弘(1965.6生)
【株主】〔24.6〕㈲AMC34.8%
【連結事業】FC5、ハウス・リースバック38、金融1、不動産・売買51、同・流通2、リフォーム他4
【従業員】連764名 単249名(35.9歳)

【業績】	売上高	営業利益	経常利益	純利益
連22.6	41,395	2,871	2,947	1,955
連23.6	49,552	3,176	3,358	2,195
連24.6	67,579	3,587	3,457	2,476

建設・不動産

㈱イーグランド

東証スタンダード

採用予定数	倍率	3年後離職率	平均年収
11名	‥	‥	612万円

●待遇、制度●
【初任給】月25万
【残業】9.5時間【有休】13.8日【制度】[フ][住]
●新卒定着状況●
‥
●採用情報●
【人数】23年:8 24年:9 25年:予定11*
【内定内訳】(男‥、女‥)(文‥、理‥)(総‥、他‥)
【試験】‥
【時期】エントリー‥→内々定‥
【採用実績校】‥
【求める人材】向上心を持ち、自ら考え行動できる人、何事にも真摯に向き合い、誠実に取り組める人

【本社】101-0053 東京都千代田区神田美土代町1 ☎03-3219-5050
【特色・近況】首都圏地盤に中古住宅再生事業を展開。競売市場から仕入れた中古マンションや戸建て住宅をリフォームして販売。個人や企業など一般市場からの仕入れルートも確立。居住用物件の販売価格は2500万円以下が大半。マンション1棟売りなど収益物件を強化。
【設立】2003.9 【資本金】836百万円
【社長】林田光司(1966.5生)
【株主】〔24.3〕江口久23.1%
【事業】中古住宅再生99、他不動産1
【従業員】単133名(35.1歳)

【業績】	売上高	営業利益	経常利益	純利益
単22.3	23,352	2,568	2,346	1,619
単23.3	25,785	2,644	2,455	1,744
単24.3	27,321	2,013	1,845	1,264

伊藤忠アーバンコミュニティ

株式公開計画なし

採用内定数	倍率	3年後離職率	平均年収
23名	8.7倍	37.5%	[総]619万円

●待遇、制度●
【初任給】月22.7万
【残業】20時間【有休】12.5日【制度】[フ][住]
●新卒定着状況●
20年入社(男12、女4)→3年後在籍(男8、女2)
●採用情報●
【人数】23年:19 24年:17 25年:応募200→内定23*
【内定内訳】(男10、女13)(文15、理3)(総14、他9)
【試験】〔Web自宅〕SP13〔性格〕有
【時期】エントリー24.8→内々定25.1(一次はWEB面接可)【インターン】有
【採用実績校】日大1、明学大1、國學院大1、龍谷大2、帝京大2、立命館大1、高崎経大1、国士舘大1、四天王寺大1、文教大1、他
【求める人材】コツコツ取り組める人、縁の下の力持ちとして「支える」仕事に魅力を感じる人

【本社】103-0011 東京都中央区日本橋大伝馬町1-4 野村不動産日本橋大伝馬町ビル ☎03-3662-5100
【特色・近況】マンション管理、ビルマネジメントやレジデンシャル運営などが主力。マンション管理実績10.7万戸超、ビル施設管理として約75万坪。賃貸マンション・学生会館の運営も。東北や名古屋、大阪、福岡などに拠点。伊藤忠商事の完全子会社。
【設立】1982.3 【資本金】310百万円
【社長】深城浩二(1962.4生)
【株主】〔24.3〕伊藤忠商事100%
【事業】マンション管理、ビルマネジメント、レジデンシャル運営、エンジニアリング
【従業員】連788名 単757名(44.2歳)

【業績】	売上高	営業利益	経常利益	純利益
連22.3	35,487	2,037	2,121	1,439
連23.3	36,005	2,227	2,235	1,446
連24.3	36,079	2,296	2,328	1,597

㈱インテリックス

東証スタンダード

採用内定数	倍率	3年後離職率	平均年収
24名	33.2倍	42.9%	702万円

●待遇、制度●
【初任給】月25万(諸手当3万円)
【残業】20時間【有休】11日【制度】[フ][住][在]
●新卒定着状況●
20年入社(男4、女3)→3年後在籍(男2、女2)
●採用情報●
【人数】23年:8 24年:23 25年:応募797→内定24*
【内定内訳】(男12、女12)(文15、理6)(総0、他24)
【試験】〔Web自宅〕有
【時期】エントリー25.3→内々定25.4(一次はWEB面接可)【インターン】有
【採用実績校】松蔭大1、北海道教育大1、東洋大2、神奈川大1、関西外大1、西南学大1、関東学院大1、武蔵野大1、星槎道都大 1、他
【求める人材】住まいを通じて日本の未来を考えたい人

【本社】150-0002 東京都渋谷区渋谷2-12-19 東建インターナショナルビル ☎03-5766-7639
【特色・近況】中古マンション再生販売専業の最大手。首都圏中心に中古マンションを買い取り、リフォームして再販する。高品質内装が強み。同業他社からのリノベーション内装も請け負う。リースバック事業、不動産小口化商品販売なども手がける。省エネ設備の導入に注力。
【設立】1995.7 【資本金】2,253百万円
【社長】俊成誠司(1979.4生 ピッツバーグ大卒)
【株主】〔24.5〕㈱イーアライアンス40.2%
【連結事業】リノベーション81、ソリューション19
【従業員】連319名 単213名(38.1歳)

【業績】	売上高	営業利益	経常利益	純利益
連22.5	36,139	1,364	1,061	643
連23.5	41,236	710	239	100
連24.5	42,702	931	607	414

採用内定数	倍率	3年後離職率	平均年収
31名	‥	17.9%	[総]677万円

㈱ウィル 東証スタンダード

[●待遇、制度●]
【初任給】月26.1万
【残業】‥時間【有休】‥日【制度】[住]
[●新卒定着状況●]
20年入社(男13、女15)→3年後在籍(男11、女12)
[●採用情報●]
【人数】23年:27 24年:42 25年:応募‥→内定31*
【内定内訳】(男15、女16)(文23、理8)(総31、他0)
【試験】〔Web自宅〕SPI3〔性格〕有
【時期】エントリー‥→内々定‥【インターン】有
【採用実績校】阪大4、大阪公大3、神戸大3、岡山大2、京大2、国際教養大2、千葉大2、東京学芸大2、東北大1、北大1、他
【求める人材】共に未来を創っていく仲間となる人

【本社】665-0035 兵庫県宝塚市逆瀬川1-14-6 ☎0797-74-7272
【特色・近況】大阪北摂圏と兵庫県東部が営業エリアの不動産業中堅。中古住宅仲介とリフォームを組み合わせた提案営業で差別化を図る。不動産取引に関わる各業者への窓口を集約したワンストップサービスを提供。戸建て住宅の開発・分譲も収益柱に。中京、首都圏にも進出。
【設立】1995.6 【資本金】304百万円
【社長】坂根勝幸(1974.8生)
【株主】〔24.6〕㈱岡本俊人57.1%
【連結事業】流通21、リフォーム18、開発分譲55、賃貸2、不動産取引派生1、他2
【従業員】連263名 単194名(29.7歳)

【業績】	売上高	営業利益	経常利益	純利益
連21.12	8,681	837	802	577
連22.12	9,469	919	867	594
連23.12	11,552	998	930	521

#初任給が高い

採用内定数	倍率	3年後離職率	平均年収
22名	39.9倍	‥	820万円

㈱エスケーホーム 株式公開いずれしたい

[●待遇、制度●]
【初任給】月35万(諸手当を除いた数値)
【残業】‥時間【有休】10日【制度】‥
[●新卒定着状況●]
‥
[●採用情報●]
【人数】23年:14 24年:13 25年:応募877→内定22
【内定内訳】(男16、女6)(文16、理6)(総19、他3)
【試験】〔Web自宅〕有〔性格〕有
【時期】エントリー25.1→内々定25.5(一次・二次以降もWEB面接可)【ジョブ型】有
【採用実績校】東京学芸大1、横国大1、東洋大2、日大1、帝京大1、高崎経大1、龍谷大1、南山大1、日体大1、順天堂大1、東海大1、清和大1、他
【求める人材】常に前向きで、柔軟で行動力のある人、向上心が高く、働く上での目標がある人

【本社】163-0215 東京都新宿区西新宿2-6-1 新宿住友ビル15階 ☎03-5339-1566
【特色・近況】「ラグシス」ブランドで新築一戸建住宅の開発・分譲事業を展開。設計は女性のみの専属建築設計士、販売はエスケーホームプロパティが担当。開発、販売、建築設計、施工管理までグループで一貫。分譲実績は年間170戸(23年8月期)。
【設立】1997.10 【資本金】100百万円
【社長】永田健(1968.7生)
【株主】〔24.5〕エスケーホールディングス100%
【事業】不動産99、他1
【従業員】単92名(31.4歳)

【業績】	売上高	営業利益	経常利益	純利益
単21.8	21,464	2,252	2,103	1,377
単22.8	17,267	2,394	2,232	1,463
単23.8	16,895	2,335	2,127	1,394

採用内定数	倍率	3年後離職率	平均年収
27名	92.2倍	75%	[総]420万円

㈱S－FIT 株式公開いずれしたい

[●待遇、制度●]
【初任給】月25.7万(固定残業代45時間分)
【残業】17.2時間【有休】8.6日【制度】[在]
[●新卒定着状況●]
20年入社(男14、女14)→3年後在籍(男4、女3)
[●採用情報●]
【人数】23年:58 24年:50 25年:応募2489→内定27*
【内定内訳】(男20、女7)(文25、理2)(総27、他0)
【試験】〔Web自宅〕SPI3
【時期】エントリー24.10→内々定24.12(一次・二次以降もWEB面接可)【インターン】有【ジョブ型】有
【採用実績校】埼玉大、関大、駒澤大、甲南大、国士舘大、神奈川大、専大、中京大、東海大、東京経大、日大、他
【求める人材】想像力をもって、わくわく仕事して、結果にこだわる人

【本社】106-6029 東京都港区六本木1-6-1 泉ガーデンタワー29階 ☎03-5797-7030
【特色・近況】不動産の賃貸・仲介・管理が主力。仲介件数は首都圏トップ級。「お部屋探しCAFEヘヤギメ！」を店舗展開。学生向けも別ブランドでサービス提供。海外投資家向け事業も。従来の事業運営方式にとらわれず、システム化による効率化を推進。
【設立】2003.6 【資本金】127百万円
【社長】紫原友規(1977.6生)
【株主】〔24.5〕TSI45.5%
【事業】不動産賃貸仲介・管理・売買仲介
【従業員】単425名(31.1歳)

【業績】	売上高	営業利益	経常利益	純利益
単21.6	4,755	335	370	169
単22.6	4,137	256	235	206
単23.6	4,095	▲361	▲376	▲273

建設・不動産

小田急不動産（おだきゅうふどうさん）

株式公開計画なし

採用内定数	倍率	3年後離職率	平均年収
11名	50.2倍	0%	総 858万円

●待遇、制度●
【初任給】月27万
【残業】16.9時間【有休】13.3日【制度】フ 在

●新卒定着状況●
20年入社(男7、女2)→3年後在籍(男7、女2)

●採用情報●
【人数】23年:8 24年:10 25年:応募552→内定11
【内定内訳】(男7、女4)(文9、理2)(総11、他0)
【試験】〔Web会場〕SPI3〔Web自宅〕SPI3〔性格〕有
【時期】エントリー 25.3→内々定25.6(一次はWEB面接可)【インターン】有
【採用実績校】学習院大1、駒澤大1、芝工大1、中大3、東京学芸大1、法政大1、明大1、明学大1、立教大1
【求める人材】未知への挑戦を厭わない人(パイオニア型人材)、思い切りよく勝算をもって率先して動く人

【本社】151-0061 東京都渋谷区初台1-47-1 小田急西新宿ビル ☎03-3370-1110
【特色・近況】小田急線沿線で事業展開する小田急グループの不動産会社。「リーフィア」ブランドの一戸建て、マンション分譲、ビル・マンション賃貸、不動産仲介業を手がける。時間貸し駐車場、レンタル収納、コインランドリーなども展開。
【設立】1964.12 【資本金】2,140百万円
【社長】五十嵐秀(1961.10生 早大理工卒)
【株主】〔24.3〕小田急電鉄100%
【事業】投資開発25、土地建物販売34、土地建物賃貸24、仲介斡旋7、買取再販11
【従業員】単399名(41.9歳)

【業績】	売上高	営業利益	経常利益	純利益
単22.3	42,503	5,185	4,961	3,419
単23.3	43,557	5,146	4,903	3,388
単24.3	39,791	5,142	4,874	3,233

#採用数が多い

㈱カチタス

東証プライム

採用内定数	倍率	3年後離職率	平均年収
117名	25.6倍	29.8%	総 539万円

●待遇、制度●
【初任給】月25.5万(固定残業代44.8時間分)
【残業】18.4時間【有休】12.4日【制度】住 在

●新卒定着状況●
20年入社(男60、女44)→3年後在籍(男46、女27)

●採用情報●
【人数】23年:102 24年:100 25年:応募3000→内定117*
【内定内訳】(男63、女54)(文106、理11)(総112、他5)
【試験】〔Web自宅〕SPI3
【時期】エントリー 24.6→内々定24.10(一次・二次以降もWEB面接可)【インターン】有
【採用実績校】東北大1、新潟大5、金沢大1、早大1、明大1、愛知県大1、同大1、広島修道大2、愛媛大3、九大1、他
【求める人材】成長意欲の高い人、好奇心旺盛な人、誰とでもオープンにコミュニケーションをとれる人

【東京本部】104-0033 東京都中央区新川2-9-11 PMO八丁堀新川 ☎03-5542-3882
【特色・近況】戸建て住宅の中古再生事業を全国展開し業界トップ。主に築20～40年の中古戸建て物件を安価で買い取り、リフォーム後に販売する。全国100ヵ所以上に拠点を直営展開し、年間5000戸以上を販売。ニトリHDと資本業務提携。
【設立】1978.9 【資本金】3,778百万円
【社長】新井健資(1968.12生)
【株主】〔21.3〕ニトリホールディングス33.9%
【連結事業】中古住宅再生100
【従業員】連961名 単737名(33.1歳)

【業績】	売上高	営業利益	経常利益	純利益
連22.3	101,269	13,127	12,697	6,845
連23.3	121,341	14,060	13,833	6,091
連24.3	126,718	12,672	12,321	8,497

㈱ジェイ・エス・ビー

東証プライム

採用内定数	倍率	3年後離職率	平均年収
95名	4.7倍	31.1%	496万円

●待遇、制度●
【初任給】月27.9万(諸手当8.1万円、固定残業代20時間分)
【残業】18.8時間【有休】10.6日【制度】住

●新卒定着状況●
20年入社(男21、女24)→3年後在籍(男16、女15)

●採用情報● グループ採用
【人数】23年:45 24年:58 25年:応募449→内定95
【内定内訳】(男44、女51)(文87、理3)(総41、他54)
【試験】なし
【時期】エントリー 25.3→内々定25.6(一次はWEB面接可)【インターン】有
【採用実績校】京都橘大9、関西外大4、近大3、関大3、東洋大3、京都外大3、大妻女大3、鹿児島大2、龍谷大2、獨協大2、日女大2、他
【求める人材】自分で考え、行動し、仕事を楽しめる人

【本社】600-8415 京都府京都市下京区因幡堂町655 ☎075-341-2728
【特色・近況】学生向け賃貸物件を中心とした不動産賃貸管理事業を展開。不動産オーナーに企画提案し、建物竣工後は一括借り上げ、家賃保証を行う。運営・管理戸数は8万戸超。留学生向けサービスや日本語学校運営なども行う。防犯設備など入居者向けサービスの拡充を推進。
【設立】1990.7 【資本金】4,274百万円
【社長】近藤雅彦(1970.11生 日本経済大経済卒)
【株主】〔24.4〕岡靖子32.9%
【連結事業】不動産賃貸管理94、高齢者住宅5、他1
【従業員】連1,191名 単242名(43.8歳)

【業績】	売上高	営業利益	経常利益	純利益
連21.10	52,787	5,337	5,203	3,252
連22.10	57,922	6,312	6,189	4,303
連23.10	63,781	7,187	7,073	4,775

新栄住宅（しんえいじゅうたく）

株式公開 未定

採用実績数	倍率	3年後離職率	平均年収
0名	−	0%	㊕507万円

●待遇、制度●
【初任給】月20万
【残業】12.1時間【有休】11.4日【制度】住
●新卒定着状況●
20年入社(男1、女0)→3年後在籍(男1、女0)
●採用情報●
【人数】23年:0 24年:0 25年:応募0→内定0*
【内定内訳】(男‥、女‥)(文‥、理‥)(総‥、他‥)
【試験】なし
【時期】エントリー通年→内々定通年(一次はWEB面接可)【インターン】有
【採用実績校】‥
【求める人材】‥

【本社】810-0041 福岡県福岡市中央区大名2-11-25 ☎092-762-7711
【特色・近況】福岡県中心に分譲マンション「アンピール」を販売。150棟以上の供給実績。グループでマンション管理、リフォーム、戸建て住宅、仲介・買取再販、賃貸業などの事業も行う。居宅介護支援の提供を行うケアプランセンターも展開。
【設立】1970.2 【資本金】96百万円
【社長】木庭律明(1969.10生)
【株主】‥
【事業】マンション分譲・販売、戸建・土地等不動産の販売・賃貸・流通
【従業員】単26名(46.6歳)

【業績】	売上高	営業利益	経常利益	純利益
単21.9	1,519	‥	197	66
単22.9	1,412	‥	112	109
単23.9	1,437	‥	74	60

スターツアメニティー

株式公開 計画なし

採用内定数	倍率	3年後離職率	平均年収
25名	11倍	16.7%	㊕536万円

●待遇、制度●
【初任給】月23.2万
【残業】19.7時間【有休】11.5日【制度】住
●新卒定着状況●
20年入社(男18、女18)→3年後在籍(男14、女16)
●採用情報●
【人数】23年:21 24年:26 25年:応募275→内定25
【内定内訳】(男13、女12)(文25、理0)(総25、他0)
【試験】〔Web自宅〕SPI3
【時期】エントリー25.3→内々定25.3(一次・二次以降もWEB面接可)【インターン】有
【採用実績校】千葉商大3、日大2、目白大2、実践女大1、明海大1、麗澤大1、武蔵野大1、埼玉県大1、産能大1、立正大1、新潟国際情報大1、他
【求める人材】失敗を恐れずに自ら挑戦できる人、自分だけでなく誰かのために働ける人

【本社】261-0023 千葉県千葉市美浜区中瀬1-9-1 スターツ幕張ビル14階 ☎043-274-1004
【特色・近況】スターツグループのマンション、アパート、駐車場など不動産管理・運営会社。賃貸物件管理戸数は約81万戸。コインパーキング「ナビパーク」も業界上位。同グループ・ピタットハウスとの連携に強み。首都圏中心に営業網をもつ。
【設立】1985.4 【資本金】350百万円
【社長】阿久根康弘(1979.10生)
【株主】〔24.3〕スターツコーポレーション100%
【事業】管理9、工事23、賃貸67、他1
【従業員】単437名(34.3歳)

【業績】	売上高	営業利益	経常利益	純利益
単22.3	62,240	8,273	9,489	6,799
単23.3	63,998	8,389	9,993	7,334
単24.3	67,950	9,140	10,925	8,194

相互住宅（そうごじゅうたく）

株式公開 計画なし

採用内定数	倍率	3年後離職率	平均年収
5名	‥	0%	‥

●待遇、制度●
【初任給】月21.7万
【残業】14.5時間【有休】14.5日【制度】在
●新卒定着状況●
20年入社(男2、女1)→3年後在籍(男2、女1)
●採用情報●
【人数】23年:3 24年:3 25年:応募‥→内定5
【内定内訳】(男2、女3)(文5、理0)(総5、他0)
【試験】試験あり
【時期】エントリー25.3→内々定25.6*(一次はWEB面接可)【ジョブ型】有
【採用実績校】千葉大1、青学大1、明大1、明学大1、東海大1
【求める人材】主体性と協調性を持った人

【本社】141-0032 東京都品川区大崎1-2-2 アートヴィレッジ大崎セントラルタワー ☎03-3494-6771
【特色・近況】都内の高級住宅地を中心に高級賃貸マンションを展開。ビル賃貸、不動産管理、再開発・建て替え、分譲、仲介、不動産売却、ポートフォリオの再構築なども行う。第一生命保険が住宅供給事業化を目的に設立。民間の同事業会社の先駆け。第一生命HDの子会社。
【設立】1955.5 【資本金】100百万円
【社長】武富正夫
【株主】〔24.3〕第一生命ホールディングス85.5%
【事業】マンション賃貸、オフィス賃貸、開発・建替、分譲住宅、ソリューション
【従業員】単184名(43.3歳)

【業績】	売上高	営業利益	経常利益	純利益
単22.3	10,863	3,274	3,069	2,771
単23.3	13,891	3,761	3,532	2,294
単24.3	19,172	4,942	4,785	3,155

大成有楽不動産販売（たいせいゆうらくふどうさんはんばい）

株式公開計画なし

採用予定数	倍率	3年後離職率	平均年収
10名	‥	42.9%	[総]470万円

●待遇、制度●
【初任給】月26.4万(固定残業代27時間分)
【残業】25.7時間【有休】10日【制度】[住]

●新卒定着状況●
20年入社(男4、女3)→3年後在籍(男2、女2)

●採用情報●
【人数】23年:5 24年:6 25年:予定10
【内定内訳】(男7、女2)(文8、理1)(総9、他0)
【試験】〔Web自宅〕SPI3〔性格〕有
【時期】エントリー24.10→内々定25.2【インターン】有
【採用実績校】専大1、東洋英和女学大1、日大1、明海大2、東海大1、帝京平成大1、国士舘大1、東京農業大1
【求める人材】自ら考え積極的に行動し、向上心と問題解決能力を有する人

【本社】104-0031 東京都中央区京橋3-13-1 有楽ビル ☎03-6867-0070
【特色・近況】不動産仲介、賃貸管理、不動産ソリューション、戸建分譲、リフォーム、販売代理、保険代理の7事業を展開。大成建設グループの一員である大成有楽不動産の完全子会社。首都圏に26カ所営業センター、関西に1カ所営業拠点を設置。
【設立】1986.1【資本金】500百万円
【代表取締役】村上善彦(1962.2生 上智大経済卒)
【株主】〔24.3〕大成有楽不動産100%
【事業】不動産流通56、賃貸管理16、不動産販売18、他10
【従業員】単400名(41.9歳)

【業績】	営業収益	営業利益	経常利益	純利益
単22.3	11,224	‥	1,854	1,281
単23.3	10,646	‥	1,813	1,216
単24.3	10,357	‥	1,745	1,151

ＴＣ神鋼不動産（しんこうふどうさん）

株式公開計画なし

採用内定数	倍率	3年後離職率	平均年収
9名	10.2倍	22.2%	[総]755万円

●待遇、制度●
【初任給】月24.5万
【残業】18.4時間【有休】15日【制度】[フ][住][在]

●新卒定着状況●
20年入社(男5、女4)→3年後在籍(男3、女4)

●採用情報●
【人数】23年:7 24年:9 25年:応募92→内定9
【内定内訳】(男4、女5)(文7、理2)(総7、他2)
【試験】〔Web会場〕SPI3〔性格〕有
【時期】エントリー24.12→内々定25.3(一次・二次以降もWEB面接可)【インターン】有
【採用実績校】関西学院大2、福岡大1、山口大1、岡山大1、広島工大1、摂南大1、甲南女大2
【求める人材】協調性と誠実さを大切にしながらも、自らの意思をしっかりと持ち、発信できる人

【本社】651-0073 兵庫県神戸市中央区脇浜海岸通2-2-4 ☎078-261-2121
【特色・近況】兵庫、大阪中心に不動産ビジネスを展開。「ジークレフ」ブランドのマンション分譲、賃貸、仲介、リフォーム、プロパティマネジメント、保険代理事業を展開。既存の建物を活用した建替え事業や公的施設の運営管理なども行う。法人向け物流倉庫事業も手がける。
【設立】2005.10【資本金】3,037百万円
【社長】藤野悦郎(1962.6生 九大法卒)
【株主】〔24.3〕東京センチュリ 70.0%
【事業】不動産販売43、不動産賃貸48、他9
【従業員】連801名 単211名(38.9歳)

【業績】	売上高	営業利益	経常利益	純利益
連22.3	42,203	5,277	5,102	3,428
連23.3	49,083	4,868	4,703	3,128
連24.3	39,269	5,902	5,636	3,724

#年収高く倍率低い #初任給が高い #年収が高い

㈱ＴＦＤコーポレーション

株式公開計画なし

採用内定数	倍率	3年後離職率	平均年収
12名	25倍	69.2%	[総]1,217万円

●待遇、制度●
【初任給】月33万(固定残業代45時間分)
【残業】17.7時間【有休】13.4日【制度】[住]

●新卒定着状況●
20年入社(男11、女2)→3年後在籍(男4、女0)

●採用情報●
【人数】23年:24 24年:13 25年:応募300→内定12*
【内定内訳】(男9、女3)(文12、理0)(総11、他1)
【試験】〔Web会場〕有〔性格〕有
【時期】エントリー25.3→内々定25.6【インターン】有
【採用実績校】駒澤大1、愛知大1、明海大1、東京経大1、玉川大1、千葉経大1、城西国際大1、他
【求める人材】夢や目標を持って自発的に行動できる人

【本社】107-0052 東京都港区赤坂4-2-6 住友不動産新赤坂ビル ☎03-3582-2111
【特色・近況】投資用マンションの総合ディベロッパー。都内の城南・城西エリアを中心に、人気エリアや駅近に立地する、低価格・高品質の投資用ワンルームマンション「ルーブル」シリーズを開発分譲。顧客のマンション経営をトータルサポートしている。
【設立】1977.6【資本金】80百万円
【代表取締役】船間隆行(1950.2生 青学大経済卒)
【株主】〔23.8〕TFDコミュニティ 100%
【事業】マンション販売89、賃貸収入11
【従業員】単121名(34.7歳)

【業績】	売上高	営業利益	経常利益	純利益
単21.8	13,473	1,141	928	597
単22.8	13,627	1,333	1,175	756
単23.8	9,229	185	4	▲14

トーセイ

東証プライム

採用内定数	倍率	3年後離職率	平均年収
30名	28.2倍	23.1%	[総]847万円

●待遇、制度●
【初任給】月25.1万
【残業】24.3時間【有休】9.7日【制度】[在]
●新卒定着状況●
20年入社(男10、女3)→3年後在籍(男9、女1)
●採用情報●
【人数】23年:20 24年:21 25年:応募847→内定30
【内定内訳】(男18、女12)(文28、理2)(総30、他0)
【試験】〔Web自宅〕SPI3〔性格〕有
【時期】エントリー24.7→内々定25.6(一次はWEB面接可)【インターン】有
【採用実績校】学習院大1、近大1、慶大1、青学大1、千葉大2、早大4、筑波大1、日大2、法政大1、立教大2、他
【求める人材】あらゆる不動産シーンでプロフェッショナルとなるため、自ら楽しみつつ成長できる人

【本社】108-0023 東京都港区芝浦4-5-4 田町トーセイビル ☎03-5439-8801
【特色・近況】首都圏のオフィスビルなどを仕入れ、リノベーション工事などを施し1棟売りする、不動産再生事業が柱。新築分譲マンションや戸建て住宅の販売、ホテルなどの開発のほか、私募不動産ファンドの運営も行う。名古屋鉄道と資本業務提携し、不動産事業で連携。
【設立】1950.2 【資本金】6,624百万円
【社長】山口誠一郎(1961.1生 慶大法卒)
【株主】〔24.5〕山口誠一郎26.4%
【連結事業】不動産再生60、不動産開発9、不動産賃貸8、不動産ファンド9、不動産管理8、ホテル5
【従業員】連788名 単282名(36.6歳)

【業績】	売上高	営業利益	税前利益	純利益
連21.11	61,726	10,965	10,302	6,721
連22.11	70,953	13,514	12,753	8,607
連23.11	79,446	16,254	15,310	10,507

#採用数が多い

野村不動産ソリューションズ

株式公開計画なし

採用内定数	倍率	3年後離職率	平均年収
139名	12.4倍	23.3%	‥

●待遇、制度●
【初任給】月24万
【残業】‥時間【有休】‥日【制度】[フ][住][在]
●新卒定着状況●
20年入社(男59、女44)→3年後在籍(男49、女30)
●採用情報●
【人数】23年:136 24年:144 25年:応募1721→内定139*
【内定内訳】(男72、女67)(文118、理5)(総123、他16)
【試験】〔Web自宅〕SPI3〔性格〕有
【時期】エントリー25.3→内々定25.6(一次・二次以降もWEB面接可)【インターン】有
【採用実績校】早大1、慶大2、上智大3、明大4、立教大2、中大3、法政大7、学習院大2、東理大1、横浜市大2、お茶女大1、名大1、高知大1、他
【求める人材】高い目標に向かって楽しみながら挑戦できるマインド持つ人

【本社】163-0576 東京都新宿区西新宿1-26-2 新宿野村ビル26階 ☎03-3345-7778
【特色・近況】不動産仲介を中心に新築の受託販売事業、保険代理店事業を展開。個人向け店舗「野村の仲介+(PLUS)」は首都圏を中心に、関西や名古屋圏に展開。不動産情報サイト「ノムコム」の運営も手がける。野村不動産グループ。
【設立】2000.11 【資本金】1,000百万円
【社長】前田研一
【株主】〔24.3〕野村不動産ホールディングス100%
【事業】不動産仲介、保険代理店、銀行代理、不動産情報サイト運営
【従業員】単1,967名(36.0歳)

【業績】	売上高	営業利益	経常利益	純利益
単22.3	43,543	11,488	11,477	7,809
単23.3	47,666	13,737	13,738	9,394
単24.3	49,569	13,394	13,408	9,526

#採用数が多い

ハウスコム

東証スタンダード

採用内定数	倍率	3年後離職率	平均年収
156名	1.9倍	60.7%	512万円

●待遇、制度●
【初任給】月24万(諸手当2万円、固定残業代25時間分)
【残業】15時間【有休】10日【制度】[住]
●新卒定着状況●
20年入社(男42、女103)→3年後在籍(男15、女42)
●採用情報●
【人数】23年:97 24年:73 25年:応募303→内定156*
【内定内訳】(男94、女62)(文145、理11)(総156、他0)
【試験】〔性格〕有
【時期】エントリー24.4→内々定24.11(一次・二次以降もWEB面接可)【インターン】有
【採用実績校】桜美林大5、神奈川大6、帝京大5、名城大6、立正大5、亜大4、大東文化大4、中部大4、関東学院大3、明大3、他
【求める人材】多様な価値観を理解、尊重することができ、会社に変化をもたらしてくれる人

【本社】108-0075 東京都港区港南2-16-1 品川イーストワンタワー ☎03-6717-6900
【特色・近況】大東建託の賃貸仲介専門子会社。東京、中京圏を軸に直営やFC店を展開。住宅・駐車場、商業施設などの賃貸物件について借り主へ仲介斡旋するほか、引っ越しや清掃などの関連サービスも手がけ、リフォームなどの施工部門も持つ。IT投資や開発に積極的。
【設立】1998.7 【資本金】424百万円
【社長】田村穂(1965.7生)
【株主】〔24.3〕大東建託51.3%
【連結事業】不動産関連88、施工関連12
【従業員】連1,135名 単143名(40.4歳)

【業績】	営業収益	営業利益	経常利益	純利益
連22.3	14,206	418	614	372
連23.3	14,179	394	620	327
連24.3	13,529	502	685	410

#年収高く倍率低い

㈱フジケン

株式公開計画なし

採用内定数	倍率	3年後離職率	平均年収
3名	13.3倍	–	[総]841万円

●待遇、制度●
【初任給】月25万(固定残業代30時間分)
【残業】12時間【有休】10.1日【制度】[住]
●新卒定着状況●
20年入社(男0、女0)→3年後在籍(男0、女0)
●採用情報●
【人数】23年:2 24年:5 25年:応募40→内定3
【内定内訳】(男3、女0)(文3、理0)(総3、他0)
【試験】〔筆記〕常識〔性格〕有
【時期】エントリー 25.1→内々定25.4(一次はWEB面接可)【インターン】有
【採用実績校】関大1、中部大1、名古屋学院大1
【求める人材】失敗を恐れず、新しいことに積極的に取り組む事が出来る人

【本社】444-0841 愛知県岡崎市戸崎町藤狭1-9
☎0564-72-2211
【特色・近況】愛知県の住宅デベロッパー。地元岡崎市に根差し、西三河地区を軸に事業を展開。用地取得から設計・施工、販売、アフターサービスまで一貫。グループでホテル、介護福祉、スポーツクラブも。海外はベトナムで合弁での戸建て事業を展開。
【設立】1972.2 【資本金】60百万円
【社長】牧久(1970.6生 タンパ大卒)
【株主】〔23.8〕三河湾リゾートリンクス100%
【事業】分譲マンション、分譲住宅、注文住宅、公共建築、商業建築、不動産仲介
【従業員】単85名(41.0歳)

【業績】	売上高	営業利益	経常利益	純利益
単21.8	19,584	1,494	1,475	1,100
単22.8	18,285	1,493	1,465	611
単23.8	17,476	1,421	1,390	830

㈱毎日(まいにち)コムネット

東証スタンダード

採用内定数	倍率	3年後離職率	平均年収
11名	‥	‥	603万円

●待遇、制度●
【初任給】月22.5万
【残業】‥時間【有休】14.2日【制度】[住]
●新卒定着状況●
‥
●採用情報●
【人数】23年:8 24年:8 25年:応募‥→内定11
【内定内訳】(男2、女9)(文10、理1)(総11、他0)
【試験】試験あり
【時期】エントリー 25.3→内々定25.3(一次はWEB面接可)【インターン】有
【採用実績校】明大2、金沢工大1、近大1
【求める人材】粘り強く、チャレンジ精神旺盛な人

【本社】100-0004 東京都千代田区大手町2-1-1 大手町野村ビル ☎03-3548-2111
【特色・近況】学生専用のマンション・アパート運営が柱。地主に建築物件を提案し、長期にわたり借り受けるサブリースを展開。学生寮の開発・管理のほか、自社での開発・保有・販売も行う。合宿旅行の企画・運営などに加え、企業向けの新卒採用支援事業も拡大。
【設立】1979.4 【資本金】775百万円
【社長】小野田博幸(1961.9生 東京商科専卒)
【株主】〔24.5〕㈱KJホールディングス23.9%
【連結事業】不動産ソリューション80、学生生活ソリューション20
【従業員】連261名 単151名(36.7歳)

【業績】	売上高	営業利益	経常利益	純利益
連22.5	18,891	1,783	1,697	1,106
連23.5	21,248	2,081	2,083	1,381
連24.5	20,772	2,292	2,218	1,484

#年収高く倍率低い #年収が高い

みずほ不動産販売(ふどうさんはんばい)

株式公開未定

採用内定数	倍率	3年後離職率	平均年収
47名	21.6倍	30.8%	[総]920万円

●待遇、制度●
【初任給】月23.2万(諸手当1.2万円)
【残業】27.8時間【有休】14日【制度】[住][在]
●新卒定着状況●
20年入社(男21、女5)→3年後在籍(男17、女1)
●採用情報●
【人数】23年:39 24年:53 25年:応募1014→内定47*
【内定内訳】(男33、女14)(文45、理2)(総38、他9)
【試験】〔Web会場〕SPI3〔Web自宅〕SPI3
【時期】エントリー 25.2→内々定25.6(一次・二次以降もWEB面接可)【インターン】有
【採用実績校】京産大1、東海大1、関大3、近大1、杏林大1、駒澤大1、慶大1、甲南大1、高崎経大1、成蹊大1、青学大2、摂南大2、専大2、他
【求める人材】誠実な人、学び続けられる人、粘り強い人

【本社】103-0027 東京都中央区日本橋1-3-13 東京建物日本橋ビル ☎03-5200-0537
【特色・近況】みずほフィナンシャルグループの不動産仲介会社。首都圏や近畿圏を中心に、北海道から九州まで営業センターを展開。みずほ銀行やみずほ信託銀行をはじめとしたグループ各社との連携のもと、個人・法人顧客の幅広い不動産ニーズに対応。
【設立】1986.7 【資本金】1,500百万円
【社長】鎌田卓史(1961.10生 早大卒)
【株主】〔24.3〕都市未来総合研究所95.0%
【事業】不動産仲介100
【従業員】単855名(40.2歳)

【業績】	売上高	営業利益	経常利益	純利益
単22.3	18,048	6,555	6,639	4,555
単23.3	19,277	7,167	7,196	5,158
単24.3	22,649	9,659	9,874	6,952

建設・不動産

#年収が高い

三井住友トラスト不動産（みついすみともトラストふどうさん）

株式公開未定

採用内定数	倍率	3年後離職率	平均年収
81名	‥	9.6%	㊔920万円

●待遇、制度●
【初任給】月25.1万(固定残業代25時間分)
【残業】27.7時間【有休】12.5日【制度】住 在
●新卒定着状況●
20年入社(男39、女34)→3年後在籍(男35、女31)
●採用情報●
【人数】23年:65 24年:80 25年:応募‥→内定81*
【内定内訳】(男42、女39)(文79、理2)(総81、他0)
【試験】〔Web会場〕SPI3〔性格〕有
【時期】エントリー25.3→内々定25.6(一次・二次以降もWEB面接可)【インターン】有
【採用実績校】‥
【求める人材】人との付き合いを大切にし、人にも自分にも責任をもって成長を続ける向上心のある人

【本社】101-0054 東京都千代田区神田錦町3-11-1 ☎03-6870-3310
【特色・近況】三井住友信託銀行グループの不動産仲介会社。居住用中心に投資・事業用など不動産流通サービス全般を提供。首都圏、近畿のほか中部(名古屋)、中国(広島、岡山)、九州(福岡、熊本)に店舗。グループ各社と連携し、不動産の有効活用など提案。
【設立】1986.1 【資本金】300百万円
【社長】粕谷和彦(1966.8生 成蹊大院工修了)
【株主】〔24.3〕三井住友トラスト・カード50.0%
【事業】不動産仲介100
【従業員】単1,228名(37.1歳)

【業績】	売上高	営業利益	経常利益	純利益
単22.3	22,975	6,835	6,857	4,792
単23.3	24,933	7,317	7,381	5,214
単24.3	26,455	7,436	7,447	5,271

㈱ランディックス

東証グロース

採用内定数	倍率	3年後離職率	平均年収
12名	6.7倍	71.4%	583万円

●待遇、制度●
【初任給】月25万(固定残業代42時間分)
【残業】23時間【有休】9日【制度】在
●新卒定着状況●
20年入社(男4、女3)→3年後在籍(男2、女0)
●採用情報●
【人数】23年:12 24年:13 25年:応募80→内定12*
【内定内訳】(男7、女5)(文10、理2)(総0、他12)
【試験】〔筆記〕有
【時期】エントリー24.7→内々定24.10(一次はWEB面接可)【インターン】有
【採用実績校】東洋大1、帝京平成大1、青学大1、明大1、関東学院大2、千葉商大1、東京電機大1、成蹊大1、国士舘大1、大東文化大1、他
【求める人材】目標に向かって貪欲に取り組み、ホスピタリティ溢れる人

【本社】153-0064 東京都目黒区下目黒1-2-14 Landix目黒ビル ☎03-6420-3230
【特色・近況】港区、渋谷区、目黒区など東京・城南6区が地盤の不動産売買・仲介会社。富裕層が顧客基盤。対面型の営業に加え、自社サイト「sumuzu」を運営し、自社で不動産の仕入れ分譲を行う。地域の建築業者からの紹介による顧客獲得にも注力。
【設立】2001.2 【資本金】491百万円
【社長】岡田和也(1969.5生)
【株主】〔24.3〕岡田和也41.0%
【連結事業】sumuzu99、賃貸1、他0
【従業員】連112名 単85名(31.8歳)

【業績】	売上高	営業利益	経常利益	純利益
連22.3	11,129	1,471	1,419	937
連23.3	15,017	1,682	1,603	1,050
連24.3	17,041	1,279	1,185	790

#採用数が多い

㈱レオパレス21

東証プライム

採用内定数	倍率	3年後離職率	平均年収
146名	4.2倍	―	㊔625万円

●待遇、制度●
【初任給】月25万
【残業】16.4時間【有休】15.3日【制度】住 在
●新卒定着状況●
20年入社(男0、女0)→3年後在籍(男0、女0)
●採用情報●
【人数】23年:0 24年:67 25年:応募616→内定146*
【内定内訳】(男85、女61)(文‥、理‥)(総146、他0)
【試験】試験あり
【時期】エントリー‥→内々定‥(一次・二次以降もWEB面接可)【インターン】有
【採用実績校】‥
【求める人材】ステレオタイプに捉われず、会社・自分のビジョンの実現に向けた行動ができる人

【本社】164-8622 東京都中野区本町2-54-11 ☎03-5350-0001
【特色・近況】「レオパレス21」ブランドの単身者向けアパートを展開。建てたアパートを長期一括で借り上げる賃貸が主力。屋根借りによる太陽光発電事業、関東・中部地域で介護施設の運営、グアムでゴルフ場やホテルなどリゾート施設の運営も手がける。
【設立】1973.8 【資本金】100百万円
【社長】宮尾文也(1960.4生 早大文卒)
【株主】〔24.3〕千鳥合同会社25.6%
【連結事業】賃貸96、シルバー3、他0
【従業員】連3,866名 単2,706名(41.4歳)

【業績】	売上高	営業利益	経常利益	純利益
連22.3	398,366	1,774	▲2,151	11,854
連23.3	406,449	9,879	6,526	19,810
連24.3	422,671	23,313	19,476	42,062

㈱大京アステージ（だいきょう）

株式公開計画なし

採用内定数	倍率	3年後離職率	平均年収
34名	18.4倍	‥	総 725万円

●待遇、制度●
【初任給】月25万（諸手当3.2万円）
【残業】22.1時間【有休】10.5日【制度】フ 住 在
●新卒定着状況●
‥
●採用情報●
【人数】23年:15 24年:12 25年:応募626→内定34*
【内定内訳】（男18、女16）（文33、理1）（総31、他3）
【試験】〔Web自宅〕WEB-GAB〔性格〕有
【時期】エントリー25.3→内々定25.4（一次・二次以降もWEB面接可）【インターン】有
【採用実績校】立命館大3、駒澤大2、名城大2、神奈川大2、帝京大2、神戸大1、関大1、関西学大1、同大1、法政大1、愛知淑徳大1、他
【求める人材】成長を続けられる人、周囲を巻き込みながら粘り強く、人のために行動できる人

【本社】151-0051 東京都渋谷区千駄ヶ谷4-19-18 オリックス千駄ヶ谷ビル ☎03-5775-5111
【特色・近況】オリックスグループでマンション管理事業を手がける。管理受託実績は約7500組合超・42万戸超（24年3月末）で業界大手。デジタル化による次世代型マンション管理サービスの開発進める。「マンション管理契約電子化サービス」などを提供。
【設立】1969.4 【資本金】200百万円
【社長】真島吉丸（1967.10生）
【株主】〔24.3〕大京100%
【事業】マンション管理100
【従業員】単1,507名（43.0歳）

【業績】	売上高	営業利益	経常利益	純利益
単22.3	58,848	7,060	7,107	4,894
単23.3	57,697	5,973	6,006	4,115
単24.3	59,794	6,002	5,984	4,086

野村不動産パートナーズ（のむらふどうさん）

株式公開計画なし

採用内定数	倍率	3年後離職率	平均年収
60名	6.1倍	15.4%	‥

●待遇、制度●
【初任給】月23.6万
【残業】23.8時間【有休】15.2日【制度】フ 住 在
●新卒定着状況●
20年入社（男44、女21）→3年後在籍（男36、女19）
●採用情報●
【人数】23年:44 24年:62 25年:応募365→内定60*
【内定内訳】（男40、女20）（文33、理27）（総60、他0）
【試験】〔Web自宅〕SPI3〔性格〕有
【時期】エントリー24.6→内々定25.1（一次・二次以降もWEB面接可）【インターン】有
【採用実績校】立教大2、明大4、法政大3、東洋大2、日大2、明学大2、日本電子専2、日本工学院専4、東京電子専2、工学院大3、他
【求める人材】人とのコミュニケーションが好きで、好奇心・探究心も旺盛で、チャレンジ精神を持っている人

【本社】163-0562 東京都新宿区西新宿1-26-2 ☎03-3345-0611
【特色・近況】野村不動産HD傘下で、マンション、ビル、教育施設などの管理運営・工事を総合展開。マンション19万戸超、ビル800棟超を管理。大規模修繕・リニューアル・インテリア工事なども請負う。マンション向け電力サービスを東北・中部にも拡大。
【設立】1977.4 【資本金】200百万円
【社長】問田和宏（1965.9生 立大社会卒）
【株主】〔24.3〕野村不動産ホールディングス100%
【事業】管理55、受注工事35、他10
【従業員】単2,509名（41.6歳）

【業績】	売上高	営業利益	経常利益	純利益
単22.3	97,541	8,418	8,507	5,950
単23.3	103,908	9,296	9,466	6,949
単24.3	106,563	9,574	9,718	6,842

三井不動産レジデンシャルサービス

株式公開計画なし

採用内定数	倍率	3年後離職率	平均年収
27名	31倍	38.5%	‥

●待遇、制度●
【初任給】月23万
【残業】19.9時間【有休】12.6日【制度】フ 住 在
●新卒定着状況● 総合職のみ
20年入社（男18、女8）→3年後在籍（男10、女6）
●採用情報●
【人数】23年:19 24年:21 25年:応募838→内定27
【内定内訳】（男13、女14）（文26、理0）（総23、他4）
【試験】〔Web会場〕SPI3〔Web自宅〕SPI3〔性格〕有
【時期】エントリー25.1→内々定25.3（一次はWEB面接可）【インターン】有
【採用実績校】千葉商大1、京産大1、桜美林大1、高崎経大1、武蔵大2、中大2、名古屋学院大1、明学大1、東洋大1、関大1、明大3、専大1、他
【求める人材】つながりを大切にし、常に相手の立場に立った言動、行動が取れる人、自己成長や課題に対し、やりきる力のある人

【本社】135-0061 東京都江東区豊洲5-6-52 NBF豊洲キャナルフロント ☎03-3534-3101
【特色・近況】管理組合の運営支援などマンション管理業務が事業柱。首都圏と名古屋に支店。管理組合や入居者向けに24時間365日対応のコールセンター設置。マンション管理の内側を楽しく学べる体験型研修施設「すまラボ」も展開。三井不動産グループ。
【設立】1973.7 【資本金】400百万円
【社長】世古洋介（1960.1生）
【株主】〔24.4〕三井不動産レジデンシャル100%
【事業】管理受託81、工事請負12、付帯事業4、サポート2
【従業員】単2,992名（‥歳）

【業績】	売上高	営業利益	経常利益	純利益
単22.3	46,518	2,276	2,401	1,692
単23.3	49,025	2,608	2,672	1,860
単24.3	48,560	2,185	2,291	1,662

#採用数が多い

ポラス

[株式公開計画なし]

採用内定数	倍率	3年後離職率	平均年収
154名	6.3倍	27.1%	[総]733万円

●待遇、制度●
【初任給】月26.5万（諸手当0.9万円）
【残業】23.1時間【有休】14.6日【制度】[フ][住][在]

●新卒定着状況●
20年入社（男113、女57）→3年後在籍（男82、女42）

●採用情報● グループ採用
【人数】23年:193 24年:182 25年:応募973→内定154
【内定内訳】（男94、女60）（文89、理53）（総149、他5）
【試験】〔筆記〕常識
【時期】エントリー25.3→内々定25.5*（一次・二次以降もWEB面接可）【インターン】有
【採用実績校】早大、東京科学大、千葉大、青学大、立教大、明大、中大、法政大、芝工大、工学院大、他
【求める人材】自ら感じ、考え、行動できる人、既存の枠にとらわれず、自らの意志で行動する自立（自律）型人材

【本社】343-0845 埼玉県越谷市南越谷1-21-2 ☎048-989-9111
【特色・近況】埼玉、千葉、東京中心に戸建住宅分譲事業などを展開するポラスグループの本社機能担う。戸建て分譲では埼玉県、千葉県でトップ。木造軸組プレカットもグループで生産量日本一を誇る。グループ企業は中央住宅、ポラテック、ポラスガーデンヒルズなど。
【設立】2001.2 【資本金】40百万円
【代表取締役】中内晃次郎（1967.2生 早大院理工修了）
【株主】〔24.6〕中内セイコ25.0%
【連結事業】グループ会社の本社機能91、他9
【従業員】連3,095名 単197名（38.3歳）

【業績】	売上高	営業利益	経常利益	純利益
連22.3	280,087	32,910	33,428	8,595
連23.3	310,322	31,345	31,984	8,357
連24.3	283,594	18,925	19,516	4,811

#残業が少ない

名鉄協商（めいてつきょうしょう）

[株式公開計画なし]

採用内定数	倍率	3年後離職率	平均年収
19名	15.2倍	7.7%	‥

●待遇、制度●
【初任給】月23.5万（諸手当0.3万円、固定残業代10時間分）
【残業】3.4時間【有休】13.3日【制度】[住]

●新卒定着状況●
20年入社（男3、女10）→3年後在籍（男2、女10）

●採用情報●
【人数】23年:11 24年:14 25年:応募288→内定19
【内定内訳】（男9、女10）（文19、理0）（総14、他5）
【試験】〔筆記〕常識〔性格〕有
【時期】エントリー25.3→内々定25.6【インターン】有【ジョブ型】有
【採用実績校】中京大6、中部大3、愛知大2、南山大2、名城大2、愛知学大1、岐阜大1、昭和女大1、名古屋学院大1
【求める人材】何にでも果敢に挑戦し、チャレンジ精神旺盛な人

【本社】450-8618 愛知県名古屋市中村区名駅南2-14-19 住友生命名古屋ビル10階☎052-582-1011
【特色・近況】駐車場運営、カーリースなどを軸に商品販売、不動産賃貸も手がける。名鉄グループ。駐車場は管理台数9.2万台超。カーリースは契約法人2000社超で駐車場事業との連携サービスも。海外ベーカリーのFC運営の他、法人向け事業仲介など多岐に展開。
【設立】1971.2 【資本金】720百万円
【社長】小林昌弘（1961.6生 早大社会科卒）
【株主】〔24.3〕名古屋鉄道100%
【事業】販売6、駐車場58、リース33、貸ビル他3
【従業員】単343名（39.8歳）

【業績】	売上高	営業利益	経常利益	純利益
単22.3	30,378	1,157	1,294	902
単23.3	31,671	2,566	2,593	1,445
単24.3	33,671	3,513	3,554	2,123

銀泉（ぎんせん）

[株式公開計画なし]

採用内定数	倍率	3年後離職率	平均年収
15名	11.5倍	7.7%	‥

●待遇、制度●
【初任給】月23.7万（諸手当1万円）
【残業】5時間【有休】16.8日【制度】[フ][在]

●新卒定着状況●
20年入社（男2、女11）→3年後在籍（男2、女10）

●採用情報●
【人数】23年:13 24年:10 25年:応募172→内定15*
【内定内訳】（男4、女11）（文15、理0）（総11、他4）
【試験】〔Web会場〕SPI3〔Web自宅〕SPI3
【時期】エントリー25.3→内々定25.4*【ジョブ型】有
【採用実績校】学習院大1、津田塾大1、日大1、大妻女大1、実践女大1、明学大1、関西学大1、龍谷大1、武庫川女大1、大阪市大1、他
【求める人材】何事にも主体性、高い当事者意識を持って、自ら考えて自ら行動する人

【本社】541-0043 大阪府大阪市中央区高麗橋4-6-2 ☎06-6202-2511
【特色・近況】三井住友銀行系。保険代理店、ビル賃貸、駐車場運営が主な事業。保険取り扱いは外資系含め損保25社、生保26社。賃貸は首都圏・関西圏に約40棟のオフィスビルを保有する。駐車場は「GSパーク」名で全国1000拠点（管理台数2万台）を展開する。
【設立】1954.5 【資本金】370百万円
【社長】成田学（1959.3生 慶大法卒）
【株主】〔24.3〕京阪神ビルディング
【事業】保険31、ビル38、駐車場29、他2
【従業員】単837名（‥歳）

【業績】	売上高	営業利益	経常利益	純利益
単22.3	25,824	2,776	2,967	2,407
単23.3	27,375	2,495	2,898	1,046
単24.3	27,500	1,729	2,207	2,159

㈱青山財産ネットワークス（あおやまざいさん）　東証スタンダード

採用予定数	倍率	3年後離職率	平均年収
10名	‥	‥	807万円

●待遇、制度●
【初任給】月23万（諸手当を除いた数値）
【残業】22.2時間【有休】11.2日【制度】住 在
●新卒定着状況●
‥
●採用情報●
【人数】23年:6 24年:6 25年:予定10
【内定内訳】(男‥、女‥)(文‥、理‥)(総‥、他‥)
【試験】〔Web自宅〕有
【時期】エントリー25.未定→内々定25.未定(一次・二次以降もWEB面接可)【インターン】有
【採用実績校】日大1、千葉商大院2、千葉商大1、聖心女大1、東海大1、南山大1
【求める人材】素直で謙虚、勉強熱心な人、向上心のある人、粘り強い人

【本社】107-0052 東京都港区赤坂8-4-14 青山タワープレイス ☎03-6439-5800
【特色・近況】資産家への運用・相続のコンサルタントと不動産関連商品の開発・販売行う。顧客は首都圏中心の個人資産家。不動産小口化商品「アドバンテージクラブ」を組成し、会計事務所や地銀、証券会社とも連携し販売促進。不動産STO事業に参入。第2の柱へ育成狙う。
【設立】1991.9 【資本金】1,235百万円
【社長】蓮見正純(1956.12生 慶大商卒)
【株主】〔24.6〕蓮見正純10.2%
【連結事業】財産コンサルティング20、不動産取引80
【従業員】連318名 単234名(39.2歳)

【業績】	売上高	営業利益	経常利益	純利益
連21.12	24,213	1,856	1,796	1,481
連22.12	35,952	2,629	2,499	1,694
連23.12	36,098	3,265	3,359	2,062

空港施設（くうこうしせつ）　東証プライム

採用内定数	倍率	3年後離職率	平均年収
7名	30倍	16.7%	総761万円

●待遇、制度●
【初任給】月24.3万（諸手当2.6万円）
【残業】14時間【有休】15日【制度】フ 住 在
●新卒定着状況●
20年入社(男3、女3)→3年後在籍(男3、女2)
●採用情報●
【人数】23年:2 24年:6 25年:応募210→内定7
【内定内訳】(男3、女4)(文5、理2)(総7、他0)
【試験】〔筆記〕有〔Web自宅〕有〔性格〕有
【時期】エントリー25.3→内々定25.6(一次はWEB面接可)【インターン】有
【採用実績校】関東学院大院1、早大院1、近大1、国士舘大1、成城大1、都留文科大1、法政大1
【求める人材】企業理念に共感し、物事をポジティブに捉え、柔軟な発想・責任をもち最後まで取り組む人

【本社】144-0041 東京都大田区羽田空港1-6-5 第五綜合ビル ☎03-3747-0251
【特色・近況】航空会社向けに空港機能施設の賃貸と保守を行う。全日本空輸と日本航空が大株主に並ぶが独立色。羽田空港や伊丹空港など全国12空港で、多目的総合ビルや航空機格納庫の賃貸、空港施設向け冷暖房施設や給排水設備の運営などを手がける。一般ビル賃貸も展開。
【設立】1970.2 【資本金】6,826百万円
【取締】田村滋朗(1960.3生)
【株主】〔24.3〕日本航空19.8%
【連結事業】不動産75、熱供給13、給排水運営他12
【従業員】連129名 単110名(43.6歳)

【業績】	売上高	営業利益	経常利益	純利益
連22.3	23,777	3,280	2,962	821
連23.3	25,516	2,503	2,121	1,564
連24.3	25,950	3,183	3,175	2,020

#年収が高い

京阪神ビルディング（けいはんしん）　東証プライム

採用内定数	倍率	3年後離職率	平均年収
2名	38倍	33.3%	1,116万円

●待遇、制度●
【初任給】月27万
【残業】14時間【有休】15.6日【制度】フ
●新卒定着状況●
20年入社(男1、女2)→3年後在籍(男0、女2)
●採用情報●
【人数】23年:3 24年:2 25年:応募76→内定2
【内定内訳】(男0、女2)(文2、理0)(総2、他0)
【試験】なし
【時期】エントリー25.3→内々定25.4～5(一次はWEB面接可)
【採用実績校】関大2
【求める人材】主体性を持って業務を遂行できる人、長期的な視点にたって物事を考えられる人

【本社】541-0048 大阪府大阪市中央区瓦町4-2-14 ☎06-6202-7331
【特色・近況】京阪神中心にオフィスビルやデータセンターなどのビル賃貸を行う。大阪府に展開するデータセンタービルが売上の柱。祖業は競馬場の管理運営で、現在もJRAに賃貸する場外馬券売り場を収益物件として複数保有。東京も積極開拓し港区虎ノ門にビルを持つ。
【設立】1948.12 【資本金】9,827百万円
【社長】若林常夫(1959.4生 京大法卒)
【株主】〔24.3〕銀泉13.0%
【連結事業】土地建物賃貸100
【従業員】連60名 単60名(48.9歳)

【業績】	売上高	営業利益	経常利益	純利益
連22.3	17,815	5,124	4,879	5,165
連23.3	18,879	5,375	5,040	4,186
連24.3	19,310	5,083	4,842	3,793

#有休取得が多い

㈱サンセイランディック　[東証スタンダード]

採用内定数	倍率	3年後離職率	平均年収
4名	31倍	40%	[総]761万円

●待遇、制度●
【初任給】月23.8万
【残業】11.7時間【有休】17.9日【制度】[住][在]
●新卒定着状況●
20年入社(男3、女2)→3年後在籍(男2、女1)
●採用情報●
【人数】23年:2 24年:6 25年:応募124→内定4
【内定内訳】(男2、女2)(文4、理0)(総0、他4)
【試験】〔Web自宅〕有
【時期】エントリー24.12→内々定25.1(一次はWEB面接可)
【採用実績校】日大1、明学大1、跡見学園女大1、北星学大1
【求める人材】「モノ」ではなく「自分」を売り込むことができる人

【本社】100-6921 東京都千代田区丸の内2-6-1 丸の内パークビルディング ☎03-5252-7511
【特色・近況】権利関係が複雑な不動産を買い取り、権利関係を調整した上で不動産価値を高めて再販売する事業を展開。底地(借地権負担付き土地)や居抜き物件(借家権付き土地建物)が主な対象。所有権の売買や賃貸管理の一括請け負いも行う。
【設立】1976.2【資本金】860百万円
【社長】松﨑隆司(1970.5生)
【株主】〔24.6〕松﨑隆司15.0%
【連結事業】不動産販売100
【従業員】連191名 単191名(38.7歳)

【業績】	売上高	営業利益	経常利益	純利益
連21.12	16,836	1,117	999	609
連22.12	15,533	1,469	1,283	1,060
連23.12	23,269	2,155	1,765	1,182

サンフロンティア不動産(ふどうさん)　[東証プライム]

採用内定数	倍率	3年後離職率	平均年収
29名	14.3倍	40%	[総]741万円

●待遇、制度●
【初任給】月28.3万(固定残業代10時間分)
【残業】‥時間【有休】11.6日【制度】[住]
●新卒定着状況●
20年入社(男6、女4)→3年後在籍(男3、女3)
●採用情報●
【人数】23年:17 24年:23 25年:応募416→内定29*
【内定内訳】(男14、女15)(文27、理2)(総29、他0)
【試験】〔Web自宅〕有〔性格〕有
【時期】エントリー25.3→内々定25.6*(一次・二次以降もWEB面接可)【インターン】有
【採用実績校】慶大1、早大1、学習院大2、明大1、青学大2、立教大2、法政大1、東理大1、東京外大1、立命館大1、武蔵大1、信州大1、他
【求める人材】当社の経営理念ビジョンに共感し、不動産が好きで生業にしたい人

【本社】100-0006 東京都千代田区有楽町1-2-2 東宝日比谷ビル ☎03-5521-1301
【特色・近況】オフィスビルを主体とした中古ビルの再生事業を行う。都心5区(千代田・中央・港・新宿・渋谷)を中心に取得した中古ビルを改修し、稼働率や賃料を向上させて売却する。富裕層が主な顧客だが、機関投資家も増加。ホテルの開発・運営や貸会議室なども併営。
【設立】1999.4【資本金】11,965百万円
【社長】齋藤清一(1960.6生 慶大商卒)
【株主】〔24.3〕㈱報恩37.9%
【連結事業】不動産再生64、不動産サービス12、ホテル・観光21、他3
【従業員】連837名 単‥名(36.4歳)

【業績】	売上高	営業利益	経常利益	純利益
連22.3	71,251	12,127	12,215	7,415
連23.3	82,777	14,905	14,722	11,612
連24.3	79,868	17,600	17,374	11,917

㈱シーアールイー　[東証プライム]

採用内定数	倍率	3年後離職率	平均年収
3名	‥	0%	724万円

●待遇、制度●
【初任給】月25万(固定残業代20時間分)
【残業】21.1時間【有休】8.7日【制度】[フ][住][在]
●新卒定着状況●
20年入社(男3、女2)→3年後在籍(男3、女2)
●採用情報●
【人数】23年:6 24年:4 25年:応募‥→内定3
【内定内訳】(男3、女0)(文3、理0)(総3、他0)
【試験】〔性格〕有
【時期】エントリー24.8→内々定25.6*(一次・二次以降もWEB面接可)【インターン】有
【採用実績校】明大1、慶大1、立命館大1
【求める人材】好奇心・主体性・適応力を持って、自分自身の可能性を広げることができる人

【本社】105-0001 東京都港区虎ノ門2-10-1 ☎03-5572-6600
【特色・近況】物流施設の開発・管理を手がける不動産会社。中小型の物流施設を開発、グループ会社が運用を担う上場REITへ売却し資金回収を行う回転型ビジネスが柱。大型物件の開発も手がける。首都圏を中心に、大阪や福岡など全国に展開。
【設立】2009.12【資本金】5,365百万円
【社長】亀山忠秀(1974.12生)
【株主】〔24.7〕京橋興産37.6%
【連結事業】不動産管理45、物流投資53、アセットマネジメント2、他0
【従業員】連351名 単231名(39.8歳)

【業績】	売上高	営業利益	経常利益	純利益
連22.7	62,734	10,182	9,187	5,775
連23.7	52,159	7,147	6,697	4,387
連24.7	66,901	8,045	6,816	4,341

JR西日本不動産開発（にしにほんふどうさんかいはつ）

株式公開未定

採用予定数	倍率	3年後離職率	平均年収
13名	‥	0%	㊕720万円

●待遇、制度●
【初任給】月24.6万(諸手当2.2万円)
【残業】19.1時間【有休】14.5日【制度】フ 住 在
●新卒定着状況●
20年入社(男9、女7)→3年後在籍(男9、女7)
●採用情報●
【人数】23年:6 24年:12 25年:予定13
【内定内訳】(男‥、女‥)(文‥、理‥)(総‥、他‥)
【試験】〔性格〕有
【時期】エントリー25.3→内々定25.6(一次・二次以降もWEB面接可)
【採用実績校】‥
【求める人材】不動産のプロフェッショナルを目指して、仕事に誇りと責任を持って取り組める、迅速・果敢にチャレンジできる人

【本社】530-0005 大阪府大阪市北区中之島2-2-7 中之島セントラルタワー ☎06-7167-5600
【特色・近況】JR西日本グループのデベロッパー。沿線の駅ビル、高架下での複合商業施設の開発や、西日本エリアを中心に「ジェイグラン」ブランドのマンション分譲・賃貸を行う。首都圏にも進出。社会変容に対応し、JR駅前にシェアオフィス事業も展開。
【設立】1965.3 【資本金】13,200百万円
【社長】藤原嘉人
【株主】西日本旅客鉄道100%
【事業】賃貸52、分譲48、仲介・鑑定0
【従業員】単460名(40.5歳)

【業績】	売上高	営業利益	経常利益	純利益
単22.3	61,532	9,848	9,755	3,950
単23.3	71,987	10,530	10,264	7,220
単24.3	80,588	11,431	11,037	6,475

#年収が高い

地主（じぬし）

東証プライム

採用内定数	倍率	3年後離職率	平均年収
2名	72.5倍	50%	1,718万円

●待遇、制度●
【初任給】年600万
【残業】19.8時間【有休】13.8日【制度】フ 住 在
●新卒定着状況●
20年入社(男1、女1)→3年後在籍(男0、女1)
●採用情報●
【人数】23年:1 24年:2 25年:応募145→内定2
【内定内訳】(男2、女0)(文1、理1)(総2、他0)
【試験】なし
【時期】エントリー25.3→内々定25.6【インターン】有
【採用実績校】東大1、同大1
【求める人材】成果を出す人を真似できる人、良いものを素直に吸収する姿勢を持つ人

【本社】100-6513 東京都千代田区丸の内1-5-1 新丸の内ビルディング ☎03-6895-0070
【特色・近況】底地(借地権付きの土地)専門の不動産会社。仕入れた土地にスーパー、ホームセンター、ドラッグストアなど生活密着型店舗を誘致し、不動産金融商品としてREITや私募ファンドなどに販売。建物はテナントが建設し、自らは底地のみ所有する独自手法。
【設立】2000.4 【資本金】3,048百万円
【社長】西羅弘文(1974.8生)
【株主】〔24.6〕松岡哲也15.7%
【連結事業】不動産投資95、サブリース・賃貸借・ファンドフィー5、企画・仲介0
【従業員】連103名 単63名(38.8歳)

【業績】	売上高	営業利益	経常利益	純利益
連21.12	56,177	5,475	5,002	3,124
連22.12	49,887	6,411	5,943	3,641
連23.12	31,597	6,154	5,718	4,709

㈱常口アトム（じょうぐち）

株式公開計画なし

採用内定数	倍率	3年後離職率	平均年収
22名	3.3倍	40%	㊕558万円

●待遇、制度●
【初任給】月24万(諸手当3万円)
【残業】18.4時間【有休】15.3日【制度】住
●新卒定着状況●
20年入社(男5、女10)→3年後在籍(男3、女6)
●採用情報●
【人数】23年:18 24年:29 25年:応募72→内定22*
【内定内訳】(男15、女7)(文20、理2)(総9、他13)
【試験】〔性格〕有
【時期】エントリー25.3→内々定25.6(一次・二次以降もWEB面接可)【インターン】有【ジョブ型】有
【採用実績校】北海学園大7、北星学大2、札幌学大3、札幌大2、北海商大2、北大1、北海道情報大1、藤女大1、北海道科学大1、高崎経大1、他
【求める人材】体験や感動を共有し、チームプレーで共に未来を創造できる人

【本社】060-0002 北海道札幌市中央区北2条西3-1-12 敷島ビル3階 ☎0120-270-206
【特色・近況】北海道地盤の総合不動産業。アパート、マンション、店舗、オフィスなどの仲介が主。不動産管理事業、不動産リフォーム事業、保険業務も。道内に60拠点以上を展開し、賃貸仲介件数3.1万件超、賃貸管理戸数5.6万戸超は北海道トップの実績。
【設立】1992.2 【資本金】50百万円
【社長】清河智英
【株主】〔24.5〕北海道建物24.0%
【事業】アパート・マンション・戸建等居住物件の賃貸仲介、店舗・賃貸借仲介、他
【従業員】単681名(39.6歳)

【業績】	売上高	営業利益	経常利益	純利益
単21.9	9,228	634	642	410
単22.9	9,141	519	608	357
単23.9	9,292	511	725	545

建設・不動産

大栄不動産（だいえいふどうさん）

株式公開計画なし

採用内定数	倍率	3年後離職率	平均年収
2名	49倍	0%	834万円

●待遇、制度●
【初任給】月22.6万
【残業】12.5時間【有休】12.7日【制度】住

●新卒定着状況●
20年入社(男2、女1)→3年後在籍(男2、女1)

●採用情報●
【人数】23年:2 24年:6 25年:応募98→内定2
【内定内訳】(男1、女1)(文2、理0)(総2、他0)
【試験】〔Web自宅〕SPI3〔性格〕有
【時期】エントリー25.3→内々定25.6*(一次はWEB面接可)【インターン】有
【採用実績校】早大1、日女大1

【求める人材】自ら考えて行動できる人、向上心のある人、責任感のある人

【本社】103-0022 東京都中央区日本橋室町1-1-8 ☎03-3244-0625
【特色・近況】埼玉、東京が地盤の総合不動産会社。オフィスビル賃貸とマンション・戸建ての住宅開発・販売が主力。賃貸管理の建物は60棟以上、貸室建物の稼働率は約99%。駐車場・駐輪場事業や不動産仲介も展開。子会社で有料老人ホームの運営や介護事業も行う。
【設立】1950.11 【資本金】2,527百万円
【社長】石村等(1953.5生 明大商卒)
【株主】〔24.3〕富士倉庫運輸8.8%
【連結事業】ビル賃貸30、駐車場9、住宅48、不動産営業10、他3
【従業員】連284名 単182名(47.0歳)

【業績】	売上高	営業利益	経常利益	純利益
連22.3	27,315	4,203	3,989	2,476
連23.3	24,050	5,484	5,175	3,488
連24.3	37,152	7,459	7,351	2,769

#初任給が高い

中央日本土地建物グループ（ちゅうおうにほんとちたてもの）

株式公開計画なし

採用予定数	倍率	3年後離職率	平均年収
19名	‥	8.3%	‥

●待遇、制度●
【初任給】月30万
【残業】24.3時間【有休】15日【制度】フ 住 在

●新卒定着状況●
20年入社(男8、女4)→3年後在籍(男7、女4)

●採用情報● グループ採用
【人数】23年:16 24年:15 25年:予定19
【内定内訳】(男‥、女‥)(文‥、理‥)(総‥、他‥)
【試験】〔Web自宅〕有〔性格〕有
【時期】エントリー25.3→内々定25.6(一次・二次以降もWEB面接可)【インターン】有
【採用実績校】‥

【求める人材】大きな夢を持ち、その実現に向って自ら考え、果敢にチャレンジし、周囲を巻き込み動かすことができる人

【本社】100-0013 東京都千代田区霞が関1-4-1 ☎03-3501-6511
【特色・近況】みずほ銀行系の不動産デベロッパー。オフィス、マンションの開発、CRE(企業不動産)戦略支援、私募リート運用などを展開。不動産は、オフィス向け「SENQ」「REVZO」、住宅向け「BAUS」、学生向け「BAUS CROSS」のブランドで展開。
【設立】2020.4 【資本金】10,000百万円
【社長】三宅潔(1960.6生 慶大法卒)
【株主】〔24.3〕清和綜合建物14.9%
【連結事業】都市開発51、住宅38、不動産ソリューション7、資産運用1、他4
【従業員】連1,294名 単53名(51.8歳)

【業績】	売上高	営業利益	経常利益	純利益
連22.3	97,722	18,890	20,693	25,352
連23.3	110,626	20,612	26,186	20,554
連24.3	114,850	22,458	22,240	18,626

㈱長栄（ちょうえい）

東証スタンダード

採用内定数	倍率	3年後離職率	平均年収
11名	12.2倍	34.6%	㊓532万円

●待遇、制度●
【初任給】月22万(諸手当0.7万円、固定残業代23時間分)
【残業】17.3時間【有休】13.4日【制度】住 在

●新卒定着状況●
20年入社(男16、女10)→3年後在籍(男11、女6)

●採用情報●
【人数】23年:15 24年:17 25年:応募134→内定11*
【内定内訳】(男8、女3)(文11、理0)(総9、他2)
【試験】〔性格〕有
【時期】エントリー24.4→内々定25.1(一次はWEB面接可)【インターン】有【ジョブ型】有
【採用実績校】龍谷大3、京都光華女大1、京産大1、近大1、大阪学大1、追手門学大1、和歌山大1、京都橘大1、大阪経大1

【求める人材】‥

【本社】600-8429 京都府京都市下京区万寿寺通烏丸西入御供石町369 No.60京都烏丸万寿寺ビル☎075-343-1600
【特色・近況】地盤の京都を中心にマンションやビルの不動産管理と賃貸事業を展開。保有物件の8割超が住居用。自社物件の管理も担い、オーナー向けサービスのテスト場として活用することで管理ノウハウを蓄積。入居審査からマンション巡回、清掃までを一括管理。
【設立】1988.4 【資本金】714百万円
【取締】長田修(1949.1生 京都桂高卒)
【株主】〔24.3〕長田修34.4%
【事業】不動産管理41、不動産賃貸59
【従業員】単261名(35.3歳)

【業績】	売上高	営業利益	経常利益	純利益
単22.3	8,475	2,015	1,621	1,562
単23.3	9,162	2,329	2,003	1,370
単24.3	9,368	1,824	1,504	1,256

㈱テーオーシー

東証スタンダード

採用予定数	倍率	3年後離職率	平均年収
2名	‥	0%	730万円

●待遇、制度●
【初任給】月25.2万
【残業】4時間【有休】12.5日【制度】‥
●新卒定着状況●
20年入社(男1、女4)→3年後在籍(男1、女4)
●採用情報●
【人数】23年:2 24年:2 25年:予定2
【内定内訳】(男‥、女‥)(文‥、理‥)(総‥、他‥)
【試験】‥
【時期】エントリー25.3→内々定25.6(一次はWEB面接可)
【採用実績校】‥
【求める人材】‥

【本社】141-0031 東京都品川区西五反田7-22-17 TOCビル ☎03-3494-2111
【特色・近況】流通関連ビル賃貸で業界首位。五反田TOCビルはじめ、浅草ROX、大崎ニューシティなどの商業施設を運営。ホテル向けリネンサプライやランドリー事業、家庭薬や健康食品を製造する製薬事業も展開。ホテルニューオータニ系。
【設立】1926.4 【資本金】11,768百万円
【社長】大谷卓男(1953.6生 青学大理工卒)
【株主】〔24.3〕ニュー・オータニ22.6%
【連結事業】不動産75、リネンサプライ及びランドリー11、他14
【従業員】連150名 単71名(41.1歳)

【業績】	売上高	営業利益	経常利益	純利益
連22.3	16,337	5,745	6,242	3,106
連23.3	15,686	4,266	4,643	3,257
連24.3	13,715	2,285	2,664	5,123

東京建物不動産販売（とうきょうたてものふどうさんはんばい）

株式公開計画なし

採用内定数	倍率	3年後離職率	平均年収
15名	17.5倍	‥	‥

●待遇、制度●
【初任給】月25.5万
【残業】17.2時間【有休】13.5日【制度】フ 住 在
●新卒定着状況●
‥
●採用情報●
【人数】23年:14 24年:15 25年:応募262→内定15
【内定内訳】(男8、女7)(文15、理0)(総15、他0)
【試験】〔Web自宅〕WEB-GAB「性格」有
【時期】エントリー25.2→内々定25.5【インターン】有
【採用実績校】獨協大5、明海大1、国士舘大1、青学大1、日大1、玉川大1、國學院大1、成城大1、成蹊大1、東理大1、他
【求める人材】顧客の信頼を最高価値とし、その獲得のために邁進できる人

【本社】103-0028 東京都中央区八重洲1-5-20 東京建物八重洲さくら通りビル ☎03-6837-7700
【特色・近況】東京建物グループの総合不動産流通を担う。仲介事業、アセットソリューション事業、賃貸事業の3分野を柱に事業展開。グループ各社との連携を重視し、最適なソリューション提供に力点を置く。首都圏中心に大阪・名古屋に拠点。
【設立】1980.5 【資本金】4,321百万円
【代表取締役】福居賢悟(1957.8生 横国大経済卒)
【株主】〔23.12〕東京建物100%
【事業】仲介、アセットソリューション、賃貸
【従業員】単430名(42.0歳)

【業績】	売上高	営業利益	経常利益	純利益
単21.12	28,318	4,544	4,450	3,076
単22.12	28,538	5,711	5,677	3,795
単23.12	41,560	9,879	9,752	6,653

東京ビルディング（とうきょう）

株式公開計画なし

採用内定数	倍率	3年後離職率	平均年収
3名	13倍	0%	675万円

●待遇、制度●
【初任給】月25万
【残業】10.9時間【有休】9.9日【制度】住
●新卒定着状況●
20年入社(男2、女0)→3年後在籍(男2、女0)
●採用情報●
【人数】23年:4 24年:2 25年:応募39→内定3
【内定内訳】(男3、女0)(文3、理0)(総3、他0)
【試験】〔筆記〕有
【時期】エントリー25.1→内々定25.5(一次はWEB面接可)【インターン】有
【採用実績校】東京経大1、獨協大1、神奈川大1
【求める人材】誠実でコミュニケーションを積極的に築こうと努力できる人

【本社】163-0647 東京都新宿区西新宿1-25-1 新宿センタービル47階 ☎03-3349-1211
【特色・近況】商業ビル賃貸とマンション賃貸を首都圏の駅前・繁華街で展開。全フロアを店舗として使用できる立地条件を備えた店舗ビル向きの土地・建物を買い取る。首都圏エリアに100棟以上の商業ビル保有。駅前好立地の強みで高入居率を維持。
【設立】1967.6 【資本金】979百万円
【社長】高橋昭彦(1955.8生 国学院大卒)
【株主】〔24.4〕アクトワンプラス64.6%
【事業】不動産賃貸業100
【従業員】単79名(39.1歳)

【業績】	売上高	営業利益	経常利益	純利益
単22.4	5,205	2,448	2,246	1,539
単23.4	5,723	2,531	2,324	1,204
単24.4	5,736	2,577	2,372	514

#採用数が多い

東建コーポレーション（とうけん）

東証プライム

採用内定数	倍率	3年後離職率	平均年収
162名	6.4倍	ー	㊎933万円

●待遇、制度● 平均年収は総合職の営業のみ
【初任給】月27万（諸手当5.2万円、固定残業代55時間分）
【残業】12時間【有休】11.8日【制度】‥

●新卒定着状況●
20年入社（男0、女0）→3年後在籍（男0、女0）

●採用情報●
【人数】23年:184 24年:172 25年:応募1032→内定162*
【内定内訳】（男109、女53）（文118、理43）（総162、他0）
【試験】なし
【時期】エントリー25.3→内々定25.4*（一次・二次以降もWEB面接可）【インターン】有
【採用実績校】日大6、京産大6、愛知学大4、名城大4、東洋大3、大阪経大3、城西国際大3、駒澤大3、東北学大3、神奈川大3、東海大2、他
【求める人材】目標を持って自分から積極的に行動し、努力を惜しまない人

【本社】460-0002 愛知県名古屋市中区丸の内2-1-33 ☎052-232-8000
【特色・近況】賃貸住宅建設の大手。名古屋地盤に全国展開。地主へ賃貸経営の企画提案を行い施工から管理・仲介を一貫して行う。高耐震重軽量鉄骨造など独自開発商品持つ。アパートや賃貸マンションが中心で、建設後は一括借り上げ契約による家賃回収や建物管理も受託。
【設立】1976.7 【資本金】4,800百万円
【社長】左右田善猛（1977.12生）
【株主】〔24.4〕㈱東名商事30.4%
【連結事業】建設39、不動産賃貸61、他1
【従業員】連5,442名 単4,909名（41.0歳）

【業績】	売上高	営業利益	経常利益	純利益
連22.4	311,586	15,039	15,361	10,275
連23.4	316,849	9,738	10,091	5,239
連24.4	340,835	13,037	13,410	8,943

東神開発（とうしんかいはつ）

株式公開計画なし

採用内定数	倍率	3年後離職率	平均年収
13名	‥	‥	‥

●待遇、制度●
【初任給】月28万
【残業】13.5時間【有休】11日【制度】住 在

●新卒定着状況●
‥

●採用情報●
【人数】23年:0 24年:6 25年:応募‥→内定13
【内定内訳】（男4、女9）（文11、理2）（総13、他0）
【試験】〔Web自宅〕WEB-GAB〔性格〕有
【時期】エントリー25.3→内々定25.6【インターン】有
【採用実績校】明大2、青学大1、学習院大1、横浜市大1、京都女大1、東洋大1、立命館大1、成蹊大1、芝工大1、目白大1、他
【求める人材】‥

【本社】158-8502 東京都世田谷区玉川3-17-1 ☎03-3709-0121
【特色・近況】髙島屋の完全子会社でショッピングセンターの開発・運営・管理が主軸。玉川髙島屋SCと柏髙島屋ステーションモール、流山おおたかの森SCの賃貸収入が柱。海外は、シンガポール髙島屋をはじめベトナムで複合ビルやショッピングセンターなどを運営。
【設立】1963.12 【資本金】2,140百万円
【社長】倉本真祐
【株主】〔24.2〕髙島屋100%
【事業】不動産賃貸65、他35
【従業員】単263名（‥歳）

【業績】	売上高	営業利益	経常利益	純利益
単22.2	41,393	5,069	15,552	12,257
単23.2	46,120	5,977	10,708	8,509
単24.2	57,418	7,874	14,414	11,045

トヨタ不動産（ふどうさん）

株式公開計画なし

採用内定数	倍率	3年後離職率	平均年収
2名	‥	0%	‥

●待遇、制度●
【初任給】月26万
【残業】22時間【有休】14.2日【制度】フ 住 在

●新卒定着状況●
20年入社（男2、女0）→3年後在籍（男2、女0）

●採用情報●
【人数】23年:3 24年:1 25年:応募‥→内定2
【内定内訳】（男1、女1）（文2、理0）（総2、他0）
【試験】〔Web自宅〕SPI3〔性格〕有
【時期】エントリー25.3→内々定25.6（一次はWEB面接可）
【採用実績校】早大1、青学大1
【求める人材】広い視野、柔軟な思考、高いコミュニケーション能力で、プロジェクトをリードする人

【東京本社】100-0006 東京都千代田区有楽町1-1-2 日比谷三井タワー ☎03-4511-3353
【特色・近況】トヨタグループの総合不動産会社。名古屋・東京・大阪の3エリアで、複合施設・オフィスビルを中心に事業を展開する。お台場・青海のアリーナ開発プロジェクトを手がけるなど東京エリアを強化・拡大中。東京にも本社設置し名古屋との二本社制を採る。
【設立】1953.8 【資本金】59,450百万円
【社長】山村知秀（1962.5生 京大法卒）
【株主】〔24.3〕トヨタ自動車19.5%
【事業】ビル賃貸業
【従業員】単114名（42.8歳）

【業績】	売上高	営業利益	経常利益	純利益
単22.3	15,811	‥	26,835	20,370
単23.3	17,338	‥	25,986	19,935
単24.3	20,240	‥	31,621	24,147

採用内定数	倍率	3年後離職率	平均年収
12名	3倍	‥	‥

トラストホールディングス 東証グロース

●待遇、制度●
【初任給】月24万
【残業】7.3時間【有休】11日【制度】フ 住
●新卒定着状況●
‥
●採用情報● グループ採用
【人数】23年:6 24年:7 25年:応募36→内定12
【内定内訳】(男7、女5)(文12、理0)(総12、他0)
【試験】〔Web自宅〕有
【時期】エントリー24.6→内々定25.2(一次・二次以降もWEB面接可)【インターン】有【ジョブ型】有
【採用実績校】福岡大2、長崎県大1、下関市大2、大分大1、佐賀大3、山口大1、中村学大1、東海大1
【求める人材】素直で向上心のある人

【本社】812-0016 福岡県福岡市博多区博多駅南5-15-18 ☎092-437-8944
【特色・近況】九州を地盤に全国で駐車場運営を主力とする企業グループ。月極と時間貸しを手がけ、公共駐車場も受託。駐車場を証券化・小口化し投資家への販売も行う。マンションの分譲や医療機関への施設賃貸、温浴施設の運営など多角化で展開。車泊駐車場の拡大を推進。
【設立】2013.7 【資本金】422百万円
【社長】山川修(1968.10生 佐賀鳥栖工高卒)
【株主】〔24.6〕九州応援ファンド第1号組合7.8%
【連結事業】駐車場50、不動産34、駐車場等小口化4、メディカルS2、RV3、他7
【従業員】連183名 単84名(‥歳)

【業績】	売上高	営業利益	経常利益	純利益
連22.6	12,668	397	346	130
連23.6	13,418	569	510	239
連24.6	13,694	675	607	338

採用内定数	倍率	3年後離職率	平均年収
1名	2倍	0%	541万円

㈱パルマ 東証グロース

●待遇、制度●
【初任給】月21.5万(諸手当1.5万円)
【残業】17.8時間【有休】14.6日【制度】フ 住 在
●新卒定着状況●
20年入社(男0、女1)→3年後在籍(男0、女1)
●採用情報●
【人数】23年:0 24年:1 25年:応募2→内定1*
【内定内訳】(男0、女1)(文‥、理‥)(総1、他0)
【試験】〔筆記〕常識
【時期】エントリー25.5→内々定25.7*(一次・二次以降もWEB面接可)【インターン】有
【採用実績校】人間総合科学大1
【求める人材】周りの従業員と協力し、みずから取り組める人

【本社】102-0083 東京都千代田区麹町4-5-20 KSビル ☎03-3234-0358
【特色・近況】トランクルームなどセルフストレージ事業者向けのアウトソーシングを展開。滞納料金を立て替える滞納保証が強み。受付・滞納督促・残置物撤去・巡回などのサービスも行う。予約決済などのシステム開発やセルフストレージ施設の開発、運営受託も手がける。
【設立】1969.12 【資本金】600百万円
【社長】木村純一(1984.5生)
【株主】〔24.3〕ディア・ライフ39.3%
【事業】ビジネスソリューションサービス52、ターンキーソリューションサービス48
【従業員】単30名(37.1歳)

【業績】	売上高	営業利益	経常利益	純利益
単21.9	3,637	134	119	80
単22.9	2,778	7	1	29
単23.9	2,354	168	175	111

#初任給が高い #年収が高い

採用内定数	倍率	3年後離職率	平均年収
6名	41.8倍	0%	1,119万円

平和不動産(へいわふどうさん) 東証プライム

●待遇、制度●
【初任給】月29.5万(諸手当1万円)
【残業】27.5時間【有休】15.9日【制度】フ 住 在
●新卒定着状況●
20年入社(男2、女1)→3年後在籍(男2、女1)
●採用情報●
【人数】23年:4 24年:3 25年:応募251→内定6
【内定内訳】(男3、女3)(文2、理4)(総6、他0)
【試験】〔Web自宅〕SPI3〔性格〕有
【時期】エントリー25.3→内々定25.6(一次はWEB面接可)【インターン】有
【採用実績校】東京科学大1、慶大2、上智大1、明大1、日大1
【求める人材】‥

【本社】103-8222 東京都中央区日本橋兜町1-10 ☎03-3666-0181
【特色・近況】オフィス賃貸が主力。東京・大阪・名古屋・福岡の証券取引所のオーナー。賃貸マンション開発やREITも手がける。東京・中央区日本橋兜町、茅場町一帯や札幌などで、複数の再開発事業に携わる。再開発などで三菱地所や大成建設と資本業務提携。
【設立】1947.7 【資本金】21,492百万円
【代表執行役】土本清幸(1959.11生 慶大経済卒)
【株主】〔24.3〕三菱地所10.9%
【連結事業】ビルディング91、アセットマネジメント9
【従業員】連255名 単100名(43.1歳)

【業績】	売上高	営業利益	経常利益	純利益
連22.3	57,818	12,615	11,572	8,705
連23.3	44,522	10,784	9,647	9,137
連24.3	44,433	13,022	11,463	8,450

三菱地所・サイモン（みつびしじしょ）

株式公開計画なし

採用内定数	倍率	3年後離職率	平均年収
7名	339.3倍	14.3%	‥

●待遇、制度●
【初任給】年371万
【残業】19時間【有休】10.8日【制度】フ 住 在

●新卒定着状況●
20年入社(男5、女2)→3年後在籍(男4、女2)

●採用情報●
【人数】23年:8 24年:7 25年:応募2375→内定7
【内定内訳】(男3、女4)(文6、理1)(総7、他0)
【試験】〔Web自宅〕有
【時期】エントリー24.6→内々定25.2(一次・二次以降もWEB面接可)【インターン】有
【採用実績校】東大1、茨城大院1、早大1、明大1、立教大2、駒澤大1
【求める人材】この先の会社を担っていく人、常識に捉われず新しいことを生み出していきたい人

【本社】100-0004 東京都千代田区大手町1-9-7 大手町フィナンシャルシティサウスタワー19階 ☎‥
【特色・近況】三菱地所グループで、北米、アジアなどでアウトレットを運用する米国サイモン・プロパティグループとの合弁会社。国内で「プレミアム・アウトレット」を開発・所有・運営する。宮城、栃木、茨城、千葉、埼玉、静岡、岐阜、大阪、兵庫、佐賀で運営。
【設立】1999.7 【資本金】249百万円
【社長】山岸正紀
【株主】〔24.3〕三菱地所60.0%
【事業】プレミアム・アウトレットの開発・所有・運営
【従業員】単167名(38.1歳)

【業績】	売上高	営業利益	経常利益	純利益
単22.3	44,177	16,789	17,155	11,870
単23.3	51,069	19,257	19,646	13,575
単24.3	57,376	23,013	23,102	15,955

三菱地所プロパティマネジメント

株式公開計画なし

採用内定数	倍率	3年後離職率	平均年収
57名	‥	6.1%	‥

●待遇、制度●
【初任給】月22.9万
【残業】20.9時間【有休】14.4日【制度】フ 住 在

●新卒定着状況●
20年入社(男13、女20)→3年後在籍(男13、女18)

●採用情報●
【人数】23年:46 24年:55 25年:応募‥→内定57*
【内定内訳】(男22、女35)(文45、理5)(総49、他8)
【試験】‥
【時期】エントリー25.3→内々定25.6【インターン】有
【採用実績校】明大5、成蹊大5、日女大5、日大4、青学大3、成城大3、東京女大3、立教大2、法政大2、東京都市大2、一橋大1、神戸大1、他
【求める人材】自ら考え行動できる人、恐れずに挑戦できる人、周囲と協力し高め合える人

【本社】100-0005 東京都千代田区丸の内2-2-3 丸の内仲通りビル ☎03-3287-4111
【特色・近況】三菱地所の完全子会社で、プロパティマネジメント(PM)のグループ戦略機能担う。丸ビル・新丸ビルなど東京・丸の内を中心にオフィス・商業施設ビルを総合的に運営・管理。PM業務の受託棟数207、面積944万㎡(24年6月末)。
【設立】1991.10 【資本金】300百万円
【代表取締役】久保人司
【株主】〔24.4〕三菱地所100%
【事業】オフィスビル、商業施設等の建物の総合的な運営・管理サービス
【従業員】単1,442名(39.2歳)

【業績】	売上高	営業利益	経常利益	純利益
単22.3	95,773	5,570	5,537	3,790
単23.3	105,060	6,167	6,144	4,207
単24.3	103,747	6,378	6,350	4,470

三菱地所リアルエステートサービス

株式公開未定

採用内定数	倍率	3年後離職率	平均年収
26名	7.5倍	9.1%	‥

●待遇、制度●
【初任給】月23万(諸手当を除いた数値)
【残業】22.6時間【有休】15.6日【制度】フ 住 在

●新卒定着状況●
20年入社(男16、女6)→3年後在籍(男15、女5)

●採用情報●
【人数】23年:25 24年:44 25年:応募196→内定26
【内定内訳】(男18、女8)(文26、理0)(総26、他0)
【試験】〔Web自宅〕有〔性格〕有
【時期】エントリー25.3→内々定25.5(一次・二次以降もWEB面接可)【インターン】有
【採用実績校】早大2、上智大1、明大4、中大1、立教大1、法政大1、学習院大1、関西学大1、関大1、成蹊大3、他
【求める人材】リーダー気質を持った人

【本社】100-0004 東京都千代田区大手町1-9-2 大手町フィナンシャルシティグランキューブ☎03-3510-8011
【特色・近況】不動産売買仲介、オフィス賃貸仲介、プロパティマネジメントとプラットフォーム業務、不動産M&A・事業承継、CRE戦略コンサルなど法人向け不動産サービスを提供。企業再生、資産活用等のコンサルティングも手がける。支店は北海道から九州まで展開。
【設立】1972.12 【資本金】2,400百万円
【社長】湯浅哲生(1959.9生 早大政経卒)
【株主】〔24.3〕三菱地所100%
【事業】仲介75、賃貸他25
【従業員】単653名(39.0歳)

【業績】	売上高	営業利益	経常利益	純利益
単22.3	24,820	1,554	1,672	1,104
単23.3	26,842	2,675	2,763	1,889
単24.3	32,584	6,380	6,468	4,663

㈱ムゲンエステート [東証スタンダード]

採用内定数	倍率	3年後離職率	平均年収
18名	23.1倍	100%	734万円

●待遇、制度●
【初任給】月25万（諸手当1万円）
【残業】19.1時間【有休】13.9日【制度】‥

●新卒定着状況●
20年入社（男3、女2）→3年後在籍（男0、女0）

●採用情報●
【人数】23年:28 24年:65 25年:応募415→内定18*
【内定内訳】（男12、女6）（文17、理1）（総18、他0）
【試験】〔筆記〕有〔Web会場〕有〔Web自宅〕有〔性格〕有
【時期】エントリー24.8→内々定24.10*（一次・二次以降もWEB面接可）【インターン】有
【採用実績校】明海大1、北海学園大1、東北学大1、大阪経大1、横浜商大1、日女体大1、文教大1、阪南大、城西大1、大東文化大1、他
【求める人材】挑戦心、実行力、誠実性がある人、多様性を認め尊重できる人、対話力がある人

【本社】100-0004 東京都千代田区大手町1-9-7 大手町フィナンシャル Sタワー ☎03-6665-0581
【特色・近況】首都圏1都3県で中古不動産の買い取り・再販を展開。居住用の区分所有マンションから投資用の一棟賃貸住宅、オフィスビルまで扱う。リフォーム、買い取り・工事・販売などをグループで一貫して行う。不動産出資の小口化商品も販売。地方出店に注力。
【設立】1990.5 【資本金】2,552百万円
【取締】藤田進一（1970.5生 慶大院経営管修了）
【株主】〔24.6〕藤田進18.8%
【連結事業】不動産売買96、賃貸他4
【従業員】連452名 単356名（36.4歳）

【業績】	売上高	営業利益	経常利益	純利益
連21.12	33,956	2,342	1,770	1,276
連22.12	31,242	2,976	2,309	1,564
連23.12	51,640	5,936	5,243	3,653

安田不動産（やすだふどうさん） [株式公開計画なし]

採用内定数	倍率	3年後離職率	平均年収
7名	‥	‥	‥

●待遇、制度●
【初任給】月25万（諸手当を除いた数値）
【残業】‥時間【有休】14.6日【制度】[フ][住][在]

●新卒定着状況●
‥

●採用情報●
【人数】23年:4 24年:5 25年:応募‥→内定7
【内定内訳】（男6、女1）（文3、理4）（総7、他0）
【試験】試験あり
【時期】エントリー25.3→内々定25.5（一次はWEB面接可）【インターン】有
【採用実績校】‥
【求める人材】‥

【本社】101-0054 東京都千代田区神田錦町2-11 ☎03-5259-0511
【特色・近況】1912年創立の安田保善社の土地建物を継承する不動産中堅。「エリア開発」「オフィス」「商業施設・宿泊施設」「CREマネジメント」「パーキング」などの事業を展開している。不動産賃貸収入が売上げの6～7割。
【設立】1950.9 【資本金】270百万円
【社長】安田守（1965.11生）
【株主】〔24.3〕明治安田生命保険10.0%
【事業】建物の賃貸61、土地の賃貸5、不動産販売他34
【従業員】単157名（42.8歳）

【業績】	売上高	営業利益	経常利益	純利益
単22.3	37,258	11,796	13,003	9,158
単23.3	34,461	10,514	11,883	8,519
単24.3	39,375	10,708	12,908	9,754

㈱第一（だいいち）ビルディング [株式公開計画なし]

採用内定数	倍率	3年後離職率	平均年収
8名	16.6倍	18.2%	[総]783万円

●待遇、制度●
【初任給】月21.7万
【残業】13.3時間【有休】13.4日【制度】[フ][住][在]

●新卒定着状況●
20年入社（男6、女5）→3年後在籍（男4、女5）

●採用情報●
【人数】23年:8 24年:13 25年:応募133→内定8*
【内定内訳】（男5、女3）（文8、理0）（総8、他0）
【試験】試験あり
【時期】エントリー25.3→内々定‥（一次はWEB面接可）【インターン】有
【採用実績校】同大1、上智大1、明学大1、立教大1、明大1、神戸学大1、日体大1、東北学大1
【求める人材】当事者意識を持って、自ら主体的に物事を進められる人

【本社】141-0032 東京都品川区大崎1-2-2 アートヴィレッジ大崎セントラルタワー11階 ☎03-6773-7200
【特色・近況】晴海トリトンスクエア、経団連会館など、第一生命や複数の不動産投資法人が所有するビルの運営・管理を主に手がけている。損保代理店も展開。管理棟数350超で、札幌から那覇まで全国に拠点。第一生命ホールディングスのグループ会社。
【設立】1951.1 【資本金】900百万円
【社長】櫻井謙二
【株主】〔24.3〕第一生命ホールディングス100%
【事業】不動産賃貸管理99、損害保険代理店1
【従業員】単480名（41.5歳）

【業績】	売上高	営業利益	経常利益	純利益
単22.3	9,870	1,266	1,470	1,101
単23.3	9,443	787	1,046	801
単24.3	10,075	1,097	1,335	994

中部国際空港（ちゅうぶこくさいくうこう）

株式公開していない

採用内定数	倍率	3年後離職率	平均年収
15名	60.1倍	11.1%	㊕706万円

●待遇、制度●
【初任給】月24万（諸手当を除いた数値）
【残業】18.3時間【有休】12.3日【制度】フ 住 在
●新卒定着状況●
20年入社（男5、女4）→3年後在籍（男4、女4）
●採用情報●
【人数】23年:7 24年:13 25年:応募902→内定15
【内定内訳】（男7、女8）（文12、理3）（総15、他0）
【試験】〔Web自宅〕SPI3〔性格〕有
【時期】エントリー25.3→内々定25.5(一次はWEB面接可)【インターン】有
【採用実績校】名大2、神戸大2、東北大1、北大1、国際教養大1、筑波大1、早大1、立命館APU2、名古屋市大1、法政大1、南山大1、愛知大1
【求める人材】チャレンジ精神が旺盛で、周りを巻き込んで最後までやり遂げられる人

【本社】479-8701 愛知県常滑市セントレア1-1 第1セントレアビル6階 ☎0569-38-7777
【特色・近況】中部国際空港「セントレア」の運営・管理会社。空港は伊勢湾の常滑沖に位置し、空港島の面積は580ha。国・各自治体のほか東海地区の有力企業などが出資。国際線20都市、国内線18都市の間に路線を持つ。東京に事務所。
【設立】1998.5【資本金】83,668百万円
【社長】犬塚力（1959.4生）
【株主】〔24.3〕国土交通大臣39.9%
【連結事業】空港56、商業38、交通アクセス施設6
【従業員】連912名 単274名（42.6歳）

【業績】	売上高	営業利益	経常利益	純利益
連22.3	16,342	▲11,813	▲12,107	▲12,295
連23.3	24,509	▲6,749	▲7,203	▲7,398
連24.3	39,989	2,110	1,556	2,122

岡山ガス（おかやま）

株式公開計画なし

採用内定数	倍率	3年後離職率	平均年収
12名	9.3倍	0%	㊕570万円

●待遇、制度●
【初任給】月21.5万
【残業】8.5時間【有休】13.7日【制度】フ 住 在
●新卒定着状況●
20年入社（男7、女1）→3年後在籍（男7、女1）
●採用情報●
【人数】23年:5 24年:6 25年:応募112→内定12
【内定内訳】（男8、女4）（文7、理5）（総12、他0）
【試験】〔Web自宅〕有〔性格〕有
【時期】エントリー25.3→内々定25.6(一次はWEB面接可)【インターン】有
【採用実績校】··
【求める人材】これまでの人生経験を通して自分の強みを自信を持って語れる人

【本社】703-8285 岡山県岡山市中区桜橋2-1-1 ☎086-272-3111
【特色・近況】1910年創業の都市ガス製造・供給会社。都市ガス供給で岡山県内最大手。岡山、倉敷両市と周辺部の約12万戸に供給。ガス小売自由化で競合激化だが、エネルギーのベストミックスを顧客に対して提案営業。岡山・築港に工場。
【設立】1910.1【資本金】400百万円
【社長】岡﨑達也（1974.12生 青学大経営卒）
【株主】〔23.12〕岡﨑共同21.8%
【事業】ガス88、受注工事2、他10
【従業員】単258名（43.5歳）

【業績】	売上高	営業利益	経常利益	純利益
単21.12	19,197	857	1,008	709
単22.12	26,809	368	508	349
単23.12	29,758	288	419	272

K&Oエナジーグループ

東証プライム

採用内定数	倍率	3年後離職率	平均年収
13名	8.8倍	9.1%	705万円

●待遇、制度●
【初任給】月22.8万
【残業】18.3時間【有休】14.7日【制度】住
●新卒定着状況●
20年入社（男9、女2）→3年後在籍（男8、女2）
●採用情報● グループ採用
【人数】23年:19 24年:17 25年:応募114→内定13
【内定内訳】（男10、女3）（文6、理7）（総13、他0）
【試験】〔Web会場〕SPI3〔Web自宅〕SPI3〔性格〕有
【時期】エントリー25.3→内々定25.6(一次はWEB面接可)【インターン】有
【採用実績校】秋田大1、岩手大1、神奈川大1、群馬大1、千葉商大1、中大1、東京海洋大1、東京農業大2、東洋大1、長岡技科大1、明大1、他
【求める人材】積極的に物事に取り組める人、協調性のある人

【本社】297-0026 千葉県茂原市茂原661 ☎0475-27-1011
【特色・近況】天然ガス開発から都市ガス供給まで手がける持株会社。南関東ガス田で採取行う関東天然瓦斯開発と、ガス供給・都市ガス販売を行う大多喜ガスの共同持株会社として発足し、採用は3社一括。総合エネルギー企業への進化を目指す。子会社のヨウ素製造は世界有数。
【設立】2014.1【資本金】8,000百万円
【社長】緑川昭夫（1958.8生）
【株主】〔24.6〕合同資源17.3%
【連結事業】ガス79、ヨウ素13、他8
【従業員】連661名 単57名（42.4歳）

【業績】	売上高	営業利益	経常利益	純利益
連21.12	66,070	3,937	4,423	2,846
連22.12	106,200	7,304	7,931	4,766
連23.12	96,298	9,668	10,408	6,464

東京ガスエンジニアリングソリューションズ

株式公開 計画なし

採用内定数	倍率	3年後離職率	平均年収
26名	6.2倍	15.4%	・・

●待遇、制度●
【初任給】月23万
【残業】19.6時間【有休】16.3日【制度】[フ][住][在]
●新卒定着状況●
20年入社(男10、女3)→3年後在籍(男8、女3)
●採用情報●
【人数】23年:17 24年:27 25年:応募160→内定26*
【内定内訳】(男18、女8)(文7、理19)(総26、他0)
【試験】〔Web自宅〕SPI3
【時期】エントリー24.10→内々定24.12(一次はWEB面接可)【インターン】有
【採用実績校】千葉大1、都立大1、東京都市大1、新潟大1、山梨大1、上智大1、東京農業大1、長岡技術化学大1、金沢大1、金沢工大1、他
【求める人材】社会や環境の変化にアンテナを張り、挑戦と変革をし続けられる人

【本社】105-0022 東京都港区海岸1-2-3 汐留芝離宮ビルディング ☎03-6452-8400
【特色・近況】東京ガスの法人営業を担う基幹事業会社。LNG関連技術や熱供給事業で最大手。ガス供給設備のほか、ガスコージェネレーションなどによるサービス事業を全国で展開。エネルギーの高度利用を推進。タイなどアジアを中心にLNG受入基地での業務を海外展開。
【設立】2002.7 【資本金】14,000百万円
【社長】小西康弘(1964.2生 千葉大工卒)
【株主】〔24.5〕東京ガス100%
【事業】LNG関連施設等エネルギー関連
【従業員】単1,889名(46.9歳)

【業績】	売上高	営業利益	経常利益	純利益
単22.3	147,198	4,161	4,351	2,770
単23.3	181,639	5,671	6,193	3,350
単24.3	169,483	8,559	8,683	5,107

日本海ガス（にほんかいガス）

株式公開 していない

採用内定数	倍率	3年後離職率	平均年収
8名	8.8倍	0%	[総]600万円

●待遇、制度●
【初任給】月22.4万(諸手当0.4万円)
【残業】10時間【有休】14.8日【制度】[フ][住][在]
●新卒定着状況●
20年入社(男8、女3)→3年後在籍(男8、女3)
●採用情報●
【人数】23年:4 24年:4 25年:応募70→内定8
【内定内訳】(男6、女2)(文6、理2)(総8、他0)
【試験】〔Web自宅〕有
【時期】エントリー25.3→内々定25.5【インターン】有
【採用実績校】富山大3、立正大1、国士舘大1、阪大1、金城大1、金沢工大1
【求める人材】人とコミュニケーションを図ることが好きな人、新規事業にも果敢に挑戦してみたい、チャレンジ精神旺盛な人

【本社】930-8588 富山県富山市城北町2-36 ☎076-433-1212
【特色・近況】富山市中心部と県西部の射水市、高岡市の工業地域に都市ガスを供給。LPガスは富山県と石川県が販売エリア。都市ガス供給量1億立方メートル超、供給戸数都市ガス約6万戸、LPガス約4万戸。北陸電力と販売提携。日本海ガス絆HDグループ。
【設立】1942.10 【資本金】100百万円
【社長】土屋誠(1963.9生 富山大経済卒)
【株主】〔23.12〕日本海ガス絆ホールディングス100%
【事業】ガス事業、液化天然ガス等の製造・供給、他
【従業員】単289名(・・歳)

【業績】	売上高	営業利益	経常利益	純利益
単21.12	18,873	431	453	324
単22.12	25,787	715	748	384
単23.12	18,482	900	960	645

日本原子力発電（にほんげんしりょくはつでん）

株式公開 計画なし

採用内定数	倍率	3年後離職率	平均年収
30名	3.7倍	7.1%	659万円

●待遇、制度● 平均年収は管理職を除く
【初任給】月22.6万
【残業】26時間【有休】16.5日【制度】[フ][住][在]
●新卒定着状況●
20年入社(男37、女5)→3年後在籍(男34、女5)
●採用情報●
【人数】23年:36 24年:30 25年:応募111→内定30
【内定内訳】(男26、女4)(文10、理15)(総30、他0)
【試験】〔性格〕有
【時期】エントリー25.3→内々定25.3*【インターン】有
【採用実績校】茨城大院3、長岡技科大院1、千葉工大院1、佐賀大1、芝工大1、大阪公大1、東京都市大2、成蹊大1、東北大1、日大1、他
【求める人材】謙虚な心と向上心を持ち、前向きに挑戦・行動できる人

【本店】110-0005 東京都台東区上野5-2-1 住友不動産秋葉原北ビル ☎03-6371-7400
【特色・近況】国内原子力発電の草分け。東京電力HD含め主要電力9社が大株主。東海、敦賀の原発2基体制。福島第一原発の廃止措置業務などにも積極的に参画。東海第二発電所、敦賀発電所2号機とも安全審査への適切な対応進める。敦賀発電所3、4号機増設計画を推進。
【設立】1957.11 【資本金】120,000百万円
【社長】村松衛(1955.8生 慶大経済卒)
【株主】〔24.3〕東京電力ホールディングス28.2%
【連結事業】電気事業99、他1
【従業員】連1,755名 単1,188名(44.9歳)

【業績】	営業収益	営業利益	経常利益	純利益
連22.3	92,981	5,917	4,919	2,415
連23.3	92,185	2,433	1,779	1,808
連24.3	96,719	3,424	1,965	2,490

八戸ガス（はちのへ）

[株式公開計画なし]

採用内定数	倍率	3年後離職率	平均年収
2名	2倍	－	[総]326万円

●待遇、制度●
【初任給】月18.9万（諸手当0.4万円）
【残業】11.9時間【有休】8日【制度】[住]
●新卒定着状況●
20年入社（男0、女0）→3年後在籍（男0、女0）
●採用情報●
【人数】23年:4 24年:3 25年:応募4→内定2*
【内定内訳】（男2、女0）（文2、理0）（総2、他0）
【試験】〔筆記〕常識
【時期】エントリー25.3→内々定25.7*
【採用実績校】八戸学大2
【求める人材】どんな職種でも厭わず取り組む人、また、資格取得に熱心で専門性を高められる人

【本社】031-0071 青森県八戸市沼館3-6-48
☎0178-43-3165
【特色・近況】青森県八戸市内に都市ガスを供給。「ローカルカンパニー」を誇りにガス供給事業を行う。供給世帯は1.7万戸超。受注工事、簡易ガス、ガス器具、暖房機器・住宅機器販売も展開。料理教室など主催しガス需要を喚起。
【設立】1956.8 【資本金】100百万円
【社長】木下哲造（1956.7生 工学院大専門）
【株主】〔23.12〕八戸市38.5%
【事業】ガス売上90、受注工事1、附帯事業1、他営業雑収益8
【従業員】単40名（41.7歳）

【業績】	売上高	営業利益	経常利益	純利益
単21.12	1,748	72	97	80
単22.12	2,399	54	99	156
単23.12	2,474	120	150	123

武州瓦斯（ぶしゅうがす）

[株式公開計画なし]

採用内定数	倍率	3年後離職率	平均年収
6名	5.8倍	0%	[総]650万円

●待遇、制度●
【初任給】月22万（諸手当を除いた数値）
【残業】‥時間【有休】13.8日【制度】[住][在]
●新卒定着状況●
20年入社（男5、女2）→3年後在籍（男5、女2）
●採用情報●
【人数】23年:9 24年:8 25年:応募35→内定6
【内定内訳】（男4、女2）（文4、理1）（総6、他0）
【試験】〔筆記〕SPI3〔Web会場〕SPI3〔Web自宅〕SPI3〔性格〕有
【時期】エントリー25.3→内々定25.5(一次はWEB面接可)【インターン】有
【採用実績校】専大1、拓大1、中大1、東京農業大1、駒澤大1
【求める人材】努力を続けられる人

【本社】350-1188 埼玉県川越市田町32-12
☎049-241-9000
【特色・近況】埼玉県川越市、所沢市、狭山市、ふじみ野市など10市7町に都市ガスを供給。都市ガス供給戸数は約24万戸。電力小売りの契約は約2.5万件。ガス器具の販売と付帯工事も行う。電力小売りにも参入。ガス機器を安価で提供するリースサービスも行う。
【設立】1926.10 【資本金】413百万円
【社長】原敏成（1954.8生 東大卒）
【株主】〔24.3〕原爽也10.4%
【事業】ガス88、受注工事3、附帯事業収益6、他営業雑収益4
【従業員】単278名（42.2歳）

【業績】	売上高	営業利益	経常利益	純利益
単22.3	34,560	982	1,290	874
単23.3	49,815	905	1,176	874
単24.3	43,423	▲141	248	197

ニチレキグループ

[東証プライム]

採用内定数	倍率	3年後離職率	平均年収
21名	5.9倍	26.7%	[総]713万円

●待遇、制度●
【初任給】月26万（諸手当1万円）
【残業】10.6時間【有休】13.7日【制度】[住][在]
●新卒定着状況●
20年入社（男27、女3）→3年後在籍（男20、女2）
●採用情報●
【人数】23年:25 24年:22 25年:応募123→内定21*
【内定内訳】（男17、女4）（文13、理6）（総21、他0）
【試験】〔筆記〕有〔Web自宅〕有〔性格〕有
【時期】エントリー25.3→内々定25.3(一次はWEB面接可)【インターン】有
【採用実績校】山形大1、宇都宮大1、電通大1、和歌山大2、流経大1、東京国際大2、獨協大1、千葉工大1、亜大1、東洋大1、日大1、他
【求める人材】新しいことに積極的にチャレンジできる人、インフラに興味がある人

【本社】102-8222 東京都千代田区九段北4-3-29
☎03-3265-1511
【特色・近況】アスファルト応用加工品メーカー。道路舗装用アスファルト乳剤では東亜道路工業とシェアを二分する。改質アスファルトは国内首位。ひび割れに強い防水加工など長寿命化技術やAI活用による診断技術など補修を軸に技術開発へ注力。
【設立】1949.9 【資本金】2,919百万円
【社長】小幡学（1956.12生 日大理工卒）
【株主】〔24.3〕日本マスタートラスト信託銀行信託口9.5%
【連結事業】アスファルト応用加工製品35、道路舗装64、他0
【従業員】連977名 単455名（43.2歳）

【業績】	売上高	営業利益	経常利益	純利益
連22.3	78,001	8,566	9,311	6,811
連23.3	78,397	7,566	8,104	6,284
連24.3	73,832	6,019	6,390	4,488

エネルギー

日進化成（にっしんかせい）

株式公開計画なし

採用内定数	倍率	3年後離職率	平均年収
2名	4倍	50%	635万円

●待遇、制度●
【初任給】月20.8万（諸手当3.8万円）
【残業】15.8時間【有休】9.2日【制度】フ 住
●新卒定着状況●
20年入社（男2、女0）→3年後在籍（男1、女0）
●採用情報●
【人数】23年:3 24年:2 25年:応募8→内定2*
【内定内訳】（男1、女1）（文1、理1）（総2、他0）
【試験】なし
【時期】エントリー25.3→内々定25.10*（一次はWEB面接可）
【採用実績校】八戸学大1、日大1

【求める人材】常識が有り、コミュニケーションに長け、しっかりとした挨拶ができる人

【本社】162-0825 東京都新宿区神楽坂1-15 神楽坂1丁目ビル ☎03-3235-5411
【特色・近況】道路舗装材の製造・販売と景観舗装の施工行う。舗装材は耐摩耗性が高いポリマー改質アスファルトを開発・製造。施工は路面を視覚的にデザイン、景観調和や安全誘導に資する。茨城県つくばみらい市に研究所。北海道、岩手、埼玉、愛知、岡山、佐賀に工場。
【設立】1958.3 【資本金】48百万円
【社長】下田一徳（1961.5生 日大農獣医卒）
【株主】〔24.3〕岩井亮太20.7%
【事業】道路舗装材64、景観舗装36
【従業員】単152名（45.3歳）

【業績】	売上高	営業利益	経常利益	純利益
単22.3	11,638	431	488	334
単23.3	13,604	500	535	349
単24.3	12,669	504	540	369

ユシロ化学工業（ユシロかがくこうぎょう）

東証スタンダード

採用内定数	倍率	3年後離職率	平均年収
2名	1.5倍	18.2%	‥

●待遇、制度●
【初任給】月22.5万
【残業】6.1時間【有休】14.8日【制度】住 在
●新卒定着状況● 20～21年入社者合計
20年入社（男6、女5）→3年後在籍（男4、女5）
●採用情報●
【人数】23年:5 24年:0 25年:応募3→内定2*
【内定内訳】（男2、女0）（文2、理0）（総2、他0）
【試験】〔Web自宅〕WEB-GAB〔性格〕有
【時期】エントリー25.3→内々定25.6*（一次はWEB面接可）
【採用実績校】‥

【求める人材】チャレンジ精神にあふれ、自分の頭でしっかりと考えられる人

【本社】146-8510 東京都大田区千鳥2-34-16 ☎03-3750-6761
【特色・近況】金属加工油剤専業で国内首位。自動車などの部品製造に使う切削油剤が柱。フロアワックスなどビルメンテナンス製品も。日系自動車メーカーの海外生産化に伴い拠点展開。自己修復性素材の事業化を推進。油脂・蝋（ユシロ）精製加工で出発。
【設立】1944.7 【資本金】4,249百万円
【社長】有坂昌規（1965.11生 長崎総科大卒）
【株主】〔24.3〕日本マスタートラスト信託銀行信託口9.3%
【連結事業】金属加工油剤97、ビルメンテナンス3 <海外63>
【従業員】連969名 単371名（45.7歳）

【業績】	売上高	営業利益	経常利益	純利益
連22.3	37,686	894	1,543	273
連23.3	46,794	1,049	1,442	898
連24.3	52,985	3,619	4,628	3,010

㈱京王百貨店（けいおうひゃっかてん）

株式公開計画なし

採用内定数	倍率	3年後離職率	平均年収
9名	58.1倍	55.6%	総573万円

●待遇、制度●
【初任給】月21万
【残業】11.2時間【有休】12日【制度】フ 住
●新卒定着状況●
20年入社（男6、女12）→3年後在籍（男3、女5）
●採用情報●
【人数】23年:16 24年:8 25年:応募523→内定9*
【内定内訳】（男3、女6）（文8、理1）（総9、他0）
【試験】〔Web自宅〕SPI3
【時期】エントリー25.2→内々定25.5（一次・二次以降もWEB面接可）【インターン】有
【採用実績校】筑波大1、中大1、法政大2、成蹊大1、駒澤大1、専大1、神奈川大1、実践女大1

【求める人材】商品、サービスを通してお客様の豊かな生活の実現に貢献し続けていく人

【本社】151-0061 東京都渋谷区初台1-53-7 京王初台駅ビル ☎‥
【特色・近況】新宿、聖蹟桜ヶ丘の百貨店2店を中心に、ショッピングモールや駅ビルなどに小型サテライト店を9店舗運営。催事場での「駅弁大会」の元祖。シニア女性向けファッションブランドの充実にも定評。京王電鉄グループ。
【設立】1961.3 【資本金】100百万円
【社長】南佳孝（1963.3生 慶大商卒）
【株主】〔24.3〕京王電鉄100%
【事業】衣料品24、食料品30、雑貨25、家庭用品4、身回品9、他8
【従業員】単701名（43.2歳）

【業績】	売上高	営業利益	経常利益	純利益
単22.3	18,263	‥	‥	‥
単23.3	19,942	‥	‥	‥
単24.3	21,520	948	1,017	1,187

㈱大和（だいわ）

東証スタンダード

採用予定数	倍率	3年後離職率	平均年収
8名	‥	‥	370万円

●待遇、制度●
【初任給】月21万
【残業】5時間【有休】‥日【制度】フ
●新卒定着状況●
‥
●採用情報●
【人数】23年:7 24年:2 25年:予定8*
【内定内訳】(男‥、女‥)(文‥、理‥)(総‥、他‥)
【試験】なし
【時期】エントリー24.未定→内々定25.未定
【採用実績校】‥
【求める人材】‥

【本社】920-8561 石川県金沢市片町2-2-5 ☎076-220-1111
【特色・近況】北陸地方の老舗百貨店。香林坊店、富山店の2店舗を軸にサテライトショップ6店舗も展開。自社ECサイト「大和オンラインショップ」や大手ECサイトへの出店を通じて販路拡大を狙う。子会社でホテル運営や出版業を手がける。
【設立】1943.12 【資本金】100百万円
【社長】宮二朗(1957.4生 立命大卒)
【株主】〔24.2〕宮二朗8.7%
【連結事業】百貨店86、ホテル7、出版4、他3
【従業員】連615名 単409名(46.3歳)

【業績】	売上高	営業利益	経常利益	純利益
連22.2	37,698	▲409	▲283	▲303
連23.2	15,852	103	137	70
連24.2	16,537	222	283	652

㈱鶴屋百貨店（つるやひゃっかてん）

株式公開計画なし

採用予定数	倍率	3年後離職率	平均年収
12名	‥	0%	496万円

●待遇、制度● 平均年収は百貨店勤務のみ
【初任給】月21万
【残業】‥時間【有休】7.5日【制度】住
●新卒定着状況●
20年入社(男1、女4)→3年後在籍(男1、女4)
●採用情報●
【人数】23年:15 24年:18 25年:予定12
【内定内訳】(男10、女9)(文18、理1)(総19、他0)
【試験】〔Web自宅〕SPI3、他〔性格〕有
【時期】エントリー25.3→内々定25.5(一次はWEB面接可)【インターン】有
【採用実績校】明大1、熊本大2、熊本学大3、高岡法科大1、熊本県大1、東洋大1、宮崎産業経営大1、平成音大1、東京音大1、他
【求める人材】自由闊達なアイデアにより新たな百貨店を創造し、熊本を盛り上げたい思いのある人

【本社】860-8586 熊本県熊本市中央区手取本町6-1 ☎096-356-2111
【特色・近況】熊本県唯一の百貨店。「上質なくらしを提案する郷土のデパート」を掲げ、熊本県産品の品揃えも充実。県内各地に支店。グループ会社でスーパーマーケット「鶴屋フーディワン」を経営し、県内に複数店舗を構える。グループで駐車場、観光バスなども運営。
【設立】1951.2 【資本金】100百万円
【社長】福岡哲生(1962.10生 明大政経卒)
【株主】〔24.2〕肥後商事24.5%
【事業】衣料品30、身の回り品12、雑貨21、家庭用品6、食料品27、他4
【従業員】単519名(44.5歳)

【業績】	売上高	営業利益	経常利益	純利益
単22.2	42,807	‥	‥	‥
単23.2	45,476	‥	273	429
単24.2	46,997	‥	333	266

㈱トキハ

株式公開計画なし

採用内定数	倍率	3年後離職率	平均年収
5名	‥	23.8%	‥

●待遇、制度●
【初任給】月20.5万
【残業】8時間【有休】12日【制度】住
●新卒定着状況●
20年入社(男5、女16)→3年後在籍(男5、女11)
●採用情報●
【人数】23年:22 24年:17 25年:応募‥→内定5*
【内定内訳】(男1、女4)(文5、理0)(総5、他0)
【試験】〔性格〕有
【時期】エントリー25.3→内々定25.6*(一次・二次以降もWEB面接可)【インターン】有
【採用実績校】創価大1、津田塾大1、別府大2、大分県芸術文化短大1
【求める人材】好奇心と向上心があり、メンバーと協調して高い目標に向かっていける人

【本社】870-8688 大分県大分市府内町2-1-4 ☎097-538-1111
【特色・近況】大分県唯一の百貨店。本店、別府店とショッピングセンター「わさだタウン」の3店舗体制。子会社で大分県下にスーパー「トキハインダストリー」を多数展開。ネットショップも運営。百貨店事業とSC事業、EC事業の融合と販売チャネルの多様化を図る。
【設立】1935.10 【資本金】100百万円
【社長】酒井祐一(1961.2生 中大文卒)
【株主】〔24.2〕古荘土地21.2%
【事業】衣料品30、食料品34、雑貨17、家庭用品6、身回品10、他3
【従業員】単592名(47.6歳)

【業績】	売上高	営業利益	経常利益	純利益
単22.2	48,777	▲406	▲237	▲703
単23.2	17,174	65	539	100
単24.2	17,673	59	▲86	▲238

㈱新潟三越伊勢丹（にいがたみつこしいせたん）

株式公開計画なし

採用内定数	倍率	3年後離職率	平均年収
5名	4倍	50%	㊕547万円

●待遇、制度●
【初任給】月21万
【残業】5.4時間【有休】17日【制度】フ
●新卒定着状況●
20年入社(男0、女2)→3年後在籍(男0、女1)
●採用情報●
【人数】23年:5 24年:6 25年:応募20→内定5
【内定内訳】(男1、女4)(文2、理0)(総2、他3)
【試験】〔Web自宅〕SPI3
【時期】エントリー25.3→内々定25.5(一次はWEB面接可)【インターン】有
【採用実績校】新潟大1、文教大1、大原簿記専1、国際ビューティモード専1

【求める人材】世の中の変化に敏感に対応し、チャレンジ精神と実行力のある人

【本社】950-8589 新潟県新潟市中央区八千代1-6-1 ☎025-242-1111
【特色・近況】三越伊勢丹HDグループで新潟県唯一の百貨店として新潟伊勢丹を運営。新潟伊勢丹と三越新潟の経営統合で現体制。20年3月新潟三越は閉店。サテライトショップは市内のほか、長岡、三条、燕、佐渡、上越、新発田に計8店舗を展開。
【設立】1980.2 【資本金】100百万円
【社長】櫻井俊晴(専大商卒)
【株主】〔24.3〕三越伊勢丹ホールディングス100%
【事業】百貨店100
【従業員】単218名(44.4歳)

【業績】	売上高	営業利益	経常利益	純利益
単22.3	34,405	‥	‥	‥
単23.3	35,609	‥	‥	‥
単24.3	35,939	‥	‥	‥

#残業が少ない

㈱藤崎（ふじさき）

株式公開計画なし

採用内定数	倍率	3年後離職率	平均年収
4名	20倍	25%	‥

●待遇、制度●
【初任給】月21万(諸手当0.3万円)
【残業】2.1時間【有休】‥日【制度】フ 在
●新卒定着状況●
20年入社(男2、女2)→3年後在籍(男1、女2)
●採用情報●
【人数】23年:6 24年:5 25年:応募80→内定4*
【内定内訳】(男4、女0)(文4、理0)(総4、他0)
【試験】〔性格〕有
【時期】エントリー25.3→内々定25.4(一次はWEB面接可)【インターン】有
【採用実績校】宮城大1、東北学大2、東北文化学園大1

【求める人材】自ら課題を見出し、柔軟に考え行動する「クリエイティブ人材」

【本社】980-8652 宮城県仙台市青葉区一番町3-2-17 ☎022-261-5111
【特色・近況】創業200年の東北トップの老舗百貨店。仙台ほか、福島、岩手、山形、秋田などに17店舗を展開。仙台市地下鉄東西線の青葉通一番町駅が本店と直結。スポーツ、音楽、地域祭りなど地元支援に意欲的。1819年木綿商で創業。
【設立】1912.2 【資本金】400百万円
【会長兼社長】藤崎三郎助(1949.2生 慶大法卒)
【株主】〔24.2〕藤崎三郎助31.2%
【事業】百貨店業99、他1
【従業員】単522名(44.4歳)

【業績】	売上高	営業利益	経常利益	純利益
単22.2	40,268	74	310	170
単23.2	44,540	346	431	30
単24.2	46,134	357	364	183

㈱水戸京成百貨店（みとけいせいひゃっかてん）

株式公開計画なし

採用内定数	倍率	3年後離職率	平均年収
6名	1.3倍	15.4%	㊕360万円

●待遇、制度●
【初任給】月20万
【残業】7.4時間【有休】5日【制度】‥
●新卒定着状況●
20年入社(男2、女11)→3年後在籍(男1、女10)
●採用情報●
【人数】23年:9 24年:9 25年:応募8→内定6*
【内定内訳】(男2、女4)(文5、理0)(総6、他0)
【試験】〔筆記〕常識〔性格〕有
【時期】エントリー24.12→内々定25.3*(一次・二次以降もWEB面接可)【インターン】有
【採用実績校】常磐大3、東海大1、日大1、池坊短大1

【求める人材】お客様の立場で考え行動できる人

【本社】310-0026 茨城県水戸市泉町1-6-1 ☎029-231-1111
【特色・近況】京成電鉄グループで水戸市内で百貨店を経営。茨城県で唯一の百貨店。旗艦店は、地上10階、地下2階、売場面積3.4万㎡。つくば市と日立市にサテライトショップを開設。地域密着型・顧客第一主義を貫く。1908年創業。
【設立】1982.3 【資本金】50百万円
【社長】谷田部亮(1969.3生 早大教育卒)
【株主】〔24.5〕京成電鉄95.0%
【事業】衣料品28、食料品27、雑貨15、身回品17、家庭用品5、食堂・喫茶5、サービス他3
【従業員】単297名(39.8歳)

【業績】	売上高	営業利益	経常利益	純利益
単22.2	22,508	‥	‥	‥
単23.2	23,228	‥	‥	‥
単24.2	22,947	‥	‥	‥

小売

㈱山形屋（やまかたや）

株式公開計画なし

採用内定数	倍率	3年後離職率	平均年収
6名	2.3倍	16.7%	[総]382万円

●待遇、制度●
【初任給】月19万
【残業】4.6時間【有休】13.2日【制度】[在]
●新卒定着状況●
20年入社(男3、女9)→3年後在籍(男3、女7)
●採用情報●
【人数】23年:17 24年:10 25年:応募14→内定6*
【内定内訳】(男2、女4)(文5、理0)(総6、他0)
【試験】〔筆記〕常識、他
【時期】エントリー25.2～3→内々定25.6(一次はWEB面接可)
【採用実績校】九州共立大1、志學館大1、鹿児島国際大3、鹿児島県立短大1
【求める人材】お客様の喜びを自分の喜びと感じられる人、何事に対しても前向きに失敗を恐れず挑戦できる人

【本社】892-8601 鹿児島県鹿児島市金生町3-1
☎099-227-6111
【特色・近況】1751年創業の南九州を代表する老舗百貨店。1916年完成のルネッサンス調外壁を今も引き継ぐ。食品スーパーの山形屋ストアをはじめシステム開発、外食、設備工事などのグループ会社を持つ。24年5月事業再生ADR成立し主力行主導で再建計画が始動。
【設立】1917.6 【資本金】100百万円
【社長】岩元修士(1969.11生 慶大経済卒)
【株主】‥
【事業】百貨店100
【従業員】単497名(47.0歳)

【業績】	売上高	営業利益	経常利益	純利益
単22.2	35,225	‥	‥	‥
単23.2	15,840	‥	‥	‥
単24.2	16,239	‥	‥	‥

㈱ポプラ

東証スタンダード

採用予定数	倍率	3年後離職率	平均年収
5名	‥	―	441万円

●待遇、制度●
【初任給】月20.4万
【残業】8.2時間【有休】9日【制度】[住]
●新卒定着状況●
20年入社(男0、女0)→3年後在籍(男0、女0)
●採用情報●
【人数】23年:0 24年:4 25年:予定5*
【内定内訳】(男‥、女‥)(文‥、理‥)(総‥、他‥)
【試験】〔性格〕有
【時期】エントリー25.1→内々定25.6【インターン】有
【採用実績校】‥
【求める人材】人と接するのが好き、チャレンジ精神、誠実、変化への対応力、情熱、素直さを持つ人

【本社】731-3395 広島県広島市安佐北区安佐町大字久地665-1
☎082-837-3500
【特色・近況】広島地盤のコンビニ中堅。「ポプラ」「生活彩家」を運営する自社フランチャイズと、ローソンとのメガフランチャイズ契約に基づく「ローソン」「ローソン・ポプラ」の運営が2本柱。冷凍惣菜や弁当など自社工場で製造した商品の加盟店への卸売りも手がける。
【設立】1976.4 【資本金】30百万円
【社長】岡田礼信(1969.7生)
【株主】〔24.2〕目黒俊治20.3%
【連結事業】スマートストア42、ローソン・ポプラ51、他7
【従業員】連179名 単127名(48.6歳)

【業績】	営業収入	営業利益	経常利益	純利益
連22.2	13,629	▲1,099	▲1,007	▲518
連23.2	13,064	55	73	▲237
連24.2	12,370	404	360	462

アルビス

東証プライム

採用内定数	倍率	3年後離職率	平均年収
52名	1.5倍	36.4%	507万円

●待遇、制度●
【初任給】月21万
【残業】‥時間【有休】10.1日【制度】[住]
●新卒定着状況●
20年入社(男24、女20)→3年後在籍(男16、女12)
●採用情報●
【人数】23年:32 24年:39 25年:応募79→内定52*
【内定内訳】(男27、女25)(文44、理8)(総0、他52)
【試験】なし
【時期】エントリー24.4→内々定25.1(一次はWEB面接可)
【採用実績校】‥
【求める人材】自ら考え行動できる人、お客様や一緒に働く仲間を大切にできる人

【本社】939-0402 富山県射水市流通センター水戸田3-4
☎0766-56-7200
【特色・近況】富山・石川・福井の北陸3県中心に食品スーパー「アルビス」を展開し、岐阜、愛知にも進出。生鮮・総菜の拡充や値ごろ感重視の品ぞろえを強化。買い物に困る顧客などへの地域サービスで移動スーパーも運営する。三菱商事と提携。
【設立】1968.12 【資本金】4,908百万円
【社長】池田和男(1961.7生)
【株主】〔24.3〕三菱商事15.0%
【連結事業】スーパーマーケット99、外販0、他1
【従業員】連1,022名 単960名(40.4歳)

【業績】	売上高	営業利益	経常利益	純利益
連22.3	92,068	2,451	3,046	2,105
連23.3	94,593	1,938	2,455	1,684
連24.3	97,798	2,142	2,671	1,545

#採用数が多い

イオン九州（きゅうしゅう）

東証スタンダード

採用内定数	倍率	3年後離職率	平均年収
254名	1.2倍	66.7%	466万円

●待遇、制度●

【初任給】月23万
【残業】9.3時間【有休】13.3日【制度】住

●新卒定着状況●

20年入社(男34、女65)→3年後在籍(男8、女25)

●採用情報●

【人数】23年:144 24年:160 25年:応募309→内定254
【内定内訳】(男96、女158)(文230、理13)(総254、他0)
【試験】〔Web自宅〕SPI3〔性格〕有
【時期】エントリー25.3→内々定25.4(一次はWEB面接可)【インターン】有
【採用実績校】福岡大45、西南学大41、中村学大27、九産大20、久留米大12、福岡女学大9、九大8、筑紫女学大7、鹿児島大6、他
【求める人材】イオン九州経営理念とパーパスに共感し、その実践のために共に変革と挑戦をしていく人

【本社】812-0016 福岡県福岡市博多区博多駅南2-9-11 ☎092-441-0611
【特色・近況】九州でイオン系の総合スーパーや食品スーパーを展開。総合スーパー「イオン」、食品スーパー「マックスバリュ」「ザ・ビッグ」を運営する。ホームセンター「ホームワイド」や自転車販売店「イオンバイク」のほか、子会社でドラッグストア業態も持つ。
【設立】1972.6 【資本金】4,915百万円
【社長】中川伊正(1966.11生)
【株主】〔24.2〕イオン74.9%
【連結事業】食品78、住居余暇商品10、衣料品9、ホームセンター商品4、他0
【従業員】連5,295名 単5,268名(47.3歳)

【業績】	売上高	営業利益	経常利益	純利益
単22.2	481,199	5,663	5,994	2,770
単23.2	484,466	8,330	8,829	4,672
連24.2	510,317	10,382	10,539	7,025

イオン北海道（ほっかいどう）

東証スタンダード

採用予定数	倍率	3年後離職率	平均年収
90名	‥	‥	‥

●待遇、制度●

【初任給】月23.5万
【残業】11.7時間【有休】10.8日【制度】住

●新卒定着状況●

‥

●採用情報●

【人数】23年:112 24年:81 25年:予定90*
【内定内訳】(男‥、女‥)(文‥、理‥)(総‥、他‥)
【試験】〔Web自宅〕SPI3、他
【時期】エントリー25.3→内々定25.6*【インターン】有
【採用実績校】‥
【求める人材】お客さまに信頼され、相手の立場に立ち行動し、努力を惜しまず、挑戦し続ける人

【本社】003-8630 北海道札幌市白石区本通21-南1-10 ☎011-865-4120
【特色・近況】北海道を地盤とする総合スーパー中堅。イオン子会社。総合スーパー「イオン」や食品スーパー「マックスバリュ」、ディスカウントストア「ザ・ビッグ」、小型食品スーパー「まいばすけっと」などを運営。北海道産食材使用の「本気のザンギ」など商品開発に注力。
【設立】1978.4 【資本金】6,100百万円
【社長】青柳英樹(1961.3生)
【株主】〔24.2〕イオン65.4%
【事業】衣料品6、食品81、住居余暇13、他0
【従業員】単3,003名(43.2歳)

【業績】	売上高	営業利益	経常利益	純利益
単22.2	340,796	6,661	6,688	3,827
単23.2	339,659	8,347	8,501	4,705
単24.2	356,008	10,366	10,396	6,193

#残業が少ない

㈱一号舘（いちごうかん）

株式公開計画なし

採用内定数	倍率	3年後離職率	平均年収
4名	1.8倍	33.3%	㊟551万円

●待遇、制度●

【初任給】月21.5万
【残業】1時間【有休】7.4日【制度】‥

●新卒定着状況●

20年入社(男4、女5)→3年後在籍(男2、女4)

●採用情報●

【人数】23年:6 24年:4 25年:応募7→内定4*
【内定内訳】(男3、女1)(文0、理0)(総4、他0)
【試験】〔筆記〕常識
【時期】エントリー25.3→内々定25.4*【インターン】有
【採用実績校】中部ライテクビジネス専1、他
【求める人材】気配りが出来る人

【本社】510-0886 三重県四日市市日永東3-4-1 ☎059-347-1100
【特色・近況】三重県北部が地盤で、四日市市を中心に食品スーパー「一号館」など経営。三重県に29店舗、岐阜県に2店舗を展開。食品スーパー「一号館」を主柱に、ホームセンターやディスカウントストアなどの業態でドミナント化。地域密着型店舗を追求。
【設立】1958.6 【資本金】30百万円
【社長】佐藤洋一郎(1980.4生 専大)
【株主】〔24.3〕一号舘ホールディングス100%
【事業】スーパーマーケット39、ホームセンター6、Fマート55
【従業員】単683名(‥歳)

【業績】	売上高	営業利益	経常利益	純利益
単22.3	24,253	470	574	405
単23.3	23,525	270	350	218
単24.3	22,800	405	515	414

いわて生活協同組合（せいかつきょうどうくみあい）

株式公開計画なし

採用内定数	倍率	3年後離職率	平均年収
8名	4.4倍	40%	[総]520万円

●待遇、制度●
【初任給】月21.5万
【残業】14.6時間【有休】9.5日【制度】[住]
●新卒定着状況●
20年入社(男8、女7)→3年後在籍(男5、女4)
●採用情報●
【人数】23年:9 24年:4 25年:応募35→内定8*
【内定内訳】(男6、女2)(文8、理0)(総8、他0)
【試験】〔Web自宅〕SPI3〔性格〕有
【時期】エントリー25.3→内々定25.10*(一次はWEB面接可)【インターン】有
【採用実績校】東北学大1、盛岡大2、東北工大1、神奈川大1、石巻専大1、富士大1、仙台大1
【求める人材】誠実に学ぶ姿勢があり、いつも笑顔で周りとコミュニケーションを取れる人

【本社】020-0690 岩手県滝沢市土沢220-3 ☎019-687-1321
【特色・近況】「コープ」「ベルフ」の食料品店舗の運営や、生協宅配、灯油宅配、夕食宅配事業を手がける。葬祭事業、介護・福祉事業、保険事業、住宅リフォーム、ガス・石油給湯器販売なども展開。組合員数は28万人超。牛乳共同購入活動が起源。
【設立】1990.3 【資本金】10,961百万円
【理事長】阿部慎二(1964.11生)
【株主】‥
【事業】店舗、宅配、葬祭
【従業員】単334名(45.0歳)

【業績】	売上高	営業利益	経常利益	純利益
単22.3	44,870	13,216	1,276	992
単23.3	42,056	13,201	969	848
単24.3	43,659	13,638	1,017	957

㈱エレナ

株式公開計画なし

採用内定数	倍率	3年後離職率	平均年収
1名	‥	62.5%	[総]550万円

●待遇、制度●
【初任給】月22.2万
【残業】18.5時間【有休】9.5日【制度】[住]
●新卒定着状況●
20年入社(男7、女17)→3年後在籍(男5、女4)
●採用情報●
【人数】23年:11 24年:18 25年:応募‥→内定1*
【内定内訳】(男1、女0)(文1、理0)(総1、他0)
【試験】〔筆記〕常識〔性格〕有
【時期】エントリー25.3→内々定25.5*(一次はWEB面接可)【インターン】有
【採用実績校】長崎国際大1
【求める人材】コミュニケーション能力、社会貢献に興味が有る人

【サポートオフィス(本社)】857-1198 長崎県佐世保市大塔町8-2 ☎0956-32-0100
【特色・近況】生鮮・食品中心のスーパー「エレナ」を運営。長崎県40、佐賀県4の合計44店を展開。移動スーパー「パオパオ号」を運営。スーパーのほかダイソーやTSUTAYAなどFC店舗も保有。新規・改装は年1～2店ペースを継続。
【設立】1979.7 【資本金】50百万円
【社長】中村憲治
【株主】〔24.4〕中村商事70.4%
【事業】生鮮食品37、一般食料品39、日配品16、他8
【従業員】単460名(39.2歳)

【業績】	売上高	営業利益	経常利益	純利益
単22.2	55,535	127	1,280	850
単23.2	57,007	▲146	1,253	850
単24.2	58,425	23	1,465	1,130

㈱オークワ

東証プライム

採用内定数	倍率	3年後離職率	平均年収
36名	11.8倍	21.2%	513万円

●待遇、制度●
【初任給】月23万
【残業】8時間【有休】10.1日【制度】[住]
●新卒定着状況●
20年入社(男26、女26)→3年後在籍(男21、女20)
●採用情報●
【人数】23年:71 24年:69 25年:応募425→内定36*
【内定内訳】(男19、女17)(文32、理4)(総36、他0)
【試験】〔筆記〕SPI3〔Web自宅〕SPI3〔性格〕有
【時期】エントリー24.6→内々定25.3(一次・二次以降もWEB面接可)【インターン】有
【採用実績校】名大1、岡山大1、三重大1、近大3、奈良大2、阪南大1、羽衣国際大1、梅花女大1、大阪経大1、大阪商大1、大阪大谷大1、他
【求める人材】人と人との縁を大切にし、日常で誠実な行動のとれる人

【本社】641-8501 和歌山県和歌山市中島185-3 ☎073-425-2481
【特色・近況】和歌山地盤に奈良、大阪、三重、岐阜、愛知などに店舗展開。食品スーパー「オークワ」と、衣食住用品すべて揃える「スーパーセンターオークワ」が主力。上質食品スーパーの「メッサ」、低価格店「プライスカット」業態も営む。PBブランドを拡充。ニチリウグループ。
【設立】1969.2 【資本金】14,117百万円
【社長】大桑弘嗣(1970.4生 明大経済卒)
【株主】〔24.2〕大桑堉嗣6.7%
【連結事業】スーパーマーケット100、他0
【従業員】単2,054名(46.8歳)

【業績】	売上高	営業利益	経常利益	純利益
連22.2	266,532	5,233	5,463	1,523
連23.2	246,877	2,927	3,148	928
連24.2	247,378	2,888	3,098	1,000

小売

㈱オーシャンシステム

東証スタンダード

採用内定数	倍率	3年後離職率	平均年収
9名	4.4倍	35.7%	406万円

●待遇、制度●
【初任給】月22万(固定残業代37.9時間分)
【残業】27.1時間【有休】6.9日【制度】住
●新卒定着状況●
20年入社(男4、女10)→3年後在籍(男1、女8)
●採用情報●
【人数】23年:15 24年:11 25年:応募40→内定9*
【内定内訳】(男5、女4)(文5、理1)(総2、他7)
【試験】〔性格〕有
【時期】エントリー25.3→内々定25.4(一次はWEB面接可)【インターン】有
【採用実績校】長岡大2、新潟ビジネス専2、立命館大1、駒澤大1、新潟国際情報大1、敬和学大1、新潟青陵短大1
【求める人材】自分から積極的に行動できる人、相手の立場で物事を考えられる人

【本社】955-0845 新潟県三条市西本成寺2-26-57
☎0256-33-3987
【特色・近況】新潟県を地盤に神戸物産のFC「業務スーパー」と、同スーパーと独自の食品スーパーを一体化した「チャレンジャー」を展開。「業務スーパー」のドミナント出店が成長の柱。企業向け弁当・給食事業や、ヨシケイのFCによる食材宅配事業、旅館の経営も行う。
【設立】1978.11 【資本金】801百万円
【社長】樋口勝人(1975.4生 悠久山調理専卒)
【株主】〔24.3〕㈱ひぐち25.0%
【連結事業】スーパーマーケット31、業務スーパー52、弁当給食11、食材宅配6、旅館・その他0
【従業員】連1,030名 単939名(41.2歳)

【業績】	売上高	営業利益	経常利益	純利益
連22.3	72,700	1,418	1,515	798
連23.3	77,710	1,128	1,238	358
連24.3	85,899	1,919	2,022	1,337

㈱ぎゅーとら

株式公開計画なし

採用内定数	倍率	3年後離職率	平均年収
8名	2.1倍	27.3%	523万円

●待遇、制度●
【初任給】月21.1万(諸手当1万円)
【残業】15時間【有休】8.1日【制度】住
●新卒定着状況●
20年入社(男5、女6)→3年後在籍(男4、女4)
●採用情報●
【人数】23年:8 24年:9 25年:応募17→内定8*
【内定内訳】(男3、女5)(文5、理2)(総7、他1)
【試験】〔性格〕有
【時期】エントリー25.2→内々定25.4*(一次はWEB面接可)【インターン】有
【採用実績校】星學館大2、福山大1、鈴鹿医療科学大1、他
【求める人材】明るく、元気があり、コミュニケーション能力がある人

【本社】515-0592 三重県伊勢市西豊浜町655-18
☎0596-37-5500
【特色・近況】伊勢市中心に三重県内に食品スーパーを展開。大阪で精肉店「うし虎」として創業。インストアベーカリー、生産者直売コーナーで集客力強化。イベント・地域貢献に注力。松阪市に物流センター。全28店舗体制。イベント・地域貢献に注力。
【設立】1964.7 【資本金】46百万円
【社長】清水秀隆(1959.1生 岐阜経大卒)
【株主】〔24.2〕tride 100%
【事業】鮮魚10、精肉13、総菜14、食品13、青果16、菓子5、日配他29
【従業員】単341名(41.0歳)

【業績】	売上高	営業利益	経常利益	純利益
単22.2	36,716	191	554	392
単23.2	37,636	256	503	308
単24.2	38,426	479	679	495

㈱近商ストア（きんしょう）

株式公開計画なし

採用内定数	倍率	3年後離職率	平均年収
12名	2.5倍	33.3%	519万円

●待遇、制度●
【初任給】月22.8万
【残業】20時間【有休】11日【制度】‥
●新卒定着状況●
20年入社(男13、女14)→3年後在籍(男11、女7)
●採用情報●
【人数】23年:16 24年:16 25年:応募30→内定12*
【内定内訳】(男10、女2)(文‥、理‥)(総12、他0)
【試験】〔筆記〕有〔性格〕有
【時期】エントリー25.3→内々定25.4【インターン】有
【採用実績校】同大1、龍谷大4、奈良大1、四天王寺大1、天理大1、帝塚山大1、大谷大1、大阪商大1、大手前短大1
【求める人材】現状に満足することなく、何事においても積極的に行動することができる人

【本社】580-0016 大阪府松原市上田3-8-28
☎072-338-3800
【特色・近況】近鉄グループの総合スーパーマーケットチェーン。大阪、奈良、京都に「KINSHO」「ハーベス」など36店舗を展開。半数以上が駅下、駅前などの好立地で店舗競争力強い。加工食品を扱う物流センターを保有し、全店舗に商品を供給。
【設立】1953.9 【資本金】100百万円
【社長】上田泰嗣(1961.8生 近大商経卒)
【株主】近鉄リテールホールディングス100%
【事業】スーパーマーケットの経営
【従業員】単537名(‥歳)

【業績】	売上高	営業利益	経常利益	純利益
単22.3	59,287	‥	‥	‥
単23.3	58,192	‥	‥	‥
単24.3	58,058	‥	‥	‥

㈱サンリブ

株式公開計画なし

採用内定数	倍率	3年後離職率	平均年収
12名	2.3倍	55.6%	‥

●待遇、制度●
【初任給】月21.4万
【残業】12時間【有休】13.9日【制度】‥
●新卒定着状況●
20年入社(男5、女4)→3年後在籍(男2、女2)
●採用情報●
【人数】23年:15 24年:16 25年:応募27→内定12*
【内定内訳】(男6、女6)(文5、理2)(総12、他0)
【試験】〔性格〕有
【時期】エントリー24.6→内々定25.4【インターン】有
【採用実績校】北九州市大1、別府大1、梅光学大1、九産大1、九州女大1、九州共立大1、九大1、他
【求める人材】主体性をもった行動ができる、コミュニケーション能力・協調性のある人

【本社】808-8501 福岡県北九州市若松区本町2-17-1 ベイサイドプラザ若松2階☎093-752-3711
【特色・近況】中国、九州が営業エリアの食料品・衣料品・住居関連品を扱う総合小売業。「サンリブ」「マルショク」「サンク」の3つの業態をチェーン展開。店舗は、広島、山口、福岡、佐賀、大分、熊本、宮崎の7県に直営120店、FC2店。
【設立】1955.9【資本金】50百万円
【社長】眞田義文
【株主】‥
【事業】食料品・衣料品・住居関連品等の販売
【従業員】単‥名(‥歳)

【業績】	売上高	営業利益	経常利益	純利益
単22.2	182,480	‥	‥	‥
単23.2	113,743	‥	‥	‥
単24.2	111,123	‥	‥	‥

生活協同組合コープこうべ（せいかつきょうどうくみあい）

株式公開計画なし

採用内定数	倍率	3年後離職率	平均年収
57名	4.1倍	34.8%	㊙596万円

●待遇、制度●
【初任給】月22.5万
【残業】9.2時間【有休】8.6日【制度】㊟
●新卒定着状況●
20年入社(男16、女30)→3年後在籍(男13、女17)
●採用情報●
【人数】23年:64 24年:59 25年:応募232→内定57*
【内定内訳】(男31、女26)(文52、理4)(総57、他0)
【試験】〔筆記〕GAB〔Web自宅〕WEB-GAB〔性格〕有
【時期】エントリー24.10→内々定25.2*(一次はWEB面接可)【インターン】有
【採用実績校】神戸大3、高知大1、兵庫県大3、立命館大3、関大2、関西学大6、他
【求める人材】地域や暮らしの課題解決に向き合い、挑戦する意欲や向上心を絶やさず頑張ってくれる人

【住吉事務所】658-8555 兵庫県神戸市東灘区住吉本町1-3-19 ☎078-856-1003
【特色・近況】組合員数172万人規模(24年3月末)の国内最大級の生協。兵庫県を中心に大阪府、京都府の一部で宅配・店舗事業を展開。独自商品開発も多彩。生協の父・賀川豊彦の指導で1921年発足。電気事業やスポーツ教室、ハウスクリーニングなども手がける。
【設立】1921.5【資本金】36,466百万円
【組合長】岩山利久(1962.3生 京産大外国語卒)
【株主】‥
【事業】生鮮食品29、加工食品51、住居関連15、衣料5
【従業員】単1,792名(47.2歳)

【業績】	売上高	営業利益	経常利益	純利益
単22.3	247,104	‥	5,134	2,097
単23.3	244,823	‥	3,185	1,655
単24.3	245,746	‥	5,324	4,645

㈱タイヨー

株式公開計画なし

採用内定数	倍率	3年後離職率	平均年収
5名	1.2倍	33.3%	㊙768万円

●待遇、制度●
【初任給】月22.5万
【残業】16.7時間【有休】7日【制度】㋫ ㊟
●新卒定着状況●
20年入社(男17、女10)→3年後在籍(男12、女6)
●採用情報●
【人数】23年:20 24年:16 25年:応募6→内定5*
【内定内訳】(男3、女2)(文4、理0)(総5、他0)
【試験】〔筆記〕常識〔性格〕有
【時期】エントリー25.3→内々定25.5*【インターン】有
【採用実績校】常磐大2、神田外語大1、日本国際学園大1
【求める人材】変化への対応力を持ち、気がきく人

【本社】314-0144 茨城県神栖市大野原4-7-1 鹿島セントラルビル6階 ☎0299-92-6481
【特色・近況】千葉、茨城を中心にスーパーマーケットとリカーショップなど約40店舗をチェーン展開。地域密着営業で、ドミナント戦略をとる。店舗は小型店の「スーパータイヨー」と中型店舗の「ビッグハウス」、酒類店舗「ベストリカー」など手がける。
【設立】1972.4【資本金】34百万円
【社長】森田剛
【株主】‥
【事業】生鮮食品スーパー100
【従業員】単4,374名(41.4歳)

【業績】	売上高	営業利益	経常利益	純利益
単22.9	119,122	1,553	1,859	1,007
単23.9	132,026	3,070	3,497	2,254

従業員数は常用パートを含む

㈱原信（はら しん）

株式公開計画なし

採用内定数	倍率	3年後離職率	平均年収
34名	2.4倍	32.2%	562万円

●待遇、制度●
【初任給】月22.3万
【残業】21.4時間【有休】15.5日【制度】住
●新卒定着状況●
20年入社(男34、女25)→3年後在籍(男25、女15)
●採用情報●
【人数】23年:60 24年:46 25年:応募83→内定34*
【内定内訳】(男20、女14)(文21、理8)(総34、他0)
【試験】〔Web自宅〕SPI3〔性格〕有
【時期】エントリー25.3→内々定25.4*(一次はWEB面接可)【インターン】有
【採用実績校】新潟薬大7、新潟県大3、新潟大2、新潟国際情報大2、開志専大2、富山大1、大東文化大1、文教大1、上武大1、聖徳大1、他
【求める人材】グループの理念を共有できる人、自己育成を継続できる人

【本社】954-0193 新潟県長岡市中之島1993－17
☎0258-66-6711
【特色・近況】アクシアルリテイリングの完全子会社の食品スーパー。「スーパーマーケット原信」を新潟県中心に長野、富山へも店舗展開。グループ総店舗数は約130で、当社が半数を占める。新潟県内に4カ所の物流センターを置く。
【設立】2006.4 【資本金】500百万円
【社長】丸山三行(1954.2生 国学院大法卒)
【株主】〔24.3〕アクシアル リテイリング100%
【事業】生鮮食品47、加工食品48、他3、営業収入2
【従業員】単1,277名(38.3歳)

【業績】	売上高	営業利益	経常利益	純利益
単22.3	143,214	4,971	5,213	3,521
単23.3	149,897	5,703	6,053	3,490
単24.3	161,340	6,443	6,708	4,557

㈱ハローデイ

株式公開計画なし

採用内定数	倍率	3年後離職率	平均年収
2名	7倍	40%	㊍527万円

●待遇、制度●
【初任給】月22万
【残業】32.4時間【有休】10.2日【制度】住
●新卒定着状況●
20年入社(男8、女7)→3年後在籍(男7、女2)
●採用情報●
【人数】23年:11 24年:12 25年:応募14→内定2*
【内定内訳】(男1、女1)(文1、理0)(総2、他0)
【試験】〔Web自宅〕SPI3〔性格〕有
【時期】エントリー25.3→内々定25.6(二次以降はWEB面接可)【インターン】有
【採用実績校】梅光学大1、北九州高専1
【求める人材】素直な人、何事にも挑戦する勇気を持っている人

【本社】802-0974 福岡県北九州市小倉南区徳力3-6-16
☎093-963-4780
【特色・近況】九州地区で食品スーパーマーケット「ハローデイ」「ボンラパス」を54店舗展開。福岡のほか、熊本、山口に出店。スーパーという既成概念にとらわれない自由な商品、売り場づくりに挑戦。子会社に障害者雇用促進目的の清掃事業会社を持つ。
【設立】1975.6 【資本金】50百万円
【社長】加治敬通
【株主】‥
【事業】スーパーマーケット
【従業員】単859名(41.1歳)

【業績】	売上高	営業利益	経常利益	純利益
単22.3	83,077	‥	‥	‥
単23.3	81,480	‥	‥	‥
単24.3	83,191	‥	‥	‥

富士シティオ（ふじ）

株式公開計画なし

採用内定数	倍率	3年後離職率	平均年収
14名	3.2倍	50%	‥

●待遇、制度●
【初任給】月24万
【残業】16.9時間【有休】8.5日【制度】住
●新卒定着状況●
20年入社(男4、女2)→3年後在籍(男3、女0)
●採用情報●
【人数】23年:27 24年:22 25年:応募45→内定14*
【内定内訳】(男8、女6)(文13、理1)(総14、他0)
【試験】〔Web自宅〕SPI3
【時期】エントリー25.3→内々定25.4*(一次・二次以降もWEB面接可)【インターン】有
【採用実績校】横浜商大6、相模女大2、松蔭大1、桜美林大1、東海大1、駒澤大1、明星大1、玉川大1
【求める人材】人とコミュニケーションを取ることが好きな人、食に興味のある人

【本社】231-0021 神奈川県横浜市中区日本大通17
☎045-641-1111
【特色・近況】神奈川県を中心に食品スーパー「Fuji」、総菜強化型スーパー「デリド」、小型スーパー「プチマルシェフジ」、日用雑貨専門店「フルハウス」など約50店を展開。ネットスーパーも運営。タイでは現地商社と合弁で「UFMフジスーパー」を設立。
【設立】1965.8 【資本金】50百万円
【会長】菊池淳司(1959.5生)
【株主】〔24.2〕富士殖産100%
【事業】食料品90、雑貨衣料他10
【従業員】単620名(44.2歳)

【業績】	売上高	営業利益	経常利益	純利益
単22.2	64,904	‥	‥	‥
単23.2	63,909	‥	‥	‥
単24.2	63,489	‥	‥	‥

紅屋商事（べにやしょうじ）

株式公開計画なし

採用内定数	倍率	3年後離職率	平均年収
9名	26.3倍	52%	㊙505万円

●待遇、制度●
【初任給】月23万
【残業】21時間【有休】7.5日【制度】住
●新卒定着状況●
20年入社(男9、女16)→3年後在籍(男6、女6)
●採用情報●
【人数】23年:11 24年:10 25年:応募237→内定9*
【内定内訳】(男8、女1)(文8、理1)(総8、他1)
【試験】〔Web自宅〕有〔性格〕有
【時期】エントリー25.3→内々定25.5(一次・二次以降もWEB面接可)【インターン】有
【採用実績校】弘前大4、富士大1、青森公大1、東北学大1、東北福祉大1、他
【求める人材】発想力・素直さ・チャレンジ精神・責任感のある人

【本社】038-0003 青森県青森市大字石江字三好130-1 ☎0172-29-5777
【特色・近況】食品スーパーとドラッグストアを青森と秋田で展開。スーパー「ベニーマート」、ドラッグストア「メガ」、複合店「カブセンター」の3業態を22店舗運営。青森県石黒市に物流センターを置く。オリジナルのエコ活動「ベニエコ」を推進。
【設立】1959.12【資本金】50百万円
【会長】秦勝重(1947.9生 明大政経卒)
【株主】〔24.3〕紅屋ホールディングス
【事業】加工食品42、他・嗜好品20、生鮮食品27、非食品6、テナント1、医薬品4
【従業員】単439名(44.6歳)

【業績】	売上高	営業利益	経常利益	純利益
単22.3	47,584	1,211	1,225	694
単23.3	49,231	1,295	1,322	803
単24.3	52,747	1,755	1,768	801

㈱マルヨシセンター

東証スタンダード

採用内定数	倍率	3年後離職率	平均年収
6名	1.7倍	66.7%	385万円

●待遇、制度●
【初任給】月21万
【残業】22.9時間【有休】7.2日【制度】住
●新卒定着状況●
20年入社(男2、女4)→3年後在籍(男1、女1)
●採用情報●
【人数】23年:10 24年:6 25年:応募10→内定6*
【内定内訳】(男3、女3)(文3、理0)(総3、他3)
【試験】なし
【時期】エントリー25.6→内々定25.6*(一次・二次以降もWEB面接可)【インターン】有
【採用実績校】高知大1、高松大1、四国学大1
【求める人材】創意工夫して自分で行動できる人

【本部】769-0198 香川県高松市国分寺町国分367-1 ☎087-874-5511
【特色・近況】香川を地盤に徳島、愛媛、兵庫・淡路島に展開する中堅食品スーパー。食品製造子会社のフレッシュデポでは、豆腐、麺類、総菜などPB商品を製造。健康とおいしさ、安心と安全にこだわり国産ブランド重視。筆頭株主のイズミと仕入れや物流など協業進む。
【設立】1970.9【資本金】1,077百万円
【会長】佐竹克彦(1968.4生 サンタローザ卒)
【株主】〔24.2〕イズミ19.8%
【連結事業】小売100、他0
【従業員】連468名 単403名(44.4歳)

【業績】	売上高	営業利益	経常利益	純利益
連22.2	39,171	721	687	417
連23.2	38,535	272	264	142
連24.2	39,823	411	397	135

ヤオマサ

株式公開計画なし

採用内定数	倍率	3年後離職率	平均年収
2名	‥	36.4%	㊙530万円

●待遇、制度●
【初任給】月22.7万(諸手当0.5万円)
【残業】20時間【有休】‥日【制度】‥
●新卒定着状況●
20年入社(男6、女5)→3年後在籍(男3、女4)
●採用情報●
【人数】23年:14 24年:5 25年:応募‥→内定2*
【内定内訳】(男1、女1)(文2、理0)(総2、他0)
【試験】〔筆記〕有
【時期】エントリー25.2→内々定25.3【インターン】有
【採用実績校】関東学院大1、日大1
【求める人材】食に興味があり、協調性を持ち、チームワークを大切にする人、新しい事にチャレンジするのが好きな人、食文化を通し、地域に貢献したい人

【本社】256-0813 神奈川県小田原市前川183-13 ☎0465-47-8000
【特色・近況】1919年創業で、神奈川県小田原市を中心に地域密着型の食品スーパー11店舗をチェーン展開。FCでブックオフ2店舗、TSUTAYA2店舗も経営。「パートナーシップ構築宣言」をし、取引先などとの連携・共存共栄を推進。
【設立】1976.9【資本金】30百万円
【社長】田嶋政嗣
【株主】〔23.8〕マーシー(有)69.6%
【事業】食料品・家庭雑貨販売92、レンタル・書籍・CD販売8
【従業員】単175名(‥歳)

【業績】	売上高	営業利益	経常利益	純利益
単21.8	17,712	‥	‥	‥
単22.8	17,571	‥	‥	‥
単23.8	17,920	‥	‥	‥

小売

㈱ヤマザワ [東証スタンダード]

採用内定数	倍率	3年後離職率	平均年収
10名	4.1倍	22.2%	[総]488万円

●待遇、制度●
【初任給】月20.8万
【残業】29.5時間【有休】7.6日【制度】[住]
●新卒定着状況●
20年入社(男8、女10)→3年後在籍(男6、女8)
●採用情報●
【人数】23年:20 24年:5 25年:応募41→内定10*
【内定内訳】(男6、女4)(文10、理0)(総10、他0)
【試験】〔筆記〕有〔Web会場〕有〔Web自宅〕有
【時期】エントリー25.3→内々定25.4(一次はWEB面接可)【インターン】有
【採用実績校】東北芸工大2、東北文教大2、東北福祉大1、東洋大1、東海大1、京都外大1、北海道教育大1、大原学園専1
【求める人材】コミュニケーションの重要性を理解し、自分で考えて行動できる人

【本社】990-8585 山形県山形市あこや町3-8-9
☎023-631-2211
【特色・近況】山形県の食品スーパー首位。山形、宮城中心に集中出店、秋田県南部は買収で取得。ドラッグストア、調剤薬局の子会社持ち、食品スーパーとの併設店も展開する。食育体験イベントなど通じ地元密着を図る。店舗への日配品や総菜を供給する食品子会社も傘下。
【設立】1962.10 【資本金】2,388百万円
【社長】古山利昭(1970.10生)
【株主】〔24.2〕㈲ヤマザワ興産9.2%
【連結事業】スーパーマーケット87、ドラッグストア13、他0
【従業員】連1,308名 単986名(40.8歳)

【業績】	売上高	営業利益	経常利益	純利益
連22.2	110,673	1,100	1,161	368
連23.2	99,457	710	928	205
連24.2	101,891	625	677	451

㈱ラルズ [株式公開計画なし]

採用内定数	倍率	3年後離職率	平均年収
16名	2.2倍	50%	[総]560万円

●待遇、制度●
【初任給】月22.5万
【残業】22.1時間【有休】8.2日【制度】[住]
●新卒定着状況●
20年入社(男24、女26)→3年後在籍(男12、女13)
●採用情報●
【人数】23年:25 24年:40 25年:応募35→内定16*
【内定内訳】(男12、女4)(文7、理9)(総16、他0)
【試験】〔Web自宅〕有〔性格〕有
【時期】エントリー25.1→内々定25.3(一次・二次以降もWEB面接可)【インターン】有
【採用実績校】酪農学大3、北海道情報大5、北海学園大1、釧路公大1、札幌大1、札幌学大1、小樽商大1、北星学大1、札幌大谷大1、他
【求める人材】・・

【本社】064-8621 北海道札幌市中央区南13条西11-2-32
☎011-530-6000
【特色・近況】札幌中心に室蘭、小樽など道央で「スーパーアークス」「ビッグハウス」「ラルズマート」などのスーパーマーケットを74店舗経営。オンラインショップやAmazonネットスーパー・アークスも運営。アークスの完全子会社でグループ中核。
【設立】2002.11 【資本金】4,200百万円
【社長】松尾直人
【株主】〔24.2〕アークス100%
【事業】小売99、他1
【従業員】単1,015名(41.9歳)

【業績】	売上高	営業利益	経常利益	純利益
単22.2	141,844	6,611	6,902	4,698
単23.2	140,820	7,039	7,325	4,775
単24.2	148,282	7,670	8,001	5,647

㈱リテールパートナーズ [東証プライム]

採用内定数	倍率	3年後離職率	平均年収
9名	6.7倍	41.7%	518万円

●待遇、制度● 平均年収は丸久の数値
【初任給】月22.5万
【残業】15.8時間【有休】12日【制度】[住]
●新卒定着状況●
20年入社(男35、女25)→3年後在籍(男24、女11)
●採用情報● 丸久採用
【人数】23年:41 24年:46 25年:応募60→内定9*
【内定内訳】(男8、女1)(文8、理1)(総9、他0)
【試験】〔Web自宅〕SPI3、他〔性格〕有
【時期】エントリー25.2→内々定25.5*(一次はWEB面接可)【インターン】有
【採用実績校】九産大1、長崎国際大1、大分大1、山口大1、周南公大1、日経大1、至誠館大2、山口県立農業大学校専1
【求める人材】出来事や変化に柔軟に対応できる人、多様な他者を受け入れることのできる人

【本部】747-8509 山口県防府市大字江泊1936
☎0835-20-2477
【特色・近況】九州全域と山口・広島・島根に出店している食品スーパー連合。「丸久」「マルミヤストア」「マルキョウ」などを約270店展開。北海道・東北地盤のアークス、中部地盤のバローホールディングスと資本業務提携。競争力や経営基盤を強化。
【設立】1954.3 【資本金】7,218百万円
【社長】田中康男(1951.10生 早大文卒)
【株主】〔24.2〕バローホールディングス6.7%
【連結事業】スーパーマーケット92、ディスカウント7、他0
【従業員】連2,014名 単770名(40.8歳)

【業績】	売上高	営業利益	経常利益	純利益
連23.2	234,793	5,283	6,181	2,917
連24.2	252,161	6,740	7,725	4,717

大卒初任給・残業時間・有給休暇平均取得日数は丸久実績

小売

㈱銀座コージーコーナー
株式公開計画なし

採用予定数	倍率	3年後離職率	平均年収
27名	‥	‥	‥

●待遇、制度●
【初任給】月21万
【残業】17.2時間【有休】15.2日【制度】フ 住 在
●新卒定着状況●
‥
●採用情報●
【人数】23年:14 24年:18 25年:予定27
【内定内訳】(男‥、女‥)(文‥、理‥)(総‥、他‥)
【試験】〔Web自宅〕有
【時期】エントリー25.3→内々定25.5(一次・二次以降もWEB面接可)【ジョブ型】有
【採用実績校】‥
【求める人材】商品やサービスを通し笑顔を広めていきたいと考え、実現のために努力できる人

【本部】104-0033 東京都中央区新川2-27-1 東京住友ツインビルディング東館14階☎03-6854-8770
【特色・近況】洋菓子の製造・販売のほか、喫茶を直営。営業店は全国に約400店(首都圏直営約200店)を展開。各種ケーキやスイーツなど常時150種類以上の商品をラインナップ。埼玉、神奈川に3工場を置く。ロッテの子会社。
【設立】1955.9 【資本金】49百万円
【社長】船田知秀(1973.5生)
【株主】〔24.3〕ロッテ100%
【事業】洋菓子95、レストラン・喫茶5
【従業員】単600名(43.5歳)

【業績】	売上高	営業利益	経常利益	純利益
単22.3	24,436	‥	‥	640
単23.3	24,486	‥	‥	535
単24.3	24,556	‥	‥	526

㈱朝日エアポートサービス
株式公開計画なし

採用内定数	倍率	3年後離職率	平均年収
13名	4.1倍	0%	(総)499万円

●待遇、制度●
【初任給】月20万(諸手当を除いた数値)
【残業】13.7時間【有休】14.6日【制度】フ 住
●新卒定着状況●
20年入社(男1、女1)→3年後在籍(男1、女1)
●採用情報●
【人数】23年:14 24年:12 25年:応募53→内定13*
【内定内訳】(男3、女10)(文9、理0)(総0、他13)
【試験】なし
【時期】エントリー通年→内々定通年(一次はWEB面接可)【インターン】有【ジョブ型】有
【採用実績校】‥
【求める人材】お客様の思いに想像力を巡らし、基本に誠実に、信頼に値する商品や上級のサービスを提供できる人

【本社】560-0035 大阪府豊中市箕輪3-2-7 ☎06-6856-7421
【特色・近況】航空・空港関連サービスを手がける。伊丹空港を本拠に機内食の調製・搭載や土産店・食堂を運営。関西国際空港では免税店や航空会社ラウンジの受託運営行う。高速道路のサービスエリアでのレストラン運営やセレクトショップなども展開。朝日新聞社の関連会社。
【設立】1961.4 【資本金】100百万円
【社長】下垣有弘(1965.9生 神戸大院修了)
【株主】〔24.3〕朝日ビルディング69.8%
【事業】売店47、機内食調製・搭載15、レストラン10、サービスエリア28
【従業員】単175名(40.6歳)

【業績】	売上高	営業利益	経常利益	純利益
単22.3	2,738	▲695	▲596	▲685
単23.3	4,992	▲361	▲348	▲420
単24.3	9,112	59	66	250

㈱アレフ
株式公開していない

採用内定数	倍率	3年後離職率	平均年収
33名	‥	‥	‥

●待遇、制度●
【初任給】月24.6万
【残業】19.4時間【有休】14.6日【制度】住
●新卒定着状況●
‥
●採用情報●
【人数】23年:38 24年:19 25年:応募‥→内定33
【内定内訳】(男15、女18)(文18、理12)(総33、他0)
【試験】〔筆記〕有〔Web自宅〕SPI3〔性格〕有
【時期】エントリー25.2→内々定25.4(一次はWEB面接可)【インターン】有
【採用実績校】近大2、北海学園大2、同大1、岩手大1、宮崎大1、北海道教育大1、他
【求める人材】大きな志と素直さを持った人

【本社】003-8515 北海道札幌市白石区菊水6条3-1-26 ☎011-823-8301
【特色・近況】ハンバーグレストラン「びっくりドンキー」を全国展開。ビアレストランなども運営。第一次加工場8工場やビール工場も持つ。北海道・恵庭で「えこりん村」を運営し、環境と調和した持続可能な循環型社会・文化形成貢献を目指す。
【設立】1976.7 【資本金】100百万円
【社長】庄司大
【株主】〔24.3〕庄司大
【事業】レストラン、卸売、商品
【従業員】単723名(41.7歳)

【業績】	売上高	営業利益	経常利益	純利益
単22.3	34,396	‥	‥	‥
単23.3	42,864	‥	‥	‥
単24.3	48,920	‥	‥	‥

小売

㈱イートアンドホールディングス

東証プライム

採用内定数	倍率	3年後離職率	平均年収
18名	20.4倍	36.4%	628万円

●待遇、制度●
【初任給】月25.7万(諸手当9.3万円、固定残業代45時間分)
【残業】23.2時間【有休】7.3日【制度】住 在
●新卒定着状況●
20年入社(男4、女7)→3年後在籍(男2、女5)
●採用情報● グループ採用
【人数】23年:15 24年:13 25年:応募367→内定18*
【内定内訳】(男11、女7)(文8、理9)(総17、他1)
【試験】〔Web自宅〕SPI3
【時期】エントリー25.2→内々定25.4*(一次・二次以降もWEB面接可)【ジョブ型】有
【採用実績校】東洋大3、近大2、大阪経大1、関東学園大1、聖心女大1、津田塾大1、名古屋外大1、日大1、大阪学大1、甲南大1、奈良大1、他
【求める人材】多様性を重視でき、明るく元気に前向きな思考の人

【本社】532-0003 大阪府大阪市淀川区宮原3-3-34 新大阪DOIビル ☎06-6399-1110
【特色・近況】外食チェーン展開と冷凍食品の製造・販売の2本柱。「大阪王将」が主要ブランド。外食はFCで海外展開。中国、台湾などへ出店拡大。食品は冷凍ギョーザが主力で、食品スーパーなどで販売する。現在稼働中の5工場体制からさらに新工場増設へ。
【設立】1977.8 【資本金】3,159百万円
【会長】文野直樹(1959.11生 大阪学大経営)
【株主】〔24.2〕㈱文野屋22.1%
【連結事業】食品60、外食40
【従業員】連551名 単44名(39.7歳)

【業績】	売上高	営業利益	経常利益	純利益
連22.2	30,881	834	1,476	773
連23.2	33,033	915	1,053	385
連24.2	35,922	1,059	1,068	▲106

㈱壱番屋(いちばんや)

東証プライム

採用内定数	倍率	3年後離職率	平均年収
5名	7.4倍	35.7%	546万円

●待遇、制度●
【初任給】月22.5万
【残業】13時間【有休】8.6日【制度】フ 住 在
●新卒定着状況●
20年入社(男11、女3)→3年後在籍(男7、女2)
●採用情報●
【人数】23年:10 24年:10 25年:応募37→内定5*
【内定内訳】(男2、女3)(文3、理0)(総5、他0)
【試験】〔Web自宅〕SPI3
【時期】エントリー24.4→内々定24.10*(一次はWEB面接可)【ジョブ型】有
【採用実績校】大原簿記情報医療専1、京都公務員&IT会計専1、南山大1、名古屋学芸大1、中部大1
【求める人材】どんな事に対してもチャレンジ精神がある人、人を大切にする人

【本社】491-8601 愛知県一宮市三ツ井6-12-23 ☎0586-76-7545
【特色・近況】国内最大のカレー専門チェーン「CoCo壱番屋」を展開。ハウス食品の子会社。独自ののれん分け制度でFC店舗を拡大し国内FC比率は約9割。中国、台湾、タイ、韓国などアジア中心に海外店舗持ち、米国、英国、インドにも進出。国内外店舗数1400超。
【設立】1982.7 【資本金】1,503百万円
【代表取締役】葛原守(1967.6生)
【株主】〔24.2〕ハウス食品グループ本社50.9%
【連結事業】カレー直営店31、カレーFC向63、新業態4、他1 <海外17>
【従業員】連1,175名 単644名(42.4歳)

【業績】	売上高	営業利益	経常利益	純利益
連22.2	45,022	2,855	4,168	2,921
連23.2	48,286	3,613	4,042	2,538
連24.2	55,137	4,715	5,021	2,685

SRSホールディングス

東証プライム

採用内定数	倍率	3年後離職率	平均年収
30名	3倍	54.5%	667万円

●待遇、制度●
【初任給】月25.2万(諸手当1万円、固定残業代12時間分)
【残業】18.2時間【有休】12.3日【制度】住 在
●新卒定着状況●
20年入社(男5、女6)→3年後在籍(男2、女3)
●採用情報● 主要子会社採用
【人数】23年:18 24年:13 25年:応募91→内定30*
【内定内訳】(男9、女21)(文27、理3)(総27、他3)
【試験】〔Web自宅〕SPI3〔性格〕有
【時期】エントリー25.4→内々定25.6(一次・二次以降もWEB面接可)【インターン】有
【採用実績校】立命館大3、神戸市外大2、中部大1、京都女大1、兵庫県大1、前橋工大1、北九州市大1、同大1、国際教養大1、大手前大1、他
【求める人材】人と食が大好きで、何事にも積極的で、かつ顧客視点で物事を考えることができる人

【本社】541-0052 大阪府大阪市中央区安土町2-3-13 大阪国際ビルディング ☎06-7222-3101
【特色・近況】外食中堅。傘下で郊外型ファミリーレストラン「和食さと」を直営で展開。回転ずし「にぎり長次郎」、定食「宮本むなし」、天ぷら「さん天」など多業態を展開。関西圏中心だが中部・関東エリアにも出店。食べ放題のしゃぶしゃぶ、焼き肉が人気商品。M&A積極的。
【設立】1968.8 【資本金】11,077百万円
【代表取締役】重里政彦(1968.5生)
【株主】〔24.3〕日本マスタートラスト信託銀行信託口6.4%
【連結事業】和食100
【従業員】連1,326名 単732名(44.8歳)

【業績】	売上高	営業利益	経常利益	純利益
連22.3	42,885	▲4,635	2,669	1,574
連23.3	54,505	▲606	▲669	▲1,451
連24.3	60,228	2,157	2,162	1,798

小売

採用内定数	倍率	3年後離職率	平均年収
33名	4.1倍	46.7%	㊐605万円

オリジン東秀（とうしゅう）

株式公開計画なし

●待遇、制度●
【初任給】月26.1万
【残業】19.7時間【有休】7.6日【制度】住 在

●新卒定着状況●
20年入社(男14、女16)→3年後在籍(男8、女8)

●採用情報●
【人数】23年:10 24年:27 25年:応募136→内定33*
【内定内訳】(男10、女23)(文20、理13)(総33、他0)
【試験】〔Web自宅〕SPI3
【時期】エントリー 25.2→内々定25.随時(一次・二次以降もWEB面接可)【インターン】有
【採用実績校】神戸女大3、日大3、相愛大2、都留文科大1、関大1、法政大1、東京農業大1、東洋大1、神奈川大1、武蔵野大1、他

【求める人材】自立し、変革への挑戦ができる人

【本社】182-0021 東京都調布市調布ケ丘1-18-1 KDX調布ビル5階 ☎042-443-6801
【特色・近況】首都圏中心に中食事業「キッチンオリジン」「オリジン弁当」「オリジンデリカ」、外食事業として「中華東秀」「れんげ食堂Toshu」ブランドを運営。イオンリテール連結子会社。約520店舗を運営し、イオンやダイエーの売り場にも出店。
【設立】1976.11 【資本金】100百万円
【社長】後藤雅之(1977.4生)
【株主】〔24.2〕イオンリテール99.0%
【事業】オリジン86、外食9、デリカ融合5、他0
【従業員】単646名(36.7歳)

【業績】	売上高	営業利益	経常利益	純利益
単22.2	45,580	2,416	2,438	1,529
単23.2	45,447	2,129	2,169	1,094
単24.2	48,727	2,321	2,367	1,276

採用内定数	倍率	3年後離職率	平均年収
13名	4.1倍	50%	481万円

㈱魁力屋（かいりきや）

東証スタンダード

●待遇、制度●
【初任給】月25万(諸手当2万円)
【残業】29時間【有休】‥日【制度】住 在

●新卒定着状況●
20年入社(男5、女1)→3年後在籍(男2、女1)

●採用情報●
【人数】23年:6 24年:4 25年:応募53→内定13*
【内定内訳】(男6、女7)(文11、理0)(総11、他2)
【試験】〔Web自宅〕SPI3〔性格〕有
【時期】エントリー 24.6→内々定25.3*(一次はWEB面接可)【インターン】有
【採用実績校】立命館大2、京大1、神戸大1、東洋大2、立教大1、関西学大1

【求める人材】‥

【本社】604-8152 京都府京都市中京区烏丸通錦小路上る手洗水町670 ☎075-211-3338
【特色・近況】3大都市圏を中心にラーメンチェーン「京都北白川ラーメン魁力屋」を運営。ロードサイドや商業施設に出店。3大都市圏は直営店によるドミナント化、社員独立制度を利用した独立店やFC店も展開。麺など主力商材のPB開発を強化し商材の販路拡大を目指す。
【設立】2005.7 【資本金】883百万円
【社長】藤田宗(1968.8生)
【株主】〔24.6〕㈱マルフジコーポレーション48.8%
【事業】飲食100
【従業員】単287名(36.8歳)

【業績】	売上高	営業利益	経常利益	純利益
単21.12	7,085	▲161	490	234
単22.12	8,815	380	642	314
単23.12	10,583	679	681	390

採用内定数	倍率	3年後離職率	平均年収
22名	4倍	72.7%	㊐562万円

㈱木曽路（きそじ）

東証プライム

●待遇、制度●
【初任給】月23万(諸手当2万円)
【残業】34時間【有休】5.6日【制度】住 在

●新卒定着状況●
20年入社(男12、女32)→3年後在籍(男4、女8)

●採用情報● 25年は高卒除く
【人数】23年:42 24年:42 25年:応募89→内定22*
【内定内訳】(男10、女12)(文‥、理‥)(総22、他0)
【試験】〔筆記〕常識〔性格〕有
【時期】エントリー 25.3→内々定25.4*(一次はWEB面接可)【インターン】有【ジョブ型】有
【採用実績校】関大1、神戸大1、関西外大1、中京大1、名古屋辻学園調理専1、龍谷大2、獨協大1、国士舘大1、九産大1、流通科学大1、他
【求める人材】人に喜んでもらえることを自身の喜びとでき、仕事を通じて自己成長をはかりたい人

【本社】466-8507 愛知県名古屋市昭和区白金3-18-13 ☎052-872-1811
【特色・近況】しゃぶしゃぶ・日本料理の「木曽路」を展開する外食チェーン。国産牛ロース使用と独自のごまだれを訴求。高品質な料理をリーズナブルに提供することを目指す。中部から関東・関西圏へ出店を推進。特選和牛の「大将軍」など焼肉部門を第2の柱として拡大方針。
【設立】1952.9 【資本金】12,648百万円
【会長兼社長】吉江源之(1947.7生 慶大法卒)
【株主】〔24.3〕日本マスタートラスト信託銀行信託口8.8%
【連結事業】木曽路79、焼肉15、居酒屋2、鈴のれん1、他3
【従業員】連1,309名 単1,305名(44.9歳)

【業績】	売上高	営業利益	経常利益	純利益
連22.3	36,778	▲3,541	1,820	650
連23.3	45,930	▲581	▲515	▲1,082
連24.3	52,984	2,246	2,278	436

㈱クリエイト・レストランツ・ホールディングス

東証プライム

採用内定数	倍率	3年後離職率	平均年収
16名	24.4倍	‥	667万円

●待遇、制度●
【初任給】月19.6万（諸手当を除いた数値）
【残業】‥時間【有休】‥日【制度】‥
●新卒定着状況●
‥
●採用情報●グループ採用
【人数】23年:10 24年:30 25年:応募390→内定16*
【内定内訳】（男2、女14）（文4、理0）（総16、他0）
【試験】なし
【時期】エントリー24.6→内々定25.4*(一次・二次以降もWEB面接可)【インターン】有
【採用実績校】横浜スイーツ＆カフェ専2、日大1、城西大1、大阪産大1

【求める人材】「和」を重視し、いつも素直であり、とにかく「食」が好きな人

【本社】141-0022 東京都品川区東五反田5-10-18 ☎03-5488-8001
【特色・近況】ショッピングセンターなどにレストランやカフェを展開。和洋中はじめ様々な業態のブランドを擁し、立地や市場動向に合わせて全国展開。居酒屋「磯丸水産」のSFPホールディングスも傘下。M&A積極的。アジア、北米など海外にも子会社。
【設立】1997.4 【資本金】50百万円
【社長】川井潤（1963.10生 早大法卒）
【株主】〔24.2〕㈱後藤国際商業研究所40.9%
【連結事業】CRカテゴリー32、SFPカテゴリー20、専門ブランドカテゴリー35、海外カテゴリー13
【従業員】連4,273名 単124名（47.8歳）

【業績】	売上高	営業利益	税前利益	純利益
連22.2	78,324	7,633	7,134	5,919
連23.2	118,240	5,083	4,565	3,385
連24.2	145,759	7,075	6,632	5,041

#採用数が多い

㈱コロワイド

東証プライム

採用内定数	倍率	3年後離職率	平均年収
101名	8.5倍	46.3%	669万円

●待遇、制度●
【初任給】月26.4万（固定残業代45時間分）
【残業】‥時間【有休】8日【制度】住
●新卒定着状況●
20年入社（男26、女28）→3年後在籍（男17、女12）
●採用情報●グループ採用
【人数】23年:162 24年:185 25年:応募859→内定101
【内定内訳】（男29、女72）（文47、理51）（総73、他28）
【試験】〔Web会場〕SPI3〔性格〕有
【時期】エントリー24.6→内々定24.12*(一次・二次以降もWEB面接可)【インターン】有【ジョブ型】有
【採用実績校】中大、香川大、弘前大、京都女大、東京農業大、新潟大、愛知大、秋田県大、横浜商大、相模女大、聖徳大、甲南大、近大、他
【求める人材】自分で考え行動できる人、人を喜ばせることが好きな人

【本社】220-8112 神奈川県横浜市西区みなとみらい2-2-1 ランドマークタワー☎045-274-5970
【特色・近況】居酒屋を中心に多業態を展開する外食グループ。「甘太郎」「土間土間」などが主力。直営とFC合わせて総店舗数2500店以上。M&Aに積極的で回転すしの「アトム」「牛角」「かっぱ寿司」「大戸屋」などの運営会社を傘下に。海外は12の国・地域にも進出。
【設立】1963.4 【資本金】27,905百万円
【社長】野尻公平（1962.4生 国学院大経済）
【株主】〔24.3〕日本マスタートラスト信託銀行信託口8.5%
【連結事業】居酒屋10、レストラン90 <海外13>
【従業員】連4,502名 単126名（44.2歳）

【業績】	売上高	営業利益	税前利益	純利益
連22.3	175,627	5,055	2,051	1,437
連23.3	220,830	▲6,743	▲8,446	▲6,801
連24.3	241,284	7,117	6,498	2,905

㈱ジョイフル

福証

採用内定数	倍率	3年後離職率	平均年収
57名	2.8倍	―	559万円

●待遇、制度●
【初任給】月23.5万
【残業】38.2時間【有休】7.8日【制度】住
●新卒定着状況●
20年入社（男0、女0）→3年後在籍（男0、女0）
●採用情報●グループ採用
【人数】23年:37 24年:44 25年:応募157→内定57*
【内定内訳】（男27、女30）（文53、理4）（総57、他0）
【試験】〔性格〕有
【時期】エントリー24.6→内々定25.3*(一次・二次以降もWEB面接可)
【採用実績校】日経大5、別府大4、環太平洋大3、九州情報大3、愛知文教大2、久留米大2、九産大2、熊本学大2、鹿児島国際大2、他
【求める人材】飲食業のプロフェッショナルになりたい人、グローバルに活躍したい人

【大分本社】870-0141 大分県大分市三川新町1-1-45 ☎097-551-7131
【特色・近況】郊外型ファミリーレストランチェーンを運営。地盤の九州中心にドミナント出店、さらに東北から沖縄まで600店超展開。ハンバーグや和定食類など低価格メニューに強み。ユーチューバーやアニメとのコラボも。子会社フレンドリーが関西でセルフうどん「香の川製麺」を運営。
【設立】1976.5 【資本金】100百万円
【会長】穴見陽一（1969.7生 法大経済）
【株主】〔24.6〕ジョイ開発㈲38.6%
【連結事業】グリル22、ライトミール18、定食23、モーニング7、喫茶・酒類16、他14
【従業員】連1,059名 単203名（44.7歳）

【業績】	売上高	営業利益	経常利益	純利益
連22.6	46,615	▲3,104	2,402	2,533
連23.6	59,056	1,709	1,822	1,610
連24.6	65,957	3,936	3,910	3,319

小売

#採用数が多い

㈱ゼンショーホールディングス

東証プライム

採用内定数	倍率	3年後離職率	平均年収
330名	108.5倍	‥	742万円

●待遇、制度●
【初任給】月27.8万
【残業】31.2時間【有休】10.1日【制度】住

●新卒定着状況●
‥

●採用情報● グループ採用
【人数】23年:197 24年:257 25年:応募35801→内定330*
【内定内訳】(男182、女148)(文247、理78)(総330、他0)
【試験】〔筆記〕有〔性格〕有
【時期】エントリー24.6→内々定24.12(一次・二次以降もWEB面接可)【インターン】有
【採用実績校】龍谷大9、東京農業大8、立命館大8、近大7、関西学大6、近大6、早大6、関大5、日大5、京都女大4、東大4、東洋大4、法政大4、他
【求める人材】主体性を持って行動できる人、変化に柔軟に適応できる人

【本社】108-0075 東京都港区港南2-18-1 JR品川イーストビル ☎03-6833-1600
【特色・近況】外食最大手。牛丼首位の「すき家」が柱。回転すし「はま寿司」も自社で育成。ファミレス「ココス」や親子丼「なか卯」、ハンバーグ「ビッグボーイ」などをM&Aで傘下に収め、日本最大の外食グループを形成。牛丼、すしなどはアジア始め海外にも進出。
【設立】1982.6 【資本金】47,497百万円
【会長兼社長】小川賢太郎(1948.7生)
【株主】〔24.3〕㈱日本クリエイト32.5%
【連結事業】Gすき家27、Gはま寿司20、Gファストフード25、レストラン15、小売8、本社・サポート他4 <海外24>
【従業員】連16,806名 単790名(39.9歳)

【業績】	売上高	営業利益	経常利益	純利益
連22.3	658,503	9,232	23,117	13,869
連23.3	779,964	21,734	28,081	13,265
連24.3	965,778	53,707	50,913	30,693

㈱WDI

東証スタンダード

採用内定数	倍率	3年後離職率	平均年収
43名	2.1倍	53.3%	565万円

●待遇、制度●
【初任給】月27.2万(固定残業代30時間分)
【残業】‥時間【有休】‥日【制度】フ 住 在

●新卒定着状況●
20年入社(男7、女8)→3年後在籍(男4、女3)

●採用情報● WDIJAPAN採用
【人数】23年:29 24年:35 25年:応募91→内定43*
【内定内訳】(男15、女28)(文‥、理‥)(総43、他0)
【試験】〔性格〕有
【時期】エントリー24.10→内々定25.3*(一次・二次以降もWEB面接可)【インターン】有
【採用実績校】立教大1、早大1、日大1、東洋大1、立命館APU1、滋賀大1、国士舘大1、愛知東邦大1、関西国際大1、城西国際大1、他
【求める人材】‥

【本社】106-8522 東京都港区六本木5-5-1 ☎03-3404-3704
【特色・近況】国内外ブランドと自社開発ブランドのダイニングレストランを直営やFCで展開。イタリア料理「カプリチョーザ」が店舗の大半。他に「ハードロックカフェ」や「エッグスンシングス」、「ウルフギャング・ステーキハウス」など。グアムなど海外売上比率約3割。
【設立】1954.4 【資本金】50百万円
【社長】清水謙(1968.6生 慶大法卒)
【株主】〔24.3〕ソーケンコープ23.8%
【連結事業】ウルフギャングSH27、カプリチョーザ19、ティムホーワン10、ハードロックカフェ7、ババガンプシュリンプ4、他33 <海外30>
【従業員】連2,078名 単1,335名(39.0歳)

【業績】	売上高	営業利益	経常利益	純利益
連22.3	19,182	▲836	▲658	725
連23.3	26,174	831	912	940
連24.3	30,950	1,403	1,594	1,053

㈱玉子屋(たまごや)

株式公開計画なし

採用内定数	倍率	3年後離職率	平均年収
8名	5倍	16.7%	‥

●待遇、制度●
【初任給】月22万(諸手当を除いた数値)
【残業】‥時間【有休】‥日【制度】フ 住

●新卒定着状況●
20年入社(男5、女1)→3年後在籍(男4、女1)

●採用情報●
【人数】23年:5 24年:8 25年:応募40→内定8
【内定内訳】(男6、女2)(文‥、理‥)(総8、他0)
【試験】‥
【時期】エントリー‥→内々定‥
【採用実績校】‥
【求める人材】素直な心、感謝する心、人のせいにしない、この三つを大切にできる人

【本社】143-0024 東京都大田区中央8-44-7 ☎03-3754-6167
【特色・近況】オフィス向けに給食弁当など供給。配達地域は東京、神奈川。1日平均4万食以上を生産。千葉県産など産地直送の保健機能食品の鶏卵を使用。弁当の低廃棄率実現した効率運営に特徴。日替わり弁当は1日1種類に限定し、仕入原価を抑える。
【設立】1975.6 【資本金】50百万円
【社長】菅原勇一郎(1969.4生 立大経済)
【株主】‥
【事業】給食弁当、出張宴会及び折詰め調整等
【従業員】単300名(32.0歳)

【業績】	売上高	営業利益	経常利益	純利益
単21.5	3,900	▲100	▲80	25
単22.5	3,900	▲120	15	10
単23.5	4,200	▲20	20	10

小売

チムニー

東証スタンダード

採用予定数	倍率	3年後離職率	平均年収
20名	―	‥	495万円

●待遇、制度●
【初任給】月23.5万（固定残業代23時間分）
【残業】26.5時間【有休】‥日【制度】住 在
●新卒定着状況●
‥
●採用情報●
【人数】23年:8 24年:15 25年:応募175→内定0*
【内定内訳】（男‥、女‥）（文‥、理‥）（総‥、他‥）
【試験】〔筆記〕常識
【時期】エントリー25.3→内々定25.6*（一次・二次以降もWEB面接可）【インターン】有【ジョブ型】有
【採用実績校】‥
【求める人材】情熱とスピードをもって成長出来る人

【本社】130-0026 東京都墨田区両国3-22-6 雷電ビル ☎03-5839-2600
【特色・近況】首都圏地盤の居酒屋チェーン。海鮮料理をメインとする「はなの舞」や「さかなや道場」などを直営とFCで展開。今後は専門店中心に出店、社内独立活性化でFCも拡大。モバイルオーダーやタッチパネル導入で現場負担軽減図る。酒販のやまや傘下。
【設立】2009.9【資本金】100百万円
【社長】茨田篤司（1967.1生）
【株主】〔24.3〕やまや50.6%
【連結事業】飲食93、コントラクト7
【従業員】連632名 単591名（45.2歳）

【業績】	売上高	営業利益	経常利益	純利益
連22.3	10,108	▲4,582	3,252	1,227
連23.3	20,155	▲1,667	▲1,635	▲2,016
連24.3	25,725	1,300	1,446	938

㈱ＤＤグループ

東証プライム

採用内定数	倍率	3年後離職率	平均年収
38名	88.2倍	63.6%	㊗519万円

●待遇、制度●
【初任給】月24.5万（諸手当0.8万円、固定残業代30時間分）
【残業】29.5時間【有休】‥日【制度】‥
●新卒定着状況●
20年入社（男7、女26）→3年後在籍（男5、女7）
●採用情報● グループ採用
【人数】23年:122 24年:77 25年:応募3350→内定38*
【内定内訳】（男5、女33）（文37、理1）（総38、他0）
【試験】なし
【時期】エントリー24.7→内々定24.8*（一次・二次以降もWEB面接可）【インターン】有【ジョブ型】有
【採用実績校】戸板短大4、立教大1、明大1、東海大1、文教大1、大阪成蹊大1、神奈川大1、拓大1、帝京大1、大東文化大1、他
【求める人材】人を喜ばせること、世の中に感動を生み出すことに本気で取り組める人

【本社】108-0014 東京都港区芝4-1-23 三田NNビル ☎03-6858-6080
【特色・近況】居酒屋はじめ複数業態の飲食店運営行う持株会社。立地や店舗ごとに業態を開発するマルチブランド戦略に特徴。居酒屋のほかビリヤード・ダーツバー形態店舗も。東京、神奈川中心に全国展開。M&Aに積極的で同業を数々傘下に。ホテル・不動産事業も手がける。
【設立】2002.12【資本金】100百万円
【社長】松村厚久（1967.3生 日大理工卒）
【株主】〔24.2〕松村厚久27.0%
【連結事業】飲食・アミューズメント94、ホテル・不動産6
【従業員】連1,191名 単71名（42.4歳）

【業績】	売上高	営業利益	経常利益	純利益
連22.2	19,353	▲7,332	▲97	▲354
連23.2	32,235	467	838	875
連24.2	37,079	3,243	3,131	3,415

#有休取得が多い

㈱東京會舘（とうきょうかいかん）

東証スタンダード

採用内定数	倍率	3年後離職率	平均年収
37名	1.5倍	―	445万円

●待遇、制度●
【初任給】月21.2万
【残業】37.5時間【有休】20.5日【制度】‥
●新卒定着状況●
20年入社（男0、女0）→3年後在籍（男0、女0）
●採用情報●
【人数】23年:47 24年:34 25年:応募55→内定37*
【内定内訳】（男11、女26）（文14、理0）（総14、他23）
【試験】〔筆記〕常識〔Web会場〕有
【時期】エントリー25.3→内々定25.3*
【採用実績校】上智大2、流経大1、聖心女大1、明海大2、日大1、明学大1、帝京平成大1、西武文理大1、昭和女大1、明星大1、戸板短大1、他
【求める人材】お客様の慶びに共感でき、おもてなしの心を持ち合わせた人

【本社】100-0005 東京都千代田区丸の内3-2-1 ☎03-3215-2111
【特色・近況】宴会場・結婚式場・レストランの名門。1920年（大正9年）、海外からの賓客を迎える民間施設として設立。丸の内の本館が収益柱で、皇居を間近に望む大ホールを有する。一橋大同窓クラブ所縁の如水会館も運営。日本橋三越本店の特別食堂「日本橋」なども展開。
【設立】1920.4【資本金】3,700百万円
【社長】渡辺訓章（1958.12生 駒沢大法卒）
【株主】〔24.3〕サントリーホールディングス9.0%
【事業】宴会71、食堂21、売店他8
【従業員】単489名（43.4歳）

【業績】	売上高	営業利益	経常利益	純利益
単22.3	8,399	▲1,743	▲683	844
単23.3	12,885	228	276	249
単24.3	14,883	1,047	986	1,535

小売

東和フードサービス（とうわ） 東証スタンダード

採用内定数	倍率	3年後離職率	平均年収
8名	6.3倍	‥	(総)543万円

●待遇、制度●
【初任給】月24.2万(固定残業代20時間分)
【残業】19.9時間【有休】14日【制度】フ 住 在
●新卒定着状況●
20年入社(男1、女7)→3年後在籍(男‥、女‥)
●採用情報●
【人数】23年:11 24年:6 25年:応募50→内定8*
【内定内訳】(男2、女6)(文5、理2)(総8、他0)
【試験】〔Web自宅〕SPI3
【時期】エントリー25.3→内々定25.6*(一次・二次以降もWEB面接可)【インターン】有
【採用実績校】女子栄養大1、淑徳大2、東京農業大1、赤堀製菓専1、玉川大1、東洋大1、都留文科大1
【求める人材】情熱もしくは好奇心を持っていて、常に前向きで勉強好き、人を喜ばせることが好きな人

【本社】105-0004 東京都港区新橋3-20-1 TOWA J'Sビル ☎03-5843-7666
【特色・近況】首都圏に展開する外食チェーン。高級喫茶「椿屋珈琲店」、パスタやケーキのカフェ業態「ダッキーダック」のほか、イタリアンダイニング、鉄板ステーキ店、お好み焼き店などを運営する。フランチャイズ展開はなく、すべて直営店。自社製品の外販も手がける。
【設立】1999.5 【資本金】50百万円
【社長】岸野誠人(1977.10生 玉川大文卒)
【株主】〔24.4〕岸野秀英19.3%
【事業】椿屋珈琲43、ダッキーダック19、イタリアンダイニングドナ17、こてがえし・ぱすたかん11、プロント5、他4
【従業員】単205名(38.4歳)

【業績】	売上高	営業利益	経常利益	純利益
単22.4	8,246	▲751	1,232	698
単23.4	10,846	614	656	425
単24.4	12,382	997	1,049	704

㈱ハイデイ日高（ひだか） 東証プライム

採用内定数	倍率	3年後離職率	平均年収
31名	13.5倍	64.4%	532万円

●待遇、制度●
【初任給】月26.5万(固定残業代20時間分)
【残業】27.7時間【有休】7日【制度】住
●新卒定着状況●
20年入社(男46、女41)→3年後在籍(男19、女12)
●採用情報●
【人数】23年:77 24年:80 25年:応募417→内定31*
【内定内訳】(男22、女9)(文25、理6)(総31、他0)
【試験】〔性格〕有
【時期】エントリー24.6→内々定24.7(一次はWEB面接可)
【採用実績校】国士舘大2、産能大1、千葉商大1、東洋大1、帝京大1、城西国際大1、東海大1、創価大1、神奈川大1、立正大1、他
【求める人材】‥

【本店】330-0846 埼玉県さいたま市大宮区大門町2-118 大宮門街SQUARE ☎048-644-8447
【特色・近況】中華料理とつまみの「中華食堂日高屋」を主力に展開。埼玉・行田工場を核に南関東中心に出店。夕方以降の好採算アルコール比率上昇で家賃を吸収。駅前型出店・直営が主だがロードサイド開始、FCも視野。地域拡大も含め700店(現約450店)出店目標。
【設立】1983.10 【資本金】1,625百万円
【社長】青野敬成(1974.4生 愛媛西条高卒)
【株主】〔24.2〕神田正13.7%
【事業】日高屋94、他6
【従業員】単978名(36.0歳)

【業績】	売上高	営業利益	経常利益	純利益
単22.2	26,402	▲3,523	2,586	1,579
単23.2	38,168	615	2,470	1,519
単24.2	48,772	4,637	4,756	3,233

㈱ハチバン 東証スタンダード

採用内定数	倍率	3年後離職率	平均年収
2名	3倍	ー	559万円

●待遇、制度●
【初任給】月20.5万
【残業】15時間【有休】10.5日【制度】住
●新卒定着状況●
20年入社(男0、女0)→3年後在籍(男0、女0)
●採用情報●
【人数】23年:1 24年:7 25年:応募6→内定2*
【内定内訳】(男1、女1)(文2、理0)(総2、他0)
【試験】なし
【時期】エントリー25.3→内々定25.4*【インターン】有
【採用実績校】金沢星稜大2
【求める人材】明るく元気で素直な人、食が好き・人が好き・店が好きな人

【本社】921-8582 石川県金沢市新神田1-12-18 ☎076-292-0888
【特色・近況】北陸3県中心に「8番らーめん」をFCチェーンと直営で展開。国内は和食料理など他業態含めて約130店。海外はタイで約160店を運営。ベトナムにも出店。オリジナルの麺製品や餃子を、生協・スーパー向けの外販事業やECも展開。
【設立】1971.1 【資本金】1,518百万円
【社長】長丸昌功(1959.12生 日大農獣医卒)
【株主】〔24.3〕日本カストディ銀行信託口4 4.9%
【連結事業】外食76、外販9、海外15 <海外15>
【従業員】連165名 単156名(44.4歳)

【業績】	売上高	営業利益	経常利益	純利益
連22.3	5,915	▲343	▲69	▲168
連23.3	7,107	168	224	65
連24.3	7,623	235	365	160

㈱ハ ブ

東証スタンダード

採用内定数	倍率	3年後離職率	平均年収
16名	56.9倍	0%	473万円

●待遇、制度●
【初任給】月25.5万(諸手当4万円)
【残業】20時間【有休】11.1日【制度】住
●新卒定着状況●
20年入社(男4、女2)→3年後在籍(男4、女2)
●採用情報●
【人数】23年:16 24年:20 25年:応募910→内定16*
【内定内訳】(男11、女5)(文6、理1)(総16、他0)
【試験】〔筆記〕有〔Web自宅〕有〔性格〕有
【時期】エントリー25.3→内々定25.4*(一次・二次以降もWEB面接可)【インターン】有
【採用実績校】福岡大1、日経大1、京産大1、東京ビジネス・アカデミー専1、尚美学大1、創価大1、東洋大1、駿河台大1、東京農業大1、他
【求める人材】正直で地道に努力ができる人、積極的に発言し行動できる人、仲間を大切にできる人

【本社】101-0021 東京都千代田区外神田3-14-10 秋葉原HFビル ☎03-3526-8682
【特色・近況】英国風パブ「HUB」を展開。ビールやカクテルが柱で学生や若年サラリーマン層が照準。スポーツイベントなどで集客。提携先のMIXIともコラボ。立地は首都圏ターミナル駅近く多いが、オフィス街中心の「82」も運営。200店体制目指し出店エリア拡大。
【設立】1998.5 【資本金】100百万円
【社長】太田剛(1961.1生 大経大経営卒)
【株主】〔24.2〕Tech Growth Capital有限責任組合19.6%
【事業】英国風PUB100
【従業員】単282名(35.3歳)

【業績】	売上高	営業利益	経常利益	純利益
単22.2	2,413	▲1,185	▲1,214	143
単23.2	7,607	▲541	▲561	▲283
単24.2	9,854	277	255	270

㈱浜木綿(はまゆう)

東証スタンダード

採用内定数	倍率	3年後離職率	平均年収
5名	4倍	75%	450万円

●待遇、制度●
【初任給】月22.1万(固定残業代18時間分)
【残業】36時間【有休】6.3日【制度】住
●新卒定着状況●
20年入社(男3、女1)→3年後在籍(男1、女0)
●採用情報●
【人数】23年:0 24年:1 25年:応募20→内定5*
【内定内訳】(男4、女1)(文2、理2)(総5、他0)
【試験】〔性格〕有
【時期】エントリー24.6→内々定25.2*【インターン】有
【採用実績校】愛知工業大1、中京大1、南山大1、愛知淑徳大1
【求める人材】何事にも真摯に行動し、リーダーシップのとれる人

【本社】466-0815 愛知県名古屋市昭和区山手通3-13-1 ☎052-832-0005
【特色・近況】東海地方中心に中華料理専門店を直営展開。ファミリー向け「浜木綿(はまゆう)」など4業態を出店する。セントラルキッチンの調理割合を高め、店舗の運営効率を上げる方針。低価格で客の回転を重視した新業態「中国食堂はまゆう」は出店増へ。
【設立】1968.2 【資本金】669百万円
【社長】林永芳(1948.3生)
【株主】〔24.7〕㈲AMcosmos19.4%
【事業】浜木綿業態85、四季亭業態7、桃李蹊業態4、中国食堂はまゆう業態4、他業態0
【従業員】単220名(38.2歳)

【業績】	売上高	営業利益	経常利益	純利益
単22.7	4,545	▲165	226	19
単23.7	5,271	121	122	▲62
単24.7	5,774	219	224	116

B-R サーティワン アイスクリーム

東証スタンダード

採用内定数	倍率	3年後離職率	平均年収
8名	44.6倍	0%	786万円

●待遇、制度●
【初任給】月22万
【残業】‥時間【有休】10.2日【制度】フ 住 在
●新卒定着状況●
20年入社(男2、女0)→3年後在籍(男2、女0)
●採用情報●
【人数】23年:3 24年:2 25年:応募357→内定8
【内定内訳】(男1、女7)(文7、理1)(総8、他0)
【試験】〔Web会場〕C-GAB〔性格〕有
【時期】エントリー25.3→内々定25.6(一次・二次以降もWEB面接可)【インターン】有
【採用実績校】青学大1、大阪教大1、実践女大1、富山大1、南山大1、日本獣医生命科学大1、立命館大1、早大1
【求める人材】‥

【本社】141-0021 東京都品川区上大崎3-1-1 目黒セントラルスクエア ☎03-3449-0331
【特色・近況】アイスクリーム専門店「サーティワン」をショッピングセンターなどにFC展開。全国に1400弱の店舗。海外はフランチャイザーとして台湾、フランチャイジーとしてハワイに出店。静岡と兵庫に工場。不二家と米国バスキン・ロビンス社の合弁。
【設立】1973.12 【資本金】735百万円
【会長兼社長】J.キム(1970.10生)
【株主】〔24.6〕不二家40.4%
【連結事業】製品売上高76、ロイヤリティー収入17、店舗用設備関連収入8
【従業員】連268名 単‥名(41.5歳)

【業績】	売上高	営業利益	経常利益	純利益
単21.12	19,387	1,184	1,353	778
連22.12	22,038	1,709	1,691	1,232
連23.12	24,760	1,828	1,860	1,201

小売

㈱ファイブスター

株式公開していない

採用内定数	倍率	3年後離職率	平均年収
5名	3.6倍	−	[総]517万円

●待遇、制度●
【初任給】月23万
【残業】30時間【有休】6.4日【制度】[住]

●新卒定着状況●
20年入社(男0、女0)→3年後在籍(男0、女0)

●採用情報●
【人数】23年:10 24年:2 25年:応募18→内定5*
【内定内訳】(男3、女2)(文3、理0)(総5、他0)
【試験】〔性格〕有
【時期】エントリー25.3→内々定25.6*(一次・二次以降もWEB面接可)【インターン】有
【採用実績校】京都橘大1、京都女大1、京産大1

【求める人材】感謝の心を持っている人、期待に応えようと努力する人、他者の変化に気づき行動する人

【本社】522-0002 滋賀県彦根市松原町1880-5 ☎0749-22-5095
【特色・近況】平和堂の完全子会社で外食事業を担う。ココスジャパンのサブライセンス受け、ファミレスチェーン「ココス」を北陸、滋賀、京都などで展開。回転すし「海座」や居酒屋「いちおしや伝五郎」も。全業態合計91店舗(24年2月)。
【設立】1984.12 【資本金】50百万円
【社長】西川好人(1959.5生)
【株主】〔24.2〕平和堂100%
【事業】レストラン、寿司、ダイニング等のチェーン店経営
【従業員】[単]211名(42.9歳)

【業績】	売上高	営業利益	経常利益	純利益
[単]22.2	8,256	▲313	▲300	35
[単]23.2	9,549	▲116	▲105	▲520
[単]24.2	11,041	266	280	200

㈱フジオフードグループ本社

東証プライム

採用内定数	倍率	3年後離職率	平均年収
10名	15.6倍	76.9%	[総]560万円

●待遇、制度●
【初任給】月22.1万(固定残業代10時間分)
【残業】10.5時間【有休】7.8日【制度】‥

●新卒定着状況●
20年入社(男4、女9)→3年後在籍(男2、女1)

●採用情報● FFS採用
【人数】23年:12 24年:7 25年:応募156→内定10*
【内定内訳】(男‥、女‥)(文3、理0)(総‥、他‥)
【試験】〔筆記〕有〔Web会場〕有〔Web自宅〕有〔性格〕有
【時期】エントリー25.3→内々定25.10*(一次・二次以降もWEB面接可)【インターン】有【ジョブ型】有
【採用実績校】大阪産大1、帝塚山大1、金城学大1

【求める人材】企業理念に共感し、行動できる人

【本社】530-0046 大阪府大阪市北区菅原町2-16 FUJIO BLDG. ☎06-6360-0301
【特色・近況】大衆セルフ食堂「まいどおおきに食堂」が主力業態。地名を冠した「○○食堂」の屋号で大阪地盤に全国展開。串揚げ「串家物語」、うどん「つるまる」などの業態も手がける。中国、台湾、インドネシア、フィリピンなどにも展開。店舗数は国内外で700店超。
【設立】1999.11 【資本金】2,731百万円
【社長】藤尾政弘(1955.3生 追手学大経済卒)
【株主】〔24.6〕㈲エフエム商業計画14.9%
【連結事業】直営95、FC5
【従業員】[連]430名 [単]303名(42.3歳)

【業績】	売上高	営業利益	経常利益	純利益
[連]21.12	25,453	▲3,343	1,785	▲489
[連]22.12	26,530	▲1,886	▲722	▲3,402
[連]23.12	29,756	389	296	▲706

ロイヤルホールディングス

東証プライム

採用内定数	倍率	3年後離職率	平均年収
29名	66.3倍	50%	593万円

●待遇、制度●
【初任給】月22.8万
【残業】25.5時間【有休】8.9日【制度】[住][在]

●新卒定着状況●
20年入社(男5、女9)→3年後在籍(男3、女4)

●採用情報● グループ採用
【人数】23年:31 24年:29 25年:応募1922→内定29*
【内定内訳】(男4、女25)(文18、理11)(総26、他3)
【試験】〔Web自宅〕SPI3〔性格〕有
【時期】エントリー25.3→内々定25.6(一次・二次以降もWEB面接可)【インターン】有
【採用実績校】中村学大4、山口県大2、東京家政学大2、茨城キリスト大1、宇都宮大1、九州女大1、近大1、日大1、国士舘大1、法政大1、他
【求める人材】食べることや人と接することが好きで、「ロイヤル経営基本理念」に共感でき、新たな価値創造のために前向きでチャレンジ精神が旺盛な人

【東京本部】154-8584 東京都世田谷区桜新町1-34-6 ☎03-5707-8800
【特色・近況】外食老舗。ファミリーレストラン「ロイヤルホスト」を全国に直営展開。天丼の「てんや」も傘下。ホテル事業はビジネスマン向けの「リッチモンドホテル」を運営。法人からの委託を受け、空港や高速道路SA内でのレストラン・ショップの運営事業も手がける。
【設立】1956.5 【資本金】17,830百万円
【社長】阿部正孝(1971.3生 盛岡大文卒)
【株主】〔24.6〕双日19.9%
【連結事業】外食44、コントラクト31、ホテル21、食品4、他0
【従業員】[連]1,915名 [単]114名(46.2歳)

【業績】	売上高	営業利益	経常利益	純利益
[連]21.12	83,975	▲7,366	▲4,498	▲2,873
[連]22.12	104,015	2,192	2,156	2,754
[連]23.12	138,940	6,074	5,266	4,035

㈱日本ヒュウマップ

株式公開 計画なし

採用内定数	倍率	3年後離職率	平均年収
1名	39倍	50%	[総]441万円

●待遇、制度●
【初任給】月24万
【残業】8.8時間【有休】11.7日【制度】[住]

●新卒定着状況●
20年入社(男1、女5)→3年後在籍(男1、女2)

●採用情報●
【人数】23年:3 24年:4 25年:応募39→内定1*
【内定内訳】(男0、女1)(文0、理1)(総1、他0)
【試験】〔Web自宅〕有
【時期】エントリー25.3→内々定25.未定*(一次・二次以降もWEB面接可)
【採用実績校】山口東理大1

【求める人材】人に敬意を持って、笑顔で接することができる人、目的意識を持ち、自ら考え行動できる人

【本社】116-0013 東京都荒川区西日暮里5-15-7 ダイナム綜合投資ビル ☎03-3802-8141
【特色・近況】パチンコ店隣接の飲食店「めん六や」を運営するとともに、パチンコホールの清掃業務を請け負う。「めん六や」は全国に約370店舗展開。パチンコチェーン大手のダイナムジャパンHD傘下。ホール内でのコーヒーサービスも展開。
【設立】1982.11 【資本金】100百万円
【社長】川野創平(1970.4生 早大一文卒)
【株主】〔24.3〕ダイナムジャパンホールディングス100%
【事業】清掃部門60、飲食部門38
【従業員】単151名(45.5歳)

【業績】	売上高	営業利益	経常利益	純利益
単22.3	6,748	296	332	98
単23.3	6,654	184	205	61
単24.3	6,739	59	79	▲17

#有休取得が多い

㈱関西メディコ

株式公開 いずれしたい

採用内定数	倍率	3年後離職率	平均年収
2名	4倍	16.7%	‥

●待遇、制度●
【初任給】月28.3万
【残業】6時間【有休】18日【制度】[フ][住]

●新卒定着状況●
20年入社(男5、女7)→3年後在籍(男4、女6)

●採用情報●
【人数】23年:6 24年:8 25年:応募8→内定2*
【内定内訳】(男2、女0)(文0、理2)(総0、他2)
【試験】‥
【時期】エントリー25.3→内々定25.3*(一次はWEB面接可)
【採用実績校】‥

【求める人材】コミュニケーション能力が高い人、機転の利く人

【本社】636-0905 奈良県生駒郡平群町上庄1-14-12 ☎0745-45-3993
【特色・近況】奈良県と京都府南部に展開する調剤薬局「サン薬局」が事業の柱で、68店をチェーン展開。調剤薬局の奈良県内シェアは約20%。在宅医療への対応など地域密着の取り組みを行う。奈良県平群町で介護付き有料老人ホーム施設も運営。
【設立】1989.6 【資本金】20百万円
【社長】安井将美(1947.6生 奈良県立郡山高卒)
【株主】〔23.9〕ヤマト薬品49.7%
【事業】処方箋調剤97、有料老人ホーム3、他0
【従業員】単590名(36.0歳)

【業績】	売上高	営業利益	経常利益	純利益
単21.9	17,536	1,299	1,440	1,330
単22.9	18,117	1,421	3,353	2,093
単23.9	18,988	2,202	6,869	4,887

#採用数が多い

Genky Drug Stores

東証 プライム

採用内定数	倍率	3年後離職率	平均年収
178名	8.4倍	‥	[総]432万円

●待遇、制度●
【初任給】月23.5万
【残業】20.5時間【有休】7日【制度】[住]

●新卒定着状況●
‥

●採用情報●
【人数】23年:310 24年:320 25年:応募1500→内定178*
【内定内訳】(男106、女72)(文121、理13)(総109、他69)
【試験】なし
【時期】エントリー24.3→内々定24.12*(一次・二次以降もWEB面接可)【インターン】有
【採用実績校】金沢学大18、愛知学大10、名古屋学院大7、中部大5、南山大4、愛知大4、名大4、福井県大4、広島大3、京都外大3、他
【求める人材】自ら考え行動し、相手の立場に立って考え、目標達成まで努力を継続できる人

【本社】910-0332 福井県坂井市丸岡町下久米田38-33 ☎0776-67-5240
【特色・近況】福井県地盤のドラッグストア「ゲンキー」を運営。福井から石川、岐阜、愛知、滋賀に出店地域を拡大。食品の売上比率の高さはドラッグストアとしては異色。食品含めPB商品多い。出店は、自社で標準化した300坪規模のレギュラー店を特定地域に集中して行う。
【設立】2017.12 【資本金】1,024百万円
【社長】藤永賢一(1962.10生 福井大工卒)
【株主】〔24.6〕フジナガインターナショナルキャピタルズ㈲37.3%
【連結事業】食品69、雑貨12、化粧品10、医薬品8、他1
【従業員】連1,661名 単1,615名(28.7歳)

【業績】	売上高	営業利益	経常利益	純利益
連22.6	154,639	5,675	6,087	4,420
連23.6	169,059	6,709	7,079	4,764
連24.6	184,860	9,015	9,268	6,324

小売

アイエーグループ

東証スタンダード

採用内定数	倍率	3年後離職率	平均年収
33名	‥	39.4%	597万円

●待遇、制度●
【初任給】月22万
【残業】5.9時間【有休】10.4日【制度】[住]
●新卒定着状況●
20年入社(男50、女16)→3年後在籍(男31、女9)
●採用情報● グループ採用
【人数】23年:60 24年:67 25年:応募‥→内定33*
【内定内訳】(男15、女18)(文17、理3)(総32、他1)
【試験】〔筆記〕有〔性格〕有
【時期】エントリー‥→内々定‥(一次はWEB面接可)
【採用実績校】‥
【求める人材】常に自身の成長を求め、向上心、向学心に溢れる人

【本社】244-0801 神奈川県横浜市戸塚区品濃町545-5 ☎045-821-7500
【特色・近況】神奈川県を中心に自動車用品小売り「オートバックス」のFC店を展開。東京、岐阜にも店舗。車検・板金サービス専門店「テクノキューブ」も運営する。ブライダル事業が第2の柱で、名古屋や東京・青山などにウエディングゲストハウス。建設不動産関連も営む。
【設立】1984.3 【資本金】1,314百万円
【社長】古川隆太郎(1987.10生 一橋大商卒)
【株主】〔24.3〕㈲草創35.2%
【連結事業】カー用品83、ブライダル12、建設不動産4、他1
【従業員】連1,085名 単33名(42.1歳)

【業績】	売上高	営業利益	経常利益	純利益
連22.3	35,831	1,339	1,450	972
連23.3	35,507	1,362	1,500	985
連24.3	35,664	1,844	1,955	1,342

#採用数が多い

アレンザホールディングス

東証プライム

採用内定数	倍率	3年後離職率	平均年収
153名	2.5倍	‥	[総]559万円

●待遇、制度●
【初任給】月21万(諸手当を除いた数値)
【残業】15時間【有休】9.6日【制度】[フ][住]
●新卒定着状況●
‥
●採用情報● 4社計採用
【人数】23年:118 24年:147 25年:応募383→内定153*
【内定内訳】(男100、女53)(文‥、理‥)(総153、他0)
【試験】〔Web会場〕SPI3〔Web自宅〕SPI3
【時期】エントリー24.6→内々定25.3(一次・二次以降もWEB面接可)【インターン】有
【採用実績校】‥
【求める人材】基本的なこと(明るい挨拶、笑顔、身だしなみ)がしっかりとできる人、何事にも前向きでチャレンジ精神がある人

【本社】960-8151 福島県福島市太平寺字堰ノ上58 ☎024-563-6818
【特色・近況】ホームセンター、ペットショップを多店舗展開する持株会社。展開地域は東北・関東・東海・中四国。ホームセンターは「ダイユーエイト」「タイム」「バロー」が店舗ブランド。ペット専門店は「アミーゴ」。好採算のプライベートブランド商品比率の向上図る。
【設立】2016.9 【資本金】2,011百万円
【会長】浅倉俊一(1950.1生)
【株主】〔24.2〕バローホールディングス50.5%
【連結事業】ダイユーエイト30、タイム11、ホームセンターバロー38、アミーゴ14、他7
【従業員】連1,851名 単23名(38.9歳)

【業績】	売上高	営業利益	経常利益	純利益
連22.2	156,939	6,281	6,842	4,091
連23.2	149,191	5,393	5,917	2,707
連24.2	149,715	4,106	4,614	2,372

㈱サンデー

東証スタンダード

採用内定数	倍率	3年後離職率	平均年収
40名	1.5倍	33.3%	398万円

●待遇、制度●
【初任給】月23.2万
【残業】6.2時間【有休】9.2日【制度】[住]
●新卒定着状況●
20年入社(男27、女21)→3年後在籍(男20、女12)
●採用情報●
【人数】23年:30 24年:54 25年:応募59→内定40*
【内定内訳】(男27、女13)(文29、理7)(総40、他0)
【試験】〔Web自宅〕SPI3
【時期】エントリー24.6→内々定25.3(一次・二次以降もWEB面接可)【インターン】有
【採用実績校】弘前大5、青森公大4、青森中央学大1、八戸工大2、八戸学大1、同大1、岩手大1、岩手県大1、東北学大3、長岡技科大1、他
【求める人材】自ら学び、自ら考え、価値を創造する人

【本社】039-1166 青森県八戸市根城6-22-10 ☎0178-47-8511
【特色・近況】青森県地盤のホームセンター。イオン子会社。ロードサイド中心に東北6県に100店舗超出店。イオンSC内にも出店。主力の「サンデー」のほか小型ホームセンター店「ホームマート」、ペット総合専門店「Zoomore」で展開。ECサイトも運営する。
【設立】1975.5 【資本金】3,241百万円
【社長】大南淳二(1971.8生)
【株主】〔24.2〕イオン76.9%
【事業】DIY用品13、家庭用品39、カー・レジャー用品46、他2
【従業員】単774名(41.4歳)

【業績】	売上高	営業利益	経常利益	純利益
単22.2	49,736	1,105	1,157	719
単23.2	49,094	883	942	508
単24.2	47,377	379	456	▲149

㈱ＺＯＡ

東証スタンダード

採用内定数	倍率	3年後離職率	平均年収
2名	3.5倍	62.5%	㊇530万円

●待遇、制度●
【初任給】月19.7万(諸手当1.3万円)
【残業】20時間【有休】5日【制度】住
●新卒定着状況●
20年入社(男7、女1)→3年後在籍(男3、女0)
●採用情報●
【人数】23年:5 24年:4 25年:応募7→内定2*
【内定内訳】(男2、女0)(文0、理1)(総2、他0)
【試験】〔性格〕有
【時期】エントリー25.3→内々定25.6(一次・二次以降もWEB面接可)【インターン】有
【採用実績校】日大1、静岡産業技術専1
【求める人材】コミュニケーション能力の高い人、成長意欲のある人、物事を相手の立場に立って考えられる人

【本社】410-0873 静岡県沼津市大諏訪719
☎055-922-1975
【特色・近況】東海地方を中心にパソコン販売店を展開。店舗名は「OAナガシマ」「パソコンの館」など。バイク用品併設店も持つ。ネット通販サイト「e-zoa.com」も展開。専門性を生かしたサポートサービスに力入れる。商業施設賃貸などの不動産事業も。
【設立】1984.4 【資本金】331百万円
【代表取締役】伊井一史(1960.12生 中大経済卒)
【株主】〔24.3〕伊井一史15.0%
【事業】パソコン本体系商品19、周辺機器8、DOS／Vパーツ11、ソフト・サプライ8、バイク用品3、通信販売40、サポート・不動産他11
【従業員】単74名(42.8歳)

【業績】	売上高	営業利益	経常利益	純利益
単22.3	9,614	505	510	346
単23.3	9,726	537	545	372
単24.3	8,598	419	425	293

㈱デンコードー

株式公開していない

採用内定数	倍率	3年後離職率	平均年収
6名	11.7倍	22.2%	㊇589万円

●待遇、制度●
【初任給】月22.8万
【残業】6時間【有休】9.7日【制度】住
●新卒定着状況●
20年入社(男8、女10)→3年後在籍(男7、女7)
●採用情報●
【人数】23年:27 24年:37 25年:応募70→内定6
【内定内訳】(男2、女4)(文6、理0)(総6、他0)
【試験】〔筆記〕常識〔Web会場〕有〔Web自宅〕有〔性格〕有
【時期】エントリー25.2→内々定25.6(一次・二次以降もWEB面接可)【インターン】有
【採用実績校】東北学大2、東北福祉大1、東北工大1、宮城学院女大1、米沢女短大1
【求める人材】感謝の気持ちを大切にできる、興味と意欲を持って行動、家電で暮らしに役立ちたい人

【本社】981-1222 宮城県名取市上余田字千刈田308
☎022-382-8822
【特色・近況】ケーズHDの子会社で、家電専門店「ケーズデンキ」を東北・北海道エリアに直営店約110店舗展開。家電製品や関連製品の販売、付帯工事、修理サービスを手がける。あんしんパスポート、長期無料保証などアフターサービスが充実。
【設立】1965.8 【資本金】2,866百万円
【社長】髙橋淳(東北電子計算専卒)
【株主】〔24.3〕ケーズホールディングス100%
【事業】家庭電化製品並びに関連商品の販売及び付帯工事・修理サービス
【従業員】単1,463名(45.6歳)

【業績】	売上高	営業利益	経常利益	純利益
単22.3	159,183	9,722	10,730	6,344
単23.3	158,450	7,820	8,895	6,410
単24.3	159,033	6,143	7,064	4,774

㈱ハンズマン

東証スタンダード

採用内定数	倍率	3年後離職率	平均年収
9名	10.9倍	37.2%	㊇584万円

●待遇、制度● 平均年収は地域限定正社員除く
【初任給】月21.6万
【残業】‥時間【有休】13.8日【制度】住
●新卒定着状況●
20年入社(男34、女52)→3年後在籍(男20、女34)
●採用情報●
【人数】23年:63 24年:53 25年:応募98→内定9*
【内定内訳】(男2、女7)(文8、理0)(総0、他9)
【試験】〔筆記〕常識〔性格〕有
【時期】エントリー24.10→内々定24.11*【インターン】有
【採用実績校】大阪産大1、九産大1、近大1、宮崎公大2、九州ルーテル学大1、熊本学大1、鹿児島国際大1、大分県芸術文化短大1
【求める人材】笑顔で明るく、協調性のある人

【本社】885-0006 宮崎県都城市吉尾町2080
☎0986-38-0847
【特色・近況】九州地盤の中堅ホームセンター。売り場面積1万平方メートル超、一般的なHCの4倍以上のアイテム数22万品目に及ぶ超大型店に特長。九州5県に11店舗を分散展開、大阪にも1店。従業員の接客能力向上を目指し、DIYアドバイザー資格取得を奨励。
【設立】1964.12 【資本金】1,057百万円
【社長】大薗誠司(1969.2生 慶大理工卒)
【株主】〔24.6〕㈲ガーデンビル13.3%
【事業】DIY用品56、家庭用品31、カー・レジャー用品13
【従業員】単1,183名(47.3歳)

【業績】	売上高	営業利益	経常利益	純利益
単22.6	30,860	2,010	2,225	1,523
単23.6	30,865	1,547	1,765	1,200
単24.6	34,121	869	1,092	789

小売

㈱鶴屋吉信（つるやよしのぶ）

株式公開計画なし

採用内定数	倍率	3年後離職率	平均年収
2名	33.5倍	0%	‥

●待遇、制度●
【初任給】月20.9万
【残業】6.7時間【有休】9.3日【制度】住 在

●新卒定着状況●
20年入社(男0、女1)→3年後在籍(男0、女1)

●採用情報●
【人数】23年:15 24年:25 25年:応募67→内定2*
【内定内訳】(男1、女1)(文2、理0)(総2、他0)
【試験】〔筆記〕有
【時期】エントリー25.3→内々定25.6(一次・二次以降もWEB面接可)【インターン】有
【採用実績校】同女大1、新潟大1
【求める人材】行動できる人、向上心がある人、相手を尊重できる人

【本社】602-8434 京都府京都市上京区今出川通大宮東入2丁目西船橋町340-1 ☎075-441-0105
【特色・近況】羊羹や焼き菓子、最中、餅菓子、干菓子、生菓子などを手がける。「京観世」等京菓子を関西、首都両圏の直営6店舗と有名百貨店を中心に販売。有名ゲームキャラクターとのコラボ商品を作るなど新商品に意欲的。1803年創業の京銘菓老舗。
【設立】1950.10 【資本金】40百万円
【社長】稲田慎一郎(1961.10生 甲南大経営卒)
【株主】〔24.3〕稲田商事
【事業】京銘菓製造販売
【従業員】単370名(44.4歳)

【業績】	売上高	営業利益	経常利益	純利益
単22.3	2,900	‥	‥	‥
単23.3	3,300	‥	‥	‥
単24.3	3,459	‥	‥	‥

㈱一蔵（いちくら）

東証スタンダード

採用内定数	倍率	3年後離職率	平均年収
29名	19.2倍	55.8%	419万円

●待遇、制度●
【初任給】年315万
【残業】18時間【有休】10日【制度】フ 住

●新卒定着状況● 20～21年入社者合計
20年入社(男20、女84)→3年後在籍(男11、女35)

●採用情報●
【人数】23年:46 24年:45 25年:応募556→内定29*
【内定内訳】(男0、女29)(文14、理0)(総18、他11)
【試験】〔性格〕有
【時期】エントリー24.10→内々定25.3(一次はWEB面接可)【インターン】有
【採用実績校】立教大、専大、駒澤大、近大、四国大、杏林大、中京大、東京工芸大、京都経済短大、東京ウェディング＆ブライダル専、他
【求める人材】自ら考えて変化を実践するために行動できる人

【本社】331-0815 埼玉県さいたま市北区大成町4-699-1 ☎048-660-2211
【特色・近況】きもの販売・レンタルの和装事業が主力で、結婚式場運営も行う。和装は直営店のほか、美容室や写真館との代理店・特約店契約で全国に展開。フォトスタジオ、着方教室も。成人式の写真撮影でも稼ぐ。ウェディングは埼玉、山梨、愛知4カ所に加え上海にも式場。
【設立】1991.2 【資本金】50百万円
【社長】河端義彦(1953.8生)
【株主】〔24.3〕河端義彦49.0%
【連結事業】和装74、ウエディング26
【従業員】連791名 単739名(37.0歳)

【業績】	売上高	営業利益	経常利益	純利益
連22.3	18,567	510	625	617
連23.3	19,747	553	570	597
連24.3	20,429	266	331	629

㈱魚力（うおりき）

東証プライム

採用内定数	倍率	3年後離職率	平均年収
10名	2.8倍	28.6%	599万円

●待遇、制度●
【初任給】月23万
【残業】36.7時間【有休】8.5日【制度】住

●新卒定着状況●
20年入社(男11、女3)→3年後在籍(男8、女2)

●採用情報●
【人数】23年:28 24年:14 25年:応募28→内定10*
【内定内訳】(男6、女4)(文1、理9)(総10、他0)
【試験】〔筆記〕常識〔性格〕有
【時期】エントリー25.3→内々定25.6(一次はWEB面接可)【インターン】有
【採用実績校】東海大、北里大、岩手大、水産大、近大、東邦大、拓大
【求める人材】失敗を恐れず行動できる人、人と話すことが好きな人

【本社】190-0012 東京都立川市曙町2-8-3 ☎042-525-5600
【特色・近況】ビルトイン型の鮮魚専門店として業界最大規模。首都圏の駅ビル、百貨店、スーパーを中心にテナントとして出店し、鮮魚とテイクアウトすしを消費者に販売する。食品スーパー、外食向けの卸売りや、すし製造のノウハウ活かした魚介類メインの飲食店も併営する。
【設立】1984.12 【資本金】1,563百万円
【社長】黒川隆英(1967.4生 都立拝島高卒)
【株主】〔24.3〕㈱山桂35.0%
【連結事業】小売85、飲食4、卸売11、他0
【従業員】連559名 単551名(42.8歳)

【業績】	売上高	営業利益	経常利益	純利益
連22.3	34,127	1,452	2,056	1,009
連23.3	33,743	1,086	1,418	803
連24.3	36,344	1,582	2,039	1,361

#残業が少ない

㈱エコノス 札証

採用実績数	倍率	3年後離職率	平均年収
9名	ー	‥	385万円

●待遇、制度●
【初任給】月22.2万(固定残業代5時間分)
【残業】1.5時間【有休】9.9日【制度】‥
●新卒定着状況●
●採用情報●高卒のみ
【人数】23年:4 24年:9 25年:予定前年並
【内定内訳】(男‥、女‥)(文‥、理‥)(総‥、他‥)
【試験】〔性格〕有
【時期】エントリー‥→内々定‥
【採用実績校】‥
【求める人材】やる気があり、元気な挨拶、コミュニケーションが取れる人

【本社】003-0834 北海道札幌市白石区北郷四条13-3-25 ☎011-875-1996
【特色・近況】北海道地盤に「ブックオフ」「ハードオフ」「ホビーオフ」「ガレージオフ」等のFC加盟店を展開。出張買い取りや通販サイト経由の販売も行う。スマホ修理なども手がけたが現在はリユース事業に集中。遺品や生前整理なども請け負う。
【設立】1964.3 【資本金】335百万円
【社長】長谷川勝也(1966.6生 国士大政経卒)
【株主】〔24.3〕木下勝寿28.1%
【事業】リユース100、他0
【従業員】単167名(37.8歳)

【業績】	売上高	営業利益	経常利益	純利益
単22.3	3,973	156	113	105
単23.3	4,192	190	144	171
単24.3	4,466	227	186	103

角上魚類ホールディングス(かくじょうぎょるい) 株式公開していない

採用内定数	倍率	3年後離職率	平均年収
6名	3.5倍	58.8%	㊇591万円

●待遇、制度●
【初任給】月26万(諸手当4.5万円)
【残業】17.6時間【有休】10.6日【制度】住
●新卒定着状況●
20年入社(男29、女5)→3年後在籍(男12、女2)
●採用情報●
【人数】23年:30 24年:28 25年:応募21→内定6*
【内定内訳】(男5、女1)(文4、理2)(総0、他0)
【試験】〔筆記〕常識〔Web自宅〕SPI3〔性格〕有
【時期】エントリー25.3→内々定25.3*【インターン】有【ジョブ型】有
【採用実績校】國學院大1、日大1、北里大1、聖学大1、東京聖栄大1、国際武道大1
【求める人材】将来の幹部候補生として、チャレンジ精神旺盛な人、柔軟な発想と豊かな感性を持つ人

【本社】940-2595 新潟県長岡市寺泊下荒町9772-20 ☎0258-75-3181
【特色・近況】傘下の事業会社「角上魚類」が鮮魚、鮮魚加工品の小売業を展開。東京、埼玉、神奈川、千葉、群馬、長野、新潟で20店舗強を展開、オンライン販売も運営。経験値の高い社員の育成計画に基づく徹底した教育指導に特徴。「日本一の魚屋」の座を目指す。
【設立】1976.5 【資本金】100百万円
【社長】柳下浩伸
【株主】‥
【連結事業】小売(生鮮魚・カニ・塩干冷凍)、卸売、他
【従業員】連650名 単‥名(‥歳)

【業績】	売上高	営業利益	経常利益	純利益
連22.3	40,125	‥	2,961	1,750
連23.3	40,829			
連24.3	42,659	‥	‥	‥

カネ美食品(みしょくひん) 東証スタンダード

採用内定数	倍率	3年後離職率	平均年収
16名	3.8倍	42.6%	‥

●待遇、制度●
【初任給】月23万
【残業】33時間【有休】11.2日【制度】フ 在
●新卒定着状況●
20年入社(男13、女34)→3年後在籍(男9、女18)
●採用情報●
【人数】23年:39 24年:53 25年:応募60→内定16*
【内定内訳】(男8、女8)(文7、理9)(総16、他0)
【試験】〔性格〕有
【時期】エントリー25.3→内々定25.4*(一次はWEB面接可)【インターン】有
【採用実績校】名城大2、大同大1、中部大1、神奈川大1、和洋女大1、龍谷大1、名古屋学院大1、静岡県大1、神奈川工大1、女子栄養大1、他
【求める人材】食品業界に興味、熱意があり、向上心のある人

【本社】458-0815 愛知県名古屋市緑区徳重3-107 ☎052-879-6111
【特色・近況】中部地盤の総菜メーカー。スーパー、百貨店、駅ナカに出店、すしや揚げ物を販売するテナント事業と、弁当などをコンビニに卸す外販事業が2本柱。外販は生協からの夕食宅配製造も受託する。筆頭株主パンパシインターHD傘下のメガドンキや長崎屋に積極出店。
【設立】1971.3 【資本金】2,002百万円
【社長】寺山雅也(1974.6生)
【株主】〔24.2〕パン・パシフィック・インターナショナルホールディングス38.1%
【事業】テナント50、外販50
【従業員】単1,141名(40.8歳)

【業績】	売上高	営業利益	経常利益	純利益
単22.2	77,630	1,941	2,069	1,319
単23.2	81,059	2,686	2,742	1,720
単24.2	87,107	3,162	3,215	1,854

小売

#残業が少ない

㈱キクチメガネ

株式公開いずれしたい

採用内定数	倍率	3年後離職率	平均年収
18名	‥	26.7%	‥

●待遇、制度●
【初任給】月20.6万(諸手当0.2万円)
【残業】1.8時間【有休】10.1日【制度】住
●新卒定着状況●
20年入社(男4、女11)→3年後在籍(男3、女8)
●採用情報●
【人数】23年:14 24年:17 25年:応募‥→内定18*
【内定内訳】(男6、女12)(文15、理0)(総18、他0)
【試験】〔性格〕有
【時期】エントリー25.3→内々定25.4(一次はWEB面接可)【インターン】有
【採用実績校】キクチ眼鏡専3、愛知学大3、南山大2、椙山女学大2、愛知淑徳大1、桜花学大1、人間環境大1、東海学園大1、他
【求める人材】共感力・向上心・積極性があり、チームワークを高めることができる人

【本社】487-8622 愛知県春日井市高森台4-11-1 ☎0568-92-7711
【特色・近況】眼鏡、コンタクトレンズ、サングラス、補聴器、光学品の小売チェーンを100店舗超展開。愛知県など東海地区のほか、関東や関西に出店。1920年創業。オプトメトリー技術による眼の健康支援にも取り組む。眼鏡専門学校を経営。
【設立】1920.10 【資本金】100百万円
【社長】森信也(1969.2生)
【株主】〔24.3〕同族株主53.2%
【事業】メガネ95、コンタクトレンズ4、他1
【従業員】単580名(49.2歳)

【業績】	売上高	営業利益	経常利益	純利益
単22.3	8,287	‥	‥	‥
単23.3	8,357	‥	‥	‥
単24.3	8,820	‥	‥	‥

㈱紀伊國屋書店(きのくにやしょてん)

株式公開計画なし

採用内定数	倍率	3年後離職率	平均年収
19名	48.6倍	16.7%	㊇586万円

●待遇、制度●
【初任給】月22万
【残業】5.9時間【有休】12.7日【制度】住 在
●新卒定着状況●
20年入社(男7、女11)→3年後在籍(男6、女9)
●採用情報●
【人数】23年:14 24年:19 25年:応募923→内定19
【内定内訳】(男6、女13)(文19、理0)(総19、他0)
【試験】〔Web会場〕有〔性格〕有
【時期】エントリー25.3→内々定25.6(一次・二次以降もWEB面接可)【インターン】有
【採用実績校】早大5、阪大2、同大1、慶大1、中大1、青学大1、関西学大1、北大1、成蹊大1、長崎県大1、他
【求める人材】コミュニケーション能力が高く、目的意識をもって自主的に行動できる自律型の人

【本社】153-8504 東京都目黒区下目黒3-7-10 ☎03-6910-0502
【特色・近況】日本を代表する老舗書店。国公私立大学などへの法人外商や書誌データベースの制作なども行う。全国69店舗。海外にも幅広く展開し、米国、シンガポール、UAEなど10カ国40店以上。劇場運営やホール落語主催など文化・芸術の発信にも注力。
【設立】1946.1 【資本金】36百万円
【会長】高井昌史(1947.8生 成蹊大法卒)
【株主】‥
【連結事業】書籍・雑誌95、文具・事務機他5
【従業員】単4,898名(41.1歳)

【業績】	売上高	営業利益	経常利益	純利益
連21.8	115,587	1,138	1,326	1,507
連22.8	120,931	2,474	2,758	2,032
連23.8	130,607	3,666	4,680	3,179

㈱銀座山形屋(ぎんざやまがたや)

東証スタンダード

採用予定数	倍率	3年後離職率	平均年収
10名	-	0%	394万円

●待遇、制度●
【初任給】月20.3万
【残業】‥時間【有休】‥日【制度】‥
●新卒定着状況●
20年入社(男0、女1)→3年後在籍(男0、女1)
●採用情報● グループ採用
【人数】23年:5 24年:3 25年:応募2→内定0*
【内定内訳】(男‥、女‥)(文‥、理‥)(総‥、他‥)
【試験】〔筆記〕常識
【時期】エントリー25.3→内々定25.5*
【採用実績校】‥
【求める人材】自分で考え、失敗を恐れず、行動できる人

【本社】104-0043 東京都中央区湊2-4-1 TOMACビル ☎03-6866-0276
【特色・近況】注文紳士服の大手。店頭小売りと企業向け出張催事販売が主。1907年創業の老舗で、高級ブランドのイメージ強い。ブリティッシュスタイルとイタリアンスタイルの2ブランドで展開。婦人服のオーダーも手がける。生産はすべて国内のグループ縫製工場。
【設立】1946.11 【資本金】100百万円
【社長】小口弘明(1952.4生 日大文理卒)
【株主】〔24.3〕㈱カネヨシ31.0%
【連結事業】小売59、卸売25、受託縫製16
【従業員】連349名 単18名(60.4歳)

【業績】	売上高	営業利益	経常利益	純利益
連22.3	3,523	▲58	62	44
連23.3	3,756	73	130	138
連24.3	3,785	64	111	90

グローバルスタイル　東証スタンダード

採用内定数	倍率	3年後離職率	平均年収
14名	2.6倍	42.9%	333万円

●待遇、制度●
【初任給】月24.3万(諸手当0.7万円、固定残業代40時間分)
【残業】20時間【有休】7.1日【制度】住
●新卒定着状況●
20年入社(男5、女2)→3年後在籍(男3、女1)
●採用情報●
【人数】23年:14 24年:20 25年:応募36→内定14
【内定内訳】(男6、女8)(文7、理0)(総14、他0)
【試験】なし
【時期】エントリー25.3→内々定25.4(一次・二次以降もWEB面接可)【インターン】有
【採用実績校】東洋大1、日本福祉大1、共立女大1、明学大1、帝塚山学大1、神戸芸工大1、京都橘大1
【求める人材】お客様に喜ばれることが好きで、接客を通じて自らも成長したいと考えられる人

【本社】541-0047 大阪府大阪市中央区淡路町3-5-1 ☎06-6206-2711
【特色・近況】オーダースーツ店「GINZA Global Style」を展開。ビジネス用の低・中価格が中心。採寸・生地選びなどプロセスを楽しむ個室の店舗環境。40～50代向けや最高級オーダーを提供する別店舗ブランドも持つ。海外製ドレスシューズ商品も扱う。
【設立】1949.4【資本金】80百万円
【社長】田城弘志(1965.3生)
【株主】〔24.7〕㈱Sマネジメント15.7%
【事業】GS営業部97、TANGOYA営業部3、他0
【従業員】単286名(31.8歳)

【業績】	売上高	営業利益	経常利益	純利益
単22.7	9,093	548	559	343
単23.7	10,407	659	689	473
単24.7	11,167	629	656	443

㈱コメ兵(ひょう)ホールディングス　東証スタンダード

採用内定数	倍率	3年後離職率	平均年収
62名	22.5倍	0%	㊍650万円

●待遇、制度●
【初任給】月23.6万(諸手当を除いた数値)
【残業】8時間【有休】8.3日【制度】住
●新卒定着状況●
20年入社(男4、女5)→3年後在籍(男4、女5)
●採用情報● 主要子会社採用
【人数】23年:28 24年:34 25年:応募1392→内定62
【内定内訳】(男31、女31)(文60、理2)(総62、他0)
【試験】〔Web自宅〕SPI3〔性格〕有
【時期】エントリー25.3→内々定25.5【インターン】有
【採用実績校】愛知学大6、愛知淑徳大5、愛知大3、椙山女学大3、京産大2、名城大3、駒澤大2、法政大1、関西学大1、愛知県大1、他
【求める人材】コメ兵のVALUE(価値観)を体現しながらチームで働くことができる人

【本社】460-0011 愛知県名古屋市中区大須3-25-31 ☎052-242-0228
【特色・近況】中古ブランド品買い取り・販売首位。宝石、貴金属、服飾品などを個人やリユース取り扱い事業者より買い取り、個人、法人に販売する。法人向けに自社オークション運営会社持つ。海外売上比率はアジア中心に約10%。インバウンド向け国内免税店も運営する。
【設立】1979.5【資本金】1,803百万円
【社長】石原卓児(1972.9生 グロビス経大院修了)
【株主】〔24.3〕㈱KI8.2%
【連結事業】ブランド・ファッション96、タイヤ・ホイール4、不動産賃貸0 <海外11>
【従業員】連1,405名 単28名(‥歳)

【業績】	売上高	営業利益	経常利益	純利益
連22.3	71,148	3,714	3,772	2,259
連23.3	86,113	5,168	5,406	3,706
連24.3	119,459	7,452	7,479	5,025

㈱サックスバー　ホールディングス　東証プライム

採用内定数	倍率	3年後離職率	平均年収
2名	18倍	50%	515万円

●待遇、制度●
【初任給】月20.6万(諸手当を除いた数値)
【残業】14時間【有休】‥日【制度】住
●新卒定着状況●
20年入社(男1、女5)→3年後在籍(男0、女3)
●採用情報● 東京デリカ採用
【人数】23年:0 24年:0 25年:応募36→内定2*
【内定内訳】(男1、女1)(文1、理0)(総2、他0)
【試験】〔Web自宅〕SPI3
【時期】エントリー24.10→内々定25.4(一次はWEB面接可)【インターン】有
【採用実績校】国士舘大1、日本工学院八王子専1
【求める人材】‥

【本社】124-0024 東京都葛飾区新小岩1-48-14 ☎03-3654-5315
【特色・近況】バッグや財布・雑貨類の小売り大手。全国のSC、駅ビルなどに「サックスバー」はじめ複数ショップブランドで約600店出店。帆布製バッグの三香堂、メンズバッグのギアーズジャムなどM&A積極的。既存ブランドのほか自社ブランド品の企画・製造・販売も行う。
【設立】1974.8【資本金】2,986百万円
【社長】木山剛史(1966.7生 早大商卒)
【株主】〔24.3〕ディーアンドケー㈱19.2%
【連結事業】ハンドバッグ4、カジュアルバッグ4、インポートバッグ5、財布・雑貨23、メンズ・トラベルバッグ41、PB・NPB24、他0
【従業員】連571名 単476名(44.2歳)

【業績】	売上高	営業利益	経常利益	純利益
連22.3	36,798	▲903	▲776	▲888
連23.3	47,236	2,484	2,666	1,291
連24.3	52,093	3,764	3,848	2,487

小売

㈱三洋堂書店（さんようどうしょてん）

株式公開計画なし

採用内定数	倍率	3年後離職率	平均年収
10名	11.9倍	50%	[総]437万円

●待遇、制度●
【初任給】月21.4万（固定残業代8時間分）
【残業】8.5時間【有休】12.1日【制度】[住]
●新卒定着状況●
20年入社（男2、女2）→3年後在籍（男1、女1）
●採用情報● グループ採用
【人数】23年:7 24年:4 25年:応募119→内定10
【内定内訳】（男3、女7）（文10、理0）（総10、他0）
【試験】〔筆記〕常識〔性格〕有
【時期】エントリー25.3→内々定25.4～6【インターン】有
【採用実績校】愛知学大1、大阪国際大1、京都女大2、金城学大1、皇學館大1、滋賀大2、南山大1、日本福祉大1
【求める人材】仲間を大切にできる人、チャレンジ精神があり行動できる人

【本社】467-0856 愛知県名古屋市瑞穂区新開町18-22 ☎052-871-3434
【特色・近況】三洋堂HD傘下の書店で、書籍・雑誌や文具・雑貨、映像・音楽・ゲームソフトを販売・レンタル。愛知、岐阜、三重、滋賀などに約70店舗展開。eコマースと実店舗を融合したサービス「スマート・ブックバラエティストア」を展開。
【設立】2012.4 【資本金】10百万円
【社長】加藤和裕（1960.7生）
【株主】〔24.3〕三洋堂ホールディングス99.0%
【事業】書籍・雑誌、文具・雑貨、映像・音楽ソフト、ゲームソフト、トレカ、フィットネス、教育、中古ホビー
【従業員】単128名（40.2歳）

【業績】	売上高	営業利益	経常利益	純利益
単22.3	18,792	▲66	▲31	▲107
単23.3	17,584	▲215	▲187	▲225
単24.3	16,858	29	62	62

#残業が少ない

㈱セリア

東証スタンダード

採用内定数	倍率	3年後離職率	平均年収
12名	123倍	0%	537万円

●待遇、制度●
【初任給】月21.5万
【残業】1.6時間【有休】13.7日【制度】[住]
●新卒定着状況●
20年入社（男2、女18）→3年後在籍（男2、女18）
●採用情報●
【人数】23年:22 24年:17 25年:応募1476→内定12
【内定内訳】（男4、女8）（文12、理0）（総12、他0）
【試験】〔筆記〕有〔Web自宅〕有〔性格〕有
【時期】エントリー25.3→内々定25.6（一次・二次以降もWEB面接可）
【採用実績校】東京経大1、埼玉学大1、國學院大1、愛知淑徳大1、名古屋芸大1、京都外大1、甲南女大1、摂南大1、久留米大1、松山大1、他
【求める人材】「まじめな」想いを持ち誠実・丁寧に毎日を積み重ね自律的に新しいことに挑戦できる人

【本社】503-0934 岐阜県大垣市外渕2-38 ☎0584-89-8858
【特色・近況】100円ショップ業界2位で独立系。直営を主体に地盤の東海から全国へ展開。リアルタイムPOSシステムや商品画像付き発注システム端末などITを活用した効率運営で利益率高い。国内シェア拡大に注力。不採算店閉鎖の一方、新規出店積極的。
【設立】1987.10 【資本金】1,278百万円
【社長】河合映治（1967.9生 同大経済卒）
【株主】〔24.3〕㈱ヒロコーポレーション33.1%
【事業】雑貨99、菓子食品1、他0
【従業員】単586名（39.4歳）

【業績】	売上高	営業利益	経常利益	純利益
単22.3	208,084	20,918	21,347	14,301
単23.3	212,359	15,445	15,617	10,254
単24.3	223,202	15,121	15,315	9,823

#残業が少ない

中部（ちゅうぶ）オプチカル

株式公開計画なし

採用内定数	倍率	3年後離職率	平均年収
6名	8.3倍	0%	‥

●待遇、制度●
【初任給】月25万（諸手当2.6万円）
【残業】1時間【有休】11日【制度】‥
●新卒定着状況●
20年入社（男10、女4）→3年後在籍（男10、女4）
●採用情報●
【人数】23年:10 24年:10 25年:応募50→内定6*
【内定内訳】（男5、女1）（文6、理0）（総5、他1）
【試験】〔筆記〕常識〔性格〕有
【時期】エントリー25.2→内々定25.6*【インターン】有
【採用実績校】‥
【求める人材】協調性を重んじ、自分で考えて行動できる人、メガネというアイテムそのものが好きな人

【本社】464-0095 愛知県名古屋市千種区天満通2-12 ☎0587-93-8120
【特色・近況】メガネ販売チェーンの「メガネ赤札堂」を愛知県中心に岐阜、三重、静岡、滋賀、福井の6県で60店舗超を展開。豊富な取り扱い商品が強み。サングラス、補聴器も全店舗で取り扱う。愛知県丹羽郡扶桑町に本店が所在。
【設立】1982.10 【資本金】10百万円
【社長】宮本千絵
【株主】‥
【事業】メガネ、メガネ付属品、補聴器
【従業員】単310名（33.0歳）

【業績】	売上高	営業利益	経常利益	純利益
単22.2	5,620	200	200	‥
単23.2	5,950	‥	‥	‥
単24.2	5,920	125	125	‥

㈱チヨダ 東証プライム

採用内定数	倍率	3年後離職率	平均年収
3名	‥	50%	490万円

●待遇、制度●
【初任給】月21.2万(諸手当0.2万円)
【残業】14時間【有休】10.6日【制度】住
●新卒定着状況●
20年入社(男8、女4)→3年後在籍(男5、女1)
●採用情報●
【人数】23年:2 24年:0 25年:応募‥→内定3*
【内定内訳】(男2、女1)(文3、理0)(総3、他0)
【試験】〔性格〕有
【時期】エントリー25.3→内々定25.6*(一次はWEB面接可)【インターン】有
【採用実績校】愛知淑徳大1、大阪芸大1、駿河台大1
【求める人材】チャレンジ精神溢れ、積極的に行動できる人

【本社】167-8505 東京都杉並区荻窪4-30-16 藤澤ビルディング ☎03-5335-4131
【特色・近況】靴の量販店大手。店舗は「シュープラザ」「東京靴流通センター」が主力で、郊外店中心に約900店出店。店舗は絶えずスクラップ&ビルドし活性化。PB開発にも積極的でヒット商品のさらなる拡販を狙う。子会社でカジュアル衣料チェーン「マックハウス」も展開。
【設立】1948.6 【資本金】6,893百万円
【社長】町野雅俊(1958.12生 北海道小樽商高卒)
【株主】〔24.2〕いちごトラストPTE.17.0%
【連結事業】靴83、衣料品17
【従業員】連1,554名 単1,156名(48.3歳)

【業績】	売上高	営業利益	経常利益	純利益
連22.2	88,651	▲4,387	▲3,822	▲3,980
連23.2	92,119	▲2,234	▲1,942	▲2,602
連24.2	93,320	1,071	1,474	1,851

#初任給が高い

㈱TOKYO BASE 東証プライム

採用内定数	倍率	3年後離職率	平均年収
96名	100.2倍	‥	547万円

●待遇、制度●
【初任給】月40万
【残業】15.5時間【有休】‥日【制度】‥
●新卒定着状況●
‥
●採用情報●
【人数】23年:58 24年:50 25年:応募9622→内定96*
【内定内訳】(男57、女39)(文89、理7)(総96、他0)
【試験】〔Web自宅〕SPI3〔性格〕有
【時期】エントリー24.5→内々定24.12(一次はWEB面接可)
【採用実績校】早大1、慶大1、上智大1、筑波大1、ニューヨーク市立大1、明大2、中大5、関大1、静岡大1、東京外大1、他
【求める人材】自責かつ素直かつ愚直に行動し、結果を出す人

【本社】107-0062 東京都港区南青山3-11-13 新青山東急ビル ☎03-6712-6842
【特色・近況】日本ブランド商品のセレクト業態や純国産SPA(製造小売業)を展開するアパレル小売り。TOKYOブランドを発信する「STUDIOUS」や全商品日本製オリジナル商品の「UNITED TOKYO」などを展開。ECの販売比率は2割強。中国にも進出。
【設立】2008.12 【資本金】576百万円
【代表取締役】谷正人(1983.10生 中大商卒)
【株主】〔24.7〕谷正人24.1%
【連結事業】実店舗販売75、インターネット販売24、他2 <海外13>
【従業員】連310名 単‥名(28.2歳)

【業績】	売上高	営業利益	経常利益	純利益
連22.1変	17,618	946	1,082	762
連23.1	19,181	215	265	▲539
連24.1	19,986	881	1,122	335

㈱トップカルチャー 東証スタンダード

採用実績数	倍率	3年後離職率	平均年収
3名	‥	‥	459万円

●待遇、制度●
【初任給】月21.6万
【残業】‥時間【有休】‥日【制度】住
●新卒定着状況●
‥
●採用情報●
【人数】23年:8 24年:3 25年:予定微増*
【内定内訳】(男‥、女‥)(文‥、理‥)(総‥、他‥)
【試験】なし
【時期】エントリー25.1→内々定25.3(一次・二次以降もWEB面接可)【インターン】有
【採用実績校】‥
【求める人材】自由かつ大胆な発想で「日常的エンターテイメント」を地域社会に提供していける人

【本社】950-2022 新潟県新潟市西区小針4-9-1 ☎025-232-0008
【特色・近況】書籍、文具雑貨等の複合店「蔦屋書店」を、フランチャイジーとして展開。地元・新潟始め関東・信越・東北などに店舗持つ。トレーディングカードやダイソー導入による店舗の業態転換進める。自社サイトや楽天市場でECも。
【設立】1986.12 【資本金】100百万円
【社長】清水大輔(1984.6生 ハルトIBS経営卒)
【株主】〔24.4〕トーハン21.7%
【連結事業】蔦屋書店94、ゲーム・トレーディングカード2、スポーツ関連1、訪問看護1、飲食2
【従業員】連207名 単‥名(40.8歳)

【業績】	売上高	営業利益	経常利益	純利益
連21.10	26,407	356	276	▲1,939
連22.10	20,905	▲154	▲187	▲272
連23.10	18,953	▲802	▲888	▲1,376

小売

#採用数が多い

㈱トレジャー・ファクトリー

東証プライム

採用内定数	倍率	3年後離職率	平均年収
106名	‥	‥	‥

●待遇、制度●
【初任給】月23万(諸手当4万円、固定残業代23時間分)
【残業】20.2時間【有休】10.6日【制度】住

●新卒定着状況●
‥

●採用情報●
【人数】23年:115 24年:107 25年:応募‥→内定106*
【内定内訳】(男80、女26)(文93、理5)(総104、他2)
【試験】〔性格〕有
【時期】エントリー25.3→内々定25.4*(一次・二次以降もWEB面接可)【インターン】有
【採用実績校】中大1、立教大1、日大4、駒澤大3、順天堂大3、東京農業大1、都留文科大1、帝京大4、千葉商大2、日体大2、桜美林大1、他
【求める人材】「Idea&Action」自分なりのアイデアを持ち、それを実践につなげられる人

【本社】101-0022 東京都千代田区神田練塀町3 大東ビル ☎03-3880-8822
【特色・近況】リユース小売大手の一角で関東、関西にドミナント出店。電化製品・家具・衣料・雑貨などの総合リユース店のほか衣類服飾雑貨、ブランド古着、アウトドア用品などの専門店を展開する。リアルの買取・販売に加えEC販売拠点も兼ねる店舗を積極出店する方針。
【設立】1999.12 【資本金】906百万円
【社長】野坂英吾(1972.5生)
【株主】〔24.2〕野坂英吾33.0%
【連結事業】生活雑貨6、衣料48、服飾雑貨22、電化製品11、家具4、ホビー用品8、他2
【従業員】単1,034名(30.5歳)

【業績】	売上高	営業利益	経常利益	純利益
連22.2	23,313	995	1,054	703
連23.2	28,212	2,565	2,622	1,710
連24.2	34,454	3,348	3,390	2,241

中島水産(なかじますいさん)

株式公開未定

採用実績数	倍率	3年後離職率	平均年収
6名	‥	‥	‥

●待遇、制度●
【初任給】月22.6万
【残業】‥時間【有休】‥日【制度】‥

●新卒定着状況●
‥

●採用情報●
【人数】23年:5 24年:6 25年:予定増加
【内定内訳】(男‥、女‥)(文‥、理‥)(総‥、他‥)
【試験】‥
【時期】エントリー25.1→内々定25.5*(一次・二次以降もWEB面接可)
【採用実績校】‥
【求める人材】新しい水産ビジネスモデル創造、店舗経営に興味のある人

【本社】104-0045 東京都中央区築地6-19-20 ニチレイ東銀座ビル5階 ☎03-3543-5721
【特色・近況】水産物の小売と卸売を手がけ、業界首位級。小売は鮮魚専門店・惣菜店を北海道、関東、中部、近畿、中国地区の百貨店、スーパーなどで直営63店舗。グループで台湾、香港、東南アジア各国での鮮魚・寿司専門店や、国内での外食ビジネスを展開する。
【設立】1951.10 【資本金】99百万円
【社長】井上惠介(1955.1生 神戸大経営卒)
【株主】〔24.3〕中島明40.4%
【事業】水産物小売72、同卸売27、海外現地法人からの収益1
【従業員】単427名(‥歳)

【業績】	売上高	営業利益	経常利益	純利益
単22.3	27,977	1,003	1,382	954
単23.3	27,083	739	1,209	745
単24.3	26,753	869	1,419	1,058

㈱二木(にき)ゴルフ

株式公開計画なし

採用予定数	倍率	3年後離職率	平均年収
15名	‥	‥	‥

●待遇、制度●
【初任給】月21万(諸手当を除いた数値)
【残業】‥時間【有休】‥日【制度】住

●新卒定着状況●
‥

●採用情報●
【人数】23年:11 24年:10 25年:予定15*
【内定内訳】(男‥、女‥)(文‥、理‥)(総‥、他‥)
【試験】試験あり
【時期】エントリー25.3→内々定25.3*(一次はWEB面接可)
【採用実績校】‥
【求める人材】‥

【本部】175-0082 東京都板橋区高島平1-80-1 旭栄ビル2階 ☎03-5920-0151
【特色・近況】東京・上野アメ横で創業したゴルフ用品小売専門チェーン。首都圏中心に全国に46店舗を展開。オンライン販売、中古クラブの専門店、提携するゴルフ場などのインショップ形態も展開。ゴルフ愛好家を集めたコンペや各種イベント開催にも積極的。
【設立】1979.11 【資本金】50百万円
【社長】二木一成(1975.7生)
【株主】〔24.5〕二木文子26.8%
【事業】ゴルフ用品小売100
【従業員】単348名(46.7歳)

【業績】	売上高	営業利益	経常利益	純利益
単22.2	14,920	‥	‥	‥
単23.2	14,534	‥	‥	‥
単24.2	14,341	‥	‥	‥

㈱パーク・コーポレーション

株式公開していない

採用内定数	倍率	3年後離職率	平均年収
24名	57.2倍	62.5%	390万円

●待遇、制度●
【初任給】月23.9万(固定残業代25時間分)
【残業】26.4時間【有休】9日【制度】[フ][在]
●新卒定着状況●
20年入社(男2、女14)→3年後在籍(男0、女6)
●採用情報●
【人数】23年:15 24年:20 25年:応募1373→内定24*
【内定内訳】(男5、女19)(文20、理1)(総21、他3)
【試験】なし
【時期】エントリー24.7→内々定25.2*(一次はWEB面接可)【インターン】有
【採用実績校】女子栄養大1、専大1、明星大1、帝京平成大1、関西外大1、松山大1、名古屋外大1、神奈川大1、立教大1、関東学院大1、他
【求める人材】花や緑が好きで、企業理念に共感できる人、主体性を持ち行動し、自己成長しつづける人

【本社】107-0062 東京都港区南青山5-6-26 ☎03-3797-0700
【特色・近況】主力の「青山フラワーマーケット」を軸に全国120店舗を展開する生花店チェーン。EC事業のほか、フラワースクールやカフェなども経営。パリ、ロンドンにも店舗。商業施設や公共空間の室内緑化など空間デザイン事業も手がける。
【設立】1988.12【資本金】20百万円
【社長】井上英明(1963.5生 早大政経卒)
【株主】
【事業】店舗販売、内装・メンテナンス・オンライン
【従業員】単1,377名(‥歳)

【業績】	売上高	営業利益	経常利益	純利益
単21.12	9,862	601	664	610
単22.12	10,570	‥	‥	‥
単23.12	11,620	‥	‥	‥

㈱ハードオフコーポレーション

東証プライム

採用内定数	倍率	3年後離職率	平均年収
40名	5倍	41.4%	521万円

●待遇、制度●
【初任給】月23.5万(諸手当2.5万円)
【残業】6.8時間【有休】9.7日【制度】[住]
●新卒定着状況●
20年入社(男20、女9)→3年後在籍(男11、女6)
●採用情報●
【人数】23年:41 24年:53 25年:応募200→内定40*
【内定内訳】(男29、女11)(文32、理1)(総40、他0)
【試験】〔筆記〕常識〔性格〕有
【時期】エントリー24.11→内々定25.1*(一次・二次以降もWEB面接可)【インターン】有
【採用実績校】専大2、近大2、江戸川大2、大手前大2、新潟大1、立命館大1、新潟県大1、広島市大1、千葉商大1、敬和学大1、帝京大1、他
【求める人材】経営理念に共感し、元気に笑顔で前向きな人

【本社】957-0063 新潟県新発田市新栄町3-1-13 ☎0254-24-4344
【特色・近況】リサイクル中古品の仕入販売チェーン。パソコン、家電、衣料、自動車用品などの幅広い品目を扱う。「ハードオフ」「オフハウス」などジャンル別に店舗ブランド持ち、直営やFCで全国に展開する。海外は米国、台湾、タイ、カンボジアに進出。
【設立】1972.7【資本金】1,676百万円
【社長】山本太郎(1980.11生 早大商卒)
【株主】〔24.3〕ヤマモトアセット㈱33.4%
【連結事業】ハードオフ33、オフハウス33、モードオフ4、ガレージオフ2、ホビーオフ9、ブックオフ10、FC5、海外4
【従業員】連731名 単452名(36.6歳)

【業績】	売上高	営業利益	経常利益	純利益
連22.3	24,507	1,530	1,668	1,041
連23.3	27,040	2,312	2,510	1,653
連24.3	30,105	2,803	2,990	2,093

㈱バロックジャパンリミテッド

東証プライム

採用内定数	倍率	3年後離職率	平均年収
19名	73.5倍	50%	[総]547万円

●待遇、制度●
【初任給】月23万(固定残業代24時間分)
【残業】10.7時間【有休】8.9日【制度】[住][在]
●新卒定着状況●
20年入社(男0、女10)→3年後在籍(男0、女5)
●採用情報●
【人数】23年:27 24年:36 25年:応募1396→内定19*
【内定内訳】(男‥、女‥)(文12、理0)(総‥、他19)
【試験】〔筆記〕常識〔Web自宅〕有〔性格〕有
【時期】エントリー25.2→内々定25.6(一次はWEB面接可)【インターン】有【ジョブ型】有
【採用実績校】日大1、日女大1、高崎健康福祉大1、神奈川大1、明星大1、神戸学大1、上田安子服飾専1、香蘭ファッションデザイン専1、他
【求める人材】‥

【本社】153-0042 東京都目黒区青葉台4-7-7 住友不動産青葉台ヒルズ ☎03-5738-5775
【特色・近況】女性向け衣料や服飾雑貨の製造小売業。「MOUSSY」や「AZUL」など複数ブランドを展開。関東圏を軸に全国でファッションビルやショッピングセンターにインショップ型専門店を出店。海外は中国主要都市や香港、アメリカなどに展開。EC展開にも積極的。
【設立】2007.8【資本金】8,258百万円
【社長】村井博之(1961.7生)
【株主】〔24.2〕ミューチュアル・クラウン・リミテッド19.8%
【連結事業】衣料・服飾雑貨100 <海外11>
【従業員】連1,424名 単1,356名(30.4歳)

【業績】	売上高	営業利益	経常利益	純利益
連22.2	59,139	2,752	2,846	1,471
連23.2	58,842	2,150	1,211	243
連24.2	60,290	1,954	2,022	945

小売

#残業が少ない

㈱ビジョナリーホールディングス

[株式公開計画なし]

採用予定数	倍率	3年後離職率	平均年収
50名	‥	71.8%	358万円

●待遇、制度●
【初任給】月20万
【残業】1.5時間【有休】8日【制度】[住][在]

●新卒定着状況●
20年入社(男14、女64)→3年後在籍(男3、女19)

●採用情報● 24年はVHリテールサービス採用
【人数】23年:75 24年:117 25年:予定50*
【内定内訳】(男‥、女‥)(文‥、理‥)(総‥、他‥)
【試験】〔筆記〕常識〔Web会場〕有〔Web自宅〕有〔性格〕有
【時期】エントリー25.5→内々定25.5*(一次・二次以降もWEB面接可)
【採用実績校】‥
【求める人材】プロフェッショナルとして人の役に立ちたい人

【本社】103-0012 東京都中央区日本橋堀留町1-9-11 NEWS日本橋堀留町6階☎03-6453-6644
【特色・近況】大手眼鏡小売りチェーンの「メガネスーパー」を中核に複数ブランドで店舗展開。店舗は関東を中心に全国展開し、商業地とロードサイドの立地が多い。EC事業やイタリアのアイウェア会社の日本総代理店としての卸売事業も行う。
【設立】2017.11 【資本金】184百万円
【代表取締役】松本大輔(1974.3生 東大経済卒)
【株主】〔24.4〕Horus100%
【連結事業】眼鏡・コンタクトレンズ・補聴器等の販売を営むグループ全体の経営管理
【従業員】連1,609名 単233名(31.0歳)

【業績】	売上高	営業利益	経常利益	純利益
連22.4	26,068	▲120	240	▲1,612
連23.4	27,001	293	464	▲446
連24.4	27,067	▲492	▲581	▲555

㈱ヒマラヤ

[東証スタンダード]

採用内定数	倍率	3年後離職率	平均年収
61名	2.3倍	36.4%	501万円

●待遇、制度●
【初任給】月21万(諸手当0.2万円)
【残業】‥時間【有休】10日【制度】[住][在]

●新卒定着状況●
20年入社(男14、女8)→3年後在籍(男10、女4)

●採用情報●
【人数】23年:38 24年:19 25年:応募138→内定61
【内定内訳】(男42、女19)(文59、理2)(総61、他0)
【試験】〔性格〕有
【時期】エントリー24.6→内々定25.3(一次はWEB面接可)【インターン】有
【採用実績校】中京大、立命館大、愛知学大、東洋大、九州共立大、武庫川女大、大原簿記公務員専、同大、愛知大、山口大、他
【求める人材】自ら学び、顧客視点を持って企業価値を高めるチャレンジと努力をし続けられる人

【本社】500-8630 岐阜県岐阜市江添1-1-1 ☎058-271-6622
【特色・近況】スポーツ用品、ゴルフ用品などの小売りチェーン。中部地盤に全国展開。スキー・スノボ、ゴルフ、野球・サッカーからキャンプなどアウトドア用品まで総合的に取り扱う。ECは店舗とのシームレス化や専売品の拡充などで規模拡大・収益性向上目指す。
【設立】1991.8 【資本金】2,544百万円
【社長】小田学(1970.11生)
【株主】〔24.2〕㈱コモリホールディングス33.3%
【連結事業】スキー・スノーボード6、ゴルフ17、アウトドア17、一般スポーツ60、他0
【従業員】連720名 単713名(38.0歳)

【業績】	売上高	営業利益	経常利益	純利益
連21.8	62,133	2,024	2,215	1,412
連22.8	58,914	2,041	2,366	1,431
連23.8	60,156	968	1,125	589

#残業が少ない

フェスタリアホールディングス

[東証スタンダード]

採用内定数	倍率	3年後離職率	平均年収
22名	19.9倍	70%	[総]599万円

●待遇、制度●
【初任給】月24万
【残業】3.3時間【有休】7日【制度】[住][在]

●新卒定着状況●
20年入社(男1、女19)→3年後在籍(男0、女6)

●採用情報● グループ採用
【人数】23年:35 24年:24 25年:応募438→内定22*
【内定内訳】(男0、女22)(文15、理0)(総2、他20)
【試験】〔筆記〕常識〔Web自宅〕有〔性格〕有
【時期】エントリー24.11→内々定25.1*(一次・二次以降もWEB面接可)【インターン】有
【採用実績校】跡見学園女大2、日女大1、大正大1、駒澤大1、神奈川大1、福岡大1、他
【求める人材】夢を実現したい人、企業理念に共感する人、粘り強く努力する人

【本社】141-0031 東京都品川区西五反田7-20-9 KDX西五反田ビル ☎03-6633-6869
【特色・近況】全国の百貨店やSCに出店する宝飾品の小売チェーン。「フェスタリア ビジュ ソフィア」などのブランドでジュエリーショップを展開する。海外は台湾にも展開。ベトナムに現法工場持ち、企画から製造・販売まで自社で一貫して行う。
【設立】1974.7 【資本金】811百万円
【社長】貞松隆弥(1961.12生)
【株主】〔24.2〕貞松隆弥19.9%
【連結事業】宝飾品100
【従業員】連480名 単0名(‥歳)

【業績】	売上高	営業利益	経常利益	純利益
連21.8	8,724	382	379	128
連22.8	8,781	407	435	259
連23.8	8,660	193	159	57

小売

メーカーズシャツ鎌倉（かまくら）

株式公開計画なし

採用内定数	倍率	3年後離職率	平均年収
5名	30.6倍	54.5%	[総]420万円

[●待遇、制度●]
【初任給】月20万
【残業】5時間【有休】11日【制度】[住]
[●新卒定着状況●]
20年入社(男4、女7)→3年後在籍(男3、女2)
[●採用情報●]
【人数】23年:6 24年:11 25年:応募153→内定5*
【内定内訳】(男1、女4)(文5、理0)(総5、他0)
【試験】なし
【時期】エントリー25.3→内々定25.4【インターン】有
【採用実績校】学習院大1、中央学大1、共立女大1、実践女大1、桜美林大1
【求める人材】Made in Japanを世界へ届けたい、自ら手を挙げチャレンジしたい人

【本社】248-0005 神奈川県鎌倉市雪ノ下3-1-31 ☎‥
【特色・近況】伝統的なメンズ、レディース向けシャツを中心に国内縫製し、手頃な価格での販売を目指す製造販売業。「日本人をお洒落に」をコンセプトに93年鎌倉で創業。中国とNYに出店。グローバルオンラインショップも展開。
【設立】1995.6 【資本金】100百万円
【社長】貞末奈名子(1972.4生 聖心女大卒)
【株主】〔24.5〕鎌倉シャツホールディングス100%
【事業】メンズ・レディース衣料の小売
【従業員】単260名(35.0歳)

【業績】	売上高	営業利益	経常利益	純利益
単22.5	2,494	▲206	▲87	▲107
単22.12変	3,192	94	82	65
単23.12	5,509	254	247	91

㈱有隣堂（ゆうりんどう）

株式公開未定

採用内定数	倍率	3年後離職率	平均年収
7名	19.1倍	62.5%	457万円

[●待遇、制度●]
【初任給】月24.3万(固定残業代20時間分)
【残業】10.8時間【有休】11.6日【制度】[住][在]
[●新卒定着状況●] 20～21年入社者合計
20年入社(男2、女6)→3年後在籍(男0、女3)
[●採用情報●]
【人数】23年:6 24年:6 25年:応募134→内定7
【内定内訳】(男3、女4)(文4、理3)(総7、他0)
【試験】〔Web自宅〕有〔性格〕有
【時期】エントリー25.1→内々定25.6【インターン】有
【採用実績校】立命館大1、横浜市大1、東京農業大2、神奈川大1、和光大1、二松学舎大1
【求める人材】柔軟性があり自発的に行動できる人、文化や教育に携わり地元で活躍する意欲ある の人

【本社】231-0045 神奈川県横浜市中区伊勢佐木町1-4-1 ☎045-825-5551
【特色・近況】1909年創業の書店チェーンで、書籍、雑誌、文具、雑貨を販売。神奈川・東京・千葉に約40店舗を展開。医学書の品ぞろえは神奈川県随一。法人などの外商顧客多い。音楽教室、カルチャーセンターも運営。横浜がテーマの書籍の出版も。
【設立】1953.6 【資本金】50百万円
【社長】松信健太郎
【株主】〔24.3〕松信裕6.5%
【事業】書籍類28、雑誌6、文具6、スチール2、OA機器18、他40
【従業員】単349名(47.4歳)

【業績】	売上高	営業利益	経常利益	純利益
単21.8	66,867	‥	807	‥
単22.8	52,216	‥	514	‥
単23.8	52,015	‥	285	‥

㈱ワークマン

東証スタンダード

採用内定数	倍率	3年後離職率	平均年収
31名	15倍	10.5%	756万円

[●待遇、制度●]
【初任給】月25.5万
【残業】14.2時間【有休】9.9日【制度】[フ][住]
[●新卒定着状況●]
20年入社(男17、女2)→3年後在籍(男16、女1)
[●採用情報●]
【人数】23年:18 24年:28 25年:応募466→内定31*
【内定内訳】(男23、女8)(文31、理0)(総31、他0)
【試験】〔筆記〕有〔性格〕有
【時期】エントリー24.12→内々定25.1【インターン】有
【採用実績校】立命館大1、大阪体大1、関西外大2、近大1、仙台大1、東海大1、駒澤大1、日大1、中京大1、多摩美大1、他
【求める人材】物事の変化に柔軟に対応し、その変化を成長のチャンスと捉え、考えて行動できる人

【本社】372-0824 群馬県伊勢崎市柴町1732 ☎0270-32-6111
【特色・近況】作業服・作業関連用品販売の「ワークマン」などを展開。FC中心に関東から全国に進出。機能性と低価格を武器に毎期新アイテム投入。スポーツ用品も扱う「WORKMAN Plus」や、作業服の機能を活かした一般客向け「#ワークマン女子」も展開する。
【設立】1982.8 【資本金】1,622百万円
【社長】小濱英之(1969.7生 高崎商科短大卒)
【株主】〔24.3〕㈱ベイシア興業28.1%
【事業】直営店売上11、加盟店向け売上62、加盟店収入27、他営業収入0
【従業員】単411名(37.1歳)

【業績】	営業収入	営業利益	経常利益	純利益
単22.3	116,264	26,802	27,395	18,303
単23.3	128,289	24,106	24,664	16,656
単24.3	132,651	23,142	23,666	15,986

ＩＣＤＡホールディングス

東証スタンダード

採用内定数	倍率	3年後離職率	平均年収
8名	4.4倍	‥	480万円

●待遇、制度●
【初任給】月23万(諸手当1万円、固定残業代15時間分)
【残業】20時間【有休】9.1日【制度】住

●新卒定着状況●
‥

●採用情報● グループ採用
【人数】23年:8 24年:8 25年:応募35→内定8*
【内定内訳】(男7、女1)(文‥、理‥)(総7、他1)
【試験】〔Web自宅〕有〔性格〕有
【時期】エントリー25.3→内々定25.4*(一次はWEB面接可)【インターン】有【ジョブ型】有
【採用実績校】中京大2、名古屋商大1、東海学園大1、岐阜協大1、愛知産大1、至学館大1、ホンダ学園専1、他
【求める人材】笑顔があって、挑戦心があり、考えるより行動が先に出る成長意欲の高い人

【本社】513-0802 三重県鈴鹿市飯野寺家町234-1 ☎059-381-5540
【特色・近況】三重県のホンダ系ディーラーを中核とする企業グループ。VW、アウディなど欧州車の正規ディーラーも傘下。新車販売に加え、中古車販売や買い取り、自動車リサイクル事業なども展開。リサイクルは資源回収のほか、再生部品や中古車の海外販売も手がける。
【設立】2009.10 【資本金】1,161百万円
【社長】向井弘光(1943.3生)
【株主】〔24.3〕㈱エム・エフ25.2%
【連結事業】自動車販売関連95、自動車リサイクル5
【従業員】連405名 単276名(31.2歳)

【業績】	売上高	営業利益	経常利益	純利益
連22.3	28,453	1,542	1,560	975
連23.3	30,496	1,372	1,404	883
連24.3	33,101	1,797	1,830	930

#年収高く倍率低い

いすゞ自動車首都圏

株式公開計画なし

採用内定数	倍率	3年後離職率	平均年収
50名	1.2倍	21.3%	㊗820万円

●待遇、制度●
【初任給】月22.6万
【残業】28時間【有休】14.3日【制度】住

●新卒定着状況●
20年入社(男56、女5)→3年後在籍(男45、女3)

●採用情報●
【人数】23年:60 24年:60 25年:応募60→内定50*
【内定内訳】(男47、女3)(文50、理0)(総50、他0)
【試験】〔筆記〕SPI3〔Web会場〕SPI3〔性格〕有
【時期】エントリー25.3→内々定25.5【インターン】有
【採用実績校】千葉商大1、明海大1、高千穂大1、日大1、國學院大2、東洋大1、大原学園専2、他
【求める人材】協調性がある人

【本社】136-0082 東京都江東区新木場1-18-14 ☎03-3522-4700
【特色・近況】いすゞ製の大・中・小型トラック、バス、商用バン、特装車など販売。中古車販売や修理、保険代理店業務も行う。東京、千葉、神奈川、山梨が営業エリア。東京都交通局や警視庁などが主要顧客。運行データを管理するクラウド型システムも販売。
【設立】2008.2 【資本金】100百万円
【社長】中村治(1967.1生)
【株主】〔24.3〕いすゞ自動車販売100%
【事業】車両65、修理26、産業機械0、部品7、他2
【従業員】単1,474名(41.4歳)

【業績】	売上高	営業利益	経常利益	純利益
単22.3	123,213	‥	3,297	2,322
単23.3	129,788	‥	3,618	2,576
単24.3	163,352	‥	4,065	2,852

関東いすゞ自動車

株式公開計画なし

採用予定数	倍率	3年後離職率	平均年収
29名	‥	25.9%	‥

●待遇、制度●
【初任給】月22.3万(諸手当1.2万円)
【残業】‥時間【有休】‥日【制度】住

●新卒定着状況●
20年入社(男24、女3)→3年後在籍(男17、女3)

●採用情報●
【人数】23年:40 24年:34 25年:予定29*
【内定内訳】(男‥、女‥)(文‥、理‥)(総‥、他‥)
【試験】〔筆記〕常識、他〔性格〕有
【時期】エントリー通年→内々定通年【インターン】有
【採用実績校】‥
【求める人材】主体性を持ち、自ら考え行動できる人、コミュニケーション能力がある人

【本社】370-1202 群馬県高崎市宮原町1-21 ☎027-346-1111
【特色・近況】いすゞ系の自動車ディーラー。大・中・小型トラック、バン、マイクロバス、バスの販売と整備が中心。群馬と埼玉に店舗を構える。支店・出張所15カ所、サービスセンター2カ所。定期点検や車検整備、板金・塗装整備などのアフターサービスも行う。
【設立】1946.8 【資本金】350百万円
【社長】田中隆夫(1960.3生 早大政経卒)
【株主】‥
【事業】車両70、部品10、修理20
【従業員】単769名(40.1歳)

【業績】	売上高	営業利益	経常利益	純利益
単22.3	54,959	‥	‥	1,283
単23.3	52,623	‥	‥	1,451
単24.3	69,032	‥	‥	1,791

#採用数が多い

㈱ケーユーホールディングス

東証スタンダード

採用内定数	倍率	3年後離職率	平均年収
109名	8.2倍	47.2%	㊗577万円

●待遇、制度●
【初任給】月23.3万(固定残業代19.4時間分)
【残業】18.5時間【有休】8.6日【制度】住
●新卒定着状況●
20年入社(男84、女24)→3年後在籍(男46、女11)
●採用情報● グループ採用
【人数】23年:114 24年:133 25年:応募894→内定109*
【内定内訳】(男97、女12)(文78、理3)(総81、他28)
【試験】〔性格〕有
【時期】エントリー通年→内々定通年(一次・二次以降もWEB面接可)【インターン】有
【採用実績校】大原学園専6、流経大5、東海大4、日本ウェルネススポーツ大4、日体大3、東洋大3、日大3、仙台大3、神奈川大2、他
【求める人材】失敗を恐れず最後まで考え、目標達成のため取り組める人

【本社】194-0004 東京都町田市鶴間3-15-9
☎042-799-2130
【特色・近況】輸入車ディーラー、国産中古車販売の大手。メルセデス・ベンツ、BMW、フォルクスワーゲンなどの正規ディーラー。出発は国産中古車販売店「ケーユー」の運営で、現在も東京を中心に東日本に店舗網を拡大。車検などメンテナンス事業にも注力する。
【設立】1972.10 【資本金】100百万円
【社長】板東徹行(1962.3生 慶大商卒)
【株主】〔24.3〕㈲ヤマサン28.1%
【連結事業】国産車販売29、輸入車ディーラー71
【従業員】連1,476名 単76名(40.3歳)

【業績】	売上高	営業利益	経常利益	純利益
連22.3	131,120	8,300	8,485	5,744
連23.3	153,346	9,685	9,898	6,697
連24.3	154,563	9,099	9,364	6,172

高知ダイハツ販売

株式公開計画なし

採用内定数	倍率	3年後離職率	平均年収
2名	1倍	0%	㊗477万円

●待遇、制度●
【初任給】月19.4万
【残業】18.2時間【有休】10.1日【制度】‥
●新卒定着状況●
20年入社(男1、女4)→3年後在籍(男1、女4)
●採用情報●
【人数】23年:7 24年:3 25年:応募2→内定2*
【内定内訳】(男2、女0)(文・・、理・・)(総0、他2)
【試験】なし
【時期】エントリー25.5→内々定25.6【インターン】有
【採用実績校】龍馬デザイン・ビューティ専1、高知県立高等技術学校1
【求める人材】高知が好きな人、素直で前向きな人、元気で明るくお客様の気持ちに寄り添える人

【本社】783-0060 高知県南国市蛍が丘2-3-4
☎088-804-8881
【特色・近況】ダイハツ工業グループで、「タフト」「ムーヴ」「ミラ」「イース」「タント」などの軽自動車を販売。高知県に約10店舗。中古車も販売。地域密着でメンテナンスやカーケア、車検などのサービスやブランド力の向上に取り組む。
【設立】1959.1 【資本金】30百万円
【代表取締役】本間博文
【株主】〔24.3〕ダイハツ工業100%
【事業】新車、中古車、メンテナンス、他
【従業員】単205名(42.7歳)

【業績】	売上高	営業利益	経常利益	純利益
単22.3	7,538	303	211	127
単23.3	8,442	323	233	153
単24.3	7,255	303	220	157

千葉トヨペット

株式公開計画なし

採用内定数	倍率	3年後離職率	平均年収
5名	7倍	48.5%	㊗592万円

●待遇、制度●
【初任給】月24.6万(諸手当5.9万円)
【残業】13.9時間【有休】13.2日【制度】‥
●新卒定着状況●
20年入社(男23、女10)→3年後在籍(男12、女5)
●採用情報●
【人数】23年:3 24年:3 25年:応募35→内定5
【内定内訳】(男1、女4)(文4、理0)(総5、他0)
【試験】なし
【時期】エントリー24.11→内々定25.1(一次はWEB面接可)【インターン】有
【採用実績校】松蔭大1、帝京平成大1、日本ウェルネススポーツ大1、戸板短大1、城西国際大1
【求める人材】自ら考えて行動できる人

【本社】261-8585 千葉県千葉市美浜区稲毛海岸4-5-1
☎043-241-1181
【特色・近況】新車・中古車自動車の販売、および法人向けカーリースが柱。トヨタ勝又グループの中核企業。千葉県でレクサス店も含め新車・中古車の販売拠点を多数展開。点検や車検、消耗品の交換サービスも提供。本社社屋(旧・日本勧業銀行本店)は国の登録文化財。
【設立】1956.10 【資本金】50百万円
【社長】清水貞弘(1952.7生 立正大経済卒)
【株主】〔24.3〕勝又自動車40.0%
【事業】自動車販売81、自動車修理17、他2
【従業員】単1,092名(44.5歳)

【業績】	売上高	営業利益	経常利益	純利益
単22.3	55,855	‥	‥	820
単23.3	55,744	‥	‥	1,117
単24.3	77,150	‥	‥	4,096

㈱東葛（とうかつ）ホールディングス [東証スタンダード]

採用予定数	倍率	3年後離職率	平均年収
3名	−	25%	505万円

●待遇、制度●
【初任給】月21.9万(諸手当1万円)
【残業】20時間【有休】6.7日【制度】[住]
●新卒定着状況●
20年入社(男2、女2)→3年後在籍(男2、女1)
●採用情報● グループ採用
【人数】23年:5 24年:1 25年:応募0→内定0*
【内定内訳】(男‥、女‥)(文‥、理‥)(総‥、他‥)
【試験】なし
【時期】エントリー25.3→内々定25.4*
【採用実績校】‥
【求める人材】柔軟で行動力のある人

【本社】270-0013 千葉県松戸市小金きよしヶ丘3-21-1 ☎047-346-1190
【特色・近況】ホンダ系自動車ディーラーを主子会社とする持株会社。千葉県北西部が営業基盤の「ホンダカーズ東葛」で新車・中古車を販売する。軽商用EV投入に対応して充電設備設置進める。来店型保険ショップ「ライフサロン」のフライチャイジーの別子会社も持つ。
【設立】1969.1 【資本金】211百万円
【社長】石塚俊之(1959.2生 ＨＩＴＳ卒)
【株主】〔24.3〕齋藤國春22.5%
【連結事業】自動車販売99、他1
【従業員】連145名 単8名(42.2歳)

【業績】	売上高	営業利益	経常利益	純利益
連22.3	7,379	378	387	242
連23.3	7,264	407	423	268
連24.3	8,539	527	540	350

トヨタカローラ愛知（あいち） [株式公開計画なし]

採用内定数	倍率	3年後離職率	平均年収
13名	8.5倍	33.3%	[総]606万円

●待遇、制度●
【初任給】月24.2万(諸手当2.7万円)
【残業】27.7時間【有休】11.7日【制度】[住]
●新卒定着状況●
20年入社(男27、女3)→3年後在籍(男18、女2)
●採用情報●
【人数】23年:47 24年:57 25年:応募110→内定13*
【内定内訳】(男7、女6)(文13、理0)(総10、他3)
【試験】〔Web自宅〕SPI3〔性格〕有
【時期】エントリー25.1→内々定25.4(一次はWEB面接可)【インターン】有
【採用実績校】愛知学大1、愛知みずほ大1、東海学園大1、星城大1、名古屋経大1、愛知東邦大1、愛知淑徳大1、名古屋高大1、中部大1、他
【求める人材】前向きな人、目標に向かって諦めずにがんばれる人、思いやりと気くばりができる人

【本社】461-0001 愛知県名古屋市東区泉1-6-1 ☎052-962-3311
【特色・近況】愛知県下をカバーするトヨタ自動車グループのディーラー。「カローラ」「プリウス」「アクア」などトヨタ自動車の主要車種を取り扱う。県内に新車約30店舗、中古車約10店舗を展開。全国カローラ店で屈指の販売実績を誇る。
【設立】1961.1 【資本金】50百万円
【社長】渡瀬修
【株主】〔24.3〕Ｇホールディングス100%
【事業】新車販売74、サービス(車両修理)12、U-Car13、車両リース1
【従業員】単658名(37.3歳)

【業績】	売上高	営業利益	経常利益	純利益
単22.3	50,332	‥	‥	‥
単23.3	54,045	‥	‥	‥
単24.3	64,034	‥	‥	‥

トヨタユナイテッド静岡（しずおか） [株式公開計画なし]

採用内定数	倍率	3年後離職率	平均年収
26名	1.7倍	16.1%	520万円

●待遇、制度●
【初任給】月23.1万(諸手当3.1万円)
【残業】12.4時間【有休】13.1日【制度】[住][在]
●新卒定着状況●
20年入社(男37、女19)→3年後在籍(男31、女16)
●採用情報●
【人数】23年:46 24年:31 25年:応募44→内定26*
【内定内訳】(男23、女3)(文6、理0)(総0、他26)
【試験】〔Web自宅〕SPI3〔性格〕有
【時期】エントリー25.1→内々定25.5【インターン】有
【採用実績校】常葉大1、静岡英和学大1、拓大2、静岡県大1、帝京平成大1、静岡工科自動車大学校専16、トヨタ東京自動車大学校専1、他
【求める人材】自ら考え、行動に移すことができ、変化に応じて自分を変えていくことができる人、自責で努力することができる人

【本社】420-8581 静岡県静岡市葵区長沼611 ☎054-261-4113
【特色・近況】トヨタ系自動車ディーラーで静岡県内最大規模。静岡トヨペット、トヨタカローラ東海、ネッツトヨタスルガが合併して現体制。静岡県下に新車、U-car店、レクサス店を約60店舗展開。トヨタ全車種を取り扱う。静岡鉄道グループ。
【設立】1956.5 【資本金】180百万円
【社長】桝谷安城(1964.8生)
【株主】〔24.3〕静岡鉄道100%
【事業】新車68、U-Car11、サービス17、収入手数料4
【従業員】単1,262名(39.4歳)

【業績】	売上高	営業利益	経常利益	純利益
単22.3	60,216	1,535	1,602	1,401
単23.3	62,124	1,019	1,113	920
単24.3	73,278	1,889	1,960	1,295

小売

#年収高く倍率低い

長野日産自動車（ながののっさんじどうしゃ）

[株式公開計画なし]

採用内定数	倍率	3年後離職率	平均年収
30名	2.6倍	50%	[総]843万円

●待遇、制度●
【初任給】月20.8万（諸手当3.6万円）
【残業】21.2時間【有休】8.5日【制度】‥
●新卒定着状況●
20年入社（男19、女5）→3年後在籍（男9、女3）
●採用情報●
【人数】23年:19 24年:22 25年:応募79→内定30
【内定内訳】（男24、女6）（文9、理0）（総6、他24）
【試験】〔筆記〕GAB〔性格〕有
【時期】エントリー25.3→内々定25.5（一次はWEB面接可）
【採用実績校】松本大6、新潟医療福祉大1、大東文化大1、清泉女大1、長野自動車専7、松本情報工科専1、日産愛知自動車専1、他
【求める人材】どんな人ともコミュニケーションがとれる人

【本社】380-0913 長野県長野市川合新田3616-1 ☎026-221-2332
【特色・近況】長野県全域で「セレナ」「ノート」など日産車の新車、中古車を販売。自動車ディーラー大手のVTホールディングスグループ。LV（福祉車両）認定店。長野県内に新車、中古車店を約30店展開。日産最大級の自動車ディーラー。
【設立】1950.2 【資本金】37百万円
【社長】富田信（1948.4生）
【株主】〔24.3〕VTホールディングス100%
【事業】新車62、中古車12、サービス21、収入手数料5
【従業員】単457名（41.2歳）

【業績】	売上高	営業利益	経常利益	純利益
単22.3	21,435	1,328	1,392	904
単23.3	22,900	1,608	1,657	1,113
単24.3	25,613	1,915	1,973	1,304

奈良トヨタ（なら）

[株式公開計画なし]

採用内定数	倍率	3年後離職率	平均年収
8名	1.9倍	28.6%	[総]659万円

●待遇、制度●
【初任給】月20.5万（諸手当0.6万円）
【残業】10.8時間【有休】9.7日【制度】‥
●新卒定着状況●
20年入社（男13、女1）→3年後在籍（男9、女1）
●採用情報●
【人数】23年:11 24年:14 25年:応募15→内定8*
【内定内訳】（男8、女0）（文6、理0）（総6、他2）
【試験】〔筆記〕常識〔Web自宅〕SPI3〔性格〕有
【時期】エントリー25.3→内々定25.5【インターン】有
【採用実績校】関大1、近大3、龍谷大1、大阪産大2、東京工科自動車大学校専1
【求める人材】失敗をおそれずに積極的に前向きに物事に取り組むことができる人

【奈良本社】630-8141 奈良県奈良市南京終町2-269 ☎0742-61-3301
【特色・近況】奈良県下に27店舗を展開するトヨタ系自動車ディーラー。トヨタ車全車種を取り扱う。レクサス店舗、フォルクスワーゲン店舗も経営し、一部でダイハツ車も取り扱う。創業は1942年で、21年4月トヨタカローラ奈良と合併し現社名に。
【設立】1942.10 【資本金】80百万円
【社長】菊池攻（1959.2生 上智大文卒）
【株主】〔24.4〕菊池攻29.6%
【事業】新車75、中古車11、サービス14
【従業員】単463名（42.2歳）

【業績】	売上高	営業利益	経常利益	純利益
単22.3	24,395	1,017	1,224	2,687
単23.3	24,937	1,190	1,404	1,061
単24.3	33,520	2,371	2,725	1,830

#初任給が高い #採用数が多い

㈱ネクステージ

[東証プライム]

採用内定数	倍率	3年後離職率	平均年収
543名	31.3倍	‥	540万円

●待遇、制度●
【初任給】月28.6万（諸手当5万円、固定残業代20時間分）
【残業】17時間【有休】10.1日【制度】[住]
●新卒定着状況●
‥
●採用情報●
【人数】23年:925 24年:509 25年:応募16997→内定543*
【内定内訳】（男369、女174）（文457、理21）（総521、他22）
【試験】なし
【時期】エントリー25.3→内々定25.6*（一次・二次以降もWEB面接可）【インターン】有【ジョブ型】有
【採用実績校】ELICビジネス&公務員専2、HAL名古屋専2、KCS大分情報専1、OCA大阪デザイン&テクノロジー専1、UNADE1、他
【求める人材】「大企業に入るより、大企業を創りたい」といった志向を持つ人

【本社】460-0004 愛知県名古屋市中区新栄町1-1 明治安田生命名古屋ビル ☎052-228-8541
【特色・近況】東海地区発祥の中古車販売の大手。全国に店舗網拡大。SUVやミニバンなどタイプ別の専門店を展開する。仕入れは自社買い取りを強化中。VW、ジャガー・ランドローバー、アウディ、BYDなど輸入車の新車ディーラー店も拡大。総合店へのシフト急ぐ。
【設立】2002.8 【資本金】8,133百万円
【会長兼社長】広田靖治（1973.7生 尾張旭市立旭中卒）
【株主】〔24.5〕㈱SMN35.0%
【連結事業】自動車販売100
【従業員】連6,751名 単6,125名（29.6歳）

【業績】	売上高	営業利益	経常利益	純利益
連21.11	291,263	13,637	13,388	9,663
連22.11	418,117	19,448	19,080	13,886
連23.11	463,464	16,084	15,773	11,556

小売

ＶＴホールディングス [東証プライム]

採用内定数	倍率	3年後離職率	平均年収
4名	3倍	0%	[総]706万円

●待遇、制度●
【初任給】月22.5万(諸手当0.7万円)
【残業】22.1時間【有休】11.1日【制度】[フ][住]
●新卒定着状況●
20年入社(男1、女1)→3年後在籍(男1、女1)
●採用情報●
【人数】23年:0 24年:2 25年:応募12→内定4
【内定内訳】(男3、女1)(文3、理1)(総4、他0)
【試験】〔Web自宅〕有〔性格〕有
【時期】エントリー24.10→内々定25.1(一次はWEB面接可)【インターン】有【ジョブ型】有
【採用実績校】名大1、中京大1
【求める人材】経理もしくは法務としてキャリアアップしていくことに興味があり、主体性を持つ人

【本社】460-0003 愛知県名古屋市中区錦3-10-32 栄VTビル ☎052-203-9500
【特色・近況】日産・ホンダ軸の自動車ディーラー。ホンダ系のベルノ東海を基盤に持株会社化。主要子会社にホンダカーズ東海。日産系ディーラーを次々買収するなどM&A積極的。中古車輸出、レンタカー、住宅関連も傘下。英、スペインのディーラーも傘下にし海外比率高い。
【設立】1983.3 【資本金】5,100百万円
【社長】高橋一穂(1953.1生 愛工大工)
【株主】〔24.3〕㈲エスアンドアイ13.8%
【連結事業】自動車販売関連91、住宅関連9、他0 <海外43>
【従業員】[連]4,247名 [単]31名(38.1歳)

【業績】	売上高	営業利益	税前利益	純利益
[連]22.3	237,930	10,192	17,959	11,678
[連]23.3	266,329	12,856	12,646	7,180
[連]24.3	311,604	12,008	11,458	6,697

北海道いすゞ自動車(ほっかいどういすゞじどうしゃ) [株式公開計画なし]

採用内定数	倍率	3年後離職率	平均年収
11名	1.7倍	50%	535万円

●待遇、制度●
【初任給】月21.3万(諸手当1.1万円)
【残業】22.3時間【有休】10.5日【制度】[住]
●新卒定着状況●
20年入社(男6、女0)→3年後在籍(男3、女0)
●採用情報●
【人数】23年:11 24年:5 25年:応募19→内定11*
【内定内訳】(男7、女4)(文6、理0)(総11、他0)
【試験】〔Web会場〕有〔Web自宅〕有〔性格〕有
【時期】エントリー24.8→内々定25.3*【インターン】有
【採用実績校】札幌国際大2、札幌学大1、北星学大1、北海道教育大1、北海学園大1、大原簿記専1、北海道整備大学校専2、他
【求める人材】向上心があり、目的意識をもって取り組む人、自分の考えを人に伝え、行動ができる人

【本社】003-8620 北海道札幌市白石区本通20-北1-68 ☎011-558-0050
【特色・近況】いすゞ製トラック・バスの販売会社。北海道の主要都市に拠点を展開。小型トラック「エルフ」と中型トラック「フォワード」や大型トラック「ギガ」に注力。中古車情報、整備点検などアフターサービスにも注力。国際興業グループ。
【設立】1952.4 【資本金】100百万円
【社長】中村孝則(1954.11生)
【株主】〔24.3〕国際興業管理100%
【事業】車輌63、自動車部品14、自動車修理21、他2
【従業員】[単]347名(42.0歳)

【業績】	売上高	営業利益	経常利益	純利益
[単]22.3	26,255	1,316	1,375	860
[単]23.3	26,920	1,436	1,521	977
[単]24.3	31,875	1,507	1,596	1,002

山梨ダイハツ販売(やまなしダイハツはんばい) [株式公開計画なし]

採用内定数	倍率	3年後離職率	平均年収
10名	1倍	33.3%	[総]521万円

●待遇、制度●
【初任給】月20.1万(諸手当1万円)
【残業】15.8時間【有休】12.6日【制度】‥
●新卒定着状況●
20年入社(男5、女4)→3年後在籍(男3、女3)
●採用情報●
【人数】23年:5 24年:6 25年:応募10→内定10*
【内定内訳】(男5、女5)(文6、理0)(総7、他3)
【試験】〔筆記〕常識〔Web会場〕有〔性格〕有
【時期】エントリー25.3→内々定25.6【インターン】有【ジョブ型】有
【採用実績校】山梨学大4、都留文科大1、山梨英和大1、峡南高等技術専2、甲府商業高1、韮崎工業高1
【求める人材】コミュニケーション能力があり、自ら考え行動できる人、明るく素直で積極性があり向上心を持っている人

【本社】400-0802 山梨県甲府市横根町48 ☎055-220-7111
【特色・近況】山梨県地盤のダイハツ販売店。県内7カ所の整備工場併設ショールームで新車・中古車を販売。「コペン」「ミラ」「キャスト」「ムーヴ」「タント」など軽自動車各シリーズほかを販売。年間販売台数約4500台。河口湖テクニカルセンターを有する。
【設立】1958.5 【資本金】80百万円
【社長】中島健二
【株主】〔24.3〕ダイハツ工業63.2%
【事業】自動車販売・整備
【従業員】[単]171名(38.0歳)

【業績】	売上高	営業利益	経常利益	純利益
[単]22.3	7,239	212	170	110
[単]23.3	8,858	311	270	184
[単]24.3	7,616	251	213	168

小売

	採用内定数	倍率	3年後離職率	平均年収
アールビバン [東証スタンダード]	51名	‥	48.6%	495万円

●待遇、制度●
【初任給】月20万
【残業】‥時間【有休】8.8日【制度】‥
●新卒定着状況●
20年入社(男20、女15)→3年後在籍(男10、女8)
●採用情報●
【人数】23年:36 24年:38 25年:応募‥→内定51*
【内定内訳】(男24、女27)(文‥、理‥)(総51、他0)
【試験】なし
【時期】エントリー24.9→内々定24.11*(一次・二次以降もWEB面接可)【インターン】有
【採用実績校】‥
【求める人材】弊社の理念を共に実現していく、実行力がある人

【本社】140-0002 東京都品川区東品川4-13-14 グラスキューブ品川 ☎03-5783-7171
【特色・近況】催事での版画作品の展示販売が主事業。作家の発掘・育成から作品の仕入れ・販売・納品まで全てを自社で行う。カーク・レイナート、クリスチャン・ラッセンの作品も扱う。主力商品の販売価格は概ね40万～120万円。美術品担保融資や子会社でのホットヨガ運営も。
【設立】1984.11 【資本金】1,843百万円
【会長兼社長】野澤克巳(1953.2生 新潟六日町高卒)
【株主】〔24.3〕㈲カツコーポレーション30.8%
【連結事業】アート関連74、金融サービス15、健康産業12
【従業員】連328名 単211名(31.2歳)

【業績】	売上高	営業利益	経常利益	純利益
連22.3	10,253	2,159	2,414	1,150
連23.3	10,724	2,248	2,102	1,354
連24.3	11,006	2,364	2,919	1,766

#採用数が多い

	採用内定数	倍率	3年後離職率	平均年収
㈱NHC [株式公開計画なし]	103名	3.5倍	‥	[総]619万円

●待遇、制度●
【初任給】月24.3万(諸手当1.8万円)
【残業】‥時間【有休】‥日【制度】[住]
●新卒定着状況●
‥
●採用情報●
【人数】23年:73 24年:74 25年:応募363→内定103
【内定内訳】(男74、女29)(文100、理3)(総100、他3)
【試験】なし
【時期】エントリー24.12→内々定25.3(一次はWEB面接可)【インターン】有【ジョブ型】有
【採用実績校】日大2、同大1、龍谷大1、国士舘大1、帝京大1、東海大1、日体大3、中京大1、名城大1、環太平洋大4、他
【求める人材】個性あふれる発想・情熱を持ち、人間性に好感があり信頼される人

【本社】450-0002 愛知県名古屋市中村区名駅2-35-22 ☎052-300-1188
【特色・近況】自然食品、健康補助食品などを企画、販売する。通販含む小売りのほか卸売りも行う。グループ会社で発酵食品、生薬主体の医薬品の製造、不動産、飲食など幅広く事業を手がける。全国においしい酢の店「HAKKOU SHOP」など直営で約1800店舗を展開。
【設立】1987.2 【資本金】50百万円
【社長】鈴木貞男(1951.7生)
【株主】〔24.3〕NHCホールディングス100%
【事業】健康食品、医療用機器、他食料品
【従業員】単950名(35.4歳)

【業績】	売上高	営業利益	経常利益	純利益
単22.3	27,790	2,064	2,191	1,719
単23.3	29,255	1,823	2,084	1,469
単24.3	29,460	1,614	1,786	1,486

	採用予定数	倍率	3年後離職率	平均年収
㈱オーエムツーミート [株式公開計画なし]	6名	−	72.7%	‥

●待遇、制度●
【初任給】月21.9万
【残業】‥時間【有休】‥日【制度】[住]
●新卒定着状況●
20年入社(男14、女8)→3年後在籍(男5、女1)
●採用情報●
【人数】23年:10 24年:6 25年:応募2→内定0*
【内定内訳】(男‥、女‥)(文‥、理‥)(総‥、他‥)
【試験】〔性格〕有
【時期】エントリー24.8→内々定25.3(一次・二次以降もWEB面接可)【インターン】有
【採用実績校】‥
【求める人材】明るく元気に仕事に取り組み、明るい挨拶を心掛け、人と接するのが好きな人、話をするのも聞くのも好きな人

【本社】105-0012 東京都港区芝大門2-4-7 ☎03-5405-9541
【特色・近況】オーエムツーネットワークのグループ中核で、精肉・肉加工品の小売事業を行う。「肉処大久保」などのブランドで全国に130店舗(24年1月)と精肉小売りではトップ級。銘柄肉中心の対面型店舗からセルフ型店舗まで多様に展開。
【設立】2002.5 【資本金】13百万円
【社長】児玉光二(1960.11生)
【株主】〔24.1〕オーエムツーネットワーク100%
【事業】畜産食料品等小売100
【従業員】単402名(‥歳)

【業績】	売上高	営業利益	経常利益	純利益
単22.1	23,068	1,121	1,131	674
単23.1	22,448	943	951	454
単24.1	21,622	957	969	543

小売

㈱オンリー

株式公開計画なし

採用内定数	倍率	3年後離職率	平均年収
10名	10倍	0%	366万円

[待遇、制度]
【初任給】月23万
【残業】‥時間【有休】‥日【制度】‥
[新卒定着状況]
20年入社(男0、女3)→3年後在籍(男0、女3)
[採用情報]
【人数】23年:7 24年:5 25年:応募100→内定10*
【内定内訳】(男1、女9)(文‥、理‥)(総10、他0)
【試験】なし
【時期】エントリー24.10→内々定‥*(一次・二次以降もWEB面接可)【インターン】有
【採用実績校】‥
【求める人材】「やりたい」を主張して、上を目指す行動力のある人

【本社】600-8427 京都府京都市下京区松原通烏丸西入ル玉津島町303 ☎075-354-4129
【特色・近況】京都発の紳士服・ビジネススーツ専門店「ONLY」を全国的に展開。オーダースーツのほか既製スーツ・ジャケットなど紳士服、婦人服を販売。カジュアル、フォーマル用も手がける。Webマーケティングや ECを強化。佐賀県に製造開発子会社。
【設立】1976.6 【資本金】10百万円
【社長】中村直樹(1971.2生 立命大経営卒)
【株主】〔24.5〕中西浩之99.0%
【事業】紳士服・婦人服の製造・販売
【従業員】連222名 単170名(35.2歳)

【業績】	売上高	営業利益	経常利益	純利益
連21.8	4,679	▲275	▲50	▲32
連22.8	5,089	329	558	370
連23.8	5,555	605	774	501

㈱交換(こうかん)できるくん

東証グロース

採用内定数	倍率	3年後離職率	平均年収
5名	8倍	−	[総]517万円

[待遇、制度]
【初任給】月22.8万
【残業】12.5時間【有休】11.4日【制度】[在]
[新卒定着状況]
20年入社(男0、女0)→3年後在籍(男0、女0)
[採用情報]
【人数】23年:4 24年:6 25年:応募40→内定5
【内定内訳】(男1、女4)(文5、理0)(総5、他0)
【試験】なし
【時期】エントリー24.10→内々定25.2*(一次はWEB面接可)
【採用実績校】東京工科大1、東洋大1、日本工学院八王子専1、立命館大1、畿央大1
【求める人材】周りのメンバーと協調し、物事を前向きに捉えられる人

【本社】150-0011 東京都渋谷区東1-26-20 ☎03-6427-5381
【特色・近況】住宅設備交換サービスをECで提供する。見積もりから発注・工事日調整までネット上で完結。取り扱い商品はビルトインガスコンロやトイレ、洗面化粧台など。施工は住設子会社が行い、アフターサービスも付加する。サービスエリアを全国7都市圏から順次拡大。
【設立】2004.1 【資本金】268百万円
【社長】栗原将(1975.10生)
【株主】〔24.3〕㈱CRESCUNT 43.9%
【連結事業】住宅設備機器のeコマース100
【従業員】連195名 単76名(36.0歳)

【業績】	売上高	営業利益	経常利益	純利益
連22.3	4,807	103	102	66
連23.3	6,041	301	302	185
連24.3	7,565	328	335	230

シュッピン

東証プライム

採用内定数	倍率	3年後離職率	平均年収
7名	‥	50%	590万円

[待遇、制度]
【初任給】月28.1万(諸手当10.3万円、固定残業代20時間分)
【残業】9.5時間【有休】11.6日【制度】[在]
[新卒定着状況]
20年入社(男2、女6)→3年後在籍(男0、女4)
[採用情報]
【人数】23年:2 24年:9 25年:応募‥→内定7*
【内定内訳】(男3、女4)(文6、理0)(総7、他0)
【試験】〔性格〕有
【時期】エントリー‥→内々定随時(一次・二次以降もWEB面接可)【インターン】有
【採用実績校】上智大1、淑徳大1、文京学大1、日大2、東京経大1、日本写真芸術専1
【求める人材】チームワークを大切に、お客様本位の理念に基づき前向きにチャレンジできる人

【本社】160-0023 東京都新宿区西新宿1-14-11 Daiwa西新宿ビル ☎03-3342-0088
【特色・近況】カメラ、時計を中心に専門性の高い商品をネットで販売。筆記具、自転車も手がける。実際に商品を確認したい顧客向けに1品目ごと1実店舗も持つ。ネットと実店舗、中古品と新品の比率はそれぞれほぼ半々。安全・安心な取引環境整備に最重点。
【設立】2005.8 【資本金】541百万円
【社長】小野尚彦(1973.11生)
【株主】〔24.3〕日本マスタートラスト信託銀行信託口11.0%
【事業】カメラ75、時計22、筆記具1、自転車2
【従業員】単244名(37.1歳)

【業績】	売上高	営業利益	経常利益	純利益
単22.3	43,453	3,140	3,187	2,207
単23.3	45,618	2,463	2,439	1,697
単24.3	48,841	3,343	3,344	2,322

小売

㈱スクロール

東証プライム

採用内定数	倍率	3年後離職率	平均年収
11名	‥	33.3%	549万円

●待遇、制度●
【初任給】月23万
【残業】11.8時間【有休】10.6日【制度】在

●新卒定着状況●
20年入社(男3、女3)→3年後在籍(男2、女2)

●採用情報●
【人数】23年:9 24年:10 25年:応募‥→内定11*
【内定内訳】(男3、女8)(文9、理2)(総11、他0)
【試験】‥
【時期】エントリー24.‥→内々定25.‥
【採用実績校】‥

【求める人材】主体性、挑戦意欲、向上心がある人

【本社】430-0807 静岡県浜松市中央区佐藤2-24-1 ☎053-464-1111
【特色・近況】生協向けカタログ通販とEC事業を展開する通販準大手。通販は生協組合員へ衣料品や服飾雑貨を提供する。ECは化粧品、生活雑貨、家具などの専門店を展開。物流インフラ、システム、決済代行などのEC事業者向けソリューション提供を成長分野に位置付ける。
【設立】1943.10 【資本金】6,116百万円
【社長】鶴見知久(1966.5生 京外大外国語卒)
【株主】〔24.3〕日本マスタートラスト信託銀行信託口10.6%
【連結事業】通販49、ソリューション29、eコマース20、HBT2、グループ管轄0
【従業員】連924名 単309名(41.9歳)

【業績】	売上高	営業利益	経常利益	純利益
連22.3	81,391	7,000	7,096	5,585
連23.3	81,018	6,121	6,191	4,170
連24.3	79,826	5,313	5,512	3,649

㈱DINOS CORPORATION

株式公開未定

採用内定数	倍率	3年後離職率	平均年収
7名	17倍	16.7%	‥

●待遇、制度●
【初任給】月23万(諸手当2.7万円)
【残業】17.5時間【有休】13.6日【制度】フ 在

●新卒定着状況●
20年入社(男0、女6)→3年後在籍(男0、女5)

●採用情報●
【人数】23年:6 24年:5 25年:応募119→内定7
【内定内訳】(男3、女4)(文6、理1)(総7、他0)
【試験】〔筆記〕SPI3〔性格〕有
【時期】エントリー24.7→内々定25.4【インターン】有
【採用実績校】東洋学大1、都立大1、学習院女大1、慶大1、お茶女大1、青学大1、千葉大1

【求める人材】お客様のくらしをより楽しくするために「人」と真摯に向き合える人

【本社】164-0012 東京都中野区本町2-46-2 中野坂上セントラルビル ☎03-5353-1111
【特色・近況】フジ・メディアHDの完全子会社でカタログ、TV、ネットなどで通販を展開。グループ流通部門の中軸。衣料、家具、美容、キッチンなど生活用品中心。リテンションマーケティング事業、フラワーネット事業、店舗・卸事業、台湾でサプリメント事業も。
【設立】1991.3 【資本金】100百万円
【社長】宇津洋一(1955.6生)
【株主】〔24.3〕フジ・メディア・ホールディングス100%
【事業】通販事業(カタログ・テレビ等)94、直販事業他6
【従業員】単699名(47.3歳)

【業績】	売上高	営業利益	経常利益	純利益
単22.3	60,462	1,327	1,344	1,156
単23.3	59,268	60	168	67
単24.3	51,474	▲775	▲725	▲1,249

#採用数が多い

㈱BuySell Technologies

東証グロース

採用予定数	倍率	3年後離職率	平均年収
100名	‥	‥	436万円

●待遇、制度●
【初任給】月25万(固定残業代30時間分)
【残業】20時間【有休】‥日【制度】在

●新卒定着状況●
‥

●採用情報●
【人数】23年:245 24年:229 25年:予定100*
【内定内訳】(男‥、女‥)(文‥、理‥)(総‥、他‥)
【試験】なし
【時期】エントリー24.10→内々定‥(一次・二次以降もWEB面接可)【インターン】有【ジョブ型】有
【採用実績校】お茶女大1、明大1、中大1、法政大1、成蹊大1、日大2、東洋大3、駒澤大1、関大3、順天堂大2、他
【求める人材】明るくコミュニケーション能力が高く、向上心をもって仕事に取り組める人

【本社】160-0004 東京都新宿区四谷4-28-8 PALTビル ☎03-3359-0830
【特色・近況】出張訪問買い取りサービス「バイセル」を展開。着物、切手、古銭、貴金属などを買い取る。顧客はシニア層が多く、自宅整理や遺品整理、生前整理の利用が約7割。商品はオークションによる法人販売を中心に、一般消費者向けも注力。自社ECや外部ECモールを通じ販売。
【設立】2001.5 【資本金】897百万円
【社長】徳重浩介(1982.6生 立大社会卒)
【株主】〔24.6〕吉村英毅・ミダスA投資事業組合41.1%
【連結事業】着物・ブランド品等リユース100
【従業員】連1,751名 単1,288名(27.9歳)

【業績】	売上高	営業利益	経常利益	純利益
連21.12	24,789	2,315	2,295	1,314
連22.12	33,724	3,694	3,672	2,268
連23.12	42,574	2,796	2,754	1,453

小売

ヒラキ

東証スタンダード

採用内定数	倍率	3年後離職率	平均年収
1名	15倍	46.7%	467万円

●待遇、制度●
【初任給】月20.5万
【残業】7.8時間【有休】12.9日【制度】‥
●新卒定着状況●
20年入社(男5、女10)→3年後在籍(男2、女6)
●採用情報●
【人数】23年:11 24年:7 25年:応募15→内定1*
【内定内訳】(男1、女0)(文1、理0)(総1、他0)
【試験】〔筆記〕常識
【時期】エントリー25.3→内々定25.6
【採用実績校】神戸学大1

【求める人材】好奇心旺盛で、挑戦する意欲をもった人

【本社】651-2494 兵庫県神戸市西区岩岡町野中字福吉556 ☎078-967-1062
【特色・近況】自社企画開発による靴・履物、衣料、日用雑貨品などの通信販売、店舗販売、卸販売を展開。靴小売りが祖業で1000円未満のスニーカー、婦人靴など超低価格帯に強み。中国中心に海外の委託工場で大量生産。EC販売強化にも取り組む。
【設立】1978.4 【資本金】450百万円
【代表取締役】伊原英二(1950.4生 関西学大社会卒)
【株主】〔24.3〕㈱マヤハ14.5%
【連結事業】通信販売50、店舗販売48、卸販売2
【従業員】連253名 単248名(45.3歳)

【業績】	売上高	営業利益	経常利益	純利益
連22.3	15,199	689	695	466
連23.3	14,288	155	188	111
連24.3	13,313	▲46	0	▲15

㈱ベガコーポレーション

東証グロース

採用内定数	倍率	3年後離職率	平均年収
22名	31.9倍	0%	523万円

●待遇、制度●
【初任給】月22.6万(諸手当1万円、固定残業代10時間分)
【残業】15時間【有休】12日【制度】フ 住 在
●新卒定着状況●
20年入社(男5、女6)→3年後在籍(男5、女6)
●採用情報●
【人数】23年:7 24年:18 25年:応募702→内定22*
【内定内訳】(男11、女11)(文10、理4)(総14、他8)
【試験】〔Web会場〕SPI3〔Web自宅〕SPI3〔性格〕有
【時期】エントリー24.10→内々定24.12(一次・二次以降もWEB面接可)【インターン】有【ジョブ型】有
【採用実績校】近大1、鹿児島大1、宮崎大2、東京工科大1、山口大2、関大1、福岡大1、東洋大1、文化学園大1、西南学大1、福岡女大1
【求める人材】熱意、向上心、創造力がありチームで成果を出すことに力を発揮できる人

【本社】812-0038 福岡県福岡市博多区祇園町7-20 博多祇園センタープレイス☎092-281-3501
【特色・近況】家具・インテリアなどのネット通販が主力。ブランドは「LOWYA」で、自社サイトのほか大手ネットのモール内にも出店。デザインに凝り低価格で、若い女性が主顧客層。直営実店舗で新客層を開拓。医薬品やサプリなど越境EC「DOKODEMO」も運営。
【設立】2007.6 【資本金】1,037百万円
【社長】浮城智和(1976.11生)
【株主】〔24.3〕㈱アルタイル33.7%
【事業】Eコマース100
【従業員】単249名(35.0歳)

【業績】	売上高	営業利益	経常利益	純利益
単22.3	16,832	596	621	382
単23.3	16,973	338	364	120
単24.3	16,063	771	790	394

明治屋産業（めいじやさんぎょう）

株式公開未定

採用内定数	倍率	3年後離職率	平均年収
1名	31倍	21.4%	‥

●待遇、制度●
【初任給】月22.9万(固定残業代15時間分)
【残業】15時間【有休】‥日【制度】住
●新卒定着状況●
20年入社(男9、女5)→3年後在籍(男8、女3)
●採用情報●
【人数】23年:3 24年:11 25年:応募31→内定1*
【内定内訳】(男0、女1)(文0、理1)(総0、他1)
【試験】〔性格〕有
【時期】エントリー25.3→内々定25.6(一次・二次以降もWEB面接可)【インターン】有
【採用実績校】中村学園大短大1、流経大1、志學館大1、桜美林大1、国士舘大1

【求める人材】食に興味がある人、お客様の求める商品を作りたい人、店舗経営をやってみたい人

【本社】812-0013 福岡県福岡市博多区博多駅東2-14-1 スフィンクスセンター7階☎092-432-9511
【特色・近況】精肉・加工品の小売店、「PAOPAO」ブランドの中華総菜の小売店、レストランなどを全国に120店舗超展開。百貨店、有力スーパーのほか、JRや私鉄の駅ビル、高速道サービスエリアのフードコートなどにも出店している。自社ECサイトも展開。
【設立】1972.4 【資本金】98百万円
【社長】谷尾一也(第一経大)
【株主】〔24.3〕谷尾一也35.6%
【事業】食肉75、デリカ16、レストラン5、他4
【従業員】単984名(44.6歳)

【業績】	売上高	営業利益	経常利益	純利益
単22.3	29,735	204	510	63
単23.3	31,061	150	389	222
単24.3	31,557	205	445	372

小売

㈱ユカ　株式公開計画なし

採用内定数	倍率	3年後離職率	平均年収
2名	1倍	52.6%	582万円

●待遇、制度●
【初任給】月28万(諸手当7万円、固定残業代45時間分)
【残業】23.8時間【有休】9日【制度】フ 在

●新卒定着状況●
20年入社(男16、女3)→3年後在籍(男8、女1)

●採用情報●
【人数】23年:8 24年:11 25年:応募2→内定2*
【内定内訳】(男2、女0)(文2、理0)(総2、他0)
【試験】‥
【時期】エントリー25.3→内々定‥*(一次はWEB面接可)【インターン】有
【採用実績校】産能大1、城西大1

【求める人材】明るく、元気で、忍耐強く、物事を常に前向きで考えることができる人

【本社】152-0013 東京都目黒区南2-1-30 ☎03-5701-3351
【特色・近況】独立系の自販機オペレーター。自販機の設置からアフターケアまで一貫。首都圏1都3県と関西に自販機約5万台を展開。インドアの自販機設置型カフェスペースのほか、食品・飲料兼備の自販機型コンビニやラック型の「オフィスファミマ」も手がける。
【設立】1973.2　【資本金】100百万円
【社長】星名浩治(1964.9生)
【株主】〔23.12〕アサヒ飲料15.5%
【事業】自販機直販(清涼飲料) 83、自販機型コンビニ10、卸他部門(清涼飲料) 2、受取手数料5
【従業員】単718名(40.4歳)

【業績】	売上高	営業利益	経常利益	純利益
単21.12	28,834	178	207	172
単22.12	29,031	339	368	209
単23.12	29,996	543	571	386

イマジニア　東証スタンダード

採用内定数	倍率	3年後離職率	平均年収
1名	48倍	100%	649万円

●待遇、制度●
【初任給】年418万
【残業】20時間【有休】8日【制度】在

●新卒定着状況●
20年入社(男1、女1)→3年後在籍(男0、女0)

●採用情報●
【人数】23年:0 24年:2 25年:応募48→内定1*
【内定内訳】(男0、女1)(文0、理1)(総1、他0)
【試験】〔Web自宅〕SPI3〔性格〕有
【時期】エントリー24.12→内々定25.3(一次・二次以降もWEB面接可)
【採用実績校】筑波大院

【求める人材】自主的に学ぶ姿勢があり、リーダーシップを持って業務を行う素養を持っている人

【本社】163-0715 東京都新宿区西新宿2-7-1 新宿第一生命ビルディング ☎03-3343-8911
【特色・近況】スマホゲームと任天堂Switch向けゲームソフトが柱。コンテンツは自社の他、サンエックス、サンリオなどパートナー企業が保有する人気キャラクターを、デジタルコンテンツ、ゲーム、商品などに展開。海外向けも注力。
【設立】1986.1　【資本金】2,669百万円
【社長】澄岡和憲(1973.7生 慶大理工卒)
【株主】〔24.3〕IIB㈱41.3%
【連結事業】コンテンツ100 <海外17>
【従業員】連129名 単96名(41.1歳)

【業績】	売上高	営業利益	経常利益	純利益
連22.3	6,331	1,177	1,337	890
連23.3	6,640	596	932	610
連24.3	5,960	345	656	416

#初任給が高い #採用数が多い #有休取得が多い

㈱コーエーテクモゲームス　株式公開計画なし

採用内定数	倍率	3年後離職率	平均年収
248名	15.2倍	8.7%	‥

●待遇、制度●
【初任給】月30.5万
【残業】‥時間【有休】20.7日【制度】フ 住 在

●新卒定着状況●
‥

●採用情報● グループ一括採用
【人数】23年:150 24年:199 25年:応募3765→内定248*
【内定内訳】(男‥、女‥)(文‥、理‥)(総‥、他‥)
【試験】なし
【時期】エントリー24.11→内々定24.12(一次はWEB面接可)【インターン】有
【採用実績校】‥

【求める人材】‥

【本社】220-8503 神奈川県横浜市西区みなとみらい4-3-6 ☎045-561-6888
【特色・近況】コーエーテクモグループのエンタテインメント事業を統括するゲーム開発会社。「信長の野望」「三國志」「Winning Post」など有力IPを多数保有。「無双」シリーズは他社IPとのコラボにも積極的。東京、京都に事業所を置く。
【設立】1978.7　【資本金】9,090百万円
【社長】鯉沼久史(1971.10生)
【株主】〔24.3〕コーエーテクモホールディングス100%
【事業】エンタテインメント97、他3
【従業員】単1,664名(‥歳)

【業績】	売上高	営業利益	経常利益	純利益
単22.3	62,476	31,309	45,279	33,258
単23.3	68,107	35,627	34,166	26,852
単24.3	74,800	25,645	41,624	31,771

小売

㈱トーセ

[東証スタンダード]

採用内定数	倍率	3年後離職率	平均年収
15名	38.5倍	12.1%	424万円

●待遇、制度●
【初任給】月21.8万
【残業】18.5時間【有休】12.9日【制度】[フ][住][在]
●新卒定着状況●
20年入社(男21、女12)→3年後在籍(男19、女10)
●採用情報●
【人数】23年:32 24年:29 25年:応募577→内定15*
【内定内訳】(男11、女4)(文5、理1)(総0、他15)
【試験】〔筆記〕有〔Web自宅〕有〔性格〕有
【時期】エントリー 25.3→内々定25.6*(一次・二次以降もWEB面接可)【インターン】有【ジョブ型】有
【採用実績校】京産大1、京都芸大2、目白大1、京都橘大1、京都精華大1、ECCコンピュータ専1、HAL大阪専2、HAL名古屋専2、他
【求める人材】何事も前向きに捉えられる人、変化に順応できる人、成長意欲を持つ人、協調性のある人

【本社】600-8091 京都府京都市下京区東洞院通四条下ル ☎075-342-2525
【特色・近況】家庭用ゲームソフトの開発・制作請負で専業大手。独立系。技術力に定評があり、多くの有力ゲームソフトメーカーから受注。スマホやSNS向けゲームの開発受託が拡大。業務用ゲームソフトやパチンコ・パチスロ遊技機向けも手がける。
【設立】1979.11 【資本金】967百万円
【社長】渡辺康人(1963.8生 関大工卒)
【株主】〔24.2〕㈱S-CAN15.1%
【連結事業】デジタルエンタテインメント94、他6
【従業員】連657名 単573名(33.8歳)

【業績】	売上高	営業利益	経常利益	純利益
連21.8	5,960	266	284	148
連22.8	5,662	469	505	310
連23.8	5,783	488	531	499

㈱ナウプロダクション

[株式公開いずれしたい]

採用内定数	倍率	3年後離職率	平均年収
3名	62.3倍	0%	・・

●待遇、制度●
【初任給】月21.5万(諸手当を除いた数値)
【残業】14.5時間【有休】9日【制度】[在]
●新卒定着状況●
20年入社(男1、女1)→3年後在籍(男1、女1)
●採用情報●
【人数】23年:7 24年:5 25年:応募187→内定3*
【内定内訳】(男3、女0)(文0、理0)(総0、他3)
【試験】〔Web自宅〕SPI3〔性格〕有
【時期】エントリー 25.3→内々定25.6(一次・二次以降もWEB面接可)【インターン】有【ジョブ型】有
【採用実績校】日本工学院専2、ヒューマンアカデミー専1
【求める人材】既存の枠にとらわれない創造力、発想力豊かな人

【本社】541-0046 大阪府大阪市中央区平野町2-1-14 ☎06-6232-1660
【特色・近況】ゲームソフト・オンラインコンテンツの受託開発会社。パチンコ・パチスロの液晶ユニットなどの企画、開発、製造も手がける。オリジナルのゲーム・コンテンツやスマホアプリも開発。ゲーム音楽などを作るサウンド制作事業も展開。
【設立】1986.6 【資本金】75百万円
【社長】粟村敏明(1949.11生 福山工高卒)
【株主】〔23.11〕粟村敏明50.6%
【事業】ゲームソフトの受託開発、オリジナルゲームソフト販売
【従業員】単114名(33.9歳)

【業績】	売上高	営業利益	経常利益	純利益
単21.5	2,138	▲64	▲91	▲103
単22.5	2,840	233	205	138
単23.5	2,751	130	114	74

#初任給が高い #有休取得が多い

㈱マーベラス

[東証プライム]

採用内定数	倍率	3年後離職率	平均年収
43名	43.3倍	15.8%	[総]620万円

●待遇、制度●
【初任給】月31.6万(固定残業代45時間分)
【残業】12.9時間【有休】17.8日【制度】[フ]
●新卒定着状況●
20年入社(男12、女7)→3年後在籍(男10、女6)
●採用情報●
【人数】23年:24 24年:27 25年:応募1862→内定43
【内定内訳】(男32、女11)(文12、理13)(総11、他32)
【試験】〔筆記〕有〔Web自宅〕SPI3〔性格〕有
【時期】エントリー 25.2→内々定25.6(一次・二次以降もWEB面接可)【インターン】有【ジョブ型】有
【採用実績校】学習院大1、中大1、上智大1、東北大1、東京電機大1、HAL東京専4、他
【求める人材】楽しいを創造し続ける人、楽しいを価値に変えられる人、楽しんで仕事ができる人

【本社】140-0002 東京都品川区東品川4-12-8 品川シーサイドイーストタワー ☎03-5769-7447
【特色・近況】オンラインゲーム、家庭用ゲーム機向けのゲームソフトの企画・開発・運営や、アミューズメント機器を展開。アニメ作品、音楽・映像コンテンツの制作・商品化のほか、アニメ原作の2.5次元ミュージカルなどの舞台興行公演の企画・制作も手がける。
【設立】1997.6 【資本金】3,611百万円
【社長】佐藤澄宣(1976.4生)
【株主】〔24.3〕イメージ・フレーム・インベストメント(香港)19.5%
【連結事業】デジタルコンテンツ52、アミューズメント31、音楽映像17 <海外25>
【従業員】連692名 単621名(38.1歳)

【業績】	売上高	営業利益	経常利益	純利益
連22.3	25,728	4,600	5,054	3,817
連23.3	25,341	2,488	2,931	1,925
連24.3	29,493	2,415	3,002	▲517

サービス

㈱ユークス

東証スタンダード

採用内定数	倍率	3年後離職率	平均年収
1名	382倍	0%	555万円

●待遇、制度●
【初任給】年360万
【残業】20時間【有休】‥日【制度】在

●新卒定着状況●
20年入社(男1、女0)→3年後在籍(男1、女0)

●採用情報●
【人数】23年:15 24年:5 25年:応募382→内定1*
【内定内訳】(男1、女0)(文‥、理‥)(総1、他0)
【試験】〔筆記〕有〔Web自宅〕有〔性格〕有
【時期】エントリー25.3→内々定25.6*(一次・二次以降もWEB面接可)【インターン】有
【採用実績校】河原電子ビジネス専1
【求める人材】能動的に活動する姿勢があり、魅力的なエンタテインメントコンテンツ制作に意欲的な人

【本社】590-0985 大阪府堺市堺区戎島町4-45-1 ☎072-224-5155
【特色・近況】据え置き型ゲーム機用ソフトやパチンコ・パチスロ用モニター動画ソフトの受託開発会社。リアルな人間の動きの表現に強み。自社ソフト開発に加え、格闘ゲームエンジンのライセンス供与も。AR(拡張現実)技術を用いた独自コンテンツ、映像制作なども。
【設立】1996.6 【資本金】412百万円
【社長】谷口行規(1968.9生 阪府大工卒)
【株主】〔24.7〕㈱トラッド28.1%
【連結事業】デジタルコンテンツ100 ＜海外22＞
【従業員】連266名 単217名(38.6歳)

【業績】	売上高	営業利益	経常利益	純利益
連22.1	3,632	695	969	921
連23.1	4,299	948	1,092	883
連24.1	4,087	179	282	▲1,349

㈱アルバイトタイムス

東証スタンダード

採用内定数	倍率	3年後離職率	平均年収
4名	14.5倍	‥	521万円

●待遇、制度● 平均年収は総合職・専門職コース平均
【初任給】月24.7万(固定残業代43時間分)
【残業】25.8時間【有休】12.6日【制度】住 在

●新卒定着状況●
‥

●採用情報●
【人数】23年:6 24年:3 25年:応募58→内定4*
【内定内訳】(男3、女1)(文4、理0)(総4、他0)
【試験】〔Web自宅〕SPI3
【時期】エントリー25.3→内々定25.6*(一次・二次以降もWEB面接可)【インターン】有
【採用実績校】愛知教大1、椙山女学大1、千葉商大1、福岡大1
【求める人材】変化・挑戦・成果にこだわり、新しい商品やサービスの創出で地域を元気にしたい人

【本社】104-0031 東京都中央区京橋2-6-13 京橋ヨツギビル ☎03-5524-8725
【特色・近況】無料求人情報誌「DOMO」を発行。発祥の静岡県では圧倒的で、愛知・岐阜版も発行。非正社員、正社員転職・就職、新卒採用向け求人情報サイトやサブスク型採用管理システムも提供。各社が発行するフリーペーパーの取次も手がける。
【設立】1973.10 【資本金】455百万円
【社長】堀田欣弘(1965.1生)
【株主】〔24.2〕公益財団法人就職支援財団6.4%
【連結事業】求人情報紙媒体編集発行21、求人情報サイト運営51、フリーペーパー取次13、他15
【従業員】連195名 単167名(39.4歳)

【業績】	売上高	営業利益	経常利益	純利益
連22.2	3,622	0	12	39
連23.2	4,044	54	67	44
連24.2	4,318	107	46	▲32

㈱TAKシステムズ

株式公開計画なし

採用内定数	倍率	3年後離職率	平均年収
5名	4.4倍	0%	㊟514万円

●待遇、制度●
【初任給】月22.3万
【残業】16.7時間【有休】15.3日【制度】住 在

●新卒定着状況●
20年入社(男7、女5)→3年後在籍(男7、女5)

●採用情報●
【人数】23年:12 24年:10 25年:応募22→内定5*
【内定内訳】(男1、女4)(文0、理1)(総5、他0)
【試験】〔筆記〕SPI3〔性格〕有
【時期】エントリー25.2→内々定25.5
【採用実績校】大阪工業技術専4、名古屋女大1
【求める人材】情熱を持って主体的に建築作品づくりに力を発揮できる人

【本社】541-0053 大阪府大阪市中央区本町4-1-13 御堂ビル2階 ☎06-6266-1766
【特色・近況】建設関連の総合ITシステム会社。設計図・CG・施工図の作成、作図技術者の派遣・紹介、CADデータ管理、グループICT展開支援、設計・作業所のIT環境構築と運用支援などを展開。東京と名古屋に支店。竹中工務店の完全子会社。
【設立】1990.3 【資本金】100百万円
【社長】森田隆(1959.9生)
【株主】〔23.12〕竹中工務店100%
【事業】CAD関連94、コンピューター利用等支援6
【従業員】単310名(40.7歳)

【業績】	売上高	営業利益	経常利益	純利益
単21.12	5,444	206	205	143
単22.12	5,443	150	141	92
単23.12	5,818	159	160	103

㈱ディスラプターズ　東証スタンダード

採用内定数	倍率	3年後離職率	平均年収
1名	‥	66.7%	505万円

●待遇、制度●
【初任給】月23.2万(諸手当1万円)
【残業】21.6時間【有休】‥日【制度】住 在
●新卒定着状況●
20年入社(男1、女2)→3年後在籍(男1、女0)
●採用情報●
【人数】23年:3 24年:3 25年:応募‥→内定1*
【内定内訳】(男1、女0)(文1、理0)(総1、他0)
【試験】〔筆記〕有〔Web自宅〕有〔性格〕有
【時期】エントリー24.10→内々定25.3*(一次・二次以降もWEB面接可)【インターン】有
【採用実績校】同大1
【求める人材】現状に満足せず「もっと」にこだわり、主体的に考えて行動できる人

【本社】107-0062 東京都港区南青山2-5-17 ポーラ青山ビルディング ☎03-6161-6390
【特色・近況】複数の求人情報、不動産紹介情報を集め、検索・資料請求・応募などを一括で行える求人情報、賃貸不動産紹介サイトを運営。大手ポータル各社とシステム連携することで利便性を高める。送客成果型報酬課金で稼ぐビジネスモデル。
【設立】2005.11 【資本金】395百万円
【社長】板倉広高(1965.11生)
【株主】〔24.3〕板倉広高55.9%
【連結事業】マーケティング76、DX24
【従業員】単45名(31.0歳)

【業績】	売上高	営業利益	経常利益	純利益
単22.3	3,058	1,002	1,001	585
連23.3	3,343	533	525	262
連24.3	3,767	65	66	▲1,601

#初任給が高い #採用数が多い

ディップ　東証プライム

採用内定数	倍率	3年後離職率	平均年収
463名	20倍	‥	総553万円

●待遇、制度●
【初任給】月29.6万(諸手当1.3万円、固定残業代30時間分)
【残業】22.6時間【有休】10.4日【制度】フ 在
●新卒定着状況●
‥
●採用情報●
【人数】23年:612 24年:314 25年:応募9270→内定463*
【内定内訳】(男194、女269)(文‥、理‥)(総444、他19)
【試験】〔性格〕有
【時期】エントリー24.7→内々定24.10*(一次はWEB面接可)【インターン】有【ジョブ型】有
【採用実績校】‥
【求める人材】挑戦を好み、成長意欲の高い人

【本社】106-6231 東京都港区六本木3-2-1 六本木グランドタワー ☎03-5114-1177
【特色・近況】求人情報サイトを運営。アルバイトの「バイトル」、派遣中心の「はたらこねっと」、正社員紹介の「バイトルNEXT」、看護師紹介の「ナースではたらこ」などを展開。広告掲載料が収益源。AI、RPAなどDX事業はSaaS型にシフト。
【設立】1997.3 【資本金】1,085百万円
【社長】冨田英揮(1966.9生 愛知学大商卒)
【株主】〔24.2〕オーセンティシティ㈱33.8%
【連結事業】人材サービス89、DX11
【従業員】連2,895名 単2,895名(29.8歳)

【業績】	売上高	営業利益	経常利益	純利益
連22.2	39,515	5,602	5,320	3,487
連23.2	49,355	11,538	11,599	7,935
連24.2	53,782	12,761	12,618	9,050

㈱ハウテレビジョン　東証グロース

採用予定数	倍率	3年後離職率	平均年収
5名	‥	‥	734万円

●待遇、制度●
【初任給】年570万(諸手当を除いた数値)
【残業】20時間【有休】‥日【制度】在
●新卒定着状況●
‥
●採用情報●
【人数】23年:5 24年:4 25年:予定5
【内定内訳】(男‥、女‥)(文‥、理‥)(総‥、他‥)
【試験】なし
【時期】エントリー24.4→内々定24.10(一次・二次以降もWEB面接可)【インターン】有【ジョブ型】有
【採用実績校】東大、京大院、他
【求める人材】‥

【本社】107-6032 東京都港区赤坂1-12-32 アーク森ビル ☎03-6427-2862
【特色・近況】難関大の新卒学生向け就活サイト「外資就活ドットコム」や、若手社会人向けキャリアアップ支援サービスを提供する「Liiga」など運営。外資中心から日系企業にも顧客拡大、利用者も増加。理系学生を直接スカウトできるサービスも。
【設立】2010.2 【資本金】10百万円
【社長】音成洋介(1980.8生 東大農卒)
【株主】〔24.7〕音成洋介49.1%
【事業】外資就活ドットコム83、Liiga17、他0
【従業員】連78名 単‥名(34.8歳)

【業績】	売上高	営業利益	経常利益	純利益
単22.1	1,144	46	44	79
単23.1	1,543	396	395	283
単24.1	1,842	406	404	300

#採用数が多い

㈱エスユーエス

東証グロース

採用内定数	倍率	3年後離職率	平均年収
244名	22.1倍	23%	423万円

●待遇、制度●
【初任給】月22.2万
【残業】11.2時間【有休】11.2日【制度】フ 住 在
●新卒定着状況●
20年入社(男65、女9)→3年後在籍(男51、女6)
●採用情報●
【人数】23年:220 24年:291 25年:応募5400→内定244*
【内定内訳】(男203、女41)(文46、理144)(総7、他237)
【試験】〔Web自宅〕有〔性格〕有
【時期】エントリー24.6→内々定24.12*(一次・二次以降もWEB面接可)【インターン】有【ジョブ型】有
【採用実績校】東理大2、明大1、同大1、中大1、立命館大2、法政大3、関大1、関西学大1、工学院大2、電通大3、南山大1、岡山大1、他
【求める人材】主体性が高く、学び続けることができ、リーダーシップを発揮できる人

【本社】600-8008 京都府京都市下京区四条通烏丸東入ル長刀鉾町8 京都三井ビルディング ☎075-229-6514
【特色・近況】IT、機械、電気・電子、化学・バイオ向けに技術者派遣・業務請負とコンサルを行う。コンサルはERPシステムの導入や人事系中心のビジネスコンサルなどを展開。AI、IoT、XR(VR、AR)などを活用した先端技術分野や自動車などの成長分野へ注力。
【設立】2000.1 【資本金】436百万円
【社長】齋藤公男(1968.10生)
【株主】〔24.3〕齋藤公男50.2%
【連結事業】ソリューション90、コンサルティング7、AR／VR2、他1
【従業員】連2,219名 単2,201名(30.9歳)

【業績】	売上高	営業利益	経常利益	純利益
連21.9	9,419	195	648	448
連22.9	10,465	731	806	316
連23.9	11,501	608	623	461

nmsホールディングス

東証スタンダード

採用内定数	倍率	3年後離職率	平均年収
51名	13.5倍	‥	675万円

●待遇、制度●
【初任給】月18.2万
【残業】14.5時間【有休】‥日【制度】住
●新卒定着状況●
‥
●採用情報●nms採用
【人数】23年:136 24年:140 25年:応募686→内定51*
【内定内訳】(男31、女20)(文‥、理‥)(総0、他51)
【試験】なし
【時期】エントリー25.3→内々定25.4(一次・二次以降もWEB面接可)
【採用実績校】‥
【求める人材】好奇心や問題意識を持って自分を成長させ、変化する環境に適応できるようになりたい人

【本社】163-1445 東京都新宿区西新宿3-20-2 東京オペラシティタワー ☎03-5333-1711
【特色・近況】製造ラインに人材を供給する製造派遣・請負の中堅。製造受託も展開し国内、中国、メキシコ、マレーシア、ベトナム、北米に工場持つ。半導体検査、電子部品や自動車関連に強い。パワーサプライが第3の柱に。高度エンジニア人材の育成を強化。
【設立】1985.9 【資本金】500百万円
【社長】小野文明(1959.2生)
【株主】〔24.3〕小野文明16.8%
【連結事業】HS31、EMS47、PS22 <海外61>
【従業員】連12,648名 単26名(48.4歳)

【業績】	売上高	営業利益	経常利益	純利益
連22.3	63,277	▲361	122	▲1,980
連23.3	79,033	1,537	1,426	505
連24.3	72,874	1,888	1,570	737

#採用数が多い

㈱クリーク・アンド・リバー社

東証プライム

採用内定数	倍率	3年後離職率	平均年収
166名	62.4倍	28%	㊔613万円

●待遇、制度●
【初任給】月23.6万(固定残業代30時間分)
【残業】7時間【有休】8.5日【制度】フ 在
●新卒定着状況●
20年入社(男35、女40)→3年後在籍(男25、女29)
●採用情報●
【人数】23年:232 24年:236 25年:応募10358→内定166*
【内定内訳】(男52、女114)(文141、理12)(総13、他153)
【試験】〔筆記〕GAB〔Web自宅〕WEB-GAB
【時期】エントリー25.3→内々定25.6(一次・二次以降もWEB面接可)【インターン】有
【採用実績校】近大7、早大1、上智大1、学習院大1、法政大3、関西外大1、筑波大1、千葉大1、関大7、慶大1、立命館大5、明大3、中大4、他
【求める人材】クリエイティブやビジネスを生み出すことに関心が高く、新しい事への挑戦意欲が高い人

【本社】105-0004 東京都港区新橋4-1-1 新虎通りCORE ☎03-4550-0011
【特色・近況】映像・ゲーム・Web・広告などの人材派遣・紹介と制作請け負いが主力。クリエイティブ分野が得意で人材はプロフェッショナルに特化。医療、建築、IT、ファッション、法曹など派遣・紹介領域は多岐。ライツマネジメントも手がける。
【設立】1990.3 【資本金】1,177百万円
【社長】黒崎淳(1971.7生 上智大経済卒)
【株主】〔24.2〕㈱シー・アンド・アール27.3%
【連結事業】クリエイティブ分野・日本70、同・韓国7、医療分野11、会計・法曹分野5、他7 <海外7>
【従業員】連2,326名 単1,120名(33.5歳)

【業績】	売上高	営業利益	経常利益	純利益
連22.2	41,799	3,411	3,419	2,224
連23.2	44,121	3,956	4,002	2,899
連24.2	49,799	4,103	4,137	2,658

サービス

㈱コンフィデンス・インターワークス 東証グロース

採用内定数	倍率	3年後離職率	平均年収
11名	69倍	55.6%	375万円

●待遇、制度●
【初任給】年314.4万
【残業】10時間【有休】‥日【制度】[フ][住][在]
●新卒定着状況●
20年入社(男4、女5)→3年後在籍(男1、女3)
●採用情報●
【人数】23年:5 24年:9 25年:応募759→内定11*
【内定内訳】(男2、女9)(文11、理0)(総11、他0)
【試験】〔Web自宅〕有〔性格〕有
【時期】エントリー‥→内々定‥(一次はWEB面接可)
【採用実績校】日大1、亜大1、北九州市大1、大妻女大1、東洋大1、駒澤大1、日大院1
【求める人材】高い目標に対して積極的に行動し、結果にこだわって努力ができる人

【本社】160-0022 東京都新宿区新宿2-19-1 ビッグス新宿ビル ☎03-5312-7700
【特色・近況】エンターテインメント業界向け人材派遣・人材紹介を展開。工場向け求人広告や求人サイトも運営。ゲームのデバッグ工程を中心とした受託業務も手がける。ファッションや美容などの女性向け情報サイト等を運営し、Webメディアで広告事業も手がける。
【設立】2014.8 【資本金】521百万円
【社長】澤岻宣之(1971.11生 武蔵大経済卒)
【株主】〔24.3〕㈱アミューズキャピタルインベストメント24.6%
【連結事業】HRソリューション 人材派遣・受託73、同 人材紹介14、メディア&ソリューション13
【従業員】連1,159名 単1,150名(33.8歳)

【業績】	売上高	営業利益	経常利益	純利益
連22.3	4,425	745	737	530
連23.3	5,197	933	927	617
連24.3	7,488	1,195	1,142	725

#年収高く倍率低い #採用数が多い

JAC Recruitment 東証プライム

採用内定数	倍率	3年後離職率	平均年収
164名	18.6倍	33.3%	[総]843万円

●待遇、制度●
【初任給】年350万
【残業】13.5時間【有休】9.7日【制度】[フ][在]
●新卒定着状況●
20年入社(男6、女9)→3年後在籍(男4、女6)
●採用情報●
【人数】23年:45 24年:55 25年:応募3050→内定164
【内定内訳】(男94、女70)(文149、理15)(総164、他0)
【試験】試験あり
【時期】エントリー 24.9→内々定24.12(一次・二次以降もWEB面接可)【インターン】有
【採用実績校】同大9、明大8、立教大8、早大6、立命館大6、学習院大5、関西学大5、上智大5、日大5、法政大5、関大4、神奈川大3、成城大3、他
【求める人材】世界No.1という目標に向かって、自身を高めプロフェッショナルを目指せる人

【本社】101-0051 東京都千代田区神田神保町1-105 神保町三井ビル ☎03-5259-6926
【特色・近況】人材紹介準大手。英国やアジアに展開する田崎・JACグループの一角。外資系企業の日本要員や日系企業の海外要員など幹部クラスの紹介が強み。高額案件の競争力強化のためコンサルタントの増員・教育を推進。採用代行業務にも注力。
【設立】1988.3 【資本金】672百万円
【会長兼社長】田崎ひろみ(1950.12生 平安女学院高卒)
【株主】〔24.6〕田崎忠良20.5%
【連結事業】国内人材紹介88、国内求人広告1、海外11 <海外11>
【従業員】連2,005名 単1,599名(35.4歳)

【業績】	売上高	営業利益	経常利益	純利益
連21.12	24,852	5,822	5,813	3,882
連22.12	30,435	7,044	7,052	5,029
連23.12	34,475	8,215	8,209	5,978

ソーバル 東証スタンダード

採用内定数	倍率	3年後離職率	平均年収
48名	‥	15%	[総]566万円

●待遇、制度●
【初任給】月22.5万(諸手当0.7万円)
【残業】10時間【有休】15日【制度】[フ][在]
●新卒定着状況●
20年入社(男33、女7)→3年後在籍(男28、女6)
●採用情報●
【人数】23年:49 24年:52 25年:応募‥→内定48
【内定内訳】(男34、女14)(文7、理31)(総48、他0)
【試験】〔筆記〕有〔Web自宅〕SPI3〔性格〕有
【時期】エントリー 25.3→内々定25.5(一次はWEB面接可)【インターン】有
【採用実績校】‥
【求める人材】常にアンテナをはり、変化する時代をつかんだ「ものづくり」で社会の役に立ちたい人

【本社】141-0001 東京都品川区北品川5-9-11 大崎MTビル ☎03-6409-6131
【特色・近況】組み込みソフト開発の技術者派遣中堅。Webアプリ、業務アプリの受託開発も比重高まる。キヤノンが主だった顧客基盤を拡大、現在はソニー、富士通が上位。日立やトヨタグループとも連携を強化。AIを活用した開発にも注力。M&Aに意欲的。
【設立】1983.1 【資本金】214百万円
【社長】推津敦(1978.8生)
【株主】〔24.2〕エバーコア㈱42.6%
【連結事業】エンジニアリング100
【従業員】連889名 単743名(37.0歳)

【業績】	売上高	営業利益	経常利益	純利益
連22.2	8,163	603	637	447
連23.2	8,159	643	657	683
連24.2	8,169	670	691	513

サービス

高木工業（たかぎこうぎょう）

株式公開計画なし

採用内定数	倍率	3年後離職率	平均年収
2名	5.5倍	50%	㊧430万円

●待遇、制度●
【初任給】月22万
【残業】19.2時間【有休】11.9日【制度】住 在
●新卒定着状況●
20年入社(男4、女12)→3年後在籍(男2、女6)
●採用情報●
【人数】23年:5 24年:15 25年:応募11→内定2*
【内定内訳】(男1、女1)(文1、理0)(総1、他1)
【試験】〔性格〕有
【時期】エントリー25.2→内々定25.3(一次はWEB面接可)【インターン】有
【採用実績校】産能大1、日本工学院八王子専1
【求める人材】勇気と情熱があり行動力を持ち、誠実な人

【本社】141-0031 東京都品川区西五反田7-19-1 五反田高木ビル4階 ☎03-5487-6750
【特色・近況】業務請負、人材派遣、人材紹介、スポーツ事業(インドアテニス、ゴルフ、サッカー、卓球スクール)などを手がける。施設警備、交通誘導などの警備事業も展開。1929年に重量工事請負で創業した製造アウトソーシングのパイオニア企業。
【設立】1965.2 【資本金】50百万円
【社長】高木茂(1949.2生)
【株主】〔23.9〕高木茂34.4%
【事業】業務請負・人材派遣84、スポーツ15、不動産・保険・警備1
【従業員】単375名(43.0歳)

【業績】	売上高	営業利益	経常利益	純利益
単21.9	10,961	‥	‥	‥
単22.9	11,829	‥	‥	‥
単23.9	13,169	‥	‥	‥

#採用数が多い

テクノプロ・ホールディングス

東証プライム

採用内定数	倍率	3年後離職率	平均年収
1110名	‥	12%	㊧559万円

●待遇、制度● 平均年収はTPR・TCS・THDの管理社員平均
【初任給】月21.5万
【残業】12.5時間【有休】‥日【制度】フ 住 在
●新卒定着状況●
20年入社(男180、女53)→3年後在籍(男158、女47)
●採用情報● グループ採用
【人数】23年:1048 24年:1045 25年:応募‥→内定1110*
【内定内訳】(男834、女276)(文46、理806)(総47、他1063)
【試験】試験あり
【時期】エントリー24.11→内々定25.10(一次・二次以降もWEB面接可)【インターン】有
【採用実績校】東洋大21、神戸電子専20、日大19、東京工科大19、東海大15、新潟コンピュータ専15、九産大12、近大11、龍谷大10、他
【求める人材】主体性を持ってものごとに取り組む事ができる人

【本社】106-6135 東京都港区六本木6-10-1 六本木ヒルズ森タワー ☎03-6385-7998
【特色・近況】国内最大級の技術系人材サービスグループ。IT技術者に強み。主要顧客は自動車関連や産業機械、IT関連などで、研究開発分野への派遣が中心。業務受託・請け負いや技術コンサルティングも手がける。国内約230拠点、顧客2400社以上を有する。
【設立】2006.7 【資本金】6,929百万円
【社長】八木毅之(1967.8生 東大経済卒)
【株主】〔24.6〕日本マスタートラスト信託銀行信託口17.3%
【連結事業】R&Dアウトソーシング77、施工管理アウトソーシング11、国内他1、海外11 <海外11>
【従業員】連28,746名 単195名(44.3歳)

【業績】	売上高	営業利益	税前利益	純利益
連22.6	178,756	20,641	20,967	15,430
連23.6	199,851	21,838	21,837	15,365
連24.6	219,218	21,918	22,139	14,684

#採用数が多い

㈱フォーラムエンジニアリング

東証プライム

採用予定数	倍率	3年後離職率	平均年収
100名	‥	32.8%	446万円

●待遇、制度●
【初任給】月22.5万
【残業】8.6時間【有休】16.8日【制度】フ 住 在
●新卒定着状況●
20年入社(男60、女4)→3年後在籍(男41、女2)
●採用情報● 秋採用含む
【人数】23年:112 24年:62 25年:予定100*
【内定内訳】(男‥、女‥)(文‥、理‥)(総‥、他‥)
【試験】なし
【時期】エントリー25.6→内々定25.7～12*(一次・二次以降もWEB面接可)
【採用実績校】‥
【求める人材】誠実に就業頂ける人、積極的なコミュニケーション、働き掛けができる人、柔軟な対応力がある人

【本社】105-0001 東京都港区虎ノ門2-10-4 オークラプレステージタワー ☎03-3560-5505
【特色・近況】機械・電気系エンジニアに特化した人材派遣が主業。業界大手の一角。派遣先は自動車、電機、精密、産業機械、電子部品、情報通信など。新卒、転職含むキャリアごと4つの人材採用サイト「コグナビ」を運営、AIを活用して派遣者と企業のマッチング行う。
【設立】1981.4 【資本金】117百万円
【取締】佐藤勉(1964.1生)
【株主】〔24.3〕㈱ラテールホールディングス36.9%
【連結事業】エンジニア派遣・紹介100
【従業員】連4,795名 単‥名(37.8歳)

【業績】	売上高	営業利益	経常利益	純利益
単22.3	26,914	1,834	1,816	1,248
単23.3	28,751	1,622	1,619	1,163
連24.3	31,279	3,029	3,017	2,039

#採用数が多い

㈱フルキャストホールディングス

東証プライム

採用内定数	倍率	3年後離職率	平均年収
143名	10.3倍	50.8%	㊟528万円

●待遇、制度●
【初任給】月21万
【残業】22.6時間【有休】14.4日【制度】住 在

●新卒定着状況●
20年入社(男41、女20)→3年後在籍(男18、女12)

●採用情報● グループ採用
【人数】23年:60 24年:61 25年:応募1476→内定143*
【内定内訳】(男88、女55)(文143、理0)(総143、他0)
【試験】なし
【時期】エントリー24.6→内々定24.12(一次・二次以降もWEB面接可)【インターン】有
【採用実績校】産能大9、関大4、京産大4、東洋大4、立命館大3、國學院大3、獨協大3、関西外大2、千葉商大2、神奈川大2、中大2、法政大2、他
【求める人材】柔軟な吸収力があり、向上心をもって努力し続けられる人

【本社】141-0031 東京都品川区西五反田8-9-5 FORECAST五反田WEST ☎03-4530-4880
【特色・近況】短期の人材サービスで首位。事業は子会社が展開する持株会社。アルバイト紹介と雇用管理業務代行サービスが主力。人材派遣や、警備、営業支援なども手がける。子会社は人材やサービス・業務ごとに擁し、外国人労働者の紹介事業も。全国に200拠点以上。
【設立】1990.9 【資本金】2,780百万円
【社長】坂巻一樹(1970.9生)
【株主】〔24.6〕㈱ヒラノ・アソシエイツ35.0%
【連結事業】短期業務支援86、営業支援5、飲食6、警備他3
【従業員】連1,164名 単503名(39.1歳)

【業績】	売上高	営業利益	経常利益	純利益
連21.12	52,366	7,592	7,624	5,012
連22.12	64,645	9,823	9,884	6,622
連23.12	68,974	8,658	8,686	5,889

#採用数が多い

マンパワーグループ

株式公開していない

採用予定数	倍率	3年後離職率	平均年収
100名	‥	‥	‥

●待遇、制度●
【初任給】月25万(諸手当3.4万円、固定残業代17時間分)
【残業】19.4時間【有休】9.8日【制度】フ 住 在

●新卒定着状況●
20年入社(男39、女50)→3年後在籍(男‥、女‥)

●採用情報●
【人数】23年:110 24年:80 25年:予定100*
【内定内訳】(男‥、女‥)(文‥、理‥)(総‥、他‥)
【試験】〔Web自宅〕SPI3
【時期】エントリー25.2→内々定25.未定(一次・二次以降もWEB面接可)【インターン】有
【採用実績校】‥
【求める人材】人に寄り添う強い意志・覚悟がある人

【本社】108-0023 東京都港区芝浦3-1-1 田町ステーションタワーN30階 ☎045-227-4400
【特色・近況】人材紹介や、ITエンジニアをはじめとした人材派遣事業、採用代行などのアウトソーシング業務を行う。人材育成・組織開発などの人事コンサルティングも展開。登録者数74万5000人(24年4月)。米マンパワーグループ社の日本法人。
【設立】1966.11 【資本金】4,000百万円
【社長】池田匡弥(1966.3生 慶大経済卒)
【株主】〔24.4〕ManpowerGroup(米) 100%
【事業】人材派遣75、人材紹介他25
【従業員】単3,772名(‥歳)

【業績】	売上高	営業利益	経常利益	純利益
単22.12	140,500	‥	‥	‥
単23.12	157,000	‥	‥	‥

従業員数は子会社含む。売上高は推定値

#採用数が多い

㈱メイテックフィルダーズ

株式公開計画なし

採用予定数	倍率	3年後離職率	平均年収
400名	‥	‥	‥

●待遇、制度●
【初任給】月21.5万(諸手当を除いた数値)
【残業】17.7時間【有休】14.5日【制度】フ 住 在

●新卒定着状況●
‥

●採用情報●
【人数】23年:365 24年:302 25年:予定400
【内定内訳】(男‥、女‥)(文‥、理‥)(総‥、他‥)
【試験】なし
【時期】エントリー25.3→内々定‥(一次・二次以降もWEB面接可)【インターン】有
【採用実績校】‥
【求める人材】モノづくりに興味がある人、成長したい気持ちがある人、人の繋がりを大切に思う人

【本社】110-0005 東京都台東区上野1-1-10 オリックス上野1丁目ビル ☎050-3000-5826
【特色・近況】業務レベル・フェーズがミドルレンジのシステム設計・開発、および周辺業務に対応するエンジニアを派遣。主要取引先は上場企業など約1300社。東京と大阪に教育センター。技術力、人間力備えたプロエンジニアを育成。メイテック・グループ。
【設立】1979.12 【資本金】120百万円
【社長】渡辺真司
【株主】〔24.3〕メイテックグループホールディングス100%
【事業】エンジニアリングソリューション
【従業員】単4,576名(33.3歳)

【業績】	売上高	営業利益	経常利益	純利益
単22.3	25,814	1,731	1,732	1,337
単23.3	30,471	2,534	2,535	1,913
単24.3	33,662	3,100	3,097	2,321

サービス

メディアファイブ 福証

採用内定数	倍率	3年後離職率	平均年収
16名	4.6倍	35.3%	452万円

●待遇、制度●
【初任給】月22万
【残業】4.4時間【有休】10.4日【制度】住 在
●新卒定着状況●
20年入社(男7、女10)→3年後在籍(男4、女7)
●採用情報●
【人数】23年:13 24年:9 25年:応募73→内定16
【内定内訳】(男11、女5)(文13、理3)(総0、他16)
【試験】〔筆記〕常識〔Web自宅〕有〔性格〕有
【時期】エントリー25.3→内々定25.6【インターン】有
【採用実績校】福岡大5、九産大3、鹿児島大1、長崎県大1、西南学大1、西日本工大1、東京工科大1、法政大1、大正大1、日経大1、他
【求める人材】コミュニケーション能力の高さや、主体性がある人

【本社】810-0022 福岡県福岡市中央区薬院1-1-1 薬院ビジネスガーデン ☎092-762-0555
【特色・近況】大手ソフト開発会社へのシステムエンジニアの人材派遣が主力。未経験者を採用し、短期間でITエンジニアに育成させる点に強み。福岡地盤だが、首都圏での常駐エンジニア需要に積極対応。ソフトの受託開発、業務システムの保守・運用も手がける。
【設立】1997.8 【資本金】198百万円
【社長】河野活(1971.4生 長崎大院水産修了)
【株主】〔24.5〕上野英理也22.9%
【連結事業】SES81、ソリューション14、工事関連6
【従業員】連240名 単239名(32.5歳)

【業績】	売上高	営業利益	経常利益	純利益
連22.5	1,799	30	30	29
連23.5	1,747	18	17	8
連24.5	1,835	11	5	3

#初任給が高い

ユナイトアンドグロウ 東証グロース

採用内定数	倍率	3年後離職率	平均年収
18名	51.1倍	30%	629万円

●待遇、制度●
【初任給】月30万(諸手当4.5万円、固定残業代20時間分)
【残業】13.7時間【有休】12.6日【制度】‥
●新卒定着状況●
20年入社(男4、女6)→3年後在籍(男3、女4)
●採用情報●
【人数】23年:23 24年:23 25年:応募920→内定18*
【内定内訳】(男6、女12)(文15、理1)(総0、他18)
【試験】〔Web自宅〕有
【時期】随時(一次・二次以降もWEB面接可)【インターン】有【ジョブ型】有
【採用実績校】九大1、名大1、福島大1、岩手大1、早大2、立教大1、東理大1、青学大1、学習院大1、明学大1、福井県大1、周南公大1、他
【求める人材】セルフマネジメント志向、コーポレートITで中堅・中小企業の力になりたい人

【本社】101-0062 東京都千代田区神田駿河台4-3 ☎03-5577-2091
【特色・近況】中堅・中小企業の情報システム部門支援に特化したIT人材派遣。異なるスキル有する「シェアード社員」の時間と知識を利用者が共有する準委任契約。会員制サービスで、時間課金によるポイント制料金システムを採用する。首都圏エリアの成長企業に特化。
【設立】2005.2 【資本金】346百万円
【社長】須田騎一朗(1966.5生 早大文)
【株主】〔24.6〕エス・アセットマネジメント㈱25.2%
【連結事業】コーポレートIT総合支援90、コーポレートIT内製開発支援5、キャッシュレスセキュリティC5
【従業員】単270名(35.3歳)

【業績】	売上高	営業利益	経常利益	純利益
連21.12	2,075	289	294	198
連22.12	2,335	324	324	238
連23.12	2,667	392	392	305

#採用数が多い

ライク 東証プライム

採用予定数	倍率	3年後離職率	平均年収
580名	‥	‥	527万円

●待遇、制度●
【初任給】月27万(固定残業代30時間分)
【残業】8.6時間【有休】11.1日【制度】フ
●新卒定着状況●
‥
●採用情報●4社計採用
【人数】23年:491 24年:328 25年:予定580
【内定内訳】(男‥、女‥)(文‥、理‥)(総‥、他‥)
【試験】〔Web自宅〕有〔性格〕有
【時期】エントリー24.4→内々定25.3*(一次・二次以降もWEB面接可)【インターン】有
【採用実績校】立教大1、横浜市大、近大、近大1、神戸学大1、桜美林大1、東京家政大4、十文字学女大4、東京家政学大3、戸板短大3、他
【求める人材】日々誰かの期待に応えることで、結果的に社会貢献に繋がると考えている人

【本社】150-0043 東京都渋谷区道玄坂1-12-1 渋谷マークシティ ウェスト ☎03-5428-5577
【特色・近況】保育事業と人材サービスを行う。保育施設の運営受託や認可保育園の運営のほか、モバイル業界向けに独自研修で育成したスタッフを派遣。一般労働者の派遣・紹介のほか、保育・介護業界への人材サービスも提供。老人ホームなどの運営も手がける。
【設立】1993.9 【資本金】1,548百万円
【会長兼社長】岡本泰彦(1961.4生 関西学大法卒)
【株主】〔24.5〕㈲マナックス40.7%
【連結事業】子育て支援サービス50、総合人材サービス36、介護関連サービス13、他0
【従業員】連5,334名 単52名(30.3歳)

【業績】	売上高	営業利益	経常利益	純利益
連22.5	57,642	4,238	5,234	3,268
連23.5	60,015	3,580	4,255	2,568
連24.5	60,469	3,333	3,953	2,447

#採用数が多い

㈱ワールドホールディングス　東証プライム

採用内定数	倍率	3年後離職率	平均年収
4173名	7.3倍	‥	㊦630万円

●待遇、制度●
【初任給】月22万
【残業】‥時間【有休】12.6日【制度】フ 住 在
●新卒定着状況●
‥
●採用情報● グループ採用
【人数】23年:1372 24年:1432 25年:応募30323→内定4173*
【内定内訳】(男2677、女1496)(文2913、理1260)(総392、他3781)*
【試験】〔性格〕有
【時期】エントリー24.8→内々定25.1(一次・二次以降もWEB面接可)【インターン】有【ジョブ型】有
【採用実績校】立命館大6、関西学大6、阪大4、中大4、九大3、東京農工大3、東大2、京大2、北大2、早大2
【求める人材】嘘をつかない、約束を守る、努力をする人

【福岡本社】812-0011 福岡県福岡市博多区博多駅前2-1-1 福岡朝日ビル ☎092-474-0555
【特色・近況】製造現場向けが主力の業務請負・人材派遣会社中堅の持株会社。技術職や研究職などの派遣も行う。地盤の九州から関東、東北に幅広く展開。祖業の不動産事業は分譲マンションの開発やリノベーションなどを行う。農業公園の運営も手がける。
【設立】1993.2【資本金】1,924百万円
【会長兼社長】伊井田栄吉(1956.5生)
【株主】〔24.6〕みらい総研44.2%
【連結事業】プロダクツHR47、サービスHR27、不動産20、情報通信4、農業公園2
【従業員】連52,522名 単18,005名(‥歳)

【業績】	売上高	営業利益	経常利益	純利益
連21.12	154,704	7,481	7,738	4,626
連22.12	183,640	8,929	8,933	5,341
連23.12	213,742	10,365	10,251	6,204

㈱i－plug　東証グロース

採用実績数	倍率	3年後離職率	平均年収
8名	‥	‥	588万円

●待遇、制度●
【初任給】年390万(諸手当を除いた数値)
【残業】17.2時間【有休】8.3日【制度】フ 在
●新卒定着状況●
‥
●採用情報●
【人数】23年:18 24年:8 25年:予定微減*
【内定内訳】(男‥、女‥)(文‥、理‥)(総‥、他‥)
【試験】〔筆記〕有〔Web自宅〕有
【時期】エントリー‥→内々定‥(一次・二次以降もWEB面接可)【インターン】有
【採用実績校】‥
【求める人材】‥

【本社】532-0011 大阪府大阪市淀川区西中島5-11-8 セントアネックスビル ☎06-6306-6125
【特色・近況】企業から学生に直接アプローチできる、新卒ダイレクトリクルーティングサービス「OfferBox」を運営。登録企業数は約1万7000社。利用料は定額利用料型と成功報酬型の2種類。採用、育成、配置などで活用する適性検査サービスも展開。
【設立】2012.4【資本金】664百万円
【取締】中野智哉(1978.12生 グロビス経大院修了)
【株主】〔24.3〕中野智哉56.9%
【連結事業】OfferBox(早期定額型) 75、OfferBox(成功報酬型) 16、eF-1G6、他3
【従業員】連332名 単304名(33.9歳)

【業績】	売上高	営業利益	経常利益	純利益
連22.3	3,041	367	370	253
連23.3	3,741	▲411	▲397	▲492
連24.3	4,602	139	137	▲193

㈱市進（いちしん）ホールディングス　東証スタンダード

採用予定数	倍率	3年後離職率	平均年収
5名	‥	50%	‥

●待遇、制度●
【初任給】月26.5万(固定残業代4万円)
【残業】‥時間【有休】‥日【制度】‥
●新卒定着状況●
20年入社(男3、女3)→3年後在籍(男1、女2)
●採用情報● 市進採用
【人数】23年:4 24年:2 25年:予定5
【内定内訳】(男‥、女‥)(文‥、理‥)(総‥、他‥)
【試験】試験あり
【時期】エントリー25.3→内々定25.6【インターン】有
【採用実績校】‥
【求める人材】教育に情熱を持つ人、「挑戦する」気概と粘り強い行動力を持つ人

【本社】272-8518 千葉県市川市八幡2-3-11 ☎047-335-2888
【特色・近況】千葉県中心に首都圏で小中学生向け集団指導塾「市進学院」、高校生向け集団指導塾「市進予備校」、個別指導塾「個太郎塾」などを展開。映像授業配信や日本語学校運営、民間学童保育、介護事業も手がけ多角化に積極的。親会社の学研と人材交流などの連携加速。
【設立】1975.6【資本金】1,476百万円
【社長】福住一彦(1957.8生 神戸大経営卒)
【株主】〔24.2〕学研ホールディングス37.6%
【連結事業】教育サービス86、介護福祉サービス14
【従業員】連956名 単189名(‥歳)

【業績】	売上高	営業利益	経常利益	純利益
連22.2	17,318	830	693	421
連23.2	17,292	894	734	365
連24.2	17,948	941	761	363

サービス

㈱インソース	東証プライム	採用内定数	倍率	3年後離職率	平均年収
		88名	2倍	13.3%	553万円

●待遇、制度●
【初任給】月24万
【残業】16.6時間【有休】9日【制度】住 在
●新卒定着状況●
20年入社(男15、女15)→3年後在籍(男13、女13)
●採用情報● グループ合計
【人数】23年:31 24年:24 25年:応募175→内定88
【内定内訳】(男‥、女‥)(文‥、理‥)(総‥、他‥)
【試験】〔筆記〕有〔性格〕有
【時期】エントリー24.6→内々定24.12(一次・二次以降もWEB面接可)【インターン】有
【採用実績校】日大3、産能大3、広島大2、埼玉大2、長崎県大2、立命館大2、関大2、実践女大2、藤女大2、神戸大1、千葉大1、他
【求める人材】教育とITで社会課題を解決したい人、「多様性」「挑戦」「変化」を楽しめる人

【東京本部】116-0013 東京都荒川区西日暮里4-19-12 インソース道灌山ビル ☎03-5577-2283
【特色・近況】民間企業や自治体・官公庁を対象に講師派遣型研修、公開講座を運営。テーマ別研修を用意し、女性活躍推進など時代のニーズに対応。公開講座のほかオンライン型研修、eラーニングなども展開。人事業務、研修運営の効率化支援サービスも提供。
【設立】2002.11 【資本金】800百万円
【代表取締役】舟橋孝之(1964.4生)
【株主】〔24.3〕㈱ルプラス29.7%
【連結事業】講師派遣型研修49、公開講座24、ITサービス12、他15
【従業員】連459名 単367名(31.8歳)

【業績】	売上高	営業利益	経常利益	純利益
連21.9	7,501	2,404	2,416	1,571
連22.9	9,418	3,367	3,346	2,233
連23.9	10,783	3,941	3,937	2,676

㈱ウィザス	東証スタンダード	採用内定数	倍率	3年後離職率	平均年収
		22名	20.5倍	‥	528万円

●待遇、制度●
【初任給】月21万
【残業】‥時間【有休】8.8日【制度】住 在
●新卒定着状況●
‥
●採用情報●
【人数】23年:20 24年:28 25年:応募450→内定22*
【内定内訳】(男8、女14)(文‥、理‥)(総20、他2)
【試験】〔筆記〕有〔性格〕有
【時期】エントリー25.3→内々定25.6(一次・二次以降もWEB面接可)【インターン】有
【採用実績校】‥
【求める人材】社会で活躍できる人づくりの実現をめざす民間教育の改革者

【本社】541-0051 大阪府大阪市中央区備後町3-6-2 KFセンタービル ☎06-6264-4202
【特色・近況】近畿地盤の小中学生集団指導塾「第一ゼミナール」や個別指導塾、現役高校生受験塾を展開。教育特区を活用した通信制高校「第一学院」も運営。日本語教育サービス、ICT活用の社会人向け資格講座、学童英語教室なども手がける。
【設立】1976.7 【資本金】1,299百万円
【社長】生駒富男(1959.9生 法大社会卒)
【株主】〔24.3〕㈱ヒントアンドヒット6.4%
【連結事業】高校・大学44、学習塾36、グローバル10、能力開発・キャリア支援8、他1
【従業員】連989名 単608名(40.9歳)

【業績】	売上高	営業利益	経常利益	純利益
連22.3	17,635	2,127	2,245	1,284
連23.3	19,856	2,122	2,155	589
連24.3	20,690	1,969	1,952	904

㈱UZUZ	株式公開計画なし	採用予定数	倍率	3年後離職率	平均年収
		3名	−	−	㊗474万円

●待遇、制度●
【初任給】月27.3万(固定残業代40時間分)
【残業】16.5時間【有休】14.8日【制度】在
●新卒定着状況●
20年入社(男0、女0)→3年後在籍(男0、女0)
●採用情報●
【人数】23年:0 24年:0 25年:応募170→内定0*
【内定内訳】(男‥、女‥)(文‥、理‥)(総‥、他‥)
【試験】〔Web自宅〕有〔性格〕有
【時期】エントリー24.9→内々定未定*(一次・二次以降もWEB面接可)【インターン】有
【採用実績校】‥
【求める人材】「成長したい」気持ちを持っている人、当社が掲げるミッションに共感できる人

【本社】160-0023 東京都新宿区西新宿3-11-20 オフィススクエアビル新宿3階 ☎03-5333-0802
【特色・近況】第二新卒や既卒者を中心に人材紹介・教育研修を展開。匿名、無料の求職相談サポート「キャリエモン」を運営。地方での雇用機会創出を目指すため旭川にも拠点。企業向けにIT分野やビジネススキルの研修サービスも提供。
【設立】2012.2 【資本金】15百万円
【社長】岡本啓毅(1986.4生)
【株主】〔24.5〕UZUZホールディングス100%
【事業】有料職業紹介、人材教育研修
【従業員】単68名(29.4歳)

【業績】	売上高	営業利益	経常利益	純利益
単22.1	632	95	104	85
単23.1	962	175	176	121
単24.1	1,084	112	113	84

㈱学究社（がっきゅうしゃ）

東証プライム

採用内定数	倍率	3年後離職率	平均年収
63名	8.5倍	47.6%	505万円

●待遇、制度●
【初任給】月25.1万
【残業】‥時間【有休】‥日【制度】住
●新卒定着状況●
20年入社(男9、女12)→3年後在籍(男7、女4)
●採用情報●
【人数】23年:29 24年:48 25年:応募536→内定63*
【内定内訳】(男34、女29)(文47、理16)(総63、他0)
【試験】〔筆記〕常識〔Web自宅〕有
【時期】エントリー25.3→内々定25.3*(一次はWEB面接可)【インターン】有
【採用実績校】京大1、東京農工大1、新潟大1、早大1、上智大1、都立大1、筑波大1、東理大2、東京学芸大2、明大5、立教大2、中大2、他
【求める人材】人の為に何ができるかを真剣に考えられる人、明るく元気に多様なことにチャレンジできる人

【本社事務所】151-0053 東京都渋谷区代々木1-12-8 ☎03-6300-5311
【特色・近況】集団指導塾「ena」、個別指導塾「個別ena」を東京西部にドミナント展開。都立難関高校受験に強み。最難関中高受験に特化した「ena最高水準」が好評。看護・医療、美大受験予備校、受験情報サイトも運営。オンライン授業を拡大。
【設立】1976.10 【資本金】1,216百万円
【代表執行役】河端真一(1951.8生 慶大経済卒)
【株主】〔24.3〕ケイエスケイケイ㈱36.2%
【連結事業】教育95、不動産1、他5
【従業員】連535名 単431名(38.7歳)

【業績】	売上高	営業利益	経常利益	純利益
連22.3	12,378	2,326	2,405	1,510
連23.3	12,986	2,761	2,789	1,881
連24.3	13,198	2,694	2,715	1,827

㈱スポーツフィールド

東証グロース

採用内定数	倍率	3年後離職率	平均年収
72名	36.4倍	37.5%	464万円

●待遇、制度●
【初任給】月25万(固定残業代40時間分)
【残業】30.6時間【有休】10.4日【制度】フ 在
●新卒定着状況●
20年入社(男16、女16)→3年後在籍(男12、女8)
●採用情報●
【人数】23年:29 24年:22 25年:応募2618→内定72*
【内定内訳】(男35、女37)(文72、理0)(総72、他0)
【試験】〔Web自宅〕有
【時期】エントリー24.6→内々定24.10*(一次・二次以降もWEB面接可)【インターン】有
【採用実績校】東海大2、東京国際大2、獨協大2、愛知淑徳大、愛媛大、環太平洋大、関大、関西福祉大、京産大、桐蔭横浜大、広島修道大、他
【求める人材】スポーツが持つ可能性を様々なフィールドで発揮するという経営理念に共感できる人

【本社】162-0845 東京都新宿区市谷本村町3-29 FORECAST市ヶ谷 ☎03-5225-1481
【特色・近況】体育会学生や引退したアスリートに特化した採用支援事業を展開。新卒体育会学生向け「スポナビ」、スポーツ経験者向け「スポチャレ」など運営。新卒就活イベント開催し、出展料が収益源。体育会人材の中途採用支援やスポーツ教育を活用した企業向け研修も。
【設立】2010.1 【資本金】93百万円
【代表取締役】篠﨑克志(1982.7生 日大工卒)
【株主】〔24.6〕篠﨑克志21.5%
【連結事業】新卒者向けイベント40、新卒者向け人財紹介30、既卒者向け人財紹介26、他4
【従業員】連297名 単295名(29.4歳)

【業績】	売上高	営業利益	経常利益	純利益
連21.12	2,130	▲32	▲35	▲79
連22.12	2,866	637	634	412
連23.12	3,418	869	869	608

㈱成学社（せいがくしゃ）

東証スタンダード

採用内定数	倍率	3年後離職率	平均年収
39名	17.4倍	‥	460万円

●待遇、制度●
【初任給】月24万(固定残業代25時間分)
【残業】‥時間【有休】10.1日【制度】住
●新卒定着状況●
‥
●採用情報●
【人数】23年:60 24年:52 25年:応募680→内定39*
【内定内訳】(男21、女18)(文31、理8)(総39、他0)
【試験】〔筆記〕常識〔Web自宅〕SPI3
【時期】エントリー24.11→内々定25.2*(一次はWEB面接可)【インターン】有
【採用実績校】東理大1、阪大1、神戸大1、高知大1、静岡大1、島根大1、愛媛大1、大阪教大2、同大1、立命館大1、関大1、近大2、龍谷大7、他
【求める人材】リーダーシップがあり、新しいことにチャレンジすることが好きな人

【本社】530-0015 大阪府大阪市北区中崎西3-1-2 ☎06-6373-1529
【特色・近況】近畿圏、関東圏を中心に小中高校生を対象とした個別指導、クラス指導による学習塾を展開。代々木ゼミと提携した高校・高卒生対象の通信衛星講座も運営する。子会社で医学部受験指導も。外国人留学生対象の日本語学校も展開。保育部門で認可保育所の運営も手がける。
【設立】1987.1 【資本金】235百万円
【社長】永井博(1963.9生 京工繊大工芸卒)
【株主】〔24.3〕太田明弘25.0%
【連結事業】教育関連99、不動産賃貸0、飲食0
【従業員】連812名 単743名(39.7歳)

【業績】	売上高	営業利益	経常利益	純利益
連22.3	12,333	640	655	331
連23.3	12,671	712	727	421
連24.3	13,102	702	711	433

サービス

㈱明光ネットワークジャパン [東証プライム]

採用内定数	倍率	3年後離職率	平均年収
30名	23.8倍	53.3%	536万円

●待遇、制度●
【初任給】月23万
【残業】18時間【有休】11日【制度】[フ]
●新卒定着状況●
20年入社(男5、女10)→3年後在籍(男4、女3)
●採用情報●
【人数】23年:16 24年:33 25年:応募715→内定30*
【内定内訳】(男9、女21)(文25、理5)(総30、他0)
【試験】〔性格〕有
【時期】エントリー24.6→内々定25.1(一次・二次以降もWEB面接可)【インターン】有
【採用実績校】早大1、横国大1、千葉大1、法政大1、他
【求める人材】主体性・責任感を持ち、挑戦行動のできる人

【本社】160-0023 東京都新宿区西新宿7-20-1 住友不動産西新宿ビル ☎03-5860-2111
【特色・近況】小中高生向けの個別指導型補習塾「明光義塾」をFC軸に全国展開。教室数は約1800と業界シェア首位。医系大学受験予備校の「東京医進学院」も運営。新業態として学習教室付き学童保育や、英会話やサッカー、プログラミングなどの各種教室も行う。
【設立】1984.9 【資本金】972百万円
【社長】岡本光太郎
【株主】〔24.2〕日本マスタートラスト信託銀行信託口8.8%
【連結事業】学習塾直営61、学習塾フランチャイズ20、日本語学校5、他13
【従業員】連1,129名 単656名(36.6歳)

【業績】	売上高	営業利益	経常利益	純利益
連21.8	19,039	969	1,113	1,140
連22.8	19,674	1,168	1,289	974
連23.8	20,871	1,064	1,243	809

#初任給が高い

㈱早稲田学習研究会（わせだがくしゅうけんきゅうかい） [東証スタンダード]

採用内定数	倍率	3年後離職率	平均年収
20名	7.8倍	‥	634万円

●待遇、制度●
【初任給】月40万(固定残業代49時間分)
【残業】30時間【有休】8.3日【制度】[住]
●新卒定着状況●
‥
●採用情報●
【人数】23年:11 24年:22 25年:応募155→内定20*
【内定内訳】(男17、女3)(文15、理5)(総20、他0)
【試験】〔筆記〕有
【時期】エントリー25.3→内々定‥*(一次はWEB面接可)【インターン】有【ジョブ型】有
【採用実績校】東大1、京大1、北大1、横国大1、東京学芸大1、早大1、専大1、東洋大1、文教大1、他
【求める人材】明るく元気に振る舞える人、向上心があり生徒と真剣に向き合える人

【本社】104-0031 東京都中央区京橋1-6-11 ☎03-3538-5400
【特色・近況】小・中学生対象の集団塾「W早稲田ゼミ」、高校生対象の集団塾「W早稲田ゼミハイスクール」、個別指導塾の「ファースト個別」の学習塾を運営。県、単元、学校、レベル、時期に細分化された教材に特徴。独自のオンライン学習システムで過去授業の視聴が可能。
【設立】1993.1 【資本金】183百万円
【社長】柳澤武志(1980.4生)
【株主】〔24.3〕㈱YMM44.4%
【事業】ゼミ75、ハイ17、ファースト個別8
【従業員】単403名(36.4歳)

【業績】	売上高	営業利益	経常利益	純利益
単22.3	5,888	1,175	1,213	831
単23.3	6,110	1,230	1,246	838
単24.3	6,463	1,452	1,436	1,073

㈱京都ホテル（きょうと） [東証スタンダード]

採用内定数	倍率	3年後離職率	平均年収
37名	2.4倍	64.7%	[総]414万円

●待遇、制度●
【初任給】月20万(諸手当0.4万円)
【残業】18.7時間【有休】8.7日【制度】[フ][住]
●新卒定着状況●
20年入社(男6、女11)→3年後在籍(男4、女2)
●採用情報●
【人数】23年:32 24年:40 25年:応募90→内定37*
【内定内訳】(男11、女26)(文10、理0)(総37、他0)
【試験】〔性格〕有
【時期】エントリー25.4→内々定25.5(一次はWEB面接可)【インターン】有
【採用実績校】岡山大1、京都府大1、関西学大1、関西外大1、京都外大1、日大1、京産大1、大谷大1、大阪国際大1、大阪学大1
【求める人材】「お客様の笑顔」に出会うため「お客様の期待を越えるサービス」を行うという目標へ向かってチャレンジする人

【本社】604-8558 京都府京都市中京区河原町通二条南入一之船入町537-4 ☎075-211-5111
【特色・近況】1888年創業の京都の老舗名門ホテル。「ホテルオークラ京都」「からすま京都ホテル」の2施設を運営。ホテルオークラとニチレイが資本参加し、業務でもつながりを持つ。オークラ、ニッコー・ホテルズとの共通会員プログラムで利用者の囲い込みを図る。
【設立】1927.6 【資本金】100百万円
【社長】福永法弘(1955.8生 京大法卒)
【株主】〔24.3〕ホテルオークラ35.3%
【事業】宿泊41、宴会30、レストラン24、他5
【従業員】単367名(38.9歳)

【業績】	売上高	営業利益	経常利益	純利益
単22.3	4,267	▲1,959	▲1,092	▲651
単23.3	7,350	▲29	79	62
単24.3	9,138	953	807	934

㈱グリーンズ

東証スタンダード

採用内定数	倍率	3年後離職率	平均年収
18名	59.4倍	54.2%	478万円

●待遇、制度●
【初任給】月22.2万(諸手当1.5万円)
【残業】12.2時間【有休】11.2日【制度】住

●新卒定着状況●
20年入社(男4、女20)→3年後在籍(男3、女8)

●採用情報●
【人数】23年:19 24年:33 25年:応募1070→内定18
【内定内訳】(男6、女12)(文18、理0)(総18、他0)
【試験】〔Web自宅〕有〔性格〕有
【時期】エントリー25.3→内々定25.4(一次・二次以降もWEB面接可)【インターン】有
【採用実績校】名大1、三重大1、愛知淑徳大1、愛知学大1、愛知大1、名古屋外大1、皇學館大1、立命館大1、関西外大3、関大1、関西学大1、他
【求める人材】自ら考えて行動できる人、人を笑顔にするのが好きな人、旅をする魅力を感じられる人

【本社】510-0067 三重県四日市市浜田町5-3
☎059-351-5593
【特色・近況】三重県地盤のホテル運営会社。米チョイスホテルズ社との国内FC契約により、宿泊特化型ビジネスホテル「コンフォートホテル」を全国で展開。東海・北陸エリアで宴会場併設型、宿泊特化型などオリジナルブランドのグリーンズホテルズ事業も手がける。
【設立】1980.7 【資本金】100百万円
【社長】村木雄哉(1972.11生 青学大経営卒)
【株主】〔24.6〕㈱新緑18.0%
【連結事業】チョイスブランド84、オリジナルブランド他16
【従業員】連824名 単805名(38.7歳)

【業績】	売上高	営業利益	経常利益	純利益
連22.6	25,437	▲2,157	▲2,021	▲2,178
連23.6	36,439	3,697	3,492	4,191
連24.6	40,969	5,019	4,829	4,888

東急リゾーツ＆ステイ(とうきゅう)

株式公開未定

採用内定数	倍率	3年後離職率	平均年収
82名	7.6倍	43.7%	㊔392万円

●待遇、制度●
【初任給】月23万
【残業】20時間【有休】11.7日【制度】フ住在

●新卒定着状況●
20年入社(男40、女56)→3年後在籍(男29、女25)

●採用情報●
【人数】23年:140 24年:166 25年:応募627→内定82*
【内定内訳】(男23、女59)(文48、理1)(総74、他8)
【試験】〔Web自宅〕有〔性格〕有
【時期】エントリー25.3→内々定25.4(一次・二次以降もWEB面接可)【インターン】有【ジョブ型】有
【採用実績校】・・
【求める人材】関わる全ての人へ「楽しい」と思えるような体験を提供し自らも楽しめる人

【本社】150-0043 東京都渋谷区道玄坂1-10-8 渋谷道玄坂東急ビル9階
☎03-6455-5600
【特色・近況】東急不動産グループでリゾート・宿泊施設、ゴルフ場、スキー場などを運営。東急リゾートサービス、東急ステイ、東急ステイサービスのグループ3社統合により事業開始。会員制リゾートホテル「東急ハーヴェストクラブ」、都市型ホテル「東急ステイ」を運営。
【設立】1979.3 【資本金】100百万円
【社長】粟辻稔泰(1966.9生)
【株主】〔24.3〕東急不動産100%
【事業】会員制リゾートホテル、ゴルフ場、スキー場、他
【従業員】単2,163名(36.6歳)

【業績】	売上高	営業利益	経常利益	純利益
単22.3	42,457	4,238	▲4,510	▲4,599
単23.3	54,107	576	▲55	399
単24.3	62,334	4,592	4,001	4,315

㈱東横イン(とうよこ)

株式公開していない

採用内定数	倍率	3年後離職率	平均年収
39名	28.2倍	57.1%	412万円

●待遇、制度●
【初任給】月24.5万
【残業】12.8時間【有休】8.6日【制度】・・

●新卒定着状況●
20年入社(男8、女27)→3年後在籍(男4、女11)

●採用情報●
【人数】23年:64 24年:26 25年:応募1100→内定39*
【内定内訳】(男10、女29)(文34、理0)(総1、他38)
【試験】〔筆記〕SPI3〔Web自宅〕SPI3〔性格〕有
【時期】エントリー25.3→内々定25.3*(一次はWEB面接可)【インターン】有
【採用実績校】桜美林大2、関西学院大2、九産大2、駒澤大2、青学大1、関西外大1、神田外語大1、津田塾大1、東洋大1、阪南大1、他
【求める人材】熱意のある負けず嫌いな人、大きな声と明るい笑顔で挨拶ができる人、常に考え、気づいて、行動する人

【本社】144-0054 東京都大田区新蒲田1-7-4
☎03-5703-1045
【特色・近況】ビジネスホテルを全都道府県および海外で運営。国内外約360ホテル、部屋数約8万室。海外は欧州、アジアで展開。「駅前旅館の鉄筋版」「女性の感性を重視したホテル運営」がコンセプト。無料で朝食を提供している点に特徴。
【設立】1986.1 【資本金】50百万円
【代表執行役】黒田麻衣子(1976.6生 立大院文修了)
【株主】・・
【事業】ホテル事業100
【従業員】単17,650名(・・歳)

【業績】	売上高	営業利益	経常利益	純利益
単23.3	80,714	571	2,345	16,781
単24.3	122,805	16,692	18,062	9,400

従業員数はパートタイム従業員含む

サービス

#採用数が多い

パークタワーホテル

株式公開計画なし

採用予定数	倍率	3年後離職率	平均年収
100名	‥	59.6%	‥

●待遇、制度●
【初任給】月22万
【残業】‥時間【有休】10.8日【制度】‥
●新卒定着状況●
20年入社(男22、女30)→3年後在籍(男11、女10)
●採用情報●
【人数】23年:31 24年:21 25年:予定100*
【内定内訳】(男‥、女‥)(文‥、理‥)(総‥、他‥)
【試験】なし
【時期】エントリー25.3→内々定‥(一次・二次以降もWEB面接可)【インターン】有
【採用実績校】‥
【求める人材】全ての人に思いやりを持って接することができ、チームワークを大切にできる人

【本社】163-1055 東京都新宿区西新宿3-7-1 新宿パークタワー ☎03-5322-1234
【特色・近況】世界約80カ国に1300以上を有するハイアットホテルチェーンの一角、東京・西新宿に高級ホテル「パークハイアット東京」を運営。客室数約200室。施設内にフィットネスセンターやプール、会議・宴会施設も備える。東京ガス系。
【設立】1992.7 【資本金】1,000百万円
【社長】小倉太郎
【株主】〔24.3〕東京ガス不動産100%
【事業】ホテル事業100
【従業員】単333名(34.5歳)

【業績】	売上高	営業利益	経常利益	純利益
単22.3	3,686	▲1,022	▲624	▲663
単23.3	6,740	889	919	855
単24.3	8,932	1,185	1,202	1,135

#採用数が多い

㈱パレスホテル

株式公開計画なし

採用予定数	倍率	3年後離職率	平均年収
100名	‥	48.3%	548万円

●待遇、制度●
【初任給】月24.3万(諸手当1.7万円)
【残業】15.2時間【有休】8.6日【制度】住
●新卒定着状況●
20年入社(男9、女20)→3年後在籍(男3、女12)
●採用情報●
【人数】23年:108 24年:130 25年:予定100*
【内定内訳】(男33、女60)(文36、理1)(総65、他28)
【試験】〔筆記〕有〔性格〕有
【時期】エントリー25.3→内々定25.6*(一次はWEB面接可)【インターン】有
【採用実績校】東京外大1、上智大1、東理大1、横浜市大1、立教大1、法政大5、青学大2、津田塾大1、明学大1、獨協大3、他
【求める人材】感謝の心で誠実に向き合い、美しさと品格にこだわりつつ、お客様の感性をゆさぶれる人

【本社】100-0005 東京都千代田区丸の内1-1-1 ☎03-3211-5211
【特色・近況】東京中心にホテルを運営。パレスホテル東京は地上23階建てでオフィスビルも併設。フォーブストラベルガイドの格付けで毎年5つ星を獲得。経団連会館など宴会場の運営も。オンラインショップで高級スイーツやホテルグッズなどを販売。
【設立】1960.2 【資本金】1,000百万円
【社長】吉原大介
【株主】〔23.12〕サントリーホールディングス17.4%
【連結事業】ホテル81、不動産賃貸19
【従業員】連831名 単683名(38.9歳)

【業績】	売上高	営業利益	経常利益	純利益
連21.12	17,280	▲478	2,898	1,084
連22.12	26,984	3,518	3,674	2,410
連23.12	35,571	8,759	8,647	6,607

㈱ホテル、ニューグランド

東証スタンダード

採用内定数	倍率	3年後離職率	平均年収
36名	‥	‥	㊨428万円

●待遇、制度●
【初任給】月20.5万(諸手当0.2万円)
【残業】15時間【有休】11.9日【制度】住
●新卒定着状況●
‥
●採用情報●
【人数】23年:39 24年:33 25年:応募‥→内定36*
【内定内訳】(男11、女25)(文‥、理‥)(総22、他14)
【試験】〔筆記〕常識〔性格〕有
【時期】エントリー25.3→内々定25.5*【インターン】有
【採用実績校】‥
【求める人材】当ホテルの歴史と伝統に理解があり、100年、それ以上続くホテルの発展を目指す人

【本社】231-8520 神奈川県横浜市中区山下町10 ☎045-681-1841
【特色・近況】横浜財界が協力して開業した横浜を代表する老舗ホテル。山下公園前で横浜港を望む好立地で、本館は歴史的建造物。歴史を背景にしたブランド力強く、マッカーサー元帥、チャールズ・チャップリン、ベーブ・ルースが滞在・宿泊するなど逸話も豊富。
【設立】1926.7 【資本金】100百万円
【会長兼社長】原信造(1958.2生)
【株主】〔24.5〕原地所16.2%
【事業】ホテル99、不動産賃貸1
【従業員】単208名(36.1歳)

【業績】	売上高	営業利益	経常利益	純利益
単21.11	3,195	▲742	▲468	1,319
単22.11	4,281	▲385	▲323	▲349
単23.11	5,372	283	257	393

#採用数が多い

リゾートトラスト [東証プライム]

採用内定数	倍率	3年後離職率	平均年収
532名	5.5倍	45.2%	615万円

●待遇、制度●
【初任給】月20.5万(諸手当3万円)
【残業】22.6時間【有休】9.5日【制度】[フ][住][在]
●新卒定着状況●
20年入社(男119、女151)→3年後在籍(男65、女83)
●採用情報●
【人数】23年:573 24年:665 25年:応募2948→内定532*
【内定内訳】(男171、女361)(文522、理7)(総394、他138)
【試験】〔Web自宅〕SPI3〔性格〕有
【時期】エントリー25.3→内々定25.4*(一次・二次以降もWEB面接可)【インターン】有【ジョブ型】有
【採用実績校】関西外大13、近大12、桜美林大12、愛知淑徳大10、今村学園ライセンスアカデミー専10、帝京大10、龍谷大10、他
【求める人材】人が好き、人の役に立ちたい、人のしあわせが嬉しいと感じ、幸せな時間(とき)の創造に挑戦できる品位ある人

【本社】460-8490 愛知県名古屋市中区東桜2-18-31 ☎052-933-6000
【特色・近況】会員制リゾートホテル首位。高級会員制リゾートホテル「エクシブ」を全国展開。1室を会員が共同所有するタイムシェア制度を採用。検診などのメディカル事業やゴルフ場も併営。介護付き有料老人ホームなどシニアライフ事業に注力。
【設立】1973.4　【資本金】19,590百万円
【社長】伏見有貴(1965.8生)
【株主】〔24.3〕日本マスタートラスト信託銀行信託口14.3%
【連結事業】会員権29、ホテルレストラン等47、メディカル23、他0
【従業員】連9,196名 単6,439名(36.5歳)

【業績】	売上高	営業利益	経常利益	純利益
連22.3	157,782	8,693	11,123	5,775
連23.3	169,830	12,270	13,247	16,906
連24.3	201,803	21,119	21,807	15,892

㈱ロイヤルホテル [東証スタンダード]

採用内定数	倍率	3年後離職率	平均年収
47名	4.6倍	0%	[総]530万円

●待遇、制度●
【初任給】月21.2万
【残業】14.2時間【有休】7.2日【制度】[住][在]
●新卒定着状況●
20年入社(男1、女2)→3年後在籍(男1、女2)
●採用情報●
【人数】23年:113 24年:127 25年:応募217→内定47*
【内定内訳】(男11、女36)(文9、理0)(総9、他38)
【試験】〔筆記〕GAB〔性格〕有
【時期】エントリー25.3→内々定25.6*【インターン】有
【採用実績校】関西外大2、大阪成蹊大2、立命館大1、甲南女大1、跡見学園女大1、京都外大1、桃山学大1
【求める人材】挑戦を続ける事をチャンスと捉え、自らの才能や可能性を発揮したいと考える人

【本社】530-0005 大阪府大阪市北区中之島5-3-68 ☎06-6448-1121
【特色・近況】1932年にアサヒビールやサントリーなど関西財界が出資して前身の「新大阪ホテル」を設立。京都、東京などに展開。宿泊に加え、婚礼など宴会やレストランでも稼ぐ。リーガロイヤルホテル大阪を売却し財務体質を改善。今後はホテルの運営受託に注力。
【設立】1932.2　【資本金】100百万円
【社長】植田文一(1966.8生 大工大高卒)
【株主】〔24.3〕ブロッサムズ・ホールディング・エイチケー32.8%
【連結事業】客室34、宴会23、食堂14、他29
【従業員】連1,902名 単1,140名(42.9歳)

【業績】	売上高	営業利益	経常利益	純利益
連22.3	16,465	▲8,217	▲4,550	▲4,811
連23.3	26,397	▲2,986	▲2,129	13,315
連24.3	20,668	557	587	901

#初任給が高い #採用数が多い

㈱アドベンチャー [東証グロース]

採用内定数	倍率	3年後離職率	平均年収
134名	14.1倍	‥	[総]479万円

●待遇、制度●
【初任給】月30万(固定残業代40時間分)
【残業】18.3時間【有休】11日【制度】[在]
●新卒定着状況●
‥
●採用情報●
【人数】23年:17 24年:15 25年:応募1895→内定134*
【内定内訳】(男‥、女‥)(文‥、理‥)(総‥、他‥)
【試験】なし
【時期】エントリー24.7→内々定24.10*(一次・二次以降もWEB面接可)【インターン】有【ジョブ型】有
【採用実績校】慶大1、早大3、立教大1、中大1、明大1、京都外大1、関西外大1、神田外語大1、同大1、津田塾大1、他
【求める人材】主体性があり、グローバル化にむけて多様な価値観の関係者を束ねて推進できる人

【本社】150-6024 東京都渋谷区恵比寿4-20-3 恵比寿ガーデンプレイスタワー ☎03-6277-0515
【特色・近況】オンライン旅行会社。国内外の格安航空券ツアーなどを比較・予約可能な「skyticket」が主力。予約成約の成功報酬をクライアントから得る。アプリダウンロード数や多言語対応に強み。オンライン旅行会社が少ない東南アジアに進出。
【設立】2006.12　【資本金】4,072百万円
【社長】中村俊一(1982.12生 慶大商卒)
【株主】〔24.6〕中村俊一62.0%
【連結事業】旅行100、投資 <海外>
【従業員】連439名 単126名(32.9歳)

【業績】	売上高	営業利益	税前利益	純利益
連22.6	11,786	2,043	2,013	1,610
連23.6	20,027	2,900	2,853	1,826
連24.6	22,391	1,547	1,440	750

サービス

	採用内定数	倍率	3年後離職率	平均年収
エムオーツーリスト 株式公開計画なし	7名	24.6倍	−	‥

●待遇、制度●
【初任給】月21.8万
【残業】22.4時間【有休】13.9日【制度】在
●新卒定着状況●
20年入社(男0、女0)→3年後在籍(男0、女0)
●採用情報●
【人数】23年:0 24年:8 25年:応募172→内定7
【内定内訳】(男2、女5)(文7、理0)(総7、他0)
【試験】〔Web自宅〕SPI3〔性格〕有
【時期】エントリー25.2→内々定25.6(一次はWEB面接可)
【採用実績校】‥
【求める人材】自律自責型の人

【本社】130-0013 東京都墨田区錦糸1-2-1 アルカセントラル17階 ☎03-6284-1271
【特色・近況】航空券の手配、ホテル予約、視察旅行のアレンジなど法人向け海外出張関連サービスを展開。グループ会社にTRSトラベルなど。国内5拠点、英国、中国、シンガポールに海外拠点。日本通運と海外赴任において業務提携。1960年創業で商船三井グループ。
【設立】2001.7 【資本金】250百万円
【社長】坂西豊(1964.7生)
【株主】〔24.3〕商船三井100%
【事業】旅行業100
【従業員】単149名(42.8歳)

【業績】	売上高	営業利益	経常利益	純利益
単22.3	871	▲831	▲797	▲634
単23.3	2,413	▲108	▲26	1
単24.3	3,482	297	369	314

	採用内定数	倍率	3年後離職率	平均年収
㈱阪急阪神ビジネストラベル 株式公開計画なし	10名	19.7倍	‥	438万円

●待遇、制度●
【初任給】月21.5万(諸手当2万円)
【残業】18.3時間【有休】14.8日【制度】フ 住 在
●新卒定着状況●
‥
●採用情報●
【人数】23年:0 24年:7 25年:応募197→内定10
【内定内訳】(男3、女7)(文10、理0)(総10、他0)
【試験】〔Web自宅〕SPI3〔性格〕有
【時期】エントリー25.3→内々定25.6(一次はWEB面接可)【インターン】有
【採用実績校】近大1、明学大1、関大2、日大1、愛知県大1、立命館大1、関西外大1、他
【求める人材】人と交流することが苦にならない社交的で新しいことに挑戦できる人

【本社】530-0001 大阪府大阪市北区梅田2-5-25 ☎06-4795-5781
【特色・近況】法人向け旅行会社。海外国内出張や海外赴任手配、ビザ・各国出入国サポート、BTMやMICEなどのサービスを手がける。国内は東京、浜松、名古屋、大阪、福岡に拠点。海外は中国、欧米など10拠点。阪急阪神HDグループ。
【設立】2007.10 【資本金】60百万円
【社長】福澤太郎(1962.9生)
【株主】〔24.4〕阪急交通社100%
【事業】旅行業100
【従業員】単236名(43.7歳)

【業績】	売上高	営業利益	経常利益	純利益
単22.3	6,855	▲208	▲207	176
単23.3	25,415	287	285	211
単24.3	32,581	544	538	391

	採用内定数	倍率	3年後離職率	平均年収
ビッグホリデー 株式公開計画なし	8名	‥	−	‥

●待遇、制度●
【初任給】月20.4万
【残業】7.8時間【有休】11日【制度】‥
●新卒定着状況●
20年入社(男0、女0)→3年後在籍(男0、女0)
●採用情報●
【人数】23年:0 24年:7 25年:応募‥→内定8*
【内定内訳】(男4、女4)(文7、理0)(総8、他0)
【試験】〔筆記〕常識〔Web自宅〕有〔性格〕有
【時期】エントリー25.3→内々定25.6
【採用実績校】‥
【求める人材】コミュニケーション能力があり、明るく行動力がある人

【本社】113-8401 東京都文京区本郷3-19-2 BHビル ☎03-3818-5008
【特色・近況】パッケージツアー「ビッグホリデー」ブランドの企画・卸売り。国内企画旅行のほかスキー、スノーボードツアーも手がける。全国約6000店舗の旅行代理店と業務提携し企画商品を販売。訪日旅行専門の企画・運営を行う子会社を持つ。1964年創業。
【設立】1964.4 【資本金】80百万円
【社長】岩崎安利(1943.8生 北野高卒)
【株主】〔23.6〕TBK管理90.0%
【事業】国内旅行パッケージ30、手配旅行60、他10
【従業員】単138名(40.6歳)

【業績】	売上高	営業利益	経常利益	純利益
単21.6	13,541	‥	‥	▲206
単22.6	13,961	‥	‥	▲211
単23.6	31,905	‥	‥	42

サービス

郵船(ゆうせん)トラベル

株式公開計画なし

採用内定数	倍率	3年後離職率	平均年収
13名	58.5倍	0%	‥

●待遇、制度●
【初任給】月22.3万
【残業】16時間【有休】13.5日【制度】住 在
●新卒定着状況●
20年入社(男1、女0)→3年後在籍(男1、女0)
●採用情報●
【人数】23年:0 24年:7 25年:応募760→内定13
【内定内訳】(男5、女8)(文13、理0)(総13、他0)
【試験】〔Web会場〕有
【時期】エントリー 25.3→内々定25.5
【採用実績校】東京外大1、武庫川女大1、和歌山大1、武蔵大2、近大1、関西学大1、関西外大1、帝京大1、成蹊大1、立命館大1、同女大1、他
【求める人材】気配りができる人、粘り強くやりきれる人、コミュニケーションが得意な人

【本社】101-8422 東京都千代田区神田神保町2-2 ミレーネ神保町ビル ☎03-6777-9067
【特色・近況】日本郵船直系の旅行会社。個人向けに豪華客船クルーズや観光旅行、法人向けに海外出張や視察・研修ツアーなど手がける。クラシックやオペラを欧米で楽しむ「音楽・美術の旅」や「飛鳥Ⅱ」「にっぽん丸」クルーズなど企画。
【設立】1994.4 【資本金】270百万円
【社長】河野俊明(1959.8生)
【株主】〔24.3〕郵船ロジスティクス100%
【事業】海外部門80、国内部門10、クルーズ部門10
【従業員】単206名(40.0歳)

【業績】	売上高	営業利益	経常利益	純利益
単22.3	4,256	▲891	▲766	▲710
単23.3	18,608	161	186	152
単24.3	29,782	909	942	690

㈱共和(きょうわ)コーポレーション

東証スタンダード

採用内定数	倍率	3年後離職率	平均年収
7名	3倍	50%	531万円

●待遇、制度●
【初任給】月21.5万(諸手当2.5万円)
【残業】14.2時間【有休】8.6日【制度】住
●新卒定着状況●
20年入社(男2、女2)→3年後在籍(男1、女1)
●採用情報●
【人数】23年:10 24年:8 25年:応募21→内定7*
【内定内訳】(男6、女1)(文4、理2)(総7、他0)
【試験】〔Web自宅〕SPI3
【時期】エントリー 25.3→内々定25.3*(一次・二次以降もWEB面接可)【インターン】有【ジョブ型】有
【採用実績校】東海大1、沖縄国際大1、名古屋学院大1、立正大1、城西国際大1、聖学大1、HAL大阪専1
【求める人材】人を楽しませること、笑顔を見ることが好きな人、メンバーと協力・連携を重視できる人

【本社】380-0928 長野県長野市若里3-10-28 ☎026-227-1301
【特色・近況】アミューズメント施設を運営。機器メーカーに属さない独立系。長野県中心に北海道から中国地域まで、複数ブランドで展開。ロードサイドやSC内に中型店中心に出店する。機器や景品などの販売のほか、バッティングセンター、ボウリング場の運営も行う。
【設立】1986.5 【資本金】709百万円
【社長】宮本和彦(1955.4生 長野中央高卒)
【株主】〔24.3〕㈱ユーミーコーポレーション42.1%
【連結事業】アミューズメント施設運営91、アミューズメント機器販売4、他6
【従業員】連216名 単203名(39.6歳)

【業績】	売上高	営業利益	経常利益	純利益
連22.3	10,385	274	284	128
連23.3	12,444	717	711	432
連24.3	14,580	1,082	1,111	646

#初任給が高い

グリーンランドリゾート

東証スタンダード

採用内定数	倍率	3年後離職率	平均年収
2名	85倍	50%	㊇763万円

●待遇、制度●
【初任給】月33万(諸手当0.6万円、固定残業代10.4万円)
【残業】20時間【有休】12.9日【制度】住
●新卒定着状況●
20年入社(男2、女0)→3年後在籍(男1、女0)
●採用情報●
【人数】23年:3 24年:0 25年:応募170→内定2
【内定内訳】(男1、女1)(文‥、理‥)(総2、他0)
【試験】〔Web会場〕SPI3〔性格〕有
【時期】エントリー‥→内々定25.6(一次はWEB面接可)【インターン】有
【採用実績校】明大院1、九大1
【求める人材】「仕事」も「アソビ」も全力で楽しみたい人

【本社】864-8691 熊本県荒尾市下井手1616 ☎0968-66-2111
【特色・近況】九州、北海道で遊園地事業を手がけ、ゴルフ場、ホテルなども運営。熊本の遊園地「グリーンランド」は、イルミネーションや花火、キャラクターショーなど季節ごとのイベントで集客を図る。社有地の賃貸など不動産活用にも注力。西部ガスHD系。
【設立】1980.1 【資本金】4,180百万円
【社長】松野隆徳(1963.7生 佐賀大経済卒)
【株主】〔24.6〕西部ガスホールディングス14.6%
【連結事業】遊園地46、ゴルフ17、ホテル30、不動産3、土木・建設資材5
【従業員】連202名 単68名(37.5歳)

【業績】	売上高	営業利益	経常利益	純利益
連21.12	5,754	34	202	▲1,477
連22.12	5,732	763	820	428
連23.12	6,406	888	891	463

サービス

四季（しき）　株式公開計画なし

採用内定数	倍率	3年後離職率	平均年収
16名	‥	21.4%	‥

●待遇、制度●
【初任給】月25万（固定残業代20時間分）
【残業】9.3時間【有休】7.4日【制度】在
●新卒定着状況●
20年入社（男7、女7）→3年後在籍（男6、女5）
●採用情報● 経営スタッフのみ
【人数】23年:15 24年:17 25年:応募‥→内定16
【内定内訳】（男7、女9）（文14、理1）（総16、他0）
【試験】〔Web自宅〕有〔性格〕有
【時期】エントリー‥→内々定‥【インターン】有
【採用実績校】慶大2、同大2、一橋大1、京大1、青学大1、上智大1、玉川大1、帝京大1、法政大1、武蔵野大1、明大1、早大1、立命館大1、他

【求める人材】演劇をビジネスとして捉え、情熱と創造力を兼ね備えた人

【本社】225-8585 神奈川県横浜市青葉区あざみ野1-24-7 ☎045-903-1141
【特色・近況】7カ所の専用劇場を持つ劇団四季を運営。ミュージカル「CATS」「ライオンキング」「アナと雪の女王」などヒット作が多い。俳優・スタッフは約1400人の日本最大の劇団。年間公演回数は約3000回。長野・大町市に創立者である浅利慶太記念館。
【設立】1967.9【資本金】100百万円
【社長】吉田智誉樹（1964.6生 慶大卒）
【株主】〔23.12〕舞台芸術センター 13.0%
【事業】演劇100
【従業員】単333名（34.6歳）

【業績】	売上高	営業利益	経常利益	純利益
単21.12	15,460	‥	▲3,400	▲1,970
単22.12	23,219	‥	3,790	3,026
単23.12	27,560	‥	3,942	3,338

スバル興業（こうぎょう）　東証スタンダード

採用内定数	倍率	3年後離職率	平均年収
1名	28倍	40%	749万円

●待遇、制度●
【初任給】月23.6万（諸手当1.2万円）
【残業】24.9時間【有休】8.5日【制度】フ 在
●新卒定着状況●
20年入社（男4、女1）→3年後在籍（男2、女1）
●採用情報●
【人数】23年:3 24年:6 25年:応募28→内定1*
【内定内訳】（男1、女0）（文0、理1）（総1、他0）
【試験】〔筆記〕SPI3〔Web会場〕SPI3〔性格〕有
【時期】エントリー25.3→内々定25.随時*(一次はWEB面接可)【インターン】有
【採用実績校】関大1

【求める人材】協調性が高く、向上心を持ち、主体的に行動できる人

【本社】100-0006 東京都千代田区有楽町1-5-2 東宝日比谷プロムナードビル ☎03-3528-8245
【特色・近況】道路メンテナンスが主力で公共事業依存度が高い。高速・一般道路と付属設備の維持・清掃・補修工事を請け負う。他にレジャー事業と不動産賃貸も手がける。レジャーはマリーナの運営、飲食業経営など。賃貸は事務所のほか倉庫や駐車場、商業ビルなど。東宝系。
【設立】1946.2【資本金】1,331百万円
【社長】永田泉治（1960.2生 関大工卒）
【株主】〔24.7〕東宝51.1%
【連結事業】道路関連91、レジャー6、不動産3
【従業員】連685名 単233名（44.4歳）

【業績】*	売上高	営業利益	経常利益	純利益
連22.1	28,977	4,207	4,451	2,999
連23.1	28,907	5,092	5,206	3,517
連24.1	29,245	4,900	4,947	3,283

#年収が高い

セガサミーホールディングス　東証プライム

採用内定数	倍率	3年後離職率	平均年収
10名	83.9倍	16.2%	879万円

●待遇、制度●
【初任給】月27万（諸手当3万円）
【残業】7.8時間【有休】11.9日【制度】フ 在
●新卒定着状況● 国内主要3社合計
20年入社（男78、女52）→3年後在籍（男69、女40）
●採用情報● 16社計採用
【人数】23年:252 24年:273 25年:応募839→内定10
【内定内訳】（男6、女4）（文8、理2）（総10、他0）
【試験】〔Web自宅〕有〔性格〕有
【時期】エントリー25.1→内々定25.3(一次・二次以降もWEB面接可)【インターン】有
【採用実績校】京大1、津田塾大1、新潟大1、金沢大1、千葉大1、横国大1

【求める人材】感動体験創造のために自律的に行動し、多様な仲間と共にシナジーを発揮できる人

【本社】141-0033 東京都品川区西品川1-1-1 住友不動産大崎ガーデンタワー ☎03-6864-2400
【特色・近況】パチスロ製造のサミーと、ゲームソフトやアミューズメント機器・施設のセガが経営統合し発足。アニメのトムス・エンタテイメントも傘下。韓国・仁川で統合型リゾート（IR）の合弁も持つ。「ソニック」などのIPをゲームや映画などに多面展開を推進。
【設立】2004.10【資本金】29,953百万円
【社長】里見治紀（1979.1生 カリフォル大院修了）
【株主】〔24.3〕合同会社HS Company 16.1%
【連結事業】エンタテインメントコンテンツ68、遊技機29、リゾート3 <海外37>
【従業員】連8,251名 単396名（42.4歳）

【業績】	売上高	営業利益	経常利益	純利益
連22.3	320,949	32,042	33,344	37,027
連23.3	389,635	46,789	49,473	45,938
連24.3	467,896	56,836	59,778	33,055

サービス

東京テアトル（とうきょうテアトル）

東証スタンダード

採用内定数	倍率	3年後離職率	平均年収
6名	40.5倍	0%	㊗777万円

●待遇、制度●
【初任給】月21.1万
【残業】12時間【有休】8日【制度】フ 在
●新卒定着状況●
20年入社(男3、女5)→3年後在籍(男3、女5)
●採用情報●
【人数】23年:3 24年:6 25年:応募243→内定6
【内定内訳】(男1、女5)(文5、理1)(総6、他0)
【試験】〔筆記〕有〔Web会場〕C-GAB〔Web自宅〕WEB-GAB〔性格〕有
【時期】エントリー25.3→内々定25.7(一次はWEB面接可)【インターン】有
【採用実績校】青学大、跡見学園女大、京産大、中大、明学大、横浜市大
【求める人材】主体性を発揮し、顧客視点で思考・行動し、常に学ぶ姿勢を持って自ら成長していける人

【本社】160-0022 東京都新宿区新宿1-1-8 御苑テアトルビル ☎03-3355-1010
【特色・近況】賃貸や中古マンションの再生販売など不動産事業が柱。直接取り引きなどで仕入れた中古物件をグループでリノベーションし再販する。映画興行で創業し、現在も首都圏中心に映画館を運営。北海道地盤の焼き鳥チェーン「串鳥」などの飲食事業も営む。
【設立】1946.6 【資本金】4,552百万円
【社長】太田和宏(1964.5生 明大政経卒)
【株主】〔24.3〕三井住友信託銀行4.3%
【連結事業】映像関連21、飲食関連31、不動産関連48
【従業員】連456名 単149名(42.6歳)

【業績】	売上高	営業利益	経常利益	純利益
連22.3	13,056	▲595	704	825
連23.3	16,317	65	381	188
連24.3	17,087	248	294	233

東京都競馬（とうきょうとけいば）

東証プライム

採用内定数	倍率	3年後離職率	平均年収
5名	35.6倍	0%	633万円

●待遇、制度●
【初任給】月22.4万(諸手当1.2万円)
【残業】10.1時間【有休】11.1日【制度】フ 住 在
●新卒定着状況●
20年入社(男1、女2)→3年後在籍(男1、女2)
●採用情報●
【人数】23年:0 24年:5 25年:応募178→内定5
【内定内訳】(男3、女2)(文5、理0)(総5、他0)
【試験】〔Web会場〕有〔性格〕有
【時期】エントリー25.3→内々定25.6(一次はWEB面接可)【インターン】有
【採用実績校】国士舘大1、中大1、東大1、東京女大1、明学大1
【求める人材】「意味づけ力」「計画力」「調和性」「巻き込み力」を備えた調和型(協働型)リーダー

【本社】143-0016 東京都大田区大森北1-6-8 ☎03-5767-9055
【特色・近況】東京・大井競馬場と群馬・伊勢崎オートレース場の大家。東京都が筆頭株主。電話やインターネットを利用した投票システム「SPAT4」を運営し、その歩合収入が主力。プール主体の遊園地「東京サマーランド」や都内の倉庫賃貸も運営。
【設立】1949.12 【資本金】10,586百万円
【社長】多羅尾光睦(1957.8生 青学大法卒)
【株主】〔24.6〕東京都27.7%
【連結事業】公営競技73、遊園地8、倉庫賃貸14、サービス5
【従業員】連188名 単98名(36.5歳)

【業績】	売上高	営業利益	経常利益	純利益
連21.12	31,800	12,803	12,842	9,084
連22.12	35,450	14,163	14,171	9,386
連23.12	37,544	13,362	13,383	8,452

リソルホールディングス

東証プライム

採用内定数	倍率	3年後離職率	平均年収
12名	54.9倍	―	㊗701万円

●待遇、制度●
【初任給】月27万(諸手当6.7万円)
【残業】23.4時間【有休】12.5日【制度】住 在
●新卒定着状況●
20年入社(男0、女0)→3年後在籍(男0、女0)
●採用情報●
【人数】23年:9 24年:5 25年:応募659→内定12
【内定内訳】(男6、女6)(文12、理0)(総12、他0)
【試験】〔Web自宅〕WEB-GAB
【時期】エントリー24.12→内々定25.5(一次・二次以降もWEB面接可)
【採用実績校】日大1、関西外大1、宮崎公大1、慶大1、駒澤大1、産能大1、龍谷大1、創価大1、明大1、城西国際大1、北九州市大1、他
【求める人材】人を笑顔にするのが好きな人、積極的なチャレンジ精神を持っている人

【本社】160-0023 東京都新宿区西新宿6-24-1 西新宿三井ビルディング ☎03-3344-8811
【特色・近況】ホテルとゴルフ場の運営が主力。ゴルフ場などの投資再生ビジネスも行う。企業の福利厚生サービス受託、太陽光発電、体験型リゾート施設「リソルの森」の運営も。三井不動産傘下で施設運営受託で協力、コナミHDとも資本業務提携し会員の施設相互利用図る。
【設立】1931.2 【資本金】3,948百万円
【社長】大澤勝(1966.8生)
【株主】〔24.3〕三井不動産31.0%
【連結事業】ホテル運営48、ゴルフ運営31、リソルの森14、福利厚生4、再生エネルギー0、投資再生2
【従業員】連557名 単24名(41.1歳)

【業績】	売上高	営業利益	経常利益	純利益
連22.3	20,902	685	785	474
連23.3	22,061	324	187	722
連24.3	25,717	2,122	1,947	1,411

サービス

㈱ワイドレジャー

株式公開 いずれしたい

採用内定数	倍率	3年後離職率	平均年収
16名	7.3倍	35.3%	‥

●待遇、制度●
【初任給】月23.8万（固定残業代10時間分）
【残業】12時間【有休】7.8日【制度】[住]
●新卒定着状況●
20年入社（男14、女3）→3年後在籍（男9、女2）
●採用情報●
【人数】23年:32 24年:26 25年:応募116→内定16*
【内定内訳】（男5、女11）（文15、理1）（総16、他0）
【試験】〔筆記〕有〔Web会場〕有〔Web自宅〕有〔性格〕有
【時期】エントリー25.3→内々定25.10*(一次・二次以降もWEB面接可)【インターン】有【ジョブ型】有
【採用実績校】久留米大2、北大院1、北九州市大1、山口県大1、熊本学大1、他
【求める人材】アミューズメント業界をリードできる柔軟な発想力と行動力を持つ人

【本社】838-0141 福岡県小郡市小郡2413-1 ☎0942-72-7534
【特色・近況】郊外型ゲームセンター「楽市楽座」、ショップ＆レストラン「楽市街道」、子供向けアミューズメントパーク「ASOBLE」など約90店舗を運営。ロードサイド単独型、インショップ型、シネコン併設型など多様な店舗形態。九州地区を中心に全国に展開。
【設立】1975.3 【資本金】50百万円
【社長】菊池太一郎
【株主】〔24.2〕パーセントプラス100%
【事業】アミューズメント95、テナント賃貸3、他2
【従業員】単370名（37.4歳）

【業績】	売上高	営業利益	経常利益	純利益
単22.2	16,647	2,581	2,610	1,828
単23.2	26,239	3,160	3,156	3,036
単24.2	27,812	3,264	3,129	2,270

愛知海運（あいちかいうん）

株式公開 未定

採用内定数	倍率	3年後離職率	平均年収
7名	‥	‥	‥

●待遇、制度●
【初任給】月23万
【残業】19時間【有休】‥日【制度】[住][在]
●新卒定着状況●
‥
●採用情報●
【人数】23年:10 24年:11 25年:応募‥→内定7
【内定内訳】（男5、女2）（文7、理0）（総7、他0）
【試験】〔Web自宅〕SPI3〔性格〕有
【時期】エントリー24.12→内々定25.3【インターン】有
【採用実績校】愛知県大2、愛知淑徳大1、中京大1、名古屋外大1、福井県大1、龍谷大1
【求める人材】誠実で思いやりがあり、顧客や社員のために行動できる人

【本社】455-0036 愛知県名古屋市港区浜2-1-11 ☎052-651-3221
【特色・近況】名古屋港・衣浦港・三河港の愛知県3港で港湾運送を行う。原料や燃料など大型バルク船の荷役や重量物の取り扱いが得意。港湾地区での各種倉庫運営やグループ会社による陸送、内航海上運送も手がける。海外は上海、大連、天津、タイ、マレーシアに拠点。
【設立】1943.3 【資本金】250百万円
【社長】原弘三（1961.6生 山形大工卒）
【株主】〔24.3〕名古屋中小企業投資育成23.6%
【事業】港湾運送36、倉庫保管荷役22、自動車運送22、内航運送8、外航運送6、通関・航空貨物・他6
【従業員】単433名（44.5歳）

【業績】	売上高	営業利益	経常利益	純利益
単22.3	17,359	541	654	448
単23.3	18,327	815	940	904
単24.3	17,922	840	996	671

イースタン・カーライナー

株式公開 未定

採用内定数	倍率	3年後離職率	平均年収
4名	15倍	―	[総]719万円

●待遇、制度●
【初任給】月23.1万（諸手当1.5万円）
【残業】11.5時間【有休】12.8日【制度】[住][在]
●新卒定着状況●
20年入社（男0、女0）→3年後在籍（男0、女0）
●採用情報●
【人数】23年:3 24年:3 25年:応募60→内定4
【内定内訳】（男1、女3）（文4、理0）（総4、他0）
【試験】〔Web自宅〕有〔性格〕有
【時期】エントリー25.3→内々定25.5*(一次はWEB面接可)
【採用実績校】同大1、日女大1、獨協大1、関大1
【求める人材】何事にも積極的に取り組み地道な努力を惜しまない人、仕事を通じて自己成長を続ける人

【本社】140-0002 東京都品川区東品川2-5-8 天王洲パークサイドビル5階 ☎03-5769-7611
【特色・近況】自動車専用船、在来多目的船を運航。アジア、中東、北米、豪州地域を中心に自動車、建設機械、鉄鋼、プラント関連など多岐にわたる製品を輸送。マーケットの動きに対応し輸送船腹量を調整。中国などアジアのほか米国などに現地法人を持つ。
【設立】1977.5 【資本金】100百万円
【社長】長手繁（1968.2生 関西学大卒）
【株主】〔24.3〕NPHホールディングス87.6%
【連結事業】海上運賃収入、貸船料収入
【従業員】連465名 単164名（46.8歳）

【業績】	売上高	営業利益	経常利益	純利益
連22.3	67,976	9,083	8,997	6,513
連23.3	84,495	21,633	21,535	16,191
連24.3	77,735	19,080	21,165	14,524

サービス

#年収が高い #有休取得が多い

乾汽船（いぬいきせん） [東証スタンダード]

採用内定数	倍率	3年後離職率	平均年収
3名	74.3倍	66.7%	920万円

●待遇、制度●
【初任給】月23.7万
【残業】28.5時間【有休】18.1日【制度】[住]

●新卒定着状況●
20年入社(男2、女1)→3年後在籍(男1、女0)

●採用情報●
【人数】23年:2 24年:5 25年:応募223→内定3
【内定内訳】(男0、女3)(文2、理1)(総3、他0)
【試験】〔性格〕有
【時期】エントリー25.3→内々定25.未定*
【採用実績校】横国大1、東京海洋大1、アジアパシフィック大1
【求める人材】‥

【本社】104-0054 東京都中央区勝どき1-13-6 プラザタワー勝どき ☎03-5548-8211
【特色・近況】外航海運は中小型のクレーン付きバラ積み船(ハンディ船)が主力。倉庫・運送や不動産賃貸も展開。収益柱の不動産は、倉庫跡地を再開発したオフィスビルが主体。勝どきの再開発で主力ビルを建て替え、30年竣工予定。
【設立】1925.10 【資本金】2,767百万円
【社長】乾康之(1968.12生 甲南大法卒)
【株主】〔24.3〕日本マスタートラスト信託銀行信託口7.2%
【連結事業】外航海運71、倉庫・運送13、不動産15
【従業員】連184名 単82名(45.5歳)

【業績】	売上高	営業利益	経常利益	純利益
連22.3	37,597	13,366	13,550	11,848
連23.3	44,267	13,067	13,431	9,857
連24.3	29,494	1,678	1,917	1,194

#年収が高い

ENEOSオーシャン [株式公開計画なし]

採用内定数	倍率	3年後離職率	平均年収
3名	‥	0%	[総]963万円

●待遇、制度●
【初任給】月25.7万(諸手当1.3万円)
【残業】13.9時間【有休】15.4日【制度】[フ][住][在]

●新卒定着状況●
20年入社(男3、女4)→3年後在籍(男3、女4)

●採用情報●
【人数】23年:4 24年:4 25年:応募‥→内定3
【内定内訳】(男2、女1)(文3、理0)(総3、他0)
【試験】〔Web会場〕C-GAB〔性格〕有
【時期】エントリー25.3→内々定25.6(一次はWEB面接可)【インターン】有
【採用実績校】上智大1、明大1、國學院大1
【求める人材】前向きな思考、協調性(チームワーク)、適応力(何事も吸収する姿勢)のある人

【本社】220-8148 神奈川県横浜市西区みなとみらい2-2-1 横浜ランドマークタワー48階☎045-307-3000
【特色・近況】ENEOSの連結子会社。グループ向け原油の外航・内航輸送およびLPG、化学品・石油製品、ドライバルクの輸送も行う。子会社含む運航船腹は61隻。25年4月までに原油タンカー以外の事業を新設子会社に分離、同子会社の株式80%を日本郵船に譲渡。
【設立】1951.7 【資本金】4,000百万円
【社長】廣瀬隆史(1961.3生 慶大法卒)
【株主】〔24.3〕ENEOS81.0%
【事業】海上運送業、石油・鉄・非鉄金属等の売買他
【従業員】単349名(‥歳)

【業績】	売上高	営業利益	経常利益	純利益
単22.3	58,216	‥	4,833	4,122
単23.3	67,587	‥	12,371	13,834
単24.3	73,576	‥	9,982	8,124

#年収高く倍率低い

栗林商船（くりばやししょうせん） [東証スタンダード]

採用内定数	倍率	3年後離職率	平均年収
3名	1倍	ー	[総]813万円

●待遇、制度●
【初任給】月23万(諸手当1万円)
【残業】20時間【有休】17日【制度】[住][在]

●新卒定着状況●
20年入社(男0、女0)→3年後在籍(男0、女0)

●採用情報●
【人数】23年:1 24年:1 25年:応募3→内定3*
【内定内訳】(男2、女1)(文3、理0)(総3、他0)
【試験】〔Web会場〕C-GAB〔性格〕有
【時期】エントリー25.3→内々定25.6*(一次はWEB面接可)
【採用実績校】津田塾大1、日大1、明星大1
【求める人材】誠実で信頼される人、何事にも挑戦する人、海運・物流により社会貢献したい人

【本社】100-0004 東京都千代田区大手町2-2-1 新大手町ビル ☎03-5203-7981
【特色・近況】内航海運大手。北海道-東京・大阪間の定期航路が柱。新聞用紙輸送主力。大荷主は大株主の王子HDや日本製紙だったが、鋼材、車、消費財など雑貨拡充。港湾荷役、貨物集荷、陸上輸送のほか、外航、青函フェリーを併営。北海道で不動産賃貸も手がける。
【設立】1919.3 【資本金】1,215百万円
【社長】栗林宏吉(1958.12生 慶大法卒)
【株主】〔24.3〕栗林㈱9.0%
【連結事業】海運92、ホテル5、不動産1、他2
【従業員】連1,108名 単51名(43.2歳)

【業績】	売上高	営業利益	経常利益	純利益
連22.3	45,255	104	630	90
連23.3	49,854	2,060	2,431	1,835
連24.3	48,885	1,533	2,061	1,673

セイノーロジックス

株式公開計画なし

採用実績数	倍率	3年後離職率	平均年収
4名	ー	ー	‥

●待遇、制度●
【初任給】月20.7万
【残業】‥時間【有休】11.4日【制度】[フ][住][在]

●新卒定着状況●
20年入社(男0、女0)→3年後在籍(男0、女0)

●採用情報●
【人数】23年:0 24年:4 25年:応募0→内定0
【内定内訳】(男‥、女‥)(文‥、理‥)(総‥、他‥)
【試験】〔性格〕有
【時期】エントリー‥→内々定25.6(一次はWEB面接可)
【採用実績校】‥

【求める人材】チャレンジ精神があり周囲を巻き込みチームを動かせる人、相手の立場で行動ができる人

【本社】220-6011 神奈川県横浜市西区みなとみらい2-3-1 クイーンズタワーA11階 ☎045-682-5311
【特色・近況】海上輸出入混載サービスに特化し事業を展開。世界初混載事業を始めた蘭社のレガシーを承継。欧米向け海上混載輸送シェアが高い。日本酒などに適した冷蔵品混載や危険品混載などのサービスも。米国、ドイツ、イタリア、ベトナム、インドネシアに拠点。
【設立】1986.11 【資本金】100百万円
【代表取締役】田口義隆
【株主】〔24.3〕セイノーホールディングス66.0%
【事業】NVOCC(海上輸送利用運送事業) <貿易100>
【従業員】単92名(39.9歳)

【業績】	売上高	営業利益	経常利益	純利益
単22.3	10,214	567	578	371
単23.3	12,889	1,773	1,778	1,182
単24.3	7,121	182	222	168

#残業が少ない

太平洋(たいへいよう)フェリー

株式公開計画なし

採用内定数	倍率	3年後離職率	平均年収
4名	2倍	100%	[総]521万円

●待遇、制度● 平均年収は陸上社員のみ
【初任給】月21.1万
【残業】3.6時間【有休】12.4日【制度】[フ][住]

●新卒定着状況● 陸上社員のみ
20年入社(男1、女1)→3年後在籍(男0、女0)

●採用情報● 陸上社員のみ
【人数】23年:2 24年:2 25年:応募8→内定4
【内定内訳】(男2、女2)(文3、理1)(総3、他1)
【試験】〔筆記〕有〔Web会場〕SPI3〔性格〕有
【時期】エントリー25.3→内々定25.6*【インターン】有
【採用実績校】愛知大1、名古屋国際工科専門職大1、東洋大1、尚絅学大1

【求める人材】関係者とコミュニケーションを取り、責任をもって行動できる人

【本社】450-0002 愛知県名古屋市中村区名駅4-24-8 ☎052-582-8612
【特色・近況】大型カーフェリー3隻を保有し、苫小牧-仙台-名古屋の約1300kmを結ぶ定期航路を運航。海上公共交通機関として、安全、正確、快適の追求続ける。モーダルシフト積極推進。「フェリー・オブ・ザ・イヤー」を31年連続受賞。名古屋鉄道の連結子会社。
【設立】1982.4 【資本金】100百万円
【社長】猪飼康之(1960.4生 広島大文卒)
【株主】〔24.6〕名古屋鉄道57.8%
【事業】フェリーによる自動車および一般旅客の航送、貨物運送、他
【従業員】単274名(39.6歳)

【業績】	売上高	営業利益	経常利益	純利益
単22.3	12,558	▲142	296	163
単23.3	14,695	1,142	1,148	788
単24.3	15,081	618	628	374

鶴見(つるみ)サンマリン

株式公開計画なし

採用内定数	倍率	3年後離職率	平均年収
2名	15倍	0%	‥

●待遇、制度●
【初任給】月21.6万
【残業】13.8時間【有休】13.6日【制度】[住][在]

●新卒定着状況●
20年入社(男1、女2)→3年後在籍(男1、女2)

●採用情報●
【人数】23年:5 24年:5 25年:応募30→内定2*
【内定内訳】(男1、女1)(文2、理0)(総2、他0)
【試験】〔性格〕有
【時期】エントリー‥→内々定‥【インターン】有
【採用実績校】杏林大1、東京経大1

【求める人材】「プロ意識」「問題意識」「帰属意識」という3つの意識をもって、仕事に取り組める人

【本社】105-0003 東京都港区西新橋1-2-9 日比谷セントラルビル ☎03-3591-1131
【特色・近況】ENEOSが筆頭株主の内航タンカーオペレーター最大手。石油製品、LPG、LNG、ケミカルなどを扱う。石油製品国内海上輸送量のシェア2割超。アジア向け外航輸送も。用船含め内航145隻、外航11隻(24年6月)。新エネルギー対応も模索。
【設立】1947.8 【資本金】392百万円
【社長】宍倉俊人(1959.9生 東洋大経済卒)
【株主】〔24.3〕ENEOS23.5%
【事業】運賃87、貸船料12、他海運収益1
【従業員】単179名(41.1歳)

【業績】	売上高	営業利益	経常利益	純利益
単22.3	50,463	910	1,338	839
単23.3	55,169	1,898	2,311	1,615
単24.3	55,787	2,729	3,314	2,226

トヨフジ海運（かいうん）

株式公開計画なし

採用内定数	倍率	3年後離職率	平均年収
8名	18.3倍	0%	㊕917万円

●待遇、制度● 平均年収は海外赴任者除く
【初任給】月23.4万
【残業】17.4時間【有休】15.5日【制度】フ 住 在

●新卒定着状況●
20年入社(男4、女5)→3年後在籍(男4、女5)

●採用情報●
【人数】23年:2 24年:6 25年:応募146→内定8*
【内定内訳】(男5、女3)(文7、理1)(総6、他2)
【試験】〔Web自宅〕SPI3〔性格〕有
【時期】エントリー25.3→内々定25.6*(一次・二次以降もWEB面接可)【インターン】有
【採用実績校】南山大2、金沢大1、関大1、北大1、名古屋外大1、中京大1、愛知大1
【求める人材】高い志のもと、率先した行動とチームワークで組織に貢献できる人

【本社】476-8522 愛知県東海市新宝町33-3 ☎052-603-6111
【特色・近況】国内外の主要港に向け完成車などの海上輸送を行う。アジア・北米・オセアニアを中心に物流ネットワークを構築。内外航併せ26隻を運航、取り扱い台数は年間380万台。国内・海外に25拠点を擁する。トヨタ自動車グループ。
【設立】1964.3 【資本金】120百万円
【社長】武市栄司(1964.11生 慶大法卒)
【株主】〔24.3〕トヨタ自動車50.0%
【事業】内航海上輸送関係27、海外海上輸送関係66、港湾荷役取扱7
【従業員】単274名(43.0歳)

【業績】	売上高	営業利益	経常利益	純利益
単22.3	62,249	‥	‥	‥
単23.3	76,440	‥	‥	‥
単24.3	86,352	‥	‥	‥

内外（ないがい）トランスライン

東証プライム

採用内定数	倍率	3年後離職率	平均年収
2名	35倍	ー	612万円

●待遇、制度●
【初任給】月23.5万
【残業】12.9時間【有休】9.4日【制度】住 在

●新卒定着状況●
20年入社(男0、女0)→3年後在籍(男0、女0)

●採用情報●
【人数】23年:7 24年:6 25年:応募70→内定2
【内定内訳】(男0、女2)(文2、理0)(総2、他0)
【試験】〔筆記〕有〔Web自宅〕SPI3〔性格〕有
【時期】エントリー25.3→内々定25.7(一次・二次以降もWEB面接可)【インターン】有
【採用実績校】神田外語大1、昭和女大1
【求める人材】柔軟な思考を持ち、新しいものへの挑戦と努力を続けられる人

【大阪本社】541-0051 大阪府大阪市中央区備後町2-6-8 サンライズビル ☎06-6260-4710
【特色・近況】独立系の国際物流会社。輸出海上混載で国内首位。アジアのほか幅広い国・都市への送り先と運航頻度に強みを持つ。複数顧客の貨物を積み合わせる輸出混載コンテナ、輸出フルコンテナ、輸入の3サービスが中心。各地域のハブを結ぶ世界的ネットワークを構築。
【設立】1980.5 【資本金】243百万円
【社長】小嶋佳宏(1964.10生 杏林大社会科卒)
【株主】〔24.6〕合同会社エーエスティ 19.8%
【連結事業】国際貨物輸送100 <海外37>
【従業員】連731名 単234名(42.5歳)

【業績】	売上高	営業利益	経常利益	純利益
連21.12	35,266	3,808	3,922	2,783
連22.12	47,320	6,680	6,874	4,651
連23.12	32,280	4,203	4,446	3,041

#有休取得が多い

日鉄物流（にってつぶつりゅう）

株式公開計画なし

採用内定数	倍率	3年後離職率	平均年収
29名	15.3倍	17.6%	‥

●待遇、制度●
【初任給】月25.2万(諸手当を除いた数値)
【残業】15.1時間【有休】19日【制度】フ 住 在

●新卒定着状況●
20年入社(男15、女2)→3年後在籍(男12、女2)

●採用情報● 総合職、専門職の合計採用人数
【人数】23年:82 24年:104 25年:応募445→内定29
【内定内訳】(男20、女9)(文23、理6)(総29、他0)
【試験】〔Web自宅〕SPI3〔性格〕有
【時期】エントリー24.12→内々定25.3(一次はWEB面接可)【インターン】有
【採用実績校】同大1、駒澤大1、名古屋国際工科専門職大、静岡大、和歌山大2、神奈川大1、福岡大2、大分大1、日大2、専大2、関西学大3、他
【求める人材】前向きに物事を捉え、チームワークを大切にする人

【本社】103-0027 東京都中央区日本橋1-13-1 日鉄日本橋ビル ☎03-3241-6400
【特色・近況】日本製鉄グループ。グループ内外に海上・陸上輸送、港湾物流、製鉄所構内輸送などの物流サービスを提供。200隻超の船舶、約2000台の車両を保有。鉄鋼製品や重量物の輸送を行う。国際複合一貫輸送も手がける。アジアや米国などに現地法人を配する。
【設立】2006.4 【資本金】4,000百万円
【社長】米澤公敏(1961.1生 東北大工卒)
【株主】〔24.3〕日本製鉄100%
【連結事業】海上運送、港湾物流、自動車運送、他
【従業員】連7,900名 単6,281名(44.6歳)

【業績】	売上高	営業利益	経常利益	純利益
連22.3	245,817	6,133	6,330	4,484
連23.3	242,339	5,709	5,841	3,703
連24.3	241,928	5,733	5,934	4,566

サービス

阪九(はんきゅう)フェリー
株式公開計画なし

採用予定数	倍率	3年後離職率	平均年収
4名	‥	ー	512万円

●待遇、制度●
【初任給】月21.9万(諸手当2.3万円)
【残業】9.5時間【有休】9.9日【制度】住
●新卒定着状況●
20年入社(男0、女0)→3年後在籍(男0、女0)
●採用情報●
【人数】23年:3 24年:1 25年:予定4*
【内定内訳】(男‥、女‥)(文‥、理‥)(総‥、他‥)
【試験】〔Web自宅〕SPI3〔性格〕有
【時期】エントリー24.12→内々定25.3*(一次はWEB面接可)
【採用実績校】‥
【求める人材】自ら考え積極的に行動し、周囲の人と円滑なコミュニケーションがとれる人

【本社】800-0113 福岡県北九州市門司区新門司北1-1 ☎093-481-6081
【特色・近況】新日本海フェリー、関釜フェリー、東京九州フェリー、関光汽船などとSHKグループ形成。関西と九州を結ぶ神戸-新門司、泉大津-新門司の航路を運航。支配船腹4隻体制。ホテルや食堂の運営や、貨物利用運送業も。中間輸送にフェリーを用いるモーダルシフトシステムも展開。
【設立】1966.4 【資本金】1,200百万円
【社長】小笠原朗(1955.9生 東大卒)
【株主】〔24.3〕関光汽船24.9%
【事業】自動車航送運賃80、旅客運賃15、他5
【従業員】単223名(39.9歳)

【業績】	売上高	営業利益	経常利益	純利益
単22.3	10,123	1,266	942	219
単23.3	11,656	2,415	2,135	581
単24.3	12,361	2,391	2,174	428

アジア航測(こうそく)
東証スタンダード

採用内定数	倍率	3年後離職率	平均年収
88名	3.2倍	18.4%	793万円

●待遇、制度●
【初任給】月21.4万
【残業】28.4時間【有休】10.9日【制度】住 在
●新卒定着状況●
20年入社(男30、女19)→3年後在籍(男22、女18)
●採用情報●
【人数】23年:37 24年:35 25年:応募278→内定88
【内定内訳】(男70、女18)(文32、理46)(総88、他0)
【試験】〔Web自宅〕SPI3
【時期】エントリー25.3→内々定25.5(一次はWEB面接可)
【採用実績校】‥
【求める人材】既成概念の枠にはまらず、素直に物を見ることができる人

【本社】215-0004 神奈川県川崎市麻生区万福寺1-2-2 新百合21ビル ☎044-969-7230
【特色・近況】航空測量3位でGIS(地理情報システム)など情報システムと建設コンサルティングが柱。官公庁向け過半だが、依存脱却を目指し森林資源量計測にも注力。洋上風力など再エネの環境調査も。筆頭株主のJR西日本とは安全性向上、防火対策などで業務提携。
【設立】1949.12 【資本金】1,673百万円
【社長】畠山仁(1963.8生)
【株主】〔24.3〕西日本旅客鉄道27.4%
【連結事業】社会インフラマネジメント63、国土保全コンサルタント27、他10
【従業員】連1,744名 単1,299名(44.8歳)

【業績】	売上高	営業利益	経常利益	純利益
連21.9	32,506	2,338	2,563	1,729
連22.9	33,674	2,465	2,744	1,727
連23.9	37,304	2,746	2,970	1,848

#残業が少ない

㈱スターフライヤー
東証スタンダード

採用内定数	倍率	3年後離職率	平均年収
64名	21.9倍	16.7%	600万円

●待遇、制度●
【初任給】月22.7万
【残業】3.7時間【有休】15.9日【制度】フ 在
●新卒定着状況●
20年入社(男4、女2)→3年後在籍(男3、女2)
●採用情報●
【人数】23年:1 24年:43 25年:応募1399→内定64
【内定内訳】(男9、女55)(文36、理8)(総18、他46)
【試験】〔Web自宅〕SPI3〔性格〕有
【時期】エントリー25.3→内々定25.7【インターン】有
【採用実績校】関西外大4、北九州市大4、工学院大2、西南学大4、東海大3、同大2、獨協大2、日大2、福岡大4、明学大2、他
【求める人材】安全運航を第一にお客様の期待を超える感動CXを追及し、成長していきたい人

【本社】800-0306 福岡県北九州市小倉南区空港北町6 ☎093-555-4500
【特色・近況】北九州空港を拠点とする新興エアライン。北九州-羽田を主力に、羽田と関空、福岡間なども展開。アジアで近距離国際線も。ビジネス利用が多く、本革使用の広めの座席など、他の新興会社社と比較して高単価な独自戦略。ECや広告など航空事業以外を強化。
【設立】2002.12 【資本金】1,892百万円
【取締】町田修(1964.10生 東大法卒)
【株主】〔24.3〕ANAホールディングス14.6%
【事業】定期旅客運送収入100、附帯収入0
【従業員】単740名(39.0歳)

【業績】	売上高	営業利益	経常利益	純利益
単22.3	21,131	▲6,465	▲6,054	▲4,986
単23.3	32,275	▲1,317	▲704	73
単24.3	40,019	90	1,060	912

サービス

中日本航空（なかにほんこうくう）

株式公開計画なし

採用内定数	倍率	3年後離職率	平均年収
28名	7倍	12.1%	[総]654万円

●待遇、制度●
【初任給】月21.1万
【残業】19.9時間【有休】11.3日【制度】[住][在]

●新卒定着状況●
20年入社(男24、女9)→3年後在籍(男20、女9)

●採用情報●
【人数】23年:29 24年:27 25年:応募195→内定28
【内定内訳】(男20、女8)(文10、理10)(総20、他8)
【試験】〔筆記〕常識〔性格〕有
【時期】エントリー 24.12→内々定25.3【インターン】有
【採用実績校】広島大1、神戸大1、大阪市大1、京都府大1、信州大1、豊橋技科大1、愛知県大1、三重大1、法政大1、明大1、工学院大1、他
【求める人材】強い意志を持ち、自ら行動する人、高いコミュニケーション能力、人間力を持つ人、先を読み、挑戦し続ける人

【本社】480-0202 愛知県西春日井郡豊山町豊場殿釜2 ☎0568-28-2151
【特色・近況】ヘリコプター、飛行機を約70機を有する航空事業会社。ヘリコプターや小型ジェット機での救急医療搬送のほか、資機材輸送、空撮・報道、測量、チャーター機などに対応。ドローン活用事業も行う。運航所、ドクターヘリ基地、防災ヘリ基地などを全国展開。
【設立】1953.5 【資本金】120百万円
【社長】松岡滋治(1965.8生 名大院工学研修了)
【株主】〔24.3〕名古屋鉄道70.0%
【事業】航空機使用事業・航空運送事業、航空機整備、調査測量
【従業員】単937名(43.3歳)

【業績】	売上高	営業利益	経常利益	純利益
単22.3	18,524	1,775	1,822	1,475
単23.3	19,722	1,606	1,627	1,276
単24.3	20,091	1,525	1,520	1,136

ケイライン ロジスティックス

株式公開計画なし

採用内定数	倍率	3年後離職率	平均年収
18名	13.4倍	0%	[総]688万円

●待遇、制度●
【初任給】月22.6万(諸手当1万円)
【残業】20.2時間【有休】12.3日【制度】[フ][住][在]

●新卒定着状況●
20年入社(男2、女1)→3年後在籍(男2、女1)

●採用情報●
【人数】23年:12 24年:15 25年:応募241→内定18
【内定内訳】(男3、女15)(文18、理0)(総16、他2)
【試験】〔筆記〕GAB〔Web自宅〕WEB-GAB〔性格〕有
【時期】エントリー 25.3→内々定25.5(一次はWEB面接可)
【採用実績校】関西外大3、神戸大2、東洋大2、横浜市大1、法政大1、関大1、学習院大1、日大1、神奈川大1、南山大1、他
【求める人材】新しいモノゴトに興味を持って学び、環境の変化に適応できる人、決断し率先して行動できる人

【本社】104-6030 東京都中央区晴海1-8-10 晴海アイランドトリトンスクエアオフィスタワーX棟30階☎03-6772-8800
【特色・近況】川崎汽船グループで、フォワーディングを中心に国際物流事業を展開する。航空貨物サービスでは貨物の特性に応じて戦略的な物流プランを提案。海上貨物は特殊コンテナ輸送や自社混載輸送サービスも行う。世界22カ国の主要都市69カ所に拠点を展開。
【設立】1960.10 【資本金】600百万円
【社長】平岡亜古
【株主】〔24.3〕川崎汽船96.0%
【事業】航空貨物47、海上貨物53、他0
【従業員】単560名(42.2歳)

【業績】	売上高	営業利益	経常利益	純利益
単22.3	28,292	544	951	745
単23.3	29,056	142	1,557	1,410
単24.3	20,301	▲557	776	628

アート引越（ひっこし）センター

株式公開計画なし

採用内定数	倍率	3年後離職率	平均年収
87名	1.4倍	47.7%	[総]530万円

●待遇、制度●
【初任給】月24.4万(固定残業代26時間分)
【残業】30時間【有休】‥日【制度】[住]

●新卒定着状況●
20年入社(男37、女28)→3年後在籍(男21、女13)

●採用情報●
【人数】23年:148 24年:149 25年:応募124→内定87*
【内定内訳】(男48、女39)(文66、理2)(総87、他0)
【試験】〔性格〕有
【時期】エントリー 25.3→内々定25.6*(一次・二次以降もWEB面接可)【インターン】有
【採用実績校】東京富士大1、京都外大2、仙台大2、流通科学大1、帝京平成大1、中大1、昭和女大1、東京福祉大2、関西国際大2、他
【求める人材】何事にも好奇心を持って行動ができ、柔軟な対応ができる人

【本社】540-6016 大阪府大阪市中央区城見1-2-27 クリスタルタワー16階 ☎06-6946-0123
【特色・近況】引っ越し専業のパイオニア。予算ごとのおまかせパックに加え、レディースパックなど顧客ニーズに合わせた引っ越しメニューを揃える。北海道から沖縄まで広域ネットワークを形成。グループ保有車両数約4300台。子会社でメーカー、量販店などの企業物流も手がける。
【設立】1977.6 【資本金】100百万円
【社長】寺田政登(1969.5生 大阪国際大経営情卒)
【株主】〔23.9〕アートグループホールディングス100%
【事業】引越100
【従業員】単3,664名(32.5歳)

【業績】	売上高	営業利益	経常利益	純利益
単21.9	73,008	3,248	4,823	3,504
単22.9	77,153	4,074	5,387	3,793
単23.9	78,868	5,369	6,721	4,629

サービス

池田興業（いけだこうぎょう）

株式公開未定

採用内定数	倍率	3年後離職率	平均年収
4名	11.5倍	40%	㊇623万円

●待遇、制度●
【初任給】月22.9万(諸手当2.2万円)
【残業】16.7時間【有休】13.6日【制度】住 在
●新卒定着状況●
20年入社(男6、女4)→3年後在籍(男3、女3)
●採用情報●
【人数】23年:5 24年:11 25年:応募46→内定4*
【内定内訳】(男4、女0)(文4、理0)(総4、他0)
【試験】〔筆記〕常識〔Web自宅〕SPI3
【時期】エントリー25.3→内々定25.6*(一次はWEB面接可)【インターン】有
【採用実績校】大阪学大1、四国大1、東洋大1、山梨学大1
【求める人材】明るく活発で、自分で考えて動ける人

【本社】800-8510 福岡県北九州市門司区大里本町2-2-5 ☎093-371-0968
【特色・近況】貨物自動車運送・倉庫を軸に、工場・プラント向け総合サービスを提供する。物流に加え土木建築、機器据付、業務なども請け負う。1904年、関門・山口地区の港湾荷役で創業、顧客の業容拡大に随伴し全国、アジアに展開。国内30拠点、大阪にも本社機能。
【設立】1970.6 【資本金】100百万円
【社長】池田潔(1980.2生 龍谷大経営卒)
【株主】‥
【事業】運輸40、業務17、建設19、工務13、物資5、燻蒸2、キルン他4
【従業員】単1,662名(47.7歳)

【業績】	売上高	営業利益	経常利益	純利益
単22.3	31,678	1,440	1,740	1,133
単23.3	31,906	1,263	1,569	981
単24.3	33,852	820	1,178	919

内宮運輸機工（うちみやうんゆきこう）

株式公開計画なし

採用内定数	倍率	3年後離職率	平均年収
1名	1倍	0%	705万円

●待遇、制度●
【初任給】月24.7万
【残業】20時間【有休】12.9日【制度】住
●新卒定着状況●
20年入社(男4、女0)→3年後在籍(男4、女0)
●採用情報●
【人数】23年:8 24年:5 25年:応募1→内定1*
【内定内訳】(男1、女0)(文1、理0)(総0、他1)
【試験】〔筆記〕常識
【時期】エントリー25.3→内々定25.4*(一次はWEB面接可)【インターン】有
【採用実績校】流経大
【求める人材】自分からコミュニケーションを取れる人

【本社】132-8666 東京都江戸川区中央1-8-1 ☎03-3651-1111
【特色・近況】建設揚重機作業の大手。道路、プラントなどの建設現場で用いる重量物の輸送、据付、組立解体工事手がける。橋梁架設の急速施工にも注力。移動式クレーン、トラックなど多様な機材を保有。鹿島(茨城)、木更津(千葉)、太田(群馬)、那珂(茨城)に営業所。
【設立】1953.7 【資本金】84百万円
【社長】内宮昌利(1961.2生 慶大法卒)
【株主】〔24.3〕内宮ホールディングス100%
【事業】運送業14、建設業84、不動産業2
【従業員】単300名(44.5歳)

【業績】	売上高	営業利益	経常利益	純利益
単22.3	9,101	‥	‥	566
単23.3	8,364	‥	‥	322
単24.3	8,300	‥	‥	722

㈱エーアイテイー

東証プライム

採用予定数	倍率	3年後離職率	平均年収
10名	‥	25%	617万円

●待遇、制度●
【初任給】月23.5万
【残業】17時間【有休】14.1日【制度】住 在
●新卒定着状況●
20年入社(男2、女2)→3年後在籍(男2、女1)
●採用情報●
【人数】23年:13 24年:7 25年:予定10*
【内定内訳】(男‥、女‥)(文‥、理‥)(総‥、他‥)
【試験】〔Web自宅〕有〔性格〕有
【時期】エントリー25.3→内々定25.4(一次・二次以降もWEB面接可)
【採用実績校】関大1、関西外大2、大阪経大1、石巻専大1、専大1、駒澤大1
【求める人材】新しいことに挑戦できる人、多様な価値観を受入れヒラメキを得ることができる人

【本社】541-0053 大阪府大阪市中央区本町2-1-6 ☎06-6260-3450
【特色・近況】関西発祥の国際複合一貫輸送業者。中国から日本への衣料品や日用雑貨など海上貨物の輸入に強み。国内物流は一貫輸送提案による通関手続き代行と3PL(物流一括受託)に注力。日本を介さない三国間輸送も展開。子会社の日新運輸と中国向け物流事業を強化。
【設立】1988.2 【資本金】500百万円
【社長】矢倉英一(1948.9生)
【株主】〔24.2〕㈱エイチアンドワイ29.8%
【連結事業】国際貨物輸送100、他0 <海外15>
【従業員】連1,175名 単284名(37.7歳)

【業績】	売上高	営業利益	経常利益	純利益
連22.2	59,931	3,581	3,821	2,367
連23.2	69,463	5,288	5,605	3,684
連24.2	51,400	4,328	4,536	2,989

ＳＢＳロジコム

株式公開 計画なし

採用内定数	倍率	3年後離職率	平均年収
14名	8.6倍	64.9%	㊕528万円

●待遇、制度● 平均年収は運転手含む
【初任給】月21.8万
【残業】39時間【有休】10.9日【制度】住
●新卒定着状況●
20年入社(男19、女18)→3年後在籍(男8、女5)
●採用情報●
【人数】23年:14 24年:10 25年:応募120→内定14*
【内定内訳】(男7、女7)(文10、理0)(総14、他0)
【試験】〔Web自宅〕SPI3〔性格〕有
【時期】エントリー25.3→内々定25.6*(一次・二次以降もWEB面接可)【インターン】有
【採用実績校】山口大1、法政大2、専大1、帝京大1、麗澤大1、文京学大1、神奈川大1、ルーテル学大1、神戸女大1
【求める人材】様々なことに興味を持ち、柔軟でコミュニケーション能力のある人

【本社】160-6125 東京都新宿区西新宿8-17-1 住友不動産新宿グランドタワー25階☎03-6772-8204
【特色・近況】SBS・HD傘下の物流会社。3PL軸に各種物流センター業務を受託する。全国に倉庫ネットワーク形成。トラック輸送も特殊品など幅広いニーズに対応。保有車両は荷役機械含め約1600両。中国やアジアをはじめとする国際物流の複合一貫サービスも行う。
【設立】1940.1 【資本金】101百万円
【社長】鎌田正彦(1959.6生)
【株主】〔23.12〕SBSホールディングス100%
【事業】物流事業97、不動産3、他0 <貿易0>
【従業員】単1,199名(46.2歳)

【業績】	売上高	営業利益	経常利益	純利益
単21.12	82,907	8,811	8,856	5,805
単22.12	80,595	9,085	9,042	6,984
単23.12	82,991	11,588	11,565	6,319

㈱エスライングループ本社(ほんしゃ)

株式公開 ―

採用内定数	倍率	3年後離職率	平均年収
11名	4.8倍	38.5%	497万円

●待遇、制度●
【初任給】月21.5万
【残業】37.4時間【有休】8.6日【制度】住
●新卒定着状況●
20年入社(男21、女5)→3年後在籍(男13、女3)
●採用情報● エスラインギフ採用
【人数】23年:19 24年:50 25年:応募53→内定11*
【内定内訳】(男8、女3)(文11、理0)(総11、他0)
【試験】〔筆記〕有〔性格〕有
【時期】エントリー25.3→内々定25.5*(一次はWEB面接可)【インターン】有
【採用実績校】拓大2、中大1、甲南大1、名古屋外大1、中部学大2、名古屋経大1、愛知学大1、岐阜大1、愛知大1、他
【求める人材】人々の喜びを、自分の喜びにできる人

【本社】501-6013 岐阜県羽島郡岐南町平成4-68 ☎058-245-3131
【特色・近況】岐阜県地盤の路線トラック中堅・エスラインギフが中核の持株会社。子会社が行う事業は、特別積み合わせによる幹線運送のほか一般貨物運送、倉庫事業、引っ越しなど。宅配は「スワロー便」。個人向け大型荷物の宅配も。オンライン情報システムは業界初。
【設立】1947.3 【資本金】2,237百万円
【社長】山口嘉彦(1956.12生 明大商卒)
【株主】〔24.3〕美美興産11.8%
【連結事業】物流関連98、不動産関連1、他1
【従業員】連2,134名 単16名(39.1歳)

【業績】	売上高	営業利益	経常利益	純利益
連22.3	48,254	1,314	1,431	966
連23.3	48,065	831	1,038	1,446
連24.3	49,687	758	886	835

#年収高く倍率低い

ＮＲＳ

株式公開 計画なし

採用内定数	倍率	3年後離職率	平均年収
20名	5.5倍	16.7%	㊕861万円

●待遇、制度●
【初任給】月26.2万
【残業】19時間【有休】10日【制度】フ 住 在
●新卒定着状況●
20年入社(男3、女3)→3年後在籍(男2、女3)
●採用情報●
【人数】23年:12 24年:19 25年:応募111→内定20
【内定内訳】(男8、女12)(文19、理1)(総20、他0)
【試験】〔Web自宅〕有
【時期】エントリー25.3→内々定25.5(一次・二次以降もWEB面接可)【インターン】有
【採用実績校】京大1、関大1、駒澤大1、法政大1、北大1、桜美林大1、明大1、青学大1、他
【求める人材】主体的に考え行動し、向上意欲の高い人

【本社】101-0054 東京都千代田区神田錦町3-7-1 興和一橋ビル8階 ☎03-5281-8111
【特色・近況】化学品、危険物を得意とする複合一貫輸送中堅。安全に徹底配慮した物流サービスを提供する。国内は酒飲料類、食品添加物・食油も扱い、タンクローリーに加え鉄道、海運用いた複合輸送も行う。米・欧・亜11カ国に海外拠点持ち、グローバル供給網を構築。
【設立】1946.12 【資本金】2,000百万円
【社長】田中弘人
【株主】〔23.9〕NRSホールディングス71.3%
【事業】運送44、倉庫23、賃貸12、通関17、他4
【従業員】単658名(40.0歳)

【業績】	売上高	営業利益	経常利益	純利益
単21.9	28,004	2,633	2,801	2,230
連22.9	28,931	2,743	2,896	2,799
単23.9	26,426	2,101	2,916	866

F－LINE

株式公開計画なし

採用内定数	倍率	3年後離職率	平均年収
3名	9.3倍	42.3%	‥

●待遇、制度●
【初任給】月23.1万(諸手当を除いた数値)
【残業】28.5時間【有休】15.1日【制度】[フ][住][在]

●新卒定着状況●
20年入社(男76、女21)→3年後在籍(男43、女13)

●採用情報●
【人数】23年:53 24年:36 25年:応募28→内定3*
【内定内訳】(男‥、女‥)(文3、理0)(総3、他‥)
【試験】〔Web会場〕C-GAB
【時期】エントリー25.3→内々定25.4(一次はWEB面接可)【インターン】有
【採用実績校】創価大1、京都女大1、神戸松蔭女学大1
【求める人材】やる気に満ちた、革新的な発想力と果敢な行動力のある人

【本社】104-6130 東京都中央区晴海1-8-11 晴海トリトンスクエアオフィスタワーY棟30階☎03-6910-1080
【特色・近況】物流事業を展開し、3温度帯、365日・24時間稼働。国内物流・低温物流センターなど76事業所。19年4月味の素物流を存続会社として、カゴメ物流サービス、ハウス物流サービス(一部)、旧F-LINE、九州F-LINEの5社が統合し発足。
【設立】1952.10　【資本金】2,480百万円
【社長】坂本次郎(1962.9生 九大農卒)
【株主】〔24.3〕味の素45.0%
【事業】貨物利用運送、倉庫、貨物自動車運送、他
【従業員】単1,748名(44.5歳)

【業績】	売上高	営業利益	経常利益	純利益
単22.3	82,780	‥	‥	‥
単23.3	82,296	‥	‥	‥
単24.3	79,343	‥	‥	‥

ＭＤロジス

株式公開計画なし

採用内定数	倍率	3年後離職率	平均年収
28名	19倍	0%	‥

●待遇、制度●
【初任給】月24.5万
【残業】25.1時間【有休】16.2日【制度】[フ][住][在]

●新卒定着状況●
20年入社(男17、女4)→3年後在籍(男17、女4)

●採用情報●
【人数】23年:34 24年:27 25年:応募532→内定28*
【内定内訳】(男14、女14)(文25、理3)(総28、他0)
【試験】〔Web自宅〕有
【時期】エントリー25.3→内々定25.4(一次はWEB面接可)
【採用実績校】神戸大1、関大1、関西学大1、同大1、立命館大1、早大1、立教大2、津田塾大1、龍谷大1、名城大1、他
【求める人材】自ら能動的に行動できる人、時代の流れを察知できる人、イノベーションを起こしたい人

【本社】164-0001 東京都中野区中野4-10-1 セントラルパークイースト7階　☎03-6777-9950
【特色・近況】電機中心の総合物流企業。親会社が三菱電機からセイノーHDに異動したが、引き続き同グループの物流担う。蓄積された大型機器・設備等の特殊輸送や半導体・精密機械の輸送ノウハウと、セイノーのネットワークで相乗効果発揮、グループ外の顧客増も狙う。
【設立】1958.7　【資本金】1,735百万円
【社長】四方壽一
【株主】〔24.3〕三菱電機97.9%
【事業】包装12、輸送33、保管20、配送10、国際物流25、他0
【従業員】単974名(43.4歳)

【業績】	売上高	営業利益	経常利益	純利益
単22.3	113,269	‥	‥	4,766
単23.3	136,625	‥	‥	4,264
単24.3	106,281	‥	‥	3,386

遠州(えんしゅう)トラック

東証スタンダード

採用内定数	倍率	3年後離職率	平均年収
5名	6.2倍	8.3%	[総]652万円

●待遇、制度●
【初任給】月25.6万(固定残業代17.2時間分)
【残業】43時間【有休】9.5日【制度】[住]

●新卒定着状況●
20年入社(男5、女7)→3年後在籍(男5、女6)

●採用情報●
【人数】23年:18 24年:19 25年:応募31→内定5*
【内定内訳】(男3、女2)(文5、理0)(総2、他3)
【試験】〔Web自宅〕有〔性格〕有
【時期】エントリー25.3→内々定25.6(一次はWEB面接可)【インターン】有
【採用実績校】静岡産大1、神奈川大1、中部大1、大原簿記情報医療専2
【求める人材】チームで協力し、顧客に向き合える人

【本社】437-0046 静岡県袋井市木原22-1
☎0538-42-1111
【特色・近況】東海、南関東地盤の総合物流会社。親会社の住友倉庫と協業体制。アマゾンの物流拠点間幹線輸送や宅配も行い、ネット通販業向けに注力。生協の3PL(物流一括受注)や小口混載トラック輸送のほか、入庫から配送まで一貫した倉庫サービスを行う子会社も持つ。
【設立】1965.8　【資本金】1,284百万円
【社長】金原秀樹(1960.12生 東京スクールＢ卒)
【株主】〔24.3〕住友倉庫60.0%
【連結事業】物流100、他0
【従業員】連1,356名 単1,079名(43.9歳)

【業績】	売上高	営業利益	経常利益	純利益
連22.3	42,751	3,216	3,299	2,342
連23.3	44,813	3,178	3,241	2,284
連24.3	46,940	2,615	2,678	2,045

サービス

王子物流（おうじぶつりゅう）

株式公開計画なし

採用内定数	倍率	3年後離職率	平均年収
1名	30倍	0%	‥

●待遇、制度●
【初任給】月22.3万
【残業】‥時間【有休】15.4日【制度】[フ][住][在]
●新卒定着状況●
20年入社(男0、女1)→3年後在籍(男0、女1)
●採用情報●
【人数】23年:3 24年:4 25年:応募30→内定1*
【内定内訳】(男0、女1)(文1、理0)(総1、他0)
【試験】〔Web自宅〕有〔性格〕有
【時期】エントリー25.3→内々定25.6(一次はWEB面接可)
【採用実績校】‥
【求める人材】‥

【本社】104-0061 東京都中央区銀座5-12-8
☎03-5550-3110
【特色・近況】王子HDの完全子会社でグループの物流シェアードサービス担う。紙製品を工場出荷から消費地まで配送。苫小牧-東京間のRORO船による海上輸送や陸上運送、倉庫も営む。グループ外へのサービスも積極展開し、海運モーダルシフト受注や食品倉庫も手がける。
【設立】1961.10 【資本金】1,434百万円
【社長】塩澤実(1961.6生 早大商卒)
【株主】〔24.3〕王子ホールディングス100%
【事業】倉庫15、運輸65、沿岸荷役2、請負5、他13
【従業員】単592名(47.6歳)

【業績】	売上高	営業利益	経常利益	純利益
単22.3	75,481	1,773	1,811	1,195
単23.3	84,246	2,314	2,324	1,530
単24.3	77,051	1,717	1,772	1,152

岡山県貨物運送（おかやまけんかもつうんそう）

東証スタンダード

採用内定数	倍率	3年後離職率	平均年収
4名	3.8倍	46.7%	432万円

●待遇、制度●
【初任給】月21.4万(諸手当1.1万円、固定残業代16.5時間分)
【残業】36.8時間【有休】8.4日【制度】‥
●新卒定着状況●
20年入社(男8、女7)→3年後在籍(男4、女4)
●採用情報●
【人数】23年:17 24年:23 25年:応募15→内定4*
【内定内訳】(男3、女1)(文4、理0)(総4、他0)
【試験】〔性格〕有
【時期】エントリー25.3→内々定25.5(一次はWEB面接可)【インターン】有
【採用実績校】就実大1、神戸学大1、岡山理大1、同朋大1
【求める人材】コミュニケーション能力があり、行動力のある人

【本社】700-0027 岡山県岡山市北区清心町4-31
☎086-252-2111
【特色・近況】中国地方地盤のトラック運送会社。岡山県下トラック業者79社統合で設立。通称「オカケン」。営業エリアは関東から九州。貨物運送は、化学品、食品、自動車部品、病院・薬局向け医薬品、量販店からの廃家電などを手がける。子会社で石油製品販売を展開。
【設立】1943.3 【資本金】2,420百万円
【社長】馬屋原章(1951.10生 大東大経済卒)
【株主】〔24.3〕損害保険ジャパン6.9%
【連結事業】貨物運送関連95、石油製品販売3、他2
【従業員】連2,311名 単1,973名(46.1歳)

【業績】	売上高	営業利益	経常利益	純利益
連22.3	39,277	1,205	1,405	1,242
連23.3	38,474	1,126	1,416	950
連24.3	37,693	640	924	2,495

カンダホールディングス

東証スタンダード

採用予定数	倍率	3年後離職率	平均年収
10名	‥	40.9%	[総]644万円

●待遇、制度●
【初任給】月21.7万(諸手当1.8万円)
【残業】40時間【有休】10日【制度】[住]
●新卒定着状況●
20年入社(男7、女15)→3年後在籍(男6、女7)
●採用情報● 主要事業会社採用
【人数】23年:10 24年:11 25年:予定10*
【内定内訳】(男2、女5)(文7、理0)(総7、他0)
【試験】〔性格〕有
【時期】エントリー25.3→内々定25.6*(一次・二次以降もWEB面接可)
【採用実績校】甲南大1、成城大1、東北学大1、立命館APU1、武蔵大1、明大1、京都橘大1
【求める人材】チームワークを大切にして働ける人・人の意見に耳を傾けられる人・主体性がある人

【本社】101-0061 東京都千代田区神田三崎町3-2-4
☎03-6327-1811
【特色・近況】自動車運送のカンダコーポレーションを中核子会社とする持株会社。東京・旧神田区の全運送会社が統合し発足。医薬・衣料品などの3PL(物流一括受託)、物流センター業務代行、流通加工など事業を拡大。国際宅配事業や越境ECビジネスも手がける。
【設立】1944.5 【資本金】1,772百万円
【社長】原島藤壽(1968.2生 玉川大工卒)
【株主】〔24.3〕㈱原島不動産33.8%
【連結事業】貨物自動車運送76、国際物流21、不動産賃貸2、他2
【従業員】連2,816名 単27名(53.3歳)

【業績】	売上高	営業利益	経常利益	純利益
連22.3	47,645	3,028	3,097	1,948
連23.3	51,621	2,730	2,802	1,774
連24.3	51,123	3,432	3,531	2,273

㈱ギオン

株式公開計画なし

採用内定数	倍率	3年後離職率	平均年収
18名	1.4倍	33.3%	‥

●待遇、制度●
【初任給】月21.5万
【残業】17時間【有休】8.2日【制度】住
●新卒定着状況●
20年入社(男28、女5)→3年後在籍(男21、女1)
●採用情報●
【人数】23年:32 24年:44 25年:応募25→内定18*
【内定内訳】(男9、女9)(文3、理0)(総3、他15)
【試験】なし
【時期】エントリー25.2→内々定25.3*(一次はWEB面接可)【インターン】有
【採用実績校】和光大1、神奈川大1、帝京大1
【求める人材】積極果敢に物事に取り組むことができる人

【本社】252-0253 神奈川県相模原市中央区南橋本1-5-1 ☎042-771-1151
【特色・近況】首都圏中心にトラック配送行う物流企業。食品物流は大手で全温度帯を厳密に管理、異温度混載配送も行う。関東から中国までの幹線輸送も手がけ、自動車部品、機械、化学品など取り扱う。3PLも請け負い、子会社の個人宅配サービスは九州までカバー。
【設立】1972.5 【資本金】46百万円
【社長】祇園彬之介
【株主】〔24.3〕祇園彬之介39.1%
【事業】総合物流業100
【従業員】単1,826名(45.5歳)

【業績】	営業収益	営業利益	経常利益	純利益
単22.3	32,934	1,023	1,166	903
単23.3	34,417	1,167	1,401	1,000
単24.3	47,900	‥	‥	‥

グリーン物流(ぶつりゅう)

株式公開いずれしたい

採用内定数	倍率	3年後離職率	平均年収
4名	1.8倍	25%	総390万円

●待遇、制度●
【初任給】月19.8万(諸手当1.2万円)
【残業】12.8時間【有休】6.9日【制度】‥
●新卒定着状況●
20年入社(男3、女1)→3年後在籍(男2、女1)
●採用情報●
【人数】23年:8 24年:2 25年:応募7→内定4*
【内定内訳】(男3、女1)(文4、理0)(総4、他0)
【試験】〔筆記〕常識
【時期】エントリー25.4→内々定25.6*【インターン】有
【採用実績校】大阪産大2、大阪経大1、摂南大1
【求める人材】素直な心と自発性を持ち合わせ、創造力豊かに向上心とプラス思考で行動できる人

【本社】569-0841 大阪府高槻市西面北2-19-1 ☎072-679-1500
【特色・近況】大阪府・高槻市に本社置く運輸・倉庫会社。東北から中・四国をカバーするトラック配送ネットワーク持つ。埼玉県・所沢市に省人化と防災対応の3温度帯物流センターを開設、本社との東西2極体制で事業拡大目指す。大阪ほか愛知、滋賀、富山、埼玉に拠点展開。
【設立】1981.12 【資本金】90百万円
【社長】森山潤一(1974.5生 龍谷大理工卒)
【株主】〔23.9〕大阪中小企業投資育成27.8%
【事業】運輸部門70、倉庫部門29、整備部門1
【従業員】単314名(46.5歳)

【業績】	売上高	営業利益	経常利益	純利益
単21.9	4,174	206	201	142
単22.9	4,494	118	171	102
単23.9	4,769	287	294	194

幸楽輸送(こうらくゆそう)

株式公開計画なし

採用予定数	倍率	3年後離職率	平均年収
2名	－	0%	498万円

●待遇、制度●
【初任給】月19.6万(諸手当0.6万円)
【残業】29時間【有休】12.7日【制度】住
●新卒定着状況●
20年入社(男0、女1)→3年後在籍(男0、女1)
●採用情報●
【人数】23年:1 24年:1 25年:応募0→内定0*
【内定内訳】(男‥、女‥)(文‥、理‥)(総‥、他‥)
【試験】〔Web自宅〕SPI3
【時期】エントリー25.3→内々定25.4(一次・二次以降もWEB面接可)【インターン】有
【採用実績校】‥
【求める人材】考動力がある人、自ら考えた意見を周囲に伝え、率先して行動に移す力がある人

【本社】004-0841 北海道札幌市清田区清田1条1-1-33 ☎011-881-1687
【特色・近況】北海道コカ・コーラボトリンググループで、親会社の工場内入出庫、道内配送センターへの清涼飲料輸送担う。原材料や資材の輸送も手がける。トラクター43台、トレーラー81台、トラック他15台保有。一般貨物輸送では北海道産農産物の全国輸送も展開。
【設立】1969.1 【資本金】20百万円
【社長】不動直樹(1960.6生 北大卒)
【株主】〔24.4〕北海道コカ・コーラボトリング100%
【事業】道路貨物運送85、入出庫収入9、他6
【従業員】単165名(39.0歳)

【業績】	売上高	営業利益	経常利益	純利益
単21.12	4,187	▲56	▲27	▲21
単22.12	4,538	22	44	27
単23.12	4,631	65	70	42

#有休取得が多い

コマツ物流（ぶつりゅう）

株式公開計画なし

採用予定数	倍率	3年後離職率	平均年収
17名	‥	20%	‥

●待遇、制度●
【初任給】月25.5万
【残業】21時間【有休】20.4日【制度】フ 住 在
●新卒定着状況●
20年入社(男2、女3)→3年後在籍(男1、女3)
●採用情報●
【人数】23年:18 24年:17 25年:予定17
【内定内訳】(男‥、女‥)(文‥、理‥)(総‥、他‥)
【試験】〔筆記〕SPI3〔Web会場〕SPI3〔Web自宅〕SPI3〔性格〕有
【時期】エントリー25.1→内々定25.3(一次はWEB面接可)【インターン】有
【採用実績校】名大1、東京海洋大1、立命館大1、愛知大1、法政大1、駒澤大1、小松大1
【求める人材】自ら問題点を発見し、解決するために積極的に行動できる人

【本社】108-0072 東京都港区白金1-17-3 NBFプラチナタワー3階 ☎050-3772-4480
【特色・近況】コマツの完全子会社。グループの運輸、物流センター、部品調達・供給、国際物流を担う。運輸は国内の完成品・部品輸送行う。物流センター事業は保管・管理の他、海外倉庫の立ち上げ支援も。部品調達・供給は生産ラインと連携して出荷・梱包・海上輸送手配を行う。
【設立】1972.3 【資本金】1,080百万円
【社長】西川知良(1961.11生)
【株主】〔24.3〕コマツ100%
【事業】運輸、物流センター、機工、他 <海外39>
【従業員】単723名(43.2歳)

【業績】	売上高	営業利益	経常利益	純利益
単22.3	88,992	5,531	5,524	3,870
単23.3	94,223	5,487	5,510	3,848
単24.3	86,239	4,234	4,216	2,984

大興運輸（たいこううんゆ）

株式公開計画なし

採用内定数	倍率	3年後離職率	平均年収
19名	5.2倍	16.7%	㊗476万円

●待遇、制度●
【初任給】月20.8万
【残業】23.5時間【有休】14.1日【制度】住
●新卒定着状況●
20年入社(男4、女2)→3年後在籍(男3、女2)
●採用情報●
【人数】23年:17 24年:7 25年:応募99→内定19
【内定内訳】(男16、女3)(文19、理0)(総18、他1)
【試験】〔筆記〕有〔Web会場〕有〔性格〕有
【時期】エントリー24.12→内々定25.2(一次はWEB面接可)【インターン】有
【採用実績校】愛知工業大1、中京大1、愛知学大2、至学館大1、日本福祉大1、愛知大1、名城大1、名古屋学院大2、愛知淑徳大1
【求める人材】コミュニケーション能力が高い人、向上心のある人、他人の感謝にやりがいを感じる人

【本社】448-0843 愛知県刈谷市新栄町2-38 ☎0566-21-3416
【特色・近況】豊田自動織機の連結子会社で、トヨタグループの自動車部品輸送担う。保管・流通加工も手がける。東海中心に関東、東北など18拠点。トヨタ生産方式に対応した効率的な輸送・倉庫管理システムを構築する。保有トラック727台、フォークリフト655台。
【設立】1943.5 【資本金】83百万円
【社長】河井康司(1959.12生 名大経済卒)
【株主】〔24.3〕豊田自動織機52.8%
【事業】貨物運送80、倉庫業20
【従業員】単1,495名(44.8歳)

【業績】	売上高	営業利益	経常利益	純利益
単22.3	37,192	2,552	2,518	1,675
単23.3	37,015	1,420	1,247	770
単24.3	39,170	2,529	2,831	1,837

タカセ

東証スタンダード

採用内定数	倍率	3年後離職率	平均年収
1名	3倍	25%	519万円

●待遇、制度●
【初任給】月21.6万
【残業】17.1時間【有休】15.7日【制度】住
●新卒定着状況●
20年入社(男1、女3)→3年後在籍(男1、女2)
●採用情報●
【人数】23年:2 24年:1 25年:応募3→内定1*
【内定内訳】(男0、女1)(文1、理0)(総1、他0)
【試験】〔筆記〕有〔性格〕有
【時期】エントリー25.3→内々定25.6*
【採用実績校】関東学院大1
【求める人材】ひとつのことに捉われない幅広い視野を持ち、自ら考え、自ら行動できる人

【本社】105-0004 東京都港区新橋1-10-9 ☎03-3571-9497
【特色・近況】独立系総合物流会社。子会社も含めて運送、倉庫保管、倉庫利用の加工業務受託などのサービスを組み合わせ提供。輸出入通関手続き、輸送業務に注力。保税貨物の管理にも対応。国内・海外での輸出入一貫サービスに特徴。海外は米国、中国に拠点を持つ。
【設立】1922.2 【資本金】2,133百万円
【社長】大宮司典夫(1952.11生 明学大法卒)
【株主】〔24.3〕大東港運7.5%
【連結事業】総合物流99、運送1、流通加工0、他0 <海外21>
【従業員】単70名(43.5歳)

【業績】	売上高	営業利益	経常利益	純利益
連22.3	8,654	277	329	267
連23.3	8,904	295	371	278
連24.3	8,190	171	224	305

サービス

多摩運送（たまうんそう）

株式公開計画なし

採用内定数	倍率	3年後離職率	平均年収
1名	16倍	50%	㊗595万円

●待遇、制度●
【初任給】月20.1万(諸手当2.4万円)
【残業】42時間【有休】‥日【制度】‥

●新卒定着状況●
20年入社(男4、女0)→3年後在籍(男2、女0)

●採用情報●
【人数】23年:2 24年:2 25年:応募16→内定1*
【内定内訳】(男1、女0)(文1、理0)(総1、他0)
【試験】〔性格〕有
【時期】エントリー25.3→内々定25.6(一次はWEB面接可)
【採用実績校】日大1

【求める人材】責任感を持ち、周囲と協力しながら物事を進められる人

【本社】190-8508 東京都立川市富士見町6-49-18 ☎042-526-1231
【特色・近況】精密品から大型・重量物まで取り扱い、保管・輸送・搬入行う一貫物流が主力。流通加工やチルド品の24時間営業店舗への配送など、広範にBtoBニーズに対応する。運用倉庫は100カ所以上を保有。多摩HD傘下、グループで中国物流も。
【設立】2008.10【資本金】50百万円
【社長】齋藤貢
【株主】〔24.3〕多摩ホールディングス100%
【事業】運送64、倉庫28、他8
【従業員】単785名(48.9歳)

【業績】	売上高	営業利益	経常利益	純利益
単22.3	15,111	1,029	1,083	668
単23.3	15,313	900	940	626
単24.3	16,069	787	847	512

㈱中央倉庫（ちゅうおうそうこ）

東証プライム

採用内定数	倍率	3年後離職率	平均年収
7名	2.7倍	30%	㊗650万円

●待遇、制度●
【初任給】月22万
【残業】23.1時間【有休】10日【制度】住 在

●新卒定着状況●
20年入社(男2、女8)→3年後在籍(男2、女5)

●採用情報●
【人数】23年:6 24年:7 25年:応募19→内定7*
【内定内訳】(男5、女2)(文7、理0)(総7、他0)
【試験】〔Web自宅〕SPI3〔性格〕有
【時期】エントリー25.3→内々定25.4(一次・二次以降もWEB面接可)【インターン】有
【採用実績校】龍谷大2、広島大1、立命館大1、京産大1、大阪経法大1、サイバー大1

【求める人材】未来志向で創造力のある人、何事にも前向きで積極的に取り組める人

【本社】600-8843 京都府京都市下京区朱雀内畑町41 ☎075-313-6151
【特色・近況】中堅規模だが内陸の総合物流でトップクラス。全国8拠点、中国・上海にも拠点。政府米倉庫などで成長したが、貨物自動車運送や通関業、トランクルームなどに展開し総合化。倉庫上位の安田倉庫と連携し国内の補完と国際貨物の拡大を強化。梱包事業強化に注力。
【設立】1927.10【資本金】2,734百万円
【代表取締役】谷奥秀実(1961.3生 和歌大経済卒)
【株主】〔24.3〕三菱UFJ銀行4.5%
【連結事業】国内物流80、国際貨物19、不動産賃貸1
【従業員】連701名 単253名(40.9歳)

【業績】	売上高	営業利益	経常利益	純利益
連22.3	23,931	1,866	2,080	1,352
連23.3	25,869	2,108	2,434	1,708
連24.3	26,512	1,934	2,229	1,698

東亜物流（とうあぶつりゅう）

株式公開いずれしたい

採用予定数	倍率	3年後離職率	平均年収
4名	ー	50%	㊗497万円

●待遇、制度●
【初任給】月22万(諸手当4.7万円、固定残業代22時間分)
【残業】16.4時間【有休】5.8日【制度】‥

●新卒定着状況●
20年入社(男2、女0)→3年後在籍(男1、女0)

●採用情報●
【人数】23年:1 24年:2 25年:応募0→内定0*
【内定内訳】(男‥、女‥)(文‥、理‥)(総‥、他‥)
【試験】〔筆記〕常識
【時期】エントリー25.3→内々定25.9*(一次はWEB面接可)
【採用実績校】‥

【求める人材】明るく前向きで、チームワークやコミュニケーションを大切にする人

【本社】132-0024 東京都江戸川区一之江1-9-13 ☎03-3674-8701
【特色・近況】首都圏中心に事業展開する独立系の運送会社。共同配送ネットに強み。関東を中心に国内13配送拠点。産業廃棄物処理や人材派遣、事務所移転サービスなども手がけ、物流関連のワンストップサービスを展開。M&Aにより関東圏ネットワークを強化。
【設立】1989.6【資本金】100百万円
【社長】森本勝也(1967.4生)
【株主】〔24.4〕東亜ホールディングス100%
【事業】運送60、倉庫30、環境7、派遣3
【従業員】単440名(‥歳)

【業績】	売上高	営業利益	経常利益	純利益
単22.4	5,692	235	284	237
単23.4	6,027	212	272	257
単24.4	6,150	77	102	114

東ソー物流（とうそーぶつりゅう）

株式公開計画なし

採用内定数	倍率	3年後離職率	平均年収
10名	3.4倍	4.5%	㊗662万円

●待遇、制度●
【初任給】月21.3万
【残業】13.1時間【有休】13.7日【制度】フ 住 在
●新卒定着状況●
20年入社(男18、女4)→3年後在籍(男17、女4)
●採用情報●
【人数】23年:3 24年:7 25年:応募34→内定10*
【内定内訳】(男8、女2)(文10、理0)(総10、他0)
【試験】なし
【時期】エントリー25.3→内々定25.6(一次はWEB面接可)【インターン】有
【採用実績校】周南公大4、広島経大1、京産大1、秀明大1、関西外大1、鹿児島大1、神戸大1
【求める人材】柔軟なコミュニケーションが行え、自身を高める努力を続けられる人

【本社】746-0022 山口県周南市野村1-23-15 ☎0834-63-0077
【特色・近況】東ソーの完全子会社で、親会社製品中心に海上・陸上・港湾荷役など総合物流を担う。構内作業行う生産物流も手がける。グループ含め原料船、液化ガス船など保有。本社、大阪、船橋、土浦、四日市に物流センター・基地。海外はシンガポールに支店、中国に現法。
【設立】1951.7 【資本金】1,200百万円
【代表取締役】稲毛康二(1962.7生 山形大工卒)
【株主】〔24.3〕東ソー100%
【事業】物流部門100
【従業員】単674名(39.2歳)

【業績】	売上高	営業利益	経常利益	純利益
単22.3	47,871	1,100	1,486	1,077
単23.3	50,815	736	1,157	867
単24.3	51,902	720	1,110	848

東武運輸（とうぶうんゆ）

株式公開計画なし

採用内定数	倍率	3年後離職率	平均年収
1名	7倍	―	320万円

●待遇、制度●
【初任給】月21.1万(諸手当7.5万円)
【残業】12時間【有休】11.2日【制度】・・
●新卒定着状況●
20年入社(男0、女0)→3年後在籍(男0、女0)
●採用情報●
【人数】23年:1 24年:4 25年:応募7→内定1
【内定内訳】(男1、女0)(文1、理0)(総1、他0)
【試験】〔Web会場〕SPI3〔Web自宅〕SPI3〔性格〕有
【時期】エントリー25.2→内々定25.5(一次・二次以降もWEB面接可)
【採用実績校】文教大1
【求める人材】協調性がある人、チャレンジ精神があり前向きに取り組める人

【本社】345-0804 埼玉県南埼玉郡宮代町川端4-13-25 ☎0480-31-1311
【特色・近況】関東を中心に静岡、名古屋、大阪に支店を持つ物流会社。貨物・鉄道輸送、倉庫業と3PL(物流一括請負)を展開。小ロットの荷物を配送する特積輸送も行う。関東・東海中心に延床面積約27万平方メートルの倉庫や危険物倉庫を所有。東武鉄道グループ。
【設立】1942.12 【資本金】294百万円
【社長】大塚博哉
【株主】〔24.5〕東武鉄道94.3%
【事業】貨物利用運送、倉庫業、3PL事業他
【従業員】単29名(39.6歳)

【業績】	売上高	営業利益	経常利益	純利益
単22.3	16,924	403	312	210
単23.3	16,957	360	269	176
単24.3	18,150	444	145	86

東洋メビウス（とうようめびうす）

株式公開計画なし

採用内定数	倍率	3年後離職率	平均年収
3名	12.7倍	30.8%	㊗517万円

●待遇、制度●
【初任給】月22万(諸手当1.7万円)
【残業】36.5時間【有休】13.1日【制度】フ 住
●新卒定着状況●
20年入社(男9、女4)→3年後在籍(男5、女4)
●採用情報●
【人数】23年:15 24年:14 25年:応募38→内定3*
【内定内訳】(男0、女3)(文3、理0)(総3、他0)
【試験】〔Web自宅〕SPI3
【時期】エントリー25.3→内々定25.5*(一次はWEB面接可)
【採用実績校】創価大1、四天王寺大1、二松学舎大1
【求める人材】はつらつとした態度で、周囲と協力して何事にも粘り強くチャレンジする人

【本社】141-0031 東京都品川区西五反田3-7-10 アーバンネット五反田NNビル ☎03-5436-0251
【特色・近況】東洋製罐の完全子会社で、グループの包装容器運送を得意とする物流企業。容器原料や飲料製品も扱い、近年は非食品分野も拡大する。トラック輸送ネットワークは自社車両110台に協力会社1600台。倉庫・荷役に加えパレット洗浄や工場内作業も請け負う。
【設立】1954.7 【資本金】95百万円
【社長】篠山健司(1964.3生 青学経済卒)
【株主】〔24.3〕東洋製罐100%
【事業】運送63、作業16、倉庫18、賃貸3
【従業員】単699名(45.3歳)

【業績】	売上高	営業利益	経常利益	純利益
単22.3	34,660	1,224	1,233	794
単23.3	34,621	1,112	1,115	657
単24.3	36,172	1,253	1,242	789

サービス

日通(にっつう)NECロジスティクス

[株式公開計画なし]

採用内定数	倍率	3年後離職率	平均年収
41名	11.8倍	20%	‥

●待遇、制度●
【初任給】月23.1万
【残業】16時間【有休】15.5日【制度】[フ][住][在]
●新卒定着状況●
20年入社(男7、女8)→3年後在籍(男6、女6)
●採用情報●
【人数】23年:25 24年:32 25年:応募482→内定41
【内定内訳】(男20、女21)(文40、理1)(総39、他2)
【試験】〔Web会場〕SPI3〔Web自宅〕SPI3〔性格〕有
【時期】エントリー25.3→内々定25.4(一次はWEB面接可)【インターン】有
【採用実績校】関西外大3、東洋大3、神奈川大2、昭和女大2、創価大2、獨協大2、兵庫県大2、愛知大1、亜大1、追手門学大1、桜美林大1、他
【求める人材】チャレンジ、アップデート、イノベーション

【本社】211-0063 神奈川県川崎市中原区小杉町1-403 武蔵小杉STMビル ☎044-733-8610
【特色・近況】電機精密産業と半導体・電子部品産業向けサービスを中核とする総合物流会社。日本通運とNECとの合弁で日通の連結子会社。NXグループの国内最大ネットワークとメーカー目線でサプライチェーン最適化提案が強み。海外はアジア6カ国に関連会社・拠点持つ。
【設立】1972.2 【資本金】380百万円
【代表取締役】吉田直樹(阪大経済卒)
【株主】〔24.3〕日本通運70.0%
【事業】国内物流、国際物流
【従業員】単‥名(‥歳)

【業績】	売上高	営業利益	経常利益	純利益
単21.12変	‥	‥	‥	1,458
単22.12	‥	‥	‥	2,553
単23.12	‥	‥	‥	2,001

日本(にほん)ロジテム

[東証スタンダード]

採用内定数	倍率	3年後離職率	平均年収
31名	3倍	55.3%	[総]621万円

●待遇、制度●
【初任給】月21.6万(諸手当1万円)
【残業】38.1時間【有休】11.8日【制度】[住]
●新卒定着状況●
20年入社(男37、女10)→3年後在籍(男16、女5)
●採用情報●
【人数】23年:35 24年:26 25年:応募93→内定31*
【内定内訳】(男17、女14)(文30、理1)(総31、他0)
【試験】〔性格〕有
【時期】エントリー25.3→内々定25.3*(一次・二次以降もWEB面接可)【インターン】有
【採用実績校】青学大1、神田外語大1、関東学院大1、神戸国際大1、國學院大1、多摩大1、中大1、帝京大2、東京海洋大1、流経大1、他
【求める人材】若いうちから、責任ある創造的な仕事がしたい人、チームでひとつの事を成し遂げたい人

【本社】105-0004 東京都港区新橋5-11-3 新橋住友ビル ☎03-3433-6711
【特色・近況】総合物流中堅。貨物自動車運送、商品倉庫保管に加え、物流センター運営を強化。主要取扱品は食品、インテリア、電子部品、衣料品など。筆頭株主の日清製粉グループが主要取引先で、アマゾン向けも拡充。ベトナムを中心にアジア展開。
【設立】1944.10 【資本金】3,145百万円
【社長】中西弘毅(1955.10生 日大農獣医卒)
【株主】〔24.3〕日清製粉20.3%
【連結事業】貨物自動車運送40、センター23、アセット27、他11 <海外13>
【従業員】連3,717名 単931名(42.3歳)

【業績】	売上高	営業利益	経常利益	純利益
連22.3	58,100	1,029	1,048	632
連23.3	62,477	1,041	993	523
連24.3	62,972	1,017	995	499

㈱ヒガシトゥエンティワン

[東証スタンダード]

採用内定数	倍率	3年後離職率	平均年収
8名	11倍	36.4%	479万円

●待遇、制度●
【初任給】月23.5万
【残業】20.2時間【有休】12.7日【制度】[フ][住]
●新卒定着状況●
20年入社(男16、女6)→3年後在籍(男10、女4)
●採用情報●
【人数】23年:16 24年:17 25年:応募88→内定8*
【内定内訳】(男5、女3)(文7、理1)(総8、他0)
【試験】〔Web自宅〕有〔性格〕有
【時期】エントリー25.3→内々定25.4(一次はWEB面接可)【インターン】有
【採用実績校】中京大1、順天堂大1、近大1、桃山学大1、大和大1、甲南女大1、甲南大1、他
【求める人材】素直で責任感があり、チームワークがとれる人

【本社】540-0013 大阪府大阪市中央区内久宝寺町3-1-9 ☎06-6945-5611
【特色・近況】大阪市中央区の運送会社13社が統合し設立。主軸は3PL(物流一括請負)、総合物流。近畿地区の新聞配送、ビール・飲料などの配送、非鉄金属の輸配送を行う。ビル館内での物品搬出入一括管理も。家電商品、eコマース向け物流センターの運営も手がける。
【設立】1944.12 【資本金】1,001百万円
【代表執行役】児島一裕(1960.11生)
【株主】〔24.3〕関西電力13.5%
【連結事業】運送56、倉庫26、商品販売11、ウエルフェア3、他4
【従業員】連1,428名 単598名(43.4歳)

【業績】	売上高	営業利益	経常利益	純利益
連22.3	27,953	1,475	1,670	1,120
連23.3	34,807	1,908	2,026	1,268
連24.3	40,635	2,190	2,309	1,506

マツダロジスティクス

株式公開未定

採用予定数	倍率	3年後離職率	平均年収
48名	‥	18.2%	㊍612万円

●待遇、制度●
【初任給】月20.4万
【残業】10.1時間【有休】16.6日【制度】フ 住 在

●新卒定着状況●
20年入社(男26、女7)→3年後在籍(男22、女5)

●採用情報●
【人数】23年:20 24年:37 25年:予定48*
【内定内訳】(男‥、女‥)(文‥、理‥)(総‥、他‥)
【試験】〔Web会場〕C-GAB〔性格〕有
【時期】エントリー25.3→内々定25.6(一次はWEB面接可)
【採用実績校】山口大1、京産大1、県立広島大1、福岡女大1、広島経大3、安田女大1、広島修道大2、関西外大1、広島国際大1
【求める人材】行動指針にある「奉仕」「誠実」「変革」を実践できる人

【本社】734-0032 広島県広島市南区楠那町3-19 ☎082-251-3251
【特色・近況】マツダグループの物流企業として総合一貫物流を行う。自動車部品などの、国内トラック輸送・海上輸送サービス、海外との海上・航空による輸出入サービス手がける。部品検査・組立、梱包も請け負う。マツダが海外生産行うメキシコ、タイ、マレーシアに拠点持つ。
【設立】1948.5 【資本金】490百万円
【社長】日浦章博
【株主】〔24.3〕マツダ99.0%
【事業】ビジネス開発本部3、車輌物流本部22、広島生産部品物流本部37、防府生産部品物流本部他38
【従業員】単1,940名(43.0歳)

【業績】	売上高	営業利益	経常利益	純利益
単22.3	51,161	▲668	▲437	▲638
単23.3	60,380	1,046	1,287	844
単24.3	59,717	341	746	480

マルソー

株式公開未定

採用内定数	倍率	3年後離職率	平均年収
4名	3.8倍	100%	‥

●待遇、制度●
【初任給】月20.4万
【残業】20時間【有休】7.2日【制度】住

●新卒定着状況●
20年入社(男3、女0)→3年後在籍(男0、女0)

●採用情報●
【人数】23年:1 24年:3 25年:応募15→内定4*
【内定内訳】(男2、女2)(文2、理0)(総3、他1)
【試験】〔性格〕有
【時期】エントリー25.3→内々定25.6【インターン】有
【採用実績校】長岡大1、新潟青陵短大1、城西大1、新潟国際自動車専1
【求める人材】ツイてる人、当事者意識を持ち、ポジティブに物事に取り組める人

【本社】955-8505 新潟県三条市月岡字綾ノ前2783-1 ☎0256-34-2621
【特色・近況】一般貨物自動車運送と3PL(物流一括受託)の物流センター運営管理が柱。運送は共同配送のほか、超重量品輸送、廃棄物収集運搬など特殊輸送にも対応。3PLは加工食品メーカー、コンビニ向けに強み。工場向けLED照明販売、タクシー事業も手がける。
【設立】1954.8 【資本金】98百万円
【社長】渡邉雅之(1969.2生 大阪経法大経済卒)
【株主】〔23.9〕渡邉喜彦33.0%
【事業】共同配送30、3PL(サード・パーティー・ロジスティクス)50、他20
【従業員】単450名(48.9歳)

【業績】	売上高	営業利益	経常利益	純利益
単21.9	4,126	36	88	45
単22.9	4,229	31	55	42
単23.9	4,531	67	98	59

#年収高く倍率低い

三菱ケミカル物流（みつびしケミカルぶつりゅう）

株式公開計画なし

採用内定数	倍率	3年後離職率	平均年収
34名	3.6倍	13.3%	㊍800万円

●待遇、制度●
【初任給】月22.8万
【残業】16.6時間【有休】14.9日【制度】フ 住 在

●新卒定着状況●
20年入社(男8、女7)→3年後在籍(男8、女5)

●採用情報●
【人数】23年:14 24年:11 25年:応募124→内定34
【内定内訳】(男24、女10)(文27、理7)(総34、他0)
【試験】〔性格〕有
【時期】エントリー24.6→内々定25.3(一次はWEB面接可)【インターン】有
【採用実績校】大阪市大1、関大1、東理大1、多摩大1、獨協大1、日大1、八戸工大1、桃山学大1、流経大2
【求める人材】チームワークとコミュニケーションを大切にし、バイタリティ・チャレンジ精神がある人

【本社】105-0012 東京都港区芝大門1-1-30 芝NBFタワー2階 ☎03-5408-4500
【特色・近況】三菱ケミカルの完全子会社で、グループの総合物流担う。化学品主体の陸上輸送が中心。保管業務、内航・外航輸送など国内外一貫物流体制。内航運航船舶はケミカル船中心に社船2隻、用船13隻。インドネシア、タイ、中国、ベトナムに海外拠点。
【設立】1956.12 【資本金】1,500百万円
【社長】相川幹治(1960.12生 東大農卒)
【株主】〔24.3〕三菱ケミカル100%
【事業】陸運68、海運15、包装・資材販売10、海外7
【従業員】単1,491名(46.7歳)

【業績】	売上高	営業利益	経常利益	純利益
単22.3	88,347	1,219	1,350	1,178
単23.3	88,360	322	350	1,134
単24.3	80,748	▲270	▲342	▲315

サービス

三ッ輪運輸（みつわうんゆ）

株式公開計画なし

採用内定数	倍率	3年後離職率	平均年収
4名	3倍	0%	625万円

●待遇、制度●
【初任給】月20.1万
【残業】14時間【有休】13.4日【制度】住
●新卒定着状況●
20年入社(男2、女2)→3年後在籍(男2、女2)
●採用情報●
【人数】23年:3 24年:6 25年:応募12→内定4*
【内定内訳】(男3、女1)(文4、理0)(総4、他0)
【試験】〔Web自宅〕WEB-GAB
【時期】エントリー25.2→内々定25.3*(一次はWEB面接可)【インターン】有
【採用実績校】釧路公大2、札幌学大1、獨協大1
【求める人材】相手の立場に立ち考え、行動が出来る人、柔軟な対応と気配りができる人

【本社】085-0016 北海道釧路市錦町5-3
☎0154-54-3501
【特色・近況】釧路港で最大の総合物流会社。祖業の港湾荷役に加え、陸・海・空の総合輸送を提供、売り上げの過半占める。保有トレーラーは約1100台、JRコンテナも利用する。倉庫は一般用のほか飼料サイロも保有。子会社で道東2空港オペレーションも受託する。
【設立】1931.6 【資本金】300百万円
【社長】栗林定正(1965.4生 専大商卒)
【株主】〔23.5〕栗林定正15.7%
【事業】港湾運送22、倉庫16、貨物利用運送51、他11
【従業員】単372名(43.9歳)

【業績】	売上高	営業利益	経常利益	純利益
単21.5	15,373	499	531	451
単22.5	15,371	330	412	386
単23.5	15,197	340	401	201

三輪運輸工業（みわうんゆこうぎょう）

株式公開計画なし

採用内定数	倍率	3年後離職率	平均年収
2名	32.5倍	0%	‥

●待遇、制度●
【初任給】月23.5万
【残業】9.3時間【有休】15日【制度】住
●新卒定着状況●
20年入社(男0、女1)→3年後在籍(男0、女1)
●採用情報●
【人数】23年:16 24年:10 25年:応募65→内定2*
【内定内訳】(男2、女0)(文2、理0)(総2、他0)
【試験】〔筆記〕SPI3〔Web会場〕SPI3〔Web自宅〕SPI3〔性格〕有
【時期】エントリー25.2→内々定25.4(一次はWEB面接可)
【採用実績校】神戸学大2
【求める人材】フットワークが軽く、取引先や現場作業員とのコミュニケーションを積極的にとれる人

【本社】651-0072 兵庫県神戸市中央区脇浜町2-1-16
☎078-251-5001
【特色・近況】神戸製鋼所製鉄所の構内一貫物流を主軸とする物流企業。システム車両用いた輸送や環境美化のほか、高炉などの築炉や構造物建設も請け負う。システム車両は自社開発品で製造・販売も行う。産廃プラントの運営や鉄鋼スラグ粉砕による再生路盤材製造も手がける。
【設立】1948.6 【資本金】120百万円
【社長】木東徳幸(1958.8生)
【株主】〔24.3〕三輪100%
【事業】運輸、建設、車両製造・製缶、産業廃棄物処理 <海外0>
【従業員】単832名(39.3歳)

【業績】	売上高	営業利益	経常利益	純利益
単22.3	22,187	‥	‥	‥
単23.3	22,875	‥	‥	‥
単24.3	24,159	‥	‥	‥

名糖運輸（めいとううんゆ）

株式公開計画なし

採用予定数	倍率	3年後離職率	平均年収
6名	‥	36.4%	‥

●待遇、制度●
【初任給】月22.7万(諸手当1.6万円)
【残業】‥時間【有休】9.3日【制度】住
●新卒定着状況●
20年入社(男7、女4)→3年後在籍(男5、女2)
●採用情報●
【人数】23年:7 24年:7 25年:予定6*
【内定内訳】(男‥、女‥)(文‥、理‥)(総‥、他‥)
【試験】〔筆記〕有〔性格〕有
【時期】エントリー25.3→内々定‥*(一次・二次以降もWEB面接可)【インターン】有
【採用実績校】‥
【求める人材】何事にも積極的にチャレンジしていく行動力のある人

【本社】162-0056 東京都新宿区若松町33-8
☎03-5291-8110
【特色・近況】5温度帯管理物流やコンビニ向け配送に強みをもつ総合食品物流会社。コンビニ向け物流センターの運営も行う。365日24時間体制、約80の物流拠点の全国配送ネットワーク形成。ベトナムに現地企業と合弁の冷凍冷蔵倉庫会社を持つ。
【設立】1959.9 【資本金】2,176百万円
【社長】菅原剛(1965.2生 秋田湯沢商高卒)
【株主】〔24.3〕C&Fロジホールディングス100%
【事業】一般貨物自動車運送、貨物運送取扱、倉庫
【従業員】単1,963名(44.5歳)

【業績】	売上高	営業利益	経常利益	純利益
単22.3	52,850	351	1,072	849
単23.3	54,421	461	1,025	757
単24.3	56,708	886	1,386	1,052

サービス

結城運輸倉庫（ゆうきうんゆそうこ）

株式公開いずれしたい

採用実績数	倍率	3年後離職率	平均年収
2名	－	0%	㊣490万円

●待遇、制度●
【初任給】月19.6万
【残業】3.9時間【有休】11.1日【制度】住 在

●新卒定着状況●
20年入社(男2、女0)→3年後在籍(男2、女0)

●採用情報●
【人数】23年:2 24年:2 25年:応募0→内定0*
【内定内訳】(男‥、女‥)(文‥、理‥)(総‥、他‥)
【試験】なし
【時期】エントリー25.3→内々定25.6*(一次はWEB面接可)【インターン】有
【採用実績校】‥

【求める人材】個ではチャレンジ精神、集団ではチームワーク重視で、リーダーシップが取れる人

【本社】135-0033 東京都江東区深川1-6-29
☎03-3643-3701
【特色・近況】得意の液体・危険物輸送を中心に倉庫、港湾運送も営む。コスモ石油との取引多いが、石油関連に加えアルコール輸送も手がける。東北・関東・静岡中心に広域輸送網。港湾は千葉県船橋を拠点に、鋼材の一括物流請け負う。倉庫事業ではトランクルームに注力。
【設立】1923.11 【資本金】96百万円
【社長】結城賢進(1977.1生 慶大経済卒)
【株主】〔24.3〕丸幸産業45.0%
【事業】運輸75、荷役7、倉庫9、他10
【従業員】単304名(49.0歳)

【業績】	売上高	営業利益	経常利益	純利益
単22.3	3,657	103	88	25
単23.3	3,609	53	50	▲51
単24.3	3,555	28	37	37

#初任給が高い

㈱ロジネットジャパン

札証

採用内定数	倍率	3年後離職率	平均年収
19名	6.3倍	4.8%	679万円

●待遇、制度●
【初任給】月30万(諸手当2万円)
【残業】30.1時間【有休】9日【制度】住

●新卒定着状況●
20年入社(男8、女13)→3年後在籍(男7、女13)

●採用情報● グループ採用
【人数】23年:9 24年:18 25年:応募120→内定19*
【内定内訳】(男10、女9)(文19、理0)(総14、他5)
【試験】〔筆記〕常識〔Web自宅〕有〔性格〕有
【時期】エントリー25.3→内々定25.5(一次はWEB面接可)【インターン】有
【採用実績校】北大1、小樽商大2、弘前大1、法政大1、富山大1、関西外大1、昭和女大1、専大1、神奈川大1、北海学園大1、他
【求める人材】前向きに業務に取り組み、変化に対応出来る人

【本社】060-0042 北海道札幌市中央区大通西8-2-6 LNJ札幌大通公園ビル ☎011-251-7755
【特色・近況】陸運持株会社で、傘下に北海道の札幌通運、ロジネットジャパン東日本、ロジネットジャパン西日本などを持つ。北海道、東日本、西日本、九州の各中核企業のもとに約100拠点を配置し、陸路、海路、空路をカバーしている。主要取引先はアマゾン。
【設立】2005.10 【資本金】1,000百万円
【取締】橋本潤美(1972.7生 小樽商大商卒)
【株主】〔24.3〕北海道マツダ販売6.2%
【連結事業】運送96、商品販売2、他2
【従業員】連1,708名 単111名(43.3歳)

【業績】	売上高	営業利益	経常利益	純利益
連22.3	68,020	3,447	3,528	2,365
連23.3	72,860	3,762	3,795	2,555
連24.3	74,075	3,158	3,171	1,943

愛知海運産業（あいちかいうんさんぎょう）

株式公開計画なし

採用内定数	倍率	3年後離職率	平均年収
4名	19倍	33.3%	586万円

●待遇、制度●
【初任給】月21万
【残業】24.2時間【有休】9.8日【制度】住

●新卒定着状況●
20年入社(男5、女1)→3年後在籍(男4、女0)

●採用情報●
【人数】23年:15 24年:7 25年:応募76→内定4*
【内定内訳】(男4、女0)(文4、理0)(総4、他0)
【試験】〔性格〕有
【時期】エントリー25.3→内々定25.7*(一次はWEB面接可)【インターン】有
【採用実績校】南山大1、愛知県大1、名古屋外大1、名古屋学院大1

【求める人材】変化の時代に対応できる知性と行動力を兼ね備えた人

【本社】441-3421 愛知県田原市田原町柳町6
☎0531-22-1241
【特色・近況】港湾運送事業を中心に、倉庫、燃料販売、建設、土木建築、自動車整備・販売などの事業を展開。港湾運送は三河港が基盤で、国際海上コンテナも取り扱う。愛知県・豊橋市と田原市に大型倉庫を保有。豊橋・田原地区で給油所を6店舗運営。マリーナの運営も行う。
【設立】1950.8 【資本金】30百万円
【会長】山田俊郎(1945.5生 日大法卒)
【株主】〔24.4〕山田興産11.7%
【事業】港湾運送、倉庫、通関、燃料販売、土木建築、不動産、車両整備、他
【従業員】単391名(43.5歳)

【業績】	売上高	営業利益	経常利益	純利益
単22.3	11,900	690	764	517
単23.3	11,415	622	712	497
単24.3	13,653	895	1,002	711

サービス

㈱天野回漕店（あまのかいそうてん）

株式公開計画なし

採用内定数	倍率	3年後離職率	平均年収
15名	6.4倍	0%	‥

●待遇、制度●
【初任給】月21万
【残業】12.7時間【有休】11.8日【制度】住 在

●新卒定着状況●
20年入社(男3、女7)→3年後在籍(男3、女7)

●採用情報●
【人数】23年:15 24年:15 25年:応募96→内定15
【内定内訳】(男9、女6)(文‥、理‥)(総9、他6)
【試験】〔筆記〕常識〔性格〕有
【時期】エントリー25.3→内々定25.10*【インターン】有
【採用実績校】‥
【求める人材】お客様の喜びを自分の喜びに変えられる人、チームワークを大切にできる人

【本社】424-0943 静岡県静岡市清水区港町2-9-5 ☎054-353-2151
【特色・近況】清水港基盤の海運貨物取扱業者。配送・保管荷捌・倉庫業務と海陸空による総合物流を展開。倉庫面積計17万㎡超。静岡中心に東京、長野、愛知に営業拠点。タイ、中国にも拠点。1800年天野屋九右衛門が幕府特許の問屋株を譲り受け創業。
【設立】1923.5 【資本金】48百万円
【社長】山田英夫(1952.3生 拓大商卒)
【株主】〔23.11〕中日本バンリース
【事業】海運貨物取扱52、倉庫・運送35、他13
【従業員】単541名(42.6歳)

【業績】	売上高	営業利益	経常利益	純利益
単21.11	12,384	‥	‥	407
単22.11	13,795	‥	‥	685
単23.11	13,291	‥	‥	660

アサガミ

東証スタンダード

採用内定数	倍率	3年後離職率	平均年収
6名	27.8倍	0%	609万円

●待遇、制度●
【初任給】月22万(諸手当0.3万円)
【残業】23.7時間【有休】11日【制度】住

●新卒定着状況●
20年入社(男2、女0)→3年後在籍(男2、女0)

●採用情報●
【人数】23年:6 24年:2 25年:応募167→内定6
【内定内訳】(男5、女1)(文6、理0)(総6、他0)
【試験】〔筆記〕常識〔Web自宅〕有〔性格〕有
【時期】エントリー25.3→内々定25.5(一次・二次以降もWEB面接可)【ジョブ型】有
【採用実績校】國學院大2、日大1、国際武道大1、皇學館大1、流経大1
【求める人材】明るく元気な挨拶ができる人、チームで働きたい人

【本社】100-0006 東京都千代田区有楽町1-13-2 ☎‥
【特色・近況】物流と印刷の2本柱。物流は中堅で首都圏主軸。港湾運送から出発しJFEグループと親密。空運や3PL(物流一括受託)にも業容拡大。印刷子会社は婚礼案内状・年賀状印刷の大手。読売新聞、東京新聞の印刷も受託。不動産賃貸が下支え。
【設立】1948.11 【資本金】2,189百万円
【社長】木村健一(1966.3生 明大政経卒)
【株主】〔24.3〕㈱オーエーコーポレーション54.3%
【連結事業】物流56、不動産5、印刷38、他1
【従業員】連1,520名 単437名(48.4歳)

【業績】	売上高	営業利益	経常利益	純利益
連22.3	41,526	1,983	2,160	1,263
連23.3	41,091	1,676	1,872	997
連24.3	39,634	1,537	1,636	858

#採用数が多い

AZ−COM丸和ホールディングス

東証プライム

採用内定数	倍率	3年後離職率	平均年収
293名	44.4倍	‥	483万円

●待遇、制度● 平均年収は丸和運輸機関の数値
【初任給】月23万
【残業】34.4時間【有休】8.2日【制度】住 在

●新卒定着状況●
‥

●採用情報● グループ採用
【人数】23年:325 24年:331 25年:応募13000→内定293*
【内定内訳】(男207、女86)(文269、理13)(総265、他28)
【試験】なし
【時期】エントリー25.3→内々定25.4(一次はWEB面接可)【インターン】有
【採用実績校】東京海洋大、横国大、神戸大、長崎大、新潟大、鹿児島大、慶大、明大、法政大、関西学大、同大、立命館大、日大、東洋大、他
【求める人材】チームワーク・協調性を重要視し、主体的(積極的)に行動できる人

【本社】342-0008 埼玉県吉川市旭7-1 ☎048-991-1000
【特色・近況】小売業に特化した3PL(物流一括受託)中心の丸和運輸機関を中核子会社に持つ持株会社。EC顧客を持つアマゾンのほか、マツモトキヨシ、イトーヨーカ堂などが主要顧客。食品スーパー開拓に伴い低温食品物流を強化。「桃太郎便」ブランドで宅配事業も展開。
【設立】1978.10 【資本金】9,117百万円
【社長】和佐見勝(1945.5生)
【株主】〔24.3〕㈱WASAMI31.3%
【連結事業】物流99、他1
【従業員】連5,037名 単61名(46.8歳)

【業績】	売上高	営業利益	経常利益	純利益
連22.3	133,000	8,649	9,139	6,125
連23.3	177,829	11,362	11,949	7,780
連24.3	198,554	13,845	14,498	9,119

#有休取得が多い

東海運（あづまかいうん）

東証スタンダード

採用内定数	倍率	3年後離職率	平均年収
8名	5.5倍	0%	617万円

●待遇、制度●
【初任給】月21.9万(諸手当5万円)
【残業】‥時間【有休】18日【制度】フ 住 在
●新卒定着状況●
20年入社(男5、女2)→3年後在籍(男5、女2)
●採用情報●
【人数】23年:6 24年:8 25年:応募44→内定8
【内定内訳】(男4、女4)(文7、理0)(総8、他0)
【試験】〔性格〕有
【時期】エントリー25.2→内々定25.5*(一次・二次以降もWEB面接可)
【採用実績校】帝京大1、明大1、港湾職能短大1、同大1、関大1、神奈川大1、学習院大1、龍谷大1、短大
【求める人材】コミュニケーション能力が優れている人、目配り気配りが出来る優しい人、学ぶ姿勢のある人

【本社】104-6233 東京都中央区晴海1-8-12 晴海トリトンオフィスタワーZ ☎03-6221-2200
【特色・近況】太平洋セメント系で港湾運送や陸上運送を手がける。海運事業は売上高の約2割が太平洋セメント向け。物流事業は東京・大阪港で港湾運送や通関、倉庫、陸運を展開し、アジア船ターミナル業務が中心。ロシアへの国際輸送が強み。不動産賃貸が収益源。
【設立】1917.12 【資本金】2,294百万円
【社長】松井伸介(1963.10生 日大経済卒)
【株主】〔24.3〕太平洋セメント38.3%
【連結事業】物流75、海運23、不動産2、他1
【従業員】連826名 単585名(46.5歳)

【業績】	売上高	営業利益	経常利益	純利益
連22.3	39,613	684	889	635
連23.3	41,467	666	941	197
連24.3	39,746	288	152	317

㈱アルプス物流（ぶつりゅう）

東証プライム

採用内定数	倍率	3年後離職率	平均年収
27名	8.1倍	27.8%	㊗724万円

●待遇、制度●
【初任給】月23.7万
【残業】21.3時間【有休】16.2日【制度】フ 住 在
●新卒定着状況●
20年入社(男17、女19)→3年後在籍(男11、女15)
●採用情報●
【人数】23年:44 24年:62 25年:応募219→内定27*
【内定内訳】(男13、女14)(文16、理2)(総18、他9)
【試験】〔Web会場〕SPI3〔Web自宅〕SPI3〔性格〕有
【時期】エントリー25.3→内々定25.6(一次はWEB面接可)【インターン】有
【採用実績校】大阪府大1、信州大1、静岡県大1、北九州市大1、東理大1、明学大1、法政大1、日大2、神田外語学院専1、立志舎専1、他
【求める人材】自ら考え、自ら判断し、自ら行動する人

【本社】223-0057 神奈川県横浜市港北区新羽町1756 ☎045-531-4133
【特色・近況】電子部品の運送・保管・輸出入が主力の物流会社。アルプスアルパインの調達窓口機能を担う商品販売事業部門と、生協や通販の個配業務を担う消費物流事業部門を併せた3部門で構成。車載向けの扱い多い。海外は積極展開でアジア、北米、欧州に拠点。
【設立】1964.7 【資本金】2,357百万円
【代表取締役】寺嵜秀昭
【株主】〔24.3〕アルプスアルパイン46.5%
【連結事業】電子部品物流53、商品販売23、消費物流24 <海外42>
【従業員】連5,939名 単983名(40.6歳)

【業績】	売上高	営業利益	経常利益	純利益
連22.3	113,814	6,021	6,166	3,598
連23.3	121,165	8,043	8,790	5,032
連24.3	118,844	5,578	6,019	3,570

伊藤忠ロジスティクス（いとうちゅう）

株式公開未定

採用内定数	倍率	3年後離職率	平均年収
28名	29.1倍	19%	㊗862万円

●待遇、制度●
【初任給】月25.2万
【残業】16.8時間【有休】14日【制度】住
●新卒定着状況●
20年入社(男7、女14)→3年後在籍(男7、女10)
●採用情報●
【人数】23年:27 24年:32 25年:応募816→内定28
【内定内訳】(男14、女14)(文28、理0)(総21、他7)
【試験】〔Web自宅〕WEB-GAB
【時期】エントリー25.3→内々定25.6(一次はWEB面接可)【インターン】有
【採用実績校】東京外大3、早大1、上智大1、都立大1、横浜市大1、神戸市外大1、明大3、立教大1、法政大3、中大1、学習院大1、他
【求める人材】様々な商材・輸送方法を扱うため、特定の像を設けず、多様な人材

【本社】105-7113 東京都港区東新橋1-5-2 汐留シティセンター13階 ☎03-6254-6100
【特色・近況】伊藤忠グループの総合物流会社。顧客事情に応じ陸・海・空など最適組み合わせで一貫物流サービスを提供。自動車関連輸送に実績。商社系の強みを活かし中国、米国など海外3PL(物流一括請負)も展開。厳格な管理品質を保つ医薬品専用センターに注力中。
【設立】1961.7 【資本金】5,083百万円
【社長】岡広史
【株主】〔24.3〕伊藤忠商事100%
【事業】国際物流66、国内物流34
【従業員】連4,585名 単457名(40.6歳)

【業績】	売上高	営業利益	経常利益	純利益
単22.3	63,804	3,417	4,456	3,141
連23.3	121,684	7,706	9,072	6,094
連24.3	103,175	6,221	7,773	6,001

#有休取得が多い

㈱エージーピー

東証スタンダード

採用内定数	倍率	3年後離職率	平均年収
6名	4.2倍	–	616万円

●待遇、制度●
【初任給】月21.9万
【残業】21.8時間【有休】18.4日【制度】[住]
●新卒定着状況●
20年入社(男0、女0)→3年後在籍(男0、女0)
●採用情報●
【人数】23年:7 24年:25 25年:応募25→内定6*
【内定内訳】(男5、女1)(文0、理6)(総5、他1)
【試験】〔筆記〕常識
【時期】エントリー24.12→内々定25.4(一次はWEB面接可)【インターン】有
【採用実績校】長崎総合科学大1、明大1、崇城大2、東邦大1、岡山理大1
【求める人材】積極性があり、周りと協調をとれる人

【本社】144-0041 東京都大田区羽田空港1-7-1
☎03-3747-1631
【特色・近況】航空機向け動力供給が主力。空港で駐機中の航空機に電力、冷暖房、圧縮空気を供給。国内空港の固定式電源でほぼ独占。手荷物搬送設備など空港施設の整備業務も柱。病院向け保冷・加熱カートや空港内外向け保安機器の販売、物流向け整備事業などを開拓。
【設立】1965.12【資本金】2,038百万円
【取締】杉田武久(1963.4生)
【株主】〔24.3〕日本航空30.4%
【連結事業】動力供給42、エンジニアリング50、商品販売8
【従業員】連658名 単609名(41.7歳)

【業績】	売上高	営業利益	経常利益	純利益
連22.3	10,381	121	236	11
連23.3	11,039	527	512	510
連24.3	12,986	1,059	1,075	689

SBS東芝(とうしば)ロジスティクス

株式公開計画なし

採用内定数	倍率	3年後離職率	平均年収
21名	9.1倍	4.5%	‥

●待遇、制度●
【初任給】月23.5万
【残業】33.3時間【有休】14.8日【制度】[フ][住]
●新卒定着状況●
20年入社(男12、女10)→3年後在籍(男12、女9)
●採用情報●
【人数】23年:23 24年:26 25年:応募192→内定21*
【内定内訳】(男10、女11)(文17、理4)(総21、他0)
【試験】〔Web自宅〕有〔性格〕有
【時期】エントリー25.2→内々定25.4(一次・二次以降もWEB面接可)【インターン】有
【採用実績校】学習院大1、明大1、青学大1、立命館大2、立教大1、関西学大1、神奈川大1、九大1、群馬大1、日大1、他
【求める人材】自ら考え行動する人、工夫ができる、疑問から考えられる人

【本社】160-6125 東京都新宿区西新宿8-17-1
☎03-6772-8201
【特色・近況】精密機器から重量物まで荷主の業種に応じた物流サービスを提供する。東芝グループの物流部門として出発、現在の筆頭株主はSBSHD。同グループ外売上比率6割超。電子デバイス、家電、医療機器のほか事務所移転も扱う。物流戦略の企画担う4PLに注力。
【設立】1974.10【資本金】2,128百万円
【社長】金澤寧
【株主】〔24.3〕SBSホールディングス66.6%
【事業】貨物利用運送事業、倉庫業、通関業、他
【従業員】単778名(45.2歳)

【業績】	売上高	営業利益	経常利益	純利益
単22.3	91,873	4,841	5,056	3,578
単22.12変	73,206	3,116	3,521	2,786
単23.12	93,584	2,267	4,002	2,804

#有休取得が多い

NX・NPロジスティクス

株式公開計画なし

採用内定数	倍率	3年後離職率	平均年収
28名	72.4倍	21.2%	[総]575万円

●待遇、制度●
【初任給】月22.9万
【残業】24.8時間【有休】17.5日【制度】[フ][住][在]
●新卒定着状況●
20年入社(男12、女21)→3年後在籍(男11、女15)
●採用情報●
【人数】23年:30 24年:24 25年:応募2027→内定28
【内定内訳】(男13、女15)(文26、理2)(総26、他2)
【試験】〔Web自宅〕SPI3〔性格〕有
【時期】エントリー25.3→内々定25.4(一次はWEB面接可)【インターン】有【ジョブ型】有
【採用実績校】朝日大1、阪大1、大阪女学大1、活水女大1、韓国外大1、関大1、関西外大2、京産大3、近大1、松蔭大1、崇実大1、創価大1、他
【求める人材】目標達成に向けて前向きに取組む強い意志とチャレンジ意欲がある人

【本社】566-0042 大阪府摂津市東別府3-2-6
☎06-6349-5261
【特色・近況】NIPPON EXPRESS(NX)、パナソニック両HD合弁の物流会社。家電物流全般に強く、国内外で生産された製品を全国約100カ所の中継デポから約4万の納入先に配送。量販店向け一括センター運営や工場内物流関連事業も手がける。
【設立】1966.4【資本金】1,800百万円
【社長】金田吉生(1967.3生 広島大工卒)
【株主】〔24.4〕NIPPON EXPRESSホールディングス66.6%
【事業】保管・荷役・輸配送・受注等のロジスティクスサービス
【従業員】単825名(43.0歳)

【業績】	売上高	営業利益	経常利益	純利益
単21.12変	51,946	1,910	1,950	1,205
単22.12	69,291	523	644	346
単23.12	68,167	▲3,326	▲3,259	▲8,944

[株]大森廻漕店（おおもりかいそうてん）

株式公開計画なし

採用実績数	倍率	3年後離職率	平均年収
0名	―	―	[総]586万円

●待遇、制度●
【初任給】月20万
【残業】6.8時間【有休】9.8日【制度】[在]
●新卒定着状況●
20年入社(男0、女0)→3年後在籍(男0、女0)
●採用情報●
【人数】23年:0 24年:0 25年:応募0→内定0
【内定内訳】(男‥、女‥)(文‥、理‥)(総‥、他‥)
【試験】〔筆記〕有〔Web自宅〕有
【時期】エントリー25.未定→内々定25.未定(一次はWEB面接可)
【採用実績校】‥
【求める人材】柔軟な行動力と思考力を持ち、努力を惜しまない人

【本社】650-0031 兵庫県神戸市中央区東町123-1 貿易ビル ☎078-391-7201
【特色・近況】1873年神戸で創業の港湾運送会社。貿易貨物の港湾運送や通関業務に加え、物流加工、国際複合一貫輸送など総合物流サービスを提供。中国での実績生かし、調達物流や決済代行、3PL物流サービスなども手がける。中国、東南アジア、インドに11拠点。
【設立】1921.11【資本金】400百万円
【社長】大橋直也
【株主】〔24.3〕須藤 明彦18.6%
【事業】一般港湾運送業60、通関業10、他30
【従業員】単266名(47.0歳)

【業績】	売上高	営業利益	経常利益	純利益
単22.3	7,511	7	116	101
単23.3	8,022	24	153	139
単24.3	7,491	▲167	▲17	▲16

[株]関通（かんつう）

東証グロース

採用内定数	倍率	3年後離職率	平均年収
17名	12.7倍	76.2%	435万円

●待遇、制度●
【初任給】月23.1万(固定残業代26時間分)
【残業】15.6時間【有休】11.6日【制度】[住]
●新卒定着状況●
20年入社(男13、女8)→3年後在籍(男4、女1)
●採用情報●
【人数】23年:13 24年:19 25年:応募216→内定17*
【内定内訳】(男6、女11)(文‥、理‥)(総0、他17)
【試験】〔性格〕有
【時期】エントリー24.9→内々定‥*(一次・二次以降もWEB面接可)【インターン】有【ジョブ型】有
【採用実績校】阪大1、福岡県大1、関大1、近大1、京産大1、甲南大1
【求める人材】‥

【本社】660-0857 兵庫県尼崎市西向島町111-4 ☎06-6224-3361
【特色・近況】ネット通販の配送センター業務代行など、EC・通販物流支援サービスが主力。顧客が販売する商品の入出庫や注文受託の管理などを自社開発システムで行う。楽天市場の出店者用物流サービス業務も受託。自社開発ソフト販売、物流コンサルも手がける。
【設立】1996.3【資本金】788百万円
【社長】達城久裕(1960.5生)
【株主】〔24.2〕ロジ・エステート[株]42.4%
【連結事業】物流サービス94、ITオートメーション5、他1
【従業員】連247名 単215名(33.5歳)

【業績】	売上高	営業利益	経常利益	純利益
単22.2	10,099	729	687	463
連23.2	10,493	392	360	628
連24.2	11,938	410	406	49

キムラユニティー

東証スタンダード

採用内定数	倍率	3年後離職率	平均年収
18名	8.9倍	11.4%	594万円

●待遇、制度●
【初任給】月21.5万
【残業】18.1時間【有休】12.6日【制度】[フ][住][在]
●新卒定着状況●
20年入社(男23、女12)→3年後在籍(男21、女10)
●採用情報●
【人数】23年:40 24年:26 25年:応募160→内定18*
【内定内訳】(男13、女5)(文18、理0)(総0、他18)
【試験】〔筆記〕常識、他〔性格〕有
【時期】エントリー25.3→内々定25.6*(一次はWEB面接可)【インターン】有【ジョブ型】有
【採用実績校】名古屋学院大4、愛知学大2、愛知県大2、中京大2、東海学園大2、名城大2、愛知大1、愛知淑徳大1、公立鳥取環境大1、他
【求める人材】前向きに成長しようとする意志を持ち、自分の事だけでなく全体の事を考えられる人

【本社】460-0003 愛知県名古屋市中区錦3-8-32 ☎052-962-7051
【特色・近況】愛知県地盤の物流会社。物流サービス(包装と格納器具製造)と自動車サービスの2本柱。物流の主力はトヨタグループの部品梱包事業と雑貨などの非自動車関連。自動車サービスは軽自動車販売やリースなど。海外では北米と中国で物流を展開。
【設立】1973.10【資本金】3,596百万円
【社長】成瀬茂広(1960.8生)
【株主】〔24.3〕木村[株]25.7%
【連結事業】物流サービス70、自動車サービス24、情報サービス4、人材サービス2、他0 <海外19>
【従業員】連2,422名 単1,639名(43.6歳)

【業績】	売上高	営業利益	経常利益	純利益
連22.3	57,082	2,938	3,670	2,181
連23.3	59,139	3,269	3,965	2,471
連24.3	61,493	4,109	4,897	3,168

サービス

ケイヒン

東証スタンダード

採用内定数	倍率	3年後離職率	平均年収
12名	‥	17.4%	592万円

●待遇、制度●
【初任給】月22.7万
【残業】22.4時間【有休】13.2日【制度】住
●新卒定着状況●
20年入社(男11、女12)→3年後在籍(男8、女11)
●採用情報●
【人数】23年:12 24年:7 25年:応募‥→内定12*
【内定内訳】(男5、女7)(文9、理3)(総10、他2)
【試験】〔Web自宅〕有〔性格〕有
【時期】エントリー25.3→内々定25.6*(一次・二次以降もWEB面接可)【インターン】有
【採用実績校】東京経大1、神奈川大1、阪南大1、南山大1、駒澤大1、日大1、京都芸大1、愛知大1、宇都宮大1、東京女大1、国士舘大1、他
【求める人材】好奇心が旺盛で、柔軟な思考をもって行動できる人

【本社】108-8456 東京都港区海岸3-4-20
☎03-3456-7801
【特色・近況】総合物流準大手。売上高の約6割を占める国内物流は、食品・飲料の保管や荷役が中心。通販向け商品梱包など物流センター作業も受託する。国際物流はアフリカ向けなど中古車輸出が主力。米大手BDPと連携で国際複合一貫輸送強化。アジアにも拠点を持つ。
【設立】1947.12 【資本金】5,376百万円
【社長】杉山光延(1961.6生)
【株主】〔24.3〕京友9.3%
【連結事業】国内物流57、国際物流43
【従業員】連912名 単305名(41.5歳)

【業績】	売上高	営業利益	経常利益	純利益
連22.3	54,108	3,140	3,286	2,263
連23.3	59,821	3,823	3,958	2,704
連24.3	46,520	2,668	2,988	2,049

コクサイエアロマリン

株式公開計画なし

採用内定数	倍率	3年後離職率	平均年収
11名	‥	12.5%	456万円

●待遇、制度●
【初任給】月21.9万
【残業】13.8時間【有休】12.3日【制度】住
●新卒定着状況●
20年入社(男3、女5)→3年後在籍(男2、女5)
●採用情報●
【人数】23年:1 24年:6 25年:応募‥→内定11
【内定内訳】(男4、女7)(文9、理0)(総11、他0)
【試験】〔性格〕有
【時期】エントリー25.3→内々定25.4*(一次はWEB面接可)【インターン】有
【採用実績校】‥
【求める人材】チャレンジ精神旺盛な人

【本社】105-0004 東京都港区新橋1-10-6
☎03-3572-5931
【特色・近況】通関、保管、航空・港湾運送など一貫体制持つ国際物流会社。1959年設立で羽田空港のわが国初の営業倉庫許可を取得。羽田のほか成田、関西の各国際空港、東京港、横浜港に拠点、米国に現地法人。精密機器やハイテク関連を取り扱うなど高度な物流品質誇る。
【設立】1959.9 【資本金】569百万円
【社長】原一彦(1963.12生 杏林大卒)
【株主】〔24.3〕損害保険ジャパン7.3%
【事業】輸出入貨物取扱業務航空貨物63、同海上貨物・他37
【従業員】単212名(44.4歳)

【業績】	売上高	営業利益	経常利益	純利益
単22.3	5,816	220	321	484
単23.3	6,802	193	329	1,576
単24.3	6,925	963	1,140	788

㈱サンリツ

東証スタンダード

採用内定数	倍率	3年後離職率	平均年収
8名	6.3倍	16.7%	612万円

●待遇、制度●
【初任給】月21.8万
【残業】24.3時間【有休】11.4日【制度】住 在
●新卒定着状況●
20年入社(男3、女3)→3年後在籍(男3、女2)
●採用情報●
【人数】23年:9 24年:12 25年:応募50→内定8
【内定内訳】(男4、女4)(文8、理0)(総8、他0)
【試験】なし
【時期】エントリー25.3→内々定25.4(一次はWEB面接可)【インターン】有
【採用実績校】国士舘大1、獨協大1、清泉女大1、流経大1、跡見学園女大1、成蹊大1、國學院大1、慶大1
【求める人材】チームワークを発揮して何かに取り組むことが好きな人

【本店】108-0075 東京都港区港南2-12-32
☎03-3471-0011
【特色・近況】物流中堅。工作機械や半導体関連、通信機器、精密機器、医療機器向けの梱包・保管・輸送が主力。3PL(物流一括請負)、物流DX推進にも注力。輸出用梱包に強く梱包技術の評価高い。海外は米国や中国に現地法人を設置し国際物流の拡充を図る。
【設立】1948.3 【資本金】2,523百万円
【社長】三浦康英(1964.5生 大正大卒)
【株主】〔24.3〕日本マスタートラスト信託銀行信託口3.6%
【連結事業】梱包72、運輸13、倉庫14、賃貸ビル1 <海外11>
【従業員】連470名 単401名(43.1歳)

【業績】	売上高	営業利益	経常利益	純利益
連22.3	18,525	1,060	1,107	759
連23.3	20,335	1,019	1,203	980
連24.3	19,398	865	786	572

サービス

㈱杉村倉庫（すぎむらそうこ）

東証スタンダード

採用内定数	倍率	3年後離職率	平均年収
3名	13倍	50%	㊐645万円

●待遇、制度●
【初任給】月22.1万
【残業】19.8時間【有休】12.6日【制度】住
●新卒定着状況●
20年入社(男3、女1)→3年後在籍(男2、女0)
●採用情報●
【人数】23年:4 24年:3 25年:応募39→内定3*
【内定内訳】(男1、女2)(文2、理1)(総3、他0)
【試験】なし
【時期】エントリー25.3→内々定25.6(一次・二次以降もWEB面接可)
【採用実績校】摂南大1、東京家政大1、神戸女大1
【求める人材】約束やルールを守り、積極的に協力、行動する人

【本社】552-0013 大阪府大阪市港区福崎1-1-57 ☎06-6571-1221
【特色・近況】野村グループ傘下の関西倉庫業の老舗。倉庫は大阪が主力で、兵庫、東京、神奈川、埼玉などに展開。日用品、食料原料などを取り扱う。品質検査や包装など物流加工サービスや物流情報システムも手がける。子会社でゴルフ練習場運営も。不動産賃貸が収益源。
【設立】1919.10 【資本金】2,630百万円
【社長】福西康人(1964.4生 関大経済卒)
【株主】〔24.3〕野村プロパティーズ45.9%
【連結事業】物流85、不動産12、他3
【従業員】連398名 単111名(41.8歳)

【業績】	売上高	営業利益	経常利益	純利益
連22.3	10,191	1,175	1,142	800
連23.3	10,553	1,052	1,037	716
連24.3	10,850	1,292	1,295	863

第一港運（だいいちこううん）

株式公開計画なし

採用内定数	倍率	3年後離職率	平均年収
2名	9.5倍	33.3%	㊐526万円

●待遇、制度●
【初任給】月23万(諸手当2万円)
【残業】17.1時間【有休】11.4日【制度】‥
●新卒定着状況●
20年入社(男1、女2)→3年後在籍(男1、女1)
●採用情報●
【人数】23年:5 24年:5 25年:応募19→内定2*
【内定内訳】(男1、女1)(文2、理0)(総2、他0)
【試験】〔筆記〕有〔性格〕有
【時期】エントリー25.3→内々定25.4*(一次はWEB面接可)【インターン】有
【採用実績校】駒澤大1、常葉大1
【求める人材】コミュニケーション能力が高く、行動力がある人

【本社】135-0024 東京都江東区清澄1-8-16 第一港運清澄ビル ☎03-3642-3255
【特色・近況】東京港を拠点に港湾運送を手がける。輸出入貨物の運送、倉庫保管、梱包、通関を行う国際物流事業と、コンテナ定期航路船の荷役や諸手続きを行うコンテナ事業が柱。品川と青海にコンテナターミナルを保有。インドネシア、ベトナム、韓国、タイに海外拠点。
【設立】1947.4 【資本金】98百万円
【社長】岡田幸重(1953.4生 青学大経済卒)
【株主】〔23.9〕三菱倉庫25.1%
【事業】港湾運送49、貨物利用運送業11、梱包業14、他26
【従業員】単100名(41.5歳)

【業績】	売上高	営業利益	経常利益	純利益
単21.9	4,274	▲173	32	32
単22.9	5,094	196	325	207
単23.9	4,808	49	95	104

大東港運（だいとうこううん）

東証スタンダード

採用内定数	倍率	3年後離職率	平均年収
9名	5.8倍	25%	㊐671万円

●待遇、制度●
【初任給】月22.7万
【残業】14.5時間【有休】16日【制度】住 在
●新卒定着状況●
20年入社(男2、女10)→3年後在籍(男1、女8)
●採用情報●
【人数】23年:14 24年:7 25年:応募52→内定9
【内定内訳】(男2、女7)(文9、理0)(総6、他3)
【試験】〔Web自宅〕SPI3
【時期】エントリー24.10→内々定25.3(一次はWEB面接可)【インターン】有
【採用実績校】明大1、近大2、関西学大1、拓大1、学習院女大1、日女大1、二松学舎大1、他
【求める人材】明るく、誠実で向上心のある人

【本社】108-0023 東京都港区芝浦4-6-8 住友不動産田町ファーストビル ☎03-5476-9701
【特色・近況】独立系の港湾運送業者。東京、横浜、大阪、神戸、門司の各税関の通関免許を持ち、横浜と大阪には保税倉庫保有。畜産物はじめ水産物、野菜、果実など食品類に強み。冷凍・冷蔵食品の海貨取扱は国内首位級。国内の鋼材運送・荷役も。外注比率が高い。
【設立】1957.12 【資本金】856百万円
【社長】曽根好貞(1959.10生 日大農獣医卒)
【株主】〔24.3〕協友商事13.5%
【連結事業】輸出入貨物取扱75、鉄鋼物流12、他13
【従業員】連402名 単333名(40.7歳)

【業績】	売上高	営業利益	経常利益	純利益
連22.3	16,604	1,073	1,192	832
連23.3	17,130	1,038	1,178	783
連24.3	16,051	641	796	534

鶴崎海陸運輸（つるさきかいりくうんゆ）

株式公開計画なし

採用内定数	倍率	3年後離職率	平均年収
16名	4.4倍	28.6%	[総]520万円

●待遇、制度●
【初任給】月20万(諸手当1万円)
【残業】14.7時間【有休】14.8日【制度】[フ][住][在]
●新卒定着状況●
20年入社(男19、女2)→3年後在籍(男13、女2)
●採用情報●
【人数】23年:15 24年:30 25年:応募70→内定16*
【内定内訳】(男14、女2)(文14、理2)(総16、他0)
【試験】〔筆記〕SPI3〔Web自宅〕SPI3〔性格〕有
【時期】エントリー24.12→内々定25.3*(一次・二次以降もWEB面接可)【インターン】有
【採用実績校】日本文理大2、尾道市大1、KCS大分情報専1、大分県芸術文化短大1、立命館APU1、長崎国際大1、他
【求める人材】いろいろなことに興味を持ち、失敗を恐れず果敢に挑戦する人

【本社】870-0196 大分県大分市三佐1000 ☎097-521-6111
【特色・近況】大分港で港湾荷役や海陸一貫輸送を営む。漁業者の転業施策として1960年に設立。曳船や海上防災などの港内サービスも行う。大分臨海工業地帯の製鉄事業所や石化コンビナートの構内請負作業も事業の柱。レゾナック、日本製鉄、ENEOSが主顧客。
【設立】1960.4 【資本金】80百万円
【社長】疋田功道(日大卒)
【株主】〔23.12〕疋田智昭25.6%
【事業】構内事業33、物流16、石油販売25、ポートサービス業20、他6
【従業員】単824名(40.1歳)

【業績】	売上高	営業利益	経常利益	純利益
単21.12	18,249	472	537	441
単22.12	18,729	551	614	558
単23.12	19,320	461	516	393

東京システム運輸ホールディングス

株式公開計画なし

採用内定数	倍率	3年後離職率	平均年収
4名	2.8倍	25%	[総]442万円

●待遇、制度●
【初任給】月21万
【残業】22.2時間【有休】11.5日【制度】[フ]
●新卒定着状況●
20年入社(男2、女2)→3年後在籍(男1、女2)
●採用情報●
【人数】23年:10 24年:4 25年:応募11→内定4*
【内定内訳】(男3、女1)(文4、理0)(総4、他0)
【試験】〔筆記〕常識
【時期】エントリー24.10→内々定24.10*(一次はWEB面接可)【インターン】有
【採用実績校】駒澤大1、秀明大1、東京経大1、東京国際大1
【求める人材】積極的にコミュニケーションとチームワークのとれる人

【本社】190-0012 東京都立川市曙町2-38-5 立川ビジネスセンタービル6階 ☎042-521-1421
【特色・近況】首都圏でドミナント展開する物流持株会社。傘下に東京ユニオン物流(運送)、東京ロジファクトリー(保管、流通加工含む総合物流)、東京ビジョンクリエイト(ECなど開発)の3事業会社を持つ。管理倉庫59棟、延べ床面積15万6000坪を運営。
【設立】1967.10 【資本金】80百万円
【社長】細川武紀(1972.6生)
【株主】〔24.3〕石原英子20.3%
【連結事業】運送20、物流78、小売2
【従業員】連253名 単35名(48.4歳)

【業績】	売上高	営業利益	経常利益	純利益
連22.3	15,799	721	632	478
連23.3	16,780	744	687	438
連24.3	17,183	614	529	391

東陽倉庫（とうようそうこ）

東証スタンダード

採用内定数	倍率	3年後離職率	平均年収
17名	14.8倍	23.1%	••

●待遇、制度●
【初任給】月22万
【残業】22.3時間【有休】12.1日【制度】[住]
●新卒定着状況●
20年入社(男9、女4)→3年後在籍(男7、女3)
●採用情報●
【人数】23年:11 24年:19 25年:応募252→内定17*
【内定内訳】(男11、女6)(文17、理0)(総15、他2)
【試験】〔Web自宅〕有〔性格〕有
【時期】エントリー25.3→内々定25.6(一次はWEB面接可)【インターン】有
【採用実績校】南山大3、愛知大3、中京大3、愛知学大2、愛知教大1、名古屋外大1、名城大1、愛知淑徳大1、名古屋学院大1、神奈川大1
【求める人材】自分自身を磨く努力をし、常に先のことを考え柔軟に対応できる「考働力」のある人

【本社】450-8614 愛知県名古屋市中村区名駅南2-6-17 ☎052-581-0251
【特色・近況】中部圏地盤の倉庫会社。国内物流のほか、国際物流では港湾運送、海外物流、国際輸送などを展開。スーパーなど流通業向け配送センター業務に強み。データ媒体、美術品・文書保管などトランクルーム業務も手がける。不動産賃貸収入が収益を支える。
【設立】1926.3 【資本金】3,412百万円
【社長】黒田城児(1961.4生 南山大経済卒)
【株主】〔24.3〕ダイセー倉庫運輸4.5%
【連結事業】物流98、不動産2
【従業員】連729名 単291名(40.3歳)

【業績】	売上高	営業利益	経常利益	純利益
連22.3	28,366	1,364	2,105	1,443
連23.3	28,168	1,258	1,874	1,350
連24.3	27,875	1,129	1,820	1,369

東洋埠頭（とうようふとう）　東証スタンダード

採用内定数	倍率	3年後離職率	平均年収
8名	10.8倍	15%	752万円

●待遇、制度●
【初任給】月23.9万（諸手当0.6万円）
【残業】16.9時間【有休】13.5日【制度】フ 住
●新卒定着状況●
20年入社（男15、女5）→3年後在籍（男13、女4）
●採用情報●
【人数】23年:11 24年:9 25年:応募86→内定8
【内定内訳】（男5、女3）（文5、理0）（総8、他0）
【試験】〔筆記〕有〔性格〕有
【時期】エントリー25.3→内々定‥（一次はWEB面接可）【インターン】有
【採用実績校】‥
【求める人材】コミュニケーション力・創造力・実行力がある人

【本社】104-0053 東京都中央区晴海1-8-8 晴海トリトンオフィスタワーW ☎03-5560-2701
【特色・近況】埠頭会社最大手。品目ごとの精緻な保管仕様要する特殊倉庫に特長。キウイなど輸入青果物の取り扱いに強み。川崎、東京、大阪、鹿島に拠点を構え、鹿児島・志布志には大型荷役機械を備える。国際物流はロシアからカザフスタン・中央アジアルートへの展開図る。
【設立】1940.1【資本金】8,260百万円
【社長】原匡史（1959.11生 立大理卒）
【株主】〔24.3〕第一生命保険8.6%
【連結事業】国内総合物流89、国際物流11
【従業員】連835名 単320名（44.7歳）

【業績】	売上高	営業利益	経常利益	純利益
連22.3	36,123	1,479	1,769	1,132
連23.3	38,086	1,537	1,846	1,266
連24.3	34,697	978	1,152	980

トランコム　東証プライム

採用内定数	倍率	3年後離職率	平均年収
10名	100.5倍	‥	483万円

●待遇、制度●
【初任給】月24.3万（固定残業代23.1時間分）
【残業】‥時間【有休】‥日【制度】住
●新卒定着状況●
‥
●採用情報●
【人数】23年:46 24年:38 25年:応募1005→内定10*
【内定内訳】（男4、女6）（文10、理0）（総10、他0）
【試験】〔Web自宅〕有〔性格〕有
【時期】エントリー25.3→内々定25.6（一次・二次以降もWEB面接可）【インターン】有
【採用実績校】亜大1、愛知学大1、杏林大1、実践女大1、高崎経大1、東京国際大1、名古屋外大2、名古屋学院大1、明大1
【求める人材】主体的な行動・言動がとれる人、新しいことに挑戦できる人

【本社】461-0004 愛知県名古屋市東区葵1-19-30 マザックアートプラザ ☎052-939-2011
【特色・近況】物流センター構築・運営の一括受託と、トラックの空車情報と貨物情報をマッチングする物流情報サービスの2本柱。物流情報サービスは東名阪を軸に全国の情報センターと協力会社によるネットワークを構築。工場全体の生産請負や人材派遣も手がける。
【設立】1959.6【資本金】1,080百万円
【社長】神野裕弘（1971.3生）
【株主】〔24.3〕㈱AICOH26.0%
【連結事業】ロジスティクスマネジメント33、物流情報サービス55、インダストリアルサポート3、他9
【従業員】連4,067名 単812名（35.2歳）

【業績】	売上高	営業利益	経常利益	純利益
連22.3	162,984	7,990	8,190	5,291
連23.3	167,760	7,438	7,573	3,835
連24.3	169,410	7,020	7,152	4,546

トレーディア　東証スタンダード

採用内定数	倍率	3年後離職率	平均年収
2名	45.5倍	0%	603万円

●待遇、制度●
【初任給】月21.7万（諸手当1.3万円）
【残業】3.8時間【有休】12.8日【制度】フ 住 在
●新卒定着状況●
20年入社（男1、女5）→3年後在籍（男1、女5）
●採用情報●
【人数】23年:10 24年:4 25年:応募91→内定2*
【内定内訳】（男0、女2）（文2、理0）（総2、他0）
【試験】〔筆記〕常識
【時期】エントリー25.2→内々定25.5（一次はWEB面接可）
【採用実績校】神戸市外大1、杏林大1、拓大1
【求める人材】協調性、コミュニケーション能力があり、何事にも前向きに自分で考え行動できる人

【本店】650-0024 兵庫県神戸市中央区海岸通1-2-22 ☎078-391-7170
【特色・近況】地盤の神戸をはじめ、大阪、名古屋、横浜、東京での輸出入の港湾作業が主軸。輸出は建設機械、自動車部品など、輸入は繊維製品などの取り扱いが多い。アジアでは現地企業との合弁、欧米では現地代理店と連携し、国際物流ネットワークを構築する。
【設立】1941.4【資本金】735百万円
【社長】吉田大介（1965.8生 駒沢大法卒）
【株主】〔24.3〕トランコム9.6%
【連結事業】輸出17、輸入33、国際49、倉庫0、他1
【従業員】連323名 単322名（42.6歳）

【業績】	売上高	営業利益	経常利益	純利益
連22.3	18,390	298	444	306
連23.3	19,855	443	619	518
連24.3	15,007	199	363	326

なが い
㈱奈雅井

株式公開計画なし

採用予定数	倍率	3年後離職率	平均年収
2名	ー	28.6%	[総]510万円

●待遇、制度●
【初任給】月20.5万
【残業】19.5時間【有休】14日【制度】[住]
●新卒定着状況●
20年入社(男5、女2)→3年後在籍(男3、女2)
●採用情報●
【人数】23年:4 24年:2 25年:応募6→内定0*
【内定内訳】(男‥、女‥)(文‥、理‥)(総‥、他‥)
【試験】〔筆記〕常識
【時期】エントリー25.3→内々定25.6*(一次はWEB面接可)【インターン】有
【採用実績校】‥
【求める人材】社是「安全」「奉仕」「人の和」を尊重し、「注意力」「責任感」「協調性」のある人

【本社】849-4256 佐賀県伊万里市山代町久原2982
☎0955-28-2121
【特色・近況】佐賀県・伊万里港を拠点に海事関係サービスを提供。港湾運送、曳船、貨物運送取扱、通関、倉庫、梱包などを手がける。中国、韓国と九州主要都市への好アクセスが強み。コンテナ取り扱いは年間約約3万TEU。造船・セメント事業向けサービスも行う。
【設立】1958.8 【資本金】43百万円
【社長】今泉清美(1958.1生 立命大経済卒)
【株主】〔24.3〕大阪中小企業投資育成35.5%
【事業】コンテナ30、曳船14、倉庫9、代理店7、他40
【従業員】単191名(43.6歳)

【業績】	売上高	営業利益	経常利益	純利益
単22.3	3,567	203	266	130
単23.3	3,558	220	279	162
単24.3	3,803	277	387	322

にっ とう ぶつ りゅう
日東物流

株式公開計画なし

採用内定数	倍率	3年後離職率	平均年収
2名	54倍	33.3%	[総]814万円

●待遇、制度●
【初任給】月22.1万(諸手当0.6万円)
【残業】20.8時間【有休】11.1日【制度】[住][在]
●新卒定着状況●
20年入社(男3、女0)→3年後在籍(男2、女0)
●採用情報●
【人数】23年:2 24年:2 25年:応募108→内定2
【内定内訳】(男2、女0)(文2、理0)(総2、他0)
【試験】〔筆記〕常識〔性格〕有
【時期】エントリー25.3→内々定25.7
【採用実績校】近大1、神戸学大1
【求める人材】常に問題意識を持ち、工夫して改善への取り組みができる人

【本社】650-0045 兵庫県神戸市中央区港島4-6
☎078-302-0243
【特色・近況】神戸と大阪の港湾運送を主に、貨物輸送や倉庫など総合物流を展開。神戸六甲、大阪南港のコンテナターミナル運営を川崎汽船から受託。神戸、大阪、水島に6カ所の物流拠点を所有。川崎汽船と上組出資のKLKGホールディングス傘下。
【設立】1943.3 【資本金】1,596百万円
【社長】三木田博史(1959.10生 慶大経済卒)
【株主】〔24.3〕KLKGホールディングス100%
【事業】港運ターミナル事業部29、物流事業部23、水島事業部22、中国事業部25、他1
【従業員】単324名(44.2歳)

【業績】	売上高	営業利益	経常利益	純利益
単22.3	13,962	539	794	610
単23.3	14,711	789	1,035	755
単24.3	14,278	728	970	572

にっ ぽん
日本コンセプト

東証プライム

採用内定数	倍率	3年後離職率	平均年収
13名	30.8倍	57.1%	632万円

●待遇、制度●
【初任給】月28.5万
【残業】13.5時間【有休】14.5日【制度】[住]
●新卒定着状況●
20年入社(男6、女1)→3年後在籍(男3、女0)
●採用情報●
【人数】23年:10 24年:7 25年:応募400→内定13*
【内定内訳】(男7、女6)(文13、理0)(総13、他0)
【試験】なし
【時期】エントリー24.9→内々定25.2(一次・二次以降もWEB面接可)
【採用実績校】早大1、慶大2、上智大2、立命館大1、千葉大1、金沢大1、関大1、法政大1、学習院大1、津田塾大1、成蹊大1、他
【求める人材】‥

【本社】100-0011 東京都千代田区内幸町2-2-2 富国生命ビル
☎03-3507-8812
【特色・近況】ISO規格のタンクコンテナを用いて液体貨物物流サービスを提供。化学品、薬品、食品材料などが中心で危険物も扱う。輸送は外注し、自社のタンクコンテナと外注先の鉄道・トラック・船など輸送手段を組み合わせ、国内外で複合一貫輸送サービスを提供。
【設立】1994.1 【資本金】1,134百万円
【社長】松元孝義(1951.1生)
【株主】〔24.6〕商船三井28.9%
【連結事業】輸出売上35、輸入売上33、三国間売上7、国内輸送等売上22、他3 <海外40>
【従業員】連191名 単101名(32.4歳)

【業績】	売上高	営業利益	経常利益	純利益
連21.12	17,000	2,803	2,720	1,919
連22.12	23,081	4,885	4,709	3,261
連23.12	17,292	3,304	3,495	2,431

サービス

㈱ハマキョウレックス　東証プライム

採用内定数	倍率	3年後離職率	平均年収
9名	6.4倍	31.2%	㊗478万円

●待遇、制度●
【初任給】月22万
【残業】21.1時間【有休】9.7日【制度】‥
●新卒定着状況●
20年入社(男10、女6)→3年後在籍(男7、女4)
●採用情報●
【人数】23年:19 24年:17 25年:応募58→内定9*
【内定内訳】(男7、女2)(文9、理0)(総9、他0)
【試験】なし
【時期】エントリー24.5→内々定25.3(一次・二次以降もWEB面接可)【インターン】有
【採用実績校】拓大1、中京大1、神奈川大1、国士舘大1、大阪学大1、名城大1、静岡文芸大1、愛知淑徳大1、名古屋学院大1
【求める人材】変化に対応ができ、新しい事にチャレンジできる人

【本社】430-0841 静岡県浜松市中央区寺脇町1701-1 ☎053-444-0055
【特色・近況】独立系陸運企業で3PL(物流一括受託)大手。消費財の物流センター事業が主軸で、貨物自動車運送も行う。M&Aで運営センターを拡大。ホームケア、食品、メディカル、アパレルなどを扱う。物流センターのDX化など3PL事業を軸とする事業展開に重点。
【設立】1971.2　【資本金】6,547百万円
【社長】大須賀秀徳(1967.7生 東経大経営卒)
【株主】〔24.3〕エムエフカンパニー㈱12.1%
【連結事業】貨物自動車運送36、物流センター64
【従業員】連5,891名 単891名(43.2歳)

【業績】	売上高	営業利益	経常利益	純利益
連22.3	125,094	11,114	11,957	7,117
連23.3	131,912	11,548	12,306	7,400
連24.3	140,572	12,569	13,136	8,305

㈱ビーイングホールディングス　東証スタンダード

採用内定数	倍率	3年後離職率	平均年収
3名	32.3倍	69.7%	590万円

●待遇、制度●
【初任給】月24.5万
【残業】20.4時間【有休】8.3日【制度】住 在
●新卒定着状況●
20年入社(男15、女18)→3年後在籍(男5、女5)
●採用情報● グループ採用
【人数】23年:6 24年:3 25年:応募97→内定3*
【内定内訳】(男3、女0)(文3、理0)(総3、他0)
【試験】〔筆記〕常識
【時期】エントリー25.3→内々定25.4*(一次・二次以降もWEB面接可)【インターン】有
【採用実績校】京産大1、桃山学大1、甲南大1
【求める人材】明るく元気で素直な人、変化を愉しむことが好きな人、できなくても「やる」と決めてくれる人

【本社】920-0356 石川県金沢市専光寺町レ3-18 ☎076-268-1110
【特色・近況】生活物資に特化した3PL(物流一括請負)事業を子会社で展開する持株会社。食品、医薬品、日用品など小口物流が得意で、主要顧客はスーパー、コンビニ、ドラッグストアなど。顧客に合わせた自社開発の物流システム提供が強み。発祥の北陸から全国展開。
【設立】2000.4　【資本金】690百万円
【社長】喜多甚一(1966.8生 石川津幡高卒)
【株主】〔24.6〕㈱喜多商店47.5%
【連結事業】物流97、他3
【従業員】連937名 単44名(46.7歳)

【業績】	売上高	営業利益	経常利益	純利益
連21.12	20,029	1,117	1,207	851
連22.12	23,022	1,301	1,376	873
連23.12	26,322	1,796	1,817	1,123

伏木海陸運送(ふしきかいりくうんそう)　東証スタンダード

採用内定数	倍率	3年後離職率	平均年収
2名	1.5倍	40%	592万円

●待遇、制度●
【初任給】月21.1万
【残業】25時間【有休】‥日【制度】フ 住 在
●新卒定着状況●
20年入社(男13、女2)→3年後在籍(男7、女2)
●採用情報●
【人数】23年:6 24年:5 25年:応募3→内定2*
【内定内訳】(男2、女0)(文2、理0)(総2、他0)
【試験】なし
【時期】エントリー25.1→内々定25.5*
【採用実績校】高岡法科大1、金沢星稜大1
【求める人材】前向きでやる気のある人

【本社】933-0192 富山県高岡市伏木湊町5-1 ☎0766-45-1111
【特色・近況】伏木港と富山新港での港湾運送、通関業務が柱。両港に倉庫を保有。輸入は海上コンテナのほか石炭や原木・製材など原燃料、輸出はコンテナなどを扱う。住宅販売、旅行企画、ホテル運営も手がける。ウラジオストクと大連に事業所。
【設立】1944.3　【資本金】1,850百万円
【社長】大門督幸(1956.1生 早大法卒)
【株主】〔24.6〕㈱橘海運7.9%
【連結事業】港運66、不動産9、繊維製品製造16、他9
【従業員】連699名 単308名(41.0歳)

【業績】	売上高	営業利益	経常利益	純利益
連22.6	12,209	781	937	412
連23.6	13,066	1,334	1,256	688
連24.6	12,935	741	714	468

サービス

藤木企業（ふじききぎょう）	株式公開計画なし	採用内定数	倍率	3年後離職率	平均年収
		1名	3倍	ー	784万円

●待遇、制度●
【初任給】月22.5万(諸手当10.7万円)
【残業】23時間【有休】13.1日【制度】[住]
●新卒定着状況●
20年入社(男0、女0)→3年後在籍(男0、女0)
●採用情報●
【人数】23年:1 24年:1 25年:応募3→内定1*
【内定内訳】(男1、女0)(文1、理0)(総1、他0)
【試験】〔筆記〕有〔性格〕有
【時期】エントリー25.3→内々定25.5*
【採用実績校】明大院1
【求める人材】協調性のある人、調整力のある人

【本社】231-0003 神奈川県横浜市中区北仲通2-14 ☎045-211-1531
【特色・近況】横浜港を中心とする京浜地盤の港湾荷役会社。1923年創業。スピーディーなサービスを提供する「早荷」精神を継承、荷役技術の研究・機械化進める。本牧埠頭に多目的倉庫を運営し荷役との一貫作業体制。国際複合物流の三協や藤木陸運などとグループを形成。
【設立】1947.7 【資本金】50百万円
【会長】藤木幸太(1954.8生 早大教育卒)
【株主】‥
【事業】港湾運送95、倉庫3、不動産2
【従業員】単394名(‥歳)

【業績】	売上高	営業利益	経常利益	純利益
単21.12	7,267	‥	‥	‥
単22.12	7,450	‥	‥	‥
単23.12	7,900	‥	‥	‥

富士港運（ふじこううん）	株式公開計画なし	採用内定数	倍率	3年後離職率	平均年収
		7名	‥	ー	‥

●待遇、制度●
【初任給】月23万(諸手当0.8万円)
【残業】‥時間【有休】‥日【制度】[住]
●新卒定着状況●
20年入社(男0、女0)→3年後在籍(男0、女0)
●採用情報●
【人数】23年:5 24年:7 25年:応募‥→内定7
【内定内訳】(男6、女1)(文4、理0)(総4、他3)
【試験】‥
【時期】エントリー25.3→内々定25.6(一次はWEB面接可)
【採用実績校】‥
【求める人材】当社のキーワード、「人・安全・改善」に共感できる人

【本社】105-0013 東京都港区浜松町1-29-6 ☎03-3434-5231
【特色・近況】京浜・京葉地区の港湾運送大手。芝浦埠頭の船内・沿岸荷役が発祥。日本製鉄鹿島製鉄所構内の港湾運送業務も行う。重量物得意。港湾から陸上運送、倉庫、通関業へ展開、倉庫は紙・食料品も扱う。私設埠頭持つ千葉、市川や東京、鹿島、船橋各港などに営業拠点。
【設立】1950.3 【資本金】546百万円
【社長】五味道晴
【株主】〔24.3〕富士港運ホールディングス100%
【事業】港湾運送50、一般貨物運送28、倉庫14、他8
【従業員】単515名(44.0歳)

【業績】	売上高	営業利益	経常利益	純利益
単22.3	8,437	91	407	272
単23.3	9,358	555	535	388
単24.3	9,911	472	893	640

㈱富士ロジテックホールディングス	株式公開計画なし	採用内定数	倍率	3年後離職率	平均年収
		6名	11.5倍	42.9%	[総]541万円

●待遇、制度●
【初任給】月22.5万
【残業】20.2時間【有休】8.7日【制度】[フ][住][在]
●新卒定着状況●
20年入社(男5、女2)→3年後在籍(男2、女2)
●採用情報●
【人数】23年:13 24年:14 25年:応募69→内定6*
【内定内訳】(男4、女2)(文4、理2)(総6、他0)
【試験】〔性格〕有
【時期】エントリー25.3→内々定25.6*(一次はWEB面接可)【インターン】有
【採用実績校】埼玉大1、東京都市大1、神奈川大1、常葉大2、帝京平成大1
【求める人材】「できる人」よりも「自らやる人」、自分の考えを持って自ら道を切り開こうとする人

【東京本社】100-0005 東京都千代田区丸の内3-4-1 新国際ビル8階 ☎03-5208-1001
【特色・近況】倉庫業を核に運輸・国際複合輸送も手がける総合物流企業グループ。顧客の国際供給網へのコンサルも強化。東京、静岡2本社制。北関東から九州まで倉庫・物流センター展開。米国と中国に拠点。奈良新倉庫開設で関西強化、2030年までに売上倍増目指す。
【設立】1918.5 【資本金】300百万円
【代表取締役】鈴木庸介(1972.6生 ミシガン大経営卒)
【株主】〔23.12〕三和興産43.6%
【事業】倉庫48、運送36、不動産13、他3
【従業員】連820名 単772名(45.5歳)

【業績】	売上高	営業利益	経常利益	純利益
連22.8	23,530	385	437	615
単22.12変	7,056	137	142	▲1,794
単23.12	20,847	169	178	671

サービス

㈱二葉（ふたば）

株式公開していない

採用内定数	倍率	3年後離職率	平均年収
12名	10.3倍	15.4%	767万円

●待遇、制度●
【初任給】月23.4万(諸手当1.2万円)
【残業】35時間【有休】9.3日【制度】住
●新卒定着状況●
20年入社(男7、女6)→3年後在籍(男5、女6)
●採用情報●
【人数】23年:14 24年:13 25年:応募123→内定12*
【内定内訳】(男6、女6)(文10、理2)(総12、他0)
【試験】なし
【時期】エントリー25.3→内々定25.5(一次はWEB面接可)
【採用実績校】神奈川大2、明大1、津田塾大1、東京外大1、和歌山大1、佐賀大1、獨協大1、愛知県大1、和光大1、杏林大1、西南学大1
【求める人材】協調性を重んじ、お客様の立場になって、忍耐強く実直に仕事ができる人

【本社】108-8628 東京都港区高輪3-19-15 ☎03-3473-8210
【特色・近況】京浜港での冷凍・冷蔵輸入食品取り扱いが主事業。1924年横浜にて港湾運送で創業、その後保管、通関、冷凍・冷蔵倉庫へ展開。取り扱いシェアは畜産物約3割、水産物1割。冷蔵倉庫はグループ含め東京、川崎、横浜、大阪各港に保有し設備能力約31万トン。
【設立】1948.6 【資本金】626百万円
【社長】鈴木英明
【株主】〔24.3〕ファーストサービス27.6%
【連結事業】一般港湾運送・通関34、倉庫44、物流他22
【従業員】連660名 単302名(42.0歳)

【業績】	売上高	営業利益	経常利益	純利益
連22.3	22,587	2,698	2,727	1,758
連23.3	24,023	2,316	2,324	1,553
連24.3	24,955	2,664	3,247	2,206

㈱マブチ

株式公開していない

採用内定数	倍率	3年後離職率	平均年収
2名	20倍	0%	㊇570万円

●待遇、制度●
【初任給】月21.3万
【残業】13.3時間【有休】13.2日【制度】住
●新卒定着状況●
20年入社(男1、女1)→3年後在籍(男1、女1)
●採用情報●
【人数】23年:1 24年:4 25年:応募40→内定2*
【内定内訳】(男2、女0)(文2、理0)(総2、他0)
【試験】〔Web自宅〕有〔性格〕有
【時期】エントリー25.1→内々定25.3(一次はWEB面接可)【インターン】有
【採用実績校】‥
【求める人材】好奇心や追求心があり、自主自律ができる人

【本社】231-0021 神奈川県横浜市中区日本大通17 JPR横浜日本大通ビル3階 ☎045-210-0055
【特色・近況】自動車のKD(半完成品)梱包物流や機械・設備などの輸出梱包が主力。梱包容器の製作など物流技術研究にも取り組む。グループ会社で国際複合一貫輸送や梱包・包装資材の製造・販売も手がける。東南アジア3カ国に5拠点展開。住宅工場生産ラインも請け負う。
【設立】1976.10 【資本金】130百万円
【社長】坂本幹夫(1967.4生 松江工高専卒)
【株主】〔23.9〕馬淵建設43.1%
【事業】自動車KD梱包、一般輸出梱包、スチール製箱製作、通関業、包装資材販売、住宅製造請負
【従業員】単510名(47.0歳)

【業績】	売上高	営業利益	経常利益	純利益
単21.9	14,596	‥	951	833
単22.9	18,076	‥	899	1,025
単23.9	18,124	‥	1,210	1,095

丸八倉庫（まるはちそうこ）

東証スタンダード

採用実績数	倍率	3年後離職率	平均年収
1名	―	0%	620万円

●待遇、制度●
【初任給】月21.2万
【残業】16.4時間【有休】11.8日【制度】‥
●新卒定着状況●
20年入社(男2、女1)→3年後在籍(男2、女1)
●採用情報●
【人数】23年:1 24年:1 25年:応募23→内定0
【内定内訳】(男‥、女‥)(文‥、理‥)(総‥、他‥)
【試験】〔Web自宅〕SPI3
【時期】エントリー25.3→内々定25.6(一次はWEB面接可)
【採用実績校】‥
【求める人材】相手の立場を尊重し、前向きに課題に取り組む人

【本社】135-0047 東京都江東区富岡2-1-9 HF門前仲町ビルディング ☎03-5620-0809
【特色・近況】首都圏を中心に東北にも拠点を持つ中堅倉庫会社。倉庫事業と不動産事業が2本柱。倉庫は自社運営のほか、テナントへの賃貸も多い。企業からの文書保管分野も強化中。都内や宮城県・仙台で賃貸マンション、オフィスビルや商業ビル賃貸などを展開。
【設立】1934.3 【資本金】2,527百万円
【社長】峯島一郎(1960.3生 早大社会科学卒)
【株主】〔24.5〕尾張屋土地22.4%
【連結事業】物流87、不動産13
【従業員】連110名 単51名(44.9歳)

【業績】	売上高	営業利益	経常利益	純利益
連21.11	4,823	741	733	506
連22.11	4,763	572	577	360
連23.11	4,972	574	585	412

三井埠頭（みついふとう）

株式公開計画なし

採用内定数	倍率	3年後離職率	平均年収
3名	3倍	16.7%	㊗718万円

●待遇、制度●
【初任給】月23.6万
【残業】16.5時間【有休】16.9日【制度】住
●新卒定着状況●
20年入社(男4、女2)→3年後在籍(男4、女1)
●採用情報●
【人数】23年:3 24年:3 25年:応募9→内定3*
【内定内訳】(男3、女0)(文3、理0)(総3、他0)
【試験】〔筆記〕有〔Web会場〕有
【時期】エントリー25.3→内々定25.5
【採用実績校】成蹊大1、山梨県大1、帝京平成大1

【求める人材】自主性、積極性、協調性をもって、物流サービスの向上に取り組める人

【本社】210-0867 神奈川県川崎市川崎区扇町9-1 ☎044-333-5311
【特色・近況】川崎港で港湾運送、倉庫、輸送などを運営。約21万平方メートルの私設埠頭を保有、公共では難しい石炭や建設発生土を取り扱う。SUBARU車の輸出は通関から船側まで一貫輸送。環境部門を持ち、親会社太平洋セメントのセメントリサイクル施設運営も受託。
【設立】1945.3 【資本金】3,500百万円
【社長】奥村豊彦(1960.3生 関西学大卒)
【株主】〔24.3〕太平洋セメント100%
【事業】港運営業28、環境48、倉庫営業14、東扇島営業5、業務4、不動産1、海外0
【従業員】単157名(41.1歳)

【業績】	売上高	営業利益	経常利益	純利益
単22.3	12,457	1,777	1,811	1,059
単23.3	11,720	1,058	1,086	624
単24.3	13,342	1,218	1,281	811

三菱商事ロジスティクス（みつびししょうじ）

株式公開計画なし

採用内定数	倍率	3年後離職率	平均年収
8名	24.6倍	14.3%	㊗680万円

●待遇、制度●
【初任給】月24.8万
【残業】14.4時間【有休】16.5日【制度】フ 住 在
●新卒定着状況●
20年入社(男4、女3)→3年後在籍(男3、女3)
●採用情報●
【人数】23年:6 24年:8 25年:応募197→内定8
【内定内訳】(男5、女3)(文8、理0)(総8、他0)
【試験】〔Web自宅〕有〔性格〕有
【時期】エントリー25.3→内々定25.5(一次・二次以降もWEB面接可)【インターン】有
【採用実績校】明大2、千葉大2、日大1、獨協大1、明学大1、東洋大1

【求める人材】自ら考えて行動し、既存の仕組みに捉われず、新たな価値を創造できる人

【本店】100-0006 東京都千代田区有楽町2-10-1 東京交通会館 ☎03-6267-2500
【特色・近況】三菱商事の完全子会社で物流事業を展開。自動車、アパレル、食品、工業材、化学品など多様な商材取扱実績を活かし、生産から消費までの全領域をカバー。国際一貫輸送に加え、DXを用いたサプライチェーン全体のコンサルも手がける。アジア、米国に現地法人。
【設立】1954.4 【資本金】1,067百万円
【代表取締役】岩井孝介
【株主】〔24.3〕三菱商事100%
【事業】物流、不動産
【従業員】単183名(38.8歳)

【業績】	売上高	営業利益	経常利益	純利益
単22.3	23,699	2,271	2,636	1,961
単23.3	32,551	3,403	4,046	1,869
単24.3	19,136	2,528	3,322	2,469

山村ロジスティクス（やまむら）

株式公開計画なし

採用内定数	倍率	3年後離職率	平均年収
4名	4.8倍	40%	㊗522万円

●待遇、制度●
【初任給】月24万
【残業】25時間【有休】10日【制度】住
●新卒定着状況●
20年入社(男3、女2)→3年後在籍(男3、女0)
●採用情報●
【人数】23年:8 24年:12 25年:応募19→内定4*
【内定内訳】(男3、女1)(文3、理0)(総3、他1)
【試験】〔筆記〕常識
【時期】エントリー24.10→内々定25.1*(一次はWEB面接可)【インターン】有【ジョブ型】有
【採用実績校】近大1、流通科学大2、東京立正短大1

【求める人材】素直で協調性があり、お客様や従業員に役立つアイディアを発想できる人

【本社】660-0857 兵庫県尼崎市西向島町15-1 ☎06-4300-6430
【特色・近況】コンビニや量販店向け食品などの輸配送を行う。常温、定温、冷蔵、冷凍の各温度帯や、日々変動する配送量にも対応、流通加工も請け負う。全国に約40の物流拠点持ち輸配送ネットワーク形成。人材派遣や警備・管財事業も併営。日本山村硝子グループ。
【設立】2015.11 【資本金】20百万円
【社長】田口義洋(1963生)
【株主】〔24.3〕日本山村硝子100%
【事業】貨物自動車運送、自動車運送取扱、倉庫、人材派遣、警備他
【従業員】単1,850名(46.5歳)

【業績】	売上高	営業利益	経常利益	純利益
単22.3	10,760	564	578	396
単23.3	10,797	474	485	▲115
単24.3	10,979	501	510	319

サービス

(株)ユニエツクスNCT

株式公開していない

採用内定数	倍率	3年後離職率	平均年収
12名	3.7倍	25%	845万円

●待遇、制度●
【初任給】月22.4万(諸手当1.5万円)
【残業】20.6時間【有休】12.5日【制度】[住]
●新卒定着状況●
20年入社(男8、女4)→3年後在籍(男5、女4)
●採用情報● 24年は10月採用含む
【人数】23年:2 24年:6 25年:応募44→内定12
【内定内訳】(男4、女8)(文9、理0)(総10、他2)
【試験】〔性格〕有
【時期】エントリー 25.1→内々定25.5(一次はWEB面接可)【インターン】有
【採用実績校】駒澤大1、新潟大2、清泉女大1、共立女大1、青学大1、桜美林大1、金城学大1、立教大1、港湾職能短大1
【求める人材】前向きで、あらゆることに興味を持ち、和を大切にする人

【本社】140-0033 東京都中央区新川1-28-24 東京ダイヤビルディング4号館7階 ☎03-6280-0300
【特色・近況】コンテナターミナル業務を主に、東京・横浜・神戸各港で、輸出入貨物の港湾荷役を行う。倉庫保管・庫内加工、通関作業なども実施。食品輸送に長年の実績。各国代理店を通じた国際ネットワーク持つ。各種港湾荷役機器の整備も請け負う。日本郵船の連結子会社。
【設立】1920.7 【資本金】934百万円
【代表取締役】齊藤宗明
【株主】〔24.3〕エム・ワイ・ターミナルズ・ホールディングス100%
【事業】港湾運送、倉庫業、通関業、他
【従業員】単‥名(‥歳)

【業績】	売上高	営業利益	経常利益	純利益
単22.3	28,218	924	1,439	1,073
単23.3	29,395	2,217	3,572	2,750
単24.3	29,588	3,190	3,912	2,855

(株)リンコーコーポレーション

東証スタンダード

採用内定数	倍率	3年後離職率	平均年収
3名	6.7倍	0%	[総]595万円

●待遇、制度●
【初任給】月20.3万
【残業】19時間【有休】15日【制度】[住][在]
●新卒定着状況●
20年入社(男4、女0)→3年後在籍(男4、女0)
●採用情報●
【人数】23年:9 24年:7 25年:応募20→内定3*
【内定内訳】(男1、女2)(文3、理0)(総3、他0)
【試験】〔筆記〕SPI3〔Web自宅〕SPI3〔性格〕有
【時期】エントリー 24.6→内々定25.5(一次はWEB面接可)【インターン】有
【採用実績校】大阪経大1、新潟国際情報大2
【求める人材】コミュニケーション能力がある、想定外のことにも対応出来る、お客様の心を大切にする人

【本社】950-8540 新潟県新潟市中央区万代5-11-30 ☎025-245-4113
【特色・近況】新潟港軸の運送大手。新潟東港・西港に倉庫群を擁する。港湾運送など運輸部門が売上高の大半だが、不動産賃貸が利益を下支え。建機・石油・セメント製品の販売や商事部門も持つ。子会社で新潟駅前のホテル事業も。海外は中国・上海に駐在員事務所を展開。
【設立】1905.11 【資本金】1,950百万円
【社長】本間常悌(1968.10生 駒沢大文卒)
【株主】〔24.3〕川崎汽船24.2%
【連結事業】運輸73、不動産2、ホテル16、関連8
【従業員】連604名 単338名(44.1歳)

【業績】	売上高	営業利益	経常利益	純利益
連22.3	12,694	124	376	455
連23.3	13,442	208	428	683
連24.3	13,110	152	274	357

ロジスティード西日本(にしにっぽん)

株式公開計画なし

採用内定数	倍率	3年後離職率	平均年収
11名	56.9倍	28.6%	[総]400万円

●待遇、制度●
【初任給】月21.7万
【残業】30時間【有休】16.9日【制度】[住]
●新卒定着状況●
20年入社(男13、女8)→3年後在籍(男9、女6)
●採用情報●
【人数】23年:25 24年:32 25年:応募626→内定11*
【内定内訳】(男6、女5)(文9、理0)(総11、他0)
【試験】〔Web自宅〕WEB-GAB
【時期】エントリー 25.3→内々定25.6(一次・二次以降もWEB面接可)【インターン】有
【採用実績校】姫路獨協大1、大阪経大2、尾道市大1、関西学大2、追手門学大1、龍谷大1、天理大1、京都外語短大1、広島商船高専1
【求める人材】多様な人々とコミュニケーションをとり、主体的に物事に取り組める人

【本社】554-0012 大阪府大阪市此花区西九条1-28-13 ☎06-6461-8061
【特色・近況】ロジスティード(旧日立物流)の国内地域別子会社。近畿と中・四国で3PL(物流一括請負)を展開する。工場の原料・部品の検収など調達物流も手がける。新幹線などの大型車両や大型ポンプ、クレーンなどの重量機工の輸送・据付・搬入作業に実績。
【設立】1972.1 【資本金】200百万円
【社長】畠山和久
【株主】〔24.3〕ロジスティード100%
【事業】流通43、倉配・工場50、機工7
【従業員】単1,157名(‥歳)

【業績】	売上高	営業利益	経常利益	純利益
単22.3	67,198	6,020	5,962	4,004
単23.3	66,882	5,602	5,561	4,093
単24.3	66,153	3,641	3,622	2,546

サービス

#有休取得が多い

東京団地倉庫（とうきょうだんちそうこ）

株式公開計画なし

採用予定数	倍率	3年後離職率	平均年収
2名	‥	0%	‥

●待遇、制度●
【初任給】月22.3万
【残業】11.6時間【有休】19.4日【制度】[在]
●新卒定着状況●
20年入社(男1、女1)→3年後在籍(男1、女1)
●採用情報●
【人数】23年:1 24年:0 25年:予定2*
【内定内訳】(男‥、女‥)(文‥、理‥)(総‥、他‥)
【試験】〔性格〕有
【時期】エントリー通年→内々定通年
【採用実績校】‥

【求める人材】これからの50年を共に創っていくという気概を持てる人

【本社】135-0034 東京都江東区永代2-31-1 いちご永代ビル5階 ☎03-3641-3124
【特色・近況】倉庫会社の共同出資による倉庫賃貸会社。流通団地内の倉庫施設の取得・賃貸が主体。都内4流通団地の倉庫施設を出資会社に賃貸。延べ15万坪の施設を管理・運営保有。4倉庫とも耐震基準適合。足立事業所の大規模設備更新進める。
【設立】1966.8 【資本金】4,513百万円
【社長】和田康政(1956.4生 大島商船高専卒)
【株主】〔24.3〕乾6.5%
【事業】不動産賃貸100
【従業員】単35名(43.0歳)

【業績】	売上高	営業利益	経常利益	純利益
単22.3	5,299	2,723	2,620	1,815
単23.3	5,283	2,496	2,500	1,731
単24.3	5,282	2,480	2,459	1,702

#有休取得が多い

神奈川中央交通（かながわちゅうおうこうつう）

東証プライム

採用内定数	倍率	3年後離職率	平均年収
23名	5倍	31.1%	[総]673万円

●待遇、制度●
【初任給】月21.5万
【残業】54.7時間【有休】18.3日【制度】[住][在]
●新卒定着状況●
20年入社(男30、女15)→3年後在籍(男18、女13)
●採用情報●
【人数】23年:16 24年:26 25年:応募114→内定23*
【内定内訳】(男17、女6)(文21、理2)(総22、他1)
【試験】〔筆記〕常識、他〔Web会場〕有〔性格〕有
【時期】エントリー25.3→内々定25.5【インターン】有
【採用実績校】横浜市大1、成城大1、東海大4、東洋大2、日大2、二松学舎大1、淑徳大1、多摩大1、駒澤大1、東洋英和女学大1、明大2、他
【求める人材】理想とするバス事業の実現に向け、創造・挑戦できる人

【本社】254-0811 神奈川県平塚市八重咲町6-18 ☎0463-22-8800
【特色・近況】小田急系のバス・タクシー会社。三浦・箱根などを除く神奈川全域と東京・多摩地区南部が営業エリア。バス保有台数は2000台超。不動産分譲・賃貸のほか、輸入乗用車などの自動車販売、ホテルなどを兼営し、利益の大半は兼営事業が稼ぐ。
【設立】1921.6 【資本金】3,160百万円
【社長】今井雅之(1968.8生 青学大理工卒)
【株主】〔24.3〕小田急電鉄44.2%
【連結事業】旅客自動車47、不動産5、自動車販売30、他18
【従業員】連6,610名 単2,048名(50.9歳)

【業績】	売上高	営業利益	経常利益	純利益
連22.3	97,777	1,008	2,586	1,838
連23.3	103,865	4,323	4,910	1,149
連24.3	117,067	7,516	7,747	3,262

#有休取得が多い

神戸電鉄（こうべでんてつ）

東証プライム

採用内定数	倍率	3年後離職率	平均年収
3名	73.3倍	25%	519万円

●待遇、制度●
【初任給】月22.9万
【残業】25時間【有休】18.3日【制度】[フ][住]
●新卒定着状況●
20年入社(男2、女2)→3年後在籍(男2、女1)
●採用情報● 高卒・専門卒除く
【人数】23年:16 24年:8 25年:応募220→内定3*
【内定内訳】(男2、女1)(文2、理1)(総2、他1)
【試験】〔Web自宅〕有〔性格〕有
【時期】エントリー25.3→内々定25.5(一次はWEB面接可)【インターン】有
【採用実績校】神戸市外大1、大阪産大1、日大1

【求める人材】責任感が強く、様々な業務に臨機に対応できる柔軟性を持った人

【本社】652-0811 兵庫県神戸市兵庫区新開地1-3-24 ☎078-576-8651
【特色・近況】阪急阪神HDグループで、神戸・有馬・三田エリアが地盤の電鉄会社。有馬線、三田線、公園都市線、粟生線、神戸高速線を持ち、総営業キロ69.6km。子会社でバス・タクシー、食品スーパー、温泉給湯業も展開。有馬温泉周遊など企画乗車券を発売。
【設立】1926.3 【資本金】11,710百万円
【社長】井波洋(1962.8生)
【株主】〔24.3〕阪急阪神ホールディングス27.2%
【連結事業】運輸業61、流通業23、不動産業8、他8
【従業員】連884名 単511名(41.5歳)

【業績】	売上高	営業利益	経常利益	純利益
連22.3	20,517	1,065	652	519
連23.3	21,321	1,391	998	676
連24.3	22,313	1,859	1,358	1,024

#有休取得が多い

国際興業（こくさいこうぎょう）

株式公開計画なし

採用内定数	倍率	3年後離職率	平均年収
22名	6.4倍	28.6%	[総]651万円

●待遇、制度●
【初任給】月24.2万(諸手当0.8万円)
【残業】25.6時間【有休】18.1日【制度】[住][在]

●新卒定着状況●
20年入社(男6、女1)→3年後在籍(男4、女1)

●採用情報●
【人数】23年:13 24年:19 25年:応募141→内定22*
【内定内訳】(男9、女13)(文19、理0)(総6、他16)
【試験】〔筆記〕常識〔性格〕有
【時期】エントリー25.3→内々定25.3*(一次・二次以降もWEB面接可)【インターン】有
【採用実績校】明大1、國學院大1、東洋大2、駒澤大1、専大1、東京経大2、大東文化大2、杏林大1、札幌大1、他
【求める人材】既成概念にとらわれず、挑戦する姿勢をもって、自らを成長させたいと考えている人

【本社】104-8460 東京都中央区八重洲2-10-3 ☎03-3273-1118
【特色・近況】国際興業グループの中核で、路線・観光・高速・空港路線バスなど運輸事業が柱。路線バスは都内城北・城西や埼玉県南部、中央地域などに約450系統持つ。産業機械販売や商事事業、国内外ホテル運営など観光・レジャー事業、不動産賃貸など多角的に展開。
【設立】2012.11 【資本金】100百万円
【社長】黒滝寛(1960.2生 日大国際関卒)
【株主】〔24.3〕国際興業管理100%
【事業】運輸57、商事39、他4
【従業員】単2,175名(48.3歳)

【業績】	売上高	営業利益	経常利益	純利益
単22.3	32,641	‥	‥	‥
単23.3	34,505	‥	‥	‥
単24.3	38,388	‥	‥	‥

小湊鐵道（こみなとてつどう）

株式公開計画なし

採用内定数	倍率	3年後離職率	平均年収
2名	1倍	‥	464万円

●待遇、制度●
【初任給】月22.7万(諸手当0.5万円、固定残業代20時間分)
【残業】20時間【有休】15日【制度】[住]

●新卒定着状況●
‥

●採用情報●
【人数】23年:0 24年:0 25年:応募2→内定2*
【内定内訳】(男1、女1)(文‥、理‥)(総1、他1)
【試験】〔性格〕有
【時期】エントリー25.6→内々定25.10*(一次はWEB面接可)【インターン】有
【採用実績校】東京ホスピタリティアカデミー専1、東京交通短大1
【求める人材】自発的に行動ができ、地元(市原)をもっと盛り上げたいと思う人

【本社】290-0054 千葉県市原市五井中央東1-1-2 ☎0436-21-3133
【特色・近況】鉄道(五井～上総中野間39.1km)と、乗合バス・高速バス(営業キロ約1597km)、貸し切りバス事業を手がける。「房総里山トロッコ」を運行、鉄道愛好家や観光客に人気。五井駅にカフェ併設の待合室。グループ企業でタクシー事業やゴルフ場経営も行う。
【設立】1917.5 【資本金】202百万円
【社長】石川晋平(1972.8生 日大商卒)
【株主】〔24.3〕九十九里鉄道63.9%
【事業】運輸88、不動産11、レジャー・サービス1、他0
【従業員】単531名(‥歳)

【業績】	売上高	営業利益	経常利益	純利益
単22.3	4,563	92	▲42	▲1
単23.3	4,677	346	243	87
単24.3	5,198	312	161	103

#残業が少ない

第一交通産業（だいいちこうつうさんぎょう）

福証

採用内定数	倍率	3年後離職率	平均年収
11名	10倍	60%	427万円

●待遇、制度●
【初任給】月21.6万(固定残業代9.5時間分)
【残業】3.4時間【有休】9.7日【制度】[フ][住][在]

●新卒定着状況●
20年入社(男8、女2)→3年後在籍(男3、女1)

●採用情報●
【人数】23年:7 24年:12 25年:応募110→内定11*
【内定内訳】(男9、女2)(文10、理0)(総11、他0)
【試験】〔Web自宅〕SPI3
【時期】エントリー24.10→内々定25.1(一次・二次以降もWEB面接可)【インターン】有
【採用実績校】北九州市大4、立命館大1、福岡大1、九産大1、九州共立大1、久留米大1、神戸学大1、KCS北九州情報専1
【求める人材】「人」の「未来」に目を向け、主体的に行動できる人

【本社】802-8515 福岡県北九州市小倉北区馬借2-6-8 ☎093-511-8811
【特色・近況】北九州市小倉が発祥のタクシー会社。早くから積極的買収で全国展開。34都道府県にグループ会社100社超、稼働車両台数は約8200台と業界最大手。バス事業も手がける。不動産分譲・賃貸が売上高の約4割占め収益源に。金融事業、不動産再生に重点。
【設立】1964.9 【資本金】2,027百万円
【社長】田中亮一郎(1959.4生 青学大経済卒)
【株主】〔24.3〕㈱第一マネージメント34.1%
【連結事業】タクシー50、バス7、不動産分譲29、不動産賃貸5、不動産再生4、金融1、他4
【従業員】連10,941名 単314名(42.6歳)

【業績】	売上高	営業利益	経常利益	純利益
連22.3	92,805	340	1,637	▲842
連23.3	98,972	2,650	4,212	2,150
連24.3	100,711	3,054	4,008	919

サービス

大和自動車交通（だいわじどうしゃこうつう）

東証スタンダード

採用内定数	倍率	3年後離職率	平均年収
13名	79.6倍	33.3%	517万円

●待遇、制度●
【初任給】月21万（諸手当4万円）
【残業】23.5時間【有休】‥日【制度】フ 住 在
●新卒定着状況●
20年入社（男17、女4）→3年後在籍（男12、女2）
●採用情報● グループ採用
【人数】23年:14 24年:25 25年:応募1035→内定13*
【内定内訳】（男10、女3）（文13、理0）（総0、他13）
【試験】なし
【時期】エントリー25.3→内々定25.3*（一次はWEB面接可）【インターン】有
【採用実績校】日大1、東洋大1、駒澤大1、帝京大1、松山大1、東北学大1、武庫川女大1、関西外大1、千葉経大1、流経大1、他
【求める人材】和を重んじ、柔軟で解決力のある人

【本社】135-0003 東京都江東区猿江2-16-31 ☎03-6757-7164
【特色・近況】都内ハイヤー・タクシー大手4社の一角。子会社を多数擁する持株会社。タクシー会社が加盟する信和事業協同組合と業務提携し、約2300台の車両が同一商標で運行する。配車アプリも展開。不動産業も併営し収益柱。都内に17のビル・マンションを所有。
【設立】1939.9 【資本金】525百万円
【社長】大塚一基（1960.7生 九大卒）
【株主】〔24.3〕新倉文明8.0%
【連結事業】旅客自動車運送72、不動産5、販売11、サービス・メンテナンス11
【従業員】連2,691名 単121名（45.6歳）

【業績】	売上高	営業利益	経常利益	純利益
連22.3	15,271	▲1,234	▲27	1,818
連23.3	17,795	80	196	177
連24.3	18,377	▲466	▲440	▲532

#有休取得が多い

多摩都市モノレール（たまとし）

株式公開計画なし

採用予定数	倍率	3年後離職率	平均年収
若干	‥	0%	575万円

●待遇、制度●
【初任給】月21万
【残業】14.5時間【有休】17.7日【制度】住 在
●新卒定着状況●
20年入社（男8、女3）→3年後在籍（男8、女3）
●採用情報●
【人数】23年:5 24年:6 25年:予定若干
【内定内訳】（男‥、女‥）（文‥、理‥）（総‥、他‥）
【試験】〔筆記〕常識、他〔性格〕有
【時期】エントリー‥→内々定‥
【採用実績校】‥
【求める人材】多摩地域のために思いやりを持って働ける人

【本社】190-0015 東京都立川市泉町1078-92 ☎042-526-7800
【特色・近況】京王・小田急多摩センター駅と東大和市上北台を結ぶ都市モノレールを運営。営業キロ数16km。東京都が8割弱を出資する第3セクター。運営基地や変電所、車両など運行に関わる部分を担当し、橋脚や軌道桁などインフラ部分は東京都が管轄。
【設立】1986.4 【資本金】100百万円
【社長】奥山宏二（1962.8生 日大理工卒）
【株主】〔24.3〕東京都79.8%
【事業】旅客運送97、付帯3
【従業員】単250名（39.0歳）

【業績】	売上高	営業利益	経常利益	純利益
単22.3	6,807	320	589	483
単23.3	8,012	1,347	1,507	975
単24.3	8,264	1,385	1,473	922

秩父鉄道（ちちぶてつどう）

東証スタンダード

採用内定数	倍率	3年後離職率	平均年収
4名	‥	16.7%	483万円

●待遇、制度●
【初任給】月19.4万
【残業】14.7時間【有休】17日【制度】‥
●新卒定着状況●
20年入社（男6、女0）→3年後在籍（男5、女0）
●採用情報●
【人数】23年:14 24年:9 25年:応募‥→内定4
【内定内訳】（男3、女1）（文4、理0）（総1、他3）
【試験】〔筆記〕常識、他〔性格〕有
【時期】エントリー25.3→内々定25.6【インターン】有
【採用実績校】学習院大1、立正大1、東京交通短大2
【求める人材】強い責任感のある人、柔軟な対応力のある人、地域社会に貢献したい人

【本社】360-0033 埼玉県熊谷市曙町1-1 ☎048-523-3311
【特色・近況】埼玉県北部地盤の鉄道会社。太平洋セメントの関連会社で売上高依存度は2割強。路線は羽生-熊谷-三峰口の71.7kmと、セメント原料を輸送する貨物専用の三ケ尻線の3.7km。不動産賃貸業が収益を支える。長瀞のライン下りなど観光事業も手がける。
【設立】1899.11 【資本金】750百万円
【社長】牧野英伸（1962.7生）
【株主】〔24.3〕太平洋セメント33.1%
【連結事業】鉄道65、不動産7、観光9、卸売・小売12、他7
【従業員】連409名 単302名（42.1歳）

【業績】	売上高	営業利益	経常利益	純利益
連22.3	4,352	▲287	▲192	▲47
連23.3	4,688	▲361	▲311	▲5,046
連24.3	4,913	16	19	92

サービス

富山地方鉄道（とやまちほうてつどう）

株式公開 未定

採用内定数	倍率	3年後離職率	平均年収
8名	1.8倍	33.3%	[総]523万円

●待遇、制度●
【初任給】月20.1万(諸手当0.3万円)
【残業】19.7時間【有休】12日【制度】[フ]
●新卒定着状況●
20年入社(男12、女9)→3年後在籍(男9、女5)
●採用情報●
【人数】23年:6 24年:13 25年:応募14→内定8*
【内定内訳】(男6、女2)(文7、理1)(総1、他7)
【試験】〔筆記〕常識〔Web会場〕有〔Web自宅〕有〔性格〕有
【時期】エントリー25.3→内々定25.4*【インターン】有
【採用実績校】神戸学大1、平成国際大1、明学大1、北陸大1、立命館大1、富山短大1、中部大1、福井県大院1
【求める人材】時代やお客様のニーズの変化を敏感に捉え、組織の中でコミュニケーションを図ることができる人

【本社】930-8636 富山県富山市桜町1-1-36 ☎076-432-5530
【特色・近況】富山県の鉄道、路面電車、バス運行会社。鉄道は富山-宇奈月温泉・立山間の93.2km、路面電車は富山市内の15.2kmを運行。バスは県内乗合路線2170.8kmに加え、高速バス・富山-東京など6路線を運行する。建設、ホテルのグループ会社持つ。
【設立】1930.2 【資本金】1,557百万円
【社長】中田邦彦(1958.8生)
【株主】〔24.3〕立山黒部貫光11.0%
【連結事業】運輸64、不動産4、建設10、保険代理4、航空輸送3、ホテル5、他10
【従業員】連826名 単489名(45.8歳)

【業績】	営業収益	営業利益	経常利益	純利益
連22.3	7,348	▲1,958	▲1,544	1,365
連23.3	9,105	▲515	▲457	475
連24.3	9,465	▲905	▲483	1,240

豊橋鉄道（とよはしてつどう）

株式公開 計画なし

採用内定数	倍率	3年後離職率	平均年収
4名	11倍	−	438万円

●待遇、制度●
【初任給】月20.2万
【残業】15時間【有休】13日【制度】[フ][住]
●新卒定着状況●
20年入社(男0、女0)→3年後在籍(男0、女0)
●採用情報●
【人数】23年:4 24年:3 25年:応募44→内定4
【内定内訳】(男2、女2)(文3、理1)(総4、他0)
【試験】〔Web自宅〕SPI3〔性格〕有
【時期】エントリー25.3→内々定25.4*【インターン】有
【採用実績校】愛知大2、名古屋外大1、愛知工業大1
【求める人材】東三河地域の公共交通事業に興味があり、柔軟な発想と行動力がある人

【本社】440-0888 愛知県豊橋市駅前大通1-46-1 豊鉄ターミナルビル5階 ☎0532-53-2131
【特色・近況】東三河地域を事業基盤とする名鉄グループの鉄道会社。鉄道(渥美線)と軌道(豊橋市内線)の路面電車を運行。バス事業は分社化した豊鉄バスで運営。名鉄グループのICカード「manaca」が利用可能。渥美線沿線でパーク&ライド事業を推進する。
【設立】1924.3 【資本金】100百万円
【社長】岩ヶ谷光晴(1965.6生)
【株主】〔24.3〕名古屋鉄道52.3%
【連結事業】交通76、不動産6、レジャー・サービス11、保守・整備・建設7
【従業員】連651名 単187名(42.0歳)

【業績】	売上高	営業利益	経常利益	純利益
連22.3	5,090	▲471	▲82	▲175
連23.3	5,944	▲40	265	212
連24.3	6,511	218	394	323

南国交通（なんごくこうつう）

株式公開 計画なし

採用内定数	倍率	3年後離職率	平均年収
18名	2.4倍	‥	[総]438万円

●待遇、制度●
【初任給】月19.2万
【残業】34.5時間【有休】12.5日【制度】[住]
●新卒定着状況●
‥
●採用情報●
【人数】23年:47 24年:29 25年:応募43→内定18*
【内定内訳】(男2、女16)(文15、理0)(総17、他1)
【試験】〔Web会場〕C-GAB
【時期】エントリー25.2→内々定25.6*(一次はWEB面接可)【インターン】有
【採用実績校】延世大1、立正大1、星城大1、九産大1、山口県大1、下関市大1、鹿児島大1、鹿児島国際大2、大分県芸術文化短大2、他
【求める人材】明朗、闊達で、忍耐力のある人

【本社】890-0053 鹿児島県鹿児島市中央町18-1 ☎099-255-2141
【特色・近況】鹿児島のバス会社。路線バス、鹿児島空港連絡バス、都市間高速バスが主事業。路線バスは鹿児島市内と北薩エリアが営業区域、高速バスは鹿児島から福岡と熊本に運行。鹿児島空港のハンドリングの受託や旅行代理業なども営む。
【設立】1941.2 【資本金】337百万円
【社長】萩元千博(1955.9生 鹿経大経済卒)
【株主】〔24.3〕南国殖産19.8%
【連結事業】一般旅客自動車運送64、航空運送代理店30、他関連事業6
【従業員】連1,436名 単967名(45.6歳)

【業績】	売上高	営業利益	経常利益	純利益
連21.9	6,131	▲979	▲990	▲820
連22.9	7,054	▲449	▲450	153
連23.9	8,418	114	103	267

サービス

北陸鉄道（ほくりくてつどう）

株式公開 計画なし

採用内定数	倍率	3年後離職率	平均年収
7名	1.7倍	0%	‥

●待遇、制度●
【初任給】月23.9万
【残業】8.6時間【有休】‥日【制度】住
●新卒定着状況●
20年入社（男4、女1）→3年後在籍（男4、女1）
●採用情報●
【人数】23年:5 24年:5 25年:応募12→内定7
【内定内訳】（男2、女5）（文6、理0）（総5、他2）
【試験】〔筆記〕常識〔性格〕有
【時期】エントリー25.3→内々定25.5（一次はWEB面接可）【インターン】有
【採用実績校】金沢大2、金沢学大1、京産大1、武庫川女大1、甲南大1、日本鉄道&スポーツビジネスカレッジ専1
【求める人材】様々な分野に興味や関心を持ち、人との出会いやふれあいに喜びを見出せる人

【本社】920-0031 石川県金沢市広岡3-1-1 金沢パークビル1階 ☎076-204-9600
【特色・近況】石川県全域でグループ会社と乗合路線バスを運行、鉄道事業も営む。名鉄が筆頭株主。高速バスも4路線運行し、高山線は訪日観光客に人気。鉄道は2線、営業キロ数計20.6km。バスに続きタッチ決済導入へ。震災被害の奥能登地区へのバス通常運行再開期す。
【設立】1943.10 【資本金】100百万円
【社長】宮岸武司（1957.9生 金沢大工卒）
【株主】〔24.3〕名古屋鉄道13.9%
【連結事業】運輸66、レジャー・サービス25、建設7、他2
【従業員】連956名 単307名（45.2歳）

【業績】	売上高	営業利益	経常利益	純利益
連22.3	8,584	▲2,183	▲2,200	▲1,012
連23.3	10,323	▲487	▲485	653
連24.3	11,180	146	182	825

管清工業（かんせいこうぎょう）

株式公開 いずれしたい

採用内定数	倍率	3年後離職率	平均年収
30名	2.8倍	38.5%	総753万円

●待遇、制度●
【初任給】月22万
【残業】29.3時間【有休】10.1日【制度】住
●新卒定着状況●
20年入社（男19、女7）→3年後在籍（男11、女5）
●採用情報●
【人数】23年:25 24年:30 25年:応募85→内定30*
【内定内訳】（男24、女6）（文22、理5）（総30、他0）
【試験】〔Web会場〕SPI3〔性格〕有
【時期】エントリー24.10→内々定24.11（一次はWEB面接可）【インターン】有
【採用実績校】九州共立大5、名古屋経大4、名古屋商大2、帝塚山大2、創価大2、愛媛大1、大阪経大1、近大1、甲南大1、国士舘大1、他
【求める人材】自分で考え行動を起こす人、大変な仕事もやり遂げる芯の強い人

【本社】158-0098 東京都世田谷区上用賀1-7-3 ☎03-3709-5151
【特色・近況】公共下水道管路や建物排水設備、鉄道関連排水設備の維持管理の専門会社。建築物の屋内外排水管清掃や、管路施設の清掃・調査・補修なども手がける。大口径下水道管路用のTVカメラ・清掃ロボット、小口径下水道用の検査ロボットを独自開発。
【設立】1962.10 【資本金】250百万円
【社長】長谷川健司（1952.8生 日大生産工卒）
【株主】〔23.6〕東京中小企業投資育成25.1%
【事業】建設工事39、排水管清掃23、調査31、コンサルタント1、他6
【従業員】単599名（40.6歳）

【業績】	売上高	営業利益	経常利益	純利益
単21.6	14,712	603	628	382
単22.6	15,900	753	783	478
単23.6	16,670	518	547	331

関電プラント（かんでんプラント）

株式公開 計画なし

採用内定数	倍率	3年後離職率	平均年収
16名	5.9倍	21.1%	総670万円

●待遇、制度●
【初任給】月22万
【残業】13.1時間【有休】15.1日【制度】フ 住 在
●新卒定着状況●
20年入社（男34、女4）→3年後在籍（男26、女4）
●採用情報●
【人数】23年:33 24年:35 25年:応募94→内定16*
【内定内訳】（男12、女4）（文6、理10）（総16、他0）
【試験】〔Web自宅〕SPI3〔性格〕有
【時期】エントリー25.3→内々定25.3*（一次はWEB面接可）【インターン】有
【採用実績校】福井大1、近大2、福井県大2、京大1、徳島大1、関西学大1、関大1、大分大1、甲南大1、京産大1、他
【求める人材】行動力があり、チームワークを重んじ、常に意欲的な人

【本社】531-8502 大阪府大阪市北区本庄東2-9-18 ☎06-6372-1151
【特色・近況】発電設備の維持・保守サービスが主要事業。親会社・関西電力の発電所のほか、自家用発電設備や石油・化学プラントなど産業分野へも事業展開。バイオマス、太陽光発電など再生可能エネルギー設備構築、教育訓練や技術者派遣も手がける。
【設立】1953.10 【資本金】300百万円
【社長】北村仁一郎
【株主】〔24.3〕関西電力100%
【事業】プラント、原子力
【従業員】単1,360名（‥歳）

【業績】	売上高	営業利益	経常利益	純利益
単22.3	68,149	712	1,341	622
単23.3	67,977	7,932	8,810	6,281
単24.3	69,920	5,457	5,968	4,192

郡(こおり)リース

株式公開計画なし

採用内定数	倍率	3年後離職率	平均年収
4名	‥	44.4%	[総]793万円

●待遇、制度●
【初任給】月23万
【残業】25.1時間【有休】9.8日【制度】[住][在]
●新卒定着状況●
20年入社(男5、女4)→3年後在籍(男1、女4)
●採用情報●
【人数】23年:3 24年:8 25年:応募‥→内定4*
【内定内訳】(男4、女0)(文4、理0)(総4、他0)
【試験】〔筆記〕常識〔性格〕有
【時期】エントリー24.6→内々定25.2(一次はWEB面接可)【インターン】有【ジョブ型】有
【採用実績校】拓大1、日大1、東海大1、日本福祉大1
【求める人材】コミュニケーション力が有り、物事に対して前向きな人

【本社】106-0032 東京都港区六本木6-11-17
☎03-3470-0291
【特色・近況】鉄骨系プレハブ建築物の製造・設計・施工・リースを行うシステム建築メーカー大手。仮設の事務所、宿舎、校舎から工場、店舗、体育館など中低層建物に特化。部材の規格化によるリユース・リサイクルを推進。1918年に徳島市で船具商として創業。
【設立】1970.5 【資本金】86百万円
【社長】郡龍一郎(1973.8生 慶大経済卒)
【株主】〔24.3〕郡産業40.9%
【事業】鉄骨系プレハブ建築物の製造・設計・施工・リース・販売
【従業員】単279名(42.0歳)

【業績】	売上高	営業利益	経常利益	純利益
単22.3	25,183	‥	‥	1,812
単23.3	27,052	‥	‥	1,876
単24.3	38,600	‥	‥	2,724

米原商事(よねはらしょうじ)

株式公開計画なし

採用予定数	倍率	3年後離職率	平均年収
5名	‥	0%	[総]562万円

●待遇、制度●
【初任給】月19万(諸手当2.5万円)
【残業】38.4時間【有休】10.9日【制度】[在]
●新卒定着状況●
20年入社(男3、女0)→3年後在籍(男3、女0)
●採用情報●
【人数】23年:3 24年:1 25年:予定5*
【内定内訳】(男‥、女‥)(文‥、理‥)(総‥、他‥)
【試験】なし
【時期】エントリー25.3→内々定25.6*(一次はWEB面接可)
【採用実績校】‥
【求める人材】向上心があり、他人を尊重できる人

【本社】939-1371 富山県砺波市栄町6-27
☎0763-33-2311
【特色・近況】北信越5県が地盤のクレーンリース会社。各種作業に対応した車輌群を多数保有。レッカー作業受注から車両整備、工事施工等を総合請負。石油・ガス販売、防災設備施工、不動産、保険代理、ドコモショップなど多角的に事業展開。
【設立】1964.3 【資本金】246百万円
【社長】内記正弘
【株主】〔24.3〕名古屋中小企業投資育成20.3%
【事業】クレーン建設68、石油製品販売21、防災設備1、不動産取引2、保険代理店1、移動通信機器販売他7
【従業員】単687名(47.6歳)

【業績】	売上高	営業利益	経常利益	純利益
単22.3	16,138	1,081	1,518	1,176
単23.3	16,024	1,024	2,053	1,798
単24.3	16,899	1,509	1,958	1,800

㈱ビー・エム・エル

東証プライム

採用内定数	倍率	3年後離職率	平均年収
50名	5.3倍	12.9%	556万円

●待遇、制度●
【初任給】月22.5万
【残業】16.2時間【有休】12.3日【制度】[住][在]
●新卒定着状況●
20年入社(男32、女38)→3年後在籍(男28、女33)
●採用情報●
【人数】23年:96 24年:79 25年:応募265→内定50*
【内定内訳】(男14、女36)(文9、理34)(総50、他0)
【試験】〔Web自宅〕有〔性格〕有
【時期】エントリー25.3→内々定25.5(一次・二次以降もWEB面接可)【インターン】有
【採用実績校】杏林大6、東京工科大6、高崎健康福祉大3、大東文化大3、帝京大3、純真学大3、修文大3、東京科学大2、東京国際大2、他
【求める人材】医療業界において責任を果たし、連携を取りながら業務を遂行できる人

【本社】151-0051 東京都渋谷区千駄ヶ谷5-21-3
☎03-3350-0111
【特色・近況】臨床検査受託事業でトップクラス。生化学的検査に強み。埼玉県に総合研究所を持ち、検査高度化に対応。全国に検査ラボ。検査報告時間の短縮・早期化や独自開発検査の拡充に注力。診療所向け電子カルテなど医療情報システム事業を育成。
【設立】1955.7 【資本金】6,045百万円
【社長】近藤健介(1966.9生 慶大医卒)
【株主】〔24.3〕㈱ビーエムエル企画24.0%
【連結事業】生化学的検査38、血液学的検査8、免疫学的検査19、微生物学的検査5、病理学的検査7、他23
【従業員】連4,639名 単2,716名(41.0歳)

【業績】	売上高	営業利益	経常利益	純利益
連22.3	186,067	48,889	51,077	33,741
連23.3	159,462	23,936	24,182	15,578
連24.3	137,964	9,167	9,605	6,034

㈱ファルコホールディングス

東証スタンダード

採用内定数	倍率	3年後離職率	平均年収
20名	6.3倍	20%	‥

●待遇、制度●
【初任給】月22万
【残業】‥時間【有休】‥日【制度】住
●新卒定着状況●
20年入社(男7、女8)→3年後在籍(男6、女6)
●採用情報● グループ採用
【人数】23年:38 24年:20 25年:応募127→内定20*
【内定内訳】(男4、女16)(文4、理10)(総5、他15)
【試験】なし
【時期】エントリー 25.3→内々定25.4(一次はWEB面接可)
【採用実績校】‥
【求める人材】継続的に能力向上を図り、協調性に富み、論理的に考え、かつ行動できる人

【大阪本部】540-0037 大阪府大阪市中央区内平野町1-3-7 ☎06-7632-6150
【特色・近況】臨床検査受託と調剤薬局運営の2事業を軸に展開。臨床検査は横浜、名古屋、岡山、熊本、沖縄に基幹ラボを設置。調剤薬局は北陸と近畿を中心に100店超を運営。電子カルテなど医療情報システムやMSI検査キットの開発・販売も手がける。
【設立】1988.3 【資本金】3,371百万円
【社長】安田忠史(1958.8生 早大教育卒)
【株主】〔24.3〕日本マスタートラスト信託銀行信託口9.2%
【連結事業】臨床検査60、調剤薬局37、ICT3
【従業員】連1,124名 単4名(53.3歳)

【業績】	売上高	営業利益	経常利益	純利益
連22.3	50,007	5,496	5,809	3,533
連23.3	46,913	3,075	3,310	2,261
連24.3	43,007	2,152	2,288	1,666

三菱電機システムサービス

株式公開計画なし

採用内定数	倍率	3年後離職率	平均年収
52名	3.1倍	11.5%	‥

●待遇、制度●
【初任給】月25万
【残業】28時間【有休】16.3日【制度】フ 住 在
●新卒定着状況●
20年入社(男49、女3)→3年後在籍(男43、女3)
●採用情報●
【人数】23年:42 24年:40 25年:応募162→内定52*
【内定内訳】(男49、女3)(文9、理41)(総52、他0)
【試験】〔Web自宅〕SPI3〔性格〕有
【時期】エントリー 25.2→内々定25.6(一次・二次以降もWEB面接可)【インターン】有
【採用実績校】大阪工大5、広島工大2、上智大2、金沢工大2、東京工科大2、福岡大2、帝京大2、山口大2、大同大2、中国職能大学校2、他
【求める人材】何事にもチャレンジ精神を持って、最後までやり抜くことができるバイタリティのある人

【本社】154-8520 東京都世田谷区太子堂4-1-1 ☎03-5431-7750
【特色・近況】三菱電機の完全子会社で、親会社製の家電品・住宅設備品、FA機器のシステム開発・設計・施工・保守・アフターサービスを担当。太陽光発電、蓄電池、電気自動車の充放電を集中管理できるシステムを法人向けに伸ばす。
【設立】1962.4 【資本金】600百万円
【社長】鈴木聡(1963.3生 東北大工卒)
【株主】〔24.3〕三菱電機100%
【事業】商品部門41、機電部門30、電子部門29
【従業員】単2,012名(43.8歳)

【業績】	売上高	営業利益	経常利益	純利益
単22.3	68,934	1,255	1,136	780
単23.3	73,441	3,363	3,256	2,202
単24.3	75,814	4,237	4,248	3,063

㈱流機エンジニアリング

株式公開計画なし

採用内定数	倍率	3年後離職率	平均年収
4名	43.3倍	−	640万円

●待遇、制度●
【初任給】月25.2万(諸手当1.8万円)
【残業】18.6時間【有休】13.8日【制度】住 在
●新卒定着状況●
20年入社(男0、女0)→3年後在籍(男0、女0)
●採用情報●
【人数】23年:0 24年:6 25年:応募173→内定4
【内定内訳】(男4、女0)(文0、理4)(総4、他0)
【試験】〔筆記〕常識〔性格〕有
【時期】エントリー 24.7→内々定25.2*(一次はWEB面接可)【インターン】有
【採用実績校】日工大2、神奈川大1、琉球大1
【求める人材】ものづくりが好きで、将来的に様々な案件を経験したいと思っている人

【本社】108-0073 東京都港区三田3-4-2 ☎03-3452-7400
【特色・近況】トンネル工事用などの集塵換気装置、冷暖房・除湿装置のレンタルが主軸。フィルター応用技術を中核技術とした環境装置に強み。集塵機や水処理装置などのエンジニアリングも行うほか、宇宙・航空関連の設備など特殊品の開発も手がける。
【設立】1977.5 【資本金】40百万円
【社長】西村聡(1975.10生 東海短大卒)
【株主】〔23.9〕東京中小企業投資育成50.0%
【事業】トンネル工事換気装置レンタル48、環境装置販売・レンタル25、開発製造事業9、他18
【従業員】単145名(38.0歳)

【業績】	売上高	営業利益	経常利益	純利益
単21.9	4,684	473	451	731
単22.9	4,676	432	417	113
単23.9	5,334	721	699	755

㈱イオレ

東証グロース

採用内定数	倍率	3年後離職率	平均年収
4名	28.5倍	0%	‥

●待遇、制度●
【初任給】月25万(固定残業代39時間分)
【残業】17.5時間【有休】10日【制度】フ 住 在

●新卒定着状況●
20年入社(男1、女1)→3年後在籍(男1、女1)

●採用情報●
【人数】23年:4 24年:5 25年:応募114→内定4
【内定内訳】(男1、女3)(文4、理0)(総4、他0)
【試験】〔Web自宅〕SPI3〔性格〕有
【時期】エントリー25.3→内々定25.5(一次・二次以降もWEB面接可)【インターン】有
【採用実績校】東洋大1、玉川大1、武蔵野大1、日大1
【求める人材】素直で成長意欲がある人

【本社】103-0003 東京都中央区日本橋横山町6-16 RONDO日本橋ビル ☎050-1802-7135
【特色・近況】Webサービス会社。主力事業の求人検索エンジンや、求人メディアと連携した採用支援サービスを展開。コミュニケーション支援「らくらく連絡網」に提携先データを連携し広告効果の最大化を図る。ペット、オンラインゲーム、旅行など新規事業に参入。
【設立】2001.4 【資本金】915百万円
【社長】冨塚優(1965.8生 立大法卒)
【株主】〔24.3〕吉田直人21.2%
【事業】コミュニケーションデータ21、HRデータ66、新規11、他2
【従業員】単112名(35.9歳)

【業績】	売上高	営業利益	経常利益	純利益
単22.3	2,086	▲40	▲43	▲147
単23.3	3,564	55	54	36
単24.3	3,817	41	43	36

㈱インフォマート

東証プライム

採用予定数	倍率	3年後離職率	平均年収
28名	‥	16.7%	643万円

●待遇、制度●
【初任給】月21.3万(諸手当1万円)
【残業】19.8時間【有休】‥日【制度】住 在

●新卒定着状況●
20年入社(男3、女3)→3年後在籍(男3、女2)

●採用情報●
【人数】23年:4 24年:4 25年:予定28*
【内定内訳】(男‥、女‥)(文‥、理‥)(総‥、他‥)
【試験】〔性格〕有
【時期】エントリー24.6→内々定‥(一次・二次以降もWEB面接可)【インターン】有
【採用実績校】中大1、日大1、東洋大4、駒澤大1、近大1、他
【求める人材】チャレンジし続ける人、思いやりを行動に移せる人、愚直な姿勢を大事にする人

【本社】105-0022 東京都港区海岸1-2-3 汐留芝離宮ビルディング ☎03-5776-1147
【特色・近況】クラウドを活用した企業間電子商取引プラットフォーム「BtoBプラットフォーム」を運営。商談、受発注、規格書、請求書、契約書などのプラットフォームを提供。飲食店と食品卸・メーカー間の受発注が中心。システム使用料が収入源。
【設立】1998.2 【資本金】3,212百万円
【社長】中島健(1966.3生 早大教育卒)
【株主】〔24.6〕SFPバリュー・リアライゼーション・マスターF14.1%
【連結事業】BtoB-PFFOOD63、BtoB-PFES37、他
【従業員】連683名 単663名(36.6歳)

【業績】	売上高	営業利益	経常利益	純利益
連21.12	9,835	1,030	1,021	538
連22.12	11,004	526	465	286
連23.12	13,363	830	632	298

#年収高く倍率低い

㈱オークネット

東証プライム

採用内定数	倍率	3年後離職率	平均年収
13名	19倍	8.3%	825万円

●待遇、制度●
【初任給】月23.1万(諸手当0.1万円)
【残業】22時間【有休】‥日【制度】フ 住 在

●新卒定着状況●
20年入社(男8、女4)→3年後在籍(男8、女3)

●採用情報●
【人数】23年:13 24年:15 25年:応募247→内定13*
【内定内訳】(男7、女6)(文12、理1)(総12、他1)
【試験】〔Web自宅〕有〔性格〕有
【時期】エントリー24.9→内々定25.6(一次はWEB面接可)【インターン】有
【採用実績校】関大1、関西学大1、同大1、立命館大1、中大1、埼玉大1、宇都宮大1、慶大1、専大1、電通大1、他
【求める人材】好奇心旺盛で探求心のあるチームリーダー、仕事を通じてイニシアティブを発揮したい人

【本社】107-8349 東京都港区北青山2-5-8 青山OMスクエア ☎03-6440-2500
【特色・近況】多分野で業者間のネットオークション事業を展開。中古車とスマホなど中古デジタル機器を中心に、ブランド品、バイク、花き、医療機器など中古品の再販を中心とした循環型ビジネスを構築。会費収入とオークション手数料収入が主な収益。
【設立】2008.3 【資本金】1,807百万円
【社長】藤崎慎一郎(1975.11生)
【株主】〔24.6〕フレックスコーポレーション㈱45.3%
【連結事業】オートモビル29、デジタルプロダクツ16、コンシューマープロダクツ47、他9 <海外19>
【従業員】連1,063名 単317名(40.5歳)

【業績】	売上高	営業利益	経常利益	純利益
連21.12	36,710	5,846	6,113	3,625
連22.12	40,455	6,601	6,699	4,346
連23.12	43,303	6,663	6,755	4,368

#初任給が高い

㈱オークファン　東証グロース

採用内定数	倍率	3年後離職率	平均年収
4名	117倍	37.5%	507万円

●待遇、制度●
【初任給】月33.3万(固定残業代45時間分)
【残業】19.6時間【有休】8.7日【制度】‥
●新卒定着状況●
20年入社(男6、女2)→3年後在籍(男4、女1)
●採用情報● グループ採用
【人数】23年:7 24年:13 25年:応募468→内定4*
【内定内訳】(男2、女2)(文2、理2)(総2、他2)
【試験】なし
【時期】エントリー24.10→内々定24.12(一次・二次以降もWEB面接可)【インターン】有
【採用実績校】九大院1、九大1、新潟大1、獨協大1
【求める人材】能動的・自発的に行動ができ、チャレンジ精神が旺盛な人

【本社】141-0001 東京都品川区北品川5-1-18 住友不動産大崎ツインビル東館 ☎03-6809-0951
【特色・近況】ネットオークション・ショッピングの相場比較サイト「オークファン」から出発。子会社含め、小売り・EC向けの在庫価値ソリューション提供や滞留在庫の流動化を支援する商品流通プラットフォームを運営。中国でのBtoB市場を足がかりに海外展開にも注力。
【設立】2007.6 【資本金】973百万円
【社長】武永修一(1978.5生 京大法卒)
【株主】〔24.3〕武永修一38.8%
【連結事業】在庫価値ソリューション50、商品流通プラットフォーム40、インキュベーション10
【従業員】連166名 単111名(34.2歳)

【業績】	売上高	営業利益	経常利益	純利益
連21.9	8,344	583	595	151
連22.9	6,256	322	312	56
連23.9	5,145	304	341	17

㈱オールアバウト　東証スタンダード

採用内定数	倍率	3年後離職率	平均年収
10名	53.1倍	36.4%	㊎553万円

●待遇、制度●
【初任給】年350万
【残業】21.9時間【有休】11日【制度】フ 在
●新卒定着状況●
20年入社(男6、女5)→3年後在籍(男2、女5)
●採用情報●
【人数】23年:6 24年:9 25年:応募531→内定10
【内定内訳】(男5、女5)(文9、理1)(総8、他2)
【試験】〔Web自宅〕有
【時期】エントリー24.8→内定24.10(一次・二次以降もWEB面接可)
【採用実績校】中大2、日大2、青学大1、大阪芸大1、京都芸大1、学習院女大1、東京科学大1、東北学大1
【求める人材】「何のためにやっているか」を常に問い、自分ごと化して物事に取り組める人

【本社】150-0022 東京都渋谷区恵比寿南1-15-1 A-PLACE恵比寿南 ☎03-6362-1300
【特色・近況】専門分野のガイドが情報提供する総合情報サイトを運営。主な収益源は広告収入だが、バナー広告より記事広告に強み。外国人向け日本情報サイトも開設。コンシューマサービスは食品サンプリングサイトを運営。総合通販サイト、ECサイトの共同運営も手がける。
【設立】1993.3 【資本金】1,318百万円
【社長】江幡哲也(1965.1生 武工大電気工卒)
【株主】〔24.3〕日本テレビ放送網24.0%
【連結事業】マーケティングソリューション13、コンシューマサービス87
【従業員】連290名 単126名(36.6歳)

【業績】	売上高	営業利益	経常利益	純利益
連22.3	15,395	657	669	343
連23.3	16,917	6	20	▲82
連24.3	15,703	▲461	▲438	▲456

㈱グローバルウェイ　東証グロース

採用内定数	倍率	3年後離職率	平均年収
1名	‥	−	559万円

●待遇、制度●
【初任給】年350万
【残業】20時間【有休】‥日【制度】フ 在
●新卒定着状況●
20年入社(男0、女0)→3年後在籍(男0、女0)
●採用情報●
【人数】23年:6 24年:8 25年:応募‥→内定1*
【内定内訳】(男1、女0)(文‥、理‥)(総0、他1)
【試験】なし
【時期】エントリー25.1→内々定25.2(一次・二次以降もWEB面接可)【インターン】有
【採用実績校】‥
【求める人材】事業内容、バリュー・ビジョンに共感、素直で向上心と意欲がある人

【本社】150-0001 東京都渋谷区神宮前2-34-17 住友不動産原宿ビル ☎03-5441-7193
【特色・近況】転職関連情報サイト「キャリコネ」を運営。求職者や潜在転職者向けに年収や口コミなどの情報を提供。CRM(顧客関係管理)ソフトウェアの設計、開発、運用・保守、定着化支援も。東京、福岡、沖縄にオフィスを構える。
【設立】2004.10 【資本金】50百万円
【社長】小山義一(1976.3生)
【株主】〔24.3〕各務正人41.8%
【連結事業】プラットフォーム42、セールスフォース17、メディア16、リクルーティング13、シェアリング11
【従業員】連139名 単124名(39.0歳)

【業績】	売上高	営業利益	経常利益	純利益
連22.3	1,816	136	446	419
連23.3	1,748	▲458	▲449	▲218
連24.3	2,456	▲380	▲335	▲199

サービス

㈱セレス　東証プライム

採用内定数	倍率	3年後離職率	平均年収
9名	‥	‥	556万円

●待遇、制度●
【初任給】月28万(固定残業代40時間分)
【残業】19.1時間【有休】‥日【制度】フ 住 在
●新卒定着状況●
●採用情報●
【人数】23年:5 24年:11 25年:応募‥→内定9*
【内定内訳】(男3、女6)(文9、理0)(総3、他6)
【試験】〔Web自宅〕SPI3
【時期】エントリー24.8→内々定24.12*(一次・二次以降もWEB面接可)【インターン】有【ジョブ型】有
【採用実績校】早大1、立教大1、青学大1、専大1、立正大2、国士舘大1、名古屋外大1、関西外大1
【求める人材】自分のアイディアを形にして世の中に拡散したい、自主性を持って物事に取り組みたい人

【本社】150-6221 東京都渋谷区桜丘町1-1 SHIBUYAタワー ☎03-6455-3756
【特色・近況】ポイントサイト「モッピー」はじめ、スマホ向け中心の広告メディアを展開。広告閲覧や提携サイトでの買い物などで入る成果報酬の一部を、現金や電子マネーに交換できるポイントとして会員に付与。フィナンシャルサービスとして暗号資産販売所も運営。
【設立】2005.1【資本金】2,125百万円
【社長】都木聡(1971.11生 上智大経済卒)
【株主】〔24.6〕㈲ジュノー・アンド・カンパニー9.7%
【連結事業】モバイルサービス97、フィナンシャルサービス3
【従業員】連670名 単221名(32.4歳)

【業績】	売上高	営業利益	経常利益	純利益
連21.12	23,402	2,305	3,499	2,775
連22.12	20,536	1,246	679	46
連23.12	24,070	1,118	1,217	451

㈱出前館（でまえかん）　東証スタンダード

採用内定数	倍率	3年後離職率	平均年収
19名	6.9倍	10%	587万円

●待遇、制度●
【初任給】年360万
【残業】20時間【有休】‥日【制度】フ 在
●新卒定着状況●
20年入社(男5、女5)→3年後在籍(男5、女4)
●採用情報●
【人数】23年:6 24年:8 25年:応募131→内定19
【内定内訳】(男12、女7)(文16、理3)(総16、他3)
【試験】〔Web自宅〕有〔性格〕有
【時期】エントリー24.11→内々定25.2(一次・二次以降もWEB面接可)【インターン】有
【採用実績校】沖縄国際大1、学習院大1、関西学大1、駒澤大1、甲南大1、高崎経大1、国士舘大1、信州大1、神奈川大1、東海大1、東北大1、他
【求める人材】自ら課題を発見し、柔軟かつスピーディーに周囲を巻き込みアウトプットし続けられる人

【本社】151-0051 東京都渋谷区千駄ヶ谷5-27-5 ☎050-5445-5390
【特色・近況】宅配ピザなど出前フードが中心のWebサイト「出前館」を運営。業界2強の一角。加盟店から徴収する基本運営費と注文に応じて入るオーダー手数料が収益源。配達機能を持たない飲食店の配達代行サービスも展開。サイト内の加盟店広告にも注力。
【設立】1999.9【資本金】100百万円
【社長】矢野哲(1978.4生)
【株主】〔24.2〕LINEヤフー36.6%
【連結事業】出前館92、他8
【従業員】連379名 単332名(35.0歳)

【業績】	売上高	営業利益	経常利益	純利益
連21.8	28,954	▲19,157	▲19,148	▲21,869
連22.8	47,314	▲36,442	▲36,595	▲36,218
連23.8	51,416	▲12,259	▲12,122	▲12,154

㈱パシフィックネット　東証スタンダード

採用内定数	倍率	3年後離職率	平均年収
3名	31.7倍	0%	519万円

●待遇、制度●
【初任給】月22.5万(諸手当3万円)
【残業】7時間【有休】‥日【制度】住
●新卒定着状況●
20年入社(男0、女1)→3年後在籍(男0、女1)
●採用情報●
【人数】23年:14 24年:5 25年:応募95→内定3*
【内定内訳】(男1、女2)(文3、理0)(総3、他0)
【試験】〔Web自宅〕SPI3
【時期】エントリー24.8→内々定25.1*(一次はWEB面接可)【ジョブ型】有
【採用実績校】‥
【求める人材】主体性をもってチームで行動し、新しい取り組みに意欲的に臨むことができる人

【本社】108-0014 東京都港区芝5-34-7 田町センタービル ☎03-5730-1441
【特色・近況】IT機器管理サービス提供会社。パソコン、サーバー、タブレットなどIT機器のレンタルやIT環境の運用管理・通信・クラウドなどのITサービスをサブスクで提供。法人・官公庁向けPC調達から、設定、保守、データ消去、処分まで一気通貫で提供。
【設立】1988.7【資本金】532百万円
【社長】上田雄太(1983.8生 青学大院国際マ修了)
【株主】〔24.5〕㈱リッチモンド38.9%
【連結事業】ITサブスクリプション71、ITAD26、コミュニケーション・デバイス3
【従業員】連234名 単225名(37.9歳)

【業績】	売上高	営業利益	経常利益	純利益
連22.5	5,507	342	334	209
連23.5	6,404	529	518	336
連24.5	6,921	658	636	432

サービス

#初任給が高い

㈱PR TIMES 東証プライム

採用内定数	倍率	3年後離職率	平均年収
10名	65倍	42.9%	596万円

●待遇、制度●
【初任給】月31.5万(固定残業代45時間分)
【残業】‥時間【有休】‥日【制度】住 在
●新卒定着状況●
20年入社(男4、女3)→3年後在籍(男3、女1)
●採用情報●
【人数】23年:12 24年:10 25年:応募650→内定10*
【内定内訳】(男5、女5)(文8、理2)(総8、他2)
【試験】なし
【時期】エントリー24.10→内々定‥(一次・二次以降もWEB面接可)【インターン】有
【採用実績校】‥
【求める人材】当社のミッションやバリューに共感できる人

【本社】107-0052 東京都港区赤坂1-11-44 赤坂インターシティ ☎03-5770-7888
【特色・近況】プレスリリース配信プラットフォーム「PR TIMES」を運営。企業の新製品・サービスやイベントなど告知情報を掲載するほか、報道向け素材資料も配信。リリース配信は地方展開を拡大。SaaS型業務効率改善ツールも手がける。
【設立】2005.12 【資本金】422百万円
【社長】山口拓己(1974.1生 東京理大理工卒)
【株主】〔24.2〕ベクトル55.4%
【連結事業】プレスリリース配信96、他4
【従業員】連215名 単132名(30.5歳)

【業績】	売上高	営業利益	経常利益	純利益
連22.2	4,854	1,834	1,833	1,281
連23.2	5,706	1,190	1,188	777
連24.2	6,836	1,746	1,717	1,161

㈱ラクーンホールディングス 東証プライム

採用内定数	倍率	3年後離職率	平均年収
15名	42.7倍	27.3%	629万円

●待遇、制度●
【初任給】月26.7万(固定残業代30時間分)
【残業】16時間【有休】11.2日【制度】フ 住 在
●新卒定着状況●
20年入社(男7、女4)→3年後在籍(男6、女2)
●採用情報● グループ採用
【人数】23年:14 24年:11 25年:応募640→内定15
【内定内訳】(男7、女8)(文10、理3)(総10、他5)
【試験】〔Web自宅〕有〔性格〕有
【時期】エントリー24.10→内々定25.2(一次・二次以降もWEB面接可)
【採用実績校】津田塾大1、武蔵野大1、明大1、専大2、文化学園大1、青学大1、近大1、フェリス女学大1、目白大1、会津大1、他
【求める人材】好奇心と向上心、地頭力と創造力があり、実直である人

【本社】103-0014 東京都中央区日本橋蛎殻町1-14-14 ☎03-5652-1692
【特色・近況】衣料・雑貨の卸売りeコマースサイト「スーパーデリバリー」が主力事業。ネット上で製造業者などの出展者と会員である全国の小売店を繋ぐサービスを提供。掛け売り決済代行やネット完結型の売掛債権保証サービスも展開。越境ECも手がける。
【設立】1996.5 【資本金】1,864百万円
【社長】小方功(1963.7生 北大工卒)
【株主】〔24.4〕小方功20.5%
【連結事業】EC57、フィナンシャル43
【従業員】連226名 単100名(33.9歳)

【業績】	売上高	営業利益	経常利益	純利益
連22.4	4,789	1,126	1,135	354
連23.4	5,320	1,193	1,225	668
連24.4	5,808	566	535	325

リビン・テクノロジーズ 東証グロース

採用予定数	倍率	3年後離職率	平均年収
15名	–	52.4%	504万円

●待遇、制度●
【初任給】月25.5万(諸手当0.3万円、固定残業代45時間分)
【残業】30時間【有休】7.7日【制度】在
●新卒定着状況●
20年入社(男10、女11)→3年後在籍(男6、女4)
●採用情報●
【人数】23年:0 24年:10 25年:応募55→内定0*
【内定内訳】(男‥、女‥)(文‥、理‥)(総‥、他‥)
【試験】〔筆記〕常識〔Web自宅〕有〔性格〕有
【時期】エントリー25.3→内々定25.3*(一次・二次以降もWEB面接可)【インターン】有
【採用実績校】‥
【求める人材】新たなる挑戦に現状維持を好まず、主体的に行動できる人

【本社】103-0012 東京都中央区日本橋堀留町1-8-12 ☎03-5847-8558
【特色・近況】不動産会社比較のポータルサイト「リビンマッチ」を企画・運営。不動産売買、賃貸管理、土地活用、リノベーション、外壁塗装などを比較して、ユーザーと加盟企業のマッチングサービスを提供。不動産業界に特化した求人やVR展示場も展開。
【設立】2004.1 【資本金】194百万円
【社長】川合大無(1975.7生 東農大農卒)
【株主】〔24.3〕川合大無40.7%
【事業】不動産プラットフォーム100
【従業員】連100名 単96名(32.7歳)

【業績】	営業収益	営業利益	経常利益	純利益
単21.9	3,242	139	148	88
単22.9	3,029	379	380	235
単23.9	3,374	461	463	302

サービス

㈱エム・テイー・フード

株式公開計画なし

採用内定数	倍率	3年後離職率	平均年収
4名	1倍	68.4%	364万円

●待遇、制度●
【初任給】月20.6万(諸手当8.4万円)
【残業】20時間【有休】‥日【制度】[住][在]
●新卒定着状況●
20年入社(男6、女13)→3年後在籍(男3、女3)
●採用情報●
【人数】23年:9 24年:4 25年:応募4→内定4*
【内定内訳】(男0、女4)(文0、理1)(総0、他4)
【試験】〔筆記〕常識、他
【時期】エントリー25.3→内々定25.5(一次はWEB面接可)【ジョブ型】有
【採用実績校】青森中央短大1、十文字学女大1、相模女短大1、武蔵丘短大1
【求める人材】食に携わるプロフェッショナルとして、食への興味と探究心を常に持っている人

【本社】107-0062 東京都港区南青山1-26-1 寿光ビル3階 ☎03-3408-6609
【特色・近況】給食業務の受託会社。病院、福祉施設などのメディカルフードサービスと、社員食堂、レストラン、学校給食・学生食堂のコントラクトフードサービスの2事業が柱。グループ会社で病院、オフィスビル、工場、官庁内などの売店運営、商品流通も手がける。
【設立】1981.2 【資本金】20百万円
【社長】鳥羽瀬勇人(1971.10生)
【株主】〔24.1〕鳥羽瀬正一79.2%
【事業】給食100
【従業員】単279名(38.9歳)

【業績】	売上高	営業利益	経常利益	純利益
単22.1	5,013	▲3	21	33
単23.1	4,839	▲9	▲9	▲7
単24.1	4,460	▲186	▲173	▲138

#採用数が多い

㈱グリーンハウス

株式公開していない

採用内定数	倍率	3年後離職率	平均年収
501名	5.1倍	51.6%	[総]531万円

●待遇、制度●
【初任給】月23.1万
【残業】12時間【有休】9日【制度】[フ][住][在]
●新卒定着状況●
20年入社(男33、女279)→3年後在籍(男13、女138)
●採用情報● グループ合計
【人数】23年:649 24年:529 25年:応募2535→内定501*
【内定内訳】(男41、女460)(文44、理334)(総27、他474)
【試験】〔Web自宅〕SPI3〔性格〕有
【時期】エントリー24.4→内々定25.2(一次・二次以降もWEB面接可)【インターン】有【ジョブ型】有
【採用実績校】東理大院1、立命館大院2、慶大1、上智大1、青学大1、明大1、法政大1、立命館大2、立教大1、東京家政大12、他
【求める人材】社是の精神を持ち、率先してイノベーションを興し、経営ビジョンを実現できる人

【本社】163-1477 東京都新宿区西新宿3-20-2 東京オペラシティタワー17階 ☎03-3379-1211
【特色・近況】グループで、オフィス・工場、学校、シルバー施設での食堂運営、病院などでの食事提供のほか、レストラン・デリカショップの運営やホテルマネジメントも展開。またフードサービス施設の設計や機器の販売など、フード関連ビジネスを幅広くサポート。
【設立】1959.2 【資本金】2,143百万円
【社長】田沼千秋(1951.11生 コーネル大院修了)
【株主】〔24.3〕グリーンハウスフーズ100%
【連結事業】コントラクトフードサービス、レストラン、ホテルマネジメント
【従業員】連6,876名 単5,713名(41.5歳)

【業績】	売上高	営業利益	経常利益	純利益
連22.3	100,414	‥	‥	‥
連23.3	112,163	‥	‥	‥
連24.3	127,003	‥	‥	‥

㈱シルバーライフ

東証スタンダード

採用内定数	倍率	3年後離職率	平均年収
7名	45.4倍	16.7%	477万円

●待遇、制度●
【初任給】月28万(諸手当2万円、固定残業代45時間分)
【残業】15.9時間【有休】7.5日【制度】[住]
●新卒定着状況●
20年入社(男4、女2)→3年後在籍(男3、女2)
●採用情報●
【人数】23年:17 24年:14 25年:応募318→内定7
【内定内訳】(男1、女6)(文1、理5)(総7、他0)
【試験】なし
【時期】エントリー25.3→内々定‥(一次・二次以降もWEB面接可)【インターン】有
【採用実績校】文教大1、関東学院大1、多摩大1、大原簿記医療秘書公務員専1、十文字学女大1、札幌保健医療大1、西九州大1
【求める人材】スキルを磨きながらキャリアを作っていく、業界のリーダーとなるべき人

【本社】160-0023 東京都新宿区西新宿4-32-4 ☎03-6300-5622
【特色・近況】高齢者向け配食サービスのFC本部運営と、FC加盟店への調理済み食材・弁当の販売行う。「まごころ弁当」と「配食のふれ愛」「宅食ライフ」の3ブランドを展開。高齢者施設への販売や冷凍弁当の受託生産なども手がける。群馬と栃木に自社工場。
【設立】2007.10 【資本金】731百万円
【社長】清水貴久(1974.7生 明大経済卒)
【株主】〔24.7〕㈱近江屋36.8%
【事業】FC加盟店69、高齢者施設等11、直販他20
【従業員】単232名(32.9歳)

【業績】	売上高	営業利益	経常利益	純利益
単22.7	11,215	561	709	401
単23.7	12,266	670	857	602
単24.7	13,555	768	965	668

㈱ニッコクトラスト

[株式公開計画なし]

採用内定数	倍率	3年後離職率	平均年収
18名	1.7倍	43.7%	385万円

●待遇、制度●
【初任給】月20.1万
【残業】15.2時間【有休】6.5日【制度】[住]
●新卒定着状況●
20年入社(男6、女42)→3年後在籍(男3、女24)
●採用情報●
【人数】23年:17 24年:7 25年:応募31→内定18*
【内定内訳】(男2、女16)(文2、理16)(総2、他16)
【試験】〔筆記〕常識〔Web会場〕SPI3〔Web自宅〕SPI3
【時期】エントリー25.3→内々定25.4*(一次はWEB面接可)
【採用実績校】東北学大1、梅花女大1、西九州大1、相模女大1、武庫川女大1、大阪成蹊大1、鹿児島純心女大1、大手前大1、摂南大1、他
【求める人材】コミュニケーション能力が高く、調理業務に興味がある人

【本社】136-0082 東京都江東区新木場1-18-6 新木場センタービル ☎03-6687-4451
【特色・近況】事業所、工場、独身寮、病院、福祉施設、保育園などの給食事業が中核。全国約900カ所の施設と契約。約1400名の調理師と約600名の栄養士を配置。小学校・中学校の給食事業やグループでレストランなど外食事業も。障がい者雇用施設も運営。
【設立】1941.6 【資本金】99百万円
【社長】若生喜晴(1957.9生 日大経済卒)
【株主】‥
【事業】産業給食97、一般外食3
【従業員】単8,316名(52.9歳)

【業績】	売上高	営業利益	経常利益	純利益
単22.3	25,356	459	214	100
単23.3	24,509	▲364	▲73	▲64
単24.3	26,136	380	262	64

㈱ファンデリー

[東証グロース]

採用内定数	倍率	3年後離職率	平均年収
2名	38.5倍	33.3%	[総]424万円

●待遇、制度●
【初任給】月26.6万(諸手当7万円)
【残業】22.8時間【有休】15.1日【制度】[住]
●新卒定着状況●
20年入社(男0、女3)→3年後在籍(男0、女2)
●採用情報●
【人数】23年:4 24年:5 25年:応募77→内定2
【内定内訳】(男0、女2)(文0、理2)(総2、他0)
【試験】〔筆記〕常識、他
【時期】エントリー24.11→内々定25.6
【採用実績校】甲南女大1、北里大保健衛生専1
【求める人材】道は自ら拓くものと考えるチャレンジ精神がある人

【本社】115-0045 東京都北区赤羽2-51-3 NS3ビル ☎03-5249-5080
【特色・近況】生活習慣病患者や予備軍向け健康食の宅配事業を展開。専属栄養士監修のヘルシー食、タンパク質調整食などの冷凍弁当を顧客に配送、血液検査の数値改善目指す。顧客担当栄養士によるカウンセリングで差別化。カタログは全国の医療機関、調剤薬局で配布する。
【設立】2000.9 【資本金】280百万円
【代表取締役】阿部公祐(1972.11生)
【株主】〔24.3〕阿部公祐62.5%
【事業】MFD78、CID4、マーケティング18
【従業員】単53名(29.7歳)

【業績】	売上高	営業利益	経常利益	純利益
単22.3	3,123	▲177	▲158	▲1,948
単23.3	2,810	▲285	▲284	▲284
単24.3	2,646	58	55	66

フジ産業（さんぎょう）

[株式公開計画なし]

採用内定数	倍率	3年後離職率	平均年収
39名	2.7倍	62.3%	‥

●待遇、制度●
【初任給】月21.9万
【残業】5.9時間【有休】8.4日【制度】[フ][住][在]
●新卒定着状況●
20年入社(男7、女62)→3年後在籍(男1、女25)
●採用情報●
【人数】23年:28 24年:40 25年:応募106→内定39*
【内定内訳】(男3、女36)(文‥、理‥)(総0、他39)
【試験】〔性格〕有
【時期】エントリー25.3→内々定25.3*(一次はWEB面接可)【インターン】有【ジョブ型】有
【採用実績校】兵庫大1、京都光華女大1、神戸松蔭女学大1、大阪青山大1、関西福祉科学大1、新渡戸文化短大1、愛国学園短大1、他
【求める人材】食と人々を笑顔にすることが好きな人、仲間と一緒に目標達成をすることに喜びを感じる人

【本社】105-0001 東京都港区虎ノ門3-22-1 虎ノ門桜ビル5階 ☎03-3434-8901
【特色・近況】オフィス、工場、官公庁向けなどの給食受託・業務請負事業を手がける。病院・福祉施設向けや学校向けなども強い。国内に500超の事業所を有し全国展開。静岡県長泉町に調理や物流の総合センターを持つ。豊田通商グループ。
【設立】1968.1 【資本金】47百万円
【社長】久田和紀(1963.2生 青学大法卒)
【株主】〔24.3〕豊田通商100%
【事業】給食受託業
【従業員】単3,475名(49.8歳)

【業績】	売上高	営業利益	経常利益	純利益
単22.3	11,449	339	368	212
単23.3	11,848	426	440	297
単24.3	12,313	409	435	281

カセツリース

株式公開 いずれしたい

採用内定数	倍率	3年後離職率	平均年収
3名	3倍	33.3%	457万円

●待遇、制度●
【初任給】月22.9万(固定残業代20時間分)
【残業】10.6時間【有休】12.5日【制度】‥
●新卒定着状況●
20年入社(男2、女1)→3年後在籍(男1、女1)
●採用情報●
【人数】23年:1 24年:1 25年:応募9→内定3*
【内定内訳】(男3、女0)(文0、理0)(総0、他3)
【試験】〔筆記〕常識
【時期】エントリー25.3→内々定25.3*【インターン】有
【採用実績校】‥
【求める人材】自分で考え、素直に行動できる人

【本社】329-1412 栃木県さくら市喜連川1175
☎028-686-5063
【特色・近況】土木・建設工事現場に必要な仮囲い、足場、仮設資材のレンタル、販売、施工を手がける。アルミゲートや仮設階段などオリジナル商品多い。足場図面の設計から運搬、施工まで一貫対応を行う。リサイクル可能商品選定など、廃棄物低減を推進。
【設立】1983.11 【資本金】70百万円
【社長】村上勇人(1981.5生 作新学院大経営卒)
【株主】〔24.3〕村上勇人48.2%
【事業】レンタル70、施工10、クサビ事業20
【従業員】単71名(38.3歳)

【業績】	売上高	営業利益	経常利益	純利益
単22.3	2,477	‥	118	85
単23.3	3,041	‥	41	29
単24.3	3,039	‥	105	47

#初任給が高い

㈱キナン

株式公開 いずれしたい

採用内定数	倍率	3年後離職率	平均年収
15名	13.3倍	35%	㊟715万円

●待遇、制度●
【初任給】月29万(諸手当4.5万円、固定残業代25時間分)
【残業】25時間【有休】10.6日【制度】㊟
●新卒定着状況●
20年入社(男19、女1)→3年後在籍(男13、女0)
●採用情報●
【人数】23年:14 24年:26 25年:応募200→内定15
【内定内訳】(男15、女0)(文9、理1)(総9、他6)
【試験】〔性格〕有
【時期】エントリー24.10→内々定25.5(一次・二次以降もWEB面接可)【インターン】有
【採用実績校】富山大1、大分大1、大阪商大1、大阪産大1、東北福祉大1、九産大1、石巻専大1、日体大1、羽衣国際大1、鈴鹿大1、他
【求める人材】積極的に行動する人

【本社】647-0014 和歌山県新宮市浮島1-25
☎0735-21-3800
【特色・近況】建設機械のリース・レンタル・販売・修理が主力。高所作業車を主力に、林業機械や発電機、ポンプなど幅広く扱う。日帰り温浴施設やホテル運営、太陽光発電事業も行う。東北から九州まで各地に営業拠点を構えている。
【設立】1981.6 【資本金】330百万円
【社長】角口孝幸(1966.10生 中大卒)
【株主】〔24.2〕熊野コーポレーション100%
【事業】土木建設機械レンタル・リース50、同販売・修理35、温浴4、太陽光発電11
【従業員】単521名(41.9歳)

【業績】	売上高	営業利益	経常利益	純利益
単22.2	24,581	2,305	2,218	897
単23.2	26,240	2,767	2,878	942
単24.2	28,515	2,937	3,068	243

コーユーレンティア

東証 スタンダード

採用予定数	倍率	3年後離職率	平均年収
20~25名	‥	40%	557万円

●待遇、制度●
【初任給】月23.9万(固定残業代23時間分)
【残業】14時間【有休】8.6日【制度】㊟㊟
●新卒定着状況●
20年入社(男4、女16)→3年後在籍(男4、女8)
●採用情報● グループ採用
【人数】23年:19 24年:30 25年:予定20~25*
【内定内訳】(男‥、女‥)(文‥、理‥)(総‥、他‥)
【試験】〔Web会場〕SPI3〔Web自宅〕SPI3〔性格〕有
【時期】エントリー25.3→内々定25.6(一次・二次以降もWEB面接可)【インターン】有
【採用実績校】‥
【求める人材】主体性を持って、積極的に行動できる人

【本社】105-0004 東京都港区新橋6-17-15 菱進御成門ビル
☎03-6758-3500
【特色・近況】事務機器などのレンタルサービス行う。建設現場事務所、スポーツや会議などのイベント会場にオフィス家具やOA機器、家電をレンタル。子会社でマンションギャラリー関連のデザイン・設計を展開。eスポーツ分野で受注機会の拡大を目指す。
【設立】1970.10 【資本金】935百万円
【社長】梅木孝治(1965.7生)
【株主】〔24.6〕ワイドフレンズ㈱69.1%
【連結事業】レンタル関連59、スペースデザイン16、物販12、ICT13
【従業員】連889名 単414名(40.7歳)

【業績】	売上高	営業利益	経常利益	純利益
連21.12	23,994	2,522	2,519	1,533
連22.12	26,188	2,430	2,421	1,249
連23.12	30,960	2,443	2,478	1,604

サービス

小山（こやま）

株式公開していない

採用内定数	倍率	3年後離職率	平均年収
32名	21.2倍	33.3%	560万円

●待遇、制度●

【初任給】月22.8万

【残業】14.4時間【有休】12日【制度】住

●新卒定着状況●

20年入社(男3、女0)→3年後在籍(男2、女0)

●採用情報●

【人数】23年:19 24年:25 25年:応募677→内定32*

【内定内訳】(男24、女8)(文31、理1)(総23、他9)

【試験】〔筆記〕有〔性格〕有

【時期】エントリー24.6→内々定24.12*【インターン】有

【採用実績校】兵庫県大1、関西学大1、関大1、同大1、龍谷大1、京産大3、鹿屋体大1、高知工科大1、佛教大1、帝塚山大1、神戸芸工大1、他

【求める人材】変化に対応し、新たな価値創造にチャレンジできる人

【本社】630-8131 奈良県奈良市大森町47-3 ☎0742-22-4321

【特色・近況】医療機関、老人ホーム、官公庁、ホテル、保養所などに寝具・家具・各種備品などをリース・販売する。北海道から九州まで営業拠点。リネンサプライ、介護住宅リフォームなども全国的に手がける。クラウドなどITサービスの提供も行う。

【設立】1962.10【資本金】140百万円

【社長】小山智士

【株主】‥

【事業】一般用寝具類の賃貸・販売、医療機関用寝具類の賃貸・販売、介護関連賃貸・販売

【従業員】単‥名(‥歳)

【業績】	売上高	営業利益	経常利益	純利益
単22.3	28,600	‥	‥	2,370
単23.3	30,800	‥	‥	2,422
単24.3	‥	‥	‥	2,005

サンエー工業（こうぎょう）

株式公開計画なし

採用予定数	倍率	3年後離職率	平均年収
4名	−	100%	‥

●待遇、制度●

【初任給】月23.5万

【残業】‥時間【有休】12日【制度】住 在

●新卒定着状況●

20年入社(男0、女1)→3年後在籍(男0、女0)

●採用情報●

【人数】23年:4 24年:0 25年:予定4*

【内定内訳】(男‥、女‥)(文‥、理‥)(総‥、他‥)

【試験】〔性格〕有

【時期】エントリー25.3→内々定25.7*(一次はWEB面接可)

【採用実績校】‥

【求める人材】協調性及び目標への達成意欲の高い人

【本社】176-0003 東京都練馬区羽沢3-39-1 サンエービル ☎03-3557-2333

【特色・近況】建設・設備用ポンプのレンタル・販売で創業。土木工事現場の環境保全に不可欠な給水、排水、泥水・濁水などの回収・処理機器・装置をレンタルで提供する。トンネル、ダム、新幹線、高速道路などの大規模工事で実績。北海道から九州まで全国に営業拠点を持つ。

【設立】1968.4【資本金】50百万円

【社長】浦矢英雄(1968.2生)

【株主】〔24.1〕浦矢英雄35.0%

【事業】レンタル売上62、販売売上24、工事他14

【従業員】単135名(43.0歳)

【業績】	売上高	営業利益	経常利益	純利益
単22.1	4,177	‥	75	35
単23.1	3,898	‥	217	187
単24.1	3,975	‥	559	379

㈱杉孝（すぎこう）

株式公開計画なし

採用内定数	倍率	3年後離職率	平均年収
12名	11.4倍	20.7%	㊨605万円

●待遇、制度●

【初任給】月21.3万

【残業】26.1時間【有休】12日【制度】住 在

●新卒定着状況●

20年入社(男10、女19)→3年後在籍(男8、女15)

●採用情報●

【人数】23年:25 24年:28 25年:応募137→内定12*

【内定内訳】(男9、女3)(文11、理1)(総12、他0)

【試験】〔Web自宅〕SPI3〔性格〕有

【時期】エントリー25.3→内々定25.6(一次・二次以降もWEB面接可)【インターン】有

【採用実績校】東海大3、神奈川大1、関東学院大1、京都女大1、桐蔭横浜大1、日体大1、文教大1、明海大1、横浜商大1、立正大1

【求める人材】自ら考え、失敗を恐れず行動できる人

【本社】221-0056 神奈川県横浜市神奈川区金港町1-7 横浜ダイヤビルディング14階 ☎045-444-0835

【特色・近況】建築現場、プラント、橋梁現場などの仮設機材レンタルのパイオニア。BIM活用した仮設計画の提案などDXに取り組む。足場に起因する労働災害の撲滅を目指し、足場安全コンサルティングも行う。関西、名古屋、関東、東北などに機材センター20カ所展開。

【設立】1955.2【資本金】100百万円

【代表取締役】杉山亮(1978.11生)

【株主】〔24.4〕杉孝グループホールディングス100%

【事業】建設用仮設資材のレンタル100

【従業員】単748名(35.3歳)

【業績】	売上高	営業利益	経常利益	純利益
単21.12	27,816	▲262	▲213	▲251
単22.12	31,787	22	▲32	▲74
単23.12	34,530	179	93	24

サービス

㈱タカミヤ　東証プライム

採用内定数	倍率	3年後離職率	平均年収
21名	10.5倍	15.6%	[総]598万円

●待遇、制度●
【初任給】月27万（固定残業代20時間分）
【残業】12.5時間【有休】12日【制度】[フ][住][在]
●新卒定着状況●
20年入社（男21、女11）→3年後在籍（男17、女10）
●採用情報●
【人数】23年:27 24年:25 25年:応募220→内定21*
【内定内訳】（男15、女6）（文18、理0）（総18、他3）
【試験】〔性格〕有
【時期】エントリー24.9→内々定24.12(一次・二次以降もWEB面接可)【インターン】有
【採用実績校】龍谷大2、日大2、新潟医療福祉大2、法政大1、駒澤大1、大阪経大1、京都外大1、京都橘大1、東京国際大1、産能大1、他
【求める人材】仕組みづくりの視点を持ち、自立自走できる人

【本社】530-0011 大阪府大阪市北区大深町3-1 グランフロント大阪タワーB ☎06-6375-3900
【特色・近況】建設用仮設機材の販売・レンタル大手。自社で開発、製造は国内のほか韓国、ベトナムで行う。仮設機材の外部足場や型枠材のほか住宅用建材も扱う。階高拡張で安全性増した次世代足場「Iqシステム」に注力。農業ハウスといった非仮設事業の育成も図る。
【設立】1969.6 【資本金】1,052百万円
【会長兼社長】髙宮一雅（1966.8生）
【株主】〔24.3〕㈲タカミヤ16.8%
【連結事業】販売28、レンタル64、海外8 <海外8>
【従業員】連1,327名 単753名（37.6歳）

【業績】	売上高	営業利益	経常利益	純利益
連22.3	39,800	1,682	1,954	965
連23.3	41,894	2,253	2,400	1,460
連24.3	44,127	3,404	3,580	1,887

東海リース（とうかい）　東証スタンダード

採用内定数	倍率	3年後離職率	平均年収
4名	9倍	0%	[総]546万円

●待遇、制度●
【初任給】月23万
【残業】11.3時間【有休】11日【制度】[住]
●新卒定着状況●
20年入社（男2、女1）→3年後在籍（男2、女1）
●採用情報●
【人数】23年:0 24年:3 25年:応募36→内定4*
【内定内訳】（男3、女1）（文3、理0）（総4、他0）
【試験】〔性格〕有
【時期】エントリー24.12→内々定25.10*(一次・二次以降もWEB面接可)【ジョブ型】有
【採用実績校】阪南大1、甲南大1、大原簿記専1
【求める人材】チャレンジ精神が旺盛で協調性やコミュニケーション能力の備わった人

【本社】530-0041 大阪府大阪市北区天神橋2-北2-6 ☎06-6352-0001
【特色・近況】仮設建物リースの専業大手。設計、製作から組立、解体、輸送まで手がける。工事現場のほか、仮オフィス、仮校舎、仮設住宅などに実績。販売先は官民ほぼ半々。独自開発した再利用可能なコンクリート基礎をはじめ、解体後の廃材ゼロへの取り組みに積極的。
【設立】1968.5 【資本金】8,032百万円
【社長】塚本博亮（1959.4生 慶大経済卒）
【株主】〔24.3〕塚本博亮7.0%
【連結事業】仮設建物リース100
【従業員】連568名 単419名（42.9歳）

【業績】	売上高	営業利益	経常利益	純利益
連22.3	16,420	564	593	438
連23.3	15,736	281	344	148
連24.3	17,175	998	1,060	675

㈱ナック　東証プライム

採用予定数	倍率	3年後離職率	平均年収
40名	‥	51%	[総]610万円

●待遇、制度●
【初任給】月21万（諸手当を除いた数値）
【残業】16.5時間【有休】9.9日【制度】[住]
●新卒定着状況●
20年入社（男37、女12）→3年後在籍（男14、女10）
●採用情報●
【人数】23年:40 24年:32 25年:予定40*
【内定内訳】（男‥、女‥）（文‥、理‥）（総‥、他‥）
【試験】〔筆記〕常識〔Web会場〕有
【時期】エントリー25.3→内々定25.4(一次・二次以降もWEB面接可)【インターン】有
【採用実績校】立教大1、関大1、日大1、成蹊大1、中部大1、東海大1、武蔵大1、玉川大1、帝京平成大1、目白大1、二松学舎大1、拓大1、他
【求める人材】ひたむきな努力が出来る、主体性、チームで協働する力がある人

【本社】163-0675 東京都新宿区西新宿1-25-1 新宿センタービル ☎03-3346-2111
【特色・近況】ダスキン加盟店最大手。同社の清掃用具レンタルと自社製造・販売の宅配水「クリクラ」が柱。地場工務店向けにノウハウを提供する建築コンサルティング、注文住宅の建築請け負い、化粧品・健康食品の通信販売も手がける。ダスキン加盟店などのM&Aを推進。
【設立】1971.5 【資本金】6,729百万円
【社長】吉村寛（1961.5生 中大文卒）
【株主】〔24.3〕ダスキン25.1%
【連結事業】クリクラ28、レンタル32、建築コンサルティング10、住宅17、美容・健康12
【従業員】連1,636名 単1,186名（39.2歳）

【業績】	売上高	営業利益	経常利益	純利益
連22.3	54,924	2,760	2,792	1,708
連23.3	57,068	3,232	3,243	2,002
連24.3	54,433	2,298	2,390	1,436

㈱日本ケアサプライ（にっぽん）

東証スタンダード

採用内定数	倍率	3年後離職率	平均年収
23名	6.3倍	11.8%	‥

●待遇、制度●
【初任給】月21.5万
【残業】15.3時間【有休】11.1日【制度】住 在
●新卒定着状況●
20年入社(男5、女12)→3年後在籍(男5、女10)
●採用情報●
【人数】23年:13 24年:22 25年:応募144→内定23
【内定内訳】(男6、女17)(文23、理0)(総23、他0)
【試験】〔Web自宅〕SPI3〔性格〕有
【時期】エントリー25.3→内々定25.5(一次・二次以降もWEB面接可)【インターン】有
【採用実績校】東北福祉大2、淑徳大2、日本福祉大2、法政大1、南山大1、東京女大1、同大1、神戸女学大1、北海道科学大1、文教大1、他
【求める人材】誠実な人、チャレンジ精神のある人、チームワークを大切にできる人

【本社】105-0012 東京都港区芝大門1-1-30 芝NBFタワー ☎03-5733-0381
【特色・近況】高齢者向け福祉レンタル卸大手。介護ベッドや車いすの福祉用具レンタル卸が主力。訪問看護・リハビリテーション、通所介護など高齢者生活支援サービス、介護事業者向け食事サービスも展開。福祉用具レンタル事業者向けクラウドサービスも運営。
【設立】1998.3 【資本金】2,897百万円
【社長】平松雅之(1968.8生)
【株主】〔24.3〕三菱商事38.2%
【連結事業】福祉用具サービス87、高齢者生活支援サービス13
【従業員】連1,334名 単1,295名(41.9歳)

【業績】	売上高	営業利益	経常利益	純利益
連22.3	23,297	2,327	2,362	1,675
連23.3	25,892	2,117	2,142	1,514
連24.3	28,592	2,173	2,200	1,578

ニッポンレンタカーサービス

株式公開計画なし

採用内定数	倍率	3年後離職率	平均年収
11名	‥	8.3%	‥

●待遇、制度●
【初任給】月24万(諸手当を除いた数値)
【残業】9.7時間【有休】14.4日【制度】住 在
●新卒定着状況●
20年入社(男5、女7)→3年後在籍(男5、女6)
●採用情報●
【人数】23年:6 24年:8 25年:応募‥→内定11
【内定内訳】(男5、女6)(文11、理0)(総11、他0)
【試験】〔Web会場〕有
【時期】エントリー‥→内々定‥(一次はWEB面接可)【インターン】有
【採用実績校】鹿児島大1、明大1、法政大2、日大2、東洋大1、國學院大1、同女大1、共立女大1、立正大1
【求める人材】明るく、エネルギーのある、チャレンジ精神旺盛な人

【本社】101-0022 東京都千代田区神田練塀町3 富士ソフトビル14階 ☎03-6859-6111
【特色・近況】国内外にレンタカーを提供可能なネットワークを持つレンタカー会社。国内約540カ所、ハワイ、グアムに営業拠点。人気車種、トラック、福祉車両、電気自動車など豊富にラインアップ。非対面で利用できる「セルフレンタカー」サービスを導入。
【設立】1969.3 【資本金】720百万円
【代表取締役】藤原徳久(1962.8生 一橋大商卒)
【株主】〔23.12〕東京センチュリー88.5%
【事業】自動車有償貸渡事業100
【従業員】単215名(38.6歳)

【業績】	売上高	営業利益	経常利益	純利益
単21.12	32,350	‥	‥	155
単22.12	32,569	‥	‥	698
単23.12	43,937	‥	‥	2,699

#採用数が多い

㈱NEXYZ.Group

東証スタンダード

採用予定数	倍率	3年後離職率	平均年収
250名	‥	54.7%	500万円

●待遇、制度●
【初任給】月24万
【残業】25時間【有休】10日【制度】フ 住 在
●新卒定着状況●
20年入社(男69、女103)→3年後在籍(男39、女39)
●採用情報● グループ採用
【人数】23年:140 24年:135 25年:予定250*
【内定内訳】(男‥、女‥)(文‥、理‥)(総‥、他‥)
【試験】〔性格〕有
【時期】エントリー24.6→内々定25.10*(一次はWEB面接可)【インターン】有
【採用実績校】日大5、東北学大5、安田女大5、広島修道大5、中京大4、追手門学大4、福岡大4、九州共立大4、拓大3、山梨学大3、他
【求める人材】新しい価値創造に挑戦し、自分自身の成長で社会を前進させる大きな可能性を信じる人

【本社】150-0031 東京都渋谷区桜丘町20-4 ネクシーズスクエアビル ☎03-5459-7444
【特色・近況】LED照明や業務用冷蔵庫などの店舗向けレンタルが柱。利用者に初期投資ゼロで設備を導入、分割などで手数料得る。店舗向けに電力小売りも行う。旅行関連Webマガジンで広告事業を展開。セルフエステ事業や株式投資サポート事業などにも領域広げる。
【設立】1990.2 【資本金】100百万円
【社長】近藤太香巳(1967.11生 大阪西淀川高)
【株主】〔24.3〕近藤太香巳24.3%
【連結事業】エンベデッド・ファイナンス79、電子メディア21、他0
【従業員】連1,024名 単42名(35.8歳)

【業績】	売上高	営業利益	経常利益	純利益
連21.9	18,763	▲351	▲353	▲1,153
連22.9	19,214	382	377	185
連23.9	21,953	766	726	748

サービス

ヒビノ 東証スタンダード

採用内定数	倍率	3年後離職率	平均年収
9名	24.9倍	37.5%	589万円

●待遇、制度●
【初任給】月21.1万
【残業】16.5時間【有休】10.6日【制度】フ 在

●新卒定着状況●
20年入社(男4、女4)→3年後在籍(男3、女2)

●採用情報●
【人数】23年:6 24年:14 25年:応募224→内定9
【内定内訳】(男7、女2)(文7、理1)(総0、他9)
【試験】〔筆記〕有〔Web自宅〕有〔性格〕有
【時期】エントリー25.3→内々定25.6(一次はWEB面接可)【インターン】有
【採用実績校】九大1、関大1、明大1、東京都市大1、慶大1、東京国際大2、日大1、名古屋ビジュアルアーツ専1
【求める人材】何事にも意欲を持って取り組み、自らを鍛える努力を怠らない人

【本社】108-0075 東京都港区港南3-5-14 ☎03-3740-4391
【特色・近況】「JBL」「SHURE」など海外高級オーディオの輸入販売とコンサートなどへの映像・音響設備提供やLED映像製品の開発・販売を行う。設備提供はコンサートツアーなど大型イベントに強み。建築音響、舞台照明関連などのM&Aにも積極的。
【設立】1964.11 【資本金】1,748百万円
【社長】日比野晃久(1962.7生)
【株主】〔24.3〕㈲ハイビーノ34.2%
【連結事業】販売施工50、建築音響施工18、コンサート・イベントサービス32 <海外15>
【従業員】連1,562名 単635名(44.8歳)

【業績】	売上高	営業利益	経常利益	純利益
連22.3	42,426	1,339	1,921	1,074
連23.3	41,922	1,229	1,400	607
連24.3	50,491	2,814	2,951	1,627

#採用数が多い

㈱ユニバーサル園芸社(えんげいしゃ) 東証スタンダード

採用内定数	倍率	3年後離職率	平均年収
146名	5.4倍	46.2%	432万円

●待遇、制度●
【初任給】月25万(固定残業代33時間分)
【残業】‥時間【有休】7.5日【制度】住

●新卒定着状況●
20年入社(男17、女22)→3年後在籍(男10、女11)

●採用情報●
【人数】23年:60 24年:52 25年:応募782→内定146*
【内定内訳】(男62、女84)(文100、理40)(総146、他0)
【試験】なし
【時期】エントリー24.10→内々定24.11(一次・二次以降もWEB面接可)【インターン】有
【採用実績校】東京農業大3、日大4、東海大1、明大1、法政大1、神戸大1、近大2、龍谷大1、追手門学大2、神奈川大2、他
【求める人材】仲間のために頑張れる人

【本社】568-0095 大阪府茨木市大字佐保193-2 ☎072-649-2266
【特色・近況】オフィス、ホテル、商業施設への観賞用植物や造花のレンタルが主力事業。造園工事、屋上・壁面緑化なども手がける。造花や観葉植物の卸売りのほか、園芸雑貨、生花の小売り事業にも注力。海外の買収に積極的で中国、米国、シンガポールに進出。
【設立】1974.2 【資本金】172百万円
【社長】安部豪(1976.12生)
【株主】〔24.6〕カーン園子14.4%
【連結事業】グリーン67、卸売6、小売27 <海外18>
【従業員】連851名 単415名(32.2歳)

【業績】	売上高	営業利益	経常利益	純利益
連22.6	11,599	1,859	1,963	1,382
連23.6	13,816	2,113	2,183	1,494
連24.6	16,859	2,373	2,510	1,636

#初任給が高い

㈱梓(あずさ)設(せっ)計(けい) 株式公開していない

採用内定数	倍率	3年後離職率	平均年収
21名	17.8倍	0%	‥

●待遇、制度●
【初任給】月30.3万(諸手当2.8万円)
【残業】11.5時間【有休】10日【制度】住 在

●新卒定着状況●
20年入社(男14、女5)→3年後在籍(男14、女5)

●採用情報●
【人数】23年:17 24年:29 25年:応募373→内定21
【内定内訳】(男17、女4)(文0、理20)(総20、他1)
【試験】〔筆記〕有〔性格〕有
【時期】エントリー24.11→内々定25.2【インターン】有
【採用実績校】‥
【求める人材】新たな視点で付加価値をもたらすことができる、主導的な役割を積極的に担う人

【本社】144-0042 東京都大田区羽田旭町10-11 MFIP羽田3階 ☎03-5735-3210
【特色・近況】総合設計大手。空港、スポーツ、医療福祉、庁舎、教育・研究、文化、商業・宿泊、倉庫・物流、生産などの施設に実績。都市開発、海外プロジェクトでの実績もあり。フランスのスタジアム「スタッドアルマンディー」改修・拡張プロジェクトの設計業務に参画。
【設立】1947.7 【資本金】90百万円
【社長】有吉匡
【株主】‥
【事業】建築設計監理
【従業員】単725名(‥歳)

【業績】	売上高	営業利益	経常利益	純利益
単21.6	‥	‥	‥	65
単22.6	‥	‥	‥	500
単23.6	‥	‥	‥	477

#年収が高い

㈱久米設計（くめせっけい）

株式公開計画なし

採用内定数	倍率	3年後離職率	平均年収
28名	‥	12.5%	944万円

●待遇、制度●
【初任給】月28万
【残業】‥時間【有休】12.7日【制度】在
●新卒定着状況●
20年入社(男12、女4)→3年後在籍(男10、女4)
●採用情報●
【人数】23年:15 24年:12 25年:応募‥→内定28
【内定内訳】(男17、女11)(文0、理28)(総28、他0)
【試験】〔性格〕有
【時期】エントリー‥→内々定‥(一次はWEB面接可)
【採用実績校】日大1、東京都市大2、都立大1、東海大1、山口大2、名工大1、武庫川女大1、京大2、東大1、東理大2、明大2、阪大1、他
【求める人材】技術と知識を兼ね備え、さまざまな課題に対し最適な提案を持続的に追求していく人

【本社】135-8567 東京都江東区潮見2-1-22
☎03-5632-7811
【特色・近況】設計事務所大手。一級建築士350人を擁し、国内外で事業展開。不動産活用の提案も行う。恵比寿ガーデンプレイス、赤坂サカス、虎ノ門ヒルズステーションタワーなどに実績を持つ。海外は中国・上海、ベトナムに現地法人。
【設立】1932.10 【資本金】90百万円
【社長】藤澤進(1961.5生 東工大院理工修了)
【株主】〔24.3〕藤澤進3.0%
【事業】建築・都市の設計88、PM・CM6、海外6
【従業員】単657名(45.6歳)

【業績】	売上高	営業利益	経常利益	純利益
単22.5	11,953	97	430	273
単23.5	12,168	337	556	253
単24.3変	12,661	350	475	104

㈱大建設計（だいけんせっけい）

株式公開計画なし

採用実績数	倍率	3年後離職率	平均年収
9名	‥	‥	‥

●待遇、制度●
【初任給】月23万(諸手当を除いた数値)
【残業】‥時間【有休】‥日【制度】‥
●新卒定着状況●
‥
●採用情報●
【人数】23年:17 24年:9 25年:予定未定
【内定内訳】(男‥、女‥)(文‥、理‥)(総‥、他‥)
【試験】‥
【時期】エントリー‥→内々定‥
【採用実績校】‥
【求める人材】‥

【本社】141-0022 東京都品川区東五反田5-10-8
☎03-5424-8610
【特色・近況】独立系の総合設計事務所。行政施設、オフィスビル、ホテル、病院、福祉施設、工場、清掃工場などに実績。油壺マリンパークの設計をはじめ、水族館設計のパイオニア的存在。インドネシアのセメント工場や韓国の製鉄所工事など、海外での実績も豊富。
【設立】1948.4 【資本金】99百万円
【社長】菅野尚教(1956.6生 神戸大院工修了)
【株主】〔24.4〕吉田啓子5.1%
【事業】建築設計監理100 <海外10>
【従業員】単388名(41.2歳)

【業績】	売上高	営業利益	経常利益	純利益
単21.9	6,759	332	342	107
単22.9	7,167	382	408	130
単23.9	6,872	345	399	122

㈱松田平田設計（まつだひらたせっけい）

株式公開計画なし

採用内定数	倍率	3年後離職率	平均年収
16名	‥	‥	‥

●待遇、制度●
【初任給】月25万(諸手当を除いた数値)
【残業】‥時間【有休】‥日【制度】在
●新卒定着状況●
‥
●採用情報●
【人数】23年:16 24年:13 25年:応募‥→内定16
【内定内訳】(男11、女5)(文1、理15)(総15、他1)
【試験】試験あり
【時期】エントリー‥→内々定‥【インターン】有
【採用実績校】千葉大1、都立大1、茨城大1、信州大1、東京都市大1、神奈川大2、法政大1、東京科学大1、東京電機大1、武庫川女大1、他
【求める人材】建築の設計やまちづくりに対する強い意欲と自己成長力がある人

【本社】107-8448 東京都港区元赤坂1-5-17
☎03-3403-6161
【特色・近況】総合設計事務所。建築設計主体に、再開発調査・企画・監理業務に加え、リノベーション、耐震診断、PM・CMにも取り組む。従業員数の約6割が一級建築士。東京国際空港ターミナルの新築・増築、日産スタジアムの設計、東京芸術劇場の改修など実績多い。
【設立】1950.2 【資本金】60百万円
【社長】江本正和(1951.1生 東北大工卒)
【株主】〔24.4〕江本正和
【事業】設計監理報酬100
【従業員】単383名(‥歳)

【業績】	売上高	営業利益	経常利益	純利益
単21.6	5,688	‥	‥	191
単22.6	5,977	‥	‥	187
単23.6	6,552	‥	‥	192

サービス

㈱山下設計（やました せっけい）

株式公開計画なし

採用内定数	倍率	3年後離職率	平均年収
20名	14倍	6.2%	‥

●待遇、制度●
【初任給】月27万(諸手当1.6万円)
【残業】‥時間【有休】15.5日【制度】フ 住
●新卒定着状況●
20年入社(男13、女3)→3年後在籍(男13、女2)
●採用情報●
【人数】23年:17 24年:16 25年:応募280→内定20*
【内定内訳】(男11、女9)(文0、理20)(総20、他0)
【試験】〔筆記〕有〔性格〕有
【時期】エントリー24.12→内々定25.2【インターン】有
【採用実績校】東京科学大2、阪大1、東北大2、九大1、名工大1、東理大1、明大4、立命館大2、芝工大1、名古屋市大1、他
【求める人材】建築や都市の計画・設計を通した新たな社会づくりに共感しそれに参加したいと考える人

【本社】103-8542 東京都中央区日本橋小網町6-1 ☎03-3249-1551
【特色・近況】国内有数の建設設計事務所。庁舎・病院・学校を得意とし、PM(プロジェクトマネジメント)・CM(コンストラクションマネジメント)業務にも多くの実績。官民ともに大型プロジェクトを手がける。北海道から沖縄まで全国に事務所を配置。1928年創立。
【設立】1948.7 【資本金】100百万円
【社長】藤田秀夫(1952.11生 慶大経済卒)
【株主】〔24.5〕山下コンサルタント62.7%
【事業】建築の設計・監理93、PM・CM7
【従業員】単452名(44.0歳)

【業績】	売上高	営業利益	経常利益	純利益
単21.9	7,570	128	234	95
単22.9	8,314	739	900	587
単23.9	9,588	654	1,145	943

㈱ラックランド

東証プライム

採用内定数	倍率	3年後離職率	平均年収
23名	8.7倍	38.1%	519万円

●待遇、制度●
【初任給】月26.6万(固定残業代15時間分)
【残業】18.1時間【有休】13.7日【制度】フ 住 在
●新卒定着状況●
20年入社(男23、女19)→3年後在籍(男14、女12)
●採用情報●
【人数】23年:26 24年:27 25年:応募200→内定23*
【内定内訳】(男14、女9)(文22、理0)(総23、他0)
【試験】〔筆記〕常識〔性格〕有
【時期】エントリー25.1→内々定25.3*(二次以降はWEB面接可)【インターン】有【ジョブ型】有
【採用実績校】広島工大1、千葉工大1、愛知工業大1、東北芸工大1、神戸芸工大1、多摩美大1、東海大1、日大1、神奈川大1、大手前大2、他
【求める人材】自らの言葉と行動に責任を持ち、人生を楽しむために真剣になれる「やんちゃな大人」

【本社】160-0023 東京都新宿区西新宿3-18-20 ☎03-3377-9331
【特色・近況】食品・飲食分野に特化した店舗企画・設計・施工会社。保守・メンテナンスまでの一貫受注に強み。物件紹介やテナント斡旋、環境対策ノウハウも提供。大型商業施設、ホテルなど新分野開拓。東南アジア中心に海外拠点を展開。
【設立】1970.5 【資本金】3,992百万円
【社長】笠原弘和
【株主】〔24.6〕㈱エイ・クリエイツ14.5%
【連結事業】店舗施設の制作50、商業施設の制作20、食品工場・物流倉庫の制作10、メンテナンス6、省エネ・CO_2削減0、建築14
【従業員】連1,403名 単987名(39.6歳)

【業績】	売上高	営業利益	経常利益	純利益
連21.12	35,886	▲350	▲155	▲120
連22.12	41,106	▲287	143	▲149
連23.12	45,116	460	612	252

㈱ソラスト

東証プライム

採用内定数	倍率	3年後離職率	平均年収
57名	12.1倍	33.9%	㊮579万円

●待遇、制度● 平均年収は常勤勤務者のみ
【初任給】月25万
【残業】8.7時間【有休】9.2日【制度】住 在
●新卒定着状況●
20年入社(男21、女38)→3年後在籍(男13、女26)
●採用情報●
【人数】23年:83 24年:98 25年:応募688→内定57*
【内定内訳】(男33、女24)(文51、理2)(総9、他48)
【試験】〔Web自宅〕SPI3
【時期】エントリー24.7→内々定24.10(一次・二次以降もWEB面接可)【インターン】有【ジョブ型】有
【採用実績校】同大、中大、明学大、東洋大、専大、日大、中京大、龍谷大、近大、立正大、武蔵大、駒澤大、東京家政大、淑徳大、他
【求める人材】夢・目標に向けてチャレンジでき、仲間を大切にしチームで取り組む人

【本社】108-8210 東京都港区港南2-15-3 品川インターシティC棟 ☎03-3450-2610
【特色・近況】医療関連業務の受託を展開。全国約1400の医療機関を対象に、受付や会計、診療報酬請求などの医療事務関連や、看護補助など医事周辺業務の業務請負と人材派遣を行う。M&Aで急成長の介護事業と、保育所運営も収益の柱。リモート医事サービスを展開。
【設立】1968.10 【資本金】686百万円
【社長】野田亨(1960.9生)
【株主】〔24.3〕大東建託33.5%
【連結事業】医療関連受託52、介護40、こども8、他0
【従業員】連33,844名 単31,916名(43.3歳)

【業績】	売上高	営業利益	経常利益	純利益
連22.3	117,239	6,319	6,297	3,502
連23.3	131,088	6,325	6,747	3,172
連24.3	135,139	5,517	5,564	2,257

#初任給が高い #年収が高い

バーチャレクス・ホールディングス [東証グロース]

採用内定数	倍率	3年後離職率	平均年収
38名	・・	54.5%	[総]1,008万円

●待遇、制度●
【初任給】月33万(固定残業代20時間分)
【残業】14.4時間【有休】12.4日【制度】[在]
●新卒定着状況● 総合職のみ
20年入社(男9、女2)→3年後在籍(男5、女0)
●採用情報● バーチャレクスC採用
【人数】23年:16 24年:23 25年:応募・・→内定38*
【内定内訳】(男22、女16)(文26、理10)(総20、他18)
【試験】〔Web自宅〕有〔性格〕有
【時期】エントリー24.12→内々定25.4*(一次・二次以降もWEB面接可)【インターン】有【ジョブ型】有
【採用実績校】阪大1、九大1、熊本大1、東京外大1、東大1、東北大1、一橋大1、広島市大1、愛知工業大1、青学大1、慶大1、津田塾大1、他
【求める人材】野心を持った努力家、人間味のある理論派

【本社】105-0001 東京都港区虎ノ門4-3-13 ☎03-3578-5300
【特色・近況】顧客管理(CRM)に関する立案・IT導入・運用までのサービスをグループで一括提供する。顧客対応管理システム含む顧客管理プロセスのコンサルティングのほか、コールセンターの運営も受託。買収でWebシステム、文教・教育ソリューションへ領域拡大。
【設立】1999.6 【資本金】610百万円
【社長】丸山栄樹(1965.1生)
【株主】〔24.3〕シンプレクス14.6%
【連結事業】IT&コンサルティング61、アウトソーシング39
【従業員】連376名 単3名(43.0歳)

【業績】	売上高	営業利益	経常利益	純利益
連22.3	6,223	519	543	364
連23.3	6,798	576	497	635
連24.3	6,692	371	454	202

(株)アトックス [株式公開計画なし]

採用内定数	倍率	3年後離職率	平均年収
12名	9.7倍	8.3%	[総]541万円

●待遇、制度●
【初任給】月22万
【残業】11時間【有休】14.1日【制度】[住][在]
●新卒定着状況●
20年入社(男30、女6)→3年後在籍(男29、女4)
●採用情報●
【人数】23年:20 24年:30 25年:応募116→内定12*
【内定内訳】(男10、女2)(文7、理4)(総12、他0)
【試験】〔Web自宅〕SPI3〔性格〕有
【時期】エントリー25.3→内々定25.4(一次はWEB面接可)【インターン】有
【採用実績校】関大3、日大2、京大1、宇都宮大1、東洋大1、帝京大1、京産大1、中央学大1、米子高専1
【求める人材】明るく意欲的で使命感があり、集団行動ができる人

【本社】108-0014 東京都港区芝4-11-3 芝フロントビル ☎03-6758-9000
【特色・近況】原発、核燃料サイクル施設のメンテナンスが柱。放射線施設の保守管理も。世界初の頭部専用PET装置(Vrain)の開発・実用化、前立腺がん診断薬の研究開発など、ライフサイエンス事業へ積極展開。ビル総合管理のグローブシップグループ関連企業。
【設立】1980.9 【資本金】150百万円
【社長】矢口敏和(1953.12生 一橋大卒)
【株主】〔24.3〕グローブシップ35.0%
【事業】電力向けメンテナンス80、他20
【従業員】単1,784名(44.6歳)

【業績】	売上高	営業利益	経常利益	純利益
単22.3	24,864	769	942	531
単23.3	25,369	570	773	255
単24.3	29,333	1,816	2,385	1,430

鹿島建物総合管理(かじまたてものそうごうかんり) [株式公開計画なし]

採用内定数	倍率	3年後離職率	平均年収
32名	3.6倍	8.2%	・・

●待遇、制度●
【初任給】月22.3万
【残業】17時間【有休】15.3日【制度】[住][在]
●新卒定着状況●
20年入社(男41、女20)→3年後在籍(男38、女18)
●採用情報●
【人数】23年:43 24年:41 25年:応募114→内定32*
【内定内訳】(男21、女11)(文10、理5)(総32、他0)
【試験】〔Web会場〕SPI3〔Web自宅〕SPI3
【時期】エントリー24.11→内々定25.2(一次はWEB面接可)【インターン】有
【採用実績校】駒沢女大1、日工大1、産能大1、大妻女大1、明星大2、駿河台大1、拓大1、和洋女大1、十文字学女大1、跡見学園女大2、他
【求める人材】コミュニケーション力があり、地道にコツコツと業務を遂行できる人

【本社】104-0061 東京都中央区銀座6-17-1 銀座6丁目-SQUARE ☎03-6748-7111
【特色・近況】建物の総合管理業務を行う。全国主要都市に営業拠点。大規模複合ビルの管理や省エネ、施設運営などに定評。グループ連携による強みを生かしたBIMや遠隔監視によるエリア管理など、建物管理DXに注力。鹿島の完全子会社。
【設立】1985.12 【資本金】100百万円
【社長】山本和雄(1953.1生 日大院修了)
【株主】〔24.3〕鹿島100%
【事業】建物管理94、補修・改装工事等6
【従業員】単2,849名(45.5歳)

【業績】	売上高	営業利益	経常利益	純利益
単22.3	65,474	2,800	2,865	1,855
単23.3	67,859	2,702	2,763	1,782
単24.3	71,391	2,277	2,392	1,675

サービス

近鉄ファシリティーズ（きんてつ）

株式公開計画なし

採用内定数	倍率	3年後離職率	平均年収
26名	3.4倍	7.1%	490万円

●待遇、制度●
【初任給】月21.8万
【残業】7.5時間【有休】14.1日【制度】住
●新卒定着状況●
20年入社(男9、女5)→3年後在籍(男8、女5)
●採用情報●
【人数】23年:13 24年:21 25年:応募89→内定26*
【内定内訳】(男24、女2)(文18、理8)(総26、他0)
【試験】〔筆記〕常識〔性格〕有
【時期】エントリー25.3→内々定25.3*【インターン】有
【採用実績校】京都建築大学校1、愛知学大1、愛知東邦大1、関大3、関西福祉科学大1、京都先端科学大1、近大2、四天王寺大1、松本大1、他
【求める人材】コミュニケーション能力重視

【本社】542-0076 大阪府大阪市中央区難波2-2-3 御堂筋グランドビル ☎06-6211-2090
【特色・近況】近鉄系ビルメンテナンス会社。近鉄グループ各社が保有する施設のほか、ビル、商業施設、大学、医療機関などの設備管理を請け負う。参議院本館、あべのハルカス、シェラトン都ホテル東京、京セラドーム、筑波大学などの管理に実績。
【設立】1972.12【資本金】100百万円
【社長】芳野彰夫(1962.2生 京大法卒)
【株主】〔24.3〕近鉄グループホールディングス100%
【事業】設備管理40、清掃・衛生管理23、工事15、警備管理12、他10
【従業員】単1,686名(49.5歳)

【業績】	売上高	営業利益	経常利益	純利益
単22.3	21,985	720	812	545
単23.3	23,694	935	1,000	674
単24.3	24,817	887	971	670

グローブシップ

株式公開計画なし

採用内定数	倍率	3年後離職率	平均年収
12名	3.3倍	34.4%	‥

●待遇、制度●
【初任給】月22万
【残業】15時間【有休】14日【制度】住
●新卒定着状況●
20年入社(男21、女11)→3年後在籍(男14、女7)
●採用情報●
【人数】23年:18 24年:15 25年:応募40→内定12*
【内定内訳】(男8、女4)(文6、理6)(総5、他7)
【試験】〔筆記〕有〔Web自宅〕SPI3
【時期】エントリー25.3→内々定25.4*(一次はWEB面接可)【インターン】有
【採用実績校】上武大1、帝塚山学大1、関東学院大1、聖学大1、拓大1、明星大1、帝京大1、工学院大1、湘南工大1、日本電子専2、他
【求める人材】素直で真面目な人

【本社】108-0014 東京都港区芝4-11-3 芝フロントビル ☎03-6362-9700
【特色・近況】設備管理、清掃、警備などビルメンテナンスサービスを展開。ビルの設備管理のコンサルティングも行う。ファシリティ・マネジメント(FM)にロボットやAIなど先端技術も活用するDXを取り入れた「FMDX」を推進。
【設立】1953.10【資本金】100百万円
【社長】矢口敏和(1953.12生 一橋大経済卒)
【株主】〔24.3〕アトックス24.0%
【事業】設備管理35、清掃32、工事19、他14
【従業員】単5,360名(55.9歳)

【業績】	売上高	営業利益	経常利益	純利益
単22.3	39,726	592	680	480
単23.3	41,072	774	949	598
単24.3	43,585	666	875	478

㈱京王設備サービス（けいおうせつび）

株式公開計画なし

採用内定数	倍率	3年後離職率	平均年収
3名	7倍	15.8%	㊕465万円

●待遇、制度●
【初任給】月21万
【残業】25.3時間【有休】15.7日【制度】住 在
●新卒定着状況●
20年入社(男17、女2)→3年後在籍(男14、女2)
●採用情報●
【人数】23年:14 24年:10 25年:応募21→内定3*
【内定内訳】(男3、女0)(文1、理1)(総2、他1)
【試験】〔Web自宅〕SPI3〔性格〕有
【時期】エントリー25.3→内々定25.4【インターン】有
【採用実績校】千葉工大1、横浜商大、日本工学院八王子専
【求める人材】コミュニケーション能力・チャレンジ精神など兼ね備えた人

【本社】150-0045 東京都渋谷区神泉町4-6 神泉駅ビル ☎03-5456-8710
【特色・近況】京王電鉄グループのビル総合管理、鉄道施設管理、総合設備工事の3分野を主に事業展開。味の素スタジアム、京王プラザホテル、京王百貨店などビルや公共施設に実績持つ。札幌にも営業拠点。官民連携事業を推進。八王子市に技術総合訓練センター。
【設立】1964.2【資本金】200百万円
【社長】梁瀬哲夫(1967.12生 中大理工卒)
【株主】〔24.3〕京王電鉄100%
【事業】ビル管理70、工事30
【従業員】単1,134名(44.4歳)

【業績】	売上高	営業利益	経常利益	純利益
単22.3	24,271	1,796	1,878	1,298
単23.3	26,377	2,216	2,276	1,569
単24.3	28,229	2,494	2,571	1,773

㈱ケイミックス

株式公開計画なし

採用予定数	倍率	3年後離職率	平均年収
6名	‥	55.6%	[総]595万円

●待遇、制度●
【初任給】月22万
【残業】4.1時間【有休】7.9日【制度】[住]
●新卒定着状況● 20～21年入社者合計
20年入社(男7、女2)→3年後在籍(男4、女0)
●採用情報●
【人数】23年:3 24年:6 25年:予定6*
【内定内訳】(男‥、女‥)(文2、理0)(総2、他‥)
【試験】〔Web自宅〕SPI3、他
【時期】エントリー25.3→内々定25.3～4*(一次はWEB面接可)【インターン】有
【採用実績校】東京都市大1、白百合女大1
【求める人材】周囲に働きかけるコミュニケーション能力があり、自ら考え行動に移していける自律精神を持った人

【本社】105-0001 東京都港区虎ノ門1-3-1 東京虎ノ門グローバルスクエア ☎03-3500-5900
【特色・近況】ビルメンテナンス主力に一般道メンテナンス、ハイウェイショップなど飲食物販、不動産運営管理、サービス付き高齢者向け住宅運営などを手がける。技能実習・特定技能ビザによる定期的なベトナム人の受入・育成など実施。ケイミックスHD傘下の中核事業会社。
【設立】1953.4 【資本金】100百万円
【社長】橋本圭史(1967.10生 中大商卒)
【株主】〔24.3〕ケイミックスホールディングス100%
【事業】ビルメンテナンス76、道路メンテナンス22、不動産2、PPP事業0
【従業員】[単]699名(48.9歳)

【業績】	売上高	営業利益	経常利益	純利益
[単]22.3	11,271	353	429	180
[単]23.3	11,652	265	667	609
[単]24.3	11,993	264	1,209	1,277

新生(しんせい)ビルテクノ

株式公開計画なし

採用内定数	倍率	3年後離職率	平均年収
2名	13.5倍	62.5%	‥

●待遇、制度●
【初任給】月21.5万
【残業】9.6時間【有休】10日【制度】‥
●新卒定着状況●
20年入社(男5、女3)→3年後在籍(男2、女1)
●採用情報●
【人数】23年:7 24年:5 25年:応募27→内定2*
【内定内訳】(男1、女1)(文1、理1)(総0、他2)
【試験】なし
【時期】エントリー25.3→内々定25.4*(一次・二次以降もWEB面接可)【ジョブ型】有
【採用実績校】東海大1、他
【求める人材】明るく前向きな人

【本社】113-0022 東京都文京区千駄木3-50-13 新光ビル ☎03-5814-0111
【特色・近況】設備常駐管理、設備保守点検、清掃、警備などを手がける、総合ビルメンテ会社。広域ビル管理システムを開発し、24時間365日体制の遠隔設備管理を行う。全国に14支店。AI搭載型自動お掃除ロボットを京セラドーム大阪の清掃に導入。
【設立】1962.2 【資本金】100百万円
【社長】荒川洋(1961.10生)
【株主】〔24.6〕新光ホールディングス100%
【事業】設備管理53、清掃26、警備3、他18
【従業員】[単]1,048名(46.6歳)

【業績】	売上高	営業利益	経常利益	純利益
[単]22.3	14,294	271	296	136
[単]23.3	14,752	313	383	226
[単]24.3	15,462	377	468	318

㈱セイビ

株式公開計画なし

採用内定数	倍率	3年後離職率	平均年収
1名	68倍	33.3%	‥

●待遇、制度●
【初任給】月22.1万
【残業】21時間【有休】10.2日【制度】‥
●新卒定着状況●
20年入社(男1、女2)→3年後在籍(男1、女1)
●採用情報●
【人数】23年:0 24年:3 25年:応募68→内定1*
【内定内訳】(男0、女1)(文1、理0)(総1、他0)
【試験】なし
【時期】エントリー24.10→内々定25.4(一次・二次以降もWEB面接可)【インターン】有
【採用実績校】恵泉女学大1
【求める人材】問題意識を持って取り組み、自分で課題を持ち、解決していくことができる人

【本社】103-0013 東京都中央区日本橋人形町3-3-3 ☎03-3664-8821
【特色・近況】清掃・環境衛生、設備工事・管理、ホテル客室整備やプロパティマネジメント業務などが主力事業。IoT・AIによる設備管理の最適化、清掃ロボットの活用など新技術の活用を検討。学校・レストランなどの給食・調理・配膳サービス等も行う。
【設立】1958.4 【資本金】60百万円
【社長】薬師寺史治
【株主】〔23.12〕セイビホールディングス100%
【事業】清掃44、設備管理33、警備5、他18
【従業員】[単]770名(‥歳)

【業績】	売上高	営業利益	経常利益	純利益
[単]21.12	7,412	237	305	210
[単]22.12	8,235	302	368	242
[単]23.12	8,373	239	263	171

サービス

大星(たいせい)ビル管理(かんり)

[株式公開していない]

採用内定数	倍率	3年後離職率	平均年収
11名	3.9倍	14.3%	[総]428万円

●待遇、制度●
【初任給】月25.2万(諸手当0.7万円)
【残業】9時間 【有休】17.2日 【制度】‥
●新卒定着状況●
20年入社(男6、女1)→3年後在籍(男5、女1)
●採用情報●
【人数】23年:17 24年:16 25年:応募43→内定11*
【内定内訳】(男8、女3)(文7、理3)(総11、他0)
【試験】〔Web会場〕SPI3〔Web自宅〕SPI3〔性格〕有
【時期】エントリー25.3→内々定‥*【インターン】有
【採用実績校】神奈川工大1、工学院大1、学習院女大1、東洋大1、拓大1、専大1、秀明大1、東京家政大1、大東文化大1、東北学大1
【求める人材】チームワークとコミュニケーションを大切にし、思いやりを持って仕事に取り組める人

【本社】112-0002 東京都文京区小石川4-22-2
☎03-5804-5111
【特色・近況】日本生命のビル管理として設立。約750物件を超えるオフィスビルなどの管理を東日本中心に受託管理。聖路加ガーデン、東京オペラシティなどが取引先。プロパティマネジメント、環境ソリューションも展開。グループ3社や協力会社と広域拠点網を構築。
【設立】1969.6 【資本金】166百万円
【社長】寺島剛紀
【株主】〔24.3〕星光ビル管理10.1%
【事業】受託管理43、清掃24、工事28、オフィスサービス4、ビル事業1
【従業員】単1,360名(51.9歳)

【業績】	売上高	営業利益	経常利益	純利益
単22.3	37,159	1,948	2,106	1,463
単23.3	37,321	2,144	2,341	1,622
単24.3	37,860	2,010	2,224	1,526

大和(だいわ)ライフネクスト

[株式公開計画なし]

採用内定数	倍率	3年後離職率	平均年収
36名	136.6倍	29.4%	[総]737万円

●待遇、制度●
【初任給】月25万
【残業】13.8時間 【有休】11日 【制度】[フ][住][在]
●新卒定着状況●
20年入社(男33、女18)→3年後在籍(男24、女12)
●採用情報●
【人数】23年:29 24年:28 25年:応募4919→内定36
【内定内訳】(男18、女18)(文19、理17)(総36、他0)
【試験】〔Web会場〕SPI3〔Web自宅〕SPI3〔性格〕有
【時期】エントリー25.3→内々定25.5(一次・二次以降もWEB面接可)【インターン】有
【採用実績校】早大4、立命館大4、慶大3、立教大3、関大2、日大2、近大2、芝工大2、京大1、阪大1、神戸大1、ICU1、青学大1、島根大1、他
【求める人材】仕事を通じて自分の可能性を広げ、未来の当たり前を作ることに挑戦できる人

【本社】107-0052 東京都港区赤坂5-1-33
☎03-5549-7111
【特色・近況】分譲マンション、ビル、商業施設、ホテルなど不動産総合管理事業を展開。オフィス移転や人事異動に伴う従業員の引っ越しサポートやコールセンター代行業務など法人向けサービスのほか、高齢者ケア事業なども手がける。大和ハウスの完全子会社。
【設立】1970.8 【資本金】130百万円
【社長】齋藤栄司
【株主】〔24.3〕大和ハウス工業100%
【事業】マンション管理58、ビル管理39、他3
【従業員】単8,402名(‥歳)

【業績】	売上高	営業利益	経常利益	純利益
単22.3	91,409	4,536	4,822	2,768
単23.3	95,720	5,855	6,227	4,228
単24.3	102,249	6,320	6,720	4,573

東洋(とうよう)テック

[東証スタンダード]

採用内定数	倍率	3年後離職率	平均年収
24名	2.5倍	60%	[総]516万円

●待遇、制度●
【初任給】月21.8万(諸手当1万円)
【残業】32時間 【有休】10.4日 【制度】[住][在]
●新卒定着状況●
20年入社(男35、女5)→3年後在籍(男11、女5)
●採用情報●
【人数】23年:25 24年:38 25年:応募60→内定24*
【内定内訳】(男18、女6)(文24、理0)(総24、他0)
【試験】〔性格〕有
【時期】エントリー25.1→内々定25.4*(一次・二次以降もWEB面接可)【インターン】有【ジョブ型】有
【採用実績校】大阪商大4、大阪大谷大3、関大2、近大1、四天王寺大1、佛教大1、帝塚山大1、大阪経大1、神戸学大1、大阪電通大1、他
【求める人材】変化を恐れず行動し、常にチャレンジ精神を持っている人、社会貢献に興味がある人

【本社】556-0022 大阪府大阪市浪速区桜川1-7-18
☎06-6563-2111
【特色・近況】関西地方が地盤の警備会社。機械・輸送・常駐警備のほかATMの無人運営管理なども請け負う。筆頭株主であるセコムと連携しており、関西地区以外の警備などを業務委託。ビル施設管理も収益柱。株主の関西電力とホームセキュリティ「関電SOS」サービスを展開。
【設立】1966.1 【資本金】4,618百万円
【社長】池田博之(1960.10生 横国大経営卒)
【株主】〔24.3〕セコム25.4%
【連結事業】警備67、ビル管理31、不動産2
【従業員】連1,953名 単1,069名(44.4歳)

【業績】	売上高	営業利益	経常利益	純利益
連22.3	27,465	848	895	459
連23.3	30,139	844	964	741
連24.3	31,249	966	1,063	626

サービス

㈱トークス

株式公開計画なし

採用内定数	倍率	3年後離職率	平均年収
2名	2.5倍	0%	㊙549万円

●待遇、制度●
【初任給】月20.6万(諸手当5万円)
【残業】10.8時間【有休】14.3日【制度】住
●新卒定着状況●
20年入社(男1、女1)→3年後在籍(男1、女1)
●採用情報●
【人数】23年:3 24年:5 25年:応募5→内定2*
【内定内訳】(男0、女2)(文2、理0)(総2、他0)
【試験】〔筆記〕有〔性格〕有
【時期】エントリー25.3→内々定25.5【インターン】有
【採用実績校】宮城学院女大2
【求める人材】仕事に真摯に向き合い、何事にも果敢に挑戦し、結果にこだわる人

【本社】983-0842 宮城県仙台市宮城野区五輪1-17-47 ☎022-799-5600
【特色・近況】東北電力・ユアテックグループの電気設備工事会社。親会社の電線工事現場の交通誘導・警備業務や、ビルなどの施設管理業務が事業の中核。東北電力の事業エリアである東北6県と新潟県に支社を展開。資産運用の提案や不動産管理業務も。
【設立】1989.2【資本金】90百万円
【社長】稲妻英俊(1959.2生 東北学大工卒)
【株主】〔24.3〕ユアテック100%
【事業】警備80、施設管理20
【従業員】単321名(50.5歳)

【業績】	売上高	営業利益	経常利益	純利益
単22.3	8,466	544	544	358
単23.3	8,245	436	444	267
単24.3	8,323	312	310	202

ミソノサービス

株式公開していない

採用内定数	倍率	3年後離職率	平均年収
2名	22.5倍	66.7%	‥

●待遇、制度●
【初任給】月21万
【残業】5時間【有休】12日【制度】フ
●新卒定着状況●
20年入社(男1、女2)→3年後在籍(男0、女1)
●採用情報●
【人数】23年:4 24年:4 25年:応募45→内定2*
【内定内訳】(男1、女1)(文2、理0)(総1、他1)
【試験】なし
【時期】エントリー25.3→内々定25.6*(一次はWEB面接可)【インターン】有
【採用実績校】愛知学大1、椙山女学大1
【求める人材】失敗を恐れずに何事にもチャレンジし、そのプロセスで得られる成長に喜びを感じる人

【本社】462-0819 愛知県名古屋市北区平安2-15-56 MS1本社ビル ☎052-916-6777
【特色・近況】独立系の不動産・建物管理サービス会社。中部地区で大手。オフィスビル、マンション、商業施設などのセキュリティー、総合施設管理から、不動産鑑定評価、設計監理、建設工事、プロパティマネジメント等のサービスを、グループで提供。
【設立】1976.4【資本金】30百万円
【社長】各務修造
【株主】〔23.12〕ミソノパートナーズ47.5%
【連結事業】清掃17、施設管理25、マンション管理13、警備保障8、賃貸20、リニューアル7、他10
【従業員】単191名(44.7歳)

【業績】	売上高	営業利益	経常利益	純利益
連21.12変	11,927	‥	1,234	‥
連22.12	9,310	‥	1,717	‥
連23.12	16,410	‥	2,913	‥

#有休取得が多い

㈱IHI検査計測（けんさけいそく）

株式公開計画なし

採用内定数	倍率	3年後離職率	平均年収
1名	28倍	0%	‥

●待遇、制度●
【初任給】月27万
【残業】16.1時間【有休】17.9日【制度】フ 住 在
●新卒定着状況●
20年入社(男1、女3)→3年後在籍(男1、女3)
●採用情報●
【人数】23年:2 24年:8 25年:応募28→内定1
【内定内訳】(男1、女0)(文0、理1)(総1、他0)
【試験】〔筆記〕SPI3〔Web会場〕SPI3〔Web自宅〕SPI3〔性格〕有
【時期】エントリー25.2→内々定25.4(一次はWEB面接可)【インターン】有
【採用実績校】中部大院1
【求める人材】チャレンジする精神と、チームワーク、コミュニケーションを大切にする人

【本社】236-0004 神奈川県横浜市金沢区福浦2-6-17 ☎045-791-3513
【特色・近況】IHIの検査・計測部門が母体でIHIグループ。原子力、ボイラープラントなどの検査・計測が主事業。X線検査装置、燃料電池評価装置、自動車関連環境試験分野などに力を入れる。IHIエスキューブから制御システム事業を譲受。
【設立】1974.4【資本金】220百万円
【社長】中川博勝(1964.7生 室蘭工大金属工卒)
【株主】〔24.3〕IHI100%
【事業】原子力・ボイラー等検査計測37、試験検査装置50、研究開発等支援13 <輸出1>
【従業員】単354名(43.8歳)

【業績】	売上高	営業利益	経常利益	純利益
単22.3	13,548	1,024	1,077	823
単23.3	10,625	212	265	170
単24.3	11,512	1,020	1,083	771

サービス

京西テクノス（きょうさい）

株式公開計画なし

採用内定数	倍率	3年後離職率	平均年収
4名	13倍	25%	610万円

●待遇、制度●
【初任給】月23.3万
【残業】9.8時間【有休】11.5日【制度】[フ][住]
●新卒定着状況●
20年入社(男6、女2)→3年後在籍(男4、女2)
●採用情報● グループ採用
【人数】23年:6 24年:7 25年:応募52→内定4*
【内定内訳】(男3、女1)(文2、理2)(総4、他0)
【試験】〔筆記〕常識、他〔性格〕有
【時期】エントリー24.9→内々定24.12*(一次はWEB面接可)【インターン】有
【採用実績校】東京工科大1、明星大1、桜美林大1、多摩大1
【求める人材】なぜ当社でなければならないかを明確に言語化できる人、素直な人

【本社】206-0041 東京都多摩市愛宕4-25-2
☎042-303-0888
【特色・近況】電子機器修理サービスを手がける。主力は計測器、通信機器、医療機器など。国内外あらゆるメーカー製品の修理対応に特徴。メーカーサポート終了品の機器修理も行う。札幌、仙台、郡山、東京、金沢、名古屋、大阪、福岡、広島、福岡、沖縄に事業所を有する。
【設立】2002.2 【資本金】80百万円
【社長】臼井努(1969.8生 早大人間科卒)
【株主】〔23.9〕京西ホールディングス100%
【事業】医療機器修理、通信機器・計測器修理、受託機器製造、システム保守、他
【従業員】単367名(48.2歳)

【業績】	売上高	営業利益	経常利益	純利益
単21.9	10,665	597	664	421
単22.9	13,717	602	700	493
単23.9	13,726	880	1,011	649

㈱クリタス

株式公開計画なし

採用内定数	倍率	3年後離職率	平均年収
5名	42.8倍	17.4%	[総]677万円

●待遇、制度●
【初任給】月20万
【残業】20.7時間【有休】11.7日【制度】[フ][住][在]
●新卒定着状況●
20年入社(男14、女9)→3年後在籍(男11、女8)
●採用情報●
【人数】23年:17 24年:12 25年:応募214→内定5*
【内定内訳】(男4、女1)(文0、理5)(総5、他0)
【試験】〔Web自宅〕SPI3〔性格〕有
【時期】エントリー25.3→内々定25.5(一次はWEB面接可)【インターン】有
【採用実績校】東洋大1、山梨大1、福岡大1、信州大1、大阪産大1
【求める人材】コミュニケーション能力が高く、元気があり適応能力の高い人

【本社】171-0022 東京都豊島区南池袋1-11-22
☎03-3590-0301
【特色・近況】水処理施設の運転管理、環境プラント施設の設計・施工、装置の補修・修繕・改善工事などが主。水質や大気の分析・測定、レジャー関連施設の設計・施工も行う。し尿処理施設では高度な技術力とバイオ技術、高効率な運転管理システムを実現。栗田工業グループ。
【設立】1978.4 【資本金】220百万円
【社長】鎌田裕久(1963.7生)
【株主】〔24.6〕栗田工業100%
【事業】水処理施設管理70、水処理施設補修・工事25、分析1、薬品3、他2
【従業員】単729名(47.4歳)

【業績】	売上高	営業利益	経常利益	純利益
単22.3	18,379	1,851	1,892	1,313
単23.3	18,412	1,480	1,516	1,035
単24.3	19,490	1,977	2,007	1,364

㈱三機サービス（さんき）

東証スタンダード

採用内定数	倍率	3年後離職率	平均年収
30名	5.5倍	33.3%	580万円

●待遇、制度●
【初任給】月22.8万
【残業】29時間【有休】9日【制度】[住][在]
●新卒定着状況●
20年入社(男5、女1)→3年後在籍(男4、女0)
●採用情報●
【人数】23年:11 24年:14 25年:応募166→内定30*
【内定内訳】(男28、女2)(文27、理3)(総30、他0)
【試験】〔性格〕有
【時期】エントリー25.3→内々定25.4*(一次・二次以降もWEB面接可)【インターン】有
【採用実績校】近大、愛知東邦大、大阪経大、桃山学大、立正大、明学大、清和大、星槎道都大、帝塚山大、中大、甲南大、他
【求める人材】素直で思いやりを持ち、あふれる柔軟な発想で、常に新しいことに挑戦し続ける人

【本社】670-0944 兵庫県姫路市阿保甲576-1
☎079-289-4411
【特色・近況】パナソニックグループ製大型空調機器の保守と小売り、事業所向け施設総合メンテナンスを展開。コンビニやスーパーなど小売りや、オフィスビル、病院、ホテル、外食などが主要顧客で24時間365日体制で対応する。多店舗展開企業向けに注力。
【設立】1977.7 【資本金】616百万円
【社長】北越達男(1974.1生 兵庫県大工卒)
【株主】〔24.5〕㈱中島産業14.8%
【連結事業】メンテナンス90、建設関連製品サービス10
【従業員】連535名 単468名(40.1歳)

【業績】	売上高	営業利益	経常利益	純利益
連22.5	11,581	221	224	154
連23.5	14,733	575	579	452
連24.5	19,430	736	758	467

サービス

しのはらプレスサービス

[株式公開計画なし]

採用内定数	倍率	3年後離職率	平均年収
10名	4.5倍	50%	632万円

●待遇、制度●
【初任給】月23.4万
【残業】14時間【有休】14日【制度】[住]
●新卒定着状況●
20年入社(男8、女2)→3年後在籍(男4、女1)
●採用情報●
【人数】23年:7 24年:4 25年:応募45→内定10
【内定内訳】(男8、女2)(文4、理6)(総10、他0)
【試験】なし
【時期】エントリー 25.4→内々定25.6(一次はWEB面接可)【インターン】有
【採用実績校】千葉工大4、神田外語大2、千葉大1、和洋女大1、関東職能大学校2
【求める人材】国際的活躍に興味を待ち、ものづくりを通じて自分の可能性を見出そうとしている人

【本社】273-0016 千葉県船橋市潮見町34-2 ☎047-433-7761
【特色・近況】プレス機械の点検・修理・改造、移設に伴うエンジニアリングを全国展開。プレス機のパイオニア的存在。メンテナンス実績は5000機種以上でノウハウを蓄積。全国14カ所に営業所、北米にも拠点を設置。海外展開に積極的。
【設立】1973.6 【資本金】90百万円
【社長】篠原正幸(1965.5生 慶大院修了)
【株主】〔24.5〕篠原敬治100%
【事業】プレス機械特定自主点検21、プレス機械修理37、プレス機械改造19、プレス機械システム化23
【従業員】単196名(38.5歳)

【業績】	売上高	営業利益	経常利益	純利益
単22.5	3,140	202	240	155
単23.5	3,211	112	122	83
単24.5	3,273	148	170	244

㈱島津(しまづ)アクセス

[株式公開計画なし]

採用内定数	倍率	3年後離職率	平均年収
17名	7.1倍	3.8%	[総]781万円

●待遇、制度●
【初任給】月22.5万(諸手当を除いた数値)
【残業】10.9時間【有休】14.6日【制度】[住]
●新卒定着状況●
20年入社(男21、女5)→3年後在籍(男20、女5)
●採用情報●
【人数】23年:22 24年:18 25年:応募120→内定17*
【内定内訳】(男8、女9)(文1、理15)(総17、他0)
【試験】〔Web会場〕SPI3〔性格〕有
【時期】エントリー 25.3→内々定25.6(一次・二次以降もWEB面接可)【インターン】有
【採用実績校】京産大3、明大2、中部大2、近大1、関大1、日大1、東京工科大1、大阪産大1、工学院大1、宇都宮大1、兵庫県大1、他
【求める人材】主体性を持ち、周囲と連携して物事を進めることができる人

【本社】111-0053 東京都台東区浅草橋5-20-8 ☎03-5820-3280
【特色・近況】分析計測機器、試験検査機器、環境計測機、理化学・医療用機器、応用システム製品の据付、調整、修理、保守管理、整備点検などのサポートサービスを手がける。IoTやリモートメンテ活用の予防保守にも注力。全国13支店、39拠点。島津製作所グループ。
【設立】1968.4 【資本金】55百万円
【社長】安藤修(1957.1生 東大工卒)
【株主】〔24.3〕島津製作所100%
【事業】精密機器のプロアクティブ・アフターサービス100
【従業員】単914名(43.0歳)

【業績】	売上高	営業利益	経常利益	純利益
単22.3	23,795	2,127	2,151	1,402
単23.3	25,142	2,643	2,669	1,742
単24.3	27,140	3,204	3,240	2,180

ジャパンエレベーターサービスホールディングス

[東証プライム]

採用内定数	倍率	3年後離職率	平均年収
78名	5倍	‥	671万円

●待遇、制度●
【初任給】月22.1万(固定残業代12.9時間分)
【残業】25時間【有休】11日【制度】[住][在]
●新卒定着状況●
‥
●採用情報● グループ採用
【人数】23年:130 24年:154 25年:応募392→内定78*
【内定内訳】(男77、女1)(文28、理36)(総78、他0)
【試験】〔Web自宅〕有
【時期】エントリー 25.3→内々定25.3*(一次・二次以降もWEB面接可)【インターン】有【ジョブ型】有
【採用実績校】慶大、日大、東海大、東京工科大、埼玉工大、産能大、神奈川大、神奈川工大、日工大、日本電子専、近大、千歳科技大、他
【求める人材】学部・学科にかかわらず、与えられたミッションに使命感を持って誠実に取り組める人

【本社】103-0027 東京都中央区日本橋1-3-13 東京建物日本橋ビル ☎03-6262-1638
【特色・近況】エレベーターの保守・保全・リニューアルを展開。メーカー系以外の独立系保守会社ではシェア首位級。低価格や技術力に強みを持ち、エスカレーター技術を強化中。関東・北海道を軸に全国展開し、地方の独立系保守会社を子会社化。海外は東南アジアに進出。
【設立】1994.10 【資本金】2,493百万円
【会長兼社長】石田克史(1966.3生 春日部共栄高卒)
【株主】〔24.3〕㈱KI22.9%
【連結事業】保守・保全63、リニューアル34、他3
【従業員】連1,943名 単250名(41.4歳)

【業績】	売上高	営業利益	経常利益	純利益
連22.3	29,751	4,113	4,225	2,726
連23.3	34,907	5,010	5,100	3,153
連24.3	42,216	6,821	6,851	4,515

東芝テックソリューションサービス

株式公開計画なし

採用内定数	倍率	3年後離職率	平均年収
29名	58.7倍	31.2%	450万円

●待遇、制度●

【初任給】月25万(諸手当0.5万円)
【残業】29.4時間【有休】12.8日【制度】フ 住 在

●新卒定着状況●

20年入社(男48、女0)→3年後在籍(男33、女0)

●採用情報●

【人数】23年:22 24年:32 25年:応募1703→内定29*
【内定内訳】(男24、女5)(文6、理6)(総29、他0)
【試験】〔Web自宅〕SPI3〔性格〕有
【時期】エントリー25.3→内々定25.3*(一次・二次以降もWEB面接可)【インターン】有
【採用実績校】関東学院大2、大阪電通大1、鹿児島大1、京都女大1、帝京大2、大阪情報コンピュータ一専1、他
【求める人材】主体性があり、前向きにフットワークよくチャレンジできる人

【本社】141-8664 東京都品川区東五反田2-17-2 オーバルコート大崎マークイースト☎03-5791-4555
【特色・近況】リテール、製造、オフィス向けにグループ商品のシステム導入から運用・監視・保守・点検・修理や、電気通信システム工事などを行う。全国約120カ所の拠点と6カ所のシステムサポートセンターを配置。東芝テックの子会社。
【設立】1973.11【資本金】100百万円
【社長】大西泰樹(1964.4生 龍谷大卒)
【株主】〔24.4〕東芝テック100%
【事業】保守54、導入設置14、ネットワーク・システム運用ソリューション27、他5
【従業員】単2,124名(44.4歳)

【業績】	売上高	営業利益	経常利益	純利益
単22.3	51,387	3,965	4,056	2,780
単23.3	49,913	3,175	3,336	2,333
単24.3	51,583	3,307	4,022	3,259

西鉄エム・テック

(にしてつ)

株式公開計画なし

採用内定数	倍率	3年後離職率	平均年収
8名	1倍	40.9%	‥

●待遇、制度●

【初任給】月20.9万
【残業】18時間【有休】13.1日【制度】住

●新卒定着状況●

20年入社(男16、女6)→3年後在籍(男9、女4)

●採用情報●

【人数】23年:15 24年:7 25年:応募8→内定8*
【内定内訳】(男8、女0)(文‥、理‥)(総0、他8)
【試験】〔筆記〕SPI3〔性格〕有
【時期】エントリー通年→内々定通年【ジョブ型】有
【採用実績校】‥
【求める人材】目標に向かって努力できる人

【本社】810-0041 福岡県福岡市中央区大名2-4-30 西鉄赤坂ビル ☎092-762-5220
【特色・近況】西日本鉄道グループの車両整備が主事業。福岡県内11の指定工場で、バスやトラック、特殊車両の車検・整備まで行う。新車・中古車の販売やリース、生・損保代理店、バスITシステムの販売も手がける。西日本鉄道の整備事業部と西鉄モータースを母体に発足。
【設立】1967.1【資本金】60百万円
【社長】丹山裕和(1966.12生 鹿大工卒)
【株主】〔24.3〕西日本鉄道100%
【事業】バス整備32、一般整備34、商事販売21、他13
【従業員】単454名(42.2歳)

【業績】	売上高	営業利益	経常利益	純利益
単22.3	7,903	407	461	294
単23.3	8,768	502	563	359
単24.3	9,194	542	599	399

日本ビルコン

(にっぽん)

株式公開計画なし

採用予定数	倍率	3年後離職率	平均年収
40〜50名	‥	10.2%	605万円

●待遇、制度●

【初任給】月24万(諸手当4.5万円)
【残業】25時間【有休】8.5日【制度】住

●新卒定着状況●

20年入社(男45、女4)→3年後在籍(男40、女4)

●採用情報●

【人数】23年:42 24年:28 25年:予定40〜50*
【内定内訳】(男‥、女‥)(文‥、理‥)(総‥、他‥)
【試験】〔筆記〕常識、他〔性格〕有
【時期】エントリー25.2→内々定25.3*(二次以降はWEB面接可)【インターン】有【ジョブ型】有
【採用実績校】日大、千葉工大、日工大、埼玉工大、埼玉県立川口高等技専、国際理工カレッジ専、青森県立青森高等技術専、他
【求める人材】お客様から感謝される事にやりがいを感じる人、機械に触れる事が好きな人、空調に興味がある人

【本社】130-0023 東京都墨田区立川2-11-10 ☎03-5600-2371
【特色・近況】空調・電気・計装・防犯防災・省エネなどビル関連機器の設計施工からメンテナンスまでを手がける。総合空調関連会社として全メーカー製品に対応。6支社、40以上のサービスセンター、3テクニカルセンターを持つ。東テクグループ。
【設立】1973.7【資本金】100百万円
【社長】窪田勝
【株主】〔24.3〕東テク100%
【事業】空調・衛生・省エネルギー・自動制御機器の販売・工事・保守等のビルサービス
【従業員】単735名(35.0歳)

【業績】	売上高	営業利益	経常利益	純利益
単22.3	15,229	906	940	652
単23.3	17,117	1,106	1,138	798
単24.3	19,339	1,712	1,749	1,198

#有休取得が多い

㈱日立ハイテクフィールディング

株式公開計画なし

採用予定数	倍率	3年後離職率	平均年収
31名	‥	‥	‥

●待遇、制度●
【初任給】月26万(諸手当0.5万円)
【残業】22.8時間【有休】18.8日【制度】フ 住 在
●新卒定着状況●
‥
●採用情報●
【人数】23年:30 24年:24 25年:予定31
【内定内訳】(男‥、女‥)(文‥、理‥)(総‥、他‥)
【試験】試験あり
【時期】エントリー‥→内々定‥(一次はWEB面接可)【インターン】有
【採用実績校】‥
【求める人材】最先端装置に携わりたい人、直接お客様と接したい人、お客様の課題を解決したい人、国内・海外で活躍したい人

【本社】105-6410 東京都港区虎ノ門1-17-1 虎ノ門ヒルズビジネスタワー ☎0120-203-813
【特色・近況】日立ハイテク製の理化学機器、計測器、医療機器、製造装置などの機器・装置の保守サービスが柱。研究開発・臨床検査分野や半導体、食品・薬品関連向けに強み。部品販売や研究室の移転などに伴う装置移設も行う。日立ハイテクグループ。
【設立】1965.4 【資本金】1,000百万円
【社長】中野節雄(1965.5生 関東学大電気工卒)
【株主】〔24.3〕日立ハイテク100%
【事業】技術サービス40、国内・海外向け部品販売60
【従業員】単975名(43.6歳)

【業績】	売上高	営業利益	経常利益	純利益
単22.3	65,942	5,421	5,444	3,771
単23.3	74,233	6,880	6,862	4,798
単24.3	79,310	8,084	8,059	5,751

#有休取得が多い

三菱電機プラントエンジニアリング

株式公開計画なし

採用内定数	倍率	3年後離職率	平均年収
67名	‥	14.9%	‥

●待遇、制度●
【初任給】月25万
【残業】19.4時間【有休】18.8日【制度】フ 住 在
●新卒定着状況●
20年入社(男70、女4)→3年後在籍(男59、女4)
●採用情報●
【人数】23年:75 24年:73 25年:応募‥→内定67*
【内定内訳】(男63、女4)(文12、理25)(総67、他0)
【試験】〔筆記〕有〔Web会場〕有〔Web自宅〕有〔性格〕有
【時期】エントリー25.3→内々定25.6(一次・二次以降もWEB面接可)【インターン】有
【採用実績校】‥
【求める人材】熱意のある人、使命感のある人

【本社】110-0015 東京都台東区東上野5-24-8 ☎03-5827-6311
【特色・近況】三菱電機製品のシステム保守、修理、エンジニアリングが主要業務。電力、製造業、公共、施設(ビル)、交通(鉄道)の5分野で事業展開。24時間オンコール・遠隔監視体制。全国官公庁約1450カ所に入札参加資格。三菱電機グループ。
【設立】1978.11 【資本金】350百万円
【社長】市川誠(1961.10生 福島大経卒)
【株主】〔24.3〕三菱電機100%
【事業】重電機器の保守・修理およびエンジニアリング100
【従業員】単3,182名(42.8歳)

【業績】	売上高	営業利益	経常利益	純利益
単22.3	96,155	‥	‥	6,506
単23.3	96,456	‥	‥	5,916
単24.3	101,408	‥	‥	4,906

#有休取得が多い

㈱ＩＨＩビジネスサポート

株式公開計画なし

採用内定数	倍率	3年後離職率	平均年収
4名	9.8倍	0%	㊡650万円

●待遇、制度●
【初任給】月24.5万
【残業】15.4時間【有休】18.7日【制度】フ 住 在
●新卒定着状況●
20年入社(男1、女1)→3年後在籍(男1、女1)
●採用情報●
【人数】23年:5 24年:5 25年:応募39→内定4
【内定内訳】(男1、女3)(文3、理1)(総4、他0)
【試験】〔Web自宅〕SPI3
【時期】エントリー25.3→内々定25.4(一次はWEB面接可)【インターン】有
【採用実績校】埼玉大1、神奈川大1、敬愛大1、武蔵野大1
【求める人材】誠実、協働、情熱、自律、成果

【本社】100-0005 東京都千代田区丸の内3-4-1 新国際ビル6階 ☎03-3213-7800
【特色・近況】不動産、設備メンテナンス、損保代理業、警備から土木・建築、人事管理・人材派遣、フードサービスまで多様な事業を展開。IHIの完全子会社でグループ向け売り上げ約7割。親会社から譲り受けたマリーナ事業も手がける。
【設立】1987.4 【資本金】480百万円
【社長】石原慎二(1965.9生 山口大経済卒)
【株主】〔24.3〕IHI100%
【事業】設備メンテ19、土木・建築20、不動産9、人材9、他43
【従業員】単731名(49.4歳)

【業績】	売上高	営業利益	経常利益	純利益
単22.3	17,655	438	521	389
単23.3	16,953	206	283	245
単24.3	19,666	565	678	469

サービス

#有休取得が多い

アイテック

株式公開計画なし

採用内定数	倍率	3年後離職率	平均年収
18名	6倍	8%	‥

●待遇、制度●
【初任給】月22万(諸手当2.5万円)
【残業】10時間【有休】19.7日【制度】住
●新卒定着状況●
20年入社(男47、女3)→3年後在籍(男44、女2)
●採用情報●
【人数】23年:41 24年:16 25年:応募108→内定18*
【内定内訳】(男15、女3)(文2、理15)(総18、他0)
【試験】〔Web自宅〕SPI3〔性格〕有
【時期】エントリー25.3→内々定25.3*(一次はWEB面接可)【インターン】有
【採用実績校】関大1、龍谷大1、近大1、長浜バイオ大4、北陸先端科技院大1、茨城大1、日大1、他
【求める人材】コミュニケーションを大切にし、豊かな発想力を持ち誠実に行動できる人

【本社】530-0001 大阪府大阪市北区梅田1-13-1 大阪梅田ツインタワーズ・サウス29階 ☎06-6346-0036
【特色・近況】上下水道施設、廃棄物処理施設、高速道路の運転維持管理や高圧電気設備の保安管理、点検業務を行う。顧客は官公庁が中心。発電設備付産業廃棄物焼却施設アイテックグリーンパーク横浜は、運営、運転、維持管理のすべてを自社で賄う。
【設立】1977.12 【資本金】90百万円
【社長】佐藤英司
【株主】‥
【事業】上下水道施設、焼却・リサイクル施設の維持管理、高速道路の交通管制・道路管理、電気保安業務
【従業員】単2,200名(44.2歳)

【業績】	売上高	営業利益	経常利益	純利益
単22.3	20,327	2,711	2,829	1,700
単23.3	21,593	2,019	2,070	1,294
単24.3	22,937	2,533	2,578	2,277

㈱ＩＢＪ

東証プライム

採用内定数	倍率	3年後離職率	平均年収
20名	80倍	14.3%	463万円

●待遇、制度●
【初任給】月25.5万(諸手当2.5万円、固定残業代30時間分)
【残業】12.5時間【有休】9日【制度】フ 在
●新卒定着状況●
20年入社(男3、女4)→3年後在籍(男2、女4)
●採用情報●
【人数】23年:26 24年:34 25年:応募1601→内定20
【内定内訳】(男10、女10)(文17、理3)(総16、他4)
【試験】〔性格〕有
【時期】エントリー24.7→内々定25.2(一次・二次以降もWEB面接可)【インターン】有
【採用実績校】成城大1、近大1、帝京大1、帝京平成大1、文京学大1、日大1、専大1、北海道ハイテクノロジー専1、昭和女大1、駒澤大1、他
【求める人材】挑戦を恐れない先駆者、芯が強く、信頼関係が築けるヒューマンスキルが高い人

【本社】160-0023 東京都新宿区西新宿1-23-7 新宿ファーストウエスト ☎080-70270983
【特色・近況】婚活サービスを多角的に展開。プロ仲人専任サービスが特徴の直営店「サンマリエ」を運営。オンライン型結婚相談所ネットワークを運営し約4100社が加盟。婚活パーティーのイベント企画、婚活アプリ「ブライダルネット」も手がける。
【設立】2006.2 【資本金】699百万円
【社長】石坂茂(1971.9生 東大経済卒)
【株主】〔24.6〕石坂茂28.3%
【連結事業】加盟店17、直営店47、マッチング10、ライフデザイン25
【従業員】連942名 単‥名(34.0歳)

【業績】	売上高	営業利益	経常利益	純利益
連21.12	14,081	1,516	1,426	1,054
連22.12	14,716	1,993	2,051	1,493
連23.12	17,649	2,230	2,292	1,629

㈱麻生（あそう）

株式公開計画なし

採用内定数	倍率	3年後離職率	平均年収
36名	5.3倍	25%	総 646万円

●待遇、制度●
【初任給】月23万(諸手当7.5万円)
【残業】13.2時間【有休】11.7日【制度】住 在
●新卒定着状況●
20年入社(男5、女7)→3年後在籍(男5、女4)
●採用情報●
【人数】23年:11 24年:13 25年:応募190→内定36
【内定内訳】(男15、女21)(文34、理2)(総36、他0)
【試験】〔Web自宅〕有〔性格〕有
【時期】エントリー24.12→内々定25.4(一次はWEB面接可)【インターン】有
【採用実績校】九大10、西南学大11、長崎大2、立命館大2、筑波大1、広島大1、公立鳥取環境大1、山口大1、福岡女学大1、福岡大1、他
【求める人材】能動的に成長し、会社というプラットフォームを通じて社会に貢献できる人

【本社】820-0018 福岡県飯塚市芳雄町7-18 ☎0948-22-3604
【特色・近況】病院運営・病院コンサルなど医療関連、北部九州中心の不動産事業などを展開。海外不動産の取得にも取り組む。1918年より福岡で飯塚病院を運営。100社を超える麻生グループの中核で、グループの経営をサポートする役割。
【設立】1966.11 【資本金】3,580百万円
【社長】麻生巌(1974.7生 慶大経済卒)
【株主】〔24.3〕学校法人麻生塾30.2%
【連結事業】セメント7、医療関連11、商社流通3、人材教育6、情報ソフト12、建築土木59、他2
【従業員】連8,369名 単1,981名(38.7歳)

【業績】	売上高	営業利益	経常利益	純利益
連22.3	192,630	9,843	18,306	14,983
連23.3	338,445	9,305	20,987	8,619
連24.3	395,750	13,427	30,606	19,584

INCLUSIVE [東証グロース]

採用内定数	倍率	3年後離職率	平均年収
2名	102倍	62.5%	538万円

●待遇、制度●
【初任給】年360万
【残業】27.1時間【有休】8.8日【制度】[フ] [在]

●新卒定着状況●
20年入社(男5、女3)→3年後在籍(男1、女2)

●採用情報●
【人数】23年:5 24年:4 25年:応募204→内定2*
【内定内訳】(男1、女1)(文1、理1)(総2、他0)
【試験】なし
【時期】エントリー24.6→内々定24.7*(一次・二次以降もWEB面接可)【インターン】有
【採用実績校】山口大1、立命館APU1

【求める人材】素早く意思決定し、周りを巻き込みながら推進できる人、やり切り力がある人

【本社】105-6923 東京都港区虎ノ門4-1-1 神谷町トラストタワー ☎03-6427-2020
【特色・近況】出版社、テレビ局、事業会社のWebメディア支援が柱。Webメディアの企画、制作支援、収益化、ブランディングのコンサルまで一貫運営。漫画のデジタル配信支援も手がける。地方創生事業や衛星データを活用した宇宙事業など事業拡大に積極的。
【設立】2007.4 【資本金】1,352百万円
【社長】藤田誠(1973.4生 明大商卒)
【株主】〔24.3〕藤田誠41.4%
【連結事業】メディア&コンテンツ30、企画&プロデュース33、食関連37、他
【従業員】連210名 単40名(33.4歳)

【業績】	売上高	営業利益	経常利益	純利益
連22.3	1,743	▲42	▲30	▲115
連23.3	4,804	▲354	▲347	▲871
連24.3	5,359	▲94	▲102	314

㈱ウェザーニューズ [東証プライム]

採用内定数	倍率	3年後離職率	平均年収
30名	5.9倍	26.5%	624万円

●待遇、制度●
【初任給】年432万
【残業】18.6時間【有休】11.4日【制度】[フ] [在]

●新卒定着状況●
20年入社(男31、女18)→3年後在籍(男21、女15)

●採用情報●
【人数】23年:34 24年:33 25年:応募178→内定30
【内定内訳】(男21、女9)(文10、理19)(総30、他0)
【試験】〔Web自宅〕有〔性格〕有
【時期】エントリー24.12→内々定25.3(一次・二次以降もWEB面接可)【インターン】有
【採用実績校】‥

【求める人材】革新的なインフラ、サービス開発に興味があり、創意工夫を持って活躍したい人

【本社】261-0023 千葉県千葉市美浜区中瀬1-3 幕張テクノガーデン ☎043-274-5536
【特色・近況】民間気象情報サービス世界最大手。世界各地の拠点で現地スタッフが気象を観測、分析、予測。海運、航空、鉄道向けの交通気象情報に強い。スマホアプリで個人向けにも展開。個人会員が気象データを集める仕組みにより、局地予報で差別化を図る。
【設立】1986.6 【資本金】1,706百万円
【社長】石橋知博(1975.3生 中大理工卒)
【株主】〔24.5〕一般財団法人WNI気象文化創造センター14.3%
【連結事業】Sea 26、Sky 6、Land 31、Internet 37 <海外25>
【従業員】連1,152名 単1,006名(39.6歳)

【業績】	売上高	営業利益	経常利益	純利益
連22.5	19,650	2,904	3,063	2,157
連23.5	21,114	3,256	3,284	2,398
連24.5	22,242	3,270	3,341	2,437

エー・ビー・シー開発(かいはつ) [株式公開計画なし]

採用内定数	倍率	3年後離職率	平均年収
1名	109倍	0%	[総]807万円

●待遇、制度●
【初任給】月23.9万
【残業】19.3時間【有休】12.2日【制度】[住] [在]

●新卒定着状況●
20年入社(男0、女2)→3年後在籍(男0、女2)

●採用情報●
【人数】23年:5 24年:4 25年:応募109→内定1
【内定内訳】(男0、女1)(文1、理0)(総1、他0)
【試験】〔Web自宅〕SPI3〔性格〕有
【時期】エントリー25.3→内々定25.6(一次はWEB面接可)【インターン】有
【採用実績校】武庫川女大1

【求める人材】誠実さと向上心、情熱を持って仕事に取り組める人

【本社】553-0003 大阪府大阪市福島区福島6-20-12 ☎06-6451-1111
【特色・近況】朝日放送(ABC)グループの一員で、住宅展示場「ABCハウジング」を首都圏、近畿圏で運営。ハウジング・デザイン・センター(HDC)事業やオフィスビル・賃貸マンションの運営・管理の不動産事業、保険・広告代理業なども行う。
【設立】1972.5 【資本金】145百万円
【社長】安田卓生(1961.6生 京大文卒)
【株主】〔24.3〕朝日放送グループホールディングス100%
【事業】ハウジング68、HDC 15、不動産13、広告代理店2、他2
【従業員】単91名(40.0歳)

【業績】	売上高	営業利益	経常利益	純利益
単22.3	10,265	889	987	477
単23.3	10,201	502	501	361
単24.3	9,927	640	647	407

㈱エスシー・マシーナリ

株式公開計画なし

採用内定数	倍率	3年後離職率	平均年収
3名	5.3倍	23.5%	㊗626万円

●待遇、制度●
【初任給】月23.1万
【残業】21.7時間【有休】12.3日【制度】住 在
●新卒定着状況●
20年入社(男14、女3)→3年後在籍(男13、女0)
●採用情報●
【人数】23年:10 24年:7 25年:応募16→内定3*
【内定内訳】(男2、女1)(文1、理1)(総2、他1)
【試験】〔筆記〕常識、他〔Web自宅〕有〔性格〕有
【時期】エントリー24.4→内々定24.12*(一次はWEB面接可)【インターン】有
【採用実績校】浜松職能短大1、相模女大1、北海道職能大学校1
【求める人材】明るい応対ができ、協調性のある人、好奇心旺盛な人、何ごとにもチャレンジできる人

【本社】246-0002 神奈川県横浜市瀬谷区北町25-9 ☎045-924-2711
【特色・近況】建機レンタルが主力。計画・提案から設置・運転までの総合サービスを提供。タワークレーンの保有数は業界トップ。オペレーターや技術者の派遣も行う。北海道、宮城、石川、大阪、広島、福岡など全国11拠点。清水建設グループ。
【設立】1988.4 【資本金】200百万円
【社長】樋口義弘(1959.7生 京大卒)
【株主】〔24.3〕清水建設100%
【事業】建設機械レンタ83、建設機械販売15、工事2
【従業員】単295名(41.3歳)

【業績】	売上高	営業利益	経常利益	純利益
単22.3	25,205	1,016	1,042	719
単23.3	35,315	1,242	1,279	911
単24.3	32,189	456	490	326

エフビー介護(かいご)サービス

東証スタンダード

採用内定数	倍率	3年後離職率	平均年収
3名	2.3倍	41.2%	401万円

●待遇、制度●
【初任給】月22.2万(固定残業代4.5万円)
【残業】5時間【有休】‥日【制度】フ 住
●新卒定着状況●
20年入社(男5、女12)→3年後在籍(男3、女7)
●採用情報●
【人数】23年:13 24年:8 25年:応募7→内定3*
【内定内訳】(男1、女2)(文3、理0)(総0、他3)
【試験】〔性格〕有
【時期】エントリー25.3→内々定25.4*(一次はWEB面接可)【インターン】有
【採用実績校】敬和学大1、佐久大1、群馬県女大1
【求める人材】利用者に寄り添いチームワークを大切にして働ける人

【本社】385-0021 長野県佐久市長土呂159-2 ☎0267-88-8188
【特色・近況】福祉用具と介護事業を運営。福祉用具のレンタル・販売や介護向け住宅改修、有料老人・グループホーム、居宅介護、デイサービス、訪問介護など施設運営、各種サービスを行う。信越、北関東5県に100拠点超を展開。障害者介護に進出へ。
【設立】1987.4 【資本金】496百万円
【社長】栁澤美穂(1973.11生)
【株主】〔24.3〕栁澤秀樹13.6%
【連結事業】福祉用具42、介護58
【従業員】連1,060名 単979名(45.6歳)

【業績】	売上高	営業利益	経常利益	純利益
連22.3	9,185	649	647	528
連23.3	9,619	543	736	431
連24.3	10,361	527	802	523

こころネット

東証スタンダード

採用内定数	倍率	3年後離職率	平均年収
5名	2倍	0%	534万円

●待遇、制度●
【初任給】月21万
【残業】13.7時間【有休】10.8日【制度】フ 住 在
●新卒定着状況●
20年入社(男0、女1)→3年後在籍(男0、女1)
●採用情報●グループ採用
【人数】23年:1 24年:4 25年:応募10→内定5*
【内定内訳】(男1、女4)(文5、理0)(総5、他0)
【試験】〔筆記〕常識〔性格〕有
【時期】エントリー25.2→内々定25.5【インターン】有
【採用実績校】東日本国際大1、米沢女短大1、東北学大1、桜の聖母短大1、医療創生大1
【求める人材】前向きで柔軟性のある人、人が好きな人、誰かのためになる仕事をしたい人

【本社】960-0102 福島県福島市鎌田字舟戸前15-1 ☎024-573-6556
【特色・近況】傘下に葬祭、婚礼、石材販売の子会社を持つ持株会社。福島県を地盤に、県外進出にも意欲。売上高は葬祭事業が約6割を占める。生花卸売り、互助会事業も手がける。電話やオンラインによる終活相談室を設置し、顧客を多角的にサポート。
【設立】1971.12 【資本金】500百万円
【社長】菅野孝太郎(1968.6生)
【株主】〔24.3〕カンノ合同会社23.9%
【連結事業】葬祭61、石材23、婚礼8、生花6、互助会0、他2
【従業員】連515名 単33名(46.2歳)

【業績】	売上高	営業利益	経常利益	純利益
連22.3	8,675	297	341	131
連23.3	9,562	623	668	149
連24.3	10,035	658	830	579

近藤産興（こんどうさんこう）

株式公開 計画なし

採用内定数	倍率	3年後離職率	平均年収
5名	3倍	0%	㊕687万円

●待遇、制度●
【初任給】月21.5万（諸手当4.9万円）
【残業】15.2時間【有休】8.6日【制度】住 在
●新卒定着状況●
20年入社（男5、女1）→3年後在籍（男5、女1）
●採用情報●
【人数】23年:4 24年:6 25年:応募15→内定5*
【内定内訳】（男3、女2）（文5、理0）（総3、他2）
【試験】〔筆記〕有〔性格〕有
【時期】エントリー25.3→内々定25.6*
【採用実績校】同朋大2、中京大1、専2
【求める人材】明朗快活で、何事にも積極的に取り組む人

【本社】457-8535 愛知県名古屋市南区浜田町1-10 ☎052-614-2511
【特色・近況】名古屋を中心とした東海エリアが地盤のレンタル会社。リース、レンタルが主力。仮装衣装セットや着ぐるみレンタルのほか、イベント会場の設営や機材レンタルも行う。不動産賃貸も併営。愛知県内に9機材センターを設置。産業廃棄物処理事業も手がける。
【設立】1964.9 【資本金】100百万円
【社長】近藤昌三（1939.10生 愛知瑞陵高卒）
【株主】〔24.2〕近産HD100%
【事業】工事15、レンタル56、イベント17、ケア12
【従業員】単220名（38.7歳）

【業績】	売上高	営業利益	経常利益	純利益
単21.12	7,089	1,069	1,039	681
単22.12	7,142	1,018	922	515
単23.12	7,493	979	871	657

㈱コンベンションリンケージ

株式公開 いずれしたい

採用内定数	倍率	3年後離職率	平均年収
14名	35.7倍	22.2%	㊕650万円

●待遇、制度●
【初任給】月22.5万
【残業】20時間【有休】16日【制度】住
●新卒定着状況●
20年入社（男3、女6）→3年後在籍（男2、女5）
●採用情報●
【人数】23年:20 24年:15 25年:応募500→内定14*
【内定内訳】（男5、女9）（文･･、理･･）（総14、他0）
【試験】〔筆記〕常識〔Web会場〕有〔性格〕有
【時期】エントリー25.1→内々定25.6*（一次はWEB面接可）【インターン】有
【採用実績校】慶大、早大、熊本大
【求める人材】明るく、勤勉な人

【本社】102-0075 東京都千代田区三番町2 ☎03-3263-8686
【特色・近況】国際会議や大型イベント、スポーツイベント、展示会、学会などの企画運営会社。コンベンション施設や文化施設の民間経営のパイオニア。日米首脳会談・記者会見など政府系会議や医学会・国際学会などにも実績。東京・大阪2本社体制。
【設立】1996.7 【資本金】50百万円
【代表取締役】平位博昭
【株主】〔24.5〕東京中小企業投資育成27.0%
【事業】コンベンション・MICE50、施設ホール運営・管理30、同時通訳・翻訳15、調査・研究5
【従業員】単947名（39.5歳）

【業績】	売上高	営業利益	経常利益	純利益
単21.5	15,700	1,550	1,700	1,190
単22.5	21,300	2,500	2,550	1,670
単23.5	21,500	1,900	2,000	1,300

サクラインターナショナル

株式公開 上場視野

採用内定数	倍率	3年後離職率	平均年収
36名	19.4倍	－	㊕610万円

●待遇、制度●
【初任給】月25万（固定残業代20時間分）
【残業】20時間【有休】11日【制度】在
●新卒定着状況●
20年入社（男0、女0）→3年後在籍（男0、女0）
●採用情報●
【人数】23年:15 24年:23 25年:応募700→内定36*
【内定内訳】（男12、女24）（文･･、理･･）（総36、他0）
【試験】なし
【時期】エントリー25.1→内々定25.3*（一次・二次以降もWEB面接可）
【採用実績校】関西外大2、東洋大2、立命館APU2、東大1、阪大1、北大1、名大1、国際教養大1、立教大1、同大1、青学大1、流通科学大1、他
【求める人材】イベントに興味があり、ものづくりやクリエイティブなことが好きで、好奇心旺盛な人

【本社】541-0051 大阪府大阪市中央区備後町1-7-3 ENDO堺筋ビル3階 ☎06-6264-3900
【特色・近況】イベント・展示会の出展支援サービス会社。MICE（会議・研修、招待旅行、国際会議、展示会など）分野へ取り組む。マーケティング、企画、主催者サポート、グラフィックデザイン、製作管理など一貫したサービスを提供。
【設立】1980.2 【資本金】72百万円
【代表取締役】妙代金幸（1944.11生 関西学大法卒）
【株主】〔24.5〕妙代金幸50.0%
【事業】展示会業務97、国際広告3 <海外20>
【従業員】単197名（39.5歳）

【業績】	売上高	営業利益	経常利益	純利益
単21.8	2,330	▲127	▲36	▲38
単22.8	3,283	200	207	173
単23.8	4,597	330	330	225

サービス

#残業が少ない

(株)サニクリーン九州（きゅうしゅう） 株式公開計画なし

採用内定数	倍率	3年後離職率	平均年収
25名	15.4倍	34.4%	[総]539万円

●待遇、制度●
【初任給】月21.6万(諸手当0.7万円)
【残業】0.4時間【有休】8.6日【制度】[住]
●新卒定着状況●
20年入社(男25、女7)→3年後在籍(男18、女3)
●採用情報●
【人数】23年:40 24年:50 25年:応募384→内定25*
【内定内訳】(男24、女1)(文24、理1)(総25、他0)
【試験】〔筆記〕常識〔性格〕有
【時期】エントリー24.6→内々定25.5*(二次以降はWEB面接可)【インターン】有
【採用実績校】九産大4、久留米大4、福岡大2、至誠館大2、折尾愛真短大2、九州共立大2、日経大2、関東学院大1、金沢学大1、中村学大1、他
【求める人材】前向きな対応ができ、失敗を恐れずにチャレンジする人

【本社】812-0897 福岡県福岡市博多区半道橋1-17-41 ☎092-474-0081
【特色・近況】マットやモップなどのダストコントロール商品や各種ユニホームのレンタル販売会社であるサニクリーンのグループ会社。九州地区担当でグループ中トップの業績を持つ。下関から沖縄まで60以上の営業拠点。顧客数は法人15万、一般家庭11万。
【設立】1967.9 【資本金】100百万円
【社長】山田健(1944.9生 サンタクララ大院修了)
【株主】〔23.6〕サニクリーン100%
【事業】業務75、家庭8、他17
【従業員】単1,830名(40.6歳)

【業績】	売上高	営業利益	経常利益	純利益
単21.6	22,126	‥	727	419
単22.6	22,736	‥	760	443
単23.6	23,637	‥	676	345

(株)サニックス 東証スタンダード

採用内定数	倍率	3年後離職率	平均年収
30名	12.8倍	48.8%	[総]451万円

●待遇、制度●
【初任給】月22万(諸手当0.9万円、固定残業代28時間分)
【残業】29.5時間【有休】12.3日【制度】[住][在]
●新卒定着状況●
20年入社(男39、女4)→3年後在籍(男20、女2)
●採用情報●
【人数】23年:56 24年:50 25年:応募385→内定30*
【内定内訳】(男29、女1)(文‥、理‥)(総30、他0)
【試験】なし
【時期】エントリー25.3→内々定25.4(一次・二次以降もWEB面接可)
【採用実績校】熊本学大3、日大2、福岡工大2、福山大1、福岡大1、東洋大1、中京大1、西南学大1、山形大1、九産大1、他
【求める人材】対人折衝、協調協力、サポート、プレッシャー、企画、アイディアの各要素を持つ人

【本社】812-0013 福岡県福岡市博多区博多駅東2-1-23 ☎092-436-8870
【特色・近況】太陽光発電設備の販売・施工で大手。産業廃棄物処理や廃プラスチックの燃料化が事業柱。創業は白アリ防除で、一般家庭向けの白アリなど害虫防除、基礎補修工事も第2の柱。売電、法人向け、戸建て住宅向け太陽光発電設備の販売・施工を行う。
【設立】1978.9 【資本金】14,041百万円
【社長】宗政寛(1975.7生 東海大体育卒)
【株主】〔24.3〕(株)バイオン17.8%
【連結事業】HS部門25、ES部門6、SE部門3、PV部門21、新電力部門6、環境資源開発部門40
【従業員】連2,093名 単1,919名(43.6歳)

【業績】	売上高	営業利益	経常利益	純利益
連22.3	50,936	▲2,618	▲2,900	▲3,449
連23.3	46,277	1,785	1,552	1,332
連24.3	47,167	3,744	3,466	2,697

(株)サンレー 株式公開計画なし

採用内定数	倍率	3年後離職率	平均年収
18名	2.9倍	52.6%	[総]487万円

●待遇、制度●
【初任給】月21万
【残業】13.2時間【有休】10.2日【制度】[住]
●新卒定着状況●
20年入社(男7、女12)→3年後在籍(男4、女5)
●採用情報●
【人数】23年:17 24年:18 25年:応募53→内定18*
【内定内訳】(男6、女12)(文14、理1)(総18、他0)
【試験】〔筆記〕常識〔Web自宅〕SPI3〔性格〕有
【時期】エントリー25.3→内々定25.4*(一次・二次以降もWEB面接可)【インターン】有
【採用実績校】九州国際大2、北九州市大1、久留米大1、東海大1、西南女学大1、西日本工大1、金沢学大1、沖縄国際大2、沖縄大1、他
【求める人材】仕事に思いやりと情熱を注げる人、問題意識を持ち、創造性の豊かな人、リーダーシップを発揮できる人

【本社】802-0022 福岡県北九州市小倉北区上富野3-2-8 ☎093-551-3030
【特色・近況】冠婚葬祭業大手。冠婚施設は松柏園ホテル、ヴィラルーチェ、オークパイン、衣裳店など約20施設、葬祭施設「紫雲閣」は直営91施設。1級葬祭ディレクター在籍約250人を擁するなど全国屈指のサービス機能。介護施設・温浴施設も運営。
【設立】1974.2 【資本金】50百万円
【社長】佐久間庸和(1963.5生 早大政経卒)
【株主】‥
【事業】冠婚葬祭、介護、他
【従業員】単490名(‥歳)

【業績】	売上高	営業利益	経常利益	純利益
単22.12	17,816	‥	‥	‥
単23.12	19,268	‥	‥	‥

業績はグループ計

サービス

㈱ＣＬホールディングス

東証スタンダード

採用内定数	倍率	3年後離職率	平均年収
13名	20.4倍	0%	‥

●待遇、制度●
【初任給】月26.4万(固定残業代30時間分)
【残業】28.1時間【有休】14日【制度】フ 在
●新卒定着状況●
20年入社(男4、女4)→3年後在籍(男4、女4)
●採用情報● レッグス採用
【人数】23年:20 24年:7 25年:応募265→内定13
【内定内訳】(男6、女7)(文12、理1)(総13、他0)
【試験】〔Web自宅〕有〔性格〕有
【時期】エントリー25.1→内々定25.6(一次・二次以降もWEB面接可)【インターン】有
【採用実績校】立命館大1、武蔵大1、東洋大1、日大2、山口県大1、広島大1、拓大1、中大1、帝京大1、昭和女大1、他
【求める人材】理念に共感できる人、まじめに一生懸命仕事に打ち込める人

【本社】107-0062 東京都港区南青山2-26-1 D-LIFEPLACE南青山 ☎03-6890-1881
【特色・近況】飲料、食品、流通関連業界を主要顧客にマーケティング活動を支援。販促グッズやOEM商品の企画・製作から、販促に関するコンサルティングなど受託ビジネスを行う。体験価値を提供するキャラクターなどとのコラボカフェを独自展開している。
【設立】1988.3 【資本金】350百万円
【社長】内川淳一郎(1961.1生)
【株主】〔24.6〕㈱ジェイユー 39.7%
【連結事業】マーケティングサービス等100
【従業員】連628名 単36名(42.4歳)

【業績】	売上高	営業利益	税前利益	純利益
連21.12	20,227	1,522	1,537	1,203
連22.12	32,055	776	778	364
連23.12	36,344	1,079	1,073	510

ＪＴＰ

東証スタンダード

採用内定数	倍率	3年後離職率	平均年収
16名	34.5倍	33.3%	581万円

●待遇、制度●
【初任給】月26.4万(固定残業代20時間分)
【残業】15.4時間【有休】12.7日【制度】在
●新卒定着状況●
20年入社(男23、女7)→3年後在籍(男17、女3)
●採用情報●
【人数】23年:18 24年:22 25年:応募552→内定16*
【内定内訳】(男14、女2)(文3、理3)(総16、他0)
【試験】〔Web自宅〕有〔性格〕有
【時期】エントリー24.10→内々定24.12*(一次・二次以降もWEB面接可)【インターン】有【ジョブ型】有
【採用実績校】東海大院1、近大1、九産大1、日大2、南山大1、名古屋情報メディア専2、岡山情報ビジネス専2、広島情報専1、他
【求める人材】時代の先を見て、プロアクティブに学び続けて、自らをアップデートすることが好きな人

【本社】140-0001 東京都品川区北品川4-7-35 御殿山トラストタワー ☎03-6408-2488
【特色・近況】海外ICT企業の日本でのサポート支援やIT研修を手がける。現在はERPなどの研修やIT保守、人材コンサルなど教育・研修事業、医療機器保守へシフト。AIやクラウド運用サービス「キリオス」によるDXに注力。IT資格試験「GAIT」を開発。
【設立】1987.10 【資本金】795百万円
【社長】森豊(1973.12生 MA州立大卒)
【株主】〔24.3〕森豊8.0%
【事業】デジタルイノベーション22、ICT56、ライフサイエンス22、他0
【従業員】単442名(36.6歳)

【業績】	売上高	営業利益	経常利益	純利益
連22.3	7,040	435	470	253
連23.3	7,381	464	476	315
単24.3	8,119	631	665	482

新日本非破壊検査（しんにっぽんひはかいけんさ）

株式公開計画なし

採用予定数	倍率	3年後離職率	平均年収
10名	‥	25%	‥

●待遇、制度●
【初任給】月21万
【残業】‥時間【有休】‥日【制度】住
●新卒定着状況●
20年入社(男10、女2)→3年後在籍(男7、女2)
●採用情報●
【人数】23年:6 24年:6 25年:予定10*
【内定内訳】(男‥、女‥)(文‥、理‥)(総‥、他‥)
【試験】〔Web自宅〕SPI3
【時期】エントリー25.3→内々定25.5*【インターン】有
【採用実績校】‥
【求める人材】誠実かつ機転のきく人

【本社】803-8517 福岡県北九州市小倉北区井堀4-10-13 ☎093-581-1234
【特色・近況】非破壊検査(電力、化学工場向け等)が事業柱で、独自の検査技術をもつ。検査設備機器の企画設計から試運転、メンテナンスまで一貫体制。メカトロニクスも手がける。北九州で事業を開始し、関東や関西にも展開。中国・大連に現地法人。
【設立】1960.9 【資本金】60百万円
【社長】植村佳之
【株主】‥
【事業】検査、工事管理、メカトロニクス
【従業員】単397名(43.3歳)

【業績】	売上高	営業利益	経常利益	純利益
単22.3	6,376	553	609	382
単23.3	6,242	509	547	369
単24.3	6,366	732	866	640

サービス

㈱新日本科学（しんにほんかがく）

東証プライム

採用内定数	倍率	3年後離職率	平均年収
95名	5.8倍	37.7%	581万円

●待遇、制度●
【初任給】月33.8万（諸手当5万円、固定残業代20時間分）
【残業】24.4時間【有休】13.7日【制度】住 在
●新卒定着状況●
20年入社（男18、女35）→3年後在籍（男13、女20）
●採用情報● グループ採用
【人数】23年:145 24年:100 25年:応募550→内定95
【内定内訳】（男42、女53）（文0、理88）（総4、他91）
【試験】なし
【時期】エントリー 24.11→内々定25.1（一次・二次以降もWEB面接可）【インターン】有
【採用実績校】鹿児島大10、熊本大6、東京農業大6、九大3、帯畜大3、近大3、岡山理大3、慶大1、早大1、順天堂大1、東理大1
【求める人材】国際的な視野、知識、教養を持ち、成長志向の高い人

【本社】891-1394 鹿児島県鹿児島市宮之浦町2438 ☎099-294-2600
【特色・近況】非臨床試験受託の最大手。新薬開発向けに動物実験による安全性試験、薬効試験を行う。鹿児島創業で指宿などに試験施設、米国、中国、カンボジアに子会社を持つ。臨床試験、医療機関支援も展開。iPS利用研究や製剤にも注力。
【設立】1973.5 【資本金】9,679百万円
【会長兼社長】永田良一（1958.8生）
【株主】〔24.3〕Nagata and Company㈱37.8%
【連結事業】CRO97、トランスレーショナルリサーチ0、メディポリス2、他1 <海外33>
【従業員】連1,445名 単‥名（39.3歳）

【業績】	売上高	営業利益	経常利益	純利益
連22.3	17,748	4,195	7,078	7,127
連23.3	25,090	5,245	9,194	6,060
連24.3	26,450	4,162	7,015	5,531

㈱スタジオアリス

東証プライム

採用内定数	倍率	3年後離職率	平均年収
51名	25.4倍	48%	426万円

●待遇、制度●
【初任給】月20.7万（固定残業代19時間分）
【残業】7.6時間【有休】13.5日【制度】住
●新卒定着状況●
20年入社（男5、女97）→3年後在籍（男3、女50）
●採用情報●
【人数】23年:97 24年:63 25年:応募1293→内定51*
【内定内訳】（男1、女50）（文40、理0）（総0、他51）
【試験】〔筆記〕有〔性格〕有
【時期】エントリー 24.10→内々定25.2*【インターン】有
【採用実績校】近大2、大阪成蹊大2、東洋大2、國學院大2、大妻女大2、九産大2、仙台ウェディング＆ブライダル専2
【求める人材】理念の共有ができる人、コミュニケーション力のある人、何事にも積極的に取り組める人

【本社】530-0001 大阪府大阪市北区梅田1-8-17 大阪第一生命ビル ☎06-6343-2600
【特色・近況】子供写真館チェーン最大手。七五三やお宮参りなど子供向け記念写真が主体で、ディズニーなどのキャラクターとコラボした撮影用衣装の貸し出しに特徴。成人式の撮影や振袖レンタルなど大人向け事業も。女性スタッフが多く、女性が働きやすい環境を整備。
【設立】1974.5 【資本金】1,885百万円
【社長】牧野俊介（1962.9生 東海大工卒）
【株主】〔24.2〕合同会社トーランス・ジャパン23.0%
【連結事業】写真100、衣装製造卸売0
【従業員】連1,438名 単1,054名（33.6歳）

【業績】	売上高	営業利益	経常利益	純利益
連22.2	40,672	6,015	6,032	3,614
連23.2	38,564	4,017	4,009	2,257
連24.2	36,396	2,283	2,322	1,157

㈱住化分析センター（すみかぶんせき）

株式公開計画なし

採用内定数	倍率	3年後離職率	平均年収
6名	21.7倍	12.5%	‥

●待遇、制度●
【初任給】月23.3万（諸手当を除いた数値）
【残業】10.4時間【有休】15.3日【制度】フ 住 在
●新卒定着状況●
20年入社（男7、女9）→3年後在籍（男6、女8）
●採用情報●
【人数】23年:12 24年:17 25年:応募130→内定6*
【内定内訳】（男2、女4）（文0、理6）（総6、他0）
【試験】‥
【時期】エントリー 25.3→内々定25.6（一次はWEB面接可）
【採用実績校】愛媛大1、北里大1、近大1、東京農業大1、鳥取大1、名古屋市大1
【求める人材】‥

【大阪本社】541-0043 大阪府大阪市中央区高麗橋4-6-17 住化不動産横堀ビル ☎06-6202-1810
【特色・近況】各種分析、測定、調査を受託。環境、電子、医薬品、食品の各分野で分析・評価サービスを地域密着で提供。千葉、大阪、愛媛、大分にラボラトリーを置く。海外拠点はシンガポール、中国、ベルギー、韓国、台湾。住友化学の完全子会社。
【設立】1972.7 【資本金】250百万円
【社長】織田佳明
【株主】〔24.3〕住友化学100%
【事業】医薬40、マテリアル40、健康・安全20
【従業員】単1,123名（44.7歳）

【業績】	売上高	営業利益	経常利益	純利益
単22.3	16,868	622	505	352
単23.3	17,953	1,450	1,469	1,043
単24.3	18,446	1,670	1,623	1,054

サービス

セルソース

東証プライム

採用内定数	倍率	3年後離職率	平均年収
2名	13倍	0%	664万円

[待遇、制度]
【初任給】月25万(固定残業代20時間分)
【残業】9.8時間【有休】12.4日【制度】[フ][在]
[新卒定着状況]
20年入社(男1、女1)→3年後在籍(男1、女1)
[採用情報]
【人数】23年:7 24年:8 25年:応募26→内定2*
【内定内訳】(男2、女0)(文0、理2)(総2、他0)
【試験】〔性格〕有
【時期】エントリー25.3→内々定25.5*(一次・二次以降もWEB面接可)【インターン】有【ジョブ型】有
【採用実績校】北大1、東北大1
【求める人材】世界の次の一歩を創るために、課題を自ら見つけ、解決へ向けて自走できる人

【本社】150-0002 東京都渋谷区渋谷1-23-21 渋谷キャスト ☎03-6455-5308
【特色・近況】脂肪・血液由来の細胞の加工受託など再生医療事業を展開。患者から採取する脂肪や血液を医療機関が預かり、脂肪由来幹細胞や多血小板血漿(PRP)を抽出、凍結保存し医療機関に提供。再生医療の研究に基づき開発した成分を使用した化粧品事業も展開。
【設立】2015.11 【資本金】1,426百万円
【社長】澤田貴司(1957.7生 上智大理工卒)
【株主】〔24.4〕山川雅之36.2%
【事業】加工受託サービス70、コンサルティングサービス10、医療機器販売16、化粧品販売他5
【従業員】単175名(37.0歳)

【業績】	売上高	営業利益	経常利益	純利益
単21.10	2,922	992	1,006	651
単22.10	4,273	1,571	1,583	1,017
単23.10	4,510	1,221	1,194	923

大栄環境（だいえいかんきょう）

東証プライム

採用内定数	倍率	3年後離職率	平均年収
24名	2.3倍	10.5%	[総]564万円

[待遇、制度]
【初任給】月23万
【残業】23.1時間【有休】13.1日【制度】[在]
[新卒定着状況]
20年入社(男16、女3)→3年後在籍(男14、女3)
[採用情報]
【人数】23年:26 24年:15 25年:応募56→内定24*
【内定内訳】(男17、女7)(文7、理7)(総24、他0)
【試験】〔筆記〕常識〔性格〕有
【時期】エントリー25.3→内々定25.4(一次・二次以降もWEB面接可)【インターン】有
【採用実績校】京大1、大阪府大1、鳥取大1、公立鳥取環境大3、関西学大1、関大2、甲南大1、龍谷大1、関西国際大1、神戸国際大1、他
【求める人材】創造・改革・挑戦の精神で何事にも最後までやり切る人

【本社】658-0032 兵庫県神戸市東灘区向洋町中2-9-1 神戸ファッションプラザ☎078-857-6600
【特色・近況】グループで再生可能エネルギーやリサイクル、森林保全など環境関連事業等を全国展開。三重でバイオガス発電施設、兵庫でバイオマスと廃棄物の混焼施設の設置許可を取得。公民連携事業に注力。女子サッカー振興を通じて地域振興も。
【設立】1979.10 【資本金】5,907百万円
【代表取締役】金子文雄(1956.10生)
【株主】〔24.3〕ウイングトワ㈱61.4%
【連結事業】環境関連97、他3
【従業員】連2,127名 単1,124名(41.3歳)

【業績】	売上高	営業利益	経常利益	純利益
連22.3	64,992	12,840	13,304	8,870
連23.3	67,658	16,623	16,702	10,494
連24.3	73,035	19,714	20,589	13,591

㈱ダイセキ

東証プライム

採用内定数	倍率	3年後離職率	平均年収
20名	3.5倍	6.2%	[総]747万円

[待遇、制度]
【初任給】月24万(諸手当5.2万円)
【残業】37時間【有休】12.9日【制度】[在]
[新卒定着状況]
20年入社(男13、女3)→3年後在籍(男12、女3)
[採用情報]
【人数】23年:20 24年:13 25年:応募71→内定20*
【内定内訳】(男13、女7)(文8、理12)(総20、他0)
【試験】〔性格〕有
【時期】エントリー25.2→内々定25.5(一次・二次以降もWEB面接可)【インターン】有
【採用実績校】北九州市大1、近大1、九州共立大1、九大1、作新学大1、滋賀県大1、静岡大1、中大1、東海大1、名城大1、他
【求める人材】周囲を巻き込み挑戦し、ともに成長し続けられる人

【本社】455-8505 愛知県名古屋市港区船見町1-86 ☎052-611-6322
【特色・近況】産業廃棄物処理・リサイクル会社大手。廃液・廃油の中間処理・リサイクルが柱。子会社で土壌汚染調査・浄化処理なども展開。顧客から処理費用を受け取るほか、リサイクルした油や鉛を販売。名古屋地区が地盤だが関東・関西エリアで事業拡大に注力。
【設立】1958.10 【資本金】6,382百万円
【社長】山本哲也(1965.1生 名大院工修了)
【株主】〔24.2〕日本マスタートラスト信託銀行信託口13.0%
【連結事業】環境関連100
【従業員】連1,215名 単769名(40.7歳)

【業績】	売上高	営業利益	経常利益	純利益
連22.2	56,867	12,940	13,118	8,376
連23.2	58,572	12,711	13,060	8,666
連24.2	69,216	14,814	15,452	9,465

太陽建機レンタル（たいようけんき）

株式公開未定

採用内定数	倍率	3年後離職率	平均年収
35名	2.6倍	24.4%	‥

●待遇、制度●

【初任給】月25.7万（固定残業代42時間分）
【残業】24.8時間【有休】12.4日【制度】住

●新卒定着状況●

20年入社（男34、女7）→3年後在籍（男26、女5）

●採用情報●

【人数】23年:60 24年:33 25年:応募92→内定35*
【内定内訳】（男29、女6）（文33、理1）（総31、他4）
【試験】〔筆記〕有〔性格〕有
【時期】エントリー24.6→内々定25.1*(一次はWEB面接可)【インターン】有
【採用実績校】旭川市大1、国士舘大2、帝京大1、名城大1、阪南大2、福岡大4、西南学大1、周南公大2、九産大2、久留米大2、他
【求める人材】常に向上心を持ち課題や改善点を発見できる人

【本社】422-8507 静岡県静岡市駿河区大坪町2-26 ☎054-284-3111
【特色・近況】土木・建設機械のレンタル大手。関東、中部、近畿、中国、九州に120を超える拠点・店舗を展開。低公害・省エネ機械の導入を促進。レンタル取扱商品数3000種類以上。大株主の三井物産、住友商事と提携関係を構築。
【設立】1986.1 【資本金】1,140百万円
【社長】真鍋貢（1957.2生）
【株主】〔24.5〕東海保険サービス29.0%
【事業】土木建設機械レンタル93、商品売上7
【従業員】単3,177名（36.4歳）

【業績】	売上高	営業利益	経常利益	純利益
単21.5	90,329	2,420	2,851	1,837
単22.5	94,304	2,714	2,960	1,813
単23.5	97,271	2,744	3,096	1,970

㈱ダンロップスポーツエンタープライズ

株式公開計画なし

採用内定数	倍率	3年後離職率	平均年収
1名	1倍	0%	696万円

●待遇、制度●

【初任給】年336万
【残業】27.7時間【有休】13.6日【制度】住 在

●新卒定着状況●

20年入社（男1、女0）→3年後在籍（男1、女0）

●採用情報●

【人数】23年:2 24年:4 25年:応募1→内定1*
【内定内訳】（男0、女1）（文1、理0）（総1、他0）
【試験】〔Web自宅〕SPI3〔性格〕有
【時期】エントリー通年→内々定通年
【採用実績校】大手前大1
【求める人材】‥

【本社】659-0092 兵庫県芦屋市大原町2-6 ラ・モール芦屋2階 ☎0797-31-1618
【特色・近況】「ダンロップフェニックストーナメント」をはじめ、国内の男子、女子、シニアのゴルフトーナメントを企画・運営。有力プロゴルファーのマネジメント業務、プロゴルファーやインストラクターの人材派遣も手がける。住友ゴムグループ。
【設立】1973.5 【資本金】100百万円
【社長】旭野昌宏
【株主】〔24.1〕住友ゴム工業91.0%
【事業】トーナメント100
【従業員】単69名（43.1歳）

【業績】	売上高	営業利益	経常利益	純利益
単21.12	4,185	251	256	166
単22.12	5,577	403	396	257
単23.12	5,967	408	413	260

㈱チャーム・ケア・コーポレーション

東証プライム

採用内定数	倍率	3年後離職率	平均年収
39名	9.4倍	57.4%	441万円

●待遇、制度●

【初任給】月26.9万（諸手当4.1万円）
【残業】4.6時間【有休】9.7日【制度】住

●新卒定着状況●

20年入社（男15、女46）→3年後在籍（男7、女19）

●採用情報●

【人数】23年:68 24年:65 25年:応募366→内定39*
【内定内訳】（男11、女28）（文38、理0）（総39、他0）
【試験】なし
【時期】エントリー25.2→内々定25.5(一次・二次以降もWEB面接可)【インターン】有
【採用実績校】龍谷大2、立命館大1、大阪経大1、大阪国際大1、関西福祉科学大1、同大1、大阪商大3、盛岡大1、関西外大2、京都文教大1、他
【求める人材】週休3日制の導入など多様な働き方の中で、何事にも取り組めるチャレンジ精神旺盛な人

【大阪本社】530-0005 大阪府大阪市北区中之島3-6-32 ダイビル本館 ☎06-6445-3403
【特色・近況】近畿圏と首都圏で、介護付き有料老人ホームと不動産事業を展開。介護付き有料老人ホームは「チャームプレミア」ブランドなどの富裕層向けの高価格帯ホームが中心。不動産事業は、介護用施設を建設し、運営せずにREITなどに売却するビジネスモデル。
【設立】1984.8 【資本金】2,759百万円
【会長兼社長】下村隆彦（1943.6生）
【株主】〔24.6〕㈱エス・ティー・ケー29.3%
【連結事業】介護70、不動産27、他3
【従業員】連1,996名 単1,793名（43.1歳）

【業績】	売上高	営業利益	経常利益	純利益
連22.6	29,071	2,309	2,501	2,951
連23.6	37,887	4,197	4,633	3,206
連24.6	47,829	5,386	5,817	4,276

㈱ティア

東証スタンダード

採用内定数	倍率	3年後離職率	平均年収
20名	5.6倍	66.7%	562万円

●待遇、制度●
【初任給】月22.3万(固定残業代30時間分)
【残業】19.3時間【有休】14.4日【制度】在
●新卒定着状況●
20年入社(男6、女9)→3年後在籍(男1、女4)
●採用情報●
【人数】23年:29 24年:27 25年:応募112→内定20*
【内定内訳】(男7、女13)(文19、理1)(総20、他0)
【試験】〔Web自宅〕有
【時期】エントリー24.4→内々定24.12【インターン】有
【採用実績校】愛知大2、愛知淑徳大2、岐阜女大2、中部大2、椙山女学大2、日本福祉大1、名古屋学院大1、名古屋経大1、龍谷大1、他
【求める人材】遺族に寄り添い、支えることに一生懸命になれる人

【本社】462-0841 愛知県名古屋市北区黒川本通3-35-1 ☎052-918-8200
【特色・近況】葬祭会館「ティア」を展開。地盤の名古屋市に集中出店するドミナント戦略で高シェアを獲得し、直営店は大規模施設を基本としていたが、近年は小規模の家族葬専用会館を積極出店。関東や関西へも直営店を増やしている。FC展開も推進しており、加盟店も多数。
【設立】1997.7 【資本金】1,895百万円
【社長】冨安徳久(1960.7生)
【株主】〔24.3〕㈱夢現34.6%
【連結事業】葬祭96、フランチャイズ4
【従業員】連646名 単552名(38.9歳)

【業績】	売上高	営業利益	経常利益	純利益
連21.9	12,203	887	877	542
連22.9	13,283	1,057	1,048	568
連23.9	14,068	1,135	1,132	789

㈱テー・オー・ダブリュー

東証スタンダード

採用内定数	倍率	3年後離職率	平均年収
30名	20.8倍	43.7%	739万円

●待遇、制度●
【初任給】月27.6万
【残業】‥時間【有休】‥日【制度】住 在
●新卒定着状況●
20年入社(男8、女8)→3年後在籍(男4、女5)
●採用情報●
【人数】23年:18 24年:20 25年:応募623→内定30
【内定内訳】(男14、女16)(文29、理1)(総30、他0)
【試験】〔Web自宅〕SPI3〔性格〕有
【時期】エントリー25.3→内々定25.4(一次・二次以降もWEB面接可)【インターン】有
【採用実績校】法政大3、立命館大3、関大3、都立大2、青学大2、阪大2、同大2、日大2、専大2、筑波大1、上智大1、学習院大1、中大1、他
【求める人材】素直で明るくコミュニケーション能力が高い人、広告・プロモーションを企画制作したい人

【本社】105-0001 東京都港区虎ノ門4-3-13 ヒューリック神谷町ビル ☎03-5777-1888
【特色・近況】イベント企画運営の大手で、文化・スポーツイベント、展示会・博覧会などの企画・制作から運営・演出まで一括受注。博報堂や電通など広告大手が主要顧客。大型案件が得意。異業種コラボも積極展開。オンラインプロモーション・イベントに注力。
【設立】1989.3 【資本金】948百万円
【社長】村津憲一(1977.1生 学習大経済卒)
【株主】〔24.6〕日本マスタートラスト信託銀行信託口13.7%
【連結事業】プロモーション制作・企画・運営・演出100
【従業員】連263名 単200名(31.7歳)

【業績】	売上高	営業利益	経常利益	純利益
連22.6	11,134	883	924	598
連23.6	11,774	1,150	1,178	355
連24.6	17,503	2,006	2,058	1,405

㈱東急(とうきゅう)イーライフデザイン

株式公開計画なし

採用内定数	倍率	3年後離職率	平均年収
2名	7.5倍	27.3%	486万円

●待遇、制度●
【初任給】月20万
【残業】8.5時間【有休】14.5日【制度】フ
●新卒定着状況●
20年入社(男3、女8)→3年後在籍(男3、女5)
●採用情報●
【人数】23年:7 24年:4 25年:応募15→内定2*
【内定内訳】(男0、女2)(文2、理0)(総2、他0)
【試験】〔Web会場〕有
【時期】エントリー25.3→内々定25.6*(一次はWEB面接可)【インターン】有
【採用実績校】日女大1、立命館大1
【求める人材】シニア向けビジネスや介護ビジネスへの興味、ホスピタリティ精神のある人

【本社】150-0043 東京都渋谷区道玄坂1-10-8 ☎03-6455-1236
【特色・近況】自立型高齢者住宅や介護付き高齢者住宅を中心にした介護施設運営事業を東京・世田谷区、横浜市などで展開。自社ブランド「グランクレール」は24カ所約2240室。運営受託も行う。訪問看護などホームケア事業も展開。東急不動産HDグループ。
【設立】2003.3 【資本金】400百万円
【代表取締役】大柴信吾(1971.1生)
【株主】〔24.3〕東急不動産100%
【事業】高齢者住宅・施設の経営・運営・運営受託、高齢者会員組織の企画・運営
【従業員】単1,046名(44.9歳)

【業績】	売上高	営業利益	経常利益	純利益
単22.3	9,798	▲444	▲426	▲620
単23.3	10,907	27	48	14
単24.3	10,750	▲74	▲26	▲49

㈱トリドリ

東証グロース

採用内定数	倍率	3年後離職率	平均年収
3名	79.3倍	‥	㊐457万円

●待遇、制度●
【初任給】年350万
【残業】7.4時間【有休】7日【制度】フ
●新卒定着状況●
‥
●採用情報●
【人数】23年:0 24年:2 25年:応募238→内定3*
【内定内訳】(男1、女2)(文3、理0)(総3、他0)
【試験】〔Web自宅〕有
【時期】エントリー24.5→内々定未定*(一次はWEB面接可)【インターン】有
【採用実績校】高崎経大1、青学大1、学習院大1
【求める人材】主体的に行動でき、自己成長・キャリアアップに対し貪欲に挑戦を続けることができる人

【本社】150-0044 東京都渋谷区円山町28-1 渋谷道玄坂スカイビル ☎03-6892-3591
【特色・近況】PR投稿を依頼したい企業とレビューを投稿するインフルエンサーをつなぐプラットフォーム「toridoribase」を運営。企画からインフルエンサーキャスティング、効果検証まで提供するタイアップ広告サービスや、SNS運営支援も展開。
【設立】2016.6 【資本金】57百万円
【社長】中山貴之(1990.1生 徳島中央高卒)
【株主】〔24.6〕中山貴之33.0%
【連結事業】toridori base 64、同・ad 12、同・promotion 13、同・studio 1、同・made 10
【従業員】連111名 単100名(28.3歳)

【業績】	売上高	営業利益	経常利益	純利益
連21.12	1,057	▲400	▲404	▲436
連22.12	2,054	▲370	▲393	▲565
連23.12	3,222	123	115	133

#採用数が多い

日清医療食品(にっしんいりょうしょくひん)

株式公開計画なし

採用内定数	倍率	3年後離職率	平均年収
750名	11.7倍	57%	㊐720万円

●待遇、制度●
【初任給】月25.8万(諸手当1.7万円、固定残業代21時間分)
【残業】26時間【有休】9日【制度】住 在
●新卒定着状況●
20年入社(男147、女1317)→3年後在籍(男63、女567)
●採用情報● 総合職・専門職のみ
【人数】23年:939 24年:1042 25年:応募8810→内定750*
【内定内訳】(男80、女670)(文16、理284)(総25、他725)
【試験】〔性格〕有
【時期】エントリー24.4→内々定25.2(一次はWEB面接可)【インターン】有
【採用実績校】女子栄養大4、昭和女大4、立命館大1、関西学大1、近大1、中大1、東洋大1、日大1、東海大1、静岡福祉大1、茨城大1、他
【求める人材】自主性(自分の意志を持って積極的に行動することが出来る人)

【本社】100-6420 東京都千代田区丸の内2-7-3 東京ビルディング20階 ☎03-3287-3611
【特色・近況】医療・福祉・保育施設向け給食受託大手。ワタキューグループで食を担当する中核会社。1日に約130万食を提供。医療施設向けシェア3割強で業界首位。在宅配食サービスが安定成長に。高齢者向け介護食、病院食の開発・提供にも注力。
【設立】1972.9 【資本金】100百万円
【社長】立林勝美(1961.7生)
【株主】〔24.3〕ワタキューホールディングス100%
【事業】給食95、他5
【従業員】連18,297名 単16,330名(37.3歳)

【業績】	売上高	営業利益	経常利益	純利益
連22.3	326,682	26,923	27,479	18,616
連23.3	334,748	20,326	20,854	13,393
連24.3	350,378	14,558	15,053	10,055

日本(にっぽん)カルミック

株式公開計画なし

採用内定数	倍率	3年後離職率	平均年収
11名	3.7倍	50%	㊐560万円

●待遇、制度●
【初任給】月23.8万(諸手当2万円、固定残業代30時間分)
【残業】31.2時間【有休】11.2日【制度】住 在
●新卒定着状況●
20年入社(男6、女8)→3年後在籍(男3、女4)
●採用情報●
【人数】23年:8 24年:12 25年:応募41→内定11*
【内定内訳】(男4、女7)(文10、理1)(総11、他0)
【試験】なし
【時期】エントリー25.3→内々定25.3(一次・二次以降もWEB面接可)【インターン】有
【採用実績校】法政大2、東洋大1、専大1、日大1、東海学園大1、実践女大1、関西外大1、西南学大1、京都外大1、阪南大1
【求める人材】情熱と夢を持ち高い目標にチャレンジする人、自らの役割を認識し改革を率先する人

【本社】102-0074 東京都千代田区九段南1-6-5 九段会館テラス ☎03-3230-6760
【特色・近況】トイレや厨房、オフィスを対象にした環境衛生マネジメントが主軸。衛生、安全、二次感染防止などをテーマに、トイレ・厨房向けの環境衛生用品のレンタル、環境改善コンサル、設計・施工などを手がける。共立製薬のグループ会社。
【設立】1969.6 【資本金】20百万円
【社長】高居隆章(1941.9生 慶大商卒)
【株主】〔24.5〕共立製薬51.0%
【事業】事業所向けトイレ、ビルの給排水、厨房設備
【従業員】単568名(39.3歳)

【業績】	売上高	営業利益	経常利益	純利益
単21.5	16,275	‥	‥	‥
単22.5	16,263	‥	‥	‥
単23.5	17,961	‥	‥	‥

日本トーター（にっぽん）

株式公開計画なし

採用内定数	倍率	3年後離職率	平均年収
26名	3.5倍	20.8%	[総]646万円

●待遇、制度●
【初任給】月23万(諸手当を除いた数値)
【残業】9.8時間【有休】11.5日【制度】[住]

●新卒定着状況●
20年入社(男22、女2)→3年後在籍(男17、女2)

●採用情報●
【人数】23年:18 24年:18 25年:応募91→内定26*
【内定内訳】(男24、女2)(文13、理4)(総26、他0)
【試験】〔Web自宅〕有〔性格〕有
【時期】エントリー25.3→内々定25.5(一次はWEB面接可)【インターン】有
【採用実績校】酪農学大1、上智大1、立教大1、中大1、東京工科大1、名城大1、福岡大1、広島大1、麻生情報ビジネス専3、他
【求める人材】積極的に周囲とコミュニケーションを取りながら、粘り強く主体的に行動できる人

【本店】108-8275 東京都港区港南2-16-1 品川イーストワンタワー6階 ☎03-5783-2200
【特色・近況】ボートレースや競輪など公営競技の運営業務やトータリゼータシステム、投票券発売機の販売・保守などを行う。サービス導入シェアはボートレース、競輪とも約6割でいずれも首位。広報宣伝や警備、施設管理まで含めた包括受託に注力。
【設立】1982.4 【資本金】100百万円
【社長】山本竜彦(1964.12生)
【株主】〔24.6〕TOS100%
【事業】公営競技の総合運営46、保守・運用37、機器販売他17
【従業員】単2,851名(43.7歳)

【業績】	売上高	営業利益	経常利益	純利益
単22.3	33,408	6,797	6,796	4,373
単23.3	35,375	6,519	6,523	4,334
単24.3	36,613	7,091	7,098	4,579

日本エコシステム（にほん）

東証スタンダード

採用内定数	倍率	3年後離職率	平均年収
1名	1倍	0%	531万円

●待遇、制度●
【初任給】月22.7万(諸手当0.2万円)
【残業】15.6時間【有休】13日【制度】[住]

●新卒定着状況●
20年入社(男3、女1)→3年後在籍(男3、女1)

●採用情報●
【人数】23年:6 24年:3 25年:応募1→内定1*
【内定内訳】(男1、女0)(文1、理0)(総0、他1)
【試験】〔性格〕有
【時期】エントリー24.10→内々定25.4*(一次はWEB面接可)【インターン】有
【採用実績校】日体大1
【求める人材】生活に必要なインフラにかかわる仕事など、人の役に立つ仕事がしたい人

【本社】491-0912 愛知県一宮市新生1-2-8 ニッセイ一宮ビル ☎0586-25-5788
【特色・近況】競輪など公営競技場の運営受託、高速道路の保守管理、環境関連事業が3本柱。中部地方が地盤。公営競技場は業務システムのほか施設警備、清掃、機器設置までを請け負う。環境事業は排水処理浄化効率を促進する製剤や産業用太陽光発電を扱う。
【設立】2001.7 【資本金】984百万円
【社長】松島穣(1973.8生 岐阜聖徳学大院修了)
【株主】〔24.3〕松福㈱38.4%
【連結事業】公共サービス48、環境10、交通インフラ38、他4
【従業員】連277名 単147名(39.9歳)

【業績】	売上高	営業利益	経常利益	純利益
連21.9	6,985	770	801	571
連22.9	7,220	798	856	408
連23.9	7,577	635	685	874

㈱NexTone

東証グロース

採用内定数	倍率	3年後離職率	平均年収
2名	65倍	25%	[総]508万円

●待遇、制度●
【初任給】月22万(固定残業代30時間分)
【残業】27.9時間【有休】12.2日【制度】[在]

●新卒定着状況●
20年入社(男1、女3)→3年後在籍(男1、女2)

●採用情報●
【人数】23年:5 24年:4 25年:応募130→内定2*
【内定内訳】(男1、女1)(文2、理0)(総2、他0)
【試験】なし
【時期】エントリー25.3→内々定25.6(一次・二次以降もWEB面接可)
【採用実績校】関大1、大阪市大1
【求める人材】コミュニケーション能力が高く、誠実に仕事に取り組むことができる人

【本社】150-6010 東京都渋谷区恵比寿4-20-3 恵比寿ガーデンプレイスタワー ☎03-5475-5020
【特色・近況】音楽コンテンツの著作権管理事業を行う。国内音楽著作権市場を寡占するJASRACの対抗軸を目指し発足。楽曲著作権者の委任に基づき楽曲利用者から作品の著作権使用料を徴収、分配。デジタル配信支援やユーチューブ収益化サービスも展開へ。
【設立】2000.9 【資本金】1,218百万円
【取締】阿南雅浩(1962.9生)
【株主】〔24.3〕アミューズ7.2%
【連結事業】著作権等管理8、DD55、音楽配信30、他7 <海外39>
【従業員】連304名 単114名(36.1歳)

【業績】	売上高	営業利益	経常利益	純利益
連22.3	7,489	708	713	482
連23.3	8,814	840	841	631
連24.3	13,433	657	661	531

サービス

野村(のむら)ビジネスサービス　株式公開計画なし

採用内定数	倍率	3年後離職率	平均年収
11名	29.1倍	25%	438万円

●待遇、制度●
【初任給】月24万
【残業】17時間【有休】15.9日【制度】住 在
●新卒定着状況●
20年入社(男2、女2)→3年後在籍(男2、女1)
●採用情報●
【人数】23年:8 24年:5 25年:応募320→内定11*
【内定内訳】(男1、女10)(文10、理1)(総11、他0)
【試験】〔性格〕有
【時期】エントリー24.12→内々定25.6(一次はWEB面接可)【インターン】有
【採用実績校】慶大1、明大1、横浜市大1、関大1、山口県大1、駒澤大1、東京女大1、東洋大1、日大1、神奈川大2
【求める人材】未来を切り拓く人材(好奇心旺盛な人・行動できる人・変化を楽しめる人)

【本社】135-0061 東京都江東区豊洲2-2-1
☎03-6741-5000
【特色・近況】野村HD傘下で、グループ向けシェアードサービスとして人事、総務、経理など間接業務を担う。野村證券の総務部門が分社化して発足。証券営業店オペレーション、メーリング、証券仲介事務代行や金融機関向け投信販売支援、HR業務も行う。
【設立】1985.11　【資本金】300百万円
【社長】三輪悦朗
【株主】〔24.3〕野村ホールディングス100%
【事業】事務代行100
【従業員】単444名(46.7歳)

【業績】	営業収益	営業利益	経常利益	純利益
単22.3	6,811	239	244	161
単23.3	8,240	280	285	185
単24.3	8,713	322	330	190

㈱博展(はくてん)　東証グロース

採用内定数	倍率	3年後離職率	平均年収
63名	39.7倍	28.6%	632万円

●待遇、制度●
【初任給】月25.8万
【残業】27.6時間【有休】10.9日【制度】フ 在
●新卒定着状況●
20年入社(男15、女13)→3年後在籍(男10、女10)
●採用情報●
【人数】23年:36 24年:46 25年:応募2500→内定63*
【内定内訳】(男27、女36)(文47、理16)(総63、他0)
【試験】〔Web自宅〕SPI3
【時期】エントリー24.6→内々定25.5*【インターン】有【ジョブ型】有
【採用実績校】多摩美大5、早大4、青学大3、明大3、武蔵野美大3、京都芸大3、立命館大3、日大2、法政大2、明学大2、立教大2、他
【求める人材】気付いて実行するチカラ、巻き込むチカラ、やりぬくチカラがある人

【本社】104-0031 東京都中央区京橋3-1-1 東京スクエアガーデン
☎03-6821-8910
【特色・近況】企業や団体のイベント展示や店舗施設の構築・支援を行う。ディスプレーの企画・施工からイベント演出のほか、関連マーケティングまで請け負う。顧客との直接取引が主体でワンストップサービスで提供。オンライン展示会などデジタルコンテンツの受注も拡大。
【設立】1970.3　【資本金】239百万円
【取締】原田淳(1977.6生 東海大工卒)
【株主】〔24.6〕㈱T&Pホールディングス36.8%
【連結事業】エクスペリエンス・マーケティング100
【従業員】連478名 単431名(35.3歳)

【業績】	売上高	営業利益	経常利益	純利益
連22.3	10,626	532	618	760
連23.3	13,943	739	721	553
連23.12変	13,136	1,027	1,035	678

非破壊検査(ひはかいけんさ)　株式公開未定

採用内定数	倍率	3年後離職率	平均年収
18名	5.1倍	15.7%	㊗679万円

●待遇、制度●
【初任給】月23万
【残業】9.8時間【有休】12.4日【制度】住
●新卒定着状況●
20年入社(男42、女9)→3年後在籍(男35、女8)
●採用情報●
【人数】23年:32 24年:21 25年:応募91→内定18*
【内定内訳】(男15、女3)(文6、理12)(総18、他0)
【試験】〔性格〕有
【時期】エントリー25.1→内々定25.2*(一次・二次以降もWEB面接可)【インターン】有
【採用実績校】苫小牧高専1、千葉商大2、日大1、学習院大1、國學院大1、福井工大2、立命館大1、大谷大1、大和大1、甲南大1、愛媛大1、他
【求める人材】仕事で社会に貢献したい人、新しい技術にチャレンジしたい人、社会・産業・暮しの安全を守りたい人

【本社】550-0014 大阪府大阪市西区北堀江1-18-14
☎06-6539-5821
【特色・近況】モノを壊さず欠陥や異常を検出する非破壊検査のパイオニアで、業界シェア首位。非破壊検査、計測、調査・診断などで事業展開。安全工学研究所で非破壊検査の技術高度化を目指す。大阪、神戸、千葉に事業本部、宮城と福岡に支社を配置。
【設立】1957.6　【資本金】88百万円
【社長】山口多賀幸(1964.1生 同大商卒)
【株主】〔24.3〕非破壊検査ホールディングス100%
【事業】検査サービス99、他1
【従業員】単595名(42.3歳)

【業績】	売上高	営業利益	経常利益	純利益
単22.3	17,505	1,655	1,848	1,215
単23.3	19,217	2,232	2,459	1,617
単24.3	18,396	1,724	1,823	1,163

サービス

㈱ブラス　東証スタンダード

採用内定数	倍率	3年後離職率	平均年収
55名	14.7倍	41.2%	㊀408万円

●待遇、制度●
【初任給】月24.2万(諸手当2.2万円、固定残業代26時間分)
【残業】14.4時間【有休】8.2日【制度】フ 住 在
●新卒定着状況●
20年入社(男7、女27)→3年後在籍(男4、女16)
●採用情報●
【人数】23年:78 24年:63 25年:応募806→内定55*
【内定内訳】(男10、女45)(文33、理0)(総55、他0)
【試験】なし
【時期】エントリー 25.3→内々定25.6(一次はWEB面接可)【インターン】有
【採用実績校】同大2、津田塾大、日大、立命館大2、静岡大、兵庫県大、愛知県大、西南学大、愛知淑徳大2、椙山女学大2、金城学大、関大、他
【求める人材】チームワークを大切にしながら、目標を達成するための情熱・スキルのある人

【本社】450-0002 愛知県名古屋市中村区名駅2-36-20 アイムビル ☎052-571-3322
【特色・近況】直営の完全貸切型ゲストハウスによるウエディング事業を東海地方中心に展開。1チャペル・1会場・1キッチンの式場スタイル、新規来館から打ち合わせ、式当日の対応まで担当者1人が行う一貫対応に特徴。関西、関東にも進出。子会社でハワイ婚や映像制作も。
【設立】2004.3 【資本金】100百万円
【社長】河合達明(1966.1生 愛知尾西高卒)
【株主】〔24.7〕河合達明47.6%
【連結事業】ウエディング100
【従業員】連597名 単567名(28.1歳)

【業績】	売上高	営業利益	経常利益	純利益
単22.7	11,415	874	1,129	734
連23.7	13,260	1,173	1,201	722
連24.7	12,726	454	488	275

平安(へいあん)レイサービス　東証スタンダード

採用内定数	倍率	3年後離職率	平均年収
5名	4.2倍	46.7%	㊀502万円

●待遇、制度●
【初任給】月23.1万
【残業】30.8時間【有休】8日【制度】フ 住
●新卒定着状況●
20年入社(男5、女10)→3年後在籍(男4、女4)
●採用情報●
【人数】23年:11 24年:13 25年:応募21→内定5*
【内定内訳】(男1、女4)(文3、理0)(総5、他0)
【試験】〔筆記〕有〔性格〕有
【時期】エントリー 24.10→内々定24.11*【インターン】有
【採用実績校】立教大1、山口大1、明星大1
【求める人材】成長意欲のある人、チームワークを大切に出来る人

【本社】254-0053 神奈川県平塚市桜ケ丘1-35 ☎0463-34-2771
【特色・近況】互助会系の冠婚葬祭サービスを展開し、神奈川県内では首位級。葬祭事業が売上の約8割を占める。近年の家族葬増加を受け、小規模葬祭ホールを積極出店している。結婚式場運営を行う冠婚事業も。グループで訪問・在宅・介護施設など介護事業や物流事業も展開。
【設立】1969.9 【資本金】785百万円
【社長】山田朗弘(1973.5生 神奈大経営卒)
【株主】〔24.3〕相馬秀行20.3%
【連結事業】冠婚3、葬祭86、互助会0、介護11、他0
【従業員】連303名 単206名(42.8歳)

【業績】	売上高	営業利益	経常利益	純利益
連22.3	8,972	1,232	1,366	931
連23.3	9,669	1,492	1,627	1,053
連24.3	10,081	1,631	1,762	888

㈱翻訳(ほんやく)センター　東証スタンダード

採用内定数	倍率	3年後離職率	平均年収
4名	‥	ー	㊀631万円

●待遇、制度●
【初任給】月21.5万
【残業】19.7時間【有休】11.8日【制度】フ 在
●新卒定着状況●
20年入社(男0、女0)→3年後在籍(男0、女0)
●採用情報●
【人数】23年:0 24年:5 25年:応募‥→内定4
【内定内訳】(男1、女3)(文4、理0)(総4、他0)
【試験】〔性格〕有
【時期】エントリー 25.3→内々定25.6(一次はWEB面接可)
【採用実績校】早大1、立命館大1、東洋大1、専大1
【求める人材】何事も前向きに楽しみながら一所懸命に取り組む人、常に問題意識を持ち、自ら行動する人、チームワークを大事にする人

【本社】541-0056 大阪府大阪市中央区久太郎町4-1-3 大阪御堂筋ビル ☎06-6282-5010
【特色・近況】企業向け産業翻訳専門大手。独立系で医薬、特許、金融、工業の4分野に強み。新薬申請資料や製品仕様書、特許明細書などの翻訳を請け負う。取引社数は3600社、年間受注件数は約5万件。投資家向け(IR)文書の受注拡大に注力。
【設立】1986.4 【資本金】588百万円
【社長】二宮俊一郎(1969.7生 広島大院教育)
【株主】〔24.3〕エムスリー19.6%
【連結事業】翻訳75、派遣10、通訳10、コンベンション2、他3
【従業員】連562名 単390名(41.8歳)

【業績】	売上高	営業利益	経常利益	純利益
連22.3	10,337	811	841	573
連23.3	10,947	928	960	686
連24.3	11,303	902	938	711

三重中央開発（みえちゅうおうかいはつ）

株式公開計画なし

採用実績数	倍率	3年後離職率	平均年収
1名	－	0%	㊕534万円

●待遇、制度●
【初任給】月23万
【残業】20.6時間【有休】11.8日【制度】住
●新卒定着状況●
20年入社(男0、女1)→3年後在籍(男0、女1)
●採用情報●
【人数】23年:3 24年:1 25年:応募0→内定0*
【内定内訳】(男‥、女‥)(文‥、理‥)(総‥、他‥)
【試験】〔筆記〕常識〔性格〕有
【時期】エントリー25.3→内々定25.4(一次・二次以降もWEB面接可)【インターン】有
【採用実績校】‥
【求める人材】創造・改革・挑戦の精神で何ごとにも最後までやり切る人

【本社】518-1152 三重県伊賀市予野字鉢屋4713 ☎0595-20-1119
【特色・近況】大栄環境グループの中核会社で、多種多様な廃棄物処理を行う複合型リサイクル施設を三重と京都に保有。廃棄物処理をベースに環境関連事業を展開。燃焼時の排熱を回収し、エネルギーとして事業所内や地域へ供給するエネルギープラザなど、資源循環に取り組む。
【設立】1980.8【資本金】90百万円
【社長】平井俊文(1959.7生 鹿児島穎娃高卒)
【株主】〔24.3〕大栄環境100%
【事業】廃棄物処理99、他1
【従業員】単393名(42.9歳)

【業績】	売上高	営業利益	経常利益	純利益
単22.3	22,036	4,977	5,493	3,611
単23.3	23,003	4,908	4,887	3,226
単24.3	27,679	10,199	10,430	6,916

㈱ミダックホールディングス

東証プライム

採用内定数	倍率	3年後離職率	平均年収
3名	7倍	33.3%	589万円

●待遇、制度●
【初任給】月21万(諸手当0.2万円)
【残業】17.1時間【有休】10.1日【制度】住
●新卒定着状況●
20年入社(男1、女2)→3年後在籍(男0、女2)
●採用情報●
【人数】23年:5 24年:4 25年:応募21→内定3
【内定内訳】(男3、女0)(文1、理2)(総3、他0)
【試験】試験あり
【時期】エントリー25.3→内々定25.6*(一次はWEB面接可)【インターン】有
【採用実績校】静岡理工科大院1、立命館大1、高知大1
【求める人材】プラス思考で、素直で勉強好きな人、粘り強く、最後まで課題を遂行する責任感を持つ人

【本社】431-3122 静岡県浜松市中央区有玉南町2163 ☎053-488-7173
【特色・近況】東海地盤の産業廃棄物の処理・管理業者。収集運搬から、自社施設での脱水・焼却などの中間処理、埋め立てなどの最終処分まで一貫処理を行う。廃棄物の排出事業者と、自社以外の廃棄物処理業者を仲介する仲介管理事業も手がける。関東への進出に注力。
【設立】1964.7【資本金】90百万円
【社長】加藤恵子(1970.6生)
【株主】〔24.3〕㈱フォンスアセットマネジメント29.4%
【連結事業】廃棄物処分85、収集運搬14、仲介管理1
【従業員】連358名 単52名(42.2歳)

【業績】	売上高	営業利益	経常利益	純利益
連22.3	6,381	2,264	2,188	1,301
連23.3	7,771	2,755	2,692	1,685
連24.3	9,547	3,538	3,377	1,907

ミヤマ

株式公開未定

採用予定数	倍率	3年後離職率	平均年収
若干	‥	25%	‥

●待遇、制度●
【初任給】月20万
【残業】‥時間【有休】‥日【制度】住
●新卒定着状況●
20年入社(男3、女1)→3年後在籍(男2、女1)
●採用情報●
【人数】23年:4 24年:5 25年:予定若干*
【内定内訳】(男‥、女‥)(文‥、理‥)(総‥、他‥)
【試験】なし
【時期】エントリー25.3→内々定25.6*(一次はWEB面接可)
【採用実績校】‥
【求める人材】企業理念である「日本一の総合環境企業」を目指し、新しいことに意欲的に取り組める人

【本社】381-2283 長野県長野市稲里1-5-3 ☎026-285-4166
【特色・近況】工場廃液の化学処理やリサイクル、汚染土壌の洗浄、各種環境分析、環境機械・装置の開発など行う総合環境企業。全国に24拠点。現場で環境分析する緊急化学分析サービスを提供。廃棄物からエネルギーへの転換など新技術を開発。
【設立】1974.12【資本金】100百万円
【代表取締役】南克明
【株主】〔23.11〕南克明52.7%
【事業】廃液等化学処理・リサイクル、汚染土壌洗浄、環境機械や装置の開発・設計・施工、環境分析、他総合環境事業
【従業員】単488名(47.0歳)

【業績】	売上高	営業利益	経常利益	純利益
単21.11	14,343	3,639	3,796	2,508
単22.11	15,438	4,215	4,377	2,843
単23.11	15,132	4,510	4,690	3,083

メディア総研（そうけん） 東証グロース

採用内定数	倍率	3年後離職率	平均年収
1名	‥	100%	525万円

●待遇、制度●
【初任給】‥万
【残業】19.2時間【有休】8.6日【制度】住 在
●新卒定着状況●
20年入社(男1、女0)→3年後在籍(男0、女0)
●採用情報●
【人数】23年:1 24年:0 25年:応募‥→内定1*
【内定内訳】(男1、女0)(文‥、理‥)(総1、他0)
【試験】〔性格〕有
【時期】エントリー 25.3→内々定25.10*(一次はWEB面接可)
【採用実績校】熊本高専1
【求める人材】自分の意見やアイデアを形にすることにやりがいを感じる人

【本社】810-0041 福岡県福岡市中央区大名2-8-1 ☎092-736-5587
【特色・近況】高等専門学校(高専)生、地方理工系大学生向け就職活動イベントの企画・運営が柱。イベントは対面形式、オンラインの双方で展開。Webマガジン「月刊高専」の運営、各大学オリジナルの「大学別就活手帳」の受託制作も手がける。
【設立】1993.3 【資本金】249百万円
【社長】田中浩二(1961.1生)
【株主】〔24.7〕田中浩二62.5%
【連結事業】就職活動イベント80、企画制作20
【従業員】連66名 単42名(37.3歳)

【業績】	売上高	営業利益	経常利益	純利益
単22.7	776	182	184	131
連23.7	955	202	201	121
連24.7	1,155	189	193	105

#採用数が多い

㈱メフォス 株式公開計画なし

採用内定数	倍率	3年後離職率	平均年収
279名	5.3倍	‥	‥

●待遇、制度●
【初任給】月22.4万
【残業】13.3時間【有休】14.3日【制度】住 在
●新卒定着状況●
‥
●採用情報●
【人数】23年:385 24年:386 25年:応募1477→内定279*
【内定内訳】(男17、女262)(文9、理86)(総15、他264)
【試験】〔Web自宅〕SPI3〔性格〕有
【時期】エントリー 24.12→内々定25.3(一次・二次以降もWEB面接可)【インターン】有
【採用実績校】‥
【求める人材】笑顔を生み出す工夫を、継続できる人

【本社】107-0052 東京都港区赤坂2-23-1 アークヒルズフロントタワー18階 ☎03-6234-7600
【特色・近況】給食大手のエームサービスグループの一員で、集団給食事業を展開。受託先は病院、福祉施設を中心に学校、保育園、工場、オフィスなど全国約2000。東北から九州まで拠点を構築し、食材の地場調達にも注力。食の安定供給と低コスト化を図る。
【設立】1962.6 【資本金】100百万円
【社長】長江孝之(1963.8生 名大経済卒)
【株主】〔24.3〕エームサービス100%
【連結事業】シルバー福祉施設34、学校27、病院16、幼保12、産業8、寮・保養所他3
【従業員】連3,306名 単1,580名(37.9歳)

【業績】	売上高	営業利益	経常利益	純利益
連22.3	58,195	2,211	2,217	1,470
連23.3	58,926	1,602	1,612	1,040
連24.3	59,898	1,958	1,964	1,259

㈱読売情報開発（よみうりじょうほうかいはつ） 株式公開計画なし

採用内定数	倍率	3年後離職率	平均年収
10名	5.6倍	45.5%	664万円

●待遇、制度●
【初任給】月24.1万(諸手当5.9万円)
【残業】17時間【有休】13.4日【制度】住
●新卒定着状況●
20年入社(男7、女4)→3年後在籍(男5、女1)
●採用情報●
【人数】23年:12 24年:12 25年:応募56→内定10*
【内定内訳】(男8、女2)(文10、理0)(総10、他0)
【試験】〔筆記〕常識〔Web会場〕有〔Web自宅〕有〔性格〕有
【時期】エントリー 24.10→内々定25.3(一次・二次以降もWEB面接可)【インターン】有
【採用実績校】上智大1、法政大1、日大1、東洋大1、専大1、東海大1、目白大1、共栄大1、甲南女大1、産能大1
【求める人材】何事にも好奇心をもって積極的に取り組むことができる人

【本社】102-8618 東京都千代田区平河町2-13-3 ☎03-5212-1111
【特色・近況】読売新聞グループで、同紙の読者開拓や宣伝ほか、販売店向け景品類、資材・OA機器の斡旋、通販、イベント企画・開催など多彩に事業展開。巨人軍とコラボの缶コーヒー通販、森永乳業との協業による宅配サービスも。札幌、名古屋、大阪、福岡に支社が所在。
【設立】1966.5 【資本金】40百万円
【社長】大澤敏志(1967.8生 早大社会科卒)
【株主】〔24.3〕読売新聞東京本社100%
【事業】各種商品・サービス85、読売新聞他契約手数料10、他5
【従業員】単534名(43.4歳)

【業績】	売上高	営業利益	経常利益	純利益
単22.3	18,596	‥	‥	‥
単23.3	17,677	‥	‥	‥
単24.3	17,440	‥	‥	‥

サービス

㈱ライトワークス　東証グロース

採用内定数	倍率	3年後離職率	平均年収
6名	10.3倍	50%	554万円

●待遇、制度●
【初任給】月23.2万(固定残業代45時間分)
【残業】10時間【有休】15.6日【制度】在
●新卒定着状況●
20年入社(男1、女1)→3年後在籍(男0、女1)
●採用情報●
【人数】23年:7 24年:5 25年:応募62→内定6
【内定内訳】(男4、女2)(文2、理4)(総6、他0)
【試験】〔Web自宅〕有〔性格〕有
【時期】エントリー 24.4→内々定24.11(一次・二次以降もWEB面接可)【インターン】有
【採用実績校】東大1、京大1、阪大1、筑波大1、お茶女大1、東理大1
【求める人材】当社の理念(Passion、Respect、Creativity)に共感する人

【本社】102-0083 東京都千代田区麹町5-3-3 麹町KSスクエア ☎03-5275-7031
【特色・近況】クラウドを活用した大企業向け人材開発プラットフォームとオンライン英会話サービスを展開。学習、スキル、キャリアなどの人材開発における管理を習得。中堅企業の導入を推進。大手学習塾向けにオンライン英会話の学習管理プラットフォームを提供。
【設立】1995.11 【資本金】142百万円
【取締】江口夏郎(1965.5生)
【株主】〔24.7〕㈱エプシモーヴェ 48.8%
【連結事業】HCMプラットフォーム提供69、HCMクラウドを活用したオンライン英会話31、他0
【従業員】連167名 単‥名(37.4歳)

【業績】	売上高	営業利益	経常利益	純利益
連22.1	2,219	165	164	121
連23.1	2,640	203	200	138
連24.1	3,199	243	244	221

㈱ラック　株式公開計画なし

採用内定数	倍率	3年後離職率	平均年収
13名	2.8倍	75%	330万円

●待遇、制度●
【初任給】月22万(諸手当1万円、固定残業代30時間分)
【残業】20時間【有休】5日【制度】フ 住 在
●新卒定着状況●
20年入社(男1、女3)→3年後在籍(男1、女0)
●採用情報●
【人数】23年:7 24年:11 25年:応募37→内定13*
【内定内訳】(男1、女12)(文10、理0)(総0、他13)
【試験】〔筆記〕常識〔性格〕有
【時期】エントリー 25.3→内々定25.5(一次・二次以降もWEB面接可)【インターン】有
【採用実績校】九産大2、福岡大2、久留米大1、佐賀大1、筑紫女学大1、中村学大1、北九州市大1、福岡ウェデング専2、他
【求める人材】誰かのために生きたいと思っている人、人の喜びを自分の喜びに感じられる人

【本社】812-0007 福岡県福岡市博多区東比恵3-14-25 ☎092-473-0101
【特色・近況】福岡市首位の冠婚葬祭会社。福岡県と大分県が地盤。婚礼は福岡では「リッツ5」、大分では「パルス5」。葬祭は福岡では「西日本典礼」、大分では「大分典礼」ブランドで運営。ドレス事業やフォト事業も手がけ、関連会社で霊柩車事業なども行う。
【設立】1967.12 【資本金】65百万円
【社長】松井秀二(1956.11生 第一経済大経済卒)
【株主】〔24.3〕柴山三鈴
【事業】婚礼8、衣裳9、典礼79、飲食1、福祉2、賃借料収入1
【従業員】単350名(‥歳)

【業績】	売上高	営業利益	経常利益	純利益
単22.3	4,643	546	731	410
単23.3	5,316	626	623	384
単24.3	6,001	730	755	448

㈱レンタルのニッケン　株式公開していない

採用内定数	倍率	3年後離職率	平均年収
58名	9.7倍	34.3%	‥

●待遇、制度●
【初任給】月21.8万
【残業】30時間【有休】12日【制度】住 在
●新卒定着状況●
20年入社(男41、女29)→3年後在籍(男25、女21)
●採用情報●
【人数】23年:65 24年:75 25年:応募560→内定58*
【内定内訳】(男36、女22)(文55、理0)(総58、他0)
【試験】なし
【時期】エントリー 24.12→内々定25.2*(一次・二次以降もWEB面接可)【インターン】有
【採用実績校】多摩大4、明海大3、近大2、大阪産大2、大成学大2、立正大1、明大1、中京大1、東京経大1、福岡大1、他
【求める人材】仕事を「自身の課題」と主体的に捉え、強い情熱と責任感を持って取り組む姿勢のある人

【本社】105-7319 東京都港区東新橋1-9-1 東京汐留ビルディング19階 ☎03-6775-7811
【特色・近況】土木建設、工場メンテナンス、鉄道、農林業など向けの機械・用品を扱う広域レンタル会社。商品数は約4600種類、約110万点。安全をキーワードに、熱中症対策商品の販売も行う。災害の復旧向けに機械の貸し出しも。三菱商事の完全子会社。
【設立】1967.7 【資本金】1,225百万円
【社長】齊藤良幸
【株主】〔24.3〕三菱商事100%
【連結事業】土木建設関連機械を中心としたレンタル、自社商品開発・製造・販売・修理
【従業員】連3,786名 単‥名(‥歳)

【業績】	売上高	営業利益	経常利益	純利益
連22.3	113,881	5,794	6,019	3,935
連23.3	121,800	‥	‥	‥
連24.3	127,500	‥	‥	‥

サービス

地域別
基本情報編
1998社

SHUSHOKU SHIKIHO

㈱セイコーフレッシュフーズ

株式公開計画なし

【本社】003-0030 北海道札幌市白石区流通センター7-9-35 ☎011-892-8551
商社・卸売業

採用実績数	倍率	3年後離職率	平均年収
5名	‥	‥	‥

【特色】北海道地盤の酒類・食品卸大手。常温・冷蔵・冷凍の全温度帯で卸・配送を行う。日用雑貨なども取り扱う。北海道、茨城県に配送センター、冷凍センターを構える。コンビニエンスストアや百貨店、ホテルなどへ商品を毎日配送。セコマグループ。
【定着率】‥
【採用】 【設立】1940.6 【社長】本田竜也
23年 0【従業員】単175名(46.6歳)
24年 5【有休】‥日
25年 未定【初任給】月22.1万(諸手当を除いた数値)
【試験種類】‥【各種制度】‥

【業績】	売上高	営業利益	経常利益	純利益
単22.12	108,705	‥	779	▲101
単23.12	112,139	‥	684	51

カネシメホールディングス

株式公開計画なし

【本社】060-8671 北海道札幌市中央区北12条西20-1-10 ☎011-618-2110
商社・卸売業

採用予定数	倍率	3年後離職率	平均年収
5名	‥	‥	‥

【特色】札幌市中央卸売市場指定の水産物卸売業務を、傘下の曲〆髙橋水産が行う。外食産業や海外向けに北海道水産物の販売や、グループで冷凍冷蔵倉庫、衛生検査業務なども展開。東京・浜松町に営業所。動画やSNSでの情報発信に熱心。
【定着率】‥
【グループ採用】【設立】1940.9 【社長】髙橋清一郎
23年 8【従業員】連241名 単33名(46.0歳)
24年 5【有休】‥日
25年 5【初任給】月21.1万
【試験種類】‥【各種制度】‥

【業績】	売上高	営業利益	経常利益	純利益
連23.3	56,579	188	188	115
連24.3	52,401	208	196	▲163

㈱モロオ

株式公開計画なし

【本社】060-8525 北海道札幌市中央区北3条西15-1-50 ☎011-618-2323
商社・卸売業

採用実績数	倍率	3年後離職率	平均年収
17名	‥	‥	‥

【特色】北海道地盤の医薬品卸。医薬品、検査試薬、介護用品など扱うほか、クリニック開業支援も行う。ヘルス&ライフの総合企業を志向。病院向け各種システム導入の提案、福祉・介護事業者向けに、装着型動作支援ロボットの活用提案も。
【定着率】‥
【採用】 【設立】1949.3 【社長】師尾忠和
23年 22【従業員】単601名(45.0歳)
24年 17【有休】‥日
25年 未定【初任給】月21万(諸手当を除いた数値)
【試験種類】‥【各種制度】‥

【業績】	売上高	営業利益	経常利益	純利益
単23.3	115,388	‥	904	547
単24.3	121,345	‥	871	469

㈱キムラ

東証スタンダード

【本社】060-8576 北海道札幌市東区北6条東4-1-7 デ・アウネさっぽろ ☎011-721-4311
商社・卸売業

採用予定数	倍率	3年後離職率	平均年収
8名	‥	‥	473万円

【特色】住宅資材の卸売りと小売りの2本柱。北海道の極寒環境で培った高気密・高断熱資材の取り扱いに強み。床下冷暖房システムやダクトレス全熱交換換気システムなどのオリジナル商品を強化。子会社で道内最大級のホームセンターを運営。
【定着率】‥
【採用】 【設立】1951.1 【社長】木村勇介
23年 12【従業員】連731名 単161名(38.3歳)
24年 8【有休】‥日
25年 8【初任給】月18.7万(諸手当を除いた数値)
【試験種類】‥【各種制度】‥

【業績】	売上高	営業利益	経常利益	純利益
連23.3	35,143	2,194	2,356	1,297
連24.3	33,993	1,814	1,983	1,031

㈱ファイバーゲート

東証プライム

【本社】060-0061 北海道札幌市中央区南1条西8-10-3 ☎011-204-6121
通信サービス

採用実績数	倍率	3年後離職率	平均年収
6名	‥	‥	550万円

【特色】マンション、アパートなど賃貸物件オーナー向けのレジデンスWi-Fiサービス提供が主力。商業施設、観光地、医療機関や介護施設、タクシーなど法人向けのフリーWi-Fiサービスが拡大中。法人向け通信機器の製造・販売も手がける。
【定着率】‥
【採用】 【設立】2000.9 【取締】猪又將哲
23年 8【従業員】連230名 単217名(36.0歳)
24年 6【有休】‥日
25年 前年並【初任給】月21.1万(諸手当を除いた数値)
【試験種類】‥【各種制度】‥

【業績】	売上高	営業利益	経常利益	純利益
連23.6	12,795	2,320	2,290	1,482
連24.6	12,613	2,387	2,395	1,567

エコモット

東証グロース

【本社】060-0031 北海道札幌市中央区北1条東1-2-5 カレスサッポロビル ☎011-558-2211
システム・ソフト

採用予定数	倍率	3年後離職率	平均年収
3名	‥	‥	437万円

【特色】企画から開発、運用・保守までワンストップで提供するIoTインテグレーションを展開。建設現場の建設情報化施工支援、融雪遠隔管理システムが主力。KDDIと資本業務提携し、IoTクラウドソリューションの開発・販売で協業。
【定着率】‥
【採用】 【設立】2007.2 【代表取締役】入澤拓也
23年 5【従業員】連140名 単95名(38.8歳)
24年 5【有休】‥日
25年 3【初任給】月16.8万(諸手当を除いた数値)
【試験種類】‥【各種制度】‥

【業績】	売上高	営業利益	経常利益	純利益
連22.8	2,217	19	34	27
連23.8	2,715	▲93	▲83	▲174

㈱キットアライブ
札証

【本社】060-0807 北海道札幌市北区北7条西1-1-5 丸増ビルNo. 18 ☎011-727-3351
システム・ソフト

採用予定数	倍率	3年後離職率	平均年収
9名	‥	‥	543万円

【特色】北海道・札幌地盤でセールスフォースの導入支援サービスや製品開発支援を展開。コンサルから開発、保守運用まで一気通貫での提供に強み。スタートアップ企業や中小企業に強い。道外からの引き合いが増加中。ITエンジニア育成に力点。
【定着率】‥
【採用】【設立】2016.8【社長】嘉屋雄大
23年 5【従業員】単62名(33.8歳)
24年 8【有休】‥日
25年 9【初任給】月24万(諸手当を除いた数値)
【試験種類】‥【各種制度】‥

【業績】	売上高	営業利益	経常利益	純利益
単22.12	706	183	177	127
単23.12	816	197	202	147

網走信用金庫（あばしりしんようきんこ）
株式公開計画なし

【本部】093-0005 北海道網走市南5条東1-4-1 ☎0152-44-5171
信用金庫

採用実績数	倍率	3年後離職率	平均年収
8名	‥	‥	‥

【特色】網走市、北見市、釧路市、帯広市などに20店舗を展開する信用金庫。営業地区である東北海道、オホーツク地域の特産品の販路開拓、観光産業の支援など地域の活性化に取り組む。地域情報誌も継続的に発行。資金量3068億円(24年3月末)。
【定着率】‥
【採用】【設立】1926.3【理事長】伴道弘
23年 7【従業員】単134名(39.7歳)
24年 8【有休】‥日
25年 未定【初任給】月20.5万
【試験種類】‥【各種制度】‥

【業績】	経常収益	業務純益	経常利益	純利益
単23.3	3,138	779	757	528
単24.3	3,159	756	754	545

北海道リース（ほっかいどう）
株式公開未定

【本社】060-0061 北海道札幌市中央区南1条西10-3 ☎011-281-2255
信販・カード・リース他

採用予定数	倍率	3年後離職率	平均年収
8名	‥	‥	‥

【特色】北海道を本拠とする総合リース会社。本社含め道内に9拠点持つ。修理工場と提携したメンテナンスリースなどオートリース部門がコア事業。一般リース、割賦業務も手がける。道内金融機関と業務提携、三菱HCキャピタルと業務・資本提携。
【定着率】‥
【採用】【設立】1964.8【社長】松永直己
23年 5【従業員】単90名(42.3歳)
24年 3【有休】‥日
25年 8【初任給】月21万(諸手当を除いた数値)
【試験種類】‥【各種制度】‥

【業績】	売上高	営業利益	経常利益	純利益
単23.3	29,167	914	947	692
単24.3	30,681	979	998	668

ウェルネット
東証スタンダード

【本社】060-0041 北海道札幌市中央区大通東10-11-4 ☎011-350-7770
信販・カード・リース他

採用実績数	倍率	3年後離職率	平均年収
4名	‥	‥	498万円

【特色】コンビニなどでの電子決済代行大手。代金決済、電子請求、電子決済などをワンストップで行うマルチペイメントサービスを提供。高速バスのチケット決済や自治体と連携した新領域のオンライン決済も。関西でQRコードデジタル乗車券サービスを開始。
【定着率】‥
【採用】【設立】1983.4【社長】宮澤一洋
23年 7【従業員】単128名(36.7歳)
24年 4【有休】‥日
25年 増加【初任給】月24.2万(諸手当を除いた数値)
【試験種類】‥【各種制度】‥

【業績】	売上高	営業利益	経常利益	純利益
単23.6	9,424	939	935	635
単24.6	10,132	1,222	1,223	836

㈱テレビ北海道（ほっかいどう）
株式公開計画なし

【本社】060-8517 北海道札幌市中央区大通東6-12-4 ☎011-232-1117
テレビ

採用予定数	倍率	3年後離職率	平均年収
2名	‥	‥	‥

【特色】北海道内におけるテレビ放送が主軸。テレビ東京系列で自社制作番組は「旅コミ北海道」「けいナビ～応援！どさんこ経済～」「スイッチン！」「EXITのアヤシイTV」など。「TVh落語」などイベント主催も多数。東京、大阪、福岡に拠点。
【定着率】‥
【採用】【設立】1988.8【社長】桑田一郎
23年 0【従業員】単91名(44.6歳)
24年 2【有休】‥日
25年 2【初任給】月21.1万
【試験種類】‥【各種制度】‥

【業績】	売上高	営業利益	経常利益	純利益
単23.3	4,740	159	200	145
単24.3	4,609	112	141	96

北海道テレビ放送（ほっかいどう ほうそう）
株式公開計画なし

【本社】060-8406 北海道札幌市中央区北1条西1-6 ☎‥
テレビ

採用予定数	倍率	3年後離職率	平均年収
4名	‥	‥	‥

【特色】テレビ朝日系列。略称HTB。月～土曜朝の「イチモニ！」、平日夕方の「イチオシ！！」などの情報番組や、若者向け深夜番組、ドキュメンタリー、ドラマなど、北海道舞台の番組に特色。番組のイベントや国際スキージャンプ競技大会なども開催。
【定着率】‥
【採用】【設立】1967.12【社長】寺内達郎
23年 8【従業員】単193名(41.1歳)
24年 8【有休】‥日
25年 4【初任給】月24万(諸手当を除いた数値)
【試験種類】‥【各種制度】‥

【業績】	売上高	営業利益	経常利益	純利益
単23.3	11,937	749	773	524
単24.3	11,685	600	614	410

㈱ダイナックス

株式公開 計画なし

【本社】066-0077 北海道千歳市上長都1053-1 ☎0123-24-3247
自動車部品

採用実績数	倍率	3年後離職率	平均年収
18名	‥	‥	‥

【特色】クラッチ、ブレーキ用摩擦板、クラッチパックなどが主力の駆動系部品専門メーカー。乗用車用ディスクは国内トップ。世界でもトップシェアを争う。海外は中国、米国、メキシコ、ハンガリーに生産拠点を構築。駆動系部品製造を行うエクセディの子会社。
【定着率】‥
【採用】 【設立】1973.6 【社長】小川真
23年 27【従業員】連2,358名 単1,071名(41.4歳)
24年 18【有休】‥日
25年 未定【初任給】月22.4万(諸手当を除いた数値)
【試験種類】‥【各種制度】‥

【業績】	売上高	営業利益	税前利益	純利益
連23.3	68,487	▲111	‥	▲1,683
連24.3	77,904	2,301	‥	▲95

寿産業（ことぶきさんぎょう）

株式公開 いずれしたい

【本社】060-0033 北海道札幌市中央区北3条東2-2-30 ☎011-261-5221
機械

採用実績数	倍率	3年後離職率	平均年収
3名	‥	‥	‥

【特色】線材、棒鋼、形鋼など鉄鋼の圧延に使用するローラーガイドの専業メーカー。廃タイヤリサイクル関連機器や抗菌パウダーなど環境関連機器も手がける。札幌市、小樽市、宮城県の国内3工場体制。北海道から九州まで全国に7営業拠点。
【定着率】‥
【採用】 【設立】1951.3 【社長】鈴木俊一郎
23年 3【従業員】単69名(47.0歳)
24年 3【有休】‥日
25年 未定【初任給】月22万(諸手当を除いた数値)
【試験種類】‥【各種制度】‥

【業績】	売上高	営業利益	経常利益	純利益
単23.3	3,304	‥	86	▲10
単24.3	3,393	‥	45	15

DMG MORI Digital

株式公開 計画なし

【本社】004-0015 北海道札幌市厚別区下野幌テクノパーク1-1-14 ☎011-807-6666
機械

採用予定数	倍率	3年後離職率	平均年収
6名	‥	‥	‥

【特色】ハードウェアからドライバ、アプリケーション開発まで手がけるシステム開発会社。画像処理技術、通信技術、工作機械向け制御など、幅広く事業展開。先端技術開発にも注力。技術力に定評。北大発ベンチャーが起点。DMG森精機の子会社。
【定着率】‥
【採用】 【設立】1980.10【社長】鈴木祐大
23年 7【従業員】単227名(41.2歳)
24年 10【有休】‥日
25年 6【初任給】月30万(諸手当を除いた数値)
【試験種類】‥【各種制度】‥

【業績】	売上高	営業利益	経常利益	純利益
単22.12	3,467	‥	‥	‥
単23.12	4,533	‥	‥	‥

㈱北の達人コーポレーション

東証 プライム

【本社】060-0001 北海道札幌市中央区北一条西1-6 さっぽろ創世スクエア ☎0570-099-062
食品・水産

採用予定数	倍率	3年後離職率	平均年収
3名	‥	‥	602万円

【特色】化粧品や健康美容食品などのネット通販会社。ヒアルロン酸化粧品「ヒアロディープパッチ」、オリゴ糖健康食品「カイテキオリゴ」が主力商品。原材料を買い付け、製造を外部、OEM先に委託。自社運用広告に改め、新規顧客獲得を強化。
【定着率】‥
【採用】 【設立】2002.5 【社長】木下勝寿
23年 0【従業員】連257名 単239名(32.2歳)
24年 0【有休】‥日
25年 3【初任給】‥万
【試験種類】‥【各種制度】‥

【業績】	売上高	営業利益	経常利益	純利益
連23.2	9,831	510	541	343
連24.2	14,665	1,449	1,480	994

日糧製パン（にちりょうせいパン）

札証

【本社】062-8510 北海道札幌市豊平区月寒東1条18-5-1 ☎011-851-8131
食品・水産

採用実績数	倍率	3年後離職率	平均年収
12名	‥	‥	‥

【特色】中堅パンメーカー。食パンや菓子パンのほか、和・洋菓子、チルド品、調理パンなどに展開。食パンブランド「絹艶」「ラブラブサンド」シリーズ等が主力製品。北海道が地盤で道内産素材を使用した商品にこだわり。札幌、釧路、函館に4工場。
【定着率】‥
【採用】 【設立】1946.5 【社長】吉田勝彦
23年 12【従業員】単660名(44.0歳)
24年 12【有休】‥日
25年 前年並【初任給】月20.6万(諸手当を除いた数値)
【試験種類】‥【各種制度】‥

【業績】	売上高	営業利益	経常利益	純利益
単23.3	17,390	187	232	53
単24.3	17,986	274	289	207

北海道糖業（ほっかいどうとうぎょう）

株式公開 計画なし

【本社】060-0001 北海道札幌市中央区北1条西5-2 札幌興銀ビル8階 ☎011-221-1126
食品・水産

採用予定数	倍率	3年後離職率	平均年収
5名	‥	‥	‥

【特色】三井製糖の連結子会社で、北海道地盤の製糖会社。道内2製糖所で製造。機能性食品素材、医薬用原料など受託生産するバイオ事業や、ビート(てん菜)耕作用の農機具・肥料などを開発・販売するアグリ事業も。東京にもオフィスが所在。
【定着率】‥
【採用】 【設立】1968.2 【社長】亀田喜郎
23年 5【従業員】単278名(43.3歳)
24年 5【有休】‥日
25年 5【初任給】‥万
【試験種類】‥【各種制度】‥

【業績】	売上高	営業利益	経常利益	純利益
単23.3	25,146	356	293	▲6,815
単24.3	24,942	1,365	1,298	1,535

北海道ワイン（ほっかいどう）
株式公開 未定

【本社】047-8677 北海道小樽市朝里川温泉1-130 ☎0134-34-2181
食品・水産

採用予定数	倍率	3年後離職率	平均年収
1名	‥	‥	‥

【特色】自社農園「鶴沼ワイナリー」でぶどう栽培も行うワインメーカー。北海道産のブドウのみを使用。ナイヤガラ種活用のワインビネガーなども製品化。主力ブランドは「おたる」「北海道」「鶴沼」や、ビールの「天使の雫」。オンラインショップも運営。
【定着率】‥
【採用】【設立】1974.1【社長】嶌村公宏
23年 2【従業員】単79名（43.6歳）
24年 0【有休】‥日
25年 1【初任給】月18.8万（諸手当を除いた数値）
【試験種類】‥【各種制度】‥

【業績】	売上高	営業利益	経常利益	純利益
単22.8	2,227	178	228	171
単23.8	2,106	181	182	113

㈱ホープ
東証 スタンダード

【本社】071-1544 北海道上川郡東神楽町14北1 ☎0166-83-3555
農林

採用予定数	倍率	3年後離職率	平均年収
未定	‥	‥	421万円

【特色】北海道地盤。イチゴの苗の生産販売から収穫した果実の販売までを行い、通年で洋菓子メーカーなどに国産イチゴを供給。自社品種の四季成り性イチゴ苗を生産者に提供し、生産されたイチゴを仕入れて販売。種馬鈴薯の生産販売や野菜果物の卸も手がける。
【定着率】‥
【採用】【設立】1987.6【社長】政場秀
23年 1【従業員】連42名 単23名（42.8歳）
24年 ‥【有休】‥日
25年 未定【初任給】‥万
【試験種類】‥【各種制度】‥

【業績】	売上高	営業利益	経常利益	純利益
連23.6	2,489	135	138	110
連24.6	2,519	32	38	20

北海道曹達（ほっかいどうそーだ）
株式公開 計画なし

【本社】059-1364 北海道苫小牧市沼ノ端134-122 ☎0144-55-7862
化学

採用予定数	倍率	3年後離職率	平均年収
未定	‥	‥	‥

【特色】原料塩をベースに基礎化学品の苛性ソーダ、塩素、水素などクロル・アルカリ製品を生産する化学品メーカー。カニ殻由来のキトサンを利用した基礎化粧品などを開発・販売する事業も。北海道・苫小牧市と登別市に事業所。AGCグループ。
【定着率】‥
【採用】【設立】1949.5【社長】赤坂晋介
23年 2【従業員】単141名（37.6歳）
24年 0【有休】‥日
25年 未定【初任給】月19万（諸手当を除いた数値）
【試験種類】‥【各種制度】‥

【業績】	売上高	営業利益	経常利益	純利益
単22.12	7,342	349	384	243
単23.12	8,450	613	653	500

㈱カンディハウス
株式公開 未定

【本社】079-8509 北海道旭川市永山北2条6 ☎0166-47-1188
その他メーカー

採用実績数	倍率	3年後離職率	平均年収
10名	‥	‥	‥

【特色】個人住宅やオフィス向け高級木製家具メーカー。北海道の自然と日本文化の美意識を生かした高級家具を製造。ホテル向けなど特注家具にも強い。国内に直営店、百貨店のインショップ、特約店を展開。海外では契約会社で販売。米国とドイツに販売現法。
【定着率】‥
【採用】【設立】1968.9【社長】染谷哲義
23年 13【従業員】単279名（46.2歳）
24年 10【有休】‥日
25年 未定【初任給】月26.1万
【試験種類】‥【各種制度】‥

【業績】	売上高	営業利益	経常利益	純利益
単22.12	3,222	▲58	30	13
単23.12	3,480	85	99	89

㈱ホクエイ
株式公開 計画なし

【北海道本社】001-0040 北海道札幌市北区北40条西4-1-1 ASABULAND1階 ☎011-792-6816
その他メーカー

採用予定数	倍率	3年後離職率	平均年収
2名	‥	‥	‥

【特色】ガスの容器収納庫やホームタンクなどエネルギー関連製品、カスケードガレージなどエクステリア関連製品を販売。設計から板金、塗装、組立、商品化までを一貫対応した受注生産も展開。北海道と茨城に工場。埼玉、大阪に営業拠点。
【定着率】‥
【採用】【設立】1957.5【社長】小笠原司
23年 2【従業員】単303名（45.3歳）
24年 1【有休】‥日
25年 2【初任給】月20.5万（諸手当を除いた数値）
【試験種類】‥【各種制度】‥

【業績】	売上高	営業利益	経常利益	純利益
単23.3	5,967	‥	‥	‥
単24.3	8,261	‥	‥	‥

岩倉建設（いわくらけんせつ）
株式公開 計画なし

【本社】060-0061 北海道札幌市中央区南1条西7-16-2 ☎011-281-6000
建設

採用実績数	倍率	3年後離職率	平均年収
14名	‥	‥	‥

【特色】北海道有数の建設会社。札幌と苫小牧を拠点に、東北・関東など東日本で事業展開。官公需約7割。港湾関連に強く、技術特許を保有。庁舎などの建築工事や、トンネルなどの土木工事を手がけ、ビルなどのリニューアル事業にも取り組む。
【定着率】‥
【採用】【設立】1959.5【社長】鈴木泰至
23年 9【従業員】単262名（46.4歳）
24年 14【有休】‥日
25年 未定【初任給】月22.8万（諸手当を除いた数値）
【試験種類】‥【各種制度】‥

【業績】	売上高	営業利益	経常利益	純利益
単22.9	15,232	276	444	363
単23.9	16,715	▲49	94	104

㈱中山組（なかやまぐみ）

株式公開計画なし

【本社】065-8610 北海道札幌市東区北19条東1-1-1 ☎011-741-7111
建設

採用予定数	倍率	3年後離職率	平均年収
13名	‥	‥	‥

【特色】北海道が地盤の総合建設会社。道路やダムなど土木工事、公共施設や病院、集合住宅などの建築請負が核。売上高は土木が約6割、建築が約4割。不動産売買・賃貸、PFI事業、リニューアル事業なども展開。道外では東京に支店、千葉に営業所。
【定着率】‥
【採用】 【設立】1944.4 【社長】中山茂
23年 9【従業員】単243名(46.1歳)
24年 10【有休】‥日
25年 13【初任給】月24.5万(諸手当を除いた数値)
【試験種類】‥【各種制度】‥

【業績】	売上高	営業利益	経常利益	純利益
単23.3	27,320	1,051	1,626	1,070
単24.3	31,473	1,614	1,942	1,217

㈱北海電工（ほっかいでんこう）

札証

【本社】003-8531 北海道札幌市白石区菊水2条1-8-21 ☎011-811-9411
建設

採用実績数	倍率	3年後離職率	平均年収
58名	‥	‥	611万円

【特色】北海道電力傘下の電気工事会社。道内首位。グループ会社との合併により配電事業を統合。電力向け送配電線工事の依存度が高く、北海道電力からの受注が売上高の過半だが、半導体工場や大規模データセンター向け工事も伸長。
【定着率】‥
【採用】 【設立】1944.10【社長】藪下裕己
23年 51【従業員】連1,806名 単1,681名(46.2歳)
24年 58【有休】‥日
25年 未定【初任給】‥万
【試験種類】‥【各種制度】‥

【業績】	売上高	営業利益	経常利益	純利益
連23.3	71,005	1,261	1,446	938
連24.3	60,099	2,856	3,036	2,019

㈱土屋ホールディングス（つちや）

東証スタンダード

【本社】060-0809 北海道札幌市北区北9条西3-7 ☎011-717-5556
住宅・マンション

採用実績数	倍率	3年後離職率	平均年収
16名	‥	‥	454万円

【特色】北海道地盤の注文住宅メーカー。在来工法首位。売上高の約7割を道内で稼ぎ、首都圏や北関東、東北などにも進出。気密性、断熱性に優れた住宅に強み。傘下は新築の土屋ホーム、リフォーム事業の土屋ホームトピア、不動産の土屋ホーム不動産の3社体制。
【定着率】‥
【グループ採用】【設立】1976.9 【社長】土屋昌三
23年 15【従業員】連759名 単22名(44.3歳)
24年 16【有休】‥日
25年 未定【初任給】月22.8万(諸手当を除いた数値)
【試験種類】‥【各種制度】‥

【業績】	売上高	営業利益	経常利益	純利益
連22.10	34,716	148	228	230
連23.10	34,403	393	428	233

日本グランデ（にっぽん）

札証

【本社】060-0042 北海道札幌市中央区大通西5-1-1 ☎011-210-0073
住宅・マンション

採用実績数	倍率	3年後離職率	平均年収
2名	‥	‥	457万円

【特色】札幌本拠のマンション・戸建て分譲の不動産会社。「グランファーレ」ブランドのマンションが主力。間取り変更が可能な設計や天然炭を活用した換気機能に特色を持つ。サービス付き高齢者向け住宅の賃貸事業も手がける。マンション分譲で首都圏に進出。
【定着率】‥
【採用】 【設立】2003.4 【代表取締役】平野雅博
23年 2【従業員】連62名 単34名(44.8歳)
24年 0【有休】‥日
25年 0【初任給】月15万(諸手当を除いた数値)
【試験種類】‥【各種制度】‥

【業績】	売上高	営業利益	経常利益	純利益
連23.3	4,563	200	180	156
連24.3	3,891	106	71	48

北海道ガス（ほっかいどう）

東証プライム

【本社】060-8530 北海道札幌市東区北七条東2-1-1 ☎011-792-8110
電力・ガス

採用実績数	倍率	3年後離職率	平均年収
36名	‥	‥	‥

【特色】札幌、小樽、函館が地盤の都市ガス大手。石狩にLNG輸入基地を保有。北海道で消費される天然ガスは、ほぼ石狩LNG基地から出荷されている。木質バイオマス、太陽光などの発電事業も手がける。都市ガスとLPガスのセット販売で家庭向け電力小売りに参入。
【定着率】‥
【採用】 【設立】1911.7 【社長】川村智郷
23年 36【従業員】連1,522名 単832名(40.8歳)
24年 36【有休】‥日
25年 微減【初任給】月21.6万(諸手当を除いた数値)
【試験種類】‥【各種制度】‥

【業績】	売上高	営業利益	経常利益	純利益
連23.3	174,840	13,342	13,395	9,963
連24.3	173,885	15,595	15,883	11,627

㈱セコマ

株式公開計画なし

【本社】064-8620 北海道札幌市中央区南9条西5-421 パーク9.5ビル ☎011-511-2796
コンビニ

採用予定数	倍率	3年後離職率	平均年収
45名	‥	‥	‥

【特色】北海道最大のコンビニチェーン「セイコーマート」を運営するセコマグループの事業持ち株会社。グループ店舗数1191店(24年8月末)。北海道産の素材活かしたオリジナル商品を開発。原材料生産・仕入れから製造・加工、物流もグループ内で行う。
【定着率】‥
【採用】 【設立】1974.6 【社長】赤尾洋昭
23年 37【従業員】単124名(38.0歳)
24年 37【有休】‥日
25年 45【初任給】月24万(諸手当を除いた数値)
【試験種類】‥【各種制度】‥

【業績】	売上高	営業利益	経常利益	純利益
単22.12	9,872	‥	946	794
単23.12	9,768	‥	1,204	847

㈱アークス　東証プライム

【本社】064-8610 北海道札幌市中央区南13条西11-2-32 ☎011-530-1000
スーパー

採用予定数	倍率	3年後離職率	平均年収
30名	‥	‥	‥

【特色】食品スーパー11社を抱える持ち株会社。M&Aを推進。北海道、青森、岩手で「スーパーアークス」「ビッグハウス」「ラルズマート」などを展開。発祥のラルズは、北海道内でイオンと生協と並ぶ3強。バローHD、リテールパートナーズと戦略的提携。
【定着率】‥
【ラルズ採用】【設立】1961.10【会長】横山清
23年 24【従業員】連5,873名 単1,034名(47.0歳)
24年 22【有休】‥日
25年 30【初任給】月21.3万(諸手当を除いた数値)
【試験種類】‥【各種制度】‥

【業績】	売上高	営業利益	経常利益	純利益
連23.2	566,209	14,835	16,444	9,947
連24.2	591,557	16,831	18,439	11,766

㈱ダイイチ　東証スタンダード

【本社】080-2470 北海道帯広市西20条南1-14-47 ☎0155-38-3456
スーパー

採用予定数	倍率	3年後離職率	平均年収
25名	‥	‥	498万円

【特色】北海道の食品スーパー。500坪型が標準店で生鮮食品に強み。近年500坪以上の大型店も展開し、フルセルフレジ、カート式セルフレジなどの導入にも積極的。帯広地盤で旭川、札幌にも店舗。イトーヨーカ堂と業務・資本提携しセブンプレミアム商品を取り扱う。
【定着率】‥
【採用】【設立】1958.7【社長】若園清
23年 21【従業員】単408名(36.1歳)
24年 6【有休】‥日
25年 25【初任給】月20.5万(諸手当を除いた数値)
【試験種類】‥【各種制度】‥

【業績】	売上高	営業利益	経常利益	純利益
単22.9	47,094	1,883	1,920	1,163
単23.9	48,595	1,788	1,820	1,234

北雄（ほくゆう）ラッキー　東証スタンダード

【本社】006-0851 北海道札幌市手稲区星置1条2-1-1 ☎011-558-7000
スーパー

採用予定数	倍率	3年後離職率	平均年収
10名	‥	‥	459万円

【特色】札幌圏中心に北海道内一円に食品スーパーを展開。有機・無農薬の生鮮品強化や道内産品の充実、道内では珍しい全国の高品質産品の品ぞろえなどで差別化図る。出店は生鮮食料品を中心に衣料品を組み合わせた店舗を主力業態とし、面積約1000坪を指向。
【定着率】‥
【採用】【設立】1971.4【社長】桐生宇優
23年 7【従業員】単418名(45.9歳)
24年 0【有休】‥日
25年 10【初任給】月21.4万(諸手当を除いた数値)
【試験種類】‥【各種制度】‥

【業績】	売上高	営業利益	経常利益	純利益
単23.2	37,976	376	418	128
単24.2	38,170	509	535	306

㈱丸千代山岡家（まるちよやまおかや）　東証スタンダード

【本社】007-0827 北海道札幌市東区東雁来七条1-4-32 ☎011-781-7170
外食・中食

採用予定数	倍率	3年後離職率	平均年収
10名	‥	‥	439万円

【特色】北海道と北関東が地盤のラーメンチェーン。出店は大型駐車場を併設した主要国道沿いが中心で、トラックなどドライバーのリピーターも多い。24時間年中無休が基本。セントラルキッチンを持たず、店内調理にこだわった商品提供を行う。
【定着率】‥
【採用】【設立】1993.3【社長】一由聡
23年 9【従業員】単589名(41.1歳)
24年 7【有休】‥日
25年 10【初任給】月22万(諸手当を除いた数値)
【試験種類】‥【各種制度】‥

【業績】	売上高	営業利益	経常利益	純利益
単23.1	18,676	514	582	413
単24.1	26,494	2,063	2,132	1,432

㈱アインホールディングス　東証プライム

【本社】003-0005 北海道札幌市白石区東札幌5条2-4-30 ☎011-814-1000
家電量販・薬局・HC

採用予定数	倍率	3年後離職率	平均年収
未定	‥	‥	677万円

【特色】調剤薬局首位で「アイン薬局」を全国に出店。立地は病院前の門前薬局が中心。大型店が得意。化粧品やアクセサリーも扱うコスメ・ドラッグストア「アインズ&トルペ」も展開。セブン&アイと資本・業務提携、コンビニでの販売も視野に人材交流。
【定着率】‥
【グループ採用】【設立】1969.8【社長】大谷喜一
23年 885【従業員】連11,474名 単162名(43.2歳)
24年 ‥【有休】‥日
25年 未定【初任給】‥万
【試験種類】‥【各種制度】‥

【業績】	売上高	営業利益	経常利益	純利益
連23.4	358,742	16,004	17,064	9,234
連24.4	399,824	20,432	21,377	11,401

サツドラホールディングス　東証スタンダード

【本社】060-0908 北海道札幌市東区北8条東4-1-20 ☎011-788-5166
家電量販・薬局・HC

採用予定数	倍率	3年後離職率	平均年収
55名	‥	‥	‥

【特色】北海道地盤で道内2位のドラッグストア。医薬品、化粧品、日用品に加え青果や精肉など生鮮食品も導入。商品カテゴリー拡大で小商圏でも収益確保を目指す戦略。ロードサイド型店舗が多い。調剤薬局も併営。訪日観光客増への対応店舗増やす。台湾に現地法人。
【定着率】‥
【グループ採用】【設立】2016.8【社長】富山浩樹
23年 49【従業員】連1,107名 単‥名(‥歳)
24年 54【有休】‥日
25年 55【初任給】月21.1万(諸手当を除いた数値)
【試験種類】‥【各種制度】‥

【業績】	売上高	営業利益	経常利益	純利益
連23.5	87,481	299	327	87
連24.5	95,520	1,384	1,336	470

㈱メディカルシステムネットワーク
東証スタンダード

【本社】060-0010 北海道札幌市中央区北十条西24-3 ☎011-612-1069
家電量販・薬局・HC

採用予定数	倍率	3年後離職率	平均年収
180名	‥	‥	‥

【特色】医薬品情報ネットワークサービスと調剤薬局運営が主な事業。前者は加盟薬局に対し医薬品卸会社との取引価格形成や決済、在庫管理などの支援システムを提供。後者は地域薬局をM&Aで取得、「なの花薬局」ブランドで全国に展開する。医療モール開発なども手がける。
【定着率】‥
【グループ採用】【設立】1999.9【社長】田尻稲雄
23年 120【従業員】連3,865名 単375名(42.5歳)
24年 150【有休】‥日
25年 180【初任給】‥万
【試験種類】‥【各種制度】‥

【業績】	売上高	営業利益	経常利益	純利益
連23.3	109,551	3,163	3,355	1,610
連24.3	115,361	3,832	3,825	1,860

札幌（さっぽろ）トヨペット
株式公開計画なし

【本社】062-0051 北海道札幌市豊平区月寒東1条14-1-1 ☎011-858-8181
その他小売業

採用予定数	倍率	3年後離職率	平均年収
30名	‥	‥	‥

【特色】トヨタ系のディーラー。レクサス店含み約30店を展開。プリウス、アクア、アルファードなどを扱う。全店舗で新車と中古車(U-Car)を併売。商用のハイエースをキャンプ、スキー・サーフィン、釣り・登山用へのカスタム販売を手がける。
【定着率】‥
【採用】【設立】1956.5【社長】沖田俊弥
23年 22【従業員】単683名(43.1歳)
24年 17【有休】‥日
25年 30【初任給】月19.9万(諸手当を除いた数値)
【試験種類】‥【各種制度】‥

【業績】	売上高	営業利益	経常利益	純利益
単23.3	37,272	542	667	430
単24.3	42,341	1,230	1,367	826

㈱進学会（しんがくかい）ホールディングス
東証スタンダード

【本社】003-0025 北海道札幌市白石区本郷通1-北1-15 ☎011-863-5557
人材・教育

採用実績数	倍率	3年後離職率	平均年収
20名	‥	‥	527万円

【特色】北海道地盤で集団指導塾「北大学力増進会」が主力。道外では「東大進学会」「京大進学会」など有力国立大名を冠して展開。学習塾は個別、オンラインが伸びる。スポーツクラブ運営、不動産賃貸、余剰資金運用事業も手がける。
【定着率】‥
【進学会採用】【設立】1976.6【取締】平井将浩
23年 11【従業員】連133名 単4名(58.1歳)
24年 20【有休】‥日
25年 未定【初任給】‥万
【試験種類】‥【各種制度】‥

【業績】	売上高	営業利益	経常利益	純利益
連23.3	6,665	▲1,541	▲1,523	▲1,630
連24.3	4,724	▲1,347	▲1,327	▲1,667

野口観光（のぐちかんこう）
株式公開計画なし

【サポートセンター】059-0551 北海道登別市登別温泉町203-1 ☎0143-84-2350
ホテル

採用予定数	倍率	3年後離職率	平均年収
70名	‥	‥	‥

【特色】グループで北海道を中心にホテルや旅館などを運営。北海道は登別、洞爺湖などに、神奈川県では箱根、湯河原に計20カ所以上の宿泊施設を持つ。働きながら学ぶ「野口観光ホテルプロフェッショナル学院」も展開。企業主導型保育園も。
【定着率】‥
【グループ採用】【設立】1963.6【社長】野口和秀
23年 40【従業員】連624名 単175名(36.6歳)
24年 55【有休】‥日
25年 70【初任給】月23万(諸手当を除いた数値)
【試験種類】‥【各種制度】‥

【業績】	売上高	営業利益	経常利益	純利益
連23.3	13,991	‥	1,270	1,152
連24.3	17,193	310	783	871

SDエンターテイメント
東証スタンダード

【本社】003-0023 北海道札幌市白石区南郷通1-北8-1 ☎011-860-2525
レジャー

採用予定数	倍率	3年後離職率	平均年収
未定	‥	‥	‥

【特色】フィットネスクラブやホットヨガスタジオの運営が主力。ネットカフェや保育園の運営、介護サービスと併せてウエルネス事業部門を形成、展開。オンラインクレーンゲーム、不動産賃貸、ECなどの事業部門も持つ。子供向けフィットネスも展開。RIZAP傘下。
【定着率】‥
【採用】【設立】1954.5【社長】高橋誠
23年 2【従業員】連303名 単86名(41.7歳)
24年 ‥【有休】‥日
25年 未定【初任給】‥万
【試験種類】‥【各種制度】‥

【業績】	売上高	営業利益	経常利益	純利益
連23.3	3,774	66	12	▲197
連24.3	3,735	122	82	117

㈱AIRDO
株式公開計画なし

【本社】060-0001 北海道札幌市中央区北1条西2-9 オーク札幌ビルディング ☎011-252-5533
海運・空運

採用実績数	倍率	3年後離職率	平均年収
68名	‥	‥	‥

【特色】「北海道の翼」を標榜する航空会社。道内6都市と本州間(羽田、仙台、中部、神戸、福岡)に11路線を運航。就航以来、無事故・重大インシデント0件を維持。ANAと提携し共同運航、航空券発行などを行う。ソラシドエアと共同持株会社設立して経営統合。
【定着率】‥
【採用】【設立】1996.11【社長】鈴木貴博
23年 50【従業員】単1,095名(37.5歳)
24年 68【有休】‥日
25年 未定【初任給】月24.1万
【試験種類】‥【各種制度】‥

【業績】	売上高	営業利益	経常利益	純利益
単23.3	41,509	2,616	2,383	4,222
単24.3	51,556	3,473	3,241	3,416

㈱じょうてつ

株式公開計画なし

【本社】003-0001 北海道札幌市白石区東札幌1条1-1-8 ☎011-811-6141
鉄道・バス

採用予定数	倍率	3年後離職率	平均年収
4名	‥	‥	‥

【特色】札幌を中心とする北海道のバス会社。社名は旧定山渓鉄道に由来。札幌市内の路線バスを運行するほか、貸切バスも行う。マンションの分譲・賃貸の不動産事業は収益源。新千歳空港の土産物店も営業。子会社で警備・ビル管理、介護サービスを営む。東急グループ。
【定着率】‥
【採用】 【設立】1915.12【社長】高木克典
23年 3【従業員】単359名(49.4歳)
24年 1【有休】‥日
25年 4【初任給】月19.6万(諸手当を除いた数値)
【試験種類】‥【各種制度】‥

【業績】	売上高	営業利益	経常利益	純利益
連23.3	11,815	959	952	663
単24.3	8,615	1,076	1,114	684

北海道中央バス（ほっかいどうちゅうおう）

札証

【本社】047-8601 北海道小樽市色内1-8-6 ☎0134-24-1111
鉄道・バス

採用予定数	倍率	3年後離職率	平均年収
10名	‥	‥	476万円

【特色】道央基盤のバス会社で北海道で最大規模。都市部の路線や都市間の高速バスに加え、定期観光や新千歳空港連絡バスも運行。国内旅行客やインバウンド需要を取り込む。収益源の不動産賃貸・販売のほかスキー場・ホテルの観光事業や建設、清掃・警備など兼営多数。
【定着率】‥
【採用】 【設立】1944.1【社長】二階堂恭仁
23年 3【従業員】連2,608名 単1,379名(53.0歳)
24年 4【有休】‥日
25年 10【初任給】月19.6万(諸手当を除いた数値)
【試験種類】‥【各種制度】‥

【業績】	売上高	営業利益	経常利益	純利益
連23.3	33,442	488	785	586
連24.3	33,838	1,169	1,463	941

札幌臨床検査センター（さっぽろりんしょうけんさ）

東証スタンダード

【本店】060-0003 北海道札幌市中央区北3条西18-2-2 ☎011-641-6311
その他サービス

採用予定数	倍率	3年後離職率	平均年収
52名	‥	‥	427万円

【特色】臨床検査受託と調剤薬局運営が主力事業。臨床検査のほか病理検査、ホルター検査も行う。調剤薬局は約50店舗を展開。臨床検査システムの開発、医療・理化学機器や福祉用具の販売・保守も手がける。受託臨床検査首位のエスアールエルと提携。
【定着率】‥
【採用】 【設立】1965.9【社長】伊達忠應
23年 22【従業員】連893名 単650名(41.4歳)
24年 13【有休】‥日
25年 52【初任給】月20.5万(諸手当を除いた数値)
【試験種類】‥【各種制度】‥

【業績】	売上高	営業利益	経常利益	純利益
連23.3	20,127	1,008	1,159	568
連24.3	19,682	534	514	380

㈱エコミック

東証スタンダード

【本社】060-0042 北海道札幌市中央区大通西8-1-1 朝日生命札幌大通ビル ☎011-206-1945
その他サービス

採用予定数	倍率	3年後離職率	平均年収
10名	‥	‥	389万円

【特色】給与計算中心の業務受託(BPO)企業。月例給与のほか年末調整や住民税算出業務、マイナンバーの収集・管理も受託する。顧客の大半は首都圏や関西圏の会社で、業務処理は本社のある札幌市と中国・青島の子会社で行う。キャリアバンクが筆頭株主。
【定着率】‥
【採用】 【設立】1997.4【社長】熊谷浩二
23年 6【従業員】連153名 単78名(37.0歳)
24年 7【有休】‥日
25年 10【初任給】月16.7万(諸手当を除いた数値)
【試験種類】‥【各種制度】‥

【業績】	売上高	営業利益	経常利益	純利益
連23.3	2,216	203	220	170
連24.3	2,156	172	183	127

フュージョン

札証

【本社】060-0004 北海道札幌市中央区北4条西4-1 ☎011-271-8055
その他サービス

採用予定数	倍率	3年後離職率	平均年収
3名	‥	‥	502万円

【特色】ダイレクトマーケティング支援専門会社。顧客情報などビッグデータのリサーチ・分析、データ活用システムの構築、販売促進のコンサルティングなどを一貫受託。顧客は流通業大手や大学など。地方自治体や企業との共同事業に積極的。
【定着率】‥
【採用】 【設立】1991.12【社長】佐々木卓也
23年 2【従業員】単70名(39.4歳)
24年 1【有休】‥日
25年 3【初任給】月23万(諸手当を除いた数値)
【試験種類】‥【各種制度】‥

【業績】	売上高	営業利益	経常利益	純利益
単23.2	1,455	54	56	44
単24.2	1,467	50	50	52

㈱青南商事（せいなんしょうじ）

株式公開計画なし

【本社】036-8061 青森県弘前市神田5-4-5 ☎0172-35-1413
商社・卸売業

採用実績数	倍率	3年後離職率	平均年収
10名	‥	‥	‥

【特色】リサイクルや廃棄物処理事業を手がける青南グループの中核会社。東北最大のシュレッダー業者。鉄・非鉄のスクラップや自動車(廃車)のリサイクル事業が柱。ペットボトルやプラスチック製品のリサイクル、サーマルリサイクルで発電なども展開。
【定着率】‥
【採用】 【設立】1972.9【社長】安東元吉
23年 12【従業員】単636名(42.0歳)
24年 10【有休】‥日
25年 未定【初任給】‥万
【試験種類】‥【各種制度】‥

【業績】	売上高	営業利益	経常利益	純利益
単22.12	34,306	149	174	25
単23.12	33,182	▲722	▲593	▲702

東和電材（とうわでんざい）
株式公開計画なし

【本社】030-0113 青森県青森市第二問屋町4-1-20 ☎017-771-9000
商社・卸売業

採用予定数	倍率	3年後離職率	平均年収
10名	‥	‥	‥

【特色】電設資材の総合商社。東和電機工業、コアシス、秋田東和電材、東北電業と製造・販売・施工のグループを形成し、電気設備関連ニーズに対応。青森県と埼玉県が営業基盤で事業所数は19拠点。ソーラーパネル、LED照明、蓄電池の卸販売も手がける。
【定着率】‥
【採用】 【設立】1956.7 【社長】榊美樹
23年 7【従業員】単160名(44.0歳)
24年 4【有休】‥日
25年 10【初任給】月21万
【試験種類】‥【各種制度】‥

【業績】	売上高	営業利益	経常利益	純利益
単22.6	13,319	69	265	119
単23.6	14,162	63	249	151

青森朝日放送（あおもりあさひほうそう）
株式公開計画なし

【本社】030-0181 青森県青森市荒川柴田125-1 ☎017-762-1111
テレビ

採用実績数	倍率	3年後離職率	平均年収
6名	‥	‥	‥

【特色】テレビ朝日系列局で青森県が放送エリア。略称ABA。情報番組「夢はここから生放送ハッピィ」「ハレのちあした」などを自主制作。グルメ、自然など地域の特色を取り上げた単発番組にも注力。県内のほか仙台、東京、大阪に支社。
【定着率】‥
【採用】 【設立】1990.5 【社長】川口敦
23年 3【従業員】単72名(42.6歳)
24年 6【有休】‥日
25年 未定【初任給】月22.7万
【試験種類】‥【各種制度】‥

【業績】	売上高	営業利益	経常利益	純利益
単23.3	3,346	144	148	88
単24.3	3,393	112	108	95

青森放送（あおもりほうそう）
株式公開計画なし

【本社】030-0965 青森県青森市松森1-8-1 ☎017-743-1234
ラジオ

採用実績数	倍率	3年後離職率	平均年収
4名	‥	‥	‥

【特色】1953年に「ラジオ青森」として発足し、59年からラジオ・テレビ兼営局。テレビはNTV系、ラジオはニッポン放送、TBS系。地方局初のワイドニュース番組「RABニュースレーダー」を放送。五所川原、十和田、むつ、仙台に4支局体制。
【定着率】‥
【採用】 【設立】1953.9 【社長】山本恒太
23年 6【従業員】単125名(45.3歳)
24年 4【有休】‥日
25年 未定【初任給】月23.8万(諸手当を除いた数値)
【試験種類】‥【各種制度】‥

【業績】	売上高	営業利益	経常利益	純利益
単23.3	4,890	▲321	▲331	▲354
単24.3	4,941	▲387	▲385	▲395

ニッコーム
株式公開いずれしたい

【本社】033-0036 青森県三沢市南町3-31-2640 ☎0176-53-2105
電子部品・機器

採用予定数	倍率	3年後離職率	平均年収
2名	‥	‥	‥

【特色】電力・列車・半導体などの産業用抵抗器メーカー。電力制御、列車制御、車載電装、半導体製造機器、無線通信機器に使用される固定抵抗器を製造・販売。電力向けは国内高シェア。販売網整備と工程合理化を推進。インバーター分野の需要が拡大。
【定着率】‥
【採用】 【設立】1966.9 【社長】山道卓也
23年 0【従業員】単65名(40.4歳)
24年 0【有休】‥日
25年 2【初任給】月22万(諸手当を除いた数値)
【試験種類】‥【各種制度】‥

【業績】	売上高	営業利益	経常利益	純利益
単23.3	630	46	76	40
単24.3	725	58	64	25

北日本造船（きたにほんぞうせん）
株式公開計画なし

【本社】031-0801 青森県八戸市江陽3-1-25 ☎0178-24-4171
輸送用機器

採用実績数	倍率	3年後離職率	平均年収
5名	‥	‥	‥

【特色】冷蔵運搬船、RORO船、自動車運搬船、LPGタンカーなど建造する造船中堅。ケミカルタンカーに強い。青森、岩手に4工場。設備規模拡張と整備の下、高付加価値船を建造。構築用金属製品の製造、土木工事、海運業なども手がける。
【定着率】‥
【採用】 【設立】1969.4 【代表取締役】根城信吾
23年 5【従業員】単259名(38.3歳)
24年 5【有休】‥日
25年 未定【初任給】月20.5万(諸手当を除いた数値)
【試験種類】‥【各種制度】‥

【業績】	売上高	営業利益	経常利益	純利益
単23.3	21,300	‥	‥	‥
単24.3	35,550	‥	‥	‥

㈱オカムラ食品工業（しょくひんこうぎょう）
東証スタンダード

【本社】030-0912 青森県青森市八重田1-6-11 ☎017-736-7777
食品・水産

採用予定数	倍率	3年後離職率	平均年収
3名	‥	‥	579万円

【特色】生食用サーモントラウト(ニジマスを海で養殖)の養殖事業のほか国内加工、海外加工、海外卸売の4事業で展開。ミャンマーの自社工場、ベトナムのパートナー工場で加工事業を行う。海外拠点で日本食材を販売。日本食が拡大するアジア市場を中心に事業を構築。
【定着率】‥
【採用】 【設立】1971.8 【社長】岡村恒一
23年 ‥【従業員】連852名 単85名(41.5歳)
24年 1【有休】‥日
25年 3【初任給】月25.4万(諸手当を除いた数値)
【試験種類】‥【各種制度】‥

【業績】	売上高	営業利益	経常利益	純利益
連23.6	28,939	3,187	3,544	2,389
連24.6	32,665	2,548	2,932	1,968

太子食品工業（たいししょくひんこうぎょう）

株式公開していない

【本社】039-0141 青森県三戸郡三戸町川守田字沖中68　☎0179-22-2111
食品・水産

採用実績数	倍率	3年後離職率	平均年収
22名	‥	‥	‥

【特色】豆腐、納豆、豆乳などが主力の大豆加工食品メーカー。豆腐の「一丁寄せ」シリーズは1992年からの累計出荷9億個超。東北、栃木に7工場。有機栽培、遺伝子組み換え大豆不使用、添加物の削減を推進。プラントベースフード商品「なめらか豆腐バー」発売。
【定着率】‥
【採用】　【設立】1964.1【社長】工藤茂雄
23年　12【従業員】単652名（45.3歳）
24年　22【有休】‥日
25年　未定【初任給】‥万
【試験種類】‥【各種制度】‥

【業績】	売上高	営業利益	経常利益	純利益
単23.3	17,838	‥	‥	‥
単24.3	19,113	‥	‥	‥

プライフーズ

株式公開計画なし

【本社】039-1114 青森県八戸市北白山台2-6-30　☎0178-70-5506
食品・水産

採用予定数	倍率	3年後離職率	平均年収
40名	‥	‥	‥

【特色】三井物産系子会社の食肉加工業者。種鶏の飼育から販売までの全工程を行なうブロイラー事業、ハイポー種豚の生産・販売や育種改良を行うハイポー事業、食鳥処理機械の導入・メンテナンスを行うゴーデックス事業の3本柱。食鳥処理機械は国内シェアが約8割。
【定着率】‥
【採用】　【設立】1965.2【社長】藤井伸一
23年　33【従業員】連3,862名 単827名（40.1歳）
24年　32【有休】‥日
25年　40【初任給】月23万（諸手当を除いた数値）
【試験種類】‥【各種制度】‥

【業績】	売上高	営業利益	経常利益	純利益
連23.3	82,397	3,149	3,110	2,050
連24.3	86,973	2,769	2,839	2,114

㈱マエダ

株式公開計画なし

【本社】035-0071 青森県むつ市小川町2-4-8　☎0175-22-8333
スーパー

採用予定数	倍率	3年後離職率	平均年収
20名	‥	‥	‥

【特色】青森県内で食品スーパーを約40店舗運営。地産地消で県産品の品ぞろえに力を入れ、小商圏に出店を積極化し地域密着型経営を推進。デリカ工場、ミートプロセスセンター、水産プロセスセンターなど駆使して独自商品を強化。CGCグループ。
【定着率】‥
【採用】　【設立】1977.5【社長】前田惠三
23年　9【従業員】単258名（44.6歳）
24年　16【有休】‥日
25年　20【初任給】月21.5万（諸手当を除いた数値）
【試験種類】‥【各種制度】‥

【業績】	売上高	営業利益	経常利益	純利益
単23.3	37,377	1,442	1,666	825
単24.3	37,416	1,317	1,544	653

㈱ほくとう

株式公開計画なし

【本社】039-2245 青森県八戸市北インター工業団地3-2-80　☎0178-21-1513
その他サービス

採用実績数	倍率	3年後離職率	平均年収
3名	‥	‥	‥

【特色】油圧ショベルなど建設機械、ローラーなどの道路工事用機械、発電機などの汎用機械、水中ポンプ・水処理機械、ダンプカーなど作業車、仮設スーパーハウス・トイレなどのレンタルが主要事業。青森、秋田、岩手、宮城、福島に店舗展開。
【定着率】‥
【採用】　【設立】1961.3【社長】川村有紀江
23年　0【従業員】単392名（47.0歳）
24年　3【有休】‥日
25年　未定【初任給】月19.5万（諸手当を除いた数値）
【試験種類】‥【各種制度】‥

【業績】	売上高	営業利益	経常利益	純利益
単22.10	21,408	1,587	2,057	1,535
単23.10	21,131	1,082	1,295	1,308

㈱岩電（いわでん）

株式公開計画なし

【本社】020-0026 岩手県盛岡市開運橋通り4-10　☎019-653-2211
商社・卸売業

採用予定数	倍率	3年後離職率	平均年収
2名	‥	‥	‥

【特色】北東北で展開する電材卸売商社。電設資材、設備機器、家電製品の卸販売と高低圧分電盤、配電盤などの設計・製作の2本柱。太陽光発電やオール電化、LED照明などにも力を入れる。エネルギー関連システムとサービスのトータルな提供を目指す。
【定着率】‥
【採用】　【設立】1952.1【社長】畑基弘
23年　2【従業員】単208名（45.4歳）
24年　1【有休】‥日
25年　2【初任給】‥万
【試験種類】‥【各種制度】‥

【業績】	売上高	営業利益	経常利益	純利益
単23.3	12,808	▲98	71	105
単24.3	13,435	▲93	109	114

橋爪商事（はしづめしょうじ）

株式公開計画なし

【本社】022-8602 岩手県大船渡市大船渡町字砂森2-20　☎0192-27-1131
商社・卸売業

採用予定数	倍率	3年後離職率	平均年収
2名	‥	‥	‥

【特色】鉄鋼・土木、建材、セメント、化成品、金物などを扱う専門商社。農業資材、工業薬品なども取り扱う。岩手県を中心に東北エリアで営業展開。土木・建築工事に係る高付加価値商品開拓、提案営業などに注力。1928年金物船具商として創業。
【定着率】‥
【採用】　【設立】1951.5【社長】橋爪博志
23年　2【従業員】単157名（46.3歳）
24年　0【有休】‥日
25年　2【初任給】月18.8万
【試験種類】‥【各種制度】‥

【業績】	売上高	営業利益	経常利益	純利益
単23.3	35,319	134	303	29
単24.3	28,295	80	179	126

㈱東北銀行（とうほくぎんこう）　東証スタンダード

【本店】020-8606 岩手県盛岡市内丸3-1 ☎019-651-6161
銀行

採用実績数	倍率	3年後離職率	平均年収
40名	‥	‥	544万円

【特色】盛岡市に本店を置く地方銀行。地銀下位行、岩手県3行中3番手。県内のアグリビジネス支援や中小企業の若手・後継者向け勉強会、事業マッチングなど、地域振興に注力。フィデアHDとの経営統合の合意は解除だが、提携関係は継続。震災後公的資金100億円。
【定着率】‥
【採用】　【設立】1950.10【頭取】佐藤健志
23年 34【従業員】単584名(41.0歳)
24年 40【有休】‥日
25年 前年並【初任給】月22万(諸手当を除いた数値)
【試験種類】‥【各種制度】‥

【業績】	経常収益	業務純益	経常利益	純利益
連23.3	13,481	2,470	2,505	1,526
連24.3	14,727	2,550	2,148	1,376

㈱岩手日報社（いわてにっぽうしゃ）　株式公開計画なし

【本社】020-8622 岩手県盛岡市内丸3-7 ☎019-653-4111
新聞

採用実績数	倍率	3年後離職率	平均年収
7名	‥	‥	‥

【特色】1876年創刊の「巖手新聞誌」が前身の県紙。17万部強発行。文化・経済・スポーツなどのイベントにも積極的。東京、大阪、仙台など16支社・支局。MLBなど海外取材にも積極的。自社総合研究所設け岩手の未来に向けた調査研究にも取り組む。
【定着率】‥
【採用】　【設立】‥　【社長】川村公司
23年 9【従業員】単249名(41.6歳)
24年 7【有休】‥日
25年 未定【初任給】月22.8万(諸手当を除いた数値)
【試験種類】‥【各種制度】‥

【業績】	売上高	営業利益	経常利益	純利益
単23.3	5,806	▲54	▲21	▲82
単24.3	6,084	238	284	266

カメイ　東証プライム

【本社】980-8583 宮城県仙台市青葉区国分町3-1-18 ☎022-264-6111
商社・卸売業

採用実績数	倍率	3年後離職率	平均年収
59名	‥	‥	609万円

【特色】東北最大の石油・LPガス卸。東北地方一帯にガソリンスタンド網を保有。自動車・食品・住宅設備機器の販売、調剤薬局の運営など事業多角化。国内外でM&Aを通じた成長分野の事業強化を推進し、総合商社化を志向。傘下にトヨタ販社。
【定着率】‥
【採用】　【設立】1932.12【社長】亀井昭男
23年 52【従業員】連4,777名 単1,501名(40.4歳)
24年 59【有休】‥日
25年 未定【初任給】月23.2万(諸手当を除いた数値)
【試験種類】‥【各種制度】‥

【業績】	売上高	営業利益	経常利益	純利益
連23.3	552,241	15,619	16,668	8,562
連24.3	573,505	15,671	17,053	10,111

㈱サトー商会（しょうかい）　東証スタンダード

【本社】983-8556 宮城県仙台市宮城野区扇町5-6-22 ☎022-236-5600
商社・卸売業

採用予定数	倍率	3年後離職率	平均年収
15名	‥	‥	518万円

【特色】東北・北関東が地盤の業務用食品卸。製菓・製パン材料、給食業者やホテル・レストラン向け食材、コンビニ・スーパー向け総菜などを取り扱う。中小の飲食店向けの小売販売も展開。PB商品の拡充や東北の原材料を使用した地産地消商品の開発に取り組む。
【定着率】‥
【採用】　【設立】1950.2【社長】古山眞佐夫
23年 5【従業員】連703名 単615名(42.3歳)
24年 9【有休】‥日
25年 15【初任給】月21.3万(諸手当を除いた数値)
【試験種類】‥【各種制度】‥

【業績】	売上高	営業利益	経常利益	純利益
連23.3	43,667	1,240	1,354	968
連24.3	47,606	1,527	1,756	1,227

㈱東流社（とうりゅうしゃ）　株式公開していない

【本社】984-8584 宮城県仙台市若林区卸町東3-4-13 ☎022-287-7555
商社・卸売業

採用予定数	倍率	3年後離職率	平均年収
10名	‥	‥	‥

【特色】化粧品、トイレタリー商品、ペットフードの商社。東北、新潟、関東、北海道が商圏。仕入先、供給先ともに約600社。地域卸連合体のJ-NETに加盟し東日本支社として活動。東北発地域商品の発掘・発信で地域社会への貢献を図る。
【定着率】‥
【採用】　【設立】1995.6【社長】熊谷泰
23年 4【従業員】単261名(45.0歳)
24年 4【有休】‥日
25年 10【初任給】月20.4万(諸手当を除いた数値)
【試験種類】‥【各種制度】‥

【業績】	売上高	営業利益	経常利益	純利益
単23.1	63,354	‥	62	‥
単24.1	66,672	‥	138	‥

㈱仙台銀行（せんだいぎんこう）　株式公開計画なし

【本社】980-8656 宮城県仙台市青葉区一番町2-1-1 ☎022-225-8241
銀行

採用予定数	倍率	3年後離職率	平均年収
未定	‥	‥	‥

【特色】宮城県地盤の第二地銀。きらやか銀行(山形市)と経営統合したじもとHD傘下。県内に出張所、店舗内店舗含め72店舗。本業支援を中核とするビジネスモデルを進化・発展させ、経営の効率化・合理化に取り組む。預金残高1兆2229億円(24年3月末)。
【定着率】‥
【採用】　【設立】1951.5【頭取】坂爪敏雄
23年 22【従業員】単670名(40.0歳)
24年 ‥【有休】‥日
25年 未定【初任給】‥万
【試験種類】‥【各種制度】‥

【業績】	経常収益	業務純益	経常利益	純利益
連23.3	14,761	‥	1,503	1,164
単24.3	15,118	1,532	1,693	1,167

㈱小山商会（こやましょうかい）

株式公開計画なし

【本社】980-0013 宮城県仙台市青葉区花京院2-2-75 ☎022-265-9701

信販・カード・リース他

採用実績数	倍率	3年後離職率	平均年収
3名	‥	‥	‥

【特色】病院、福祉・介護施設を中心とした寝具リース業、備品レンタルサービスなどを手がける。保育所や幼稚園向け寝具リースも。国内10工場、物流・配送センター4カ所。フードサービス事業や病院内売店も展開。1914年貸布団業で創業。

【定着率】‥

【採用】【設立】1958.3【社長】小山喜康

23年 5【従業員】単1,525名(‥歳)

24年 3【有休】‥日

25年 未定【初任給】月22万(諸手当を除いた数値)

【試験種類】‥【各種制度】‥

【業績】	売上高	営業利益	経常利益	純利益
単23.3	23,267	‥	2,364	1,802
単24.3	25,659	‥	2,785	1,945

㈱トーキン

株式公開計画なし

【本社】989-0223 宮城県白石市旭町7-1-1 ☎0224-24-4111

電子部品・機器

採用予定数	倍率	3年後離職率	平均年収
10名	‥	‥	‥

【特色】宮城県が本拠の電子部品メーカー。素材から一貫の電子部品開発に強み。小型大容量コンデンサーのタンタルキャパシタ、電子ノイズ対策部品で世界的に高シェア。EVの高電圧バッテリーに対応したチョークコイルを開発。米国ケメット社の子会社。

【定着率】‥

【採用】【設立】1938.4【社長】片倉文博

23年 16【従業員】単752名(48.0歳)

24年 13【有休】‥日

25年 10【初任給】月21.9万(諸手当を除いた数値)

【試験種類】‥【各種制度】‥

【業績】	売上高	営業利益	経常利益	純利益
単22.12	64,216	13,709	16,011	11,457
単23.12	47,877	6,359	7,964	5,454

東邦アセチレン（とうほう）

東証プライム

【本社】985-0833 宮城県多賀城市栄2-3-32 ☎022-366-6110

化学

採用予定数	倍率	3年後離職率	平均年収
若干	‥	‥	593万円

【特色】切断用の溶解アセチレンガスが主力。アセチレンガスのほか、窒素や酸素などの工業用ガスを、主に東北地方の半導体、自動車、造船会社に供給。家庭用LPガスも扱う。溶接・溶断器具や自動車部品メーカー向け生産ライン機器の販売も行う。

【定着率】‥

【採用】【設立】1948.9【社長】堀内秀敏

23年 8【従業員】連772名 単123名(40.2歳)

24年 4【有休】‥日

25年 若干【初任給】月19.6万(諸手当を除いた数値)

【試験種類】‥【各種制度】‥

【業績】	売上高	営業利益	経常利益	純利益
連23.3	34,087	1,522	1,684	988
連24.3	35,423	2,116	2,441	1,415

㈱NTKセラテック

株式公開計画なし

【本社】981-3292 宮城県仙台市泉区明通3-24-1 ☎022-378-9231

ガラス・土石・ゴム

採用予定数	倍率	3年後離職率	平均年収
22名	‥	‥	‥

【特色】各種ファインセラミック部材・製品メーカー。半導体製造向け真空チャック、埋設管路防護板、蛍光体プレートなどが主力製品。材料開発から仕上げ・加工まで一貫体制図る。工場は愛知県と宮城県の工場に加え新工場建設中。日本特殊陶業グループ。

【定着率】‥

【採用】【設立】1987.7【社長】堀田諭史

23年 13【従業員】単780名(41.0歳)

24年 22【有休】‥日

25年 22【初任給】月24.4万(諸手当を除いた数値)

【試験種類】‥【各種制度】‥

【業績】	売上高	営業利益	経常利益	純利益
単23.3	39,515	14,338	14,445	10,469
単24.3	34,652	8,045	8,039	5,920

㈱丸本組（まるほんぐみ）

株式公開計画なし

【本社】986-0868 宮城県石巻市恵み野3-1-2 ☎0225-96-2222

建設

採用実績数	倍率	3年後離職率	平均年収
4名	‥	‥	‥

【特色】石巻圏内の漁港・港湾土木中心に舗装・建築工事などを行う総合建設会社。海上土木工事作業船も保有。福祉、商業施設需要の市場調査から施工まで開業支援も行う。宮城県地盤で県内に5拠点。地域の震災復興に継続的に取り組む。

【定着率】‥

【採用】【設立】1947.4【社長】佐藤昌良

23年 4【従業員】単160名(46.8歳)

24年 4【有休】‥日

25年 未定【初任給】月22.8万(諸手当を除いた数値)

【試験種類】‥【各種制度】‥

【業績】	売上高	営業利益	経常利益	純利益
単22.6	13,329	904	1,125	779
単23.6	8,349	416	531	296

積水ハウス不動産東北（せきすいふどうさんとうほく）

株式公開計画なし

【本社】980-8431 宮城県仙台市青葉区本町2-16-10 ☎022-262-2251

住宅・マンション

採用予定数	倍率	3年後離職率	平均年収
5名	‥	‥	‥

【特色】仙台市を中心とする東北圏でのアパート賃貸が主力。管理戸数は5万戸以上。不動産売買、土地分譲、戸建て、リフォーム事業も手がける。空き家管理など新事業を推進。約240店舗の特約店ネットワークに強み。積水ハウス不動産グループ。

【定着率】‥

【採用】【設立】1983.8【社長】根本遵

23年 5【従業員】単254名(38.0歳)

24年 7【有休】‥日

25年 5【初任給】月21.5万(諸手当を除いた数値)

【試験種類】‥【各種制度】‥

【業績】	売上高	営業利益	経常利益	純利益
単23.1	43,772	3,413	3,318	2,255
単24.1	49,774	4,027	4,033	2,791

㈱ウジエスーパー
株式公開 いずれしたい

【本社】987-0511 宮城県登米市迫町佐沼字中江1-7-1 ☎0220-22-7117
スーパー

採用予定数	倍率	3年後離職率	平均年収
未定	‥	‥	‥

【特色】宮城県地盤の食品スーパー。宮城県内に31店舗をドミナント展開。生鮮食品、総菜部門に強み。固定客多い。「食を通して社会貢献」をモットーに価値訴求型スーパーを志向。年2～3店ペースで改装進める。スクラップ＆ビルドにも意欲的。
【定着率】‥
【採用】【設立】1982.3【社長】氏家良太郎
23年 ‥【従業員】単271名(39.5歳)
24年 ‥【有休】‥日
25年 未定【初任給】‥万
【試験種類】‥【各種制度】‥

【業績】	売上高	営業利益	経常利益	純利益
単23.2	36,279	406	403	80
単24.2	37,788	787	900	532

㈱カルラ
東証 スタンダード

【本社】981-3341 宮城県富谷市成田9-2-9 ☎022-351-5888
外食・中食

採用予定数	倍率	3年後離職率	平均年収
8名	‥	‥	393万円

【特色】宮城県を中心に東北・北関東でドミナント展開するロードサイド型和食ファミリーレストランチェーン。主力業態は「和風レストランまるまつ」。家族連れなどが主要顧客。カニ料理やとんかつ、そば、和食、丼・定食などの専門店も手がける。
【定着率】‥
【採用】【設立】1979.10【社長】井上善行
23年 9【従業員】連257名 単257名(45.1歳)
24年 8【有休】‥日
25年 8【初任給】月20万(諸手当を除いた数値)
【試験種類】‥【各種制度】‥

【業績】	売上高	営業利益	経常利益	純利益
連23.2	6,041	▲6	14	▲61
連24.2	6,840	348	339	437

㈱フジ・コーポレーション
東証 プライム

【本社】981-3341 宮城県富谷市成田1-2-2 ☎022-348-3300
家電量販・薬局・HC

採用予定数	倍率	3年後離職率	平均年収
未定	‥	‥	479万円

【特色】タイヤ・ホイール専門の販売店「タイヤ＆ホイール館フジ」を東北、関東中心に直営展開。幹線道路沿いに出店。高級店「スペシャルブランド」やサテライト店「フジ5days」なども手がける。ネット販売も。直接仕入れで低価格を実現、PBも取り扱う。
【定着率】‥
【採用】【設立】1982.11【社長】遠藤文樹
23年 17【従業員】単478名(35.4歳)
24年 ‥【有休】‥日
25年 未定【初任給】‥万
【試験種類】‥【各種制度】‥

【業績】	売上高	営業利益	経常利益	純利益
単22.10	43,080	5,055	5,379	3,691
単23.10	45,091	5,529	5,770	3,985

㈱やまや
東証 スタンダード

【本社】983-0852 宮城県仙台市宮城野区榴岡3-4-1 アゼリアヒルズ ☎022-742-3111
その他小売業

採用予定数	倍率	3年後離職率	平均年収
80名	‥	‥	‥

【特色】東北地盤のイオン系酒類専門店チェーン。外食事業も営む。酒販は商品輸入から物流、小売りまでの一貫体制。全国約350店展開。訪日客需要対応の免税店舗を拡大する。外食は子会社で「はなの舞」「さかなや道場」「つぼ八」などを中心に約640店舗を運営。
【定着率】‥
【採用】【設立】1970.11【会長】山内英靖
23年 17【従業員】連1,765名 単138名(37.0歳)
24年 38【有休】‥日
25年 80【初任給】月21.5万(諸手当を除いた数値)
【試験種類】‥【各種制度】‥

【業績】	売上高	営業利益	経常利益	純利益
連23.3	152,764	2,837	2,953	1,930
連24.3	160,335	6,319	6,402	3,617

センコン物流(ぶつりゅう)
東証 スタンダード

【本社】981-1223 宮城県名取市下余田字中荷672-1 ☎022-382-6127
運輸・倉庫

採用実績数	倍率	3年後離職率	平均年収
6名	‥	‥	426万円

【特色】東北地盤で名取市、仙台市の2本社制。運送事業、倉庫事業、子会社での埼玉ホンダ販社の3本柱経営。保管から派生した業務請け負いも手がける。群馬県の文書倉庫で企業向け記録保存事業に注力。富士ロジテックと資本提携。太陽光売電や農作物生産・販売も展開する。
【定着率】‥
【採用】【設立】1959.10【社長】久保田賢二
23年 2【従業員】連466名 単292名(45.3歳)
24年 6【有休】‥日
25年 微増【初任給】月20.2万(諸手当を除いた数値)
【試験種類】‥【各種制度】‥

【業績】	売上高	営業利益	経常利益	純利益
連23.3	16,249	739	802	522
連24.3	17,543	561	588	383

㈱秋田放送(あきたほうそう)
株式公開 計画なし

【本社】010-8611 秋田県秋田市中通7-1-1-2 ☎018-826-8533
テレビ

採用実績数	倍率	3年後離職率	平均年収
2名	‥	‥	‥

【特色】秋田県内唯一のラジオ・テレビ兼営局、略称ABS。テレビは日本テレビ系。「ABSnews every.」「えび☆ステ」など自社番組を制作。「ZIP！」「NNNドキュメント」などの共同制作局として地域情報の発信も手がける。
【定着率】‥
【採用】【設立】1953.10【社長】立田聡
23年 0【従業員】単121名(43.1歳)
24年 2【有休】‥日
25年 未定【初任給】月19.8万(諸手当を除いた数値)
【試験種類】‥【各種制度】‥

【業績】	売上高	営業利益	経常利益	純利益
単23.3	4,005	▲244	▲248	▲251
単24.3	3,963	▲218	▲221	▲102

インスペック
東証スタンダード

【本社】014-0341 秋田県仙北市角館町雲然荒屋敷79-1 ☎0187-54-1888
電機・事務機器

採用実績数	倍率	3年後離職率	平均年収
1名	‥	‥	574万円

【特色】半導体外観検査装置メーカー。半導体パッケージ検査装置(AOI)を開発しスタート。半導体外観検査装置(AVI)へ展開。フィルム系のロール状態で検査が可能なロールtoロール型AOIを開発。直描露光機は海外自動車産業向けに営業強化。
【定着率】‥
【採用】【設立】1991.6【社長】菅原雅史
23年 ‥【従業員】単85名(41.9歳)
24年 1【有休】‥日
25年 未定【初任給】月21.5万(諸手当を除いた数値)
【試験種類】‥【各種制度】‥

【業績】	売上高	営業利益	経常利益	純利益
単23.4	2,290	106	81	78
単24.4	1,668	▲233	▲263	▲353

㈱秋田今野商店（あきたこんのしょうてん）
株式公開計画なし

【本社】019-2112 秋田県大仙市字刈和野248 ☎0187-75-1250
食品・水産

採用実績数	倍率	3年後離職率	平均年収
3名	‥	‥	‥

【特色】麹菌、酵母菌、乳酸菌などの有用微生物を主軸に製造・販売。東日本の清酒メーカーの7割が顧客。味噌・醤油・焼酎メーカーとも取引。醸造食品微生物以外の生物農薬原体や環境浄化用微生物菌体、研究用試薬や環境浄化などの分野にも進出。
【定着率】‥
【採用】【設立】1963.12【社長】今野宏
23年 1【従業員】単35名(41.0歳)
24年 3【有休】‥日
25年 未定【初任給】‥万
【試験種類】‥【各種制度】‥

【業績】	売上高	営業利益	経常利益	純利益
単22.6	349	1	4	4
単23.6	416	84	100	99

エヌ・デーソフトウェア
株式公開計画なし

【本社】992-0479 山形県南陽市和田3369 ☎0238-47-3477
システム・ソフト

採用実績数	倍率	3年後離職率	平均年収
23名	‥	‥	‥

【特色】福祉、医療などヘルスケア全般にわたるソフトウェア開発メーカー。介護保険・介護予防サービス事業者向け支援ソフト「ほのぼのNEXT」が主力製品。介護業界のDXを推進する新製品・サービスの創出に注力。SOMPOグループ。
【定着率】‥
【採用】【設立】2018.12【社長】松山庸哉
23年 18【従業員】連1,017名 単448名(40.8歳)
24年 23【有休】‥日
25年 未定【初任給】月21.2万(諸手当を除いた数値)
【試験種類】‥【各種制度】‥

【業績】	売上高	営業利益	経常利益	純利益
連23.3	19,343	2,612	2,516	1,403
連24.3	20,398	2,843	2,832	1,851

㈱スタンレー鶴岡製作所（つるおかせいさくしょ）
株式公開未定

【本社】999-7695 山形県鶴岡市渡前字大坪45 ☎0235-64-3111
電子部品・機器

採用予定数	倍率	3年後離職率	平均年収
3名	‥	‥	‥

【特色】LED部品、自動車向けヘッドランプLED光源などエレクトロニクス製品を親会社・スタンレー電気に供給。生産設備の自社製作に注力し、部品入荷から製造、出荷までの整流化意識した工場レイアウト。スタンレーグループ。
【定着率】‥
【採用】【設立】1970.8【社長】三杉光昭
23年 6【従業員】単223名(43.9歳)
24年 3【有休】‥日
25年 3【初任給】月19.9万(諸手当を除いた数値)
【試験種類】‥【各種制度】‥

【業績】	売上高	営業利益	経常利益	純利益
単23.3	16,693	267	394	252
単24.3	16,999	439	562	340

ミクロン精密（せいみつ）
東証スタンダード

【本社】990-2303 山形県山形市蔵王上野578-2 ☎023-688-8111
機械

採用予定数	倍率	3年後離職率	平均年収
若干	‥	‥	538万円

【特色】山形拠点の工作機械メーカー。高精度の心なし研削盤(センターレス研削盤)は国内首位でシェア4割。内面研削盤も成長。売上高の過半は自動車関連。ロボット、FAなど成長市場へ集中。海外は中国、インドのほか医療機器、航空機部品需要に向けて北米への展開に注力。
【定着率】‥
【採用】【設立】1961.10【社長】榊原憲二
23年 8【従業員】連236名 単222名(43.9歳)
24年 4【有休】‥日
25年 若干【初任給】月22万(諸手当を除いた数値)
【試験種類】‥【各種制度】‥

【業績】	売上高	営業利益	経常利益	純利益
連22.8	5,201	377	1,818	1,226
連23.8	5,181	445	1,160	868

㈱でん六（ろく）
株式公開計画なし

【本社】990-8506 山形県山形市清住町3-2-45 ☎023-644-4422
食品・水産

採用実績数	倍率	3年後離職率	平均年収
29名	‥	‥	‥

【特色】山形市に本社を置く、「でん六」ブランドで知られる豆菓子の老舗最大手メーカー。チョコレート、甘納豆、おつまみなどを全国販売。製造は本社工場と蔵王の森工場。東京、大阪、仙台、山形、西東京、福岡に支店。名古屋、札幌、広島などに営業所。
【定着率】‥
【採用】【設立】1953.5【社長】鈴木隆一
23年 16【従業員】単388名(40.2歳)
24年 29【有休】‥日
25年 未定【初任給】月24.4万
【試験種類】‥【各種制度】‥

【業績】	売上高	営業利益	経常利益	純利益
単23.3	27,566	471	313	208
単24.3	27,449	430	305	210

山形化成（やまがたかせい）
株式公開計画なし

【本社】999-4113 山形県北村山郡大石田町大字今宿1102 ☎0237-23-2151
化学

採用予定数	倍率	3年後離職率	平均年収
3名	‥	‥	‥

【特色】プラスチック成形品の製造、ディスプレー関連部品・加工・検査が主軸。プラスチック成形は75～350トンまで多種の射出・押出成形機を駆使して生産。試作品から小ロット、量産品まで対応。日用雑貨品や医療関連部品、自動車関連部品に実績を持つ。
【定着率】‥
【採用】【設立】1975.8【社長】渡辺和秋
23年 0【従業員】単130名(37.2歳)
24年 0【有休】‥日
25年 3【初任給】月18万(諸手当を除いた数値)
【試験種類】‥【各種制度】‥

【業績】	売上高	営業利益	経常利益	純利益
単23.3	941	‥	‥	20
単24.3	908	3	33	32

佐藤（さとう）
株式公開していない

【本社】963-8004 福島県郡山市中町2-7 ☎024-932-1260
商社・卸売業

採用予定数	倍率	3年後離職率	平均年収
未定	‥	‥	‥

【特色】1860年岩代国郡山に創業した生糸木綿商を起源とする、加工・冷凍食品を中心とした総合食品卸。取引先はスーパー、量販店など約3500社。東北、北関東、新潟に17カ所の事業所、23カ所の物流センターを擁し、「地域の問屋」を標榜。
【定着率】‥
【採用】【設立】1937.1【社長】佐藤淳
23年 ‥【従業員】単‥名(‥歳)
24年 ‥【有休】‥日
25年 未定【初任給】‥万
【試験種類】‥【各種制度】‥

【業績】	売上高	営業利益	経常利益	純利益
単22.12	119,905	838	940	640
単23.12	121,078	809	1,192	717

会津信用金庫（あいづしんようきんこ）
株式公開計画なし

【本店】965-0035 福島県会津若松市馬場町2-16 ☎0242-22-7551
信用金庫

採用予定数	倍率	3年後離職率	平均年収
約10名	‥	‥	‥

【特色】福島県会津地域を基盤に18店舗を展開する信用金庫。東北地方の信金のなかでは中位。会津美里町、西会津町、柳津町、三島町、南会津町の5町と「地方創生に関する包括提携協定」を締結。預金量2164億円(24年3月末)。
【定着率】‥
【採用】【設立】1940.12【理事長】添田英幸
23年 5【従業員】単125名(42.8歳)
24年 7【有休】‥日
25年 約10【初任給】月21万(諸手当を除いた数値)
【試験種類】‥【各種制度】‥

【業績】	経常収益	業務純益	経常利益	純利益
単23.3	2,629	586	569	420
単24.3	2,746	699	726	536

郡山信用金庫（こおりやましんようきんこ）
株式公開計画なし

【本部】963-8630 福島県郡山市清水台2-13-26 ☎024-932-2222
信用金庫

採用予定数	倍率	3年後離職率	平均年収
10名	‥	‥	‥

【特色】福島県郡山市を拠点に19店舗を展開する信用金庫。取引先は主力の個人、地方公共団体に加え、不動産・建設など。地区管理の徹底、課題解決型金融・職域サポート・中小企業再生支援に積極的に取り組む。預金量2318億円(24年3月末)。
【定着率】‥
【採用】【設立】1924.3【理事長】渡邉公靖
23年 10【従業員】単184名(41.8歳)
24年 5【有休】‥日
25年 10【初任給】月19.2万(諸手当を除いた数値)
【試験種類】‥【各種制度】‥

【業績】	経常収益	業務純益	経常利益	純利益
単23.3	2,875	326	84	57
単24.3	3,324	294	557	570

㈱福島放送（ふくしまほうそう）
株式公開計画なし

【本社】963-8535 福島県郡山市桑野4-3-6 ☎024-933-1111
テレビ

採用実績数	倍率	3年後離職率	平均年収
4名	‥	‥	‥

【特色】福島県のテレビ朝日系TV局。通称KFB。夕方ワイド「シェア！」を自主制作。地元ラーメン店紹介などの地域密着番組や報道・ドキュメンタリーに注力。ネット配信も展開。県内3支社。県外は仙台、東京、大阪に支社を配置。
【定着率】‥
【採用】【設立】1981.2【社長】古川伝
23年 2【従業員】単84名(44.1歳)
24年 4【有休】‥日
25年 未定【初任給】月21.3万(諸手当を除いた数値)
【試験種類】‥【各種制度】‥

【業績】	売上高	営業利益	経常利益	純利益
単23.3	4,332	402	456	293
単24.3	4,257	337	414	285

東洋システム（とうよう）
株式公開いずれしたい

【本社】972-8316 福島県いわき市常磐西郷町銭田106-1 ☎0246-72-2151
電機・事務機器

採用予定数	倍率	3年後離職率	平均年収
5名	‥	‥	‥

【特色】携帯電話やハイブリッドカーなど二次電池の研究開発用評価装置を提供。主力は充放電評価装置、電池試作設備、安全性評価装置など。受託評価事業の好調を受け、国内最大級の評価施設・関西評価センターは新棟開設するなど拡充。
【定着率】‥
【採用】【設立】1989.11【社長】庄司秀樹
23年 4【従業員】単137名(42.4歳)
24年 5【有休】‥日
25年 5【初任給】月21.2万(諸手当を除いた数値)
【試験種類】‥【各種制度】‥

【業績】	売上高	営業利益	経常利益	純利益
単22.10	4,753	‥	‥	‥
単23.10	5,548	‥	‥	‥

北部通信工業（ほくぶつうしんこうぎょう）
株式公開計画なし

【本社】960-8154 福島県福島市伏拝字沖27-1 ☎024-545-2291
電子部品・機器

採用実績数	倍率	3年後離職率	平均年収
5名	‥	‥	‥

【特色】デジタル家電用プリント基板の部品実装と組み立てが柱。多品種少量から大量生産、開発から製造までを一貫して請け負う。東京都、兵庫県に支店。福島県内に5工場、海外は中国でも生産。TCSホールディングスグループ。
【定着率】‥
【採用】【設立】1969.3【社長】井上孝司
23年 3【従業員】単250名(41.0歳)
24年 5【有休】‥日
25年 未定【初任給】‥万
【試験種類】‥【各種制度】‥

【業績】	売上高	営業利益	経常利益	純利益
単23.3	7,529	320	324	206
単24.3	‥	‥	‥	9

㈱アサカ理研（りけん）
東証スタンダード

【本社】963-0725 福島県郡山市田村町金屋字マセ口47 ☎024-944-4744
非鉄

採用実績数	倍率	3年後離職率	平均年収
3名	‥	‥	546万円

【特色】電子部品などから貴金属を回収・精錬する事業が柱。治具の精密洗浄や部品再生も手がける。金精製で「溶媒抽出法」を世界で初めて工業実用化。エッチング液回収など環境事業も展開。EV搭載のリチウムイオン電池リサイクル事業を推進。
【定着率】‥
【採用】【設立】1969.8【社長】山田浩太
23年 4【従業員】連181名 単168名(41.4歳)
24年 3【有休】‥日
25年 前年並【初任給】月20万(諸手当を除いた数値)
【試験種類】‥【各種制度】‥

【業績】	売上高	営業利益	経常利益	純利益
連22.9	8,592	815	776	622
連23.9	8,285	395	386	307

㈱ワタザイ
株式公開計画なし

【本社】963-8041 福島県郡山市富田町字池ノ上29-1 ☎024-951-0281
建設

採用予定数	倍率	3年後離職率	平均年収
2名	‥	‥	‥

【特色】木材専門の内装工事業者。ホテル、旅館をはじめ、学校や庁舎、病院などの公共施設に実績。福島・郡山の自社工場で原材料から最終製品まで内製し、品質と生産性を保つ。家具・建具の設計・制作・据付・保守も手がける。東京に営業所。
【定着率】‥
【採用】【設立】1954.1【社長】渡辺秀樹
23年 1【従業員】単40名(40.3歳)
24年 3【有休】‥日
25年 2【初任給】月25万(諸手当を除いた数値)
【試験種類】‥【各種制度】‥

【業績】	売上高	営業利益	経常利益	純利益
単22.6	1,780	166	256	218
単23.6	2,030	132	254	80

常磐興産（じょうばんこうさん）
東証スタンダード

【本社】972-8555 福島県いわき市常磐藤原町蕨平50 ☎0246-43-0569
レジャー

採用予定数	倍率	3年後離職率	平均年収
30名	‥	‥	399万円

【特色】レジャー・リゾート事業と輸入石炭など燃料卸の2本柱。源流は磐城炭礦で、炭鉱土地再開発でレジャー業進出。「スパリゾートハワイアンズ」敷地内のホテル運営も。燃料卸は石炭、石油、売電など扱う。子会社で船舶用モーター製造や港湾運送も手がける。
【定着率】‥
【採用】【設立】1944.3【社長】関根一志
23年 2【従業員】連609名 単475名(43.5歳)
24年 29【有休】‥日
25年 30【初任給】月18万(諸手当を除いた数値)
【試験種類】‥【各種制度】‥

【業績】	売上高	営業利益	経常利益	純利益
連23.3	13,434	620	683	645
連24.3	14,881	1,323	1,233	934

㈱三栄コーポレーション（さんえい）
東証スタンダード

【本店】111-8682 東京都台東区寿4-1-2 ☎03-3847-3500
商社・卸売業

採用予定数	倍率	3年後離職率	平均年収
3名	‥	‥	683万円

【特色】生活用品などの専門商社。家具、調理用品、服飾雑貨、小型家電が柱。OEM事業はアジアの協力工場から日本や欧米に輸出。良品計画などに商材供給。中国とマレーシアに自社工場。ブランド事業も展開し、服飾雑貨など国内外のブランド製品を扱う。
【定着率】‥
【採用】【設立】1950.2【社長】水越雅己
23年 1【従業員】連576名 単121名(44.1歳)
24年 4【有休】‥日
25年 3【初任給】月22.1万(諸手当を除いた数値)
【試験種類】‥【各種制度】‥

【業績】	売上高	営業利益	経常利益	純利益
連23.3	38,654	238	258	▲158
連24.3	36,688	1,163	1,248	538

高島（たかしま）
東証プライム

【本社】101-8118 東京都千代田区神田駿河台2-2 御茶ノ水杏雲ビル ☎03-5217-7600
商社・卸売業

採用予定数	倍率	3年後離職率	平均年収
10名	‥	‥	911万円

【特色】建材・繊維商社。建材事業が主軸で、産業資材事業、電子・デバイス事業も展開。太陽光発電機器なども扱い多角化。省エネ・軽量化・省力化に重点を置いた商品を展開。東南アジアで日系向けに電子部品工場も展開。子会社で地盤改良工事も。
【定着率】‥
【採用】【設立】1931.12【社長】高島幸一
23年 ‥【従業員】連1,162名 単237名(43.7歳)
24年 10【有休】‥日
25年 10【初任給】月24.1万(諸手当を除いた数値)
【試験種類】‥【各種制度】‥

【業績】	売上高	営業利益	経常利益	純利益
連23.3	79,683	1,764	1,939	1,585
連24.3	90,120	1,748	2,004	4,832

竹中産業

株式公開 計画なし

【本社】101-0044 東京都千代田区鍛冶町1-5-5
☎03-3251-0185
商社・卸売業

採用実績数	倍率	3年後離職率	平均年収
1名	‥	‥	‥

【特色】石油・石化製品、建設資材の販売が主体。富山、柏崎両港に油槽所を持つ。約3000種類の商品を扱い、取引先は約3500社。地域密着型の提案営業を貫き、環境・安全・省エネをテーマに商品・サービスの開発・設計・販売を展開。1925年創業。
【定着率】‥
【採用】【設立】1925.4【社長】竹中繁夫
23年 0【従業員】単105名(45.0歳)
24年 1【有休】‥日
25年 未定【初任給】月20万(諸手当を除いた数値)
【試験種類】‥【各種制度】‥

【業績】	売上高	営業利益	経常利益	純利益
単23.3	31,259	‥	540	540
単24.3	30,462	‥	469	309

DKSHジャパン

株式公開 していない

【本社】108-0073 東京都港区三田3-4-19
☎03-5441-4511
商社・卸売業

採用予定数	倍率	3年後離職率	平均年収
3名	‥	‥	‥

【特色】食品・飲料、化粧品原料、医薬品、化学品などを扱う生活資材の総合商社。顧客企業の新規市場への進出や、既存市場での拡販をサポートする。スイス・DKSHグループ。1865年に横浜で創業したシイベル・ブレンワルド商会が起源。
【定着率】‥
【採用】【設立】1965.9【会長】S.P.ブッツ
23年 3【従業員】単183名(44.4歳)
24年 5【有休】‥日
25年 3【初任給】月31万
【試験種類】‥【各種制度】‥

【業績】	売上高	営業利益	経常利益	純利益
単22.12	32,865	1,935	2,272	1,530
単23.12	33,712	1,417	1,989	1,360

DKSHマーケットエクスパンションサービスジャパン

株式公開 していない

【本社】108-0073 東京都港区三田3-4-19
☎03-5441-4511
商社・卸売業

採用予定数	倍率	3年後離職率	平均年収
2名	‥	‥	‥

【特色】総合商社DKSHジャパンのグループ会社として、テクノロジー部門では各種産業機械、工作機械やハイテク機器などを、消費財部門では時計や万年筆などを扱う。1890年代から海外有名ブランドの輸入代理店活動を行い、高級時計ブランドなどに実績多数。
【定着率】‥
【採用】【設立】2021.8【社長】林靖夫
23年 1【従業員】単144名(47.3歳)
24年 2【有休】‥日
25年 2【初任給】月31万
【試験種類】‥【各種制度】‥

【業績】	売上高	営業利益	経常利益	純利益
単23.12	10,936	‥	‥	506

東工コーセン

株式公開 計画なし

【本社】102-8362 東京都千代田区四番町4-2 BANビル
☎03-3512-3921
商社・卸売業

採用予定数	倍率	3年後離職率	平均年収
5名	‥	‥	‥

【特色】化学品、機械設備、繊維事業のほか、金属鉱産品も扱う専門商社。日中貿易のパイオニア。自動車関連、化学品原料、溶接材料等が好調。海外は中国、ベトナム、カンボジア、タイ、インドネシアに拠点。ゴム工業用繊維資材商社として発足。
【定着率】‥
【採用】【設立】1947.5【社長】吉村達也
23年 2【従業員】連1,150名 単153名(46.2歳)
24年 3【有休】‥日
25年 5【初任給】月23万(諸手当を除いた数値)
【試験種類】‥【各種制度】‥

【業績】	売上高	営業利益	経常利益	純利益
連23.3	21,480	1,250	1,435	996
連24.3	23,464	1,324	1,580	1,102

㈱日立ハイテクネクサス

株式公開 計画なし

【本社】105-6413 東京都港区虎ノ門1-17-1 虎ノ門ヒルズビジネスタワー
☎03-3504-5011
商社・卸売業

採用実績数	倍率	3年後離職率	平均年収
5名	‥	‥	‥

【特色】エネルギー、機能化学品、電子関連部材、電子機器、情報機器などを扱う日立グループの専門商社。半導体、電子部品、RFIDなどICT関連が中心。AIやIoTを活用したソリューションサービスも提供。日立ハイテクの完全子会社。
【定着率】‥
【採用】【設立】1972.4【社長】小熊肇
23年 1【従業員】単202名(44.4歳)
24年 5【有休】‥日
25年 0【初任給】月23.7万
【試験種類】‥【各種制度】‥

【業績】	売上高	営業利益	経常利益	純利益
単23.3	27,591	1,080	1,255	981
単24.3	22,896	829	1,026	790

富士機材

株式公開 未定

【本社】102-8373 東京都千代田区一番町12
☎03-3556-4500
商社・卸売業

採用予定数	倍率	3年後離職率	平均年収
50名	‥	‥	‥

【特色】上下水道資材、配管資材、住宅機器、空調機器の専門商社。ユニットバス、システムキッチンは施工込みで納入し、資材供給から施工まで一貫体制。リフォーム工事も手がける。埼玉、神奈川に物流センター。首都圏軸に営業網を全国展開。
【定着率】‥
【採用】【設立】1954.1【社長】千賀信宏
23年 50【従業員】単871名(37.0歳)
24年 51【有休】‥日
25年 50【初任給】月29.7万
【試験種類】‥【各種制度】‥

【業績】	売上高	営業利益	経常利益	純利益
単23.4	164,514	2,283	3,020	4,222
単24.4	169,092	2,768	3,511	2,435

アラ商事（しょうじ）
株式公開計画なし

【本社】103-0016 東京都中央区日本橋小網町18-4 ☎03-3639-0129
商社・卸売業

採用実績数	倍率	3年後離職率	平均年収
0名	‥	‥	‥

【特色】ネクタイ専業で首位。「アレサンドロ」「エー・アール・エー」などのブランドを持つ。生糸から製織・縫製・物流まで一貫。関東、関西、四国、九州に百貨店内などで直営店を出店。群馬・館林市に物流センター、桐生市に織物工場を置く。洋品業で創業。
【定着率】‥
【採用】 【設立】1988.1【社長】荒川徹
23年 0【従業員】単50名(‥歳)
24年 0【有休】‥日
25年 0【初任給】月21.2万(諸手当を除いた数値)
【試験種類】筆 性格【各種制度】フ 在

【業績】	売上高	営業利益	経常利益	純利益
単22.11	839	‥	‥	‥
単23.11	944	‥	‥	‥

オーロラ
株式公開計画なし

【本社】150-0001 東京都渋谷区神宮前2-7-7 ☎03-5771-2050
商社・卸売業

採用予定数	倍率	3年後離職率	平均年収
3名	‥	‥	‥

【特色】洋傘、スカーフ、マフラー、ストールなどの婦人・紳士洋品を製造・販売。新潟工場で高級傘を国内生産。香港に現地法人を持つ。東京、神奈川、福岡に直営店を出店。オンラインストアも展開。1896年洋傘卸売りで創業。
【定着率】‥
【採用】 【設立】1947.5【社長】若林康雄
23年 7【従業員】単157名(43.5歳)
24年 4【有休】‥日
25年 3【初任給】月20.6万(諸手当を除いた数値)
【試験種類】‥【各種制度】‥

【業績】	売上高	営業利益	経常利益	純利益
単23.2	5,658	182	104	46
単24.2	6,280	161	84	126

小津産業（おづさんぎょう）
東証スタンダード

【本社】103-8435 東京都中央区日本橋本町3-6-2 ☎03-3661-9400
商社・卸売業

採用予定数	倍率	3年後離職率	平均年収
若干	‥	‥	672万円

【特色】不織布の加工・販売や、家庭紙・日用雑貨の卸売りが主事業。半導体用不織布ワイパーは国内高シェア。エレクトロニクスからメディカル、コスメ分野などまで幅広く展開。中国にも販売拠点。ベトナムでも拡販狙う。1653年創業の紙問屋が発祥。
【定着率】‥
【採用】 【設立】1939.12【社長】柴﨑治
23年 3【従業員】連289名 単99名(42.9歳)
24年 2【有休】‥日
25年 若干【初任給】月22.2万(諸手当を除いた数値)
【試験種類】‥【各種制度】‥

【業績】	売上高	営業利益	経常利益	純利益
連23.5	10,368	458	590	383
連24.5	10,125	528	704	546

㈱ツカモトコーポレーション
東証スタンダード

【本社】103-0023 東京都中央区日本橋本町1-6-5 ☎03-3279-1330
商社・卸売業

採用予定数	倍率	3年後離職率	平均年収
10名	‥	‥	560万円

【特色】和洋装の総合繊維商社。アパレル、ユニホーム、ホームファニシングなどの企画・製造・販売。ユニフォームは流通・小売などのワーキングウエア需要に対応。ラルフローレン事業はライセンス事業からOEMに転換。都内に高収益不動産を保有。
【定着率】‥
【採用】 【設立】1920.1【社長】百瀬二郎
23年 6【従業員】連200名 単130名(45.4歳)
24年 4【有休】‥日
25年 10【初任給】月21.8万(諸手当を除いた数値)
【試験種類】‥【各種制度】‥

【業績】	売上高	営業利益	経常利益	純利益
連23.3	12,879	14	136	65
連24.3	9,798	▲222	57	174

㈱サンヨー堂（どう）
株式公開計画なし

【本社】103-0012 東京都中央区日本橋堀留町1-3-21 ☎03-3660-1434
商社・卸売業

採用実績数	倍率	3年後離職率	平均年収
2名	‥	‥	‥

【特色】加工食品卸のほか、自社ブランド缶詰製造・販売のメーカー機能も持つ。フルーツ缶詰の業界最大手。ゼリーなどカップ物やパウチ(袋入)などの製品開発を強化。おかず缶など備蓄向け商品開発にも取り組む。1880年に野菜缶詰製造で創業。
【定着率】‥
【採用】 【設立】1918.5【社長】植村敏男
23年 2【従業員】単121名(48.4歳)
24年 2【有休】‥日
25年 未定【初任給】月21万(諸手当を除いた数値)
【試験種類】‥【各種制度】‥

【業績】	売上高	営業利益	経常利益	純利益
単22.10	31,117	313	341	176
単23.10	31,893	300	339	178

正栄食品工業（しょうえいしょくひんこうぎょう）
東証プライム

【本社】110-8723 東京都台東区秋葉原5-7 ☎03-3253-1211
商社・卸売業

採用実績数	倍率	3年後離職率	平均年収
4名	‥	‥	640万円

【特色】製パン・製菓用材料などの独立系食品商社。乳製品、ドライフルーツ、ナッツなど製パン、製菓用副食材専業では国内最大手。世界各地から原料や製品を輸入。国内、米国、中国に自社加工工場を持つ。カリフォルニアにプルーンとクルミの農園も。
【定着率】‥
【採用】 【設立】1947.11【社長】本多秀光
23年 10【従業員】連1,516名 単350名(39.4歳)
24年 4【有休】‥日
25年 未定【初任給】月22.2万(諸手当を除いた数値)
【試験種類】‥【各種制度】‥

【業績】	売上高	営業利益	経常利益	純利益
連22.10	103,188	3,749	4,095	2,788
連23.10	109,594	4,034	4,137	2,809

全日本食品（ぜんにほんしょくひん）
株式公開計画なし

【本社】121-0836 東京都足立区入谷6-2-2 ☎03-5691-2111
商社・卸売業

採用実績数	倍率	3年後離職率	平均年収
12名	‥	‥	‥

【特色】全国約1600店の加盟店を持つ全日食チェーンの本部で、加盟店へ向けての仕入れ・供給、販売促進、PBの商品開発、経営や売り場指導などを行う。小売業ボランタリーチェーンでは国内最大で北海道から沖縄までカバー。全国26の配送センターを持つ。
【定着率】‥
【採用】【設立】1962.5【社長】平野実
23年 6【従業員】単325名(41.5歳)
24年 12【有休】‥日
25年 未定【初任給】月22.4万(諸手当を除いた数値)
【試験種類】‥【各種制度】‥

【業績】	売上高	営業利益	経常利益	純利益
単22.8	103,806	534	629	369
単23.8	104,844	81	206	623

第一水産（だいいちすいさん）
株式公開計画なし

【本社】135-8130 東京都江東区豊洲6-6-2 東京都中央卸売市場豊洲市場 水産卸売場棟 ☎03-6220-8111
商社・卸売業

採用予定数	倍率	3年後離職率	平均年収
未定	‥	‥	‥

【特色】東京都中央卸売市場豊洲市場で生鮮・冷凍・加工水産物の卸売りを手がける。国内だけでなく、世界各地の生産者や出荷者から水産物を買い付け、仲卸業者や小売業者を通じて首都圏に安定供給。食品安全の国際規格FSSC 22000を取得。
【定着率】‥
【採用】【設立】1948.3【社長】田口耕平
23年 ‥【従業員】単177名(41.4歳)
24年 ‥【有休】‥日
25年 未定【初任給】‥万
【試験種類】‥【各種制度】‥

【業績】	売上高	営業利益	経常利益	純利益
単23.3	49,685	157	174	107
単24.3	50,045	515	532	392

㈱髙山（たかやま）
株式公開計画なし

【本社】111-8588 東京都台東区西浅草3-24-6 ☎03-3843-1811
商社・卸売業

採用予定数	倍率	3年後離職率	平均年収
30名	‥	‥	‥

【特色】チョコレート、スナック、キャンディーなどを扱う菓子専門商社。売り場提案から品質管理まで幅広く対応。札幌から福岡まで全国に拠点網整備。販売計画策定支援やオリジナル商品開発、差別化商品の開拓などに強み。1923年菓子小売業で創業。
【定着率】‥
【採用】【設立】1956.5【社長】高山時光
23年 15【従業員】単496名(39.5歳)
24年 16【有休】‥日
25年 30【初任給】月21万(諸手当を除いた数値)
【試験種類】‥【各種制度】‥

【業績】	売上高	営業利益	経常利益	純利益
単23.2	206,703	‥	226	31
単24.2	217,502	‥	367	207

築地魚市場（つきじうおいちば）
東証スタンダード

【本社】135-8114 東京都江東区豊洲6-6-2 ☎03-6633-3500
商社・卸売業

採用予定数	倍率	3年後離職率	平均年収
15名	‥	‥	661万円

【特色】水産荷受け大手。独立系。仕入先は全国各地の生産者や大手商社など。干物、練り製品などの加工物に強い。量販店やホテル、レストランへの販売を行う市場外取引に注力。豊洲市場内に2万トン収容の冷蔵倉庫。不動産賃貸も兼営。中国・上海に販売拠点。
【定着率】‥
【採用】【設立】1948.3【社長】山﨑康司
23年 2【従業員】連288名 単162名(48.7歳)
24年 8【有休】‥日
25年 15【初任給】月20.6万(諸手当を除いた数値)
【試験種類】‥【各種制度】‥

【業績】	売上高	営業利益	経常利益	純利益
連23.3	57,981	183	225	223
連24.3	58,701	35	76	204

西本Wismettacホールディングス
東証プライム

【本社】103-0022 東京都中央区日本橋室町3-2-1 日本橋室町三井タワー ☎03-6870-2015
商社・卸売業

採用実績数	倍率	3年後離職率	平均年収
21名	‥	‥	1,115万円

【特色】食品貿易商社。日本食中心のアジア食材を海外で販売。大正期から海外進出し、プライベートブランド「Shirakiku」を展開。生鮮・冷凍加工青果などの輸出入・三国間取引も手がける。「サンキスト・レモン」の日本輸入総代理店。海外は北米を軸に展開。
【定着率】‥
【グループ採用】【設立】1947.9【会長】洲崎良朗
23年 ‥【従業員】連2,199名 単70名(41.7歳)
24年 21【有休】‥日
25年 未定【初任給】月25万(諸手当を除いた数値)
【試験種類】‥【各種制度】‥

【業績】	売上高	営業利益	経常利益	純利益
連22.12	275,209	10,498	10,787	6,815
連23.12	300,847	11,020	12,456	6,268

丸千千代田水産（まるせんちよだすいさん）
株式公開していない

【本社】135-8121 東京都江東区豊洲6-6-2 ☎03-6633-2500
商社・卸売業

採用予定数	倍率	3年後離職率	平均年収
未定	‥	‥	‥

【特色】豊洲市場に7社ある水産物卸会社のひとつで、塩干加工品の取扱量で豊洲トップ。加工品の取引先は約1700社。商品の企画・開発から調達・保管・販売まで一貫して提供。メーカーと小売業者の間に立ち、双方に情報提供。1948年に築地市場で創業。
【定着率】‥
【採用】【設立】1948.8【社長】石橋秀子
23年 ‥【従業員】単127名(‥歳)
24年 ‥【有休】‥日
25年 未定【初任給】月24.8万
【試験種類】‥【各種制度】‥

【業績】	売上高	営業利益	経常利益	純利益
単23.3	45,300	‥	‥	46
単24.3	45,000	‥	‥	140

安藤パラケミー
株式公開 計画なし

【本社】104-0032 東京都中央区八丁堀3-25-7 Daiwa八丁堀駅前ビル ☎03-3523-8181
商社・卸売業

採用予定数	倍率	3年後離職率	平均年収
2名	‥	‥	‥

【特色】特殊石油化学製品の専門商社。海外のディストリビューター連合組織「PlusChem」に日本企業として初加盟するなどグローバル展開を強化。埼玉・行田に製造拠点を有する。中国、タイに現地法人。1825年に蝋・油・砂糖商で創業。
【定着率】‥
【採用】【設立】1946.11【社長】佐久間導人
23年 1【従業員】単83名(41.8歳)
24年 2【有休】‥日
25年 2【初任給】月25万
【試験種類】‥【各種制度】‥

【業績】	売上高	営業利益	経常利益	純利益
単22.9	24,300	257	257	178
単23.9	25,401	600	645	416

㈱井田両国堂
株式公開 計画なし

【本社】102-0083 東京都千代田区麹町4-2-6 住友不動産麹町ファーストビル4階 ☎03-3514-2008
商社・卸売業

採用実績数	倍率	3年後離職率	平均年収
37名	‥	‥	‥

【特色】ビューティソリューションを中心に国内外2万3000アイテムを扱う化粧品専門商社。都内のほか神奈川、千葉、愛知、京都、大阪、福岡などにアンテナショップとして直営店25店を展開。本部にはショールームを設置。取引店舗数は17000店舗以上。
【定着率】‥
【採用】【設立】1963.3【社長】井田喜隆
23年 16【従業員】単298名(40.2歳)
24年 37【有休】‥日
25年 未定【初任給】月23.5万(諸手当を除いた数値)
【試験種類】‥【各種制度】‥

【業績】	売上高	営業利益	経常利益	純利益
単22.11	152,435	‥	‥	‥
単23.11	170,990	‥	‥	‥

伊藤忠プラスチックス
株式公開 計画なし

【本社】102-0082 東京都千代田区一番町21 一番町東急ビル4～6階 ☎03-6880-1600
商社・卸売業

採用予定数	倍率	3年後離職率	平均年収
10名	‥	‥	‥

【特色】伊藤忠グループ化学品部門の中核会社。包装材料、電子材料、合成樹脂機能材の3事業で展開。伊藤忠グループのネットワークを活用し、食品容器、化粧品、雑貨、スマホ、テレビ、自動車、インフラなどの分野で素材を国内外に提供。
【定着率】‥
【採用】【設立】1986.4【社長】林英範
23年 6【従業員】単513名(41.2歳)
24年 9【有休】‥日
25年 10【初任給】月26万(諸手当を除いた数値)
【試験種類】‥【各種制度】‥

【業績】	売上高	営業利益	経常利益	純利益
単23.3	207,356	5,696	6,544	4,894
単24.3	215,452	6,458	7,477	7,508

小原化工
株式公開 未定

【本社】103-8352 東京都中央区日本橋小舟町3-8 小原ビル ☎03-3663-0667
商社・卸売業

採用実績数	倍率	3年後離職率	平均年収
2名	‥	‥	‥

【特色】電子材、石油化学・合成樹脂、鉄鋼・非鉄、基礎化学品、紙・パルプ、自動車、環境、医薬・香粧品分野が事業領域の化学品専門商社。海外はタイ、中国などを拠点にASEAN全域をカバー。顧客企業の海外拠点作りにも参画。1916年創業。
【定着率】‥
【採用】【設立】1918.12【代表取締役】谷本洋
23年 2【従業員】単75名(45.7歳)
24年 2【有休】‥日
25年 未定【初任給】月21万
【試験種類】‥【各種制度】‥

【業績】	売上高	営業利益	経常利益	純利益
単23.3	7,347	587	754	514
単24.3	7,377	472	615	432

小西安
株式公開 計画なし

【本社】103-0023 東京都中央区日本橋本町2-6-3 ☎03-3661-3126
商社・卸売業

採用実績数	倍率	3年後離職率	平均年収
5名	‥	‥	‥

【特色】酸、アルカリの基礎化学品のほか電子材料、医農薬原体・中間体、表面改質装置、燃料電池材料等を扱う化学品大手専門商社。アジア4カ国の現地法人、台湾支店を活用し、アジア圏を中心とした海外展開に積極的。1828年創業。
【定着率】‥
【採用】【設立】1921.11【社長】小西健
23年 5【従業員】単140名(40.4歳)
24年 5【有休】‥日
25年 未定【初任給】月22.3万(諸手当を除いた数値)
【試験種類】‥【各種制度】‥

【業績】	売上高	営業利益	経常利益	純利益
単23.3	54,430	904	1,163	814
単24.3	52,778	706	993	663

住友商事ケミカル
株式公開 計画なし

【本社】100-0003 東京都千代田区一ツ橋1-2-2 住友商事竹橋ビル ☎03-5220-8200
商社・卸売業

採用予定数	倍率	3年後離職率	平均年収
11名	‥	‥	‥

【特色】資源・化学品を扱う住友商事グループ中核の専門商社。合成樹脂、有機化学品、機能化学品、半導体・電池材などのビジネスユニットに分かれる。グローバル収益の拡大、ビジネスモデルの転換、商権買収、事業投資などを視野に事業展開。
【定着率】‥
【採用】【設立】1998.2【社長】安東徳幸
23年 4【従業員】単289名(45.1歳)
24年 9【有休】‥日
25年 11【初任給】月24.2万(諸手当を除いた数値)
【試験種類】‥【各種制度】‥

【業績】	売上高	営業利益	経常利益	純利益
単23.3	55,792	6,189	6,311	4,571
単24.3	50,759	5,456	5,373	3,981

ソマール

東証スタンダード

【本社】104-0061 東京都中央区銀座4-11-2
☎03-3542-2151
商社・卸売業

採用実績数	倍率	3年後離職率	平均年収
6名	‥	‥	452万円

【特色】電子部品、自動車、電子機器業界向けの機能性化学材料の仕入れ販売が主体。高機能樹脂、コーティング製品など自社製品の開発・製造も行う。製紙用化学品、ファインケミカル、食品材料にも展開。中国に工場、東南アジア、欧米などに販社を展開。
【定着率】‥
【採用】　【設立】1948.2【社長】曽谷太
23年 8【従業員】連467名 単331名(40.7歳)
24年 6【有休】‥日
25年 未定【初任給】月19.9万(諸手当を除いた数値)
【試験種類】‥【各種制度】‥

【業績】	売上高	営業利益	経常利益	純利益
連23.3	25,059	796	886	611
連24.3	26,649	1,797	1,908	1,371

ナガセエレックス

株式公開計画なし

【本社】103-0024 東京都中央区日本橋小舟町12-15 長瀬産業東京本社東館5階
☎03-3661-0819
商社・卸売業

採用実績数	倍率	3年後離職率	平均年収
0名	‥	‥	‥

【特色】長瀬産業グループのメーカー機能を担うナガセケムテックが製造するエポキシ樹脂の国内販売が主力。フッ素樹脂、シリコーン樹脂なども取り扱う。装置、金型、製品等のソリューションビジネスへも拡大。国内8カ所に営業拠点を置く。
【定着率】‥
【採用】　【設立】1979.2【社長】山崎英治
23年 0【従業員】単98名(42.0歳)
24年 0【有休】‥日
25年 0【初任給】月23万(諸手当を除いた数値)
【試験種類】‥【各種制度】‥

【業績】	売上高	営業利益	経常利益	純利益
単23.3	2,280	‥	‥	‥
単24.3	2,624	‥	‥	‥

日本(にほん)アルコール販売(はんばい)

株式公開計画なし

【本店】103-0024 東京都中央区日本橋小舟町6-6 小倉ビル
☎03-5641-5760
商社・卸売業

採用予定数	倍率	3年後離職率	平均年収
若干	‥	‥	‥

【特色】エタノール、溶剤、工業薬品などを扱う、日本アルコール産業グループ中核。傘下に工業用アルコール最大手の日本アルコール産業を擁し製造・販売を一体化。信和アルコール産業を通じたエタノール系食品添加物の製造・販売も行う。
【定着率】‥
【採用】　【設立】1947.10【会長兼社長】雨貝二郎
23年 6【従業員】連560名 単134名(47.3歳)
24年 1【有休】‥日
25年 若干【初任給】月21万(諸手当を除いた数値)
【試験種類】‥【各種制度】‥

【業績】	売上高	営業利益	経常利益	純利益
連23.3	64,631	5,380	5,092	3,511
連24.3	62,428	5,906	6,246	4,072

丸紅(まるべに)プラックス

株式公開計画なし

【本社】112-0004 東京都文京区後楽1-4-14 後楽森ビル9階
☎03-6891-7700
商社・卸売業

採用実績数	倍率	3年後離職率	平均年収
5名	‥	‥	‥

【特色】プラスチック関連素材の専門商社。産業資材、エレクトロニクス、合成樹脂、機能素材、塩化ビニール、食品容器などの事業本部制。樹脂原料、食品パッケージ、機能性フィルムなどを扱い、自動車産業、電子・電機産業、食品など納入先は多様。
【定着率】‥
【採用】　【設立】1975.12【社長】曽倉義久
23年 5【従業員】単154名(40.1歳)
24年 5【有休】‥日
25年 未定【初任給】月27万(諸手当を除いた数値)
【試験種類】‥【各種制度】‥

【業績】	売上高	営業利益	経常利益	純利益
単23.3	22,311	3,328	3,173	2,240
単24.3	17,108	2,202	2,140	1,499

ミヤコ化学(かがく)

株式公開計画なし

【本社】102-0074 東京都千代田区九段南1-6-17 千代田会館6階
☎03-6685-0385
商社・卸売業

採用予定数	倍率	3年後離職率	平均年収
未定	‥	‥	‥

【特色】化学品、医薬品、健康食品原料、食品や合成樹脂などを扱う専門商社。商品開発力などに強み。環境商材分野、電子材料分野、パーソナルケア・ヘルスケア分野を重点領域、成長領域と位置付け。1921年創業。蝶理の完全子会社。
【定着率】‥
【採用】　【設立】1947.11【社長】渡邉裕之
23年 0【従業員】単106名(44.8歳)
24年 0【有休】‥日
25年 未定【初任給】‥万
【試験種類】‥【各種制度】‥

【業績】	売上高	営業利益	経常利益	純利益
単23.3	45,867	1,129	1,211	845
単24.3	42,637	984	1,086	776

コスモ・バイオ

東証スタンダード

【本社】135-0016 東京都江東区東陽2-2-20
☎03-5632-9600
商社・卸売業

採用実績数	倍率	3年後離職率	平均年収
3名	‥	‥	651万円

【特色】バイオ専門商社。医薬品開発に用いる抗体、生体内物質などの研究試薬が主力。実験機器、臨床検査薬も扱う。仕入れ先は世界約600社、約1200万品目を取り扱う。ペプチド合成・抗体作製などメーカー機能を持ち、自社製品・サービスの開発・提供も。
【定着率】‥
【採用】　【設立】1983.8【社長】柴山法彦
23年 4【従業員】連151名 単124名(41.8歳)
24年 3【有休】‥日
25年 前年並【初任給】月23.5万(諸手当を除いた数値)
【試験種類】‥【各種制度】‥

【業績】	売上高	営業利益	経常利益	純利益
連22.12	9,553	816	790	517
連23.12	9,340	519	653	442

キグナス石油（せきゆ）
株式公開 計画なし

【本社】100-0004 東京都千代田区大手町2-3-2 大手町プレイスイーストタワー10階 ☎03-5204-1600
商社・卸売業

採用予定数	倍率	3年後離職率	平均年収
未定	‥	‥	‥

【特色】三愛オブリ傘下の石油製品販売会社。全国約450カ所ある系列特約店のSSにガソリン、潤滑油などを供給する。コスモエネルギーHDも株主で、主要仕入先はコスモ石油。名古屋、金沢、兵庫・高砂に油槽所。カーリースも取り扱う。
【定着率】‥
【採用】 【設立】1971.12【社長】若澤雅博
23年 3【従業員】単82名(‥歳)
24年 0【有休】‥日
25年 未定【初任給】‥万
【試験種類】‥【各種制度】‥

【業績】	売上高	営業利益	経常利益	純利益
単23.3	369,752	3,861	3,794	2,559
単24.3	381,151	3,437	3,350	2,165

コスモエネルギーソリューションズ
株式公開 未定

【本社】103-0007 東京都中央区日本橋浜町3-3-2 トルナーレ日本橋浜町9階 ☎03-5642-8755
商社・卸売業

採用実績数	倍率	3年後離職率	平均年収
8名	‥	‥	‥

【特色】コスモブランド中心に全国約350のSS特約店へ燃料油などを供給、販促・経営サポートも行う。運送・船舶会社向けの燃料・潤滑油、アスファルトや建設資材も扱う。法人向け電力小売も。コスモ石油マーケティンググループ。
【定着率】‥
【採用】 【設立】1958.3【社長】高山直樹
23年 9【従業員】単284名(48.2歳)
24年 8【有休】‥日
25年 未定【初任給】月22万(諸手当を除いた数値)
【試験種類】‥【各種制度】‥

【業績】	売上高	営業利益	経常利益	純利益
単23.3	244,707	3,027	3,039	2,149
単24.3	251,745	2,216	2,327	1,568

大東通商（だいとうつうしょう）
株式公開 計画なし

【本社】162-0066 東京都新宿区市谷台町6-3 市谷大東ビル ☎03-5919-6100
商社・卸売業

採用予定数	倍率	3年後離職率	平均年収
未定	‥	‥	‥

【特色】石油関連の専門商社。大洋漁業(現マルハニチロ)の遠洋漁業船向け船舶用燃料供給で創業。船舶用燃料油の仕入販売と外航ケミカルタンカー輸送中心に事業展開。国内外で補給基地ネットワーク。グループで不動産、外食、保険など多角化進める。
【定着率】‥
【採用】 【設立】1947.8【社長】阿久沢康夫
23年 5【従業員】単55名(40.9歳)
24年 0【有休】‥日
25年 未定【初任給】月23.6万(諸手当を除いた数値)
【試験種類】‥【各種制度】‥

【業績】	売上高	営業利益	経常利益	純利益
単23.3	43,080	‥	‥	3,086
単24.3	41,098	‥	‥	5,902

㈱トキワ
株式公開 計画なし

【本社】141-0032 東京都品川区大崎3-6-4 ☎03-3491-4551
商社・卸売業

採用予定数	倍率	3年後離職率	平均年収
2名	‥	‥	‥

【特色】産業向けに潤滑油、化成品、機械類および関連サービスを提供する商社。苫小牧でENEOS特約店のSSを運営するほか、LPガス、ファミリーマートなど小売業、賃貸ビル事業も行う。リサイクル、代替燃料、省エネ機器など環境ビジネスにも注力。
【定着率】‥
【採用】 【設立】1941.8【社長】下田敬之
23年 1【従業員】連226名 単108名(49.7歳)
24年 0【有休】‥日
25年 2【初任給】月22万(諸手当を除いた数値)
【試験種類】‥【各種制度】‥

【業績】	売上高	営業利益	経常利益	純利益
連23.3	15,937	918	969	548
連24.3	15,969	882	926	603

日本瓦斯（にっぽんがす）
東証 プライム

【本社】151-8582 東京都渋谷区代々木4-31-8 ☎03-5308-2111
商社・卸売業

採用実績数	倍率	3年後離職率	平均年収
59名	‥	‥	647万円

【特色】関東地盤のガス販売大手。プロパンガス販売を主体に都市ガスも手がける。直販に特色。商標は「ニチガス」。東京電力エナジーパートナーと都市ガス・電力の小売自由化で業務提携。オンラインガスメーターなどプラットフォーム事業や、電力販売が本格化。
【定着率】‥
【採用】 【設立】1955.7【取締】柏谷邦彦
23年 59【従業員】連1,731名 単1,171名(39.2歳)
24年 59【有休】‥日
25年 前年並【初任給】月22.5万(諸手当を除いた数値)
【試験種類】‥【各種制度】‥

【業績】	売上高	営業利益	経常利益	純利益
連23.3	207,890	15,215	15,401	10,628
連24.3	194,364	17,442	17,604	10,825

富士興産（ふじこうさん）
東証 スタンダード

【本社】101-0062 東京都千代田区神田駿河台4-3 新お茶の水ビルディング ☎03-6849-8800
商社・卸売業

採用予定数	倍率	3年後離職率	平均年収
増加	‥	‥	653万円

【特色】ENEOS系の石油販社。軽油、灯油、A重油の中間3品販売が主体。販売先はトラック業者、工業用、ビルの暖房用など。子会社が北海道限定でLPG販売や建設機材レンタルも手がける。非石油事業や次世代液体エネルギーの拡大も進める。
【定着率】‥
【採用】 【設立】1949.9【社長】川崎靖弘
23年 2【従業員】連246名 単91名(47.7歳)
24年 0【有休】‥日
25年 増加【初任給】月21.2万(諸手当を除いた数値)
【試験種類】‥【各種制度】‥

【業績】	売上高	営業利益	経常利益	純利益
連23.3	65,073	338	363	393
連24.3	61,912	913	946	607

安藤物産（あんどうぶっさん）

株式公開計画なし

【本社】192-0053 東京都八王子市八幡町8-4 ☎042-627-5511
商社・卸売業

採用予定数	倍率	3年後離職率	平均年収
2名	‥	‥	‥

【特色】生コンやセメントが主力の独立系専門商社。東京・八王子が本拠。太平洋セメントの特約店で多摩地区最大の生コン供給者。アスクル正規取扱販売店事業、オフィス家具事業なども展開。品質維持と安定供給に注力。1881年創業。
【定着率】‥
【採用】　【設立】1950.6【社長】安藤公隆
23年 1【従業員】単56名(41.6歳)
24年 2【有休】‥日
25年 2【初任給】月20万(諸手当を除いた数値)
【試験種類】‥【各種制度】‥

【業績】	売上高	営業利益	経常利益	純利益
単22.5	20,640	72	58	96
単23.5	19,026	87	74	64

TOTOエムテック

株式公開計画なし

【本社】160-0023 東京都新宿区西新宿6-24-1 西新宿三井ビルディング7階 ☎03-5339-0700
商社・卸売業

採用予定数	倍率	3年後離職率	平均年収
20名	‥	‥	‥

【特色】TOTOグループの住宅設備機器の販売子会社。首都圏や北関東、信越エリアの営業機能を担う。親会社製品に加え、トイレや浴室・空調・建材・照明など多様な住設機器メーカー商品を扱う。法人向け営業支援メニューも提案。
【定着率】‥
【採用】　【設立】2004.4【社長】山田幸司
23年 12【従業員】単459名(41.7歳)
24年 18【有休】‥日
25年 20【初任給】月22.4万(諸手当を除いた数値)
【試験種類】‥【各種制度】‥

【業績】	売上高	営業利益	経常利益	純利益
単23.3	45,815	407	268	178
単24.3	45,125	348	354	271

NS建材薄板（けんざいうすいた）

株式公開計画なし

【本社】103-6024 東京都中央区日本橋2-7-1 東京日本橋タワー24階 ☎03-3272-5112
商社・卸売業

採用予定数	倍率	3年後離職率	平均年収
未定	‥	‥	‥

【特色】亜鉛鉄板などの国内総代理店で出発した金属建材の専門商社。全国に加工拠点を配置し、北海道から九州まで営業網構築。メッキ鋼板、塗装鋼板を中心に、カラー鋼板やチタン製品も展開。「建材薄板」事業に注力。日鉄物産グループ。
【定着率】‥
【採用】　【設立】1955.5【社長】髙山英幸
23年 5【従業員】単184名(43.4歳)
24年 ‥【有休】‥日
25年 未定【初任給】‥万
【試験種類】‥【各種制度】‥

【業績】	売上高	営業利益	経常利益	純利益
単23.3	83,223	697	969	725
単24.3	76,547	620	885	646

㈱古島（こじま）

株式公開計画なし

【本社】103-0025 東京都中央区日本橋茅場町2-17-7 ☎03-3668-4333
商社・卸売業

採用実績数	倍率	3年後離職率	平均年収
10名	‥	‥	‥

【特色】パイプ、継ぎ手、バルブを中心に密閉式タンクや厨房機器なども扱う総合配管機材の販売大手。ガス、空調、プラント会社への直納と特約店への卸売りが主体。上下水道・ガス導管埋設工事も手がける。全国に拠点を置く。1917年創業。
【定着率】‥
【採用】　【設立】1936.9【社長】北垣信義
23年 8【従業員】単299名(45.0歳)
24年 10【有休】‥日
25年 未定【初任給】月21.7万(諸手当を除いた数値)
【試験種類】‥【各種制度】‥

【業績】	売上高	営業利益	経常利益	純利益
単23.3	33,583	578	745	526
単24.3	34,908	678	922	593

JFE商事鋼管管材（しょうじこうかんかんざい）

株式公開計画なし

【本社】100-0004 東京都千代田区大手町2-2-1 新大手ビル町ビル6階 ☎03-5203-6020
商社・卸売業

採用実績数	倍率	3年後離職率	平均年収
6名	‥	‥	‥

【特色】JFE商事グループで、グループにおける鋼管・管材分野の中核を担う専門商社。配管用、プラント設備用、構造用、自動車・建機用など多岐にわたって取り扱う。北海道から九州まで全国に14拠点。海外は中国・上海を拠点に東南アジアなどに営業展開。
【定着率】‥
【採用】　【設立】1999.7【社長】廣川次郎
23年 9【従業員】単218名(41.1歳)
24年 6【有休】‥日
25年 未定【初任給】月22万(諸手当を除いた数値)
【試験種類】‥【各種制度】‥

【業績】	売上高	営業利益	経常利益	純利益
単23.3	48,721	2,234	2,217	1,660
単24.3	47,252	1,777	1,767	1,242

杉田エース（すぎた）

東証スタンダード

【本社】130-0021 東京都墨田区緑2-14-15 ☎03-3633-5150
商社・卸売業

採用予定数	倍率	3年後離職率	平均年収
15名	‥	‥	558万円

【特色】建築用金物・資材を扱う建材商社。開発は自社、製造は外部委託。金物店や建材商社に、販売拠点・流通センターを通じ商材を供給するルート事業が柱。ホームセンターや通販会社にDIY商品やOEM商品、自社ブランド品を販売する直需事業も育成。
【定着率】‥
【採用】　【設立】1948.9【社長】杉田裕介
23年 7【従業員】連639名 単524名(43.3歳)
24年 7【有休】‥日
25年 15【初任給】‥万
【試験種類】‥【各種制度】‥

【業績】	売上高	営業利益	経常利益	純利益
連23.3	71,400	928	1,091	600
連24.3	73,746	1,074	1,185	718

㈱スチールセンター

株式公開 計画なし

【本社】101-0047 東京都千代田区内神田3-6-2 アーバンネット神田ビル6階 ☎03-5207-8484
商社・卸売業

採用予定数	倍率	3年後離職率	平均年収
未定	‥	‥	‥

【特色】自動車用鋼板を加工販売。日本製鉄、ホンダなどの合弁。鋼板、輸出梱包容器はホンダ向けが主体。ホンダ各工場の近隣で事業展開。国内は三重、埼玉、静岡、熊本などに事業所。海外は、タイ、中国(武漢・広州)、インドに生産拠点。
【定着率】‥
【採用】【設立】1950.3【社長】羽鳥歩
23年 1【従業員】単251名(46.0歳)
24年 0【有休】‥日
25年 未定【初任給】月21.5万(諸手当を除いた数値)
【試験種類】‥【各種制度】‥

【業績】	売上高	営業利益	経常利益	純利益
単23.3	62,032	‥	549	464
単24.3	79,893	‥	1,431	1,047

住友商事グローバルメタルズ

株式公開 計画なし

【本社】100-8601 東京都千代田区大手町2-3-2 大手町プレイスイーストタワー ☎03-6285-7000
商社・卸売業

採用実績数	倍率	3年後離職率	平均年収
18名	‥	‥	‥

【特色】住友商事傘下の鉄鋼専門商社。薄板、自動車鋼鈑、メカニカル鋼管、特殊管、厚板建材、線材特殊鋼、輸送機材などの商材を扱うほか、事業投資を展開。カーボンニュートラル実現に向け浮体式洋上風力発電のサプライチェーン形成などに注力。
【定着率】‥
【採用】【設立】2003.4【代表取締役】村上宏
23年 20【従業員】単612名(40.8歳)
24年 18【有休】‥日
25年 未定【初任給】月30.5万
【試験種類】‥【各種制度】‥

【業績】	売上高	営業利益	経常利益	純利益
単24.3	118,890	6,789	11,917	10,172

採用は基幹職・事務職の合計

白銅(はくどう)

東証 プライム

【本社】100-8302 東京都千代田区丸の内2-5-2 ☎03-6212-2811
商社・卸売業

採用予定数	倍率	3年後離職率	平均年収
未定	‥	‥	785万円

【特色】アルミを主軸に扱う金属商社。取扱品目は5400品目。顧客は半導体・液晶製造装置メーカーなど。標準在庫品を注文に応じて切断やフライス加工して納品。小口対応、短納期が強み。中国、タイ、北米に進出。自動車分野の拡大狙う。
【定着率】‥
【採用】【設立】1949.11【社長】角田浩司
23年 ‥【従業員】連390名 単316名(41.9歳)
24年 ‥【有休】‥日
25年 未定【初任給】‥万
【試験種類】‥【各種制度】‥

【業績】	売上高	営業利益	経常利益	純利益
連23.3	61,602	3,777	3,988	2,737
連24.3	57,253	2,523	2,847	1,916

丸紅建材リース(まるべにけんざい)

東証 スタンダード

【本社】105-0011 東京都港区芝公園2-4-1 ☎03-5404-8200
商社・卸売業

採用予定数	倍率	3年後離職率	平均年収
若干	‥	‥	709万円

【特色】建設基礎工事用の仮設材リース、販売の大手。筆頭株主の丸紅が属する芙蓉グループの西松建設や大成建設が主要顧客。子会社で土木・上下水道施設工事も。国内10カ所以上の工場を有する。早くからタイに現地法人を置き、公共工事関連で実績。同業のヒロセと業務提携。
【定着率】‥
【採用】【設立】1968.11【社長】井ノ上雅弘
23年 6【従業員】連303名 単217名(45.5歳)
24年 3【有休】‥日
25年 若干【初任給】月24万(諸手当を除いた数値)
【試験種類】‥【各種制度】‥

【業績】	売上高	営業利益	経常利益	純利益
連23.3	20,101	1,160	1,480	1,111
連24.3	21,325	1,326	1,581	1,161

丸紅メタル(まるべに)

株式公開 未定

【本社】102-8250 東京都千代田区九段北4-1-7 九段センタービル6階 ☎03-3221-3811
商社・卸売業

採用予定数	倍率	3年後離職率	平均年収
未定	‥	‥	‥

【特色】アルミ・銅を主体とする非鉄金属の専門商社。素材のほかアルミ缶材、厚板、コンピューター用ディスク基板等の電子部品関連にも強み。建材・太陽光発電設備なども扱う。高付加価値の商材を提供。海外はグループネットワーク活用。丸紅の子会社。
【定着率】‥
【採用】【設立】1983.1【社長】池田崇輝
23年 2【従業員】単85名(‥歳)
24年 ‥【有休】‥日
25年 未定【初任給】‥万
【試験種類】‥【各種制度】‥

【業績】	売上高	営業利益	経常利益	純利益
単23.3	28,579	176	185	122
単24.3	25,000	‥	‥	‥

三井金属商事(みついきんぞくしょうじ)

株式公開 計画なし

【本社】130-0013 東京都墨田区錦糸3-2-1 ☎03-5819-9021
商社・卸売業

採用実績数	倍率	3年後離職率	平均年収
5名	‥	‥	‥

【特色】親会社・三井金属鉱業の非鉄金属を主体に、化学薬品、電子材料、印刷材料などを扱う専門商社。国内は4支店(名古屋、大阪、福岡、熊本)、仙台に営業所。海外は台湾に支店。三井金属グループの営業効率化に貢献しつつ、独自事業も育成へ。
【定着率】‥
【採用】【設立】1963.1【社長】加藤田敏弘
23年 2【従業員】単66名(44.0歳)
24年 5【有休】‥日
25年 未定【初任給】月23.6万(諸手当を除いた数値)
【試験種類】‥【各種制度】‥

【業績】	売上高	営業利益	経常利益	純利益
単23.3	33,253	585	625	430
単24.3	35,561	503	585	388

㈱メタルワン鉄鋼製品販売（てっこうせいひんはんばい）

株式公開計画なし

【東京本社】100-7032 東京都千代田区丸の内2-7-2 JPタワー ☎03-6777-6201
商社・卸売業

採用実績数	倍率	3年後離職率	平均年収
2名	‥	‥	‥

【特色】線材製品やファスナー類が主力の鉄鋼専門商社。グループ内線材事業の川中・川下戦略の中核。東京・大阪両本社制。インド、ハンガリー、カナダ、米国、メキシコ、ブラジルに海外拠点。三菱商事・双日系のメタルワングループ。
【定着率】‥
【採用】　【設立】1969.12【社長】市川敦士
23年 2【従業員】単142名(41.4歳)
24年 2【有休】‥日
25年 未定【初任給】月21.3万(諸手当を除いた数値)
【試験種類】‥【各種制度】‥

【業績】	売上高	営業利益	経常利益	純利益
単23.3	6,088	886	832	572
単24.3	5,417	672	635	436

山崎金属産業（やまざききんぞくさんぎょう）

株式公開計画なし

【本社】101-0032 東京都千代田区岩本町1-8-11 ☎03-5687-2151
商社・卸売業

採用予定数	倍率	3年後離職率	平均年収
未定	‥	‥	‥

【特色】伸銅品、アルミなどの非鉄金属・加工製品の専門商社。古河電工グループと緊密。仕入れ、検品、加工、納品まで一貫体制を敷く。取引業界は自動車、船舶、航空・ロケット、鉄道のほか重電など幅広い。海外は米国、中国、タイに販売現地法人。
【定着率】‥
【採用】　【設立】1961.4【社長】山崎洋一郎
23年 1【従業員】連325名 単112名(46.1歳)
24年 0【有休】‥日
25年 未定【初任給】月19.7万(諸手当を除いた数値)
【試験種類】‥【各種制度】‥

【業績】	売上高	営業利益	経常利益	純利益
連23.3	44,444	608	831	783
連24.3	39,559	425	569	511

アルテック

東証スタンダード

【本社】104-0042 東京都中央区入船2-1-1 住友入船ビル ☎03-5542-6760
商社・卸売業

採用実績数	倍率	3年後離職率	平均年収
1名	‥	‥	709万円

【特色】包装、印刷関連など特殊産業機械の専門商社。ラミネートチューブ製造機、グラビア印刷機、ダイカッティング装置などを販売。飲料用、食用油用ペットボトルの製造も手がける。中国でペットボトル容器やキャップを製造。ペットボトル循環事業に取り組む。
【定着率】‥
【採用】　【設立】1976.5【社長】池谷壽繁
23年 1【従業員】連466名 単133名(47.6歳)
24年 0【有休】‥日
25年 0【初任給】月24.5万(諸手当を除いた数値)
【試験種類】‥【各種制度】‥

【業績】	売上高	営業利益	経常利益	純利益
連22.11	16,319	440	476	402
連23.11	17,832	▲275	▲963	▲1,026

伊藤忠TC建機（いとうちゅうけんき）

株式公開計画なし

【本社】103-0022 東京都中央区日本橋室町1-13-7 PMO日本橋室町ビル ☎03-3242-5211
商社・卸売業

採用実績数	倍率	3年後離職率	平均年収
7名	‥	‥	‥

【特色】建設機械、クレーン、仮設資材、環境関連機器の販売・レンタルが主力。新工法の紹介、中古建機の買取・輸出、山岳トンネル用機械など特殊機械の販売・レンタル、水質改善、土壌汚染対策などの環境土木事業も展開。機械器具設置工事や土木工事の請負も。
【定着率】‥
【採用】　【設立】1969.4【社長】高橋和好
23年 6【従業員】連160名 単135名(45.3歳)
24年 7【有休】‥日
25年 未定【初任給】月21.5万(諸手当を除いた数値)
【試験種類】‥【各種制度】‥

【業績】	売上高	営業利益	経常利益	純利益
連23.3	36,085	692	994	700
連24.3	40,859	1,185	1,354	912

㈱木村洋行（きむらようこう）

株式公開計画なし

【本社】100-0005 東京都千代田区丸の内3-3-1 新東京ビル6階 ☎03-3213-0251
商社・卸売業

採用予定数	倍率	3年後離職率	平均年収
若干	‥	‥	‥

【特色】1923年ベアリング輸入などで創業した機械部品専門商社。輸入した製品のカスタマイズ、組立て・加工などのエンジニアリング業務も行い、「メーカーのような商社」を目指す。取扱製品を拡充するとともに、新販路開拓にも力を入れる。
【定着率】‥
【採用】　【設立】1938.2【社長】木村光正
23年 1【従業員】単67名(‥歳)
24年 1【有休】‥日
25年 若干【初任給】月25万(諸手当を除いた数値)
【試験種類】‥【各種制度】‥

【業績】	売上高	営業利益	経常利益	純利益
単22.9	6,128	‥	‥	1,277
単23.9	7,702	‥	‥	1,040

進和テック（しんわ）

株式公開計画なし

【本社】164-0012 東京都中野区本町1-32-2 ☎03-5352-7200
商社・卸売業

採用予定数	倍率	3年後離職率	平均年収
5名	‥	‥	‥

【特色】空調・設備機械、環境機械、プラント機械、グローバル事業の4部門からなる専門商社。空調用エアフィルターではトップ級。集じん装置は製鉄会社向けに強み。クリーンルームの設計・施工も手がける。海外は米国や中国などに取引実績。
【定着率】‥
【採用】　【設立】1946.2【社長】渡邊裕元
23年 7【従業員】単262名(40.7歳)
24年 5【有休】‥日
25年 5【初任給】月22.8万(諸手当を除いた数値)
【試験種類】‥【各種制度】‥

【業績】	売上高	営業利益	経常利益	純利益
単23.3	14,199	115	297	241
単24.3	17,650	288	482	170

㈱テヅカ

株式公開計画なし

【本社】143-0011 東京都大田区大森本町1-9-10
☎03-3766-6011
商社・卸売業

採用実績数	倍率	3年後離職率	平均年収
4名	‥	‥	‥

【特色】切削工具、測定機器など機械工具の専門商社。宮城、新潟、静岡、茨城など東日本を中心に事業展開。国内に11営業拠点。在庫センターを3カ所設置し、取り扱いメーカーは200社以上、商品は約30万種。北米に販売現法。1909年創業。
【定着率】‥
【採用】　【設立】1953.6【社長】三橋誠
23年　5【従業員】単95名(44.4歳)
24年　4【有休】‥日
25年　未定【初任給】月20.5万(諸手当を除いた数値)
【試験種類】‥【各種制度】‥

【業績】	売上高	営業利益	経常利益	純利益
単23.3	9,678	115	288	130
単24.3	9,116	7	95	34

㈱トミタ

東証スタンダード

【本社】104-0061 東京都中央区銀座8-3-10
☎03-3572-8261
商社・卸売業

採用予定数	倍率	3年後離職率	平均年収
4名	‥	‥	‥

【特色】工作機械や機械工具の専門商社。自動車、電機、精密各業界に幅広い顧客層。機械販売以外にFAシステムにおける組み立てラインや機械構成の提案も行う。北米、欧州、アジアなどに拠点を置く。海外ではホンダ向け自動車・2輪向け機械に強み。
【定着率】‥
【採用】　【設立】1943.4【社長】冨田稔
23年　4【従業員】連217名 単71名(46.3歳)
24年　2【有休】‥日
25年　4【初任給】月21.6万(諸手当を除いた数値)
【試験種類】‥【各種制度】‥

【業績】	売上高	営業利益	経常利益	純利益
連23.3	20,195	556	679	462
連24.3	21,313	607	886	561

㈱バンザイ

株式公開計画なし

【本社】105-8580 東京都港区芝2-31-19
☎03-3769-6800
商社・卸売業

採用予定数	倍率	3年後離職率	平均年収
10名	‥	‥	‥

【特色】自動車検査ラインや整備ラインなど整備工場向け機器の開発・製造・販売で業界トップ。車検機器、リフト・ガレージ機器、洗車機器、タイヤ・ブレーキ用機器などを扱う。製造子会社など傘下14社。全国約171カ所にサービス拠点。
【定着率】‥
【採用】　【設立】1939.3【社長】柳田昌宏
23年　6【従業員】単464名(43.6歳)
24年　5【有休】‥日
25年　10【初任給】月21万(諸手当を除いた数値)
【試験種類】‥【各種制度】‥

【業績】	売上高	営業利益	経常利益	純利益
単23.3	34,281	1,060	1,113	751
単24.3	38,755	2,002	2,027	1,565

㈱マツボー

株式公開計画なし

【本社】105-0013 東京都港区浜松町1-30-5 浜松町スクエア12階
☎03-5472-1711
商社・卸売業

採用予定数	倍率	3年後離職率	平均年収
若干	‥	‥	‥

【特色】粉体関連、産業機械、情報精密機器の専門商社。粉砕など各種粉体プロセスの受託加工も。松坂屋商事部貿易部門が起源で現在は神鋼商事の完全子会社。商社とエンジニアリング機能を複合化し事業展開。海外はドイツ・デュッセルドルフに拠点。
【定着率】‥
【採用】　【設立】2007.9【社長】簗山真
23年　1【従業員】単110名(43.8歳)
24年　2【有休】‥日
25年　若干【初任給】月26.5万(諸手当を除いた数値)
【試験種類】‥【各種制度】‥

【業績】	売上高	営業利益	経常利益	純利益
単23.3	11,667	982	967	654
単24.3	11,592	841	842	596

㈱UK

株式公開計画なし

【本社】113-0034 東京都文京区湯島1-7-13
☎03-3814-2211
商社・卸売業

採用予定数	倍率	3年後離職率	平均年収
4名	‥	‥	‥

【特色】ベアリング、油圧・空圧部品、伝動機器、電子制御機器などを扱う独立系の機械部品専門商社。日本精工、THKなど有力企業が主な仕入先。関東、甲信越、東北など東日本を中心に地域密着型営業を推進。上海に販売現法。
【定着率】‥
【採用】　【設立】1953.1【社長】古川元
23年　5【従業員】単226名(44.5歳)
24年　4【有休】‥日
25年　4【初任給】月21.4万(諸手当を除いた数値)
【試験種類】‥【各種制度】‥

【業績】	売上高	営業利益	経常利益	純利益
単22.12	28,554	1,321	1,514	976
単23.12	26,851	1,269	1,366	877

㈱イメージ ワン

東証スタンダード

【本社】141-0032 東京都品川区大崎1-6-3 大崎ニューシティ3号館
☎03-5719-2180
商社・卸売業

採用実績数	倍率	3年後離職率	平均年収
1名	‥	‥	684万円

【特色】医療機関向け画像診断システムなどの開発・販売が収益柱。クラウド型電子カルテにも重点。衛星画像の処理、放射線科情報システムや病院情報統合システムも行う。新規事業領域拡大に向けた取組みを強化。前社長退任で経営体制刷新。
【定着率】‥
【採用】　【設立】1984.4【社長】川倉歩
23年　10【従業員】連51名 単51名(41.0歳)
24年　1【有休】‥日
25年　未定【初任給】‥万
【試験種類】‥【各種制度】‥

【業績】	売上高	営業利益	経常利益	純利益
連22.9	3,431	▲264	▲316	▲341
連23.9	2,975	▲685	▲712	▲647

東京都

㈱エフティグループ
東証スタンダード

【本社】103-0014 東京都中央区日本橋蛎殻町2-13-6 ☎03-5847-2777
商社・卸売業

採用実績数	倍率	3年後離職率	平均年収
5名	‥	‥	560万円

【特色】中小企業向け電話機、OA機器、LED照明などの販売会社。法人向けファイルサーバー、セキュリティー機器販売、消費者向け光回線接続サービス、電力小売りも。全国に販売ネットワーク構築。光通信の子会社で、親会社とOA機器販売などで協業。
【定着率】‥
【グループ採用】【設立】1985.8【社長】安藤暢彦
23年 15【従業員】連340名 単113名(42.2歳)
24年 5【有休】‥日
25年 微増【初任給】月22万(諸手当を除いた数値)
【試験種類】‥【各種制度】‥

【業績】	売上高	営業利益	税前利益	純利益
連23.3	40,698	5,837	5,851	3,625
連24.3	36,480	7,694	7,705	5,284

関工商事(かんこうしょうじ)
株式公開計画なし

【本社】110-8631 東京都台東区東上野4-24-11 グローバル・ワン上野 ☎03-5826-6300
商社・卸売業

採用予定数	倍率	3年後離職率	平均年収
4名	‥	‥	‥

【特色】電設関連機器を販売する専門商社で関電工の連結子会社。受変電設備・発電機・変圧器・配電盤など重電機器のほか、電線ケーブル・パイプ、照明器具、弱電機器等を扱う。取扱商品数は10万点を超す。営業所10カ所、埼玉県八潮市に配送センター。
【定着率】‥
【採用】【設立】1919.9【社長】木藤昭二
23年 1【従業員】単153名(43.7歳)
24年 7【有休】‥日
25年 4【初任給】月22.4万(諸手当を除いた数値)
【試験種類】‥【各種制度】‥

【業績】	売上高	営業利益	経常利益	純利益
単23.3	31,514	551	596	394
単24.3	34,908	948	988	3,061

キヤノンプロダクションプリンティングシステムズ
株式公開計画なし

【本社】108-0075 東京都港区港南2-13-29 キヤノン港南ビル ☎03-6719-9700
商社・卸売業

採用実績数	倍率	3年後離職率	平均年収
8名	‥	‥	‥

【特色】業務用高速プリンターや大判プリンターおよび消耗品の販売が主力事業。コンサルティングから保守までワンストップで提供。オンデマンド印刷、POP広告制作システムなども手がける。キヤノンマーケティングジャパンの連結子会社。
【定着率】‥
【採用】【設立】1973.1【社長】上田克己
23年 7【従業員】単401名(46.0歳)
24年 8【有休】‥日
25年 未定【初任給】月22.5万(諸手当を除いた数値)
【試験種類】‥【各種制度】‥

【業績】	売上高	営業利益	経常利益	純利益
単22.12	9,339	390	407	305
単23.12	9,063	352	353	243

㈱グリムス
東証プライム

【本社】140-0002 東京都品川区東品川2-2-4 天王洲ファーストタワー ☎03-5769-3500
商社・卸売業

採用予定数	倍率	3年後離職率	平均年収
50名	‥	‥	588万円

【特色】中小製造業など向けの電力料金削減コンサルティングや、電子式開閉器の販売が主体。一般家庭向け住宅用太陽光発電設備や蓄電池などを販売するスマートハウスプロジェクト事業も展開。法人向け電力小売事業も。エネルギー関連4社でグループを構成。
【定着率】‥
【グループ採用】【設立】2005.7【社長】田中政臣
23年 33【従業員】連315名 単20名(43.6歳)
24年 34【有休】‥日
25年 50【初任給】月21.1万(諸手当を除いた数値)
【試験種類】‥【各種制度】‥

【業績】	売上高	営業利益	経常利益	純利益
連23.3	31,392	3,600	3,687	2,465
連24.3	29,908	5,217	5,268	3,540

㈱コシダテック
株式公開検討中

【本社】108-8570 東京都港区高輪2-15-21 ☎03-5789-1630
商社・卸売業

採用実績数	倍率	3年後離職率	平均年収
4名	‥	‥	‥

【特色】自動車機器関連の販売、半導体・電子デバイスの販売、携帯電話ショップ運営などを中心に手がける技術商社。三菱電機自動車機器の東日本総代理店としてスタート。IoTソリューションの開発・販売や自動二輪用品の販売なども行う。
【定着率】‥
【採用】【設立】1939.2【社長】越田亮三
23年 3【従業員】連1,971名 単206名(43.0歳)
24年 4【有休】‥日
25年 未定【初任給】月26.4万(諸手当を除いた数値)
【試験種類】‥【各種制度】‥

【業績】	売上高	営業利益	経常利益	純利益
連23.3	65,883	▲267	▲341	▲2,009
連24.3	77,344	330	285	69

蔵王産業(ざおうさんぎょう)
東証スタンダード

【本社】135-0001 東京都江東区毛利1-19-5 ☎03-5600-0311
商社・卸売業

採用予定数	倍率	3年後離職率	平均年収
未定	‥	‥	614万円

【特色】清掃・洗浄機器を輸入販売する独立系専門商社。主要顧客はビルメンテナンス業と製造業。現場密着型の実演販売が強み。ホームセンターやネット通販向けにOEM供給製品も開発。取扱商品の大半が欧米や中国のメーカーからの輸入品。北海道から鹿児島まで全国に20拠点を配置。
【定着率】‥
【採用】【設立】1956.4【社長】杳澤孝則
23年 ‥【従業員】単219名(44.0歳)
24年 ‥【有休】‥日
25年 未定【初任給】‥万
【試験種類】‥【各種制度】‥

【業績】	売上高	営業利益	経常利益	純利益
単23.3	9,647	1,378	1,406	1,054
単24.3	9,425	1,210	1,234	1,017

㈱栄電子（さかえでんし）
東証スタンダード

【本社事務所】101-0021 東京都千代田区外神田2-9-10 ☎03-6385-7240
商社・卸売業

採用予定数	倍率	3年後離職率	平均年収
未定	‥	‥	503万円

【特色】産業機器向けの電子部品独立系商社。東京エレクトロンなど半導体製造装置メーカー用電子部品が主力。電源、制御機器なども手がける。IoT分野へのセンサーなどの拡販や、電子部品のモジュール化による付加価値増を図る。秋葉原本拠、国内9拠点。
【定着率】‥
【採用】 【設立】1971.4 【社長】津田百子
23年 ‥ 【従業員】連91名 単90名(40.9歳)
24年 ‥ 【有休】‥日
25年 未定 【初任給】‥万
【試験種類】‥ 【各種制度】‥

【業績】	売上高	営業利益	経常利益	純利益
連23.3	10,839	881	900	651
連24.3	8,366	319	341	230

㈱高木商会（たかぎしょうかい）
株式公開計画なし

【本社】145-0062 東京都大田区北千束2-2-7 ☎03-3783-6311
商社・卸売業

採用予定数	倍率	3年後離職率	平均年収
10名	‥	‥	‥

【特色】制御機器、電子部品、産業用コンピューター関連機器などの専門商社。営業拠点は東北から九州まで展開。海外は上海、香港に現地法人。仕入先1000社超。営業活動にデジタルトランスフォーメーション取り入れデジタル営業推進。立花エレテックの子会社。
【定着率】‥
【採用】 【設立】1961.11 【社長】中山広幸
23年 8 【従業員】単187名(44.0歳)
24年 8 【有休】‥日
25年 10 【初任給】月26.7万
【試験種類】‥ 【各種制度】‥

【業績】	売上高	営業利益	経常利益	純利益
単23.3	30,926	2,185	2,246	1,544
単24.3	25,856	1,327	1,385	942

千代田工販（ちよだこうはん）
株式公開計画なし

【本社】104-8115 東京都中央区京橋1-10-7 KPP八重洲ビル9階 ☎03-3564-5511
商社・卸売業

採用予定数	倍率	3年後離職率	平均年収
6~10名	‥	‥	‥

【特色】電機・電力設備、産業機械、情報機器、環境機器・システムなどを扱う専門商社。メーカー機能を持ち、紫外線応用装置や大型商用車用エアブレーキ配管なども供給。国内は北海道から沖縄まで拠点を展開、海外はタイ、シンガポール、中国に拠点。
【定着率】‥
【採用】 【設立】1947.2 【社長】井下田一郎
23年 2 【従業員】連300名 単230名(46.7歳)
24年 1 【有休】‥日
25年 6～10 【初任給】月21万(諸手当を除いた数値)
【試験種類】‥ 【各種制度】‥

【業績】	売上高	営業利益	経常利益	純利益
連23.3	40,999	655	670	337
連24.3	55,905	1,181	1,248	928

TD SYNNEX
株式公開計画なし

【本社】108-0023 東京都港区芝浦3-1-1 田町ステーションタワーN21階 ☎03-4595-4550
商社・卸売業

採用予定数	倍率	3年後離職率	平均年収
未定	‥	‥	‥

【特色】米国のIT関連製品卸売大手、シネックス社の日本における流通卸部門。PCやサーバーなどコンピューター関連機器のほか、AIスピーカーなどの家電製品を扱う。ソフトウェア、クラウドサービスやモバイル関連サービスなども提供。
【定着率】‥
【採用】 【設立】1962.10 【社長】國持重隆
23年 ‥ 【従業員】単557名(‥歳)
24年 ‥ 【有休】‥日
25年 未定 【初任給】‥万
【試験種類】‥ 【各種制度】‥

【業績】	売上高	営業利益	経常利益	純利益
単22.11	107,888	‥	‥	‥
単23.11	108,097	‥	‥	‥

Denkei
東証スタンダード

【本社】110-0005 東京都台東区上野5-14-12 NDビル ☎03-5816-3551
商社・卸売業

採用実績数	倍率	3年後離職率	平均年収
6名	‥	‥	643万円

【特色】独立系の電子計測器専門商社で国内首位。液晶関連などの情報家電や、EMC・振動試験機など自動車関連試験装置分野にも強みを持つ。中国で自動車部品の環境試験など受託試験も行う。国内、米国、アジアなどで販売網拡大。ADAS(先進運転支援)関連を強化。
【定着率】‥
【採用】 【設立】1950.9 【社長】森田幸哉
23年 11 【従業員】連1,180名 単590名(42.2歳)
24年 6 【有休】‥日
25年 増加 【初任給】月21.7万(諸手当を除いた数値)
【試験種類】‥ 【各種制度】‥

【業績】	売上高	営業利益	経常利益	純利益
連23.3	104,778	3,740	3,996	2,905
連24.3	108,539	4,431	4,809	2,947

㈱No.1
東証スタンダード

【本社】100-0011 東京都千代田区内幸町1-5-2 内幸町平和ビル ☎03-5510-8911
商社・卸売業

採用予定数	倍率	3年後離職率	平均年収
50名	‥	‥	529万円

【特色】OA機器および情報セキュリティー関連機器の開発・製造販売が柱。保守サービスも手がける。IT技術的なサポートだけでなく経営相談サービスも含めたビジネスサポートも提供し、ワンストップでソリューション提案できる体制を整備。
【定着率】‥
【採用】 【設立】1989.9 【代表取締役】辰巳崇之
23年 51 【従業員】連659名 単526名(34.6歳)
24年 27 【有休】‥日
25年 50 【初任給】月17.6万(諸手当を除いた数値)
【試験種類】‥ 【各種制度】‥

【業績】	売上高	営業利益	経常利益	純利益
連23.2	13,308	1,150	1,143	911
連24.2	13,452	1,227	1,216	886

パルスモ
株式公開計画なし

【本社】113-0033 東京都文京区本郷2-38-5 ☎03-3815-6108
商社・卸売業

採用実績数	倍率	3年後離職率	平均年収
3名	‥	‥	‥

【特色】小型モーター、基板実装、液晶表示ソフト、LED機構部品ユニット加工などを扱う開発型商社。パチンコ、パチスロなどのアミューズメント機器の一貫製造体制を構築。航空宇宙向けやGPS向けなどの各種商品も取り扱う。
【定着率】‥
【採用】【設立】1975.8【会長】萩原浩太
23年 0【従業員】単165名(44.6歳)
24年 3【有休】‥日
25年 未定【初任給】月22.3万(諸手当を除いた数値)
【試験種類】‥【各種制度】‥

【業績】	売上高	営業利益	経常利益	純利益
単23.4	12,816	340	665	450
単24.4	11,897	262	1,246	912

㈱フォーバル
東証スタンダード

【本社】150-0001 東京都渋谷区神宮前5-52-2 ☎03-3498-1541
商社・卸売業

採用予定数	倍率	3年後離職率	平均年収
92名	‥	‥	‥

【特色】中小企業向けの月額制ITコンサルが主軸。OA機器や通信回線の販売も行う。IT化や働き方改革の波を商機にEC活用支援や業務効率化、勤怠システム導入支援などが成長中。事業継承コンサル事業や海外進出支援も行う。子会社で電力小売りも。
【定着率】‥
【採用】【設立】1980.9【社長】中島將典
23年 65【従業員】連2,503名 単842名(37.3歳)
24年 79【有休】‥日
25年 92【初任給】月20.6万(諸手当を除いた数値)
【試験種類】‥【各種制度】‥

【業績】	売上高	営業利益	経常利益	純利益
連23.3	59,538	2,443	2,717	1,679
連24.3	63,527	3,235	3,459	2,011

富士電機ITソリューション
株式公開していない

【本社】101-0021 東京都千代田区外神田6-15-12 ☎03-5817-5701
商社・卸売業

採用予定数	倍率	3年後離職率	平均年収
未定	‥	‥	‥

【特色】情報処理機器の販売やソフトウェア開発などを展開し、ネットワーク構築から運用まで一貫サポート。販売先は製造業や金融、流通など民需部門、官公庁など公共部門、小学校から大学・専門学校など文教部門が3本柱。富士電機のグループ会社。
【定着率】‥
【採用】【設立】2004.4【社長】及川弘
23年 18【従業員】単801名(‥歳)
24年 ‥【有休】‥日
25年 未定【初任給】‥万
【試験種類】‥【各種制度】‥

【業績】	売上高	営業利益	経常利益	純利益
単23.3	71,541	4,628	4,643	3,171
単24.3	82,377	4,601	4,596	3,084

扶桑電通（ふそうでんつう）
東証スタンダード

【本社】104-0045 東京都中央区築地5-4-18 汐留イーストサイドビル ☎03-3544-7211
商社・卸売業

採用予定数	倍率	3年後離職率	平均年収
40名	‥	‥	695万円

【特色】富士通系ディーラーでICTベンダー。自治体向け市町村防災無線などを提供するネットワーク事業、自治体や企業向けシステム更改中心のソリューション事業とPCやサーバーの導入を行うオフィス事業、サポートデスクなどのサービス事業が柱。全国に拠点。
【定着率】‥
【採用】【設立】1948.3【社長】有冨英治
23年 22【従業員】単954名(45.2歳)
24年 31【有休】‥日
25年 40【初任給】月22.3万(諸手当を除いた数値)
【試験種類】‥【各種制度】‥

【業績】	売上高	営業利益	経常利益	純利益
単22.9	36,472	388	544	327
単23.9	41,137	1,260	1,428	971

レカム
東証スタンダード

【本社】151-0053 東京都渋谷区代々木3-25-3 あいおいニッセイ同和新宿ビル ☎03-4405-4566
商社・卸売業

採用予定数	倍率	3年後離職率	平均年収
未定	‥	‥	593万円

【特色】中小企業向けに複合機、セキュリティー機器などのオフィス用情報通信機器販売や、脱炭素ソリューションを提供。直営のほか、FC加盟店や代理店経由でも販売。取付工事からメンテナンスまで一貫体制。LED照明、エアコンの販売を軸に海外展開。
【定着率】‥
【採用】【設立】1994.9【社長】伊藤秀博
23年 11【従業員】連509名 単37名(40.8歳)
24年 ‥【有休】‥日
25年 未定【初任給】‥万
【試験種類】‥【各種制度】‥

【業績】	売上高	営業利益	税前利益	純利益
連22.9	8,920	413	457	351
連23.9	9,510	450	490	314

㈱ウェッズ
東証スタンダード

【本社】143-0016 東京都大田区大森北1-6-8 ウィラ大森ビル ☎03-5753-8201
商社・卸売業

採用実績数	倍率	3年後離職率	平均年収
2名	‥	‥	666万円

【特色】自動車用アルミ・スチールホイール中心の自動車部品・用品卸で業界首位級。全国に営業所を置き、独自品に強み。子会社で自動車用品の大型小売店舗を展開。訪問介護など福祉事業も手がける。中国に現地法人。自社チームでモータースポーツにも参加。
【定着率】‥
【採用】【設立】1965.10【社長】石田純一
23年 3【従業員】連471名 単155名(44.1歳)
24年 2【有休】‥日
25年 未定【初任給】月21万(諸手当を除いた数値)
【試験種類】‥【各種制度】‥

【業績】	売上高	営業利益	経常利益	純利益
連23.3	36,497	2,529	2,809	1,763
連24.3	34,781	1,982	2,381	1,506

日発販売（にっぱつはんばい）

株式公開計画なし

【本社】105-0021 東京都港区東新橋2-14-1 NBFコモディオ汐留8階 ☎03-6854-1600
商社・卸売業

採用予定数	倍率	3年後離職率	平均年収
10名	‥	‥	‥

【特色】自動車補修用部品、ばねなど精密部品、通信部品、医療器具用部品、試験測定機器、産業機械などを販売。世界有数のばねメーカーのニッパツグループ唯一の商社。国内は北海道から九州まで全国に販売網を敷き、海外は北米、中国、タイ、ベトナムに販売現地法人。
【定着率】‥
【採用】　【設立】1959.5【社長】中村浩史
23年 4【従業員】単384名(46.1歳)
24年 5【有休】‥日
25年 10【初任給】月23万(諸手当を除いた数値)
【試験種類】‥【各種制度】‥

【業績】	売上高	営業利益	経常利益	純利益
単23.3	37,757	1,704	1,778	1,220
単24.3	41,713	1,996	2,429	1,768

㈱バイク王（おう）&カンパニー

東証スタンダード

【本社】154-0023 東京都世田谷区若林3-15-4 ☎03-6803-8811
商社・卸売業

採用予定数	倍率	3年後離職率	平均年収
70名	‥	‥	411万円

【特色】中古2輪車買い取り最大手で「バイク王」を全国展開。買い取りは無料出張が基本で24時間365日の受付体制。ITで査定から買い取りまで標準化。業者向けオークションで販売するほか、買い取り店に小売り店舗を併設し小売りも強化。整備体制も拡充。
【定着率】‥
【採用】　【設立】1998.9【代表取締役】石川秋彦
23年 66【従業員】連1,048名 単‥名(34.2歳)
24年 55【有休】‥日
25年 70【初任給】月18.5万(諸手当を除いた数値)
【試験種類】‥【各種制度】‥

【業績】	売上高	営業利益	経常利益	純利益
単22.11	33,480	1,653	2,259	1,550
単23.11	33,068	▲166	150	▲110

㈱レダックス

東証スタンダード

【本社】102-8578 東京都千代田区紀尾井町4-1 新紀尾井町ビル ☎03-3239-3100
商社・卸売業

採用予定数	倍率	3年後離職率	平均年収
20名	‥	‥	384万円

【特色】中古車買い取り・販売大手。個人から車を買い取り販売するビジネスモデル。オークション販売や大型展示場での小売りも行うが、店舗数拡大し買い取り直販を推進。運送事業者などへのリースバック事業も。中国企業との合弁で海外展開。
【定着率】‥
【グループ採用】【設立】1987.12【代表執行役】加畑雅之
23年 8【従業員】連211名 単18名(44.8歳)
24年 13【有休】‥日
25年 20【初任給】月18万(諸手当を除いた数値)
【試験種類】‥【各種制度】‥

【業績】	売上高	営業利益	経常利益	純利益
連23.3	19,058	▲499	▲466	▲514
連24.3	19,072	98	149	73

ディーブイエックス

東証スタンダード

【本社】171-0033 東京都豊島区高田2-17-22 ☎03-5985-6827
商社・卸売業

採用予定数	倍率	3年後離職率	平均年収
15名	‥	‥	‥

【特色】循環器疾病分野向け医療機器の販売会社。アブレーション(心筋焼灼術)カテーテル類を扱う不整脈関連製品が主力。虚血関連では、自動造影剤注入装置など自社開発製品も扱う。医療画像関連製品の取り扱いも行う。北海道から沖縄まで営業所を構える。
【定着率】‥
【採用】　【設立】1986.4【社長】柴﨑浩
23年 9【従業員】単328名(39.3歳)
24年 10【有休】‥日
25年 15【初任給】月18万(諸手当を除いた数値)
【試験種類】‥【各種制度】‥

【業績】	売上高	営業利益	経常利益	純利益
単23.3	47,483	1,340	1,352	936
単24.3	45,851	653	662	172

㈱日立ハイテクソリューションズ

株式公開計画なし

【本社】105-6410 東京都港区虎ノ門1-17-1 虎ノ門ヒルズ ビジネスタワー ☎03-3504-7773
商社・卸売業

採用予定数	倍率	3年後離職率	平均年収
16名	‥	‥	‥

【特色】計測・制御機器、工場自動化システムなどセンシングと制御のテクノロジーをソリューション提供。計測・制御・デジタル技術のOT事業と鉄道・架線検測装置など社会インフラ事業に注力。既存事業と課題解決型ソリューションの強化、日立ハイテクグループ。
【定着率】‥
【採用】　【設立】1987.10【社長】張田谷雅夫
23年 15【従業員】単537名(46.5歳)
24年 11【有休】‥日
25年 16【初任給】月25.5万(諸手当を除いた数値)
【試験種類】‥【各種制度】‥

【業績】	売上高	営業利益	経常利益	純利益
単23.3	32,574	1,696	1,599	1,583
単24.3	22,260	▲580	▲675	▲255

アルファグループ

東証スタンダード

【本社】150-0011 東京都渋谷区東1-26-20 東京建物東渋谷ビルディング ☎03-5469-7300
商社・卸売業

採用予定数	倍率	3年後離職率	平均年収
若干	‥	‥	569万円

【特色】携帯ショップとオフィス通販の代理店事業が柱。携帯ショップは複数キャリアを扱う併売店中心に展開。コクヨのオフィス用品通販「カウネット」の代理店のほか、LED照明機器やEV充電器の設置、太陽光発電による売電、電力の小売りも展開。
【定着率】‥
【アルファエネシア採用】【設立】1997.10【社長】吉岡伸一郎
23年 ‥【従業員】連258名 単19名(40.9歳)
24年 1【有休】‥日
25年 若干【初任給】月19.4万(諸手当を除いた数値)
【試験種類】‥【各種制度】‥

【業績】	売上高	営業利益	経常利益	純利益
連23.3	13,561	570	548	233
連24.3	13,912	710	746	401

伊藤忠プランテック

株式公開計画なし

【本社】107-0062 東京都港区南青山1-1-1 新青山ビル東館11階 ☎03-5414-8418
商社・卸売業

採用予定数	倍率	3年後離職率	平均年収
未定	‥	‥	‥

【特色】伊藤忠商事の子会社でプラント・機器の専門商社。水、電力などインフラプロジェクトや、オイル・ガス向けプラント機器など重工分野に加え、鉄道車両など交通関連も扱う。再生可能エネルギーの発電事業開発に注力。コンビニ対象にした電力小売りも行う。
【定着率】‥
【採用】【設立】1973.4【社長】浅田裕彦
23年 3【従業員】単102名(44.6歳)
24年 ‥【有休】‥日
25年 未定【初任給】月23万
【試験種類】‥【各種制度】‥

【業績】	売上高	営業利益	経常利益	純利益
単22.3	25,235	‥	1,963	1,390
単23.3	30,906	‥	1,912	1,937

エム・シー・ヘルスケアホールディングス

株式公開計画なし

【本社】108-0075 東京都港区港南2-16-1 品川イーストワンタワー 12階 ☎03-6852-0010
商社・卸売業

採用実績数	倍率	3年後離職率	平均年収
20名	‥	‥	‥

【特色】病院に医療機器・医薬品の共同購入、一括配送などを提供するグループの持株会社。傘下のエム・シー・ヘルスケアが医療材料の調達・管理など主事業を担う。医療機器の輸入販売はエム・シー・メディカルが担当。中国に現地法人。
【定着率】‥
【採用】【設立】2010.4【社長】木村真敏
23年 17【従業員】連1,083名 単129名(38.7歳)
24年 20【有休】‥日
25年 未定【初任給】月22万(諸手当を除いた数値)
【試験種類】‥【各種制度】‥

【業績】	売上高	営業利益	経常利益	純利益
連23.3	135,714	4,017	4,141	2,840
連24.3	147,458	3,457	3,548	2,792

㈱共同紙販ホールディングス

東証スタンダード

【本社】110-0014 東京都台東区北上野1-9-12 住友不動産上野ビル ☎03-5826-5171
商社・卸売業

採用予定数	倍率	3年後離職率	平均年収
若干	‥	‥	494万円

【特色】洋紙販売主力の紙二次卸商。日本製紙の関連会社で、同社製の印刷・情報用紙を代理店から仕入れ、中小口需要向けに販売する。販売先はほとんどが印刷業界。顧客商品の保管、断裁など加工、配送も併営。買収した産業用紙部門を移転・統合し拡販本格化。
【定着率】‥
【採用】【設立】1952.3【会長】郡司勝美
23年 1【従業員】連149名 単135名(50.1歳)
24年 2【有休】‥日
25年 若干【初任給】‥万
【試験種類】‥【各種制度】‥

【業績】	売上高	営業利益	経常利益	純利益
連23.3	17,023	153	184	101
連24.3	16,725	94	120	58

㈱シバタ

株式公開未定

【本社】104-0032 東京都中央区八丁堀2-7-1 八丁堀サンケイビル2階 ☎03-3552-0381
商社・卸売業

採用予定数	倍率	3年後離職率	平均年収
5名	‥	‥	‥

【特色】各種産業ゴム・樹脂製品や土木資材などを扱う、産業用資材の専門商社。工業用ゴム・ベルト、各種ホース、農業資材などを販売する。鉱工業用ゴム製品卸として創業。東京、大阪など全国に支店を展開、千葉と埼玉に工場。取扱商品は約3万点。
【定着率】‥
【採用】【設立】1954.6【社長】小堀真司
23年 1【従業員】単522名(42.0歳)
24年 2【有休】‥日
25年 5【初任給】月21.4万(諸手当を除いた数値)
【試験種類】‥【各種制度】‥

【業績】	売上高	営業利益	経常利益	純利益
単23.3	46,932	1,335	1,507	909
単24.3	49,521	1,548	1,768	976

㈱スマイル

株式公開いずれしたい

【本社】135-0052 東京都江東区潮見2-8-10 潮見SIFビル4階 ☎03-6743-7070
商社・卸売業

採用実績数	倍率	3年後離職率	平均年収
2名	‥	‥	‥

【特色】メーカーや小売業、外食向け包装資材の企画・選定、設計・開発が主力。ワインや食品、家具・生活雑貨の輸入販売、飲料自販機管理、フラワーショップ運営なども行い、生活総合商社を目指す。中国、韓国、ベトナムなどに現地法人。センコーグループHD傘下。
【定着率】‥
【採用】【設立】1977.6【社長】大野敦
23年 3【従業員】単193名(42.8歳)
24年 2【有休】‥日
25年 0【初任給】月22.7万(諸手当を除いた数値)
【試験種類】‥【各種制度】‥

【業績】	売上高	営業利益	経常利益	純利益
単23.3	25,610	▲362	▲123	▲83
単24.3	24,328	▲577	▲369	▲822

㈱竹尾

株式公開計画なし

【本社】101-0054 東京都千代田区神田錦町3-12-6 ☎03-3292-3611
商社・卸売業

採用予定数	倍率	3年後離職率	平均年収
8名	‥	‥	‥

【特色】洋紙、板紙の販売が主力の老舗紙専門商社。特殊紙開発や機能紙拡販に注力。湾岸物流センターの立体自動倉庫で物流合理化。海外は中国、マレーシア、タイに事業。「竹尾ペーパーショウ」は国内唯一かつ最大規模の展覧会。
【定着率】‥
【採用】【設立】1937.2【社長】竹尾稠
23年 13【従業員】単220名(43.9歳)
24年 10【有休】‥日
25年 8【初任給】月22.5万(諸手当を除いた数値)
【試験種類】‥【各種制度】‥

【業績】	売上高	営業利益	経常利益	純利益
単22.11	23,101	239	759	437
単23.11	25,209	439	786	562

㈱千代田テクノル（ちよだ）
株式公開 計画なし

【本社】113-8681 東京都文京区湯島1-7-12 千代田御茶の水ビル ☎03-3816-5241
商社・卸売業

採用予定数	倍率	3年後離職率	平均年収
20名	‥	‥	‥

【特色】放射線源の製造から利用、防護まで、放射線関連サービスを総合的に提供。個人線量測定サービスや施設コンサル、被ばく遮蔽機器や防護資機材の販売を手がける。定位放射線治療装置や密封小線源治療装置などの医療機器も扱う。茨城に研究・開発・供給拠点。
【定着率】‥
【採用】 【設立】1958.6【社長】井上任
23年 13【従業員】単668名(43.8歳)
24年 17【有休】‥日
25年 20【初任給】月20.2万(諸手当を除いた数値)
【試験種類】‥【各種制度】‥

【業績】	売上高	営業利益	経常利益	純利益
単22.6	30,991	‥	784	473
単23.6	25,835	‥	715	447

㈱テンポスホールディングス
東証 スタンダード

【本社】144-0031 東京都大田区東蒲田2-30-17 サンユー東蒲田ビル ☎03-3736-0319
商社・卸売業

採用予定数	倍率	3年後離職率	平均年収
102名	‥	‥	498万円

【特色】中古厨房機器のリサイクル販売では独壇場といえる強さを持つ。新古品・新品の安売り販売も併営。居抜き物件の仲介、内装工事、開業支援など飲食店周辺事業も展開。「ステーキのあさくま」なども傘下。業務用厨房機器や調理道具の通販サイトの運営も行う。
【定着率】‥
【主要子会社採用】【設立】1997.3【社長】森下篤史
23年 26【従業員】連838名 単18名(56.4歳)
24年 38【有休】‥日
25年 102【初任給】月22.3万(諸手当を除いた数値)
【試験種類】‥【各種制度】‥

【業績】	売上高	営業利益	経常利益	純利益
連23.4	31,284	2,220	2,311	1,427
連24.4	37,074	2,824	3,069	1,972

㈱図書館流通センター（としょかんりゅうつう）
株式公開 計画なし

【本社】112-8632 東京都文京区大塚3-1-1 ☎03-3943-2221
商社・卸売業

採用予定数	倍率	3年後離職率	平均年収
5名	‥	‥	‥

【特色】丸善CHI・HD傘下の図書館向け専門サービス会社。日販仕入の図書納入が主軸。汎用書誌データベースの作成・販売も。電子図書館サービス・図書除菌機が伸長中。図書館運営受託は、公共図書館598館、学校図書館897校、他18施設。
【定着率】‥
【採用】 【設立】1979.12【社長】谷一文子
23年 5【従業員】単320名(44.7歳)
24年 6【有休】‥日
25年 5【初任給】月31.4万(諸手当を除いた数値)
【試験種類】‥【各種制度】‥

【業績】	売上高	営業利益	経常利益	純利益
単23.1	52,340	‥	2,043	1,185
単24.1	54,215	‥	2,637	2,175

日本紙通商（にっぽんかみつうしょう）
株式公開 計画なし

【本社】101-8210 東京都千代田区神田駿河台4-6 御茶ノ水ソラシティ ☎03-6665-7032
商社・卸売業

採用実績数	倍率	3年後離職率	平均年収
7名	‥	‥	‥

【特色】紙・パルプの専門商社。新聞・出版・印刷・情報用紙などの洋紙販売で日本製紙グループの中核会社。フィルム、化成品、化学品などを扱う。グループ会社と海外事業での連携強化を進める。タイ、ベトナムに販売現地法人。台湾、東南アジアに事務所。
【定着率】‥
【採用】 【設立】1979.7【社長】吉田太
23年 7【従業員】単395名(45.7歳)
24年 7【有休】‥日
25年 未定【初任給】月25万(諸手当を除いた数値)
【試験種類】‥【各種制度】‥

【業績】	売上高	営業利益	経常利益	純利益
単23.3	149,829	2,812	3,214	2,181
単24.3	159,590	1,933	2,360	2,755

日本管材センター（にほんかんざい）
株式公開 いずれしたい

【本社】107-8431 東京都港区赤坂1-1-14 野村不動産溜池山王ビル ☎03-6880-5111
商社・卸売業

採用実績数	倍率	3年後離職率	平均年収
27名	‥	‥	‥

【特色】管工機材、住宅・ビル設備機器、プラント機材、配管システムなどの国内販売と輸出入を手がける独立系専門商社。新木場配送センターでは常時3万アイテムのストックが可能。茨城県常総市には研究開発機能を持つセンターを設置。
【定着率】‥
【採用】 【設立】1967.1【社長】関根章人
23年 30【従業員】単446名(38.7歳)
24年 27【有休】‥日
25年 未定【初任給】月30万
【試験種類】‥【各種制度】‥

【業績】	売上高	営業利益	経常利益	純利益
単23.3	73,478	3,341	3,469	2,463
単24.3	76,686	4,249	4,253	2,931

野原グループ（のはら）
株式公開 していない

【本社】160-0022 東京都新宿区新宿1-1-11 ザイマックス新宿御苑ビル ☎03-4586-0001
商社・卸売業

採用予定数	倍率	3年後離職率	平均年収
未定	‥	‥	‥

【特色】内装資材、リフォーム資材、住宅設備機器などの販売と各種工事を請け負う。全国に約30の営業拠点。BIM(ビルディングインフォメーションモデリング)を起点とした設計・生産・施工支援プラットフォームなど、建設DX推進事業を展開。
【定着率】‥
【採用】 【設立】1947.9【社長】野原弘輔
23年 ‥【従業員】単188名(40.2歳)
24年 ‥【有休】‥日
25年 未定【初任給】‥万
【試験種類】‥【各種制度】‥

【業績】	売上高	営業利益	経常利益	純利益
単22.6	33,059	▲408	▲386	▲408
単23.6	41,614	0	138	105

バリュエンスホールディングス

東証グロース

【本社】107-0062 東京都港区南青山5-6-19 MA5 ☎03-4580-9983

商社・卸売業

採用予定数	倍率	3年後離職率	平均年収
30名	‥	‥	664万円

【特色】リユース大手でブランド品では業界2位。買い取りは店頭、宅配、出張、オンラインで展開。買取店舗「なんぼや」を運営。販売は自社開催オークションと店頭。不動産事業「なんぼや不動産」やアスリート価値支援など幅広い資産管理サービスを手がける。

【定着率】‥

【グループ採用】【設立】2011.12【社長】嵜本晋輔

23年 35【従業員】連1,077名 単120名(32.9歳)

24年 36【有休】‥日

25年 30【初任給】‥万

【試験種類】‥【各種制度】‥

【業績】	売上高	営業利益	経常利益	純利益
連22.8	63,385	1,888	1,791	969
連23.8	76,130	2,183	2,034	1,050

㈱春うららかな書房

株式公開未定

【本社】104-0061 東京都中央区銀座8-10-8 ☎03-3569-0552

商社・卸売業

採用実績数	倍率	3年後離職率	平均年収
3名	‥	‥	‥

【特色】コミックレンタル店や複合カフェへの書籍・雑誌卸売りで業界首位。美容室向け雑誌コンテンツの販売先は全国5000店。美容室向けに電子書籍の読み放題サービス等が好調。法人向けシェアリングビジネスを拡大。タイに現地法人。

【定着率】‥

【採用】【設立】1985.3【社長】道下昌亮

23年 3【従業員】単37名(37.8歳)

24年 0【有休】‥日

25年 0【初任給】月20.9万(諸手当を除いた数値)

【試験種類】‥【各種制度】‥

【業績】	売上高	営業利益	経常利益	純利益
単23.3	2,561	40	14	8
単24.3	2,440	33	11	6

㈱ビューティガレージ

東証プライム

【本社】154-0015 東京都世田谷区桜新町1-34-25 ☎03-6805-9785

商社・卸売業

採用実績数	倍率	3年後離職率	平均年収
4名	‥	‥	555万円

【特色】プロ向け理美容機器や業務用美容商品を販売する専門商社。インターネットサイトが主力販路で、通販カタログ誌やショールームでの対面販売も手がける。店舗の設計とデザイン、開業支援も。海外はアジア拠点のシンガポール現地法人に集中。

【定着率】‥

【採用】【設立】2003.4【代表取締役】野村秀輝

23年 2【従業員】連402名 単196名(38.4歳)

24年 4【有休】‥日

25年 前年並【初任給】月23.6万(諸手当を除いた数値)

【試験種類】‥【各種制度】‥

【業績】	売上高	営業利益	経常利益	純利益
連23.4	26,429	1,357	1,354	865
連24.4	29,840	1,700	1,719	1,084

ブティックス

東証グロース

【本社】108-0073 東京都港区三田1-4-28 三田国際ビル ☎03-6303-9611

商社・卸売業

採用予定数	倍率	3年後離職率	平均年収
未定	‥	‥	‥

【特色】介護用品のネット販売や介護事業者向けのビジネスマッチングサービスを提供。商談型展示会の開催と事業継承M&Aの仲介が柱。商談型展示会は全国主要都市で開催。オンラインでのマッチングサービスにも注力。子会社で人材採用支援事業も展開。

【定着率】‥

【採用】【設立】2006.11【社長】新村祐三

23年 6【従業員】連210名 単151名(33.6歳)

24年 ‥【有休】‥日

25年 未定【初任給】‥万

【試験種類】‥【各種制度】‥

【業績】	売上高	営業利益	経常利益	純利益
単23.3	3,047	945	943	621
連24.3	4,414	916	911	608

平和紙業（へいわしぎょう）

東証スタンダード

【本社】104-0033 東京都中央区新川1-22-11 ☎03-3206-8501

商社・卸売業

採用実績数	倍率	3年後離職率	平均年収
5名	‥	‥	605万円

【特色】特殊紙専門卸で首位級。各種デザインや装丁に用いる高級ファンシーペーパーや化粧品・土産物などのパッケージ向け厚紙・ファインボードを扱う。東京、大阪、名古屋にギャラリー持ちデザインなど情報発信。紙需要鈍化に対して高級用途向けや機能紙分野を強化。

【定着率】‥

【採用】【設立】1946.3【社長】清家義雄

23年 ‥【従業員】連202名 単143名(46.1歳)

24年 5【有休】‥日

25年 未定【初任給】月21.8万(諸手当を除いた数値)

【試験種類】‥【各種制度】‥

【業績】	売上高	営業利益	経常利益	純利益
連23.3	16,068	138	192	874
連24.3	16,124	158	221	136

北越紙販売（ほくえつかみはんばい）

株式公開計画なし

【本社】103-0021 東京都中央区日本橋本石町3-2-2 北越製紙ビルディング5階 ☎03-6328-0001

商社・卸売業

採用実績数	倍率	3年後離職率	平均年収
3名	‥	‥	‥

【特色】国内の紙販売を担う直系代理店。上質紙・書籍用紙などの洋紙とキャストコートなど板紙のほか、インテリアから産業資材まで利用できる木材繊維を主原料にした「PASCO」を取り扱う。大阪と名古屋に支店を展開。北越コーポレーションの子会社。

【定着率】‥

【採用】【設立】2011.4【社長】鈴木祥司

23年 1【従業員】単96名(48.8歳)

24年 3【有休】‥日

25年 未定【初任給】月20.8万(諸手当を除いた数値)

【試験種類】‥【各種制度】‥

【業績】	売上高	営業利益	経常利益	純利益
単23.3	54,060	387	497	673
単24.3	59,751	680	831	599

三井物産エアロスペース（みついぶっさん）

株式公開 計画なし

【本社】100-0005 東京都千代田区丸の内1-8-2 鉄鋼ビルディング22階 ☎03-4586-1900
商社・卸売業

採用実績数	倍率	3年後離職率	平均年収
6名	‥	‥	‥

【特色】航空・防衛の専門商社として、ヘリコプター、航空機、防衛機器の輸入販売、セキュリティーシステム、宇宙事業に携わる。国内航空宇宙業界の発展・安全保障に貢献。三井物産の子会社。急拡大する宇宙利活用・空域モビリティなどの新規需要にも応える。
【定着率】‥
【採用】　【設立】1982.4【代表取締役】青木盛博
23年　0【従業員】単122名(40.9歳)
24年　6【有休】‥日
25年　0【初任給】月25.1万(諸手当を除いた数値)
【試験種類】‥【各種制度】‥

【業績】	売上高	営業利益	経常利益	純利益
単23.3	25,689	1,582	1,594	1,132
単24.3	22,695	1,016	1,181	805

㈱ヨシダ

株式公開 計画なし

【本社】110-8507 東京都台東区上野7-6-9 ☎03-3845-2971
商社・卸売業

採用予定数	倍率	3年後離職率	平均年収
10名	‥	‥	‥

【特色】歯科医療機器・材料、情報機器の開発・販売と輸入を行う大手専門商社。修理・保守メンテナンスや、歯科医院の開業・経営に関する企画・調査などのコンサルティングも行う。国内38カ所に営業所。海外メーカーと連係し、自社製品開発にも注力。
【定着率】‥
【採用】　【設立】1961.5【社長】山中一剛
23年　8【従業員】単688名(43.1歳)
24年　17【有休】‥日
25年　10【初任給】月23万(諸手当を除いた数値)
【試験種類】‥【各種制度】‥

【業績】	売上高	営業利益	経常利益	純利益
単22.7	33,665	‥	‥	652
単23.7	35,330	‥	‥	404

㈱江間忠ホールディングス（えまちゅう）

株式公開 未定

【本社】104-8551 東京都中央区晴海3-3-3 江間忠ビル ☎03-3533-8231
商社・卸売業

採用予定数	倍率	3年後離職率	平均年収
未定	‥	‥	‥

【特色】木材事業の江間忠木材を中心とするグループの持株会社。グループ管理のほか、国内と米シアトルで不動産賃貸事業を手がける。東京・新木場駅前の社有地にホテル建設し、JR東日本系ホテルへ賃貸。東京・深川木場の木材商として創業。
【定着率】‥
【採用】　【設立】1951.6【社長】江間壮一
23年　3【従業員】単75名(‥歳)
24年　‥【有休】‥日
25年　未定【初任給】月23万(諸手当を除いた数値)
【試験種類】‥【各種制度】‥

【業績】	売上高	営業利益	経常利益	純利益
単23.3	3,311	337	1,087	900
単24.3	4,537	385	757	591

アルフレッサメディカルサービス

株式公開 計画なし

【本社】102-0074 東京都千代田区九段南2-3-14 ☎03-6843-2325
商社・卸売業

採用実績数	倍率	3年後離職率	平均年収
15名	‥	‥	‥

【特色】医療機関向けに医療材料・医薬品に関するSPD事業(院内物流管理システムの提供)を展開。データ分析でコストダウンや業務効率化を促し、病院経営をサポート。一般向けに医療材料・用品の通販サイトを運営。アルフレッサグループ。
【定着率】‥
【採用】　【設立】2004.12【社長】塩田保
23年　11【従業員】単1,350名(‥歳)
24年　15【有休】‥日
25年　未定【初任給】‥万
【試験種類】‥【各種制度】‥

【業績】	売上高	営業利益	経常利益	純利益
単23.3	66,262	‥	‥	293
単24.3	74,988	‥	‥	298

サークレイス

東証 グロース

【本社】104-0031 東京都中央区京橋1-11-1 関電不動産八重洲ビル ☎050-1744-7546
コンサルティング

採用実績数	倍率	3年後離職率	平均年収
20名	‥	‥	561万円

【特色】CRMソリューションのセールスフォース導入支援を柱にコンサルや経営課題に合わせた連携システム開発などを展開。統合型コミュニケーションツール「サークレイス」を通じた運用・保守・支援に強み。売上高1000億円以上の大企業向け比率が約8割占める。
【定着率】‥
【採用】　【設立】2012.11【会長兼社長】佐藤司
23年　13【従業員】連328名 単307名(38.3歳)
24年　20【有休】‥日
25年　未定【初任給】月25.1万(諸手当を除いた数値)
【試験種類】‥【各種制度】‥

【業績】	売上高	営業利益	経常利益	純利益
単23.3	2,527	87	82	11
連24.3	2,900	▲85	▲51	▲39

㈱アイ・アールジャパンホールディングス

東証 プライム

【本社】100-6026 東京都千代田区霞が関3-2-5 ☎03-3519-6750
コンサルティング

採用実績数	倍率	3年後離職率	平均年収
7名	‥	‥	1,207万円

【特色】企業のIR(投資家情報)とSR(株主情報)に特化したコンサルティング会社。企業の実質株主判明調査や、株主総会の議決権賛否シミュレーションなど独自サービスに強み。議決権争奪助言、財務助言など投資銀行業務や証券代行業務に事業領域を拡大。
【定着率】‥
【IRジャパン採用】【設立】2015.2【社長】寺下史郎
23年　10【従業員】連174名 単7名(46.4歳)
24年　7【有休】‥日
25年　増加【初任給】‥万
【試験種類】‥【各種制度】‥

【業績】	売上高	営業利益	経常利益	純利益
連23.3	6,012	1,115	1,239	671
連24.3	5,664	1,072	1,068	762

ＩＮＴＬＯＯＰ
東証グロース

【本社】107-0052 東京都港区赤坂2-9-11 オリックス赤坂2丁目ビル ☎03-5544-8040
コンサルティング

採用予定数	倍率	3年後離職率	平均年収
未定	‥	‥	526万円

【特色】新規事業や業務改革など経営課題を持つ企業にコンサルやシステム開発時のノウハウを提供。コンサルタントとITエンジニアに特化したフリーランス向け案件紹介サイトも運営。顧客は人手不足に悩むコンサルファームやSIer。フリーランスの登録拡大に注力。
【定着率】‥
【採用】【設立】2005.2【取締】林博文
23年 63【従業員】連1,090名 単624名(34.3歳)
24年 ‥【有休】‥日
25年 未定【初任給】‥万
【試験種類】‥【各種制度】‥

【業績】	売上高	営業利益	経常利益	純利益
単23.7	17,823	1,105	1,107	794
連24.7	27,077	1,506	1,535	902

基礎地盤コンサルタンツ
株式公開予定なし

【本社】136-8577 東京都江東区亀戸1-5-7 錦糸町プライムタワー12階 ☎03-6861-8800
コンサルティング

採用予定数	倍率	3年後離職率	平均年収
15名	‥	‥	‥

【特色】土木・建築コンサルタント、各種地盤調査や測量業務が主力。東海道新幹線の地質調査の受託獲得など経て業容拡大。全国に営業ネットワーク構築。海上風力発電の開発地盤調査、ワンストップ事業者支援にも取り組む。シンガポールやベトナムなどに拠点を置く。
【定着率】‥
【採用】【設立】2005.12【社長】柳浦良行
23年 17【従業員】単692名(46.1歳)
24年 5【有休】‥日
25年 15【初任給】月21.4万
【試験種類】‥【各種制度】‥

【業績】	売上高	営業利益	経常利益	純利益
単22.9	15,678	1,347	1,636	1,090
単23.9	15,838	1,061	1,108	718

㈱サニーサイドアップグループ
東証スタンダード

【本社】151-0051 東京都渋谷区千駄ヶ谷4-23-5 JPR千駄ヶ谷ビル ☎03-6864-1234
コンサルティング

採用予定数	倍率	3年後離職率	平均年収
増加	‥	‥	646万円

【特色】企業PRや販促支援を手がける子会社サニーサイドアップが中核。商業施設などの開業PRで実績。スポーツビジネスに強み持ち、知名度の高いアスリートのマネジメントも手がける。飲食事業では人気朝食レストラン「bills」を国内外で展開。
【定着率】‥
【主要子会社採用】【設立】1985.7【社長】次原悦子
23年 ‥【従業員】連360名 単39名(39.2歳)
24年 ‥【有休】‥日
25年 増加【初任給】‥万
【試験種類】‥【各種制度】‥

【業績】	売上高	営業利益	経常利益	純利益
連23.6	18,956	1,296	1,335	884
連24.6	17,908	1,465	1,501	795

㈱シグマクシス・ホールディングス
東証プライム

【本社】105-0001 東京都港区虎ノ門4-1-28 虎ノ門タワーズオフィス ☎03-6430-3400
コンサルティング

採用実績数	倍率	3年後離職率	平均年収
60名	‥	‥	‥

【特色】コンサルティングと投資事業子会社を擁する持株会社。コンサルは経営戦略立案からDX、ERPクラウド化などシステム構築、導入まで一貫して提供。組織や事業の大胆な変革の提唱が特徴。投資は事業投資のほかベンチャー育成や新事業創造なども行う。
【定着率】‥
【シグマクシス採用】【設立】2008.5【社長】太田寛
23年 ‥【従業員】連708名 単628名(34.7歳)
24年 60【有休】‥日
25年 未定【初任給】年600万(諸手当を除いた数値)
【試験種類】‥【各種制度】‥

【業績】	売上高	営業利益	経常利益	純利益
連23.3	17,334	3,235	3,265	2,204
連24.3	22,410	4,232	4,338	3,232

㈱ＣＩＮＣ
東証グロース

【本社】105-0001 東京都港区虎ノ門1-21-19 東急虎ノ門ビル ☎03-6822-3601
コンサルティング

採用予定数	倍率	3年後離職率	平均年収
3名	‥	‥	551万円

【特色】ビッグデータとAI・機械学習技術を用いたマーケティング調査・分析ツールの開発・提供と、同ツールを用いたDXコンサルが主事業。検索エンジンに関わるマーケティング調査・分析など幅広く展開。コンサルの人材紹介やM&A仲介も手がける。
【定着率】‥
【採用】【設立】2014.4【社長】石松友典
23年 14【従業員】単134名(31.5歳)
24年 5【有休】‥日
25年 3【初任給】月22万(諸手当を除いた数値)
【試験種類】‥【各種制度】‥

【業績】	売上高	営業利益	経常利益	純利益
単22.10	1,805	292	291	201
単23.10	1,945	78	77	5

㈱セルム
東証スタンダード

【本社】150-0013 東京都渋谷区恵比寿1-19-19 ☎03-3440-2003
コンサルティング

採用実績数	倍率	3年後離職率	平均年収
4名	‥	‥	701万円

【特色】人材・組織開発のコンサルティングが主。次期経営幹部人材を発掘・育成する「経営塾」を運営。ミドル層や若手社員向け研修も手がける。企業経営やコンサル経験を有する外部講師陣に強み。大手、準大手企業が主要顧客。顧客拡大や技術力向上へM&Aを検討。
【定着率】‥
【採用】【設立】2016.8【社長】加島禎二
23年 5【従業員】連185名 単133名(37.5歳)
24年 4【有休】‥日
25年 増加【初任給】月21.5万(諸手当を除いた数値)
【試験種類】‥【各種制度】‥

【業績】	売上高	営業利益	経常利益	純利益
連23.3	7,265	936	919	542
連24.3	7,504	1,037	1,006	631

フロンティア・マネジメント（東証プライム）

【本社】106-6241 東京都港区六本木3-2-1 住友不動産六本木グランドタワー ☎03-6862-5180
コンサルティング

採用予定数	倍率	3年後離職率	平均年収
42名	‥	‥	1,268万円

【特色】産業再生機構出身者が中心となり設立した経営コンサルティング会社。多数のアナリストを擁し各業界の特性に応じたソリューションを提供。コンサルのほか、M&Aアドバイザリーや再生支援事業、ファンドによる資金支援業務も手がける。上海に現地法人を持つ。
【定着率】‥
【採用】 【設立】2007.1【代表取締役】大西正一郎
23年 17【従業員】連391名 単347名(37.5歳)
24年 30【有休】‥日
25年 42【初任給】月27万(諸手当を除いた数値)
【試験種類】‥【各種制度】‥

【業績】	売上高	営業利益	経常利益	純利益
連22.12	7,915	908	921	556
連23.12	10,025	1,251	1,238	780

㈱ベクトル（東証プライム）

【本社】107-0052 東京都港区赤坂4-15-1 赤坂ガーデンシティ ☎03-5572-6080
コンサルティング

採用実績数	倍率	3年後離職率	平均年収
69名	‥	‥	641万円

【特色】ネット媒体を得意とする企業PR・コンサル会社。SNSやインフルエンサーの活用などデジタル領域に強み。ニュースリリースやビデオリリースの配信、健康・美容関連製品の直販も手がける。中国・上海、北京などアジア中心に海外にも展開。
【定着率】‥
【グループ採用】【設立】1993.3【会長兼社長】西江肇司
23年 61【従業員】連1,635名 単‥名(32.4歳)
24年 69【有休】‥日
25年 未定【初任給】‥万
【試験種類】‥【各種制度】‥

【業績】	売上高	営業利益	経常利益	純利益
連23.2	55,225	6,276	6,623	3,172
連24.2	59,212	6,939	6,871	4,684

㈱マネジメントソリューションズ（東証プライム）

【本社】107-6229 東京都港区赤坂9-7-1 ミッドタウン・タワー ☎03-5413-8808
コンサルティング

採用実績数	倍率	3年後離職率	平均年収
112名	‥	‥	725万円

【特色】プロジェクトマネジメント(PM)実行支援に特化したコンサルティング会社。顧客企業が新たなシステムを導入する際などに業務委託契約や人材派遣契約を結び、プロジェクト管理を実施。PMの教育、研修プログラムも提供する。台湾、中国、米国に子会社。
【定着率】‥
【採用】 【設立】2005.7【社長】金子啓
23年 68【従業員】連1,341名 単1,156名(38.5歳)
24年 112【有休】‥日
25年 増加【初任給】年360万(諸手当を除いた数値)
【試験種類】‥【各種制度】‥

【業績】	売上高	営業利益	経常利益	純利益
連22.10	12,000	734	745	517
連23.10	16,931	2,207	2,246	1,620

山田コンサルティンググループ（東証プライム）

【本社】100-0005 東京都千代田区丸の内1-8-1 丸の内トラストタワーN館 ☎03-6212-2500
コンサルティング

採用実績数	倍率	3年後離職率	平均年収
21名	‥	‥	911万円

【特色】経営コンサルティング大手。中小企業向けに行う持続的成長・事業再生・事業承継・M&Aなどの総合コンサルティングが中核。不動産コンサルやFP関連の教育研修、事業承継ファンドの運営・売却などにも展開。海外は東南アジア、中国、米国に拠点を持つ。
【定着率】‥
【採用】 【設立】1989.7【社長】増田慶作
23年 19【従業員】連994名 単821名(38.2歳)
24年 21【有休】‥日
25年 前年並【初任給】月27.4万(諸手当を除いた数値)
【試験種類】‥【各種制度】‥

【業績】	売上高	営業利益	経常利益	純利益
連23.3	16,450	2,871	2,920	2,114
連24.3	22,177	3,662	3,724	2,861

いであ（東証スタンダード）

【本社】154-8585 東京都世田谷区駒沢3-15-1 ☎03-4544-7600
コンサルティング

採用予定数	倍率	3年後離職率	平均年収
64名	‥	‥	744万円

【特色】環境調査・分析で大手の建設コンサルタント。主力の環境コンサルでは、河川・海岸の保全計画や都市・地域計画などの社会基盤整備のほか、災害危機管理などを手がける。官公需8割超。子会社では地球観測システムなど情報システム事業も。アジア市場でも展開。
【定着率】‥
【採用】 【設立】1968.9【社長】田畑彰久
23年 44【従業員】連1,102名 単983名(44.6歳)
24年 50【有休】‥日
25年 64【初任給】月24.9万(諸手当を除いた数値)
【試験種類】‥【各種制度】‥

【業績】	売上高	営業利益	経常利益	純利益
連22.12	23,035	3,154	3,278	2,149
連23.12	22,698	2,791	2,991	1,989

㈱エプコ（東証スタンダード）

【本社】130-0012 東京都墨田区太平4-1-3 オリナスタワー ☎03-6853-9165
コンサルティング

採用予定数	倍率	3年後離職率	平均年収
6名	‥	‥	434万円

【特色】住宅設備の設計コンサルティング会社。低層新築住宅の給排水設備の設計・積算受託業務が柱で、大手住宅会社や配管部材メーカーが主要顧客。ハウスメーカーや工務店からのコールセンター業務受託も行う。東京電力子会社との合弁会社などで再エネ関連も推進。
【定着率】‥
【採用】 【設立】1992.6【代表取締役】岩崎辰之
23年 5【従業員】連578名 単365名(41.4歳)
24年 3【有休】‥日
25年 6【初任給】月19.5万(諸手当を除いた数値)
【試験種類】‥【各種制度】‥

【業績】	売上高	営業利益	経常利益	純利益
連22.12	4,818	65	216	359
連23.12	5,059	161	425	626

㈱オオバ

東証プライム

【本社】101-0054 東京都千代田区神田錦町3-7-1 興和一橋ビル ☎03-5931-5888

コンサルティング

採用予定数	倍率	3年後離職率	平均年収
35名	‥	‥	730万円

【特色】建設コンサルタント中堅。地理空間情報などの測量から環境調査、都市計画、道路・橋梁・上下水道施設の設計など幅広く手がける。受注の4割が民需。土地区画整理事業の業務代行ビジネスを強化。老朽化マンション建て替えコンサルも手がける。

【定着率】‥

【採用】【設立】1947.10【代表取締役】辻本茂

23年 31【従業員】連550名 単485名(40.5歳)

24年 28【有休】‥日

25年 35【初任給】月21万(諸手当を除いた数値)

【試験種類】‥【各種制度】‥

【業績】	売上高	営業利益	経常利益	純利益
連23.5	15,647	1,714	1,787	1,075
連24.5	16,485	1,842	1,929	1,339

㈱協和(きょうわ)コンサルタンツ

東証スタンダード

【本社】151-0073 東京都渋谷区笹塚1-62-11 KECビル ☎03-3376-3171

コンサルティング

採用実績数	倍率	3年後離職率	平均年収
3名	‥	‥	620万円

【特色】総合建設コンサルタント会社中堅。都市、港湾、空港などを中心に、建設事業全般における事業計画、測量、調査、施工管理までを一貫して行う。国土交通省や防衛省、地方自治体の案件など公共投資関連が主軸。情報処理サービスや不動産賃貸も手がける。

【定着率】‥

【採用】【設立】1961.8【社長】山本満

23年 3【従業員】連221名 単172名(42.6歳)

24年 3【有休】‥日

25年 増加【初任給】月23万(諸手当を除いた数値)

【試験種類】‥【各種制度】‥

【業績】	売上高	営業利益	経常利益	純利益
連22.11	7,744	546	549	324
連23.11	7,679	632	656	402

JR東日本(ひがしにほん)コンサルタンツ

株式公開計画なし

【本社】141-0033 東京都品川区西品川1-1-1 ☎03-5435-7660

コンサルティング

採用予定数	倍率	3年後離職率	平均年収
15名	‥	‥	‥

【特色】鉄道技術に関連する総合建設コンサルとしてトップ級。鉄道構造物の設計を主体に、調査・計画から施工監理、メンテナンスまでが事業領域。鉄道GIS、GPS、BIMクラウドなどICT事業を強化。AIを活用した調査、分析も。東北、上信越の2支店。

【定着率】‥

【採用】【設立】1989.4【社長】大西精治

23年 13【従業員】単724名(50.4歳)

24年 10【有休】‥日

25年 15【初任給】月23万(諸手当を除いた数値)

【試験種類】‥【各種制度】‥

【業績】	売上高	営業利益	経常利益	純利益
単23.3	19,700	‥	‥	933
単24.3	20,312	‥	‥	1,198

ジオ・サーチ

株式公開していない

【本社】144-0051 東京都大田区西蒲田7-37-10 ☎03-5710-0200

コンサルティング

採用予定数	倍率	3年後離職率	平均年収
5名	‥	‥	‥

【特色】道路・空港・港湾の陥没予防調査や埋設管マッピング調査、コンクリート構造物内部劣化状況調査など社会インフラの検査業務が主力。計測車両35台(23年6月)体制。世界最高の「チーム減災」目指し、韓国や台湾でも実績。累計調査距離約29.5万㎞。

【定着率】‥

【採用】【設立】1988.11【社長】雑賀正嗣

23年 10【従業員】単208名(38.1歳)

24年 5【有休】‥日

25年 5【初任給】月22.3万(諸手当を除いた数値)

【試験種類】‥【各種制度】‥

【業績】	売上高	営業利益	経常利益	純利益
単22.6	3,626	218	368	274
単23.6	3,675	3	241	154

ネットイヤーグループ

東証グロース

【本社】104-0061 東京都中央区銀座2-15-2 KR Ginza Ⅱ ☎03-6369-0500

リサーチ

採用実績数	倍率	3年後離職率	平均年収
9名	‥	‥	616万円

【特色】NTTデータグループのデジタル技術を活用したマーケティング支援サービス会社。マーケティング戦略策定、経営コンサル、システム開発などに関するサービスを総合的に提供。大手流通業向けなどへDX関連を強化。中小企業向けサービスも進める。

【定着率】‥

【採用】【設立】1999.7【社長】廣中龍蔵

23年 8【従業員】単202名(38.9歳)

24年 9【有休】‥日

25年 未定【初任給】月22.3万(諸手当を除いた数値)

【試験種類】‥【各種制度】‥

【業績】	売上高	営業利益	経常利益	純利益
単23.3	3,919	281	280	200
単24.3	3,630	144	144	106

㈱True Data

東証グロース

【本社】105-0012 東京都港区芝大門1-10-11 ☎03-6430-0721

リサーチ

採用予定数	倍率	3年後離職率	平均年収
4名	‥	‥	662万円

【特色】消費者購買傾向やPOSデータなどを活用したビッグデータ分析や開発支援ツールを提供。主力は消費財メーカー向けサービス。スーパー、ドラッグストアなど小売業の年間アクティブ会員数6000万人、年間で約5兆円規模の購買データを扱う。

【定着率】‥

【採用】【設立】2000.10【社長】米倉裕之

23年 4【従業員】単97名(39.5歳)

24年 4【有休】‥日

25年 4【初任給】月18.6万(諸手当を除いた数値)

【試験種類】‥【各種制度】‥

【業績】	売上高	営業利益	経常利益	純利益
単23.3	1,440	76	73	33
単24.3	1,593	63	62	60

㈱Macbee Planet 東証プライム

【本社】150-0002 東京都渋谷区渋谷3-11-11 ☎03-3406-8858
リサーチ

採用予定数	倍率	3年後離職率	平均年収
5名	‥	‥	655万円

【特色】データを活用したマーケティング分析サービスを提供。独自開発のWeb広告データ分析・管理システム「ハニカム」を展開。依頼主との成果報酬連動型の契約モデル。Web接客ツール「Robee」を用いたマーケティングも実施。
【定着率】‥
【採用】【設立】2015.8【社長】千葉知裕
23年 6【従業員】連159名 単32名(31.9歳)
24年 6【有休】‥日
25年 5【初任給】月18.4万(諸手当を除いた数値)
【試験種類】‥【各種制度】‥

【業績】	売上高	営業利益	経常利益	純利益
連23.4	19,589	2,162	2,108	1,567
連24.4	39,405	3,670	3,668	2,282

㈱MS&Consulting 東証スタンダード

【本社】103-0001 東京都中央区日本橋小伝馬町4-9 ☎03-5649-1185
リサーチ

採用予定数	倍率	3年後離職率	平均年収
8名	‥	‥	579万円

【特色】顧客満足度覆面調査「ミステリーショッピングリサーチ」が柱。調査員が顧客企業の外食・小売店などを訪れ覆面調査で商品・サービスを評価。業績支援クラウドサービスや、サービス業に特化した従業員満足度調査なども手がける。調査結果を基にコンサルも行う。
【定着率】‥
【採用】【設立】2013.3【社長】辻秀敏
23年 7【従業員】連145名 単137名(36.6歳)
24年 7【有休】‥日
25年 8【初任給】月18.8万(諸手当を除いた数値)
【試験種類】‥【各種制度】‥

【業績】	売上高	営業利益	税前利益	純利益
連23.2	2,213	325	324	219
連24.2	2,391	179	178	114

㈱クロス・マーケティンググループ 東証プライム

【本社】163-1424 東京都新宿区西新宿3-20-2 東京オペラシティタワー ☎03-6859-2250
リサーチ

採用予定数	倍率	3年後離職率	平均年収
140名	‥	‥	640万円

【特色】インターネットを利用した市場調査会社。登録モニターへのWebアンケート調査、会員向け調査サービスを、メーカーや広告代理店、コンサル、学校、官公庁などに提供。ネットリサーチからDXやデジタルマーケティングへ事業領域の拡大を推進。
【定着率】‥
【グループ採用】【設立】2013.6【社長】五十嵐幹
23年 32【従業員】連1,491名 単113名(40.5歳)
24年 33【有休】‥日
25年 140【初任給】月22.2万(諸手当を除いた数値)
【試験種類】‥【各種制度】‥

【業績】	売上高	営業利益	経常利益	純利益
連23.6	25,094	1,950	1,879	1,007
連24.6	26,185	1,844	1,912	1,192

㈱アイ・ピー・エス 東証プライム

【本社】104-0045 東京都中央区築地4-1-1 ☎03-3549-7621
通信サービス

採用実績数	倍率	3年後離職率	平均年収
0名	‥	‥	953万円

【特色】国内、海外で通信関連サービスを展開。フィリピンでCATV事業者に国際海底ケーブルを用いた通信回線提供が柱。国内は秒課金サービス、インターネットVPNを提供。コールセンターシステム向けパッケージシステムに強み。レーシッククリニック運営も。
【定着率】‥
【採用】【設立】1991.10【社長】宮下幸治
23年 0【従業員】連588名 単32名(40.3歳)
24年 0【有休】‥日
25年 0【初任給】‥万
【試験種類】‥【各種制度】‥

【業績】	売上高	営業利益	経常利益	純利益
連23.3	12,346	3,311	3,464	2,292
連24.3	14,117	3,894	4,427	2,835

㈱FRS 東証スタンダード

【本社】101-0051 東京都千代田区神田神保町3-23-2 錦明ビル ☎03-6826-1500
通信サービス

採用予定数	倍率	3年後離職率	平均年収
3名	‥	‥	781万円

【特色】オフィス移転支援サービスをワンストップで展開。不動産物件の仲介から運送、内装手配、各種インフラの整備やオフィス機器・什器の手配までを行う。集客サイト「オフィス移転navi」などのコンテンツ拡充に注力。通信機器販売のフォーバル傘下。
【定着率】‥
【採用】【設立】1995.3【社長】吉田浩司
23年 2【従業員】単86名(37.3歳)
24年 6【有休】‥日
25年 3【初任給】‥万
【試験種類】‥【各種制度】‥

【業績】	売上高	営業利益	経常利益	純利益
単23.3	2,975	156	156	112
単24.3	3,066	169	170	130

日本通信（にほんつうしん） 東証プライム

【本社】105-0001 東京都港区虎ノ門4-1-28 ☎03-5776-1701
通信サービス

採用実績数	倍率	3年後離職率	平均年収
10名	‥	‥	‥

【特色】携帯電話事業者のインフラを借り受けて、自社のサービスを提供する仮想移動体通信事業者(MVNO)の先駆。NTTドコモ、au、ソフトバンクモバイルに対応した格安プランを提供。自治体向けの電子証明や、モバイル・ソリューションの提供も行う。
【定着率】‥
【採用】【設立】1996.5【社長】福田尚久
23年 4【従業員】連131名 単112名(39.8歳)
24年 10【有休】‥日
25年 未定【初任給】月26.5万(諸手当を除いた数値)
【試験種類】‥【各種制度】‥

【業績】	売上高	営業利益	経常利益	純利益
連23.3	6,074	740	780	690
連24.3	7,400	1,139	1,183	1,365

㈱ビジョン　東証プライム

【本社】160-0022 東京都新宿区新宿6-27-30 新宿イーストサイドスクエア ☎03-5287-3110
通信サービス

採用予定数	倍率	3年後離職率	平均年収
若干	‥	‥	569万円

【特色】モバイルWi-Fiルーターのレンタルが主軸。海外渡航者向けとインバウンド向けが柱で、リピーターの増加や海外からの旅行客増加を背景に高成長。固定電話や移動体通信の加入取次など情報通信サービスが2本目の柱。海外約180カ国で使えるeSIMアプリも提供。
【定着率】‥
【採用】【設立】2001.12【社長】大田健司
23年 22【従業員】連747名 単589名(34.6歳)
24年 5【有休】‥日
25年 若干【初任給】月19万(諸手当を除いた数値)
【試験種類】‥【各種制度】‥

【業績】	売上高	営業利益	経常利益	純利益
連22.12	25,487	2,414	2,422	1,548
連23.12	31,807	4,280	4,337	3,025

フリービット　東証プライム

【本社】150-0044 東京都渋谷区円山町3-6 ☎03-5459-0522
通信サービス

採用実績数	倍率	3年後離職率	平均年収
3名	‥	‥	633万円

【特色】中小ネット接続事業者(ISP)向けネット接続運用代行業務を展開。固定網に加えクラウドも対応。MVNO参入企業向けに導入支援パッケージサービスを提供。ネット広告配信事業も手がける。5Gインフラ支援・生活様式支援事業に重点。
【定着率】‥
【採用】【設立】2000.5【社長】石田宏樹
23年 3【従業員】連884名 単260名(41.0歳)
24年 3【有休】‥日
25年 未定【初任給】‥万
【試験種類】‥【各種制度】‥

【業績】	売上高	営業利益	経常利益	純利益
連23.4	46,771	4,007	3,707	1,792
連24.4	53,037	5,887	5,756	3,566

ベイシス　東証グロース

【本社】105-0011 東京都港区芝公園2-4-1 芝パークビルB館 ☎03-6435-9907
通信サービス

採用予定数	倍率	3年後離職率	平均年収
15名	‥	‥	469万円

【特色】国内主要キャリアの携帯電話基地局の構築・運用・保守を主力に全国展開。スタジアムやイベント施設、空港・鉄道などのWi-Fi設置などにも実績。東京電力から受託した電気・ガスなどのスマートメーター設置と遠隔監視も手がける。
【定着率】‥
【採用】【設立】2005.9【社長】吉村公孝
23年 ‥【従業員】連568名 単386名(36.1歳)
24年 15【有休】‥日
25年 15【初任給】月17.1万(諸手当を除いた数値)
【試験種類】‥【各種制度】‥

【業績】	売上高	営業利益	経常利益	純利益
単23.6	6,863	382	363	280
連24.6	6,822	79	76	13

㈱U-NEXT HOLDINGS　東証プライム

【本社】141-0021 東京都品川区上大崎3-1-1 目黒セントラルスクエア ☎03-6823-2000
通信サービス

採用予定数	倍率	3年後離職率	平均年収
250名	‥	‥	554万円

【特色】USENとU-NEXTを傘下に持つ持株会社。有線放送やPOSレジなど店舗サービス、映像配信、光回線販売などを手がける。音楽配信は楽曲Web投票で推し活の場を提供、USENの知名度が低い若年層へ訴求。動画配信は「パラビ」の運営会社を買収しドラマを強化。
【定着率】‥
【グループ採用】【設立】2009.2【社長】宇野康秀
23年 259【従業員】連4,905名 単208名(36.4歳)
24年 257【有休】‥日
25年 250【初任給】‥万
【試験種類】‥【各種制度】‥

【業績】	売上高	営業利益	経常利益	純利益
連22.8	237,927	17,321	16,241	8,687
連23.8	276,344	21,565	20,386	10,959

㈱プラザホールディングス　東証スタンダード

【本社】104-6027 東京都中央区晴海1-8-10 晴海トリトンオフィスタワー X ☎03-3532-8800
通信サービス

採用実績数	倍率	3年後離職率	平均年収
20名	‥	‥	473万円

【特色】携帯端末販売が主力事業。端末値上がりによる買い替えサイクル長期化に対し、店舗外での販売イベントを推進。法人営業強化も継続。祖業の写真プリント店「パレットプラザ」は9割超がFC店。3Dウッドパズルなどの DIYキットやグランピング施設運営など第3の柱も。
【定着率】‥
【採用】【設立】1988.3【社長】大島康広
23年 25【従業員】連559名 単10名(47.2歳)
24年 20【有休】‥日
25年 未定【初任給】月21万(諸手当を除いた数値)
【試験種類】‥【各種制度】‥

【業績】	売上高	営業利益	経常利益	純利益
連23.3	19,127	91	119	▲204
連24.3	17,638	218	257	58

㈱ベルパーク　東証スタンダード

【本社】102-0093 東京都千代田区平河町1-4-12 ☎03-3288-5211
通信サービス

採用実績数	倍率	3年後離職率	平均年収
75名	‥	‥	499万円

【特色】携帯端末販売1次代理店。ソフトバンク主体にauやワイモバイルなどのキャリアショップ約350店を運営する。NTTドコモの2次代理店も傘下。DXの活用で店舗運営と接客の効率化進める。法人向けは、営業拠点の拡大と人員増で新規顧客を開拓。
【定着率】‥
【採用】【設立】1993.2【社長】西川健士
23年 83【従業員】連1,970名 単1,872名(32.3歳)
24年 75【有休】‥日
25年 前年並【初任給】月20.2万(諸手当を除いた数値)
【試験種類】‥【各種制度】‥

【業績】	売上高	営業利益	経常利益	純利益
連22.12	102,778	3,534	3,588	2,521
連23.12	115,485	3,531	3,571	2,381

ＮＴＴコムエンジニアリング

株式公開計画なし

【本社】105-0023 東京都港区芝浦1-2-1 シーバンスN館 ☎03-6737-1001
システム・ソフト

採用予定数	倍率	3年後離職率	平均年収
50名	‥	‥	‥

【特色】情報通信サービスの設計・構築から保守・運用までを行う。クラウド・アプリケーション、ボイスコミュニケーション、インフラ・ネットワークサービスをワンストップでサポート。事業強化のため500以上の資格取得を支援。NTTコミュニケーションズ傘下。
【定着率】‥
【採用】【設立】1987.4【社長】飯田健一郎
23年 49【従業員】単1,848名(46.5歳)
24年 47【有休】‥日
25年 50【初任給】月21.6万(諸手当を除いた数値)
【試験種類】‥【各種制度】‥

【業績】	売上高	営業利益	経常利益	純利益
単23.3	39,542	1,548	1,568	1,011
単24.3	43,037	2,085	2,101	1,287

ジグノシステムジャパン

株式公開計画なし

【本社】102-0083 東京都千代田区麹町3-6 住友不動産麹町ビル3号館5階 ☎03-5210-5670
システム・ソフト

採用実績数	倍率	3年後離職率	平均年収
1名	‥	‥	‥

【特色】個人向けモバイル用エンタメ系コンテンツ制作と法人向けシステム・アプリ企画開発、Webサイト構築、コンテンツ制作受託を行う。SNSで人気のキャラクターのライセンス事業を子会社化。ECサイトでのグッズ販売や企業広告などを展開。FM東京グループ。
【定着率】‥
【採用】【設立】1996.12【社長】山川哲生
23年 1【従業員】単81名(40.3歳)
24年 1【有休】‥日
25年 未定【初任給】‥万
【試験種類】‥【各種制度】‥

【業績】	売上高	営業利益	経常利益	純利益
単23.3	1,720	77	79	182
単24.3	1,781	167	172	202

㈱ＩＣ

東証スタンダード

【本社】108-6207 東京都港区港南2-15-3 品川インターシティC棟 ☎03-4335-8188
システム・ソフト

採用予定数	倍率	3年後離職率	平均年収
40名	‥	‥	574万円

【特色】ソフト開発とシステム運用が2本柱。独立系SIだが、日立グループ向けが売上高の5割超を占める。官公庁や金融業、製造業の顧客企業にSEが常駐する顧客密着型システム開発が主力。ITサービスとしてチケット管理システムの販売も手がける。
【定着率】‥
【採用】【設立】1978.2【社長】齋藤良二
23年 17【従業員】連760名 単732名(38.5歳)
24年 41【有休】‥日
25年 40【初任給】月21万(諸手当を除いた数値)
【試験種類】‥【各種制度】‥

【業績】	売上高	営業利益	経常利益	純利益
連22.9	8,489	633	711	526
連23.9	8,562	404	476	372

アイビーシー

東証スタンダード

【本社】104-0033 東京都中央区新川1-8-8 アクロス新川ビル ☎03-5117-2780
システム・ソフト

採用予定数	倍率	3年後離職率	平均年収
7名	‥	‥	609万円

【特色】コンピューター・ネットワーク・システムの状態の「見える化」で、予防保守や課題解析を可能にするICTインフラ性能監視のパイオニア。製品のライセンス販売・導入、コンサル、分析サービスを展開。パッケージのSaaS化、パートナー施策を推進。
【定着率】‥
【採用】【設立】2002.10【社長】加藤裕之
23年 5【従業員】連87名 単78名(36.9歳)
24年 5【有休】‥日
25年 7【初任給】月20.2万(諸手当を除いた数値)
【試験種類】‥【各種制度】‥

【業績】	売上高	営業利益	経常利益	純利益
連22.9	1,501	▲48	▲22	▲17
連23.9	1,900	212	234	70

アウトルックコンサルティング

東証グロース

【本社】107-0062 東京都港区南青山3-1-3 ☎03-6434-5670
システム・ソフト

採用実績数	倍率	3年後離職率	平均年収
4名	‥	‥	753万円

【特色】経営管理システム「Sactona」の開発と導入支援などのコンサルティングを展開。MS Excelを入出力帳票として利用できる利便性を背景に大手企業の顧客が多い。AIを活用した経営管理サポート機能を導入。英国圏を主体にした海外進出に注力。
【定着率】‥
【採用】【設立】2006.4【社長】平尾泰文
23年 ‥【従業員】単77名(36.6歳)
24年 4【有休】‥日
25年 未定【初任給】‥万
【試験種類】‥【各種制度】‥

【業績】	売上高	営業利益	経常利益	純利益
単23.3	1,440	470	464	319
単24.3	1,667	565	542	452

アクモス

東証スタンダード

【本社】105-0001 東京都港区虎ノ門1-21-19 東急虎ノ門ビル ☎03-5539-8800
システム・ソフト

採用予定数	倍率	3年後離職率	平均年収
30名	‥	‥	515万円

【特色】ITソリューション事業の中堅企業。IT基盤の設計・構築、SI・ソフトウェア開発、運用・保守サービスを展開。医療機関向けシステムの開発、消防・防災向けシステムの提供、地理情報システムの販売なども手がける。M&Aで重点分野強化を図る。
【定着率】‥
【採用】【設立】1991.8【社長】清川明宏
23年 20【従業員】連456名 単285名(36.4歳)
24年 26【有休】‥日
25年 30【初任給】月20.4万(諸手当を除いた数値)
【試験種類】‥【各種制度】‥

【業績】	売上高	営業利益	経常利益	純利益
連23.6	5,867	649	677	419
連24.6	6,230	660	660	422

旭情報サービス（あさひじょうほう）
東証スタンダード

【本社】100-0005 東京都千代田区丸の内1-7-12 サピアタワー ☎03-5224-8281
システム・ソフト

採用実績数	倍率	3年後離職率	平均年収
154名	‥	‥	485万円

【特色】独立系情報サービス会社。ネットワークシステムの構築・運用管理、ソフトウェアの設計・開発などを展開。常駐型や受託型のアウトソーシング、エンジニアリング派遣にも対応。トヨタグループが主要顧客。IoT、AIのSE人材の育成・強化を継続。
【定着率】‥
【採用】 【設立】1962.8【社長】濵田広徳
23年 155【従業員】単1,923名(35.3歳)
24年 154【有休】‥日
25年 未定【初任給】月21.6万(諸手当を除いた数値)
【試験種類】‥【各種制度】‥

【業績】	売上高	営業利益	経常利益	純利益
単23.3	13,860	1,312	1,345	912
単24.3	14,786	1,427	1,456	1,071

アルファテックス
株式公開計画なし

【本社】141-0031 東京都品川区西五反田8-1-5 五反田光和ビル ☎03-6910-4818
システム・ソフト

採用予定数	倍率	3年後離職率	平均年収
未定	‥	‥	‥

【特色】独立系システム開発会社。バックオフィス業務のBPOなどの業務サービス、帳票配信サービスやRPA化支援などのITサービス、業務可視化分析・電子化推進などのITコンサルティングの3本柱で顧客の業務改善を提案。デジタル技術の利活用に注力。
【定着率】‥
【採用】 【設立】1988.3【社長】石川春
23年 2【従業員】単137名(‥歳)
24年 ‥【有休】‥日
25年 未定【初任給】月21万(諸手当を除いた数値)
【試験種類】‥【各種制度】‥

【業績】	売上高	営業利益	経常利益	純利益
単23.3	1,576	110	113	87
単24.3	1,749	‥	‥	‥

㈱Eストアー
東証スタンダード

【本社】107-6205 東京都港区赤坂9-7-1 ミッドタウン・タワー ☎03-6434-5196
システム・ソフト

採用予定数	倍率	3年後離職率	平均年収
10名	‥	‥	557万円

【特色】EC総合支援サービスを展開。中小企業や個人事業主向けにWebショップの開店・運営の支援、販促ツールなど各種サービスをASPにより提供。ECシステムや決済、広告などマーケティングが柱。SNS集客・リピート施策といったコンサルも行う。
【定着率】‥
【採用】 【設立】1999.2【社長】柳田要一
23年 13【従業員】連296名 単108名(34.6歳)
24年 8【有休】‥日
25年 10【初任給】月22.5万(諸手当を除いた数値)
【試験種類】‥【各種制度】‥

【業績】	売上高	営業利益	経常利益	純利益
連23.3	9,449	899	751	307
連24.3	12,566	1,086	1,317	462

㈱インターファクトリー
東証グロース

【本社】102-0071 東京都千代田区富士見2-10-2 ☎03-5211-0086
システム・ソフト

採用予定数	倍率	3年後離職率	平均年収
15名	‥	‥	598万円

【特色】EC(電子商取引)事業者向けに、クラウド型ECプラットフォームを構築。事業の中核となるプラットフォーム「ebisumart」は、顧客の要望に応じたカスタマイズ性の高さに特長。受託開発後も機能追加や更新など運用・保守で収益を得る。
【定着率】‥
【採用】 【設立】2006.7【社長】蕪木登
23年 10【従業員】単157名(34.5歳)
24年 6【有休】‥日
25年 15【初任給】月20.3万(諸手当を除いた数値)
【試験種類】‥【各種制度】‥

【業績】	売上高	営業利益	経常利益	純利益
単23.5	2,487	53	46	22
単24.5	2,595	▲24	▲28	▲31

ウイングアーク1st
東証プライム

【本社】106-0032 東京都港区六本木3-2-1 六本木グランドタワー ☎03-5962-7400
システム・ソフト

採用予定数	倍率	3年後離職率	平均年収
未定	‥	‥	748万円

【特色】帳票システム、企業内データを活用するビジネス・インテリジェンス製品、意思決定支援ツールなどを提供するソフト開発会社。帳票基盤ソリューション「SVF」は導入企業3万5000社以上、帳票ソフトで国内シェア首位。海外は中国、豪州などで展開。
【定着率】‥
【採用】 【設立】2016.3【社長】田中潤
23年 ‥【従業員】連910名 単807名(40.4歳)
24年 ‥【有休】‥日
25年 未定【初任給】‥万
【試験種類】‥【各種制度】‥

【業績】	売上高	営業利益	税前利益	純利益
連23.2	22,349	5,945	5,860	4,401
連24.2	25,752	7,309	7,304	5,411

ARアドバンストテクノロジ
東証グロース

【本社】150-0002 東京都渋谷区渋谷2-17-1 渋谷アクシュ ☎03-6450-6080
システム・ソフト

採用実績数	倍率	3年後離職率	平均年収
40名	‥	‥	555万円

【特色】クラウド技術とデータ・AI活用によるDX化向けコンサルティング、受託開発、保守をワンストップで展開。自社開発のほか他社サービス提供も行う。DX人材派遣も手がける。仮想化、自動化技術に強み。顧客は製造業、流通業、サービス業、官公庁まで幅広い。
【定着率】‥
【採用】 【設立】2010.1【社長】武内寿憲
23年 ‥【従業員】連544名 単470名(36.1歳)
24年 40【有休】‥日
25年 未定【初任給】‥万
【試験種類】‥【各種制度】‥

【業績】	売上高	営業利益	経常利益	純利益
連22.8	8,768	396	396	272
連23.8	10,162	528	513	319

㈱ＳＲＡ
株式公開計画なし

【本社】171-8513 東京都豊島区南池袋2-32-8
☎03-5979-2111
システム・ソフト

採用予定数	倍率	3年後離職率	平均年収
35名	‥	‥	‥

【特色】国内外のリーディング企業を主要顧客とする情報サービス企業。システム構築、運用サービス、製品ソリューションを提供。システム構築は金融、組み込み、文教などの分野で実績。東京、大阪、愛知に事業所。SRA・HDの中核事業会社。
【定着率】‥
【採用】【設立】1967.11【社長】平田淳史
23年 32【従業員】単840名(45.7歳)
24年 30【有休】‥日
25年 35【初任給】月23万(諸手当を除いた数値)
【試験種類】‥【各種制度】‥

【業績】	売上高	営業利益	経常利益	純利益
単23.3	21,343	3,292	6,190	▲311
単24.3	21,903	3,580	6,305	2,039

㈱ＳＩＧグループ
東証スタンダード

【本社】102-0073 東京都千代田区九段北4-2-1
☎03-5213-4580
システム・ソフト

採用予定数	倍率	3年後離職率	平均年収
45名	‥	‥	693万円

【特色】システム開発とインフラ・セキュリティサービス事業を提供。官公庁の公共事業や金融・サービス業界向け情報システムのほか、プラント向け制御・監視システム、製造装置向け組み込みシステムなどへ展開。案件獲得と人材確保のため各地に拠点を置く。
【定着率】‥
【グループ採用】【設立】1991.12【社長】石川純生
23年 32【従業員】連717名 単40名(45.9歳)
24年 37【有休】‥日
25年 45【初任給】月21.9万(諸手当を除いた数値)
【試験種類】‥【各種制度】‥

【業績】	売上高	営業利益	経常利益	純利益
連23.3	5,418	391	457	301
連24.3	6,906	355	357	239

ＳＡＰジャパン
株式公開計画なし

【本社】100-0004 東京都千代田区大手町1-2-1 三井物産ビル11・12階
☎03-6737-3000
システム・ソフト

採用予定数	倍率	3年後離職率	平均年収
未定	‥	‥	‥

【特色】欧州最大級の独ソフト開発会社SAP社の日本法人。親会社は企業向けアプリケーションソフト市場でリーダー的存在。ERP製品「SAP S/4HANA」をはじめ、CRMやSCMなどのシステムを幅広く提供。大阪、名古屋、福岡に拠点。
【定着率】‥
【採用】【設立】1992.10【社長】鈴木洋史
23年 ‥【従業員】単1,727名(‥歳)
24年 ‥【有休】‥日
25年 未定【初任給】‥万
【試験種類】‥【各種制度】‥

【業績】	売上高	営業利益	経常利益	純利益
単22.12	163,977	20,419	20,323	14,019
単23.12	176,958	13,296	13,894	9,742

㈱エニグモ
東証プライム

【本社】107-0052 東京都港区赤坂8-1-22 NMF青山一丁目ビル
☎03-5775-4760
システム・ソフト

採用予定数	倍率	3年後離職率	平均年収
未定	‥	‥	710万円

【特色】個人がバイヤーとなり世界中のアイテムを紹介・販売するソーシャルショッピングサイト「BUYMA」を運営。出品者と購入者からの手数料収入が収益源。海外在住バイヤーの出品に特徴。現地在住ガイドのプライベートツアー予約サイトも手がける。
【定着率】‥
【採用】【設立】2004.2【代表取締役】須田将啓
23年 1【従業員】単150名(36.0歳)
24年 0【有休】‥日
25年 前年並【初任給】‥万
【試験種類】‥【各種制度】‥

【業績】	売上高	営業利益	経常利益	純利益
単23.1	6,868	1,136	1,143	712
単24.1	6,203	999	1,019	838

エヌ・ティ・ティ・システム開発(かいはつ)
株式公開計画なし

【本社】171-0031 東京都豊島区目白2-16-20 TCS-HD南池袋ビル
☎03-3985-8711
システム・ソフト

採用実績数	倍率	3年後離職率	平均年収
58名	‥	‥	‥

【特色】TCSグループのシステム開発会社。NTTのパートナー企業として同グループ向けソフト開発を中心に成長。富士通、日立製作所とも好関係。金融、流通、官公庁系にも実績が多い。札幌から福岡まで全国に拠点を置く。
【定着率】‥
【採用】【設立】1984.6【社長】田村浩一
23年 33【従業員】単950名(36.1歳)
24年 58【有休】‥日
25年 未定【初任給】月22万(諸手当を除いた数値)
【試験種類】‥【各種制度】‥

【業績】	売上高	営業利益	経常利益	純利益
単23.3	9,947	1,573	1,616	1,051
単24.3	9,043	1,260	1,345	882

ＮＴＴデータ先端技術(せんたんぎじゅつ)
株式公開計画なし

【本社】104-0052 東京都中央区月島1-15-7 パシフィックマークス月島7階
☎03-5843-6800
システム・ソフト

採用予定数	倍率	3年後離職率	平均年収
50名	‥	‥	‥

【特色】ITシステム基盤、AI、サイバーセキュリティー、ITコンサルティング等の高度IT技術者を擁する専門技術者集団。生成AI、ゼロトラスト、DXに関する最新技術や、ITコンサルティング、高度なマネージド・サービス事業の拡大に注力。
【定着率】‥
【採用】【設立】1999.8【社長】藤原遠
23年 42【従業員】単1,108名(‥歳)
24年 40【有休】‥日
25年 50【初任給】月34.1万(諸手当を除いた数値)
【試験種類】‥【各種制度】‥

【業績】	売上高	営業利益	経常利益	純利益
単23.3	60,910	5,326	5,424	3,664
単24.3	65,056	5,687	5,844	4,002

エバーネットデータ
株式公開 上場したい

【本社】102-0076 東京都千代田区五番町12 ☎03-6823-1130
システム・ソフト

採用予定数	倍率	3年後離職率	平均年収
10名	‥	‥	‥

【特色】ITエンジニア派遣が軸の人材サービス会社。取引先は食品・建設・繊維・金融・電気・機械など幅広い。業務アプリの開発や非ITエンジニアの派遣やデータの入力・集計業務の受託も手がける。東京・日本橋の賃貸ビルが安定した収入源。
【定着率】‥
【採用】【設立】1993.12【代表取締役】益子恒弘
23年 10【従業員】単150名(35.0歳)
24年 5【有休】‥日
25年 10【初任給】月21.5万(諸手当を除いた数値)
【試験種類】‥【各種制度】‥

【業績】	売上高	営業利益	経常利益	純利益
単22.11	1,028	127	225	157
単23.11	967	42	105	103

㈱オプティム
東証 プライム

【本社】105-0022 東京都港区海岸1-2-20 汐留ビルディング ☎03-6435-8570
システム・ソフト

採用予定数	倍率	3年後離職率	平均年収
50名	‥	‥	564万円

【特色】スマホなどの情報端末をクラウドで一括管理するモバイルデバイス管理サービスが主軸。導入実績18万社で国内シェア首位。ライセンス料やOEMなどによるカスタマイズ料が収益源。遠隔管理サービスも手がける。保有特許を多く持つ。
【定着率】‥
【採用】【設立】2000.6【社長】菅谷俊二
23年 29【従業員】連413名 単399名(33.1歳)
24年 23【有休】‥日
25年 50【初任給】‥万
【試験種類】‥【各種制度】‥

【業績】	売上高	営業利益	経常利益	純利益
連23.3	9,277	1,750	1,634	962
連24.3	10,243	1,940	1,844	1,171

㈱ガイアックス
名証 ネクスト

【本社】102-0093 東京都千代田区平河町2-5-3 ☎03-5759-0300
システム・ソフト

採用実績数	倍率	3年後離職率	平均年収
4名	‥	‥	607万円

【特色】SNSマーケティング支援、クラウド型社内SNS、コンテンツ配信サービスなどのソーシャルメディアサービスが主体。新規事業開拓やベンチャー投資などのインキュベーション事業にも力を入れ、シェアリングエコノミーサービスに重点。
【定着率】‥
【採用】【設立】1999.5【代表執行役】上田祐司
23年 12【従業員】連138名 単110名(35.7歳)
24年 4【有休】‥日
25年 未定【初任給】月21.4万(諸手当を除いた数値)
【試験種類】‥【各種制度】‥

【業績】	売上高	営業利益	経常利益	純利益
連22.12	2,597	▲210	▲174	▲341
連23.12	2,717	135	152	279

㈱CAICA DIGITAL
東証 スタンダード

【本社】107-0062 東京都港区南青山5-11-9 レキシントン青山 ☎03-5657-3000
システム・ソフト

採用実績数	倍率	3年後離職率	平均年収
17名	‥	‥	585万円

【特色】銀行や損保・生保など金融機関向けシステム開発等ITサービス事業が主軸。フィスコグループと親密。暗号資産交換所Zaif含む暗号資産関連の子会社は業績低迷で23年売却。Web3コンサル強化し高単価SI案件獲得を狙う。
【定着率】‥
【グループ採用】【設立】1989.7【社長】鈴木伸
23年 14【従業員】連398名 単20名(45.8歳)
24年 17【有休】‥日
25年 微増【初任給】月20.7万(諸手当を除いた数値)
【試験種類】‥【各種制度】‥

【業績】	売上高	営業利益	経常利益	純利益
連22.10	6,442	▲1,389	▲1,395	▲6,244
連23.10	5,408	▲2,378	▲2,560	▲3,889

ガンホー・オンライン・エンターテイメント
東証 プライム

【本社】100-6221 東京都千代田区丸の内1-11-1 PCP丸の内 ☎03-6895-1650
システム・ソフト

採用実績数	倍率	3年後離職率	平均年収
7名	‥	‥	730万円

【特色】オンラインゲーム開発・運営会社。スマホ向けアプリ「パズル＆ドラゴンズ」が収益柱。任天堂スイッチ向け「ニンジャラ」はイベント、オンライン大会、アニメ化など幅広く拡大。世界150カ国以上で配信。ガンダムなどIPコラボに注力。
【定着率】‥
【採用】【設立】1998.7【社長】森下一喜
23年 7【従業員】連1,453名 単449名(41.3歳)
24年 7【有休】‥日
25年 未定【初任給】‥万
【試験種類】‥【各種制度】‥

【業績】	売上高	営業利益	経常利益	純利益
連22.12	105,505	27,649	28,985	19,022
連23.12	125,315	27,880	29,308	16,433

かんぽシステムソリューションズ
株式公開 計画なし

【本社】141-0001 東京都品川区北品川5-6-1 大崎ブライトタワー 28階 ☎03-6631-0700
システム・ソフト

採用予定数	倍率	3年後離職率	平均年収
70名	‥	‥	‥

【特色】かんぽ生命保険の情報システム子会社。保険業務とユニバーサルサービスの基盤となる巨大システムの開発・保守・運用を行う。親会社の基幹系システム、フロントシステムの保守・運営管理のほか、デジタル技術で新価値創造にも取り組む。
【定着率】‥
【採用】【設立】1985.3【会長】井戸潔
23年 51【従業員】単730名(38.0歳)
24年 56【有休】‥日
25年 70【初任給】月22.5万(諸手当を除いた数値)
【試験種類】‥【各種制度】‥

【業績】	売上高	営業利益	経常利益	純利益
単23.3	39,626	43	47	28
単24.3	48,118	79	83	62

協立情報通信（きょうりつじょうほうつうしん）　東証スタンダード

【本社】105-0013 東京都港区浜松町1-9-10 ☎03-3434-3141
システム・ソフト

採用予定数	倍率	3年後離職率	平均年収
15名	‥	‥	497万円

【特色】ソリューション事業とモバイル事業が2本柱の情報サービス会社。ソリューション事業は情報通信システムの構築・保守・運用、教育などを展開。ERPソフト「OBC奉行」のサポートも手がける。モバイル事業は東京・埼玉でドコモ代理店を運営。
【定着率】‥
【採用】【設立】1965.6【会長兼社長】佐々木茂則
23年 9【従業員】単194名(38.1歳)
24年 7【有休】‥日
25年 15【初任給】月22万(諸手当を除いた数値)
【試験種類】‥【各種制度】‥

【業績】	売上高	営業利益	経常利益	純利益
連23.3	4,983	184	192	123
単24.3	5,469	283	285	258

勤次郎（きんじろう）　東証グロース

【本社】101-0021 東京都千代田区外神田4-14-1 ☎03-6260-8980
システム・ソフト

採用実績数	倍率	3年後離職率	平均年収
11名	‥	‥	574万円

【特色】企業向けに就業、人事、給与に関する管理システムや、健康管理などのシステムに関するソフトウェア、ハードウェアの開発・販売を行う。クラウドやパッケージでシステム提供。主力製品は「Universal勤次郎」。クラウド事業が堅調。
【定着率】‥
【採用】【設立】1981.4【代表取締役】加村光造
23年 16【従業員】連313名 単265名(36.6歳)
24年 11【有休】‥日
25年 増加【初任給】月23.5万(諸手当を除いた数値)
【試験種類】‥【各種制度】‥

【業績】	売上高	営業利益	経常利益	純利益
連22.12	3,551	444	437	304
連23.12	3,923	572	563	370

㈱kubell　東証グロース

【本社】107-0062 東京都港区南青山1-24-3 WeWork 乃木坂 ☎050-1791-0683
システム・ソフト

採用実績数	倍率	3年後離職率	平均年収
20名	‥	‥	670万円

【特色】ビジネスチャットツール「チャットワーク」を展開。基本のチャット機能に加えて、タスク管理やファイル共有、ビデオ通話会議などの機能をワンストップで提供。他社サービスとの連携も可能。英語、台湾語、ベトナム語など多言語に対応。
【定着率】‥
【採用】【設立】2005.12【社長】山本正喜
23年 14【従業員】連515名 単451名(35.2歳)
24年 20【有休】‥日
25年 未定【初任給】‥万
【試験種類】‥【各種制度】‥

【業績】	売上高	営業利益	経常利益	純利益
連22.12	4,593	▲719	▲724	▲687
連23.12	6,485	▲677	▲686	▲620

㈱コンピュータネットワーク　株式公開していない

【本社】164-0003 東京都中野区東中野3-20-10 ☎03-3361-1511
システム・ソフト

採用予定数	倍率	3年後離職率	平均年収
10名	‥	‥	‥

【特色】ネットワーク技術をベースとした開発とシステム運用を展開する独立系ソフト開発会社。通信制御は社会・公共インフラ向けが主体。鉄道運行管理システムや道路交通情報システムなどに実績。システム開発の品質維持のため受入検査業務を行う。
【定着率】‥
【採用】【設立】1979.2【社長】羽石芳水
23年 6【従業員】単131名(38.0歳)
24年 5【有休】‥日
25年 10【初任給】月22.5万(諸手当を除いた数値)
【試験種類】‥【各種制度】‥

【業績】	売上高	営業利益	経常利益	純利益
単22.9	1,310	‥	26	37
単23.9	1,308	‥	40	24

㈱サーバーワークス　東証スタンダード

【本社】162-0824 東京都新宿区揚場町1-21 飯田橋升本ビル ☎03-5579-8029
システム・ソフト

採用予定数	倍率	3年後離職率	平均年収
18名	‥	‥	694万円

【特色】アマゾンのクラウドサービス「AWS」の課金代行、導入・運用支援が主軸。クラウド戦略立案から設計・構築などの導入支援、運用代行までのサービスを一貫提供。AWSの運用自動化サービスに強み持つ。グーグルの「グーグルクラウド」領域にも参入。
【定着率】‥
【採用】【設立】2002.4【社長】大石良
23年 10【従業員】連403名 単294名(37.0歳)
24年 16【有休】‥日
25年 18【初任給】月24万(諸手当を除いた数値)
【試験種類】‥【各種制度】‥

【業績】	売上高	営業利益	経常利益	純利益
連23.2	17,295	552	624	453
連24.2	27,510	897	1,032	638

SAAFホールディングス　東証グロース

【本社】135-0061 東京都江東区豊洲3-2-24 豊洲フォレシア ☎03-6770-9970
システム・ソフト

採用実績数	倍率	3年後離職率	平均年収
22名	‥	‥	752万円

【特色】官公庁向けITコンサルのITbookと、住宅・商業用地の地盤調査・改良工事を展開するサムシングHDが経営統合した持株会社。ITbookは人材派遣が急成長。子会社サムシングは独自工法とAI活用の調査技術に強み。DX推進サポートに注力。
【定着率】‥
【グループ採用】【設立】2018.10【社長】前俊守
23年 8【従業員】連2,384名 単23名(52.0歳)
24年 22【有休】‥日
25年 微増【初任給】‥万
【試験種類】‥【各種制度】‥

【業績】	売上高	営業利益	経常利益	純利益
連23.3	30,528	739	708	162
連24.3	29,270	713	767	183

サイボウズ （東証プライム）

【本社】103-6027 東京都中央区日本橋2-7-1 東京日本橋タワー ☎03-4306-0808
システム・ソフト

採用予定数	倍率	3年後離職率	平均年収
未定	‥	‥	663万円

【特色】業務を効率化させるグループウェアの開発が柱。グループウェアでは国内トップクラス。中小企業向けが中心であったが大企業にも浸透。主力製品の業務アプリ構築クラウドサービス「kintone」は30000社超、約300自治体が導入。海外にも展開。
【定着率】‥
【採用】【設立】1997.8【社長】青野慶久
23年 46【従業員】連1,276名 単1,003名(35.3歳)
24年 ‥【有休】‥日
25年 未定【初任給】‥万
【試験種類】‥【各種制度】‥

【業績】	売上高	営業利益	経常利益	純利益
連22.12	22,067	611	987	66
連23.12	25,432	3,394	3,579	2,488

Sansan （東証プライム）

【本社】150-6228 東京都渋谷区桜丘町1-1 SHIBUYAタワー ☎03-6758-0033
システム・ソフト

採用予定数	倍率	3年後離職率	平均年収
130名	‥	‥	700万円

【特色】クラウド型名刺管理サービス「Sansan」を法人向けに展開。名刺をスキャンすることで、組織で情報共有できる点に特徴。月次決算業務の早期化に貢献する請求書サービス「Bill One」も展開。経理業務DX化に向けリコーと業務提携。
【定着率】‥
【採用】【設立】2007.6【社長】寺田親弘
23年 76【従業員】連1,899名 単1,698名(32.1歳)
24年 68【有休】‥日
25年 130【初任給】月29.1万(諸手当を除いた数値)
【試験種類】‥【各種制度】‥

【業績】	売上高	営業利益	経常利益	純利益
連23.5	25,510	199	122	▲141
連24.5	33,878	1,337	1,224	953

㈱CRI・ミドルウェア （東証グロース）

【本社】150-0031 東京都渋谷区桜丘町20-1 渋谷インフォスタワー ☎03-6823-6853
システム・ソフト

採用予定数	倍率	3年後離職率	平均年収
8名	‥	‥	630万円

【特色】ミドルウェアの研究開発と許諾販売が主で、音声・映像に専門特化した製品を展開。使用許諾料によるストック型モデル。車載やカラオケ機器向けなど組み込み分野も展開。ゲーム開発用ミドルウェアも。他社と提携し次世代メタバース技術の共同開発も手がける。
【定着率】‥
【採用】【設立】2001.8【社長】押見正雄
23年 9【従業員】連167名 単148名(39.6歳)
24年 5【有休】‥日
25年 8【初任給】月23.8万(諸手当を除いた数値)
【試験種類】‥【各種制度】‥

【業績】	売上高	営業利益	経常利益	純利益
連22.9	2,840	97	138	▲339
連23.9	2,990	344	379	232

㈱C&Gシステムズ （東証スタンダード）

【本社】140-0002 東京都品川区東品川2-2-24 天王洲セントラルタワー ☎03-6864-0777
システム・ソフト

採用予定数	倍率	3年後離職率	平均年収
6名	‥	‥	575万円

【特色】金型・CAD／CAMを手がける2社が合併し発足。金型向けCAD／CAM販売で国内首位級。保守契約・技術サービスが売上高の過半。北米とアジアにサービス拠点、米国に自動車向け金型製造子会社を持つ。アジアのCAD／CAM市場を深耕中。
【定着率】‥
【採用】【設立】2007.7【社長】塩田聖一
23年 7【従業員】連253名 単215名(42.9歳)
24年 7【有休】‥日
25年 6【初任給】月20.5万(諸手当を除いた数値)
【試験種類】‥【各種制度】‥

【業績】	売上高	営業利益	経常利益	純利益
連22.12	4,421	455	512	293
連23.12	3,826	90	150	68

GMOペパボ （東証スタンダード）

【本社】150-8512 東京都渋谷区桜丘町26-1 セルリアンタワー ☎03-5456-2622
システム・ソフト

採用実績数	倍率	3年後離職率	平均年収
5名	‥	‥	650万円

【特色】GMO系の個人向けレンタルサーバーサービス会社。レンタルサーバーやドメイン取得代行のホスティング、ネットショップ構築などEC支援を展開。手芸や趣味工芸などハンドメイド作品の個人間売買サイトも運営。フリーランス向け金融支援事業を育成中。
【定着率】‥
【採用】【設立】2004.3【社長】佐藤健太郎
23年 4【従業員】連341名 単328名(35.4歳)
24年 5【有休】‥日
25年 前年並【初任給】月38.5万(諸手当を除いた数値)
【試験種類】‥【各種制度】‥

【業績】	売上高	営業利益	経常利益	純利益
連22.12	10,531	732	767	510
連23.12	10,903	▲340	▲246	▲628

㈱ジーダット （東証スタンダード）

【本社】104-0043 東京都中央区湊1-1-12 HSB鐵砲洲 ☎03-6262-8400
システム・ソフト

採用予定数	倍率	3年後離職率	平均年収
5名	‥	‥	‥

【特色】LSIや液晶などを設計する電子系CADソフト(EDA)メーカー。国内電機産業が得意とするカスタム電子デバイスのEDAに注力し、米国EDAメーカーと差別化。台湾、中国、韓国など海外販売代理店強化も推進。海外での提携に積極的。
【定着率】‥
【採用】【設立】2003.11【社長】松尾和利
23年 4【従業員】単125名(47.5歳)
24年 5【有休】‥日
25年 5【初任給】月22万(諸手当を除いた数値)
【試験種類】‥【各種制度】‥

【業績】	売上高	営業利益	経常利益	純利益
単23.3	2,017	267	317	266
単24.3	2,060	302	374	328

㈱Sharing Innovations　東証グロース

【本社】150-6005 東京都渋谷区恵比寿4-20-3 恵比寿ガーデンプレイスタワー ☎03-6456-2451
システム・ソフト

採用予定数	倍率	3年後離職率	平均年収
未定	‥	‥	409万円

【特色】セールスフォースに強いクラウドインテグレーター。SI事業も展開し、従来型開発からクラウド型システム開発までワンストップで提供。セールスフォースのAI、BI関連の技術者が多い。占いを主要カテゴリーとしたアプリ開発、チャットサービスも手がける。
【定着率】‥
【採用】　【設立】2008.6【社長】信田人
23年 ‥【従業員】連321名 単284名(31.8歳)
24年 0【有休】‥日
25年 未定【初任給】‥万
【試験種類】‥【各種制度】‥

【業績】	売上高	営業利益	経常利益	純利益
連22.12	5,189	168	173	96
連23.12	5,057	124	126	34

㈱JR東日本情報システム（ひがしにほんじょうほう）　株式公開計画なし

【本社】169-0072 東京都新宿区大久保3-8-2 新宿ガーデンタワー ☎03-3208-1555
システム・ソフト

採用予定数	倍率	3年後離職率	平均年収
50名	‥	‥	‥

【特色】輸送総合システム、駅収入管理システム、新幹線総合システムなどのシステム開発会社。「Suica」の機能拡充と利便性向上に貢献。鉄道関連以外にも、人事・財務・決算等の経営システムや社内OAポータルシステムなどの法人向けも展開。JR東日本の完全子会社。
【定着率】‥
【採用】　【設立】1989.11【社長】川合正敏
23年 64【従業員】単1,615名(42.0歳)
24年 55【有休】‥日
25年 50【初任給】月23.9万
【試験種類】‥【各種制度】‥

【業績】	売上高	営業利益	経常利益	純利益
単23.3	81,149	‥	1,742	1,278
単24.3	78,631	‥	807	578

㈱JMDC　東証プライム

【本社】105-0012 東京都港区芝大門2-5-5 住友芝大門ビル ☎03-5733-5010
システム・ソフト

採用予定数	倍率	3年後離職率	平均年収
未定	‥	‥	755万円

【特色】健保や医療機関の疫学データを匿名加工して、製薬会社や生損保会社に提供。健保組合や医療機関向けにも各種データを提供。遠隔画像診断サービスや自治体の保健事業サポートも手がける。筆頭株主のオムロンと海外展開で協業。
【定着率】‥
【採用】　【設立】2013.6【社長】野口亮
23年 ‥【従業員】連1,854名 単‥名(38.2歳)
24年 ‥【有休】‥日
25年 未定【初任給】‥万
【試験種類】‥【各種制度】‥

【業績】	売上高	営業利益	税前利益	純利益
連23.3	27,809	5,926	5,876	4,267
連24.3	32,381	7,006	6,907	4,607

JIG-SAW　東証グロース

【本社】100-0004 東京都千代田区大手町1-9-2 大手町フィナンシャルGキューブ ☎03-6262-5160
システム・ソフト

採用予定数	倍率	3年後離職率	平均年収
20名	‥	‥	626万円

【特色】各種物理サーバー・クラウドサーバー、IoTデバイスやネットワーク機器の監視・運用が主力事業。独自開発のロボット型自動運用プラットフォーム「puzzle」の導入初期費用と月額利用料が収益源。IoT関連を育成。
【定着率】‥
【採用】　【設立】2001.11【社長】山川真考
23年 ‥【従業員】連190名 単179名(32.6歳)
24年 26【有休】‥日
25年 20【初任給】‥万
【試験種類】‥【各種制度】‥

【業績】	売上高	営業利益	経常利益	純利益
連22.12	3,051	579	586	408
連23.12	3,240	625	645	459

システムズ・デザイン　東証スタンダード

【本社】163-0432 東京都新宿区西新宿2-1-1 新宿三井ビルディング ☎‥
システム・ソフト

採用予定数	倍率	3年後離職率	平均年収
22名	‥	‥	541万円

【特色】独立系システム開発会社。SIとBPO事業が両輪。コンサルからBPOまでワンストップで提供。SIは製造、物流、流通、通信、医療、教育など様々な業種の大手・中堅向け業務システムを開発・運用。BPOはデータ入力、保険コールセンターなどを運用。
【定着率】‥
【採用】　【設立】1967.3【社長】隈元裕
23年 23【従業員】連553名 単391名(39.4歳)
24年 19【有休】‥日
25年 22【初任給】月22.2万(諸手当を除いた数値)
【試験種類】‥【各種制度】‥

【業績】	売上高	営業利益	経常利益	純利益
連23.3	9,410	588	605	380
連24.3	9,458	524	562	341

㈱ショーケース　東証スタンダード

【本社】106-0032 東京都港区六本木1-9-9 六本木ファーストビル ☎03-5575-5117
システム・ソフト

採用予定数	倍率	3年後離職率	平均年収
2名	‥	‥	552万円

【特色】入力フォーム最適化技術を用いて成約率を高めるクラウドサービス「ナビキャスト」が主力。オンライン型本人確認システムなどセキュリティー対策サービスやWeb接客の導線最適化サービス、広告配信なども手がける。子会社に携帯販売店運営の日本テレホン。
【定着率】‥
【採用】　【設立】1998.9【社長】平野井順一
23年 0【従業員】連127名 単94名(35.4歳)
24年 4【有休】‥日
25年 2【初任給】月26.5万(諸手当を除いた数値)
【試験種類】‥【各種制度】‥

【業績】	売上高	営業利益	経常利益	純利益
連22.12	4,631	▲530	▲541	▲526
連23.12	5,683	▲285	▲298	▲117

ジョルダン 東証スタンダード

【本社】160-0022 東京都新宿区新宿2-5-10
☎03-5369-4051
システム・ソフト

採用予定数	倍率	3年後離職率	平均年収
未定	‥	‥	515万円

【特色】鉄道、バスなどの経路探索ソフト「乗換案内」の開発・販売が主力。13言語に対応する多言語版も提供。モバイルチケットなどMaaSも展開。交通機関との提携拡大に注力。旅行商品のオンライン予約・販売、出版、ニュース配信、飲食店情報の提供なども展開。
【定着率】‥
【採用】　【設立】1979.12【社長】佐藤俊和
23年　1【従業員】連198名 単145名(41.6歳)
24年　0【有休】‥日
25年　未定【初任給】月20.7万(諸手当を除いた数値)
【試験種類】‥【各種制度】‥

【業績】	売上高	営業利益	経常利益	純利益
連22.9	2,651	▲35	196	65
連23.9	3,004	0	67	▲195

シリコンスタジオ 東証グロース

【本社】150-0013 東京都渋谷区恵比寿1-21-3
☎03-5488-7070
システム・ソフト

採用予定数	倍率	3年後離職率	平均年収
10名	‥	‥	679万円

【特色】3DCG技術を基盤に高品質かつ柔軟性の高いミドルウエア開発が主力事業。他社製品のゲーム開発や運用受託、ゲーム開発人材の転職支援・派遣「シリコンスタジオエージェント」の運営も。自動車業界向けの受託開発など非ゲーム向けミドルウェア開発にも注力。
【定着率】‥
【採用】　【設立】1999.11【社長】梶谷眞一郎
23年　‥【従業員】連268名 単209名(38.8歳)
24年　13【有休】‥日
25年　10【初任給】月24万(諸手当を除いた数値)
【試験種類】‥【各種制度】‥

【業績】	売上高	営業利益	経常利益	純利益
連22.11	4,510	381	394	254
連23.11	4,554	238	246	200

㈱SHINKO 東証スタンダード

【本社】111-0053 東京都台東区浅草橋5-20-8
☎03-5822-7600
システム・ソフト

採用予定数	倍率	3年後離職率	平均年収
80名	‥	‥	496万円

【特色】IT機器の設計・構築から導入、運用保守、技術者人材派遣まで展開。独立系。医療機関向けに強み。日本電気やKDDIなどとの協業でネットワーク機器やPC関連の設定サービスなども手がける。今後は優秀なITエンジニアの採用や育成に注力。
【定着率】‥
【採用】　【設立】2014.5【社長】福留泰蔵
23年　‥【従業員】単811名(40.5歳)
24年　76【有休】‥日
25年　80【初任給】月22.1万(諸手当を除いた数値)
【試験種類】‥【各種制度】‥

【業績】	売上高	営業利益	経常利益	純利益
単23.3	15,948	752	762	481
単24.3	16,145	627	634	410

㈱セキュア 東証グロース

【本社】163-0220 東京都新宿区西新宿2-6-1 新宿住友ビル
☎03-6911-0660
システム・ソフト

採用予定数	倍率	3年後離職率	平均年収
12名	‥	‥	561万円

【特色】入退室管理システムや監視カメラシステム、画像解析サービスを開発・提供。顔認証による扉施錠管理や健康管理、監視カメラシステムと連動させた混雑度測定などの開発に強み。未来型無人店舗事業、大型小売業向けDX支援などで国内・海外の企業と提携。
【定着率】‥
【採用】　【設立】2004.2【社長】谷口辰成
23年　14【従業員】連158名 単140名(37.2歳)
24年　10【有休】‥日
25年　12【初任給】月17.9万(諸手当を除いた数値)
【試験種類】‥【各種制度】‥

【業績】	売上高	営業利益	経常利益	純利益
連22.12	3,384	▲169	▲183	▲227
連23.12	5,191	187	175	168

㈱セラク 東証スタンダード

【本社】160-0023 東京都新宿区西新宿7-5-25
☎03-3227-2321
システム・ソフト

採用予定数	倍率	3年後離職率	平均年収
未定	‥	‥	387万円

【特色】企業向けITインフラ構築・保守、Webサイトのカスタム開発・運営、システム・アプリ開発を行う。農畜産業支援IoTサービス「みどりクラウド」「ファームクラウド」も手がける。エンジニアの社内育成を徹底。IoTプラットフォーム開発に注力。
【定着率】‥
【採用】　【設立】1987.12【代表取締役】宮崎龍己
23年　120【従業員】連3,432名 単‥名(30.6歳)
24年　‥【有休】‥日
25年　未定【初任給】‥万
【試験種類】‥【各種制度】‥

【業績】	売上高	営業利益	経常利益	純利益
連22.8	17,859	886	1,434	966
連23.8	20,858	1,944	2,156	1,472

㈱セルシス 東証プライム

【本社】160-0023 東京都新宿区西新宿4-15-7
☎03-6258-2904
システム・ソフト

採用予定数	倍率	3年後離職率	平均年収
9名	‥	‥	570万円

【特色】マンガ・アニメ系イラスト制作ソフト「CLIP STUDIO」の開発・販売が柱。サブスクやダウンロード形式で展開。ソフトは多国語に対応し、各国で利用され世界シェア首位。クリエイターの創作活動を支援するサービスも手がける。
【定着率】‥
【グループ採用】【設立】2012.4【社長】成島啓
23年　5【従業員】連264名 単211名(37.2歳)
24年　7【有休】‥日
25年　9【初任給】‥万
【試験種類】‥【各種制度】‥

【業績】	売上高	営業利益	経常利益	純利益
連22.12	7,543	1,465	1,605	1,047
連23.12	8,091	1,352	1,404	626

東京都

双日テックイノベーション（そうじつ）

株式公開計画なし

【本社】102-0084 東京都千代田区二番町3-5 ☎03-6272-5011
システム・ソフト

採用実績数	倍率	3年後離職率	平均年収
20名	‥	‥	‥

【特色】双日グループのIT中核企業。情報通信設備、IT基盤などのソリューション提供とシステム構築、保守、運用、監視などのサービスを提供する。ネットワーク・ITインフラ構築などのソリューションを国内外へ提供し、DX支援にも注力。シリコンバレーに現法。
【定着率】‥
【採用】【設立】1969.2【代表取締役】西原茂
23年 17【従業員】連908名 単763名(‥歳)
24年 20【有休】‥日
25年 未定【初任給】月25万(諸手当を除いた数値)
【試験種類】‥【各種制度】‥

【業績】	売上高	営業利益	経常利益	純利益
連23.3	42,158	3,920	3,957	2,278
連24.3	41,176	4,015	4,109	4,176

㈱ソフトクリエイトホールディングス

東証プライム

【本社】150-0002 東京都渋谷区渋谷2-15-1 渋谷クロスタワー ☎03-3486-0606
システム・ソフト

採用予定数	倍率	3年後離職率	平均年収
120名	‥	‥	680万円

【特色】ECサイト構築エンジン「ecbeing」やクラウド型ワークフローシステム「X-point クラウド」などの提供を主体に、パソコンやサーバーなどの製品販売も展開。生成AI活用サービスやセキュリティービジネスの拡大に注力。
【定着率】‥
【グループ採用】【設立】1976.11【会長】林勝
23年 98【従業員】連1,114名 単26名(34.5歳)
24年 106【有休】‥日
25年 120【初任給】月25万(諸手当を除いた数値)
【試験種類】‥【各種制度】‥

【業績】	売上高	営業利益	経常利益	純利益
連23.3	24,253	4,322	4,489	2,738
連24.3	27,912	5,169	5,355	3,257

ソフトマックス

東証グロース

【本社】140-0001 東京都品川区北品川4-7-35 御殿山トラストタワー ☎03-5447-7772
システム・ソフト

採用予定数	倍率	3年後離職率	平均年収
20名	‥	‥	562万円

【特色】Web型電子カルテや検査・処方関連の総合医療情報システムを開発・販売。総合病院から診療所クラスまで対応。九州地盤だが東日本地域にも営業拠点を開拓。電子カルテの導入率が低い中小規模向けが主力。クラウド型電子カルテも展開。
【定着率】‥
【採用】【設立】1974.1【社長】堀江俊郎
23年 10【従業員】単210名(40.8歳)
24年 3【有休】‥日
25年 20【初任給】月24.2万(諸手当を除いた数値)
【試験種類】‥【各種制度】‥

【業績】	売上高	営業利益	経常利益	純利益
単22.12	5,050	547	592	419
単23.12	5,260	581	626	452

チエル

東証スタンダード

【本社】140-0002 東京都品川区東品川2-2-24 天王洲セントラルタワー ☎03-6712-9721
システム・ソフト

採用予定数	倍率	3年後離職率	平均年収
未定	‥	‥	600万円

【特色】学校教育向けのICT事業会社。小・中学校や高校・大学・専門学校向けに、授業・講義支援システムやデジタル教材の企画開発・販売を行う。高校生向け進路支援サービスも展開。学校、自治体向けに情報セキュリティーソリューションの提供も手がける。
【定着率】‥
【採用】【設立】1997.10【社長】粟田輝
23年 4【従業員】連189名 単57名(38.2歳)
24年 ‥【有休】‥日
25年 未定【初任給】‥万
【試験種類】‥【各種制度】‥

【業績】	売上高	営業利益	経常利益	純利益
連23.3	3,866	618	620	423
連24.3	4,621	591	662	349

㈱チェンジホールディングス

東証プライム

【本社】105-0001 東京都港区虎ノ門3-17-1 ☎03-6435-7340
システム・ソフト

採用実績数	倍率	3年後離職率	平均年収
7名	‥	‥	‥

【特色】ITツールやデジタル人材育成サービスで地方自治体・企業のDXや付加価値向上を支援。傘下のトラストバンクが運営するふるさと納税サイト「ふるさとチョイス」は収益源に成長。自治体向けSaaSやDX支援事業も。M&Aを推進。
【定着率】‥
【採用】【設立】2003.4【代表取締役】福留大士
23年 7【従業員】連1,069名 単45名(40.8歳)
24年 0【有休】‥日
25年 0【初任給】‥万
【試験種類】‥【各種制度】‥

【業績】	売上高	営業利益	税前利益	純利益
連23.3	20,021	5,730	5,653	3,856
連24.3	37,015	7,562	7,429	4,325

都築テクノサービス（つづき）

株式公開計画なし

【本社】105-0022 東京都港区海岸1-11-1 ニューピア竹芝ノースタワー ☎03-3437-3911
システム・ソフト

採用実績数	倍率	3年後離職率	平均年収
12名	‥	‥	‥

【特色】ネットワークやセキュリティーなどのシステム構築を手がけるICTトータルサービスプロバイダー。富士通のパートナー企業だが、マルチベンダーでサービスを提供。北海道から九州まで全国に営業拠点。都築電気の完全子会社。
【定着率】‥
【採用】【設立】1969.10【社長】磯部浩
23年 14【従業員】単498名(43.5歳)
24年 12【有休】‥日
25年 未定【初任給】月21.8万(諸手当を除いた数値)
【試験種類】‥【各種制度】‥

【業績】	売上高	営業利益	経常利益	純利益
単23.3	13,150	541	564	369
単24.3	17,663	551	572	330

テクマトリックス
東証プライム

【本社】108-8588 東京都港区港南1-2-70 品川シーズンテラス ☎03-4405-7802
システム・ソフト

採用予定数	倍率	3年後離職率	平均年収
22名	‥	‥	801万円

【特色】企業向けITインフラ構築とアプリ開発が主力。ITインフラ構築は、ネット負荷分散装置やITセキュリティー製品などを販売。アプリ開発は、医療クラウドやコールセンター向けCRMに重点。自動車や医療向けソフトウェアの品質保証も手がける。
【定着率】‥
【採用】 【設立】1984.8 【社長】矢井隆晴
23年 18【従業員】連1,586名 単588名(38.0歳)
24年 20【有休】‥日
25年 22【初任給】月21.4万(諸手当を除いた数値)
【試験種類】‥【各種制度】‥

【業績】	売上高	営業利益	税前利益	純利益
連23.3	45,950	5,098	5,066	2,950
連24.3	53,303	5,850	5,854	3,540

㈱デジタルガレージ
東証プライム

【本社】150-0022 東京都渋谷区恵比寿南3-5-7 ☎03-6367-1111
システム・ソフト

採用予定数	倍率	3年後離職率	平均年収
37名	‥	‥	792万円

【特色】電子決済サービス、Web広告、ベンチャー投資が3本柱。ネット草創期は海外企業の日本進出や国内ネット企業立ち上げに関与。共通QRコードのMPM決済で、国内外の有力決済サービスとの連携が拡大。カカクコムの筆頭株主。
【定着率】‥
【採用】 【設立】1995.8 【代表取締役】林郁
23年 15【従業員】連1,087名 単528名(38.5歳)
24年 17【有休】‥日
25年 37【初任給】月21.4万(諸手当を除いた数値)
【試験種類】‥【各種制度】‥

【業績】	売上高	営業利益	税前利益	純利益
連23.3	25,128	▲5,814	▲13,881	▲9,058
連24.3	31,378	4,804	6,298	5,806

テックファームホールディングス
東証グロース

【本社】163-1423 東京都新宿区西新宿3-20-2 東京オペラシティタワー ☎03-5365-7888
システム・ソフト

採用実績数	倍率	3年後離職率	平均年収
8名	‥	‥	608万円

【特色】先端技術を活用した業務・基幹システム、モバイルアプリケーションの受託開発・運用・保守が主体。独立系。DX、デジタル活用による課題解決をワンストップで提供。米国カジノ市場向け電子マネーサービスの開発・運営や、海外向け農産物輸出も手がける。
【定着率】‥
【グループ採用】【設立】1991.8 【社長】永守秀章
23年 10【従業員】連291名 単28名(39.9歳)
24年 8【有休】‥日
25年 前年並【初任給】‥万
【試験種類】‥【各種制度】‥

【業績】	売上高	営業利益	経常利益	純利益
連23.6	5,770	173	186	▲48
連24.6	5,072	239	261	155

鉄道情報システム(てつどうじょうほう)
株式公開未定

【本社】151-8534 東京都渋谷区代々木2-2-2 ☎03-5334-0655
システム・ソフト

採用実績数	倍率	3年後離職率	平均年収
24名	‥	‥	‥

【特色】「みどりの窓口」の予約・販売システム「マルス」などJRグループの基幹情報システムを担うシステム開発会社。運輸・物流・観光分野における情報通信システム事業への横展開やデータセンターサービス提供など新事業に積極的。
【定着率】‥
【採用】 【設立】1986.12【社長】本多博隆
23年 22【従業員】単691名(40.3歳)
24年 24【有休】‥日
25年 未定【初任給】‥万
【試験種類】‥【各種制度】‥

【業績】	売上高	営業利益	経常利益	純利益
単23.3	33,729	‥	1,336	923
単24.3	35,515	‥	1,385	885

㈱テラスカイ
東証プライム

【本社】103-0027 東京都中央区日本橋2-11-2 ☎03-5255-3410
システム・ソフト

採用予定数	倍率	3年後離職率	平均年収
84名	‥	‥	628万円

【特色】クラウドシステムの導入支援・開発事業を展開。米国セールスフォース社が手がける営業支援・顧客管理アプリを中心にクラウドサービスを提供。自社開発グループウェア「mitoco」、ERPのAWS移行事業、エンジニア育成・人材派遣子会社も手がける。
【定着率】‥
【採用】 【設立】2006.3 【社長】佐藤秀哉
23年 50【従業員】連1,411名 単685名(35.8歳)
24年 83【有休】‥日
25年 84【初任給】年271万(諸手当を除いた数値)
【試験種類】‥【各種制度】‥

【業績】	売上高	営業利益	経常利益	純利益
連23.2	15,440	512	610	347
連24.2	19,137	522	655	300

㈱デリバリーコンサルティング
東証グロース

【本社】107-6223 東京都港区赤坂9-7-1 ミッドタウン・タワー ☎03-6779-4474
システム・ソフト

採用予定数	倍率	3年後離職率	平均年収
25名	‥	‥	605万円

【特色】企業向けのITコンサルティングとシステム開発が柱。個別業務のIT化にとどまらず、得意のコンサルをテコに顧客企業のDXを支援する事業に注力。東京本社と福岡オフィスに加え、タイ子会社でもシステム開発を手がける。
【定着率】‥
【採用】 【設立】2003.4 【社長】阪口琢夫
23年 10【従業員】連164名 単143名(36.8歳)
24年 19【有休】‥日
25年 25【初任給】月24.7万(諸手当を除いた数値)
【試験種類】‥【各種制度】‥

【業績】	売上高	営業利益	経常利益	純利益
連23.7	2,190	52	52	28
連24.7	2,703	211	210	155

ナショナルソフトウェア
株式公開 いずれしたい

【本社】113-0021 東京都文京区本駒込5-4-7 駒込スパンクリートビル8階 ☎03-6808-9821
システム・ソフト

採用予定数	倍率	3年後離職率	平均年収
30名	‥	‥	‥

【特色】組み込みシステム開発、5G向け通信ネットワーク、クラウドシステムの3分野を軸とするシステム開発会社。研修事業も行う。車載システムは自動運転とEV関連の受注拡大。クラウドサービスはAmazonやGoogleのクラウド環境を中心に展開。
【定着率】‥
【採用】　【設立】2008.2【社長】新田聡
23年　16【従業員】単323名(36.7歳)
24年　21【有休】‥日
25年　30【初任給】月23万(諸手当を除いた数値)
【試験種類】‥【各種制度】‥

【業績】	売上高	営業利益	経常利益	純利益
単23.3	4,656	57	79	53
単24.3	5,135	202	196	213

日鉄日立システムソリューションズ
株式公開 計画なし

【本社】104-6591 東京都中央区明石町8-1 聖路加タワー26階 ☎03-3544-7800
システム・ソフト

採用予定数	倍率	3年後離職率	平均年収
30名	‥	‥	‥

【特色】各種システムソリューションベンダー。DX化推進支援、システム全体の最適化に向けたコンサルサービスをはじめ、電子ドキュメント、ERP、医薬向けの各ソリューションやITインフラ構築に注力。日鉄ソリューションズの子会社。
【定着率】‥
【採用】　【設立】1988.4【社長】堀洋之
23年　17【従業員】単510名(41.0歳)
24年　17【有休】‥日
25年　30【初任給】月22.6万
【試験種類】‥【各種制度】‥

【業績】	売上高	営業利益	経常利益	純利益
単23.3	18,135	‥	1,899	‥
単24.3	19,948	‥	2,095	‥

日本ラッド（にっぽん）
東証スタンダード

【本社】105-0001 東京都港区虎ノ門2-2-5 共同通信会館ビル ☎03-5574-7800
システム・ソフト

採用実績数	倍率	3年後離職率	平均年収
15名	‥	‥	507万円

【特色】独立系SI。業務系、制御系、Web系など各種システムの受託開発が主体。医療系や車載システムなどハードウェアを起点としたソフト組み込み技術に強み。産業用コンピューターメーカーのアドバンテック社と資本業務提携。工場向けIoTでの協業拡大に注力。
【定着率】‥
【採用】　【設立】1971.6【社長】大塚隆之
23年　13【従業員】単281名(39.7歳)
24年　15【有休】‥日
25年　未定【初任給】‥万
【試験種類】‥【各種制度】‥

【業績】	売上高	営業利益	経常利益	純利益
単23.3	3,555	86	140	140
単24.3	3,984	266	321	327

日本エンタープライズ（にほん）
東証スタンダード

【本社】150-0002 東京都渋谷区渋谷1-17-8 松岡渋谷ビル ☎03-5774-5730
システム・ソフト

採用予定数	倍率	3年後離職率	平均年収
10名	‥	‥	582万円

【特色】スマホ向けのコンテンツ配信と法人向けシステム開発・運用サービスの2本柱。スマホアプリは女性向けヘルスケアや交通情報、小型ゲームなどを提供。豊洲市場の仲卸業者による水産物ECも手がける。水産物ECは飲食事業者向けのほか、一般向けにも展開。
【定着率】‥
【採用】　【設立】1989.5【社長】杉山浩一
23年　3【従業員】連220名 単71名(40.6歳)
24年　0【有休】‥日
25年　10【初任給】月19.8万(諸手当を除いた数値)
【試験種類】‥【各種制度】‥

【業績】	売上高	営業利益	経常利益	純利益
連23.5	4,210	180	190	103
連24.5	4,696	264	278	209

日本タタ・コンサルタンシー・サービシズ
株式公開 していない

【本社】106-0041 東京都港区麻布台1-3-1 麻布台ヒルズ森JPタワー10階 ☎03-6161-6500
システム・ソフト

採用予定数	倍率	3年後離職率	平均年収
未定	‥	‥	‥

【特色】グローバルITサービス企業、タタコンサルタンシーサービシズの日本法人。ユーザー企業のITシステム刷新・統合やDXに対応。ITプロフェッショナルが活躍できる制度設計や環境づくりを進める。グループで55カ国に展開。
【定着率】‥
【採用】　【設立】1996.4【社長】S.ティアガラジャン
23年　‥【従業員】単3,700名(‥歳)
24年　‥【有休】‥日
25年　未定【初任給】‥万
【試験種類】‥【各種制度】‥

【業績】	売上高	営業利益	経常利益	純利益
単23.3	85,275	7,739	7,984	5,485
単24.3	93,585	9,242	9,708	7,098

日本テクノ・ラボ（にほん）
札証

【本社】102-0083 東京都千代田区麹町2-1 PMO半蔵門 ☎03-5357-1830
システム・ソフト

採用予定数	倍率	3年後離職率	平均年収
未定	‥	‥	683万円

【特色】産業用特殊プリンターに特化した制御システムソフトの開発・販売会社。プリンターメーカーから開発を受託し台数に応じたライセンス料を得る。認証印刷などセキュリティ事業を強化。統合監視映像システムは、空港、高速道路、官公庁などに採用実績。
【定着率】‥
【採用】　【設立】1989.1【代表取締役】松村泳成
23年　1【従業員】単33名(50.3歳)
24年　‥【有休】‥日
25年　未定【初任給】‥万
【試験種類】‥【各種制度】‥

【業績】	売上高	営業利益	経常利益	純利益
単23.3	762	119	122	86
単24.3	815	122	125	86

日本(にほん)ナレッジ　東証グロース

【本社】111-0042 東京都台東区寿3-19-5 JSビル ☎03-3845-4781
システム・ソフト

採用予定数	倍率	3年後離職率	平均年収
57名	‥	‥	420万円

【特色】ソフトウェアシステムの検証サービスを柱に、システム受託開発や業務系パッケージソフトウェアの開発・販売なども手がける。鋼材業向け、建材・木材卸業向けなど、業種特化のERPも展開。AIを活用したソフト開発・検証で筑波大と共同研究。
【定着率】‥
【採用】　【設立】1985.10【社長】藤井洋一
23年 ‥【従業員】単422名(38.2歳)
24年 43【有休】‥日
25年 57【初任給】月20.2万(諸手当を除いた数値)
【試験種類】‥【各種制度】‥

【業績】	売上高	営業利益	経常利益	純利益
単23.3	3,550	203	191	137
単24.3	4,076	250	266	202

日本(にほん)ファルコム　東証グロース

【本社】190-0012 東京都立川市曙町2-8-18 ☎042-527-0555
システム・ソフト

採用予定数	倍率	3年後離職率	平均年収
未定	‥	‥	565万円

【特色】プレステ用ゲーム企画・開発が主。自社タイトルと大手メーカーへのライセンス販売の2本柱。日本初のPCゲームソフト販売などで一世風靡した同名企業から2001年に分割し設立。「イース」「ザナドゥ」「閃の軌跡」シリーズなどが看板。アジア市場を意識。
【定着率】‥
【採用】　【設立】2001.11【社長】近藤季洋
23年 2【従業員】単65名(38.8歳)
24年 0【有休】‥日
25年 未定【初任給】月21万(諸手当を除いた数値)
【試験種類】‥【各種制度】‥

【業績】	売上高	営業利益	経常利益	純利益
単22.9	2,533	1,460	1,573	1,027
単23.9	2,473	1,328	1,344	911

日本(にほん)プロセス　東証スタンダード

【本社】141-0032 東京都品川区大崎1-11-1 ゲートシティ大崎ウエストタワー ☎03-4531-2111
システム・ソフト

採用予定数	倍率	3年後離職率	平均年収
50名	‥	‥	723万円

【特色】独立系システム開発会社。制御、ネットワーク系から組み込みまで一貫。エネルギー、鉄道、防災などの社会インフラ分野が得意。新幹線、在来線など鉄道運行管理システムに強み。自動車関連の開発が拡大。AI、セキュリティー、クラウド分野を開拓中。
【定着率】‥
【採用】　【設立】1967.6【社長】東智
23年 38【従業員】連698名 単621名(38.5歳)
24年 33【有休】‥日
25年 50【初任給】月24万(諸手当を除いた数値)
【試験種類】‥【各種制度】‥

【業績】	売上高	営業利益	経常利益	純利益
連23.5	8,923	908	967	682
連24.5	9,468	956	1,008	730

㈱ネクストジェン　東証グロース

【本社】108-0072 東京都港区白金1-27-6 白金高輪ステーションビル ☎03-5793-3230
システム・ソフト

採用予定数	倍率	3年後離職率	平均年収
8名	‥	‥	702万円

【特色】次世代通信網(NGN)の制御システム開発会社。SIP(通話制御プロトコル)技術に強みを持つ。通信事業者、コンタクトセンターなどが主顧客。音声を中心とした通信ソリューションにおける自社ライセンスや特許技術を保有。
【定着率】‥
【採用】　【設立】2001.11【社長】大西新二
23年 5【従業員】連141名 単140名(46.4歳)
24年 6【有休】‥日
25年 8【初任給】月25.3万(諸手当を除いた数値)
【試験種類】‥【各種制度】‥

【業績】	売上高	営業利益	経常利益	純利益
連23.3	3,053	31	23	▲454
連24.3	3,522	181	173	166

㈱PKSHA Technology　東証プライム

【本社】113-0033 東京都文京区本郷2-35-10 本郷瀬川ビル ☎03-6801-6718
システム・ソフト

採用予定数	倍率	3年後離職率	平均年収
未定	‥	‥	1,002万円

【特色】機械学習技術などを利用したアルゴリズム機能開発やライセンス提供を行う。初期導入費とサービス利用料、保守運用が主な収入源。AIアルゴリズムは顧客ごとのカスタマイズから汎用機能のソリューション提供へ移行し活用領域を拡大中。
【定着率】‥
【採用】　【設立】2012.10【代表取締役】上野山勝也
23年 ‥【従業員】連465名 単110名(34.9歳)
24年 未定【有休】‥日
25年 未定【初任給】‥万
【試験種類】‥【各種制度】‥

【業績】	売上高	営業利益	税前利益	純利益
連22.9	11,509	1,565	1,551	836
連23.9	13,908	1,719	1,824	760

㈱パピレス　東証スタンダード

【本社】102-0094 東京都千代田区紀尾井町3-12 紀尾井町ビル ☎03-6272-9533
システム・ソフト

採用予定数	倍率	3年後離職率	平均年収
未定	‥	‥	‥

【特色】電子コミック中心のレンタルサイト「Renta！」を運営。掲載冊数は業界最大。提供出版社は600社超。国内出版社のコンテンツを、海外の電子書籍販売サイト向け取り次ぎサービスも展開。5G向け高品質コンテンツ提供、海外市場の規模拡大に注力。
【定着率】‥
【採用】　【設立】1995.3【社長】松井康子
23年 0【従業員】連148名 単112名(34.4歳)
24年 ‥【有休】‥日
25年 前年並【初任給】‥万
【試験種類】‥【各種制度】‥

【業績】	売上高	営業利益	経常利益	純利益
連23.3	18,626	425	537	657
連24.3	17,175	255	544	217

㈱ピアラ

東証スタンダード

【本社】150-6013 東京都渋谷区恵比寿4-20-3 恵比寿ガーデンプレイスタワー ☎03-6362-6831
システム・ソフト

採用予定数	倍率	3年後離職率	平均年収
10名	‥	‥	610万円

【特色】EC事業者向け支援事業を展開。マーケティングツールや注文処理ソフトウェアサービス、アフィリエイトサービスなどを提供するECマーケティング事業が主力。販促企画等のコンサルも。化粧品や健康食品会社が主な顧客。アジアの子会社で越境ECにも注力。
【定着率】‥
【採用】【設立】2005.8【社長】飛鳥貴雄
23年 6【従業員】連160名 単‥名(33.1歳)
24年 8【有休】‥日
25年 10【初任給】月19.3万(諸手当を除いた数値)
【試験種類】‥【各種制度】‥

【業績】	売上高	営業利益	経常利益	純利益
連22.12	11,775	▲110	▲131	▲232
連23.12	9,064	▲383	▲423	▲982

㈱ピーエスシー

株式公開計画なし

【本社】105-5125 東京都港区浜松町2-4-1 世界貿易センタービル南館25階 ☎03-3435-1044
システム・ソフト

採用実績数	倍率	3年後離職率	平均年収
64名	‥	‥	‥

【特色】独立系情報サービス会社。自社開発の業務支援アプリに加え、ICTサービス全般の企画・設計から構築、導入、運用、保守までワンストップで提供。クラウド環境の構築や運用、「Microsoft 365」などの導入支援サービスも手がける。
【定着率】‥
【採用】【設立】1996.9【代表取締役】鈴木正之
23年 78【従業員】単711名(34.7歳)
24年 64【有休】‥日
25年 微減【初任給】月25.1万(諸手当を除いた数値)
【試験種類】‥【各種制度】‥

【業績】	売上高	営業利益	経常利益	純利益
単23.3	14,921	1,015	1,023	610
単24.3	15,653	1,091	1,093	740

㈱ビーグリー

東証スタンダード

【本社】107-0061 東京都港区北青山2-13-5 ☎03-6706-4000
システム・ソフト

採用実績数	倍率	3年後離職率	平均年収
1名	‥	‥	596万円

【特色】スマホ向け電子コミック配信サービス「まんが王国」を運営。取次会社を介さず、コミック作家である著作権者や出版社と直接利用許諾契約を結び、オンラインで有料課金するビジネスモデル。小説投稿サービス「ノベルバ」なども運営。
【定着率】‥
【採用】【設立】2013.11【社長】吉田仁平
23年 1【従業員】連207名 単72名(35.2歳)
24年 0【有休】‥日
25年 0【初任給】‥万
【試験種類】‥【各種制度】‥

【業績】	売上高	営業利益	経常利益	純利益
連22.12	18,713	1,755	1,608	664
連23.12	19,080	1,496	1,440	689

㈱日立産業制御ソリューションズ

株式公開計画なし

【東京本社】110-0006 東京都台東区秋葉原6-1 秋葉原大栄ビル ☎03-3251-7200
システム・ソフト

採用予定数	倍率	3年後離職率	平均年収
100名	‥	‥	‥

【特色】日立製作所の完全子会社で、グループの産業・流通分野、社会インフラ分野のITソリューションを担う。産業ソリューション、コネクティブエンジニアリング、社会・公共ソリューション事業などを展開。茨城、東京の二本社制。
【定着率】‥
【採用】【設立】1979.6【社長】上田元春
23年 86【従業員】単3,413名(46.3歳)
24年 71【有休】‥日
25年 100【初任給】月25万(諸手当を除いた数値)
【試験種類】‥【各種制度】‥

【業績】	売上高	営業利益	経常利益	純利益
単23.3	76,287	8,375	8,297	5,723
単24.3	80,949	9,032	8,892	6,456

㈱ファインズ

東証グロース

【本社】105-0023 東京都港区芝浦1-2-1 シーバンスN館 ☎03-5459-4073
システム・ソフト

採用実績数	倍率	3年後離職率	平均年収
10名	‥	‥	447万円

【特色】動画専用プラットフォーム「Videoクラウド」を運営。動画を起点に企業のDX化を支援。配信、分析・改善、データ活用からDX推進まで一気通貫したサービス提供に特徴を持つ。店舗クラウド事業では会員登録が不要な予約・顧客管理システムも手がける。
【定着率】‥
【採用】【設立】2019.3【社長】三輪幸将
23年 10【従業員】単284名(28.4歳)
24年 10【有休】‥日
25年 未定【初任給】‥万
【試験種類】‥【各種制度】‥

【業績】	売上高	営業利益	経常利益	純利益
単23.6	2,913	739	743	510
単24.6	2,761	329	341	238

㈱fonfun

東証スタンダード

【本社】151-0073 東京都渋谷区笹塚2-1-6 JMFビル笹塚01 ☎03-5365-1511
システム・ソフト

採用実績数	倍率	3年後離職率	平均年収
5名	‥	‥	444万円

【特色】SMS(ショートメッセージサービス)による法人向け販促ツール事業が主軸。スマホなどでPCメールが利用可能な「リモートメール」を法人と個人向けに展開。ソフトウェアの受託開発、音声情報を送信するボイスメールも扱う。
【定着率】‥
【採用】【設立】1997.3【社長】水口翼
23年 3【従業員】単27名(37.9歳)
24年 5【有休】‥日
25年 未定【初任給】‥万
【試験種類】‥【各種制度】‥

【業績】	売上高	営業利益	経常利益	純利益
連23.3	638	43	42	40
単24.3	699	74	92	68

東京都

㈱フライトソリューションズ
東証スタンダード

【本社】150-0013 東京都渋谷区恵比寿4-6-1 恵比寿MFビル ☎03-3440-6100
システム・ソフト

採用予定数	倍率	3年後離職率	平均年収
7名	‥	‥	‥

【特色】大企業や自治体向け基幹系業務システム開発、ITコンサルを展開。スマホを利用した電子決済ソリューションや決済端末、B2B向けECサイトの構築パッケージの開発・販売なども手がける。コンサルは物流系や金融系企業で実績多数。
【定着率】‥
【グループ採用】【設立】1988.4【社長】片山圭一朗
23年 6【従業員】単115名(40.9歳)
24年 6【有休】‥日
25年 7【初任給】‥万
【試験種類】‥【各種制度】‥

【業績】	売上高	営業利益	経常利益	純利益
連23.3	3,009	79	56	41
連24.3	3,208	▲103	▲94	▲105

㈱プラスアルファ・コンサルティング
東証プライム

【本社】105-0021 東京都港区東新橋1-9-2 汐留住友ビル ☎03-6432-0427
システム・ソフト

採用予定数	倍率	3年後離職率	平均年収
25名	‥	‥	642万円

【特色】データを分析し可視化するクラウドサービスを提供するSaaS型企業。人材分析・活用の「タレントパレット」、顧客アンケートやコールセンターのログを分析する「見える化エンジン」、顧客属性・行動履歴を扱う「カスタマーリングス」を展開。
【定着率】‥
【採用】【設立】2006.12【社長】三室克哉
23年 22【従業員】連377名 単302名(31.7歳)
24年 21【有休】‥日
25年 25【初任給】月20.8万(諸手当を除いた数値)
【試験種類】‥【各種制度】‥

【業績】	売上高	営業利益	経常利益	純利益
単22.9	7,910	2,663	2,671	1,796
連23.9	11,171	3,711	3,678	2,620

㈱ブロードリーフ
東証プライム

【本社】140-0002 東京都品川区東品川4-13-14 ☎03-5781-3100
システム・ソフト

採用予定数	倍率	3年後離職率	平均年収
8名	‥	‥	588万円

【特色】自動車整備工場、鈑金工場、リサイクル、部品販売会社など自動車アフター市場事業者向けの業務アプリが主力のITソリューション会社。業務アプリと連携した電子受発注システムも展開。クラウドのサブスク化や対話型AI搭載などサービス向上を目指す。
【定着率】‥
【採用】【設立】2009.9【社長】大山堅司
23年 8【従業員】連935名 単775名(45.2歳)
24年 3【有休】‥日
25年 8【初任給】月21万(諸手当を除いた数値)
【試験種類】‥【各種制度】‥

【業績】	売上高	営業利益	税前利益	純利益
連22.12	13,833	▲2,896	▲3,005	▲2,431
連23.12	15,385	▲1,901	▲1,920	▲1,487

プロパティデータバンク
東証グロース

【本社】105-0013 東京都港区浜松町1-30-5 浜松町スクエア ☎03-5777-3468
システム・ソフト

採用実績数	倍率	3年後離職率	平均年収
0名	‥	‥	‥

【特色】不動産運用管理関連のクラウドサービス「@プロパティ」を提供。J-REIT向けで高シェア。顧客から月額使用料や保守料などを受け取るストック型のビジネスモデル。初期コンサルやカスタマイズなどのソリューションサービスも行う。
【定着率】‥
【採用】【設立】2000.10【社長】武野貞久
23年 0【従業員】連80名 単48名(43.7歳)
24年 0【有休】‥日
25年 0【初任給】月23.7万(諸手当を除いた数値)
【試験種類】‥【各種制度】‥

【業績】	売上高	営業利益	経常利益	純利益
連23.3	2,832	822	823	626
連24.3	2,516	434	437	298

ベース
東証プライム

【本社】101-0021 東京都千代田区外神田4-14-1 ☎03-5207-5112
システム・ソフト

採用実績数	倍率	3年後離職率	平均年収
110名	‥	‥	616万円

【特色】ソフトウェアの受託開発や保守・運用を手がける。主に金融・流通・製造分野においてのオープン系システム開発が中心。特に金融系のシステム開発に実績。中国・無錫に海外拠点を開設し、日本人技術者と中国人技術者が協働する体制を構築。
【定着率】‥
【採用】【設立】1997.1【社長】中山克成
23年 86【従業員】連1,224名 単1,117名(35.0歳)
24年 110【有休】‥日
25年 未定【初任給】‥万
【試験種類】‥【各種制度】‥

【業績】	売上高	営業利益	経常利益	純利益
連22.12	17,045	3,910	3,931	2,726
連23.12	18,708	4,702	4,692	3,433

㈱ホットリンク
東証グロース

【本社】102-0071 東京都千代田区富士見1-3-11 富士見デュープレックスビズ ☎03-6261-6930
システム・ソフト

採用予定数	倍率	3年後離職率	平均年収
5名	‥	‥	608万円

【特色】SNSビッグデータ収集・分析領域で事業展開。国内ではAI活用のSNSビッグデータ分析とマーケティング支援のSaaS事業を展開。加えて米国子会社ではSNSデータアクセス権を販売。ブロックチェーン技術を活用したWeb3領域で新事業を模索。
【定着率】‥
【採用】【設立】2000.6【代表取締役】内山幸樹
23年 2【従業員】連137名 単118名(33.6歳)
24年 3【有休】‥日
25年 5【初任給】月19.1万(諸手当を除いた数値)
【試験種類】‥【各種制度】‥

【業績】	売上高	営業利益	税前利益	純利益
連22.12	7,906	2,110	1,875	1,818
連23.12	4,739	220	287	226

マーソ

東証グロース

【本社】105-6017 東京都港区虎ノ門4-3-1 城山トラストタワー ☎03-6435-6692
システム・ソフト

採用実績数	倍率	3年後離職率	平均年収
1名	‥	‥	648万円

【特色】人間ドッグや健康診断の予約プラットフォームの運営と医療施設向けDXサービスを展開。プラットフォームは生保会社との提携。DXサービスは医療施設、自治体などが実施する健康診断や予防接種などの予約管理サービスで医療機関のほか自治体にも提供。
【定着率】‥
【採用】 【設立】2015.2 【社長】西野恒五郎
23年 ‥【従業員】単23名(35.3歳)
24年 1【有休】‥日
25年 増加【初任給】‥万
【試験種類】‥ 【各種制度】‥

【業績】	売上高	営業利益	経常利益	純利益
単22.12	2,251	995	996	653
単23.12	1,809	618	601	387

丸紅情報システムズ（まるべにじょうほう）

株式公開していない

【本社】112-0004 東京都文京区後楽2-6-1 飯田橋ファーストタワー ☎03-4243-4000
システム・ソフト

採用予定数	倍率	3年後離職率	平均年収
19名	‥	‥	‥

【特色】ITインフラやクラウドサービス、製造向けシステムやコンタクトセンターサービスなどを展開する情報システム会社。大阪と名古屋に支店、福岡に営業所。アメリカとシンガポールに現地法人。丸紅I-DIGIOグループ。
【定着率】‥
【採用】 【設立】1965.5 【社長】上田史夫
23年 18【従業員】単591名(43.0歳)
24年 23【有休】‥日
25年 19【初任給】月22万(諸手当を除いた数値)
【試験種類】‥ 【各種制度】‥

【業績】	売上高	営業利益	経常利益	純利益
単23.3	33,105	2,152	2,943	2,255
単24.3	35,381	2,286	3,223	2,686

三井情報（みついじょうほう）

株式公開計画なし

【本社】105-6215 東京都港区愛宕2-5-1 愛宕グリーンヒルズMORIタワー ☎03-6376-1000
システム・ソフト

採用予定数	倍率	3年後離職率	平均年収
65名	‥	‥	‥

【特色】三井物産子会社のシステム開発会社。グループ外にも幅広い業界に顧客を持ち、ITコンサルから導入、運用・保守まで一貫してサービスを提供。DX、IoT、ERP、クラウド、ネットワークなど各分野で展開。グループで国内11拠点、海外6拠点。
【定着率】‥
【採用】 【設立】1991.6 【社長】浅野謙吾
23年 60【従業員】連2,666名 単1,851名(42.2歳)
24年 39【有休】‥日
25年 65【初任給】月22.9万(諸手当を除いた数値)
【試験種類】‥ 【各種制度】‥

【業績】	売上高	営業利益	経常利益	純利益
連23.3	99,398	8,966	9,064	6,244
連24.3	109,453	10,445	10,474	7,017

㈱メタリアル

東証グロース

【本社】101-0051 東京都千代田区神田神保町3-7-1 ☎03-6685-9570
システム・ソフト

採用予定数	倍率	3年後離職率	平均年収
未定	‥	‥	834万円

【特色】AIとインターネットを活用した高精度の翻訳エンジンを核に、医薬、法務、財務、化学、機械、電気電子、特許など専門用語に特化した翻訳サービスを展開。Web会議での発言を翻訳する「オンヤク」や、人による翻訳・通訳などの業務受託も手がける。
【定着率】‥
【採用】 【設立】2004.4 【代表取締役】五石順一
23年 0【従業員】連157名 単9名(45.0歳)
24年 0【有休】‥日
25年 未定【初任給】‥万
【試験種類】‥ 【各種制度】‥

【業績】	売上高	営業利益	経常利益	純利益
連23.2	4,292	515	516	29
連24.2	4,177	746	803	534

㈱メディア工房（こうぼう）

東証グロース

【本社】107-0052 東京都港区赤坂4-2-6 住友不動産新赤坂ビル ☎03-5549-1804
システム・ソフト

採用予定数	倍率	3年後離職率	平均年収
未定	‥	‥	444万円

【特色】携帯電話やPC向け占いコンテンツが主力。NTTドコモ向けで成長、コンテンツ制作は内製化。課金型占いだけでなく電話による占いや、好きなキャラクターと通話ができるSNSなど多彩な展開。EC事業に参入し事業再構築を推進。
【定着率】‥
【採用】 【設立】2000.4 【社長】長沢一男
23年 0【従業員】連61名 単61名(35.8歳)
24年 0【有休】‥日
25年 未定【初任給】‥万
【試験種類】‥ 【各種制度】‥

【業績】	売上高	営業利益	経常利益	純利益
連22.8	2,203	193	181	153
連23.8	2,073	58	49	35

㈱メディアシーク

株式公開 ―

【本社】108-0072 東京都港区白金1-27-6 白金高輪ステーションビル ☎03-5423-6600
システム・ソフト

採用予定数	倍率	3年後離職率	平均年収
若干	‥	‥	503万円

【特色】法人向けシステムコンサルティングが主力。スクール経営や企業研修向けのパッケージ製品も展開。コンシューマー向けでは、QRコード解析アプリが成長。アプリは広告収入主体のビジネスモデル。脳波を活用したブレインテックトレーニングサービスの提供も。
【定着率】‥
【採用】 【設立】2000.3 【社長】西尾直紀
23年 2【従業員】連75名 単75名(35.4歳)
24年 3【有休】‥日
25年 若干【初任給】月25万(諸手当を除いた数値)
【試験種類】‥ 【各種制度】‥

【業績】	売上高	営業利益	経常利益	純利益
連23.7	870	41	78	60
連24.6変	864	61	202	119

メディカル・データ・ビジョン

東証プライム

【本社】101-0053 東京都千代田区神田美土代町7 ☎03-5283-6911
システム・ソフト

採用予定数	倍率	3年後離職率	平均年収
20名	‥	‥	637万円

【特色】医療ビッグデータを利用したサービスを展開。病院や健康保険組合向けには経営支援システムを販売し、大型病院では高シェア。製薬会社向けには、薬剤や疾患に関するデータ分析結果を販売。個人向けには診療記録の管理アプリ「カルテコ」を提供。
【定着率】‥
【採用】【設立】2003.8【社長】岩崎博之
23年 2【従業員】連262名 単191名(41.5歳)
24年 23【有休】‥日
25年 20【初任給】‥万
【試験種類】‥【各種制度】‥

【業績】	売上高	営業利益	経常利益	純利益
連22.12	6,104	1,758	1,750	870
連23.12	6,419	1,770	1,700	979

㈱モルフォ

東証グロース

【本社】101-0054 東京都千代田区神田錦町2-2-1 KANDA SQUARE ☎03-6822-2629
システム・ソフト

採用実績数	倍率	3年後離職率	平均年収
4名	‥	‥	631万円

【特色】スマホ向け中心に手ぶれ補正など画像処理ソフトウェアを開発するITベンチャー。海外スマホ向けロイヤルティーが収益源で売上高の約5割が海外。主顧客に米国モトローラ。提携先のデンソーと車載カメラ向け次世代技術を共同開発。新分野での開発を強化。
【定着率】‥
【採用】【設立】2004.5【社長】平賀督基
23年 2【従業員】連151名 単89名(37.4歳)
24年 4【有休】‥日
25年 未定【初任給】‥万
【試験種類】‥【各種制度】‥

【業績】	売上高	営業利益	経常利益	純利益
連22.10	1,997	▲588	▲510	▲668
連23.10	2,383	▲244	▲192	▲300

㈱ラキール

東証グロース

【本社】105-6233 東京都港区愛宕2-5-1 愛宕グリーンMORIタワー ☎03-6441-3850
システム・ソフト

採用予定数	倍率	3年後離職率	平均年収
75名	‥	‥	590万円

【特色】企業向け基幹システム開発会社。業務アプリケーションを提供するプロダクトサービス、大手企業向け基幹システムの開発・保守を行うプロフェッショナルサービスで展開。クラウドを活用した日本初のデジタルビジネスプラットフォームで製品を展開。
【定着率】‥
【採用】【設立】2017.10【社長】久保努
23年 40【従業員】連496名 単427名(36.0歳)
24年 60【有休】‥日
25年 75【初任給】月26.7万(諸手当を除いた数値)
【試験種類】‥【各種制度】‥

【業績】	売上高	営業利益	経常利益	純利益
連22.12	6,880	772	731	467
連23.12	7,653	774	806	539

㈱ラクス

東証プライム

【東京本社】151-0051 東京都渋谷区千駄ヶ谷5-27-5 ☎03-6683-3857
システム・ソフト

採用実績数	倍率	3年後離職率	平均年収
13名	‥	‥	641万円

【特色】企業向けのクラウドサービス事業とIT技術者派遣が2本柱。メール共有・一元管理システム「メールディーラー」が収益柱。交通費等精算システム「楽楽精算」も急成長。「楽楽明細」「楽楽販売」「楽楽勤怠」などサービスを拡充。
【定着率】‥
【採用】【設立】2000.11【社長】中村崇則
23年 9【従業員】連2,700名 単‥名(32.3歳)
24年 13【有休】‥日
25年 増加【初任給】月26万(諸手当を除いた数値)
【試験種類】‥【各種制度】‥

【業績】	売上高	営業利益	経常利益	純利益
連23.3	27,399	1,656	1,677	1,274
連24.3	38,408	5,559	5,610	4,185

㈱リアルテック

株式公開計画なし

【本社】101-0021 東京都千代田区外神田1-16-8 GEEKS AKIHABARA3階 ☎03-5207-2730
システム・ソフト

採用予定数	倍率	3年後離職率	平均年収
10名	‥	‥	‥

【特色】セキュリティー、防衛、通信、建設関連のシステム開発企業。システムの受託開発が中心。官公庁向けシステムや、AIを活用しインフラ構造物の劣化を予測するシステム、携帯電話基地局などのインフラ向けシステムなどで実績。
【定着率】‥
【採用】【設立】1998.4【代表取締役】横山朋久
23年 9【従業員】単71名(34.1歳)
24年 8【有休】‥日
25年 10【初任給】月24万(諸手当を除いた数値)
【試験種類】‥【各種制度】‥

【業績】	売上高	営業利益	経常利益	純利益
単23.3	1,496	‥	268	193
単24.3	1,477	‥	175	114

リックソフト

東証グロース

【本社】100-0004 東京都千代田区大手町2-1-1 大手町野村ビル ☎03-6262-3947
システム・ソフト

採用予定数	倍率	3年後離職率	平均年収
12名	‥	‥	697万円

【特色】豪アトラシアン社などの課題管理システムや業務支援パッケージソフトの販売が中心。ソフト導入支援からシステム構築、研修、ヘルプデスクなども包括的に提供。クラウド環境でも提供。拡張機能部分は自社開発しアドオン製品として販売している。
【定着率】‥
【採用】【設立】2009.4【代表取締役】大貫浩
23年 4【従業員】連123名 単117名(39.2歳)
24年 6【有休】‥日
25年 12【初任給】月22万(諸手当を除いた数値)
【試験種類】‥【各種制度】‥

【業績】	売上高	営業利益	経常利益	純利益
連23.2	5,623	546	567	423
連24.2	7,491	665	676	269

㈱Ｒｉｄｇｅ－ｉ

東証グロース

【本社】100-0004 東京都千代田区大手町1-6-1 ☎03-5208-5780
システム・ソフト

採用予定数	倍率	3年後離職率	平均年収
2名	‥	‥	840万円

【特色】パートナー企業のAI活用に向けたカスタムAIソリューション事業を手がけ、要件定義からAIの開発・導入・運用までを一気通貫で提供。AI活用コンサル、AI開発、AIライセンス提供、人工衛星データを活用したAI解析などのサービスを提供。
【定着率】‥
【採用】　【設立】2016.7【社長】柳原尚史
23年 ‥【従業員】単32名(35.2歳)
24年 2【有休】‥日
25年 2【初任給】‥万
【試験種類】‥【各種制度】‥

【業績】	売上高	営業利益	経常利益	純利益
単23.7	790	70	60	44
単24.7	1,071	152	153	121

㈱リミックスポイント

東証スタンダード

【本社】105-0001 東京都港区虎ノ門4-3-9 住友新虎ノ門ビル ☎03-6303-0280
システム・ソフト

採用予定数	倍率	3年後離職率	平均年収
未定	‥	‥	‥

【特色】エネルギー事業とレジリエンス事業が主。エネルギー事業では電力小売りを、レジリエンス事業は省エネルギー化支援コンサルティング、蓄電池など省エネ関連機器の販売を手がける。子会社で医療Webコンサルも。M&Aによる新事業計画に注力。
【定着率】‥
【採用】　【設立】2004.3【社長】高橋由彦
23年 0【従業員】連256名 単136名(37.0歳)
24年 0【有休】‥日
25年 未定【初任給】月23.5万(諸手当を除いた数値)
【試験種類】‥【各種制度】‥

【業績】	売上高	営業利益	経常利益	純利益
連23.3	32,789	▲1,850	▲1,722	3,267
連24.3	20,487	1,743	1,758	1,070

ＮＴＴアドバンステクノロジ

株式公開計画なし

【本社】163-1436 東京都新宿区西新宿3-20-2 東京オペラシティタワー 36階 ☎03-5843-5100
システム・ソフト

採用予定数	倍率	3年後離職率	平均年収
32名	‥	‥	‥

【特色】NTT研究所の先端技術をベースとしたサービスや製品を提供。コンサルティングから、ネットワークシステムソリューションをワンストップで提供。アプリケーション・マテリアル＆ナノテクノロジ・ソーシャルプラットフォームなどの各ビジネスを強化。
【定着率】‥
【採用】　【設立】1976.12【社長】伊東匡
23年 29【従業員】単2,103名(47.6歳)
24年 31【有休】‥日
25年 32【初任給】月22万(諸手当を除いた数値)
【試験種類】‥【各種制度】‥

【業績】	売上高	営業利益	経常利益	純利益
単23.3	69,976	3,130	4,432	3,375
単24.3	72,368	3,389	4,635	3,368

さわやか信用金庫（しんようきんこ）

株式公開計画なし

【本部】144-0047 東京都大田区萩中2-2-1 ☎03-3742-0615
信用金庫

採用予定数	倍率	3年後離職率	平均年収
65名	‥	‥	‥

【特色】東京と神奈川に63店舗を展開する信用金庫。中小企業の商品・サービス・技術をとらえたビジネスマッチングなどの機会創出に熱心。東都中央信金と東京産業信金が2002年に合併して発足。預金量1兆5485億円、貸出金9128億円(24年3月末)。
【定着率】‥
【採用】　【設立】2002.10【理事長】篠啓友
23年 38【従業員】連964名 単936名(43.5歳)
24年 32【有休】‥日
25年 65【初任給】月22万(諸手当を除いた数値)
【試験種類】‥【各種制度】‥

【業績】	経常収益	業務純益	経常利益	純利益
連23.3	21,414	‥	2,774	2,015
連24.3	21,345	‥	2,654	2,246

城南信用金庫（じょうなんしんようきんこ）

株式公開していない

【本社】141-0031 東京都品川区西五反田7-2-3 ☎03-3493-8111
信用金庫

採用予定数	倍率	3年後離職率	平均年収
未定	‥	‥	‥

【特色】都内全域と神奈川主要都市に86店舗を展開する信金。1945年城南地区の15信組が合併し発足。パートナーシップ結ぶ日本IBMと開発したバンキングアプリをリリース。地銀中位行上回る預金量4兆0216億円、貸出金2兆3501億円(24年3月末)。
【定着率】‥
【採用】　【設立】1945.8【理事長】林稔
23年 55【従業員】単1,974名(42.9歳)
24年 ‥【有休】‥日
25年 未定【初任給】‥万
【試験種類】‥【各種制度】‥

【業績】	経常収益	業務純益	経常利益	純利益
単23.3	42,228	7,064	5,951	4,081
単24.3	43,115	7,834	6,744	3,914

アーク証券（しょうけん）

株式公開計画なし

【東京本社】100-0005 東京都千代田区丸の内3-4-1 新国際ビル4階 ☎03-5288-8100
証券

採用予定数	倍率	3年後離職率	平均年収
3名	‥	‥	‥

【特色】岡徳証券として設立された中部地盤の中堅証券。現在は東京本社、名古屋本店体制。総合、先物取引などの取引参加者。宅地建物取引業免許取得し不動産の売買・賃貸も行う。対面営業、不動産事業の拡充に注力。自己資本規制比率354.6%(24年3月末)。
【定着率】‥
【採用】　【設立】1949.5【社長】安藤真里
23年 0【従業員】単44名(41.9歳)
24年 0【有休】‥日
25年 3【初任給】月24万(諸手当を除いた数値)
【試験種類】‥【各種制度】‥

【業績】	営業収益	営業利益	経常利益	純利益
単23.3	1,620	134	271	275
単24.3	1,776	190	357	539

あかつき証券（しょうけん）
株式公開 いずれしたい

【本社】103-0024 東京都中央区日本橋小舟町8-1 ☎03-5641-7800
証券

採用実績数	倍率	3年後離職率	平均年収
9名	‥	‥	‥

【特色】老舗中小証券。1863年大阪創業の黒川証券と、東京の木徳証券が1977年合併して発足。あかつき本社グループ。関東から兵庫まで国内11店舗を展開。金融商品仲介(IFA)ビジネスに注力。自己資本規制比率403.8%(24年3月末)。
【定着率】‥
【採用】 【設立】1918.10【社長】工藤英人
23年 4【従業員】連194名 単184名(48.6歳)
24年 9【有休】‥日
25年 未定【初任給】月26万
【試験種類】‥【各種制度】‥

【業績】	営業収益	営業利益	経常利益	純利益
連23.3	9,593	175	205	117
連24.3	14,479	1,669	2,046	1,369

インベスコ・アセット・マネジメント
株式公開 計画なし

【本社】106-6114 東京都港区六本木6-10-1 六本木ヒルズ森タワー14階 ☎03-6447-3000
証券

採用予定数	倍率	3年後離職率	平均年収
未定	‥	‥	‥

【特色】世界有数の独立系運用会社インベスコ社の日本拠点。機関投資家を対象には幅広い運用戦略を提供し、個人投資家向けには投資信託・サービスを提供。運用資産残高は約9兆円(24年3月末、サポート等行う投資信託等残高の一部含む)。
【定着率】‥
【採用】 【設立】1990.11【社長】佐藤秀樹
23年 ‥【従業員】単114名(‥歳)
24年 ‥【有休】‥日
25年 未定【初任給】‥万
【試験種類】‥【各種制度】‥

【業績】	営業収益	営業利益	経常利益	純利益
単22.12	10,791	340	301	109
単23.12	18,438	1,160	1,224	756

T＆Dフィナンシャル生命保険
株式公開 計画なし

【本社】105-0023 東京都港区芝浦1-1-1 浜松町ビルディング16階 ☎03-6745-6850
生保

採用予定数	倍率	3年後離職率	平均年収
未定	‥	‥	‥

【特色】太陽生命と大同生命を中核企業とするT&D保険グループの生保で、金融機関など代理店チャネルを通じた保険販売に特化。一時払資産形成型商品や平準払保障性商品を販売。23年3月末保有契約年換算保険料(個人＋個人年金)2630億円。
【定着率】‥
【採用】 【設立】1947.7【社長】森中哉也
23年 0【従業員】単273名(44.2歳)
24年 0【有休】‥日
25年 未定【初任給】月21万(諸手当を除いた数値)
【試験種類】‥【各種制度】‥

【業績】	保険料等	基礎利益	経常利益	純利益
単23.3	714,695	▲3,245	11,054	7,940
単24.3	917,540	▲1,487	7,305	4,812

ライフネット生命保険（せいめいほけん）
東証 グロース

【本社】102-0083 東京都千代田区麹町2-14-2 麹町NKビル ☎03-5216-7900
生保

採用予定数	倍率	3年後離職率	平均年収
6名	‥	‥	803万円

【特色】インターネット専業の生命保険。死亡、医療、がん、就業不能の個人向け保障性商品に絞る。直販で営業経費抑え、安価な保険料を実現。商品のわかりやすさに特徴。資本業務提携先のKDDIはじめ他社サイトと連携も。オンライン保険代理店事業を子会社で展開。
【定着率】‥
【採用】 【設立】2006.10【社長】森亮介
23年 2【従業員】連240名 単240名(41.2歳)
24年 5【有休】‥日
25年 6【初任給】月25.7万(諸手当を除いた数値)
【試験種類】‥【各種制度】‥

【業績】	経常収益	保険料等	税前利益	純利益
単23.3	30,268	29,207	▲4,949	▲5,164
連24.3	25,280	24,698	8,251	5,734

アクサ損害保険（そんがいほけん）
株式公開 計画なし

【本社】111-8633 東京都台東区寿2-1-13 偕楽ビル ☎03-4335-8570
損保

採用予定数	倍率	3年後離職率	平均年収
25名	‥	‥	‥

【特色】世界大手保険グループAXAの日本法人アクサHDジャパン傘下。「アクサダイレクト」ブランドで、通販型総合自動車保険やペット保険などを販売する。個人向け自動車保険は契約件数110万件超。ソルベンシーマージン比率529.7%(24年3月末)。
【定着率】‥
【採用】 【設立】1998.6【社長】田中勇二郎
23年 20【従業員】単768名(39.6歳)
24年 21【有休】‥日
25年 25【初任給】月29.2万(諸手当を除いた数値)
【試験種類】‥【各種制度】‥

【業績】	正味保険料	引受利益	経常利益	純利益
単23.3	57,044	5,787	6,381	4,572
単24.3	55,887	4,813	5,723	3,981

アニコム ホールディングス
東証 プライム

【本社】160-0023 東京都新宿区西新宿8-17-1 住友不動産新宿グランドタワー ☎03-5348-3911
損保

採用実績数	倍率	3年後離職率	平均年収
40名	‥	‥	718万円

【特色】ペット保険の草分けで業界首位、保有契約件数は約120万。専業のアニコム損害保険が中核。ペットショップに保険代理店を委託、全国の動物病院の半数以上と提携し窓口精算を行う。子会社で病院経営支援、電子カルテ、遺伝子検査や疾病予防研究にも取り組む。
【定着率】‥
【アニコム損保採用】【設立】2000.7【代表取締役】小森伸昭
23年 39【従業員】連933名 単35名(42.1歳)
24年 40【有休】‥日
25年 未定【初任給】月21.3万(諸手当を除いた数値)
【試験種類】‥【各種制度】‥

【業績】	経常収益	正味保険	経常利益	純利益
連23.3	56,528	50,781	3,685	2,284
連24.3	60,437	54,273	4,159	2,729

セコム損害保険（そんがいほけん）

株式公開計画なし

【本店】102-8645 東京都千代田区平河町2-6-2
☎03-5216-6111
損保

採用予定数	倍率	3年後離職率	平均年収
15名	‥	‥	‥

【特色】セコムの連結子会社で、さまざまな割引制度を備えた保険商品の開発が特長。事故現場急行サービス付自動車保険、ホームセキュリティシステム導入で保険料が割引される火災保険などを販売する。24年3月末ソルベンシーマージン比率928.1%。
【定着率】‥
【採用】 【設立】1950.2【社長】石川善朗
23年 10【従業員】単453名(46.8歳)
24年 13【有休】‥日
25年 15【初任給】月26万(諸手当を除いた数値)
【試験種類】‥【各種制度】‥

【業績】	正味保険料	引受利益	経常利益	純利益
単23.3	51,037	▲2,608	1,262	765
単24.3	51,929	▲1,697	2,435	1,674

明治安田損害保険（めいじやすだそんがいほけん）

株式公開計画なし

【本社】101-0048 東京都千代田区神田司町2-11-1
☎03-3257-3111
損保

採用予定数	倍率	3年後離職率	平均年収
未定	‥	‥	‥

【特色】明治安田生命傘下の損保会社。法人分野に特化し、親会社の団体保険商品と一体的に提供する。福利厚生制度関連の労働災害保険や傷害保険、リスク補償行う取引信用保険、会社役員賠償責任保険などを扱う。24年3月末ソルベンシーマージン比率2814.7%。
【定着率】‥
【採用】 【設立】1996.8【社長】梅﨑輝喜
23年 1【従業員】単213名(48.3歳)
24年 ‥【有休】‥日
25年 未定【初任給】‥万
【試験種類】‥【各種制度】‥

【業績】	正味保険料	引受利益	経常利益	純利益
単23.3	14,724	128	866	450
単24.3	14,862	685	1,078	709

㈱シー・アイ・シー

株式公開計画なし

【本社】160-8375 東京都新宿区西新宿1-23-7 新宿ファーストウエスト
☎03-3348-0601
信販・カード・リース他

採用予定数	倍率	3年後離職率	平均年収
8名	‥	‥	‥

【特色】貸金業法、割賦販売法に基づく指定信用情報機関。クレジット各社が共同で設立。クレジット取引などに関する信用情報を加盟会社に提供。北海道から九州まで支店網。24年3月の会員数は837社。保有情報量は8億3023万件。
【定着率】‥
【採用】 【設立】1984.10【社長】齋藤雅之
23年 7【従業員】単188名(42.3歳)
24年 6【有休】‥日
25年 8【初任給】月22.6万(諸手当を除いた数値)
【試験種類】‥【各種制度】‥

【業績】	売上高	営業利益	経常利益	純利益
単23.3	7,654	1,432	1,443	989
単24.3	7,979	1,588	1,651	1,146

㈱アサックス

東証スタンダード

【本社】150-0012 東京都渋谷区広尾1-3-14
☎03-3445-0404
信販・カード・リース他

採用実績数	倍率	3年後離職率	平均年収
4名	‥	‥	847万円

【特色】独立系の不動産担保ローン専門会社。中小企業や個人向けに顧客保有の土地・建物へ抵当権を設定する方式で融資を展開。独特のノウハウで貸倒率は低い。不動産売買や金融機関の不動産担保融資の信用保証業務も手がける。営業基盤は首都圏に集中。
【定着率】‥
【採用】 【設立】1969.7【社長】草間雄介
23年 3【従業員】単60名(34.6歳)
24年 4【有休】‥日
25年 未定【初任給】月24.7万(諸手当を除いた数値)
【試験種類】‥【各種制度】‥

【業績】	営業収益	営業利益	経常利益	純利益
単23.3	6,180	4,294	4,297	2,799
単24.3	6,754	4,746	5,061	3,289

㈱JALカード

株式公開計画なし

【本社】140-8656 東京都品川区東品川2-4-11
☎‥
信販・カード・リース他

採用予定数	倍率	3年後離職率	平均年収
27名	‥	‥	‥

【特色】日本航空グループのクレジットカード会社。日本で唯一の航空系。マイレージプログラム「JALマイレージバンク」にクレジット機能を付加した「JALカード」を発行。24.3期末会員数348.2万人、年間取扱高4兆0075億円(2024年3月期)。
【定着率】‥
【採用】 【設立】1984.10【社長】西畑智博
23年 13【従業員】単273名(38.8歳)
24年 18【有休】‥日
25年 27【初任給】月23.1万(諸手当を除いた数値)
【試験種類】‥【各種制度】‥

【業績】	売上高	営業利益	経常利益	純利益
単23.3	17,199	7,190	7,211	5,026
単24.3	13,238	2,738	2,787	2,026

㈱日本保証（にほんほしょう）

株式公開計画なし

【本社】150-6007 東京都渋谷区恵比寿4-20-3 恵比寿ガーデンプレイスタワー7階
☎03-6830-8100
信販・カード・リース他

採用実績数	倍率	3年後離職率	平均年収
0名	‥	‥	‥

【特色】不動産関連の債務保証が主力事業。独自の不動産審査力によりニーズに合うオーダーメード型商品を開発。アパートローン債務保証中心に、富裕層向けローン保証商品伸長し業績牽引。債務保証残高2337億円(23年12月末)。Jトラストグループ。
【定着率】‥
【採用】 【設立】1970.3【社長】丸山剛伸
23年 0【従業員】単53名(47.5歳)
24年 0【有休】‥日
25年 0【初任給】‥万
【試験種類】‥【各種制度】‥

【業績】	売上高	営業利益	経常利益	純利益
単22.12	7,954	3,726	3,946	2,839
単23.12	7,321	3,475	3,763	2,766

りそなカード
株式公開計画なし

【本社】135-0042 東京都江東区木場1-5-25 ☎03-5665-0601
信販・カード・リース他

採用予定数	倍率	3年後離職率	平均年収
7名	‥	‥	‥

【特色】りそなグループの中核カード会社。クレディセゾンと業務・資本提携。りそなGのポイントサービス付帯のカードのほか、セゾンカードやVISA、JCB、Masterブランドなど全24種のカードを取り扱う。ローン保証業務も行う。
【定着率】‥
【採用】 【設立】1983.2【社長】鈴木陽彦
23年 4【従業員】単329名(46.0歳)
24年 8【有休】‥日
25年 7【初任給】‥万
【試験種類】‥【各種制度】‥

【業績】	取扱高	営業利益	経常利益	純利益
単23.3	420,828	1,713	1,936	1,339
単24.3	444,051	1,617	1,798	1,206

ジェイアールエフ商事
株式公開計画なし

【本社】102-0072 東京都千代田区飯田橋3-11-13 飯田橋i-MARK ANNEX5階 ☎03-5212-6061
信販・カード・リース他

採用予定数	倍率	3年後離職率	平均年収
未定	‥	‥	‥

【特色】物流関係の機械設備リースが主力。オフィス用品のほか、鉄道車両用品なども販売。保険事業を兼営。グループ内金融によるグループ資産の有効活用、シェアードサービスによる間接部門の集約化など、効率的なグループ経営推進担う。JR貨物グループ。
【定着率】‥
【採用】 【設立】1988.3【社長】花岡俊樹
23年 0【従業員】単51名(48.9歳)
24年 0【有休】‥日
25年 未定【初任給】‥万
【試験種類】‥【各種制度】‥

【業績】	売上高	営業利益	経常利益	純利益
単23.3	4,131	261	288	219
単24.3	4,639	274	299	210

㈱セブン・フィナンシャルサービス
株式公開計画なし

【本社】102-8435 東京都千代田区二番町4-5 ☎03-6238-2365
信販・カード・リース他

採用予定数	倍率	3年後離職率	平均年収
未定	‥	‥	‥

【特色】セブン&アイグループにおけるノンバンク事業を担う。グループ事業会社向け設備リースや配送車などのカーリースを行う。契約件数約6万3000件、リース台数約1万台。グループの顧客や取引先に損害保険や生命保険の販売も手がける。
【定着率】‥
【採用】 【設立】1975.12【社長】水落辰也
23年 4【従業員】単‥名(‥歳)
24年 ‥【有休】‥日
25年 未定【初任給】‥万
【試験種類】‥【各種制度】‥

【業績】	売上高	営業利益	経常利益	純利益
単23.2	36,179	2,546	2,936	2,074
単24.2	34,578	2,677	3,198	26,773

東京ガスリース
株式公開計画なし

【本社】163-1064 東京都新宿区西新宿3-7-1 新宿パークタワー12階 ☎03-5322-1121
信販・カード・リース他

採用予定数	倍率	3年後離職率	平均年収
2名	‥	‥	‥

【特色】ガス設備機器のリース事業と、分割払いなどのファイナンス事業を展開。家庭用燃料電池「エネファーム」専用クレジット、法人向けガス機器リースなどが主体。保険代理店や債権買取・集金代行事業なども手がける。東京ガスグループ。
【定着率】‥
【採用】 【設立】1983.4【社長】児美川吉朗
23年 1【従業員】単80名(44.0歳)
24年 1【有休】‥日
25年 2【初任給】月20.8万(諸手当を除いた数値)
【試験種類】‥【各種制度】‥

【業績】	売上高	営業利益	経常利益	純利益
単23.3	7,929	562	573	395
単24.3	7,670	598	604	417

㈱日医リース
株式公開未定

【本社】141-0031 東京都品川区西五反田1-3-8 五反田PLACE6階 ☎03-3490-8641
信販・カード・リース他

採用実績数	倍率	3年後離職率	平均年収
6名	‥	‥	‥

【特色】医療機器のリース・割賦が主力で、病院・医院の開業支援に実績多い。契約先約1.7万件。営業拠点は国内10支店、1営業所。医院の開業支援プログラムも行う。業界シェアはリース事業協会医療機器契約額ベースで約10%。三菱HCキャピタルの完全子会社。
【定着率】‥
【採用】 【設立】1970.6【社長】野﨑進
23年 7【従業員】単186名(‥歳)
24年 6【有休】‥日
25年 未定【初任給】月24万(諸手当を除いた数値)
【試験種類】‥【各種制度】‥

【業績】	営業収益	営業利益	経常利益	純利益
単23.3	35,145	1,231	1,267	831
単24.3	34,926	1,149	1,228	822

日本カーソリューションズ
株式公開計画なし

【本社】101-0021 東京都千代田区外神田4-14-1 秋葉原UDX ☎03-5207-2000
信販・カード・リース他

採用予定数	倍率	3年後離職率	平均年収
32名	‥	‥	‥

【特色】東京センチュリーとNTTの合弁による国内トップ級のオートリース会社。乗用車、商用車に加え、高所作業車など特殊車両や福祉車両も扱う。EV導入ソリューションや、テレマティクスサービスなど豊富なメニュー揃える。管理台数は70万台に迫る。
【定着率】‥
【採用】 【設立】1987.2【社長】髙島俊史
23年 19【従業員】連1,112名 単1,051名(44.6歳)
24年 26【有休】‥日
25年 32【初任給】月24万(諸手当を除いた数値)
【試験種類】‥【各種制度】‥

【業績】	売上高	営業利益	経常利益	純利益
連23.3	197,521	16,430	16,510	11,212
連24.3	203,039	16,497	16,572	11,334

三菱電機フィナンシャルソリューションズ

株式公開計画なし

【本社】141-8505 東京都品川区大崎1-6-3 日精ビルディング ☎03-5496-5421
信販・カード・リース他

採用予定数	倍率	3年後離職率	平均年収
10名	‥	‥	‥

【特色】三菱電機グループのファイナンス会社で三菱HCキャピタルも出資。前者の製品・サービス群に後者の金融ノウハウを融合。産業機械、ビル設備、空調冷熱機器や再生可能エネルギー設備のリースに加え、補助金を活用したリースなど展開する。
【定着率】‥
【採用】【設立】1970.2【社長】小池宏之
23年 10【従業員】単383名(43.8歳)
24年 7【有休】‥日
25年 10【初任給】月25万(諸手当を除いた数値)
【試験種類】‥【各種制度】‥

【業績】	売上高	営業利益	経常利益	純利益
単23.3	70,139	2,244	2,050	1,594
単24.3	75,636	2,286	2,321	1,707

ジャフコ グループ

東証プライム

【本社】105-6324 東京都港区虎ノ門1-23-1 虎ノ門ヒルズ森タワー ☎050-3734-2025
信販・カード・リース他

採用実績数	倍率	3年後離職率	平均年収
4名	‥	‥	1,278万円

【特色】専業ベンチャーキャピタル(VC)国内最大手。ベンチャー投資のほかバイアウト投資も手がける。国内はじめ、米国、アジアで国際展開。出資先企業のIPOや事業売却によるキャピタルゲインに加え、ファンドの管理報酬も得る。1973年設立の老舗。
【定着率】‥
【採用】【設立】1973.4【社長】三好啓介
23年 6【従業員】連161名 単129名(42.5歳)
24年 4【有休】‥日
25年 前年並【初任給】月21万(諸手当を除いた数値)
【試験種類】‥【各種制度】‥

【業績】	営業収益	営業利益	経常利益	純利益
連23.3	14,073	▲4,414	▲3,048	40,571
連24.3	24,443	8,175	8,822	7,494

フィンテック グローバル

東証スタンダード

【本社】141-0021 東京都品川区上大崎3-1-1 目黒セントラルスクエア ☎03-6456-4600
信販・カード・リース他

採用実績数	倍率	3年後離職率	平均年収
3名	‥	‥	855万円

【特色】事業承継問題を抱える企業への投資やソリューション提供が主軸。ブティック型の金融専門会社の先駆。ファイナンスアレンジなどにより資金調達を支援。大型案件でなく開発型中小型案件の組成など独自領域を持つ。埼玉県のムーミンのテーマパーク運営も。
【定着率】‥
【採用】【設立】1994.12【社長】玉井信光
23年 3【従業員】連171名 単44名(39.0歳)
24年 3【有休】‥日
25年 前年並【初任給】月21.4万(諸手当を除いた数値)
【試験種類】‥【各種制度】‥

【業績】	売上高	営業利益	経常利益	純利益
連22.9	9,301	587	540	176
連23.9	9,302	1,343	1,277	1,603

あんしん保証（ほしょう）

東証スタンダード

【本社】140-0002 東京都品川区東品川4-12-4 品川シーサイドパークタワー ☎03-6627-3440
信販・カード・リース他

採用実績数	倍率	3年後離職率	平均年収
1名	‥	‥	465万円

【特色】不動産の賃貸借契約で、連帯保証人を引き受ける家賃債務保証事業を展開。入居者からの保証料などが収益源。事前立替型保証の先駆で、入居者の家賃支払い前に全額を立て替え、賃貸者に支払う。ビジネスモデルの特許を取得。アイフル傘下のライフカードと提携。
【定着率】‥
【採用】【設立】2002.12【社長】雨坂甲
23年 8【従業員】単140名(34.5歳)
24年 1【有休】‥日
25年 前年並【初任給】月21.2万(諸手当を除いた数値)
【試験種類】‥【各種制度】‥

【業績】	営業収益	営業利益	経常利益	純利益
単23.3	4,497	571	677	471
単24.3	4,842	439	551	373

イー・ギャランティ

東証プライム

【本社】107-6337 東京都港区赤坂5-3-1 赤坂Bizタワー ☎03-6327-3577
信販・カード・リース他

採用予定数	倍率	3年後離職率	平均年収
未定	‥	‥	‥

【特色】企業の売掛債権の信用保証事業を行う。企業間取引に伴う債権未回収リスクを引き受け保証料を得る。受託リスクは流動化、審査・分析のうえ投資商品に組成し、ファンドなどに移転する。金融機関、商社、信用金庫などと連携して全国で集客。伊藤忠商事系。
【定着率】‥
【採用】【設立】2000.9【社長】江藤公則
23年 31【従業員】連190名 単186名(31.5歳)
24年 ‥【有休】‥日
25年 未定【初任給】月22万(諸手当を除いた数値)
【試験種類】‥【各種制度】‥

【業績】	売上高	営業利益	経常利益	純利益
連23.3	8,494	4,150	4,231	2,864
連24.3	9,165	4,850	4,902	3,262

東日本建設業保証（ひがしにほんけんせつぎょうほしょう）

株式公開計画なし

【本社】104-8438 東京都中央区八丁堀2-27-10 ☎03-3552-7520
信販・カード・リース他

採用実績数	倍率	3年後離職率	平均年収
5名	‥	‥	‥

【特色】建設会社が対象の公共工事の前払金保証が主業務。国土交通大臣登録会社。東日本地区担当で本社および営業店舗25カ所。インターネット保証サービスも。年間保証実績は12.1万件、保証金額2.9兆円(24年3月期)。
【定着率】‥
【採用】【設立】1952.10【社長】栗田卓也
23年 12【従業員】連342名 単262名(43.4歳)
24年 5【有休】‥日
25年 未定【初任給】月22.7万(諸手当を除いた数値)
【試験種類】‥【各種制度】‥

【業績】	売上高	営業利益	経常利益	純利益
連23.3	12,092	4,095	6,284	4,244
連24.3	12,295	3,101	5,397	3,583

㈱インタートレード

東証スタンダード

【本社】104-0033 東京都中央区新川1-17-21 茅場町ファーストビル ☎03-3537-7450
信販・カード・リース他

採用予定数	倍率	3年後離職率	平均年収
8名	‥	‥	556万円

【特色】金融機関向けのディーリング、トレーディング業務用のパッケージソフト開発が主軸。経営統合管理など一般企業向けシステムも手がけ顧客拡充を推進。ブロックチェーン技術開発に注力。ハナビラタケを原料とした健康食品も育成中。
【定着率】‥
【採用】【設立】1999.1【社長】西本一也
23年 8【従業員】連105名 単97名(40.2歳)
24年 3【有休】‥日
25年 8【初任給】月21.8万(諸手当を除いた数値)
【試験種類】‥【各種制度】‥

【業績】	売上高	営業利益	経常利益	純利益
連22.9	2,056	241	62	173
連23.9	2,011	199	1	36

イッツ・コミュニケーションズ

株式公開していない

【本社】158-0097 東京都世田谷区用賀4-10-1 世田谷ビジネススクエアタワー ☎03-4346-1600
テレビ

採用予定数	倍率	3年後離職率	平均年収
20名	‥	‥	‥

【特色】東急系CATV会社。東京・渋谷、大田、目黒、世田谷各区から神奈川県・川崎、横浜両市にかけた東急沿線が地盤。MVNOや住まい用IoTサービスも拡販。川崎市に溝ノ口事務所、横浜市にメディアセンターを配置。
【定着率】‥
【採用】【設立】1983.3【社長】金井美恵
23年 17【従業員】単654名(‥歳)
24年 18【有休】‥日
25年 20【初任給】月21.5万(諸手当を除いた数値)
【試験種類】‥【各種制度】‥

【業績】	売上高	営業利益	経常利益	純利益
単23.3	30,421	3,263	3,391	‥
単24.3	29,901	3,068	3,199	‥

日本BS放送(にほんビーエスほうそう)

東証スタンダード

【本社】101-0062 東京都千代田区神田駿河台2-5 ☎03-3518-1800
テレビ

採用実績数	倍率	3年後離職率	平均年収
4名	‥	‥	700万円

【特色】ビックカメラが親会社のBS放送局。「BS11」がチャンネル名。競馬中継など自社制作番組も多い。競馬、アニメ、テレビショッピングに強み。韓流ドラマのノーカット版を放映するなど柔軟な番組編成が特徴。自社制作のネット配信も強化。傘下に児童出版社。
【定着率】‥
【採用】【設立】1999.8【社長】近藤和行
23年 3【従業員】連133名 単104名(44.8歳)
24年 4【有休】‥日
25年 前年並【初任給】月24.3万(諸手当を除いた数値)
【試験種類】‥【各種制度】‥

【業績】	売上高	営業利益	経常利益	純利益
連22.8	12,250	2,394	2,395	1,599
連23.8	12,417	1,983	2,015	1,386

㈱BS朝日(あさひ)

株式公開計画なし

【本社】106-0031 東京都港区西麻布1-2-9 EXタワー ☎03-5412-9255
テレビ

採用予定数	倍率	3年後離職率	平均年収
若干	‥	‥	‥

【特色】テレビ朝日HDグループでBSデジタル放送事業者。報道、映画、スポーツ、音楽、エンターテインメントなど多彩な番組を配信。視聴者が心の豊かさを感じられる番組の配信に重点。SNSやネット配信、イベントなどで視聴者との接点を積極的に図る。
【定着率】‥
【採用】【設立】1998.12【社長】浜島聡
23年 2【従業員】単81名(43.0歳)
24年 3【有休】‥日
25年 若干【初任給】月28.6万(諸手当を除いた数値)
【試験種類】‥【各種制度】‥

【業績】	売上高	営業利益	経常利益	純利益
単23.3	17,758	3,378	3,389	2,342
単24.3	18,347	3,556	3,591	2,478

㈱エフエム東京(とうきょう)

株式公開未定

【本社】102-8080 東京都千代田区麹町1-7 ☎03-3221-0080
ラジオ

採用予定数	倍率	3年後離職率	平均年収
未定	‥	‥	‥

【特色】北海道から沖縄まで全国38局を結ぶジャパンFMネットワークのキー局。「エフエム東海」が前身。音声コンテンツプラットフォーム「AuDee」がリリース年に100万MAUを獲得。放送のみならずデジタル領域でも音声コンテンツビジネスを拡大。
【定着率】‥
【採用】【設立】1970.3【社長】黒坂修
23年 2【従業員】連329名 単99名(44.4歳)
24年 0【有休】‥日
25年 未定【初任給】月25万
【試験種類】‥【各種制度】‥

【業績】	売上高	営業利益	経常利益	純利益
連23.3	13,929	781	1,032	742
連24.3	14,333	883	1,167	1,553

㈱TBSラジオ

株式公開計画なし

【本社】107-8001 東京都港区赤坂5-3-6 ☎03-3746-1111
ラジオ

採用実績数	倍率	3年後離職率	平均年収
2名	‥	‥	‥

【特色】TBS・HD傘下のラジオ局。1951年に開局した東京エリアの民間ラジオ放送局。FM90.5MHz、AM954kHzとラジコ(PC・スマホ)で放送。インターネットを駆使しボーダーレスに音声コンテンツを発信する指向。
【定着率】‥
【採用】【設立】2000.3【社長】林慎太郎
23年 0【従業員】単65名(43.4歳)
24年 2【有休】‥日
25年 未定【初任給】‥万
【試験種類】‥【各種制度】‥

【業績】	売上高	営業利益	経常利益	純利益
単23.3	8,490	368	376	234
単24.3	8,138	78	84	18

ゲンダイエージェンシー　東証スタンダード

【本社】163-1429 東京都新宿区西新宿3-20-2 東京オペラシティビル ☎03-5308-9888
広告

採用予定数	倍率	3年後離職率	平均年収
5名	‥	‥	535万円

【特色】パチンコホール向けの広告で専業トップ。ネット広告のほか折り込み広告やチラシ、販促物、DM、店内装飾用ポスターなどの制作も請け負う。関東地盤だが全国展開。塾、フィットネス、住宅関連分野などホール以外の新規顧客も開拓。
【定着率】‥
【採用】　【設立】1995.4【代表取締役】大島克俊
23年 5【従業員】連217名 単146名(39.7歳)
24年 4【有休】‥日
25年 5【初任給】年308万(諸手当を除いた数値)
【試験種類】‥【各種制度】‥

【業績】	売上高	営業利益	経常利益	純利益
連23.3	7,545	401	420	369
連24.3	7,419	249	262	125

㈱スコープ　株式公開計画なし

【本社】102-0071 東京都千代田区富士見2-10-2 飯田橋グラン・ブルーム28階 ☎03-3556-7610
広告

採用実績数	倍率	3年後離職率	平均年収
18名	‥	‥	‥

【特色】広告会社中堅。クライアントは流通業が主体。販促関連の調査・企画・立案・制作など購買時の消費者心理に着目したプロモーションを提案。送金プラットフォームや食品の有効期限管理ツールの開発、コワーキングスペースの提供なども手がける。
【定着率】‥
【採用】　【設立】1989.4【社長】横山繁
23年 6【従業員】単298名(41.0歳)
24年 18【有休】‥日
25年 未定【初任給】月22.5万(諸手当を除いた数値)
【試験種類】‥【各種制度】‥

【業績】	売上高	営業利益	経常利益	純利益
単23.3	14,347	101	379	355
単24.3	18,773	108	280	265

㈱日本経済社(にほんけいざいしゃ)　株式公開計画なし

【本社】107-0051 東京都港区元赤坂1-2-7 赤坂Kタワー ☎03-6434-5023
広告

採用実績数	倍率	3年後離職率	平均年収
12名	‥	‥	‥

【特色】日経グループの総合広告会社。グループのメディアを総合的に扱う。国内拠点は11カ所。企業向けのIRソリューション、調査事業も積極推進。提案型営業を強化。エリアに合わせた住宅展示場の企画運営や情報サイト「総合住宅展示場」の運営も手がける。
【定着率】‥
【採用】　【設立】1942.11【社長】北村眞一郎
23年 12【従業員】単380名(46.6歳)
24年 12【有休】‥日
25年 未定【初任給】月25万(諸手当を除いた数値)
【試験種類】‥【各種制度】‥

【業績】	売上高	営業利益	経常利益	純利益
単22.12	34,745	632	689	466
単23.12	35,478	626	684	469

㈱ブリーチ　東証グロース

【本社】153-0051 東京都目黒区上目黒2-1-1 中目黒GTタワー ☎03-6265-8346
広告

採用予定数	倍率	3年後離職率	平均年収
30名	‥	‥	711万円

【特色】成果報酬型のネットマーケティング支援を展開。当社が広告費を負担するモデルに特徴。広告制作から運用までを内製化。Webメディアは選択が可能。化粧品、日用品、機能性表示食品などのインターネット通販、美容サロン、金融サービスを中心に実績。
【定着率】‥
【採用】　【設立】2010.4【社長】大平啓介
23年 ‥【従業員】単93名(26.5歳)
24年 22【有休】‥日
25年 30【初任給】‥万
【試験種類】‥【各種制度】‥

【業績】	売上高	営業利益	経常利益	純利益
単23.6	16,377	2,173	2,147	1,465
単24.6	13,806	▲367	▲429	▲554

アウンコンサルティング　東証スタンダード

【本社】100-0005 東京都千代田区丸の内2-2-1 ☎0570-052-459
広告

採用実績数	倍率	3年後離職率	平均年収
1名	‥	‥	440万円

【特色】ネットの検索エンジンマーケティングのコンサルティング会社。検索結果で上位表示されるようサイトを最適化するSEOや、検索リスティング広告の販売代理・運用コンサルが主。海外法人向けSEOとコンサル受注に注力。
【定着率】‥
【採用】　【設立】1998.6【社長】信太明
23年 1【従業員】連49名 単32名(37.3歳)
24年 0【有休】‥日
25年 0【初任給】月22万(諸手当を除いた数値)
【試験種類】‥【各種制度】‥

【業績】	売上高	営業利益	経常利益	純利益
連23.5	454	▲71	▲78	▲89
連24.5	441	▲92	▲85	▲138

㈱インタースペース　東証スタンダード

【本社】163-0808 東京都新宿区西新宿2-4-1 新宿NSビル ☎03-5339-8680
広告

採用実績数	倍率	3年後離職率	平均年収
4名	‥	‥	616万円

【特色】インターネットサイト向けアフィリエイト広告会社で、「アクセストレード」を運営。コンサルタントを配し、成果拡大を後押しする手法に特徴。東南アジア5カ国で積極展開。ママ向けコミュニティサイト「ママスタ」や学習塾ポータルサイトなども運営。
【定着率】‥
【採用】　【設立】1999.11【社長】河端伸一郎
23年 4【従業員】連414名 単260名(35.9歳)
24年 0【有休】‥日
25年 0【初任給】‥万
【試験種類】‥【各種制度】‥

【業績】	売上高	営業利益	経常利益	純利益
連22.9	7,123	1,067	1,292	563
連23.9	7,284	791	908	585

㈱Orchestra Holdings　東証プライム

【本社】150-6005 東京都渋谷区恵比寿4-20-3 恵比寿ガーデンプレイスタワー ☎03-6450-4307
広告

採用予定数	倍率	3年後離職率	平均年収
未定	‥	‥	575万円

【特色】運用型広告、SEOコンサルなどのデジタルマーケティングとシステム開発、クラウドサービスの導入支援を行うクラウドインテグレーションが主軸。ユーザー属性に応じたリスティング広告の最適化技術に強み。チャット占いアプリやIT求人サイトなども運営。
【定着率】‥
【グループ採用】【設立】2009.6【社長】中村慶郎
23年 ‥【従業員】連1,054名 単‥名(39.4歳)
24年 ‥【有休】‥日
25年 未定【初任給】‥万
【試験種類】‥【各種制度】‥

【業績】	売上高	営業利益	経常利益	純利益
連22.12	10,377	1,350	1,400	853
連23.12	12,109	765	776	474

GMOアドパートナーズ　東証スタンダード

【本社】150-0043 東京都渋谷区道玄坂1-2-3 ☎03-5728-7900
広告

採用予定数	倍率	3年後離職率	平均年収
2名	‥	‥	597万円

【特色】インターネット広告会社。ネット広告代理業としてのエージェンシー事業と、広告配信プラットフォームを開発・運営するメディア・アドテク事業の2本柱。子会社で広告主のブランド毀損防止機能搭載のアフィリエイト広告サービスを展開。
【定着率】‥
【グループ採用】【設立】1999.9【取締】橋口誠
23年 3【従業員】連524名 単51名(38.1歳)
24年 2【有休】‥日
25年 2【初任給】月25万(諸手当を除いた数値)
【試験種類】‥【各種制度】‥

【業績】	売上高	営業利益	経常利益	純利益
連22.12	16,629	710	746	395
連23.12	14,903	▲25	180	40

GMO TECH　東証グロース

【本社】150-8512 東京都渋谷区桜丘町26-1 セルリアンタワー ☎03-5489-6370
広告

採用予定数	倍率	3年後離職率	平均年収
未定	‥	‥	565万円

【特色】検索エンジン最適化(SEO・MEO)とアフィリエイト広告などWebマーケティングやアドテクを駆使した集客支援事業が主体。賃貸家主、入居者向けのプラットフォーム、不動産契約の電子化サービスなど不動産テック事業も展開。
【定着率】‥
【採用】【設立】2006.12【社長】鈴木明人
23年 0【従業員】連213名 単187名(32.0歳)
24年 0【有休】‥日
25年 未定【初任給】‥万
【試験種類】‥【各種制度】‥

【業績】	売上高	営業利益	経常利益	純利益
連22.12	5,456	226	206	▲295
連23.12	6,256	566	562	405

㈱ジーニー　東証グロース

【本社】163-6006 東京都新宿区西新宿6-8-1 住友不動産新宿オークタワー ☎03-5909-8181
広告

採用実績数	倍率	3年後離職率	平均年収
80名	‥	‥	‥

【特色】インターネットメディア事業者向け広告収益最大化プラットフォームや、広告主・広告代理店向け広告買い付けプラットフォームなどのアド・プラットフォーム事業が柱。マーケティング自動化ツール、顧客・商談管理ツールなども提供。北米、東南アジアに拠点。
【定着率】‥
【採用】【設立】2010.4【社長】工藤智昭
23年 64【従業員】連617名 単380名(31.4歳)
24年 80【有休】‥日
25年 未定【初任給】‥万
【試験種類】‥【各種制度】‥

【業績】	売上高	営業利益	税前利益	純利益
連23.3	6,455	2,457	2,279	2,114
連24.3	8,012	1,538	1,277	1,031

㈱Speee　東証スタンダード

【本社】106-6290 東京都港区六本木3-2-1 住友不動産六本木グランドタワー ☎050-1748-0088
広告

採用予定数	倍率	3年後離職率	平均年収
未定	‥	‥	559万円

【特色】不動産DXとマーケティングDXの2軸で事業展開。不動産DXは中古不動産売買や外壁リフォームのマッチングサービス、介護施設検索サイトを運営。マーケティングDXはデータ活用コンサルや広告配信プラットフォームなど提供。
【定着率】‥
【採用】【設立】2007.11【代表取締役】大塚英樹
23年 51【従業員】連589名 単562名(29.7歳)
24年 ‥【有休】‥日
25年 未定【初任給】月27.5万(諸手当を除いた数値)
【試験種類】‥【各種制度】‥

【業績】	売上高	営業利益	経常利益	純利益
連22.9	11,238	1,559	1,589	1,082
連23.9	13,605	810	846	▲1,042

フィードフォースグループ　東証グロース

【本社】107-0062 東京都港区南青山1-2-6 ラティス青山スクエア ☎03-6732-5488
広告

採用実績数	倍率	3年後離職率	平均年収
0名	‥	‥	702万円

【特色】デジタルマーケティングや広告関連ツールを提供。大企業向けにデータフィード管理のアウトソーシングやコンサルティング型広告運用サービスを展開。中小事業者向けにはSaaSを利用したセルフサービスで対応。中小事業者開拓に力点。
【定着率】‥
【採用】【設立】2006.3【社長】塚田耕司
23年 0【従業員】連229名 単5名(39.5歳)
24年 0【有休】‥日
25年 0【初任給】月22.5万(諸手当を除いた数値)
【試験種類】‥【各種制度】‥

【業績】	売上高	営業利益	経常利益	純利益
連23.5	3,966	1,029	1,020	112
連24.5	4,229	1,237	1,166	473

ユナイテッド

東証グロース

【本社】150-0002 東京都渋谷区渋谷1-2-5 MFPR渋谷 ☎03-6821-0000
広告

採用予定数	倍率	3年後離職率	平均年収
未定	‥	‥	‥

【特色】企業のDXを推進・支援するためのコンサルティングサービスを手がける。ネット広告のほか、スタートアップ企業に対する資金提供などの投資事業や、副業・転職、スカウト代行などの人材マッチング、ヤフーと提携しプログラミングスクールなど展開。
【定着率】‥
【採用】【設立】1998.2【社長】早川与規
23年 ‥【従業員】連335名 単44名(32.9歳)
24年 ‥【有休】‥日
25年 未定【初任給】‥万
【試験種類】‥【各種制度】‥

【業績】	売上高	営業利益	経常利益	純利益
連23.3	13,140	5,823	5,851	4,139
連24.3	12,573	4,859	4,829	2,366

㈱ディーエムエス

東証スタンダード

【本社】101-0052 東京都千代田区神田小川町1-11 千代田小川町クロスタ ☎03-3293-2961
広告

採用予定数	倍率	3年後離職率	平均年収
15名	‥	‥	598万円

【特色】ダイレクトメールで首位。DMの企画から送付まで全作業の受託と、関連した販促活動、イベントなどの企画・運営を行う。企業のCRMを支援。埼玉に物流センターを擁しワンストップサービス体制を確立。ワクチン接種運営を機に、自治体の住民向けDMが拡大。
【定着率】‥
【採用】【設立】1961.4【社長】山本克彦
23年 6【従業員】単305名(42.2歳)
24年 15【有休】‥日
25年 15【初任給】月20.5万(諸手当を除いた数値)
【試験種類】‥【各種制度】‥

【業績】	売上高	営業利益	経常利益	純利益
単23.3	29,293	1,896	1,933	1,148
単24.3	26,903	1,370	1,409	1,519

㈱インプレスホールディングス

東証スタンダード

【本社】101-0051 東京都千代田区神田神保町1-105 神保町三井ビルディング ☎03-6837-5000
出版

採用実績数	倍率	3年後離職率	平均年収
4名	‥	‥	720万円

【特色】出版とITを中心に事業展開。出版はIT・PC関連のインプレス、音楽関連のリットーミュージック、登山関連の山と溪谷社など。ニュースサイト「Impress Watch」やマンガサイト「MANGA Watch」を運営。デジタルコンテンツを強化。
【定着率】‥
【グループ採用】【設立】1992.4【社長】松本大輔
23年 7【従業員】連675名 単43名(45.7歳)
24年 4【有休】‥日
25年 前年並【初任給】‥万
【試験種類】‥【各種制度】‥

【業績】	売上高	営業利益	経常利益	純利益
連23.3	15,161	386	494	375
連24.3	14,466	▲483	▲366	▲1,036

実教出版(じっきょうしゅっぱん)

株式公開計画なし

【本社】102-8377 東京都千代田区五番町5 JS市ケ谷ビル ☎03-3238-7700
出版

採用実績数	倍率	3年後離職率	平均年収
2名	‥	‥	‥

【特色】高校教科書・教材大手。実業専門科目に強み。大学・専門学校(理工・情報・商経・教養)用の一般図書や資格・検定向け刊行物も発行する。東京都内で女子学生寮の運営や、オフィスビル2棟の不動産賃貸事業なども行う。デジタル教科書・教材の開発に注力。
【定着率】‥
【採用】【設立】1941.12【社長】小田良次
23年 1【従業員】単158名(‥歳)
24年 2【有休】‥日
25年 未定【初任給】月24.3万(諸手当を除いた数値)
【試験種類】‥【各種制度】‥

【業績】	売上高	営業利益	経常利益	純利益
単22.10	6,250	‥	626	‥
単23.10	6,450	‥	527	‥

㈱昭文社(しょうぶんしゃ)ホールディングス

東証スタンダード

【本社】102-8238 東京都千代田区麹町3-1 ☎03-3556-8111
出版

採用予定数	倍率	3年後離職率	平均年収
未定	‥	‥	563万円

【特色】「マップル」など地図出版で最大手。独自開発の地図データを活用した地域情報の雑誌・ガイドブックの制作、データベースの販売、地図・旅行情報提供サービスが主軸。地図以外の新刊実用書の企画や、児童書の発刊も手がける。
【定着率】‥
【グループ採用】【設立】1964.6【社長】黒田茂夫
23年 ‥【従業員】連228名 単27名(47.6歳)
24年 ‥【有休】‥日
25年 未定【初任給】‥万
【試験種類】‥【各種制度】‥

【業績】	売上高	営業利益	経常利益	純利益
連23.3	5,553	132	234	30
連24.3	6,410	437	519	1,771

㈱中央経済社ホールディングス

東証スタンダード

【本社】101-0051 東京都千代田区神田神保町1-35 ☎03-3293-3371
出版

採用予定数	倍率	3年後離職率	平均年収
未定	‥	‥	681万円

【特色】会計・税務・法務など経営実務に関する雑誌・書籍を発行する中堅出版社。雑誌は「企業会計」「税務弘報」「経理情報」「ビジネス法務」が主要誌。主要誌は電子版での提供も行い、電子限定の「会計人コースWeb」も展開。広告の請負代理も。
【定着率】‥
【グループ採用】【設立】1948.10【社長】山本憲央
23年 5【従業員】連87名 単65名(40.3歳)
24年 ‥【有休】‥日
25年 未定【初任給】‥万
【試験種類】‥【各種制度】‥

【業績】	売上高	営業利益	経常利益	純利益
連22.9	3,169	146	169	172
連23.9	3,031	89	103	54

㈱南江堂（なんこうどう）

株式公開計画なし

【本社】113-8410 東京都文京区本郷3-42-6 南江堂ビル ☎03-3811-7140
出版

採用実績数	倍率	3年後離職率	平均年収
2名	‥	‥	‥

【特色】1879年創業の老舗出版社。医学、薬学、看護、栄養学の専門書籍・雑誌を発行。新刊書は年間約100点。「今日の治療薬」「臨床雑誌内科」「がん看護」などを出版。創業期から洋書輸入も手がける。デジタルコンテンツ制作にも注力する。
【定着率】‥
【採用】 【設立】1934.2 【社長】小立健太
23年 2【従業員】単134名(37.0歳)
24年 0【有休】‥日
25年 0【初任給】月27.9万(諸手当を除いた数値)
【試験種類】‥【各種制度】‥

【業績】	売上高	営業利益	経常利益	純利益
単22.8	5,849	29	149	111
単23.8	5,818	141	198	136

㈱アルファポリス

東証グロース

【本社】150-6019 東京都渋谷区恵比寿4-20-3 恵比寿ガーデンプレイスタワー ☎03-6277-1602
出版

採用実績数	倍率	3年後離職率	平均年収
12名	‥	‥	‥

【特色】自社が運営する小説・マンガなどの投稿サイトから、ユーザー評価を基に書籍化する事業を展開。主力を占めるマンガのほか、ライトノベルの電子書籍、文芸書、ビジネス書、絵本などの書籍も扱う。Webコンテンツ大賞の創設により良作の調達を強化。
【定着率】‥
【採用】 【設立】2000.8 【社長】梶本雄介
23年 9【従業員】単123名(34.1歳)
24年 12【有休】‥日
25年 前年並【初任給】‥万
【試験種類】‥【各種制度】‥

【業績】	売上高	営業利益	経常利益	純利益
単23.3	9,288	2,417	2,426	1,506
単24.3	10,334	2,272	2,279	1,403

㈱ブランジスタ

東証グロース

【本社】150-0031 東京都渋谷区桜丘町20-4 ☎03-6415-1183
出版

採用予定数	倍率	3年後離職率	平均年収
53名	‥	‥	490万円

【特色】電子雑誌の出版専業。掲載広告料や制作受託料が主な収益源で、企業やECサイトに読者を誘導するビジネスモデル。雑誌は無料でダウンロードが不要。有名タレントの広告素材提供や、EC事業者向けのサイト運営サポートも。ネクシィーズグループの子会社。
【定着率】‥
【グループ採用】【設立】2000.11【社長】岩本恵了
23年 39【従業員】連314名 単12名(34.6歳)
24年 34【有休】‥日
25年 53【初任給】月21.2万(諸手当を除いた数値)
【試験種類】‥【各種制度】‥

【業績】	売上高	営業利益	経常利益	純利益
連22.9	3,360	255	258	178
連23.9	4,558	604	601	579

㈱メディアドゥ

東証プライム

【本社】100-0003 東京都千代田区一ツ橋1-1-1 パレスサイドビル ☎03-6212-5113
出版

採用予定数	倍率	3年後離職率	平均年収
10名	‥	‥	602万円

【特色】コミック中心の電子書籍取次サービスが主力。電子書店に独自開発のコンテンツ配信システムと電子ストアシステムを提供。電子書店、電子図書館も展開。書籍要約サービスや漫画アプリ開発、出版社などを子会社に持つ。NFTを育成。
【定着率】‥
【採用】 【設立】1999.4 【社長】藤田恭嗣
23年 10【従業員】連619名 単330名(35.6歳)
24年 10【有休】‥日
25年 10【初任給】‥万
【試験種類】‥【各種制度】‥

【業績】	売上高	営業利益	経常利益	純利益
連23.2	101,667	2,393	2,291	1,057
連24.2	94,036	2,066	1,990	▲319

㈱法研（ほうけん）

株式公開計画なし

【本社】104-8104 東京都中央区銀座1-10-1 法研本社ビル ☎03-3562-3611
出版

採用実績数	倍率	3年後離職率	平均年収
4名	‥	‥	‥

【特色】健康、医療、社会保障に関する各種コンテンツを提供。社会保険・健康保険に関する実務者向けの書籍、健康に関するWebコンテンツ提供、広報誌、ホームページの作成、健康・メンタルヘルス相談、保健指導プログラム、レセプト情報管理事業などを行う。
【定着率】‥
【採用】 【設立】1963.7 【社長】東島俊一
23年 4【従業員】単134名(46.7歳)
24年 0【有休】‥日
25年 0【初任給】月23.9万(諸手当を除いた数値)
【試験種類】‥【各種制度】‥

【業績】	売上高	営業利益	経常利益	純利益
単23.3	10,421	310	408	310
単24.3	10,494	276	393	292

㈱テレビマンユニオン

株式公開計画なし

【本社】150-0001 東京都渋谷区神宮前5-53-67 コスモス青山South棟 ☎03-6418-8700
メディア・映像・音楽

採用予定数	倍率	3年後離職率	平均年収
未定	‥	‥	‥

【特色】独立系TV番組制作プロダクション。NHK含む地上波キー局、BS局のほぼすべてと取引。TV番組や映画、国内外の配信事業者の番組制作、映像ソフト企画制作も行う。制作番組は「遠くへ行きたい」「食彩の王国」「サラメシ」「美の壺」など。
【定着率】‥
【採用】 【設立】1970.2 【社長】岸善幸
23年 4【従業員】単181名(46.2歳)
24年 ‥【有休】‥日
25年 未定【初任給】‥万
【試験種類】‥【各種制度】‥

【業績】	売上高	営業利益	経常利益	純利益
単23.3	6,477	‥	79	55
単24.3	5,990	‥	‥	24

㈱ＩＧポート
東証スタンダード

【本社】180-0006 東京都武蔵野市中町2-1-9 ☎0422-53-0257
メディア・映像・音楽

採用予定数	倍率	3年後離職率	平均年収
未定	‥	‥	‥

【特色】映画・テレビ・DVD向けアニメの制作と作品2次利用の版権事業が収益源。コミック専門出版社を子会社に持つ持株会社。作品企画から編集まで一貫した制作ラインを持つ。米国アニメ専門チャンネルにも作品供給。アニメイト系企業とグッズ事業育成し成長図る。
【定着率】‥
【プロダクアイジー採用】【設立】1990.6【社長】石川光久
23年 ‥【従業員】連462名 単223名(35.6歳)
24年 ‥【有休】‥日
25年 未定【初任給】‥万
【試験種類】‥【各種制度】‥

【業績】	売上高	営業利益	経常利益	純利益
連23.5	11,163	991	999	766
連24.5	11,841	1,225	1,380	1,158

ＡＮＹＣＯＬＯＲ
東証プライム

【本社】107-0052 東京都港区赤坂9-7-2 ミッドタウン・イースト ☎03-4335-4850
メディア・映像・音楽

採用実績数	倍率	3年後離職率	平均年収
10名	‥	‥	510万円

【特色】約150人で構成されるVtuberグループ「にじさんじ」を運営。YouTubeでの動画配信やグッズ販売、イベント開催、所属Vtuberでのプロモーションが収益源。人気Vtuberの発掘・育成やキャラクターの多様化を推進。海外開拓も積極的。
【定着率】‥
【採用】【設立】2017.5【取締】田角陸
23年 10【従業員】単430名(31.2歳)
24年 10【有休】‥日
25年 前年並【初任給】月17.6万(諸手当を除いた数値)
【試験種類】‥【各種制度】‥

【業績】	売上高	営業利益	経常利益	純利益
単23.4	25,341	9,410	9,448	6,698
単24.4	31,995	12,361	12,341	8,725

㈱ディー・エル・イー
東証スタンダード

【本社】102-0083 東京都千代田区麹町3-3-4 KDX麹町ビル ☎03-3221-3990
メディア・映像・音楽

採用予定数	倍率	3年後離職率	平均年収
未定	‥	‥	564万円

【特色】「秘密結社 鷹の爪」などオリジナルキャラクターを開発、マーケティングや映像コンテンツ制作に活用したIPビジネスを展開。企業とのコラボアニメ・CM制作、ゲームアプリの開発も手がける。IPマネジメント会社と合弁設立しK-POP事業拡大へ。
【定着率】‥
【採用】【設立】2003.10【社長】星秀雄
23年 0【従業員】連132名 単62名(35.3歳)
24年 0【有休】‥日
25年 未定【初任給】月18.6万(諸手当を除いた数値)
【試験種類】‥【各種制度】‥

【業績】	売上高	営業利益	経常利益	純利益
連23.3	2,020	▲344	▲336	▲582
連24.3	1,705	▲589	▲590	▲520

東映(とうえい)ビデオ
株式公開計画なし

【本社】104-0045 東京都中央区築地1-12-22 コンワビル10階 ☎03-3545-4511
メディア・映像・音楽

採用実績数	倍率	3年後離職率	平均年収
2名	‥	‥	‥

【特色】東映系のビデオソフト製作会社。Vシネマ・Vアニメなどを製作。DVD・ブルーレイは多岐にわたるジャンルで月に約50タイトルを発売。仮面ライダーなど有名。劇場用や配信用の映画企画・製作も手がける。舞台やイベント関連事業にも積極的。
【定着率】‥
【採用】【設立】1972.11【社長】金子保之
23年 0【従業員】単80名(47.6歳)
24年 2【有休】‥日
25年 未定【初任給】月26.3万(諸手当を除いた数値)
【試験種類】‥【各種制度】‥

【業績】	売上高	営業利益	経常利益	純利益
単23.3	5,200	▲83	157	130
単24.3	7,520	▲175	144	▲99

㈱トムス・エンタテインメント
株式公開計画なし

【本社】164-0001 東京都中野区中野3-31-1 ☎‥
メディア・映像・音楽

採用実績数	倍率	3年後離職率	平均年収
21名	‥	‥	‥

【特色】セガHDグループで、アニメ作品の企画制作、販売、配給を行う。欧米、アジアでも放送権を販売。代表作は「それいけ！アンパンマン」「名探偵コナン」「ルパン三世」。ライブラリーは累計470作品・エピソード数1万3000話超。
【定着率】‥
【採用】【設立】1946.10【社長】竹崎忠
23年 15【従業員】連524名 単252名(39.0歳)
24年 21【有休】‥日
25年 未定【初任給】月26万(諸手当を除いた数値)
【試験種類】‥【各種制度】‥

【業績】	売上高	営業利益	経常利益	純利益
連23.3	17,648	3,443	4,131	2,860
連24.3	21,893	4,648	4,985	3,702

㈱ブシロード
東証グロース

【本社】164-0011 東京都中野区中央1-38-1 住友中野坂上ビル ☎03-4500-4350
メディア・映像・音楽

採用予定数	倍率	3年後離職率	平均年収
28名	‥	‥	509万円

【特色】「ヴァンガード」「バンドリ！」「少女☆歌劇レヴュースタァライト」など自社IP(知的財産)を多数保有。トレーディングカードゲーム、スマホゲーム、アニメ、音楽、グッズなど多面展開に特徴。ライブやイベント運営に強く、傘下に新日本プロレスリング。
【定着率】‥
【採用】【設立】2007.5【社長】木谷高明
23年 26【従業員】連853名 単246名(32.0歳)
24年 28【有休】‥日
25年 28【初任給】月25万(諸手当を除いた数値)
【試験種類】‥【各種制度】‥

【業績】	売上高	営業利益	経常利益	純利益
連23.6	48,799	3,385	4,503	2,050
連24.6	46,262	882	1,898	804

東京都

㈱アイズ
東証グロース

【本社】150-0002 東京都渋谷区渋谷3-12-22 ☎03-6419-8505
メディア・映像・音楽

採用実績数	倍率	3年後離職率	平均年収
13名	‥	‥	449万円

【特色】広告媒体と広告主・広告代理店をマッチングするポータルサイト「メディアレーダー」と口コミマーケティングプラットフォーム「トラミー」を展開。「トラミー」は大人数の口コミマーケティングが行える点に強み。クラウドサービスのポータルサイトも手がける。
【定着率】‥
【採用】【設立】2007.2【社長】福島範幸
23年 10【従業員】単76名(28.2歳)
24年 13【有休】‥日
25年 未定【初任給】月19万(諸手当を除いた数値)
【試験種類】‥【各種制度】‥

【業績】	売上高	営業利益	経常利益	純利益
単22.12	847	157	142	96
単23.12	1,019	39	42	27

㈱AViC
東証グロース

【本社】107-6019 東京都港区赤坂1-12-32 アーク森ビル ☎03-6272-6174
メディア・映像・音楽

採用実績数	倍率	3年後離職率	平均年収
10名	‥	‥	672万円

【特色】インターネット広告サービスなどのデジタルマーケティングを展開。掲載メディア選定や運用設計、SEO対策などコンサルサービスが収益源。広告効果シミュレーションに自社開発のDXツールを活用。中小規模顧客層のシェア拡大やDXツールの機能向上に注力。
【定着率】‥
【採用】【設立】2013.7【社長】市原創吾
23年 7【従業員】単74名(31.4歳)
24年 10【有休】‥日
25年 未定【初任給】月22.1万(諸手当を除いた数値)
【試験種類】‥【各種制度】‥

【業績】	売上高	営業利益	経常利益	純利益
単22.9	1,245	316	305	226
単23.9	1,488	318	291	219

㈱IMAGICA GROUP
東証プライム

【本社】105-0022 東京都港区海岸1-14-2 ☎03-5777-6300
メディア・映像・音楽

採用予定数	倍率	3年後離職率	平均年収
3名	‥	‥	848万円

【特色】子会社で映像制作軸に企画、放送、機器開発・販売等を展開。映像制作は映画、ドラマ、アニメ、CMなどを手がけ、企画、撮影・中継から編集、販売までワンストップでグローバルに対応。放送映像機器や医用画像システムなど、映像関連の製品・サービスも提供。
【定着率】‥
【採用】【設立】1974.6【社長】長瀬俊二郎
23年 0【従業員】連4,202名 単112名(43.9歳)
24年 2【有休】‥日
25年 3【初任給】月21万(諸手当を除いた数値)
【試験種類】‥【各種制度】‥

【業績】	売上高	営業利益	経常利益	純利益
連23.3	94,147	3,868	3,638	3,864
連24.3	99,684	3,924	3,727	2,373

㈱エムアップホールディングス
東証プライム

【本社】150-0002 東京都渋谷区渋谷3-12-18 渋谷南東急ビル ☎03-5467-7125
メディア・映像・音楽

採用予定数	倍率	3年後離職率	平均年収
15名	‥	‥	‥

【特色】レコード会社のコンテンツ配信事業部を母体にITベンチャーとして創業。持ち株会社化し、子会社でアーティストのファンクラブやファンサイトの運営、電子チケット事業を柱に、スマホ向けコンテンツ配信、グッズ販売などのeコマースなどを展開。
【定着率】‥
【3社計採用】【設立】2004.12【代表取締役】美藤宏一郎
23年 2【従業員】連326名 単‥名(‥歳)
24年 9【有休】‥日
25年 15【初任給】月23万(諸手当を除いた数値)
【試験種類】‥【各種制度】‥

【業績】	売上高	営業利益	経常利益	純利益
連23.3	15,936	2,074	2,068	1,093
連24.3	18,574	2,825	2,867	1,481

㈱GameWith
東証スタンダード

【本社】108-0073 東京都港区三田1-4-1 住友不動産麻布十番ビル ☎03-6722-6299
メディア・映像・音楽

採用実績数	倍率	3年後離職率	平均年収
1名	‥	‥	633万円

【特色】スマホゲーム攻略情報を中心とした国内最大級の情報メディアサイト「GameWith」を運営。所属ライターが作成するゲーム攻略記事とゲームレビューが売り。ゲーム攻略などの動画実況にかかわるネットワーク広告が収益源。eスポーツチームの運営も。
【定着率】‥
【採用】【設立】2013.6【社長】今泉卓也
23年 1【従業員】連175名 単112名(33.4歳)
24年 0【有休】‥日
25年 0【初任給】月21.6万(諸手当を除いた数値)
【試験種類】‥【各種制度】‥

【業績】	売上高	営業利益	経常利益	純利益
連23.5	3,512	337	313	179
連24.5	3,497	67	45	▲347

㈱アシロ
東証グロース

【本社】160-0023 東京都新宿区西新宿6-3-1 新宿アイランドウイング ☎03-6279-4581
メディア・映像・音楽

採用予定数	倍率	3年後離職率	平均年収
15名	‥	‥	571万円

【特色】法律・弁護士情報を企業や個人などに提供し、弁護士のマーケティング支援を行うネット広告会社。離婚、相続など分野別に弁護士検索サイト「ベンナビ」を運営し、掲載料を稼ぐビジネスモデル。弁護士有資格者の人材紹介サービスや、法律以外のメディアも。
【定着率】‥
【採用】【設立】2016.4【社長】中山博登
23年 8【従業員】連128名 単94名(29.8歳)
24年 14【有休】‥日
25年 15【初任給】月23.7万(諸手当を除いた数値)
【試験種類】‥【各種制度】‥

【業績】	売上高	営業利益	税前利益	純利益
連22.10	2,202	483	477	343
連23.10	3,198	53	43	▲12

㈱GENOVA
東証プライム

【本社】150-8510 東京都渋谷区渋谷2-21-1 渋谷ヒカリエ ☎03-5766-1820
メディア・映像・音楽

採用実績数	倍率	3年後離職率	平均年収
50名	‥	‥	‥

【特色】医療関連のWebメディアを運営するメディカルプラットフォーム事業と医療機関の業務効率化サービスを提供するスマートクリニック事業を展開。自社メディア「MedicalDOC」で病気・治療、医療機関情報を提供。診療所用セルフ精算レジなどを販売。
【定着率】‥
【採用】【設立】2005.7【社長】平瀬智樹
23年 50【従業員】連405名 単373名(28.9歳)
24年 50【有休】‥日
25年 未定【初任給】‥万
【試験種類】‥【各種制度】‥

【業績】	売上高	営業利益	経常利益	純利益
連23.3	6,513	1,733	1,714	1,260
連24.3	8,683	2,301	2,309	1,726

㈱小学館集英社プロダクション
株式公開計画なし

【本社】101-8415 東京都千代田区神田神保町2-30 ☎03-3222-9100
メディア・映像・音楽

採用予定数	倍率	3年後離職率	平均年収
若干	‥	‥	‥

【特色】キャラクターライセンス、テレビ番組・アニメ制作、出版、通販などのメディア事業と、幼児教室、通信教育、指定管理者制度での公共施設運営などの教育事業が2本柱。小学館を中心としたグループ内外との連携を推進し、新たな事業の立案も手がける。
【定着率】‥
【採用】【設立】1967.6【社長】松井聡
23年 15【従業員】単526名(40.1歳)
24年 8【有休】‥日
25年 若干【初任給】月23万(諸手当を除いた数値)
【試験種類】‥【各種制度】‥

【業績】	売上高	営業利益	経常利益	純利益
単23.3	39,507	‥	‥	1,712
単24.3	37,449	‥	‥	1,966

FDK
東証スタンダード

【本社】108-8212 東京都港区港南1-6-41 芝浦クリスタル品川 ☎03-5715-7400
電機・事務機器

採用実績数	倍率	3年後離職率	平均年収
13名	‥	‥	553万円

【特色】富士通傘下の乾電池・充電池メーカー。産業用のニッケル水素電池が主力製品で、一般向けのアルカリ電池も生産。スイッチング電源、トナー、カスタムモジュールなど電子事業も手がける。国内に4工場、海外は中国と台湾に工場を置く。
【定着率】‥
【採用】【設立】1950.2【社長】長野良
23年 23【従業員】連2,444名 単1,600名(45.9歳)
24年 13【有休】‥日
25年 前年並【初任給】月23万(諸手当を除いた数値)
【試験種類】‥【各種制度】‥

【業績】	売上高	営業利益	経常利益	純利益
連23.3	62,784	789	851	318
連24.3	62,676	568	720	120

㈱三球電機製作所
株式公開計画なし

【本社】146-0091 東京都大田区鵜の木2-30-12 ☎03-3750-3911
電機・事務機器

採用実績数	倍率	3年後離職率	平均年収
1名	‥	‥	‥

【特色】独立系通信制御装置メーカー。警察の指令通信台や交通管制システムのほか、遊技機関連装置などを製造販売。本社と秩父の2工場体制。規模の拡大より製品開発にこだわる。遊技機周辺機器用のプリント基板の積極的な受注活動を推進。
【定着率】‥
【採用】【設立】1970.11【社長】神谷雄介
23年 1【従業員】単94名(38.5歳)
24年 1【有休】‥日
25年 未定【初任給】月22.6万(諸手当を除いた数値)
【試験種類】‥【各種制度】‥

【業績】	売上高	営業利益	経常利益	純利益
単22.11	6,464	808	896	565
単23.11	10,998	840	921	589

山洋電気
東証プライム

【本社】170-8451 東京都豊島区南大塚3-33-1 ☎03-5927-1020
電機・事務機器

採用予定数	倍率	3年後離職率	平均年収
26名	‥	‥	653万円

【特色】設備機械向けサーボモーターや冷却ファンなどを製造。サーボは工作機械・産業用ロボット・半導体製造装置などが用途。冷却ファンはPC・サーバーなど電子機器内部向け。国内は長野県に、海外はフィリピンと中国に工場を持つ。
【定着率】‥
【採用】【設立】1936.12【代表取締役】山本茂生
23年 23【従業員】連3,691名 単1,194名(42.8歳)
24年 20【有休】‥日
25年 26【初任給】月25万(諸手当を除いた数値)
【試験種類】‥【各種制度】‥

【業績】	売上高	営業利益	税前利益	純利益
連23.3	120,803	13,421	14,226	11,410
連24.3	112,904	11,811	13,323	10,477

㈱セキコーポレーション
株式公開計画なし

【本社】192-0046 東京都八王子市明神町2-9-22 ☎042-644-3991
電機・事務機器

採用予定数	倍率	3年後離職率	平均年収
2名	‥	‥	‥

【特色】AV情報機器部品や自動車関連部品の金型設計製作、組立製造、組立省力化機器・測定機器の開発・製造を手がける。プレス加工技術を追求し、一貫生産体制を構築。技術開発を強化。国内は山梨に工場、海外は中国、タイに生産拠点。
【定着率】‥
【採用】【設立】1954.2【社長】山木孝之
23年 0【従業員】連550名 単70名(40.5歳)
24年 0【有休】‥日
25年 2【初任給】月19万(諸手当を除いた数値)
【試験種類】‥【各種制度】‥

【業績】	売上高	営業利益	経常利益	純利益
連22.12	4,094	‥	‥	‥
連23.12	4,777	‥	‥	‥

電気興業（でんきこうぎょう）
東証プライム

【本社】100-0005 東京都千代田区丸の内3-3-1 新東京ビル ☎03-3216-1671
電機・事務機器

採用予定数	倍率	3年後離職率	平均年収
25名	・・	・・	607万円

【特色】大型通信アンテナの製造・工事会社。携帯基地局用・放送用アンテナのほか、防災関連の通信インフラ整備も手がける。表面硬化処理である高周波誘導加熱技術に特徴。自動車向けを軸に展開。食品、産廃処理業界への開拓に注力。海外はアジア、北米に製造拠点。
【定着率】・・
【採用】 【設立】1950.6【社長】近藤忠登史
23年 20【従業員】連1,066名 単623名(46.4歳)
24年 8【有休】・・日
25年 25【初任給】月21.7万(諸手当を除いた数値)
【試験種類】・・【各種制度】・・

【業績】	売上高	営業利益	経常利益	純利益
連23.3	31,817	▲1,510	▲1,219	▲1,181
連24.3	28,864	▲1,787	▲1,537	▲1,977

㈱東京測器研究所（とうきょうそっきけんきゅうじょ）
株式公開していない

【本社】140-8560 東京都品川区南大井6-8-2 ☎03-3763-5611
電機・事務機器

採用予定数	倍率	3年後離職率	平均年収
未定	・・	・・	・・

【特色】ひずみゲージなど測定器、変換器、計測ソフトウェアなどを開発・製造。顧客は研究所、大学、建設会社など。ひずみゲージは各種用途に対応しラインナップは約8000種。海外は北米、南米、欧州、アフリカ、アジア、オセアニアに代理店。計量法の計量器校正事業者認定。
【定着率】・・
【採用】 【設立】1958.12【社長】木村真志
23年 ・・【従業員】単285名(・・歳)
24年 ・・【有休】・・日
25年 未定【初任給】月21万(諸手当を除いた数値)
【試験種類】・・【各種制度】・・

【業績】	売上高	営業利益	経常利益	純利益
単23.3	5,180	・・	・・	・・
単24.3	5,160	・・	・・	・・

日本キヤリア（にっぽんキヤリア）
株式公開計画なし

【本社】141-0032 東京都品川区大崎1-11-1 ゲートシティ大崎ウエストタワー7階 ☎・・
電機・事務機器

採用予定数	倍率	3年後離職率	平均年収
未定	・・	・・	・・

【特色】業務用空調機やコールドチェーン機器、ロータリーコンプレッサーの製造販売を手がける。住宅用エアコンや家庭用給湯器なども扱う。空調設備を24時間365日遠隔で監視するサービスも提供。米空調機器大手のキヤリアグループ傘下。
【定着率】・・
【採用】 【設立】1999.4【社長】久保徹
23年 ・・【従業員】単2,150名(・・歳)
24年 ・・【有休】・・日
25年 未定【初任給】・・万
【試験種類】・・【各種制度】・・

【業績】	売上高	営業利益	経常利益	純利益
単22.3	97,639	▲927	7,280	11,532
単23.3	104,779	▲4,635	5,246	21,997

日本蓄電器工業（にほんちくでんきこうぎょう）
株式公開計画なし

【本社】197-0013 東京都福生市武蔵野台1-23-1 ☎042-552-1201
電機・事務機器

採用予定数	倍率	3年後離職率	平均年収
2名	・・	・・	・・

【特色】アルミニウム電解コンデンサ用電極箔の専門メーカー。独立系。電解コンデンサ用箔で業界トップ。電極箔のエッチング技術は世界的な水準。周辺分野の新事業にも注力。海外はアジア地域を中心に販売や生産拠点を持つ。
【定着率】・・
【採用】 【設立】1959.12【社長】名取敏雄
23年 2【従業員】単126名(48.9歳)
24年 1【有休】・・日
25年 2【初任給】月22万(諸手当を除いた数値)
【試験種類】・・【各種制度】・・

【業績】	売上高	営業利益	経常利益	純利益
単23.3	16,812	▲124	81	177
単24.3	15,060	▲248	232	222

日本無線（にほんむせん）
株式公開計画なし

【本社】164-8570 東京都中野区中野4-10-1 中野セントラルパークイースト ☎03-6832-1721
電機・事務機器

採用実績数	倍率	3年後離職率	平均年収
56名	・・	・・	・・

【特色】産業用・公共用無線通信機器の製造・販売を手がける。船舶向け無線通信機器や航法機器、各種防災システム、気象レーダーなどを扱う。洋上風力発電向け統合管理システムも提供。ローカル5Gの実証実験に取り組む。日清紡ホールディングスの子会社。
【定着率】・・
【採用】 【設立】1949.10【社長】小洗健
23年 59【従業員】連5,634名 単2,173名(46.0歳)
24年 56【有休】・・日
25年 未定【初任給】月23.4万(諸手当を除いた数値)
【試験種類】・・【各種制度】・・

【業績】	売上高	営業利益	経常利益	純利益
連22.12	138,671	5,572	5,009	4,437
連23.12	140,566	4,193	4,542	2,552

㈱日立産機システム（ひたちさんきシステム）
株式公開計画なし

【本社】101-0021 東京都千代田区外神田1-5-1 住友不動産秋葉原ファーストビル ☎03-6271-7001
電機・事務機器

採用予定数	倍率	3年後離職率	平均年収
110名	・・	・・	・・

【特色】日立製作所グループ企業で、モーター、制御機器、圧縮機、変圧器など産業用電機機械製品の製造から工事、保守サービスまで一貫して提供。全国にメンテナンス拠点。海外は中国中心にタイ、ミャンマー、マレーシア、ドイツ、米国などに現地法人。
【定着率】・・
【採用】 【設立】2002.4【社長】竹内康浩
23年 59【従業員】単3,495名(44.0歳)
24年 69【有休】・・日
25年 110【初任給】月25万(諸手当を除いた数値)
【試験種類】・・【各種制度】・・

【業績】	売上高	営業利益	経常利益	純利益
単23.3	186,337	18,856	20,554	14,955
単24.3	192,661	21,337	21,544	20,125

日立チャネルソリューションズ

株式公開 計画なし

【東京本社】141-8576 東京都品川区大崎1-6-3 大崎ニューシティ 3号館7階 ☎03-5719-5500
電機・事務機器

採用予定数	倍率	3年後離職率	平均年収
20名	‥	‥	‥

【特色】ATM、両替機などの情報機器メーカー。東京、尾張旭の2本社体制。国内首位のATMなど情報機器やメカトロ機器をグローバル展開。対象業種は金融、流通、交通・公共、ヘルスケアなど幅広い。日立製作所のグループ会社。
【定着率】‥
【採用】　【設立】2004.10【社長】八木鉄也
23年 17【従業員】単932名(47.9歳)
24年 20【有休】‥日
25年 20【初任給】月25万(諸手当を除いた数値)
【試験種類】‥【各種制度】‥

【業績】	売上高	営業利益	経常利益	純利益
単23.3	67,321	1,619	1,338	1,575
単24.3	81,803	5,410	5,099	3,686

ヘリオス　テクノホールディング

東証 スタンダード

【本社】103-0002 東京都中央区日本橋馬喰町1-11-10 Daiwa日本橋馬喰町Ⅱ ☎03-6264-9510
電機・事務機器

採用予定数	倍率	3年後離職率	平均年収
5名	‥	‥	‥

【特色】液晶関連装置メーカー・ナカンテクノとプロジェクター用ランプメーカー・フェニックス電機を擁する持株会社。液晶パネルに使われる配向膜印刷装置のシェアは世界首位。ランプは産業用LEDなど付加価値品へ応用を模索、半導体関連事業への参入も狙う。
【定着率】‥
【グループ採用】【設立】1976.10【社長】佐藤良久
23年 3【従業員】連277名 単14名(44.3歳)
24年 4【有休】‥日
25年 5【初任給】月21.2万(諸手当を除いた数値)
【試験種類】‥【各種制度】‥

【業績】	売上高	営業利益	経常利益	純利益
連23.3	7,987	422	492	271
連24.3	10,871	1,472	1,485	2,291

㈱マウスコンピューター

株式公開 計画なし

【本社】100-0004 東京都千代田区大手町2-3-2 大手町プレイスイーストタワー 6階 ☎03-6739-3811
電機・事務機器

採用予定数	倍率	3年後離職率	平均年収
28名	‥	‥	‥

【特色】PC周辺機器のMCJグループのBTO(受注生産)専門会社。デスクトップやノートPC、ゲームPCなどを製造・販売。長野・飯山工場で開発・製造まで一貫。ネット通販軸に、秋葉原のほか主要都市に合わせて9つの直営店も運営。
【定着率】‥
【採用】　【設立】2006.10【社長】東秀樹
23年 17【従業員】単547名(39.0歳)
24年 17【有休】‥日
25年 28【初任給】月23.5万(諸手当を除いた数値)
【試験種類】‥【各種制度】‥

【業績】	売上高	営業利益	経常利益	純利益
単23.3	53,443	4,079	3,361	2,268
単24.3	53,460	3,427	2,973	1,972

MUTOHホールディングス

東証 スタンダード

【本社】154-8560 東京都世田谷区池尻3-1-3 ☎03-6758-7100
電機・事務機器

採用実績数	倍率	3年後離職率	平均年収
20名	‥	‥	‥

【特色】業務用大判プリンタで国内最大手の武藤工業を中核に持つ持株会社。情報画像関連機器を軸に3Dプリンター、イメージスキャナーなどを製造。製品設計で使用されるCADソフトを核にしたSI事業を強化。グループで不動産賃貸業、スポーツ用品業なども展開。
【定着率】‥
【グループ採用】【設立】1952.3【社長】礒邊泰彦
23年 18【従業員】連587名 単‥名(‥歳)
24年 20【有休】‥日
25年 未定【初任給】‥万
【試験種類】‥【各種制度】‥

【業績】	売上高	営業利益	経常利益	純利益
連23.3	16,794	967	979	878
連24.3	17,507	1,246	1,172	764

森尾電機（もりおでんき）

東証 スタンダード

【本社】124-0012 東京都葛飾区立石4-34-1 ☎03-3691-3181
電機・事務機器

採用実績数	倍率	3年後離職率	平均年収
5名	‥	‥	480万円

【特色】電装品メーカーのパイオニア。設計から生産、販売まで一貫体制。主力は通勤・近郊電車や新幹線に用いられる行先表示器などの電気機器。鉄道関連が売上高の7割超。高速道路会社向け車載標識装置、船舶向け防爆灯、照明器具も手がける。
【定着率】‥
【採用】　【設立】1936.12【社長】菊地裕之
23年 1【従業員】連234名 単211名(40.4歳)
24年 5【有休】‥日
25年 未定【初任給】月20.3万(諸手当を除いた数値)
【試験種類】‥【各種制度】‥

【業績】	売上高	営業利益	経常利益	純利益
連23.3	7,899	274	284	148
連24.3	7,448	342	342	211

ヴィスコ・テクノロジーズ

株式公開 —

【本社】105-0022 東京都港区海岸1-11-1 ニューピア竹芝ノースタワー ☎03-6402-4500
電機・事務機器

採用予定数	倍率	3年後離職率	平均年収
未定	‥	‥	‥

【特色】生産ライン向け外観検査装置の研究開発型企業でファブレスメーカー。検査対象物の傷、汚れ、異物などを検出する外観検査アルゴリズムに定評。超深度カメラや顧客生産ラインへの個別対応などに強み持つ。車載電装関連品のほかコネクター生産ライン向けが得意。
【定着率】‥
【採用】　【設立】2003.8【社長】足立秀之
23年 4【従業員】連166名 単110名(38.9歳)
24年 ‥【有休】‥日
25年 前年並【初任給】‥万
【試験種類】‥【各種制度】‥

【業績】	売上高	営業利益	経常利益	純利益
連23.3	3,524	229	244	102
連24.3	3,203	▲91	▲4	▲168

㈱東洋精機製作所（とうようせいきせいさくしょ）

株式公開 未定

【本社】114-8557 東京都北区滝野川5-15-4 ☎03-3916-8181
電機・事務機器

採用実績数	倍率	3年後離職率	平均年収
2名	‥	‥	‥

【特色】プラスチックス、ゴム、紙、繊維などの物性評価に用いる材料評価試験機専門メーカー。高分子材料関連の試験機・測定機で高シェア。素材、自動車など産業分野、試験研究機関が顧客。プラスチック・ゴム混練、押出機を拡販。中国に現地法人。1934年創業。
【定着率】‥
【採用】 【設立】1939.12【社長】太田好則
23年 1【従業員】単153名(43.5歳)
24年 2【有休】‥日
25年 0【初任給】月20.6万(諸手当を除いた数値)
【試験種類】‥【各種制度】‥

【業績】	売上高	営業利益	経常利益	純利益
単23.3	4,134	514	575	389
単24.3	4,506	620	657	461

三菱プレシジョン（みつびし）

株式公開 未定

【本社】108-0075 東京都港区港南1-6-41 芝浦クリスタル品川8階 ☎03-6712-3740
電機・事務機器

採用予定数	倍率	3年後離職率	平均年収
32名	‥	‥	‥

【特色】航空機、鉄道、自動車などのシミュレーションシステムとパーキングシステムの設計・製造が柱。慣性・電波センサー技術をベースに航空・宇宙用機器にも展開。駐車車両のビッグデータ活用して次世代駐車場システムを開発。三菱電機グループ。
【定着率】‥
【採用】 【設立】1962.5【社長】藤本聖二
23年 22【従業員】単842名(48.2歳)
24年 34【有休】‥日
25年 32【初任給】月25万(諸手当を除いた数値)
【試験種類】‥【各種制度】‥

【業績】	売上高	営業利益	経常利益	純利益
単23.3	18,105	824	940	633
単24.3	19,319	847	986	690

㈱リガク

株式公開 していない

【本社】196-8666 東京都昭島市松原町3-9-12 ☎042-545-8111
電機・事務機器

採用予定数	倍率	3年後離職率	平均年収
未定	‥	‥	‥

【特色】工業用X線分析装置・測定・検査機器で国内トップの理科学機器メーカー。熱分析装置やX線非破壊検査装置など、医薬、電子部品分野などでの研究開発や品質管理に不可欠の装置を販売。科学技術の進歩で社会発展に貢献を標榜。米国、欧州、アジアに拠点。
【定着率】‥
【採用】 【設立】1951.12【社長】川上潤
23年 ‥【従業員】単‥名(‥歳)
24年 ‥【有休】‥日
25年 未定【初任給】‥万
【試験種類】‥【各種制度】‥

【業績】	売上高	営業利益	経常利益	純利益
単22.12	46,182	6,814	7,351	5,488
単23.12	58,384	9,515	9,651	5,847

㈱YDKテクノロジーズ

株式公開 計画なし

【本社】151-0051 東京都渋谷区千駄ヶ谷5-23-13 南新宿JEBL ☎03-3225-5350
電機・事務機器

採用予定数	倍率	3年後離職率	平均年収
19名	‥	‥	‥

【特色】オートパイロットやジャイロコンパスなど航海機器と防衛関連機器を主力に製造・販売。航空燃焼機器、環境計測器なども扱う。航空・宇宙分野での技術を生かした製品は産業用のガスタービンやボイラーなどに採用。神奈川・横須賀市に工場を持つ。
【定着率】‥
【採用】 【設立】1960.10【社長】日比野隆也
23年 11【従業員】単646名(46.7歳)
24年 12【有休】‥日
25年 19【初任給】月23万(諸手当を除いた数値)
【試験種類】‥【各種制度】‥

【業績】	売上高	営業利益	経常利益	純利益
単23.3	14,097	520	503	334
単24.3	15,820	1,355	1,342	827

ローレルバンクマシン

株式公開 計画なし

【本社】105-8414 東京都港区虎ノ門1-1-2 ☎03-3502-3311
電機・事務機器

採用実績数	倍率	3年後離職率	平均年収
5名	‥	‥	‥

【特色】各種貨幣処理機・金融オンライン端末機の企画・開発、製造・販売、メンテまで一貫。硬貨紙幣計算機、紙幣結束機、入出金機(レジ)など。全国約90拠点以上で、金融、流通、鉄道、レジャーなどの業界ニーズに対応。海外は中国、イタリアに現地法人。
【定着率】‥
【採用】 【設立】1959.7【社長】池邊正
23年 10【従業員】単833名(43.1歳)
24年 5【有休】‥日
25年 未定【初任給】月21.6万(諸手当を除いた数値)
【試験種類】‥【各種制度】‥

【業績】	売上高	営業利益	経常利益	純利益
単23.3	24,330	▲1,373	▲1,034	76
単24.3	45,861	2,534	2,903	1,842

㈱アバールデータ

東証 スタンダード

【本社】194-0023 東京都町田市旭町1-25-10 ☎042-732-1000
電子部品・機器

採用実績数	倍率	3年後離職率	平均年収
4名	‥	‥	‥

【特色】半導体製造装置の制御部品が主力で受託製品を中心に製造。計測通信機器や画像処理モジュールの検査装置など自社開発品がもう1つの柱。工業品に加え、食品糖度・熟成度や医薬品異物などに適用範囲を拡大。神奈川・厚木に製造拠点、海老名に事業所を置く。
【定着率】‥
【採用】 【設立】1959.8【社長】菊地豊
23年 3【従業員】単209名(42.3歳)
24年 4【有休】‥日
25年 未定【初任給】月21.1万(諸手当を除いた数値)
【試験種類】‥【各種制度】‥

【業績】	売上高	営業利益	経常利益	純利益
単23.3	14,390	2,396	2,495	4,270
単24.3	12,580	2,095	2,274	5,256

㈱オーク製作所（せいさくしょ）

株式公開 未定

【本社】194-0295 東京都町田市小山ケ丘3-9-6 ☎042-798-5120
電子部品・機器

採用予定数	倍率	3年後離職率	平均年収
8名	‥	‥	‥

【特色】「光」の専門メーカーとして電子回路基板、半導体、液晶装置用の紫外線放電ランプ、オゾン発生装置、露光装置などを製造販売。最先端の技術力に定評。中国・韓国・台湾主体に輸出比率は8割。長野と東京に工場。韓国、米国などに現地法人。
【定着率】‥
【採用】 【設立】1968.2【会長】橋本典夫
23年 7【従業員】単484名(42.5歳)
24年 6【有休】‥日
25年 8【初任給】月23.5万(諸手当を除いた数値)
【試験種類】‥【各種制度】‥

【業績】	売上高	営業利益	経常利益	純利益
単23.3	23,839	4,414	4,451	3,137
単24.3	20,124	3,356	3,295	2,147

ケル

東証 スタンダード

【本社】206-0025 東京都多摩市永山6-17-7 ☎042-374-5810
電子部品・機器

採用実績数	倍率	3年後離職率	平均年収
10名	‥	‥	634万円

【特色】産業機器・車載機器向けなど電子機器用コネクターを主に製造。小型品に定評があり、狭小タイプでは大手。産業機器や監視カメラなど画像機器向けコネクターに強みを持つ。パチンコ機など遊技機向けや医療向け、ラック、ICソケットも手がける。
【定着率】‥
【採用】 【設立】1962.7【社長】春日明
23年 4【従業員】連339名 単294名(40.3歳)
24年 10【有休】‥日
25年 前年並【初任給】月21.9万(諸手当を除いた数値)
【試験種類】‥【各種制度】‥

【業績】	売上高	営業利益	経常利益	純利益
連23.3	14,500	2,400	2,536	1,725
連24.3	12,231	1,095	1,268	852

㈱ジェイテクトエレクトロニクス

株式公開 していない

【本社】187-0004 東京都小平市天神町4-9-1 ☎042-341-3111
電子部品・機器

採用予定数	倍率	3年後離職率	平均年収
未定	‥	‥	‥

【特色】ジェイテクトの完全子会社で、FA電子計測・制御機器および車載電子部品メーカー。電子制御機器は公共システム、産業機器などで使用。工場などのシステムソリューション構築も手がける。米国、台湾に販売現法、中国、インドに拠点。
【定着率】‥
【採用】 【設立】1959.3【社長】大野秀樹
23年 ‥【従業員】単‥名(‥歳)
24年 ‥【有休】‥日
25年 未定【初任給】‥万
【試験種類】‥【各種制度】‥

【業績】	売上高	営業利益	経常利益	純利益
単23.3	16,348	1,912	4,607	3,903
単24.3	13,558	823	7,612	3,705

ニッカン工業（こうぎょう）

株式公開 計画なし

【本社】152-8907 東京都目黒区大岡山1-35-22 ニッカンビル ☎03-3723-9851
電子部品・機器

採用予定数	倍率	3年後離職率	平均年収
3名	‥	‥	‥

【特色】フレキシブルプリント配線板用材料、プリント配線板用銅張積層板、電気絶縁材料、包装材料などを製販。コーティング、ラミネート、積層を中核技術とし、機能性材料を開発製造。日本で初めてフレキシブルプリント配線用材料の量産化に成功した事績を持つ。
【定着率】‥
【採用】 【設立】1938.4【社長】小島正紀
23年 2【従業員】単67名(42.1歳)
24年 0【有休】‥日
25年 3【初任給】月26.6万(諸手当を除いた数値)
【試験種類】‥【各種制度】‥

【業績】	売上高	営業利益	経常利益	純利益
単23.3	16,739	2,237	2,394	1,631
単24.3	15,497	2,246	2,430	1,747

㈱フェローテックホールディングス

東証 スタンダード

【本社】103-0027 東京都中央区日本橋2-3-4 日本橋プラザビル ☎03-3281-8808
電子部品・機器

採用予定数	倍率	3年後離職率	平均年収
未定	‥	‥	879万円

【特色】半導体製造装置向けの真空シール、石英製品、セラミックス製品などを生産。コア技術である磁性流体、サーモモジュールを応用し製品化。世界シェアは真空シールが6割超、サーモモジュールが3割超。太陽電池用シリコンなど太陽電池分野も手がける。
【定着率】‥
【採用】 【設立】1980.9【社長】賀賢漢
23年 1【従業員】連14,915名 単95名(48.9歳)
24年 ‥【有休】‥日
25年 未定【初任給】‥万
【試験種類】‥【各種制度】‥

【業績】	売上高	営業利益	経常利益	純利益
連23.3	210,810	35,042	42,448	29,702
連24.3	222,430	24,872	26,537	15,154

㈱フジクラプリントサーキット

株式公開 していない

【本社】135-0042 東京都江東区木場1-5-1 ☎03-5606-1192
電子部品・機器

採用予定数	倍率	3年後離職率	平均年収
6名	‥	‥	‥

【特色】携帯電話、デジタルカメラなどを小型・軽量化するフレキシブルプリント配線盤(FPC)を手がける。ASEANを中心にグローバル展開。スマホなどウェアラブル機器向けなどの市場開拓に注力。フジクラグループの事業を集約し発足。
【定着率】‥
【採用】 【設立】2022.3【代表取締役】植田広二
23年 ‥【従業員】単340名(‥歳)
24年 3【有休】‥日
25年 6【初任給】月25.5万(諸手当を除いた数値)
【試験種類】‥【各種制度】‥

【業績】	売上高	営業利益	経常利益	純利益
単24.3	73,356	1,225	7,204	6,326

㈱ヨコオ

東証プライム

【本社】101-0041 東京都千代田区神田須田町1-25 JR神田万世橋ビル ☎03-3916-3111
電子部品・機器

採用予定数	倍率	3年後離職率	平均年収
34名	‥	‥	767万円

【特色】自動車用アンテナ大手メーカー。スマホ用コネクターも主力製品。収益源は半導体・スマホ用回路検査機器。医療用カテーテル、低温同時焼成セラミックス応用品など先端デバイスも育成。東南アジア、中国、米国などに生産拠点。海外売上比率7割超。
【定着率】‥
【採用】 【設立】1951.6 【代表取締役】徳間孝之
23年 13【従業員】連7,965名 単906名(41.1歳)
24年 22【有休】‥日
25年 34【初任給】月23.7万(諸手当を除いた数値)
【試験種類】‥【各種制度】‥

【業績】	売上高	営業利益	経常利益	純利益
連23.3	77,962	4,739	5,675	3,147
連24.3	76,895	1,617	3,710	1,511

㈱アルファパーチェス

東証スタンダード

【本社】108-0073 東京都港区三田1-4-28 三田国際ビル ☎03-6635-5140
住宅・医療機器他

採用実績数	倍率	3年後離職率	平均年収
5名	‥	‥	567万円

【特色】インターネットを活用して間接材を販売するMRO事業が柱。多品種、少量、少額な商品を取り扱う。電子購買システムや多数のサプライヤーを有し、間接材の購買コストを削減できる点に強み。工事用建材を各店舗の工事日程にあわせ提供するFM事業も展開。
【定着率】‥
【採用】 【設立】2010.11【社長】多田雅之
23年 6【従業員】連267名 単231名(40.8歳)
24年 5【有休】‥日
25年 前年並【初任給】月22.7万(諸手当を除いた数値)
【試験種類】‥【各種制度】‥

【業績】	売上高	営業利益	経常利益	純利益
連22.12	44,383	1,042	994	704
連23.12	51,951	1,188	1,183	850

国際計測器（こくさいけいそくき）

東証スタンダード

【本社】206-0025 東京都多摩市永山6-21-1 ☎042-371-4211
住宅・医療機器他

採用実績数	倍率	3年後離職率	平均年収
2名	‥	‥	669万円

【特色】タイヤなどの遠心力のバラツキを測定するバランシングマシン大手。振動計測技術を基盤にバランス測定装置など、自動車用タイヤ試験装置が主要製品。完成車の電気サーボモータ式振動試験機も生産する。中国、米国、韓国など海外売上比率は約7割。
【定着率】‥
【採用】 【設立】1969.6 【社長】松本進一
23年 4【従業員】連290名 単151名(48.5歳)
24年 2【有休】‥日
25年 微減【初任給】月20.4万(諸手当を除いた数値)
【試験種類】‥【各種制度】‥

【業績】	売上高	営業利益	経常利益	純利益
連23.3	10,037	▲38	188	▲66
連24.3	10,239	▲612	▲153	▲258

㈱吉田製作所（よしだせいさくしょ）

株式公開計画なし

【本社】130-8516 東京都墨田区江東橋1-3-6 ☎03-3631-2191
住宅・医療機器他

採用予定数	倍率	3年後離職率	平均年収
4名	‥	‥	‥

【特色】歯科医療機器の老舗メーカー。診療台ユニットのほか、レーザー機器やレントゲン装置が主力製品。訪問歯科診療用パッケージやMRIなどの医療機器も展開。世界初のX線を使用しない歯科用撮影装置、4Kカメラ搭載のマイクロスコープ製品などに注力。
【定着率】‥
【採用】 【設立】1948.6 【社長】山中通三
23年 3【従業員】単357名(41.3歳)
24年 4【有休】‥日
25年 4【初任給】月23万(諸手当を除いた数値)
【試験種類】‥【各種制度】‥

【業績】	売上高	営業利益	経常利益	純利益
単23.3	10,167	‥	‥	105
単24.3	9,278	‥	‥	79

㈱アソインターナショナル

東証スタンダード

【本社】104-0061 東京都中央区銀座2-11-8 第22中央ビル ☎03-3547-0479
住宅・医療機器他

採用予定数	倍率	3年後離職率	平均年収
10名	‥	‥	360万円

【特色】歯列矯正に特化した歯科技工物メーカー。供給先は矯正治療を行う歯科大学や医療機関など。自社での雇用に加え、当社から独立した歯科技工士を中心とする技工所を協力パートナーとして事業を拡大。東京本社に加え、新潟、名古屋、大阪に営業・製造拠点を置く。
【定着率】‥
【採用】 【設立】1988.5 【社長】阿曽敏正
23年 ‥【従業員】連276名 単66名(36.4歳)
24年 7【有休】‥日
25年 10【初任給】‥万
【試験種類】‥【各種制度】‥

【業績】	売上高	営業利益	経常利益	純利益
連23.6	3,190	460	433	338
連24.6	3,544	545	555	386

石川ガスケット（いしかわ）

株式公開計画なし

【本社】105-0001 東京都港区虎ノ門2-5-5 櫻ビル ☎03-3501-0371
自動車部品

採用予定数	倍率	3年後離職率	平均年収
1名	‥	‥	‥

【特色】スチールラミネートガスケットを日本で初開発した、エンジン用ガスケット専業メーカー。独立系。「チェリー」ブランドで展開。省エネ、省資源、環境負荷低減に積極的。欧州で委託生産、アジアではタイ、中国で合弁生産。米国、豪にも拠点。
【定着率】‥
【採用】 【設立】1936.4 【社長】石川伸一郎
23年 1【従業員】単117名(50.5歳)
24年 1【有休】‥日
25年 1【初任給】月21.4万(諸手当を除いた数値)
【試験種類】‥【各種制度】‥

【業績】	売上高	営業利益	経常利益	純利益
単23.3	7,454	▲69	184	133
単24.3	7,802	67	311	190

㈱ヴァレオジャパン
株式公開計画なし

【本社】151-0062 東京都渋谷区元代々木町30-13 ONEST元代々木スクエア ☎03-5465-5710
自動車部品

採用予定数	倍率	3年後離職率	平均年収
4名	‥	‥	‥

【特色】空調や自動運転などの自動車関連システム・部品を開発し製造・販売。主力は空調、コンプレッサー、自動運転、運転支援システム。10カ所の工場と5つのR&Dセンターを持つ。仏ヴァレオグループの日本における戦略的拠点。
【定着率】‥
【採用】【設立】1937.5【社長】A.オードバディ
23年 0【従業員】単1,383名(‥歳)
24年 0【有休】‥日
25年 4【初任給】月23.3万(諸手当を除いた数値)
【試験種類】‥【各種制度】‥

【業績】	売上高	営業利益	経常利益	純利益
単22.12	67,947	1,419	5,631	4,715
単23.12	80,779	4,885	6,101	4,030

大川精螺工業（おおかわせいらこうぎょう）
株式公開計画なし

【本社】141-0022 東京都品川区東五反田2-20-4 NMF高輪ビル7階 ☎03-3280-1811
自動車部品

採用予定数	倍率	3年後離職率	平均年収
未定	‥	‥	‥

【特色】ブレーキホース継手金具をはじめ自動車用精密ねじ部品を生産する自動車部品メーカー。ブレーキホース継手金具は国内シェア6割。切削加工技術と冷間鍛造加工技術に強み。米国、韓国企業に技術供与。タイ、メキシコに生産現法、スペインに拠点。
【定着率】‥
【採用】【設立】1943.10【社長】大川知樹
23年 3【従業員】単361名(42.0歳)
24年 ‥【有休】‥日
25年 未定【初任給】月20.5万(諸手当を除いた数値)
【試験種類】‥【各種制度】‥

【業績】	売上高	営業利益	経常利益	純利益
単22.12	5,554	▲356	20	▲12
単23.12	6,292	‥	‥	‥

技研（ぎけん）
株式公開いずれしたい

【本社】175-0081 東京都板橋区新河岸2-8-24 ☎03-3939-4511
自動車部品

採用予定数	倍率	3年後離職率	平均年収
11名	‥	‥	‥

【特色】エアロパーツをはじめとした自動車用機能部品の専門メーカー。主力はフロントバンパーやスポイラー、アンダープロテクター等の外装・空力パーツ。シート製造から成型・加工・塗装・組立まで一貫。国内完成車メーカー各社に顧客基盤。山形に2工場。
【定着率】‥
【採用】【設立】1960.10【社長】丹羽基広
23年 3【従業員】単375名(42.7歳)
24年 11【有休】‥日
25年 11【初任給】月22万(諸手当を除いた数値)
【試験種類】‥【各種制度】‥

【業績】	売上高	営業利益	経常利益	純利益
単22.12	6,318	▲159	▲91	▲126
単23.12	9,068	161	194	33

三恵技研工業（さんけいぎけんこうぎょう）
株式公開計画なし

【本社】115-8555 東京都北区赤羽南2-5-1 ☎03-3902-8200
自動車部品

採用実績数	倍率	3年後離職率	平均年収
9名	‥	‥	‥

【特色】自動車用マフラー・ボディ部品の開発・製造。一貫生産と金属と樹脂の塑性加工・表面加工に強み。建設機械用マフラー、ステンレス真空ボトルなど非自動車事業の拡大に注力。海外は12製造拠点を展開し、開発・生産のグローバル化に対応。
【定着率】‥
【採用】【設立】1948.1【社長】長谷川彰宏
23年 17【従業員】単603名(41.0歳)
24年 9【有休】‥日
25年 未定【初任給】月20.9万(諸手当を除いた数値)
【試験種類】‥【各種制度】‥

【業績】	売上高	営業利益	経常利益	純利益
単23.3	49,711	‥	‥	▲159
単24.3	50,494	‥	‥	1,653

日清紡ブレーキ（にっしんぼう）
株式公開計画なし

【本社】103-8650 東京都中央区日本橋人形町2-31-11 ☎03-6897-8900
自動車部品

採用実績数	倍率	3年後離職率	平均年収
5名	‥	‥	‥

【特色】自動車用ディスクブレーキパッド、ブレーキライニングを製造・販売。ブレーキ摩擦材はグループで世界首位級。米国で始まった摩擦材への銅使用規制にもいち早く対応。米国、タイ、韓国、中国に製造拠点。日清紡ホールディングス傘下。
【定着率】‥
【採用】【設立】2009.4【社長】服部恭輝
23年 4【従業員】単614名(43.2歳)
24年 5【有休】‥日
25年 未定【初任給】月22.6万
【試験種類】‥【各種制度】‥

【業績】	売上高	営業利益	経常利益	純利益
単22.12	17,340	1,239	1,565	1,222
単23.12	19,111	1,375	1,633	934

㈱五光製作所（ごこうせいさくしょ）
株式公開計画なし

【本社】152-8571 東京都目黒区中根2-9-5 ☎03-5731-9631
輸送用機器

採用実績数	倍率	3年後離職率	平均年収
1名	‥	‥	‥

【特色】鉄道・バス用のトイレ・水揚装置、船舶用の汚物処理装置などの機器メーカー。鉄道・バス用トイレは国内トップシェアで、新幹線技術が導入された台湾高速鉄道にも搭載。船舶用汚水処理装置は官公庁の船舶を中心に幅広く搭載される。
【定着率】‥
【採用】【設立】1948.9【社長】中園英太郎
23年 1【従業員】単121名(45.7歳)
24年 1【有休】‥日
25年 未定【初任給】月23.1万(諸手当を除いた数値)
【試験種類】‥【各種制度】‥

【業績】	売上高	営業利益	経常利益	純利益
単23.2	3,096	181	178	123
単24.2	3,723	329	321	232

住友重機械マリンエンジニアリング

株式公開計画なし

【本社】141-6025 東京都品川区大崎2-1-1 ThinkPark Tower ☎03-6737-2620
輸送用機器

採用実績数	倍率	3年後離職率	平均年収
6名	‥	‥	‥

【特色】船舶(除く艦艇)や海洋構造物の製造、船舶・海洋関係エンジニアリングなど担う。タンカー分野でユニークな船舶建造に定評。船舶建造実績は1300隻超。横須賀米海軍を中心とした艦船修理工事も手がける。住友重機械工業の子会社。
【定着率】‥
【採用】 【設立】2003.4【社長】宮島康一
23年 6【従業員】単414名(40.5歳)
24年 0【有休】‥日
25年 0【初任給】‥万
【試験種類】‥【各種制度】‥

【業績】	売上高	営業利益	経常利益	純利益
単22.12変	20,894	‥	‥	▲1,760
単23.12	31,266	‥	‥	▲2,483

(株)ナンシン

東証スタンダード

【本社】103-0013 東京都中央区日本橋人形町1-17-4 JPR人形町ビル ☎03-6892-3016
輸送用機器

採用予定数	倍率	3年後離職率	平均年収
未定	‥	‥	500万円

【特色】搬送用具・パレットなどに装着するキャスター(脚輪)メーカー大手。国内シェア約25%。超重荷用や医療用など幅広い用途に向け品揃え多い。台車やロールボックスパレットなどの製品も手がける。マレーシア、中国に製造・販売拠点を持ち、海外展開も活発。
【定着率】‥
【採用】 【設立】1947.10【社長】諏訪隆博
23年 1【従業員】連413名 単174名(45.5歳)
24年 0【有休】‥日
25年 未定【初任給】月22万(諸手当を除いた数値)
【試験種類】‥【各種制度】‥

【業績】	売上高	営業利益	経常利益	純利益
連23.3	9,808	208	329	593
連24.3	8,915	199	246	155

菱電(りょうでん)エレベータ施設(しせつ)

株式公開計画なし

【本社】162-8422 東京都新宿区市谷砂土原町2-4 KSビル ☎03-3235-9201
機械

採用予定数	倍率	3年後離職率	平均年収
76名	‥	‥	‥

【特色】エレベーター、エスカレーターなどの製造・販売・据付・保守が主要事業の昇降機専門メーカー。オフィスビル・駅・空港向けなどのほか個人住宅用も展開。自社製品の小荷物専用昇降機「リョーデンリフト」は業界トップ級のシェア。三菱電機の子会社。
【定着率】‥
【採用】 【設立】1973.5【社長】林良春
23年 26【従業員】単894名(41.3歳)
24年 48【有休】‥日
25年 76【初任給】月25万(諸手当を除いた数値)
【試験種類】‥【各種制度】‥

【業績】	売上高	営業利益	経常利益	純利益
単23.3	19,890	892	917	613
単24.3	22,023	1,232	1,261	841

アクアス

株式公開していない

【本社】141-0001 東京都品川区北品川5-5-15 大崎ブライトコア ☎03-5795-2711
機械

採用実績数	倍率	3年後離職率	平均年収
6名	‥	‥	‥

【特色】水処理薬剤と水処理装置の総合メーカー。水処理プラント・水処理システム、水処理薬品などの製造販売からコンサルまで手がける。乳業など食品業界が主な顧客。レジオネラ症対策のパイオニア。茨城・つくば市に研究所。
【定着率】‥
【採用】 【設立】1958.12【社長】山田峰朗
23年 7【従業員】単471名(45.8歳)
24年 6【有休】‥日
25年 未定【初任給】月21.6万(諸手当を除いた数値)
【試験種類】‥【各種制度】‥

【業績】	売上高	営業利益	経常利益	純利益
単23.3	13,223	894	949	593
単24.3	13,946	1,088	1,191	741

(株)IHI回転機械エンジニアリング

株式公開計画なし

【本社】135-0062 東京都江東区東雲1-7-12 ☎03-6703-0350
機械

採用予定数	倍率	3年後離職率	平均年収
9名	‥	‥	‥

【特色】コンプレッサー、大型過給機、油圧ポンプ・モーター、歯車装置などの製造・販売、据付・メンテナンスを手がける。半導体製造の廃棄物リサイクルシステムも扱う。営業所の統廃合を推進。IHIグループの回転機械分野の中核企業。
【定着率】‥
【採用】 【設立】1965.9【社長】森川圭一
23年 ‥【従業員】単1,153名(‥歳)
24年 7【有休】‥日
25年 9【初任給】月24万(諸手当を除いた数値)
【試験種類】‥【各種制度】‥

【業績】	売上高	営業利益	経常利益	純利益
単23.3	41,397	3,259	4,493	3,616
単24.3	43,676	4,510	8,528	6,968

(株)IHI原動機(げんどうき)

株式公開計画なし

【本社】101-0021 東京都千代田区外神田2-14-5 ☎03-4366-1200
機械

採用予定数	倍率	3年後離職率	平均年収
7名	‥	‥	‥

【特色】IHIの子会社でグループの資源エネルギー環境事業の一翼担う、内燃機関、ガスタービン機関、舶用機器メーカー。Z型推進装置はタグボート向けで国内90%の高シェア。アンモニアや液化バイオメタンなど脱CO2燃料利用の開発進める。
【定着率】‥
【採用】 【設立】2003.2【社長】村角敬
23年 6【従業員】単1,460名(43.0歳)
24年 10【有休】‥日
25年 7【初任給】月23.5万(諸手当を除いた数値)
【試験種類】‥【各種制度】‥

【業績】	売上高	営業利益	経常利益	純利益
単23.3	74,023	▲1,820	▲1,560	▲1,017
単24.3	64,131	376	1,534	1,748

NOKフガクエンジニアリング

株式公開計画なし

【本社】105-8585 東京都港区芝大門1-12-15 ☎‥

機械

採用予定数	倍率	3年後離職率	平均年収
4名	‥	‥	‥

【特色】自動車や電機関連向け産業機器用シール、電子回路部品などの精密金型、治工具、全自動圧縮成形機や打抜き機など機械装置の製造を手がける。圧縮成形機は顧客に合わせたカスタマイズに対応。福島、静岡、福岡に工場。NOKのグループ会社。

【定着率】‥

【採用】 【設立】1977.4 【社長】前田忠宏

23年 1【従業員】単336名(38.4歳)

24年 4【有休】‥日

25年 4【初任給】月20.9万(諸手当を除いた数値)

【試験種類】‥【各種制度】‥

【業績】	売上高	営業利益	経常利益	純利益
単23.3	6,395	▲396	▲371	▲449
単24.3	6,382	▲174	▲150	▲157

荏原実業（えばらじつぎょう）

東証プライム

【本社】104-8174 東京都中央区銀座7-14-1 ☎03-5565-2881

機械

採用予定数	倍率	3年後離職率	平均年収
20名	‥	‥	762万円

【特色】荏原製作所から独立し、環境関連機器の開発・販売、水処理施設の設計施工、風水力・冷熱機器の仕入販売などを手がける。メーカー機能を持つ環境関連事業を育成。オゾン濃度計は国内シェア高い。省エネ型の下水処理用送風機が伸長。

【定着率】‥

【採用】 【設立】1946.11【代表取締役】石井孝

23年 19【従業員】連541名 単492名(42.6歳)

24年 14【有休】‥日

25年 20【初任給】月25万(諸手当を除いた数値)

【試験種類】‥【各種制度】‥

【業績】	売上高	営業利益	経常利益	純利益
連22.12	30,229	2,756	2,929	2,169
連23.12	36,280	4,025	4,164	3,141

㈱鎌倉製作所（かまくらせいさくしょ）

株式公開計画なし

【本社】107-8623 東京都港区北青山2-7-11 ☎03-3403-4311

機械

採用予定数	倍率	3年後離職率	平均年収
未定	‥	‥	‥

【特色】産業用換気装置などを製造する。主力製品の屋上強制換気装置「ルーフファン」は国内40万事業所・工場向けに100万台以上販売し業界首位。気化放熱式涼風装置や送風装置・エアカーテンなども手がける。長野・佐久に研究開発拠点。

【定着率】‥

【採用】 【設立】1951.6 【代表取締役】堀江威史

23年 0【従業員】単98名(45.7歳)

24年 0【有休】‥日

25年 未定【初任給】‥万

【試験種類】‥【各種制度】‥

【業績】	売上高	営業利益	経常利益	純利益
単22.12	4,282	‥	‥	‥
単23.12	4,797	‥	‥	‥

小池酸素工業（こいけさんそこうぎょう）

東証スタンダード

【本社】130-0012 東京都墨田区太平3-4-8 KOIKE Bld. ☎03-3624-3111

機械

採用予定数	倍率	3年後離職率	平均年収
15名	‥	‥	631万円

【特色】プラズマ、レーザー、ガスを利用した切断機など機械装置と酸素、アセチレンなどの高圧ガスを手がける。鋼板の厚板切断に強み。切断機は鉄鋼、造船、建機向けが中心。溶接機材も扱う。高圧ガスは無呼吸症用の酸素治療器など医療分野も開拓。

【定着率】‥

【採用】 【設立】1936.12【社長】小池英夫

23年 8【従業員】連1,051名 単343名(42.3歳)

24年 16【有休】‥日

25年 15【初任給】月22.6万(諸手当を除いた数値)

【試験種類】‥【各種制度】‥

【業績】	売上高	営業利益	経常利益	純利益
連23.3	47,871	3,292	3,786	2,065
連24.3	51,387	4,314	5,149	3,056

㈱コガネイ

株式公開計画なし

【本社】184-8533 東京都小金井市緑町3-11-28 ☎042-383-7111

機械

採用予定数	倍率	3年後離職率	平均年収
20名	‥	‥	‥

【特色】空気圧機器が中心の省力化機器メーカー。半導体・液晶製造装置、医療分析装置向け機器に強み。産業用ロボットのハンドリング周辺機器を拡充し自動化に貢献。米国、シンガポール、マレーシア、中国、台湾、韓国、タイなど海外に拠点。

【定着率】‥

【採用】 【設立】1934.2 【社長】岡村吉光

23年 20【従業員】単593名(42.3歳)

24年 16【有休】‥日

25年 20【初任給】月22.3万(諸手当を除いた数値)

【試験種類】‥【各種制度】‥

【業績】	売上高	営業利益	経常利益	純利益
単23.3	20,710	2,121	2,761	2,171
単24.3	17,445	1,310	1,659	1,103

コンバム

東証スタンダード

【本社】146-0092 東京都大田区下丸子2-6-18 ☎03-3759-1491

機械

採用予定数	倍率	3年後離職率	平均年収
未定	‥	‥	436万円

【特色】真空吸着搬送機器メーカー。真空発生器(コンバム)とその消耗品の真空吸着パッド、圧力センサーなどが主力。コンバムは各種製造工場のロボットなどに使用。ロボット需要の拡大に対応し、真空吸着技術を応用したロボットハンドに注力。

【定着率】‥

【採用】 【設立】1951.4 【社長】佐藤稜

23年 0【従業員】連86名 単63名(42.8歳)

24年 ‥【有休】‥日

25年 未定【初任給】‥万

【試験種類】‥【各種制度】‥

【業績】	売上高	営業利益	経常利益	純利益
連22.12	2,380	614	647	458
連23.12	1,924	319	365	237

シンテゴンテクノロジー

株式公開計画なし

【本社】150-0002 東京都渋谷区渋谷3-3-2 アーバンセンター渋谷イースト5階 ☎03-5466-2550
機械

採用予定数	倍率	3年後離職率	平均年収
未定	‥	‥	‥

【特色】食品や医薬品向けに製造・包装機械を製造・販売。食品向けは製菓製造・包装機械など、医療向けは注射剤の充填から外観検査までの一貫ライン、造粒装置やカプセル充填装置などを扱う。顧客ニーズに合わせ、開発・設計・製造からアフターサービスまで行う。
【定着率】‥
【採用】【設立】1982.8【社長】B.ベアント
23年 ‥【従業員】単200名(‥歳)
24年 ‥【有休】‥日
25年 未定【初任給】‥万
【試験種類】‥【各種制度】‥

【業績】	売上高	営業利益	経常利益	純利益
単22.12	8,654	311	297	292
単23.12	8,848	407	346	316

新日本造機（しんにっぽんぞうき）

株式公開計画なし

【本社】141-6025 東京都品川区大崎2-1-1 Think Park Tower ☎03-6737-2630
機械

採用予定数	倍率	3年後離職率	平均年収
5名	‥	‥	‥

【特色】産業用蒸気タービンと各種プロセスポンプのメーカー。タービンは国内の発電事業向けが堅調。ポンプは石油精製・化学プラント向けで世界のメジャー企業に納入する。広島県呉市に2工場。タイ、UAEにサービス拠点。住友重機械工業の完全子会社。
【定着率】‥
【採用】【設立】1951.12【社長】迫田浩隆
23年 4【従業員】単428名(43.0歳)
24年 6【有休】‥日
25年 5【初任給】月22.5万(諸手当を除いた数値)
【試験種類】‥【各種制度】‥

【業績】	売上高	営業利益	経常利益	純利益
単22.12変	11,095	273	520	313
単23.12	14,429	▲407	▲102	▲141

住友建機（すみともけんき）

株式公開計画なし

【本社】141-6025 東京都品川区大崎2-1-1 ThinkPark Tower ☎03-6737-2600
機械

採用予定数	倍率	3年後離職率	平均年収
20名	‥	‥	‥

【特色】油圧ショベル、道路機械などの製造・販売を手がける総合建機メーカー。アスファルトフィニッシャーは国内シェア首位。脱炭素社会の実現に向けて、バッテリーを用いた電動ショベルの開発を進める。中国・唐山市とインドネシアに工場。住友重機械の傘下。
【定着率】‥
【採用】【設立】2001.4【社長】三觜勇
23年 17【従業員】単832名(41.3歳)
24年 14【有休】‥日
25年 20【初任給】月25.8万(諸手当を除いた数値)
【試験種類】‥【各種制度】‥

【業績】	売上高	営業利益	経常利益	純利益
連22.12変	184,666	9,141	‥	6,478
単23.12	200,994	11,183	9,855	7,726

住友重機械建機クレーン（すみともじゅうきかいけんき）

株式公開計画なし

【本社】110-0015 東京都台東区東上野6-9-3 住友不動産ビル8号館6階 ☎03-3845-1384
機械

採用予定数	倍率	3年後離職率	平均年収
15名	‥	‥	‥

【特色】クローラクレーンなど建設機械の製造・修理・販売等を手がける建機メーカー。大型クローラクレーンに強み。名古屋工場に部品センター、技術研修センターも。日立建機と住友重機械工業のクレーン事業を統合して発足、現在は住友重機械工業の完全子会社。
【定着率】‥
【採用】【設立】2002.7【社長】石田和久
23年 12【従業員】単591名(49.1歳)
24年 13【有休】‥日
25年 15【初任給】月25.4万(諸手当を除いた数値)
【試験種類】‥【各種制度】‥

【業績】	売上高	営業利益	経常利益	純利益
単22.12変	29,396	43	▲28	▲39
単23.12	42,993	1,755	1,635	1,240

月島環境エンジニアリング（つきしまかんきょう）

株式公開計画なし

【本社】104-0053 東京都中央区晴海3-5-1 ☎03-6758-2310
機械

採用実績数	倍率	3年後離職率	平均年収
2名	‥	‥	‥

【特色】液中燃焼方式による廃液燃焼装置、塩酸回収装置、フロン類破壊装置が主力。排水処理技術や固形焼却技術の分野でも事業展開。千葉県・八千代市に研究開発拠点を有する。タイ、ドイツ、台湾などに海外関連会社。月島ホールディングスグループ。
【定着率】‥
【採用】【設立】1958.4【社長】藤田直哉
23年 2【従業員】単150名(45.5歳)
24年 2【有休】‥日
25年 未定【初任給】月24.2万(諸手当を除いた数値)
【試験種類】‥【各種制度】‥

【業績】	売上高	営業利益	経常利益	純利益
単23.3	9,849	508	501	357
単24.3	8,157	361	363	252

月島ホールディングス（つきしま）

東証プライム

【本社】104-0053 東京都中央区晴海3-5-1 ☎03-5560-6511
機械

採用予定数	倍率	3年後離職率	平均年収
43名	‥	‥	745万円

【特色】官需中心の上下水道設備などの水環境事業と化学、鉄鋼、食品などの産業プラント、設備機器の産業事業が柱。廃液や固形廃棄物処理など環境設備にも実績。下水汚泥利用の発電事業で先鞭。環境ビジネスの推進や官民連携事業など高付加価値領域への移行を目指す。
【定着率】‥
【グループ採用】【設立】1917.5【社長】川崎淳
23年 26【従業員】連3,517名 単110名(43.8歳)
24年 18【有休】‥日
25年 43【初任給】月22.4万(諸手当を除いた数値)
【試験種類】‥【各種制度】‥

【業績】	売上高	営業利益	経常利益	純利益
連23.3	97,778	5,004	5,649	4,214
連24.3	124,205	6,765	7,810	2,675

トーヨーカネツ
東証プライム

【本社】136-8666 東京都江東区南砂2-11-1
☎03-5857-3333
機械

採用実績数	倍率	3年後離職率	平均年収
14名	‥	‥	671万円

【特色】タンクを中心とする機械・プラント事業と物流システム事業が柱。石油・LNGタンクでは国内外で約5700基製造の実績を持つ。物流システムは仕分け・ピッキングシステムに定評。空港の手荷物搬送システムでは国内外で採用。国内トップシェアを誇る。
【定着率】‥
【採用】【設立】1941.5【社長】大和田能史
23年 18【従業員】連1,177名 単608名(44.5歳)
24年 14【有休】‥日
25年 前年並【初任給】月21.9万(諸手当を除いた数値)
【試験種類】‥【各種制度】‥

【業績】	売上高	営業利益	経常利益	純利益
連23.3	47,351	2,497	2,896	2,378
連24.3	53,787	3,090	3,579	3,554

ニューロング工業（こうぎょう）
株式公開計画中

【本社】125-0063 東京都葛飾区白鳥4-8-14
☎03-3603-2251
機械

採用予定数	倍率	3年後離職率	平均年収
2名	‥	‥	‥

【特色】製袋機、包装機械など、袋に関連する機械の専門メーカー。製袋用ミシン95%、製袋機90%、自動充填包装機80%と圧倒的シェア。グループで国内5、海外3工場。営業拠点は全国各地に持ち、海外は東南アジアを中心に欧米でも展開。
【定着率】‥
【採用】【設立】1948.3【社長】長保行
23年 0【従業員】単162名(39.0歳)
24年 3【有休】‥日
25年 2【初任給】月22万(諸手当を除いた数値)
【試験種類】‥【各種制度】‥

【業績】	売上高	営業利益	経常利益	純利益
単22.9	8,839	187	562	518
単23.9	9,784	439	580	415

ネポン
東証スタンダード

【本社】150-0002 東京都渋谷区渋谷1-4-2
☎03-3409-3131
機械

採用予定数	倍率	3年後離職率	平均年収
5名	‥	‥	550万円

【特色】熱機器と製造販売が柱。衛生機器も展開。熱機器は施設園芸用温風暖房機などの農業用とビル・工場用温風暖房機などの汎用機器、衛生機器は簡易水洗トイレなどを手がける。ハウス用温風暖房機で国内シェア約7割。農業クラウドサービスも展開。
【定着率】‥
【採用】【設立】1948.6【社長】福田晴久
23年 0【従業員】連252名 単244名(43.7歳)
24年 1【有休】‥日
25年 5【初任給】月20.1万(諸手当を除いた数値)
【試験種類】‥【各種制度】‥

【業績】	売上高	営業利益	経常利益	純利益
連23.3	7,992	388	396	285
連24.3	7,774	34	82	64

㈱ハマイ
東証スタンダード

【本社】141-8512 東京都品川区西五反田7-7-7 SGスクエア
☎03-3492-6711
機械

採用実績数	倍率	3年後離職率	平均年収
7名	‥	‥	539万円

【特色】老舗バルブメーカー。LPガス容器用バルブは国内トップシェア。半導体製造向け、医療用ガス向け高圧ガスバルブにも強み。弁体がボール状のボールバルブも製造。水素燃料電池自動車用などの水素バルブも手がけ、自動車以外の多用途化を推進する。
【定着率】‥
【採用】【設立】1948.5【社長】河西聡
23年 9【従業員】連287名 単259名(40.0歳)
24年 7【有休】‥日
25年 増加【初任給】月19.4万(諸手当を除いた数値)
【試験種類】‥【各種制度】‥

【業績】	売上高	営業利益	経常利益	純利益
連22.12	11,195	1,096	1,241	949
連23.12	11,132	1,021	1,141	909

㈱バルカー
東証プライム

【本社】141-6024 東京都品川区大崎2-1-1 ThinkPark Tower
☎03-5434-7370
機械

採用予定数	倍率	3年後離職率	平均年収
未定	‥	‥	852万円

【特色】配管つなぎ目の気体・液体漏れを防ぐシール材の大手。プラント、半導体製造装置、産業機械向けが主。フッ素樹脂特殊タンクの生産、シリコンウエハの再生なども手がける。半導体やEV関連など先端産業市場向け製品の研究開発体制を強化。
【定着率】‥
【採用】【設立】1932.4【社長】瀧澤利治
23年 1【従業員】連1,668名 単428名(46.9歳)
24年 0【有休】‥日
25年 未定【初任給】月23.3万(諸手当を除いた数値)
【試験種類】‥【各種制度】‥

【業績】	売上高	営業利益	経常利益	純利益
連23.3	62,178	8,877	9,029	6,746
連24.3	61,744	7,102	7,399	4,909

㈱不二製作所（ふじせいさくしょ）
株式公開計画なし

【本社】132-0025 東京都江戸川区松江5-2-24
☎03-3686-2291
機械

採用予定数	倍率	3年後離職率	平均年収
8名	‥	‥	‥

【特色】エアーブラスト装置の専業メーカーで国内首位級。各種ブラスト装置製造のほか、レンタル、部品研磨材販売、受託加工、研究開発など手がける。家電、自動車から航空機、ITなど幅広い顧客。産業用、精密加工用、大型機など多用途展開。タイに拠点。
【定着率】‥
【採用】【設立】1959.9【社長】杉山博己
23年 10【従業員】単290名(39.0歳)
24年 7【有休】‥日
25年 8【初任給】月24.8万(諸手当を除いた数値)
【試験種類】‥【各種制度】‥

【業績】	売上高	営業利益	経常利益	純利益
単23.3	6,433	184	260	168
単24.3	6,172	298	438	292

㈱平和（へいわ）

東証プライム

【本社】110-0015 東京都台東区東上野1-16-1
☎03-3839-0077
機械

採用実績数	倍率	3年後離職率	平均年収
22名	‥	‥	650万円

【特色】パチンコ・パチスロ機メーカー大手。パチンコ機の着脱分離方式の草分け。開発部隊は群馬県伊勢崎市に集約。子会社にパチスロ大手のオリンピアや、ゴルフ場運営のパシフィックゴルフマネージメント。石原一族が上位株主。沖縄のリゾートホテルプロジェクトを推進。
【定着率】‥
【採用】【設立】1960.9【社長】嶺井勝也
23年 0【従業員】連5,138名 単527名(44.9歳)
24年 22【有休】‥日
25年 未定【初任給】‥万
【試験種類】‥【各種制度】‥

【業績】	売上高	営業利益	経常利益	純利益
連23.3	142,290	26,905	26,631	20,685
連24.3	136,381	23,430	22,746	16,611

㈱マースグループホールディングス

東証プライム

【本社】160-0022 東京都新宿区新宿1-10-7
☎03-3352-8555
機械

採用実績数	倍率	3年後離職率	平均年収
20名	‥	‥	‥

【特色】パチンコホール向け機器製造大手。省人化需要に対応した各台計数システムなどホール関連機器が主力。空気で搬送する紙幣搬送システムを開発。無線通信などを利用した自動認識システムも手がけ、物流向けなど用途広がる。レストランやホテルも経営。
【定着率】‥
【グループ採用】【設立】1974.9【社長】松波明宏
23年 19【従業員】連646名 単189名(43.9歳)
24年 20【有休】‥日
25年 増加【初任給】月25.2万(諸手当を除いた数値)
【試験種類】‥【各種制度】‥

【業績】	売上高	営業利益	経常利益	純利益
連23.3	20,346	4,126	4,730	3,144
連24.3	36,575	11,694	12,500	8,585

理研計器（りけんけいき）

東証プライム

【本社】174-8744 東京都板橋区小豆沢2-7-6
☎03-3966-1121
機械

採用実績数	倍率	3年後離職率	平均年収
37名	‥	‥	695万円

【特色】産業用ガス保安器・計測器最大手。各種センサーを一貫生産。半導体・液晶向け定置型ガス検知警報器が主力。作業現場員が携帯可能な可搬型ガス保安器の品ぞろえを拡充。点検保守も収益源。可搬型検知器中心に海外市場のシェア拡大を推進。
【定着率】‥
【採用】【設立】1934.7【社長】松本哲哉
23年 29【従業員】連1,349名 単1,051名(40.7歳)
24年 37【有休】‥日
25年 未定【初任給】月23.4万(諸手当を除いた数値)
【試験種類】‥【各種制度】‥

【業績】	売上高	営業利益	経常利益	純利益
連23.3	45,004	11,551	11,944	8,670
連24.3	45,581	11,476	12,272	8,378

ワイエイシイホールディングス

東証プライム

【本社】196-0021 東京都昭島市武蔵野3-11-10
☎042-546-1161
機械

採用予定数	倍率	3年後離職率	平均年収
15名	‥	‥	623万円

【特色】各種自動化機器の中堅メーカー。クリーニング機器から半導体製造装置、メモリディスク装置、液晶関連装置などへ多角化。現在はディスプレー関連、電子機器関連が主体。制御通信機器など電力分野、人工透析装置など海外での医療分野に注力。
【定着率】‥
【グループ採用】【設立】1973.5【会長兼社長】百瀬武文
23年 1【従業員】連820名 単19名(46.0歳)
24年 3【有休】‥日
25年 15【初任給】月22.4万(諸手当を除いた数値)
【試験種類】‥【各種制度】‥

【業績】	売上高	営業利益	経常利益	純利益
連23.3	24,114	1,495	1,541	921
連24.3	26,809	2,006	2,074	1,417

㈱タツノ

株式公開計画なし

【本社】108-8520 東京都港区三田3-2-6
☎050-9000-0500
機械

採用実績数	倍率	3年後離職率	平均年収
15名	‥	‥	‥

【特色】給油所用機器をはじめとした総合エネルギー機器メーカー。ガソリン計量機では世界3位。国内シェアは6割、アジアでのシェアも高い。水素分野では国内の水素ステーション100カ所のうち50%で採用実績。関東・甲信越で燃料油メーターの検定事業も手がける。
【定着率】‥
【採用】【設立】1928.3【社長】龍野廣道
23年 11【従業員】単1,018名(44.9歳)
24年 15【有休】‥日
25年 未定【初任給】月24.3万(諸手当を除いた数値)
【試験種類】‥【各種制度】‥

【業績】	売上高	営業利益	経常利益	純利益
単23.3	44,193	1,572	2,117	164
単24.3	43,605	2,723	3,004	1,552

日本無機（にほんむき）

株式公開計画なし

【本社】110-0015 東京都台東区東上野5-1-5 日新上野ビル
☎03-6860-7500
機械

採用実績数	倍率	3年後離職率	平均年収
10名	‥	‥	‥

【特色】ダイキン工業の完全子会社で、クリーンルーム用やビル空調用高性能エアフィルターで国内首位。空気清浄関連と特殊ガラス繊維製品に特化。日本初・世界初の技術実現も多数。感染症対策フィルター・クリーン機器も幅広く扱う。
【定着率】‥
【採用】【設立】1939.6【代表取締役】山口健
23年 9【従業員】単373名(40.8歳)
24年 10【有休】‥日
25年 未定【初任給】‥万
【試験種類】‥【各種制度】‥

【業績】	売上高	営業利益	経常利益	純利益
単23.3	14,275	1,693	1,720	1,167
単24.3	14,819	1,700	1,732	1,224

㈱アサヒコ

株式公開計画なし

【本社】160-0023 東京都新宿区西新宿3-6-4 CIRCLES西新宿7階 ☎03-6258-5462
食品・水産

採用予定数	倍率	3年後離職率	平均年収
未定	‥	‥	‥

【特色】豆腐、油揚げを中心に日配食品の製造・販売と冷凍食品など輸入食品を販売。量販店やコンビニ、業務用が主な販路。埼玉・行田市にR&Dセンターと工場を持つ。神奈川、長野、群馬にも工場。豆腐関連商品の製造販売や直売。豆腐バーがヒット。
【定着率】‥
【採用】【設立】2014.6【代表取締役】池田未央
23年 0【従業員】単126名(45.5歳)
24年 0【有休】‥日
25年 未定【初任給】‥万
【試験種類】‥【各種制度】‥

【業績】	売上高	営業利益	経常利益	純利益
単22.12	11,362	‥	‥	‥
単23.12	11,582	‥	‥	‥

エア・ウォーターアグリ&フーズ

株式公開していない

【本社】140-0002 東京都品川区東品川4-13-14 グラスキューブ品川12階 ☎03-6711-4340
食品・水産

採用予定数	倍率	3年後離職率	平均年収
7名	‥	‥	‥

【特色】エア・ウォーターグループの農業・食品カンパニー各事業会社が統合し発足した冷凍食品・加工食品の開発販売会社。冷凍ブロッコリーなどの農産加工品、生ハムなどの畜産加工品が中心。市場開拓や商品開発推進のほか、グループ企業との連携も強化。
【定着率】‥
【採用】【設立】1995.4【社長】松本憲一
23年 0【従業員】単262名(49.3歳)
24年 5【有休】‥日
25年 7【初任給】月20.1万(諸手当を除いた数値)
【試験種類】‥【各種制度】‥

【業績】	売上高	営業利益	経常利益	純利益
単23.3	44,465	1,599	1,902	1,676
単24.3	46,590	1,376	1,487	1,140

㈱紀文食品（きぶんしょくひん）

東証プライム

【本社】104-8101 東京都中央区銀座5-15-1 ☎03-6891-2600
食品・水産

採用実績数	倍率	3年後離職率	平均年収
20名	‥	‥	492万円

【特色】水産練り製品で国内シェア首位の食品メーカー。かまぼこ、かに風味かまぼこ、中華総菜、卵加工総菜、「糖質0g麺」などを製造。グループで3PL(物流一括請負)や複数顧客との共同配送事業などチルド物流も手がける。マルハニチロと資本業務提携。
【定着率】‥
【採用】【設立】1957.11【社長】堤裕
23年 13【従業員】連2,554名 単986名(40.2歳)
24年 20【有休】‥日
25年 未定【初任給】月20.6万(諸手当を除いた数値)
【試験種類】‥【各種制度】‥

【業績】	売上高	営業利益	経常利益	純利益
連23.3	105,691	2,022	1,760	442
連24.3	106,684	4,641	4,404	2,836

合同酒精（ごうどうしゅせい）

株式公開計画なし

【本社】130-0005 東京都墨田区東駒形1-17-6 ☎03-6757-4020
食品・水産

採用実績数	倍率	3年後離職率	平均年収
20名	‥	‥	‥

【特色】酒類中心に食品、酵素、医薬品を製造・販売。酒類は焼酎、清酒、ワイン、チューハイ、梅酒、リキュールと幅広く扱う。主力は焼酎「ビッグマン」「鍛高譚」「グランブルー」など。国内5工場。オエノンHDの中核会社。1924年創業。
【定着率】‥
【採用】【設立】2003.7【社長】西永裕司
23年 14【従業員】単484名(43.3歳)
24年 20【有休】‥日
25年 未定【初任給】月20万(諸手当を除いた数値)
【試験種類】‥【各種制度】‥

【業績】	売上高	営業利益	経常利益	純利益
単22.12	55,529	▲1,706	▲1,633	▲1,701
単23.12	61,350	1,407	1,470	1,526

ジャパンローヤルゼリー

株式公開未定

【東京本社】163-0636 東京都新宿区西新宿1-25-1 新宿センタービル36階 ☎03-3345-2888
食品・水産

採用予定数	倍率	3年後離職率	平均年収
1名	‥	‥	‥

【特色】ローヤルゼリー主力の健康食品を製造・販売。高品質ローヤルゼリー製品の普及に力点を置き代理店の新規獲得を進める。ローヤルゼリーとハチミツを活かして原料販売や化粧品などのOEMも展開。宮城に工場、札幌から沖縄まで支店を配置。
【定着率】‥
【採用】【設立】1969.4【社長】日高景介
23年 0【従業員】単70名(45.6歳)
24年 0【有休】‥日
25年 1【初任給】月23.5万
【試験種類】‥【各種制度】‥

【業績】	売上高	営業利益	経常利益	純利益
単23.3	1,881	94	88	29
単24.3	1,775	52	54	14

㈱新進（しんしん）

株式公開いずれしたい

【本社】101-0048 東京都千代田区神田司町2-6 ☎03-6206-4111
食品・水産

採用予定数	倍率	3年後離職率	平均年収
15名	‥	‥	‥

【特色】焼麸とでん粉製造で創業の老舗食品メーカー。食品は福神漬が主体の漬物と、野菜のチルド・冷食を全国販売。食材は液体調味料、複合調味料、野菜ペーストが主力商品。群馬・前橋に3工場、中国やミャンマーに現地法人を持つ。
【定着率】‥
【採用】【設立】1940.12【社長】籠島正雄
23年 5【従業員】単462名(43.8歳)
24年 10【有休】‥日
25年 15【初任給】月20万(諸手当を除いた数値)
【試験種類】‥【各種制度】‥

【業績】	売上高	営業利益	経常利益	純利益
単23.3	16,453	‥	▲312	▲224
単24.3	17,261	‥	203	101

東京都

㈱タイショーテクノス

株式公開計画なし

【本社】108-0014 東京都港区芝5-26-16 Mita S-Garden ☎03-6848-1080
食品・水産

採用実績数	倍率	3年後離職率	平均年収
2名	‥	‥	‥

【特色】食品添加物、保存料・日持向上剤、品質改良剤・サニテーション薬剤、食用色素・香味など食品素材、工業用防腐・防かび剤など工業薬品の製造・販売が柱。静岡・小山町に研究所、大阪に西日本営業部を有する。DM三井製糖グループ。
【定着率】‥
【採用】【設立】1959.11【社長】益田幸一
23年 3【従業員】単163名(41.0歳)
24年 2【有休】‥日
25年 未定【初任給】月23.3万(諸手当を除いた数値)
【試験種類】‥【各種制度】‥

【業績】	売上高	営業利益	経常利益	純利益
単23.3	9,218	328	326	230
単24.3	9,317	281	285	214

㈱デルソーレ

東証スタンダード

【本社】135-0063 東京都江東区有明3-4-10 TFTビル西館 ☎03-6736-5678
食品・水産

採用実績数	倍率	3年後離職率	平均年収
2名	‥	‥	507万円

【特色】冷凍・冷蔵ピザメーカー。宅配チェーンなど業務用に加え「デルソーレ」ブランドで市販品も。ナン、ピタなどのエスニックブレッドにも注力。串焼き居酒屋などレストランのほか、中食や宅配など外食事業も手がける。海外はインドネシアとリトアニアで事業を展開。
【定着率】‥
【採用】【設立】1964.11【社長】大河原泰
23年 ‥【従業員】単267名(43.4歳)
24年 2【有休】‥日
25年 未定【初任給】月23.2万(諸手当を除いた数値)
【試験種類】‥【各種制度】‥

【業績】	売上高	営業利益	経常利益	純利益
単23.3	16,893	417	515	302
単24.3	17,784	1,220	1,267	599

アライドコーヒーロースターズ

株式公開計画なし

【本社】146-0081 東京都大田区仲池上2-23-21 ☎03-3754-6411
食品・水産

採用実績数	倍率	3年後離職率	平均年収
1名	‥	‥	‥

【特色】レギュラーコーヒーの製造・販売大手。外食産業用、カップ自動販売機用、オフィス用、家庭用のほか、缶コーヒー原料のOEM生産も行う。世界の生産地の豆や製品の特性を調査し、コーヒーの基礎技術の向上に努力。横浜と東京に4工場。石光商事グループ。
【定着率】‥
【採用】【設立】1972.9【社長】小野智昭
23年 1【従業員】単102名(43.1歳)
24年 1【有休】‥日
25年 未定【初任給】月22.4万(諸手当を除いた数値)
【試験種類】‥【各種制度】‥

【業績】	売上高	営業利益	経常利益	純利益
単22.12	8,164	‥	‥	‥
単23.12	7,928	‥	‥	‥

㈱なとり

東証プライム

【本社】114-8611 東京都北区王子5-5-1 ☎03-5390-8111
食品・水産

採用実績数	倍率	3年後離職率	平均年収
20名	‥	‥	558万円

【特色】乾珍味業界のトップメーカーで、イカ、ホタテ、サラミ、チーズなど多品種のおつまみや洋風総菜を製造販売。食品素材、スナック菓子も手がける。名取一族の経営色強い。販売先はコンビニやスーパー向けが主体。新製品開発に意欲的。
【定着率】‥
【採用】【設立】1948.6【会長兼社長】名取三郎
23年 26【従業員】連847名 単589名(40.6歳)
24年 20【有休】‥日
25年 前年並【初任給】月22万(諸手当を除いた数値)
【試験種類】‥【各種制度】‥

【業績】	売上高	営業利益	経常利益	純利益
連23.3	45,093	622	650	407
連24.3	47,578	2,125	2,162	1,400

日本甜菜製糖（にっぽんてんさいせいとう）

東証プライム

【本社】108-0073 東京都港区三田3-12-14 ニッテン三田ビル ☎03-6414-5522
食品・水産

採用実績数	倍率	3年後離職率	平均年収
13名	‥	‥	659万円

【特色】製糖準大手で、国産甜菜(ビート)糖の販売首位。北海道産ビートの作柄によって業績が大きく変化。イースト、オリゴ糖など食品素材や飼料も手がける。不動産事業が高収益柱。ビートやネギの移植に使う農業資材も展開。本社は東京だが地盤は北海道。
【定着率】‥
【採用】【設立】1919.6【社長】石栗秀
23年 10【従業員】連774名 単633名(43.6歳)
24年 13【有休】‥日
25年 前年並【初任給】月21.8万(諸手当を除いた数値)
【試験種類】‥【各種制度】‥

【業績】	売上高	営業利益	経常利益	純利益
連23.3	65,013	1,506	1,993	1,260
連24.3	69,297	910	1,802	1,811

日本食品化工（にほんしょくひんかこう）

東証スタンダード

【本社】100-7012 東京都千代田区丸の内2-7-2 JPタワー ☎‥
食品・水産

採用予定数	倍率	3年後離職率	平均年収
15名	‥	‥	806万円

【特色】トウモロコシでんぷん(食品・工業用のコーンスターチ)で業界首位。三菱商事の子会社。現在は糖化品が主力。清涼飲料やビール系飲料向けなどから、輸液など医薬分野、健康食品、化粧品などファインケミカル製品にも展開。
【定着率】‥
【採用】【設立】1948.7【代表取締役】荒川健
23年 9【従業員】単433名(41.8歳)
24年 12【有休】‥日
25年 15【初任給】月18.9万(諸手当を除いた数値)
【試験種類】‥【各種制度】‥

【業績】	売上高	営業利益	経常利益	純利益
単23.3	64,612	3,540	3,341	2,605
単24.3	66,676	2,563	3,008	2,434

㈱不二家（ふじや）
東証プライム

【本社】112-0012 東京都文京区大塚2-15-6 ☎03-5978-8100
食品・水産

採用予定数	倍率	3年後離職率	平均年収
120名	‥	‥	538万円

【特色】山崎製パン傘下の菓子メーカー。「ミルキー」が看板商品。菓子や飲料を扱う製菓事業と、直営・FC店で販売する洋菓子事業を展開。飲料事業、外食事業、「ペコちゃん」のグッズ等を展開するキャラクターライセンス事業も手がける。
【定着率】‥
【採用】 【設立】1938.6【社長】河村宣行
23年 30【従業員】連2,464名 単1,433名(36.1歳)
24年 97【有休】‥日
25年 120【初任給】月22.7万(諸手当を除いた数値)
【試験種類】‥【各種制度】‥

【業績】	売上高	営業利益	経常利益	純利益
連22.12	100,614	4,334	5,545	3,376
連23.12	105,534	1,374	2,104	969

三井農林（みついのうりん）
株式公開していない

【本社】105-8427 東京都港区西新橋1-2-9 日比谷セントラルビル ☎03-3500-0611
食品・水産

採用実績数	倍率	3年後離職率	平均年収
4名	‥	‥	‥

【特色】食品事業と機能性素材事業の2本柱。食品は初の国産ブランド紅茶「日東紅茶」、緑茶「三井銘茶」などを製造・販売。飲料受託業務も手がける。静岡・藤枝と山梨・北杜に工場。オンラインショップも運営。三井物産の子会社。1909年製茶業で創業。
【定着率】‥
【採用】 【設立】1974.5【社長】佐伯光則
23年 0【従業員】単480名(44.3歳)
24年 4【有休】‥日
25年 未定【初任給】月20.8万(諸手当を除いた数値)
【試験種類】‥【各種制度】‥

【業績】	売上高	営業利益	経常利益	純利益
単23.3	21,306	85	146	140
単24.3	23,877	479	429	559

㈱桃屋（ももや）
株式公開計画なし

【本社】103-8522 東京都中央区日本橋蛎殻町2-16-2 ☎03-3668-5771
食品・水産

採用予定数	倍率	3年後離職率	平均年収
3名	‥	‥	‥

【特色】海苔佃煮を中心に中華総菜、食べる調味料、キムチの素等の各種瓶詰めなどを製造・販売。営業現場力の強化、メディアと連動した店頭露出などによる商品価値の訴求により、ブランド会社としての基盤強化を推進。札幌から沖縄まで全国に営業所を配置。
【定着率】‥
【採用】 【設立】1943.2【社長】小出雄二
23年 5【従業員】単307名(43.5歳)
24年 4【有休】‥日
25年 3【初任給】月21万(諸手当を除いた数値)
【試験種類】‥【各種制度】‥

【業績】	売上高	営業利益	経常利益	純利益
単22.9	14,477	1,521	1,772	1,122
単23.9	14,128	1,331	1,578	1,070

㈱ヤヨイサンフーズ
株式公開計画なし

【本社】105-0012 東京都港区芝大門1-10-11 芝大門センタービル6階 ☎03-5400-1500
食品・水産

採用予定数	倍率	3年後離職率	平均年収
29名	‥	‥	‥

【特色】コンビニ、スーパー、宅配、レストラン、学校、事業所・病院給食などに提供する業務用調理冷食メーカー。ハンバーグ、メンチカツ、コロッケが主力。北海道から九州まで営業拠点。静岡、福岡、新潟、宮城に工場。マルハニチロ完全子会社。
【定着率】‥
【採用】 【設立】1962.7【社長】溝口真人
23年 29【従業員】単1,237名(44.4歳)
24年 18【有休】‥日
25年 29【初任給】月21.4万(諸手当を除いた数値)
【試験種類】‥【各種制度】‥

【業績】	売上高	営業利益	経常利益	純利益
単23.3	37,736	105	134	116
単24.3	39,469	1,535	1,551	1,146

㈱ユーグレナ
東証プライム

【本社】108-0014 東京都港区芝5-29-11 G-BASE田町 ☎03-3453-4907
食品・水産

採用実績数	倍率	3年後離職率	平均年収
3名	‥	‥	750万円

【特色】微細藻ミドリムシを活用した食品、化粧品販売が主力。食用ミドリムシの屋外大量培養の成功は世界初。ミドリムシを使用したバイオジェット燃料商業化に意欲。遺伝子解析サービスも手がける。傘下に健康商品の製造販売のキューサイなどを持つ。
【定着率】‥
【採用】 【設立】2005.8【社長】出雲充
23年 4【従業員】連846名 単242名(41.9歳)
24年 3【有休】‥日
25年 0【初任給】月22.5万(諸手当を除いた数値)
【試験種類】‥【各種制度】‥

【業績】	売上高	営業利益	経常利益	純利益
連22.12	44,392	▲3,455	▲2,489	▲2,672
連23.12	46,482	▲1,464	▲1,419	▲2,652

和田製糖（わだせいとう）
株式公開計画なし

【本社】104-0033 東京都中央区新川2-9-1 ☎03-3555-0310
食品・水産

採用予定数	倍率	3年後離職率	平均年収
未定	‥	‥	‥

【特色】生産全量が業務用の独立系精糖メーカー。「ダイヤコック印」ブランドで展開。上白糖、グラニュー糖、三温糖、液糖、上赤糖を製造。環境を経営の最重要課題の一つに位置づけ、生産段階における環境対策を徹底。DM三井製糖と業務提携し、生産委託予定。
【定着率】‥
【採用】 【設立】1952.5【社長】和田哲義
23年 0【従業員】単63名(40.4歳)
24年 0【有休】‥日
25年 未定【初任給】月21万(諸手当を除いた数値)
【試験種類】‥【各種制度】‥

【業績】	売上高	営業利益	経常利益	純利益
単23.3	13,191	‥	‥	620
単24.3	14,847	‥	‥	1,215

昭和（しょうわ）パックス　東証スタンダード

【本社】162-0845 東京都新宿区市谷本村町2-12 ☎03-3269-5111
印刷・紙パルプ

採用予定数	倍率	3年後離職率	平均年収
未定	‥	‥	530万円

【特色】重包装用のクラフト紙袋で国内首位。米や麦、化学工業薬品などの包装に使用。石油化学業界の輸出用途向けに強い。アジア向けはタイで生産。粉粒輸送用・液体輸送用のコンテナ製品も手がける。ビニールハウスなどの農業用フィルム製品なども展開。
【定着率】‥
【採用】　【設立】1935.12【社長】小野寺香一
23年　3【従業員】連665名 単367名(35.8歳)
24年　0【有休】‥日
25年　前年並【初任給】月22万(諸手当を除いた数値)
【試験種類】‥【各種制度】‥

【業績】	売上高	営業利益	経常利益	純利益
連23.3	22,277	1,115	1,349	947
連24.3	21,651	1,021	1,248	962

東罐興業（とうかんこうぎょう）　株式公開計画なし

【本社】141-0022 東京都品川区東五反田2-18-1 大崎フォレストビルディング ☎03-4514-2100
印刷・紙パルプ

採用実績数	倍率	3年後離職率	平均年収
32名	‥	‥	‥

【特色】紙コップや樹脂素材の包装容器メーカー。紙コップは国内トップシェア。国内4工場体制。北海道、宮城、愛知、大阪、福岡に営業所を配置。自然環境・フードロス問題などに対応した紙・樹脂容器の開発に注力。東洋製罐グループ。
【定着率】‥
【採用】　【設立】1943.2【社長】笠井俊哉
23年　46【従業員】単1,376名(39.9歳)
24年　32【有休】‥日
25年　未定【初任給】月22.2万(諸手当を除いた数値)
【試験種類】‥【各種制度】‥

【業績】	売上高	営業利益	経常利益	純利益
単24.3	63,018	3,198	3,487	1,553

採用は一部グループ採用

三菱製紙（みつびしせいし）　東証プライム

【本社】130-0026 東京都墨田区両国2-10-14 両国シティコア ☎03-5600-1488
印刷・紙パルプ

採用予定数	倍率	3年後離職率	平均年収
25名	‥	‥	649万円

【特色】業界中位の製紙メーカー。高級塗工紙など印刷・情報用紙に強く、写真感光材などイメージングも手がける。エレクトロニクスや機能性不織布関連を拡販。滅菌紙など医療分野へ新規参入し開発を強化。国内5工場、海外はドイツ、中国に生産拠点。
【定着率】‥
【採用】　【設立】1898.4【社長】木坂隆一
23年　8【従業員】連2,832名 単607名(47.9歳)
24年　26【有休】‥日
25年　25【初任給】月21万(諸手当を除いた数値)
【試験種類】‥【各種制度】‥

【業績】	売上高	営業利益	経常利益	純利益
連23.3	209,542	968	3,089	▲571
連24.3	193,462	5,410	7,098	4,170

㈱ユポ・コーポレーション　株式公開計画なし

【本社】101-0062 東京都千代田区神田駿河台4-3 新お茶の水ビル ☎03-5281-0811
印刷・紙パルプ

採用実績数	倍率	3年後離職率	平均年収
6名	‥	‥	‥

【特色】紙とプラスチックの特性を持つ機能合成紙「ユポ」を製造販売。合成紙世界シェア首位級。ポスター、メニュー、パッケージなど用途が広い。独自技術による製造で、国内、欧米、中国などで特許を多数取得。王子HDと三菱ケミカルの折半合弁会社。
【定着率】‥
【採用】　【設立】1969.5【社長】内藤勝弘
23年　2【従業員】単349名(43.1歳)
24年　6【有休】‥日
25年　未定【初任給】月21.6万(諸手当を除いた数値)
【試験種類】‥【各種制度】‥

【業績】	売上高	営業利益	経常利益	純利益
単23.3	18,478	‥	‥	‥
単24.3	14,708	‥	‥	‥

アベイズム　株式公開計画なし

【本社事業所】153-8571 東京都目黒区上目黒4-30-12 ☎03-5720-7000
印刷・紙パルプ

採用実績数	倍率	3年後離職率	平均年収
6名	‥	‥	‥

【特色】マニュアルや商業印刷物の編集・印刷、および少量多品種にも対応する印刷・製本一貫体制をもつ印刷会社。eラーニング制作などデジタル分野へも進出。ドキュメント編集支援システム開発、LSI設計も。ベトナム、香港、シンガポールに現地法人。
【定着率】‥
【採用】　【設立】1953.9【社長】阿部秀一
23年　11【従業員】単550名(‥歳)
24年　6【有休】‥日
25年　未定【初任給】月21.7万(諸手当を除いた数値)
【試験種類】‥【各種制度】‥

【業績】	売上高	営業利益	経常利益	純利益
単23.3	6,900	‥	125	‥
単24.3	7,000	‥	140	‥

カワセコンピュータサプライ　東証スタンダード

【本社】104-0061 東京都中央区銀座7-16-14 銀座イーストビル ☎03-3541-2281
印刷・紙パルプ

採用予定数	倍率	3年後離職率	平均年収
3名	‥	‥	420万円

【特色】帳票、伝票、一般印刷物などのビジネスフォームを柱とする総合印刷業。取引先は金融機関が中心。情報を適切なビジネスフォームに編集・出力し、印刷、封入、発送まで請け負う情報処理事業も手がける。2本社制を東京に一本化し、首都圏の営業体制を強化。
【定着率】‥
【採用】　【設立】1955.5【社長】川瀬啓輔
23年　2【従業員】単99名(42.7歳)
24年　4【有休】‥日
25年　3【初任給】月21万(諸手当を除いた数値)
【試験種類】‥【各種制度】‥

【業績】	売上高	営業利益	経常利益	純利益
単23.3	2,502	▲38	▲19	▲136
単24.3	2,593	▲27	▲15	▲112

㈱広済堂ホールディングス（こうさいどう）　東証プライム

【本社】105-8318 東京都港区芝浦1-2-3 シーバンスS館 ☎03-3453-0550
印刷・紙パルプ

採用予定数	倍率	3年後離職率	平均年収
13名	・・	・・	632万円

【特色】葬祭、印刷含む情報、人材派遣・紹介の3事業を子会社で展開する持株会社。東京博善を主とする葬祭が収益柱。東京都内6カ所で総合斎場を運営。祖業の印刷はビジネス関連の受託印刷に加え、IT開発受託やBPOも行う。人材は海外案件も手がける。
【定着率】・・
【グループ採用】【設立】1964.6【社長】前川雅彦
23年 13【従業員】連1,100名 単77名(44.9歳)
24年 20【有休】・・日
25年 13【初任給】月21万(諸手当を除いた数値)
【試験種類】・・【各種制度】・・

【業績】	売上高	営業利益	経常利益	純利益
連23.3	36,668	4,280	4,185	4,042
連24.3	36,203	6,133	6,121	4,895

㈱細川洋行（ほそかわようこう）　株式公開計画なし

【本社】102-0084 東京都千代田区二番町11-5 ☎03-3263-1461
印刷・紙パルプ

採用実績数	倍率	3年後離職率	平均年収
6名	・・	・・	・・

【特色】各種軟包装材加工専業の大手メーカー。軟包装印刷、コンバーティングなどでは業界先駆。キャップ付きパウチの「チアーパック」はゼリー飲料やアイスクリーム用などに幅広く普及。独自製品をそろえ、医療用輸液バッグ等も扱う。米国や中国にも拠点。
【定着率】・・
【採用】【設立】1949.4【社長】佐藤哲也
23年 6【従業員】単456名(42.8歳)
24年 6【有休】・・日
25年 未定【初任給】月19.5万(諸手当を除いた数値)
【試験種類】・・【各種制度】・・

【業績】	売上高	営業利益	経常利益	純利益
単23.3	31,628	861	1,209	830
単24.3	31,371	1,169	1,435	980

三菱王子紙販売（みつびしおうじかみはんばい）　株式公開計画なし

【本店】130-0026 東京都墨田区両国2-10-14 ☎03-5625-8701
印刷・紙パルプ

採用予定数	倍率	3年後離職率	平均年収
未定	・・	・・	・・

【特色】三菱製紙の連結子会社で、親会社製品の販売が主力の紙流通業。コート紙、上質紙、情報用紙を中心に扱う。王子製紙、中越パルプ工業、北越コーポレーションの代理店。AEDや防臭袋といった紙以外の商材の取り扱いを拡大。海外市場開拓中。
【定着率】・・
【採用】【設立】1956.8【社長】高上裕二
23年 0【従業員】単229名(48.7歳)
24年 0【有休】・・日
25年 未定【初任給】月20.6万(諸手当を除いた数値)
【試験種類】・・【各種制度】・・

【業績】	売上高	営業利益	経常利益	純利益
単23.3	78,897	▲230	26	37
単24.3	88,892	973	1,264	982

㈱日本色材工業研究所（にほんしきざいこうぎょうけんきゅうしょ）　東証スタンダード

【本社】108-0073 東京都港区三田5-3-13 ☎03-3456-0561
化粧品・トイレタリー

採用実績数	倍率	3年後離職率	平均年収
17名	・・	・・	474万円

【特色】OEMでの化粧品や医薬部外品の製造および研究開発の受託が主事業。外資系含め、国内の大手・中堅化粧品メーカーの大半と取引。口紅、マスカラ、ファンデーションなどに強み。神奈川・座間と茨城・つくば、フランスに工場。
【定着率】・・
【採用】【設立】1957.3【社長】奥村華代
23年 4【従業員】連477名 単318名(40.2歳)
24年 17【有休】・・日
25年 増加【初任給】月21万(諸手当を除いた数値)
【試験種類】・・【各種制度】・・

【業績】	売上高	営業利益	経常利益	純利益
連23.2	11,760	161	148	246
連24.2	15,050	441	407	398

プレミアアンチエイジング　東証グロース

【本社】105-5534 東京都港区虎ノ門2-6-1 ☎03-3502-2020
化粧品・トイレタリー

採用実績数	倍率	3年後離職率	平均年収
6名	・・	・・	723万円

【特色】エイジングをテーマにした基礎化粧品などの企画、開発、製造、販売を行う。定期通信販売や小売店向け卸売りを展開。基礎化粧品「DUO」ブランドが主力商品で、「ザ クレンジングバーム」が中核を担う。オールインワン製品の「カナデル」を育成中。
【定着率】・・
【採用】【設立】2009.12【社長】松浦清
23年 8【従業員】連237名 単・・名(39.5歳)
24年 6【有休】・・日
25年 未定【初任給】月24.8万(諸手当を除いた数値)
【試験種類】・・【各種制度】・・

【業績】	売上高	営業利益	経常利益	純利益
連23.7	26,400	▲611	▲631	▲733
連24.7	20,359	139	161	▲1,483

㈱八重椿本舗（やえつばきほんぽ）　株式公開計画なし

【本社】105-0013 東京都港区浜松町1-30-5 浜松町スクエアスタジオ1502 ☎03-5776-0261
化粧品・トイレタリー

採用予定数	倍率	3年後離職率	平均年収
5名	・・	・・	・・

【特色】化粧品・入浴剤メーカー。1904年に椿油など髪油製販で創業。自社ブランド「YAETSUBAKI」「ブリサマリーナ」「メディファイブ」などを展開する。神奈川県内に5工場、1研究所。グループで化粧品、入浴剤のOEM企画開発・供給なども手がける。
【定着率】・・
【採用】【設立】1957.10【社長】花岡秀典
23年 6【従業員】単250名(44.3歳)
24年 6【有休】・・日
25年 5【初任給】月21.3万(諸手当を除いた数値)
【試験種類】・・【各種制度】・・

【業績】	売上高	営業利益	経常利益	純利益
単22.9	8,013	4	241	239
単23.9	9,200	▲6	179	134

ＥＡファーマ

株式公開計画なし

【本社】104-0042 東京都中央区入船2-1-1 住友入船ビル ☎03-6280-9500
医薬品

採用実績数	倍率	3年後離職率	平均年収
19名	‥	‥	‥

【特色】消化器領域に特化した製薬会社。上部・下部消化管や肝臓、すい臓などの疾病に対する創薬に取り組む。神奈川県・川崎市、藤沢市に研究所、福島県・白河市に工場。エーザイグループと味の素グループの消化器疾患領域事業が統合して発足。
【定着率】‥
【採用】 【設立】2009.12【代表取締役】籔根英典
23年 14【従業員】単913名(‥歳)
24年 19【有休】‥日
25年 未定【初任給】月23.5万(諸手当を除いた数値)
【試験種類】‥【各種制度】‥

【業績】	営業収益	営業利益	税前利益	純利益
単23.3	56,411	6,873	6,733	4,755
単24.3	56,622	5,454	5,346	3,902

共立製薬（きょうりつせいやく）

株式公開計画なし

【本社】102-0074 東京都千代田区九段南1-6-5 九段会館テラス ☎03-3263-2931
医薬品

採用予定数	倍率	3年後離職率	平均年収
30名	‥	‥	‥

【特色】動物医薬品メーカー大手。ペット(犬、猫)用と畜水産動物(牛、豚、鶏、魚類)用の2事業領域展開。飼料や医療機器含めた扱い製品約2000種。販売前の犬・猫のマイクロチップ装着や畜産事業者のHACCP導入支援も行う。つくばに研究施設、国内3工場。
【定着率】‥
【採用】 【設立】1955.5【社長】高居隆章
23年 29【従業員】単729名(47.6歳)
24年 50【有休】‥日
25年 30【初任給】月21万(諸手当を除いた数値)
【試験種類】‥【各種制度】‥

【業績】	売上高	営業利益	経常利益	純利益
単22.5	60,574	‥	‥	‥
単23.5	62,403	‥	‥	‥

大鵬薬品工業（たいほうやくひんこうぎょう）

株式公開計画なし

【本社】101-8444 東京都千代田区神田錦町1-27 ☎03-3294-4527
医薬品

採用実績数	倍率	3年後離職率	平均年収
62名	‥	‥	‥

【特色】がん、免疫・アレルギー、泌尿器の3領域に特化した医薬品メーカー。経口抗がん剤のパイオニアで、主力の「ロンサーフ」はグローバル展開。がん免疫に関わる研究開発にも注力。「チオビタ」「ソルマック」など市販薬や食料品、日用雑貨も販売。大塚グループ。
【定着率】‥
【採用】 【設立】1963.6【社長】小林将之
23年 50【従業員】単2,159名(43.0歳)
24年 62【有休】‥日
25年 未定【初任給】月24万(諸手当を除いた数値)
【試験種類】‥【各種制度】‥

【業績】	売上高	営業利益	経常利益	純利益
単22.12	139,390	3,057	13,960	5,136
単23.12	167,351	22,532	26,041	21,404

東菱薬品工業（とうびしやくひんこうぎょう）

株式公開計画なし

【本社】160-0023 東京都新宿区西新宿6-3-1 ☎03-6304-5397
医薬品

採用実績数	倍率	3年後離職率	平均年収
2名	‥	‥	‥

【特色】前立腺疾患治療剤「セルニルトン錠」、痔治療薬「ヘモリンド」「ヘモリンガル」が主力の医薬品メーカー。販売は扶桑薬品などに委託。医療用医薬品を主とした受託製造も手がける。東京・青梅に工場と研究所、大阪に分室。
【定着率】‥
【採用】 【設立】1959.7【社長】千賀博文
23年 2【従業員】単72名(‥歳)
24年 2【有休】‥日
25年 未定【初任給】‥万
【試験種類】‥【各種制度】‥

【業績】	売上高	営業利益	経常利益	純利益
単23.3	2,922	133	169	47
単24.3	3,392	375	395	177

ノバルティス ファーマ

株式公開計画なし

【本社】105-6333 東京都港区虎ノ門1-23-1 虎ノ門ヒルズ森タワー ☎03-6899-8000
医薬品

採用実績数	倍率	3年後離職率	平均年収
6名	‥	‥	‥

【特色】スイス製薬大手ノバルティス社の日本法人。ノバルティスグループの世界的ネットワークと研究開発力を生かし、循環器、固形腫瘍、血液腫瘍、イムノロジー（免疫領域)、中枢神経と幅広い疾患領域に注力する。兵庫に製造拠点。
【定着率】‥
【採用】 【設立】1997.4【社長】L.リー
23年 9【従業員】単2,600名(‥歳)
24年 6【有休】‥日
25年 未定【初任給】‥万
【試験種類】‥【各種制度】‥

【業績】	売上高	営業利益	経常利益	純利益
単22.12	245,131	‥	‥	‥
単23.12	269,504	‥	‥	‥

ベーリンガーインゲルハイムアニマルヘルスジャパン

株式公開していない

【本社】141-6017 東京都品川区大崎2-1-1 ThinkPark Tower ☎03-6417-2800
医薬品

採用予定数	倍率	3年後離職率	平均年収
未定	‥	‥	‥

【特色】動物用医薬品事業を手がける。ワクチン、気管支拡張剤などを製造・販売。ベーリンガーインゲルハイムベトメディカジャパンとメリアル・ジャパンが統合して誕生。駆虫薬と生物学的製剤でグローバルリーダーであるベーリンガーインゲルハイムの日本法人。
【定着率】‥
【採用】 【設立】1997.9【会長】J.S.シェルド
23年 ‥【従業員】単130名(‥歳)
24年 ‥【有休】‥日
25年 未定【初任給】‥万
【試験種類】‥【各種制度】‥

【業績】	売上高	営業利益	経常利益	純利益
単22.12	22,300	‥	‥	▲87
単23.12	21,200	‥	‥	673

㈱龍角散（りゅうかくさん）

株式公開計画なし

【本社】101-0031 東京都千代田区東神田2-5-12 龍角散ビル ☎03-3866-1177
医薬品

採用予定数	倍率	3年後離職率	平均年収
2名	‥	‥	‥

【特色】「龍角散」ブランドの鎮咳去痰剤(医薬品)や、のど飴の製造・販売行う。「龍角散」は生薬由来で江戸期佐竹侯の家伝薬が発祥。台湾、韓国、香港、米国、中国に代理店。嚥下補助ゼリー「らくらく服薬ゼリー」・子供向け「おくすり飲めたね」シリーズも展開する。
【定着率】‥
【採用】 【設立】1928.7【社長】藤井隆太
23年 2【従業員】単121名(45.0歳)
24年 2【有休】‥日
25年 2【初任給】月20万(諸手当を除いた数値)
【試験種類】‥【各種制度】‥

【業績】	売上高	営業利益	経常利益	純利益
単23.3	18,553	1,082	1,066	624
単24.3	24,138	1,319	1,318	965

湧永製薬（わくながせいやく）

株式公開計画なし

【本社】160-0007 東京都新宿区荒木町13-4 ☎0570-666-170
医薬品

採用実績数	倍率	3年後離職率	平均年収
9名	‥	‥	‥

【特色】滋養強壮剤「キヨーレオピン」などを手がける大衆薬メーカー。天然素材からなるヘルスケア製品に特長。試薬・診断薬事業も展開。大手製薬会社との創薬研究も行う。独ベルリンの販売現地法人を軸に欧州市場の開拓を進める。
【定着率】‥
【採用】 【設立】1955.6【社長】湧永寛仁
23年 18【従業員】単282名(39.1歳)
24年 9【有休】‥日
25年 未定【初任給】月21.3万(諸手当を除いた数値)
【試験種類】‥【各種制度】‥

【業績】	売上高	営業利益	経常利益	純利益
単22.12	7,390	‥	318	▲579
単23.12	7,863	‥	504	33

アールエム東（とう）セロ

株式公開計画なし

【本社】101-8485 東京都千代田区神田美土代町7 住友不動産神田ビル ☎03-6895-9300
化学

採用予定数	倍率	3年後離職率	平均年収
16名	‥	‥	‥

【特色】食品・飲料・日用品・梱包資材等に使用される包装用フィルム・発泡シートを製造・販売するメーカー。国内では茨城、静岡、愛知、山口に工場、海外はタイに現地法人。研究開発部門は茨城、山口に所在。レンゴー、三井化学、トクヤマが大株主。
【定着率】‥
【採用】 【設立】1929.1【代表取締役】松坂繁治
23年 17【従業員】単1,254名(46.0歳)
24年 19【有休】‥日
25年 16【初任給】月23.2万(諸手当を除いた数値)
【試験種類】‥【各種制度】‥

【業績】	売上高	営業利益	経常利益	純利益
単23.3	82,503	9,202	9,628	6,646
単24.3	78,717	8,714	10,024	7,283

アグロ カネショウ

東証スタンダード

【本社】100-0005 東京都千代田区丸の内1-8-3 丸の内トラストタワー本館 ☎03-5224-8000
化学

採用予定数	倍率	3年後離職率	平均年収
13名	‥	‥	577万円

【特色】果樹、野菜向け農薬の専業メーカー。土壌消毒剤のほか、害虫防除剤、病害防除剤、除草剤などを手がける。土壌消毒剤「バスアミド」、ダニ防除剤「カネマイト」が主力製品で、海外でも浸透。土壌分析サービスなど農家密着型営業に特色。全農以外の商社系販路。
【定着率】‥
【採用】 【設立】1951.8【社長】櫛引博敬
23年 6【従業員】連308名 単300名(40.8歳)
24年 7【有休】‥日
25年 13【初任給】月22万(諸手当を除いた数値)
【試験種類】‥【各種制度】‥

【業績】	売上高	営業利益	経常利益	純利益
連22.12	16,640	1,650	1,707	917
連23.12	15,655	1,378	1,107	605

石塚（いしづか）

株式公開計画なし

【本社】101-0024 東京都千代田区神田和泉町2-29 ☎03-3866-8201
化学

採用予定数	倍率	3年後離職率	平均年収
若干	‥	‥	‥

【特色】各種プラスチック加工や工場向け間仕切り・床施工などの事業を展開。材料選定から製品加工・施工までの一貫対応に強み。電力料金高騰下の節電効果や異物混入対策としてニーズが高まる倉庫・工場向けビニールカーテン事業に注力。
【定着率】‥
【採用】 【設立】1955.5【社長】熊谷弘司
23年 0【従業員】単47名(39.6歳)
24年 0【有休】‥日
25年 若干【初任給】月23.5万(諸手当を除いた数値)
【試験種類】‥【各種制度】‥

【業績】	売上高	営業利益	経常利益	純利益
単22.12	2,516	56	98	7
単23.12	2,453	76	138	103

宇部（うべ）エクシモ

株式公開計画なし

【本社】103-0006 東京都中央区日本橋富沢町9-19 住友生命日本橋富沢町ビル ☎03-6667-2411
化学

採用実績数	倍率	3年後離職率	平均年収
2名	‥	‥	‥

【特色】樹脂製品、合成繊維、複合材料などの機能性素材メーカー。光通信ケーブル用資材に強み。独自技術を活かし、電子・情報機器向けのほか、自動車、物流、土木・建築向けなど幅広い用途に製品を供給。岐阜、福島に工場と研究所。UBEの完全子会社。
【定着率】‥
【採用】 【設立】1966.2【社長】古賀源二
23年 3【従業員】単370名(43.0歳)
24年 2【有休】‥日
25年 未定【初任給】月21.8万
【試験種類】‥【各種制度】‥

【業績】	売上高	営業利益	経常利益	純利益
単23.3	12,791	215	262	42
単24.3	11,737	▲272	▲230	▲525

㈱エーピーアイ コーポレーション

株式公開していない

【本社】105-0013 東京都港区浜松町1-30-5 浜松町スクエア11階 ☎03-6809-1103
化学

採用実績数	倍率	3年後離職率	平均年収
15名	‥	‥	‥

【特色】医薬品有効成分の原薬、中間体を製薬会社に供給する国内トップメーカーでUBEの完全子会社。CDMO事業を主軸に合成ルート探索、製造プロセス、パイロット品・治験薬の製造、商用生産において顧客ニーズに対応。ベルギーに海外子会社。
【定着率】‥
【採用】 【設立】1982.4 【社長】喜多代秀樹
23年 9【従業員】単432名(42.1歳)
24年 15【有休】‥日
25年 未定【初任給】月23.8万(諸手当を除いた数値)
【試験種類】‥【各種制度】‥

【業績】	売上高	営業利益	経常利益	純利益
単23.3	17,953	818	1,335	1,686
単24.3	18,288	764	875	782

エステー

東証プライム

【本社】161-8540 東京都新宿区下落合1-4-10 ☎03-3367-6111
化学

採用実績数	倍率	3年後離職率	平均年収
14名	‥	‥	‥

【特色】家庭用芳香剤や防虫剤、除湿剤、洗浄剤などの日用品メーカー。消臭芳香剤3位、衣類防虫剤1位。ニッチ分野に特化。ユニークな商品開発とテレビ、SNSを駆使した広告宣伝力に定評。「消臭力」に次ぐ看板新製品を育成中。
【定着率】‥
【採用】 【設立】1948.8 【代表執行役】上月洋
23年 20【従業員】連825名 単443名(42.3歳)
24年 14【有休】‥日
25年 前年並【初任給】月22.7万(諸手当を除いた数値)
【試験種類】‥【各種制度】‥

【業績】	売上高	営業利益	経常利益	純利益
連23.3	45,576	2,416	2,730	1,828
連24.3	44,472	1,341	1,930	1,274

大内新興化学工業（おおうちしんこうかがくこうぎょう）

株式公開計画なし

【本社】103-0024 東京都中央区日本橋小舟町7-4 大内ビル ☎03-3662-6451
化学

採用実績数	倍率	3年後離職率	平均年収
6名	‥	‥	‥

【特色】産業用の有機ゴム薬品メーカーで業界首位。販売先は大手タイヤメーカーが中心。中国2拠点、タイ1拠点で合弁事業。開発・生産・販売の一貫体制確立。合成技術を生かし果樹用抗菌剤、医薬品・医薬中間体のほか、精密化学品、添加剤分野にも注力。
【定着率】‥
【採用】 【設立】1937.7 【社長】大内茂正
23年 8【従業員】単314名(38.0歳)
24年 6【有休】‥日
25年 未定【初任給】月21.8万(諸手当を除いた数値)
【試験種類】‥【各種制度】‥

【業績】	売上高	営業利益	経常利益	純利益
単22.5	12,505	15	339	124
単23.5	13,479	▲30	307	168

オート化学工業（オートかがくこうぎょう）

株式公開計画なし

【本社】110-0005 東京都台東区上野5-8-5 フロンティア秋葉原5階 ☎03-5812-7310
化学

採用予定数	倍率	3年後離職率	平均年収
1名	‥	‥	‥

【特色】建築用シーリング材、建築用接着剤などの製造販売を手がけるメーカー。ウレタン技術を生かし防水材にも展開。大阪に支店、茨城に2工場と物流センター、土浦工場内に研究開発拠点を置く。製品の一貫検査体制を構築。
【定着率】‥
【採用】 【設立】1965.12【社長】大熊千之
23年 1【従業員】単175名(42.0歳)
24年 1【有休】‥日
25年 1【初任給】月19.4万(諸手当を除いた数値)
【試験種類】‥【各種制度】‥

【業績】	売上高	営業利益	経常利益	純利益
単23.3	10,137	100	114	▲150
単24.3	10,105	200	219	96

片倉コープアグリ（かたくらコープアグリ）

東証スタンダード

【本社】102-0073 東京都千代田区九段北1-8-10 住友不動産九段ビル ☎03-5216-6611
化学

採用予定数	倍率	3年後離職率	平均年収
15名	‥	‥	615万円

【特色】日本最大の肥料会社。主力は有機複合肥料で有機・無機の配合肥料は国内首位。工業用・食添用リン酸などの化成品事業、土壌や生産資材の分析受託事業、飼料事業、化粧品原料事業、無機能素材事業など8つの事業を展開。
【定着率】‥
【採用】 【設立】1920.3 【社長】二井英一
23年 12【従業員】連828名 単629名(46.5歳)
24年 9【有休】‥日
25年 15【初任給】月22.6万(諸手当を除いた数値)
【試験種類】‥【各種制度】‥

【業績】	売上高	営業利益	経常利益	純利益
連23.3	51,031	3,557	3,525	2,172
連24.3	41,233	▲852	▲786	▲630

川口化学工業（かわぐちかがくこうぎょう）

東証スタンダード

【本社】101-0047 東京都千代田区内神田2-8-4 山田ビル ☎03-3254-8481
化学

採用予定数	倍率	3年後離職率	平均年収
未定	‥	‥	648万円

【特色】タイヤ、自動車部品向けゴム薬品が中心の中堅化学メーカー。加硫促進剤、加硫剤、老化防止剤などが主力製品。非自動車向けを拡充し、アクリル酸向け樹脂薬品、界面活性剤、染料顔料中間体、医薬中間体、農薬原料など幅広く生産。
【定着率】‥
【採用】 【設立】1937.1 【社長】山田秀行
23年 1【従業員】連174名 単168名(42.7歳)
24年 ‥【有休】‥日
25年 未定【初任給】‥万
【試験種類】‥【各種制度】‥

【業績】	売上高	営業利益	経常利益	純利益
連22.11	8,368	293	302	218
連23.11	8,610	353	344	255

川研(かわけん)ファインケミカル

株式公開計画なし

【本社】103-0012 東京都中央区日本橋堀留町2-3-3 ☎03-3663-9521
化学

採用予定数	倍率	3年後離職率	平均年収
未定	‥	‥	‥

【特色】各種界面活性剤や化粧品基剤の研究・開発を手がけるライフ事業と、触媒と触媒技術をベースに受託水添や医農薬中間体の合成を展開するファイン事業を展開する化学品メーカー。国内は3工場体制。海外ではシンガポールに販売、インドに製造の現地法人。
【定着率】‥
【採用】 【設立】1949.10【社長】藤井保
23年 13【従業員】単384名(41.0歳)
24年 ‥【有休】‥日
25年 未定【初任給】月21万(諸手当を除いた数値)
【試験種類】‥【各種制度】‥

【業績】	売上高	営業利益	経常利益	純利益
単23.3	18,259	1,024	912	639
単24.3	‥	‥	‥	711

関東化学(かんとうかがく)

株式公開計画なし

【本社】103-0022 東京都中央区日本橋室町2-2-1 室町東三井ビルディング ☎03-6214-1050
化学

採用実績数	倍率	3年後離職率	平均年収
47名	‥	‥	‥

【特色】試薬、電子材料、臨床検査薬などの総合試薬メーカー。試薬は有機・無機、材料、分析などの分野向け。電子材料は高純度薬品と機能性薬品向けに注力。米国、シンガポール、台湾、フランスなどに現地法人。中央研究所と生命科学研究所の2研究所体制。
【定着率】‥
【採用】 【設立】1944.11【社長】野澤学
23年 44【従業員】単867名(40.2歳)
24年 47【有休】‥日
25年 未定【初任給】月24.1万(諸手当を除いた数値)
【試験種類】‥【各種制度】‥

【業績】	売上高	営業利益	経常利益	純利益
単23.3	50,989	3,091	4,934	3,792
単24.3	49,358	3,551	6,009	4,646

㈱キミカ

株式公開計画なし

【本社】104-0028 東京都中央区八重洲2-1-1 YANMAR TOKYO5階 ☎03-3548-1941
化学

採用予定数	倍率	3年後離職率	平均年収
6名	‥	‥	‥

【特色】アルギン酸の専業メーカーで国内シェアは9割超を占める。1941年に日本で初めてアルギン酸の工業化に成功。食品、繊維製品、化粧品、医薬品など多様な分野に製品を供給し、食品、医薬品分野では世界トップ級。千葉・富津市にプラント、大阪市に営業所。
【定着率】‥
【採用】 【設立】1946.11【社長】笠原文善
23年 6【従業員】単173名(38.2歳)
24年 8【有休】‥日
25年 6【初任給】月22万(諸手当を除いた数値)
【試験種類】‥【各種制度】‥

【業績】	売上高	営業利益	経常利益	純利益
単22.12	13,513	916	932	899
単23.12	12,137	599	731	693

協立化学産業(きょうりつかがくさんぎょう)

株式公開計画なし

【本社】100-0011 東京都千代田区内幸町1-2-2 日比谷ダイビル16階 ☎03-3500-2420
化学

採用実績数	倍率	3年後離職率	平均年収
2名	‥	‥	‥

【特色】高機能接着剤の製造・販売が主力事業。FPDや光学デバイス周辺が高機能接着剤の主な用途。紫外線硬化樹脂分野に強み。木更津に生産工場と研究開発拠点。海外はアジアの拠点として中国・上海、台湾、韓国に販売現地法人を持つ。欧米にも展開。
【定着率】‥
【採用】 【設立】1957.2【社長】小島一幸
23年 2【従業員】単143名(45.5歳)
24年 0【有休】‥日
25年 0【初任給】‥万
【試験種類】‥【各種制度】‥

【業績】	売上高	営業利益	経常利益	純利益
単22.12	5,091	195	534	357
単23.12	5,336	202	448	366

キョーラク

株式公開計画なし

【本社】103-0004 東京都中央区東日本橋1-1-5 ☎03-5833-2825
化学

採用予定数	倍率	3年後離職率	平均年収
7名	‥	‥	‥

【特色】自動車部品、食品容器、医療用輸液バッグなどを扱う合成樹脂総合メーカー。特許は約1400件取得。国内メーカーの代理店として商事部門も併せ持つ。茨城、神奈川、愛知、岐阜、滋賀に工場。タイ、インドネシア、中国など海外6カ国に拠点。
【定着率】‥
【採用】 【設立】1917.9【社長】長瀬孝充
23年 13【従業員】単625名(36.4歳)
24年 17【有休】‥日
25年 7【初任給】月24万(諸手当を除いた数値)
【試験種類】‥【各種制度】‥

【業績】	売上高	営業利益	経常利益	純利益
単23.3	51,367	334	713	462
単24.3	56,179	725	1,174	761

恵和(けいわ)

東証プライム

【本社】103-0025 東京都中央区日本橋茅場町2-10-5 ☎03-5643-3783
化学

採用予定数	倍率	3年後離職率	平均年収
未定	‥	‥	542万円

【特色】光学シートと機能製品を製造・販売。光学シート事業ではスマホ液晶やノートPCのディスプレーに利用される光拡散フィルム、偏光制御フィルムなどを生産。生活・環境イノベーション事業では製品製造過程で使われる工程紙や建築資材、包装資材、農業資材などを提供。
【定着率】‥
【採用】 【設立】1948.9【社長】足利正夫
23年 ‥【従業員】連429名 単310名(41.1歳)
24年 ‥【有休】‥日
25年 未定【初任給】‥万
【試験種類】‥【各種制度】‥

【業績】	売上高	営業利益	経常利益	純利益
連22.12	21,102	5,569	6,202	4,860
連23.12	17,570	2,455	2,757	1,983

広栄化学（こうえいかがく）

東証スタンダード

【本社】103-0016 東京都中央区日本橋小網町1-8 ☎03-6837-9300
化学

採用予定数	倍率	3年後離職率	平均年収
7名	‥	‥	668万円

【特色】住友化学系の窒素化合物メーカー。アミン類・ピリジン類・ピラジン類のファイン製品と多価アルコール類の化成品を手がける。ファイン製品では、医薬品や農薬などの中間体のほか、電子材料関連のイオン液体、半導体や液晶向け関連製品を扱う。
【定着率】‥
【採用】 【設立】1917.6 【社長】西本麗
23年 12【従業員】単430名(40.6歳)
24年 6【有休】‥日
25年 7【初任給】月23.3万(諸手当を除いた数値)
【試験種類】‥【各種制度】‥

【業績】	売上高	営業利益	経常利益	純利益
単23.3	18,601	832	855	690
単24.3	19,427	415	347	299

興人フィルム&ケミカルズ（こうじん）

株式公開していない

【本社】105-0011 東京都港区芝公園2-6-15 ☎03-5405-2720
化学

採用予定数	倍率	3年後離職率	平均年収
未定	‥	‥	‥

【特色】フィルムや関連製品を製造・販売。「コージンポリセット」などのシュリンクフィルムは国内トップで、食品や化粧品、日用雑貨などの用途に使用される。商業生産が世界初の二軸延伸PBTフィルム「ボブレット」はレトルト食品パッケージなどに採用。
【定着率】‥
【採用】 【設立】2012.6 【社長】中丸太一
23年 0【従業員】単322名(43.0歳)
24年 0【有休】‥日
25年 未定【初任給】月22.7万
【試験種類】‥【各種制度】‥

【業績】	売上高	営業利益	経常利益	純利益
単23.3	12,017	‥	‥	‥
単24.3	11,420	‥	‥	‥

シーカ・ジャパン

株式公開計画なし

【本社】107-0051 東京都港区元赤坂1-2-7 赤坂Kタワー7階 ☎03-6433-2101
化学

採用予定数	倍率	3年後離職率	平均年収
未定	‥	‥	‥

【特色】減水剤などコンクリート向け混和剤、モルタル用防水剤など土木、建築、工業向け化学製品を製造・販売。GINZA SIXなどで実績。1955年スイスSika社の100%子会社として設立。2023年に国内グループ会社を統合。
【定着率】‥
【採用】 【設立】1955.8 【社長】M.アマン
23年 ‥【従業員】単1,100名(‥歳)
24年 ‥【有休】‥日
25年 未定【初任給】‥万
【試験種類】‥【各種制度】‥

【業績】	売上高	営業利益	経常利益	純利益
単22.12	11,043	861	692	494
単23.12	41,752	746	415	▲2,366

中国塗料（ちゅうごくとりょう）

東証プライム

【東京本社】100-0013 東京都千代田区霞が関3-2-6 東京倶楽部ビルディング ☎03-3506-3951
化学

採用予定数	倍率	3年後離職率	平均年収
18名	‥	‥	717万円

【特色】塗料業界3位。海軍艦船用塗料の国産化を目指して創業。現在も主力は船舶用塗料で、国内シェア約6割でトップ、世界でも2位。コンテナ用も強い。日中韓の3カ国は新造船向け、その他アジアや欧米は修繕向け。広島、滋賀に研究所、佐賀と滋賀に工場。
【定着率】‥
【採用】 【設立】1917.5 【社長】伊達健士
23年 9【従業員】連2,114名 単471名(45.4歳)
24年 7【有休】‥日
25年 18【初任給】月21.3万(諸手当を除いた数値)
【試験種類】‥【各種制度】‥

【業績】	売上高	営業利益	経常利益	純利益
連23.3	99,481	3,887	4,351	3,848
連24.3	116,174	12,185	13,025	9,892

東邦化学工業（とうほうかがくこうぎょう）

東証スタンダード

【本社】104-0044 東京都中央区明石町6-4 ニチレイ明石町ビル ☎03-5550-3737
化学

採用実績数	倍率	3年後離職率	平均年収
15名	‥	‥	‥

【特色】ファインケミカル中心の中堅化学メーカー。主力の界面活性剤は合成ゴム、樹脂、香粧品、繊維、紙パルプなど多様な分野に供給。化成品では金属加工油や石油添加剤、樹脂エマルジョンなどの独自製品を製造。電子・情報産業用分野を開拓。
【定着率】‥
【採用】 【設立】1938.3 【社長】中崎龍雄
23年 16【従業員】連882名 単686名(40.0歳)
24年 15【有休】‥日
25年 微増【初任給】月22.6万(諸手当を除いた数値)
【試験種類】‥【各種制度】‥

【業績】	売上高	営業利益	経常利益	純利益
連23.3	55,361	1,384	1,179	977
連24.3	50,596	771	743	546

東洋合成工業（とうようごうせいこうぎょう）

東証スタンダード

【本社】111-0053 東京都台東区浅草橋1-22-16 ヒューリック浅草橋ビル ☎03-5822-6170
化学

採用実績数	倍率	3年後離職率	平均年収
35名	‥	‥	663万円

【特色】感光性材料と化成品の2本柱。半導体や液晶のフォトレジスト用感光性材料を製造。化成品は電子材料向け高純度合成溶剤製品や、アルコール・エーテルなど香料原料が中心。千葉県市川市に油槽所を保有し、液体化学品の保管事業も併営。
【定着率】‥
【採用】 【設立】1954.9 【社長】木村有仁
23年 27【従業員】単887名(36.8歳)
24年 35【有休】‥日
25年 未定【初任給】‥万
【試験種類】‥【各種制度】‥

【業績】	売上高	営業利益	経常利益	純利益
単23.3	34,156	4,968	5,122	3,827
単24.3	31,956	3,512	3,393	2,396

東洋ドライルーブ（とうようドライルーブ）

東証スタンダード

【本社】155-0032 東京都世田谷区代沢1-26-4 ☎03-3412-5711
化学

採用予定数	倍率	3年後離職率	平均年収
5名	‥	‥	565万円

【特色】潤滑剤や表面処理剤の製造を手がける。研究開発から製造・コーティング加工・販売までを自社一貫で行う。自動車関連向けを軸に、カメラレンズ、スマホ向けなど光学・電子部品向けにも供給。神奈川・愛甲郡に研究開発拠点。
【定着率】‥
【採用】【設立】1962.7【社長】飯野光彦
23年 1【従業員】連509名 単125名(41.1歳)
24年 4【有休】‥日
25年 5【初任給】月22.1万(諸手当を除いた数値)
【試験種類】‥【各種制度】‥

【業績】	売上高	営業利益	経常利益	純利益
連23.6	3,869	257	421	332
連24.6	4,699	654	807	617

東レ・ファインケミカル（とうレ・ファインケミカル）

株式公開計画なし

【本社】101-0041 東京都千代田区神田須田町2-3-1 NBF神田須田町ビル4階 ☎03-6859-1111
化学

採用実績数	倍率	3年後離職率	平均年収
4名	‥	‥	‥

【特色】東レ子会社のファインケミカルメーカー。溶剤のDMSO(ジメチルスルホキシド)と液体ゴムのポリサルファイドポリマーが主力製品で、国内唯一の生産企業。有機合成技術活用し各種材料の受託生産も手がける。中国に合弁生産拠点。
【定着率】‥
【採用】【設立】1932.1【社長】磯部和史
23年 3【従業員】単325名(42.6歳)
24年 4【有休】‥日
25年 未定【初任給】月23.5万(諸手当を除いた数値)
【試験種類】‥【各種制度】‥

【業績】	売上高	営業利益	経常利益	純利益
単23.3	22,257	‥	‥	‥
単24.3	24,114	‥	‥	‥

日宝化学（にっぽうかがく）

株式公開未定

【本社】103-0023 東京都中央区日本橋本町4-8-15 ネオカワイビル ☎03-3270-5341
化学

採用実績数	倍率	3年後離職率	平均年収
3名	‥	‥	‥

【特色】日本触媒グループの化成品メーカー。千葉県のかん水からヨウ素(ヨード)を生産。併産される天然ガスから独自技術でシアノ化合物など各種誘導体を製造。売上の約半分を占める電子材料はじめ、農薬・樹脂、医薬・ファイン、開発部の4グループ体制。
【定着率】‥
【採用】【設立】1948.10【社長】冨田高史
23年 4【従業員】単186名(40.9歳)
24年 3【有休】‥日
25年 未定【初任給】月21.6万(諸手当を除いた数値)
【試験種類】‥【各種制度】‥

【業績】	売上高	営業利益	経常利益	純利益
単23.3	7,225	1,631	1,638	1,150
単24.3	7,479	1,663	1,684	1,209

日本乳化剤（にっぽんにゅうかざい）

株式公開していない

【本社】103-0024 東京都中央区日本橋小舟町4-1 伊場仙ビル ☎03-5651-5631
化学

採用予定数	倍率	3年後離職率	平均年収
12名	‥	‥	‥

【特色】乳化剤技術を生かした界面活性剤、グリコールエーテル、アミン誘導体の工業用中間原料が柱の化学メーカー。自動車、土木建築、電子材料、合成樹脂、医・農薬など幅広い用途に製品を提供する。神奈川・川崎市と茨城・神栖市に工場。
【定着率】‥
【採用】【設立】1953.5【社長】藤田寿一
23年 11【従業員】単367名(41.4歳)
24年 11【有休】‥日
25年 12【初任給】月24万(諸手当を除いた数値)
【試験種類】‥【各種制度】‥

【業績】	売上高	営業利益	経常利益	純利益
単23.3	25,208	1,562	1,656	1,203
単24.3	22,485	941	1,043	769

日本液炭（にほんえきたん）

株式公開未定

【本社】108-0014 東京都港区芝4-1-23 三田NNビル8階 ☎03-6722-2250
化学

採用予定数	倍率	3年後離職率	平均年収
14名	‥	‥	‥

【特色】溶接用シールドガス等の液化炭酸ガス(液炭)、ドライアイスなどを製造・販売する炭酸ガスメーカー。液炭は国内シェア4割強の高シェア。高品位尿素水の販売も手がける。山口・宇部市、岡山・倉敷市に工場。大陽日酸の子会社。
【定着率】‥
【採用】【設立】1925.6【社長】遠藤祐喜
23年 5【従業員】単338名(41.7歳)
24年 8【有休】‥日
25年 14【初任給】月21.9万(諸手当を除いた数値)
【試験種類】‥【各種制度】‥

【業績】	売上高	営業利益	経常利益	純利益
単23.3	36,893	2,879	2,972	2,450
単24.3	38,103	4,098	4,149	2,754

㈱日本ピグメントホールディングス

東証スタンダード

【本社】101-0054 東京都千代田区神田錦町3-20 錦町トラッドスクエア ☎03-6362-8801
化学

採用予定数	倍率	3年後離職率	平均年収
10名	‥	‥	‥

【特色】樹脂のカラーコンパウンドと着色剤専業で業界首位。マスターバッチ、加工顔料、コンパウンドなど手がける。樹脂コンパウンドは自動車やOA機器業界が主要顧客。着色剤は飲料ボトルや日用品からハイテク製品まで幅広い分野で採用。
【定着率】‥
【採用】【設立】1949.7【代表取締役】田代喜一
23年 11【従業員】連808名 単225名(40.3歳)
24年 10【有休】‥日
25年 10【初任給】月21.2万(諸手当を除いた数値)
【試験種類】‥【各種制度】‥

【業績】	売上高	営業利益	経常利益	純利益
連23.3	27,463	▲59	64	▲519
連24.3	26,683	425	648	740

長谷川香料（はせがわこうりょう）

東証プライム

【本社】103-8431 東京都中央区日本橋本町4-4-14 ☎03-3241-1151
化学

採用予定数	倍率	3年後離職率	平均年収
24名	‥	‥	726万円

【特色】国内では高砂香料工業に次いで2位の香料メーカー。飲料、冷菓、菓子、即席麺スープなどに使用されるフレーバーが主体。化粧品、石鹸、シャンプー向けなどのフレグランスも展開。食品向け・フレグランスともに多品種少量生産が特徴。
【定着率】‥
【採用】　【設立】1961.12【社長】長谷川研治
23年　14【従業員】連1,860名 単1,100名(44.4歳)
24年　16【有休】‥日
25年　24【初任給】月21.1万(諸手当を除いた数値)
【試験種類】‥【各種制度】‥

【業績】	売上高	営業利益	経常利益	純利益
連22.9	62,398	8,051	9,075	8,007
連23.9	64,874	7,507	8,185	6,671

フマキラー

東証スタンダード

【本社】101-8606 東京都千代田区神田美倉町11 ☎03-3252-5941
化学

採用予定数	倍率	3年後離職率	平均年収
若干	‥	‥	685万円

【特色】殺虫剤国内3位。世界で初めて電気式蚊取器「ベープ」を開発。殺虫剤は蚊取り用が中心。園芸害虫用殺虫・除菌剤、花粉アレルギー対策品、アルコール除菌剤などの日用品も拡充。海外展開に積極的でインドネシア、マレーシア、イタリアなどに製造・販売拠点。
【定着率】‥
【採用】　【設立】1950.12【社長】大下一明
23年　9【従業員】連2,596名 単233名(41.5歳)
24年　10【有休】‥日
25年　若干【初任給】月23万(諸手当を除いた数値)
【試験種類】‥【各種制度】‥

【業績】	売上高	営業利益	経常利益	純利益
連23.3	61,712	1,894	2,315	668
連24.3	67,672	2,403	2,798	1,377

アキレス

東証プライム

【本社】169-8885 東京都新宿区北新宿2-21-1 新宿フロントタワー ☎03-5338-9200
化学

採用予定数	倍率	3年後離職率	平均年収
40名	‥	‥	570万円

【特色】ゴム製品メーカー。運動靴大手で車両内装材、プラスチックフィルム、新建材など多角展開。ジュニア用靴「瞬足」で有名。プラスチック製品は自動車内装材、農業・工業用フィルム、床・壁材が中心。産業資材はウレタンや断熱資材など手がける。車両用資材で中国工場。
【定着率】‥
【採用】　【設立】1947.5【社長】日景一郎
23年　41【従業員】連1,734名 単1,277名(42.0歳)
24年　25【有休】‥日
25年　40【初任給】月22.5万(諸手当を除いた数値)
【試験種類】‥【各種制度】‥

【業績】	売上高	営業利益	経常利益	純利益
連23.3	82,917	▲713	▲117	▲1,204
連24.3	78,607	▲958	▲171	▲8,210

㈱サンエー化研（かけん）

東証スタンダード

【本社】103-0023 東京都中央区日本橋本町1-7-4 岡本ビル ☎03-3241-5701
化学

採用予定数	倍率	3年後離職率	平均年収
5名	‥	‥	612万円

【特色】プラスチック複合加工製品メーカー。ラミネート、コーティング、フィルム多層押し出しの生産技術を基盤に、軽包装、産業資材、機能性材料の3部門持つ。電子レンジ加熱対応包材や清涼飲料用パウチ、家電・IT機器向け液晶保護フィルムなどが主力製品。
【定着率】‥
【採用】　【設立】1942.9【社長】櫻田武志
23年　4【従業員】連678名 単485名(43.8歳)
24年　4【有休】‥日
25年　5【初任給】月21.3万(諸手当を除いた数値)
【試験種類】‥【各種制度】‥

【業績】	売上高	営業利益	経常利益	純利益
連23.3	27,870	▲468	▲236	▲198
連24.3	27,521	▲195	35	348

天昇電気工業（てんしょうでんきこうぎょう）

東証スタンダード

【本社】154-0012 東京都世田谷区駒沢1-16-7 駒沢中村ビル ☎03-6805-2577
化学

採用予定数	倍率	3年後離職率	平均年収
25名	‥	‥	408万円

【特色】プラスチック成形品の専業メーカー大手。内外装などの自動車部品が柱で家電筐体や各種機構部品も手がける。医療用廃棄物容器や雨水貯留浸透用製品も拡充。企画開発から金型設計、成形、最終組み立てまで一貫生産が強み。海外は中国、米国、メキシコに拠点。
【定着率】‥
【採用】　【設立】1940.9【社長】藤本健介
23年　10【従業員】連720名 単384名(40.5歳)
24年　7【有休】‥日
25年　25【初任給】月20.2万(諸手当を除いた数値)
【試験種類】‥【各種制度】‥

【業績】	売上高	営業利益	経常利益	純利益
連23.3	23,899	604	752	612
連24.3	26,905	1,062	1,322	948

ミライアル

東証スタンダード

【本社】170-0013 東京都豊島区東池袋1-24-1 ニッセイ池袋ビル ☎03-3986-3782
化学

採用予定数	倍率	3年後離職率	平均年収
9名	‥	‥	559万円

【特色】半導体ウエハ容器の専業メーカー。シリコンウエハの輸送時に使用する出荷容器と、製造工程で使用する工程内容器の2種を手がける。主力は直径300ミリウエハ出荷容器。製造設備の自動化・省力化を進める。子会社の山城精機製作所で成形機事業も手がける。
【定着率】‥
【採用】　【設立】1968.7【社長】兵部匡俊
23年　0【従業員】連439名 単322名(39.1歳)
24年　8【有休】‥日
25年　9【初任給】月21.9万(諸手当を除いた数値)
【試験種類】‥【各種制度】‥

【業績】	売上高	営業利益	経常利益	純利益
連23.1	14,265	2,457	2,532	1,570
連24.1	13,256	1,521	1,603	1,025

レック

東証プライム

【本社】104-0031 東京都中央区京橋2-1-3 京橋トラストタワー ☎03-3527-2150
化学

採用実績数	倍率	3年後離職率	平均年収
11名	‥	‥	532万円

【特色】100円ショップやスーパー・HC向け日用雑貨の製造・販売会社。台所用品、バス・トイレ用品、洗濯・掃除用品などが中心。「激落ちくん」シリーズがヒット商品。殺虫剤「バルサン」、ドリンク剤「グロンサン」「グロモント」なども手がける。
【定着率】‥
【採用】
23年 12
24年 11
25年 未定
【設立】1983.3【会長】青木光男
【従業員】連946名 単663名(39.1歳)
【有休】‥日
【初任給】‥万
【試験種類】‥【各種制度】‥

【業績】	売上高	営業利益	経常利益	純利益
連23.3	55,461	911	1,082	942
連24.3	60,783	1,628	1,687	796

片倉工業（かたくらこうぎょう）

東証スタンダード

【本社】104-8312 東京都中央区明石町6-4 ニチレイ明石町ビル ☎03-6832-1873
衣料・繊維

採用実績数	倍率	3年後離職率	平均年収
3名	‥	‥	667万円

【特色】繊維、医薬品、機械、不動産の4事業を軸として多角的に事業を展開。収益柱の不動産事業はさいたま新都心のショッピングセンター「コクーンシティ」の運営などに実績。医薬品は循環器系を中心に製造・販売。1873年に絹製糸で創業。
【定着率】‥
【採用】
23年 5
24年 3
25年 増加
【設立】1920.3【社長】上甲亮祐
【従業員】連1,064名 単102名(39.1歳)
【有休】‥日
【初任給】月23万(諸手当を除いた数値)
【試験種類】‥【各種制度】‥

【業績】	売上高	営業利益	経常利益	純利益
連22.12	34,274	1,369	2,582	2,817
連23.12	39,972	3,803	5,068	3,045

ダイトウボウ

東証スタンダード

【本社】103-0023 東京都中央区日本橋本町1-6-1 丸柏タマビル ☎03-6262-6565
衣料・繊維

採用実績数	倍率	3年後離職率	平均年収
3名	‥	‥	601万円

【特色】静岡県のショッピングセンター「サントムーン柿田川」の運営を始めとする商業施設事業、健康寝具・健康食品等を製販するヘルスケア事業、祖業である繊維・アパレル事業の3つが柱。商業施設の賃貸料が収益源。名古屋、大阪に営業所を置く。
【定着率】‥
【採用】
23年 1
24年 3
25年 前年並
【設立】1896.2【社長】山内一裕
【従業員】連97名 単53名(49.5歳)
【有休】‥日
【初任給】月21.3万(諸手当を除いた数値)
【試験種類】‥【各種制度】‥

【業績】	売上高	営業利益	経常利益	純利益
連23.3	3,997	214	22	69
連24.3	4,033	318	139	153

チャコット

株式公開計画なし

【本社】108-8439 東京都港区海岸3-9-32 オンワードベイパークビルディング3階 ☎03-6858-0522
衣料・繊維

採用実績数	倍率	3年後離職率	平均年収
10名	‥	‥	‥

【特色】オンワードHD傘下の総合ダンス用品メーカー。バレエ、ダンス、フィットネスなどのシューズ、ウェアの製造・販売を行う。全国に直営店25店。東京・代官山に旗艦店。10カ所のスタジオでレッスンを行うほか、カフェなども手がける。長野に自社工場を持つ。
【定着率】‥
【採用】
23年 10
24年 10
25年 未定
【設立】1961.4【社長】馬場昭典
【従業員】単490名(38.1歳)
【有休】‥日
【初任給】月20万(諸手当を除いた数値)
【試験種類】‥【各種制度】‥

【業績】	売上高	営業利益	経常利益	純利益
単23.2	8,848	‥	154	▲61
単24.2	9,612	‥	533	288

帝国繊維（ていこくせんい）

東証プライム

【本社】103-6115 東京都中央区日本橋2-5-1 ☎03-3281-3022
衣料・繊維

採用実績数	倍率	3年後離職率	平均年収
4名	‥	‥	684万円

【特色】消防ホース最大手。消防ホース、救命器具、救助工作車、消防被服、防護服などを手がける。防災特殊車両や水害対策向け事業、セキュリティービジネスの拡大に注力。祖業の繊維は高級リネン製品のほか、高機能繊維を扱う。
【定着率】‥
【採用】
23年 4
24年 4
25年 増加
【設立】1950.7【社長】桝谷徹
【従業員】連341名 単179名(40.8歳)
【有休】‥日
【初任給】月23.5万(諸手当を除いた数値)
【試験種類】‥【各種制度】‥

【業績】	売上高	営業利益	経常利益	純利益
連22.12	29,904	4,459	5,296	3,659
連23.12	28,032	2,585	3,569	2,445

ナガイレーベン

東証プライム

【本社】101-0044 東京都千代田区鍛冶町2-1-10 ☎03-5289-8200
衣料・繊維

採用予定数	倍率	3年後離職率	平均年収
若干	‥	‥	668万円

【特色】看護衣に代表される衛生白衣の最大手。制電・抗菌加工などで差別化した機能性製品を、有名ブランドとのコラボデザインで提供。国内シェア6割。介護衣、手術衣なども手がける。インドネシア、ベトナムなど海外生産が5割。札幌から福岡まで国内8支社体制を敷く。
【定着率】‥
【採用】
23年 2
24年 3
25年 若干
【設立】1950.7【社長】澤登一郎
【従業員】連502名 単125名(41.9歳)
【有休】‥日
【初任給】月18.2万(諸手当を除いた数値)
【試験種類】‥【各種制度】‥

【業績】	売上高	営業利益	経常利益	純利益
連23.8	17,181	4,604	4,673	3,226
連24.8	16,412	4,004	4,074	2,822

日東製網（にっとうせいもう）
東証スタンダード

【本社】105-0004 東京都港区新橋2-20-15-701 ☎03-3572-5376
衣料・繊維

採用実績数	倍率	3年後離職率	平均年収
11名	・・	・・	482万円

【特色】漁業用の合繊製無結節網を製造・販売する専業で首位。定置網が収益源で、施網や養殖網でもシェアが高く、漁労器具や漁船なども扱う。陸上関連事業では獣害防止ネットやスポーツネットも展開。タイで無結節網を軸に、東南アジアの市場開拓に力点。
【定着率】・・
【採用】　【設立】1910.8【社長】小林宏明
23年 5【従業員】連914名 単303名(41.8歳)
24年 11【有休】・・日
25年 前年並【初任給】月22万(諸手当を除いた数値)
【試験種類】・・【各種制度】・・

【業績】	売上高	営業利益	経常利益	純利益
連23.4	19,300	275	496	50
連24.4	20,899	431	836	546

オカモト
東証プライム

【本社】113-8710 東京都文京区本郷3-27-12 ☎03-3817-4111
ゴム

採用予定数	倍率	3年後離職率	平均年収
30名	・・	・・	・・

【特色】プラスチックフィルムや建装資材、自動車用内装材などが主力製品。コンドーム、除湿剤など生活用品も手がける。壁紙、家具用レザーなどはプラスチックフィルムの製膜技術を駆使し耐久性、難燃性を備える。ゴム引布や雨合羽の製造で創業。
【定着率】・・
【採用】　【設立】1934.1【社長】岡本邦彦
23年 27【従業員】連2,775名 単1,143名(40.1歳)
24年 31【有休】・・日
25年 30【初任給】月21.8万(諸手当を除いた数値)
【試験種類】・・【各種制度】・・

【業績】	売上高	営業利益	経常利益	純利益
連23.3	99,076	6,898	7,922	4,893
連24.3	106,123	10,040	12,087	7,388

櫻護謨（さくらごむ）
東証スタンダード

【本社】151-8587 東京都渋谷区笹塚1-48-3 住友不動産笹塚太陽ビル ☎03-3466-2171
ゴム

採用予定数	倍率	3年後離職率	平均年収
未定	・・	・・	・・

【特色】消防・防災など各種ゴム製品の専業メーカー。航空・宇宙機器部門で、国産ロケット搭載のメインエンジンの配管も手がける。石油タンク向けシール材や発電所向け絶縁ホースにも強み。消防・防災関連は消防ホースやテロ対策資機材など官公庁向けが多い。
【定着率】・・
【採用】　【設立】1918.5【社長】中村浩士
23年 4【従業員】連340名 単307名(41.3歳)
24年 ・・【有休】・・日
25年 未定【初任給】・・万
【試験種類】・・【各種制度】・・

【業績】	売上高	営業利益	経常利益	純利益
連23.3	10,691	425	409	314
連24.3	13,353	1,136	1,105	733

藤倉コンポジット（ふじくら）
東証プライム

【本社】141-0031 東京都品川区西五反田8-4-13 五反田JPビルディング ☎・・
ガラス・土石・ゴム

採用予定数	倍率	3年後離職率	平均年収
12名	・・	・・	576万円

【特色】ゴム引布など産業用ゴム資材大手。産業用資材の主力は、自動車部品、住設機器、半導体向けなど。スポーツ分野はゴルフ用カーボンシャフトに定評。アウトドア用品は「キャラバン」ブランドで展開。防災、救命品も手がける。フジクラ系。
【定着率】・・
【採用】　【設立】1920.4【代表取締役】森田健司
23年 3【従業員】連2,307名 単766名(41.1歳)
24年 23【有休】・・日
25年 12【初任給】月21.3万(諸手当を除いた数値)
【試験種類】・・【各種制度】・・

【業績】	売上高	営業利益	経常利益	純利益
連23.3	40,687	4,432	5,144	3,947
連24.3	37,785	3,624	3,898	3,252

不二ラテックス（ふじ）
東証スタンダード

【本社事務所】101-0054 東京都千代田区神田錦町3-19-1 ☎03-3293-5686
ゴム

採用予定数	倍率	3年後離職率	平均年収
未定	・・	・・	536万円

【特色】コンドームメーカー大手。コンドームや感染予防製品、内視鏡用医療バルーンなどの医療機器と、緩衝器などの精密機器が収益の2本柱。緩衝器は住宅設備、家電、自動車、産業用生産設備などで使用される。医療機器はアジアでの展開に注力。
【定着率】・・
【採用】　【設立】1949.3【社長】近藤安弘
23年 0【従業員】連281名 単276名(41.4歳)
24年 ・・【有休】・・日
25年 未定【初任給】・・万
【試験種類】・・【各種制度】・・

【業績】	売上高	営業利益	経常利益	純利益
連23.3	8,085	760	730	517
連24.3	7,508	439	382	289

㈱アドヴァングループ
東証スタンダード

【本社】150-0001 東京都渋谷区神宮前4-32-14 ☎03-3475-0394
ガラス・土石・ゴム

採用予定数	倍率	3年後離職率	平均年収
微増	・・	・・	641万円

【特色】欧州製石材・タイルを開発・輸入するファブレスメーカー。海外トップメーカーとの共同開発で、高いデザイン性と高品質の商品に定評。瓦、窓枠など住設資材全般も取り扱い。自社ショールームの改装やテレビCMを増やし、個人向け開拓を強化。
【定着率】・・
【採用】　【設立】1975.3【社長】末次廣明
23年 11【従業員】連248名 単135名(39.5歳)
24年 ・・【有休】・・日
25年 微増【初任給】月28万(諸手当を除いた数値)
【試験種類】・・【各種制度】・・

【業績】	売上高	営業利益	経常利益	純利益
連23.3	20,399	4,701	5,159	3,364
連24.3	20,302	3,939	16,194	10,299

信越石英（しんえつせきえい）
株式公開計画なし

【本社】141-0032 東京都品川区大崎1-11-2 ゲートシティ大崎イーストタワー9階 ☎03-6737-0221
ガラス・土石・ゴム

採用実績数	倍率	3年後離職率	平均年収
3名	‥	‥	‥

【特色】信越化学と独ヘレウス社が折半出資する石英ガラスメーカー。高純度で耐熱性に優れる石英ガラス素材を半導体・液晶・光ファイバー分野に供給。福島県郡山市に研究所、福井、福島、熊本、長崎、山形に工場。韓国、台湾、シンガポール等に現地法人。
【定着率】‥
【採用】　【設立】1972.2【社長】只井賢次
23年 2【従業員】単648名(47.0歳)
24年 3【有休】‥日
25年 前年並【初任給】‥万
【試験種類】‥【各種制度】‥

【業績】	売上高	営業利益	経常利益	純利益
単23.2	27,538	‥	‥	‥
単24.2	29,403	‥	‥	‥

高橋カーテンウォール工業（たかはしこうぎょう）
東証スタンダード

【本社】103-0023 東京都中央区日本橋本町1-5-4 ☎03-3271-1711
ガラス・土石・ゴム

採用実績数	倍率	3年後離職率	平均年収
4名	‥	‥	631万円

【特色】ビル外壁材PCカーテンウォールで首位。自然石の風合いを再現するアーキテクチュラルコンクリートで優位性持つ。独自開発の可動床プールや救助・訓練用プールを施工するアクア事業も展開。関東は茨城に3工場、関西は滋賀に工場。
【定着率】‥
【採用】　【設立】1965.1【社長】高橋武治
23年 3【従業員】連186名 単186名(44.1歳)
24年 4【有休】‥日
25年 前年並【初任給】月21.5万(諸手当を除いた数値)
【試験種類】‥【各種制度】‥

【業績】	売上高	営業利益	経常利益	純利益
連22.12	7,530	170	248	151
連23.12	7,332	355	448	302

東京石灰工業（とうきょうせっかいこうぎょう）
株式公開計画なし

【本社】103-0025 東京都中央区日本橋茅場町2-2-1 東石ビル ☎03-3668-3521
ガラス・土石・ゴム

採用予定数	倍率	3年後離職率	平均年収
2名	‥	‥	‥

【特色】業界最大手の砕石販売事業者。アスファルト(道路)用、コンクリート用、鉄道線路(バラスト)用などに出荷。カナダ・バンクーバーにも支店。鉱山機械の無人化や破砕選別プラントの無人制御技術、移動式プラントの導入など技術開発に積極的。
【定着率】‥
【採用】　【設立】1941.8【社長】菊池宏行
23年 2【従業員】単120名(35.0歳)
24年 1【有休】‥日
25年 2【初任給】月23.5万(諸手当を除いた数値)
【試験種類】‥【各種制度】‥

【業績】	売上高	営業利益	経常利益	純利益
単22.11	7,800	‥	‥	100
単23.11	7,700	‥	‥	60

東洋ガラス（とうよう）
株式公開計画なし

【本社】141-0022 東京都品川区東五反田2-18-1 大崎フォレストビルディング ☎03-4514-2060
ガラス・土石・ゴム

採用予定数	倍率	3年後離職率	平均年収
未定	‥	‥	‥

【特色】東洋製罐グループの老舗ガラス瓶メーカー。一般びんから超軽量びん、ユニバーサルデザインびん、エコロジーボトルなど多様な製品を展開。ガラスに溶け込ませた有効成分がゆっくりと水に溶け出す緩水溶性ガラスの開発など、びん以外の新規事業も積極的に展開。
【定着率】‥
【採用】　【設立】1942.11【社長】野口信吾
23年 20【従業員】単802名(43.3歳)
24年 ‥【有休】‥日
25年 未定【初任給】‥万
【試験種類】‥【各種制度】‥

【業績】	売上高	営業利益	経常利益	純利益
単23.3	31,953	▲252	291	371
単24.3	35,665	651	792	1,004

日本カーボン（にっぽん）
東証プライム

【本社】104-0032 東京都中央区八丁堀1-10-7 TMG八丁堀ビル ☎03-6891-3730
ガラス・土石・ゴム

採用予定数	倍率	3年後離職率	平均年収
3名	‥	‥	775万円

【特色】炭素製品の大手メーカー。電炉向け人造黒鉛電極が主力。半導体や太陽電池向けに炭素繊維製品、車載向けにリチウム電池用負極材など、ファインカーボン分野への多角化が進む。米GE、仏サフランと合弁で航空機エンジン向けの炭化ケイ素連続繊維も手がける。
【定着率】‥
【採用】　【設立】1915.12【社長】宮下尚史
23年 ‥【従業員】連650名 単181名(42.4歳)
24年 4【有休】‥日
25年 3【初任給】月21.7万(諸手当を除いた数値)
【試験種類】‥【各種制度】‥

【業績】	売上高	営業利益	経常利益	純利益
連22.12	35,799	4,791	5,042	3,194
連23.12	37,867	6,573	7,115	4,050

日本ルツボ（にほん）
東証スタンダード

【本社】150-0013 東京都渋谷区恵比寿1-21-3 恵比寿NRビル ☎03-3443-5551
ガラス・土石・ゴム

採用予定数	倍率	3年後離職率	平均年収
若干	‥	‥	612万円

【特色】金属溶解用るつぼが主力の中堅耐火物メーカー。黒鉛るつぼ寡占3社の一角。築炉・解体工事など一貫生産体制。自動車向けアルミ鋳造用が多い。中国、タイの日系電子部品メーカーにるつぼ式連続溶解保持炉(メルキーパー)を輸出。太陽電池用るつぼの輸出も。
【定着率】‥
【採用】　【設立】1906.12【社長】西村有司
23年 5【従業員】連252名 単194名(43.5歳)
24年 2【有休】‥日
25年 若干【初任給】月20.3万(諸手当を除いた数値)
【試験種類】‥【各種制度】‥

【業績】	売上高	営業利益	経常利益	純利益
連23.3	8,841	162	187	24
連24.3	9,610	334	344	285

菱光石灰工業
（りょうこうせっかいこうぎょう）

株式公開計画なし

【本社】101-0043 東京都千代田区神田富山町10-2 アセンド神田ビル2階 ☎03-5289-9221
ガラス・土石・ゴム

採用実績数	倍率	3年後離職率	平均年収
2名	‥	‥	‥

【特色】骨材、石灰、炭酸カルシウムの製造を手がける。製品は製鉄・製鋼用途のほか、土質安定処理、排ガス処理など環境分野、肥料や飼料などを販売。建設業を始め需要分野広い。水銀対策向け活性炭・重金属固定剤混合の消石灰にも注力。UBE三菱セメントの子会社。
【定着率】‥
【採用】 【設立】1973.8【社長】水野達郎
23年 1【従業員】単196名(43.6歳)
24年 2【有休】‥日
25年 未定【初任給】‥万
【試験種類】‥【各種制度】‥

【業績】	売上高	営業利益	経常利益	純利益
単23.3	9,950	212	149	105
単24.3	‥	‥	‥	356

㈱荒井製作所
（あらいせいさくしょ）

株式公開計画なし

【本社】103-0004 東京都中央区東日本橋2-16-4 Jプロ東日本橋ビル ☎03-5833-7260
ガラス・土石・ゴム

採用実績数	倍率	3年後離職率	平均年収
3名	‥	‥	‥

【特色】オイルシール、バルブステムシール、ガスケットなど4輪・2輪エンジン向け部品の製造・販売が主。複写機・プリンター用ローラーなどの製造・販売も手がける。国内2カ所、海外は米国、中国、インド、タイ、インドネシア、ベトナムに製造拠点。
【定着率】‥
【採用】 【設立】1956.3【会長】森ミヨ
23年 4【従業員】単174名(45.7歳)
24年 3【有休】‥日
25年 未定【初任給】月21.7万(諸手当を除いた数値)
【試験種類】‥【各種制度】‥

【業績】	売上高	営業利益	経常利益	純利益
単23.3	10,654	‥	278	‥
単24.3	‥	‥	‥	177

㈱RS Technologies

東証プライム

【本社】140-0014 東京都品川区大井1-47-1 NTビル ☎03-5709-7685
金属製品

採用予定数	倍率	3年後離職率	平均年収
未定	‥	‥	601万円

【特色】モニターウエハ(半導体製造装置の調整テスト用ウエハ)の再生加工受託大手。国内外の半導体メーカーが取引先。ウエハ酸化膜生成表面加工サービスも行う。中国子会社ではプライムウエハ(カッティングされICチップとして製品化されるウエハ)の製造販売も手がける。
【定着率】‥
【採用】 【設立】2010.12【社長】方永義
23年 ‥【従業員】連1,534名 単287名(39.8歳)
24年 ‥【有休】‥日
25年 未定【初任給】‥万
【試験種類】‥【各種制度】‥

【業績】	売上高	営業利益	経常利益	純利益
連22.12	49,864	13,018	15,500	7,739
連23.12	51,893	11,894	14,921	7,703

イワタボルト

株式公開計画なし

【本社】141-8508 東京都品川区西五反田2-32-4 ☎03-3493-0211
金属製品

採用予定数	倍率	3年後離職率	平均年収
10名	‥	‥	‥

【特色】ネジ、ボルト、ナットなどの締結部品メーカー。日産能力3000万本。電機、精密機器、自動車など国内外約2600社と取引。栃木に工場、米国、中国、シンガポール、タイで現地生産。営業所は東北から九州まで幅広く展開、海外もアジアや北米に拠点。
【定着率】‥
【採用】 【設立】1992.1【社長】岩田聖隆
23年 8【従業員】単444名(40.4歳)
24年 10【有休】‥日
25年 10【初任給】月24.8万(諸手当を除いた数値)
【試験種類】‥【各種制度】‥

【業績】	売上高	営業利益	経常利益	純利益
単22.5	25,535	1,025	1,551	464
単23.5	27,081	1,303	1,682	1,145

㈱エスイー

東証スタンダード

【本社】163-1343 東京都新宿区西新宿6-5-1 新宿アイランドタワー ☎03-3340-5500
金属製品

採用予定数	倍率	3年後離職率	平均年収
5名	‥	‥	654万円

【特色】建設・建築用資機材を製造・販売。プレストレストコンクリート定着工法であるSEEE工法で成長。仏大手建設コンサル会社アンジェロップ社との合弁で建設コンサルも展開。独自の超高強度合成繊維補強コンクリート「ESCON」の拡販に注力。
【定着率】‥
【採用】 【設立】1981.12【社長】宮原一郎
23年 1【従業員】連565名 単198名(43.3歳)
24年 0【有休】‥日
25年 5【初任給】月21.7万(諸手当を除いた数値)
【試験種類】‥【各種制度】‥

【業績】	売上高	営業利益	経常利益	純利益
連23.3	25,452	1,336	1,376	870
連24.3	26,474	1,364	1,373	969

㈱大谷工業
（おおたにこうぎょう）

東証スタンダード

【本社】141-0031 東京都品川区西五反田7-23-1 第3TOCビル ☎03-3494-3731
金属製品

採用予定数	倍率	3年後離職率	平均年収
6名	‥	‥	548万円

【特色】架線金物、鉄塔・鉄構と建材を製造販売。電力通信部門は電力向け配電線用と通信業者向け通信線用の金物、送電用鉄塔などの設計・製造を手がける。建材部門は大規模構造物の耐震・耐久性を保つスタッド(柱材)が中心。ホテル経営のニュー・オータニが大株主。
【定着率】‥
【採用】 【設立】1947.6【社長】鈴木和也
23年 3【従業員】単177名(41.6歳)
24年 1【有休】‥日
25年 6【初任給】月21.8万(諸手当を除いた数値)
【試験種類】‥【各種制度】‥

【業績】	売上高	営業利益	経常利益	純利益
単23.3	7,189	250	257	173
単24.3	7,911	420	426	334

㈱オーネックス

東証スタンダード

【本社】194-0022 東京都町田市森野1-7-23 大樹生命町田ビル ☎046-285-3664
金属製品

採用実績数	倍率	3年後離職率	平均年収
1名	‥	‥	488万円

【特色】金属熱処理専業メーカー。鉄鋼部品の耐摩耗性、耐久性、靭性などを改善するガス浸炭熱処理加工に強み。真空熱処理、非鉄金属などの熱処理にも対応。自動車と工作・産業機械向けで約8割を占める。市場シェアの高い近畿・東海を深耕。子会社で運送事業も併営。
【定着率】‥
【採用】 【設立】1951.8【社長】鶴田猛士
23年 5【従業員】連247名 単185名(43.3歳)
24年 1【有休】‥日
25年 増加【初任給】月20万(諸手当を除いた数値)
【試験種類】‥【各種制度】‥

【業績】	売上高	営業利益	経常利益	純利益
連23.6	5,365	74	194	221
連24.6	4,967	55	41	▲377

㈱菊池製作所

東証スタンダード

【本社】192-0152 東京都八王子市美山町2161-21 ☎042-651-6093
金属製品

採用実績数	倍率	3年後離職率	平均年収
7名	‥	‥	392万円

【特色】腕時計やスマホなどの精密機械部品や自動車部品の金型・試作製作が中心の金型メーカー。難易度の高い絞り部品向けやインサート製法(金属と樹脂の一体複合加工成形)に対応した金型も手がける。医療・介護の作業をサポートするアシストスーツやドローンなどロボット関連も推進。
【定着率】‥
【採用】 【設立】1976.3【社長】菊池功
23年 2【従業員】連364名 単258名(44.4歳)
24年 7【有休】‥日
25年 未定【初任給】月20.3万(諸手当を除いた数値)
【試験種類】‥【各種制度】‥

【業績】	売上高	営業利益	経常利益	純利益
連23.4	5,096	▲631	▲927	▲1,101
連24.4	5,209	▲649	▲977	▲818

㈱駒井ハルテック

東証プライム

【本社】110-8547 東京都台東区上野1-19-10 上野広小路会館ビル ☎03-3833-5101
金属製品

採用予定数	倍率	3年後離職率	平均年収
20名	‥	‥	600万円

【特色】鉄骨・橋梁の大手。駒井鉄工とハルテックの合併で誕生。本州四国連絡橋や東京スカイツリーなどで施工実績。千葉・富津と和歌山に鉄骨・橋梁工場、宮城・岩沼に子会社工場。既存技術を生かして、国立研究機関の風力発電プロジェクトにも参画。
【定着率】‥
【採用】 【設立】1943.4【社長】中村貴任
23年 21【従業員】連632名 単505名(42.6歳)
24年 22【有休】‥日
25年 20【初任給】月21.8万(諸手当を除いた数値)
【試験種類】‥【各種制度】‥

【業績】	売上高	営業利益	経常利益	純利益
連23.3	39,727	315	481	328
連24.3	55,384	722	1,305	625

センクシア

株式公開いずれしたい

【本社】105-8319 東京都港区東新橋2-3-17 モメント汐留 ☎03-4214-1972
金属製品

採用実績数	倍率	3年後離職率	平均年収
1名	‥	‥	‥

【特色】フリーアクセスフロア、露出型柱脚などの構造部材、制震ダンパなどの建材機器の製造・販売および施工を手がける。工場・倉庫・鉄道駅舎向けに独自技術を用いた耐震簿補強システムの提供も。北海道から九州まで支店を構えている。
【定着率】‥
【採用】 【設立】2022.2【代表取締役】林雄一
23年 0【従業員】単334名(43.6歳)
24年 1【有休】‥日
25年 未定【初任給】月23.2万(諸手当を除いた数値)
【試験種類】‥【各種制度】‥

【業績】	売上高	営業利益	経常利益	純利益
単24.3	34,200	5,002	4,393	2,372

23. 3期は親会社による合併で半期分

第一高周波工業

株式公開計画なし

【本社】103-0002 東京都中央区日本橋馬喰町1-6-2 ☎03-5649-3725
金属製品

採用実績数	倍率	3年後離職率	平均年収
15名	‥	‥	‥

【特色】高周波誘導加熱技術をコアに、塑性加工、表面処理、電磁波応用、機械設計の技術を複合した独自技術が強み。パイプの曲げやライニング、圧延ロール、熱処理から鉄筋加工など行う。供給先幅広い。中国、韓国、米国、タイなどに生産拠点。
【定着率】‥
【採用】 【設立】1950.7【社長】平山鋼太郎
23年 4【従業員】単433名(42.9歳)
24年 15【有休】‥日
25年 未定【初任給】月21.9万(諸手当を除いた数値)
【試験種類】‥【各種制度】‥

【業績】	売上高	営業利益	経常利益	純利益
単23.3	8,688	5	229	79
単24.3	9,465	95	165	123

大陽ステンレススプリング

株式公開計画なし

【本社】177-8501 東京都練馬区三原台1-15-17 ☎03-3922-4111
金属製品

採用実績数	倍率	3年後離職率	平均年収
5名	‥	‥	‥

【特色】国内で初めてステンレス製ばねを製造した精密金属部品メーカー。線ばね、板ばね、シャフト、スペーサーなど製品多数。自動車や電機各社など販売先業界は多岐にわたる。埼玉、栃木、タイに製造拠点。マレーシア、タイ、香港に販売現法。
【定着率】‥
【採用】 【設立】1958.2【社長】堺谷豊
23年 14【従業員】単457名(39.4歳)
24年 5【有休】‥日
25年 未定【初任給】月21万(諸手当を除いた数値)
【試験種類】‥【各種制度】‥

【業績】	売上高	営業利益	経常利益	純利益
単22.12	8,612	‥	‥	405
単23.12	8,283	‥	‥	138

㈱テクニスコ
東証スタンダード

【本社】140-0004 東京都品川区南品川2-2-15 ☎03-3458-4561
金属製品

採用実績数	倍率	3年後離職率	平均年収
4名	‥	‥	634万円

【特色】産業機器、自動車、光通信、航空宇宙、環境エネルギー向けヒートシンク製品、ガラス製品、精密加工部品などを製造・販売。加工技術を中心に複数の最先端技術をクロスさせる「クロスエッジTechnology」を開発し、生産に活かす点に特徴を持つ。
【定着率】‥
【採用】 【設立】1970.2【社長】関家圭三
23年 ‥【従業員】連314名 単208名(42.5歳)
24年 4【有休】‥日
25年 前年並【初任給】月22.1万(諸手当を除いた数値)
【試験種類】‥【各種制度】‥

【業績】	売上高	営業利益	経常利益	純利益
連23.6	5,347	273	329	222
連24.6	4,683	▲476	▲318	▲603

那須電機鉄工（なすでんきてっこう）
東証スタンダード

【本社】160-0022 東京都新宿区新宿2-1-12 PMO新宿御苑前 ☎03-3351-6131
金属製品

採用予定数	倍率	3年後離職率	平均年収
10名	‥	‥	519万円

【特色】電力会社や通信会社の鉄塔・鉄構や、鉄柱、架線金物、地中線材などが主力。東京電力向けが売上の約3割。有料道路の料金所ブースやETCゲートなど交通システム材料も手がける。独自開発の高耐食メッキは従来の溶融亜鉛メッキの約10倍の耐食性。
【定着率】‥
【採用】 【設立】1939.6【社長】鈴木智晴
23年 12【従業員】連485名 単368名(45.1歳)
24年 7【有休】‥日
25年 10【初任給】月22.5万(諸手当を除いた数値)
【試験種類】‥【各種制度】‥

【業績】	売上高	営業利益	経常利益	純利益
連23.3	22,056	2,447	2,495	1,856
連24.3	23,334	2,647	2,767	1,850

日鉄神鋼建材（にってつしんこうけんざい）
株式公開していない

【本社】101-0021 東京都千代田区外神田4-14-1 秋葉原UDX13階 ☎03-6625-6650
金属製品

採用実績数	倍率	3年後離職率	平均年収
3名	‥	‥	‥

【特色】鉄鋼・アルミなどを素材とした建材製品メーカーで、ガードレールが主力。道路土木建築資材や防災・防音など環境改善製品なども扱う。鉄鋼のほかアルミ素材製品も提供。防護・防止柵など独自製品も拡販。日鉄建材の連結子会社。
【定着率】‥
【採用】 【設立】1949.9【社長】古川武彦
23年 3【従業員】単300名(‥歳)
24年 3【有休】‥日
25年 未定【初任給】月20.3万(諸手当を除いた数値)
【試験種類】‥【各種制度】‥

【業績】	売上高	営業利益	経常利益	純利益
単23.3	20,716	1,227	1,208	667
単24.3	‥	‥	‥	662

日本調理機（にほんちょうりき）
東証スタンダード

【本社】144-8513 東京都大田区東六郷3-15-8 ☎03-3738-8251
金属製品

採用予定数	倍率	3年後離職率	平均年収
未定	‥	‥	557万円

【特色】大型施設向け業務用厨房機器の総合メーカー。学校給食、社員食堂、病院、ホテル、レストランなどに納入。厨房機器の開発・設計・製造から厨房のレイアウト設計・施工などのコンサルも行う。全国に幅広い拠点網。栃木、大分に工場、栃木には物流センター。
【定着率】‥
【採用】 【設立】1947.7【社長】齋藤有史
23年 ‥【従業員】単535名(44.8歳)
24年 ‥【有休】‥日
25年 未定【初任給】月19.7万(諸手当を除いた数値)
【試験種類】‥【各種制度】‥

【業績】	売上高	営業利益	経常利益	純利益
単22.9	15,467	343	340	205
単23.9	17,642	541	563	332

日本ファブテック（にほん）
株式公開計画なし

【本社】108-0023 東京都港区芝浦4-15-33 芝浦清水ビル ☎03-6705-0221
金属製品

採用予定数	倍率	3年後離職率	平均年収
30名	‥	‥	‥

【特色】老舗の橋梁・鉄骨専業大手メーカーで、橋梁は官公需主体、鉄骨は民需中心。長大橋や超高層建築に実績多い。事前調査や診断、設計から建設、完成後の補修工事まで一貫体制。全国各地に営業拠点と4工場を持つ。清水建設の連結子会社。
【定着率】‥
【採用】 【設立】1948.9【社長】鎌倉孝光
23年 16【従業員】単677名(44.0歳)
24年 15【有休】‥日
25年 30【初任給】月23万(諸手当を除いた数値)
【試験種類】‥【各種制度】‥

【業績】	売上高	営業利益	経常利益	純利益
単23.3	35,593	1,764	1,740	1,713
単24.3	38,001	814	794	656

ネツレン
東証プライム

【本社】141-8639 東京都品川区東五反田2-17-1 ☎03-3443-5441
金属製品

採用実績数	倍率	3年後離職率	平均年収
11名	‥	‥	611万円

【特色】高周波熱処理により金属の性質を変え、強度と耐久性を高める誘導加熱技術の大手。自動車・建設機械向けなど高熱処理受託加工、高強度の棒鋼・ばね鋼線の販売が主力。焼入装置など専用装置の製造販売も展開。米国、韓国、中国、インドネシア、メキシコ、チェコに現地法人。
【定着率】‥
【採用】 【設立】1940.7【代表取締役】大宮克己
23年 26【従業員】連1,623名 単904名(40.2歳)
24年 11【有休】‥日
25年 未定【初任給】月21.5万(諸手当を除いた数値)
【試験種類】‥【各種制度】‥

【業績】	売上高	営業利益	経常利益	純利益
連23.3	57,524	2,396	3,088	381
連24.3	57,205	1,632	2,511	1,542

パーカー加工（かこう）

株式公開計画なし

【本社】103-0027 東京都中央区日本橋1-15-1 パーカービル6階 ☎03-3275-3271
金属製品

採用実績数	倍率	3年後離職率	平均年収
13名	‥	‥	‥

【特色】金属の防錆、耐摩耗、潤滑などの表面処理を主力に事業展開。関東、関西、東海など各地に工場を置く。自動車関連のほか、鉄道、免震装置など内需関連の営業を強化。環境・エネルギー分野に注力。日本パーカライジングの子会社。
【定着率】‥
【採用】 【設立】1948.12【社長】尾﨑文一
23年 12【従業員】単218名（40.8歳）
24年 13【有休】‥日
25年 未定【初任給】月21.8万
【試験種類】‥【各種制度】‥

【業績】	売上高	営業利益	経常利益	純利益
単23.3	8,564	2,116	2,495	1,768
単24.3	8,440	1,849	2,335	1,605

ホッカンホールディングス

東証プライム

【本社】103-0022 東京都中央区日本橋室町2-1-1 日本橋三井タワー ☎03-5203-2680
金属製品

採用実績数	倍率	3年後離職率	平均年収
3名	‥	‥	826万円

【特色】容器製造の北海製罐や飲料充填の日本キャンパックを傘下に置く持株会社。食品缶詰や菓子用のメタル缶のほか、ペットボトルも生産。缶やペットボトルへの飲料充填事業では世界最高速での完全無菌充填を実現。ベトナムやインドネシアでも事業展開。
【定着率】‥
【グループ採用】【設立】1950.2【社長】池田孝資
23年 1【従業員】連2,214名 単66名（41.8歳）
24年 3【有休】‥日
25年 増加【初任給】月23万（諸手当を除いた数値）
【試験種類】‥【各種制度】‥

【業績】	売上高	営業利益	経常利益	純利益
連23.3	93,660	▲456	332	▲2,007
連24.3	90,933	4,390	5,061	2,719

㈱マルゼン

東証スタンダード

【本社】110-0003 東京都台東区根岸2-19-18 ☎03-5603-7111
金属製品

採用実績数	倍率	3年後離職率	平均年収
26名	‥	‥	615万円

【特色】業務用厨房機器大手メーカー。燃焼器具の製造で創業し、製菓・製パン機械にも進出。外食のほか、学校など集団給食向けを拡大。独自製品をベースに全国を網羅する営業・物流拠点を設け提案型営業を展開。消耗品・保守サービスの営業も強化。
【定着率】‥
【採用】 【設立】1961.3【社長】渡辺恵一
23年 50【従業員】連1,396名 単919名（40.5歳）
24年 26【有休】‥日
25年 増加【初任給】月23.4万（諸手当を除いた数値）
【試験種類】‥【各種制度】‥

【業績】	売上高	営業利益	経常利益	純利益
連23.2	57,532	3,578	4,080	2,815
連24.2	60,596	4,857	5,300	3,708

㈱三ツ矢（みつや）

株式公開計画なし

【本社】141-0031 東京都品川区西五反田3-8-11 ☎03-3492-7197
金属製品

採用予定数	倍率	3年後離職率	平均年収
6名	‥	‥	‥

【特色】電子部品、自動車部品などのメッキ加工を主とした各種表面処理加工を展開。航空宇宙、通信・医療機器、半導体など提供分野幅広い。金、銀はじめ約90種のメッキを扱う。先端技術で品質改善や機能特性などの顧客要望に対応。国内4工場、研究・開発拠点2カ所。
【定着率】‥
【採用】 【設立】1959.2【社長】草間信頼
23年 6【従業員】単301名（43.2歳）
24年 6【有休】‥日
25年 6【初任給】月22.2万
【試験種類】‥【各種制度】‥

【業績】	売上高	営業利益	経常利益	純利益
単22.6	5,474	716	792	587
単23.6	5,311	382	425	350

㈱伊藤製鐵所（いとうせいてつしょ）

株式公開計画なし

【本社】101-0052 東京都千代田区神田小川町1-3-1 NBF小川町ビル5階 ☎03-5829-4630
鉄鋼

採用実績数	倍率	3年後離職率	平均年収
6名	‥	‥	‥

【特色】独立系の電炉鉄鋼メーカー。関東、東北圏を中心に「ONICON（オニコン）」ブランドの異形棒鋼を販売。半世紀以上にわたるロングセラー製品に成長。FRIP定着工法、機械式継手など高付加価値品の販売に注力。茨城、宮城、福島に工場。
【定着率】‥
【採用】 【設立】1944.3【社長】伊藤壽健
23年 3【従業員】単318名（40.7歳）
24年 6【有休】‥日
25年 未定【初任給】月21.3万（諸手当を除いた数値）
【試験種類】‥【各種制度】‥

【業績】	売上高	営業利益	経常利益	純利益
単23.3	40,242	2,043	1,884	1,728
単24.3	39,688	2,842	2,626	2,431

ＪＦＥ商事電磁鋼板（しょうじでんじこうはん）

株式公開計画なし

【本社】100-0004 東京都千代田区大手町1-9-5 大手町フィナンシャルシティノースタワー25階 ☎03-5203-6188
鉄鋼

採用予定数	倍率	3年後離職率	平均年収
未定	‥	‥	‥

【特色】JFE商事の子会社で、モーターコアやトランスコアなどに使われる電磁鋼板の加工と販売を手がける。千葉と名古屋に工場。生産・品質管理システムを基盤に、受注から生産・配送までの全工程をコンピュータによる生産管理を行う。
【定着率】‥
【採用】 【設立】1952.4【社長】大谷真樹
23年 0【従業員】単146名（42.6歳）
24年 0【有休】‥日
25年 未定【初任給】月23.7万（諸手当を除いた数値）
【試験種類】‥【各種制度】‥

【業績】	売上高	営業利益	経常利益	純利益
単23.3	11,052	655	859	625
単24.3	9,588	704	739	520

東京鐵鋼（とうきょうてっこう）
東証プライム

【東京本社】102-0071 東京都千代田区富士見2-7-2 ステージビルディング ☎03-5276-9700
鉄鋼

採用予定数	倍率	3年後離職率	平均年収
17名	‥	‥	597万円

【特色】独立系の電炉中堅メーカー。超高層建設を支える独自開発のネジ節鉄筋「ネジテツコン」など高付加価値製品が主軸。高層・大型建築物の建設が多い国を中心に海外展開にも注力。自動車や家電、医療廃棄物などの資源リサイクルも手がける。
【定着率】‥
【採用】 【設立】1939.6 【会長】吉原毎文
23年 14 【従業員】連818名 単606名(38.2歳)
24年 7 【有休】‥日
25年 17 【初任給】月21.3万(諸手当を除いた数値)
【試験種類】‥ 【各種制度】‥

【業績】	売上高	営業利益	経常利益	純利益
連23.3	79,229	4,355	4,944	3,657
連24.3	79,617	10,624	11,412	7,887

エヌアイシ・オートテック
東証スタンダード

【東京本社】135-0063 東京都江東区有明3-7-26 ☎03-5530-8066
非鉄

採用予定数	倍率	3年後離職率	平均年収
5名	‥	‥	450万円

【特色】軽量、溶接不要で増設・設計変更が容易なアルミ製生産設備用構造材「アルファフレーム」を製造・販売。「アルファフレーム」を活用したクリーンブースやロボット架台も。洗浄機、搬送機、検査機などFA装置も展開。設計支援システム「カクチャ」なども提供。
【定着率】‥
【採用】 【設立】1971.5 【会長兼社長】西川浩司
23年 7 【従業員】単220名(39.5歳)
24年 2 【有休】‥日
25年 5 【初任給】月19.5万(諸手当を除いた数値)
【試験種類】‥ 【各種制度】‥

【業績】	売上高	営業利益	経常利益	純利益
連23.3	6,661	▲123	▲93	▲133
単24.3	4,852	▲478	▲482	▲599

㈱ＫＭＣＴ
株式公開していない

【本社】163-0704 東京都新宿区西新宿2-7-1 ☎03-5326-8312
非鉄

採用予定数	倍率	3年後離職率	平均年収
未定	‥	‥	‥

【特色】空調用向けを中心とした銅管メーカー。エアコンの室外機・室内機に使用される高性能内面溝付銅管が主力製品。冷凍用、建築用、給湯用、電子機器用など幅広く生産。国内、タイに生産拠点。神戸製鋼所と三菱マテリアルの銅管部門の統合により発足。
【定着率】‥
【採用】 【設立】2021.1 【社長】田口昌利
23年 ‥ 【従業員】単300名(‥歳)
24年 ‥ 【有休】‥日
25年 未定 【初任給】‥万
【試験種類】‥ 【各種制度】‥

【業績】	売上高	営業利益	経常利益	純利益
単23.3	50,822	240	▲605	11,882
単24.3	64,284	1,516	1,207	1,691

富双合成（ふそうごうせい）
株式公開計画なし

【本社】123-0874 東京都足立区堀之内1-13-10 ☎03-3899-5922
その他メーカー

採用予定数	倍率	3年後離職率	平均年収
約10名	‥	‥	‥

【特色】床材、壁紙など建築内装材を製造・販売するメーカー。テーブルクロスやシャワーカーテンなどインテリア関連製品も手がける。インテリアテイストにマッチするデザインや機能を企画・開発し、多様なニーズに対応。埼玉・久喜市にテクニカルセンター。
【定着率】‥
【採用】 【設立】1951.12 【社長】鈴木哲朗
23年 5 【従業員】単297名(44.1歳)
24年 9 【有休】‥日
25年 約10 【初任給】月20.6万(諸手当を除いた数値)
【試験種類】‥ 【各種制度】‥

【業績】	売上高	営業利益	経常利益	純利益
単22.12	15,184	311	490	384
単23.12	15,860	627	842	525

㈱キングジム
東証プライム

【本社】101-0031 東京都千代田区東神田2-10-18 ☎03-3864-5898
その他メーカー

採用実績数	倍率	3年後離職率	平均年収
16名	‥	‥	608万円

【特色】文房具、電子製品などの文具事務用品メーカー。事務用のファイル・バインダーで首位。厚型の「キングファイル」は圧倒的シェア。ラベル作成の「テプラ」など電子製品の多言語化を推進。子会社で室内装飾・キッチン雑貨、家具EC、造花なども手がける。
【定着率】‥
【採用】 【設立】1948.8 【社長】木村美代子
23年 16 【従業員】連1,822名 単372名(41.3歳)
24年 16 【有休】‥日
25年 前年並 【初任給】月22万(諸手当を除いた数値)
【試験種類】‥ 【各種制度】‥

【業績】	売上高	営業利益	経常利益	純利益
連23.6	39,393	368	637	419
連24.6	39,553	▲241	130	▲318

㈱コトブキ
株式公開計画なし

【本社】105-0013 東京都港区浜松町1-14-5 ☎03-5733-6691
その他メーカー

採用予定数	倍率	3年後離職率	平均年収
15名	‥	‥	‥

【特色】公共施設・家具、都市景観、遊具、サイン、屋外向け家具などの事業を展開。複合遊具、再生木材利用のベンチ、防災ファニチャー、電動キックボードなどに注力。製品選定やデザイン、配置計画、オーダーメイド品の製作、メンテナンスまで手がける。
【定着率】‥
【採用】 【設立】1938.12 【社長】深澤幸郎
23年 8 【従業員】単350名(45.3歳)
24年 15 【有休】‥日
25年 15 【初任給】月20.5万(諸手当を除いた数値)
【試験種類】‥ 【各種制度】‥

【業績】	売上高	営業利益	経常利益	純利益
単22.5	7,227	114	193	179
単23.5	7,763	345	347	320

㈱シモン

株式公開計画なし

【本社】103-0025 東京都中央区日本橋茅場町3-3-1 ☎03-5695-1011
その他メーカー

採用予定数	倍率	3年後離職率	平均年収
未定	‥	‥	‥

【特色】安全靴、革手袋など安全関連商品の大手メーカー。日本・アジア地域の安全・防災・防衛産業向けが主。主要販売先は防衛省、総務省のほかNTT、JRなど大手民間企業。「SX3層底」で特許保有。タイ、中国、インドネシア等に生産現法。
【定着率】‥
【採用】【設立】1948.7【社長】利岡和範
23年 3【従業員】単148名(42.2歳)
24年 0【有休】‥日
25年 未定【初任給】月22.1万(諸手当を除いた数値)
【試験種類】‥【各種制度】‥

【業績】	売上高	営業利益	経常利益	純利益
単22.6	9,240	‥	260	187
単23.6	9,426	‥	282	180

セイホク

株式公開未定

【本社】113-0033 東京都文京区本郷1-25-5 合板ビル ☎03-3816-1037
その他メーカー

採用予定数	倍率	3年後離職率	平均年収
未定	‥	‥	‥

【特色】木質系建築素材の総合メーカー。合板、単板積層材、パーティクルボードなど扱う。住宅用部材加工事業や国産材針葉樹合板の輸出事業を強化。木材の価値を最大限利用する「木の300%利用」に取り組む。西北プライウッド、セイホク物流などとグループ形成。
【定着率】‥
【採用】【設立】1954.11【社長】井上篤博
23年 ‥【従業員】単142名(45.0歳)
24年 ‥【有休】‥日
25年 未定【初任給】月19.7万(諸手当を除いた数値)
【試験種類】‥【各種制度】‥

【業績】	売上高	営業利益	経常利益	純利益
単22.9	22,846	‥	‥	‥
単23.9	21,251	‥	‥	‥

セーラー万年筆（まんねんひつ）

東証スタンダード

【本社】105-0001 東京都港区虎ノ門4-1-28 虎ノ門タワーズオフィス ☎03-6670-6601
その他メーカー

採用実績数	倍率	3年後離職率	平均年収
7名	‥	‥	375万円

【特色】万年筆の老舗。オフィス家具・文房具を扱うプラスの子会社でOEM提供も行う。インクカートリッジ成形の自社自動化から出発したロボット機器(射出成形機用取出器)製造は第2の収益柱で海外販売を強化。広島と東京・青梅に工場、埼玉に物流センターを置く。
【定着率】‥
【採用】【設立】1932.8【社長】町克哉
23年 16【従業員】連216名 単206名(41.8歳)
24年 7【有休】‥日
25年 未定【初任給】月22.4万(諸手当を除いた数値)
【試験種類】‥【各種制度】‥

【業績】	売上高	営業利益	経常利益	純利益
連22.12	5,029	▲148	▲148	▲193
連23.12	4,558	▲341	▲329	▲1,509

㈱谷沢製作所（たにざわせいさくしょ）

株式公開計画なし

【本社】104-0041 東京都中央区新富2-15-5 RBM築地ビル ☎03-3552-5571
その他メーカー

採用予定数	倍率	3年後離職率	平均年収
5名	‥	‥	‥

【特色】産業安全具メーカー。産業用ヘルメットで首位。ヘルメット、ハーネスなどの墜落制止用器具、簡易無線機などを販売。製造は子会社の常磐谷沢製作所が担う。「軽さ、コンパクトさ、涼しさ」を劇的に進化させた新型ヘルメットの市場深耕に積極的に取り組む。
【定着率】‥
【採用】【設立】1950.6【社長】谷澤和彦
23年 3【従業員】単193名(44.5歳)
24年 1【有休】‥日
25年 5【初任給】月21.5万
【試験種類】‥【各種制度】‥

【業績】	売上高	営業利益	経常利益	純利益
単22.9	10,120	549	590	363
単23.9	9,206	190	225	275

東亜（とうあ）レジン

株式公開計画なし

【本社】160-0023 東京都新宿区西新宿4-33-4 住友不動産西新宿ビル4号館2階 ☎03-5302-7151
その他メーカー

採用予定数	倍率	3年後離職率	平均年収
10名	‥	‥	‥

【特色】合成樹脂製の大型電照式看板で国内トップ。デザインから設計・生産・施工・メンテナンスまで国内3工場で一貫体制。ガソリンスタンド、コンビニ、自動車関連、外食などの大手チェーンで多くの実績。顧客サービスの向上に注力。
【定着率】‥
【採用】【設立】1958.4【社長】永井茂智
23年 13【従業員】単504名(36.5歳)
24年 11【有休】‥日
25年 10【初任給】月20万(諸手当を除いた数値)
【試験種類】‥【各種制度】‥

【業績】	売上高	営業利益	経常利益	純利益
単23.1	9,658	‥	83	38
単24.1	9,310	‥	▲197	▲238

日新工業（にっしんこうぎょう）

株式公開計画なし

【本社】120-0025 東京都足立区千住東2-23-4 ☎03-3882-2424
その他メーカー

採用実績数	倍率	3年後離職率	平均年収
2名	‥	‥	‥

【特色】アスファルト系主体の総合防水材メーカー大手。「マルエス」「カッパ」ブランド展開。屋上防水材と屋根材を中心に、環境配慮型製品や改修分野の取り組みを強化。環境配慮型改質アスファルト防水工法を実用化。埼玉と山形に工場。1922年創業。
【定着率】‥
【採用】【設立】1943.7【社長】相臺志浩
23年 2【従業員】単300名(‥歳)
24年 2【有休】‥日
25年 未定【初任給】‥万
【試験種類】‥【各種制度】‥

【業績】	売上高	営業利益	経常利益	純利益
単22.12	10,660	‥	▲709	▲811
単23.12	11,537	‥	146	119

㈱日本アクア（にほん）
東証プライム

【本社】108-0075 東京都港区港南2-16-2 ☎03-5463-1117
その他メーカー

採用予定数	倍率	3年後離職率	平均年収
40名	‥	‥	509万円

【特色】断熱材の施工販売会社。中核商品は硬質ウレタンフォーム使用の断熱材で全国シェア約5割占める。国の省エネ・ハウス支援策は追い風。戸建て住宅向けがメインだが、マンション等非戸建て分野も展開。親会社はヤマダホールディングス傘下のヒノキヤグループ。
【定着率】‥
【採用】 【設立】2004.11【社長】中村文隆
23年 30【従業員】単592名(35.0歳)
24年 39【有休】‥日
25年 40【初任給】月27万(諸手当を除いた数値)
【試験種類】‥【各種制度】‥

【業績】	売上高	営業利益	経常利益	純利益
単22.12	25,670	2,329	2,359	1,549
単23.12	28,341	2,881	2,917	2,004

ピープル
東証スタンダード

【本社】103-0004 東京都中央区東日本橋2-15-5 ☎03-3862-2768
その他メーカー

採用実績数	倍率	3年後離職率	平均年収
0名	‥	‥	581万円

【特色】バンダイナムコ系列の乳幼児向け知育玩具の企画・開発を行う。生産は外部に委託。パズル「ピタゴラス」など企画力に定評。遊具などの独自商品も取り扱う。海外販売に注力し海外売上比率は6割を超える。女児向け抱き人形「ぽぽちゃん」は生産終了。
【定着率】‥
【採用】 【設立】1977.10【代表執行役】桐渕真人
23年 0【従業員】単47名(39.2歳)
24年 0【有休】‥日
25年 0【初任給】年258万(諸手当を除いた数値)
【試験種類】‥【各種制度】‥

【業績】	売上高	営業利益	経常利益	純利益
単23.1	7,444	517	513	355
単24.1	5,353	430	449	312

プラス
株式公開計画なし

【本社】105-0001 東京都港区虎ノ門4-1-28 虎ノ門タワーズオフィス12階 ☎03-5860-7000
その他メーカー

採用予定数	倍率	3年後離職率	平均年収
25名	‥	‥	‥

【特色】オフィス家具や事務用品、ミーティングツールなどの製造大手。オフィス、学校、介護施設など向け流通事業も展開。東京・恵比寿にオフィス家具・在宅ワーク家具事業の拠点。全国に営業拠点を展開。海外は、中国、米国、ドイツに現地法人。
【定着率】‥
【採用】 【設立】2001.4【社長】今泉忠久
23年 17【従業員】連8,108名 単1,457名(44.6歳)
24年 16【有休】‥日
25年 25【初任給】月22.7万(諸手当を除いた数値)
【試験種類】‥【各種制度】‥

【業績】	売上高	営業利益	経常利益	純利益
連22.12	186,935	868	993	178
連23.12	231,875	4,759	5,273	2,623

ぺんてる
株式公開計画なし

【本社】103-8538 東京都中央区日本橋小網町7-2 ☎03-3667-3333
その他メーカー

採用予定数	倍率	3年後離職率	平均年収
30名	‥	‥	‥

【特色】筆記用具や画材などを中心とした文具・事務用品メーカー。海外売上比率は約7割で、5カ国に工場を置き、120以上の国と地域で販売。電子機器や産業用の自動化設備・省力化機械、医療用製品や化粧品部品等の開発・製造事業も展開。
【定着率】‥
【採用】 【設立】1946.3【社長】和田優
23年 21【従業員】単642名(41.4歳)
24年 30【有休】‥日
25年 30【初任給】月21.5万
【試験種類】‥【各種制度】‥

【業績】	売上高	営業利益	経常利益	純利益
単23.3	23,008	958	‥	331
単24.3	23,363	750	‥	348

メモリーテック・ホールディングス
株式公開未定

【本社】106-0041 東京都港区麻布台2-3-5 ☎03-5545-2700
その他メーカー

採用予定数	倍率	3年後離職率	平均年収
未定	‥	‥	‥

【特色】光ディスクの製造・販売、CG・アニメ映像や音楽の編集・制作、デザインなどをグループ会社で手がけている。TYOからアニメ関連事業を、ポニーキャニオンから映像編集関連事業を譲受し展開。子会社メモリーテックで化粧品事業も営む。
【定着率】‥
【採用】 【設立】1985.9【社長】古迫智典
23年 0【従業員】連1,087名 単27名(42.8歳)
24年 0【有休】‥日
25年 未定【初任給】‥万
【試験種類】‥【各種制度】‥

【業績】	売上高	営業利益	経常利益	純利益
連23.3	18,395	304	326	411
連24.3	20,189	715	649	549

大塚刷毛製造（おおつかはけせいぞう）
株式公開計画なし

【本社】160-8511 東京都新宿区四谷4-1 ☎03-3357-4711
その他メーカー

採用実績数	倍率	3年後離職率	平均年収
19名	‥	‥	‥

【特色】塗装関連の用具・用品設備の総合メーカーで業界首位。独自開発の「ウェーブ刷毛」など技術面に特徴。取引先塗料販売店は全国約8200社。開発・販売・アフターサービスまで一貫体制構築。1914年塗装用刷毛メーカーとして創業。
【定着率】‥
【採用】 【設立】2005.5【社長】脇伸一郎
23年 21【従業員】単530名(43.0歳)
24年 19【有休】‥日
25年 未定【初任給】月22.5万(諸手当を除いた数値)
【試験種類】‥【各種制度】‥

【業績】	売上高	営業利益	経常利益	純利益
単23.4	34,673	‥	‥	‥
単24.4	35,227	‥	‥	‥

フジモトＨＤ

株式公開計画なし

【本社】101-8528 東京都千代田区内神田3-3-7
☎‥
その他メーカー

採用予定数	倍率	3年後離職率	平均年収
15名	‥	‥	‥

【特色】ピップグループの持株会社で、傘下にピップほか物流、医薬品製造・販売、化粧品輸入子会社や調査研究所。ピップは1908年医薬品卸で創業。主力は「ピップエレキバン」「スリムウォーク」「ピップマグネループ」など。
【定着率】‥
【採用】【設立】2008.5【社長】藤本久士
23年 6【従業員】連1,093名 単85名(49.1歳)
24年 5【有休】‥日
25年 15【初任給】月22万(諸手当を除いた数値)
【試験種類】‥【各種制度】‥

【業績】	売上高	営業利益	経常利益	純利益
連22.10	220,585	‥	‥	‥
連23.10	229,700	‥	‥	‥

㈱ライオン事務器（じむき）

株式公開未定

【本社】164-0003 東京都中野区東中野2-6-11
☎03-3369-1111
その他メーカー

採用実績数	倍率	3年後離職率	平均年収
18名	‥	‥	‥

【特色】文具・事務用品、オフィス家具などの総合メーカー。リフォームなど一貫してサポートするオフィスソリューションや福祉・医療施設の立ち上げ支援事業も展開。IT機器なども教育関係などへ販売。海外は米国、台湾、中国に拠点。1792年創業。
【定着率】‥
【採用】【設立】1921.10【社長】髙橋俊泰
23年 13【従業員】連489名 単375名(42.3歳)
24年 18【有休】‥日
25年 未定【初任給】月20.1万(諸手当を除いた数値)
【試験種類】‥【各種制度】‥

【業績】	売上高	営業利益	経常利益	純利益
連22.9	33,925	820	1,046	718
連23.9	33,021	1,012	1,110	809

インターライフホールディングス

東証スタンダード

【本社】104-0061 東京都中央区銀座6-13-16 銀座ウォールビル
☎03-3547-3227
建設

採用予定数	倍率	3年後離職率	平均年収
2名	‥	‥	‥

【特色】内装工事の日商インターライフを子会社に持つ持株会社。メインはレストランや小売店、アミューズメント施設などの店舗内装工事。子会社で施設の演出特殊設備や、音響・照明設備工事、空調・電気・給排水・衛生設備などの施工・修理も手がける。
【定着率】‥
【子会社各社採用】【設立】2010.10【社長】貴田晃司
23年 2【従業員】連250名 単96名(‥歳)
24年 4【有休】‥日
25年 2【初任給】‥万
【試験種類】‥【各種制度】‥

【業績】	売上高	営業利益	経常利益	純利益
連23.2	11,460	168	177	179
連24.2	12,626	270	245	384

㈱ガイアート

株式公開計画なし

【本社】162-0814 東京都新宿区新小川町8-27
☎03-5261-9211
建設

採用予定数	倍率	3年後離職率	平均年収
25名	‥	‥	‥

【特色】道路舗装工事の大手。トンネルや橋梁、空港や港湾の舗装工事、スポーツレジャー施設工事、アスファルト合材の製造販売など幅広く手がける。長野・軽井沢で有料自動車道路を運営し、道路維持管理事業にも取り組む。熊谷組の完全子会社。
【定着率】‥
【採用】【設立】1963.11【社長】石塚周平
23年 25【従業員】単777名(46.2歳)
24年 23【有休】‥日
25年 25【初任給】月24万
【試験種類】‥【各種制度】‥

【業績】	売上高	営業利益	経常利益	純利益
単23.3	46,997	433	464	222
単24.3	46,580	1,353	1,411	815

岳南建設（がくなんけんせつ）

株式公開計画なし

【本社】104-0045 東京都中央区築地1-3-7
☎03-3545-2661
建設

採用予定数	倍率	3年後離職率	平均年収
10名	‥	‥	‥

【特色】送電線に関する土木工事・鉄塔建設工事・架線工事などを全国展開。電力会社が主要顧客。静岡県に技術者育成の研修センター。11社でグループを形成し、環境、移動体通信、情報通信分野へ事業領域を拡大。ドローンの活用を積極推進。
【定着率】‥
【採用】【設立】1948.9【社長】内田哲也
23年 6【従業員】単270名(40.3歳)
24年 8【有休】‥日
25年 10【初任給】月24.2万(諸手当を除いた数値)
【試験種類】‥【各種制度】‥

【業績】	売上高	営業利益	経常利益	純利益
単22.9	8,545	562	561	389
単23.9	11,641	723	719	471

㈱協和日成（きょうわにっせい）

東証スタンダード

【本社】104-0042 東京都中央区入船3-8-5
☎03-6328-5600
建設

採用実績数	倍率	3年後離職率	平均年収
15名	‥	‥	662万円

【特色】東京ガスの指定工事会社として東京、神奈川、千葉、埼玉をカバーする建設工事会社。同社からの屋外配管工事と新築戸建て住宅の屋内配管工事が収益柱。給排水衛生設備工事など建築設備事業や、電気管路洞道埋設工事など電設・土木事業も展開。
【定着率】‥
【採用】【設立】1948.9【社長】川野茂
23年 22【従業員】単793名(45.0歳)
24年 15【有休】‥日
25年 微増【初任給】月22.5万(諸手当を除いた数値)
【試験種類】‥【各種制度】‥

【業績】	売上高	営業利益	経常利益	純利益
単23.3	34,472	1,141	1,338	933
単24.3	35,889	1,247	1,461	1,062

建装工業（けんそうこうぎょう）
株式公開計画なし

【本社】105-0003 東京都港区西新橋3-11-1 ☎03-3433-0501
建設

採用予定数	倍率	3年後離職率	平均年収
30名	‥	‥	‥

【特色】マンション大規模修繕を中心に塗装工事、土木リニューアル事業を展開。塗装は新築塗装、プラント塗装、電力・原子力塗装を手がける。マンションや構造物保全の土木などのリニューアル事業を強化。北海道から九州まで8支店7営業所展開。
【定着率】‥
【採用】 【設立】1954.4【社長】高橋修身
23年 21【従業員】単824名(46.4歳)
24年 32【有休】‥日
25年 30【初任給】月21.3万(諸手当を除いた数値)
【試験種類】‥【各種制度】‥

【業績】	売上高	営業利益	経常利益	純利益
単23.3	63,588	4,140	4,442	2,703
単24.3	64,760	4,401	4,662	2,803

㈱佐藤渡辺（さとうわたなべ）
東証スタンダード

【本社】106-8567 東京都港区南麻布1-18-4 ☎03-3453-7351
建設

採用予定数	倍率	3年後離職率	平均年収
20名	‥	‥	659万円

【特色】道路舗装工事の中堅で独立系。東日本を地盤とする旧渡辺組と、西日本に強みを持つ佐藤工業系の旧佐藤道路が合併。アスファルト合材も手がける。高圧ウォータージェット工法などに強みを持つ。子会社で機械のレンタル事業も展開。
【定着率】‥
【採用】 【設立】1938.12【社長】鎌田修治
23年 17【従業員】連552名 単497名(44.8歳)
24年 15【有休】‥日
25年 20【初任給】月24.2万(諸手当を除いた数値)
【試験種類】‥【各種制度】‥

【業績】	売上高	営業利益	経常利益	純利益
連23.3	34,656	616	709	446
連24.3	38,400	1,650	1,764	1,202

三光設備（さんこうせつび）
株式公開計画なし

【本社】104-0061 東京都中央区銀座2-11-17 ☎03-3524-3021
建設

採用実績数	倍率	3年後離職率	平均年収
5名	‥	‥	‥

【特色】電気・計装工事会社。三菱電機や三菱重工の重電・社会インフラ分野向けが中心。発電所・変電所設備や各種電気設備工事を施工。工事設計、エンジニアリングから機器・材料調達、工事施工、試験調整まで一貫して展開する。香港に支店。
【定着率】‥
【採用】 【設立】1953.4【社長】毛利俊也
23年 1【従業員】単262名(47.7歳)
24年 5【有休】‥日
25年 未定【初任給】月21.8万(諸手当を除いた数値)
【試験種類】‥【各種制度】‥

【業績】	売上高	営業利益	経常利益	純利益
単23.3	12,102	46	128	110
単24.3	13,900	201	247	152

三信建設工業（さんしんけんせつこうぎょう）
株式公開計画なし

【本社】111-0052 東京都台東区柳橋2-19-6 柳橋ファーストビル7階 ☎03-5825-3700
建設

採用予定数	倍率	3年後離職率	平均年収
若干	‥	‥	‥

【特色】土木基礎工事が主で、地盤処理技術を基軸とした特殊基礎土木に強い専門工事会社。地盤沈下や液状化を防止する地盤強化などで数多くの特許工法を持つ。海外は台湾、香港に支店。建機レンタル事業を中核とするアクティオHD傘下。
【定着率】‥
【採用】 【設立】1956.11【社長】山﨑淳一
23年 3【従業員】連194名 単194名(47.7歳)
24年 4【有休】‥日
25年 若干【初任給】月22.5万(諸手当を除いた数値)
【試験種類】‥【各種制度】‥

【業績】	売上高	営業利益	経常利益	純利益
連22.12	11,507	627	705	429
連23.12	12,267	751	817	595

㈱ダイキンアプライドシステムズ
株式公開計画なし

【本社】108-0075 東京都港区港南2-18-1 JR品川イーストビル16階 ☎03-6712-3020
建設

採用実績数	倍率	3年後離職率	平均年収
22名	‥	‥	‥

【特色】空調・冷熱技術が核の総合エンジニアリング会社。機器の開発・製造・販売からシステム設計、施工、保守サービスまで行う。24時間365日のサポート体制。エンジとサービス連携によるメンテ・保守で顧客の拡大狙う。ダイキン工業の完全子会社。
【定着率】‥
【採用】 【設立】1969.9【社長】三品孝
23年 18【従業員】単556名(41.6歳)
24年 22【有休】‥日
25年 未定【初任給】‥万
【試験種類】‥【各種制度】‥

【業績】	売上高	営業利益	経常利益	純利益
単23.3	39,892	2,788	2,795	1,919
単24.3	38,646	2,917	2,910	2,040

高山工業（たかやまこうぎょう）
株式公開計画なし

【本社】102-8170 東京都千代田区富士見1-11-21 ☎03-3265-5631
建設

採用実績数	倍率	3年後離職率	平均年収
1名	‥	‥	‥

【特色】防水工事・建築音響工事の施工会社。アスファルト防水、シート防水、塗膜防水のほか、屋上駐車場防水システムや緑化システム等も手がける。建築音響工事では、東京国際フォーラム、さいたまスーパーアリーナなど多くの実績を持つ。
【定着率】‥
【採用】 【設立】1942.2【社長】太田剛
23年 0【従業員】単51名(47.6歳)
24年 1【有休】‥日
25年 未定【初任給】月22.4万(諸手当を除いた数値)
【試験種類】‥【各種制度】‥

【業績】	売上高	営業利益	経常利益	純利益
単22.8	3,911	215	241	136
単23.8	4,127	184	223	578

㈱竹中土木（たけなかどぼく）

株式公開計画なし

【本社】136-8570 東京都江東区新砂1-1-1 ☎03-6810-6200
建設

採用予定数	倍率	3年後離職率	平均年収
50名	‥	‥	‥

【特色】ダム・トンネル・道路などの工種に対応する土木専業の建設会社。汚染土壌の浄化対策など環境関連事業や区画整理工事なども手がける。近年は再生可能エネルギー関連や環境関連工事に注力。海外はフィリピンに支店。竹中工務店グループ。
【定着率】‥
【採用】【設立】1941.6【社長】竹中祥悟
23年 38【従業員】単943名(44.6歳)
24年 39【有休】‥日
25年 50【初任給】月28万(諸手当を除いた数値)
【試験種類】‥【各種制度】‥

【業績】	売上高	営業利益	経常利益	純利益
単22.12	86,631	4,374	4,606	3,219
単23.12	87,767	4,620	5,094	3,176

立川ハウス工業（たちかわハウスこうぎょう）

株式公開未定

【本社】190-0012 東京都立川市曙町2-20-5 ☎042-525-5221
建設

採用予定数	倍率	3年後離職率	平均年収
4名	‥	‥	‥

【特色】プレハブハウス製造・販売・施工・リースが主な事業。重量鉄骨造や鉄筋コンクリート造にも幅広げる。警察、消防などの公共建築物に強い。製品の製造から納入、回収、再製品化まで一貫体制。営業エリアは首都圏と静岡。埼玉に工場を有する。
【定着率】‥
【採用】【設立】1965.4【社長】栗原徹也
23年 2【従業員】単95名(41.0歳)
24年 3【有休】‥日
25年 4【初任給】月23万(諸手当を除いた数値)
【試験種類】‥【各種制度】‥

【業績】	売上高	営業利益	経常利益	純利益
単23.3	4,735	453	514	240
単24.3	9,161	484	460	374

田中建設工業（たなかけんせつこうぎょう）

東証スタンダード

【本社】105-7309 東京都港区東新橋1-9-1 東京汐留ビルディング ☎03-6264-5520
建設

採用実績数	倍率	3年後離職率	平均年収
4名	‥	‥	701万円

【特色】首都圏を地盤に、建物の解体工事と関連する各種工事の施工管理に特化。協力会社を指導・監督して解体工事を施工。工事に伴うアスベスト・ダイオキシンなど有害汚染物質の除去や地下水浄化・土壌改良なども行う。民需が主体で元請け比率が高い。
【定着率】‥
【採用】【設立】1982.2【代表取締役】中尾安志
23年 4【従業員】単105名(43.7歳)
24年 4【有休】‥日
25年 未定【初任給】‥万
【試験種類】‥【各種制度】‥

【業績】	売上高	営業利益	経常利益	純利益
単23.3	11,246	1,560	1,600	1,086
単24.3	10,676	1,608	1,640	1,090

坪井工業（つぼいこうぎょう）

株式公開計画なし

【本社】104-0061 東京都中央区銀座2-9-17 ☎03-3563-1301
建設

採用予定数	倍率	3年後離職率	平均年収
12名	‥	‥	‥

【特色】建築工事、鉄道・土木工事、不動産、環境の4事業を展開する独立系中堅ゼネコン。官公庁、JFE、トヨタ、東京メトロ、小田急、相鉄、京成の各グループが主要顧客。関東圏中心に営業。環境事業の太陽光発電所は、設計から建築まで一貫して請負う。
【定着率】‥
【採用】【設立】1944.9【社長】坪井晴雅
23年 12【従業員】単310名(48.1歳)
24年 5【有休】‥日
25年 12【初任給】月28.2万
【試験種類】‥【各種制度】‥

【業績】	売上高	営業利益	経常利益	純利益
単22.10	40,161	440	720	423
単23.10	40,957	1,274	1,093	746

㈱テノックス

東証スタンダード

【本社】108-8380 東京都港区芝5-25-11 ☎03-3455-7758
建設

採用予定数	倍率	3年後離職率	平均年収
8名	‥	‥	745万円

【特色】建設基礎工事の専業大手。パイル工事、地盤改良工事、土留め工事などの施工が主体。テノコラム工法など多くの独自工法が強み。公共事業関連では鉄道や高速道路などが多く、民間は住宅、商業施設、物流倉庫、工場などの地盤改良工事が多い。海外はベトナムに拠点。
【定着率】‥
【採用】【設立】1970.7【社長】若尾直
23年 6【従業員】連336名 単211名(43.6歳)
24年 3【有休】‥日
25年 8【初任給】月23万(諸手当を除いた数値)
【試験種類】‥【各種制度】‥

【業績】	売上高	営業利益	経常利益	純利益
連23.3	18,317	653	694	482
連24.3	20,207	520	557	388

東京冷機工業（とうきょうれいきこうぎょう）

株式公開していない

【本社】113-0021 東京都文京区本駒込6-24-5 ☎03-3943-5551
建設

採用予定数	倍率	3年後離職率	平均年収
45名	‥	‥	‥

【特色】空調設備の施工・メンテナンスが主力。換気・除塵設備や冷凍・冷蔵設備のほかクリーンルームの施工なども手がける。首都圏中心に関東エリアに幅広い営業・サービス網を構築。調査・分析・コンサルから施工、保守・メンテナンスまで一貫体制。
【定着率】‥
【採用】【設立】1956.3【社長】吉田丈太朗
23年 29【従業員】単556名(40.0歳)
24年 25【有休】‥日
25年 45【初任給】月24.5万(諸手当を除いた数値)
【試験種類】‥【各種制度】‥

【業績】	売上高	営業利益	経常利益	純利益
単23.3	20,802	1,336	1,487	918
単24.3	21,795	1,188	1,519	965

東洋テクノ（とうようテクノ）

株式公開 いずれしたい

【本社】150-0012 東京都渋谷区広尾5-4-12 ☎03-3444-2141
建設

採用予定数	倍率	3年後離職率	平均年収
10名	‥	‥	‥

【特色】建築や土木の基礎工事が主力の建設会社。場所打ち杭工事、既製杭工事、煙突サイロ工事などを手がける。大型煙突設計施工の分野で定評。設計から施工管理、調査、補修まで一貫して請け負う。北海道から福岡まで支店を配置。
【定着率】‥
【採用】 【設立】1949.7 【社長】渡邉芳春
23年 4【従業員】単205名(45.7歳)
24年 4【有休】‥日
25年 10【初任給】月26万
【試験種類】‥【各種制度】‥

【業績】	売上高	営業利益	経常利益	純利益
単22.9	17,190	1,181	1,249	935
単23.9	22,868	2,463	2,474	1,818

㈱ドラフト

東証 グロース

【本社】107-0062 東京都港区南青山5-6-19 ☎03-5412-1001
建設

採用予定数	倍率	3年後離職率	平均年収
10名	‥	‥	596万円

【特色】オフィスや商業施設、都市開発などの空間設計・施工の大手。オフィスデザインの先駆け。顧客にはJR東日本やKDDI、サイバーエージェントなどの大手企業も。オリジナルオフィス家具の販売も手がける。大阪と福岡にオフィスを構える。
【定着率】‥
【採用】 【設立】2008.4 【代表取締役】山下泰樹
23年 17【従業員】連201名 単162名(33.0歳)
24年 20【有休】‥日
25年 10【初任給】月24万(諸手当を除いた数値)
【試験種類】‥【各種制度】‥

【業績】	売上高	営業利益	経常利益	純利益
連22.12	8,287	108	87	21
連23.12	10,702	870	848	516

㈱ナカボーテック

東証 スタンダード

【本社】104-0033 東京都中央区新川1-17-21 茅場町ファーストビル ☎03-5541-5801
建設

採用予定数	倍率	3年後離職率	平均年収
10名	‥	‥	862万円

【特色】鉄鋼構造物などの腐食を抑える防食専業のエンジニアリング会社で業界首位。需要先は岸壁、港湾施設が中心で、水道・ガスなどの地中施設も多く、海外でも実績豊富。RC(鉄筋コンクリート)防食など新事業を育成中。海生生物付着防止装置の拡大に注力。
【定着率】‥
【採用】 【設立】1951.8 【社長】木村浩
23年 7【従業員】単277名(41.9歳)
24年 10【有休】‥日
25年 10【初任給】月23.5万(諸手当を除いた数値)
【試験種類】‥【各種制度】‥

【業績】	売上高	営業利益	経常利益	純利益
単23.3	14,158	1,246	1,273	899
単24.3	13,780	1,176	1,204	834

日本建設（にほんけんせつ）

株式公開 していない

【本社】102-0076 東京都千代田区五番町14 ☎03-3265-3211
建設

採用予定数	倍率	3年後離職率	平均年収
未定	‥	‥	‥

【特色】清水建設グループの中堅ゼネコン。首都圏が主な地盤。建築工事の設計・監理、工事請負、不動産売買・管理など手がける。オフィスビル、集合住宅、商業施設、医療・福祉施設、教育・文化施設などに実績多い。1926年不動産管理会社として創業。
【定着率】‥
【採用】 【設立】1947.2 【社長】田和英夫
23年 ‥【従業員】単168名(‥歳)
24年 ‥【有休】‥日
25年 未定【初任給】‥万
【試験種類】‥【各種制度】‥

【業績】	売上高	営業利益	経常利益	純利益
単23.3	14,113	1,399	1,420	908
単24.3	17,602	1,628	1,645	1,068

日本建設工業（にほんけんせつこうぎょう）

株式公開 計画なし

【本社】104-0052 東京都中央区月島4-12-5 ☎03-3532-7151
建設

採用実績数	倍率	3年後離職率	平均年収
4名	‥	‥	‥

【特色】火力・原子力発電プラントの建設とメンテナンスが柱の総合エンジニアリング会社。原発は再稼働に向けた補修が中心。事業用発電のほか自家発電設備も手がける。コンバインドサイクル発電プラントに注力。三菱重工系列。
【定着率】‥
【採用】 【設立】1945.5 【社長】山﨑智彦
23年 10【従業員】単508名(‥歳)
24年 4【有休】‥日
25年 未定【初任給】月21.9万(諸手当を除いた数値)
【試験種類】‥【各種制度】‥

【業績】	売上高	営業利益	経常利益	純利益
単23.3	30,760	6,175	6,520	4,811
単24.3	33,597	5,236	5,265	3,782

㈱日立プラントサービス（ひたち）

株式公開 計画なし

【本社】170-6034 東京都豊島区東池袋3-1-1 サンシャイン60 34階 ☎03-6386-3001
建設

採用予定数	倍率	3年後離職率	平均年収
52名	‥	‥	‥

【特色】クリーンルームをはじめ、ビル空調、冷凍、集塵、水処理などの機械装置の設計・施工・保守が主要事業。工場のスマート化などのITソリューションも手がける。空調・産業プラント、水処理設備に関する研究開発拠点を置く。日立製作所のグループ会社。
【定着率】‥
【採用】 【設立】1964.9 【社長】風間裕介
23年 44【従業員】単1,437名(46.4歳)
24年 32【有休】‥日
25年 52【初任給】月25万(諸手当を除いた数値)
【試験種類】‥【各種制度】‥

【業績】	売上高	営業利益	経常利益	純利益
単23.3	107,086	11,049	11,099	6,371
単24.3	122,433	13,455	13,439	8,859

㈱フィル・カンパニー
東証スタンダード

【本社】104-0045 東京都中央区築地3-1-12
☎03-6264-1100
建設

採用予定数	倍率	3年後離職率	平均年収
未定	‥	‥	645万円

【特色】コインパーキング上部空間に2～3階建て貸店舗などを企画・提案・施工・建設する。デザイン性の良さ、建築基準法など法令をクリアする企画力、早期投資回収が可能なスキームに強み。ガレージ付賃貸住宅も手がける。設計・施工子会社を持つ。
【定着率】‥
【採用】　【設立】2005.6【社長】金子麻理
23年　6【従業員】連73名 単‥名(34.3歳)
24年　‥【有休】‥日
25年　未定【初任給】‥万
【試験種類】‥【各種制度】‥

【業績】	売上高	営業利益	経常利益	純利益
連22.11	4,378	169	200	142
連23.11	5,963	214	135	38

㈱フソウ
株式公開検討中

【本社】103-0022 東京都中央区日本橋室町2-3-1
☎03-6880-2110
建設

採用予定数	倍率	3年後離職率	平均年収
20名	‥	‥	‥

【特色】上下水道に関するプラント設計から施工、維持管理、運転管理まで一貫提供。水インフラ向け資機材の販売、鋼板製異形管の製造なども行う。北海道から沖縄まで全国に営業ネットワークを構築。香川県高松市に本店と工場、研究所を置く。
【定着率】‥
【採用】　【設立】1946.8【社長】角尚宣
23年　26【従業員】単687名(43.0歳)
24年　15【有休】‥日
25年　20【初任給】月23万(諸手当を除いた数値)
【試験種類】‥【各種制度】‥

【業績】	売上高	営業利益	経常利益	純利益
単23.3	47,086	1,388	1,507	909
単24.3	47,349	949	3,066	2,706

向井建設（むかいけんせつ）
株式公開計画なし

【本社】101-0041 東京都千代田区神田須田町2-8-1
☎03-3257-1301
建設

採用実績数	倍率	3年後離職率	平均年収
40名	‥	‥	‥

【特色】関東、東北など東日本地盤の躯体工事専門業者。祖業の鳶に加え、土木、コンクリート工事を専門とする建築工事が主な事業。鉄道、地下鉄、高速道路など都市土木工事や機械土工事も展開。グループ会社でリサイクルセンター、耐震補強・リニューアルを行う。
【定着率】‥
【採用】　【設立】1951.1【社長】遠藤和彦
23年　20【従業員】単654名(40.0歳)
24年　40【有休】‥日
25年　未定【初任給】月24万(諸手当を除いた数値)
【試験種類】‥【各種制度】‥

【業績】	売上高	営業利益	経常利益	純利益
単22.9	31,547	1,437	1,756	965
単23.9	32,385	1,229	1,727	858

レンドリース・ジャパン
株式公開計画なし

【本社】106-0032 東京都港区六本木7-7-7 TRI-SEVEN ROPPONGI7階
☎03-5414-1870
建設

採用実績数	倍率	3年後離職率	平均年収
0名	‥	‥	‥

【特色】不動産投資・開発、建設プロジェクトマネジメント、テレコム・インフラの3分野を手がける。豪レンドリースグループの日本法人。1855年ロンドンで創業した建設会社ボヴィス社が源流。不動産投資・開発事業の規模拡大に取り組む。
【定着率】‥
【採用】　【設立】1996.11【社長】A．ガウチ
23年　0【従業員】単262名(44.0歳)
24年　0【有休】‥日
25年　0【初任給】‥万
【試験種類】‥【各種制度】‥

【業績】	売上高	営業利益	経常利益	純利益
単22.6	7,379	‥	1,130	788
単23.6	6,273	‥	458	314

㈱石井鐵工所（いしいてっこうしょ）
東証スタンダード

【本社】104-0052 東京都中央区月島3-26-11
☎03-4455-2500
建設

採用予定数	倍率	3年後離職率	平均年収
10名	‥	‥	564万円

【特色】石油やLPGなどのタンクの設計・製作・据付を行うエンジニアリング会社。大型石油タンクに強み。国内は新設案件、メンテナンスが中心で、需要が大きい東南アジア中心に海外市場開拓を推進。工場跡地の不動産賃貸が収益柱。
【定着率】‥
【採用】　【設立】1919.11【社長】石井宏明
23年　6【従業員】連141名 単141名(38.0歳)
24年　6【有休】‥日
25年　10【初任給】月22.5万(諸手当を除いた数値)
【試験種類】‥【各種制度】‥

【業績】	売上高	営業利益	経常利益	純利益
連23.3	11,121	1,066	1,107	717
連24.3	9,972	1,482	1,698	1,197

岩井機械工業（いわいきかいこうぎょう）
株式公開計画なし

【本社】144-0033 東京都大田区東糀谷3-17-10
☎03-3744-1119
建設

採用予定数	倍率	3年後離職率	平均年収
10名	‥	‥	‥

【特色】乳業、飲料、食品、医薬のプラントエンジニアリング会社。熱交換器、滅菌・殺菌装置やバルブ、溶解・調合システムなどを手がける。殺菌、洗浄、制御を技術の柱とする。中国・昆山、ベトナム、台湾、タイ、インドネシアに現法。国内初の牛乳分離機製造で創業。
【定着率】‥
【採用】　【設立】1957.12【社長】山口雄二
23年　15【従業員】単397名(‥歳)
24年　18【有休】‥日
25年　10【初任給】月22.4万(諸手当を除いた数値)
【試験種類】‥【各種制度】‥

【業績】	売上高	営業利益	経常利益	純利益
単23.3	23,491	‥	3,147	2,239
単24.3	25,542	‥	2,736	1,918

王子エンジニアリング（おうじ）
株式公開計画なし

【本社】104-0061 東京都中央区銀座4-7-5 王子ホールディングス本館10階 ☎03-6311-5400
建設

採用予定数	倍率	3年後離職率	平均年収
16名	‥	‥	‥

【特色】紙パルプ・産業機械設備、資源・環境機器などの設計、製作、工事、保守点検まで行う総合エンジニアリング会社。排水処理や再生可能エネルギー分野のほか、空調設備に対する省エネ工事施工も手がける。王子HDの完全子会社。
【定着率】‥
【採用】 【設立】1964.10【社長】村田英司
23年 6【従業員】単309名（47.2歳）
24年 2【有休】‥日
25年 16【初任給】月21.4万（諸手当を除いた数値）
【試験種類】‥【各種制度】‥

【業績】	売上高	営業利益	経常利益	純利益
単23.3	11,789	205	635	554
単24.3	10,940	16	145	122

神田通信機（かんだつうしんき）
東証スタンダード

【本社】101-0043 東京都千代田区神田富山町24 ☎03-3252-7731
建設

採用予定数	倍率	3年後離職率	平均年収
15名	‥	‥	675万円

【特色】通信関連工事主体。ビル設備一元管理システム「マルチゲートウェイ」のほか、情報通信、業務効率化、セキュリティーなどのソリューションを提供。国際規格「DALI」に準拠した照明制御システムの設計・販売・施工も手がける。
【定着率】‥
【採用】 【設立】1947.9【社長】神部雅人
23年 12【従業員】連250名 単214名（44.0歳）
24年 6【有休】‥日
25年 15【初任給】月21.5万（諸手当を除いた数値）
【試験種類】‥【各種制度】‥

【業績】	売上高	営業利益	経常利益	純利益
連23.3	5,978	483	559	383
連24.3	7,152	721	804	545

㈱弘電社（こうでんしゃ）
東証スタンダード

【本社】104-0061 東京都中央区銀座5-11-10 ☎03-3542-5111
建設

採用予定数	倍率	3年後離職率	平均年収
25名	‥	‥	680万円

【特色】三菱電機系の設備工事会社。三菱電機依存度は約2割。発電所・変電所や送電線などの維持・改善のほか、オフィスビル、集合住宅、工場、病院などの電気設備設置・改修・保全を行う。三菱電機の代理店として住宅設備機器、冷熱住設機器等などの販売も。
【定着率】‥
【採用】 【設立】1917.6【代表取締役】梶川裕司
23年 13【従業員】連695名 単618名（45.4歳）
24年 20【有休】‥日
25年 25【初任給】月23.7万（諸手当を除いた数値）
【試験種類】‥【各種制度】‥

【業績】	売上高	営業利益	経常利益	純利益
連23.3	33,557	682	856	556
連24.3	34,868	1,156	1,292	899

㈱東京エネシス（とうきょう）
東証プライム

【本社】103-0025 東京都中央区日本橋茅場町1-3-1 ☎03-6371-1947
建設

採用予定数	倍率	3年後離職率	平均年収
50名	‥	‥	783万円

【特色】火力・原子力発電所などの建設と保守が主な事業。東京電力グループ関連が多く、福島第一原発の廃止措置業務も受注。大型火力発電設備、コージェネレーション設備に加え、太陽光発電やバイオマス発電など再生エネルギー関連の工事・運転保守も手がける。
【定着率】‥
【採用】 【設立】1947.8【社長】眞島俊昭
23年 19【従業員】連1,563名 単1,308名（46.8歳）
24年 37【有休】‥日
25年 50【初任給】月22.5万（諸手当を除いた数値）
【試験種類】‥【各種制度】‥

【業績】	売上高	営業利益	経常利益	純利益
連23.3	79,055	3,458	2,770	2,120
連24.3	88,467	3,959	5,212	2,960

㈱環境管理センター（かんきょうかんり）
東証スタンダード

【本社】193-0832 東京都八王子市散田町3-7-23 ☎042-673-0500
建設

採用予定数	倍率	3年後離職率	平均年収
10名	‥	‥	493万円

【特色】首都圏地盤の環境総合コンサルティング会社。多摩川河川水の分析業務が祖業で、ダイオキシンやPM2・5など超微量化学物質分析に強み。アスベスト、放射能測定も行う。主力は土地売買、再開発に伴う土壌・地下水汚染状況の調査。ベトナム、中国に海外拠点。
【定着率】‥
【採用】 【設立】1971.7【社長】水落憲吾
23年 7【従業員】連305名 単270名（41.4歳）
24年 9【有休】‥日
25年 10【初任給】月20万（諸手当を除いた数値）
【試験種類】‥【各種制度】‥

【業績】	売上高	営業利益	経常利益	純利益
連23.6	5,343	52	50	▲41
連24.6	5,594	329	326	218

アグレ都市デザイン（とし）
東証スタンダード

【本社】163-0231 東京都新宿区西新宿2-6-1 新宿住友ビル ☎03-6258-0035
住宅・マンション

採用実績数	倍率	3年後離職率	平均年収
4名	‥	‥	‥

【特色】東京・神奈川を中心にデザイン性を高めた中価格帯の戸建て分譲住宅を展開。千葉、埼玉へも進出。主力ブランドは「アグレシオ」。近年では製販一貫体制による自社販売を強化。収益マンション、商業用ビル用地などの事業に注力。
【定着率】‥
【採用】 【設立】2009.4【社長】大林竜一
23年 6【従業員】連134名 単132名（36.2歳）
24年 4【有休】‥日
25年 前年並【初任給】月19.5万（諸手当を除いた数値）
【試験種類】‥【各種制度】‥

【業績】	売上高	営業利益	経常利益	純利益
単23.3	25,849	2,064	1,871	1,291
連24.3	27,605	1,610	1,292	873

㈱コスモスイニシア
東証スタンダード

【本社】108-8416 東京都港区芝5-34-6 新田町ビル ☎03-3571-1111
住宅・マンション

採用予定数	倍率	3年後離職率	平均年収
30名	‥	‥	706万円

【特色】マンション中堅。新築マンションや戸建ての開発・販売事業を手がける。新築マンション、リノベーションマンションを「イニシア」ブランドで展開。投資用不動産販売、不動産賃貸管理、訪日客用ホテル開発なども行う。大和ハウス工業の傘下。
【定着率】‥
【採用】【設立】1969.6【社長】髙智亮大朗
23年 22【従業員】単649名(38.3歳)
24年 35【有休】‥日
25年 30【初任給】月24.5万(諸手当を除いた数値)
【試験種類】‥【各種制度】‥

【業績】	売上高	営業利益	経常利益	純利益
連23.3	123,374	4,924	4,469	3,524
連24.3	124,588	7,422	6,681	4,278

㈱THEグローバル社
東証スタンダード

【本社】163-0818 東京都新宿区西新宿2-4-1 ☎03-3345-6111
住宅・マンション

採用実績数	倍率	3年後離職率	平均年収
4名	‥	‥	834万円

【特色】首都圏を地盤に分譲マンション、投資用マンションの開発・販売を展開。戸建て事業や不動産の販売代理事業も行う。インバウンド需要の高い京都や東京で、ホテルの開発・販売・運営も展開。SBIホールディングス傘下。
【定着率】‥
【グループ採用】【設立】2010.7【社長】岡田圭司
23年 7【従業員】連143名 単69名(41.4歳)
24年 4【有休】‥日
25年 未定【初任給】月22.5万(諸手当を除いた数値)
【試験種類】‥【各種制度】‥

【業績】	売上高	営業利益	経常利益	純利益
連23.6	42,393	2,205	1,566	1,746
連24.6	27,037	1,757	3,079	2,714

㈱佐藤秀(さとうひで)
株式公開計画なし

【本社】160-8433 東京都新宿区新宿5-6-11 ☎03-3225-0310
住宅・マンション

採用予定数	倍率	3年後離職率	平均年収
6名	‥	‥	‥

【特色】集合住宅、戸建住宅、オフィスビルから神社仏閣まで幅広く手がける建築主体の総合建設会社。創業理念の顧客本位、品質重視が社是。自社開発の分譲マンション事業も展開し、収益力強化を進める。1929年に建築家の佐藤秀三氏が創業。大成建設グループ。
【定着率】‥
【採用】【設立】1948.5【代表取締役】村野忠男
23年 5【従業員】単189名(45.3歳)
24年 8【有休】‥日
25年 6【初任給】月23万(諸手当を除いた数値)
【試験種類】‥【各種制度】‥

【業績】	売上高	営業利益	経常利益	純利益
単23.3	14,826	444	534	334
単24.3	16,647	775	863	553

生和コーポレーション 東日本本社
株式公開計画なし

【本社】101-0063 東京都千代田区神田淡路町1-3 ☎03-3257-1777
住宅・マンション

採用実績数	倍率	3年後離職率	平均年収
97名	‥	‥	‥

【特色】アパート、マンション、貸店舗などの土地活用事業を、建築から仲介、管理までトータルサポート。企業保有不動産の活用も提案。首都圏中心に名古屋以東が営業圏。西日本エリアは生和コーポレーション西日本本社が担当。創業以来、無借金が続く。
【定着率】‥
【採用】【設立】1984.8【社長】黒田英之
23年 62【従業員】単756名(38.7歳)
24年 97【有休】‥日
25年 未定【初任給】月26万
【試験種類】‥【各種制度】‥

【業績】	売上高	営業利益	経常利益	純利益
単23.3	47,356	2,640	2,766	1,711
単24.3	59,629	2,450	2,618	1,642

タマホーム
東証プライム

【本社】108-0074 東京都港区高輪3-22-9 タマホーム本社ビル ☎03-6408-1200
住宅・マンション

採用実績数	倍率	3年後離職率	平均年収
103名	‥	‥	777万円

【特色】ローコスト系の注文住宅建設会社。ロードサイド型の独立型店舗を展開し、テレビCMなど大々的な広告宣伝により集客を図る。首都圏および地方中核都市での戸建て分譲を強化。住宅事業を軸にマンション分譲、オフィスの区分販売など周辺事業にも進出。
【定着率】‥
【採用】【設立】1998.6【社長】玉木伸弥
23年 130【従業員】連3,420名 単3,236名(41.1歳)
24年 103【有休】‥日
25年 未定【初任給】月21万(諸手当を除いた数値)
【試験種類】‥【各種制度】‥

【業績】	売上高	営業利益	経常利益	純利益
連23.5	256,065	13,264	13,477	8,715
連24.5	247,733	12,586	12,877	8,752

㈱日本エスコン(にほん)
東証プライム

【東京本社】105-0001 東京都港区虎ノ門2-10-4 オークラプレステージタワー ☎03-6230-9303
住宅・マンション

採用予定数	倍率	3年後離職率	平均年収
30名	‥	‥	667万円

【特色】5大都市圏を中心に不動産販売を展開。「レ・ジェイド」「グラン レ・ジェイド」ブランドの分譲マンションを主軸に、商業施設やホテルの開発・運営のほか、不動産賃貸、不動産企画仲介コンサルと事業領域を拡大。中部電力の子会社。
【定着率】‥
【採用】【設立】1995.4【社長】伊藤貴俊
23年 22【従業員】連475名 単314名(40.6歳)
24年 27【有休】‥日
25年 30【初任給】‥万
【試験種類】‥【各種制度】‥

【業績】	売上高	営業利益	経常利益	純利益
連22.12	99,431	15,492	14,012	7,250
連24.3変	118,861	19,074	16,585	10,050

ＭＩＲＡＲＴＨホールディングス
東証 プライム

【本社】100-0005 東京都千代田区丸の内1-8-2 鉄鋼ビルディング ☎03-6551-2125
住宅・マンション

採用実績数	倍率	3年後離職率	平均年収
46名	‥	‥	779万円

【特色】中堅デベロッパーのタカラレーベンを中核会社とする持株会社。マンションは「レーベン」「ネベル」ブランドで企画・販売する。地方大都市の物件が半分弱。中古買い取り再販や賃貸マンション開発も手がける。太陽光発電が主体の再生エネルギー事業を育成。
【定着率】‥
【タカラレーベン採用】【設立】1972.9【代表取締役】島田和一
23年 63【従業員】連1,377名 単38名(38.1歳)
24年 46【有休】‥日
25年 前年並【初任給】月22.2万(諸手当を除いた数値)
【試験種類】‥【各種制度】‥

【業績】	売上高	営業利益	経常利益	純利益
連23.3	153,472	7,030	5,033	4,584
連24.3	185,194	15,457	12,984	8,178

㈱明豊（めいほう）エンタープライズ
東証 スタンダード

【本社】153-0063 東京都目黒区目黒2-10-11 目黒山手プレイス ☎03-5434-7650
住宅・マンション

採用予定数	倍率	3年後離職率	平均年収
3名	‥	‥	787万円

【特色】東京西南部地盤の不動産デベロッパー。投資用賃貸住宅の施工・販売が主軸で、賃貸マンション「エルファーロ」、スペイン南部の観光地をモチーフにした賃貸アパート「ミハス」のブランドで展開。不動産再生・再販も展開。子会社で不動産仲介、賃貸管理、請負工事も手がける。
【定着率】‥
【採用】【設立】1968.9【会長兼社長】矢吹満
23年 3【従業員】連130名 単43名(34.2歳)
24年 6【有休】‥日
25年 3【初任給】月23.5万(諸手当を除いた数値)
【試験種類】‥【各種制度】‥

【業績】	売上高	営業利益	経常利益	純利益
連23.7	15,247	1,304	968	637
連24.7	20,562	2,341	1,895	1,375

㈱アーバネットコーポレーション
東証 スタンダード

【本社】100-6035 東京都千代田区霞が関3-2-5 霞が関ビルディング ☎03-6550-9160
住宅・マンション

採用予定数	倍率	3年後離職率	平均年収
若干	‥	‥	881万円

【特色】投資用ワンルームマンションの中堅会社。デザイン性や芸術性を重視した「アジール」シリーズを中心に展開。東京23区内で駅近立地を開発。投資家やファンド向けに1棟一括で直接販売も行う。コンパクト、ファミリータイプにも展開図り、ホテル事業にも参入。
【定着率】‥
【採用】【設立】1997.7【社長】田中敦
23年 2【従業員】連73名 単42名(40.9歳)
24年 1【有休】‥日
25年 若干【初任給】月25万(諸手当を除いた数値)
【試験種類】‥【各種制度】‥

【業績】	売上高	営業利益	経常利益	純利益
連23.6	20,264	2,429	2,139	1,447
連24.6	27,965	2,726	2,426	1,701

ＡＰＡＭＡＮ
株式公開 —

【本社】100-0005 東京都千代田区丸の内1-8-1 丸の内トラストタワーN館 ☎0570-058-889
住宅・マンション

採用予定数	倍率	3年後離職率	平均年収
30名	‥	‥	486万円

【特色】不動産賃貸仲介と賃貸管理・サブリースが柱。賃貸仲介は「アパマンショップ」をFC展開。仲介店舗数は1000店超と国内最大手。オフィスや自転車、スタートアップ企業のマッチングなどシェアリング事業や借り上げ社宅サブリースを育成。
【定着率】‥
【グループ採用】【設立】1999.10【社長】大村浩次
23年 16【従業員】連1,065名 単51名(41.8歳)
24年 13【有休】‥日
25年 30【初任給】‥万
【試験種類】‥【各種制度】‥

【業績】	売上高	営業利益	経常利益	純利益
連22.9	44,926	1,893	1,419	262
連23.9	45,785	2,042	1,312	573

㈱アンビシャス
株式公開 いずれしたい

【本社】160-0004 東京都新宿区四谷4-28-8 ☎03-6626-1410
住宅・マンション

採用予定数	倍率	3年後離職率	平均年収
未定	‥	‥	‥

【特色】首都圏郊外中心に自社ブランド「アンビシャス」マンションの分譲や、新築分譲マンションの買取再販事業などを展開。中古・リノベーションも手がける。女性目線を大切にした設計や独自商品とサービスの提供に注力。取り扱い不動産および取引業態を拡大。
【定着率】‥
【採用】【設立】2004.7【社長】安倍徹夫
23年 3【従業員】単17名(41.7歳)
24年 0【有休】‥日
25年 未定【初任給】月30.6万
【試験種類】‥【各種制度】‥

【業績】	売上高	営業利益	経常利益	純利益
単22.3	2,877	‥	▲204	▲134
単23.9変	2,889	‥	▲485	▲485

㈱アンビション ＤＸ ホールディングス
東証 グロース

【本社】150-0013 東京都渋谷区恵比寿4-20-3 恵比寿ガーデンプレイスタワー ☎03-6632-3700
住宅・マンション

採用予定数	倍率	3年後離職率	平均年収
37名	‥	‥	487万円

【特色】東京23区中心に家賃保証付きで借り上げた居住用不動産を転貸するサブリースが主力。若年層向けのデザイナーズなどワンルームマンションが中心。投資用マンションの開発や小口化商品販売、賃貸仲介も手がける。不動産DXは社内・外で開発を推進。
【定着率】‥
【グループ採用】【設立】2007.9【社長】清水剛
23年 38【従業員】連356名 単154名(34.0歳)
24年 35【有休】‥日
25年 37【初任給】月24万(諸手当を除いた数値)
【試験種類】‥【各種制度】‥

【業績】	売上高	営業利益	経常利益	純利益
連23.6	36,239	1,603	1,482	961
連24.6	42,065	2,726	2,507	1,638

ＳＲＥホールディングス
東証プライム

【本社】107-0052 東京都港区赤坂1-8-1 赤坂インターシティ AIR ☎03-6274-6550
住宅・マンション

採用実績数	倍率	3年後離職率	平均年収
20名	‥	‥	691万円

【特色】AIシステム開発と不動産仲介・開発が2本柱。AIは不動産価格査定などをクラウドサービスとして提供。また金融やヘルスケア向け業務支援型クラウドツールなど事業領域の拡大に意欲的。不動産事業はAI価格査定などを織り交ぜた仲介を展開。
【定着率】‥
【採用】【設立】2014.4【社長】西山和良
23年 10【従業員】連318名 単146名(37.3歳)
24年 20【有休】‥日
25年 未定【初任給】‥万
【試験種類】‥【各種制度】‥

【業績】	売上高	営業利益	経常利益	純利益
連23.3	18,541	1,686	1,540	1,148
連24.3	24,218	2,212	2,058	1,388

エムティジェネックス
東証スタンダード

【本社】105-0001 東京都港区虎ノ門5-13-1 虎ノ門40MTビル ☎03-5405-4011
住宅・マンション

採用実績数	倍率	3年後離職率	平均年収
2名	‥	‥	620万円

【特色】森トラスト所有ビルの入居企業へのリニューアルや内装工事が主力。外構工事などの建築、小規模事務所ビル管理、月極・時間貸し駐車場管理など不動産運営管理も手がける。衛生消耗品販売や電気設備保守事業、保険代理業を併営。
【定着率】‥
【採用】【設立】1961.9【社長】鈴木均
23年 0【従業員】連138名 単33名(47.5歳)
24年 2【有休】‥日
25年 未定【初任給】月23万(諸手当を除いた数値)
【試験種類】‥【各種制度】‥

【業績】	売上高	営業利益	経常利益	純利益
連23.3	3,263	364	382	241
連24.3	3,790	438	452	277

㈱ＪＰＭＣ
東証プライム

【本社】100-0005 東京都千代田区丸の内3-4-2 新日石ビルヂング ☎050-1748-1145
住宅・マンション

採用予定数	倍率	3年後離職率	平均年収
30名	‥	‥	502万円

【特色】賃貸住宅をオーナーから一括して借り上げ入居者へ転貸する専門会社。地方中心に全国展開。独自の収益分配型サブリース契約で継続的な収益を得る。建築やリフォーム、物件管理はパートナー会社に委託。M&Aも積極姿勢。外国人就労者向け住宅提供も。
【定着率】‥
【採用】【設立】2002.6【代表取締役】武藤英明
23年 ‥【従業員】連404名 単305名(32.2歳)
24年 19【有休】‥日
25年 30【初任給】月22.5万(諸手当を除いた数値)
【試験種類】‥【各種制度】‥

【業績】	売上高	営業利益	経常利益	純利益
連22.12	56,227	2,387	2,401	1,590
連23.12	57,353	2,576	2,583	1,817

東急住宅リース（とうきゅうじゅうたく）
株式公開していない

【本社】105-0022 東京都港区海岸1-2-20 汐留ビルディング6階 ☎03-6890-3600
住宅・マンション

採用予定数	倍率	3年後離職率	平均年収
未定	‥	‥	‥

【特色】東急不動産HD傘下の主要事業会社5社の一角。グループの賃貸住宅事業3社が統合して発足。賃貸住宅の管理・運営を首都圏と関西圏、名古屋、福岡で展開。管理戸数は約14万戸弱。カーシェアサービスでタイムズ24と提携。
【定着率】‥
【採用】【設立】2014.4【社長】橋本茂
23年 ‥【従業員】単‥名(‥歳)
24年 ‥【有休】‥日
25年 未定【初任給】‥万
【試験種類】‥【各種制度】‥

【業績】	売上高	営業利益	経常利益	純利益
単23.3	67,282	3,374	3,766	2,514
単24.3	70,804	2,768	3,132	2,138

㈱トーシンパートナーズ
株式公開計画なし

【本社】180-0004 東京都武蔵野市吉祥寺本町1-33-5 ☎0422-21-1040
住宅・マンション

採用実績数	倍率	3年後離職率	平均年収
30名	‥	‥	‥

【特色】収益用不動産の開発・販売が主力事業。投資用賃貸ワンルームマンションで高シェア。東京都心部の好立地エリアを中心に、単身者向けマンション「ZOOM」シリーズを展開。オウンドメディアによる情報提供やアプリサービスにも取り組む。
【定着率】‥
【採用】【設立】1989.2【社長】千代谷直之
23年 25【従業員】単372名(‥歳)
24年 30【有休】‥日
25年 未定【初任給】‥万
【試験種類】‥【各種制度】‥

【業績】	売上高	営業利益	経常利益	純利益
単23.10	25,086	1,479	1,169	758

従業員数はグループ計

㈱日神グループホールディングス
東証プライム

【本社】160-8411 東京都新宿区新宿5-8-1 ☎03-5360-2016
住宅・マンション

採用実績数	倍率	3年後離職率	平均年収
40名	‥	‥	545万円

【特色】首都圏中心にマンション分譲を展開する持株会社。ファミリー向け「パレステージ」と単身者・DINKs(子供のいない共働き夫婦)向け「デュオステージ」を展開。機関投資家向け1棟売りや中古マンションの買取再販も手がける。傘下の多田建設で建設事業も。
【定着率】‥
【グループ採用】【設立】1975.3【社長】神山隆志
23年 38【従業員】連721名 単8名(43.8歳)
24年 40【有休】‥日
25年 前年並【初任給】月24万(諸手当を除いた数値)
【試験種類】‥【各種制度】‥

【業績】	売上高	営業利益	経常利益	純利益
連23.3	82,348	4,194	4,055	2,763
連24.3	81,023	3,579	3,279	2,163

㈱長谷工アーベスト（はせこう）

株式公開 未定

【本社】105-8545 東京都港区芝2-6-1 ☎03-5440-5800
住宅・マンション

採用実績数	倍率	3年後離職率	平均年収
24名	‥	‥	‥

【特色】長谷工グループの住宅販売部門。3大都市圏および地方中核都市で新築マンションを受託販売。マンション販売取り扱い実績は累計40万戸超で業界トップ級。総戸数1000戸以上の大規模物件の販売にも対応。戸建て販売も手がける。
【定着率】‥
【採用】 【設立】1983.6【社長】小田嶋哲利
23年 30【従業員】単725名(44.7歳)
24年 24【有休】‥日
25年 未定【初任給】月25万(諸手当を除いた数値)
【試験種類】‥【各種制度】‥

【業績】	売上高	営業利益	経常利益	純利益
単23.3	11,078	3,229	3,460	2,418
単24.3	12,691	4,278	4,502	3,099

三井不動産レジデンシャルリース

株式公開 計画なし

【本社】163-0405 東京都新宿区西新宿2-1-1 新宿三井ビル ☎03-5381-1031
住宅・マンション

採用予定数	倍率	3年後離職率	平均年収
30名	‥	‥	‥

【特色】「三井の賃貸」ブランドでプロパティマネジメントサービスを提供。サブリース・業務受託実績8万3762戸(24年3月末)。首都圏で強みを発揮、1986年の設立から連続増収続く。子会社でマンション契約者に連帯保証サービスを提供。
【定着率】‥
【採用】 【設立】1986.4【社長】井上純
23年 20【従業員】単690名(38.0歳)
24年 24【有休】‥日
25年 30【初任給】月24万(諸手当を除いた数値)
【試験種類】‥【各種制度】‥

【業績】	売上高	営業利益	経常利益	純利益
単23.3	101,080	6,294	6,759	4,811
単24.3	107,376	7,184	7,668	5,535

三菱UFJ不動産販売（みつびしふどうさんはんばい）

株式公開 計画なし

【本社】101-0051 東京都千代田区神田神保町2-1 岩波神保町ビル ☎03-3237-3761
住宅・マンション

採用予定数	倍率	3年後離職率	平均年収
55名	‥	‥	‥

【特色】三菱UFJフィナンシャルグループの総合不動産流通会社。顧客の課題解決に応じた資産購入・売却・活用など不動産仲介業務を核に、金融グループの特性を活かしたサービスを提供。グループ各社と連携し首都圏など3大都市圏で事業展開。
【定着率】‥
【採用】 【設立】1988.6【社長】黒田健
23年 40【従業員】単903名(‥歳)
24年 52【有休】‥日
25年 55【初任給】月24.7万
【試験種類】‥【各種制度】‥

【業績】	売上高	営業利益	経常利益	純利益
単23.3	21,380	8,848	8,832	5,775
単24.3	24,493	11,503	11,505	8,029

㈱長谷工コミュニティ（はせこう）

株式公開 計画なし

【本社】105-0014 東京都港区芝2-6-1 長谷工芝二ビル ☎0120-009-226
住宅・マンション

採用実績数	倍率	3年後離職率	平均年収
57名	‥	‥	‥

【特色】長谷工コーポレーションの完全子会社でマンション管理の大手。グループの技術力を活かし、ビルや公共施設の運営管理も展開。マンション管理戸数は39万戸以上。東京、大阪に技術研修センター、北海道から関西までに支店を置く。
【定着率】‥
【採用】 【設立】1978.9【社長】谷信弘
23年 56【従業員】単6,941名(‥歳)
24年 57【有休】‥日
25年 未定【初任給】月25万(諸手当を除いた数値)
【試験種類】‥【各種制度】‥

【業績】	売上高	営業利益	経常利益	純利益
単23.3	56,820	4,384	4,547	3,193
単24.3	61,020	5,273	5,467	3,812

三菱地所コミュニティ（みつびしじしょ）

株式公開 計画なし

【本社】102-0075 東京都千代田区三番町6-1 ☎03-5213-6100
住宅・マンション

採用実績数	倍率	3年後離職率	平均年収
52名	‥	‥	‥

【特色】三菱地所グループで唯一のマンション・ビル管理会社。マンション管理受託戸数は33万戸超で業界大手。オフィスビル、店舗施設、公共施設などのビル管理や、リニューアル工事なども手がける。東京、千葉、神奈川、大阪、京都、北海道などに支店。
【定着率】‥
【採用】 【設立】1969.12【代表取締役】大井田篤彦
23年 35【従業員】単1,439名(42.7歳)
24年 52【有休】‥日
25年 前年並【初任給】月23万(諸手当を除いた数値)
【試験種類】‥【各種制度】‥

【業績】	売上高	営業利益	経常利益	純利益
単23.3	58,354	3,945	4,032	2,639
単24.3	60,915	3,966	4,041	2,623

㈱LIFULL

東証 プライム

【本社】102-0083 東京都千代田区麹町1-4-4 ☎03-6774-1600
住宅・マンション

採用予定数	倍率	3年後離職率	平均年収
25名	‥	‥	638万円

【特色】不動産情報検索サイト「LIFULL HOME'S(ライフル ホームズ)」を運営。掲載物件数は国内有数。金融情報サイトや、空き家対策など地方創生事業も展開。不動産サイト事業で南米・東南アジア、欧州にも進出している。
【定着率】‥
【採用】 【設立】1997.3【社長】伊東祐司
23年 14【従業員】連1,722名 単671名(36.8歳)
24年 8【有休】‥日
25年 25【初任給】月21.3万(諸手当を除いた数値)
【試験種類】‥【各種制度】‥

【業績】	売上高	営業利益	税前利益	純利益
連22.9	35,730	1,681	1,396	1,187
連23.9	36,405	1,959	1,634	1,031

㈱LIXIL住宅研究所（じゅうたくけんきゅうしょ）

株式公開計画なし

【本社】141-0033 東京都品川区西品川1-1-1 大崎ガーデンタワー ☎050-1791-2213
住宅・マンション

採用予定数	倍率	3年後離職率	平均年収
6名	‥	‥	‥

【特色】住宅建材設備最大手LIXILの傘下で、住宅ブランドのフランチャイズチェーン（FC）事業を全国展開。国内最大規模。住宅FC先駆けのアイフルホーム、高気密高断熱のフィアスホーム、2×4住宅のGLホームが事業柱。
【定着率】‥
【採用】【設立】2002.3【代表取締役】加嶋伸彦
23年 3【従業員】単202名（43.3歳）
24年 6【有休】‥日
25年 6【初任給】月24.9万
【試験種類】‥【各種制度】‥

【業績】	売上高	営業利益	経常利益	純利益
単23.3	22,941	850	817	460
単24.3	17,439	309	238	13

NECファシリティーズ

株式公開していない

【本社】105-0014 東京都港区芝2-22-12 NEC第二別館 ☎03-3455-1111
不動産

採用予定数	倍率	3年後離職率	平均年収
未定	‥	‥	‥

【特色】顧客のファシリティマネジメント（生産設備・オフィスの維持管理）を総合支援。不動産管理、耐震化、省電力化、セキュリティー強化なども含め、設計・施工・運用管理のワンストップ提案に強み。データセンター、クリーンルームなども手がける。
【定着率】‥
【採用】【設立】1976.6【代表取締役】橋谷直樹
23年 21【従業員】単1,837名（‥歳）
24年 ‥【有休】‥日
25年 未定【初任給】月22.7万（諸手当を除いた数値）
【試験種類】‥【各種制度】‥

【業績】	売上高	営業利益	経常利益	純利益
単23.3	122,476	9,239	9,296	6,649
単24.3	175,188	8,908	8,961	6,346

㈱イノベーションホールディングス

東証プライム

【本社】160-0022 東京都新宿区新宿4-1-6 JR新宿ミライナタワー ☎03-3359-3111
不動産

採用予定数	倍率	3年後離職率	平均年収
未定	‥	‥	672万円

【特色】飲食店向けの店舗物件に特化した転貸借事業を子会社に持つ持株会社。不動産オーナーから賃貸した店舗を出店者に転貸し、家賃回収や設備トラブルなどに対応する。東京周辺の居抜き物件を主に扱う。出店時の礼金などの初期収入と毎月の賃料が収入源。
【定着率】‥
【採用】【設立】2007.11【社長】原康雄
23年 ‥【従業員】連118名 単‥名（37.6歳）
24年 ‥【有休】‥日
25年 未定【初任給】‥万
【試験種類】‥【各種制度】‥

【業績】	売上高	営業利益	経常利益	純利益
連23.3	13,070	1,212	1,266	885
連24.3	14,263	974	1,011	666

ANAファシリティーズ

株式公開していない

【本社】103-0027 東京都中央区日本橋2-14-1 ☎03-6625-8210
不動産

採用実績数	倍率	3年後離職率	平均年収
5名	‥	‥	‥

【特色】ANA・HDグループの不動産専門会社。オフィスビル・倉庫・マンション・寮・社宅の賃貸など不動産関連業務と保険代理店業務を行う。ワークスペースやアセットマネジメント事業に加え、三井不動産リアルティと共同で時間貸駐車場事業も手がける。
【定着率】‥
【採用】【設立】2005.12【社長】丹治康夫
23年 0【従業員】単118名（41.5歳）
24年 5【有休】‥日
25年 未定【初任給】月22.3万（諸手当を除いた数値）
【試験種類】‥【各種制度】‥

【業績】	売上高	営業利益	経常利益	純利益
単23.3	15,268	730	911	683
単24.3	16,265	836	816	524

エム・ケー

株式公開計画なし

【本社】191-0061 東京都日野市大坂上1-30-28 ☎042-589-0222
不動産

採用実績数	倍率	3年後離職率	平均年収
3名	‥	‥	‥

【特色】物流センターやショッピングセンター用地など、開発許認可付き市街化調整区域の開発で独自のノウハウを持つ不動産会社。土地確保から開発許認可まで支援する。資産の有効活用と安定収益を行うヘッドリース事業やマンション、戸建ての分譲事業も行う。
【定着率】‥
【採用】【設立】1988.11【社長】小林勁
23年 4【従業員】単49名（40.0歳）
24年 3【有休】‥日
25年 未定【初任給】月25万（諸手当を除いた数値）
【試験種類】‥【各種制度】‥

【業績】	売上高	営業利益	経常利益	純利益
単23.1	8,428	1,799	2,234	1,484
単24.1	5,925	1,097	1,492	1,015

㈱エリアクエスト

東証スタンダード

【本社】163-1307 東京都新宿区西新宿6-5-1 新宿アイランドタワー ☎03-5908-3301
不動産

採用予定数	倍率	3年後離職率	平均年収
未定	‥	‥	449万円

【特色】事業用不動産のビル所有者にテナント紹介や収益性向上の助言サービスを提供。駅前店舗物件が得意。テナント誘致の受託や借り主への店舗開発提案も行う。フロー型のテナント仲介主体からストック型ビジネスに転換。サブリース事業に注力。
【定着率】‥
【グループ採用】【設立】2000.1【社長】清原雅人
23年 2【従業員】連39名 単12名（27.5歳）
24年 ‥【有休】‥日
25年 未定【初任給】‥万
【試験種類】‥【各種制度】‥

【業績】	売上高	営業利益	経常利益	純利益
連23.6	2,319	232	234	114
連24.6	2,329	113	220	134

エリアリンク
東証スタンダード

【本社】101-0021 東京都千代田区外神田4-14-1 秋葉原UDX ☎03-3526-8555
不動産

採用予定数	倍率	3年後離職率	平均年収
3名	‥	‥	705万円

【特色】トランクルームや収納コンテナのストレージ事業が主体。所有者から不動産を借りて、立地に応じた設備を設置、利用者から賃貸収入を得る。コンテナの自社保有にシフトし稼働率が向上。ストレージ関連私募REITも組成。土地権利関係整備事業も手がける。
【定着率】‥
【採用】　【設立】1995.4【社長】鈴木貴佳
23年　4【従業員】単84名(38.7歳)
24年　5【有休】‥日
25年　3【初任給】月24.3万(諸手当を除いた数値)
【試験種類】‥【各種制度】‥

【業績】	売上高	営業利益	経常利益	純利益
単22.12	20,878	3,742	3,758	2,883
単23.12	22,463	4,155	4,058	2,821

王子不動産（おうじふどうさん）
株式公開計画なし

【本社】104-0061 東京都中央区銀座5-12-8 王子ホールディングス1号館 ☎03-3542-9411
不動産

採用予定数	倍率	3年後離職率	平均年収
1名	‥	‥	‥

【特色】住宅開発・賃貸など不動産事業、ファシリティマネジメント事業、建築設計・監理など建設事業が柱。住宅は宅地開発分譲を中心に都市型マンションも展開。設計・監理は王子グループの工場などに実績。リノベーションやゴルフ練習場運営も手がける。王子HDの子会社。
【定着率】‥
【採用】　【設立】1959.12【社長】山本伸一
23年　2【従業員】単190名(48.1歳)
24年　1【有休】‥日
25年　1【初任給】月21.6万(諸手当を除いた数値)
【試験種類】‥【各種制度】‥

【業績】	売上高	営業利益	経常利益	純利益
単23.3	7,150	1,164	1,048	703
単24.3	7,307	1,184	1,074	1,151

霞ヶ関キャピタル（かすみせきキャピタル）
東証プライム

【本社】100-0013 東京都千代田区霞が関3-2-1 ☎03-5510-7651
不動産

採用予定数	倍率	3年後離職率	平均年収
若干	‥	‥	1,407万円

【特色】物流施設やアパートメントホテルの投資家向け開発・運用を行う。取得用地の権利調整や建築確認を完了後、開発ファンドに売却、完成後には成果報酬も得る。竣工後の物件管理も担う。ヘルスケア関連施設など対象物件の拡大進める。
【定着率】‥
【採用】　【設立】2015.6【社長】河本幸士郎
23年　0【従業員】連354名 単240名(37.6歳)
24年　0【有休】‥日
25年　若干【初任給】‥万
【試験種類】‥【各種制度】‥

【業績】	売上高	営業利益	経常利益	純利益
連23.8	37,282	4,442	4,119	2,050
連24.8	65,685	8,537	7,860	5,020

サンネクスタグループ
東証スタンダード

【本社】162-0833 東京都新宿区箪笥町35 日米TIME24ビル ☎03-5229-8839
不動産

採用実績数	倍率	3年後離職率	平均年収
8名	‥	‥	596万円

【特色】社宅管理代行のトップ企業。借り上げ社宅管理代行、社有社宅の管理運営、全国の転勤者への借り上げ社宅のあっせんが主。引っ越し・購買・保険など総務部門のアウトソーシングの分野にも事業を拡大。マンション管理や不動産の買い取り再販事業も第2の柱に。
【定着率】‥
【グループ採用】【設立】1998.10【社長】髙木章
23年　4【従業員】連643名 単51名(45.4歳)
24年　8【有休】‥日
25年　未定【初任給】‥万
【試験種類】‥【各種制度】‥

【業績】	売上高	営業利益	経常利益	純利益
連23.6	8,347	865	904	486
連24.6	8,371	653	653	1,775

㈱シノケンプロデュース
株式公開計画なし

【本社】105-0013 東京都港区浜松町2-3-1 日本生命浜松町クレアタワー ☎03-5777-0083
不動産

採用予定数	倍率	3年後離職率	平均年収
未定	‥	‥	‥

【特色】投資用不動産提案・管理などを行うシノケングループの中核子会社。投資用アパートメントの企画・マーケティング・開発・建築・販売を手がける。首都圏や地方中核都市の市場を深耕。アパートオーナーは6000人以上。信頼性の高いサービスを迅速に提供。
【定着率】‥
【採用】　【設立】2007.5【代表取締役】玉置貴史
23年　‥【従業員】単‥名(‥歳)
24年　‥【有休】‥日
25年　未定【初任給】‥万
【試験種類】‥【各種制度】‥

【業績】	売上高	営業利益	経常利益	純利益
単22.12	49,153	2,705	2,417	1,660
単23.12	40,150	2,256	2,405	1,448

㈱大京穴吹不動産（だいきょうあなぶきふどうさん）
株式公開計画なし

【本社】151-0051 東京都渋谷区千駄ヶ谷4-19-18 オリックス千駄ヶ谷ビル ☎03-6367-0500
不動産

採用予定数	倍率	3年後離職率	平均年収
30名	‥	‥	‥

【特色】不動産仲介・売買・賃貸管理・リフォーム事業を柱として全国展開。1979年に大京の不動産流通事業を担う新宿支店として営業を開始し、現在はオリックスグループの一員。リノベーションマンションは全国で約13000戸を供給。
【定着率】‥
【採用】　【設立】1988.12【社長】森本秀樹
23年　32【従業員】単1,154名(43.0歳)
24年　28【有休】‥日
25年　30【初任給】月24万
【試験種類】‥【各種制度】‥

【業績】	売上高	営業利益	経常利益	純利益
単23.3	60,838	3,074	3,289	2,941
単24.3	73,039	2,449	2,244	1,583

大和ハウスリアルティマネジメント

株式公開計画なし

【本社】101-0061 東京都千代田区神田三崎町3-3-21 ☎03-5214-2950
不動産

採用実績数	倍率	3年後離職率	平均年収
37名	‥	‥	‥

【特色】大和ハウス工業の子会社で、商業用不動産の賃貸・管理・運営などの不動産業とダイワロイネットホテルの運営を手がける。自社で管理する商業施設数は約4000で、他社施設の受託も行う。ホテルは約80運営し韓国にも展開。
【定着率】‥
【採用】【設立】1986.1【社長】伊藤光博
23年 33【従業員】単769名(39.2歳)
24年 37【有休】‥日
25年 前年並【初任給】月24万(諸手当を除いた数値)
【試験種類】‥【各種制度】‥

【業績】	売上高	営業利益	経常利益	純利益
単23.3	216,401	21,726	22,909	13,534
単24.3	237,393	29,592	28,645	17,824

㈱ティーケーピー

東証グロース

【本社】162-0844 東京都新宿区市谷八幡町8 ☎03-5227-7321
不動産

採用実績数	倍率	3年後離職率	平均年収
75名	‥	‥	‥

【特色】法人向け貸会議室の運営が柱。オーナーから遊休不動産を大口(割安)で仕入れ、小口化して販売するビジネスモデル。機材レンタル、料飲や宿泊など周辺サービスで付加価値。ホテルは法人向け研修施設のほか、アパホテルのFC店を運営。
【定着率】‥
【採用】【設立】2005.8【社長】河野貴輝
23年 ‥【従業員】連1,071名 単1,052名(37.2歳)
24年 75【有休】‥日
25年 未定【初任給】‥万
【試験種類】‥【各種制度】‥

【業績】	売上高	営業利益	経常利益	純利益
連23.2	50,504	3,575	3,062	▲4,936
連24.2	36,545	4,607	4,517	6,975

㈱東急モールズデベロップメント

株式公開計画なし

【本社】150-0043 東京都渋谷区道玄坂1-10-7 五島育英会ビル4階 ☎03-3477-5150
不動産

採用予定数	倍率	3年後離職率	平均年収
10名	‥	‥	‥

【特色】東急沿線沿いを中心に「みなとみらい東急スクエア」「たまプラーザテラス」「港北TOKYU S.C.」など商業施設を運営・管理。東急グループの総合力を生かし、商業企画、リニューアル、テナント誘致業務まで幅広く対応。
【定着率】‥
【採用】【設立】1978.1【社長】佐々木桃子
23年 5【従業員】単241名(37.8歳)
24年 7【有休】‥日
25年 10【初任給】月23万(諸手当を除いた数値)
【試験種類】‥【各種制度】‥

【業績】	売上高	営業利益	経常利益	純利益
単23.3	19,555	‥	‥	‥
単24.3	19,753	‥	‥	‥

東洋不動産（とうようふどうさん）

株式公開計画なし

【本社】105-0001 東京都港区虎ノ門2-3-17 虎ノ門2丁目タワー ☎03-3504-2341
不動産

採用予定数	倍率	3年後離職率	平均年収
12名	‥	‥	‥

【特色】法人が所有する事業用不動産仲介を主体に、不動産鑑定、デューデリジェンス、ビル賃貸、コンサルティング、不動産投資などを行う。名古屋、京都、福岡に拠点を持つ。東洋不動産プロパティマネジメントなどグループ会社と連携。
【定着率】‥
【採用】【設立】1986.4【社長】宮田敦
23年 9【従業員】単254名(46.0歳)
24年 6【有休】‥日
25年 12【初任給】月28万(諸手当を除いた数値)
【試験種類】‥【各種制度】‥

【業績】	売上高	営業利益	経常利益	純利益
単23.3	11,180	2,211	2,288	1,315
単24.3	14,864	2,460	2,426	1,720

パラカ

東証プライム

【本社】105-6209 東京都港区愛宕2-5-1 愛宕グリーンMORIタワー ☎03-6841-0809
不動産

採用予定数	倍率	3年後離職率	平均年収
20名	‥	‥	581万円

【特色】時間貸し駐車場の運営・管理が主力事業。土地を貸借する駐車場と自社所有土地の駐車場の2タイプを運営し、全国の中核都市に集中展開。稼働状況に応じた緻密な料金設定に特徴。運営車室数3万超。二輪車や観光バス用も手がける。伊藤忠商事と資本業務提携。
【定着率】‥
【採用】【設立】1997.8【代表取締役】内藤宗
23年 16【従業員】単101名(33.6歳)
24年 16【有休】‥日
25年 20【初任給】月22.6万(諸手当を除いた数値)
【試験種類】‥【各種制度】‥

【業績】	売上高	営業利益	経常利益	純利益
単22.9	12,974	2,253	2,039	1,395
単23.9	14,774	2,934	2,712	1,818

㈱ファンドクリエーショングループ

東証スタンダード

【本社】102-0083 東京都千代田区麹町1-4 半蔵門ファーストビル ☎03-5212-5212
不動産

採用実績数	倍率	3年後離職率	平均年収
1名	‥	‥	‥

【特色】不動産や太陽光発電ファンドなどの開発・組成・運用受託によって手数料を得るアセットマネジメント事業が主力。不動産物件や上場企業・未上場企業への投資などを行う証券投資事業も展開する。営業用トラックのリースバック事業を育成中。
【定着率】‥
【グループ採用】【設立】2009.5【社長】田島克洋
23年 0【従業員】連28名 単28名(‥歳)
24年 1【有休】‥日
25年 前年並【初任給】月24.3万(諸手当を除いた数値)
【試験種類】‥【各種制度】‥

【業績】	売上高	営業利益	経常利益	純利益
連22.11	1,686	283	272	227
連23.11	4,136	350	299	183

㈱フェイスネットワーク
東証スタンダード

【本社】151-0051 東京都渋谷区千駄ヶ谷3-2-1 ☎03-6432-9937
不動産

採用予定数	倍率	3年後離職率	平均年収
8名	‥	‥	666万円

【特色】不動産投資家向けに新築RC賃貸マンションの1棟売りを行う。東京の世田谷区、目黒区、渋谷区の城南3区で展開。売却後は不動産管理を受託。高級賃貸マンション・戸建住宅の開発を推進。不動産セキュリティトークンを育成。
【定着率】‥
【採用】 【設立】2006.5 【社長】蜂谷二郎
23年 6【従業員】連245名 単189名(40.7歳)
24年 5【有休】‥日
25年 8【初任給】月21万(諸手当を除いた数値)
【試験種類】‥【各種制度】‥

【業績】	売上高	営業利益	経常利益	純利益
単23.3	20,968	2,518	2,301	1,593
連24.3	22,284	2,090	1,784	943

山万（やままん）
株式公開計画なし

【本社】103-0016 東京都中央区日本橋小網町6-1 ☎03-3668-5111
不動産

採用予定数	倍率	3年後離職率	平均年収
未定	‥	‥	‥

【特色】千葉県佐倉市の「ユーカリが丘」で街づくりに取り組む総合デベロッパー。マンション、戸建て住宅を販売。新交通システムも運営。50年先のユーカリが丘を見据えた「ミリオンシティ構想」の実現へ着手。ユーカリが丘駅北地区再開発事業推進。
【定着率】‥
【採用】 【設立】1951.2 【会長】嶋田哲夫
23年 7【従業員】単132名(40.9歳)
24年 ‥【有休】‥日
25年 未定【初任給】‥万
【試験種類】‥【各種制度】‥

【業績】	売上高	営業利益	経常利益	純利益
単22.12	10,209	1,260	1,319	672
単23.12	13,071	1,394	1,149	683

㈱ランドネット
東証スタンダード

【本社】171-0022 東京都豊島区南池袋1-16-15 ダイヤゲート池袋 ☎03-3986-3981
不動産

採用予定数	倍率	3年後離職率	平均年収
75名	‥	‥	853万円

【特色】中古マンションの買い取り再販を柱に、不動産仲介、賃貸管理も展開。独自の社内データベースをもとに、不動産所有者から直接仕入れ、不動産事業者や投資家に販売。ワンルームタイプが7割を占める。営業エリアは東京、横浜、大阪が中心だが、福岡も強化。
【定着率】‥
【採用】 【設立】1999.9 【社長】榮章博
23年 73【従業員】連682名 単682名(30.1歳)
24年 66【有休】‥日
25年 75【初任給】月19.4万(諸手当を除いた数値)
【試験種類】‥【各種制度】‥

【業績】	売上高	営業利益	経常利益	純利益
連23.7	63,647	1,520	1,362	988
連24.7	77,790	2,785	2,518	1,840

㈱リアルゲイト
東証グロース

【本社】151-0051 東京都渋谷区千駄ヶ谷3-51-10 ポータルポイント原宿 ☎03-6804-3904
不動産

採用予定数	倍率	3年後離職率	平均年収
若干	‥	‥	595万円

【特色】築古ビルを改修しスモールオフィスやシェアオフィスとして提供する不動産再生会社。築30年前後の延床面積300～600坪程度のビルが中心。渋谷区、港区、目黒区を軸に展開。リース物件と自社物件の賃料収入やシェアオフィスの運営受託が収入源。
【定着率】‥
【採用】 【設立】2009.8 【取締】岩本裕
23年 ‥【従業員】単85名(32.3歳)
24年 4【有休】‥日
25年 若干【初任給】月17.3万(諸手当を除いた数値)
【試験種類】‥【各種制度】‥

【業績】	売上高	営業利益	経常利益	純利益
単22.9	5,843	429	387	36
単23.9	6,972	548	484	278

㈱レーサム
東証スタンダード

【本社】100-0013 東京都千代田区霞が関3-2-1 霞が関コモンゲート西館 ☎03-5157-8881
不動産

採用予定数	倍率	3年後離職率	平均年収
未定	‥	‥	1,257万円

【特色】オフィスやマンションなどの収益不動産を富裕層向けに組成・販売。対象物件は商業、医療、宿泊の各施設など。中古物件を取得し、テナント入れ替えや改装などで賃料収入を増やした後に売却し、収益を得る。コミュニティホステルなどの運営・管理も行う。
【定着率】‥
【採用】 【設立】1992.5 【社長】小町剛
23年 ‥【従業員】連230名 単132名(43.9歳)
24年 ‥【有休】‥日
25年 未定【初任給】‥万
【試験種類】‥【各種制度】‥

【業績】	売上高	営業利益	経常利益	純利益
連23.3	67,906	14,371	12,851	8,376
連24.3	94,265	22,824	21,878	11,513

㈱GA technologies
東証グロース

【本社】106-6290 東京都港区六本木3-2-1 住友不動産六本木グランドタワー ☎03-6230-9180
不動産

採用予定数	倍率	3年後離職率	平均年収
88名	‥	‥	730万円

【特色】首都圏を中心に、中古投資用物件に特化したAI活用の不動産流通プラットフォーム「Renosy(リノシー)」を運営。物件の販売・仲介に加え、販売後の集金代行など不動産管理サービスや、不動産業向け業務システム「イタンジ」も提供。
【定着率】‥
【採用】 【設立】2013.3 【代表取締役】樋口龍
23年 40【従業員】連1,350名 単527名(31.7歳)
24年 55【有休】‥日
25年 88【初任給】年360万(諸手当を除いた数値)
【試験種類】‥【各種制度】‥

【業績】	売上高	営業利益	税前利益	純利益
連22.10	113,569	1,028	490	395
連23.10	146,647	2,211	1,585	1,010

㈱エフオン

東証スタンダード

【本社】100-6617 東京都千代田区丸の内1-9-2 グラントウキョウサウスタワー ☎03-4500-6450
電力・ガス

採用実績数	倍率	3年後離職率	平均年収
3名	‥	‥	582万円

【特色】企業への省エネルギー支援が発祥で、現在は木質バイオマス発電が主力。端材をリサイクルした木質チップが燃料で、木質専焼としては国内初。発電所は子会社化し大分、福島、栃木、和歌山に展開。森林価値の証券化に着手。カーボンクレジット事業も。
【定着率】‥
【採用】　【設立】1997.5【社長】島﨑知格
23年 ‥【従業員】連271名 単28名(51.0歳)
24年 3【有休】‥日
25年 未定【初任給】月21万(諸手当を除いた数値)
【試験種類】‥【各種制度】‥

【業績】	売上高	営業利益	経常利益	純利益
連23.6	16,949	1,397	1,286	824
連24.6	17,473	600	346	281

東部瓦斯

株式公開計画なし

【本社】103-0015 東京都中央区日本橋箱崎町7-1 ☎03-3662-4611
電力・ガス

採用実績数	倍率	3年後離職率	平均年収
15名	‥	‥	‥

【特色】秋田、福島、茨城の3県で都市ガス供給。供給戸数は22万戸超。資源とエネルギーの効率的利用を追求。病院、工場、ホテル、学校、オフィスなど法人向けにガスコージェネシステム、ヒートポンプ、マルチ給湯器、ガス厨房機器などを提供。
【定着率】‥
【採用】　【設立】1937.5【社長】穴水一行
23年 18【従業員】単463名(40.8歳)
24年 15【有休】‥日
25年 未定【初任給】月21万(諸手当を除いた数値)
【試験種類】‥【各種制度】‥

【業績】	売上高	営業利益	経常利益	純利益
単22.12	39,341	196	269	208
単23.12	40,963	230	501	321

丸の内熱供給

株式公開計画なし

【本社】100-0004 東京都千代田区大手町2-6-4 常盤橋タワー 23階 ☎03-6262-3775
電力・ガス

採用実績数	倍率	3年後離職率	平均年収
1名	‥	‥	‥

【特色】三菱地所グループで地域冷暖房など熱供給事業専業。東京・大手町から丸の内、有楽町、内幸町、青山のビル72棟、地下鉄18駅、その他12施設に供給。本社以外に大手町、丸の内、内幸町、青山にセンターを配置。地球温暖化対策と災害対策に注力。
【定着率】‥
【採用】　【設立】1973.7【社長】千葉太
23年 5【従業員】単166名(‥歳)
24年 1【有休】‥日
25年 未定【初任給】月23.3万(諸手当を除いた数値)
【試験種類】‥【各種制度】‥

【業績】	売上高	営業利益	経常利益	純利益
単23.3	19,262	1,781	1,723	1,095
単24.3	18,543	1,846	1,724	1,144

リニューアブル・ジャパン

東証グロース

【本社】105-0001 東京都港区虎ノ門1-2-8 ☎03-5510-9086
電力・ガス

採用予定数	倍率	3年後離職率	平均年収
未定	‥	‥	655万円

【特色】太陽光発電中心の再エネ事業。発電所の開発、設計・建設、資金調達・売却、運営・メンテ、発電・売電まで一気通貫で行う。収入は、発電所をファンドに売却して再投資資金を得る分と、自社保有発電所の売電分で構成。東急不動産、関西電力などと資本提携。
【定着率】‥
【採用】　【設立】2012.1【社長】眞邉勝仁
23年 8【従業員】連271名 単253名(46.6歳)
24年 ‥【有休】‥日
25年 未定【初任給】‥万
【試験種類】‥【各種制度】‥

【業績】	売上高	営業利益	経常利益	純利益
連22.12	17,718	1,289	▲1,360	▲1,526
連23.12	33,604	3,591	2,028	1,088

日本精蠟

東証スタンダード

【本社】104-0031 東京都中央区京橋2-5-18 京橋創生館 ☎03-3538-3061
石油

採用実績数	倍率	3年後離職率	平均年収
2名	‥	‥	573万円

【特色】石油系ワックス専業メーカー。インドネシアで調達した重油から石油由来のワックスを生産。キャンドル以外に、包装材料やタイヤ、複写機のトナー、化粧品・医薬品、小型モーターなど用途は幅広い。米ぬか由来のライスワックス製品開発に注力。
【定着率】‥
【採用】　【設立】1951.2【社長】瀧本丈平
23年 ‥【従業員】連266名 単217名(41.6歳)
24年 2【有休】‥日
25年 前年並【初任給】月20.1万(諸手当を除いた数値)
【試験種類】‥【各種制度】‥

【業績】	売上高	営業利益	経常利益	純利益
連22.12	38,457	▲2,043	▲2,263	▲2,368
連23.12	21,704	▲552	▲785	▲1,221

ビーピー・カストロール

東証スタンダード

【本社】141-0032 東京都品川区大崎1-11-2 ゲートシティ大崎イーストタワー ☎03-5719-6000
石油

採用実績数	倍率	3年後離職率	平均年収
0名	‥	‥	957万円

【特色】英系石油メジャー・BPの傘下。日本で自動車用・工業用潤滑油の輸入製造販売会社として発足したペトロルブ社が起源。主力製品は「カストロール」ブランドの自動車向け潤滑油。カー用品店、ディーラーなど多様な販路を持つ。ブランド認知拡大にも取り組む。
【定着率】‥
【採用】　【設立】1978.9【社長】平川雅規
23年 0【従業員】単87名(47.6歳)
24年 0【有休】‥日
25年 0【初任給】‥万
【試験種類】‥【各種制度】‥

【業績】	売上高	営業利益	経常利益	純利益
単22.12	11,188	869	941	572
単23.12	12,037	1,108	1,168	781

㈱ＪＲ東日本クロスステーション

株式公開未定

【本社】151-0051 東京都渋谷区千駄ヶ谷5-33-8 サウスゲート新宿ビル6階 ☎050-3644-7177
コンビニ

採用実績数	倍率	3年後離職率	平均年収
29名	‥	‥	‥

【特色】「NewDays」などのコンビニエンス事業、「ベックスコーヒーショップ」などの飲食事業、「FromAQUA」などの飲料商品開発や自動販売機事業、「ecute」や「GRANSTA」などのエキナカ商業施設などを展開。JR東日本の完全子会社。
【定着率】‥
【採用】【設立】1987.6【社長】西野史尚
23年 16【従業員】単2,770名(43.3歳)
24年 29【有休】‥日
25年 未定【初任給】月21.8万(諸手当を除いた数値)
【試験種類】‥【各種制度】‥

【業績】	営業収益	営業利益	経常利益	純利益
単23.3	219,282	5,161	6,444	5,782
単24.3	252,922	15,393	15,437	11,147

㈱エコス

東証プライム

【本社】196-0022 東京都昭島市中神町1160-1 ☎042-546-3711
スーパー

採用予定数	倍率	3年後離職率	平均年収
160名	‥	‥	485万円

【特色】東京・多摩地区から埼玉、茨城、栃木、千葉などへ展開する食品スーパー。中小スーパーのM&Aで店舗網を拡大。「エコス」「たいらや」「TAIRAYA」「マスダ」などが店舗ブランド。地域産直生鮮食品やグループ工場製造の総菜導入などで売り場活性化を図る。
【定着率】‥
【採用】【設立】1984.9【社長】平邦雄
23年 36【従業員】連1,485名 単829名(40.4歳)
24年 51【有休】‥日
25年 160【初任給】月22.5万(諸手当を除いた数値)
【試験種類】‥【各種制度】‥

【業績】	売上高	営業利益	経常利益	純利益
連23.2	122,749	4,375	4,522	1,610
連24.2	130,039	5,714	5,928	3,578

㈱オオゼキ

株式公開計画なし

【本社】155-0031 東京都世田谷区北沢2-9-21 ☎03-6407-2511
スーパー

採用予定数	倍率	3年後離職率	平均年収
120名	‥	‥	‥

【特色】東京・世田谷区地盤の食品スーパー。東京41店舗、神奈川2店舗、千葉1店舗を展開(24年5月末)。1店舗当たりの従業員が多い労働集約型に特徴。生鮮主体のスーパーとして、毎日各店での仕入れなど徹底した個店主義を推進。
【定着率】‥
【採用】【設立】1975.8【社長】石原坂潤
23年 95【従業員】単1,407名(35.5歳)
24年 102【有休】‥日
25年 120【初任給】月22.2万(諸手当を除いた数値)
【試験種類】‥【各種制度】‥

【業績】	売上高	営業利益	経常利益	純利益
単23.2	98,082	5,499	5,634	3,294
単24.2	101,718	5,825	5,982	4,140

㈱コモディイイダ

株式公開計画なし

【本社】114-8501 東京都北区滝野川7-27-7 ☎03-3916-1111
スーパー

採用予定数	倍率	3年後離職率	平均年収
60名	‥	‥	‥

【特色】生鮮食品が中心のスーパー。東京、埼玉、千葉、茨城の1都3県に86店舗を展開。食の安心・安全の訴求で集客図る。移動スーパーやネットスーパーなども展開。無借金経営で、堅実経営を貫く。1919年に青果店で創業。
【定着率】‥
【採用】【設立】1948.1【社長】飯田武男
23年 70【従業員】単870名(35.4歳)
24年 55【有休】‥日
25年 60【初任給】月23.5万(諸手当を除いた数値)
【試験種類】‥【各種制度】‥

【業績】	売上高	営業利益	経常利益	純利益
単22.8	89,032	‥	1,765	1,016
単23.8	93,552	‥	1,310	808

㈱サンベルクス

株式公開していない

【本社】121-0061 東京都足立区花畑5-14-1 ☎03-3858-8719
スーパー

採用予定数	倍率	3年後離職率	平均年収
80名	‥	‥	‥

【特色】食品スーパーチェーン「ベルクス」と食品卸が事業柱。食品スーパーは東京、千葉、埼玉に約50店舗を展開。1968年創業の青果商が前身。商品の加工・製造技術と衛生管理技術のトレーニングセンターを設置。社内研修にも注力。
【定着率】‥
【採用】【設立】2015.9【代表取締役】鈴木秀夫
23年 66【従業員】単5,377名(38.0歳)
24年 51【有休】‥日
25年 80【初任給】月23.5万(諸手当を除いた数値)
【試験種類】‥【各種制度】‥

【業績】	売上高	営業利益	経常利益	純利益
単23.2	97,442	6,774	7,059	4,599
単24.2	108,921	8,990	9,357	5,537

㈱三和（さんわ）

株式公開いずれしたい

【管理本部】194-8530 東京都町田市金森4-1-2 ☎042-746-3001
スーパー

採用実績数	倍率	3年後離職率	平均年収
43名	‥	‥	‥

【特色】東京都町田市と多摩市、神奈川県相模原市を中心に、「SANWA」と「FOOD ONE」のスーパーマーケット2業態をチェーン展開。神奈川県を中心に店舗エリアを拡大し、総店舗数77店。ショッピングセンター「AMELIA」も運営する。
【定着率】‥
【採用】【設立】1958.9【社長】小山真
23年 66【従業員】単987名(39.2歳)
24年 43【有休】‥日
25年 前年並【初任給】月22.5万(諸手当を除いた数値)
【試験種類】‥【各種制度】‥

【業績】	売上高	営業利益	経常利益	純利益
単23.3	158,200	‥	‥	‥
単24.3	164,406	‥	‥	‥

㈱ヤマイチ

株式公開 未定

【本社】132-0024 東京都江戸川区一之江4-14-14
☎03-3656-0121
スーパー

採用予定数	倍率	3年後離職率	平均年収
8名	‥	‥	‥

【特色】東京・江戸川区に1号店開設以来、同区を重点商圏とする食品スーパー。生鮮食品を主体に一般食品、日用雑貨を扱う。地域密着型の中・小型店舗に特色。共同仕入れのCGCに加盟。江戸川区に10店舗、隣接する千葉に計3店舗展開。
【定着率】‥
【採用】 【設立】1980.3【社長】岩楯信一
23年 0【従業員】単142名(‥歳)
24年 7【有休】‥日
25年 8【初任給】‥万
【試験種類】‥【各種制度】‥

【業績】	売上高	営業利益	経常利益	純利益
単23.2	14,920	‥	▲53	▲51
単24.2	14,230	‥	129	129

㈱明治屋（めいじや）

株式公開 計画なし

【本社】104-8302 東京都中央区京橋2-2-8
☎03-3271-1111
スーパー

採用予定数	倍率	3年後離職率	平均年収
26名	‥	‥	‥

【特色】食料品・和洋酒類販売の老舗で「明治屋ストアー」を展開。出店は東京中心に宮城から福岡まで。自社ブランドと直輸入品を扱う。1885年、船舶への食糧などの納入で創業、現在も船舶サービス部門継続。米社工業用シール製品の販売代理は事業本部化。
【定着率】‥
【採用】 【設立】1911.4【社長】磯野太市郎
23年 11【従業員】単440名(42.6歳)
24年 8【有休】‥日
25年 26【初任給】月20.7万(諸手当を除いた数値)
【試験種類】‥【各種制度】‥

【業績】	売上高	営業利益	経常利益	純利益
単23.2	28,548	‥	‥	42
単24.2	30,104	‥	‥	108

㈱うかい

東証 スタンダード

【本社】193-0846 東京都八王子市南浅川町3426
☎042-666-3333
外食・中食

採用予定数	倍率	3年後離職率	平均年収
40名	‥	‥	‥

【特色】和食「とうふ屋うかい」や洋食「うかい亭」などの高級ディナーレストランを直営する。八王子、東京23区、神奈川で15店展開。庭園に人手を掛けて整備するなど高級感ある店作りに特色。洋菓子店もデパートなどに出店。「箱根ガラスの森美術館」も運営。
【定着率】‥
【採用】 【設立】1982.8【社長】紺野俊也
23年 41【従業員】単638名(37.0歳)
24年 32【有休】‥日
25年 40【初任給】月18.6万(諸手当を除いた数値)
【試験種類】‥【各種制度】‥

【業績】	売上高	営業利益	経常利益	純利益
単23.3	12,652	763	852	918
単24.3	13,326	890	866	870

㈱エスエルディー

東証 スタンダード

【本社】108-0014 東京都港区芝4-1-23 三田NNビル
☎03-6866-0245
外食・中食

採用予定数	倍率	3年後離職率	平均年収
10名	‥	‥	394万円

【特色】首都圏を中心にカフェダイニング「kawara CAFE&DINING」などカルチャーコンテンツを融合した飲食店を運営。店舗の開業支援や運営の受託なども行う。アイドルやゲームとのコラボカフェ企画運営も手がける。ポケモンカフェが活況。
【定着率】‥
【採用】 【設立】2004.1【社長】有村譲
23年 10【従業員】単133名(30.9歳)
24年 10【有休】‥日
25年 10【初任給】月18.5万(諸手当を除いた数値)
【試験種類】‥【各種制度】‥

【業績】	売上高	営業利益	経常利益	純利益
単23.2	3,090	▲259	▲188	▲238
単24.2	3,585	133	138	177

㈱牛繁（ぎゅうしげ）ドリームシステム

株式公開 計画なし

【本社】160-0022 東京都新宿区新宿2-1-2
☎03-5367-2429
外食・中食

採用予定数	倍率	3年後離職率	平均年収
5名	‥	‥	‥

【特色】焼肉チェーン「牛繁」を運営。国産牛中心、備長炭による炭火焼、低価格販売に特色。直営とFCで関東中心に店舗展開。組織体制や人材育成を強化し、200店舗実現を目指す。出店済みのベトナム、中国を足掛かりにグローバル事業の拡大推進。
【定着率】‥
【採用】 【設立】1988.6【社長】高田昌一
23年 0【従業員】単144名(34.0歳)
24年 4【有休】‥日
25年 5【初任給】月21万(諸手当を除いた数値)
【試験種類】‥【各種制度】‥

【業績】	売上高	営業利益	経常利益	純利益
単22.12	4,728	▲488	105	64
単23.12	5,477	▲122	▲80	▲157

㈱銀座（ぎんざ）ルノアール

東証 スタンダード

【本社】164-0011 東京都中野区中央4-60-3 銀座ルノアールビル
☎03-5342-0881
外食・中食

採用実績数	倍率	3年後離職率	平均年収
5名	‥	‥	528万円

【特色】フルサービスのロビー風喫茶店「喫茶室ルノアール」が主力。出店地域は首都圏1都3県。店舗併設型の貸し会議室、ワーキングスペースなども手がける。都心部中心に低価格業態も展開するほか、郊外型の「ミヤマ珈琲」も開発。キーコーヒーと資本業務提携。
【定着率】‥
【採用】 【設立】1979.5【社長】岡崎裕成
23年 0【従業員】連154名 単153名(40.0歳)
24年 5【有休】‥日
25年 未定【初任給】月21.9万(諸手当を除いた数値)
【試験種類】‥【各種制度】‥

【業績】	売上高	営業利益	経常利益	純利益
連23.3	6,124	▲414	▲190	▲293
連24.3	7,351	15	68	▲59

㈱セブン＆アイ・フードシステムズ
株式公開計画なし

【本部】102-8415 東京都千代田区二番町4-5
☎03-6238-3570
外食・中食

採用予定数	倍率	3年後離職率	平均年収
未定	‥	‥	‥

【特色】レストラン、ファストフード、給食の3事業を基盤にセブン＆アイグループのフード事業を担当。ファミリーレストラン「デニーズ」などを展開。セブン-イレブンの運営も。傘下店舗数はレストラン319、給食140など計488店（24年2月末）。
【定着率】‥
【採用】 【設立】2007.1【社長】小松雅美
23年 0【従業員】単801名（43.9歳）
24年 0【有休】‥日
25年 未定【初任給】‥万
【試験種類】‥【各種制度】‥

【業績】	売上高	営業利益	経常利益	純利益
単23.2	46,224	▲716	▲720	▲4,042
単24.2	51,909	976	940	164

㈱大庄（だいしょう）
東証スタンダード

【本社】143-0016 東京都大田区大森北1-1-10 大森シティビル
☎03-3763-2181
外食・中食

採用予定数	倍率	3年後離職率	平均年収
未定	‥	‥	400万円

【特色】居酒屋チェーン大手。海鮮系の「庄や」「大庄水産」「日本海庄や」を展開。「満天酒場」など低価格業態の出店も進める。首都圏軸に直営とFCで展開、社員独立型のFCへの転換も推進。食材などの外販・運送を一体化した卸売・物流事業の拡大に注力。
【定着率】‥
【採用】 【設立】1971.11【社長】平了壽
23年 0【従業員】連1,696名 単1,100名（47.0歳）
24年 0【有休】‥日
25年 未定【初任給】月20.9万（諸手当を除いた数値）
【試験種類】‥【各種制度】‥

【業績】	売上高	営業利益	経常利益	純利益
連22.8	35,799	▲5,390	▲410	▲770
連23.8	45,495	▲461	▲486	▲769

㈱ダイワエクシード
株式公開計画なし

【本社】102-0094 東京都千代田区紀尾井町1-11 ウスイ紀尾井町ビル3階
☎03-3264-5757
外食・中食

採用実績数	倍率	3年後離職率	平均年収
1名	‥	‥	‥

【特色】「エスカイヤクラブ」「ごだいご」「エスプリ」「グリアンテ」「権之介」「ビストロ・ジュウジュウ」「リトルマルコ」などのブランドで店舗運営する総合飲食業チェーン。首都圏や近畿圏中心に仙台、新潟、名古屋、福岡など直営30店舗。
【定着率】‥
【採用】 【設立】1955.10【社長】竹下喜一郎
23年 0【従業員】単142名（42.7歳）
24年 1【有休】‥日
25年 未定【初任給】月24万（諸手当を除いた数値）
【試験種類】‥【各種制度】‥

【業績】	売上高	営業利益	経常利益	純利益
単23.3	4,341	‥	‥	‥
単24.3	4,828	‥	‥	‥

㈱トリドールホールディングス
東証プライム

【本社】150-0043 東京都渋谷区道玄坂1-21-1 渋谷ソラスタ
☎03-4221-8900
外食・中食

採用予定数	倍率	3年後離職率	平均年収
150名	‥	‥	765万円

【特色】セルフサービス式のうどん店「丸亀製麺」が主力の外食チェーン。店舗内自家製麺が特徴。国内は他にカフェ「コナズ珈琲」や豚骨ラーメン店、焼き肉専門店など多ブランド展開。海外は米国、中国、東南アジアなどで積極展開し、連結売上構成比4割弱を占める。
【定着率】‥
【グループ採用】【設立】1995.10【社長】粟田貴也
23年 36【従業員】連7,790名 単300名（40.5歳）
24年 85【有休】‥日
25年 150【初任給】月21.3万（諸手当を除いた数値）
【試験種類】‥【各種制度】‥

【業績】	売上高	営業利益	税前利益	純利益
連23.3	188,320	7,466	7,726	3,827
連24.3	231,952	11,647	10,839	5,675

㈱NATTY SWANKYホールディングス
東証グロース

【本社】160-0023 東京都新宿区西新宿1-19-8 新東京ビル
☎03-5989-0237
外食・中食

採用予定数	倍率	3年後離職率	平均年収
10名	‥	‥	376万円

【特色】ギョーザ居酒屋「肉汁餃子のダンダダン」を運営する。店舗は首都圏中心だが地方にも出店し、直営とFCで展開。餃子に特化することで経営資源を集中、独自の製法とレシピを開発した。製造は他社工場に委託するが、子会社での自前生産も拡大する方針。
【定着率】‥
【ダンダダン採用】【設立】2007.10【社長】井石裕二
23年 6【従業員】連277名 単9名（35.9歳）
24年 2【有休】‥日
25年 10【初任給】月20万（諸手当を除いた数値）
【試験種類】‥【各種制度】‥

【業績】	売上高	営業利益	経常利益	純利益
連23.1	5,846	▲130	▲130	▲379
連24.1	7,061	437	414	247

㈱にっぱん
株式公開未定

【本社】100-0006 東京都千代田区有楽町2-10-1 東京交通会館10階
☎03-6259-1928
外食・中食

採用予定数	倍率	3年後離職率	平均年収
3名	‥	‥	‥

【特色】都内中心に「魚がし日本一」のすし店を立喰・カウンター・宴会の3業態で運営。和食、油そば、高級すし店などの店舗も展開。駅ナカ・駅チカ、空港内など一等地への出店を進める。産地と消費者の距離短縮に注力、子会社で食材を直送する。
【定着率】‥
【採用】 【設立】1982.5【社長】田渕道行
23年 3【従業員】単127名（42.6歳）
24年 4【有休】‥日
25年 3【初任給】月22万（諸手当を除いた数値）
【試験種類】‥【各種制度】‥

【業績】	売上高	営業利益	経常利益	純利益
単23.2	4,487	37	299	376
単24.2	5,045	364	378	303

日本レストランシステム（にっぽん）
株式公開計画なし

【本社】150-8567 東京都渋谷区猿楽町10-11 NRSビル ☎03-5456-0123
外食・中食

採用予定数	倍率	3年後離職率	平均年収
未定	‥	‥	‥

【特色】「洋麺屋五右衛門」「星乃珈琲店」「牛たん焼き仙台辺見」「さんるーむ」「サロン卵と私」など多業態でレストランチェーンを運営。店舗数670店(24年2月末)。産地直送品の通販や自然食品の専門店なども展開。ドトール・日レスHD傘下。
【定着率】‥
【採用】【設立】1973.6【会長兼社長】大林豁史
23年 ‥【従業員】単1,232名(35.7歳)
24年 ‥【有休】‥日
25年 未定【初任給】月22.6万(諸手当を除いた数値)
【試験種類】‥【各種制度】‥

【業績】	売上高	営業利益	経常利益	純利益
単23.2	41,263	1,007	1,510	1,864
単24.2	45,875	2,773	3,159	1,683

㈱ひらまつ
東証スタンダード

【本社】150-0013 東京都渋谷区恵比寿4-17-3 ☎03-5793-8811
外食・中食

採用実績数	倍率	3年後離職率	平均年収
131名	‥	‥	514万円

【特色】フランス料理シェフの平松博利氏が創業した高級レストラン。「ひらまつ」「ASO」など自社ブランドに加え、海外高級レストランブランドの日本店も手がける。レストランウエディングの市場を開拓。ホテル事業は体制見直しで運営受託に特化。
【定着率】‥
【採用】【設立】1994.12【社長】三須和泰
23年 84【従業員】連703名 単701名(33.9歳)
24年 131【有休】‥日
25年 未定【初任給】‥万
【試験種類】‥【各種制度】‥

【業績】	売上高	営業利益	経常利益	純利益
連23.3	12,376	▲617	▲612	▲904
連24.3	13,859	266	175	▲153

ユナイテッド＆コレクティブ
東証グロース

【本社】102-0083 東京都千代田区麹町2-5-1 半蔵門 PREX South ☎050-3091-3557
外食・中食

採用予定数	倍率	3年後離職率	平均年収
6名	‥	‥	480万円

【特色】首都圏を中心に外食チェーンを展開。主力業態の鶏料理居酒屋「てけてけ」に加え、ハンバーガー「the 3rd Burger」、海鮮丼「新太郎」も運営。店内調理にこだわるが、自社加工拠点も活用し調理工程を厳密に管理。業態多様化に意欲。
【定着率】‥
【採用】【設立】2002.6【社長】坂井英也
23年 11【従業員】単110名(38.7歳)
24年 4【有休】‥日
25年 6【初任給】月23.1万(諸手当を除いた数値)
【試験種類】‥【各種制度】‥

【業績】	売上高	営業利益	経常利益	純利益
単23.2	5,349	▲1,092	▲894	▲1,287
単24.2	6,168	52	38	▲91

養老乃瀧（ようろうのたき）
株式公開計画なし

【本社】171-8526 東京都豊島区西池袋1-10-15 8階 ☎03-6327-2800
外食・中食

採用実績数	倍率	3年後離職率	平均年収
3名	‥	‥	‥

【特色】「養老乃瀧」のほか「だんまや水産」「一軒め酒場」「韓激」など展開する居酒屋チェーン大手。1956年横浜に1号店開設。仙台、松本、大阪に事務所。直営・FC合わせ約340店舗。コントラクト事業にも取り組み、飲食関連分野で事業の多角化図る。
【定着率】‥
【採用】【設立】1961.6【社長】矢満田敏之
23年 2【従業員】単320名(38.0歳)
24年 3【有休】‥日
25年 未定【初任給】月20.8万(諸手当を除いた数値)
【試験種類】‥【各種制度】‥

【業績】	売上高	営業利益	経常利益	純利益
単23.12	13,030	‥	‥	‥

売上高はグループ計

㈱ライドオンエクスプレスホールディングス
東証スタンダード

【本社】108-6317 東京都港区三田3-5-27 住友不動産三田ツインビル ☎03-5444-3611
外食・中食

採用予定数	倍率	3年後離職率	平均年収
40名	‥	‥	643万円

【特色】調理済み食材宅配事業を直営やFCで全国展開。主要ブランドはすしの「銀のさら」、釜めしの「釜寅」など。注文履歴をもとに消費分析・調査を行い、新商品やサービスの開発に活用。ひとつの配送拠点に複数のブランド店を設置し効率運用。タイに現地法人。
【定着率】‥
【グループ採用】【設立】2001.7【社長】江見朗
23年 31【従業員】連354名 単32名(39.7歳)
24年 40【有休】‥日
25年 40【初任給】月21万(諸手当を除いた数値)
【試験種類】‥【各種制度】‥

【業績】	売上高	営業利益	経常利益	純利益
連23.3	25,353	1,251	1,099	546
連24.3	23,995	1,067	1,024	364

㈱リンガーハット
東証プライム

【本社】141-0032 東京都品川区大崎1-6-1 TOC大崎ビル ☎03-5745-8611
外食・中食

採用予定数	倍率	3年後離職率	平均年収
30名	‥	‥	631万円

【特色】九州発祥の外食グループ。長崎ちゃんぽんの「リンガーハット」、とんかつの「濵かつ」が軸。直営中心だがFCも展開。ロードサイド型やSC内フードコートに出店する。使用する野菜はすべて国産。佐賀、静岡、京都に工場を持つ。アジアやハワイにも進出。
【定着率】‥
【採用】【設立】1964.3【社長】佐々野諸延
23年 20【従業員】連560名 単155名(46.6歳)
24年 29【有休】‥日
25年 30【初任給】月22.2万(諸手当を除いた数値)
【試験種類】‥【各種制度】‥

【業績】	売上高	営業利益	経常利益	純利益
連23.2	37,734	▲292	263	▲403
連24.2	40,209	1,004	1,115	752

ウエルシアホールディングス
東証プライム

【本社】101-0021 東京都千代田区外神田2-2-15 ☎03-5207-5878
家電量販・薬局・HC

採用実績数	倍率	3年後離職率	平均年収
807名	‥	‥	799万円

【特色】ドラッグチェーン最大手。イオン子会社。「ウエルシア」や傘下に収めた「コクミン」「ププレひまわり」などで全国展開。調剤併設やカウンセリング営業を推進。訪問入浴など介護サービスも手がける。ツルハHDと経営統合協議開始、27年までに最終合意。
【定着率】‥
【グループ採用】【設立】2008.9【取締】池野隆光
23年 1074【従業員】連16,068名 単‥名(52.7歳)
24年 807【有休】‥日
25年 前年並【初任給】‥万
【試験種類】‥【各種制度】‥

【業績】	売上高	営業利益	経常利益	純利益
連23.2	1,144,278	45,635	52,149	27,030
連24.2	1,217,339	43,231	47,756	26,451

クオールホールディングス
東証プライム

【本社】105-8452 東京都港区虎ノ門4-3-1 城山トラストタワー ☎03-5405-9011
家電量販・薬局・HC

採用予定数	倍率	3年後離職率	平均年収
300名	‥	‥	729万円

【特色】調剤薬局上位。「クオール薬局」を全国展開。中規模病院の門前を狙うニッチ戦術で成長。ローソンやビックカメラとの共同出店や東急電鉄などの駅ナカ出店に特徴。MRや医療従事者の派遣・紹介事業も。M&Aによる製薬会社グループ化で医薬品製造事業積極化。
【定着率】‥
【グループ採用】【設立】1992.10【社長】中村敬
23年 250【従業員】連6,374名 単93名(46.2歳)
24年 250【有休】‥日
25年 300【初任給】‥万
【試験種類】‥【各種制度】‥

【業績】	売上高	営業利益	経常利益	純利益
連23.3	170,036	9,495	10,098	5,656
連24.3	180,052	8,324	9,256	4,880

㈱トモズ
株式公開計画なし

【本部】113-0024 東京都文京区西片1-15-15 KDX春日ビル ☎03-5844-0251
家電量販・薬局・HC

採用実績数	倍率	3年後離職率	平均年収
158名	‥	‥	‥

【特色】ドラッグストア「トモズ」「アメリカンファーマシー」「メディコ」「クスリのカツマタ」「インクローバー」などを運営。調剤薬局併設が基本業態。東京中心に神奈川県、埼玉県、千葉県などに約250店舗展開。住友商事の子会社。
【定着率】‥
【採用】【設立】1993.9【社長】角谷真司
23年 134【従業員】単1,702名(36.0歳)
24年 158【有休】‥日
25年 未定【初任給】月22万(諸手当を除いた数値)
【試験種類】‥【各種制度】‥

【業績】	売上高	営業利益	経常利益	純利益
単23.3	90,470	‥	‥	‥
単24.3	97,926	‥	‥	‥

㈱ビックカメラ
東証プライム

【本社】171-0033 東京都豊島区高田3-23-23 ☎03-3987-8785
家電量販・薬局・HC

採用実績数	倍率	3年後離職率	平均年収
278名	‥	‥	482万円

【特色】家電量販大手。群馬県・高崎で創業。池袋、新宿、有楽町、渋谷など東京都内や主要な地方都市のターミナル駅周辺に大型店を展開。同業コジマ買収で郊外立地も押さえる。傘下にPC販売のソフマップ、日本BS放送。デンソー子会社から携帯販売事業を買収。
【定着率】‥
【採用】【設立】1980.11【社長】秋保徹
23年 205【従業員】連11,738名 単4,849名(36.5歳)
24年 278【有休】‥日
25年 前年並【初任給】月22.2万(諸手当を除いた数値)
【試験種類】‥【各種制度】‥

【業績】	売上高	営業利益	経常利益	純利益
連22.8	792,368	17,863	20,808	5,765
連23.8	815,560	14,215	16,566	2,936

㈱アダストリア
東証プライム

【本部】150-8510 東京都渋谷区渋谷2-21-1 渋谷ヒカリエ ☎03-5466-2010
その他小売業

採用実績数	倍率	3年後離職率	平均年収
230名	‥	‥	442万円

【特色】カジュアル衣料小売りチェーンを全国展開。「グローバルワーク」「ニコアンド」「ローリーズファーム」など複数のカジュアルブランドを持ち、20代女性向けに強い。出店はSCや駅ビルが中心。外食のゼットンも傘下。海外出店とM&Aに積極的。自社ECも。
【定着率】‥
【採用】【設立】1953.10【社長】木村治
23年 143【従業員】連6,862名 単4,905名(33.2歳)
24年 230【有休】‥日
25年 微増【初任給】月25万(諸手当を除いた数値)
【試験種類】‥【各種制度】‥

【業績】	売上高	営業利益	経常利益	純利益
連23.2	242,552	11,515	12,026	7,540
連24.2	275,596	18,015	18,389	13,513

㈱京都きもの友禅ホールディングス
東証スタンダード

【本社】103-0011 東京都中央区日本橋大伝馬町14-1 ☎03-3639-9191
その他小売業

採用予定数	倍率	3年後離職率	平均年収
10名	‥	‥	405万円

【特色】振り袖を軸とした呉服販売直営店「京都きもの友禅」を全国展開。現金買取方式による仕入れに特長。成人式の前撮りを行う写真スタジオも。オンラインの販売・レンタルも展開する。「友の会」は毎月の積立総額にボーナスが付く買い物カード提供で集客。
【定着率】‥
【グループ採用】【設立】1971.8【社長】浅香竜也
23年 0【従業員】連418名 単394名(49.4歳)
24年 3【有休】‥日
25年 10【初任給】月20万(諸手当を除いた数値)
【試験種類】‥【各種制度】‥

【業績】	売上高	営業利益	経常利益	純利益
連23.3	8,329	▲286	▲265	▲468
連24.3	7,022	▲1,039	▲1,055	▲1,342

㈱コックス　東証スタンダード

【本社】103-0007 東京都中央区日本橋浜町1-2-1 ☎03-5821-6070
その他小売業

採用予定数	倍率	3年後離職率	平均年収
15名	‥	‥	457万円

【特色】イオン系カジュアル衣料専門店。グループ内外のSCや駅ビルなどに専門店を出店する。主力の「ikka」はブランド力強化のためリニューアルを推進中。他に「LBC」「VENCE」なども展開。会員アプリの機能拡充や自社ECサイトへの誘導強化も進める。
【定着率】‥
【採用】　【設立】1973.5【社長】三宅英木
23年 0【従業員】連314名 単300名(47.4歳)
24年 50【有休】‥日
25年 15【初任給】月23万(諸手当を除いた数値)
【試験種類】‥【各種制度】‥

【業績】	売上高	営業利益	経常利益	純利益
連23.2	14,859	427	421	207
連24.2	14,885	1,199	1,396	1,142

㈱ゴルフパートナー　株式公開計画なし

【本社】101-0054 東京都千代田区神田錦町3-20 錦町トラッドスクエア13階 ☎03-5217-9700
その他小売業

採用実績数	倍率	3年後離職率	平均年収
22名	‥	‥	‥

【特色】ゼビオHDの完全子会社で、運営するゴルフ用品店「ゴルフパートナー」は400店超、同業界で店舗数世界一。中古クラブ販売は国内シェア6割で首位。ヴィクトリアゴルフで下取りした良質クラブを販売する循環型ビジネス展開。韓国にも進出。
【定着率】‥
【採用】　【設立】1999.6【社長】石田純哉
23年 39【従業員】単430名(39.4歳)
24年 22【有休】‥日
25年 未定【初任給】‥万
【試験種類】‥【各種制度】‥

【業績】	売上高	営業利益	経常利益	純利益
単23.3	51,600	3,424	3,490	2,368
単24.3	48,946	2,073	2,064	1,163

㈱ジーフット　東証スタンダード

【本社】104-0033 東京都中央区新川1-14-1 国冠ビル ☎03-5566-8852
その他小売業

採用予定数	倍率	3年後離職率	平均年収
未定	‥	‥	443万円

【特色】イオン系の靴小売り大手。専門店「アスビー」やGMSの靴売場「グリーンボックス」を主力業態に事業展開。出店は大型ショッピングセンターが中心。出店抑制と大量閉店一巡。機能性と低価格を訴求したPB商品は好採算。
【定着率】‥
【採用】　【設立】1971.10【代表取締役】木下尚久
23年 2【従業員】連888名 単845名(41.2歳)
24年 0【有休】‥日
25年 未定【初任給】月23.3万(諸手当を除いた数値)
【試験種類】‥【各種制度】‥

【業績】	売上高	営業利益	経常利益	純利益
連23.2	65,695	▲4,804	▲5,004	▲5,523
連24.2	64,601	▲1,081	▲1,363	▲1,768

㈱ジンズホールディングス　東証プライム

【本社】101-0054 東京都千代田区神田錦町3-1 安田シーケンスタワー ☎03-6890-4800
その他小売業

採用実績数	倍率	3年後離職率	平均年収
156名	‥	‥	‥

【特色】メガネやサングラスなどのアイウエア販売「JINS」を展開する。自社企画と海外委託生産による低価格が強み。PC用眼鏡など機能商品も特長。ロードサイド店舗を拡大中。海外も積極的で中国、台湾、フィリピン、米国などに店舗持つ。
【定着率】‥
【グループ採用】【設立】1991.7【社長】田中仁
23年 ‥【従業員】連3,486名 単2,016名(‥歳)
24年 156【有休】‥日
25年 微増【初任給】月23万(諸手当を除いた数値)
【試験種類】‥【各種制度】‥

【業績】	売上高	営業利益	経常利益	純利益
連22.8	66,901	3,315	3,789	750
連23.8	73,264	4,847	3,739	1,762

㈱大黒屋(だいこくや)　株式公開未定

【本社】108-0075 東京都港区港南4-1-8 リバージュ品川3階 ☎03-3472-7740
その他小売業

採用実績数	倍率	3年後離職率	平均年収
12名	‥	‥	‥

【特色】バッグ、時計、貴金属、小物、アパレルなどの買い取り・販売が主力の質屋業。金券も扱う。千葉地盤の大黒屋質店が前身。大黒屋HDの子会社で、大黒屋グローバルHDの傘下。関東、関西、中部、九州を中心に全国20店舗超を展開。
【定着率】‥
【採用】　【設立】1992.10【社長】小川浩平
23年 4【従業員】単162名(34.6歳)
24年 12【有休】‥日
25年 未定【初任給】月20.5万(諸手当を除いた数値)
【試験種類】‥【各種制度】‥

【業績】	売上高	営業利益	経常利益	純利益
単23.3	12,167	▲28	53	▲137
単24.3	10,671	▲315	▲388	▲451

㈱タツミヤ　株式公開計画なし

【本社】192-0043 東京都八王子市暁町1-32-13 ☎042-624-1880
その他小売業

採用予定数	倍率	3年後離職率	平均年収
未定	‥	‥	‥

【特色】ミセス向けショップ「タツミヤ」「シーナ」「ラスコリナス」「セントエリーネ」「T's collection」などを運営する婦人服小売りチェーン。全国のショッピングセンター・駅ビルなどを中心に約300店超の直営店を展開。
【定着率】‥
【採用】　【設立】1958.6【社長】指田努
23年 2【従業員】単1,166名(56.6歳)
24年 ‥【有休】‥日
25年 未定【初任給】‥万
【試験種類】‥【各種制度】‥

【業績】	売上高	営業利益	経常利益	純利益
単24.2	10,040	‥	‥	‥

従業員数は常勤パート含む

㈱ナルミヤ・インターナショナル
東証スタンダード

【本社】105-0011 東京都港区芝公園2-4-1 ☎03-6430-9100
その他小売業

採用予定数	倍率	3年後離職率	平均年収
65名	‥	‥	391万円

【特色】子供服の企画販売を行う製造小売業。マルチチャネル・マルチブランドを展開。百貨店向けから中価格帯のショッピングセンター向けへ軸足移す。低価格帯のアウトレットモール向けやECも強化。平成で人気を博した自社キャラクターのリバイバルなど保有IPを活性化。
【定着率】‥
【採用】【設立】2016.6【取締】國京紘宇
23年 0【従業員】連1,080名 単1,060名(35.0歳)
24年 65【有休】‥日
25年 65【初任給】月20.5万(諸手当を除いた数値)
【試験種類】‥【各種制度】‥

【業績】	売上高	営業利益	経常利益	純利益
連23.2	34,997	1,705	1,624	831
連24.2	37,484	2,105	2,072	1,216

㈱NEW ART HOLDINGS
東証スタンダード

【本社】104-0061 東京都中央区銀座1-15-2 銀座スイムビル ☎03-3567-8091
その他小売業

採用予定数	倍率	3年後離職率	平均年収
未定	‥	‥	471万円

【特色】婚約指輪・結婚指輪などブライダルジュエリーの製造・販売が事業の中核。「銀座ダイヤモンドシライシ」などのブランドで全国展開、海外も中国、台湾などに出店する。イスラエルに仕入れ子会社。美術品の販売・絵画オークションもグループで手がける。
【定着率】‥
【NAシーマ採用】【設立】1994.9【会長兼社長】白石幸生
23年 ‥【従業員】連710名 単70名(38.9歳)
24年 ‥【有休】‥日
25年 未定【初任給】‥万
【試験種類】‥【各種制度】‥

【業績】	売上高	営業利益	経常利益	純利益
連23.3	21,463	3,304	3,371	1,727
連24.3	21,099	2,864	2,915	1,085

㈱ハウス オブ ローゼ
東証スタンダード

【本社】107-8625 東京都港区赤坂2-21-7 ☎03-5114-5800
その他小売業

採用予定数	倍率	3年後離職率	平均年収
若干	‥	‥	436万円

【特色】ボディケア用品・化粧品小売り専門店。百貨店、専門店にアロマなど自然派商品の直営店舗持ち、ECも展開。PB商品が主。個人オーナー店や量販店へも卸売り。マッサージを施すリラクゼーション・サロンやFC加盟のフィットネス・クラブも運営。
【定着率】‥
【採用】【設立】1982.4【社長】川口善弘
23年 2【従業員】単830名(40.2歳)
24年 2【有休】‥日
25年 若干【初任給】月21万(諸手当を除いた数値)
【試験種類】‥【各種制度】‥

【業績】	売上高	営業利益	経常利益	純利益
単23.3	11,905	153	188	511
単24.3	11,989	367	373	122

㈱ハピネス・アンド・ディ
東証スタンダード

【本社】104-0061 東京都中央区銀座1-16-1 東貨ビル ☎03-3562-7521
その他小売業

採用予定数	倍率	3年後離職率	平均年収
10名	‥	‥	371万円

【特色】輸入ブランド品販売のセレクトショップ「ハピネス」を全国展開。北海道から沖縄まで全国のショッピングセンター内へ出店する。取り扱い商品は宝飾品、時計、バッグ、雑貨など。オリジナルブランド商品も展開。自社および他社サイトでネット通販も。
【定着率】‥
【採用】【設立】1990.9【社長】田篤史
23年 13【従業員】連392名 単372名(39.3歳)
24年 5【有休】‥日
25年 10【初任給】月19万(諸手当を除いた数値)
【試験種類】‥【各種制度】‥

【業績】	売上高	営業利益	経常利益	純利益
単22.8	13,608	190	191	89
連23.8	12,742	▲216	▲243	▲668

㈱パリミキホールディングス
東証スタンダード

【本社】108-0075 東京都港区港南1-6-31 品川東急ビル ☎03-6432-0711
その他小売業

採用予定数	倍率	3年後離職率	平均年収
65名	‥	‥	505万円

【特色】眼鏡専門店チェーン大手。グループで「パリミキ」のほか、低価格業態「オプトレーベル」、百貨店内出店の「金鳳堂」などを全国に約630店展開。海外もアジア中心に米国、欧州、オセアニアに約90店。眼鏡作製技能士の有資格者の増員を推進。
【定着率】‥
【グループ採用】【設立】1950.1【社長】澤田将広
23年 53【従業員】連2,537名 単34名(48.0歳)
24年 38【有休】‥日
25年 65【初任給】月20.7万(諸手当を除いた数値)
【試験種類】‥【各種制度】‥

【業績】	売上高	営業利益	経常利益	純利益
連23.3	47,400	732	1,206	501
連24.3	49,912	1,928	2,592	1,690

㈱三松(みまつ)
株式公開未定

【本社】151-0051 東京都渋谷区千駄ヶ谷3-60-5 オー・アール・ディ原宿ビル3階 ☎03-6810-8800
その他小売業

採用実績数	倍率	3年後離職率	平均年収
30名	‥	‥	‥

【特色】きもの、毛皮、フォーマルドレスやカジュアル衣料までを扱う総合ファッション企業。和装の「三松」、パーティドレスの「エメ」、振袖・袴レンタルの「ふりふ」などを展開。全国の百貨店、SCなどで約60店舗以上を運営。
【定着率】‥
【採用】【設立】1948.2【社長】齋藤徹
23年 28【従業員】単445名(38.3歳)
24年 30【有休】‥日
25年 未定【初任給】月22.2万(諸手当を除いた数値)
【試験種類】‥【各種制度】‥

【業績】	売上高	営業利益	経常利益	純利益
単23.3	8,138	‥	‥	‥
単24.3	7,704	‥	‥	‥

東京都

㈱ユナイテッドアローズ

東証プライム

【本部オフィス】107-0052 東京都港区赤坂8-1-19 日本生命赤坂ビル ☎03-5785-6325
その他小売業

採用予定数	倍率	3年後離職率	平均年収
200名	‥	‥	470万円

【特色】紳士、婦人向けカジュアル衣料、雑貨のセレクトショップを全国で運営。約半分は自社企画商品。出店は百貨店やSC(ショッピングセンター)内が中心。「ユナイテッドアローズ」のほか、生活提案型「グリーンレーベルリラクシング」、SC向け「コーエン」などを展開。
【定着率】‥
【採用】 【設立】1989.10【代表取締役】松崎善則
23年 70【従業員】連3,980名 単3,646名(35.3歳)
24年 131【有休】‥日
25年 200【初任給】‥万
【試験種類】‥【各種制度】‥

【業績】	売上高	営業利益	経常利益	純利益
連23.3	130,135	6,362	6,900	4,341
連24.3	134,269	6,740	7,486	4,876

㈱ロフト

株式公開計画なし

【本部】102-0073 東京都千代田区九段北4-2-6 市ケ谷ビル ☎03-5210-6210
その他小売業

採用予定数	倍率	3年後離職率	平均年収
50名	‥	‥	‥

【特色】美容・健康雑貨、文具・バラエティ・生活雑貨専門店「ロフト」をチェーン展開。店舗数は国内160店(直営136、FC24)、海外6店(直営4、FC2)。コスメ領域特化の業態「コスメロフト」多店舗化も推進。セブン＆アイHDの子会社。
【定着率】‥
【採用】 【設立】1996.8【社長】安藤公基
23年 29【従業員】単4,645名(35.4歳)
24年 43【有休】‥日
25年 50【初任給】月20.6万(諸手当を除いた数値)
【試験種類】‥【各種制度】‥

【業績】	売上高	営業利益	経常利益	純利益
単23.2	92,974	2,285	2,182	243
単24.2	107,188	4,292	4,211	2,410

太平興業

株式公開していない

【本社】100-0005 東京都千代田区丸の内3-3-1 新東京ビル ☎03-3287-1681
その他小売業

採用予定数	倍率	3年後離職率	平均年収
未定	‥	‥	‥

【特色】本社は東京・丸の内だが、新潟、山形、秋田の3県が営業エリアのトラック・バス販売会社。三菱ふそうトラック・バスの特約販売店。車両整備などサービス部門のほか、観光バス会社向けの運行管理システムの提供も行う。導入実績は100社以上。
【定着率】‥
【採用】 【設立】1946.3【社長】平岡裕
23年 10【従業員】単534名(‥歳)
24年 ‥【有休】‥日
25年 未定【初任給】月20.5万(諸手当を除いた数値)
【試験種類】‥【各種制度】‥

【業績】	売上高	営業利益	経常利益	純利益
単23.3	25,953	337	324	152
単24.3	30,606	450	377	282

日産東京販売ホールディングス

東証スタンダード

【本社】141-8623 東京都品川区西五反田4-32-1 ☎03-5496-5234
その他小売業

採用予定数	倍率	3年後離職率	平均年収
未定	‥	‥	879万円

【特色】東京都内をエリアとする日産自動車系最大のディーラー。新車と中古車の販売、自動車整備を行う。主要販売子会社3社を統合し、店舗や人員の配置最適化。リサイクルEV蓄電池対応など次世代店舗への刷新進める。個人リース販売も積極化。
【定着率】‥
【日産東京販売採用】【設立】1942.11【社長】竹林彰
23年 49【従業員】連2,646名 単46名(51.0歳)
24年 ‥【有休】‥日
25年 未定【初任給】‥万
【試験種類】‥【各種制度】‥

【業績】	売上高	営業利益	経常利益	純利益
連23.3	137,659	6,399	6,090	3,261
連24.3	148,972	8,709	8,364	7,337

オイシックス・ラ・大地

東証プライム

【本社】141-0032 東京都品川区大崎1-11-2 ☎03-6867-1149
その他小売業

採用予定数	倍率	3年後離職率	平均年収
10名	‥	‥	645万円

【特色】独自の栽培・生産基準に基づく環境負荷の少ない食品の個人向け宅配を行う。ミールキット(食材セット)が主軸。M&Aで傘下に収めたものも含む3ブランドを展開。保育園、企業、官公庁向けのサービスも手がけ、子会社シダックスとの協業で給食事業を育成中。
【定着率】‥
【採用】 【設立】2000.3【社長】髙島宏平
23年 22【従業員】連11,456名 単794名(40.9歳)
24年 10【有休】‥日
25年 10【初任給】月30万(諸手当を除いた数値)
【試験種類】‥【各種制度】‥

【業績】	売上高	営業利益	経常利益	純利益
連23.3	115,176	3,346	2,810	1,807
連24.3	148,408	5,144	4,438	4,120

オルビス

株式公開計画なし

【本社】142-0051 東京都品川区平塚2-1-14 戸越銀座ラウンドビル ☎‥
その他小売業

採用実績数	倍率	3年後離職率	平均年収
33名	‥	‥	‥

【特色】化粧品、スキンケア、栄養補助食品、ボディウェアなどの企画・開発や通信販売・店舗販売を展開。中価格帯の化粧品を複数ブランドで販売。直営店舗は国内約90店。海外は中国・台湾などのアジア圏で展開。ポーラ・オルビスHDを形成。
【定着率】‥
【採用】 【設立】1961.1【社長】小林琢磨
23年 6【従業員】単1,055名(‥歳)
24年 33【有休】‥日
25年 未定【初任給】月25万(諸手当を除いた数値)
【試験種類】‥【各種制度】‥

【業績】	売上高	営業利益	経常利益	純利益
連22.12	38,417	‥	‥	‥
連23.12	42,874	‥	‥	‥

㈱キューブ 東証グロース

【本社】107-0052 東京都港区赤坂2-17-7 赤坂溜池タワー ☎03-6427-0791
その他小売業

採用予定数	倍率	3年後離職率	平均年収
5名	‥	‥	526万円

【特色】主力ブランド「MARK&LONA」など高級ゴルフウェアの企画・販売行う。ドクロマークや鮮やかなカラーなどゴルフウェアとしては斬新なデザインで従来品と差別化。国内は主要都市展開の直営店とEC。海外でも人気でECほか韓国や欧米に卸売り。
【定着率】‥
【採用】 【設立】2004.6 【社長】松村智明
23年 4【従業員】単94名(36.6歳)
24年 0【有休】‥日
25年 5【初任給】月23.1万(諸手当を除いた数値)
【試験種類】‥【各種制度】‥

【業績】	売上高	営業利益	経常利益	純利益
単22.12	5,559	907	898	609
単23.12	4,857	289	292	190

㈱クラシコム 東証グロース

【本社】186-0004 東京都国立市中1-1-52 nonowa国立SOUTH ☎042-577-0486
その他小売業

採用実績数	倍率	3年後離職率	平均年収
3名	‥	‥	647万円

【特色】自社ECサイト「北欧、暮らしの道具店」を運営。ライフカルチャープラットフォームを標榜。アパレル、キッチン、インテリア雑貨などの販売に加え、商品関連の記事・動画などのコンテンツ配信や、企業の商品企画などマーケティングソリューションも手がける。
【定着率】‥
【採用】 【設立】2006.9 【社長】青木耕平
23年 2【従業員】単87名(34.9歳)
24年 3【有休】‥日
25年 前年並【初任給】月21.9万(諸手当を除いた数値)
【試験種類】‥【各種制度】‥

【業績】	売上高	営業利益	経常利益	純利益
単23.7	6,060	965	968	695
連24.7	7,012	1,083	1,150	785

クルーズ 東証スタンダード

【本社】150-0013 東京都渋谷区恵比寿4-3-14 ☎03-6387-3622
その他小売業

採用実績数	倍率	3年後離職率	平均年収
4名	‥	‥	731万円

【特色】ファストファッションECの「SHOPLIST」軸にネットサービスを展開。純粋持ち株会社で、ECに加えスマホゲーム開発のゲーム事業、ネット広告のメディア事業の子会社も傘下。新規事業への積極投資進め、株式時価総額1兆円以上の超長期目標を掲げる。
【定着率】‥
【SHOPLIST採用】【設立】2002.5 【社長】小渕宏二
23年 8【従業員】連671名 単76名(40.4歳)
24年 4【有休】‥日
25年 微減【初任給】‥万
【試験種類】‥【各種制度】‥

【業績】	売上高	営業利益	経常利益	純利益
連23.3	14,000	644	628	254
連24.3	14,270	161	1,226	1,008

ジェイフロンティア 東証グロース

【本社】150-0031 東京都渋谷区桜丘町9-8 KN渋谷3 ☎03-6427-4662
その他小売業

採用予定数	倍率	3年後離職率	平均年収
10名	‥	‥	601万円

【特色】自社ブランドのサプリメントなど健康食品や医薬品の通販行う。医療プラットフォーム「SOKUYAKU」も運営。オンライン診療から処方箋医薬品の宅配まで行い、ドラッグストアチェーンに加えコンビニでも受け取り可能に。ヘルスケア商品の広告代理業併営。
【定着率】‥
【採用】 【設立】2008.6 【社長】中村篤弘
23年 2【従業員】連315名 単63名(38.1歳)
24年 7【有休】‥日
25年 10【初任給】月21.5万(諸手当を除いた数値)
【試験種類】‥【各種制度】‥

【業績】	売上高	営業利益	経常利益	純利益
連22.5	11,876	732	712	400
連23.5	16,844	▲1,816	▲1,841	▲1,899

㈱ジェネレーションパス 東証グロース

【本社】160-0023 東京都新宿区西新宿6-12-1 ☎03-3343-3544
その他小売業

採用実績数	倍率	3年後離職率	平均年収
11名	‥	‥	438万円

【特色】インテリアや家具、ファッションなど幅広く扱うネット通販「リコメン堂」を運営。楽天市場やヤフーショッピングなどに出店。自社商品のほか、商品販売希望者に対するECサポートやOEM商品の企画・開発も手がける。アジアに生産工場。
【定着率】‥
【採用】 【設立】2002.1 【社長】岡本洋明
23年 17【従業員】連299名 単105名(31.3歳)
24年 11【有休】‥日
25年 前年並【初任給】月20万(諸手当を除いた数値)
【試験種類】‥【各種制度】‥

【業績】	売上高	営業利益	経常利益	純利益
連22.10	15,979	74	396	343
連23.10	15,151	▲4	71	▲23

㈱セキド 東証スタンダード

【本社】163-1020 東京都新宿区西新宿3-7-1 新宿パークタワー ☎03-6300-6103
その他小売業

採用実績数	倍率	3年後離職率	平均年収
6名	‥	‥	‥

【特色】貴金属や時計、バッグ、雑貨などを販売する「GINZA LoveLove」を運営。実店舗とECで展開する。韓国美容品卸が収益柱に。韓国シートマスク「MEDIHEAL」輸入総代理店として卸売りと公式ECサイト運営を行う。韓国コスメセレクトショップも。
【定着率】‥
【採用】 【設立】1963.2 【社長】関戸正実
23年 6【従業員】連61名 単61名(39.9歳)
24年 6【有休】‥日
25年 前年並【初任給】月23万(諸手当を除いた数値)
【試験種類】‥【各種制度】‥

【業績】	売上高	営業利益	経常利益	純利益
連23.3	7,039	109	45	▲46
連24.3	8,480	151	130	47

㈱ニチリョク　東証スタンダード

【本社】103-0028 東京都中央区八重洲1-7-20 八重洲口会館 ☎03-6271-8920
その他小売業

採用実績数	倍率	3年後離職率	平均年収
9名	‥	‥	‥

【特色】公園墓地など霊園や堂内陵墓の受託開発・販売の大手。主力は葬祭事業で、寺院での本堂葬儀のほか家族葬や直葬専用の葬儀場「ラステル」を運営する。堂内陵墓は参拝者がカードを挿入する自動搬送式納骨堂で、主要な駅から徒歩圏内で運営。
【定着率】‥
【採用】　【設立】1966.12【社長】三浦理砂
23年　3【従業員】単108名(46.0歳)
24年　9【有休】‥日
25年　前年並【初任給】‥万
【試験種類】‥【各種制度】‥

【業績】	売上高	営業利益	経常利益	純利益
単23.3	3,223	221	137	118
単24.3	2,852	284	220	279

㈱ヤマノホールディングス　東証スタンダード

【本社】151-0053 東京都渋谷区代々木1-30-7 ☎03-3376-7878
その他小売業

採用予定数	倍率	3年後離職率	平均年収
14名	‥	‥	366万円

【特色】美容室経営が祖業で、現在は和装宝飾販売を主とするグループ。創始者・山野愛子氏の「美道五原則」が企業理念。呉服・和装小物、宝飾品、毛皮などの専門店を全国展開。美容室やネイルサロンも運営。健康・生活関連商品の訪問・催事販売事業や学習塾経営も傘下に持つ。
【定着率】‥
【グループ採用】【設立】1987.2【社長】山野義友
23年　‥【従業員】連608名 単237名(51.3歳)
24年　13【有休】‥日
25年　14【初任給】月22万(諸手当を除いた数値)
【試験種類】‥【各種制度】‥

【業績】	売上高	営業利益	経常利益	純利益
連23.3	13,904	297	286	173
連24.3	13,837	100	102	▲28

アクセルマーク　東証グロース

【本社】164-0012 東京都中野区本町1-32-2 ハーモニータワー ☎03-5354-3351
ゲーム

採用予定数	倍率	3年後離職率	平均年収
未定	‥	‥	622万円

【特色】インターネット広告媒体をネットワーク化し、広告主への広告枠の販売や他社サービスを用いた広告運用を手がける。IoTを活用したヘルスケア事業や、ブロックチェーン技術を用いたゲームサービス、トレーディングカードリービスなども行う。
【定着率】‥
【採用】　【設立】1994.3【社長】松川裕史
23年　0【従業員】単41名(33.2歳)
24年　0【有休】‥日
25年　未定【初任給】‥万
【試験種類】‥【各種制度】‥

【業績】	売上高	営業利益	経常利益	純利益
単22.9	2,671	13	10	▲100
単23.9	2,144	▲98	▲100	▲102

㈱Aiming　東証グロース

【本社】151-0051 東京都渋谷区千駄ヶ谷5-31-11 住友不動産新宿南口ビル ☎03-6672-6159
ゲーム

採用予定数	倍率	3年後離職率	平均年収
18名	‥	‥	430万円

【特色】スマホゲーム配信、制作・運営受託会社。「ドラゴンクエストタクト」を柱に「剣と魔法のログレス ～いにしえの女神～」、スマホとPS4向け「キャラバンストーリーズ」など手がける。多人数が同時接続しプレイする、MMOジャンルのオンラインゲームが得意。
【定着率】‥
【採用】　【設立】2011.5【社長】椎葉忠志
23年　16【従業員】連736名 単736名(33.2歳)
24年　24【有休】‥日
25年　18【初任給】月23万(諸手当を除いた数値)
【試験種類】‥【各種制度】‥

【業績】	売上高	営業利益	経常利益	純利益
連22.12	13,668	400	315	601
連23.12	18,199	▲1,309	▲1,100	▲2,227

KLab　東証プライム

【本社】106-6122 東京都港区六本木6-10-1 六本木ヒルズ森タワー ☎03-5771-1100
ゲーム

採用予定数	倍率	3年後離職率	平均年収
5名	‥	‥	623万円

【特色】モバイルオンラインゲームの企画・開発・運営が主。代表作は「キャプテン翼」「BLEACH Brave Souls」など。子会社でブロックチェーンやNFT、Web3関連も。150カ国超でゲーム配信。国内外のゲーム開発会社との提携に意欲的。
【定着率】‥
【採用】　【設立】2000.8【社長】森田英克
23年　6【従業員】連502名 単437名(37.0歳)
24年　5【有休】‥日
25年　5【初任給】月24.3万(諸手当を除いた数値)
【試験種類】‥【各種制度】‥

【業績】	売上高	営業利益	経常利益	純利益
連22.12	16,880	▲598	▲73	▲541
連23.12	10,717	▲1,218	▲852	▲1,819

㈱coly　東証グロース

【本社】107-0052 東京都港区赤坂4-2-6 ☎03-3505-0333
ゲーム

採用実績数	倍率	3年後離職率	平均年収
4名	‥	‥	504万円

【特色】モバイルゲームの開発・運営。「スタンドマイヒーローズ」「魔法使いの約束」など女性向けゲームに特化。自社IPのキャラクターグッズを企画・制作・販売、イベント開催も。海外は東アジアへの展開を目指す。女性従業員比率約7割、女性管理職比率約4割。
【定着率】‥
【採用】　【設立】2014.2【社長】中島杏奈
23年　26【従業員】単281名(31.3歳)
24年　4【有休】‥日
25年　減少【初任給】月23万(諸手当を除いた数値)
【試験種類】‥【各種制度】‥

【業績】	売上高	営業利益	経常利益	純利益
単23.1	5,537	▲207	▲206	▲320
単24.1	5,064	▲813	▲794	▲830

㈱ドリコム　東証グロース

【本社】141-6090 東京都品川区大崎2-1-1 ☎050-3101-9977
ゲーム

採用実績数	倍率	3年後離職率	平均年収
11名	‥	‥	‥

【特色】アイテム購入時に課金するスマホ向け課金型ソーシャルゲームの企画・開発・運用が中心事業。「みんゴル」「ダビマス」「アイドルマスター」などが主力コンテンツ。バンダイナムコグループの売り上げが5割超を占める。コミック作品で電子・紙媒体に取り組む。
【定着率】‥
【採用】　【設立】2003.3【社長】内藤裕紀
23年　‥【従業員】連371名 単278名(37.1歳)
24年　11【有休】‥日
25年　未定【初任給】年296万(諸手当を除いた数値)
【試験種類】‥【各種制度】‥

【業績】	売上高	営業利益	経常利益	純利益
連23.3	10,800	2,281	2,192	1,159
連24.3	9,779	903	793	104

㈱マイネット　東証スタンダード

【本社】107-0061 東京都港区北青山2-11-3 A-PLACE青山 ☎03-6864-4261
ゲーム

採用実績数	倍率	3年後離職率	平均年収
11名	‥	‥	573万円

【特色】スマホゲーム開発・運営。ゲームメーカーから買い取りや協業で仕入れたゲームを、再設計・バリューアップした後にサービス運営を行うリビルド事業が中心。DX技能を活用したAIソリューションやIPの外部提供、スポーツDX事業にも進出。
【定着率】‥
【グループ採用】【設立】2006.6【社長】岩城農
23年　11【従業員】連257名 単163名(36.7歳)
24年　0【有休】‥日
25年　0【初任給】月28.5万(諸手当を除いた数値)
【試験種類】‥【各種制度】‥

【業績】	売上高	営業利益	経常利益	純利益
連22.12	10,542	▲399	▲419	▲1,633
連23.12	8,717	168	125	143

㈱カオナビ　東証グロース

【本社】150-6138 東京都渋谷区渋谷2-24-12 渋谷スクランブルスクエア ☎03-6633-2781
人材・教育

採用実績数	倍率	3年後離職率	平均年収
7名	‥	‥	652万円

【特色】クラウド型人材マネジメントシステム「カオナビ」を運用。顔写真に個人情報、業務実績などのデータを結びつけることで直感的に操作できる点に特長。組織活性化、生産性向上、離職防止など企業ニーズに対応。競合の少ない人材管理領域に特化して差別化を図る。
【定着率】‥
【採用】　【設立】2008.5【社長】佐藤寛之
23年　5【従業員】連347名 単325名(33.8歳)
24年　7【有休】‥日
25年　増加【初任給】‥万
【試験種類】‥【各種制度】‥

【業績】	売上高	営業利益	経常利益	純利益
単23.3	5,990	322	317	246
連24.3	7,625	679	675	699

㈱学情（がくじょう）　東証プライム

【本社】104-0061 東京都中央区銀座6-10-1 GINZA SIX ☎03-6775-4510
人材・教育

採用予定数	倍率	3年後離職率	平均年収
30名	‥	‥	542万円

【特色】新卒就職情報ビジネスの大手で、就職情報サイト「あさがくナビ」運営や東名阪などで合同企業説明会「就職博」を開催。朝日新聞グループと資本業務提携。20代向け転職サイト「Re就活」や20代社会人特化の人材紹介事業も手がける。
【定着率】‥
【採用】　【設立】1977.11【社長】中井大志
23年　38【従業員】単359名(30.7歳)
24年　23【有休】‥日
25年　30【初任給】月19.3万(諸手当を除いた数値)
【試験種類】‥【各種制度】‥

【業績】	売上高	営業利益	経常利益	純利益
単22.10	6,773	1,621	2,038	1,396
単23.10	8,784	2,310	2,563	1,753

㈱キャリアデザインセンター　東証プライム

【本社】107-0052 東京都港区赤坂3-21-20 ☎03-3560-1601
人材・教育

採用予定数	倍率	3年後離職率	平均年収
82名	‥	‥	555万円

【特色】転職情報提供が主力事業。「type」などWeb求人広告、適職フェア、人材紹介業を展開。企業からの広告料や人材紹介手数料が収益源。正社員中心にキャリア志向の高いビジネスパーソンやエンジニア向けに強み。新卒紹介事業も行う。
【定着率】‥
【採用】　【設立】1993.7【会長兼社長】多田弘實
23年　71【従業員】単783名(30.0歳)
24年　94【有休】‥日
25年　82【初任給】月22.5万(諸手当を除いた数値)
【試験種類】‥【各種制度】‥

【業績】	売上高	営業利益	経常利益	純利益
単22.9	15,507	1,102	1,101	793
単23.9	17,388	1,585	1,577	1,163

㈱リブセンス　東証スタンダード

【本社】105-7510 東京都港区海岸1-7-1 東京ポートシティ竹芝 ☎03-6275-3330
人材・教育

採用実績数	倍率	3年後離職率	平均年収
4名	‥	‥	623万円

【特色】求人情報サイトを運営。「マッハバイト」「転職会議」「転職ドラフト」が主力サイト。掲載料モデルでなく、成功報酬型のビジネスモデルに特長。不動産情報サイトも手がける。紹介型マッチングサービス、面接最適化ツールなど新規事業を立ち上げ中。
【定着率】‥
【採用】　【設立】2006.2【社長】村上太一
23年　0【従業員】連231名 単222名(34.7歳)
24年　4【有休】‥日
25年　未定【初任給】‥万
【試験種類】‥【各種制度】‥

【業績】	売上高	営業利益	経常利益	純利益
連22.12	4,757	284	438	537
連23.12	5,654	485	649	716

㈱ウィルグループ
東証プライム

【本社】164-0012 東京都中野区本町1-32-2 ☎03-6859-8880
人材・教育

採用予定数	倍率	3年後離職率	平均年収
80名	‥	‥	656万円

【特色】人材派遣、業務請負、人材紹介を主とする人材サービスグループ。家電量販店、コールセンター、食品製造業への派遣・製造請負が主力だが、建設・介護向けも展開。海外はシンガポール、豪州で政府・自治体への人材派遣を手がける。
【定着率】‥
【グループ採用】【設立】2006.4【社長】角裕一
23年 67【従業員】連7,882名 単100名(38.1歳)
24年 78【有休】‥日
25年 80【初任給】月20万(諸手当を除いた数値)
【試験種類】‥【各種制度】‥

【業績】	売上高	営業利益	税前利益	純利益
連23.3	143,932	5,318	5,146	3,236
連24.3	138,227	4,525	4,417	2,778

㈱エスプール
東証プライム

【本社】101-0021 東京都千代田区外神田1-18-13 秋葉原ダイビル ☎03-6859-5599
人材・教育

採用予定数	倍率	3年後離職率	平均年収
100名	‥	‥	597万円

【特色】コールセンターなどへの人材派遣と障害者雇用支援の農園事業が柱。人材派遣はスマホなど店頭販売支援も行い従業員とスタッフをチームで派遣。障害者支援は都市型農園を区画単位で企業に貸し出す。通販商品の発送代行請け負いや広域行政BPOサービスも展開。
【定着率】‥
【採用】【設立】1999.12【会長兼社長】浦上壮平
23年 40【従業員】連1,040名 単184名(34.7歳)
24年 81【有休】‥日
25年 100【初任給】月23万(諸手当を除いた数値)
【試験種類】‥【各種制度】‥

【業績】	売上高	営業利益	税前利益	純利益
連22.11	26,650	3,091	3,118	1,809
連23.11	25,784	2,616	2,684	2,026

㈱ＭＳ－Ｊａｐａｎ
東証プライム

【本社】102-0071 東京都千代田区富士見2-10-2 飯田橋グラン・ブルーム ☎03-3239-7373
人材・教育

採用実績数	倍率	3年後離職率	平均年収
3名	‥	‥	‥

【特色】人材紹介やダイレクトリクルーティング事業を展開。公認会計士、税理士、弁護士等の士業と一般事業会社の管理部門職種(経理、財務、人事、総務、法務、経営企画等)に特化していることが特徴。管理部門向けのサービス比較サイト「マネジー」を育成中。
【定着率】‥
【採用】【設立】1990.4【会長兼社長】有本隆浩
23年 4【従業員】連231名 単189名(31.2歳)
24年 3【有休】‥日
25年 前年並【初任給】‥万
【試験種類】‥【各種制度】‥

【業績】	売上高	営業利益	経常利益	純利益
連23.3	4,293	1,789	1,785	1,223
連24.3	4,574	1,623	1,664	1,134

㈱オープンアップグループ
東証プライム

【本社】105-0001 東京都港区虎ノ門1-3-1 東京虎ノ門グローバルスクエア ☎03-3539-1330
人材・教育

採用実績数	倍率	3年後離職率	平均年収
1560名	‥	‥	591万円

【特色】開発系技術者派遣が柱。機械・電機・IT企業が主要顧客。各子会社が主体で事業を行う。M&Aを推進し、建設技術者派遣業務や開発系技術派遣業務を強化。製造派遣は譲渡。海外は買収した英国派遣会社、中国やインドネシアの現地法人により展開。
【定着率】‥
【グループ採用】【設立】1997.8【会長】西田穣
23年 1137【従業員】連32,739名 単131名(43.9歳)
24年 1560【有休】‥日
25年 未定【初任給】‥万
【試験種類】‥【各種制度】‥

【業績】	売上高	営業利益	税前利益	純利益
連23.6	161,689	12,760	13,103	9,533
連24.6	173,225	14,293	14,555	11,768

キャリアリンク
東証プライム

【本社】163-0433 東京都新宿区西新宿2-1-1 新宿三井ビル ☎03-6311-7321
人材・教育

採用予定数	倍率	3年後離職率	平均年収
10名	‥	‥	546万円

【特色】官公庁関連や大手企業向けに、人材派遣やビジネスプロセス請負(BPO)を展開。BPOはマイナンバーなど自治体需要取り込み、人材派遣はコールセンター向けや一般事務派遣を手がける。食品など製造業向け派遣に注力。全国に5支店と7つのBPOセンター。
【定着率】‥
【採用】【設立】1996.10【社長】成澤素明
23年 9【従業員】連933名 単725名(36.6歳)
24年 15【有休】‥日
25年 10【初任給】月22.1万(諸手当を除いた数値)
【試験種類】‥【各種制度】‥

【業績】	売上高	営業利益	経常利益	純利益
連23.3	52,536	7,609	7,645	5,711
連24.3	43,791	3,279	3,280	2,201

㈱サクシード
東証グロース

【本社】169-0075 東京都新宿区高田馬場1-4-15 ☎03-5287-7259
人材・教育

採用予定数	倍率	3年後離職率	平均年収
10名	‥	‥	449万円

【特色】教育、福祉分野での人材サービスと、家庭教師と個別指導塾「サクシード」を展開。人材サービスでは講師・教員やICT支援員、部活指導員、保育士、児童指導員などを紹介・派遣する。家庭教師事業は、オンラインを中心に対応エリアを全国に拡大中。
【定着率】‥
【採用】【設立】2004.4【社長】高木毅
23年 0【従業員】単92名(33.2歳)
24年 3【有休】‥日
25年 10【初任給】月22.5万(諸手当を除いた数値)
【試験種類】‥【各種制度】‥

【業績】	売上高	営業利益	経常利益	純利益
単23.3	2,939	382	399	269
単24.3	3,227	332	332	223

東京都

CRGホールディングス
東証グロース

【本社】163-0437 東京都新宿区西新宿2-1-1
☎03-3345-2772
人材・教育

採用実績数	倍率	3年後離職率	平均年収
24名	‥	‥	566万円

【特色】グループ各子会社で人材派遣・紹介や製造請負を行う人材派遣大手。コールセンター向けのほか、一般事務職、工場ライン、倉庫内業務、イベント関連にも派遣。請負はペットフードや関連品の製造が主。給与計算などの事務代行、採用代行サービスも手がける。
【定着率】‥
【グループ採用】【設立】2013.10【社長】小田康浩
23年 34【従業員】連482名 単36名(40.2歳)
24年 24【有休】‥日
25年 前年並【初任給】月17.7万(諸手当を除いた数値)
【試験種類】‥【各種制度】‥

【業績】	売上高	営業利益	経常利益	純利益
連22.9	21,380	483	463	287
連23.9	20,815	113	107	44

㈱TWOSTONE&Sons
東証グロース

【本社】150-0002 東京都渋谷区渋谷2-22-3
☎03-6416-0678
人材・教育

採用予定数	倍率	3年後離職率	平均年収
50名	‥	‥	540万円

【特色】ITエンジニアと企業をマッチングする事業が主力の持株会社。手厚い福利厚生やキャリア支援サービスを武器にフリーランスのITエンジニアの登録者を多く抱える。ITエンジニアの独立支援や、IT人材向けメディア運営、プログラミング教室も手がける。
【定着率】‥
【採用】【設立】2013.10【代表取締役】河端保志
23年 20【従業員】連368名 単211名(30.0歳)
24年 20【有休】‥日
25年 50【初任給】月18.6万(諸手当を除いた数値)
【試験種類】‥【各種制度】‥

【業績】	売上高	営業利益	経常利益	純利益
連22.8	6,870	195	200	134
連23.8	10,056	319	313	170

㈱ツナググループ・ホールディングス
東証スタンダード

【本社】104-0061 東京都中央区銀座7-3-5 ヒューリック銀座7丁目ビル
☎03-6897-6400
人材・教育

採用予定数	倍率	3年後離職率	平均年収
15名	‥	‥	918万円

【特色】アルバイト、パートに特化した採用活動代行サービスが主力の持ち株会社。求人募集メディアの選択、原稿の制作、コールセンターでの応募受付対応などを提供。対象を絞った求人情報メディアの運営や研修目的でコンビニ経営、人材派遣なども行う。
【定着率】‥
【グループ採用】【設立】2007.2【社長】米田光宏
23年 13【従業員】連521名 単474名(36.6歳)
24年 15【有休】‥日
25年 15【初任給】月19万(諸手当を除いた数値)
【試験種類】‥【各種制度】‥

【業績】	売上高	営業利益	経常利益	純利益
連22.9	12,721	215	213	491
連23.9	15,027	443	447	132

日研(にっけん)トータルソーシング
株式公開計画なし

【本社】144-0051 東京都大田区西蒲田7-23-3 日研第一ビル
☎03-5711-6400
人材・教育

採用予定数	倍率	3年後離職率	平均年収
1000名	‥	‥	‥

【特色】自動車製造など製造系に強い人材派遣・業務請負会社。対象マーケットを技術系、メンテナンス系、特殊技能系、メディカル系、建設管理系、一般派遣に拡大。海外人材管理代行サービスなども行う。全国200以上の拠点を置く。
【定着率】‥
【採用】【設立】1981.4【社長】清水浩二
23年 954【従業員】単23,000名(‥歳)
24年 857【有休】‥日
25年 1000【初任給】‥万
【試験種類】‥【各種制度】‥

【業績】	売上高	営業利益	経常利益	純利益
単23.3	115,602	7,615	7,702	5,287
単24.3	120,574	8,978	9,218	5,960

ビーウィズ
東証プライム

【本社】163-1032 東京都新宿区西新宿3-7-1 新宿パークタワーN棟
☎03-5908-3155
人材・教育

採用予定数	倍率	3年後離職率	平均年収
未定	‥	‥	494万円

【特色】デジタル技術を活用したコールセンターによるBPOサービス提供が主力のアウトソーシング受託会社。オペレーターだけでなく、AIやRPAなどデジタル技術を組み込んだ自社開発のサービスを提供。システムの外販も行う。
【定着率】‥
【採用】【設立】2000.5【社長】森本宏一
23年 ‥【従業員】連698名 単667名(39.5歳)
24年 ‥【有休】‥日
25年 未定【初任給】‥万
【試験種類】‥【各種制度】‥

【業績】	売上高	営業利益	経常利益	純利益
連23.5	35,158	2,225	2,269	1,678
連24.5	38,253	2,543	2,527	1,833

㈱ヒト・コミュニケーションズ・ホールディングス
東証プライム

【本社】170-0013 東京都豊島区東池袋1-9-6
☎03-5924-6075
人材・教育

採用予定数	倍率	3年後離職率	平均年収
未定	‥	‥	754万円

【特色】家電量販店向けを柱とする営業・販売業務の請負や、人材派遣を行う事業を中核とする持株会社。各事業はグループの子会社が担い、主に取り扱う商品は光回線、モバイル、家電など。ECサイトの一括運営、インバウンド関連、アパレルの受託製造なども手がける。
【定着率】‥
【主要子会社採用】【設立】2019.3【社長】安井豊明
23年 ‥【従業員】連1,274名 単14名(44.4歳)
24年 ‥【有休】‥日
25年 未定【初任給】‥万
【試験種類】‥【各種制度】‥

【業績】	売上高	営業利益	経常利益	純利益
連22.8	64,130	5,739	5,759	3,227
連23.8	63,980	4,198	4,300	1,885

ＵＴグループ
東証 プライム

【本社】141-0022 東京都品川区東五反田1-11-15 電波ビル ☎03-5447-1711
人材・教育

採用実績数	倍率	3年後離職率	平均年収
1140名	‥	‥	500万円

【特色】人材派遣・請負大手。製造業向けに無期雇用派遣・業務請負サービスを提供。半導体・エレクトロニクス・自動車向けが強い。企業の構造改革や人材流動化支援、外国人技能実習生の管理代行も手がける。製造派遣に経営資源を集中。持株会社。
【定着率】‥
【グループ採用】【設立】2007.4【社長】外村学
23年 452【従業員】連53,467名 単893名(40.0歳)
24年 1140【有休】‥日
25年 未定【初任給】‥万
【試験種類】‥【各種制度】‥

【業績】	売上高	営業利益	経常利益	純利益
連23.3	170,631	8,914	8,834	3,831
連24.3	167,030	9,344	9,397	6,361

アルー
東証 グロース

【本社】102-0073 東京都千代田区九段北1-13-5 ☎03-6268-9791
人材・教育

採用予定数	倍率	3年後離職率	平均年収
5名	‥	‥	668万円

【特色】人材育成研修事業を国内外で展開。ビジネススキル強化のほか、人事向け、管理職向け、グローバル人材育成などのセミナーを実施。ビジネス英会話のオンラインレッスン「ALUGO」を法人と個人向けに展開。クラウド型eラーニング事業を法人向けに提供。
【定着率】‥
【採用】【設立】2003.10【社長】落合文四郎
23年 5【従業員】連201名 単159名(37.6歳)
24年 5【有休】‥日
25年 5【初任給】‥万
【試験種類】‥【各種制度】‥

【業績】	売上高	営業利益	経常利益	純利益
連22.12	2,772	230	227	166
連23.12	3,028	85	84	56

ギークス
東証 スタンダード

【本社】150-6139 東京都渋谷区渋谷2-24-12 渋谷スクランブルスクエア ☎050-1741-6928
人材・教育

採用予定数	倍率	3年後離職率	平均年収
20名	‥	‥	513万円

【特色】フリーランスIT人材と企業をマッチングさせる「ギークスジョブ」を運営するIT人材事業が柱。フィリピンでプログラミングを学ぶDX・IT人材育成サービスにも注力。デジタルマーケティング事業も手がける。組織コンサルティングなど事業領域を拡大へ。
【定着率】‥
【採用】【設立】2007.8【社長】曽根原稔人
23年 ‥【従業員】連278名 単178名(32.2歳)
24年 20【有休】‥日
25年 20【初任給】‥万
【試験種類】‥【各種制度】‥

【業績】	売上高	営業利益	経常利益	純利益
連23.3	15,997	589	567	244
連24.3	23,739	90	82	▲1,473

㈱クラウドワークス
東証 グロース

【本社】150-6006 東京都渋谷区恵比寿4-20-3 恵比寿ガーデンプレイスタワー ☎03-6450-2926
人材・教育

採用予定数	倍率	3年後離職率	平均年収
30名	‥	‥	560万円

【特色】ネット上で求職者と求人企業とをマッチングする国内最大級のクラウドソーシングプラットフォーム「クラウドワークス」を運営。外注先含めた工数管理SaaS「クラウドログ」など、周辺で新規事業を育成中。マッチング事業領域などM&Aを推進。
【定着率】‥
【採用】【設立】2011.11【社長】吉田浩一郎
23年 17【従業員】連388名 単335名(32.7歳)
24年 31【有休】‥日
25年 30【初任給】月22.1万(諸手当を除いた数値)
【試験種類】‥【各種制度】‥

【業績】	売上高	営業利益	経常利益	純利益
連22.9	10,574	932	946	802
連23.9	13,210	1,153	1,238	1,096

㈱ジェイック
東証 グロース

【本社】101-0051 東京都千代田区神田神保町1-101 神保町101ビル ☎03-5282-7600
人材・教育

採用予定数	倍率	3年後離職率	平均年収
12名	‥	‥	460万円

【特色】フリーターなどを中心にした就職支援サービスを展開。求職登録者に教育研修を提供した上で、企業に対し集団面接会で人材紹介。大学のキャリア課や大学生協を経由に大学4年生を対象とした就職支援を行う新卒事業を強化。提携大学の拡大に注力。
【定着率】‥
【採用】【設立】1991.3【代表取締役】佐藤剛志
23年 12【従業員】単241名(34.5歳)
24年 13【有休】‥日
25年 12【初任給】‥万
【試験種類】‥【各種制度】‥

【業績】	売上高	営業利益	経常利益	純利益
連23.1	3,206	214	224	140
連24.1	3,675	52	58	5

㈱スプリックス
東証 スタンダード

【本社】150-6222 東京都渋谷区桜丘町1-1 SHIBUYAタワー ☎03-6416-5190
人材・教育

採用予定数	倍率	3年後離職率	平均年収
未定	‥	‥	439万円

【特色】小中高校生向け個別指導塾「森塾」を中心に教育関連サービスを運営。定期テスト得点アップを約束する「成績保証制度」に特長。集団指導型学習塾「湘南ゼミナール」、教育ITを活用した「自立学習RED」なども展開。映像授業「河合塾マナビス」のFCも。
【定着率】‥
【採用】【設立】1997.1【社長】常石博之
23年 ‥【従業員】連1,394名 単641名(29.6歳)
24年 ‥【有休】‥日
25年 未定【初任給】‥万
【試験種類】‥【各種制度】‥

【業績】	売上高	営業利益	経常利益	純利益
連22.9	29,352	2,778	2,782	1,607
連23.9	30,363	1,318	1,319	561

ＴＡＣ
東証スタンダード

【本社】101-8383 東京都千代田区神田三崎町3-2-18 ☎03-5276-8911
人材・教育

採用予定数	倍率	3年後離職率	平均年収
10名	‥	‥	515万円

【特色】社会人向け会計・法律分野の資格の学校大手。公認会計士、税理士など財務・会計分野に加え、公務員試験、社労士などの資格取得の講座が主力。出版事業は資格関連に加え商業科向け教科書や小学生向けドリルなども手がける。法人研修や人材紹介事業も展開。
【定着率】‥
【採用】 【設立】1980.12【社長】多田敏男
23年 15【従業員】連547名 単500名(44.7歳)
24年 19【有休】‥日
25年 10【初任給】月22.1万(諸手当を除いた数値)
【試験種類】‥【各種制度】‥

【業績】	売上高	営業利益	経常利益	純利益
連23.3	19,711	319	324	214
連24.3	19,001	▲307	▲329	▲219

幼児活動研究会（ようじかつどうけんきゅうかい）
東証スタンダード

【本社】141-0031 東京都品川区西五反田2-11-17 HI五反田ビル ☎03-3494-0262
人材・教育

採用予定数	倍率	3年後離職率	平均年収
60名	‥	‥	521万円

【特色】「コスモスポーツクラブ」として幼稚園、保育園向け体育指導サービスを展開。園から体育授業を受託する「正課体育指導」と、終業後の園児向けスポーツクラブの「課外体育指導」が主力事業。園経営コンサルや療育事業、保育所や学習塾の直接運営も展開。
【定着率】‥
【採用】 【設立】1972.9【社長】山下孝一
23年 107【従業員】単555名(34.6歳)
24年 72【有休】‥日
25年 60【初任給】月23万(諸手当を除いた数値)
【試験種類】‥【各種制度】‥

【業績】	売上高	営業利益	経常利益	純利益
単23.3	6,917	1,453	1,491	1,079
単24.3	6,951	1,336	1,387	965

ランサーズ
東証グロース

【本社】150-0002 東京都渋谷区渋谷3-10-13 ☎03-5774-6086
人材・教育

採用予定数	倍率	3年後離職率	平均年収
未定	‥	‥	503万円

【特色】仕事を受けたいユーザーと、仕事を依頼したい会社をオンライン上でマッチングするプラットフォーム「Lancers」を運営。取り扱う仕事はシステム開発、翻訳、デザイン制作、事務など多数。教えたい人と学びたい人をつなぐオンライン師弟サービスも運営。
【定着率】‥
【採用】 【設立】2008.4【社長】秋好陽介
23年 7【従業員】連152名 単152名(35.0歳)
24年 ‥【有休】‥日
25年 未定【初任給】‥万
【試験種類】‥【各種制度】‥

【業績】	売上高	営業利益	経常利益	純利益
連23.3	4,808	▲249	▲244	▲238
連24.3	4,573	75	80	111

㈱早稲田アカデミー（わせだ）
東証プライム

【本社】171-0022 東京都豊島区南池袋1-16-15 ダイヤゲート池袋 ☎03-3590-4011
人材・教育

採用予定数	倍率	3年後離職率	平均年収
60名	‥	‥	554万円

【特色】首都圏で小中高校向け中心の集団指導塾「早稲田アカデミー」を運営。難関中高向け受験指導に定評。医歯薬系の「野田クルゼ」、茨城で「水戸アカデミー」、千葉で「QUARD」を子会社で展開。個別進学館、帰国生専門も。英国、米国にも進出。
【定着率】‥
【採用】 【設立】1974.11【社長】山本豊
23年 31【従業員】連1,090名 単1,020名(38.3歳)
24年 32【有休】‥日
25年 60【初任給】月24.9万(諸手当を除いた数値)
【試験種類】‥【各種制度】‥

【業績】	売上高	営業利益	経常利益	純利益
連23.3	30,728	2,400	2,431	1,553
連24.3	32,867	2,889	2,951	2,132

デスティネーション・リゾーツ&ホテルズ・マネジメント
株式公開計画なし

【本社】108-6208 東京都港区港南2-15-3 品川インターシティC棟8階 ☎‥
ホテル

採用予定数	倍率	3年後離職率	平均年収
未定	‥	‥	‥

【特色】リゾートホテルの運営管理。北海道から沖縄まで直営20施設以上と運営受託施設を展開。フランス・アコー社傘下に入り、「ダイワロイヤルホテル」を「グランドメルキュール」「メルキュール」にリブランド。湖・海・山などの自然を感じられる点に特徴あり。
【定着率】‥
【採用】 【設立】1973.4【社長】真柳宏二
23年 ‥【従業員】単2,074名(41.7歳)
24年 ‥【有休】‥日
25年 未定【初任給】‥万
【試験種類】‥【各種制度】‥

【業績】	売上高	営業利益	経常利益	純利益
単23.3	34,916	2,019	1,928	1,754
単23.12変	23,658	2,702	2,432	28,335

㈱東急ホテルズ（とうきゅう）
株式公開計画なし

【本社】150-0043 東京都渋谷区道玄坂1-10-7 五島育英会ビル3階 ☎03-3477-6019
ホテル

採用実績数	倍率	3年後離職率	平均年収
0名	‥	‥	‥

【特色】東急グループで「東急ホテル」「エクセルホテル東急」「東急REIホテル」「東急バケーションズ」などのホテルを展開。国内外提携ホテル、フランチャイズ、運営受託などを含め約70ホテル、約13000室を運営。
【定着率】‥
【採用】 【設立】2001.1【社長】大澤丈
23年 0【従業員】連2,809名 単47名(‥歳)
24年 0【有休】‥日
25年 0【初任給】‥万
【試験種類】‥【各種制度】‥

【業績】	売上高	営業利益	経常利益	純利益
連23.3	56,764	▲939	▲347	▲777
連24.3	51,670	1,543	1,550	499

㈱ペニンシュラ東京（とうきょう）

株式公開 計画なし

【本社】100-0006 東京都千代田区有楽町1-8-1 ☎03-6270-2888
ホテル

採用実績数	倍率	3年後離職率	平均年収
19名	‥	‥	‥

【特色】東京・丸の内に位置する「ザ・ペニンシュラ東京」を運営。客室約320室、8つのレストランやバー、トリートメントルームやフィットネスセンター、スパを完備。「フォーブス・トラベルガイド」で、ホテル部門、スパ部門とも毎年5つ星を受賞。
【定着率】‥
【採用】 【設立】1989.9【社長】M.チューン
23年 23【従業員】単446名(‥歳)
24年 19【有休】‥日
25年 未定【初任給】月30.2万(諸手当を除いた数値)
【試験種類】‥【各種制度】‥
【業績】NA

森トラスト・ホテルズ＆リゾーツ

株式公開 未定

【本社】140-0001 東京都品川区北品川4-7-35 御殿山トラストタワー ☎03-6409-2811
ホテル

採用実績数	倍率	3年後離職率	平均年収
58名	‥	‥	‥

【特色】森トラストグループのホテル、リゾート事業を担う中核企業。外資系・国内ブランドのホテルや貸会議室、観光案内施設、レストラン事業を運営。貸会議室は東京、仙台、大阪で展開。保育所やワーケーション施設の運営なども手がける。
【定着率】‥
【採用】 【設立】2006.4【社長】伊達美和子
23年 48【従業員】単1,068名(40.0歳)
24年 58【有休】‥日
25年 未定【初任給】月24万(諸手当を除いた数値)
【試験種類】‥【各種制度】‥

【業績】	売上高	営業利益	経常利益	純利益
単23.3	23,933	41	2,182	2,091
単24.3	30,378	358	549	439

ルートインジャパン

株式公開 計画なし

【本部】140-0014 東京都品川区大井1-35-3 ☎03-3777-5515
ホテル

採用実績数	倍率	3年後離職率	平均年収
164名	‥	‥	‥

【特色】ホテルのほか、飲食店やゴルフ場運営を展開するルートイングループの中核。「ホテルルートイン」の他3ブランド、約350施設の運営管理のほか、温浴施設、スキー場の運営や海外リゾートホテルも手がける。プロスポーツリーグのスポーツ支援活動も展開。
【定着率】‥
【採用】 【設立】1977.4【社長】永山泰樹
23年 164【従業員】単17,820名(‥歳)
24年 164【有休】‥日
25年 未定【初任給】‥万
【試験種類】‥【各種制度】‥

【業績】	売上高	営業利益	経常利益	純利益
単23.3	121,624	38,601	38,732	26,306
単24.3	127,723	31,456	31,673	21,636

㈱エアトリ

東証 プライム

【本社】105-6219 東京都港区愛宕2-5-1 愛宕グリーンMORIタワー ☎03-3431-6191
レジャー

採用実績数	倍率	3年後離職率	平均年収
15名	‥	‥	467万円

【特色】国内航空券予約サイト「エアトリ」を運営。国内航空券で最大手級。Web・アプリでの直販を行い、宿泊、鉄道、法人向け出張などを取り扱う。訪日旅行客向けWi-Fiレンタルやベトナム現地法人でのITオフショア開発、ベンチャー企業への投資なども行う。
【定着率】‥
【採用】 【設立】2007.5【社長】柴田裕亮
23年 10【従業員】連415名 単163名(36.0歳)
24年 15【有休】‥日
25年 前年並【初任給】‥万
【試験種類】‥【各種制度】‥

【業績】	売上高	営業利益	税前利益	純利益
連22.9	13,510	2,193	1,979	1,901
連23.9	23,162	2,398	2,318	1,489

京王観光（けいおうかんこう）

株式公開 計画なし

【本社】206-0011 東京都多摩市関戸2-37-3 せいせき さくらゲート3階 ☎042-375-7211
レジャー

採用実績数	倍率	3年後離職率	平均年収
8名	‥	‥	‥

【特色】「キングツアー」ブランドで旅行業を展開。京王線沿線中心に個人旅行営業所2店、全国に団体旅行営業支店12店。JAFSA(国際教育交流協議会)へ加盟し、大学・教育機関の国際化推進へ力を入れる。京王電鉄グループ。
【定着率】‥
【採用】 【設立】1953.6【社長】近藤洋之
23年 11【従業員】単348名(44.5歳)
24年 8【有休】‥日
25年 未定【初任給】月20.4万
【試験種類】‥【各種制度】‥

【業績】	取扱高	営業利益	経常利益	純利益
単23.3	10,220	▲871	▲896	▲719
単24.3	12,454	▲256	▲263	▲204

㈱旅工房（たびこうぼう）

東証 グロース

【本社】170-6046 東京都豊島区東池袋3-1-1 サンシャイン60 ☎03-5956-3031
レジャー

採用予定数	倍率	3年後離職率	平均年収
未定	‥	‥	382万円

【特色】ネット専業の旅行会社。自社サイト「旅工房」で海外パッケージツアーを販売。地域専門のトラベル・コンシェルジュによるツアーやオプションなどの提案型旅行に特徴。法人旅行やインバウンド旅行も取り扱う。親会社は同業のアドベンチャー。
【定着率】‥
【採用】 【設立】1994.4【社長】岩田静絵
23年 0【従業員】連95名 単66名(34.5歳)
24年 ‥【有休】‥日
25年 未定【初任給】‥万
【試験種類】‥【各種制度】‥

【業績】	売上高	営業利益	経常利益	純利益
連23.3	1,262	▲888	▲878	▲1,013
連24.6変	3,342	▲351	▲391	▲353

㈱ベストワンドットコム（東証グロース）

【本社】162-0067 東京都新宿区富久町16-6 西倉LKビル ☎03-5312-6247
レジャー

採用実績数	倍率	3年後離職率	平均年収
2名	‥	‥	354万円

【特色】クルーズ旅行に特化した旅行予約サイト「ベストワンクルーズ」を運営。欧米などの大手船会社10社超と予約システムで連携。自社企画や旅行会社のパッケージ旅行も販売。24時間対応のオンライン予約と、専門スタッフによるメール・電話対応の2本柱。
【定着率】‥
【採用】【設立】2005.9【会長】澤田秀太
23年 3【従業員】連21名 単21名(31.7歳)
24年 2【有休】‥日
25年 増加【初任給】月22万(諸手当を除いた数値)
【試験種類】‥【各種制度】‥

【業績】	売上高	営業利益	経常利益	純利益
連23.7	1,331	19	15	26
連24.7	3,137	263	278	248

㈱ユーラシア旅行社（りょこうしゃ）（東証スタンダード）

【本社】102-8642 東京都千代田区平河町2-7-4 砂防会館別館 ☎03-3265-1691
レジャー

採用予定数	倍率	3年後離職率	平均年収
12名	‥	‥	469万円

【特色】旅慣れた旅行者向けのオリジナル海外旅行ツアーを企画・販売。添乗員付きで、世界遺産や自然、伝統文化、芸術を軸に独自色を出し差別化。旅行日程は10日間以上が多く、高価格。会員向け月刊誌で訴求し、リピーターが多い。中南米などニッチツアー商品を拡充。
【定着率】‥
【採用】【設立】1986.2【社長】井上利男
23年 ‥【従業員】連84名 単41名(43.9歳)
24年 9【有休】‥日
25年 12【初任給】月21万(諸手当を除いた数値)
【試験種類】‥【各種制度】‥

【業績】	売上高	営業利益	経常利益	純利益
連22.9	502	▲401	▲105	▲123
連23.9	2,945	▲120	▲54	▲55

㈱極楽湯（ごくらくゆ）ホールディングス（東証スタンダード）

【本社】102-0083 東京都千代田区麹町2-4 麹町鶴屋八幡ビル ☎03-5275-4126
レジャー

採用予定数	倍率	3年後離職率	平均年収
10名	‥	‥	381万円

【特色】スーパー銭湯専業大手。飲食コーナーや整体サービス備えた温浴施設「極楽湯」と滞在型の「RAKU SPA」の2ブランドを持つ。店舗数で業界トップ。直営のほかFC店からのロイヤルティ収入も得る。都内にアニメとコラボの物販併設カフェを開設。
【定着率】‥
【グループ採用】【設立】1980.4【会長兼社長】新川隆丈
23年 9【従業員】連172名 単168名(36.6歳)
24年 11【有休】‥日
25年 10【初任給】月20万(諸手当を除いた数値)
【試験種類】‥【各種制度】‥

【業績】	売上高	営業利益	経常利益	純利益
連23.3	12,768	40	184	▲304
連24.3	14,082	748	720	697

㈱コシダカホールディングス（東証プライム）

【本社】150-0043 東京都渋谷区道玄坂2-25-12 道玄坂通 ☎0570-666-425
レジャー

採用予定数	倍率	3年後離職率	平均年収
15名	‥	‥	805万円

【特色】「カラオケ本舗まねきねこ」を運営。全国約650店をチェーン展開。不振店舗を買い取る居抜き出店が特長。一人で気兼ねなく歌える「ワンカラ」は都内中心に展開。温浴施設「まねきの湯」や複合施設「AQERU前橋」の運営も手がける。
【定着率】‥
【子会社採用】【設立】2000.3【社長】腰高博
23年 24【従業員】連1,134名 単24名(47.1歳)
24年 11【有休】‥日
25年 15【初任給】月25.5万(諸手当を除いた数値)
【試験種類】‥【各種制度】‥

【業績】	売上高	営業利益	経常利益	純利益
連22.8	37,995	2,205	5,331	3,643
連23.8	54,629	7,667	7,767	7,104

㈱バリューゴルフ（東証グロース）

【本社】108-0014 東京都港区芝4-3-5 ファースト岡田ビル ☎03-5441-7390
レジャー

採用予定数	倍率	3年後離職率	平均年収
5名	‥	‥	640万円

【特色】ゴルフ関連サービスを提供。1人でもゴルフ場予約可能な「1人予約ランド」などゴルフ場向けASPサービスが柱。ゴルフ情報誌や自社HPへの広告も扱う。ECや店舗でゴルフ用品販売も手がける。子会社の企画旅行などトラベル事業も展開。
【定着率】‥
【採用】【設立】2004.2【社長】水口通夫
23年 2【従業員】連67名 単35名(42.3歳)
24年 2【有休】‥日
25年 5【初任給】月21.9万(諸手当を除いた数値)
【試験種類】‥【各種制度】‥

【業績】	売上高	営業利益	経常利益	純利益
連23.1	4,443	237	209	114
連24.1	3,656	61	49	22

㈱Fast Fitness Japan（東証プライム）

【本社】160-0023 東京都新宿区西新宿6-3-1 新宿アイランドウイング ☎03-6279-0861
レジャー

採用予定数	倍率	3年後離職率	平均年収
10名	‥	‥	568万円

【特色】24時間・年中無休のジム「エニタイムフィットネス」を運営。小型24時間ジムの先駆者。世界全店の利用可能。米社の日本におけるマスターフランチャイジー。飲食、不動産などさまざまな業種の企業が各地でFCを展開。
【定着率】‥
【採用】【設立】2010.5【社長】山部清明
23年 11【従業員】連269名 単269名(34.5歳)
24年 10【有休】‥日
25年 10【初任給】月23.7万(諸手当を除いた数値)
【試験種類】‥【各種制度】‥

【業績】	売上高	営業利益	経常利益	純利益
連23.3	14,787	3,364	3,402	1,914
連24.3	15,825	3,504	3,635	2,123

㈱明治座（めいじざ）

株式公開計画なし

【本社】103-0007 東京都中央区日本橋浜町2-31-1 ☎03-3660-3971
レジャー

採用予定数	倍率	3年後離職率	平均年収
2名	‥	‥	‥

【特色】劇場明治座および他劇場で演劇を興行。近年はミュージカル公演も行い老若男女が楽しめる劇場を目指すほか、映像配信も手がける。制作者向けの稽古場である明治座森下スタジオを運営。浜町センタービルの賃料収入も安定収益源。1873年創業。
【定着率】‥
【採用】 【設立】1950.5 【社長】三田芳裕
23年 4【従業員】連309名 単104名(44.7歳)
24年 2【有休】‥日
25年 2【初任給】月20.5万(諸手当を除いた数値)
【試験種類】‥【各種制度】‥

【業績】	売上高	営業利益	経常利益	純利益
連22.8	9,193	126	259	530
連23.8	11,680	228	255	154

インターナショナルエクスプレス

株式公開計画なし

【本社】105-0022 東京都港区海岸2-1-17 ☎03-3452-5531
海運・空運

採用実績数	倍率	3年後離職率	平均年収
21名	‥	‥	‥

【特色】航空・海上貨物を取り扱い、倉庫保管、国内運送で事業展開する物流企業。報道用テープなど報道物資輸送が祖業で、生鮮貨物、一般貨物へと対象を拡大した。日本発着の海上貨物のフォワーディングを行う。冷蔵混載サービスも提供。中国にネットワークを築く。
【定着率】‥
【採用】 【設立】1956.9 【社長】原学
23年 11【従業員】単456名(43.4歳)
24年 21【有休】‥日
25年 未定【初任給】‥万
【試験種類】‥【各種制度】‥

【業績】	売上高	営業利益	経常利益	純利益
単23.3	14,829	51	116	66
単24.3	12,431	‥	100	47

NSユナイテッド内航海運（ないこうかいうん）

株式公開計画なし

【本社】100-0004 東京都千代田区大手町1-5-1 大手町ファーストスクエア ウエストタワー22階 ☎03-6895-6500
海運・空運

採用実績数	倍率	3年後離職率	平均年収
3名	‥	‥	‥

【特色】日本製鉄向けの鋼材、石灰石、セメント、炭酸カルシウム、フライアッシュなどの内航を担う。内航貨物船初のリチウムイオン電池搭載型船を運航しCO_2削減を推進。室蘭、木更津、大阪、北九州、福岡、大分に営業所。NSユナイテッド海運グループ。
【定着率】‥
【採用】 【設立】1961.5 【社長】福田和志
23年 0【従業員】連316名 単137名(45.8歳)
24年 3【有休】‥日
25年 未定【初任給】‥万
【試験種類】‥【各種制度】‥

【業績】	売上高	営業利益	経常利益	純利益
連23.3	25,041	‥	2,338	852
連24.3	27,215	‥	2,876	2,117

栗林運輸（くりばやしうんゆ）

株式公開計画なし

【本社】108-8448 東京都港区海岸3-22-34 ☎03-3452-6111
海運・空運

採用実績数	倍率	3年後離職率	平均年収
1名	‥	‥	‥

【特色】港湾・自動車運送、内航海運が主事業。新聞用紙の内航オペレーターである栗林商船グループ企業。北海道・仙台・東京・大阪などを結ぶ海上輸送を軸に海陸一貫輸送システムを確立。主要貨物は紙製品、雑貨、鋼材、重量品、商品車輌。モーダルシフトを推進。
【定着率】‥
【採用】 【設立】1924.2 【社長】栗林宏吉
23年 3【従業員】単187名(45.8歳)
24年 1【有休】‥日
25年 未定【初任給】月20万(諸手当を除いた数値)
【試験種類】‥【各種制度】‥

【業績】	売上高	営業利益	経常利益	純利益
単23.3	18,585	693	772	539
単24.3	18,691	784	859	591

JFE物流（ぶつりゅう）

株式公開計画なし

【本社】100-0011 東京都千代田区内幸町2-2-3 日比谷国際ビル24階 ☎03-6671-9870
海運・空運

採用実績数	倍率	3年後離職率	平均年収
25名	‥	‥	‥

【特色】JFEスチールグループでグループ内物流を担う。国内は143隻保有する内航船団と陸送を連携、鋼材、原料、化学品などを取り扱う。海外はアジアを中心に海上輸送を展開。倉庫は一般倉庫も揃える。製鉄所内の一貫物流も請け負う。アジアに現地法人を持つ。
【定着率】‥
【採用】 【設立】1949.6 【社長】古川誠博
23年 20【従業員】単1,412名(42.8歳)
24年 25【有休】‥日
25年 未定【初任給】月21万(諸手当を除いた数値)
【試験種類】‥【各種制度】‥

【業績】	売上高	営業利益	経常利益	純利益
単23.3	166,955	8,455	9,827	7,309
単24.3	168,490	7,940	9,283	6,846

玉井商船（たまいしょうせん）

東証スタンダード

【本社】108-0023 東京都港区芝浦3-2-16 A-PLACE田町イースト ☎03-5439-0260
海運・空運

採用予定数	倍率	3年後離職率	平均年収
未定	‥	‥	786万円

【特色】神戸で創業した海運の中堅会社。主力の外航では、日本軽金属の水酸化アルミ輸送や全農向けの穀物輸送が柱。セメントクリンカー、高炉スラグ、石膏、鋼材などの撒積みカーゴの輸送なども行う。内航運輸では自社運航のLPG船やタンカーと貨物船の貸船も展開。
【定着率】‥
【採用】 【設立】1932.3 【社長】清崎哲也
23年 1【従業員】連63名 単23名(39.2歳)
24年 0【有休】‥日
25年 未定【初任給】月22.8万(諸手当を除いた数値)
【試験種類】‥【各種制度】‥

【業績】	売上高	営業利益	経常利益	純利益
連23.3	7,307	1,316	1,185	820
連24.3	6,219	870	995	731

明海グループ（めいかい）　東証スタンダード

【東京本部】153-0051 東京都目黒区上目黒1-18-11 ☎03-3792-0811
海運・空運

採用予定数	倍率	3年後離職率	平均年収
若干	‥	‥	‥

【特色】外航船のオーナー（船主）業。自動車船、タンカー、バラ積み船、コンテナ船、チップ船が主体で中長期貸船契約を結ぶ。LNG輸送分野を強化。三井物産船舶部が源流。子会社では収益源の不動産賃貸のほか、ホテル業、保育園、介護付有料老人ホームも展開。
【定着率】‥
【採用】　【設立】1911.5【社長】内田貴也
23年　4【従業員】連582名 単114名（36.5歳）
24年　2【有休】‥日
25年　若干【初任給】月21.2万（諸手当を除いた数値）
【試験種類】‥【各種制度】‥

【業績】	売上高	営業利益	経常利益	純利益
連23.3	58,061	8,764	6,443	6,439
連24.3	65,018	11,398	5,836	5,189

SBSリコーロジスティクス　株式公開計画なし

【本社】160-6125 東京都新宿区西新宿8-17-1 住友不動産グランドタワー 25階 ☎03-6772-8202
運輸・倉庫

採用実績数	倍率	3年後離職率	平均年収
26名	‥	‥	‥

【特色】全国網持つトラック輸送や保管・荷役に加え、包装設計、資材調達、流通加工、3PL（物流一括受託）、国際輸送など総合物流サービスを提供。情報システムと物流テクノロジーを融合し、調達・生産物流から回収・リサイクルまで一貫提供。欧米、アジアに拠点。
【定着率】‥
【採用】　【設立】1964.2【代表取締役】若松勝久
23年　39【従業員】単2,029名（43.3歳）
24年　26【有休】‥日
25年　未定【初任給】月21.6万（諸手当を除いた数値）
【試験種類】‥【各種制度】‥

【業績】	売上高	営業利益	経常利益	純利益
単22.12	93,168	3,166	3,344	2,138
単23.12	85,604	1,846	1,999	1,381

㈱NTTロジスコ　株式公開していない

【本社】103-8277 東京都中央区日本橋2-1-3 アーバンネット日本橋二丁目ビル4階 ☎03-6436-8111
運輸・倉庫

採用予定数	倍率	3年後離職率	平均年収
未定	‥	‥	‥

【特色】NTTの物流部が独立して発足したICT活用の物流会社。総合的な3PL（物流一括受託）サービスをワンストップで提供。IT機器、医療機器、理美容商材、自動車部品や精密機器部品、靴など幅広く対応。24時間緊急配送サービスも展開。
【定着率】‥
【採用】　【設立】1994.4【社長】中江康二
23年　‥【従業員】単‥名（‥歳）
24年　‥【有休】‥日
25年　未定【初任給】‥万
【試験種類】‥【各種制度】‥

【業績】	売上高	営業利益	経常利益	純利益
単23.3	57,884	1,816	1,720	1,160
単24.3	56,894	702	504	438

キユーソーティス　株式公開していない

【本社】182-0021 東京都調布市調布ケ丘3-50-1 ☎042-426-4751
運輸・倉庫

採用実績数	倍率	3年後離職率	平均年収
58名	‥	‥	‥

【特色】食品に特化した物流ビジネスを展開。常温、冷蔵、冷凍の3温度帯に対応し、一括輸送可能な特別仕様車を持つ。原材料調達から輸送、流通加工までシームレスな食品流通システムに強み。網。鉄道や船舶を利用したモーダルシフトを推進。
【定着率】‥
【採用】　【設立】1962.7【社長】赤松淳
23年　10【従業員】単1,446名（‥歳）
24年　58【有休】‥日
25年　未定【初任給】‥万
【試験種類】‥【各種制度】‥

【業績】	売上高	営業利益	経常利益	純利益
単22.11	57,471	301	275	215
単23.11	57,372	‥	‥	124

京極運輸商事（きょうごくうんゆしょうじ）　東証スタンダード

【本社】103-0007 東京都中央区日本橋浜町1-2-1 日本橋浜町プレイス ☎03-5825-7131
運輸・倉庫

採用実績数	倍率	3年後離職率	平均年収
4名	‥	‥	563万円

【特色】タンクローリーによる石油・化学品など液体運送と石油やドラム缶など危険物・化学品向け容器販売が2本柱。ENEOSHD傘下。危険物取り扱いに強み。港湾運送、通関業務、倉庫業も手がける。化学製品など貯蔵タンク洗浄を行う子会社を持つ。
【定着率】‥
【採用】　【設立】1947.5【社長】坂井文明
23年　4【従業員】連304名 単289名（48.1歳）
24年　0【有休】‥日
25年　0【初任給】月20.4万（諸手当を除いた数値）
【試験種類】‥【各種制度】‥

【業績】	売上高	営業利益	経常利益	純利益
連23.3	8,725	6	89	61
連24.3	8,414	32	123	60

TSネットワーク　株式公開していない

【本社】111-0053 東京都台東区浅草橋4-17-7 ☎03-3861-7431
運輸・倉庫

採用予定数	倍率	3年後離職率	平均年収
未定	‥	‥	‥

【特色】国内たばこ物流を一手に握り独占状態。輸入たばこの保税・通関手続きも行う。北海道から沖縄まで国内各地に23の流通センターを配する。顧客は約21万店。ライターや喫煙具、加熱式たばこデバイス機器などの卸売りも行う。
【定着率】‥
【採用】　【設立】1963.2【社長】新谷裕
23年　‥【従業員】単4,200名（‥歳）
24年　‥【有休】‥日
25年　未定【初任給】月23.6万
【試験種類】‥【各種制度】‥

【業績】	売上高	営業利益	経常利益	純利益
単22.12	53,228	5,330	5,328	3,591
単23.12	53,278	3,982	4,025	2,716

日本石油輸送（にほんせきゆゆそう）

東証スタンダード

【本社】141-0032 東京都品川区大崎1-11-1
☎03-5496-7671
運輸・倉庫

採用実績数	倍率	3年後離職率	平均年収
6名	‥	‥	662万円

【特色】ENEOS系の石油・高圧ガス輸送大手。石油製品とLNGを中心に鉄道輸送と自動車輸送を展開。石油製品の鉄道輸送、LNGのタンクローリー輸送の取扱量は業界首位。豊富な種類のコンテナを持つ。化成品輸送を成長事業に位置づける。国際コンテナ輸送も。
【定着率】‥
【採用】　【設立】1946.3【社長】原昌一郎
23年　5【従業員】連1,571名 単157名(41.2歳)
24年　6【有休】‥日
25年　前年並【初任給】月21.6万(諸手当を除いた数値)
【試験種類】‥【各種制度】‥

【業績】	売上高	営業利益	経常利益	純利益
連23.3	35,128	1,511	1,794	1,227
連24.3	34,985	1,561	1,788	1,154

㈱ニヤクコーポレーション

株式公開計画なし

【本社】135-0041 東京都江東区冬木14-5
☎03-5809-8701
運輸・倉庫

採用予定数	倍率	3年後離職率	平均年収
15名	‥	‥	‥

【特色】石油製品の陸上輸送で業界首位。保有タンクローリーは国内最大数。LNGや高圧ガス物流も堅固な顧客基盤を持ち、高圧ガス従事者数は国内最多。化成品・劇毒物などの化学品や食品・飲料も取り扱う。独社と連携して国際輸送も手がける。中国に現地法人。
【定着率】‥
【採用】　【設立】1948.3【社長】堀江浩太
23年　14【従業員】連2,579名 単1,806名(50.3歳)
24年　16【有休】‥日
25年　15【初任給】月23.4万(諸手当を除いた数値)
【試験種類】‥【各種制度】‥

【業績】	売上高	営業利益	経常利益	純利益
連22.6	53,842	1,484	1,600	1,132
連23.6	52,814	1,549	1,700	1,147

㈱ホンダロジスティクス

株式公開計画なし

【本社】102-0082 東京都千代田区一番町6 一番町SQUARE4階
☎03-5357-1041
運輸・倉庫

採用予定数	倍率	3年後離職率	平均年収
未定	‥	‥	‥

【特色】ホンダグループの中核物流企業。完成車・部品の輸送、保管、流通加工など物流をトータルサポート。ホンダの世界展開に呼応し海外展開を進める。北米、南米、東南アジアのほか中国、台湾など13カ国に26現地法人を持つ。物流のリーディングカンパニーを目指す。
【定着率】‥
【採用】　【設立】1961.6【社長】清水宏
23年　‥【従業員】単1,148名(45.7歳)
24年　‥【有休】‥日
25年　未定【初任給】‥万
【試験種類】‥【各種制度】‥

【業績】	売上高	営業利益	経常利益	純利益
単23.3	55,522	448	2,318	990
単24.3	56,387	1,660	4,798	4,537

㈱丸運（まるうん）

東証スタンダード

【本社】103-0016 東京都中央区日本橋小網町7-2 ぺんてるビル
☎03-6810-9451
運輸・倉庫

採用予定数	倍率	3年後離職率	平均年収
15名	‥	‥	689万円

【特色】ENEOS系列の総合物流事業者。貨物輸送のほか石油・化成品などのエネルギー輸送に強み。主要荷主は貨物輸送が神戸製鋼所、住友電工など、石油輸送がENEOS。食品低温物流も扱う。中国やベトナムなどに海外展開。CO2排出が少ない鉄道輸送を推進。
【定着率】‥
【採用】　【設立】1938.12【社長】中村正幸
23年　‥【従業員】連2,157名 単351名(44.7歳)
24年　5【有休】‥日
25年　15【初任給】月20.8万(諸手当を除いた数値)
【試験種類】‥【各種制度】‥

【業績】	売上高	営業利益	経常利益	純利益
連23.3	46,586	439	612	316
連24.3	44,992	509	704	416

三井倉庫サプライチェーンソリューション

株式公開計画なし

【本社】105-0003 東京都港区西新橋3-20-1
☎03-6858-7450
運輸・倉庫

採用予定数	倍率	3年後離職率	平均年収
10名	‥	‥	‥

【特色】三井倉庫HDの子会社でサプライチェーン管理支援サービスを提供。顧客企業の国内外の調達・製造・販売の問題解決にあたる。ソニーの物流会社として発足、メーカー物流で培ったノウハウに強み。DXによるソリューションも進める。マレーシア、タイに子会社。
【定着率】‥
【採用】　【設立】1962.2【社長】関取高行
23年　9【従業員】単271名(43.8歳)
24年　8【有休】‥日
25年　10【初任給】月23.5万(諸手当を除いた数値)
【試験種類】‥【各種制度】‥

【業績】	売上高	営業利益	経常利益	純利益
単23.3	20,875	1,406	2,602	2,196
単24.3	17,215	829	2,015	1,494

明治ロジテック（めいじ）

株式公開計画なし

【本社】136-0075 東京都江東区新砂1-2-10 明治東陽町ビル6階
☎03-5653-0577
運輸・倉庫

採用予定数	倍率	3年後離職率	平均年収
8名	‥	‥	‥

【特色】明治グループの物流子会社。牛乳・乳製品の輸配送で長年の実績。チルド、フローズン、ドライの食品全温度帯で全国展開。食品輸配送のスペシャリストを標榜。グループ内の調達、配送、保管・荷役を担うほか、外部からの受託も多い。愛知と大阪に物流センター。
【定着率】‥
【採用】　【設立】1941.6【社長】荒木智
23年　10【従業員】単477名(‥歳)
24年　8【有休】‥日
25年　8【初任給】月20.4万(諸手当を除いた数値)
【試験種類】‥【各種制度】‥

【業績】	売上高	営業利益	経常利益	純利益
単23.3	48,247	203	298	108
単24.3	45,875	93	160	91

SBSホールディングス
東証 プライム

【本社】160-6125 東京都新宿区西新宿8-17-1 住友不動産新宿グランドタワー ☎03-6772-8200
運輸・倉庫

採用予定数	倍率	3年後離職率	平均年収
5名	‥	‥	610万円

【特色】冷蔵・冷凍食品輸送では国内屈指で、3PL(物流一括請負)の大手。物流会社を次々と買収し業容を拡大。拠点や領域拡充につながるM&Aに意欲的。グループでEC物流サービス体系の構築を進めるなどEC関連サービス拡大。不動産事業も手がける。
【定着率】‥
【採用】 【設立】1987.12【社長】鎌田正彦
23年 4【従業員】連10,752名 単283名(46.0歳)
24年 4【有休】‥日
25年 5【初任給】月21.9万(諸手当を除いた数値)
【試験種類】‥【各種制度】‥

【業績】	売上高	営業利益	経常利益	純利益
連22.12	455,481	21,844	21,404	11,732
連23.12	431,911	19,719	19,747	10,056

㈱ダイトーコーポレーション
株式公開 計画なし

【本社】108-8540 東京都港区芝浦2-1-13 ☎03-3452-6271
運輸・倉庫

採用実績数	倍率	3年後離職率	平均年収
14名	‥	‥	‥

【特色】東京・横浜・千葉各港の港湾運送・荷役、曳船や倉庫保管など営む。東京・大井、横浜・南本牧両埠頭でコンテナの、同・大黒で完成車のターミナルを運営する。港湾隣接の物流センター計10カ所を保有。川崎汽船と上組出資のKLKGホールディングス傘下。
【定着率】‥
【採用】 【設立】1934.9 【社長】浅野敦男
23年 13【従業員】単458名(39.2歳)
24年 14【有休】‥日
25年 未定【初任給】月23.1万(諸手当を除いた数値)
【試験種類】‥【各種制度】‥

【業績】	営業収益	営業利益	経常利益	純利益
単23.3	25,519	1,911	2,117	1,671
単24.3	24,359	2,217	2,449	1,902

㈱ナカノ商会(しょうかい)
株式公開 していない

【本社】134-0083 東京都江戸川区中葛西3-18-5 ☎03-5667-8877
運輸・倉庫

採用実績数	倍率	3年後離職率	平均年収
10名	‥	‥	‥

【特色】3PLサービスなど総合物流と不動産事業を展開。輸送に加え保管、流通加工などを包括的に請け負う。インフラやシステムに依らない人のチカラによる最高サービス目指す。東北～九州に自社幹線ネットワーク。不動産は物流倉庫に特化しサブリースと開発行う。
【定着率】‥
【採用】 【設立】1988.8 【社長】沼澤宏
23年 15【従業員】単1,458名(43.7歳)
24年 10【有休】‥日
25年 未定【初任給】月22万
【試験種類】‥【各種制度】‥

【業績】	売上高	営業利益	経常利益	純利益
単22.9	76,329	3,587	3,553	2,199
単23.9	86,770	4,652	4,671	3,205

㈱ヒューテックノオリン
株式公開 計画なし

【本社】162-0056 東京都新宿区若松町33-8 アール・ビル新宿 ☎03-5291-8111
運輸・倉庫

採用予定数	倍率	3年後離職率	平均年収
15名	‥	‥	‥

【特色】低温・冷凍食品物流のリーディングカンパニー。保管から仕分け、流通加工を手がける。全国規模の輸配送ネットワークを構築。送り主ごとの個別配送から届け先へ一括配送する「共同配送システム」を独自開発。冷却設備、物流機器の技術開発に注力。
【定着率】‥
【採用】 【設立】1953.3 【社長】安喰徹
23年 15【従業員】単1,982名(42.9歳)
24年 15【有休】‥日
25年 15【初任給】月22.7万
【試験種類】‥【各種制度】‥

【業績】	売上高	営業利益	経常利益	純利益
単23.3	47,388	2,942	3,058	2,049
単24.3	47,849	2,496	2,608	1,567

ユーピーアール
東証 スタンダード

【本社】100-0011 東京都千代田区内幸町1-3-2 内幸町東急ビル ☎03-3593-1730
運輸・倉庫

採用実績数	倍率	3年後離職率	平均年収
3名	‥	‥	743万円

【特色】荷物の保管や輸送に使われる箱形荷台(パレット)など物流機器のレンタル・販売が中心。輸送貨物の管理・追跡システムやカーシェアリング関連サービスも提供する。東南アジアに拠点を持ち、日系企業への供給、ASEAN地域への提案を活動を進める。
【定着率】‥
【採用】 【設立】1979.3 【代表取締役】酒田義矢
23年 5【従業員】連223名 単193名(40.8歳)
24年 3【有休】‥日
25年 前年並【初任給】月24万(諸手当を除いた数値)
【試験種類】‥【各種制度】‥

【業績】	売上高	営業利益	経常利益	純利益
連22.8	13,329	532	1,114	680
連23.8	14,833	830	1,192	743

帝産観光(ていさんかんこう)バス
株式公開 計画なし

【本社】140-0002 東京都品川区東品川4-10-27 ☎03-5460-1201
鉄道・バス

採用予定数	倍率	3年後離職率	平均年収
15名	‥	‥	‥

【特色】修学旅行などのガイド案内が主軸の貸し切り観光バス会社。保有車両数は286台(23年4月)。乗車人数や車内空間ごとに4種類のバスを稼働。東京のほか名古屋、京都、奈良、大阪、神戸に支店。グループで全国にタクシー、路線バス、ロッヂなどを展開。
【定着率】‥
【採用】 【設立】2008.2 【社長】飯尾一重
23年 24【従業員】単515名(41.0歳)
24年 16【有休】‥日
25年 15【初任給】月23.3万(諸手当を除いた数値)
【試験種類】‥【各種制度】‥

【業績】	売上高	営業利益	経常利益	純利益
単23.3	5,094	▲466	▲242	▲248
単24.3	6,032	470	675	671

日本交通（にほんこうつう）

株式公開計画なし

【本社】102-0094 東京都千代田区紀尾井町3-12 紀尾井町ビル ☎03-6265-6210
鉄道・バス

採用実績数	倍率	3年後離職率	平均年収
160名	‥	‥	‥

【特色】東京都心部地盤のタクシー最大手。ハイヤー約1600台、タクシー約8100台を保有。宮内庁、各国要人、企業役員などを顧客に持つ業界老舗。ドライバーを派遣する運行管理も請け負う。観光地巡り、介護補助、子どもの送迎などのサービスも展開。
【定着率】‥
【採用】 【設立】1945.12【副会長】林紀孝
23年 276【従業員】連11,246名 単‥名(‥歳)
24年 160【有休】‥日
25年 増加【初任給】月18.2万(諸手当を除いた数値)
【試験種類】‥【各種制度】‥

【業績】	売上高	営業利益	経常利益	純利益
連22.5	67,960	‥	‥	‥
連23.5	81,409	‥	‥	‥

㈱シミズ・ビルライフケア

株式公開計画なし

【本社】104-0031 東京都中央区京橋2-10-2 ぬ利彦ビル南館 ☎03-6228-6130
その他サービス

採用予定数	倍率	3年後離職率	平均年収
36名	‥	‥	‥

【特色】首都圏中心のビル、マンションの改修とビルマネジメント事業を展開。オフィスビルやマンションの内装・外装リニューアル、照明・空調設備などの設備改修、建物の調査診断を行う。愛知、大阪、福岡に支社。清水建設グループ。
【定着率】‥
【採用】 【設立】1986.4【社長】東海幸一
23年 28【従業員】単1,584名(‥歳)
24年 32【有休】‥日
25年 36【初任給】月22万(諸手当を除いた数値)
【試験種類】‥【各種制度】‥

【業績】	売上高	営業利益	経常利益	純利益
単23.3	72,205	1,787	1,791	1,208
単24.3	70,684	1,267	1,404	997

日鉄環境（にってつかんきょう）

株式公開計画なし

【本社】105-0022 東京都港区海岸1-9-1 ☎03-6771-7550
その他サービス

採用予定数	倍率	3年後離職率	平均年収
12名	‥	‥	‥

【特色】製鉄所構内の水処理システムの調査、企画、設計、建設から運転・維持管理まで一貫。水質分析や各種材料分析などの分析ソリューション事業を手がける。土木・建設・水道事業や鉄鋼スラグの再資源化、遺伝子解析も行う。日本製鉄の連結子会社。
【定着率】‥
【採用】 【設立】1970.9【社長】今村尚近
23年 26【従業員】単1,364名(‥歳)
24年 36【有休】‥日
25年 12【初任給】月24.3万(諸手当を除いた数値)
【試験種類】‥【各種制度】‥

【業績】	売上高	営業利益	経常利益	純利益
単23.3	33,150	2,566	2,628	1,873
単24.3	38,304	3,138	3,160	2,356

㈱ミルックス

株式公開計画なし

【本社】104-0031 東京都中央区京橋2-18-3 宝町清水ビル ☎03-3567-7700
その他サービス

採用予定数	倍率	3年後離職率	平均年収
10名	‥	‥	‥

【特色】建設資材販売、建設・内装工事、仮設資材などのレンタル・リース、損害保険が事業の4本柱。民需が大半。全国に機材センターを配置。グループの旅行代理店業務、建設現場警備、現場事務所開設や災害対策の支援、売電も手がける。清水建設グループ。
【定着率】‥
【採用】 【設立】1946.8【社長】都築顕司
23年 8【従業員】単437名(46.1歳)
24年 10【有休】‥日
25年 10【初任給】月24.5万(諸手当を除いた数値)
【試験種類】‥【各種制度】‥

【業績】	売上高	営業利益	経常利益	純利益
単23.3	36,194	3,897	4,050	2,789
単24.3	34,770	3,856	4,047	2,799

㈱アピリッツ

東証スタンダード

【本社】150-6224 東京都渋谷区桜丘町1-1 SHIBUYAタワー ☎03-6684-5111
その他サービス

採用実績数	倍率	3年後離職率	平均年収
45名	‥	‥	476万円

【特色】Webソリューションとオンラインゲームを展開。Webソリューションは ECサイトやWebサービスを企画段階から受託開発、コンサルやセキュリティー診断サービスまで対応。オンラインゲームは自社ゲームに加えて顧客先ゲームの開発受託・運営まで手がける。
【定着率】‥
【採用】 【設立】2000.7【社長】和田順児
23年 66【従業員】連714名 単593名(31.1歳)
24年 45【有休】‥日
25年 増加【初任給】月23.2万(諸手当を除いた数値)
【試験種類】‥【各種制度】‥

【業績】	売上高	営業利益	経常利益	純利益
連23.1	7,323	462	445	210
連24.1	8,427	599	596	386

アライドアーキテクツ

東証グロース

【本社】150-0013 東京都渋谷区恵比寿1-19-15 ウノサワ東急ビル ☎03-6408-2791
その他サービス

採用予定数	倍率	3年後離職率	平均年収
未定	‥	‥	612万円

【特色】自社開発SaaSやSNSを活用した企業のマーケティングDXを支援。ファンサイトモール「モニプラファンブログ」、UGCをウェブサイトや広告に活用する「レトロ」などを展開。越境ECへの出店による中国進出支援事業、海外SaaS事業も手がける。
【定着率】‥
【採用】 【設立】2005.8【社長】中村壮秀
23年 ‥【従業員】連194名 単149名(35.0歳)
24年 ‥【有休】‥日
25年 未定【初任給】‥万
【試験種類】‥【各種制度】‥

【業績】	売上高	営業利益	経常利益	純利益
連22.12	4,551	1,016	1,079	805
連23.12	4,144	258	314	▲146

イー・ガーディアン
東証 プライム

【本社】105-0001 東京都港区虎ノ門1-2-8 虎ノ門琴平タワー ☎03-6205-8859
その他サービス

採用予定数	倍率	3年後離職率	平均年収
30名	‥	‥	518万円

【特色】ネットセキュリティー専業。掲示板やSNSなどへ投稿された動画や記事の監視サービスを提供。ゲームの問い合わせ対応代行事業や広告審査、ネット広告運用代行も手がける。クラウド型サイバーセキュリティーも展開。海外はフィリピン、ベトナムに拠点。
【定着率】‥
【採用】【設立】1998.5【社長】高谷康久
23年 23【従業員】連403名 単156名(32.3歳)
24年 18【有休】‥日
25年 30【初任給】月23.1万(諸手当を除いた数値)
【試験種類】‥【各種制度】‥

【業績】	売上高	営業利益	経常利益	純利益
連22.9	11,752	2,272	2,314	1,689
連23.9	11,909	1,778	1,806	1,229

㈱いつも
東証 グロース

【本社】100-0006 東京都千代田区有楽町1-13-2 第一生命日比谷ファースト ☎03-4580-1365
その他サービス

採用予定数	倍率	3年後離職率	平均年収
未定	‥	‥	‥

【特色】企業のEC事業を総合支援するサービスを展開。サイト構築、マーケティング、顧客対応、配送までの一貫とコンサルから業務代行まで対応できる点に強み。取引先はアマゾン、楽天、Yahoo！ショッピングなど主要ECプラットフォームの出店企業が占める。
【定着率】‥
【採用】【設立】2007.2【社長】坂本守
23年 ‥【従業員】連279名 単249名(32.3歳)
24年 ‥【有休】‥日
25年 未定【初任給】‥万
【試験種類】‥【各種制度】‥

【業績】	売上高	営業利益	経常利益	純利益
連23.3	12,310	314	293	▲219
連24.3	13,861	320	302	258

㈱イノベーション
東証 グロース

【本社】150-0002 東京都渋谷区渋谷3-10-13 TOKYU REIT渋谷Rビル ☎03-5766-3800
その他サービス

採用予定数	倍率	3年後離職率	平均年収
8名	‥	‥	644万円

【特色】法人向けに人事や生産に関するIT製品比較サイト「ITトレンド」を運営。Webセミナーや Web展示会も開催。クラウド型マーケティングオートメーションツール「List Finder」やビジネス動画プラットフォーム「bizplay」も提供。
【定着率】‥
【4社計採用】【設立】2000.12【社長】富田直人
23年 5【従業員】連161名 単56名(32.9歳)
24年 4【有休】‥日
25年 8【初任給】月20.9万(諸手当を除いた数値)
【試験種類】‥【各種制度】‥

【業績】	売上高	営業利益	経常利益	純利益
連23.3	4,570	343	345	62
連24.3	4,813	399	404	244

ウォンテッドリー
東証 グロース

【本社】108-0071 東京都港区白金台5-12-7 MG白金台ビル ☎03-6369-2018
その他サービス

採用実績数	倍率	3年後離職率	平均年収
3名	‥	‥	647万円

【特色】ビジネス向け、個人向けSNS「Wantedly」サービスを運営。募集要項を掲載する企業と、掲載されたビジョンに共感する個人とをマッチングさせる採用支援サービスに特徴。ビジネス向けは採用、個人向けは会社訪問を中心に展開。
【定着率】‥
【採用】【設立】2010.9【代表取締役】仲暁子
23年 ‥【従業員】連145名 単144名(30.6歳)
24年 3【有休】‥日
25年 未定【初任給】‥万
【試験種類】‥【各種制度】‥

【業績】	営業収益	営業利益	経常利益	純利益
連22.8	4,497	1,251	1,238	741
連23.8	4,746	1,589	1,564	995

SCSKサービスウェア
株式公開 計画なし

【本社】135-0061 東京都江東区豊洲3-2-24 豊洲フォレシア12階 ☎03-6890-2500
その他サービス

採用実績数	倍率	3年後離職率	平均年収
26名	‥	‥	‥

【特色】金融、流通、製造、ITなどのコンタクトセンター・業務サービスに対応するBPOサービスを提供。RPA(定型的な単純作業の自動化システム)教育サービスも手がけ、オンライン形式にも対応。全国に20拠点。SCSKの完全子会社。
【定着率】‥
【採用】【設立】1983.3【社長】渡辺篤史
23年 28【従業員】単2,910名(‥歳)
24年 26【有休】‥日
25年 未定【初任給】月23.2万(諸手当を除いた数値)
【試験種類】‥【各種制度】‥

【業績】	売上高	営業利益	経常利益	純利益
単23.3	35,183	2,851	2,860	1,757
単24.3	35,026	2,228	2,237	1,491

㈱NXワンビシアーカイブズ
株式公開 していない

【本社】105-0001 東京都港区虎ノ門4-1-28 虎ノ門タワーズオフィス ☎03-5425-5100
その他サービス

採用実績数	倍率	3年後離職率	平均年収
20名	‥	‥	‥

【特色】書類やメディアの保管、デジタル化など情報資産管理のトップ企業。電子契約やOCRサービスのほか細胞・検体保管サービスなども提供。生・損保の代理店事業も手がける。名古屋、大阪、福岡に支店。NIPPON EXPRESSホールディングスの傘下。
【定着率】‥
【採用】【設立】1966.4【社長】高橋豊
23年 18【従業員】単836名(‥歳)
24年 20【有休】‥日
25年 未定【初任給】‥万
【試験種類】‥【各種制度】‥

【業績】	売上高	営業利益	経常利益	純利益
単22.12	21,490	4,589	4,622	3,179
単23.12	20,405	3,416	3,447	2,380

㈱エムティーアイ
東証 プライム

【本社】163-1435 東京都新宿区西新宿3-20-2
☎03-5333-6789
その他サービス

採用予定数	倍率	3年後離職率	平均年収
25名	‥	‥	650万円

【特色】携帯端末向けコンテンツ配信が主体。音楽・動画配信サイト「music.jp」、女性向けの生理情報管理サービス「ルナルナ」やクラウド薬歴システム、セキュリティーアプリやコミック配信も展開。大手法人向けDX支援や子育て・学校向けDX事業を育成。
【定着率】‥
【採用】【設立】1996.8【社長】前多俊宏
23年 18【従業員】連1,195名 単740名(40.0歳)
24年 20【有休】‥日
25年 25【初任給】月24.4万(諸手当を除いた数値)
【試験種類】‥【各種制度】‥

【業績】	売上高	営業利益	経常利益	純利益
連22.9	26,479	870	485	▲930
連23.9	26,798	298	458	753

㈱エルテス
東証 グロース

【本社】100-6006 東京都千代田区霞が関3-2-5 霞が関ビルディング
☎03-6550-9280
その他サービス

採用実績数	倍率	3年後離職率	平均年収
14名	‥	‥	547万円

【特色】SNSのネット炎上などリスク検知に特化したビッグデータ解析で、事前回避から事後のコンサルまでのソリューションを提供。情報漏洩や社内不正などの内部脅威予知・検知といった内部脅威検知サービスが牽引。AIセキュリティーや行政DX支援に注力。
【定着率】‥
【採用】【設立】2012.4【社長】菅原貴弘
23年 14【従業員】連409名 単114名(34.1歳)
24年 14【有休】‥日
25年 未定【初任給】‥万
【試験種類】‥【各種制度】‥

【業績】	売上高	営業利益	経常利益	純利益
連23.2	4,685	202	143	42
連24.2	6,535	182	143	257

オリコン
東証 スタンダード

【本社】106-0032 東京都港区六本木6-8-10
☎03-3405-5252
その他サービス

採用実績数	倍率	3年後離職率	平均年収
3名	‥	‥	653万円

【特色】音楽ヒットチャートのデータ提供や音楽雑誌などがかつての主力事業だが、現在は各種サービスの顧客満足度をランキング化した「オリコン顧客満足度ランキング」が収益柱へと成長。商標ロゴ使用料や調査データ提供料が収入源。ニュースコンテンツの提供も。
【定着率】‥
【グループ採用】【設立】1999.10【社長】小池恒
23年 5【従業員】連195名 単45名(41.2歳)
24年 3【有休】‥日
25年 前年並【初任給】‥万
【試験種類】‥【各種制度】‥

【業績】	売上高	営業利益	経常利益	純利益
連23.3	4,875	1,765	1,699	1,106
連24.3	4,800	1,556	1,588	1,055

㈱カカクコム
東証 プライム

【本社】150-0022 東京都渋谷区恵比寿南3-5-7
☎03-5725-4554
その他サービス

採用実績数	倍率	3年後離職率	平均年収
19名	‥	‥	705万円

【特色】国内最大の価格比較サイト「価格.com」とグルメサイト「食べログ」を運営。掲載店の手数料や店舗への顧客誘導による成果報酬型広告が収益源。求人、不動産情報、旅行比較、映画情報、車情報、バス比較など各サイトを展開。生損保のコンサルも展開。
【定着率】‥
【採用】【設立】2000.5【社長】村上敦浩
23年 21【従業員】連1,411名 単1,152名(36.3歳)
24年 19【有休】‥日
25年 未定【初任給】月26.7万(諸手当を除いた数値)
【試験種類】‥【各種制度】‥

【業績】	売上高	営業利益	税前利益	純利益
連23.3	60,820	23,947	23,253	16,132
連24.3	66,928	25,819	26,122	18,095

㈱ゴルフダイジェスト・オンライン
東証 プライム

【本社】141-0022 東京都品川区東五反田2-10-2
☎03-5656-2888
その他サービス

採用予定数	倍率	3年後離職率	平均年収
未定	‥	‥	613万円

【特色】総合ゴルフサイト運営の最大手。記事サイトで集客し、ゴルフ場のネット予約やゴルフ用品のネット通販で稼ぐビジネスモデル。中古品ショップやゴルフレッスン、子供向けスクールなども展開。傘下に米国でチェーン展開する最大ゴルフレッスン会社。
【定着率】‥
【採用】【設立】2000.5【社長】石坂信也
23年 ‥【従業員】連1,466名 単669名(39.0歳)
24年 ‥【有休】‥日
25年 未定【初任給】月25万(諸手当を除いた数値)
【試験種類】‥【各種制度】‥

【業績】	売上高	営業利益	経常利益	純利益
連22.12	46,090	1,189	▲175	339
連23.12	52,918	380	353	158

GMOメディア
東証 グロース

【本社】150-8512 東京都渋谷区桜丘町26-1 セルリアンタワー
☎03-5456-2626
その他サービス

採用予定数	倍率	3年後離職率	平均年収
未定	‥	‥	595万円

【特色】GMO傘下の広告メディア開発・運営。ポイ活サービスを柱に、プログラミング教室紹介や美容医療紹介のサイト、掲示板・小説・画像共有などのコミュニティーを運営。オンライン講座でSaaSビジネス、パイロット育成でドローン事業に参入。
【定着率】‥
【採用】【設立】2000.10【社長】森輝幸
23年 0【従業員】連219名 単145名(33.9歳)
24年 0【有休】‥日
25年 未定【初任給】‥万
【試験種類】‥【各種制度】‥

【業績】	売上高	営業利益	経常利益	純利益
連22.12	5,587	310	307	183
連23.12	6,266	533	540	361

㈱シンクロ・フード　東証プライム

【本社】150-0022 東京都渋谷区恵比寿南1-7-8 ☎03-5768-9522
その他サービス

採用予定数	倍率	3年後離職率	平均年収
15名	‥	‥	550万円

【特色】飲食店の出店・運営者と飲食店に関わる様々な事業者とを繋ぐマッチングサービスを展開。「飲食店ドットコム」が主力サイトで、店舗物件探し、求人、外国人採用、食材仕入れなど、飲食店の出店や運営に必要な情報を網羅的に提供。
【定着率】‥
【採用】　【設立】2003.4【代表取締役】藤代真一
23年　11【従業員】連204名 単190名(32.8歳)
24年　14【有休】‥日
25年　15【初任給】‥万
【試験種類】‥【各種制度】‥

【業績】	売上高	営業利益	経常利益	純利益
連23.3	2,930	876	878	628
連24.3	3,602	1,038	1,036	704

㈱デザインワン・ジャパン　東証スタンダード

【本社】160-0022 東京都新宿区新宿2-16-6 新宿イーストスクエアビル ☎03-6421-7438
その他サービス

採用予定数	倍率	3年後離職率	平均年収
3名	‥	‥	552万円

【特色】オールジャンル店舗情報サイト「エキテン」を展開。有料会員の掲載料や広告収入が収益源で、健康・美容・リラクゼーション業など150種以上の多業種の店舗情報閲覧に強み。口コミ重視や低価格な掲載料が特徴。ベトナム子会社でオフショア開発も展開。
【定着率】‥
【採用】　【設立】2005.9【社長】高畠靖雄
23年　1【従業員】連193名 単64名(35.6歳)
24年　0【有休】‥日
25年　3【初任給】月20.3万(諸手当を除いた数値)
【試験種類】‥【各種制度】‥

【業績】	売上高	営業利益	経常利益	純利益
連22.8	2,250	124	134	▲89
連23.8	2,428	25	56	▲27

テモナ　東証スタンダード

【本社】150-0002 東京都渋谷区渋谷2-12-19 東建インターナショナルビル ☎03-6635-6452
その他サービス

採用実績数	倍率	3年後離職率	平均年収
1名	‥	‥	581万円

【特色】定期販売に特化した通販システム「サブスクストア」などEC事業者支援サービスを運営。化粧品や健康食品など日用品から食品やアパレルなど幅広い商材へ展開し、大規模通販事業者にも対応。リアル店舗用も。システム開発の請負も手がける。
【定着率】‥
【採用】　【設立】2008.10【社長】佐川隼人
23年　18【従業員】連141名 単94名(31.6歳)
24年　1【有休】‥日
25年　0【初任給】月21.3万(諸手当を除いた数値)
【試験種類】‥【各種制度】‥

【業績】	売上高	営業利益	経常利益	純利益
連22.9	2,253	▲195	▲194	▲175
連23.9	2,341	▲83	▲76	▲127

トレンダーズ　東証グロース

【本社】150-0011 東京都渋谷区東3-16-3 エフ・ニッセイ恵比寿ビル ☎03-5774-8871
その他サービス

採用予定数	倍率	3年後離職率	平均年収
8名	‥	‥	‥

【特色】SNS、インフルエンサーを活用したマーケティング・プロモーションを展開。生活者インサイト・トレンド分析とSNSでの情報拡散により、企業や商品のPRを支援。動画広告や韓国コスメEC、D2C(消費者直販)なども。美容に加え医療領域育成。
【定着率】‥
【採用】　【設立】2000.4【社長】黒川涼子
23年　11【従業員】連215名 単197名(31.7歳)
24年　9【有休】‥日
25年　8【初任給】年330万(諸手当を除いた数値)
【試験種類】‥【各種制度】‥

【業績】	売上高	営業利益	経常利益	純利益
連23.3	9,088	1,011	1,022	708
連24.3	5,673	788	773	479

㈱はてな　東証グロース

【本社】107-0062 東京都港区南青山6-5-55 青山サンライトビル ☎03-6434-1286
その他サービス

採用実績数	倍率	3年後離職率	平均年収
5名	‥	‥	616万円

【特色】自社メディア「はてなブログ」など情報発信プラットフォームを運営し、純広告や成果報酬型広告を展開。SaaS経由のオウンドメディアの構築・運営システムの強化や、サーバー監視サービス「Mackerel」の提供、出版社向け漫画アプリ開発も。
【定着率】‥
【採用】　【設立】2004.2【社長】栗栖義臣
23年　7【従業員】単201名(34.4歳)
24年　5【有休】‥日
25年　未定【初任給】年375万(諸手当を除いた数値)
【試験種類】‥【各種制度】‥

【業績】	売上高	営業利益	経常利益	純利益
単23.7	3,150	173	182	99
単24.7	3,309	68	91	62

㈱ブイキューブ　東証プライム

【本社】108-0072 東京都港区白金1-17-3 NBFプラチナタワー ☎03-4405-2688
その他サービス

採用予定数	倍率	3年後離職率	平均年収
4名	‥	‥	632万円

【特色】Webコミュニケーションサービス会社。企業内のテレビ会議やWeb会議システム提供が主力。クラウド型のサブスクがメイン。防音型テレワーク用ブース、ネットセミナー開催支援、クラウド電話サービスも展開。米国やアジアなど海外展開に積極的。
【定着率】‥
【採用】　【設立】2000.2【社長】高田雅也
23年　12【従業員】連414名 単318名(35.8歳)
24年　5【有休】‥日
25年　4【初任給】月21.3万(諸手当を除いた数値)
【試験種類】‥【各種制度】‥

【業績】	売上高	営業利益	経常利益	純利益
連22.12	12,229	675	612	84
連23.12	11,084	▲156	▲275	▲5,623

ペイクラウドホールディングス
東証グロース

【本社】107-0062 東京都港区南青山2-24-15 ☎03-5414-3611
その他サービス

採用予定数	倍率	3年後離職率	平均年収
未定	‥	‥	530万円

【特色】スーパーや飲食店など小売店向けに自社専用のハウス電子マネーなどキャッシュレスサービスを提供。電子メールを一度に大量に配信するメッセージングサービスが第2の柱。デジタルサイネージを手がけるクラウドポイントも傘下に。
【定着率】‥
【グループ採用】【設立】2006.8【社長】尾上徹
23年 ‥【従業員】連173名 単59名(34.9歳)
24年 ‥【有休】‥日
25年 未定【初任給】‥万
【試験種類】‥【各種制度】‥

【業績】	売上高	営業利益	経常利益	純利益
連22.8	1,165	▲160	▲1,506	▲1,834
連23.8	4,476	163	133	114

ポート
東証グロース

【本社】169-0074 東京都新宿区北新宿2-21-1 新宿フロントタワー ☎03-5937-6731
その他サービス

採用予定数	倍率	3年後離職率	平均年収
140名	‥	‥	459万円

【特色】就職系情報サイト「キャリアパーク！」や口コミサイト「就活会議」「みん就」のほか、エネルギー、リフォーム、ファイナンスなど各種情報サイトなど成約支援サービスも運営。自宅から医師の診察を受けるオンライン診察サービスも。
【定着率】‥
【採用】【設立】2011.4【社長】春日博文
23年 55【従業員】連650名 単558名(28.6歳)
24年 79【有休】‥日
25年 140【初任給】月18.8万(諸手当を除いた数値)
【試験種類】‥【各種制度】‥

【業績】	売上高	営業利益	税前利益	純利益
連23.3	11,364	1,699	1,658	1,074
連24.3	16,622	2,403	2,331	1,456

マークラインズ
東証プライム

【本社】100-6114 東京都千代田区永田町2-11-1 山王パークタワー ☎03-4241-3901
その他サービス

採用予定数	倍率	3年後離職率	平均年収
20名	‥	‥	538万円

【特色】自動車産業に特化したオンライン情報サービス会社。コンサルや人材紹介、車両や部品の調達代行サービス、新規部品メーカー開拓や市場分析などに活用可能な情報の収集・発信サービスを自動車関連企業に提供。自動車ファンドも手がける。
【定着率】‥
【採用】【設立】2001.1【社長】酒井誠
23年 5【従業員】連190名 単124名(44.1歳)
24年 10【有休】‥日
25年 20【初任給】月22.3万(諸手当を除いた数値)
【試験種類】‥【各種制度】‥

【業績】	売上高	営業利益	経常利益	純利益
連22.12	4,125	1,623	1,622	1,139
連23.12	4,845	1,991	1,988	1,383

ユーソナー
株式公開未定

【本社】163-1415 東京都新宿区西新宿3-20-2 東京オペラシティ 15階 ☎03-5388-7000
その他サービス

採用予定数	倍率	3年後離職率	平均年収
20名	‥	‥	‥

【特色】日本最大級の企業データベースや消費者データベースを構築・運用する企業向けデータベースマーケティング支援事業を展開。企業データベースの収録件数は820万件、消費者データベースは9500万件。三井物産企業投資が資本参画。
【定着率】‥
【採用】【設立】1990.9【会長】福富七海
23年 20【従業員】単272名(33.3歳)
24年 20【有休】‥日
25年 20【初任給】月21.5万(諸手当を除いた数値)
【試験種類】‥【各種制度】‥

【業績】	売上高	営業利益	経常利益	純利益
単22.12	4,041	109	102	64
単23.12	5,038	115	123	74

㈱リンクバル
東証グロース

【本社】104-0044 東京都中央区明石町7-14 築地リバーフロント ☎050-1741-2300
その他サービス

採用予定数	倍率	3年後離職率	平均年収
3名	‥	‥	563万円

【特色】イベント企画・開催のほか、他社主催も含めた全国の街コン情報を掲載するサイト「街コンジャパン」を運営。広告料、送客・掲載手数料などが収益源。婚活マッチングアプリや恋愛メディアも運営。オンラインイベントやアプリの開発を継続。
【定着率】‥
【採用】【設立】2011.12【社長】吉弘和正
23年 6【従業員】連73名 単62名(33.1歳)
24年 3【有休】‥日
25年 3【初任給】月18.6万(諸手当を除いた数値)
【試験種類】‥【各種制度】‥

【業績】	売上高	営業利益	経常利益	純利益
単22.9	765	▲304	▲300	▲312
単23.9	891	▲249	▲251	▲266

オリックス自動車（じどうしゃ）
株式公開計画なし

【本社】105-0014 東京都港区芝3-22-8 オリックス乾ビル ☎03-6436-6000
その他サービス

採用予定数	倍率	3年後離職率	平均年収
57〜62名	‥	‥	‥

【特色】オリックスグループで、リース・レンタカー・カーシェアリングなどを手がける。レンタカーは全国約950拠点で展開。顧客の利用形態に合わせて最適な車両の利用方法を提案。法人には車両管理サービスも提供。店舗やネットで中古車販売も手がける。
【定着率】‥
【採用】【設立】1973.6【社長】上谷内祐二
23年 57【従業員】単1,908名(41.5歳)
24年 55【有休】‥日
25年 57〜62【初任給】月27万
【試験種類】‥【各種制度】‥

【業績】	売上高	営業利益	経常利益	純利益
単23.3	358,500	43,060	43,413	29,804
単24.3	365,152	48,235	52,333	37,907

オリックス・レンテック
株式公開計画なし

【本社】141-0001 東京都品川区北品川5-5-15 大崎ブライトコア ☎03-3473-7561
その他サービス

採用予定数	倍率	3年後離職率	平均年収
20名	‥	‥	‥

【特色】オリックスグループで日本初の測定器レンタル会社。産業機器のレンタル軸に、電子計測器校正サービスやPCのキッティング・クローニングサービス(組立や設定など)なども展開。取り扱うレンタル機器は測定器やロボットなど約4万種、約310万台で業界首位級。
【定着率】‥
【採用】【設立】1976.9【社長】細川展久
23年 30【従業員】単1,005名(44.2歳)
24年 21【有休】‥日
25年 20【初任給】月24万(諸手当を除いた数値)
【試験種類】‥【各種制度】‥

【業績】	売上高	営業利益	経常利益	純利益
単23.3	100,027	8,473	9,745	7,742
単24.3	104,790	▲479	535	2,431

㈱ナガワ
東証プライム

【本社】100-0005 東京都千代田区丸の内1-4-1 丸の内永楽ビルディング ☎03-5288-8666
その他サービス

採用予定数	倍率	3年後離職率	平均年収
23名	‥	‥	581万円

【特色】ユニットハウスの製造・レンタル大手。倉庫や工場、事務所向けにモジュール(プレハブ)建築も積極展開。茨城の結城工場でロボットを導入。発祥の北海道南部では建設機械のレンタル行う。展示場増設による空白地域の販売網拡大を図る。
【定着率】‥
【採用】【設立】1966.7【社長】新村亮
23年 30【従業員】連559名 単559名(37.6歳)
24年 29【有休】‥日
25年 23【初任給】月24.1万(諸手当を除いた数値)
【試験種類】‥【各種制度】‥

【業績】	売上高	営業利益	経常利益	純利益
連23.3	31,652	4,308	4,674	3,130
連24.3	32,576	4,241	4,643	3,119

日建リース工業(にっけんリースこうぎょう)
株式公開未定

【本社】101-0064 東京都千代田区神田猿楽町2-7-8 住友不動産水道橋ビル3階 ☎03-3295-9111
その他サービス

採用実績数	倍率	3年後離職率	平均年収
51名	‥	‥	‥

【特色】建設用仮設機材レンタル業界大手。建設用足場・支保工材を柱に、仮設ハウス、事務・物流機器、介護用具のレンタルを展開。保有資材は2000点超。ベトナム、ミャンマー、タイ、フィリピンなどに事業拠点をもつ。日建レンタコム傘下。
【定着率】‥
【採用】【設立】1967.11【社長】関山正勝
23年 44【従業員】単1,996名(41.0歳)
24年 51【有休】‥日
25年 未定【初任給】月24万(諸手当を除いた数値)
【試験種類】‥【各種制度】‥

【業績】	売上高	営業利益	経常利益	純利益
単22.9	90,697	‥	3,210	1,947
単23.9	96,436	3,120	4,561	2,993

日本パレットレンタル(にほんパレットレンタル)
株式公開計画なし

【本社】100-0004 東京都千代田区大手町1-1-3 大手センタービル ☎03-6895-5200
その他サービス

採用予定数	倍率	3年後離職率	平均年収
未定	‥	‥	‥

【特色】物流パレットのレンタルサービスを食品・日用品業界向け中心に展開。国内トップシェア。海外進出拡大も。ロジスティクス分野・企業資産管理分野の情報・運用管理支援サービスも強化。札幌、仙台、埼玉、名古屋、大阪、福岡にオフィス。
【定着率】‥
【採用】【設立】1971.12【社長】二村篤志
23年 2【従業員】単359名(‥歳)
24年 ‥【有休】‥日
25年 未定【初任給】月21.7万(諸手当を除いた数値)
【試験種類】‥【各種制度】‥

【業績】	売上高	営業利益	経常利益	純利益
単23.3	27,943	1,230	1,387	1,061
単24.3	28,800	‥	‥	‥

ヒロセホールディングス
株式公開していない

【本社】135-0016 東京都江東区東陽4-1-13 東陽セントラルビル ☎03-5634-4501
その他サービス

採用実績数	倍率	3年後離職率	平均年収
26名	‥	‥	‥

【特色】複数の専門工事会社を傘下に持つ持株会社。重仮設、仮設鋼材のリース・販売・加工などのヒロセ、補強土壁工法の提案・コンサルタント・工事を行うヒロセ補強土などが中核企業。老朽化した橋の架け替えなど全国で7000橋超の実績。
【定着率】‥
【採用】【設立】1938.11【会長兼社長】廣瀬太一
23年 30【従業員】連1,894名 単57名(47.2歳)
24年 26【有休】‥日
25年 未定【初任給】月24万(諸手当を除いた数値)
【試験種類】‥【各種制度】‥

【業績】	売上高	営業利益	経常利益	純利益
連23.3	126,657	11,929	12,430	8,123
連24.3	136,440	11,066	12,040	7,645

三菱電機ライフサービス(みつびしでんきライフサービス)
株式公開計画なし

【本社】105-0011 東京都港区芝公園2-4-1 芝パークビルB館7階 ☎03-6402-6001
その他サービス

採用予定数	倍率	3年後離職率	平均年収
12名	‥	‥	‥

【特色】三菱電機グループの総合福祉サービス会社。グループ会社の福利厚生施設の管理のほか、公共施設の管理、フードサービス、不動産、介護、物販、リゾートサービスなどを展開。北海道から九州まで全国にサービスネットワーク網を広げる。
【定着率】‥
【採用】【設立】1964.4【社長】船尾英司
23年 8【従業員】単2,631名(49.1歳)
24年 12【有休】‥日
25年 12【初任給】月24万(諸手当を除いた数値)
【試験種類】‥【各種制度】‥

【業績】	売上高	営業利益	経常利益	純利益
単23.3	32,769	‥	1,627	1,062
単24.3	34,012	‥	1,552	630

㈱スペース　東証プライム

【本社】103-0013 東京都中央区日本橋人形町3-9-4 ☎03-3669-4008
その他サービス

採用予定数	倍率	3年後離職率	平均年収
85名	‥	‥	743万円

【特色】商業施設などのディスプレー企画・設計・監理・施工の大手。地盤の名古屋から全国展開。複合商業施設のほか、娯楽施設、総合・食品スーパー、コンビニ、飲食店などで実績。オフィス、ホテルなどを開拓。地域活性化案件の受注に積極的。
【定着率】‥
【採用】 【設立】1972.10【社長】佐々木靖浩
23年 37【従業員】連909名 単878名(39.1歳)
24年 69【有休】‥日
25年 85【初任給】月21.2万(諸手当を除いた数値)
【試験種類】‥【各種制度】‥

【業績】	売上高	営業利益	経常利益	純利益
連22.12	46,707	2,096	2,126	1,394
連23.12	52,793	2,574	2,616	1,685

㈱船場（せんば）　東証スタンダード

【本社】105-0023 東京都港区芝浦1-2-3 シーバンスS館 ☎03-6865-1008
その他サービス

採用予定数	倍率	3年後離職率	平均年収
25名	‥	‥	561万円

【特色】商業施設や店舗の企画・設計から監理・施工まで一貫して手がける。取引協力企業と「船場会」を組織し全国展開。専門店からSCなど大型施設まで扱い、オフィスも事業対象。売上高の約15%はイオングループ。海外はアジア圏で古くから展開。
【定着率】‥
【採用】 【設立】1962.2【社長】八嶋大輔
23年 9【従業員】連517名 単379名(42.3歳)
24年 23【有休】‥日
25年 25【初任給】月19.5万(諸手当を除いた数値)
【試験種類】‥【各種制度】‥

【業績】	売上高	営業利益	経常利益	純利益
連22.12	22,810	776	736	451
連23.12	24,886	1,287	1,363	1,033

㈱丹青社（たんせいしゃ）　東証プライム

【本社】108-8220 東京都港区港南1-2-70 品川シーズンテラス ☎03-6455-8100
その他サービス

採用予定数	倍率	3年後離職率	平均年収
40名	‥	‥	810万円

【特色】空間ディスプレーの企画・設計・施工の大手。百貨店・ショッピングセンター・飲食店など商業施設、博覧会・イベントの展示施設などが事業分野。博物館や美術館など文化施設向けでは首位級。リノベーション技術を生かし中古オフィスビル再生事業を拡充。
【定着率】‥
【採用】 【設立】1959.12【社長】小林統
23年 27【従業員】連1,434名 単1,071名(43.5歳)
24年 21【有休】‥日
25年 40【初任給】月22.7万(諸手当を除いた数値)
【試験種類】‥【各種制度】‥

【業績】	売上高	営業利益	経常利益	純利益
連23.1	64,221	616	793	459
連24.1	81,200	3,883	3,995	2,771

㈱日本設計（にほんせっけい）　株式公開計画なし

【本社】105-6334 東京都港区虎ノ門1-23-1 虎ノ門ヒルズ森タワー 34階 ☎050-3139-7100
その他サービス

採用予定数	倍率	3年後離職率	平均年収
30名	‥	‥	‥

【特色】日本有数の建築設計事務所。国内外で実績多い。総合設計事務所の組織力を生かし、大規模都市開発や超高層建築、大学、病院、レジャー施設などのプロジェクトに取り組む。中国・上海やベトナムに現地法人。日本都市計画学会賞など国内外で多数受賞。
【定着率】‥
【採用】 【設立】1967.9【社長】篠﨑淳
23年 30【従業員】単1,007名(‥歳)
24年 29【有休】‥日
25年 30【初任給】‥万
【試験種類】‥【各種制度】‥

【業績】	売上高	営業利益	経常利益	純利益
単22.9	21,714	2,786	2,945	1,843
単23.9	23,336	1,565	1,625	839

ギグワークス　東証スタンダード

【本社】105-0003 東京都港区西新橋2-11-6 ニュー西新橋ビル ☎03-6832-3260
その他サービス

採用予定数	倍率	3年後離職率	平均年収
15名	‥	‥	497万円

【特色】家電量販店店頭でのPCなどの販売支援、IT機器設置・工事の受託や技術者派遣、コールセンター運営などを手がける。ネット上のプラットフォームで短期業務の求人・求職紹介も行う。通販事業や首都圏中心にシェアオフィス事業も展開。
【定着率】‥
【グループ採用】【設立】1977.1【社長】村田峰人
23年 6【従業員】連804名 単66名(44.3歳)
24年 10【有休】‥日
25年 15【初任給】月23万(諸手当を除いた数値)
【試験種類】‥【各種制度】‥

【業績】	売上高	営業利益	経常利益	純利益
連22.10	22,932	442	476	232
連23.10	26,432	111	111	▲718

㈱コレックホールディングス　東証スタンダード

【本社】171-0022 東京都豊島区南池袋2-32-4 南池袋公園ビル ☎03-6825-5022
その他サービス

採用予定数	倍率	3年後離職率	平均年収
30名	‥	‥	439万円

【特色】希望条件を入力して部屋を探すサイト「イエプラ」や、ゲーム攻略サイト「アルテマ」などを運営。広告収入が収益源。会社設立以来主軸としてきたNHKの受信料の契約・収納代行業は全廃。太陽光発電や介護用品のレンタル・販売を強化中。
【定着率】‥
【採用】 【設立】2010.3【社長】栗林憲介
23年 1【従業員】連366名 単335名(31.6歳)
24年 24【有休】‥日
25年 30【初任給】月23万(諸手当を除いた数値)
【試験種類】‥【各種制度】‥

【業績】	売上高	営業利益	経常利益	純利益
連23.2	4,118	269	270	201
連24.2	3,938	119	117	88

ディーエムソリューションズ
東証スタンダード

【本社】180-0005 東京都武蔵野市御殿山1-1-3 クリスタルパークビル ☎0422-57-3921
その他サービス

採用予定数	倍率	3年後離職率	平均年収
20名	‥	‥	‥

【特色】商業DMや定期発送物、宅配便などの小型荷物の発送代行大手。企画からデザイン、印刷、配送まで一気通貫体制に強み。SEO対策やWeb送客などデジタルマーケティングに関するワンストップ支援も展開。自社ECでアパレルなどの販売も行う。
【定着率】‥
【採用】【設立】2004.9【社長】花矢卓司
23年 14【従業員】連311名 単296名(34.3歳)
24年 16【有休】‥日
25年 20【初任給】‥万
【試験種類】‥【各種制度】‥

【業績】	売上高	営業利益	経常利益	純利益
連23.3	17,861	462	477	315
連24.3	18,207	568	575	402

トランスコスモス
東証プライム

【本社】170-6016 東京都豊島区東池袋3-1-1 サンシャイン60 ☎050-1751-7700
その他サービス

採用実績数	倍率	3年後離職率	平均年収
766名	‥	‥	484万円

【特色】アウトソーシングビジネスの大手。事業の柱はBPO、コールセンター、デジタルマーケティング。AI・RPAを活用した自動化に特色。EC支援分野にも展開し、海外ECの構築・運用も支援。中国、韓国、ASEAN、インドでも展開。
【定着率】‥
【採用】【設立】1985.6【会長】奥田昌孝
23年 598【従業員】連41,176名 単18,028名(37.4歳)
24年 766【有休】‥日
25年 前年並【初任給】月21.6万(諸手当を除いた数値)
【試験種類】‥【各種制度】‥

【業績】	売上高	営業利益	経常利益	純利益
連23.3	373,830	23,290	23,072	15,767
連24.3	362,201	11,474	13,782	10,097

㈱プレステージ・インターナショナル
東証プライム

【本社】102-0083 東京都千代田区麹町2-4-1 麹町大通りビル ☎03-5213-0220
その他サービス

採用実績数	倍率	3年後離職率	平均年収
96名	‥	‥	389万円

【特色】コールセンター中心の業務受託(BPO)会社。損保関連などの自動車ロードアシスト受託が主力。不動産管理、海外旅行保険のカスタマーサービス、信販・通販会社の顧客管理や自治体関連業務も扱う。賃貸入居者の金融保証も手がける。世界18カ国に展開。
【定着率】‥
【採用】【設立】1986.10【代表取締役】玉上進一
23年 134【従業員】連5,216名 単374名(36.5歳)
24年 96【有休】‥日
25年 未定【初任給】月22.1万(諸手当を除いた数値)
【試験種類】‥【各種制度】‥

【業績】	売上高	営業利益	経常利益	純利益
連23.3	54,562	7,840	8,378	5,318
連24.3	58,738	7,921	8,458	5,791

㈱ベルシステム24ホールディングス
東証プライム

【本社】105-6906 東京都港区虎ノ門4-1-1 神谷町トラストタワー ☎03-6733-0024
その他サービス

採用実績数	倍率	3年後離職率	平均年収
34名	‥	‥	706万円

【特色】コールセンターで業界上位。行政・医療・通信・流通・運輸・金融・サービス業など幅広い分野に対応。クラウド型コンタクトセンターシステムなど技術開発も進める。膨大な音声対応データを分析し、既存のCRM業務の効率化を推進。アジアにも進出。
【定着率】‥
【グループ採用】【設立】2014.6【代表取締役】梶原浩
23年 43【従業員】連2,965名 単218名(44.9歳)
24年 34【有休】‥日
25年 前年並【初任給】月21.8万(諸手当を除いた数値)
【試験種類】‥【各種制度】‥

【業績】	売上高	営業利益	税前利益	純利益
連23.2	156,054	14,917	14,157	9,330
連24.2	148,717	11,479	11,225	7,545

R S C
東証スタンダード

【本社】170-8630 東京都豊島区東池袋3-1-3 サンシャインシティ WIM ☎03-5952-7211
その他サービス

採用予定数	倍率	3年後離職率	平均年収
4名	‥	‥	‥

【特色】建物管理・警備の中堅。ビル警備、受付案内業務、清掃、設備管理・工事などを統合した総合管理サービスを提供。東京・池袋のサンシャインシティが筆頭株主で、サンシャインシティの管理が軸だが、他物件にも展開。事務やイベントなどへ人材派遣も行う。
【定着率】‥
【採用】【設立】1971.9【社長】金井宏夫
23年 4【従業員】連401名 単280名(46.0歳)
24年 2【有休】‥日
25年 4【初任給】月20万(諸手当を除いた数値)
【試験種類】‥【各種制度】‥

【業績】	売上高	営業利益	経常利益	純利益
連23.3	6,028	191	198	127
連24.3	8,097	284	299	244

㈱アサヒファシリティズ
株式公開計画なし

【本社】136-0075 東京都江東区新砂1-3-3 竹中セントラルビルサウス ☎03-5683-1191
その他サービス

採用予定数	倍率	3年後離職率	平均年収
50名	‥	‥	‥

【特色】建物維持管理事業を中心に不動産事業、保険代理事業を行う。オフィスビル、病院、大規模集客施設など管理物件数は約2000件。全国主要都市に11カ所の本支店・営業所で地域密着型の営業を展開。竹中工務店のグループ会社。
【定着率】‥
【採用】【設立】1969.3【社長】藤永弘
23年 50【従業員】単1,728名(41.9歳)
24年 42【有休】‥日
25年 50【初任給】月24.5万(諸手当を除いた数値)
【試験種類】‥【各種制度】‥

【業績】	売上高	営業利益	経常利益	純利益
単22.12	59,481	2,904	3,018	2,076
単23.12	63,938	3,089	3,215	2,329

ＡＬＳＯＫファシリティーズ

株式公開計画なし

【本社】102-0081 東京都千代田区四番町4-2 BANビル3階 ☎03-3264-2923
その他サービス

採用予定数	倍率	3年後離職率	平均年収
38名	‥	‥	‥

【特色】ビル総合管理大手で施設管理・保全の総合サービスを提供。首都圏中心に大阪、名古屋でも事業拡大。主要管理物件はTBS放送センターなど。21年に日本ビル・メンテナンスがALSOKビルサービスと経営統合し現体制に。ALSOKの完全子会社。
【定着率】‥
【採用】【設立】1955.5【社長】鈴木一三
23年 46【従業員】単1,009名(‥歳)
24年 43【有休】‥日
25年 38【初任給】月20.9万(諸手当を除いた数値)
【試験種類】‥【各種制度】‥

【業績】	売上高	営業利益	経常利益	純利益
単23.3	18,988	650	895	658
単24.3	20,533	756	1,589	1,318

イオンディライト

東証プライム

【東京本社】101-0054 東京都千代田区神田錦町1-1-1 帝都神田ビル ☎03-6895-3892
その他サービス

採用予定数	倍率	3年後離職率	平均年収
160名	‥	‥	511万円

【特色】商業・オフィスビルなど施設管理で首位。顧客はイオングループで売上高の約6割を占める。施設管理、清掃、警備、イオン向け包装資材、自販機などを総合的に事業展開。海外は中国やASEANに進出。カメラやセンサー導入で設備管理の省人化を図る。
【定着率】‥
【採用】【設立】1972.11【社長】濵田和成
23年 86【従業員】連21,209名 単4,326名(46.2歳)
24年 91【有休】‥日
25年 160【初任給】月21.6万(諸手当を除いた数値)
【試験種類】‥【各種制度】‥

【業績】	売上高	営業利益	経常利益	純利益
連23.2	303,776	15,814	16,006	10,152
連24.2	324,820	15,235	15,482	10,707

ＭＨＩファシリティーサービス

株式公開計画なし

【本社】108-0014 東京都港区芝5-34-6 ☎03-3451-1172
その他サービス

採用予定数	倍率	3年後離職率	平均年収
8名	‥	‥	‥

【特色】工場設備、福利厚生施設などの管理・運営・保全会社。三菱重工グループ。旧菱興系8社を統合した前身企業から工場・施設管理事業に特化し現体制。三菱重工で培った技術力、経験を活かして、インフラ、生産設備の管理、保守サービスを提供。
【定着率】‥
【採用】【設立】2018.1【社長】萩原一郎
23年 1【従業員】単866名(45.6歳)
24年 2【有休】‥日
25年 8【初任給】月21万(諸手当を除いた数値)
【試験種類】‥【各種制度】‥

【業績】	売上高	営業利益	経常利益	純利益
単23.3	21,122	900	882	572
単24.3	20,961	1,048	1,056	621

共栄セキュリティーサービス

東証スタンダード

【本社】102-0074 東京都千代田区九段南1-6-17 千代田会館 ☎03-3511-7780
その他サービス

採用実績数	倍率	3年後離職率	平均年収
11名	‥	‥	345万円

【特色】首都圏など東日本を中心に事業展開する警備会社。大阪、名古屋、仙台などに拠点。オフィスビルや商業施設、空港、駐車場などの巡回警備のほか、交通誘導警備、イベント警備やボディーガードなどの人的警備も行う。駐車場運営管理、マンション代行管理も。
【定着率】‥
【採用】【設立】1985.5【社長】我妻文男
23年 41【従業員】連802名 単624名(34.5歳)
24年 11【有休】‥日
25年 未定【初任給】月15.6万(諸手当を除いた数値)
【試験種類】‥【各種制度】‥

【業績】	売上高	営業利益	経常利益	純利益
連23.3	8,017	489	531	451
連24.3	9,354	309	388	248

興和不動産ファシリティーズ

株式公開計画なし

【本社】105-0003 東京都港区西新橋3-8-3 ☎03-3437-5161
その他サービス

採用実績数	倍率	3年後離職率	平均年収
6名	‥	‥	‥

【特色】建物設備管理、清掃管理、工事、カスタマーサポートの4事業体制のビルメンテナンス会社。超高層複合ビルから中小規模のオフィスビル、物流倉庫やマンションまで対応。大阪、名古屋、福岡に支店。日鉄興和不動産グループ。
【定着率】‥
【採用】【設立】1987.12【社長】竹内啓
23年 7【従業員】単597名(46.0歳)
24年 6【有休】‥日
25年 前年並【初任給】‥万
【試験種類】‥【各種制度】‥

【業績】	売上高	営業利益	経常利益	純利益
単23.3	19,376	1,647	1,683	1,091
単24.3	20,897	1,607	1,641	1,065

㈱セノン

株式公開していない

【本社】163-0416 東京都新宿区西新宿2-1-1 新宿三井ビルディング16階 ☎03-3348-7111
その他サービス

採用予定数	倍率	3年後離職率	平均年収
未定	‥	‥	‥

【特色】警備保障の業界大手。空港関連警備に強い。パーキングメーターの管理・手数料徴収事務も。社名はSECURITY INNOVATIONから。北海道から沖縄まで営業網。車両運行管理、道路管理、医療関連へとサービス領域拡大。
【定着率】‥
【採用】【設立】1969.5【会長兼社長】稲葉誠
23年 ‥【従業員】単7,900名(‥歳)
24年 ‥【有休】‥日
25年 未定【初任給】‥万
【試験種類】‥【各種制度】‥

【業績】	売上高	営業利益	経常利益	純利益
単23.3	35,500	‥	‥	1,215
単24.3	37,300	‥	‥	1,901

㈱東京ダイケンビルサービス

株式公開計画なし

【本社】102-0084 東京都千代田区二番町12-2 ☎03-3239-1211
その他サービス

採用実績数	倍率	3年後離職率	平均年収
1名	‥	‥	‥

【特色】ダイケングループで清掃、設備、環境衛生、警備、省エネなどのビルメンテナンス・管理のほか、保守・工事を手がける。オフィスビル、大学、病院、ホテル、商業施設などに顧客が多い。関東が地盤で、東京2か所のほか、茨城と栃木に拠点を構える。
【定着率】‥
【採用】　【設立】2021.12【社長】飯田英貴
23年　0【従業員】単1,472名(57.6歳)
24年　1【有休】‥日
25年　未定【初任給】月22万(諸手当を除いた数値)
【試験種類】‥【各種制度】‥

【業績】	売上高	営業利益	経常利益	純利益
単23.3	6,090	186	349	404
単24.3	6,193	70	231	151

東洋(とうよう)ビルメンテナンス

株式公開計画なし

【本社】105-0001 東京都港区虎ノ門1-12-15 ☎03-3580-1240
その他サービス

採用実績数	倍率	3年後離職率	平均年収
18名	‥	‥	‥

【特色】設備管理、清掃、保安警備、工事などを手がける、ビル総合管理会社。メガソーラー管理、オフィス移転業務、内外装リニューアルなどの事業も展開。従業員の業務関連資格取得を支援し、技術者の持つ資格数は延べ4000以上。新事業開発に挑戦。
【定着率】‥
【採用】　【設立】1973.5【社長】廣瀬賢士
23年　10【従業員】単777名(50.0歳)
24年　18【有休】‥日
25年　未定【初任給】月20.2万(諸手当を除いた数値)
【試験種類】‥【各種制度】‥

【業績】	売上高	営業利益	経常利益	純利益
単23.3	15,960	279	393	24
単24.3	17,710	396	486	682

三井不動産ファシリティーズ

株式公開計画なし

【本社】100-0013 東京都千代田区霞が関3-8-1 虎ノ門ダイビルイースト ☎03-3528-8640
その他サービス

採用予定数	倍率	3年後離職率	平均年収
30名	‥	‥	‥

【特色】三井不動産の完全子会社でグループの施設管理事業の中核。オフィスビルや商業施設などの設備管理、清掃、警備などを総合的に手がける。「東京ミッドタウン八重洲」、「日本橋三井タワー」、「ららぽーと横浜」「三井記念病院」などの管理を受託。
【定着率】‥
【採用】　【設立】1957.12【社長】安井清史
23年　26【従業員】単3,861名(50.8歳)
24年　30【有休】‥日
25年　30【初任給】月21万(諸手当を除いた数値)
【試験種類】‥【各種制度】‥

【業績】	売上高	営業利益	経常利益	純利益
単23.3	37,170	2,199	2,479	1,777
単24.3	38,255	1,723	1,608	1,213

㈱ＣＳＳホールディングス

東証スタンダード

【本社】103-0001 東京都中央区日本橋小伝馬町10-1 ☎03-6661-7840
その他サービス

採用予定数	倍率	3年後離職率	平均年収
35名	‥	‥	857万円

【特色】スチュワード、食堂・レストランの運営受託、空間プロデュースの3事業営む子会社の持株会社。スチュワードはホテル・レストランの食器洗浄・衛生管理を一括請け負う。空間プロは施設などの映像・音響、香りのデザインや鉄道の発車メロディ制作を行う。
【定着率】‥
【グループ採用】【設立】1984.12【社長】水野克裕
23年　24【従業員】連581名 単3名(51.3歳)
24年　49【有休】‥日
25年　35【初任給】月20.5万(諸手当を除いた数値)
【試験種類】‥【各種制度】‥

【業績】	売上高	営業利益	経常利益	純利益
連22.9	10,883	▲186	81	102
連23.9	14,832	276	313	230

ＪＲ東日本(ひがしにほん)メカトロニクス

株式公開計画なし

【本社】151-0053 東京都渋谷区代々木2-1-1 新宿マインズタワー ☎03-5365-3802
その他サービス

採用実績数	倍率	3年後離職率	平均年収
30名	‥	‥	‥

【特色】JR東日本グループで、駅の改札機や券売機、ホームドアなどの機械設備や、Suica技術を活かしたICカード、電子マネーソリューション、モバイルシステムなどを展開。企画・開発から施工・メンテナンスまで一貫して手がける。
【定着率】‥
【採用】　【設立】1992.4【社長】太田朝道
23年　51【従業員】単1,361名(44.0歳)
24年　30【有休】‥日
25年　未定【初任給】‥万
【試験種類】‥【各種制度】‥

【業績】	売上高	営業利益	経常利益	純利益
単23.3	55,355	1,696	1,704	1,338
単24.3	70,889	4,543	4,549	3,202

シンメンテホールディングス

東証グロース

【本社】140-0011 東京都品川区東大井2-13-8 ☎03-5767-6461
その他サービス

採用予定数	倍率	3年後離職率	平均年収
未定	‥	‥	‥

【特色】店舗メンテナンスサービス専業の持株会社。外食チェーン向けが主体だが、小売り、介護業なども主要顧客に。店舗からの依頼を受け、1万社を超える協力業者から選定・手配を行う。予防メンテサービスでは給排水、空調、ダクトなども対象範囲。
【定着率】‥
【シンプロメンテ採用】【設立】1985.8【会長兼社長】内藤秀雄
23年　3【従業員】連276名 単156名(41.8歳)
24年　‥【有休】‥日
25年　未定【初任給】‥万
【試験種類】‥【各種制度】‥

【業績】	売上高	営業利益	経常利益	純利益
連23.2	19,408	1,053	1,054	687
連24.2	22,354	1,255	1,259	861

アース環境サービス

株式公開 計画なし

【本社】104-0053 東京都中央区晴海4-7-4 CROSS DOCK HARUMI 3A ☎03-4546-0640
その他サービス

採用予定数	倍率	3年後離職率	平均年収
50名	‥	‥	‥

【特色】工場やオフィス、病院、ホテルなどに総合環境衛生管理サービスを提供。食品、医薬品、化粧品などの品質保証、異物混入防止などの支援業務を行う。大阪・茨木に研究開発拠点。中国・上海、タイ、ベトナムに海外現地法人。大塚グループ。
【定着率】‥
【採用】【設立】1978.5【社長】田渕徹
23年 34【従業員】単955名(37.5歳)
24年 37【有休】‥日
25年 50【初任給】月24.9万
【試験種類】‥【各種制度】‥

【業績】	売上高	営業利益	経常利益	純利益
単22.12	27,973	1,430	1,491	1,032
単23.12	29,073	1,451	1,504	992

アースサポート

株式公開 いずれしたい

【本社】151-0071 東京都渋谷区本町1-4-14 ☎03-3377-1100
その他サービス

採用予定数	倍率	3年後離職率	平均年収
100名	‥	‥	‥

【特色】在宅介護サービスを全国展開。訪問入浴最大手。訪問入浴、訪問介護、デイサービス、有料老人ホーム、福祉用具、寝具水洗い、サービス付高齢者向け住宅事業、グループホーム、家事代行なども手がける。中国、台湾へ海外展開。
【定着率】‥
【採用】【設立】1992.7【社長】森山典明
23年 60【従業員】単6,000名(38.0歳)
24年 53【有休】‥日
25年 100【初任給】‥万
【試験種類】‥【各種制度】‥

【業績】	売上高	営業利益	経常利益	純利益
連22.6	21,371	‥	‥	‥
連23.6	20,680	‥	‥	‥

アートチャイルドケア

株式公開 計画なし

【本社】140-0002 東京都品川区東品川1-3-10 アート引越センター東京オフィス3階 ☎03-5461-0123
その他サービス

採用予定数	倍率	3年後離職率	平均年収
50名	‥	‥	‥

【特色】保育所経営、子育て支援関連事業を展開。認可保育所、院内・企業内保育所の受託運営も行う。子どもの睡眠習慣と生活リズム改善のプログラムなどが特徴。全国197カ所で保育所運営(24年4月)。児童発達支援事業も手がける。
【定着率】‥
【採用】【設立】1989.7【社長】村田省三
23年 50【従業員】単1,256名(35.7歳)
24年 50【有休】‥日
25年 50【初任給】‥万
【試験種類】‥【各種制度】‥

【業績】	売上高	営業利益	経常利益	純利益
単22.9	8,635	114	106	32
単23.9	8,996	▲139	▲21	▲48

AIAIグループ

東証 グロース

【本社】130-0013 東京都墨田区錦糸1-2-1 アルカセントラル ☎03-6284-1607
その他サービス

採用実績数	倍率	3年後離職率	平均年収
109名	‥	‥	410万円

【特色】東京、千葉などで直営の認可保育園を運営。発達障害児向け支援事業や保育事業者向け訪問療育のほか、保育業務支援システム・アプリの提供も行っている。教育・福祉などの分野の専門職大学院と提携するなど、職員のスキルアップ支援に積極的。
【定着率】‥
【グループ採用】【設立】2015.11【社長】貞松成
23年 103【従業員】連1,080名 単1,052名(34.5歳)
24年 109【有休】‥日
25年 増加【初任給】月21.6万(諸手当を除いた数値)
【試験種類】‥【各種制度】‥

【業績】	売上高	営業利益	経常利益	純利益
連23.3	10,822	80	413	▲506
連24.3	11,818	532	875	353

㈱アイロムグループ

東証 プライム

【本社】102-0071 東京都千代田区富士見2-10-2 飯田橋グラン・ブルーム ☎03-3264-3148
その他サービス

採用予定数	倍率	3年後離職率	平均年収
未定	‥	‥	‥

【特色】新薬開発のため医療機関での臨床試験受託や代行を手がけるSMO(医療機関向け治験支援)の大手。CRO(開発業務受託)を国内、オーストラリアで行う。複合型医療施設や医療機器販売サポートにも進出。iPS細胞作製キットなど先端医療への取り組みも。
【定着率】‥
【グループ採用】【設立】1997.4【社長】森豊隆
23年 ‥【従業員】連1,098名 単88名(40.0歳)
24年 ‥【有休】‥日
25年 未定【初任給】月29万(諸手当を除いた数値)
【試験種類】‥【各種制度】‥

【業績】	売上高	営業利益	経常利益	純利益
連23.3	18,351	3,639	3,285	2,542
連24.3	17,740	1,134	1,769	1,415

㈱アサヒセキュリティ

株式公開 未定

【本社】105-0022 東京都港区海岸2-4-2 ☎03-5441-8383
その他サービス

採用実績数	倍率	3年後離職率	平均年収
59名	‥	‥	‥

【特色】セコムの子会社で集配金・売上金管理に特化した警備保障事業を展開。現金以外に有価証券、貴金属等の貴重品輸送や警備業務も行う。現金管理、出納業務でオンリーワンの最適・迅速サービスを提供。北海道から沖縄まで事業所網を構築。
【定着率】‥
【採用】【設立】1998.5【社長】赤木猛
23年 66【従業員】単6,056名(43.2歳)
24年 59【有休】‥日
25年 未定【初任給】月22.5万(諸手当を除いた数値)
【試験種類】‥【各種制度】‥

【業績】	売上高	営業利益	経常利益	純利益
単23.3	48,050	2,648	2,595	1,652
単24.3	50,706	2,864	2,682	1,763

㈱アテナ
株式公開計画なし

【本社】134-8585 東京都江戸川区臨海町5-2-2 三共ビル ☎03-3689-3511
その他サービス

採用実績数	倍率	3年後離職率	平均年収
16名	‥	‥	‥

【特色】デジタル技術を活用したDMの企画・制作から発送まで行うメーリングサービスが主体。東京や大阪の拠点などでロジスティクス事業、コールセンター等の運営のアウトソーシング受託を手がける。RPA導入しPC関連の定例業務を自動化。
【定着率】‥
【採用】【設立】1967.6【社長】渡辺剛彦
23年 16【従業員】単185名(43.0歳)
24年 16【有休】‥日
25年 未定【初任給】‥万
【試験種類】‥【各種制度】‥

【業績】	売上高	営業利益	経常利益	純利益
単23.3	14,690	778	833	487
単24.3	15,292	332	391	248

㈱アドバンテッジリスクマネジメント
東証スタンダード

【本社】153-0051 東京都目黒区上目黒2-1-1 ☎03-5794-3800
その他サービス

採用実績数	倍率	3年後離職率	平均年収
11名	‥	‥	616万円

【特色】企業向けストレスチェック関連サービスで首位級。ストレスチェックやカウンセリングなどパッケージ提供に強み。健診受診率向上支援や休業者・復職者の就労管理支援など労務管理ソリューション、団体長期障害所得補償保険(GLTD)も扱う。
【定着率】‥
【採用】【設立】1999.3【社長】鳥越慎二
23年 12【従業員】連453名 単425名(39.0歳)
24年 11【有休】‥日
25年 前年並【初任給】月22万(諸手当を除いた数値)
【試験種類】‥【各種制度】‥

【業績】	売上高	営業利益	経常利益	純利益
連23.3	6,405	553	534	377
連24.3	6,998	725	737	505

㈱イメージ・マジック
東証グロース

【本社】112-0002 東京都文京区小石川1-3-11 ☎03-6825-7510
その他サービス

採用予定数	倍率	3年後離職率	平均年収
7名	‥	‥	485万円

【特色】インターネット経由で入稿したデータをアパレル製品や雑貨に印刷加工する、オンデマンドプリントサービスを展開。約1900種のアイテムに対応。自社DX化のノウハウで改良を重ねたクラウド生産管理システムや関連ハードウェアの提供も手がける。
【定着率】‥
【採用】【設立】1995.5【社長】山川誠
23年 5【従業員】単206名(35.9歳)
24年 7【有休】‥日
25年 7【初任給】月20万(諸手当を除いた数値)
【試験種類】‥【各種制度】‥

【業績】	売上高	営業利益	経常利益	純利益
単23.4	5,291	69	76	48
単23.12変	4,376	344	342	220

㈱イングリウッド
株式公開いずれしたい

【本社】150-0043 東京都渋谷区道玄坂1-21-1 渋谷ソラスタ13階 ☎03-6455-1161
その他サービス

採用予定数	倍率	3年後離職率	平均年収
60名	‥	‥	‥

【特色】商品開発からEC運営、顧客獲得、デジタル広告、物流・CRM、IT人材育成まで小売業特化型のDXを包括的に支援。自社ECを7サイト運営し、年間購入顧客数は約55万人。人工知能・機械学習事業や人材育成・紹介サービスも手がける。米国に子会社。
【定着率】‥
【採用】【設立】2005.8【社長】黒川隆介
23年 18【従業員】単260名(31.0歳)
24年 40【有休】‥日
25年 60【初任給】‥万
【試験種類】‥【各種制度】‥

【業績】	売上高	営業利益	経常利益	純利益
単22.8	10,384	137	221	▲326
単23.8	13,679	▲163	▲163	▲86

㈱インターネットインフィニティー
東証グロース

【本社】102-0084 東京都千代田区二番町11-19 興和二番町ビル ☎03-6897-4777
その他サービス

採用予定数	倍率	3年後離職率	平均年収
15名	‥	‥	394万円

【特色】短時間リハビリ型デイサービス「レコードブック」と在宅介護サービスを運営。直営とFCで全国展開。ケアマネジャー専用のポータルサイトも運営し、会員を対象に企業向けの市場調査やプロモーションも請け負う。子会社で住宅リフォームや老人ホーム事業も。
【定着率】‥
【採用】【設立】2004.7【社長】別宮圭一
23年 44【従業員】連375名 単49名(31.6歳)
24年 11【有休】‥日
25年 15【初任給】‥万
【試験種類】‥【各種制度】‥

【業績】	売上高	営業利益	経常利益	純利益
連23.3	4,464	99	149	35
連24.3	4,959	230	271	130

㈱ウォーターエージェンシー
株式公開計画なし

【本社】162-0813 東京都新宿区東五軒町3-25 ☎03-3267-4001
その他サービス

採用実績数	倍率	3年後離職率	平均年収
4名	‥	‥	‥

【特色】上下水道処理施設の運転管理事業のパイオニアで国内シェア首位級。提案から運営・検証までトータルマネジメントを提供。官公需が約9割を占める。AIやDX駆使した独自管理手法の導入に取り組む。埼玉と大阪に研究所。
【定着率】‥
【採用】【設立】1957.5【社長】榊原秀明
23年 5【従業員】単2,812名(49.2歳)
24年 4【有休】‥日
25年 未定【初任給】月20.6万
【試験種類】‥【各種制度】‥

【業績】	売上高	営業利益	経常利益	純利益
単23.3	67,339	3,016	3,017	2,068
単24.3	72,560	4,592	4,756	2,925

ＡＨＣグループ
東証グロース

【本社】101-0032 東京都千代田区岩本町2-11-9 ☎03-6240-9550
その他サービス

採用予定数	倍率	3年後離職率	平均年収
30名	‥	‥	379万円

【特色】障害児向けの放課後デイサービス、成年障害者向けの就労移行・継続支援サービス、共同生活援助ホームを柱とする福祉事業が主軸。高齢者向けのデイケアを行う介護事業や、居酒屋、レストランなどを運営する外食事業も展開。
【定着率】‥
【採用】 【設立】2010.1【社長】荒木喜貴
23年 32【従業員】連471名 単258名(38.8歳)
24年 15【有休】‥日
25年 30【初任給】月23.2万(諸手当を除いた数値)
【試験種類】‥【各種制度】‥

【業績】	売上高	営業利益	経常利益	純利益
連22.11	4,904	▲215	▲200	▲253
連23.11	5,915	20	70	67

エームサービス
株式公開計画なし

【本社】107-0052 東京都港区赤坂2-23-1 アークヒルズフロントタワー ☎03-6234-7500
その他サービス

採用実績数	倍率	3年後離職率	平均年収
703名	‥	‥	‥

【特色】オフィス、工場、病院・高齢者向け施設、学校、会議・研修施設向けに幅広く展開する給食事業会社。水族館やスポーツ施設での食事サービスも行う。グループ全体で約3900カ所の施設において1日約130万食を提供。三井物産グループ。
【定着率】‥
【採用】 【設立】1976.5【社長】小谷周
23年 604【従業員】連8,817名 単5,447名(‥歳)
24年 703【有休】‥日
25年 未定【初任給】月24万(諸手当を除いた数値)
【試験種類】‥【各種制度】‥

【業績】	売上高	営業利益	経常利益	純利益
連23.3	177,253	‥	‥	‥
連24.3	191,787	‥	‥	‥

㈱エスクリ
東証スタンダード

【本社】103-0016 東京都中央区日本橋小網町6-1 山万ビル ☎050-1743-3418
その他サービス

採用予定数	倍率	3年後離職率	平均年収
未定	‥	‥	‥

【特色】専門式場からゲストハウス、ホテル、レストランなど、多様な直営式場で結婚式を運営。大都市の駅ビル・駅近など好立地が特徴。ハワイでのアウトドア挙式事業も展開。ライブ配信やWebご祝儀、当日まで来店不要のフルオンライン運用などIT活用に積極的。
【定着率】‥
【採用】 【設立】2003.6【社長】渋谷守浩
23年 ‥【従業員】連794名 単750名(33.6歳)
24年 ‥【有休】‥日
25年 未定【初任給】‥万
【試験種類】‥【各種制度】‥

【業績】	売上高	営業利益	経常利益	純利益
連23.3	24,129	210	452	168
連24.3	26,639	929	837	619

㈱ＬＳＩメディエンス
株式公開計画なし

【本社】105-0023 東京都港区芝浦1-2-3 シーバンスS館8階 ☎‥
その他サービス

採用予定数	倍率	3年後離職率	平均年収
未定	‥	‥	‥

【特色】ヘルスケア分野の検査・分析事業を展開。臨床検査、診断薬・機器、創薬支援が柱。日本唯一のWADA公認ドーピング検査機関。食の安全に関する検査や、事業者向け乱用薬物検査なども提供。全国に営業所とラボラトリーを配置。
【定着率】‥
【採用】 【設立】1975.4【社長】内野健一
23年 61【従業員】単‥名(‥歳)
24年 ‥【有休】‥日
25年 未定【初任給】‥万
【試験種類】‥【各種制度】‥

【業績】	売上高	営業利益	経常利益	純利益
単23.3	89,625	1,994	2,322	1,690
単24.3	74,923	▲2,257	▲1,874	▲1,849

オープンワーク
東証グロース

【本社】150-6139 東京都渋谷区渋谷2-24-12 渋谷スクランブルスクエア ☎03-5962-7040
その他サービス

採用予定数	倍率	3年後離職率	平均年収
未定	‥	‥	673万円

【特色】会社情報サイト「OpenWork」と、企業向け採用支援サービスで展開。「OpenWork」は社員の口コミデータを基盤とした転職・就職のための会社情報サイト。採用支援はサイトを利用する求職者に対し、応募勧誘のスカウトメールを送信する。
【定着率】‥
【採用】 【設立】2007.6【社長】大澤陽樹
23年 3【従業員】単118名(32.9歳)
24年 ‥【有休】‥日
25年 未定【初任給】‥万
【試験種類】‥【各種制度】‥

【業績】	営業収益	営業利益	経常利益	純利益
単22.12	2,037	611	590	403
単23.12	2,922	856	854	613

㈱要興業（かなめこうぎょう）
東証スタンダード

【本社】171-0014 東京都豊島区池袋2-14-8 池袋エヌエスビル ☎03-3986-5352
その他サービス

採用予定数	倍率	3年後離職率	平均年収
若干	‥	‥	‥

【特色】一般・産業廃棄物の収集運搬・処理・リサイクルを手がける。東京23区を主力エリアとし、足立区、大田区、板橋区にリサイクルセンター保有。足立区の粗大ゴミ破砕処理施設は首都圏随一の規模。リサイクル事業は行政から資源化業務を受託。
【定着率】‥
【採用】 【設立】1973.4【社長】木納孝
23年 0【従業員】連462名 単389名(46.7歳)
24年 1【有休】‥日
25年 若干【初任給】月21.5万(諸手当を除いた数値)
【試験種類】‥【各種制度】‥

【業績】	売上高	営業利益	経常利益	純利益
連23.3	13,029	1,739	1,786	1,260
連24.3	13,503	1,762	1,869	1,285

㈱ケアサービス
東証スタンダード

【本社】143-0016 東京都大田区大森北1-2-3 大森御幸ビル ☎03-5753-1170
その他サービス

採用予定数	倍率	3年後離職率	平均年収
未定	‥	‥	416万円

【特色】デイサービス(通所介護)を主力に、訪問入浴、訪問介護、福祉用具貸与などを展開。介護拠点は東京23区にドミナント展開。葬儀用湯灌などのエンゼルケア事業が第2の柱。葬儀社や互助会と連携して関東、東北、その他地域で展開。中国にも進出。
【定着率】‥
【採用】　【設立】1991.5【社長】福原俊晴
23年　‥【従業員】連1,073名 単1,063名(40.8歳)
24年　‥【有休】‥日
25年　未定【初任給】‥万
【試験種類】‥【各種制度】‥

【業績】	売上高	営業利益	経常利益	純利益
連23.3	9,237	431	475	323
連24.3	9,637	518	556	377

㈱コーチ・エィ
東証スタンダード

【本社】102-0074 東京都千代田区九段南2-1-30 ☎03-3237-8050
その他サービス

採用予定数	倍率	3年後離職率	平均年収
4名	‥	‥	863万円

【特色】国内外でコーチング事業を展開。組織全体の成長を支援する自社開発の「システミック・コーチング」に強み。取引先は上場企業が主体で、トップマネジメント向けとミドルマネジメント向けが主力。情報セキュリティー投資に力点。AIコーチングも提供。
【定着率】‥
【採用】　【設立】2001.8【取締】鈴木義幸
23年　5【従業員】連158名 単142名(38.7歳)
24年　5【有休】‥日
25年　4【初任給】年400万(諸手当を除いた数値)
【試験種類】‥【各種制度】‥

【業績】	売上高	営業利益	経常利益	純利益
連22.12	3,600	473	517	418
連23.12	3,648	290	298	75

㈱ココナラ
東証グロース

【本社】150-0031 東京都渋谷区桜丘町20-1 ☎03-6712-7771
その他サービス

採用実績数	倍率	3年後離職率	平均年収
17名	‥	‥	634万円

【特色】個人の知識・スキル・経験に基づくサービスを売買するECサイト「ココナラ」を運営。デザイン制作などビジネス向けや、個人向け悩み相談などのカテゴリを有する。弁護士とのマッチングサイト「ココナラ法律相談」も展開。業務委託マッチングの領域を強化。
【定着率】‥
【採用】　【設立】2012.1【社長】鈴木歩
23年　7【従業員】連211名 単211名(34.5歳)
24年　17【有休】‥日
25年　未定【初任給】‥万
【試験種類】‥【各種制度】‥

【業績】	売上高	営業利益	経常利益	純利益
連22.8	3,837	▲515	▲511	▲494
連23.8	4,679	▲126	▲168	▲75

㈱コンヴァノ
東証グロース

【本社】150-0031 東京都渋谷区桜丘町22-14 N. E. S.ビルS棟 ☎03-3770-1190
その他サービス

採用実績数	倍率	3年後離職率	平均年収
10名	‥	‥	302万円

【特色】関東、関西、東海の商業施設などでネイルサロン「ファストネイル」を運営。タブレットなどを利用したセルフオーダー方式でネイルデザインの選択が可能。低価格、スピーディーなサービスに強み。プロネイリスト育成サロンも展開。
【定着率】‥
【採用】　【設立】2013.7【社長】上四元絢
23年　21【従業員】連424名 単424名(27.3歳)
24年　10【有休】‥日
25年　未定【初任給】月19.2万(諸手当を除いた数値)
【試験種類】‥【各種制度】‥

【業績】	売上高	営業利益	税前利益	純利益
連23.3	2,330	▲35	▲42	▲34
連24.3	2,589	▲58	▲70	▲198

㈱サーキュレーション
東証グロース

【本社】150-0001 東京都渋谷区神宮前3-21-5 サーキュレーションビル ☎03-6256-0467
その他サービス

採用予定数	倍率	3年後離職率	平均年収
未定	‥	‥	562万円

【特色】経営・人事やマーケティング分野で、高度な技術を有するプロ人材の経験・知見を活用した経営課題解決支援サービス「プロシェアリングコンサルティング」を提供。エンジニア、デザイナーの準委任契約型サービス「FLEXY」や新規事業立ち上げ支援も展開。
【定着率】‥
【採用】　【設立】2014.1【社長】福田悠
23年　‥【従業員】単289名(30.8歳)
24年　‥【有休】‥日
25年　未定【初任給】‥万
【試験種類】‥【各種制度】‥

【業績】	売上高	営業利益	経常利益	純利益
単23.7	8,146	569	569	368
単24.7	7,661	266	271	176

㈱サイエンスアーツ
東証グロース

【本社】150-0002 東京都渋谷区渋谷1-2-5 MFPR渋谷ビル ☎03-6825-0619
その他サービス

採用予定数	倍率	3年後離職率	平均年収
若干	‥	‥	531万円

【特色】現場作業担当と後方支援部署との連絡をWeb経由で行う、音声と映像のアプリ「バディコム」を開発・運用。無線機の代替ツールとして鉄道、航空、ホテル・商業施設などで幅広く導入されている。翻訳や音声テキスト化など多機能。マイクなどの付属品販売も。
【定着率】‥
【採用】　【設立】2003.9【社長】平岡秀一
23年　1【従業員】単44名(31.5歳)
24年　2【有休】‥日
25年　若干【初任給】年500万(諸手当を除いた数値)
【試験種類】‥【各種制度】‥

【業績】	売上高	営業利益	経常利益	純利益
単22.8	659	11	9	9
単23.8	771	▲67	▲67	▲81

㈱さくらさくプラス　東証グロース

【本社】100-0006 東京都千代田区有楽町1-2-2 東宝日比谷ビル ☎03-5860-9539
その他サービス

採用予定数	倍率	3年後離職率	平均年収
未定	‥	‥	600万円

【特色】保育所「さくらさくみらい」を東京23区中心に運営する持株会社。認可保育所、小規模認可保育所、東京都認証保育所を、国や自治体などからの委託費や補助金、利用者からの保育料で運営。保育所設置のための不動産仲介・管理業務も手がける。
【定着率】‥
【グループ採用】【設立】2017.8【社長】西尾義隆
23年 ‥【従業員】連1,730名 単28名(42.9歳)
24年 ‥【有休】‥日
25年 未定【初任給】月22.3万(諸手当を除いた数値)
【試験種類】‥【各種制度】‥

【業績】	売上高	営業利益	経常利益	純利益
連23.7	13,844	314	542	325
連24.7	17,212	775	871	607

㈱サンプラネット　株式公開計画なし

【本社】112-0012 東京都文京区大塚3-5-10 住友成泉小石川ビル8階 ☎03-5978-1941
その他サービス

採用予定数	倍率	3年後離職率	平均年収
30名	‥	‥	‥

【特色】エーザイの完全子会社で、主要事業は研究所や工場内における研究開発支援サービス、施設メンテナンスサービス、機器・消耗品販売。学会・研究会運営・企画提案や厚生サービスなども行う。売り上げはグループ向けが約8割。
【定着率】‥
【採用】【設立】2001.4【社長】田中光明
23年 23【従業員】単547名(41.4歳)
24年 17【有休】‥日
25年 30【初任給】月21万(諸手当を除いた数値)
【試験種類】‥【各種制度】‥

【業績】	売上高	営業利益	経常利益	純利益
単23.3	16,053	471	481	322
単24.3	16,556	582	590	469

㈱ステムセル研究所(けんきゅうじょ)　東証グロース

【本社】105-0001 東京都港区虎ノ門1-21-19 東急虎ノ門ビル ☎03-6811-3230
その他サービス

採用予定数	倍率	3年後離職率	平均年収
8名	‥	‥	528万円

【特色】臍帯血の処理・保管を行う細胞バンク事業会社で、国内民間市場をほぼ独占。全国の医療産科施設で採取した妊婦の臍帯血を収集、幹細胞を分離後に長期保管を行う。臍帯の保管事業も展開。大学医学部や研究所などと共同で、再生医療分野への応用を研究中。
【定着率】‥
【採用】【設立】1999.8【社長】清水崇文
23年 5【従業員】単106名(38.1歳)
24年 3【有休】‥日
25年 8【初任給】月23万(諸手当を除いた数値)
【試験種類】‥【各種制度】‥

【業績】	売上高	営業利益	経常利益	純利益
単23.3	2,091	297	300	198
単24.3	2,481	413	417	310

Space BD　株式公開いずれしたい

【本社】103-0022 東京都中央区日本橋室町2-1-1 日本橋三井タワー 7階 ☎03-6264-7177
その他サービス

採用予定数	倍率	3年後離職率	平均年収
3名	‥	‥	‥

【特色】衛星打上げサービス、国際宇宙ステーション実験サービス、宇宙機器調達販売などを手がける宇宙ベンチャー。JAXAの民間事業化案件事業で事業者選定受ける。宇宙飛行士育成プログラムの開発も。衛星の取り扱い件数は約180件。
【定着率】‥
【採用】【設立】2017.9【社長】永崎将利
23年 0【従業員】単60名(38.3歳)
24年 2【有休】‥日
25年 3【初任給】月25万(諸手当を除いた数値)
【試験種類】‥【各種制度】‥

【業績】	売上高	営業利益	経常利益	純利益
単22.8	560	▲444	▲443	▲444
単23.8	1,020	▲332	▲329	▲329

スローガン　東証グロース

【本社】107-0062 東京都港区南青山2-11-17 ☎03-6434-9754
その他サービス

採用予定数	倍率	3年後離職率	平均年収
未定	‥	‥	527万円

【特色】新卒学生にベンチャー企業を紹介する就活サイト「Goodfind」を運営。学生に対して個別面談やセミナー、イベントを開催し、ベンチャー就職の動機づけから採用まで支援。顧客はDXやSaaS系のITベンチャーが中心。社会人向けサービスも手がける。
【定着率】‥
【採用】【設立】2005.10【社長】仁平理斗
23年 11【従業員】連113名 単112名(30.1歳)
24年 ‥【有休】‥日
25年 未定【初任給】‥万
【試験種類】‥【各種制度】‥

【業績】	売上高	営業利益	経常利益	純利益
連23.2	1,471	208	209	139
連24.2	1,418	155	151	91

㈱セイファート　東証スタンダード

【本社】150-0002 東京都渋谷区渋谷3-27-11 ☎03-5464-3690
その他サービス

採用予定数	倍率	3年後離職率	平均年収
5名	‥	‥	496万円

【特色】「re-quest／QJ」ブランドで美容室の経営支援サービス事業を展開。就職情報誌、求人サイトなどによる広告求人サービスや、美容師に特化した紹介・派遣サービスなどを行う。英国教育機関から認証された美容に関する教育プログラム提供を扱う。
【定着率】‥
【採用】【設立】1991.7【社長】長谷川高志
23年 5【従業員】連128名 単119名(37.9歳)
24年 5【有休】‥日
25年 5【初任給】月19.2万(諸手当を除いた数値)
【試験種類】‥【各種制度】‥

【業績】	売上高	営業利益	経常利益	純利益
連22.12	2,241	234	218	149
連23.12	2,166	174	174	123

㈱セレスポ
東証スタンダード

【本社】170-0004 東京都豊島区北大塚1-21-5 ☎03-5974-1111
その他サービス

採用予定数	倍率	3年後離職率	平均年収
20名	‥	‥	572万円

【特色】国体・インターハイなどのスポーツ関連や、地鎮祭・竣工式など建設式典イベントの企画・会場設営会社。企画から運営・進行までのトータルサポートが特徴。企業販促支援、地域振興イベントの展開を強化へ。全国持ち回りで開催される皇室ご臨席事業も手がける。
【定着率】‥
【採用】　【設立】1977.7【社長】田代剛
23年　15【従業員】単407名(44.1歳)
24年　17【有休】‥日
25年　20【初任給】月22.5万(諸手当を除いた数値)
【試験種類】‥【各種制度】‥

【業績】	売上高	営業利益	経常利益	純利益
単23.3	19,925	3,022	3,081	2,073
単24.3	8,959	▲383	▲378	▲269

セントケア・ホールディング
東証プライム

【本社】104-0031 東京都中央区京橋2-8-7 読売八重洲ビル ☎03-3538-2943
その他サービス

採用予定数	倍率	3年後離職率	平均年収
60名	‥	‥	498万円

【特色】訪問介護・入浴が中心の介護サービス会社。首都圏を中心に全国展開。訪問系サービスに加えて、デイサービスやグループホームなどの施設系サービスを拡充。訪問看護などの医療系サービス、ホスピス事業にも進出。看護小規模多機能型施設サービスを育成中。
【定着率】‥
【グループ採用】【設立】1983.3【社長】藤間和敏
23年　53【従業員】連4,918名 単183名(41.3歳)
24年　30【有休】‥日
25年　60【初任給】月22.9万(諸手当を除いた数値)
【試験種類】‥【各種制度】‥

【業績】	売上高	営業利益	経常利益	純利益
連23.3	52,551	2,539	2,709	1,713
連24.3	54,057	3,034	3,155	2,005

SOLIZE
東証スタンダード

【本社】102-0075 東京都千代田区三番町6-3 ☎03-5214-1919
その他サービス

採用予定数	倍率	3年後離職率	平均年収
117名	‥	‥	588万円

【特色】エンジニアリング、コンサルティングによる支援、3Dプリンターによる試作品製作・多品種少量生産製作、3Dプリンターの保守を手がける。3Dプリンター活用によるワンストップサービスに特徴。顧客は自動車、自動車部品、電気・精密機器などのメーカー。
【定着率】‥
【採用】　【設立】1990.7【社長】宮藤康聡
23年　‥【従業員】連1,969名 単1,680名(36.0歳)
24年　99【有休】‥日
25年　117【初任給】月23万(諸手当を除いた数値)
【試験種類】‥【各種制度】‥

【業績】	売上高	営業利益	経常利益	純利益
連22.12	17,827	680	711	566
連23.12	20,081	885	876	580

㈱W TOKYO
東証グロース

【本社】150-0001 東京都渋谷区神宮前5-28-5 W Building ☎03-6419-7165
その他サービス

採用実績数	倍率	3年後離職率	平均年収
3名	‥	‥	599万円

【特色】「東京ガールズコレクション(TGC)」を運営。年2回、東京近郊のアリーナクラスで開催。顧客は青年層(10～30代)。地方自治体、商工会議所、地場企業と連携し地方都市でも開催。地方創生のため地域PRやイベント、PR動画制作なども手がける。
【定着率】‥
【採用】　【設立】2015.6【取締】村上範義
23年　‥【従業員】単52名(32.7歳)
24年　3【有休】‥日
25年　未定【初任給】月17.7万(諸手当を除いた数値)
【試験種類】‥【各種制度】‥

【業績】	売上高	営業利益	経常利益	純利益
単23.6	3,616	645	620	406
単24.6	3,957	508	496	327

㈱ツカダ・グローバルホールディング
東証スタンダード

【本社】105-0022 東京都港区海岸1-16-1 ニューピア竹芝サウスタワー ☎03-5464-0081
その他サービス

採用実績数	倍率	3年後離職率	平均年収
1名	‥	‥	500万円

【特色】欧米風邸宅で挙式や披露宴を行うゲストハウス・ウェディング事業が主力。ハワイ、バリでも展開。インターコンチネンタル東京ベイなどのハイクラスホテルの運営受託も行う。スパやフィットネスジム、英国式リフレクソロジーなども手がける。
【定着率】‥
【採用】　【設立】1995.10【社長】塚田正之
23年　1【従業員】連2,424名 単124名(43.2歳)
24年　1【有休】‥日
25年　0【初任給】月24.5万(諸手当を除いた数値)
【試験種類】‥【各種制度】‥

【業績】	売上高	営業利益	経常利益	純利益
連22.12	51,699	2,976	4,758	1,498
連23.12	57,474	5,341	5,742	4,730

㈱Def consulting
東証グロース

【本社】105-6321 東京都港区虎ノ門1-23-1 虎ノ門ヒルズ森タワー ☎03-5786-3800
その他サービス

採用実績数	倍率	3年後離職率	平均年収
15名	‥	‥	536万円

【特色】戦略コンサルティングとITエンジニア人材の派遣が主軸。戦略コンサルティングは会計・財務から営業・販売、ITまでとサービス範囲が広い。IT人材の派遣はインフラ領域の設計・構築から各種システム開発まで、必要な工程での人材を提供する。
【定着率】‥
【採用】　【設立】1987.8【社長】下村優太
23年　15【従業員】単97名(27.9歳)
24年　0【有休】‥日
25年　0【初任給】月23.5万(諸手当を除いた数値)
【試験種類】‥【各種制度】‥

【業績】	売上高	営業利益	経常利益	純利益
単23.3	620	▲423	▲420	▲521
単24.3	532	▲300	▲311	▲311

東京電設サービス（とうきょうでんせつ）
株式公開計画なし

【本社】110-0015 東京都台東区東上野6-2-1 MPR東上野 ☎03-6371-3000
その他サービス

採用予定数	倍率	3年後離職率	平均年収
20名	‥	‥	‥

【特色】発電・送電・変電設備や電気設備の点検・保守など、電気設備の総合エンジニアリングサービスを展開。電力流通設備の保全最適化で古河電気工業と協業を行う。脱炭素への貢献として再エネ設備なども手がける。東京電力パワーグリッドのグループ会社。
【定着率】‥
【採用】【設立】1979.9【社長】大石峰士
23年 20【従業員】単949名(48.0歳)
24年 20【有休】‥日
25年 20【初任給】月22.2万(諸手当を除いた数値)
【試験種類】‥【各種制度】‥

【業績】	売上高	営業利益	経常利益	純利益
単23.3	26,123	1,400	1,415	913
単24.3	30,320	2,018	1,992	1,312

東京博善（とうきょうはくぜん）
株式公開計画なし

【本社】105-0023 東京都港区芝浦1-2-3 シーバンスS館13階 ☎03-6374-8040
その他サービス

採用実績数	倍率	3年後離職率	平均年収
9名	‥	‥	‥

【特色】葬儀式場と火葬場を併設した総合斎場を都内6カ所で経営。民営で全国トップ級。葬儀と火葬を同じ場所で行える総合斎場であり、町屋、四ツ木、落合、堀ノ内、桐ケ谷、代々幡に所在。斎場のWeb予約システム稼働。印刷業を手がける廣済堂の傘下。
【定着率】‥
【採用】【設立】1921.4【社長】和田翔雄
23年 0【従業員】単303名(46.9歳)
24年 9【有休】‥日
25年 未定【初任給】‥万
【試験種類】‥【各種制度】‥

【業績】	売上高	営業利益	経常利益	純利益
単23.3	11,001	3,175	3,210	2,048
単24.3	13,191	4,980	5,045	3,516

日本検査（にほんけんさ）
株式公開計画なし

【本社】104-0032 東京都中央区八丁堀2-9-1 RBM東八重洲ビル ☎03-3537-3661
その他サービス

採用予定数	倍率	3年後離職率	平均年収
未定	‥	‥	‥

【特色】機器・プラント類の検査、海事関連の検査、環境測定・分析など検査業務を総合的に展開。品質・環境などのマネジメントに関するコンサルも手がける。国内外の火力・原子力発電設備や鉄道関連の検査、海事では積地・揚地の貨物検査に実績。
【定着率】‥
【採用】【設立】1953.4【社長】野呂克彦
23年 0【従業員】単98名(46.4歳)
24年 0【有休】‥日
25年 未定【初任給】月21万(諸手当を除いた数値)
【試験種類】‥【各種制度】‥

【業績】	売上高	営業利益	経常利益	純利益
単23.3	4,661	708	737	485
単24.3	5,267	1,024	1,056	720

野村興産（のむらこうさん）
株式公開計画なし

【本社】103-0012 東京都中央区日本橋堀留町2-1-3 ☎03-5695-2530
その他サービス

採用実績数	倍率	3年後離職率	平均年収
1名	‥	‥	‥

【特色】使用済み乾電池・蛍光灯など廃棄物処理、資源リサイクルを手がける。国内唯一の水銀含有廃棄物の無害化処理・リサイクル施設を保有。水銀以外の有価物リサイクルや測定・分析業務にも注力。東南アジア中心に海外でも実績を拡大。1939年創業。
【定着率】‥
【採用】【設立】1973.12【社長】藤原悌
23年 1【従業員】単208名(45.6歳)
24年 1【有休】‥日
25年 未定【初任給】月21万(諸手当を除いた数値)
【試験種類】‥【各種制度】‥

【業績】	売上高	営業利益	経常利益	純利益
単23.3	4,993	427	489	282
単24.3	4,855	418	455	356

㈱ピアズ
東証グロース

【本社】108-0075 東京都港区港南2-16-4 品川グランドセントラルタワー ☎03-6811-2211
その他サービス

採用実績数	倍率	3年後離職率	平均年収
30名	‥	‥	576万円

【特色】オンライン接客サービスが主軸。「ドコモショップ」など店舗の運営課題や販売課題に関する独自の研修プログラムを提案し、教育サポートを行うコンサルティングサービスも提供。スカウティングや研修システムなどAIを活用した人材支援事業に注力。
【定着率】‥
【採用】【設立】2006.5【社長】桑野隆司
23年 0【従業員】連550名 単526名(34.8歳)
24年 30【有休】‥日
25年 未定【初任給】‥万
【試験種類】‥【各種制度】‥

【業績】	売上高	営業利益	経常利益	純利益
連22.9	3,793	55	71	▲101
連23.9	5,627	426	407	319

㈱BTM
東証グロース

【本社】150-0002 東京都渋谷区渋谷2-12-19 ☎03-5784-0456
その他サービス

採用実績数	倍率	3年後離職率	平均年収
5名	‥	‥	431万円

【特色】エンジニア紹介とDXソリューションを展開。主力のITエンジニアリングサービスは、自社社員や外部協力企業などのエンジニアをネットワーク化し、システム開発案件に応じた人材紹介を手がける。DXソリューションは受託開発を行う。地方人材活用に注力。
【定着率】‥
【採用】【設立】2011.8【社長】田口雅教
23年 5【従業員】単172名(35.0歳)
24年 0【有休】‥日
25年 0【初任給】‥万
【試験種類】‥【各種制度】‥

【業績】	売上高	営業利益	経常利益	純利益
単23.3	3,548	131	115	77
単24.3	4,154	152	150	110

ブルーチップ
株式公開計画なし

【本社・管理統括】103-0027 東京都中央区日本橋2-16-2 ☎03-3516-3540
その他サービス

採用予定数	倍率	3年後離職率	平均年収
未定	‥	‥	‥

【特色】国内初のトレーディングスタンプ(景品交換券)専業会社で最大手。地域の小売業者向けにポイントサービスや電子マネーのシステムを提供。クーポン発行など多彩な販促を可能に。市場調査やコンサル事業も。北海道から福岡まで事業所を配置。
【定着率】‥
【採用】 【設立】1980.12【社長】宮本洋一
23年 3【従業員】単140名(43.1歳)
24年 0【有休】‥日
25年 未定【初任給】月22.7万
【試験種類】‥【各種制度】‥

【業績】	売上高	営業利益	経常利益	純利益
単22.7	20,000	‥	‥	‥
単23.7	20,000	‥	‥	‥

㈱ベビーカレンダー
東証グロース

【本社】151-0053 東京都渋谷区代々木1-38-2 ☎03-6631-3600
その他サービス

採用実績数	倍率	3年後離職率	平均年収
5名	‥	‥	463万円

【特色】妊娠・出産・育児専門サイト「ベビーカレンダー」を運営。医師や助産師、管理栄養士などの専門家が監修したコンテンツを掲載し、広告料が収益源。産婦人科向けITソリューション「ベビーパッド」も提供。スマホアプリで診察予約などできる「産院アプリ」も。
【定着率】‥
【採用】 【設立】1991.4【代表取締役】安田啓司
23年 4【従業員】単67名(36.3歳)
24年 5【有休】‥日
25年 未定【初任給】‥万
【試験種類】‥【各種制度】‥

【業績】	売上高	営業利益	経常利益	純利益
単22.12	1,084	38	36	21
単23.12	1,203	▲31	▲26	▲100

ホウライ
東証スタンダード

【本社】103-0012 東京都中央区日本橋堀留町1-8-12 ホウライ堀留ビル ☎03-6810-8100
その他サービス

採用予定数	倍率	3年後離職率	平均年収
2名	‥	‥	550万円

【特色】不動産業から出発し、ビル賃貸、生損保代理店、観光など多面展開。栃木県那須地区で千本松牧場を拠点に観光、乳業、乳製品ギフト販売、ゴルフ場運営などを手がける。利益柱の不動産事業では都内に賃貸ビルを所有。生保・損保などの保険業も収益源。
【定着率】‥
【採用】 【設立】1928.1【社長】寺本敏之
23年 2【従業員】単162名(48.1歳)
24年 2【有休】‥日
25年 2【初任給】月20.5万(諸手当を除いた数値)
【試験種類】‥【各種制度】‥

【業績】	売上高	営業利益	経常利益	純利益
単22.9	4,937	443	682	470
単23.9	5,185	527	744	513

ポーターズ
東証グロース

【本社】107-0052 東京都港区赤坂8-5-34 ☎03-6432-9829
その他サービス

採用予定数	倍率	3年後離職率	平均年収
5名	‥	‥	600万円

【特色】人材紹介会社、労働者派遣会社を顧客にクラウド型人材マッチング総合管理システム「PORTERS」を展開。求人サイト連携、顧客ごとの人材マッチング最適化情報設計、選考プロセス管理、契約・更新管理などの一元化が可能。海外は東南アジア中心に展開。
【定着率】‥
【採用】 【設立】2002.3【社長】西森康二
23年 1【従業員】単68名(35.3歳)
24年 0【有休】‥日
25年 5【初任給】‥万
【試験種類】‥【各種制度】‥

【業績】	売上高	営業利益	経常利益	純利益
単22.12	1,290	338	326	222
連23.12	1,587	377	378	267

横河(よこがわ)レンタ・リース
株式公開計画なし

【本社】160-0023 東京都新宿区西新宿1-23-7 新宿ファーストウエスト ☎03-6885-6704
その他サービス

採用予定数	倍率	3年後離職率	平均年収
未定	‥	‥	‥

【特色】企業向けPC、計測器のレンタル事業が主力。取り扱いメーカーは約800社で、レンタル在庫数は100万台。テレワークソリューションなど潮流に沿ったサービス提供に強み。北海道から福岡まで営業所を配置。横河電機と芙蓉総合リースの共同出資。
【定着率】‥
【採用】 【設立】1987.1【社長】山崎正晴
23年 15【従業員】単837名(‥歳)
24年 ‥【有休】‥日
25年 未定【初任給】月21万(諸手当を除いた数値)
【試験種類】‥【各種制度】‥

【業績】	売上高	営業利益	経常利益	純利益
単23.3	61,309	9,318	9,289	6,624
単24.3	66,715	9,307	9,256	6,609

RIZAPグループ
札証

【本社】160-0023 東京都新宿区西新宿8-17-1 住友不動産新宿グランドタワー ☎03-5337-1337
その他サービス

採用実績数	倍率	3年後離職率	平均年収
30名	‥	‥	643万円

【特色】減量ジム「ライザップ」を中心に、子会社で美容・健康関連の事業を多数展開。24時間無人営業で会費激安の小型ジム「チョコザップ」が急成長。デザイン家電のBRUNO、サンケイリビング新聞社や湘南ベルマーレなどが傘下企業となっている。
【定着率】‥
【採用】 【設立】2003.4【社長】瀬戸健
23年 12【従業員】連4,645名 単191名(37.3歳)
24年 30【有休】‥日
25年 未定【初任給】‥万
【試験種類】‥【各種制度】‥

【業績】	売上高	営業利益	税前利益	純利益
連23.3	160,519	▲4,505	▲6,641	▲12,733
連24.3	166,298	▲594	▲4,524	▲4,300

㈱Rebase　東証グロース

【本社】150-0001 東京都渋谷区神宮前4-26-18 ☎03-6271-4660
その他サービス

採用実績数	倍率	3年後離職率	平均年収
1名	‥	‥	647万円

【特色】レンタルスペース（約35000件）の予約プラットフォーム「インスタベース」を展開。会議室、撮影スタジオ、古民家、イベントスペースなど多種多様なスペースを扱う。人とイベントをマッチングするサービス「トイロ」も提供。
【定着率】‥
【採用】【設立】2014.4【取締】佐藤海
23年 1【従業員】単38名（33.1歳）
24年 1【有休】‥日
25年 未定【初任給】‥万
【試験種類】‥【各種制度】‥

【業績】	売上高	営業利益	経常利益	純利益
単23.3	1,160	255	248	158
単24.3	1,490	335	336	228

㈱リベロ　東証グロース

【本社】105-0001 東京都港区虎ノ門3-8-8 NTT虎ノ門ビル ☎03-6636-0302
その他サービス

採用実績数	倍率	3年後離職率	平均年収
3名	‥	‥	462万円

【特色】不動産会社の顧客などに関連事業者を仲介する生活関連サービスプラットホーム「新生活ラクっとNAVI」を運営。部屋探し、引っ越し、電気・ガスの手配、クラウド賃貸契約サービスなどを提供。転勤支援サービスや引っ越し会社のマッチングサービスも展開。
【定着率】‥
【採用】【設立】2009.5【社長】鹿島秀俊
23年 8【従業員】連142名 単141名（34.3歳）
24年 3【有休】‥日
25年 増加【初任給】月19.8万（諸手当を除いた数値）
【試験種類】‥【各種制度】‥

【業績】	売上高	営業利益	経常利益	純利益
連22.12	2,555	77	77	50
連23.12	2,900	178	179	103

㈱リログループ　東証プライム

【本社】160-0022 東京都新宿区新宿4-3-23 ☎03-5312-8704
その他サービス

採用予定数	倍率	3年後離職率	平均年収
50名	‥	‥	591万円

【特色】企業の福利厚生を各子会社が総合的に請け負う。借り上げ社宅管理と賃貸不動産管理が収益に寄与。会員企業向け福利厚生運営代行や会員制リゾート事業、ホテル運営も行う。海外赴任サポート事業を展開。家具・家電付き賃貸物件に注力。
【定着率】‥
【グループ採用】【設立】1967.3【取締】中村謙一
23年 170【従業員】連3,100名 単121名（39.7歳）
24年 40【有休】‥日
25年 50【初任給】月20.1万（諸手当を除いた数値）
【試験種類】‥【各種制度】‥

【業績】	売上高	営業利益	税前利益	純利益
連23.3	123,698	22,747	25,869	20,887
連24.3	132,580	27,611	▲19,404	▲27,807

㈱LEOC　株式公開計画なし

【本社】100-0004 東京都千代田区大手町1-1-3 大手センタービル17階 ☎03-5220-8550
その他サービス

採用予定数	倍率	3年後離職率	平均年収
815名	‥	‥	‥

【特色】全国約3000カ所の社員食堂・病院・介護福祉施設、保育園・アスリート施設等へフードサービスを提供。グループで鮨、鉄板焼、天ぷら店等を国内外で展開。完全調理品による新サービス「LEOCレディメイド」に注力。
【定着率】‥
【採用】【設立】‥【社長】田島利行
23年 780【従業員】連10,805名 単10,040名（38.5歳）
24年 595【有休】‥日
25年 815【初任給】月25万（諸手当を除いた数値）
【試験種類】‥【各種制度】‥

【業績】	売上高	営業利益	経常利益	純利益
連23.3	112,623	4,261	4,647	‥
連24.3	130,900	4,443	4,913	‥

㈱ROBOT PAYMENT　東証グロース

【本社】150-0001 東京都渋谷区神宮前6-19-20 ☎03-5469-5787
その他サービス

採用予定数	倍率	3年後離職率	平均年収
15名	‥	‥	552万円

【特色】ネット決済代行サービス「サブスクペイ」を提供。継続的な課金を自動で行うなどサブスクビジネス向けに強み。フィナンシャルクラウド事業では、請求管理、顧客管理、課金サービスが主力で、請求一元管理サービス「請求管理ロボ」を展開。
【定着率】‥
【採用】【設立】2000.10【取締】清久健也
23年 10【従業員】単124名（31.8歳）
24年 11【有休】‥日
25年 15【初任給】月18.5万（諸手当を除いた数値）
【試験種類】‥【各種制度】‥

【業績】	売上高	営業利益	経常利益	純利益
単22.12	1,731	▲58	▲59	▲29
単23.12	2,213	229	229	148

中川商事（なかがわしょうじ）　株式公開計画なし

【本社】300-0051 茨城県土浦市真鍋1-16-11 ☎029-821-3731
商社・卸売業

採用予定数	倍率	3年後離職率	平均年収
若干	‥	‥	‥

【特色】鉄鋼・セメントなどを扱う建材専門商社。土木・建設・開発分野などの資材販売から施工まで一貫対応。システム開発部門を擁し、ITソリューション提案営業も行う。公園・レジャー施設遊具の企画・販売なども展開。茨城地盤で仙台に営業所。1922年創業。
【定着率】‥
【採用】【設立】1948.5【社長】中川清
23年 1【従業員】単68名（45.9歳）
24年 1【有休】‥日
25年 若干【初任給】月21.1万（諸手当を除いた数値）
【試験種類】‥【各種制度】‥

【業績】	売上高	営業利益	経常利益	純利益
単23.3	21,803	406	458	228
単24.3	19,087	543	446	238

東鉱商事（とうこうしょうじ）
株式公開計画なし

【本社】317-0073 茨城県日立市幸町1-3-8 東鉱ビル ☎0294-22-1172
商社・卸売業

採用予定数	倍率	3年後離職率	平均年収
5名	‥	‥	‥

【特色】無機・有機化学薬品、樹脂添加剤など工業薬品、電気・電子材料、合成樹脂などを扱う専門商社。金属材料や理化学機器も販売。日立グループとの取引多い。関東から東北エリア中心に営業拠点15カ所。システム開発の子会社を持つ。
【定着率】‥
【採用】 【設立】1966.4【会長】関信一
23年 3【従業員】単295名(43.0歳)
24年 4【有休】‥日
25年 5【初任給】月22万(諸手当を除いた数値)
【試験種類】‥【各種制度】‥

【業績】	売上高	営業利益	経常利益	純利益
単23.4	46,339	722	762	518
単24.4	45,774	745	752	479

関彰商事（せきしょうしょうじ）
株式公開計画なし

【本社】308-8512 茨城県筑西市一本松1755-2 ☎0296-24-3121
商社・卸売業

採用予定数	倍率	3年後離職率	平均年収
50名	‥	‥	‥

【特色】ENEOS系の特約店を北関東・福島・東京を中心に展開。石油製品、IT機器や住宅機器の販売、勤怠システムの開発・販売も手がける。グループで人材サービス、介護や保育事業も行う。ベトナム・ハノイに現地法人。1908年創業。
【定着率】‥
【採用】 【設立】1938.1【社長】関正樹
23年 80【従業員】単620名(43.2歳)
24年 50【有休】‥日
25年 50【初任給】月20.5万(諸手当を除いた数値)
【試験種類】‥【各種制度】‥

【業績】	売上高	営業利益	経常利益	純利益
単22.9	94,749	1,126	918	278
単23.9	95,216	485	837	222

㈱筑波銀行（つくばぎんこう）
東証プライム

【本部】305-0032 茨城県つくば市竹園1-7 ☎029-859-8111
銀行

採用実績数	倍率	3年後離職率	平均年収
55名	‥	‥	599万円

【特色】地銀中位行。茨城県内の地銀2行中2位。関東つくば銀行と茨城銀行の合併により発足。茨城を中心に千葉、東京、栃木に計147店舗持つが、店舗内店舗方式で営業箇所は75。SBIグループと業務提携、共同店舗運営や地元企業向けファンドを共同設立。
【定着率】‥
【採用】 【設立】1952.9【頭取】生田雅彦
23年 58【従業員】連1,373名 単1,317名(43.0歳)
24年 55【有休】‥日
25年 未定【初任給】月21.5万(諸手当を除いた数値)
【試験種類】‥【各種制度】‥

【業績】	経常収益	業務純益	経常利益	純利益
連23.3	37,098	‥	1,762	2,095
連24.3	41,092	‥	2,467	2,195

新熱工業（しんねつこうぎょう）
株式公開計画なし

【本社】311-1251 茨城県ひたちなか市山崎141-5 ☎029-264-2772
電子部品・機器

採用実績数	倍率	3年後離職率	平均年収
1名	‥	‥	‥

【特色】工業用ヒーターや加熱機器装置のメーカー。主力のシーズヒーターに加え、各種ヒーター、気体加熱機、過熱水蒸気発生器などの技術開発、設計、製造・販売も手がける。顧客ニーズに対応した多品種少量生産に強み。本社3工場のほか技術開発センターを持つ。
【定着率】‥
【採用】 【設立】1982.10【社長】大谷直子
23年 1【従業員】単80名(40.0歳)
24年 1【有休】‥日
25年 未定【初任給】月23.1万(諸手当を除いた数値)
【試験種類】‥【各種制度】‥

【業績】	売上高	営業利益	経常利益	純利益
単22.9	1,701	296	319	186
単23.9	1,397	269	301	133

助川電気工業（すけがわでんきこうぎょう）
東証スタンダード

【本社】318-0004 茨城県高萩市上手綱3333-23 ☎0293-23-6411
住宅・医療機器他

採用実績数	倍率	3年後離職率	平均年収
6名	‥	‥	588万円

【特色】原子力・火力発電所向け関連機器の研究開発型メーカー。熱制御技術に強み持つ。真空用MIケーブルなどを生産、研究機関向け核融合関連品も扱う。現在は電力以外の産業システム関連が売上高の過半。半導体製造装置向けセンサーやヒーターなどを供給。
【定着率】‥
【採用】 【設立】1949.2【社長】高橋光俊
23年 5【従業員】単193名(44.4歳)
24年 6【有休】‥日
25年 増加【初任給】月23.1万(諸手当を除いた数値)
【試験種類】‥【各種制度】‥

【業績】	売上高	営業利益	経常利益	純利益
単22.9	4,332	445	468	325
単23.9	4,577	589	596	397

㈱旭物産（あさひぶっさん）
株式公開計画なし

【本社】319-0321 茨城県水戸市高田町127 ☎029-303-5500
食品・水産

採用予定数	倍率	3年後離職率	平均年収
10名	‥	‥	‥

【特色】食品スーパーやコンビニエンスストアで販売されるもやしやカット野菜などの野菜加工会社。刺身用「大根のつま」販売量は業界トップ。生産能力はカット野菜50万パック／日。本社、鉾田、小美玉の全工場で、食品安全管理の国際規格認証取得済み。
【定着率】‥
【採用】 【設立】1971.10【社長】林正太郎
23年 15【従業員】単260名(34.5歳)
24年 8【有休】‥日
25年 10【初任給】月20.5万(諸手当を除いた数値)
【試験種類】‥【各種制度】‥

【業績】	売上高	営業利益	経常利益	純利益
単22.9	16,600	1,694	1,309	695
単23.9	16,341	1,391	1,028	682

大陽日酸東関東（たいようにっさんひがしかんとう）
株式公開計画なし

【本社】316-0035 茨城県日立市国分町3-1-17
☎0294-36-0811
化学

採用実績数	倍率	3年後離職率	平均年収
3名	‥	‥	‥

【特色】大陽日酸グループの産業用ガス総合メーカー。高圧ガス、各種ガスの製造・販売を中心に、関連設備の設計・施工・検査も行う。医療用ガス・機器、LPG・LNG設備のほか、環境分野で六フッ化硫黄ガス回収装置、回収サービスも手がける。
【定着率】‥
【採用】　【設立】1956.10【社長】村山貢一
23年　3【従業員】単100名(38.6歳)
24年　3【有休】‥日
25年　未定【初任給】月23.2万(諸手当を除いた数値)
【試験種類】‥【各種制度】‥

【業績】	売上高	営業利益	経常利益	純利益
単23.3	9,499	‥	‥	‥
単24.3	10,007	‥	‥	‥

ダテックス
株式公開計画なし

【本社】308-0847 茨城県筑西市玉戸1019-9
☎0296-28-2345
化学

採用予定数	倍率	3年後離職率	平均年収
3名	‥	‥	‥

【特色】プラスチック製部品加工メーカー。自動車、住宅機器、家電・OA機器などの部品を製造。自動車の内外装用樹脂成型品が中心。射出・中空・真空の各成形技術に高い評価。国内は茨城に2工場。海外は中国・杭州とタイに生産拠点。
【定着率】‥
【採用】　【設立】1959.12【社長】中野克哉
23年　0【従業員】単87名(48.0歳)
24年　3【有休】‥日
25年　3【初任給】月19.9万(諸手当を除いた数値)
【試験種類】‥【各種制度】‥

【業績】	売上高	営業利益	経常利益	純利益
単23.3	1,036	▲58	5	221
単24.3	1,061	22	88	87

㈱武井工業所（たけいこうぎょうしょ）
株式公開していない

【本社】315-8527 茨城県石岡市若松1-3-26
☎0299-24-5200
ガラス・土石・ゴム

採用実績数	倍率	3年後離職率	平均年収
5名	‥	‥	‥

【特色】土木用プレキャストコンクリート製品の製造・販売を行う。橋梁などインフラ構造物の点検業務も手がける。自社開発したオリジナル擁壁やブロックなど道路用製品も販売。国内に4工場と3営業拠点。共同出資子会社通じインドでの生産を開始。
【定着率】‥
【採用】　【設立】1956.4【代表取締役】武井厚
23年　17【従業員】単202名(41.0歳)
24年　5【有休】‥日
25年　未定【初任給】月21.3万(諸手当を除いた数値)
【試験種類】‥【各種制度】‥

【業績】	売上高	営業利益	経常利益	純利益
単22.6	5,224	147	170	110
単23.6	5,450	321	375	243

㈱アールビー
株式公開計画なし

【本社】300-0015 茨城県土浦市北神立町1-1
☎029-831-3511
金属製品

採用予定数	倍率	3年後離職率	平均年収
5名	‥	‥	‥

【特色】独自の溶接・板金プレス・印刷表面コート・樹脂成形技術を駆使し、家庭用小型給湯器(シェア40%)、設備用ボイラー、システムバスなどを製造・販売。溶接やインクジェット印刷などの技術力に定評。1959年創業でノーリツの子会社。
【定着率】‥
【採用】　【設立】1959.11【社長】辻武志
23年　5【従業員】単300名(40.0歳)
24年　4【有休】‥日
25年　5【初任給】月20.2万(諸手当を除いた数値)
【試験種類】‥【各種制度】‥

【業績】	売上高	営業利益	経常利益	純利益
単22.12	13,185	‥	‥	309
単23.12	10,912	‥	‥	91

香陵住販（こうりょうじゅうはん）
東証スタンダード

【本社】310-0021 茨城県水戸市南町2-4-33
☎029-221-2110
不動産

採用予定数	倍率	3年後離職率	平均年収
10名	‥	‥	565万円

【特色】茨城県を中心に不動産の売買・賃貸・仲介・管理を手がける。中古不動産をリフォーム後に販売する仕入れ不動産販売や自社企画の投資用不動産販売を展開。受託不動産の管理、自社保有物件や借り上げ物件の賃貸のほか、コインパーキング、太陽光発電事業も行う。
【定着率】‥
【採用】　【設立】1981.10【社長】金子哲広
23年　9【従業員】連234名 単227名(38.4歳)
24年　4【有休】‥日
25年　10【初任給】月20万(諸手当を除いた数値)
【試験種類】‥【各種制度】‥

【業績】	売上高	営業利益	経常利益	純利益
連22.9	8,713	794	794	493
連23.9	9,324	856	854	653

㈱山新（やましん）
株式公開計画なし

【本社】310-0851 茨城県水戸市千波町2292
☎029-305-1111
家電量販・薬局・HC

採用実績数	倍率	3年後離職率	平均年収
30名	‥	‥	‥

【特色】ホームセンターと家具の「山新」、複合SC「グランステージ」、カー用品店「ケンズガレージ」、ペットショップ「トモニー」を茨城県中心に展開。栃木、福島県にも出店。カー用品店は車検にも対応。1869年家具製造で創業。
【定着率】‥
【採用】　【設立】1982.6【社長】山口暢子
23年　30【従業員】単1,138名(39.9歳)
24年　30【有休】‥日
25年　未定【初任給】‥万
【試験種類】‥【各種制度】‥

【業績】	売上高	営業利益	経常利益	純利益
単23.2	57,466	‥	‥	‥
単24.2	56,700	‥	‥	‥

関東

㈱ジョイフル本田（ほんだ）　東証プライム

【本社】300-0813 茨城県土浦市富士崎1-16-2
☎029-822-2215
家電量販・薬局・HC

採用実績数	倍率	3年後離職率	平均年収
10名	‥	‥	502万円

【特色】ホームセンター大手。関東1都5県で売場面積5万平方メートル超の超大型店主体に展開する。DIY商品、インテリア商品、各種資材、日用品を取り扱い、約40万品目の豊富な品ぞろえが強み。職人などプロ向けの資材・用品専門店を拡大。
【定着率】‥
【採用】　【設立】1975.12【社長】平山育夫
23年　8【従業員】単1,858名(42.0歳)
24年　10【有休】‥日
25年　増加【初任給】月21.6万(諸手当を除いた数値)
【試験種類】‥【各種制度】‥

【業績】	売上高	営業利益	経常利益	純利益
単23.6	129,261	11,095	12,240	8,528
単24.6	133,325	10,568	11,645	9,091

関東鉄道（かんとうてつどう）　株式公開未定

【本社】300-0847 茨城県土浦市卸町1-1-1 関鉄つくばビル
☎029-846-0234
鉄道・バス

採用実績数	倍率	3年後離職率	平均年収
15名	‥	‥	‥

【特色】茨城県と千葉県の一部を地盤とする鉄道・バス会社。鹿島参宮鉄道が前身で京成電鉄の子会社。営業キロは鉄道(取手-下館、佐貫-竜ヶ崎)55.6kmで駅数は28、バス3320.90km。不動産分譲・賃貸事業も行う。
【定着率】‥
【採用】　【設立】1922.9【社長】登嶋進
23年　11【従業員】連1,014名 単664名(46.6歳)
24年　15【有休】‥日
25年　未定【初任給】月20.5万(諸手当を除いた数値)
【試験種類】‥【各種制度】‥

【業績】	売上高	営業利益	経常利益	純利益
連23.3	13,700	725	932	612
連24.3	14,989	1,149	1,330	898

藤井産業（ふじいさんぎょう）　東証スタンダード

【本社】321-0905 栃木県宇都宮市平出工業団地41-3
☎028-662-6060
商社・卸売業

採用実績数	倍率	3年後離職率	平均年収
41名	‥	‥	691万円

【特色】北関東地盤の電設資材・産業システム機器商社。電設資材は照明器具、配線・通信機器や太陽光発電システムまで幅広く扱う。工場設備・システムの施工・改修を手がける産業システム部門、建設資材工事の施工部門なども展開。メガソーラー発電事業も。
【定着率】‥
【採用】　【設立】1955.12【社長】藤井昌一
23年　43【従業員】連896名 単724名(40.7歳)
24年　41【有休】‥日
25年　前年並【初任給】月20万(諸手当を除いた数値)
【試験種類】‥【各種制度】‥

【業績】	売上高	営業利益	経常利益	純利益
連23.3	82,714	3,674	4,208	2,742
連24.3	91,059	4,966	5,585	3,657

両毛丸善（りょうもうまるぜん）　株式公開計画なし

【本社】326-0392 栃木県足利市問屋町1535-12
☎0284-70-2100
商社・卸売業

採用実績数	倍率	3年後離職率	平均年収
1名	‥	‥	‥

【特色】北関東中心に直営SSを62店舗営業。家庭用プロパン、工業用ガスも供給。群馬県館林市に自社油槽所とLPG基地を保有。車のトータルサポート行う「カーライフコンビニ」も運営。保険コンサルや電力小売り、介護事業、ドローン事業も。
【定着率】‥
【採用】　【設立】1958.4【社長】河内覚
23年　4【従業員】単580名(46.1歳)
24年　1【有休】‥日
25年　未定【初任給】月18.2万(諸手当を除いた数値)
【試験種類】‥【各種制度】‥

【業績】	売上高	営業利益	経常利益	純利益
単22.8	46,607	476	851	611
単23.8	44,786	193	576	338

烏山信用金庫（からすやましんようきんこ）　株式公開計画なし

【本部】329-1104 栃木県宇都宮市下岡本町4290
☎028-678-3211
信用金庫

採用予定数	倍率	3年後離職率	平均年収
7名	‥	‥	‥

【特色】栃木県北東部が営業区域の信用金庫。通称「からしん」。那須烏山市に本店、宇都宮市に本部を置き、大田原市、さくら市、高根沢町など11店舗5出張所を展開。県内金融機関と連携して企業間の事業マッチングに取り組む。預金量1913億円(24年3月末)。
【定着率】‥
【採用】　【設立】1948.11【理事長】東原民範
23年　10【従業員】単161名(42.2歳)
24年　3【有休】‥日
25年　7【初任給】月23万(諸手当を除いた数値)
【試験種類】‥【各種制度】‥

【業績】	経常収益	業務純益	経常利益	純利益
単23.3	2,003	280	62	70
単24.3	2,248	228	233	208

㈱大日光（だいにっこう）・エンジニアリング　東証スタンダード

【本社】321-2342 栃木県日光市根室697-1
☎0288-26-3930
電機・事務機器

採用予定数	倍率	3年後離職率	平均年収
11名	‥	‥	516万円

【特色】情報機器の受託加工を営む。プリント基板への電子部品の実装が主体で、車載機器や半導体製造装置、医療機器に拡大。主要顧客はキヤノングループ。車載用リチウムイオン電池のリユースを推進。栃木県日光市と中国、タイなどに工場。
【定着率】‥
【採用】　【設立】1979.9【社長】山口琢也
23年　9【従業員】連1,085名 単249名(42.4歳)
24年　11【有休】‥日
25年　11【初任給】月21万(諸手当を除いた数値)
【試験種類】‥【各種制度】‥

【業績】	売上高	営業利益	経常利益	純利益
連22.12	33,939	648	536	995
連23.12	39,202	583	595	349

ギガフォトン
株式公開計画なし

【本社】323-8558 栃木県小山市横倉新田400 ☎0285-28-8410
電機・事務機器

採用実績数	倍率	3年後離職率	平均年収
40名	‥	‥	‥

【特色】半導体リソグラフィ用エキシマレーザー、極端紫外線光源を開発、製造・販売。本社のある栃木県・小山市に研究開発・製造拠点を集約。米国、韓国、中国、台湾、シンガポール、オランダ、イスラエルに海外拠点。世界シェア約5割。コマツグループ。
【定着率】‥
【採用】【設立】2000.8【社長】榎波龍雄
23年 43【従業員】単892名(37.8歳)
24年 40【有休】‥日
25年 未定【初任給】月24万(諸手当を除いた数値)
【試験種類】‥【各種制度】‥

【業績】	売上高	営業利益	経常利益	純利益
単23.3	51,055	9,753	9,776	7,336
単24.3	44,910	3,140	2,568	2,450

マニー
東証プライム

【本社】321-3231 栃木県宇都宮市清原工業団地8-3 ☎028-667-1811
住宅・医療機器他

採用予定数	倍率	3年後離職率	平均年収
16名	‥	‥	682万円

【特色】医科、歯科領域で製品展開する医療機器メーカー。手術用縫合針、眼科用ナイフ、歯科用治療機などニッチ領域で高シェア。治療部位や術者の要求に応じた製品種類の豊富さに特徴。栃木の2工場に加え、ベトナム、ミャンマー、ラオス、ドイツに生産拠点。
【定着率】‥
【採用】【設立】1959.12【代表執行役】齊藤雅彦
23年 9【従業員】連4,097名 単402名(42.3歳)
24年 10【有休】‥日
25年 16【初任給】月21.2万(諸手当を除いた数値)
【試験種類】‥【各種制度】‥

【業績】	売上高	営業利益	経常利益	純利益
連22.8	20,416	6,163	7,544	5,290
連23.8	24,488	7,243	7,995	5,953

レオン自動機(じどうき)
東証プライム

【本社】320-0071 栃木県宇都宮市野沢町2-3 ☎028-665-1111
機械

採用予定数	倍率	3年後離職率	平均年収
26名	‥	‥	711万円

【特色】食品製造機械のパイオニア。練り技術をベースに包あん成形機や製パン機などを生産。省力・自動調理システムで先行。機械は国内生産だが、アジア、欧州、米州向けなど海外売上比率は約7割。米国ではプロ向け冷凍パン生地の製販も行う。
【定着率】‥
【採用】【設立】1963.3【社長】小林幹央
23年 22【従業員】連1,078名 単671名(45.6歳)
24年 21【有休】‥日
25年 26【初任給】月21.8万(諸手当を除いた数値)
【試験種類】‥【各種制度】‥

【業績】	売上高	営業利益	経常利益	純利益
連23.3	35,269	3,007	3,209	2,737
連24.3	37,703	4,883	4,987	3,675

仙波糖化工業(せんばとうかこうぎょう)
東証スタンダード

【本社】321-4361 栃木県真岡市並木町2-1-10 ☎0285-82-2171
食品・水産

採用予定数	倍率	3年後離職率	平均年収
5名	‥	‥	‥

【特色】加工食品原料メーカーで、菓子や清涼飲料に使う天然着色料のカラメルで国内シェア約4割。業務用粉末茶も高シェア。スポーツサプリなどの加工受託も近年増加。子会社で冷凍・乾燥山芋を皮切りに凍結乾燥製品を生産。中国やベトナムに拠点。
【定着率】‥
【採用】【設立】1947.7【社長】小林光夫
23年 5【従業員】連599名 単333名(41.2歳)
24年 5【有休】‥日
25年 5【初任給】月20万(諸手当を除いた数値)
【試験種類】‥【各種制度】‥

【業績】	売上高	営業利益	経常利益	純利益
連23.3	18,620	269	389	232
連24.3	19,137	690	755	495

滝沢(たきざわ)ハム
東証スタンダード

【本社】328-8586 栃木県栃木市泉川町556 ☎0282-23-5640
食品・水産

採用予定数	倍率	3年後離職率	平均年収
15名	‥	‥	494万円

【特色】栃木県など北関東を地盤とした食肉加工品の老舗メーカー。贈答品などに用いられる欧州風高級ハム・ソーセージに定評。総菜も手がける。PB請負も多数。大株主の伊藤忠商事と原料調達や販路拡大などで関係緊密。同じ伊藤忠系のプリマハムと業務提携。
【定着率】‥
【採用】【設立】1950.12【社長】瀧澤太郎
23年 13【従業員】連326名 単324名(40.0歳)
24年 11【有休】‥日
25年 15【初任給】月22万(諸手当を除いた数値)
【試験種類】‥【各種制度】‥

【業績】	売上高	営業利益	経常利益	純利益
連23.3	29,458	▲216	▲167	▲191
連24.3	28,211	144	173	123

デクセリアルズ
東証プライム

【本社】323-0194 栃木県下野市下坪山1724 ☎0285-39-7950
化学

採用予定数	倍率	3年後離職率	平均年収
30名	‥	‥	765万円

【特色】光学材料、電子材料、接合材料などの機能性材料を製造・販売。ニッチな電子部材・材料に強い。パネル用接合材である異方性導電膜や、モジュールとカバーガラスの間に充填する光学弾性樹脂が主力で、ともに世界シェア首位。海外売上高比率は約8割。
【定着率】‥
【採用】【設立】2012.6【社長】新家由久
23年 17【従業員】連1,892名 単1,352名(43.9歳)
24年 18【有休】‥日
25年 30【初任給】月21.4万(諸手当を除いた数値)
【試験種類】‥【各種制度】‥

【業績】	売上高	営業利益	税前利益	純利益
連23.3	106,167	32,288	30,174	20,685
連24.3	105,198	33,421	30,028	21,382

㈱大協精工（だいきょうせいこう）

株式公開計画なし

【本社】327-0813 栃木県佐野市黒袴町1305-1
☎0283-27-0008
ゴム

採用予定数	倍率	3年後離職率	平均年収
25名	‥	‥	‥

【特色】医薬医療用パッケージの専門メーカー。注射剤容器や注射器向けの医薬用ゴム栓で国内シェア約7割。高評価のラミネートゴム栓のほか、バイアルやシリンジも展開。国内外の大手薬品メーカーなどに納入。アルミ製に代わるプラ製キャップなど独自製品を強化。
【定着率】‥
【採用】　【設立】1960.5【社長】須藤盛皓
23年　30【従業員】単890名(36.0歳)
24年　30【有休】‥日
25年　25【初任給】‥万
【試験種類】‥【各種制度】‥

【業績】	売上高	営業利益	経常利益	純利益
単22.10	25,044	‥	7,580	5,055
単23.10	23,572	‥	7,429	5,014

Mipox

東証スタンダード

【本社】322-0014 栃木県鹿沼市さつき町18
☎0289-99-9946
ガラス・土石・ゴム

採用実績数	倍率	3年後離職率	平均年収
7名	‥	‥	518万円

【特色】微細表面加工の液体研磨剤メーカー。液体研磨剤のほか、研磨フィルム、研磨紙・布などを、HDDや半導体ウエハ、光ファイバー向けに供給。コーディング加工や研磨加工などの受託加工も行う。次世代半導体に向けた研磨装置、研磨剤の開発に注力。
【定着率】‥
【採用】　【設立】1941.12【社長】渡邉淳
23年　4【従業員】連456名 単375名(39.7歳)
24年　7【有休】‥日
25年　未定【初任給】月20.6万(諸手当を除いた数値)
【試験種類】‥【各種制度】‥

【業績】	売上高	営業利益	経常利益	純利益
連23.3	10,029	212	426	45
連24.3	9,354	▲442	▲186	▲408

㈱セイケイ

株式公開計画なし

【本社】327-0816 栃木県佐野市栄町3-2 佐野工業団地
☎0283-22-4425
金属製品

採用予定数	倍率	3年後離職率	平均年収
1名	‥	‥	‥

【特色】ビルなど建築物の主要部材である冷間プレス成形角形鋼管「プレスコラム」を製造する。三井物産スチール、JFEスチール、丸一鋼管の合弁会社。本社・佐野と堺の東西2工場体制。再開発など大型案件建設本格化に備え、設備更新や生産ライン改善図る。
【定着率】‥
【採用】　【設立】1984.7【代表取締役】宮嶋良和
23年　1【従業員】単102名(‥歳)
24年　0【有休】‥日
25年　1【初任給】月23.4万(諸手当を除いた数値)
【試験種類】‥【各種制度】‥

【業績】	売上高	営業利益	経常利益	純利益
単23.3	17,585	2,308	2,421	1,721
単24.3	15,888	1,938	2,034	1,408

グランディハウス

東証プライム

【本社】320-0811 栃木県宇都宮市大通り4-3-18
☎028-650-7777
住宅・マンション

採用実績数	倍率	3年後離職率	平均年収
22名	‥	‥	547万円

【特色】栃木中心に関東全都県で戸建住宅を分譲。子会社でプレカット材や住設建材など建築材料の製造販売も手がける。栃木県にプレカット工場。中古住宅リニューアル販売は専門子会社で展開。首都圏ではZEH仕様の住宅販売に注力。
【定着率】‥
【グループ採用】【設立】1991.4【社長】佐山靖
23年　30【従業員】連875名 単461名(39.8歳)
24年　22【有休】‥日
25年　増加【初任給】月21.2万(諸手当を除いた数値)
【試験種類】‥【各種制度】‥

【業績】	売上高	営業利益	経常利益	純利益
連23.3	55,205	3,329	3,103	2,168
連24.3	51,521	1,175	877	416

㈱グリーンシステムコーポレーション

株式公開していない

【本社】320-0851 栃木県宇都宮市鶴田町1435-1
☎028-666-5171
電力・ガス

採用予定数	倍率	3年後離職率	平均年収
6名	‥	‥	‥

【特色】産業用太陽光発電所の企画・開発・工事・メンテナンスを一貫提供。約560所の自社太陽光発電所を保有。農地に太陽光パネルを設置し、営農しながら発電する仕組み(ソーラーシェアリング)や、農業の6次産業化などを積極的に提案。
【定着率】‥
【採用】　【設立】2002.1【代表取締役】阿久津昌弘
23年　10【従業員】単81名(42.1歳)
24年　10【有休】‥日
25年　6【初任給】月24万(諸手当を除いた数値)
【試験種類】‥【各種制度】‥

【業績】	売上高	営業利益	経常利益	純利益
単22.6	6,849	1,424	1,404	583
単23.6	6,103	302	236	182

㈱東武宇都宮百貨店（とうぶうつのみやひゃっかてん）

株式公開計画なし

【本社】320-8560 栃木県宇都宮市宮園町5-4
☎028-636-2211
デパート

採用実績数	倍率	3年後離職率	平均年収
7名	‥	‥	‥

【特色】栃木県内で百貨店経営。ターミナル駅の特性を生かした宇都宮店は店舗面積3万㎡超。支店として栃木市庁舎内の栃木市役所店と郊外型の大田原店。県北・県央・県南と栃木県を縦断する店舗展開で県全域をカバー。東武鉄道グループ。
【定着率】‥
【採用】　【設立】1958.6【社長】星佳成
23年　7【従業員】単223名(44.3歳)
24年　7【有休】‥日
25年　未定【初任給】月20万(諸手当を除いた数値)
【試験種類】‥【各種制度】‥

【業績】	売上高	営業利益	経常利益	純利益
単23.2	26,618	‥	‥	▲298
単24.2	26,905	‥	‥	38

関東

㈱フライングガーデン
東証スタンダード

【本社】323-0026 栃木県小山市本郷町3-4-18 ☎0285-30-4129
外食・中食

採用予定数	倍率	3年後離職率	平均年収
20名	‥	‥	488万円

【特色】北関東地盤に郊外型レストラン「フライングガーデン」を直営展開する。埼玉、千葉にも出店。出店形態は郊外型のロードサイド店が中心。「爆弾ハンバーグ」を看板商品に、グリルやステーキなどのメニューを提供。売上100億円が中長期目標。
【定着率】‥
【採用】【設立】1981.12【社長】野沢卓史
23年 9【従業員】単181名(38.6歳)
24年 12【有休】‥日
25年 20【初任給】月20.3万(諸手当を除いた数値)
【試験種類】‥【各種制度】‥

【業績】	売上高	営業利益	経常利益	純利益
単23.3	7,236	449	571	291
単24.3	7,785	550	576	396

㈱カンセキ
東証スタンダード

【本社】321-0158 栃木県宇都宮市西川田本町3-1-1 ☎028-658-8123
家電量販・薬局・HC

採用予定数	倍率	3年後離職率	平均年収
6名	‥	‥	511万円

【特色】栃木県地盤の中堅ホームセンター「カンセキ」を運営。北関東や福島に店舗展開。第2の柱はアウトドア専門店「WILD-1」で、関東全県や東北、愛知、京都など広域に出店。「業務スーパー」のFC店も手がけ、ホームセンターと併設の複合店業態にも取り組む。
【定着率】‥
【採用】【設立】1975.2【社長】大田垣一郎
23年 9【従業員】単323名(45.2歳)
24年 10【有休】‥日
25年 6【初任給】月22万(諸手当を除いた数値)
【試験種類】‥【各種制度】‥

【業績】	売上高	営業利益	経常利益	純利益
単23.2	38,626	1,297	1,267	694
単24.2	36,871	▲1,468	▲1,515	▲5,219

㈱コジマ
東証プライム

【本社】320-8528 栃木県宇都宮市星が丘2-1-8 ☎028-621-0001
家電量販・薬局・HC

採用実績数	倍率	3年後離職率	平均年収
100名	‥	‥	498万円

【特色】栃木県発祥の郊外型家電量販チェーン。ビッグカメラの傘下に入り、共同仕入れ、POSシステム統合に続き、改装で全店連名のコラボ店に。地元企業や地方自治体と連携した地域密着イベントで集客力強化。ECと住設事業を今後の成長事業と位置付け、拡大図る。
【定着率】‥
【採用】【設立】1963.8【社長】中澤裕二
23年 110【従業員】単2,906名(40.5歳)
24年 100【有休】‥日
25年 前年並【初任給】月21.2万(諸手当を除いた数値)
【試験種類】‥【各種制度】‥

【業績】	売上高	営業利益	経常利益	純利益
単22.8	279,374	8,107	8,525	5,761
単23.8	267,893	4,819	5,146	2,869

㈱アサヒ商会(しょうかい)
株式公開計画なし

【本社】370-0006 群馬県高崎市問屋町2-8-2 ☎027-363-1111
商社・卸売業

採用予定数	倍率	3年後離職率	平均年収
2名	‥	‥	‥

【特色】文具・事務機器やオフィス家具の販売会社。群馬県を中心に、県内自治体、地元企業など顧客数は約2000社。商品数3万点の大型文具店「Hi-NOTE」は実店舗のほかオンラインストアも運営。オフィス家具のリユース事業も行う。DX学校事業も推進。
【定着率】‥
【採用】【設立】1948.12【社長】広瀬一成
23年 3【従業員】単52名(36.3歳)
24年 0【有休】‥日
25年 2【初任給】月20.5万(諸手当を除いた数値)
【試験種類】‥【各種制度】‥

【業績】	売上高	営業利益	経常利益	純利益
単22.8	2,167	30	18	9
単23.8	2,130	36	20	10

㈱両毛(りょうもう)システムズ
東証スタンダード

【本社】376-8502 群馬県桐生市広沢町3-4025 ☎0277-53-3131
システム・ソフト

採用予定数	倍率	3年後離職率	平均年収
40名	‥	‥	614万円

【特色】システム開発、情報処理サービスの中堅。地方自治体や水道事業者、文教関連など公共事業関連が顧客基盤。近年は民間分野のガス、印刷、調剤薬局向けパッケージシステム販売などが拡大。クラウドサービスを推進。ベトナムに開発、フィリピンに運用の子会社。
【定着率】‥
【採用】【設立】1970.1【社長】北澤直来
23年 23【従業員】連1,007名 単736名(41.9歳)
24年 31【有休】‥日
25年 40【初任給】月21.5万(諸手当を除いた数値)
【試験種類】‥【各種制度】‥

【業績】	売上高	営業利益	経常利益	純利益
連23.3	17,234	1,764	1,775	1,213
連24.3	18,170	1,850	1,859	944

㈱豊田技研(とよだぎけん)
株式公開計画なし

【本社】375-0055 群馬県藤岡市白石2155 ☎0274-40-7234
自動車部品

採用実績数	倍率	3年後離職率	平均年収
3名	‥	‥	‥

【特色】自動車照明用プレス部品メーカー。金型の設計製作も行う。板材から高精度の立体形状を製作する技術に定評。金型設計製作、プレス加工、メッキまで一貫。国内は群馬県(藤岡市、高崎市、安中市)に工場。海外はベトナムに金属プレス・メッキ加工工場を持つ。
【定着率】‥
【採用】【設立】1959.11【代表取締役】豊田信幸
23年 0【従業員】単87名(‥歳)
24年 3【有休】‥日
25年 未定【初任給】‥万
【試験種類】‥【各種制度】‥

【業績】	売上高	営業利益	経常利益	純利益
単21.8	2,226	13	▲10	25
単22.8	1,986	▲174	▲103	139

相模屋食料（さがみやしょくりょう）
株式公開計画なし

【本社】371-0131 群馬県前橋市鳥取町123 ☎027-269-2345
食品・水産

採用予定数	倍率	3年後離職率	平均年収
未定	‥	‥	‥

【特色】豆腐、油揚げ、厚揚げなどを製造・販売する大豆加工食品メーカー。豆腐・豆腐加工品製造業界で首位級。「焼いておいしい絹厚揚げ」「ひとり鍋シリーズ」「BEYOND TOFUシリーズ」などを展開。群馬県に6工場と豆腐工房、神戸に1工場。
【定着率】‥
【採用】【設立】1951.10【社長】鳥越淳司
23年 ‥【従業員】単520名(‥歳)
24年 ‥【有休】‥日
25年 未定【初任給】月19.5万(諸手当を除いた数値)
【試験種類】‥【各種制度】‥

【業績】	売上高	営業利益	経常利益	純利益
単23.2	30,219	‥	‥	‥
単24.2	32,386	‥	‥	‥

佐田建設（さたけんせつ）
東証スタンダード

【本社】371-0846 群馬県前橋市元総社町1-1-7 ☎027-251-1551
建設

採用予定数	倍率	3年後離職率	平均年収
28名	‥	‥	640万円

【特色】群馬・埼玉が地盤の中堅建設会社。建築工事を主体に、土木工事、アスファルト合材の販売も行う。ICT施工やBIMの導入など、情報通信技術を利用した業務効率化にも取り組む。専門的な工事や建設用資材・機材の調達までグループ一貫で展開。
【定着率】‥
【採用】【設立】1949.10【社長】星野克行
23年 19【従業員】連465名 単381名(46.1歳)
24年 17【有休】‥日
25年 28【初任給】月22.5万(諸手当を除いた数値)
【試験種類】‥【各種制度】‥

【業績】	売上高	営業利益	経常利益	純利益
連23.3	30,121	1,823	1,833	1,325
連24.3	26,083	200	210	75

藤田エンジニアリング（ふじた）
東証スタンダード

【本社】370-0069 群馬県高崎市飯塚町1174-5 ☎027-361-1111
建設

採用予定数	倍率	3年後離職率	平均年収
増加	‥	‥	‥

【特色】群馬県が地盤の設備工事中堅。ビル・産業・環境設備工事が中心。空調・産業設備の保守に強み。食品、製薬、半導体、自動車などの工場に実績。子会社で電子部品の検査・組立も。ソフトウェア開発も手がけ、遠隔監視システムを上下水道や工場向けに展開。
【定着率】‥
【採用】【設立】1964.10【社長】藤田実
23年 ‥【従業員】連594名 単249名(42.2歳)
24年 ‥【有休】‥日
25年 増加【初任給】月21万(諸手当を除いた数値)
【試験種類】‥【各種制度】‥

【業績】	売上高	営業利益	経常利益	純利益
連23.3	27,164	1,734	1,898	1,275
連24.3	32,273	2,182	2,346	1,591

㈱ヤマト
東証スタンダード

【本社】371-0844 群馬県前橋市古市町118 ☎027-290-1800
建設

採用予定数	倍率	3年後離職率	平均年収
25名	‥	‥	603万円

【特色】中堅設備工事会社。空調・衛生・冷凍冷蔵用などの管工事が主体。利用温度差2倍の大温度差畜熱空調システム、電解水でレジオネラ菌対策を施す浴槽衛生管理システム、配管の工場生産化など独自性に強み。太陽光発電や小水力発電も手がける。
【定着率】‥
【採用】【設立】1946.7【代表取締役】町田豊
23年 24【従業員】連1,122名 単786名(43.8歳)
24年 17【有休】‥日
25年 25【初任給】月21.2万(諸手当を除いた数値)
【試験種類】‥【各種制度】‥

【業績】	売上高	営業利益	経常利益	純利益
連23.3	44,500	2,033	2,517	1,866
連24.3	48,296	1,823	2,331	1,479

㈱ヤマダデンキ
株式公開計画なし

【本社】370-0841 群馬県高崎市栄町1-1 ☎0570-078-181
家電量販・薬局・HC

採用予定数	倍率	3年後離職率	平均年収
未定	‥	‥	‥

【特色】ヤマダHDの子会社で、日本最大の家電量販チェーン。テックランド、LABI、LIFE SELECTなど975店舗(24年3月末)を全国展開。グループのオリジナル商品数は1万を超す。家具やインテリア、リフォームにも取り組む。
【定着率】‥
【採用】【設立】2020.4【社長】上野善紀
23年 584【従業員】単‥名(‥歳)
24年 ‥【有休】‥日
25年 未定【初任給】月21.9万
【試験種類】‥【各種制度】‥

【業績】	売上高	営業利益	経常利益	純利益
単23.3	1,228,999	‥	33,563	23,350
単24.3	1,218,694	‥	35,058	17,275

㈱セキチュー
東証スタンダード

【本社】370-1201 群馬県高崎市倉賀野町4531-1 ☎027-345-1111
家電量販・薬局・HC

採用予定数	倍率	3年後離職率	平均年収
20名	‥	‥	492万円

【特色】群馬県地盤の中堅ホームセンター、関東・長野にも出店。地域の住民ニーズに密着した独創性ある商品構成に力点置く。リフォーム用品など専門性高い商品の社員知識教育を強化。カー用品専門店「オートウェイ」や自転車専門店「サイクルワールド」なども運営する。
【定着率】‥
【採用】【設立】1952.4【社長】関口忠弘
23年 5【従業員】単305名(42.1歳)
24年 12【有休】‥日
25年 20【初任給】月21.3万(諸手当を除いた数値)
【試験種類】‥【各種制度】‥

【業績】	売上高	営業利益	経常利益	純利益
単23.2	30,943	751	807	477
単24.2	30,381	730	796	510

㈱有賀園ゴルフ（ありがえん）

株式公開 計画なし

【本社】370-0854 群馬県高崎市下之城町300-1
☎027-322-3800
その他小売業

採用予定数	倍率	3年後離職率	平均年収
5名	‥	‥	‥

【特色】群馬・高崎を拠点に首都圏に23店舗の大型ゴルフ用品店を展開。アパレル商品も業界に先駆けてラインナップ。ゴルフ会員権の売買やオンライン販売も行う。高反発ボール「韋駄天X」はじめPB商品開発でも実績。直営のゴルフスクールを3カ所展開。
【定着率】‥
【採用】【設立】1962.2【社長】有賀史剛
23年 7【従業員】単300名(39.0歳)
24年 5【有休】‥日
25年 5【初任給】月22万(諸手当を除いた数値)
【試験種類】‥【各種制度】‥

【業績】	売上高	営業利益	経常利益	純利益
単22.7	8,146	‥	202	144
単23.7	7,948	‥	13	▲6

ファームドゥ

株式公開 計画なし

【本部】371-0855 群馬県前橋市問屋町1-1-1
☎027-219-3100
その他小売業

採用予定数	倍率	3年後離職率	平均年収
8名	‥	‥	‥

【特色】群馬や埼玉で農産物の直売所「食の駅」、農業資材の専門大型店「ファームドゥ農援'S」を運営。東京を中心に小型直売所「地産マルシェ」も手がける。農業と太陽光発電を融合させたビジネスモデルを拡大。モンゴルとチリでも合弁で同事業を展開。
【定着率】‥
【採用】【設立】1994.2【社長】岩井雅之
23年 10【従業員】単53名(35.2歳)
24年 5【有休】‥日
25年 8【初任給】月22万(諸手当を除いた数値)
【試験種類】‥【各種制度】‥

【業績】	売上高	営業利益	経常利益	純利益
単23.2	5,991	429	543	328
単24.2	6,085	442	541	357

堀川産業（ほりかわさんぎょう）

株式公開 未定

【本社】340-0014 埼玉県草加市住吉1-13-10
☎048-925-1141
商社・卸売業

採用実績数	倍率	3年後離職率	平均年収
8名	‥	‥	‥

【特色】埼玉県を地盤に関東、長野県でLPガス、石油製品を販売。損保や健康食品も扱う。関東中心に営業所47カ所、9工場、6給油所を展開する。グループ子会社のエネクルで、LPガスと都市ガスを約24万戸に供給するほか、電力販売も行う。
【定着率】‥
【採用】【設立】1952.3【社長】堀川雅治
23年 11【従業員】単640名(39.0歳)
24年 8【有休】‥日
25年 未定【初任給】月20.8万(諸手当を除いた数値)
【試験種類】‥【各種制度】‥

【業績】	売上高	営業利益	経常利益	純利益
単22.9	31,705	2,856	7,312	5,128
単23.9	20,449	▲2,857	2,193	▲217

㈱オプトエレクトロニクス

東証 スタンダード

【本社】335-0002 埼玉県蕨市塚越4-12-17
☎0120-95-1390
電機・事務機器

採用実績数	倍率	3年後離職率	平均年収
0名	‥	‥	648万円

【特色】バーコードリーダーのレーザー方式読み取り装置で世界2位、国内シェア9割。流通や物流向けのハンディスキャナー伸長。顧客はPOSや情報端末メーカー。開発型企業で生産は海外委託先が中心。海外での評価高く、海外売上比率は約6割。
【定着率】‥
【採用】【設立】1976.12【社長】俵政美
23年 0【従業員】連182名 単68名(45.5歳)
24年 0【有休】‥日
25年 0【初任給】月25.9万(諸手当を除いた数値)
【試験種類】‥【各種制度】‥

【業績】	売上高	営業利益	経常利益	純利益
連22.11	7,211	315	178	▲47
連23.11	6,878	▲462	▲490	▲815

㈱エンプラス

東証 プライム

【本社】332-0034 埼玉県川口市並木2-30-1
☎048-253-3131
電子部品・機器

採用予定数	倍率	3年後離職率	平均年収
30名	‥	‥	672万円

【特色】精密プラスチック加工の大手。微細加工技術に定評。ICテスト用ソケットなどの半導体機器事業が柱で、自動車部品用樹脂製ギアやプリンター用樹脂部品なども手がける。光トランシーバー向け光学製品などの光通信事業や遺伝子検査用製品も強化。
【定着率】‥
【採用】【設立】1962.2【社長】横田大輔
23年 25【従業員】連1,521名 単344名(40.3歳)
24年 23【有休】‥日
25年 30【初任給】月25万(諸手当を除いた数値)
【試験種類】‥【各種制度】‥

【業績】	売上高	営業利益	経常利益	純利益
連23.3	42,240	8,820	8,785	4,621
連24.3	37,805	4,645	5,263	3,443

㈱オプトラン

東証 プライム

【本社】350-2201 埼玉県鶴ヶ島市富士見6-1-1
☎049-299-8199
電子部品・機器

採用予定数	倍率	3年後離職率	平均年収
未定	‥	‥	910万円

【特色】光学薄膜装置を製造・販売。採用する薄膜技術は主にイオンビームアシスト蒸着式とスパッタリング方式で、需要先の最終製品としてはスマートフォンやLED、車載カメラ、カーナビ、デジタルカメラなど。中国一極リスク低減に向け、装置生産の分散を進める。
【定着率】‥
【採用】【設立】1999.8【取締】範賓
23年 ‥【従業員】連638名 単93名(39.8歳)
24年 ‥【有休】‥日
25年 未定【初任給】‥万
【試験種類】‥【各種制度】‥

【業績】	売上高	営業利益	経常利益	純利益
連22.12	34,304	7,448	8,762	6,889
連23.12	36,807	9,751	6,051	4,631

山下ゴム（やました） 株式公開計画なし

【本社】356-8556 埼玉県ふじみ野市亀久保1239 ☎049-262-2121
自動車部品

採用予定数	倍率	3年後離職率	平均年収
10名	‥	‥	‥

【特色】防振ゴム主体の自動車ゴム部品メーカー。主要取引先はホンダ。エンジンマウント、サスペンションブッシュなどを量産。国内6拠点の他、米国、タイ、中国、メキシコ、インド、インドネシアに生産拠点、米国、ベトナムに開発拠点。
【定着率】‥
【採用】 【設立】1953.3 【社長】山下大輔
23年 6【従業員】単482名（43.1歳）
24年 10【有休】‥日
25年 10【初任給】月21.4万（諸手当を除いた数値）
【試験種類】‥【各種制度】‥

【業績】	売上高	営業利益	経常利益	純利益
単23.3	13,593	118	1,030	594
単24.3	16,679	1,033	1,648	1,177

㈱フコク 東証プライム

【本社】362-8561 埼玉県上尾市菅谷3-105 ☎048-615-4400
ゴム

採用予定数	倍率	3年後離職率	平均年収
25名	‥	‥	592万円

【特色】独立系の自動車用ゴム製品メーカー大手。ワイパーブレードラバー、ダイヤフラムなどブレーキ機能製品、ダンパやサスペンションなど防振機能製品が主力。純正品のワイパーブレードラバーは国内独占、世界シェア首位。北米、アジアなど海外生産を増強。
【定着率】‥
【採用】 【設立】1953.12【社長】大城郁男
23年 25【従業員】連4,587名 単1,163名（44.0歳）
24年 23【有休】‥日
25年 25【初任給】月23.9万（諸手当を除いた数値）
【試験種類】‥【各種制度】‥

【業績】	売上高	営業利益	経常利益	純利益
連23.3	82,318	2,010	3,139	2,135
連24.3	88,847	3,646	4,094	3,050

本田金属技術（ほんだきんぞくぎじゅつ） 株式公開計画なし

【本社・川越工場】350-1101 埼玉県川越市的場1620 ☎049-231-1521
自動車部品

採用予定数	倍率	3年後離職率	平均年収
12名	‥	‥	‥

【特色】ホンダのパートナーとして各種エンジン部品や足回り部品などを中心にアルミ製品を生産。アルミの軽量性生かし環境負荷低減。ホンダ創業者本田宗一郎氏の実弟・弁二郎がピストン製造で創業。埼玉と福島の国内2工場のほか、米国、中国、タイに生産拠点。
【定着率】‥
【採用】 【設立】1963.12【社長】小島晃
23年 12【従業員】単618名（44.5歳）
24年 9【有休】‥日
25年 12【初任給】月21.2万（諸手当を除いた数値）
【試験種類】‥【各種制度】‥

【業績】	売上高	営業利益	経常利益	純利益
単23.3	15,456	▲408	1,116	844
単24.3	17,491	1,342	2,142	1,804

㈱リード 東証スタンダード

【本社】360-0203 埼玉県熊谷市弥藤吾578 ☎048-588-1121
自動車部品

採用予定数	倍率	3年後離職率	平均年収
9名	‥	‥	379万円

【特色】SUBARUグループ向け車両部品メーカー。バンパー、スポイラーなど外装部品に強い。開発からプレス、集成、樹脂成形、塗装、組み立てまで一貫生産。電子機器関連のシステムラックやケースも手がける。電動キックボード関連の開発に取り組む。駐輪場事業も併営。
【定着率】‥
【採用】 【設立】1949.7 【社長】岩崎元治
23年 2【従業員】単177名（42.3歳）
24年 4【有休】‥日
25年 9【初任給】月21.6万（諸手当を除いた数値）
【試験種類】‥【各種制度】‥

【業績】	売上高	営業利益	経常利益	純利益
単23.3	5,021	140	205	184
単24.3	5,058	10	61	48

日酸（にっさん）TANAKA 株式公開未定

【本社】354-8585 埼玉県入間郡三芳町竹間沢11 ☎049-258-4412
機械

採用実績数	倍率	3年後離職率	平均年収
4名	‥	‥	‥

【特色】大陽日酸グループの溶断機専業メーカー。造船、建機、産機、橋梁など向けレーザー・プラズマ・ガス切断システム、ガス制御機器に強みを持つ。特に厚板向けレーザ切断機は国内首位。収益構造の改善や海外事業展開に積極的。
【定着率】‥
【採用】 【設立】1941.6 【社長】長堀正幸
23年 7【従業員】単355名（44.9歳）
24年 4【有休】‥日
25年 未定【初任給】月22.3万（諸手当を除いた数値）
【試験種類】‥【各種制度】‥

【業績】	売上高	営業利益	経常利益	純利益
単23.3	17,788	420	455	316
単24.3	20,478	909	945	560

NITTOKU 東証スタンダード

【本社】330-0841 埼玉県さいたま市大宮区東町2-292-1 ☎048-615-2109
機械

採用予定数	倍率	3年後離職率	平均年収
20名	‥	‥	590万円

【特色】コイル用自動巻線機の国内最大手で世界でもトップ級。全自動システム機に特色。非接触ICタグや生産管理用FAタグも手がける。EV駆動モーターは自動車向けが中心。海外売上比率は5割でアジアが大半。国内のほか、中国・欧州などに工場を持つ。
【定着率】‥
【採用】 【設立】1972.9 【社長】笹澤純人
23年 16【従業員】連993名 単481名（38.3歳）
24年 20【有休】‥日
25年 20【初任給】月22万（諸手当を除いた数値）
【試験種類】‥【各種制度】‥

【業績】	売上高	営業利益	経常利益	純利益
連23.3	29,461	3,096	3,119	2,224
連24.3	30,803	4,164	4,280	2,744

ヒーハイスト
東証スタンダード

【本社】350-1151 埼玉県川越市今福580-1
☎049-273-7000
機械

採用予定数	倍率	3年後離職率	平均年収
若干	‥	‥	505万円

【特色】産業機械用直動ベアリングが中核製品。THK向けが売り上げの過半を占める。液晶製造装置用位置決め部品や、レーシングカー用精密部品加工も手がける。直動ベアリング技術生かし、魚釣り用の高機能ルアーを開発。埼玉の本社工場と秋田の2工場体制。
【定着率】‥
【採用】【設立】1962.7【社長】尾崎浩太
23年 3【従業員】連98名 単92名(41.9歳)
24年 2【有休】‥日
25年 若干【初任給】月20.6万(諸手当を除いた数値)
【試験種類】‥【各種制度】‥

【業績】	売上高	営業利益	経常利益	純利益
連23.3	2,414	▲5	3	▲2
連24.3	2,310	▲158	▲156	▲221

㈱武蔵野（むさしの）
株式公開計画なし

【本社】351-0034 埼玉県朝霞市西原1-1-1 武蔵野ビル
☎048-487-1111
食品・水産

採用予定数	倍率	3年後離職率	平均年収
80名	‥	‥	‥

【特色】弁当、おにぎり、調理パンなど製造・販売。セブン-イレブン・ジャパン向けが主力。ゴルフレンジなどスポーツレジャー施設の運営、管理のほか、ホテルやスパも運営。仙台から福岡まで工場を有する。埼玉・朝霞に研究開発センター。
【定着率】‥
【採用】【設立】1969.12【社長】安田信行
23年 63【従業員】単1,673名(37.0歳)
24年 73【有休】‥日
25年 80【初任給】月26万(諸手当を除いた数値)
【試験種類】‥【各種制度】‥

【業績】	売上高	営業利益	経常利益	純利益
単23.3	167,197	6,642	8,564	4,333
単24.3	175,859	6,966	8,469	▲1,222

㈱モンテール
株式公開計画なし

【本社】340-0822 埼玉県八潮市大瀬3-1-8
☎048-994-2100
食品・水産

採用実績数	倍率	3年後離職率	平均年収
53名	‥	‥	‥

【特色】シュークリームなどのチルド洋菓子メーカー。茨城、岐阜、岡山に3工場を有し、牛乳と卵の産地に近い産地直結型工場で生産。工場直売店も。「小さな洋菓子店」ブランドで小売店展開。年間100種類以上の新製品を発売。糖質制限スイーツも開発。
【定着率】‥
【採用】【設立】1954.10【社長】鈴木徹哉
23年 60【従業員】単817名(32.6歳)
24年 53【有休】‥日
25年 未定【初任給】月29.1万(諸手当を除いた数値)
【試験種類】‥【各種制度】‥

【業績】	売上高	営業利益	経常利益	純利益
単22.8	28,198	‥	‥	‥
単23.8	29,200	‥	‥	‥

㈱東洋（とうよう）クオリティワン
株式公開いずれしたい

【本社】350-0812 埼玉県川越市下小坂328-2
☎049-231-2331
化学

採用実績数	倍率	3年後離職率	平均年収
3名	‥	‥	‥

【特色】クッション、内装材向けポリウレタンフォームメーカー。国内唯一の軟質発泡ウレタンフォーム専業。鉄道、自動車用のシートや内装材、寝具、インテリア向けなど幅広い分野に製品を供給している。中国、タイなど海外にも拠点。
【定着率】‥
【採用】【設立】1935.11【社長】関俊明
23年 7【従業員】連880名 単275名(40.5歳)
24年 3【有休】‥日
25年 未定【初任給】月21.5万(諸手当を除いた数値)
【試験種類】‥【各種制度】‥

【業績】	売上高	営業利益	経常利益	純利益
連23.3	34,107	1,136	1,678	2,496
連24.3	36,242	1,850	2,634	1,980

ヤマト　モビリティ＆Mfg.
東証スタンダード

【本社】350-0001 埼玉県川越市大字古谷上4274
☎049-235-1234
化学

採用実績数	倍率	3年後離職率	平均年収
3名	‥	‥	529万円

【特色】独立系プラスチック部品製造の中堅。複写機・プリンターなどのOA機器向けのほか、家電、自動車など用途多岐。真空成型による店舗看板や、ユニットバスなどの住宅設備機器、搬送台車なども手がける。中国、フィリピンに生産子会社、海外売上比率は約6割。
【定着率】‥
【採用】【設立】1955.8【代表取締役】鈴木昭寿
23年 2【従業員】連872名 単93名(48.1歳)
24年 3【有休】‥日
25年 前年並【初任給】月21万(諸手当を除いた数値)
【試験種類】‥【各種制度】‥

【業績】	売上高	営業利益	経常利益	純利益
連23.3	15,540	214	94	30
連24.3	15,364	47	21	▲149

理研（りけん）コランダム
株式公開ー

【本社】365-0051 埼玉県鴻巣市宮前547-1
☎048-596-4411
ガラス・土石・ゴム

採用予定数	倍率	3年後離職率	平均年収
若干	‥	‥	540万円

【特色】研磨布紙の製造・販売の大手。各種研磨布紙、研磨材、研磨用品が主体で、金属・鉄鋼、木材・建材、PCB(プリント基板)など幅広い素材に対応。OA機器紙送り用ローラーの受注生産も手がける。不動産賃貸は収益源。オカモトの子会社。
【定着率】‥
【採用】【設立】1935.12【社長】増田富美雄
23年 0【従業員】連112名 単110名(45.1歳)
24年 2【有休】‥日
25年 若干【初任給】月21.5万(諸手当を除いた数値)
【試験種類】‥【各種制度】‥

【業績】	売上高	営業利益	経常利益	純利益
連22.12	4,007	68	46	721
連23.12	4,185	114	141	95

日本製罐（にほんせいかん） 東証スタンダード

【本社】331-0811 埼玉県さいたま市北区吉野町2-275 ☎048-665-1251
金属製品

採用予定数	倍率	3年後離職率	平均年収
2名	‥	‥	546万円

【特色】スチール製専門の中堅製缶メーカー。食用油、塗料など業務用18L缶では最大手で、無ハンダ接着技術の先駆け。粉ミルクやのり贈答品用など印刷を施した美術缶にも強み。関東など東日本中心に営業展開し、関西は子会社の新生製缶が製品供給。
【定着率】‥
【採用】 【設立】1925.6【社長】西尾文隆
23年 3【従業員】連213名 単129名(41.4歳)
24年 0【有休】‥日
25年 2【初任給】月23.5万(諸手当を除いた数値)
【試験種類】‥【各種制度】‥

【業績】	売上高	営業利益	経常利益	純利益
連23.3	10,919	213	268	289
連24.3	12,248	256	323	271

日本地工（にほんちこう） 株式公開計画なし

【本社】334-0075 埼玉県川口市江戸袋2-1-2 ☎048-283-1111
金属製品

採用実績数	倍率	3年後離職率	平均年収
2名	‥	‥	‥

【特色】地下埋設材料(アンカー)の首位企業。電力会社の電柱・ポール用基礎などの工事が主力。都市緑化と植物の育成環境改善を提案する緑化・農園芸事業も展開。電力のほか、通信、鉄道、道路、環境、農業分野が主要顧客。支店・営業所など全国多数。
【定着率】‥
【採用】 【設立】1956.10【社長】玄間敏
23年 8【従業員】単349名(44.3歳)
24年 2【有休】‥日
25年 未定【初任給】月22万(諸手当を除いた数値)
【試験種類】‥【各種制度】‥

【業績】	売上高	営業利益	経常利益	純利益
単22.5	8,271	421	735	651
単23.5	9,027	457	685	482

新報国マテリアル（しんほうこく） 東証スタンダード

【本社】350-1124 埼玉県川越市新宿町5-13-1 ☎049-242-1950
鉄鋼

採用実績数	倍率	3年後離職率	平均年収
4名	‥	‥	700万円

【特色】鋳鋼品中堅で、低熱膨張合金(インバー合金)のトップメーカー。半導体・FPD製造装置向け低熱膨張合金鋳物が中心。宇宙・航空機向けのインバー合金金型も開発。耐熱耐摩耗鋳鋼も手がけ、主に石油、天然ガス掘削用シームレスパイプ製造用に用いられる。
【定着率】‥
【採用】 【設立】1949.10【社長】成瀬正
23年 1【従業員】単89名(44.4歳)
24年 4【有休】‥日
25年 微増【初任給】月23.1万(諸手当を除いた数値)
【試験種類】‥【各種制度】‥

【業績】	売上高	営業利益	経常利益	純利益
単22.12	6,361	637	652	491
単23.12	6,484	628	644	476

㈱グラファイトデザイン 東証スタンダード

【本社】368-0065 埼玉県秩父市太田2474-1 ☎0494-62-2800
その他メーカー

採用実績数	倍率	3年後離職率	平均年収
2名	‥	‥	551万円

【特色】高級・中級カーボンファイバー製ゴルフシャフトの専門メーカー。ドライバーシャフトはJPGAツアー使用率トップ。国内と米国市場が中心。カーボン積層技術活かして非ゴルフ事業部門も開拓する。世界最軽量のカーリングブラシ用ハンドルなども手がける。
【定着率】‥
【採用】 【設立】1989.8【社長】山田拓郎
23年 3【従業員】単128名(41.0歳)
24年 2【有休】‥日
25年 前年並【初任給】月22万(諸手当を除いた数値)
【試験種類】‥【各種制度】‥

【業績】	売上高	営業利益	経常利益	純利益
単23.2	3,551	770	895	614
単24.2	2,652	152	236	175

㈱住宅資材センター（じゅうたくしざい） 株式公開計画なし

【本社】343-0824 埼玉県越谷市流通団地1-1-12 ☎048-989-7886
住宅・マンション

採用予定数	倍率	3年後離職率	平均年収
未定	‥	‥	‥

【特色】ポラスグループ24社の一角で、内装・外装・住宅設備機器・インテリア工事を行う。年約3700棟の新築戸建住宅の施工実績。建築資材販売、福祉用具貸与、介護用品販売なども行う。住宅資材、構造プレカット材の物流機能も手がける。
【定着率】‥
【ポラスグループ採用】【設立】1978.4 【代表取締役】中内晃次郎
23年 ‥【従業員】単110名(37.3歳)
24年 ‥【有休】‥日
25年 未定【初任給】月26.5万(諸手当を除いた数値)
【試験種類】‥【各種制度】‥

【業績】	売上高	営業利益	経常利益	純利益
単23.3	17,306	472	550	372
単24.3	19,795	805	883	593

㈱安楽亭（あんらくてい） 東証スタンダード

【本社】338-0001 埼玉県さいたま市中央区上落合2-3-5 ☎048-859-0555
外食・中食

採用予定数	倍率	3年後離職率	平均年収
増加	‥	‥	424万円

【特色】焼肉レストラン「安楽亭」を運営する外食チェーン。埼玉地盤に関東甲信越のロードサイドに展開。低価格を武器にファミリー層、若年層に訴求。「ステーキのどん」や「フォルクス」などステーキ専門店運営会社を子会社化、連結売上比率は過半を占めシナジー効果。
【定着率】‥
【採用】 【設立】1978.11【社長】柳先
23年 3【従業員】連463名 単166名(41.4歳)
24年 ‥【有休】‥日
25年 増加【初任給】月20万(諸手当を除いた数値)
【試験種類】‥【各種制度】‥

【業績】	売上高	営業利益	経常利益	純利益
連23.3	28,566	▲102	248	▲253
連24.3	30,260	1,464	1,307	967

関東

㈱セキ薬品（やくひん）
株式公開 いずれしたい

【本社】345-0801 埼玉県南埼玉郡宮代町百間4-2-22 ☎‥
家電量販・薬局・HC

採用予定数	倍率	3年後離職率	平均年収
100名	‥	‥	‥

【特色】埼玉県を地盤に「ドラッグストアセキ」を運営。医療、介護、予防、美容の専門店として地域に合わせた品ぞろえを展開。東京、千葉、茨城、栃木にも出店エリアを広げ、217店体制。調剤薬局の「セキ薬局」も91店を運営する。薬剤情報取得など医療DX推進。
【定着率】‥
【採用】　【設立】1984.1【会長】関伸治
23年　132【従業員】単1,442名(30.2歳)
24年　90【有休】‥日
25年　100【初任給】月22万(諸手当を除いた数値)
【試験種類】‥【各種制度】‥

【業績】	売上高	営業利益	経常利益	純利益
単23.3	89,150	‥	‥	‥
単24.3	96,095	‥	‥	‥

㈱バッファロー
東証 スタンダード

【本社】332-0012 埼玉県川口市本町4-1-8 ☎048-227-8860
家電量販・薬局・HC

採用予定数	倍率	3年後離職率	平均年収
10名	‥	‥	599万円

【特色】カー用品店のオートバックスセブンの大手フランチャイジー。埼玉県地盤で、東京都北部にも出店。ホイールやタイヤなど消耗品の品ぞろえと販売を強化。オイル交換・車体美観などのピットサービスにも取り組む。子会社で「焼肉ライク」のFC店を運営。
【定着率】‥
【採用】　【設立】1983.4【社長】坂本裕二
23年　5【従業員】連269名 単239名(39.9歳)
24年　2【有休】‥日
25年　10【初任給】月21.8万(諸手当を除いた数値)
【試験種類】‥【各種制度】‥

【業績】	売上高	営業利益	経常利益	純利益
連23.3	10,795	525	564	325
連24.3	11,216	413	459	114

㈱富士薬品（ふじやくひん）
株式公開 計画なし

【本社】330-9508 埼玉県さいたま市大宮区桜木町4-383 ☎048-644-3240
家電量販・薬局・HC

採用予定数	倍率	3年後離職率	平均年収
567名	‥	‥	‥

【特色】「ドラッグセイムス」などドラッグストアの運営が主力事業。グループで全国に1271店展開(24年3月)。祖業の配置薬事業も全国展開。高尿酸血症治療薬など医療用医薬品の開発・製造・販売も手がける。神奈川と埼玉に研究所、富山に2工場。
【定着率】‥
【採用】　【設立】1954.4【社長】高柳昌幸
23年　358【従業員】連7,133名 単4,630名(39.4歳)
24年　254【有休】‥日
25年　567【初任給】月23.9万
【試験種類】‥【各種制度】‥

【業績】	売上高	営業利益	経常利益	純利益
連23.3	373,019	5,956	7,143	2,000
連24.3	386,237	5,978	7,793	8,539

㈱ゴルフ・ドゥ
名証 ネクスト

【本社】338-0001 埼玉県さいたま市中央区上落合2-3-1 ☎048-851-3111
その他小売業

採用予定数	倍率	3年後離職率	平均年収
8名	‥	‥	413万円

【特色】中古ゴルフクラブ専門店を運営。ゴルフバッグなどの関連商品や新品も扱う。首都圏は直営中心、首都圏以外はFCで展開。直営店は試打やリペアなどのサービス提供で競合店と差別化。オンラインショップは自社に加え、他社モールにも出店、拡大図る。
【定着率】‥
【採用】　【設立】2000.4【社長】佐久間功
23年　12【従業員】連129名 単117名(38.4歳)
24年　7【有休】‥日
25年　8【初任給】月22.7万(諸手当を除いた数値)
【試験種類】‥【各種制度】‥

【業績】	売上高	営業利益	経常利益	純利益
連23.3	6,058	84	89	41
連24.3	5,773	▲1	▲37	▲51

埼玉（さいたま）トヨペット
株式公開 計画なし

【本社】338-8508 埼玉県さいたま市中央区上落合2-2-1 ☎048-859-4111
その他小売業

採用予定数	倍率	3年後離職率	平均年収
76名	‥	‥	‥

【特色】トヨタ系ディーラーで、埼玉県下の販売台数はトップ。新車、中古車、輸入車など車全般のワンストップサービスを提供。車いす仕様車など福祉車両やキャンピングカー仕様車も扱う。店舗は県内に新車・中古車併売、中古車専売、レクサス、VWの構成で展開。
【定着率】‥
【採用】　【設立】1956.4【社長】坂井俊哉
23年　64【従業員】単1,567名(40.5歳)
24年　71【有休】‥日
25年　76【初任給】月22万(諸手当を除いた数値)
【試験種類】‥【各種制度】‥

【業績】	売上高	営業利益	経常利益	純利益
単23.3	103,866	1,702	1,902	1,739
単24.3	126,962	4,841	5,171	3,899

㈱日東（にっとう）テクノブレーン
株式公開 していない

【本社】359-1144 埼玉県所沢市西所沢1-14-14 ☎04-2922-5359
人材・教育

採用実績数	倍率	3年後離職率	平均年収
3名	‥	‥	‥

【特色】人材派遣、データ処理、SIの3サービスを集約したアウトソーシングサービスを展開。データ処理は入力、事務処理代行など。人材派遣はソフト開発技術者、システム運用管理者、ヘルプデスクが主力。アウトソーシングはBPO、ITOが主。
【定着率】‥
【採用】　【設立】1974.10【社長】鈴木真澄
23年　3【従業員】単336名(38.0歳)
24年　3【有休】‥日
25年　未定【初任給】月20.8万(諸手当を除いた数値)
【試験種類】‥【各種制度】‥

【業績】	売上高	営業利益	経常利益	純利益
単22.8	1,490	76	82	59
単23.8	1,569	85	91	56

㈱流通サービス（りゅうつう）
株式公開計画なし

【本社】340-0032 埼玉県草加市遊馬町769-1
☎048-922-7221
運輸・倉庫

採用予定数	倍率	3年後離職率	平均年収
未定	‥	‥	‥

【特色】生協の個人宅配や個人別商品仕分けなど物流加工が主業務。一般や店舗のトラック物流や三温度帯対応の倉庫保管も行う。兵庫県・西宮市、埼玉県・加須市、八潮市の3物流センター体制。車両保有台数約2500台。アルプス物流グループ。
【定着率】‥
【採用】 【設立】1974.10【社長】大葉秀樹
23年 2【従業員】単2,592名(39.3歳)
24年 ‥【有休】‥日
25年 未定【初任給】‥万
【試験種類】‥【各種制度】‥

【業績】	売上高	営業利益	経常利益	純利益
単23.3	27,804	1,280	1,270	851
単24.3	28,984	1,244	1,196	862

ホンダ開発（かいはつ）
株式公開計画なし

【本社】351-0114 埼玉県和光市本町5-39
☎048-452-5800
その他サービス

採用予定数	倍率	3年後離職率	平均年収
5名	‥	‥	‥

【特色】ホンダグループの福利厚生業務を主体とし、不動産仲介斡旋・建設、保険・旅行代理店、企業内託児所、ホテル運営も行う。ホンダの人事実務を一部受託。タイとインドネシアで保険ブローカー事業、インドで日本食提供事業など、米国で通翻訳事業を手がける。
【定着率】‥
【採用】 【設立】1959.4【社長】筒井哲也
23年 6【従業員】単1,920名(42.7歳)
24年 5【有休】‥日
25年 5【初任給】月21.3万(諸手当を除いた数値)
【試験種類】‥【各種制度】‥

【業績】	売上高	営業利益	経常利益	純利益
単23.3	17,990	2,244	2,449	1,322
単24.3	18,793	2,314	2,532	1,786

ユアサ・フナショク
東証スタンダード

【本社】273-8551 千葉県船橋市宮本4-18-6
☎047-433-1211
商社・卸売業

採用実績数	倍率	3年後離職率	平均年収
10名	‥	‥	484万円

【特色】千葉県船橋市に本社を置く関東地盤の食品卸中堅。米穀、加工食品、冷凍食品などの商事部門が主力。地域スーパーが主な販売先。ドラッグストア、ディスカウントストアなど販路の拡大に注力。ビジネスホテル「パールホテル」を都内中心に関東で展開。
【定着率】‥
【採用】 【設立】1937.1【社長】山田共之
23年 17【従業員】連318名 単219名(43.1歳)
24年 10【有休】‥日
25年 前年並【初任給】月20.7万(諸手当を除いた数値)
【試験種類】‥【各種制度】‥

【業績】	売上高	営業利益	経常利益	純利益
連23.3	117,881	1,462	1,759	1,112
連24.3	119,580	1,856	2,212	2,707

㈱日産フィナンシャルサービス
株式公開計画なし

【本社】261-7114 千葉県千葉市美浜区中瀬2-6-1 ワールドビジネスガーデン
☎043-388-4102
信販・カード・リース他

採用実績数	倍率	3年後離職率	平均年収
20名	‥	‥	‥

【特色】オートクレジット、カーリースなどの金融サービスを行う。日産クレジット、日産カーリースなど3社合併で現体制に。日産カードのほか残価設定型クレジットや車両管理サービスなど、多様な商品・サービスを提供。日産自動車の完全子会社。
【定着率】‥
【採用】 【設立】1963.9【社長】風間一彦
23年 18【従業員】単694名(47.2歳)
24年 20【有休】‥日
25年 未定【初任給】月22万(諸手当を除いた数値)
【試験種類】‥【各種制度】‥

【業績】	営業収益	営業利益	経常利益	純利益
単23.3	52,305	35,220	35,281	24,528
単24.3	53,080	31,613	31,669	22,018

㈱成田デンタル（なりた）
株式公開いずれしたい

【成田本社】286-0221 千葉県富里市七栄654-76
☎0476-92-9188
住宅・医療機器他

採用実績数	倍率	3年後離職率	平均年収
12名	‥	‥	‥

【特色】差し歯、入れ歯、インプラントなどの歯科技工物を販売。業界2位。歯科医院と技工所を仲介する独自の事業モデルを構築。約6500の歯科医院から受注、約150の技工所をネットワーク化。首都圏を中心に東北、中部、近畿に拠点。CAD・CAM技工に注力。
【定着率】‥
【採用】 【設立】1983.3【社長】堤大輔
23年 11【従業員】単250名(32.0歳)
24年 12【有休】‥日
25年 未定【初任給】‥万
【試験種類】‥【各種制度】‥

【業績】	売上高	営業利益	経常利益	純利益
単23.2	14,328	555	607	377
単24.2	14,570	‥	‥	‥

㈱ホリキリ
株式公開計画なし

【本社】276-0022 千葉県八千代市上高野1827-4
☎047-484-1111
自動車部品

採用予定数	倍率	3年後離職率	平均年収
8名	‥	‥	‥

【特色】商用車用サスペンションの専門メーカー。板ばねが事業の柱。トラック用エアサスペンション部品の「スタビリンカ」が主力商品で、世界シェアはトップ。北米トラックメーカーなど海外向けを強化。ニッパツのグループ会社。
【定着率】‥
【採用】 【設立】1936.10【社長】関幸裕
23年 3【従業員】単163名(43.3歳)
24年 2【有休】‥日
25年 8【初任給】月22.6万(諸手当を除いた数値)
【試験種類】‥【各種制度】‥

【業績】	売上高	営業利益	経常利益	純利益
単23.3	8,361	514	566	375
単24.3	9,471	774	831	587

㈱ミヤコシ
株式公開 計画なし

【本社】275-0016 千葉県習志野市津田沼1-13-5
☎047-493-3854
機械

採用予定数	倍率	3年後離職率	平均年収
2名	‥	‥	‥

【特色】ビジネスフォーム印刷機、特殊印刷機、加工機などの製造・販売で国内シェア7割。商業印刷関連・軟包装・ラベル等幅広い用途に対応。インクジェットプリンターなど独自開発製品多い。日本全国に営業拠点。軟包装向けの環境配慮型水性インク使用プリンター製品化を推進。
【定着率】‥
【採用】　【設立】1961.1【社長】宮腰亨
23年　0【従業員】連547名 単118名(44.4歳)
24年　2【有休】‥日
25年　2【初任給】月22.5万(諸手当を除いた数値)
【試験種類】‥【各種制度】‥

【業績】	売上高	営業利益	経常利益	純利益
連23.3	12,387	19	59	20
連24.3	13,801	151	117	59

石井食品（いしいしょくひん）
東証 スタンダード

【本社】273-8601 千葉県船橋市本町2-7-17
☎047-435-0141
食品・水産

採用予定数	倍率	3年後離職率	平均年収
15名	‥	‥	534万円

【特色】ミートボール、ハンバーグなど食肉加工品が主力。他は正月おせち、総菜、中華調味料など。原材料履歴や減塩・アレルギー対応食、病院食などの健康食、自治体向け非常食にも注力。スーパー向け主体だが、宅配・生協・ネット通販・コンビニなどに販路拡大。
【定着率】‥
【採用】　【設立】1945.5【社長】石井智康
23年　13【従業員】連388名 単382名(43.3歳)
24年　18【有休】‥日
25年　15【初任給】月21.2万(諸手当を除いた数値)
【試験種類】‥【各種制度】‥

【業績】	売上高	営業利益	経常利益	純利益
連23.3	9,549	219	256	308
連24.3	10,492	413	457	471

ジャパンフーズ
株式公開 ー

【本社】297-0235 千葉県長生郡長柄町皿木203-1
☎0475-35-2211
食品・水産

採用予定数	倍率	3年後離職率	平均年収
10名	‥	‥	570万円

【特色】伊藤忠系の総合飲料受託生産の大手。炭酸飲料に強く、低アルコール飲料なども手がける。多くの国内大手飲料メーカーと取引あり。水宅配事業にも進出。海外は中国の合弁会社で清涼飲料水を受託生産。丸紅系投資ファンドのTOBにより上場廃止。
【定着率】‥
【採用】　【設立】1976.12【社長】細井富夫
23年　7【従業員】連241名 単228名(42.4歳)
24年　2【有休】‥日
25年　10【初任給】月20.6万(諸手当を除いた数値)
【試験種類】‥【各種制度】‥

【業績】	売上高	営業利益	経常利益	純利益
連23.3	10,083	144	315	246
連24.3	12,058	1,009	1,267	925

日触テクノファインケミカル
株式公開 計画なし

【本社】272-0011 千葉県市川市高谷新町9-1
☎047-328-1185
化学

採用予定数	倍率	3年後離職率	平均年収
2名	‥	‥	‥

【特色】アクリル酸亜鉛、メタクリル酸カリウムなど化学工業薬品を製造・販売する化学メーカー。光電子材料なども手がける。精密有機合成技術や触媒酸化技術などがコア技術で、アクリル酸、メタクリル酸を原料とした機能性モノマーを開発・生産。
【定着率】‥
【採用】　【設立】1954.12【社長】平尾晴紀
23年　3【従業員】単103名(39.7歳)
24年　0【有休】‥日
25年　2【初任給】月22.3万(諸手当を除いた数値)
【試験種類】‥【各種制度】‥

【業績】	売上高	営業利益	経常利益	純利益
単23.3	2,593	28	27	21
単24.3	2,702	72	79	49

千葉窯業（ちばようぎょう）
株式公開 計画なし

【本部】260-8666 千葉県千葉市中央区市場町3-1
☎043-221-7001
ガラス・土石・ゴム

採用実績数	倍率	3年後離職率	平均年収
10名	‥	‥	‥

【特色】各種コンクリート製品の素材開発から設計、製造、販売、施工までを手がける。下水道用ボックスカルバートを主体にコンクリ製品を拡販。製品は放射性物質格納庫、防汚擁壁などにも展開。池田グループ9社の基幹企業。
【定着率】‥
【採用】　【設立】1941.6【社長】池田喜美夫
23年　3【従業員】単264名(38.0歳)
24年　10【有休】‥日
25年　未定【初任給】月20.7万(諸手当を除いた数値)
【試験種類】‥【各種制度】‥

【業績】	売上高	営業利益	経常利益	純利益
単23.3	12,359	465	612	251
単24.3	12,890	802	923	450

アズマプレコート
株式公開 計画なし

【本社】272-0127 千葉県市川市塩浜2-30
☎047-396-0171
金属製品

採用予定数	倍率	3年後離職率	平均年収
未定	‥	‥	‥

【特色】家庭用品から建材、自動車、精密機器など多岐の分野で使用されるプレコート製品が主力。千葉県・市川市、岩手県・一関市の生産拠点で鉄・ステンレス・アルミなどのコイル版を塗装。意匠塗装、部分塗装、耐候性塗装など多彩な塗装技術を持つ。
【定着率】‥
【採用】　【設立】1958.10【社長】石井伸之
23年　1【従業員】単68名(43.3歳)
24年　‥【有休】‥日
25年　未定【初任給】‥万
【試験種類】‥【各種制度】‥

【業績】	売上高	営業利益	経常利益	純利益
単22.9	1,550	17	30	75
単23.9	‥	‥	‥	32

京葉ブランキング工業

株式公開計画なし

【本社】290-0067 千葉県市原市八幡海岸通74-2
☎0436-43-1511
金属製品

採用予定数	倍率	3年後離職率	平均年収
1名	‥	‥	‥

【特色】鉄鋼厚中板加工会社で、世界最大級のブランキング(切り抜き)加工設備を保有。プレスラインからガス溶断機・レーザー切断機、複合加工も可能なマシニングセンターまで一貫生産体制。中国に溶断加工工場。インドに加工拠点を置く。
【定着率】‥
【採用】　【設立】1973.6【社長】勝義昭
23年　2【従業員】単141名(44.0歳)
24年　1【有休】‥日
25年　1【初任給】月24.5万(諸手当を除いた数値)
【試験種類】‥【各種制度】‥

【業績】	売上高	営業利益	経常利益	純利益
単22.12	13,438	213	230	194
単23.12	15,069	324	344	232

西村鋼業

株式公開計画なし

【本社】279-0024 千葉県浦安市港28
☎047-355-3701
鉄鋼

採用実績数	倍率	3年後離職率	平均年収
0名	‥	‥	‥

【特色】平鋼、角鋼、広幅平鋼の在庫販売と加工販売、建設用資材の加工販売を手がける鉄鋼専門卸。受発注・在庫・契約発注の一元管理による迅速な出荷体制。千葉・浦安に倉庫と加工センター。業界唯一の中継地のある体制にも強み。1916年創業。
【定着率】‥
【採用】　【設立】1937.11【社長】西村将司
23年　0【従業員】単80名(44.6歳)
24年　0【有休】‥日
25年　0【初任給】‥万
【試験種類】‥【各種制度】‥

【業績】	売上高	営業利益	経常利益	純利益
単22.8	13,063	446	525	72
単23.8	13,788	270	362	228

日野興業

株式公開計画なし

【本社】272-0004 千葉県市川市原木3024
☎047-318-8760
その他メーカー

採用予定数	倍率	3年後離職率	平均年収
5名	‥	‥	‥

【特色】仮設・常設用トイレ、バス、シャワー、キャビンなどサニタリーユニットのメーカー。ユニットハウス、物置の製造・販売、レンタルも手がける。国交省の建設作業員不足解消策に呼応して開発した仮設用「快適トイレ」の販促に注力。東京、大阪、福岡などに支店。
【定着率】‥
【採用】　【設立】1952.4【社長】積田喜信
23年　5【従業員】単450名(42.6歳)
24年　6【有休】‥日
25年　5【初任給】月23.7万
【試験種類】‥【各種制度】‥

【業績】	売上高	営業利益	経常利益	純利益
単22.9	13,824	2,095	2,116	1,399
単23.9	14,770	2,401	2,414	1,613

㈱新昭和

株式公開未定

【本社】299-1144 千葉県君津市東坂田4-3-3
☎0439-54-7711
住宅・マンション

採用実績数	倍率	3年後離職率	平均年収
28名	‥	‥	‥

【特色】住宅総合建設業。新昭和グループを形成し、グループ内には注文住宅、戸建て分譲、分譲マンションなどの事業会社14社で構成。温浴施設、フィットネス施設、バイリンガル幼稚園、自動車教習所、ホテルの運営、太陽光発電事業など多角化展開。
【定着率】‥
【採用】　【設立】1970.4【会長】松田芳彦
23年　39【従業員】単283名(37.1歳)
24年　28【有休】‥日
25年　未定【初任給】月18.5万(諸手当を除いた数値)
【試験種類】‥【各種制度】‥

【業績】	売上高	営業利益	経常利益	純利益
単23.3	37,842	5,494	8,641	5,981
単24.3	36,842	4,070	6,328	3,017

㈱AHC

株式公開未定

【本社】276-0032 千葉県八千代市八千代台東1-19-16
☎047-486-1961
住宅・マンション

採用予定数	倍率	3年後離職率	平均年収
2名	‥	‥	‥

【特色】千葉県地盤に新築戸建住宅を分譲。千葉ニュータウンでの戸建分譲首位。大型分譲地が得意。分譲住宅ブランドは「アットホームタウン」。創業から約5500棟の分譲を手がける。賃貸部門とリフォーム営業が業容を拡大中。
【定着率】‥
【採用】　【設立】1988.2【社長】秋山二三雄
23年　2【従業員】連47名 単47名(47.5歳)
24年　2【有休】‥日
25年　2【初任給】月23万(諸手当を除いた数値)
【試験種類】‥【各種制度】‥

【業績】	売上高	営業利益	経常利益	純利益
連23.3	5,674	759	567	381
連24.3	5,025	839	605	357

㈱シー・ヴイ・エス・ベイエリア

東証スタンダード

【本社】261-0023 千葉県千葉市美浜区中瀬1-7-1
☎043-296-6621
住宅・マンション

採用予定数	倍率	3年後離職率	平均年収
10名	‥	‥	468万円

【特色】千葉、東京地盤でマンションのフロントサービスが主力、宅配便受付など居住者の生活支援サービスを受託している。コンビニ「ローソン」のFC店も展開していたが、大幅に縮小した。ビジネスホテルなどホテル事業や、制服等のクリーニング事業も手がけている。
【定着率】‥
【採用】　【設立】1981.2【社長】泉澤摩利雄
23年　0【従業員】連205名 単57名(41.0歳)
24年　2【有休】‥日
25年　10【初任給】月20万(諸手当を除いた数値)
【試験種類】‥【各種制度】‥

【業績】	営業収入	営業利益	経常利益	純利益
連23.2	6,926	81	47	▲13
連24.2	7,519	486	420	697

㈱ワイズマート
株式公開未定

【本社】279-0001 千葉県浦安市当代島1-2-25
☎047-352-0111
スーパー

採用実績数	倍率	3年後離職率	平均年収
9名	‥	‥	‥

【特色】地盤の千葉県南西部のほか、東京都や神奈川県に食品スーパー「ワイズマート」を40店舗を運営。駅前を中心とする1～2キロの小商圏に売場面積100～250坪の小規模店舗開発を進める。PBは約30品目。カード会員97万人超。
【定着率】‥
【採用】【設立】1969.5【社長】吉野秀行
23年 23【従業員】単581名(42.9歳)
24年 9【有休】‥日
25年 未定【初任給】月20.5万(諸手当を除いた数値)
【試験種類】‥【各種制度】‥

【業績】	売上高	営業利益	経常利益	純利益
単23.2	45,638	428	479	218
単24.2	47,449	808	865	535

㈱銚子丸（ちょうしまる）
東証スタンダード

【本社】261-0025 千葉県千葉市美浜区浜田2-39
☎043-350-1266
外食・中食

採用予定数	倍率	3年後離職率	平均年収
未定	‥	‥	468万円

【特色】回転すしチェーン「すし銚子丸」を関東圏のロードサイド中心に直営展開。鮮魚を国内漁港や市場から店舗へ直送、店頭でおろす「活魚」すしの比率が高い。コロナ収束で持ち帰り専門店縮小、イートイン店舗を強化・拡大。合弁設立で米国進出を企図。
【定着率】‥
【採用】【設立】1977.11【社長】石田満
23年 6【従業員】単491名(43.1歳)
24年 ‥【有休】‥日
25年 未定【初任給】‥万
【試験種類】‥【各種制度】‥

【業績】	売上高	営業利益	経常利益	純利益
単23.5	19,310	669	794	558
単24.5	21,360	1,709	1,735	1,073

㈱三喜（さんき）
株式公開計画なし

【本部】277-0021 千葉県柏市中央町4-20
☎04-7167-6177
その他小売業

採用予定数	倍率	3年後離職率	平均年収
10名	‥	‥	‥

【特色】紳士・婦人・子供服、肌着、靴下、寝具、インテリアなどの総合衣料小売チェーン。北関東中心に北海道から沖縄まで全国に店舗展開。グループ店舗数232。北海道、沖縄、群馬、新潟などに配送センター7カ所。ヤフーや楽天にも出店。
【定着率】‥
【採用】【設立】1956.6【会長】八木下眞司
23年 10【従業員】連615名 単420名(37.5歳)
24年 10【有休】‥日
25年 10【初任給】月23.6万(諸手当を除いた数値)
【試験種類】‥【各種制度】‥

【業績】	売上高	営業利益	経常利益	純利益
連23.2	67,120	4,013	4,235	‥
連24.2	65,739	3,248	3,510	‥

㈱イオンファンタジー
東証プライム

【本社】261-8504 千葉県千葉市美浜区中瀬1-5-1
☎043-212-6203
レジャー

採用予定数	倍率	3年後離職率	平均年収
未定	‥	‥	444万円

【特色】室内遊園地の運営会社。イオングループのショッピングセンターを中心に、子供から大人も楽しめる遊戯施設を直営で展開。カプセルトイ専門店やプライズ専門店にも注力。海外は中国やASEAN諸国に浸透。店舗数は国内外合わせ1000店超。
【定着率】‥
【採用】【設立】1997.2【社長】藤原徳也
23年 12【従業員】連4,539名 単845名(44.0歳)
24年 ‥【有休】‥日
25年 未定【初任給】‥万
【試験種類】‥【各種制度】‥

【業績】	売上高	営業利益	経常利益	純利益
連23.2	72,690	849	1,318	▲3,376
連24.2	81,758	3,585	4,488	1,314

南総通運（なんそうつううん）
東証スタンダード

【本社】283-0802 千葉県東金市東金582
☎0475-54-3581
運輸・倉庫

採用実績数	倍率	3年後離職率	平均年収
8名	‥	‥	456万円

【特色】千葉県大手の物流企業で、貨物自動車運送と倉庫・付帯事業が中心。自動車運送は特殊車両、大型トレーラーなど300台以上を保有。倉庫業は千葉県中心に70棟の物流拠点を置く。商品受入、仕分け、梱包なども行う。子会社で不動産、タクシー事業も併営。
【定着率】‥
【採用】【設立】1942.11【社長】今井利彦
23年 4【従業員】連909名 単717名(46.0歳)
24年 8【有休】‥日
25年 未定【初任給】‥万
【試験種類】‥【各種制度】‥

【業績】	売上高	営業利益	経常利益	純利益
連23.3	14,424	1,592	1,592	1,082
連24.3	15,480	1,958	1,947	1,583

三協フロンテア（さんきょう）
東証スタンダード

【本社】277-8539 千葉県柏市新十余二5
☎04-7133-6666
その他サービス

採用予定数	倍率	3年後離職率	平均年収
40名	‥	‥	525万円

【特色】仮設ユニットハウスのレンタル・販売でトップ級。レンタル使用後のハウスは中古販売できる点に強み。体感型展示場を全国約200カ所に配置。トランクルームやレンタルスペースも展開し、立体駐車装置の製造・販売およびレンタルも取り扱う。
【定着率】‥
【採用】【設立】1969.12【社長】長妻貴嗣
23年 29【従業員】連1,119名 単1,077名(44.9歳)
24年 29【有休】‥日
25年 40【初任給】月21.2万(諸手当を除いた数値)
【試験種類】‥【各種制度】‥

【業績】	売上高	営業利益	経常利益	純利益
連23.3	50,003	6,584	6,888	4,337
連24.3	52,369	8,072	8,125	5,287

関東

日綜産業（にっそうさんぎょう）
株式公開 未定

【本社】261-0023 千葉県千葉市美浜区中瀬1-3 幕張テクノガーデンB-12階 ☎043-296-2700
その他サービス

採用実績数	倍率	3年後離職率	平均年収
20名	‥	‥	‥

【特色】足場を中心とした建設用など仮設機材の開発・設計・製造を行う。販売およびレンタルで提供し工事も請け負う。インフラなどのメンテナンス工事用製品に注力、独自の視点で用途拡大図る。鉄道、道路、電力などインフラ修繕の課題解決案件が増加している。
【定着率】‥
【採用】【設立】1968.6【社長】小野大
23年 20【従業員】単403名（39.8歳）
24年 20【有休】‥日
25年 未定【初任給】月22.5万（諸手当を除いた数値）
【試験種類】‥【各種制度】‥

【業績】	売上高	営業利益	経常利益	純利益
単22.6	31,411	‥	1,205	670
単23.6	30,176	‥	5,322	2,997

㈱エイジス
東証 スタンダード

【本社】262-0032 千葉県千葉市花見川区幕張町4-544-4 ☎043-350-0888
その他サービス

採用予定数	倍率	3年後離職率	平均年収
10名	‥	‥	655万円

【特色】国内の棚卸代行でシェアトップ。米国企業のノウハウを日本に初導入した実地棚卸サービスが中心事業。アジア圏でも棚卸代行を展開。シンガポールほか海外強化。国内では人材派遣サービス、売り場設定など、店舗支援事業を拡充。
【定着率】‥
【採用】【設立】1978.5【社長】福田久也
23年 10【従業員】連875名 単293名（43.8歳）
24年 11【有休】‥日
25年 10【初任給】月24万（諸手当を除いた数値）
【試験種類】‥【各種制度】‥

【業績】	売上高	営業利益	経常利益	純利益
連23.3	26,062	2,804	2,926	1,870
連24.3	29,995	2,521	2,620	1,910

㈱フューチャーリンクネットワーク
東証 グロース

【本社】273-0031 千葉県船橋市西船4-19-3 ☎047-495-0525
その他サービス

採用予定数	倍率	3年後離職率	平均年収
5名	‥	‥	416万円

【特色】地域情報プラットフォーム「まいぷれ」を運用。地域の店、施設、イベントなど地元の情報を収集し配信を行う。直営のほか全国各地のパートナー企業にビジネスモデルを提供する。ふるさと納税の業務委託、エリアマーケティング支援も手がける。
【定着率】‥
【採用】【設立】2001.11【取締】石井丈晴
23年 5【従業員】連107名 単107名（34.2歳）
24年 7【有休】‥日
25年 5【初任給】月22.5万（諸手当を除いた数値）
【試験種類】‥【各種制度】‥

【業績】	売上高	営業利益	経常利益	純利益
単22.8	1,254	▲54	▲56	▲71
連23.8	1,382	▲68	▲69	▲66

NECマグナスコミュニケーションズ
株式公開 未定

【本社】212-0031 神奈川県川崎市幸区新小倉1-2 ☎044-276-7600
商社・卸売業

採用実績数	倍率	3年後離職率	平均年収
12名	‥	‥	‥

【特色】スマートネットワーク事業とスマートデバイス事業の2本柱。IPネットワーク、M2M、通信インフラ関連の機器開発・製造とソリューション提供。金銭処理ユニット、自動券売機の販売に加えシステム構築まで対応。NECのグループ会社。
【定着率】‥
【採用】【設立】1985.11【代表取締役】田中康志
23年 13【従業員】単406名（48.4歳）
24年 12【有休】‥日
25年 未定【初任給】月25.4万（諸手当を除いた数値）
【試験種類】‥【各種制度】‥

【業績】	売上高	営業利益	経常利益	純利益
単23.3	15,369	404	418	196
単24.3	17,773	1,090	1,104	713

荒井商事（あらいしょうじ）
株式公開 計画なし

【本社】254-0043 神奈川県平塚市紅谷町17-2 ☎0463-23-2011
商社・卸売業

採用予定数	倍率	3年後離職率	平均年収
12名	‥	‥	‥

【特色】1920年米穀卸で創業し、現在は中古車オークションが売上の大半占める。大型商用車で国内首位級。卸売市場運営の受託、食品スーパーや遊技場などの経営、青果の生産・加工など多角的に展開。ポルトガル、ブラジルに拠点。
【定着率】‥
【採用】【設立】1956.11【社長】荒井亮三
23年 13【従業員】単455名（‥歳）
24年 13【有休】‥日
25年 12【初任給】月21万（諸手当を除いた数値）
【試験種類】‥【各種制度】‥

【業績】	売上高	営業利益	経常利益	純利益
単22.9	196,211	1,673	1,747	740
単23.9	211,852	1,956	2,175	557

日産トレーディング（にっさん）
株式公開 計画なし

【本社】244-0805 神奈川県横浜市戸塚区川上町91-1 BELISTAタワー東戸塚 ☎050-3360-2021
商社・卸売業

採用実績数	倍率	3年後離職率	平均年収
15名	‥	‥	‥

【特色】日産自動車の完全子会社で、日産車の輸出、自動車部品・機械・原材料の輸出入が主力。グループのグローバル本社機能を担う。欧米やアジアのほか、ブラジル、インドなど海外拠点は30カ所超。鉄スクラップなどのリサイクルにも力を入れる。
【定着率】‥
【採用】【設立】1978.4【社長】石井毅
23年 13【従業員】単318名（43.1歳）
24年 15【有休】‥日
25年 未定【初任給】月23.6万（諸手当を除いた数値）
【試験種類】‥【各種制度】‥

【業績】	売上高	営業利益	経常利益	純利益
単23.3	11,151	6,126	6,560	4,580
単24.3	16,258	10,873	10,948	7,675

㈱アイスコ
東証スタンダード

【本社】245-0009 神奈川県横浜市泉区新橋町1212 ☎045-811-1302
商社・卸売業

採用実績数	倍率	3年後離職率	平均年収
19名	‥	‥	432万円

【特色】アイスクリーム、冷凍食品の卸売りが主力。ドラッグストアやディスカウントストア向けに、バックヤードではなく売場に直接陳列して納品するスタイルが特徴。神奈川地盤に青果・鮮魚・精肉中心の食品スーパー「スーパー生鮮館TAIGA」を併営。
【定着率】‥
【採用】【設立】1952.5【社長】相原貴久
23年 24【従業員】単752名(37.6歳)
24年 19【有休】‥日
25年 未定【初任給】‥万
【試験種類】‥【各種制度】‥

【業績】	売上高	営業利益	経常利益	純利益
単23.3	44,886	117	179	144
単24.3	50,498	452	497	318

タカナシ販売
株式公開計画なし

【本社】241-0023 神奈川県横浜市旭区本宿町5 ☎045-363-1361
商社・卸売業

採用予定数	倍率	3年後離職率	平均年収
未定	‥	‥	‥

【特色】乳製品準大手のタカナシ乳業の販売子会社。牛乳のほか各種乳製品、アイスクリームや冷凍食品を販売。幅広い営業ネットワークを持ち、ホテル、レストラン、洋菓子店、病院向け業務用も供給。ECサイト「タカナシミルク」の運営・管理も。
【定着率】‥
【採用】【設立】1958.1【社長】髙梨芳樹
23年 ‥【従業員】単735名(‥歳)
24年 ‥【有休】‥日
25年 未定【初任給】‥万
【試験種類】‥【各種制度】‥

【業績】	売上高	営業利益	経常利益	純利益
単22.9	77,122	‥	999	‥
単23.9	84,179	‥	1,924	‥

東横化学
株式公開計画なし

【本社】211-8502 神奈川県川崎市中原区市ノ坪370 ☎044-422-0151
商社・卸売業

採用予定数	倍率	3年後離職率	平均年収
未定	‥	‥	‥

【特色】高圧ガス販売で出発し、各種産業用ガスの供給、同関連機器・設備販売へと業容を拡大。監視制御ソフトも扱う。各種ガス・薬品供給装置、漏液センサーなどに注力。北九州大などとの共同開発も行う。米国、中国、インドネシアに販売現法。
【定着率】‥
【採用】【設立】1952.6【社長】加藤高広
23年 7【従業員】単381名(42.9歳)
24年 ‥【有休】‥日
25年 未定【初任給】月22.5万(諸手当を除いた数値)
【試験種類】‥【各種制度】‥

【業績】	売上高	営業利益	経常利益	純利益
単23.3	51,792	‥	4,866	3,216
単24.3	54,240	‥	6,332	4,381

㈱トーエル
東証スタンダード

【本社】223-8510 神奈川県横浜市港北区高田西1-5-21 ☎045-592-7777
商社・卸売業

採用予定数	倍率	3年後離職率	平均年収
10名	‥	‥	484万円

【特色】神奈川地盤のLPガス事業者。湾岸基地からの直接配送システムに特色。同業者を買収しエリア拡大。収益の平準化で始めた飲料水事業がもう一つの柱。長野とハワイに充填工場を擁し、「アルピナ」等のブランドで販売。宅配水はアジア各国にも輸出。
【定着率】‥
【採用】【設立】1963.5【社長】横田孝治
23年 6【従業員】連455名 単261名(44.0歳)
24年 4【有休】‥日
25年 10【初任給】月22.5万(諸手当を除いた数値)
【試験種類】‥【各種制度】‥

【業績】	売上高	営業利益	経常利益	純利益
連23.4	27,871	2,140	2,452	1,586
連24.4	27,102	2,284	2,865	2,178

㈱三好商会
株式公開計画なし

【本社】220-0004 神奈川県横浜市西区北幸2-8-4 横浜西口KNビル ☎045-328-3440
商社・卸売業

採用実績数	倍率	3年後離職率	平均年収
3名	‥	‥	‥

【特色】太平洋セメントとセントラル硝子の特約販売店。生コンを主力にセメント、硝子などを扱う建材専門商社。ガラス・外壁板など各種工事・施工管理、建築・土木の基礎工事、耐火工事なども展開。東京、神奈川、千葉、大阪に支店。
【定着率】‥
【採用】【設立】1949.10【社長】水品洋一
23年 2【従業員】単99名(45.0歳)
24年 3【有休】‥日
25年 未定【初任給】月23.6万(諸手当を除いた数値)
【試験種類】‥【各種制度】‥

【業績】	売上高	営業利益	経常利益	純利益
単23.3	40,601	225	272	126
単24.3	43,548	197	251	176

エトー
株式公開未定

【本社】220-6221 神奈川県横浜市西区みなとみらい2-3-5 クイーンズタワーC21階 ☎045-222-4810
商社・卸売業

採用予定数	倍率	3年後離職率	平均年収
未定	‥	‥	‥

【特色】ネジ・ボルトや精密部品、FA機器などテクニカルパーツの専門商社。住宅設備、産業機械、車輌、建設機械、弱電分野を中心に展開。サプライヤー数約1000社弱。サプライヤーの特徴をデータベース化。海外拠点10カ国。極東貿易グループ。1913年創業。
【定着率】‥
【採用】【設立】1954.12【社長】佐久間慎治
23年 ‥【従業員】連335名 単218名(‥歳)
24年 ‥【有休】‥日
25年 未定【初任給】‥万
【試験種類】‥【各種制度】‥

【業績】	売上高	営業利益	経常利益	純利益
連23.3	17,587	‥	‥	‥
連24.3	18,168	‥	‥	‥

㈱ジェイエスピー
株式公開していない

【本社】220-0011 神奈川県横浜市西区高島2-6-32 横浜東口ウィスポートビル ☎045-444-3470
システム・ソフト

採用予定数	倍率	3年後離職率	平均年収
10名	‥	‥	‥

【特色】システムコンサル、アプリ開発、制御システム開発が3本柱。通信、研究開発、金融、組み込みなど幅広い分野に事業展開。乳幼児・要介護者・ペット向けの見守りセンサーシステムも手がける。NTTデータ イントラマートグループ。
【定着率】‥
【採用】 【設立】1980.1【社長】平松淳
23年 11【従業員】単185名(36.3歳)
24年 10【有休】‥日
25年 10【初任給】月21万(諸手当を除いた数値)
【試験種類】‥【各種制度】‥

【業績】	売上高	営業利益	経常利益	純利益
単23.3	2,385	‥	‥	‥
単24.3	2,429	‥	‥	‥

ジャパニアス
東証グロース

【本社】220-8118 神奈川県横浜市西区みなとみらい2-2-1 横浜ランドマークタワー ☎045-670-7240
システム・ソフト

採用予定数	倍率	3年後離職率	平均年収
60名	‥	‥	423万円

【特色】常駐型IT人材派遣が中心。1500人超のエンジニアを擁し大手製造業向け設計・開発プロジェクトに参画。横浜開発センターで受託開発も手がける。セールスフォース案件やクラウド基盤の設計・構築に強い人材の育成を強化。クラウド領域の育成に注力。
【定着率】‥
【採用】 【設立】1999.12【会長兼社長】西川三郎
23年 50【従業員】単1,731名(33.2歳)
24年 44【有休】‥日
25年 60【初任給】月20.5万(諸手当を除いた数値)
【試験種類】‥【各種制度】‥

【業績】	売上高	営業利益	経常利益	純利益
単22.11	8,324	611	615	442
単23.11	9,885	836	873	616

㈱ソフテム
株式公開いずれしたい

【本社】210-0007 神奈川県川崎市川崎区駅前本町11-2 川崎フロンティアビル5階 ☎044-245-0975
システム・ソフト

採用予定数	倍率	3年後離職率	平均年収
7名	‥	‥	‥

【特色】ソフトウェア受託開発を主力に、IT人材派遣、ネットワーク設計・構築などの事業を展開。薬品管理システム、児童相談システムなどの自社パッケージも手がける。大学・研究機関などと連携も進める。インドネシアに現地法人。
【定着率】‥
【採用】 【設立】1985.4【会長】常山勝彦
23年 6【従業員】単140名(34.7歳)
24年 6【有休】‥日
25年 7【初任給】月22.6万(諸手当を除いた数値)
【試験種類】‥【各種制度】‥

【業績】	売上高	営業利益	経常利益	純利益
単23.2	1,090	15	30	21
単24.2	1,366	21	24	20

ティアンドエスグループ
東証グロース

【本社】220-0012 神奈川県横浜市西区みなとみらい3-6-3 ☎045-226-1040
システム・ソフト

採用予定数	倍率	3年後離職率	平均年収
30名	‥	‥	471万円

【特色】大手企業向けシステムの受託開発や保守が主軸。生産管理システムに強い。半導体工場内のシステム運用・保守も手がける。常駐型の運用に特徴。高度なソフトウェア開発力を武器に、AI、画像認識、ソフトウェア高速化などの先端技術事業を拡大。
【定着率】‥
【採用】 【設立】2016.11【代表取締役】武川義浩
23年 7【従業員】単320名(37.7歳)
24年 22【有休】‥日
25年 30【初任給】月22.1万(諸手当を除いた数値)
【試験種類】‥【各種制度】‥

【業績】	売上高	営業利益	経常利益	純利益
単22.11	3,256	617	626	440
単23.11	3,442	643	648	473

㈱日立(ひたち)ハイシステム21
株式公開計画なし

【本社】220-8130 神奈川県横浜市西区みなとみらい2-2-1 横浜ランドマークタワー30階 ☎045-650-2650
システム・ソフト

採用予定数	倍率	3年後離職率	平均年収
50名	‥	‥	‥

【特色】日立製作所傘下の情報システム会社。自動車関連、化学、金融、産業・ERP、プラットフォームの5分野のソリューション事業を展開。自社開発のWebEDIシステムは伝票・帳票作成など作業の全自動化を実現。SAPの認定サービスパートナー。
【定着率】‥
【採用】 【設立】1997.7【社長】林良裕
23年 ‥【従業員】単850名(41.4歳)
24年 51【有休】‥日
25年 50【初任給】月24.6万(諸手当を除いた数値)
【試験種類】‥【各種制度】‥

【業績】	売上高	営業利益	経常利益	純利益
単23.3	19,300	2,280	2,277	1,639
単24.3	24,123	3,324	3,282	2,293

㈱ファルコン
株式公開計画なし

【本社】221-0822 神奈川県横浜市神奈川区西神奈川1-13-12 西神奈川アーバンビル ☎045-317-6521
システム・ソフト

採用予定数	倍率	3年後離職率	平均年収
3名	‥	‥	‥

【特色】情報システムの調査・設計、コンサル、各種アプリケーション開発などを総合的に展開するシステム開発会社。技術サポートも手がける。製造、流通、金融向けに生産・販売管理や原価管理のシステム開発を推進。名古屋などに営業所を置く。
【定着率】‥
【採用】 【設立】1985.8【社長】西脇栄二
23年 4【従業員】単70名(34.5歳)
24年 3【有休】‥日
25年 3【初任給】月23.1万(諸手当を除いた数値)
【試験種類】‥【各種制度】‥

【業績】	売上高	営業利益	経常利益	純利益
単22.9	743	71	72	53
単23.9	764	80	80	31

関東

富士通ネットワークソリューションズ
株式公開 計画なし

【本社】212-0014 神奈川県川崎市幸区大宮町1-5 ☎044-742-2770
システム・ソフト

採用予定数	倍率	3年後離職率	平均年収
30名	‥	‥	‥

【特色】ネットワークの企画・コンサルから設計・構築、施工・現地調査、保守、運用まで一貫提供するトータルソリューションプロバイダー。ケーブルテレビ関連システムの企画設計・運用も。子会社でモバイルインフラの建設・運用。富士通の子会社。
【定着率】‥
【採用】 【設立】1989.3【社長】志真哲夫
23年 40【従業員】単1,337名(46.7歳)
24年 38【有休】‥日
25年 30【初任給】月26.4万(諸手当を除いた数値)
【試験種類】‥【各種制度】‥

【業績】	売上高	営業利益	経常利益	純利益
単23.3	57,390	5,108	5,141	3,428
単24.3	59,624	5,773	5,818	4,143

㈱ジャストオートリーシング
株式公開 計画なし

【本社】224-0025 神奈川県横浜市都筑区早渕1-1-11 ☎045-593-7774
信販・カード・リース他

採用実績数	倍率	3年後離職率	平均年収
1名	‥	‥	‥

【特色】自動車リースを主力に、整備・鈑金、損保代理業も展開。リースは神奈川県内トップ級で東京南西部も営業エリア。幅広い系列のメーカー・車種を扱い、保有台数は約1万1100台。横浜本社と川崎に工場。子会社で新車・中古車販売も展開。
【定着率】‥
【採用】 【設立】1973.4【社長】小林秀清
23年 3【従業員】単134名(42.0歳)
24年 1【有休】‥日
25年 未定【初任給】月21.3万(諸手当を除いた数値)
【試験種類】‥【各種制度】‥

【業績】	営業収益	営業利益	経常利益	純利益
単23.3	6,621	128	94	67
単24.3	6,957	140	151	86

㈱東邦(とうほう)プラン
株式公開 計画なし

【本社】212-0027 神奈川県川崎市幸区新塚越201 ルリエ新川崎7階 ☎044-549-0772
広告

採用実績数	倍率	3年後離職率	平均年収
4名	‥	‥	‥

【特色】神奈川地盤の広告代理店。BtoC企業向けには新店オープン宣伝やリピーター増のための広告などを手がける。BtoB企業にはカタログや営業ツールの印刷、展示会ブースの企画・設営を提案。官公庁の公報物制作の実績も多数。
【定着率】‥
【採用】 【設立】1989.7【社長】福士直巳
23年 5【従業員】単32名(29.8歳)
24年 4【有休】‥日
25年 未定【初任給】‥万
【試験種類】‥【各種制度】‥

【業績】	売上高	営業利益	経常利益	純利益
単21.6	497	0	0	0
単22.6	623	0	7	6

㈱タイツウ
株式公開 計画なし

【本社】211-0025 神奈川県川崎市中原区木月2-23-20 ☎044-433-3411
電機・事務機器

採用予定数	倍率	3年後離職率	平均年収
2名	‥	‥	‥

【特色】プラスチックフィルムコンデンサ専業メーカー。家電品やLED照明などの民生品向けから、自動車や再生可能エネルギー向け各種機器などの産業用製品まで提供。国内は茨城に生産拠点。海外では米国、中国、台湾、マレーシアに生産・販売拠点を持つ。
【定着率】‥
【採用】 【設立】1951.5【社長】谷口一成
23年 2【従業員】単66名(48.5歳)
24年 1【有休】‥日
25年 2【初任給】月19.9万(諸手当を除いた数値)
【試験種類】‥【各種制度】‥

【業績】	売上高	営業利益	経常利益	純利益
単23.3	5,982	‥	‥	‥
単24.3	5,945	‥	‥	‥

イリソ電子工業(でんしこうぎょう)
東証 プライム

【本社】222-0033 神奈川県横浜市港北区新横浜2-13-8 ☎045-478-3111
電子部品・機器

採用予定数	倍率	3年後離職率	平均年収
17名	‥	‥	‥

【特色】電子機器用の多極コネクターを主力とする独立系メーカー。車載用途が売り上げの8割超を占める。製品の大半がカスタム品。先進運転支援システム向けのレーダーやカメラ向けを拡販。OA機器やゲーム機向け、産業機器向けも手がける。
【定着率】‥
【採用】 【設立】1966.12【社長】鈴木仁
23年 28【従業員】連3,037名 単586名(41.5歳)
24年 17【有休】‥日
25年 17【初任給】月21.6万(諸手当を除いた数値)
【試験種類】‥【各種制度】‥

【業績】	売上高	営業利益	経常利益	純利益
連23.3	52,903	6,940	7,661	5,541
連24.3	55,271	5,936	7,189	5,593

NTTイノベーティブデバイス
株式公開 していない

【本社】221-0031 神奈川県横浜市神奈川区新浦島町1-1-32 アクアリアタワー横浜 ☎045-414-9700
電子部品・機器

採用実績数	倍率	3年後離職率	平均年収
12名	‥	‥	‥

【特色】情報通信システム用のフォトニクス、エレクトロニクス、コパッケージドオプティクス、デジタル映像コーデック関連の装置やデバイスを製造販売。光技術を使った次世代通信基盤を使うことで、通信に必要な消費電力の削減を目指す。通信・放送関連が取引先。
【定着率】‥
【採用】 【設立】1982.6【社長】塚野英博
23年 14【従業員】単602名(‥歳)
24年 12【有休】‥日
25年 未定【初任給】月24.6万(諸手当を除いた数値)
【試験種類】‥【各種制度】‥

【業績】	売上高	営業利益	経常利益	純利益
単23.3	37,909	3,174	4,179	3,585
単24.3	28,523	▲6,191	▲4,899	▲3,691

ジオマテック
東証スタンダード

【本社】220-8109 神奈川県横浜市西区みなとみらい2-2-1 ランドマークタワー ☎045-222-5720
電子部品・機器

採用予定数	倍率	3年後離職率	平均年収
若干	‥	‥	465万円

【特色】真空成膜加工の専業大手メーカー。ガラス基板上の加工に強み。液晶パネル用帯電防止膜やタッチパネル用透明導電膜などが主力製品。次の事業展開として、ナノサイズの突起をフィルムに成形したジーモスフィルムに重点。中国子会社は売却しだが中国企業との取引継続。
【定着率】‥
【採用】　【設立】1953.9【社長】松崎建太郎
23年　2【従業員】単345名(45.5歳)
24年　3【有休】‥日
25年　若干【初任給】‥万
【試験種類】‥【各種制度】‥

【業績】	売上高	営業利益	経常利益	純利益
単23.3	5,812	66	140	▲366
単24.3	4,605	▲655	▲552	▲1,669

ディー・ティー・ファインエレクトロニクス
株式公開計画なし

【本社】212-8603 神奈川県川崎市幸区小向東芝町1 ☎044-549-8393
電子部品・機器

採用予定数	倍率	3年後離職率	平均年収
若干	‥	‥	‥

【特色】半導体製造用フォトマスクを製造・販売。微細で高精度の最先端フォトマスクの技術に定評。技術開発から量産・販売まで一貫。川崎本社工場はフォトマスクの開発・製造、岩手県の北上工場は量産品の製造を担う。大日本印刷とキオクシアの合弁会社。
【定着率】‥
【採用】　【設立】2000.3【社長】吉川進
23年　6【従業員】単255名(46.5歳)
24年　5【有休】‥日
25年　若干【初任給】月25.2万
【試験種類】‥【各種制度】‥

【業績】	売上高	営業利益	経常利益	純利益
単23.3	12,036	1,744	1,743	1,243
単24.3	11,605	857	812	645

TMCシステム
株式公開未定

【本社】210-0001 神奈川県川崎市川崎区本町1-6-1 ☎044-211-6551
電子部品・機器

採用予定数	倍率	3年後離職率	平均年収
8名	‥	‥	‥

【特色】機械設計、電気・回路設計や試作機・観察機の開発請負などを行う。企画から設計・開発までワンストップで行うオーダーメイド的な技術提案に強み。デジタルマーケティング分野への事業領域拡大や、ロボット・IoT技術への取り組み推進。
【定着率】‥
【採用】　【設立】1960.10【社長】松本寛
23年　1【従業員】単135名(40.5歳)
24年　3【有休】‥日
25年　8【初任給】月21.3万(諸手当を除いた数値)
【試験種類】‥【各種制度】‥

【業績】	売上高	営業利益	経常利益	純利益
単23.3	1,305	52	54	40
単24.3	1,299	81	82	56

㈱トヨタカスタマイジング&ディベロップメント
株式公開計画なし

【横浜オフィス】222-0002 神奈川県横浜市港北区師岡町800 ☎045-540-2107
自動車

採用予定数	倍率	3年後離職率	平均年収
未定	‥	‥	‥

【特色】エアロパーツなど用品事業、救急車や福祉車両などの特装車事業、モータースポーツ事業の3事業を展開。18年にトヨタ自動車グループ3社が統合して発足。高規格救急車「ハイメディック」は国内トップシェア。タイ、インドネシア、台湾に現地法人。
【定着率】‥
【採用】　【設立】1954.6【社長】西脇憲三
23年　‥【従業員】単1,007名(43.9歳)
24年　‥【有休】‥日
25年　未定【初任給】‥万
【試験種類】‥【各種制度】‥

【業績】	売上高	営業利益	経常利益	純利益
単23.3	83,360	9,518	10,779	7,859
単24.3	103,544	17,169	19,350	14,004

日産モータースポーツ&カスタマイズ
株式公開計画なし

【本社】253-8571 神奈川県茅ヶ崎市萩園824-2 ☎0467-87-8001
自動車

採用実績数	倍率	3年後離職率	平均年収
5名	‥	‥	‥

【特色】顧客のこだわり対応のカスタムカー、福祉車両、商用特装車の3つの特装車両が柱。北米のカスタムカー市場の開拓も手がける。「ニスモ」「オーテック」ブランドを展開。日産自動車の子会社。グループの総力活用に強み。タイにアセアン・オフィス。
【定着率】‥
【採用】　【設立】1986.9【社長】片桐隆夫
23年　6【従業員】単604名(47.1歳)
24年　5【有休】‥日
25年　未定【初任給】月21.9万(諸手当を除いた数値)
【試験種類】‥【各種制度】‥

【業績】	売上高	営業利益	経常利益	純利益
単23.3	141,472	‥	3,961	2,859
単24.3	176,499	‥	6,351	4,351

三菱(みつびし)ふそうトラック・バス
株式公開していない

【本社】211-8522 神奈川県川崎市中原区大倉町10 ☎044-330-7700
自動車

採用予定数	倍率	3年後離職率	平均年収
240名	‥	‥	‥

【特色】「FUSO」ブランドのトラック・バス専業メーカー。独ダイムラー社の子会社で、トラック部門のアジア戦略の拠点。世界170カ国以上に輸出。インドのグループ会社と生産・販売で協業。次世代型電気小型トラックを発売。
【定着率】‥
【採用】　【設立】2003.1【社長】K.デッペン
23年　250【従業員】単10,000名(‥歳)
24年　220【有休】‥日
25年　240【初任給】‥万
【試験種類】‥【各種制度】‥

【業績】	売上高	営業利益	経常利益	純利益
単22.12	699,316	17,192	21,028	16,012
単23.12	832,928	36,526	39,994	29,931

関東

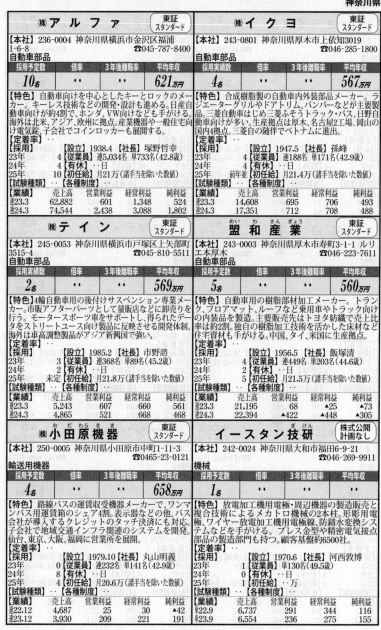

㈱アルファ　東証スタンダード

【本社】236-0004 神奈川県横浜市金沢区福浦1-6-8 ☎045-787-8400
自動車部品

採用予定数	倍率	3年後離職率	平均年収
10名	‥	‥	621万円

【特色】自動車向けを中心としたキーとロックのメーカー。キーレス技術などの開発・設計も進める。日産自動車向けが約4割で、ホンダ、VW向けなども手がける。海外は北米、アジア、欧州に拠点。産業機器や一般住宅向け電気錠、子会社でコインロッカーも展開する。
【定着率】‥
【採用】【設立】1938.4【社長】塚野哲幸
23年 4【従業員】連5,034名 単733名(42.8歳)
24年 4【有休】‥日
25年 10【初任給】月21万(諸手当を除いた数値)
【試験種類】‥【各種制度】‥

【業績】	売上高	営業利益	経常利益	純利益
連23.3	62,882	601	1,348	524
連24.3	74,544	2,438	3,088	1,802

㈱イクヨ　東証スタンダード

【本社】243-0801 神奈川県厚木市上依知3019 ☎046-285-1800
自動車部品

採用実績数	倍率	3年後離職率	平均年収
4名	‥	‥	567万円

【特色】合成樹脂製の自動車内外装部品メーカー。ラジエーターグリルやドアトリム、バンパーなどが主要製品。三菱自動車はじめ三菱ふそうトラック・バス、日野自動車向けが多い。生産拠点は厚木、名古屋2工場、岡山の国内4拠点。三菱自の随伴でベトナムに進出。
【定着率】‥
【採用】【設立】1947.5【社長】孫峰
23年 4【従業員】連188名 単171名(42.9歳)
24年 4【有休】‥日
25年 前年並【初任給】月21.4万(諸手当を除いた数値)
【試験種類】‥【各種制度】‥

【業績】	売上高	営業利益	経常利益	純利益
連23.3	14,608	695	706	493
連24.3	17,351	712	708	488

㈱テイン　東証スタンダード

【本社】245-0053 神奈川県横浜市戸塚区上矢部町3515-4 ☎045-810-5511
自動車部品

採用実績数	倍率	3年後離職率	平均年収
2名	‥	‥	569万円

【特色】4輪自動車用の後付けサスペンション専業メーカー。市販アフターパーツとして量販店などに卸売りを行う。モータースポーツ車をサポートし、得られたデータをストリートユース向け製品に反映させる開発体制。海外は車高調整製品がアジア新興国で強い。
【定着率】‥
【採用】【設立】1985.2【社長】市野諮
23年 3【従業員】連368名 単89名(45.2歳)
24年 2【有休】‥日
25年 未定【初任給】月21.8万(諸手当を除いた数値)
【試験種類】‥【各種制度】‥

【業績】	売上高	営業利益	経常利益	純利益
連23.3	5,243	607	660	561
連24.3	4,865	521	668	468

盟和産業（めいわさんぎょう）　東証スタンダード

【本社】243-0003 神奈川県厚木市寿町3-1-1 ルリエ本厚木 ☎046-223-7611
自動車部品

採用予定数	倍率	3年後離職率	平均年収
5名	‥	‥	560万円

【特色】自動車用の樹脂部材加工メーカー。トランク、フロアマット、ルーフなど乗用車やトラック向けの内装品を製造。主要販売先はトヨタ紡織で売上比率は約2割。独自の樹脂加工技術を活かした床材など住宅資材も手がける。中国、タイ、米国に生産拠点。
【定着率】‥
【採用】【設立】1956.5【社長】飯塚清
23年 4【従業員】連449名 単203名(44.6歳)
24年 2【有休】‥日
25年 5【初任給】月21.5万(諸手当を除いた数値)
【試験種類】‥【各種制度】‥

【業績】	売上高	営業利益	経常利益	純利益
連23.3	21,195	68	▲25	▲73
連24.3	22,394	▲422	▲448	▲305

㈱小田原機器（おだわらきき）　東証スタンダード

【本社】250-0005 神奈川県小田原市中町1-11-3 ☎0465-23-0121
輸送用機器

採用予定数	倍率	3年後離職率	平均年収
4名	‥	‥	658万円

【特色】路線バスの運賃収受機器メーカーで、ワンマンバス用運賃箱のシェア4割。表示器などの他、バス会社が導入するクレジットのタッチ決済にも対応。子会社で地域交通インフラ関連のシステムを開発。仙台、東京、大阪、福岡に営業所を展開。
【定着率】‥
【採用】【設立】1979.10【社長】丸山明義
23年 0【従業員】連232名 単141名(42.9歳)
24年 8【有休】‥日
25年 4【初任給】月20.6万(諸手当を除いた数値)
【試験種類】‥【各種制度】‥

【業績】	売上高	営業利益	経常利益	純利益
連22.12	4,687	25	30	▲42
連23.12	3,930	209	221	191

イースタン技研（ぎけん）　株式公開計画なし

【本社】242-0024 神奈川県大和市福田6-9-21 ☎046-269-9911
機械

採用予定数	倍率	3年後離職率	平均年収
1名	‥	‥	‥

【特色】放電加工機用電極・周辺機器の製造販売と複合技術によるメカトロ機械の2本柱。形彫用電極、ワイヤー放電加工機用電極線、防錆水変換システムなどを手がける。プレス金型や精密電気接点部品の製造部門も持つ。顧客基盤約6500社。
【定着率】‥
【採用】【設立】1970.6【社長】河西敦博
23年 1【従業員】単130名(49.5歳)
24年 0【有休】‥日
25年 1【初任給】‥万
【試験種類】‥【各種制度】‥

【業績】	売上高	営業利益	経常利益	純利益
単22.9	6,737	291	344	116
単23.9	6,554	236	275	155

㈱オーイズミ　東証スタンダード

【本社】243-0018 神奈川県厚木市中町2-7-10 ☎046-297-2111
機械

採用予定数	倍率	3年後離職率	平均年収
4名	‥	‥	525万円

【特色】パチスロ機用メダル貸機、補給回収システム、パチスロ機の製造・販売を手がける。高速メダル計測機は国内最大手でロングセラー商品。不動産賃貸、太陽光発電による売電が安定的な収益源。子会社で食品事業も展開する。
【定着率】‥
【採用】【設立】1974.7【社長】大泉秀治
23年 3【従業員】連447名 単178名(44.1歳)
24年 4【有休】‥日
25年 4【初任給】月20.9万(諸手当を除いた数値)
【試験種類】‥【各種制度】‥

【業績】	売上高	営業利益	経常利益	純利益
連23.3	18,127	1,061	1,054	1,561
連24.3	21,393	1,016	1,006	528

㈱小田原（おだわら）エンジニアリング　東証スタンダード

【本社】258-0003 神奈川県足柄上郡松田町松田惣領1577 ☎0465-83-1122
機械

採用予定数	倍率	3年後離職率	平均年収
25名	‥	‥	697万円

【特色】モーター用自動巻線機で国内首位、世界2位。家電、自動車向けが主用途で高密度・高速化に強み。ハイブリッドカーや電気自動車の駆動・発電機用モーター向けが主力に。子会社に送風用ファンなど送風機事業を展開するローヤル電機。
【定着率】‥
【採用】【設立】1979.10【社長】保科雅彦
23年 5【従業員】連436名 単135名(37.8歳)
24年 10【有休】‥日
25年 25【初任給】月22.5万(諸手当を除いた数値)
【試験種類】‥【各種制度】‥

【業績】	売上高	営業利益	経常利益	純利益
連22.12	14,086	967	1,118	801
連23.12	14,703	2,012	2,129	1,529

黒田精工（くろだせいこう）　東証スタンダード

【本社】212-8560 神奈川県川崎市幸区堀川町580-16 川崎テックセンター ☎044-555-3800
機械

採用実績数	倍率	3年後離職率	平均年収
6名	‥	‥	‥

【特色】ボールネジ、精密金型、機工・計測システムを製造。ボールネジは半導体製造装置向けが主。精密金型は車載用モーターコアに強みを持ち、EV向け需要急増を受けて設備増強。医療など新市場を開拓。M&Aで欧米への拡大を深耕。
【定着率】‥
【採用】【設立】1949.4【社長】黒田浩史
23年 19【従業員】連658名 単443名(42.4歳)
24年 6【有休】‥日
25年 未定【初任給】‥万
【試験種類】‥【各種制度】‥

【業績】	売上高	営業利益	経常利益	純利益
連23.3	22,746	1,284	1,533	906
連24.3	18,504	583	844	498

㈱ソディック　東証プライム

【本社】224-8522 神奈川県横浜市都筑区仲町台3-12-1 ☎045-942-3111
機械

採用予定数	倍率	3年後離職率	平均年収
25名	‥	‥	641万円

【特色】世界首位級の放電加工機大手メーカー。NC装置、リニアモータ、直圧型締機構、モーションコントローラなど独自開発したコア技術に強み。射出成形機や製麺機など中心とした自動食品機械、精密金属3Dプリンターなども開発。
【定着率】‥
【採用】【設立】1976.8【代表取締役】古川健一
23年 33【従業員】連3,487名 単1,192名(41.1歳)
24年 28【有休】‥日
25年 25【初任給】月24.1万(諸手当を除いた数値)
【試験種類】‥【各種制度】‥

【業績】	売上高	営業利益	経常利益	純利益
連22.12	80,495	5,813	8,275	6,021
連23.12	67,174	▲2,819	▲1,257	▲4,604

㈱ニクニ　株式公開計画なし

【本社】213-0032 神奈川県川崎市高津区久地843-5 ☎044-833-1101
機械

採用予定数	倍率	3年後離職率	平均年収
5名	‥	‥	‥

【特色】渦流タービンポンプ、液封式真空ポンプを中心に関連製品を製造。渦流ポンプは国内シェア高い。特殊用途の高付加価値ポンプ、省エネモーター応用ポンプも手がける。光学機器などの超精密加工技術も。米国、中国、台湾に現地法人、ベトナムに駐在員事務所。
【定着率】‥
【採用】【設立】1946.8【社長】大崎荘一郎
23年 5【従業員】単154名(40.6歳)
24年 5【有休】‥日
25年 5【初任給】月22万(諸手当を除いた数値)
【試験種類】‥【各種制度】‥

【業績】	売上高	営業利益	経常利益	純利益
単23.3	9,394	646	737	528
単24.3	9,321	842	1,093	783

ヤマシンフィルタ　東証プライム

【本社】231-0062 神奈川県横浜市中区桜木町1-1-8 日石横浜ビル ☎045-680-1671
機械

採用予定数	倍率	3年後離職率	平均年収
10名	‥	‥	679万円

【特色】建設機械の油圧回路に用いる油圧フィルターを製造。建設機械用では世界首位。産業機械用や、電子部品製造工程で使われるプロセス用フィルターも高シェア。濾材の開発、製品設計、製造を海外含むグループ内で一貫対応。海外展開に積極的。
【定着率】‥
【採用】【設立】1956.4【取締】山崎敦彦
23年 5【従業員】連770名 単167名(40.0歳)
24年 6【有休】‥日
25年 10【初任給】月24.4万(諸手当を除いた数値)
【試験種類】‥【各種制度】‥

【業績】	売上高	営業利益	経常利益	純利益
連23.3	18,605	1,235	915	645
連24.3	18,024	1,411	1,415	786

コーエイ工業（こうぎょう）

株式公開 いずれしたい

【本社】250-0003 神奈川県小田原市東町1-7-5 ☎0465-35-1666
機械

採用予定数	倍率	3年後離職率	平均年収
1名	‥	‥	‥

【特色】製紙(紙パルプ)向け計装、電動アクチュエーター、電動バリカーなどメカトロ・制御・安全対策機器を手がける。テロ防止用車止め、自動昇降式車止め、車両検知センサーなどもラインナップ。神奈川県・小田原市に営業本部。米国に現地法人を設置。
【定着率】‥
【採用】 【設立】1970.2【社長】細川浩
23年 0【従業員】単58名(46.6歳)
24年 0【有休】‥日
25年 1【初任給】月22万(諸手当を除いた数値)
【試験種類】‥【各種制度】‥

【業績】	売上高	営業利益	経常利益	純利益
単23.2	880	100	185	‥
単24.2	930	140	210	‥

ペプチドリーム

東証 プライム

【本社】210-0821 神奈川県川崎市川崎区殿町3-25-23 ☎044-270-1300
医薬品

採用予定数	倍率	3年後離職率	平均年収
未定	‥	‥	959万円

【特色】東大発のバイオ創薬ベンチャー。独自のペプチド創薬開発プラットフォーム「PDPS」を利用し新薬候補物質を探索。国内外の製薬企業との共同開発による契約一時金やマイルストーンフィーのほか、「PDPS」のライセンス供与でも収益。
【定着率】‥
【採用】 【設立】2006.7【社長】R.パトリック
23年 ‥【従業員】連603名 単153名(39.2歳)
24年 ‥【有休】‥日
25年 未定【初任給】‥万
【試験種類】‥【各種制度】‥

【業績】	売上高	営業利益	税前利益	純利益
連22.12	26,852	8,980	6,653	7,554
連23.12	28,712	6,773	4,353	3,035

エア・ウォーター・パフォーマンスケミカル

株式公開 計画なし

【本社】212-0014 神奈川県川崎市幸区大宮町1310 ミューザ川崎セントラルタワー ☎044-540-0110
化学

採用予定数	倍率	3年後離職率	平均年収
14名	‥	‥	‥

【特色】石油化学製品、無機化学工業製品、炭素製品、食品機能材料などを製造・販売。合成や薬品調合の受託も手がける。神奈川・川崎市と平塚市に工場・研究所、静岡・御前崎市と山口・防府市に工場を置く。エア・ウォーターの完全子会社。
【定着率】‥
【採用】 【設立】2021.7【社長】工藤公敏
23年 18【従業員】単560名(41.7歳)
24年 15【有休】‥日
25年 14【初任給】月22.1万(諸手当を除いた数値)
【試験種類】‥【各種制度】‥

【業績】	売上高	営業利益	経常利益	純利益
単23.3	34,198	2,809	4,096	3,110
単24.3	33,463	2,075	2,204	1,408

AGCセイミケミカル

株式公開 計画なし

【本社】253-8585 神奈川県茅ヶ崎市茅ヶ崎3-2-10 ☎0467-82-4131
化学

採用予定数	倍率	3年後離職率	平均年収
若干	‥	‥	‥

【特色】有機・無機のファインケミカル製品を主体とする化学メーカー。コーティング材料や有機・無機化学素材を、半導体、エネルギー、電子部材、塗料などの分野向けに開発・製造・販売。有機合成技術に強み。AGCの完全子会社。
【定着率】‥
【採用】 【設立】1947.12【社長】諏訪部幸治
23年 9【従業員】単341名(42.5歳)
24年 9【有休】‥日
25年 若干【初任給】月25.6万(諸手当を除いた数値)
【試験種類】‥【各種制度】‥

【業績】	売上高	営業利益	経常利益	純利益
単22.12	11,107	1,787	1,872	1,344
単23.12	10,595	1,034	1,091	755

ペルノックス

株式公開 計画なし

【本社】259-1302 神奈川県秦野市菩提8-7 ☎0463-86-8000
化学

採用予定数	倍率	3年後離職率	平均年収
4名	‥	‥	‥

【特色】エポキシ系製品、ウレタン、シリコーン系の絶縁材料、コーティング材料、導電ペースト材料を製造・販売。取引先は1000社超。荒川化学工業の完全子会社。主力ブランドは「ペルノックス」「ペルコート」など。親会社と連携し新樹脂開発を推進。
【定着率】‥
【採用】 【設立】1970.1【社長】本木啓博
23年 2【従業員】単153名(46.6歳)
24年 3【有休】‥日
25年 4【初任給】月22.5万(諸手当を除いた数値)
【試験種類】‥【各種制度】‥

【業績】	売上高	営業利益	経常利益	純利益
単23.3	4,588	‥	237	163
単24.3	4,323	‥	202	143

相模（さがみ）ゴム工業（こうぎょう）

東証 スタンダード

【本社】243-0002 神奈川県厚木市元町2-1 ☎046-221-2311
ゴム

採用実績数	倍率	3年後離職率	平均年収
2名	‥	‥	505万円

【特色】コンドーム大手。世界初のポリウレタン製コンドームを商品化。生産はマレーシア工場に集約し効率化。輸出は中国、東南アジア向けが中心。食品包装用などのプラスチックフィルムのほか、手術用手袋など医療分野にも注力。訪問・居宅介護サービスも手がける。
【定着率】‥
【採用】 【設立】1944.12【社長】大跡一郎
23年 11【従業員】連854名 単197名(40.7歳)
24年 2【有休】‥日
25年 前年並【初任給】月21.6万(諸手当を除いた数値)
【試験種類】‥【各種制度】‥

【業績】	売上高	営業利益	経常利益	純利益
連23.3	5,984	661	1,055	673
連24.3	6,112	436	389	40

関東

㈱アイ・シイ・エス 【株式公開未定】

【本社】243-0308 神奈川県愛甲郡愛川町三増247-15 ☎046-281-6900
金属製品

採用予定数	倍率	3年後離職率	平均年収
3名	‥	‥	‥

【特色】真空炉熱処理、ろう付け・拡散接合、薄膜コーティング、金属・セラミックス溶射などの熱処理技術を提供。航空機や原子力部品から一般工具や装飾品まで幅広く手がける。半導体製造設備用の部品領域にも注力。神奈川に本社・工場・研究所、栃木、新潟に工場。
【定着率】‥
【採用】 【設立】1973.8 【社長】新川和生
23年 2【従業員】単139名(38.0歳)
24年 3【有休】‥日
25年 3【初任給】月21.4万(諸手当を除いた数値)
【試験種類】‥【各種制度】‥

【業績】	売上高	営業利益	経常利益	純利益
単22.6	4,516	855	956	755
単23.6	4,756	877	942	662

元旦(がんたん)ビューティ工業(こうぎょう) 【東証スタンダード】

【本社】252-0804 神奈川県藤沢市湘南台1-1-21 ☎0466-45-8771
金属製品

採用予定数	倍率	3年後離職率	平均年収
12名	‥	‥	656万円

【特色】鋼板など金属屋根のトップメーカー。高断熱を実現する独自開発の鋼材を用いた屋根システムに特徴。太陽光発電屋根など高機能屋根も展開。公共建築物が中心だが民需も強化。工事店組織「全国元旦会」を持ち、約700社、約8000人の熟練施工者を抱える。
【定着率】‥
【採用】 【設立】1971.4 【社長】加藤誠悟
23年 7【従業員】単322名(42.9歳)
24年 9【有休】‥日
25年 12【初任給】月21.5万(諸手当を除いた数値)
【試験種類】‥【各種制度】‥

【業績】	売上高	営業利益	経常利益	純利益
単23.3	13,662	855	881	610
単24.3	14,252	566	587	384

㈱JMC 【東証グロース】

【本社】222-0033 神奈川県横浜市港北区新横浜2-5-5 住友不動産新横浜ビル ☎045-477-5751
金属製品

採用予定数	倍率	3年後離職率	平均年収
未定	‥	‥	502万円

【特色】3Dプリンター、鋳造、CTの3事業を展開。3Dプリンター事業は製品開発を行う顧客に試作品を作製。鋳造事業は多品種少量生産に向く砂型鋳造法を採用して自動車、ロボット部品などを製造。CT事業は産業用CTを用いた検査・測定受託サービスと産業用CTの販売を行う。
【定着率】‥
【採用】 【設立】1999.9 【社長】渡邊大知
23年 0【従業員】単148名(36.6歳)
24年 0【有休】‥日
25年 未定【初任給】‥万
【試験種類】‥【各種制度】‥

【業績】	売上高	営業利益	経常利益	純利益
単22.12	2,955	351	381	247
単23.12	3,640	536	533	363

㈱シンニッタン 【東証スタンダード】

【東京本社】210-0014 神奈川県川崎市川崎区貝塚1-13-1 SNTビル ☎044-200-7811
金属製品

採用予定数	倍率	3年後離職率	平均年収
4名	‥	‥	488万円

【特色】鍛造技術に強みを持つ独立系の自動車部品メーカー。トラック向けや建設機械向けの鍛造部品が主体。電気誘導によるアップセッター工法で差別化。建設現場で使う足場などの仮設材や自動車産業向け物流用パレットなども手がける。タイに製造子会社。
【定着率】‥
【採用】 【設立】1948.11【社長】平山泰行
23年 5【従業員】連738名 単212名(48.8歳)
24年 4【有休】‥日
25年 4【初任給】月22.1万(諸手当を除いた数値)
【試験種類】‥【各種制度】‥

【業績】	売上高	営業利益	経常利益	純利益
連23.3	21,738	814	1,061	594
連24.3	21,587	734	1,060	963

㈱パイオラックス 【東証プライム】

【本社】220-0022 神奈川県横浜市西区花咲町6-145 横浜花咲ビル ☎045-577-3880
金属製品

採用実績数	倍率	3年後離職率	平均年収
13名	‥	‥	608万円

【特色】自動車向けの精密ばねや工業用ファスナーなどを製造販売。日産グループ向けが売上高の4割を占める。非日系メーカーへの拡販に注力。弾性体微細加工技術を活用してスパイラルカテーテルやステントなどの医療用器具分野を育成。海外でのOEM拡販を強化。
【定着率】‥
【採用】 【設立】1939.9 【社長】山田聡
23年 22【従業員】連2,883名 単584名(41.1歳)
24年 13【有休】‥日
25年 前年並【初任給】月22万(諸手当を除いた数値)
【試験種類】‥【各種制度】‥

【業績】	売上高	営業利益	経常利益	純利益
連23.3	58,422	3,949	4,868	3,375
連24.3	64,551	4,756	5,650	4,013

㈱YAMANAKA 【株式公開していない】

【本社】212-0012 神奈川県川崎市幸区中幸町3-3-1 ☎044-522-1161
鉄鋼

採用予定数	倍率	3年後離職率	平均年収
未定	‥	‥	‥

【特色】鉄や非鉄金属の老舗リサイクル会社。製鋼原料加工事業では国内首位級の規模と実績。年間取扱量約80万トン。再資源化率95%以上。国内最大級の大型自動車用破砕機や大型シュレッダーを保有。自動車の再資源化に注力。国内20工場、タイ2工場を持つ。
【定着率】‥
【採用】 【設立】1948.6 【社長】山中昌一
23年 ‥【従業員】単320名(‥歳)
24年 ‥【有休】‥日
25年 未定【初任給】‥万
【試験種類】‥【各種制度】‥

【業績】	売上高	営業利益	経常利益	純利益
単22.8	47,271	2,009	2,058	1,339
単23.8	43,063	1,047	1,129	743

麻生(あそう)フォームクリート
東証スタンダード

【本社】211-0022 神奈川県川崎市中原区苅宿36-1 ☎044-422-2061
建設

採用実績数	倍率	3年後離職率	平均年収
10名	‥	‥	‥

【特色】九州を地盤とする麻生グループ傘下。気泡コンクリート(エアモルタル)による軽量盛土工事や管路中詰工事などの土木工事のパイオニアで最大手。軟弱地盤や汚染土壌を改良する地盤改良工事と2本柱で事業展開。全国に6拠点配置。M&Aにも積極的。
【定着率】‥
【採用】【設立】1961.6【社長】花岡浩一
23年 3【従業員】単98名(47.3歳)
24年 10【有休】‥日
25年 増加【初任給】‥万
【試験種類】‥【各種制度】‥

【業績】	売上高	営業利益	経常利益	純利益
単23.3	3,572	▲24	▲17	▲17
単24.3	3,139	▲182	▲174	▲386

㈱キャプティソリューションズ
株式公開計画なし

【本社】210-0023 神奈川県川崎市川崎区小川町6-1 東京ガス川崎ビル ☎044-221-1260
建設

採用実績数	倍率	3年後離職率	平均年収
10名	‥	‥	‥

【特色】戸建て住宅から超高層ビルまでのガスや温水の配管工事、電気工事や給排水工事などを展開。空調機器の販売や設置工事、機器メンテナンスや土木工事、ガスパイプラインの埋設工事やエアコンクリーニングなども手がける。東京ガスの連結子会社。
【定着率】‥
【採用】【設立】1961.8【代表取締役】丸山達哉
23年 10【従業員】単304名(47.3歳)
24年 10【有休】‥日
25年 未定【初任給】月21.5万(諸手当を除いた数値)
【試験種類】‥【各種制度】‥

【業績】	売上高	営業利益	経常利益	純利益
単23.3	39,268	586	632	2,829
単24.3	24,139	574	617	64

㈱シンデン
株式公開計画なし

【本社】220-0023 神奈川県横浜市西区平沼1-2-23 ☎045-321-5001
建設

採用予定数	倍率	3年後離職率	平均年収
10名	‥	‥	‥

【特色】架空配電線工事や光ケーブルの設計・施工、受変電設備、屋内・屋外電気設備の設計・施工・保守などを手がける。総合電気設備会社で神奈川県大手。千葉県君津市に木更津営業所を設置し、千葉・木更津エリアでも配電工事を展開。
【定着率】‥
【採用】【設立】1948.12【代表取締役】嶋津誠
23年 6【従業員】単249名(46.1歳)
24年 8【有休】‥日
25年 10【初任給】月21.6万(諸手当を除いた数値)
【試験種類】‥【各種制度】‥

【業績】	売上高	営業利益	経常利益	純利益
単23.3	8,720	184	297	173
単24.3	9,234	307	429	274

奈良建設(ならけんせつ)
株式公開計画なし

【本社】222-0033 神奈川県横浜市港北区新横浜1-13-3 ☎045-472-2111
建設

採用実績数	倍率	3年後離職率	平均年収
6名	‥	‥	‥

【特色】土木、建築、リフォーム工事を手がける中堅ゼネコン。コンクリート構造物の補修・補強工法、SPR工法、外断熱工法などに実績。東京・大阪に支店。関連会社でLED植物工場の企画や生産した野菜の販売を手がける。
【定着率】‥
【採用】【設立】1993.6【社長】植本正太郎
23年 7【従業員】単220名(46.0歳)
24年 6【有休】‥日
25年 未定【初任給】月22.7万(諸手当を除いた数値)
【試験種類】‥【各種制度】‥

【業績】	売上高	営業利益	経常利益	純利益
単22.6	15,245	540	415	234
単23.6	15,042	461	385	223

馬淵建設(まぶちけんせつ)
株式公開未定

【本社】232-8558 神奈川県横浜市南区花之木町2-26 ☎045-712-1221
建設

採用予定数	倍率	3年後離職率	平均年収
18名	‥	‥	‥

【特色】マンションや福祉施設などの建築を軸に、河川工事など土木工事を展開。ビル・マンションのリニューアル、不動産仲介・賃貸も手がける。神奈川県地盤の老舗建設会社。横浜市との共同事業方式で太陽光発電事業も行う。支店を東京、静岡に置く。
【定着率】‥
【採用】【設立】1949.2【社長】馬淵圭雄
23年 15【従業員】単321名(45.5歳)
24年 11【有休】‥日
25年 18【初任給】月23.9万
【試験種類】‥【各種制度】‥

【業績】	売上高	営業利益	経常利益	純利益
単22.5	27,537	1,056	1,013	731
単23.5	28,234	437	494	360

フォーライフ
東証グロース

【本社】222-0037 神奈川県横浜市港北区大倉山1-14-11 ☎045-547-3432
住宅・マンション

採用実績数	倍率	3年後離職率	平均年収
3名	‥	‥	799万円

【特色】東急東横線沿線、東京・城南地区を中心に低価格の新築戸建て事業を展開。狭小三階建て住宅が主軸で、建物の規格化・標準化により資材費を圧縮。分譲住宅主力に注文住宅も手がける。京都でマンションのリノベーションを手がけるなど関西にも進出。
【定着率】‥
【採用】【設立】2000.1【社長】奥本健二
23年 5【従業員】単104名(39.9歳)
24年 3【有休】‥日
25年 増加【初任給】‥万
【試験種類】‥【各種制度】‥

【業績】	売上高	営業利益	経常利益	純利益
単23.3	14,114	388	336	235
単24.3	13,987	261	211	151

関東

㈱エイヴィ
株式公開 計画なし

【本社】238-0013 神奈川県横須賀市平成町1-5-1 ☎046-827-1588
スーパー

採用予定数	倍率	3年後離職率	平均年収
若干	‥	‥	‥

【特色】横須賀市中心に神奈川県内と東京・町田に食品スーパー13店舗を展開。業界中堅。ヤオコーの完全子会社。豊富な品ぞろえ、毎日低価格を訴求。ローコストオペレーションに注力。次世代の店舗運営・オペレーションのシステム化を推進。
【定着率】‥
【採用】 【設立】1983.10【社長】八塩直之
23年 1【従業員】単169名(50.4歳)
24年 2【有休】‥日
25年 若干【初任給】月23万(諸手当を除いた数値)
【試験種類】‥【各種制度】‥

【業績】	売上高	営業利益	経常利益	純利益
単23.3	67,261	3,759	3,747	1,867
単24.3	72,803	4,173	4,171	3,019

㈱京急ストア(けいきゅう)
株式公開 計画なし

【本社】220-0011 神奈川県横浜市西区高島1-2-8 京急グループ本社 ☎045-305-3100
スーパー

採用予定数	倍率	3年後離職率	平均年収
25名	‥	‥	‥

【特色】京浜急行電鉄の完全子会社で、京急沿線に「京急ストア」、「もとまちユニオン」を展開。FC事業やSCの運営、京急駅ナカの活用も行う。スーパーのほか、セブン-イレブン、マツモトキヨシ、業務スーパーのFC展開、京急グッズの企画・販売も行う。
【定着率】‥
【採用】 【設立】1933.6【社長】小泉雅彦
23年 18【従業員】単615名(41.7歳)
24年 20【有休】‥日
25年 25【初任給】月23.4万(諸手当を除いた数値)
【試験種類】‥【各種制度】‥

【業績】	売上高	営業利益	経常利益	純利益
単23.3	53,908	846	828	370
単24.3	56,696	1,730	1,760	726

㈱成城石井(せいじょういしい)
株式公開 計画なし

【本社】220-0004 神奈川県横浜市西区北幸2-9-30 横浜西口加藤ビル5階 ☎045-329-2300
スーパー

採用実績数	倍率	3年後離職率	平均年収
77名	‥	‥	‥

【特色】首都圏中心に食品スーパー、ワインバー、グローサラントを221店(直営183、直営飲食8、FC30)展開。駅構内や駅直結ビルなどの好立地に出店が多い。オリジナル商品や輸入食材の幅広い品ぞろえに強み。ローソンの完全子会社。
【定着率】‥
【採用】 【設立】2011.2【社長】後藤勝基
23年 93【従業員】連8,429名 単1,323名(34.4歳)
24年 77【有休】‥日
25年 未定【初任給】月21.2万(諸手当を除いた数値)
【試験種類】‥【各種制度】‥

【業績】	売上高	営業利益	経常利益	純利益
連23.2	110,146	12,236	11,823	6,811
連24.2	112,544	11,606	11,427	6,913

㈱サンジェルマン
株式公開 いずれしたい

【本社】223-0057 神奈川県横浜市港北区新羽町688 ☎045-716-8501
外食・中食

採用実績数	倍率	3年後離職率	平均年収
4名	‥	‥	‥

【特色】パンや菓子の製造・販売を手がける。インストアベーカリー「サンジェルマン」「フラマンドール」などを運営。首都圏中心に約80店舗を展開。東横百貨店(現東急百貨店)の製菓工場として創業。クリエイト・レストランツHD傘下。
【定着率】‥
【採用】 【設立】1994.5【社長】濱埜直人
23年 10【従業員】単1,550名(‥歳)
24年 4【有休】‥日
25年 未定【初任給】月20.4万(諸手当を除いた数値)
【試験種類】‥【各種制度】‥

【業績】	売上高	営業利益	経常利益	純利益
単23.2変	11,600	‥	‥	‥
単24.2	9,222	‥	‥	‥

㈱アトム
東証 スタンダード

【本社】220-8112 神奈川県横浜市西区みなとみらい2-2-1 ランドマークタワー ☎045-224-7390
外食・中食

採用実績数	倍率	3年後離職率	平均年収
16名	‥	‥	‥

【特色】回転ずしやステーキを中心とした外食チェーン。すし店「海鮮アトム」のほか、ステーキ店「ステーキ宮」、焼き肉店「カルビ大将」、居酒屋「いろはにほへと」、カラオケなど多角経営。不採算店整理や老朽化店舗の改装を進める。外食大手コロワイドの傘下。
【定着率】‥
【採用】 【設立】1972.1【社長】田中公博
23年 10【従業員】単663名(43.3歳)
24年 16【有休】‥日
25年 増加【初任給】月17.5万(諸手当を除いた数値)
【試験種類】‥【各種制度】‥

【業績】	売上高	営業利益	経常利益	純利益
単23.3	35,239	▲1,020	▲1,134	▲2,165
単24.3	36,947	▲65	9	▲1,470

㈱オーイズミフーズ
株式公開 いずれしたい

【本社】243-0018 神奈川県厚木市中町2-6-5 オーイズミフーズビル ☎046-297-2511
外食・中食

採用予定数	倍率	3年後離職率	平均年収
3名	‥	‥	‥

【特色】首都圏地盤の居酒屋・レストランチェーン。「くいもの屋わん」「千の庭」「BENJAMIN STEAK HOUSE」「LOGIC」などの店名で展開。約300店舗を直営で運営。「地域密着化」をキーワードに地域に根ざした運営を目指す。
【定着率】‥
【採用】 【設立】1982.12【社長】大泉賢治
23年 0【従業員】単4,400名(37.3歳)
24年 0【有休】‥日
25年 3【初任給】‥万
【試験種類】‥【各種制度】‥

【業績】	売上高	営業利益	経常利益	純利益
単23.3	15,608	▲2,613	25	▲222
単24.3	20,415	78	440	▲182

関東

㈱サンオータス
東証スタンダード

【本社】222-0033 神奈川県横浜市港北区新横浜2-4-15 ☎045-473-1211
その他小売業

採用予定数	倍率	3年後離職率	平均年収
10名	‥	‥	492万円

【特色】神奈川県で「ENEOS」「KYGNUS」の給油所を運営する。米ジープ、仏プジョーの各新車販売や定期点検も手がける。カーリース、レンタカーはオリックスレンタカーのFC。保険代理店も併営する。共同住宅などの不動産賃貸は好収益。
【定着率】‥
【採用】【設立】1951.5【社長】北野俊
23年 5【従業員】連220名 単199名(41.2歳)
24年 8【有休】‥日
25年 10【初任給】月20.8万(諸手当を除いた数値)
【試験種類】‥【各種制度】‥

【業績】	売上高	営業利益	経常利益	純利益
連23.4	16,174	287	285	265
連24.4	16,634	246	265	261

Hamee
東証スタンダード

【本社】250-0011 神奈川県小田原市栄町2-12-10 Square O2 ☎0465-22-8064
その他小売業

採用実績数	倍率	3年後離職率	平均年収
2名	‥	‥	609万円

【特色】スマホ向けアクセサリーを企画・販売。自主企画商品中心に楽天などに出店する。スマホケース「iFace」シリーズが人気。EC業者向けクラウド型業務管理システムが第2の柱。自社EC用システムを社外にも提供する。米国、韓国、中国など海外展開も。
【定着率】‥
【採用】【設立】2001.12【会長】樋口敦士
23年 3【従業員】連463名 単150名(37.8歳)
24年 2【有休】‥日
25年 増加【初任給】年314万(諸手当を除いた数値)
【試験種類】‥【各種制度】‥

【業績】	売上高	営業利益	経常利益	純利益
連23.4	14,038	1,271	1,399	945
連24.4	17,612	1,917	2,018	1,121

㈱ヒップ
東証スタンダード

【本社】220-0003 神奈川県横浜市西区楠町8-8 ☎045-328-1000
人材・教育

採用予定数	倍率	3年後離職率	平均年収
70名	‥	‥	472万円

【特色】開発系技術者派遣の中堅。自社で技術者を雇用・育成し大手メーカーなど顧客企業への派遣や受託開発行う。輸送用機器、機械、情報通信・精密機器、電気電子機器・半導体、情報処理・ソフトウェアの5分野で展開。主力の輸送用機器は東海、関東外拡大目指す。
【定着率】‥
【採用】【設立】1995.9【社長】田中伸明
23年 52【従業員】単858名(38.3歳)
24年 44【有休】‥日
25年 70【初任給】月19.7万(諸手当を除いた数値)
【試験種類】‥【各種制度】‥

【業績】	売上高	営業利益	経常利益	純利益
単23.3	5,475	577	592	401
単24.3	5,660	554	550	388

㈱城南進学研究社（じょうなんしんがくけんきゅうしゃ）
東証スタンダード

【本社】210-0007 神奈川県川崎市川崎区駅前本町22-2 ☎044-246-1951
人材・教育

採用予定数	倍率	3年後離職率	平均年収
増加	‥	‥	450万円

【特色】首都圏、関西圏中心に小中高生を対象に個別指導塾「城南コベッツ」を運営。オーダーメイド学習プログラムを提供。医学部受験向け、学校推薦型選抜向けなどのコースも展開。近年は映像授業の比率が高い。学童保育、認可保育園の運営も手がける。
【定着率】‥
【採用】【設立】1982.9【社長】下村勝己
23年 4【従業員】連392名 単195名(41.0歳)
24年 0【有休】‥日
25年 増加【初任給】月19万(諸手当を除いた数値)
【試験種類】‥【各種制度】‥

【業績】	売上高	営業利益	経常利益	純利益
連23.3	5,945	▲32	▲40	▲135
連24.3	5,851	30	40	▲122

㈱臨海（りんかい）
株式公開計画なし

【本社】221-0056 神奈川県横浜市神奈川区金港町8-8 臨海本社ビル ☎045-441-4119
人材・教育

採用実績数	倍率	3年後離職率	平均年収
162名	‥	‥	‥

【特色】神奈川・東京・千葉・埼玉・大阪で中学、高校、大学受験向けの総合学習塾「臨海セミナー」を運営。約500校運営。自宅学習する生徒向け映像授業にも対応。大学生・社会人対象に、英語や資格試験対策事業も展開。グループで保育園を運営。
【定着率】‥
【採用】【設立】1980.4【代表取締役】佐藤博紀
23年 213【従業員】単1,502名(‥歳)
24年 162【有休】‥日
25年 未定【初任給】月27.6万(諸手当を除いた数値)
【試験種類】‥【各種制度】‥

【業績】	売上高	営業利益	経常利益	純利益
単23.3	23,461	926	986	
単24.3	24,424	1,198	1,363	‥

㈱快活フロンティア（かいかつ）
株式公開計画なし

【本社】224-0021 神奈川県横浜市都筑区北山田3-1-50 ☎045-590-4888
レジャー

採用予定数	倍率	3年後離職率	平均年収
36名	‥	‥	‥

【特色】カラオケ「コート・ダジュール」、複合カフェ「快活CLUB」、フィットネスジム「FiT24」など娯楽施設の運営を手がける。カラオケ店はリゾート感覚の料理も定評。3業態の店舗数は約700店。紳士服のAOKIグループ。
【定着率】‥
【採用】【設立】1996.3【社長】竹島文明
23年 1【従業員】単526名(40.3歳)
24年 7【有休】‥日
25年 36【初任給】月21.5万(諸手当を除いた数値)
【試験種類】‥【各種制度】‥

【業績】	売上高	営業利益	経常利益	純利益
単23.3	67,644	3,547	2,945	1,398
単24.3	71,212	5,542	5,096	2,084

関東

上野(うえの)トランステック

株式公開計画なし

【本社】231-0023 神奈川県横浜市中区山下町70-3
Yokohama Bayside Building ☎045-671-7535
海運・空運

採用実績数	倍率	3年後離職率	平均年収
7名	‥	‥	‥

【特色】タンカーによる石油・化学製品の海上輸送が主事業。自社船と傭船で60隻を運航。液化エチレンなど特殊な積み荷に対応する専用船も揃える。海外事業は、北東アジア海域を中心に欧州、北米まで輸送。シンガポール現地法人は航空燃料も扱う。1869年創業。
【定着率】‥
【採用】 【設立】1984.4【社長】上野元
23年 2【従業員】単157名(39.5歳)
24年 7【有休】‥日
25年 未定【初任給】月20.7万
【試験種類】‥【各種制度】‥

【業績】	売上高	営業利益	経常利益	純利益
単24.3	21,319	1,089	1,225	732

採用は船員除く

東京汽船(とうきょうきせん)

東証スタンダード

【本社】231-0023 神奈川県横浜市中区山下町2
☎045-671-7711
海運・空運

採用予定数	倍率	3年後離職率	平均年収
未定	‥	‥	987万円

【特色】横浜・川崎・千葉・東京港など東京湾全域を営業エリアとする曳船(大型船の離着岸を補助するタグボート)大手で国内2位。カーフェリー、観光船のほか、旅客船に付随した売店・食堂も併営。香港など海外にも曳船合弁会社を展開。電気推進船を導入。
【定着率】‥
【採用】 【設立】1947.5【社長】齊藤宏之
23年 ‥【従業員】連483名 単232名(41.2歳)
24年 ‥【有休】‥日
25年 未定【初任給】‥万
【試験種類】‥【各種制度】‥

【業績】	売上高	営業利益	経常利益	純利益
連23.3	11,865	92	438	416
連24.3	12,515	368	684	572

㈱ゼロ

東証スタンダード

【本社】212-0013 神奈川県川崎市幸区堀川町580
ソリッドスクエア西館 ☎044-520-0106
運輸・倉庫

採用予定数	倍率	3年後離職率	平均年収
10名	‥	‥	552万円

【特色】日産の新車陸送から出発。輸入車や他メーカー車の輸送へ事業範囲を拡大。中古車、2輪車の輸送のほかオートオークション、リースアップ車の入札会の運営も手がける。ドライバー派遣から開始した人材派遣事業が病院送迎などへ拡充。香港上場TCILグループ。
【定着率】‥
【採用】 【設立】1961.10【社長】髙橋俊博
23年 13【従業員】連2,647名 単494名(45.4歳)
24年 7【有休】‥日
25年 10【初任給】月20万(諸手当を除いた数値)
【試験種類】‥【各種制度】‥

【業績】	売上高	営業利益	税前利益	純利益
連23.6	132,861	5,074	5,080	3,437
連24.6	140,751	6,222	6,227	4,150

鈴江(すずえ)コーポレーション

株式公開計画なし

【本社】231-0021 神奈川県横浜市中区日本大通7
☎045-671-5330
運輸・倉庫

採用実績数	倍率	3年後離職率	平均年収
1名	‥	‥	‥

【特色】港湾運送、倉庫保管・複合輸送を核に総合物流事業を展開する。1908年の創業は神戸だが、横浜で発展。横浜港、東京港でコンテナや在来船の港湾荷役を請け負う。倉庫・輸送は国内・海外で総合ネットワーク形成。賃貸など不動産事業も手がける。
【定着率】‥
【採用】 【設立】1947.12【社長】田留晏
23年 5【従業員】連601名 単253名(41.1歳)
24年 1【有休】‥日
25年 未定【初任給】月20.9万(諸手当を除いた数値)
【試験種類】‥【各種制度】‥

【業績】	売上高	営業利益	経常利益	純利益
連23.3	26,626	841	959	708
連24.3	24,725	732	837	515

江ノ島電鉄(えのしまでんてつ)

株式公開計画なし

【本社】251-0035 神奈川県藤沢市片瀬海岸1-8-16
☎0466-24-2711
鉄道・バス

採用実績数	倍率	3年後離職率	平均年収
6名	‥	‥	‥

【特色】小田急電鉄グループで、藤沢-鎌倉間の鉄道と藤沢・鎌倉・大船間などの路線バスを運行する。江の島シーキャンドルなど観光施設も運営。マイクロモビリティ事業として、地域住民や観光客向けシェアサイクルを展開。1902年、国内6番目の電気鉄道として開業。
【定着率】‥
【採用】 【設立】1926.7【社長】黒田聡
23年 4【従業員】単222名(45.7歳)
24年 6【有休】‥日
25年 未定【初任給】月22.7万(諸手当を除いた数値)
【試験種類】‥【各種制度】‥

【業績】	売上高	営業利益	経常利益	純利益
単23.3	6,139	803	903	800
単24.3	6,899	1,214	1,364	1,525

㈱KSP

株式公開計画なし

【本社】231-0038 神奈川県横浜市中区山吹町1-1
国際山吹ビル ☎045-243-3111
その他サービス

採用予定数	倍率	3年後離職率	平均年収
40名	‥	‥	‥

【特色】神奈川県最大手の総合警備会社。施設常駐警備、雑踏・イベント警備、車両誘導・輸送警備、機械警備などに対応。駐車監視業務にも注力。SCS(ショッピングセンターサービス)事業拡充。消防、防災業務にも進出、拡大狙う。
【定着率】‥
【採用】 【設立】1963.11【代表取締役】田邊中
23年 58【従業員】単1,681名(58.8歳)
24年 11【有休】‥日
25年 40【初任給】月23.5万(諸手当を除いた数値)
【試験種類】‥【各種制度】‥

【業績】	売上高	営業利益	経常利益	純利益
単24.3	6,191	196	153	79

採用はグループ3社合計

関東

㈱ハリマビステム　東証スタンダード

【本社】220-8116 神奈川県横浜市西区みなとみらい2-2-1 横浜ランドマークタワー ☎045-224-3550
その他サービス

採用予定数	倍率	3年後離職率	平均年収
未定	‥	‥	413万円

【特色】ビルメンテナンスの中堅。清掃、建物診断、設備保守点検、環境衛生管理、不動産・マンション管理などを総合展開。首都圏が基盤の独立系で、官公庁や医療施設が多い。指定管理者として日産スタジアム、PFI(官民連携)事業で中央合同庁舎第7号館などに実績を持つ。
【定着率】‥
【採用】【設立】1961.10【会長】鴻義久
23年 ‥【従業員】連1,701名 単1,338名(50.0歳)
24年 ‥【有休】‥日
25年 未定【初任給】‥万
【試験種類】‥【各種制度】‥

【業績】	売上高	営業利益	経常利益	純利益
連23.3	25,316	813	1,024	736
連24.3	26,618	964	1,058	756

アルバックテクノ　株式公開計画なし

【本社】253-8555 神奈川県茅ヶ崎市萩園2609-5 ☎0467-87-1046
その他サービス

採用予定数	倍率	3年後離職率	平均年収
15名	‥	‥	‥

【特色】真空装置大手アルバック・グループで、同グループが製造・販売した真空機器・装置メンテのほか中古機器売買、真空材料、表面処理、精密洗浄などを行う。全国にCSセンター。グループの海外法人と連携し海外顧客向けに技術支援を積極化。
【定着率】‥
【採用】【設立】1979.1【社長】島田鉄也
23年 1【従業員】単831名(47.7歳)
24年 6【有休】‥日
25年 15【初任給】月21.6万(諸手当を除いた数値)
【試験種類】‥【各種制度】‥

【業績】	売上高	営業利益	経常利益	純利益
単22.6	27,518	4,358	5,714	4,547
単23.6	26,088	3,586	4,831	3,533

㈱サン・ライフホールディング　東証スタンダード

【本社】254-0024 神奈川県平塚市馬入本町13-11 ☎0463-22-1233
その他サービス

採用実績数	倍率	3年後離職率	平均年収
18名	‥	‥	523万円

【特色】神奈川や東京西部を地盤とする冠婚葬祭業の大手。子会社で互助会、斎場、仏壇店、会館の運営など式典事業を展開する持株会社。ホテル・結婚式場の運営のほか、居宅介護支援、介護付き有料老人ホームなども手がける。霊園事業も展開。
【定着率】‥
【グループ採用】【設立】2018.10【社長】比企武
23年 16【従業員】連494名 単49名(41.0歳)
24年 18【有休】‥日
25年 前年並【初任給】月22万(諸手当を除いた数値)
【試験種類】‥【各種制度】‥

【業績】	売上高	営業利益	経常利益	純利益
連23.3	12,600	863	970	357
連24.3	13,502	1,232	1,341	1,116

㈱日産クリエイティブサービス　株式公開計画なし

【本社】245-8558 神奈川県横浜市戸塚区上矢部町2384 ☎045-814-7301
その他サービス

採用予定数	倍率	3年後離職率	平均年収
15名	‥	‥	‥

【特色】日産自動車関連10社合併で誕生した、日産自動車グループの業務支援専門企業。エンジニアリング、マーケティング、ビジネスサービスの3事業で構成。新型車の設計やテスト、イベント企画や工場見学の運営、BPOリービスなどを手がける。
【定着率】‥
【採用】【設立】2004.4【代表取締役】宇都宮康夫
23年 5【従業員】単2,995名(52.6歳)
24年 10【有休】‥日
25年 15【初任給】‥万
【試験種類】‥【各種制度】‥

【業績】	売上高	営業利益	経常利益	純利益
単23.3	53,656	5,485	5,497	3,609
単24.3	58,846	6,047	6,058	4,281

㈱日本動物高度医療センター　東証グロース

【本社】213-0032 神奈川県川崎市高津区久地2-5-8 ☎044-850-1320
その他サービス

採用予定数	倍率	3年後離職率	平均年収
25名	‥	‥	525万円

【特色】犬猫向け高度医療を行う2次診療専門の動物病院を川崎と名古屋、東京、大阪で運営。全国約4500の連携動物病院から完全紹介制で患者動物を受け入れている。MRIやCTなど高度な医療機器も完備。子会社で動物用酸素ハウスの販売や画像診断を手がける。
【定着率】‥
【採用】【設立】2005.9【社長】平尾秀博
23年 15【従業員】連256名 単201名(34.9歳)
24年 21【有休】‥日
25年 25【初任給】月22.5万(諸手当を除いた数値)
【試験種類】‥【各種制度】‥

【業績】	売上高	営業利益	経常利益	純利益
連23.3	3,872	580	534	380
連24.3	4,270	496	489	337

ハーベスト　株式公開計画なし

【本社】240-0004 神奈川県横浜市保土ケ谷区岩間町2-120 ☎045-336-1100
その他サービス

採用予定数	倍率	3年後離職率	平均年収
120名	‥	‥	‥

【特色】オフィス、工場、学校、病院、高齢者施設向けの給食事業者。事業所向け弁当宅配や「ヨシケイ」のFCとして家庭向け夕食材宅配なども手がける。全国に840営業所(24年3月時点)を展開。学童保育事業などの自治体向けビジネスも。
【定着率】‥
【採用】【設立】1960.10【社長】脇本実
23年 70【従業員】単9,000名(‥歳)
24年 50【有休】‥日
25年 120【初任給】月24万(諸手当を除いた数値)
【試験種類】‥【各種制度】‥

【業績】	売上高	営業利益	経常利益	純利益
単23.3	24,577	771	806	506
単24.3	29,521	1,280	1,275	618

敦井産業（つるいさんぎょう）

株式公開計画なし

【本社】951-8052 新潟県新潟市中央区下大川前通四ノ町2230-12 ☎025-229-8000
商社・卸売業

採用予定数	倍率	3年後離職率	平均年収
3名	‥	‥	‥

【特色】燃料、建材、管材、金属、機械、情報機器などを扱う総合商社。化学プラントやガス関連工事も行う。取扱品目は1万を超す。営業地盤は東北、関東、北陸、中部地方。合弁設立し航空機事業に参入。1923年、石炭販売で創業。
【定着率】‥
【採用】【設立】1952.7【社長】敦井一友
23年 3【従業員】単112名(47.1歳)
24年 2【有休】‥日
25年 3【初任給】月22.1万(諸手当を除いた数値)
【試験種類】‥【各種制度】‥

【業績】	売上高	営業利益	経常利益	純利益
単23.3	33,093	691	1,048	689
単24.3	32,860	834	1,222	814

㈱マルタケ

株式公開計画なし

【本社】950-2092 新潟県新潟市西区流通センター4-6-2 ☎025-268-6311
商社・卸売業

採用実績数	倍率	3年後離職率	平均年収
7名	‥	‥	‥

【特色】新潟中心に宮城、山形、秋田、東京、群馬に拠点を擁する医薬品卸。1925年創業。臨床検査試薬や医療・介護食、医療用器械器具なども扱う。病院・診療所向けが主力。開業支援も行う。子会社で「ふたば薬局」「千歳調剤薬局」運営を運営。
【定着率】‥
【採用】【設立】1950.2【社長】茂木稔之
23年 5【従業員】単240名(47.5歳)
24年 7【有休】‥日
25年 未定【初任給】月19万(諸手当を除いた数値)
【試験種類】‥【各種制度】‥

【業績】	売上高	営業利益	経常利益	純利益
単23.3	33,756	‥	‥	‥
単24.3	34,468	‥	‥	‥

㈱キタック

東証スタンダード

【本社】950-0965 新潟県新潟市中央区新光町10-2 ☎025-281-1111
コンサルティング

採用予定数	倍率	3年後離職率	平均年収
10名	‥	‥	503万円

【特色】新潟地盤の中堅建設コンサルタント。地質調査、土木設計が主力事業で新潟県内でのシェア高く、防・減災関連、インフラ老朽化対策など官公需への依存が80%以上と大きい。新潟市で不動産賃貸事業併営。民需や新潟県外の開拓に向け、営業エリアの拡大に意欲。
【定着率】‥
【採用】【設立】1973.2【社長】中山正子
23年 2【従業員】連189名 単182名(44.8歳)
24年 6【有休】‥日
25年 10【初任給】月22.6万(諸手当を除いた数値)
【試験種類】‥【各種制度】‥

【業績】	売上高	営業利益	経常利益	純利益
連22.10	2,701	77	137	90
連23.10	2,781	124	185	173

㈱NS・コンピュータサービス

株式公開未定

【本社】940-0045 新潟県長岡市金房3-3-2 ☎0258-37-1320
システム・ソフト

採用予定数	倍率	3年後離職率	平均年収
53名	‥	‥	‥

【特色】日本精機グループ向け中心にシステム開発、組み込みソフト開発、データセンターサービスの3本柱で事業を展開。約500人の技術者を擁する。東京、沖縄、新潟、愛知、秋田、岩手にソフトウェア設計開発拠点を置く。日本精機の完全子会社。
【定着率】‥
【採用】【設立】1985.4【社長】佐々木修
23年 40【従業員】単589名(37.5歳)
24年 47【有休】‥日
25年 53【初任給】月21.4万(諸手当を除いた数値)
【試験種類】‥【各種制度】‥

【業績】	売上高	営業利益	経常利益	純利益
単23.3	9,162	454	455	309
単24.3	10,468	734	738	504

㈱シーキューブ

株式公開未定

【本社】950-0973 新潟県新潟市中央区上近江1-7-13 ☎025-290-0011
システム・ソフト

採用実績数	倍率	3年後離職率	平均年収
0名	‥	‥	‥

【特色】CAD・CAMシステムの販売・エンジニアリングを手がける。技術者派遣や教育研修など人材サービス事業も行う。3D造形、IoTなど新規事業も展開。太陽光や風力を用いた発電・蓄電システムによる再生可能エネルギー普及事業も。
【定着率】‥
【採用】【設立】2000.1【社長】本川勇次
23年 0【従業員】単53名(45.4歳)
24年 0【有休】‥日
25年 0【初任給】月19万(諸手当を除いた数値)
【試験種類】‥【各種制度】‥

【業績】	売上高	営業利益	経常利益	純利益
単22.12	1,541	94	96	67
単23.12	1,342	36	36	27

村上信用金庫（むらかみしんようきんこ）

株式公開計画なし

【本店】958-8601 新潟県村上市小町2-15 ☎0254-53-2181
信用金庫

採用実績数	倍率	3年後離職率	平均年収
1名	‥	‥	‥

【特色】新潟県村上市と関川村に6支店を展開する信用金庫。近隣2金庫と連携した地域活性化プロジェクトは、三井住友海上火災保険とも連携しSDG'sの取り組みへ拡大。預金量858億円、貸出残高375億円、自己資本比率22.33%(24年3月末)。
【定着率】‥
【採用】【設立】1950.4【理事長】齋藤和彦
23年 3【従業員】単89名(42.7歳)
24年 1【有休】‥日
25年 未定【初任給】月19万(諸手当を除いた数値)
【試験種類】‥【各種制度】‥

【業績】	経常収益	業務純益	経常利益	純利益
単23.3	1,222	192	197	170
単24.3	1,324	349	113	56

㈱ＢＳＮメディアホールディングス
東証スタンダード

【本社】951-8655 新潟県新潟市中央区川岸町3-18
☎025-267-4111
テレビ

採用予定数	倍率	3年後離職率	平均年収
未定	‥	‥	‥

【特色】新潟県のラジオ・テレビ兼営局でTBS系列。子会社の情報処理サービス事業も収益柱。好採算のソフト開発や民間顧客の開拓に注力。自社アプリによる自社制作番組の見逃し配信サービスや番組と連動したイベント開催なども展開。放送外事業の拡大を模索中。
【定着率】‥
【採用】　【設立】1952.10【社長】佐藤隆夫
23年　3【従業員】連1,191名 単‥名(‥歳)
24年　‥【有休】‥日
25年　未定【初任給】‥万
【試験種類】‥【各種制度】‥

【業績】	売上高	営業利益	経常利益	純利益
連23.3	23,120	1,671	1,852	958
連24.3	23,041	1,341	1,527	694

㈱コロナ
東証スタンダード

【本社】955-8510 新潟県三条市東新保7-7
☎0256-32-2111
住宅・医療機器他

採用予定数	倍率	3年後離職率	平均年収
40名	‥	‥	‥

【特色】石油ファンヒーターなど石油暖房機器で国内首位級。ルームエアコンや石油給湯器、ヒートポンプ式給湯器「エコキュート」などの住宅設備機器も手がける。生産は新潟県内に集中しており、海外は代理店を通じて中東、ヨーロッパへ販売。
【定着率】‥
【採用】　【設立】1950.7【社長】大桃満
23年　31【従業員】連2,138名 単1,567名(44.4歳)
24年　44【有休】‥日
25年　40【初任給】月20.9万(諸手当を除いた数値)
【試験種類】‥【各種制度】‥

【業績】	売上高	営業利益	経常利益	純利益
連23.3	85,335	1,901	2,289	1,482
連24.3	82,046	1,355	1,767	1,306

㈱スタンレー新潟製作所（にいがたせいさくしょ）
株式公開計画なし

【本社】950-1237 新潟県新潟市南区北田中字宮下497-28
☎025-362-7100
自動車部品

採用実績数	倍率	3年後離職率	平均年収
3名	‥	‥	‥

【特色】デイタイムランニングライト、ストップランプ、エアコン用スイッチ・コントロールボックスなど自動車用電装品を製造・販売。部品入荷から製品・製造、出荷までの流れを意識した工場レイアウトで工程を管理。スタンレー電気の子会社。
【定着率】‥
【採用】　【設立】1970.5【社長】嵯峨靖貴
23年　1【従業員】単108名(‥歳)
24年　3【有休】‥日
25年　未定【初任給】‥万
【試験種類】‥【各種制度】‥

【業績】	売上高	営業利益	経常利益	純利益
単23.3	5,515	‥	‥	▲133
単24.3	‥	‥	‥	34

㈱鈴民精密工業所（すずたみせいみつこうぎょうしょ）
株式公開計画なし

【本社】959-0161 新潟県長岡市寺泊竹森字二ツ塚1411
☎0256-97-2145
機械

採用実績数	倍率	3年後離職率	平均年収
2名	‥	‥	‥

【特色】JUKIグループの工業用ミシン部品メーカー。アパレル業界向け刃物の種類、生産量で世界首位。産業機械用や精密加工部品も手がける。熱処理、鍛造、研削・研磨、組立・検査までを内製する一貫体制。社員の半数以上が国家技能士の資格を持つ。
【定着率】‥
【採用】　【設立】1942.9【社長】鈴木将義
23年　2【従業員】単108名(40.7歳)
24年　2【有休】‥日
25年　未定【初任給】月22.5万(諸手当を除いた数値)
【試験種類】‥【各種制度】‥

【業績】	売上高	営業利益	経常利益	純利益
単22.12	1,343	▲28	▲33	‥
単23.12	1,068	▲18	2	‥

岩塚製菓（いわつかせいか）
東証スタンダード

【本社】949-5492 新潟県長岡市飯塚2958
☎0258-92-4111
食品・水産

採用予定数	倍率	3年後離職率	平均年収
4名	‥	‥	475万円

【特色】米菓の製販で国内3位。「田舎のおかき」を始め、あられ・おかきが主力商品。新潟地盤に全国展開。子会社で高級米菓販売、通販、地元長岡の農産物・農産加工品販売を展開。資本・技術提携している台湾系の食品メーカー旺旺集団からの配当金収入も。
【定着率】‥
【採用】　【設立】1954.4【社長】槇大介
23年　2【従業員】連828名 単766名(43.1歳)
24年　3【有休】‥日
25年　4【初任給】月20.6万(諸手当を除いた数値)
【試験種類】‥【各種制度】‥

【業績】	売上高	営業利益	経常利益	純利益
連23.3	20,386	▲213	5,454	3,970
連24.3	22,000	603	2,808	1,957

サトウ食品（しょくひん）
東証スタンダード

【本社】950-8730 新潟県新潟市東区宝町13-5
☎025-275-1100
食品・水産

採用予定数	倍率	3年後離職率	平均年収
未定	‥	‥	646万円

【特色】包装餅、包装米飯のトップメーカー。新潟県産コシヒカリなど国産ブランド米を使用。高齢者向けに食べやすい切り餅など開発。大手商社を通じて全国に販売。賞味期限が長い個包装フィルムで差別化。子会社に切り餅大手のうさぎもち。
【定着率】‥
【採用】　【設立】1966.10【社長】佐藤元
23年　‥【従業員】連631名 単508名(38.1歳)
24年　‥【有休】‥日
25年　未定【初任給】‥万
【試験種類】‥【各種制度】‥

【業績】	売上高	営業利益	経常利益	純利益
連23.4	39,666	2,250	2,599	1,841
連24.4	42,581	2,656	3,009	2,295

中部

㈱ブルボン

東証スタンダード

【本社】945-8611 新潟県柏崎市駅前1-3-1
☎0257-23-2333
食品・水産

採用実績数	倍率	3年後離職率	平均年収
115名	‥	‥	475万円

【特色】ビスケットで業界トップ級の総合菓子メーカー。「エリーゼ」「ルマンド」が有名。ビスケット類が売り上げの約6割。キャンディー、チョコレート、米菓、スナック、アイス、飲料など製品は多岐にわたる。中国で菓子の製造販売も行う。
【定着率】‥
【採用】【設立】1924.11【社長】吉田康
23年 145【従業員】連4,293名 単4,088名(38.2歳)
24年 115【有休】‥日
25年 未定【初任給】月22万(諸手当を除いた数値)
【試験種類】‥【各種制度】‥

【業績】	売上高	営業利益	経常利益	純利益
連23.3	97,383	1,613	1,838	1,096
連24.3	103,717	3,810	4,283	3,071

㈱熊谷（くまがい）

株式公開いずれしたい

【本社】950-0087 新潟県新潟市中央区東大通2-3-10
☎025-244-5161
化学

採用予定数	倍率	3年後離職率	平均年収
1名	‥	‥	‥

【特色】米菓、コメ、冷凍食品など食品用のプラスチックパッケージを製造・販売。電子レンジ調理対応袋や片面脱気機能帯付き米袋など独自開発製品をもつ。プラスチック資材・包装機械の販売など代理店販売事業も行う。新潟県に2工場。
【定着率】‥
【採用】【設立】1960.1【社長】熊谷正巳
23年 3【従業員】単194名(40.7歳)
24年 5【有休】‥日
25年 1【初任給】月20.4万(諸手当を除いた数値)
【試験種類】‥【各種制度】‥

【業績】	売上高	営業利益	経常利益	純利益
単23.3	7,368	‥	159	104
単24.3	7,230	‥	216	147

明星セメント（みょうじょう）

株式公開計画なし

【本社】941-0064 新潟県糸魚川市上刈7-1-1
☎025-552-2011
ガラス・土石・ゴム

採用実績数	倍率	3年後離職率	平均年収
6名	‥	‥	‥

【特色】セメントの製造、石灰石の採掘などを手がける。販売は親会社の太平洋セメントに委託。北信越中心に東北、九州、海外にも出荷する。廃棄物リサイクル処理やバイオマス発電事業も展開。デンカと共同で石灰石鉱山を開発。
【定着率】‥
【採用】【設立】1958.5【社長】高木功
23年 2【従業員】単146名(39.1歳)
24年 6【有休】‥日
25年 未定【初任給】月21.8万(諸手当を除いた数値)
【試験種類】‥【各種制度】‥

【業績】	売上高	営業利益	経常利益	純利益
単23.3	21,029	642	603	306
単24.3	19,805	648	576	196

㈱サカタ製作所（せいさくしょ）

株式公開計画なし

【本社・工場】940-2403 新潟県長岡市与板町本与板45
☎0258-41-5266
金属製品

採用予定数	倍率	3年後離職率	平均年収
未定	‥	‥	‥

【特色】建築屋根金具など建材事業とソーラーパネル取付金具・架台が2本柱。金属屋根用金具は4万種を揃え、業界をリード。新潟県内に2工場。東京、大阪に営業拠点。さびに強く費用対効果に優れた太陽光パネル固定金具や切れ味の良い刃を搭載したかき氷機を開発。
【定着率】‥
【採用】【設立】1973.1【社長】坂田匠
23年 1【従業員】単157名(41.2歳)
24年 0【有休】‥日
25年 未定【初任給】月22万(諸手当を除いた数値)
【試験種類】‥【各種制度】‥

【業績】	売上高	営業利益	経常利益	純利益
単22.12	5,952	337	373	281
単23.12	6,409	379	412	279

北越メタル（ほくえつ）

東証スタンダード

【本社】940-0028 新潟県長岡市蔵王3-3-1
☎0258-24-5111
鉄鋼

採用実績数	倍率	3年後離職率	平均年収
11名	‥	‥	540万円

【特色】鉄筋コンクリート用異形棒鋼が主力の電炉メーカー。高強度鉄筋などの特殊棒鋼やファブデッキ(鉄筋工事と型枠工事が同時にできる床用鉄筋)など加工品を拡大し高付加価値化。東京営業所と鉄筋加工子会社の営業部門を一体運営し首都圏での加工品拡販。トピー工業系。
【定着率】‥
【採用】【設立】1942.6【社長】大洞勝義
23年 6【従業員】連503名 単403名(42.4歳)
24年 11【有休】‥日
25年 未定【初任給】月21.7万(諸手当を除いた数値)
【試験種類】‥【各種制度】‥

【業績】	売上高	営業利益	経常利益	純利益
連23.3	31,041	1,040	1,132	1,011
連24.3	31,823	528	656	467

㈱植木組（うえきぐみ）

東証スタンダード

【本社】945-8540 新潟県柏崎市駅前1-5-45
☎0257-23-2200
建設

採用予定数	倍率	3年後離職率	平均年収
22名	‥	‥	640万円

【特色】新潟県地盤の中堅建設。産業施設やスポーツ・レジャー施設、文化施設などに実績。子会社で分譲マンション販売や区画造成などの不動産事業、ソフトウェア開発、有料老人ホームの運営も。ICT技術を活用し設計・施工の生産性向上を図る。
【定着率】‥
【採用】【設立】1948.7【社長】日下部久夫
23年 23【従業員】連964名 単596名(44.7歳)
24年 15【有休】‥日
25年 22【初任給】月21.3万(諸手当を除いた数値)
【試験種類】‥【各種制度】‥

【業績】	売上高	営業利益	経常利益	純利益
連23.3	48,936	2,044	2,135	1,350
連24.3	55,910	2,595	2,654	1,877

㈱本間組（ほんまぐみ）

株式公開計画なし

【新潟本社】951-8650 新潟県新潟市中央区西湊町通三ノ町3300-3 ☎025-229-2511
建設

採用実績数	倍率	3年後離職率	平均年収
18名	‥	‥	‥

【特色】新潟地盤で海洋土木、陸上土木、建築の3分野で事業展開するゼネコン。河川・港湾工事のほか、公共・医療福祉施設、商用施設、集合住宅、学校など幅広い実績。官庁向け5割超。再生エネ関連分野の取り組みに注力。東北から九州まで支店・営業所を展開。
【定着率】‥
【採用】 【設立】1946.3 【代表取締役】本間達郎
23年 15【従業員】単524名（47.5歳）
24年 18【有休】‥日
25年 未定【初任給】月25万
【試験種類】‥【各種制度】‥

【業績】	売上高	営業利益	経常利益	純利益
単23.3	45,131	2,275	2,384	1,615
単24.3	46,875	1,860	1,996	1,380

㈱水倉組（みずくらぐみ）

株式公開計画なし

【本社】953-0041 新潟県新潟市西蒲区巻甲5480 ☎0256-72-2371
建設

採用実績数	倍率	3年後離職率	平均年収
4名	‥	‥	‥

【特色】土木港湾事業、建築事業を展開する新潟地盤のゼネコン。官公庁向け7割で建築は官公庁舎、学校、郵政施設、医療福祉施設などで実績。豪雨など自然災害からの復旧工事や幹線道路や店舗・住宅の駐車場などの舗装工事も行う。
【定着率】‥
【採用】 【設立】1954.11【社長】水倉直人
23年 1【従業員】単163名（44.0歳）
24年 4【有休】‥日
25年 増加【初任給】月21.9万
【試験種類】‥【各種制度】‥

【業績】	売上高	営業利益	経常利益	純利益
単22.6	5,872	30	63	39
単23.6	8,134	39	93	43

㈱東邦アーステック（とうほう）

株式公開計画なし

【本社】950-1123 新潟県新潟市西区黒鳥1450 ☎025-377-7131
電力・ガス

採用予定数	倍率	3年後離職率	平均年収
未定	‥	‥	‥

【特色】新潟市鉱区から水溶性天然ガスを採取、販売。天然ガス随伴地下水から、X線造影剤などに用いるヨウ素も抽出・製造。コンクリート構造物の補修・補強、耐震調査・診断、設計も展開。新潟市で半世紀ぶりに水溶性天然ガスの新規生産開始。
【定着率】‥
【採用】 【設立】1930.3【社長】菅野公一
23年 ‥【従業員】単125名（41.0歳）
24年 ‥【有休】‥日
25年 未定【初任給】‥万
【試験種類】‥【各種制度】‥

【業績】	売上高	営業利益	経常利益	純利益
単23.3	7,285	‥	‥	‥
単24.3	8,239	‥	‥	‥

北陸ガス（ほくりく）

東証スタンダード

【本社】950-8748 新潟県新潟市中央区東大通1-2-23 北陸ビル ☎025-245-2211
電力・ガス

採用実績数	倍率	3年後離職率	平均年収
17名	‥	‥	564万円

【特色】地方都市ガス大手。新潟市、長岡、三条、柏崎地区に都市ガスを供給。原料は新潟県内産天然ガスとLNGの2本柱。コージェネ中心に産業用需要開拓に取り組む。化学反応で発電しCO_2を排出しない家庭用燃料電池「エネファーム」の拡販も推進。
【定着率】‥
【採用】 【設立】1913.6【社長】敦井一友
23年 11【従業員】連640名 単441名（40.3歳）
24年 17【有休】‥日
25年 未定【初任給】月20.1万（諸手当を除いた数値）
【試験種類】‥【各種制度】‥

【業績】	売上高	営業利益	経常利益	純利益
連23.3	69,634	283	687	420
連24.3	61,405	▲943	▲599	▲1,759

㈱エヌ・エム・アイ

株式公開計画なし

【本社】940-2105 新潟県長岡市緑町1-38-283 ☎0258-28-2538
家電量販・薬局・HC

採用実績数	倍率	3年後離職率	平均年収
25名	‥	‥	‥

【特色】新潟県内に41店舗を展開する調剤薬局チェーン。アルファスグループ。個人医院を集積するメディカルゾーン事業、医院承継事業も手がける。グループ会社で介護施設の運営や訪問介護、障害者支援、治験支援型事業、食事業なども。
【定着率】‥
【採用】 【設立】1991.7【社長】岡本圭介
23年 26【従業員】単225名（32.8歳）
24年 25【有休】‥日
25年 未定【初任給】月26.3万（諸手当を除いた数値）
【試験種類】‥【各種制度】‥

【業績】	売上高	営業利益	経常利益	純利益
単23.3	7,298	‥	851	‥
単24.3	7,964	‥	‥	‥

新潟運輸（にいがたうんゆ）

株式公開していない

【本社】950-0947 新潟県新潟市中央区女池北1-1-1 ☎025-285-0001
運輸・倉庫

採用予定数	倍率	3年後離職率	平均年収
未定	‥	‥	‥

【特色】新潟地盤のトラック運送会社。混載輸送、貸切輸送、倉庫保管、国際輸送を行う。保有車両約2600台、東北から九州まで約90支店・営業所を配する。ゆうパック配送、引っ越し便、ふるさと直送便のほか、機密書類の溶解・再生などリサイクル事業も手がける。
【定着率】‥
【採用】 【設立】1943.10【会長】佐藤朋弥
23年 ‥【従業員】連3,596名 単3,044名（49.4歳）
24年 ‥【有休】‥日
25年 未定【初任給】‥万
【試験種類】‥【各種制度】‥

【業績】	売上高	営業利益	経常利益	純利益
連23.4	57,463	536	878	572
連24.4	62,216	653	1,016	623

越後交通（えちごこうつう）
株式公開計画なし

【本社】940-2108 新潟県長岡市千秋2-2788-1 ☎0258-29-1111
鉄道・バス

採用予定数	倍率	3年後離職率	平均年収
10名	‥	‥	‥

【特色】新潟・中越エリアが地盤の路線・観光バス会社。高速バスは県内3路線、県外は3路線で東京行きや京都・大阪行きを運行。田中角榮由来の物販や観光旅行の企画・販売も手がける。関連9社でグループ形成。車両数276両（定期バス222両、貸切バス54両）。
【定着率】‥
【採用】
23年 3
24年 10
25年 10
【設立】1914.3 【会長】田中直紀
【従業員】連711名 単287名（46.4歳）
【有休】‥日
【初任給】月20.1万（諸手当を除いた数値）
【試験種類】‥【各種制度】‥

【業績】	売上高	営業利益	経常利益	純利益
連23.3	21,111	826	894	574
連24.3	23,903	1,288	1,367	918

新潟交通（にいがたこうつう）
東証スタンダード

【本社】950-8544 新潟県新潟市中央区万代1-6-1 ☎025-246-6323
鉄道・バス

採用予定数	倍率	3年後離職率	平均年収
15名	‥	‥	418万円

【特色】新潟県最大のバス会社。新潟市内・近郊の路線バスと県内と県外を往来する高速バスを運行。観光土産物の卸売り、旅行業も併営。ホテル運営も行い、佐渡と新潟市内にホテル持つ。商業施設「万代シテイ」を中心としたテナント・駐車場の不動産賃貸が利益柱。
【定着率】‥
【採用】
23年 6
24年 13
25年 15
【設立】1943.12【社長】星野佳人
【従業員】連1,252名 単586名（48.5歳）
【有休】‥日
【初任給】月20万（諸手当を除いた数値）
【試験種類】‥【各種制度】‥

【業績】	売上高	営業利益	経常利益	純利益
連23.3	17,469	1,372	971	897
連24.3	19,417	1,682	1,315	1,064

新潟綜合警備保障（にいがたそうごうけいびほしょう）
株式公開計画なし

【本社】950-8633 新潟県新潟市東区小金町1-17-20 ☎025-274-1965
その他サービス

採用予定数	倍率	3年後離職率	平均年収
28名	‥	‥	‥

【特色】新潟県地盤の警備会社で同県の警備事業のパイオニア。「ALSOK」ブランドで知られる綜合警備保障のグループ会社。機械・常駐・特殊警備や現金護送システムなどに対応。ホームセキュリティーや「街頭防犯カメラ」などに注力。
【定着率】‥
【採用】
23年 30
24年 28
25年 28
【設立】1969.8 【社長】廣田幹人
【従業員】単757名（39.4歳）
【有休】‥日
【初任給】月21.4万（諸手当を除いた数値）
【試験種類】‥【各種制度】‥

【業績】	売上高	営業利益	経常利益	純利益
単23.3	7,430	‥	‥	206
単24.3	7,764	‥	‥	241

アイディック
株式公開計画なし

【本社】939-0351 富山県射水市戸破53-20 針原テクノパーク内 ☎0766-56-5300
商社・卸売業

採用実績数	倍率	3年後離職率	平均年収
1名	‥	‥	‥

【特色】食品スーパーに対する運営支援サービスを展開。北陸地盤。主な顧客は地域密着型の食品スーパー。一般食品、生鮮食品、雑貨、日用品などの一括配送から、店舗・経営支援までトータルサポート。デリカ商品のラインナップを強化。
【定着率】‥
【採用】
23年 1
24年 0
25年 0
【設立】1989.6 【社長】尾﨑弘明
【従業員】単39名（43.3歳）
【有休】‥日
【初任給】月20.5万（諸手当を除いた数値）
【試験種類】‥【各種制度】‥

【業績】	売上高	営業利益	経常利益	純利益
単22.6	53,469	136	207	74
単23.6	53,598	131	208	▲117

黒谷（くろたに）
東証スタンダード

【本社】934-8501 富山県射水市奈呉の江12-2 ☎0766-84-0001
商社・卸売業

採用予定数	倍率	3年後離職率	平均年収
7名	‥	‥	547万円

【特色】銅を中心とした非鉄金属のリサイクル企業。金属スクラップを収集し、リサイクル製品として製造・加工・販売を行う。銅合金インゴットは水栓金具、バルブ、産業用機械部品などに使用。船舶用スクリュー向けのシェアは国内トップ級。美術品鋳造も行う。
【定着率】‥
【採用】
23年 5
24年 2
25年 7
【設立】1985.9 【社長】黒谷暁
【従業員】連125名 単123名（44.8歳）
【有休】‥日
【初任給】‥万
【試験種類】‥【各種制度】‥

【業績】	売上高	営業利益	経常利益	純利益
連22.8	89,102	862	936	547
連23.8	84,594	532	227	170

にいかわ信用金庫（しんようきんこ）
株式公開計画なし

【本店】937-0868 富山県魚津市双葉町6-5 ☎0765-24-1214
信用金庫

採用実績数	倍率	3年後離職率	平均年収
2名	‥	‥	‥

【特色】富山県魚津市に本店を置く信用金庫で、同県全域が営業エリア。10店舗展開。中小企業のライフステージ等に応じた最適なソリューションの提供に努める。取引先は個人や地方公共団体、建設業、サービス業などが中心。預金量1763億円（24年3月末）。
【定着率】‥
【採用】
23年 2
24年 2
25年 未定
【設立】1923.9 【理事長】本多敏明
【従業員】単103名（46.8歳）
【有休】‥日
【初任給】月20.4万（諸手当を除いた数値）
【試験種類】‥【各種制度】‥

【業績】	経常収益	業務純益	経常利益	純利益
単23.3	1,701	‥	218	210
単24.3	1,950	‥	183	176

中部

㈱シキノハイテック　東証スタンダード

【本社】937-0041 富山県魚津市吉島829
☎0765-22-3477
電子部品・機器

採用予定数	倍率	3年後離職率	平均年収
11名	‥	‥	526万円

【特色】車載用半導体部品の検査に用いられるバーンイン装置やその周辺機器、産業用計測機器などの開発・製造を手がける。画像技術を活用した産業用組み込みカメラ、画像処理カメラの開発・製造や半導体のLSI設計のほか、設計技術者の人材派遣事業も展開。
【定着率】‥
【採用】　【設立】1975.1【社長】宮本昭仁
23年　7【従業員】単468名(41.6歳)
24年　15【有休】‥日
25年　11【初任給】月20.1万(諸手当を除いた数値)
【試験種類】‥【各種制度】‥

【業績】	売上高	営業利益	経常利益	純利益
単23.3	6,476	657	668	477
単24.3	7,091	604	639	509

黒田化学（くろだかがく）　株式公開計画なし

【本社】939-1868 富山県南砺市城端368
☎0763-62-0013
自動車部品

採用予定数	倍率	3年後離職率	平均年収
10名	‥	‥	‥

【特色】プラスチックの精密機構部品を製造・販売。マーケティングから生産準備、出荷まで一貫体制。自動車関連機器、情報機器などを手がける。自動車比率は国内90%。海外は約60%。中国、ベトナム、メキシコに拠点を設け、グローバル生産体制構築。
【定着率】‥
【採用】　【設立】1980.9【社長】黒田泰人
23年　11【従業員】単380名(40.0歳)
24年　8【有休】‥日
25年　10【初任給】月22.5万(諸手当を除いた数値)
【試験種類】‥【各種制度】‥

【業績】	売上高	営業利益	経常利益	純利益
単22.12変	6,191	460	‥	‥
単23.12	8,778	883	‥	‥

津根精機（つねせいき）　株式公開計画なし

【本社】939-2613 富山県富山市婦中町高日附852
☎076-469-3330
機械

採用実績数	倍率	3年後離職率	平均年収
4名	‥	‥	‥

【特色】金属切断に関する機器・工具メーカー。各種切断機から鋸刃研削盤、ミスト潤滑装置、潤滑油などの製造・販売を手がける。富山県内に3つの工場。米国、タイ、ドイツに販売現法。各種検査機器など機械設備は350台。
【定着率】‥
【採用】　【設立】1943.4【社長】津根良彦
23年　10【従業員】単174名(39.0歳)
24年　4【有休】‥日
25年　未定【初任給】月20万(諸手当を除いた数値)
【試験種類】‥【各種制度】‥

【業績】	売上高	営業利益	経常利益	純利益
単22.9	5,779	214	934	661
単23.9	6,277	183	963	734

中越パルプ工業（ちゅうえつパルプこうぎょう）　東証プライム

【本社】933-8533 富山県高岡市米島282
☎0766-26-2401
印刷・紙パルプ

採用予定数	倍率	3年後離職率	平均年収
20名	‥	‥	622万円

【特色】製紙メーカー中堅。新聞用紙、塗工紙、情報用紙、特殊紙など展開。セルロースナノファイバー開発で先行し、量産化。環境経営総合研究所との合弁会社で脱プラ素材「マプカ」を製造。鹿児島の工場にバイオマス売電所を持ち、売電事業が収益の柱。
【定着率】‥
【採用】　【設立】1947.2【社長】福本亮治
23年　10【従業員】連1,308名 単782名(45.6歳)
24年　12【有休】‥日
25年　20【初任給】月20.7万(諸手当を除いた数値)
【試験種類】‥【各種制度】‥

【業績】	売上高	営業利益	経常利益	純利益
連23.3	105,668	2,594	3,397	3,050
連24.3	107,826	6,172	6,820	3,701

協和ファーマケミカル（きょうわファーマケミカル）　株式公開計画なし

【本社】933-8511 富山県高岡市長慶寺530
☎0766-21-3456
医薬品

採用実績数	倍率	3年後離職率	平均年収
14名	‥	‥	‥

【特色】医薬品原薬製造・受託製造と香粧品事業を展開。キリングループ内だけでなく国内外の製薬企業に原薬を供給する。世界トップシェアのトラネキサム酸と高度な有機合成技術を駆使し製造するプロスタグランジン類が主力。協和発酵バイオの完全子会社。
【定着率】‥
【採用】　【設立】1951.12【社長】三吉勇人
23年　10【従業員】単399名(‥歳)
24年　14【有休】‥日
25年　未定【初任給】月22.1万(諸手当を除いた数値)
【試験種類】‥【各種制度】‥

【業績】	売上高	営業利益	経常利益	純利益
単22.12	13,179	1,248	1,286	697
単23.12	14,630	1,961	1,992	1,485

㈱廣貫堂（こうかんどう）　株式公開計画なし

【本社】930-8580 富山県富山市梅沢町2-9-1
☎076-424-2271
医薬品

採用実績数	倍率	3年後離職率	平均年収
18名	‥	‥	‥

【特色】富山の配置家庭薬で創業した和漢薬の老舗。配置薬の得意先は全国の世帯。大手医薬品メーカー向けに医療用医薬品のOEM供給や品質・安定性試験の試験受託も手がける。韓国、香港、シンガポール、マレーシアに現地法人。富山に3工場。
【定着率】‥
【採用】　【設立】1914.11【社長】塩井貴晴
23年　9【従業員】連677名 単658名(39.6歳)
24年　18【有休】‥日
25年　未定【初任給】月19.4万(諸手当を除いた数値)
【試験種類】‥【各種制度】‥

【業績】	売上高	営業利益	経常利益	純利益
連23.3	13,275	▲913	▲1,104	▲1,944
連24.3	15,395	265	274	▲152

三光合成（さんこうごうせい）
東証プライム

【本社】939-1698 富山県南砺市土生新1200
☎0763-52-1000
化学

採用予定数	倍率	3年後離職率	平均年収
15名	‥	‥	447万円

【特色】工業用プラスチック成形品や成形用金型の大手メーカー。自動車内外装軸に樹脂部品を金型設計・製作から一貫生産。情報・通信機器や家電向けも展開。金型は外販も行う。海外展開は中国、アジア、メキシコ、米国などに生産拠点持ち、インドでの生産拡大志向。
【定着率】‥
【採用】【設立】1944.9【社長】久住アーメン
23年 7【従業員】連2,905名 単682名(40.6歳)
24年 12【有休】‥日
25年 15【初任給】月21.3万(諸手当を除いた数値)
【試験種類】‥【各種制度】‥

【業績】	売上高	営業利益	経常利益	純利益
連23.5	81,113	3,484	3,468	2,096
連24.5	93,784	4,131	3,927	2,612

武内プレス工業（たけうちこうぎょう）
株式公開計画なし

【本社】930-0816 富山県富山市上赤江町1-10-1
☎076-441-1856
金属製品

採用実績数	倍率	3年後離職率	平均年収
31名	‥	‥	‥

【特色】老舗の総合容器メーカー。アルミエアゾール缶とアルミチューブで国内高シェア。ラミネート・樹脂チューブやビール・清涼飲料などのアルミ飲料缶なども手がける。国内5工場体制。タイで現地企業と各種アルミ容器・材料を合弁生産。
【定着率】‥
【採用】【設立】1949.12【社長】武内繁和
23年 22【従業員】単731名(40.8歳)
24年 31【有休】‥日
25年 未定【初任給】月21.7万(諸手当を除いた数値)
【試験種類】‥【各種制度】‥

【業績】	売上高	営業利益	経常利益	純利益
単23.3	32,460	3,052	4,398	2,919
単24.3	33,235	3,442	4,942	3,684

大谷製鉄（おおたにせいてつ）
株式公開計画なし

【本社】934-8567 富山県射水市奈呉の江8-4
☎0766-84-6151
鉄鋼

採用実績数	倍率	3年後離職率	平均年収
4名	‥	‥	‥

【特色】独立系の普通鋼電炉メーカー。鉄リサイクルによる鉄筋コンクリート用異形棒鋼を専業生産。鋳造と圧延を連続するダイレクト圧延方式や、酸化スラグを除去せず還元するワンスラグ操業などの独自技術に特徴。北陸3県のシェアはほぼ100%。
【定着率】‥
【採用】【設立】1969.1【社長】大谷壽一
23年 5【従業員】単255名(43.4歳)
24年 4【有休】‥日
25年 未定【初任給】月24.5万(諸手当を除いた数値)
【試験種類】‥【各種制度】‥

【業績】	売上高	営業利益	経常利益	純利益
単22.12	24,329	444	714	397
単23.12	23,723	1,300	1,675	1,105

ショウワノート
株式公開計画なし

【本社】933-0826 富山県高岡市佐野850
☎0766-22-6201
その他メーカー

採用実績数	倍率	3年後離職率	平均年収
3名	‥	‥	‥

【特色】「ジャポニカ学習帳」で知られる文具メーカー。「ポケモン」や「ドラえもん」「ディズニー」などキャラクターの学習帳や塗り絵、文具を積極展開。180度水平に開く大人向けの「水平開きノート」も販売。東京、大阪、福岡に拠点。
【定着率】‥
【採用】【設立】1947.9【代表取締役】氷鉋富雄
23年 0【従業員】単156名(45.9歳)
24年 3【有休】‥日
25年 未定【初任給】月19.9万(諸手当を除いた数値)
【試験種類】‥【各種制度】‥

【業績】	売上高	営業利益	経常利益	純利益
単21.6	5,203	‥	115	93
単22.6	4,956	‥	▲106	▲419

石友リフォームサービス（いしとも）
株式公開計画なし

【本社】934-0091 富山県高岡市下牧野36-2
☎0766-82-1777
住宅・マンション

採用予定数	倍率	3年後離職率	平均年収
20名	‥	‥	‥

【特色】住宅ビルダーの石友ホームグループのリフォーム会社。富山県、石川県、福井県の北陸3県と埼玉県で事業展開。施工実績8万件超で、北陸地区ではトップ級。積雪時の耐震補強技術に定評。ゼロエネルギー住宅などを積極提案。
【定着率】‥
【グループ採用】【設立】1997.7【社長】石灰由喜夫
23年 22【従業員】単195名(39.0歳)
24年 20【有休】‥日
25年 20【初任給】月21.6万(諸手当を除いた数値)
【試験種類】‥【各種制度】‥

【業績】	売上高	営業利益	経常利益	純利益
単22.12	5,130	280	354	254
単23.12	5,167	395	449	292

日本海ガス絆ホールディングス
株式公開していない

【本社】930-8588 富山県富山市城北町2-36
☎076-443-1812
電力・ガス

採用予定数	倍率	3年後離職率	平均年収
未定	‥	‥	‥

【特色】都市ガスとLPガスの供給・販売といったエネルギー事業を中心に、生活やビジネスに関わる様々な領域で事業展開。日本海ガスを核に12社でグループ構成。子会社でインフラ整備、総合エネルギー、新築・リフォーム、新領域の各事業を展開。
【定着率】‥
【採用】【設立】2018.1【社長】新田洋太朗
23年 ‥【従業員】連590名 単48名(43.4歳)
24年 ‥【有休】‥日
25年 未定【初任給】‥万
【試験種類】‥【各種制度】‥

【業績】	売上高	営業利益	経常利益	純利益
連22.12	32,367	900	1,074	326
連23.12	34,222	887	1,109	574

立山黒部貫光（たてやまくろべかんこう）

株式公開計画なし

【本社】930-8558 富山県富山市桜町1-1-36
☎076-441-3331
鉄道・バス

採用予定数	倍率	3年後離職率	平均年収
10名	‥	‥	‥

【特色】立山黒部アルペンルートの主要運輸会社。ロープウェイ、ケーブルカー、高原バスなどを運行する。高地の運行は春から晩秋。入込客数は23年度入込客数約71万人。ホテル立山の不動産を星野リゾートへ譲渡へ。
【定着率】‥
【グループ採用】【設立】1964.12【社長】見角要
23年 6【従業員】連265名 単190名(45.7歳)
24年 8【有休】‥日
25年 10【初任給】月20.5万(諸手当を除いた数値)
【試験種類】‥【各種制度】‥

【業績】	売上高	営業利益	経常利益	純利益
連23.3	3,486	▲610	▲562	▲580
連24.3	5,958	1,013	1,083	1,437

一村産業（いちむらさんぎょう）

株式公開計画なし

【本店】920-8633 石川県金沢市南町5-20 中屋三井ビル
☎076-263-1171
商社・卸売業

採用実績数	倍率	3年後離職率	平均年収
8名	‥	‥	‥

【特色】1894年生糸羽二重商で創業した東レ系の繊維・化成品専門商社。繊維の売上げが5割以上、うち自主企画商品が8割強。化成品はポリスチレンフォームが主力。東南アジア・中近東で市場拡大、欧米市場との関係強化図る。海外は中国・インドネシアなどで生産。
【定着率】‥
【採用】【設立】1979.1【社長】大嶋秀樹
23年 4【従業員】連477名 単137名(39.0歳)
24年 8【有休】‥日
25年 未定【初任給】‥万
【試験種類】‥【各種制度】‥

【業績】	売上高	営業利益	経常利益	純利益
単23.3	20,037	1,119	1,138	786
単24.3	20,672	1,457	1,468	1,030

㈱歯愛メディカル（しいあい）

東証スタンダード

【本社】929-0112 石川県能美市福島町に152
☎076-278-8802
商社・卸売業

採用予定数	倍率	3年後離職率	平均年収
未定	‥	‥	467万円

【特色】歯科製品を取り扱う商社。歯科業界向けの歯ブラシ販売は全国6万軒の歯科医院に納品、通販売り上げは首位。新規開業向け大型機械の販売や、歯科のホームページ制作、電力小売りなども手がける。介護・福祉施設、動物病院向けなどに販路拡大。
【定着率】‥
【採用】【設立】2000.3【社長】清水清人
23年 ‥【従業員】連494名 単‥名(40.2歳)
24年 ‥【有休】‥日
25年 未定【初任給】‥万
【試験種類】‥【各種制度】‥

【業績】	売上高	営業利益	経常利益	純利益
連22.12	42,891	3,990	3,889	2,521
連23.12	45,628	2,989	3,295	2,082

会宝産業（かいほうさんぎょう）

株式公開計画なし

【本社】920-0209 石川県金沢市東蚊爪町1-25
☎076-237-5133
商社・卸売業

採用予定数	倍率	3年後離職率	平均年収
未定	‥	‥	‥

【特色】自動車部品リサイクル業、廃車の引取・解体、回収部品のリサイクル販売など手がける。海外5カ国に拠点、約90カ国と取引がある。自動車リサイクル総合管理ネットワークシステムを独自開発。ケニアでの中古自動車部品オークション事業が始動。
【定着率】‥
【採用】【設立】1969.5【社長】近藤高行
23年 2【従業員】単91名(42.2歳)
24年 0【有休】‥日
25年 未定【初任給】月20万(諸手当を除いた数値)
【試験種類】‥【各種制度】‥

【業績】	売上高	営業利益	経常利益	純利益
単22.12	2,825	156	163	107
単23.12	2,882	141	167	115

㈱北國新聞社（ほっこくしんぶんしゃ）

株式公開計画なし

【本社】920-8588 石川県金沢市南町2-1
☎076-260-3504
新聞

採用予定数	倍率	3年後離職率	平均年収
未定	‥	‥	‥

【特色】1893年創刊の石川・富山が地盤の有力地方紙。「北國新聞」と「富山新聞」の両紙合わせて朝刊約31万部、夕刊約4万部。有料の電子版も提供。月刊誌「北國アクタス」、総合文化誌「北國文華」なども発行。金沢、富山の2本社制。
【定着率】‥
【採用】【設立】1935.4【社長】砂塚隆広
23年 5【従業員】単335名(‥歳)
24年 ‥【有休】‥日
25年 未定【初任給】‥万
【試験種類】‥【各種制度】‥

【業績】	売上高	営業利益	経常利益	純利益
単22.12	19,494	‥	2,243	1,571
単23.12	19,189	‥	‥	‥

㈱アクトリー

株式公開していない

【本社】924-0053 石川県白山市水澄町375
☎076-277-3380
機械

採用実績数	倍率	3年後離職率	平均年収
5名	‥	‥	‥

【特色】産廃焼却処理プラントが主力の環境保全設備の総合メーカー、焼成炉なども製造・販売。再生油事業も手がける。技術開発力に定評。廃棄物処理プラントに植物と再生可能エネルギーを組み込んだ「自然共生型環境プラント」の実現に注力。
【定着率】‥
【採用】【設立】1971.4【社長】水越裕介
23年 2【従業員】単153名(38.7歳)
24年 5【有休】‥日
25年 未定【初任給】月23万(諸手当を除いた数値)
【試験種類】‥【各種制度】‥

【業績】	売上高	営業利益	経常利益	純利益
単23.3	15,634	5,137	5,195	3,387
単24.3	17,047	3,146	3,199	2,081

高松機械工業（たかまつきかいこうぎょう）　東証スタンダード

【本社】924-8558 石川県白山市旭丘1-8
☎076-207-6155
機械

採用実績数	倍率	3年後離職率	平均年収
9名	‥	‥	463万円

【特色】中小型NC旋盤の中堅メーカー。自動車関連が5割超で国内主要メーカーに納入。顧客密着の特注品が多い。自動化装置やシステム構築にも強み。自動車部品加工と液晶、半導体などの製造装置も手がける。北中米、アジア中心に海外にも進出。
【定着率】‥
【採用】　【設立】1961.7【社長】高松宗一郎
23年　6【従業員】連565名 単504名(38.9歳)
24年　9【有休】‥日
25年　前年並【初任給】月21万(諸手当を除いた数値)
【試験種類】‥【各種制度】‥

【業績】	売上高	営業利益	経常利益	純利益
連23.3	16,675	516	619	489
連24.3	14,184	▲386	▲608	▲565

㈱ウイルコホールディングス　東証スタンダード

【本社】924-0051 石川県白山市福留町370
☎076-277-9811
印刷・紙パルプ

採用予定数	倍率	3年後離職率	平均年収
増加	‥	‥	390万円

【特色】宣伝用印刷物の製造・販売などを手がけるウイル・コーポレーションが中核の持株会社。印刷・製本・加工までを1台の機械で行い、短納期に対応。圧着チラシ、ポップアップDMなど高付加価値印刷技術にも定評持つ。傘下に知育絵本・教育玩具の子会社を持つ。
【定着率】‥
【主要子会社採用】【設立】1979.5【社長】若林圭太郎
23年　0【従業員】連312名 単16名(47.6歳)
24年　0【有休】‥日
25年　増加【初任給】‥万
【試験種類】‥【各種制度】‥

【業績】	売上高	営業利益	経常利益	純利益
連22.10	9,033	62	132	113
連23.10	8,816	14	15	2

ニッコー　名証メイン

【本社】924-8686 石川県白山市相木町383
☎076-276-2121
ガラス・土石・ゴム

採用予定数	倍率	3年後離職率	平均年収
23名	‥	‥	420万円

【特色】陶磁器食器の老舗。陶磁器、住宅設備機器、機能性セラミックを扱う。陶磁器は国内デパート、欧米の高級ホテル・レストランなどにも輸出。主力の住設設備機器は、オーダーメイドのシステムバスルームを提案。浄化槽やディスポーザーも扱う。
【定着率】‥
【採用】　【設立】1950.8【社長】三谷明子
23年　10【従業員】連597名 単596名(45.4歳)
24年　12【有休】‥日
25年　23【初任給】月19.7万(諸手当を除いた数値)
【試験種類】‥【各種制度】‥

【業績】	売上高	営業利益	経常利益	純利益
連23.3	13,992	▲210	▲169	▲177
連24.3	14,719	147	188	145

平鍛造（たいらたんぞう）　株式公開計画なし

【本社】925-0615 石川県羽咋市千代町い80
☎0767-26-2158
金属製品

採用予定数	倍率	3年後離職率	平均年収
2名	‥	‥	‥

【特色】自社開発の各種ローリングミルと金型を活用して鍛造リングを製造するメーカー。多品種小ロット生産や特殊な形状をした異型鍛造に強み。掘替工場と志賀機械工場の2工場体制。NTN、伊藤忠丸紅住商テクノスチールの合弁会社。
【定着率】‥
【採用】　【設立】1972.8【社長】福原千明
23年　0【従業員】単94名(46.3歳)
24年　0【有休】‥日
25年　2【初任給】‥万
【試験種類】‥【各種制度】‥

【業績】	売上高	営業利益	経常利益	純利益
単23.3	6,373	738	767	522
単24.3	5,516	500	531	309

㈱共和工業所（きょうわこうぎょうしょ）　東証スタンダード

【本社】923-8620 石川県小松市工業団地1-57
☎0761-21-0531
金属製品

採用予定数	倍率	3年後離職率	平均年収
5名	‥	‥	557万円

【特色】六角ボルトなど建設機械用高強度ボルトの専業メーカー。冷間・熱間鍛造で素材から熱処理までの一貫生産に強み。コマツや日立建機向けが主力。ステアリング・サスペンション系、減速機系など自動車部品関連を育成。子会社で表面処理加工や高周波焼入加工も手がける。
【定着率】‥
【採用】　【設立】1961.12【社長】山口真輝
23年　7【従業員】連287名 単286名(38.9歳)
24年　6【有休】‥日
25年　5【初任給】月21.4万(諸手当を除いた数値)
【試験種類】‥【各種制度】‥

【業績】	売上高	営業利益	経常利益	純利益
連23.4	13,213	994	1,102	1,092
連24.4	10,972	1,015	1,149	1,443

㈱トーケン　株式公開していない

【金沢本社】921-8011 石川県金沢市入江3-25
☎076-291-8818
建設

採用予定数	倍率	3年後離職率	平均年収
5名	‥	‥	‥

【特色】北陸地盤の建設会社。地域スーパーゼネコンを目指し、建設業を中心に地域貢献できる関連事業を多柱経営として展開。金沢と小松の2本社制。不動産開発業や都市緑化事業、高齢者介護施設紹介業も行う。小松マテーレグループ。
【定着率】‥
【採用】　【設立】1970.7【社長】伊野博俊
23年　4【従業員】単81名(38.9歳)
24年　3【有休】‥日
25年　5【初任給】月22.1万
【試験種類】‥【各種制度】‥

【業績】	売上高	営業利益	経常利益	純利益
単23.2	10,209	368	386	246
単24.2	11,502	418	435	285

㈱ほくつう
株式公開計画なし

【本社】920-8515 石川県金沢市問屋町1-65
☎076-238-1111
建設

採用実績数	倍率	3年後離職率	平均年収
23名	‥	‥	‥

【特色】情報通信、音響映像、無線・監視制御を事業領域とする北陸地盤の電気通信工事会社。消防施設工事も手がける。設計、施工、メンテナンスまで一貫体制。関東や近畿への事業エリア拡大に注力。水田の水位を管理するシステムも提供。
【定着率】‥
【採用】 【設立】1950.5【社長】早川信之
23年 29【従業員】単605名(37.7歳)
24年 23【有休】‥日
25年 未定【初任給】月21.9万(諸手当を除いた数値)
【試験種類】‥【各種制度】‥

【業績】	売上高	営業利益	経常利益	純利益
単22.7	18,446	1,191	1,306	870
単23.7	22,220	1,528	1,652	1,126

㈱コーシン
株式公開未定

【本社】921-8802 石川県野々市市押野2-216
☎076-294-3700
その他小売業

採用予定数	倍率	3年後離職率	平均年収
2名	‥	‥	‥

【特色】飲料自販機の運営会社。サントリー、アサヒ飲料、キリン、大塚製薬など有力メーカーの缶、ペットボトルの自動販売機を扱う。新潟含む北陸から関西、中京地区に展開。紙コップ飲料、カップ麺用自販機のほか、給茶器など多メーカー・多品種を扱う。
【定着率】‥
【採用】 【設立】1976.9【社長】谷内篤
23年 0【従業員】単146名(‥歳)
24年 1【有休】‥日
25年 2【初任給】月23.5万
【試験種類】‥【各種制度】‥

【業績】	売上高	営業利益	経常利益	純利益
単22.12	7,203	18	51	15
単23.12	7,556	160	162	82

㈱サンウェルズ
東証プライム

【本社】920-0067 石川県金沢市二宮町15-13
☎076-272-8982
その他サービス

採用実績数	倍率	3年後離職率	平均年収
34名	‥	‥	481万円

【特色】パーキンソン病患者専門施設を主力に介護事業を展開。通所介護サービス会社設立後、訪問介護、グループ・老人ホームなど介護領域全般に業容を拡大。その後、パーキンソン病専門の有料老人ホーム「PDハウス」を開設。在宅療養者向け訪問看護サービスを開始。
【定着率】‥
【採用】 【設立】2006.9【社長】苗代亮達
23年 21【従業員】単2,731名(39.0歳)
24年 34【有休】‥日
25年 前年並【初任給】月19万(諸手当を除いた数値)
【試験種類】‥【各種制度】‥

【業績】	売上高	営業利益	経常利益	純利益
単23.3	13,716	1,434	1,140	784
単24.3	21,360	3,490	2,938	2,032

ＫＹＣＯＭホールディングス
東証スタンダード

【本店】918-8011 福井県福井市月見5-4-4
☎0776-34-3512
システム・ソフト

採用実績数	倍率	3年後離職率	平均年収
78名	‥	‥	525万円

【特色】情報処理サービスを子会社で展開する持株会社。独立系。自治体、大学・図書館、電力・ガス、医療事務などのシステム開発や、人事・経理業務、入力業務、ヘルプデスクなどのアウトソーシングも展開。レンタカー事業のほか収益性の高い賃貸マンションを併営。
【定着率】‥
【グループ採用】【設立】1968.5【社長】福田正樹
23年 66【従業員】連866名 単5名(57.2歳)
24年 78【有休】‥日
25年 前年並【初任給】月22万(諸手当を除いた数値)
【試験種類】‥【各種制度】‥

【業績】	売上高	営業利益	経常利益	純利益
連23.3	5,700	496	535	360
連24.3	6,091	539	575	419

小浜信用金庫（おばましんようきんこ）
株式公開計画なし

【本社】917-0078 福井県小浜市大手町9-20
☎0770-53-2123
信用金庫

採用実績数	倍率	3年後離職率	平均年収
3名	‥	‥	‥

【特色】福井県小浜市を拠点に嶺南地域に7店舗を展開。顧客、地域、自金庫、職員四者の利益尊重が経営指針。預金量1079億円、貸出金385億円(24年3月末)。貸出金内訳は個人向けが約4割、金融・保険業、不動産業向けが各1割超で続く。
【定着率】‥
【採用】 【設立】1925.8【理事長】濱詰健二
23年 3【従業員】単94名(36.2歳)
24年 3【有休】‥日
25年 未定【初任給】‥万
【試験種類】‥【各種制度】‥

【業績】	経常収益	業務純益	経常利益	純利益
単23.3	1,586	170	150	147
単24.3	2,018	▲192	175	116

福井テレビジョン放送（ふくいテレビジョンほうそう）
株式公開計画なし

【本社】918-8688 福井県福井市問屋町3-410
☎0776-21-2233
テレビ

採用実績数	倍率	3年後離職率	平均年収
2名	‥	‥	‥

【特色】福井県が放送エリアのフジテレビ系列TV局。東京、大阪、金沢、敦賀に支社。韓国・春川、中国・杭州のTV局と友好関係。福井産品を紹介する「福むすび」、日常に潜む疑問を掘り下げた「なんだー？ワンダー！」など自主制作番組にも注力。
【定着率】‥
【採用】 【設立】1969.1【社長】酒井美樹男
23年 3【従業員】単111名(42.8歳)
24年 2【有休】‥日
25年 未定【初任給】‥万
【試験種類】‥【各種制度】‥

【業績】	売上高	営業利益	経常利益	純利益
単23.3	4,374	144	226	141
単24.3	‥	‥	‥	165

㈱ふじや食品（しょくひん）

株式公開計画なし

【本社】915-8501 福井県越前市矢船町1-7-1
☎0778-23-0524
食品・水産

採用予定数	倍率	3年後離職率	平均年収
18名	‥	‥	‥

【特色】玉子豆腐と茶碗蒸しで全国トップシェアのチルド食品メーカー。独創的な商品開発力で和風・中華・洋風総菜やデザートなど商品多様化。福井・越前と栃木・鹿沼に工場を有する。名古屋、静岡、大阪、福井、福岡に営業所。
【定着率】‥
【採用】　【設立】1971.10【社長】白﨑弘康
23年　16【従業員】単537名(40.6歳)
24年　17【有休】‥日
25年　18【初任給】‥万
【試験種類】‥【各種制度】‥

【業績】	売上高	営業利益	経常利益	純利益
単23.3	10,714	‥	‥	‥
単24.3	10,266	404	446	332

㈱松屋（まつや）アールアンドディ

東証グロース

【本社】912-0071 福井県大野市鍬掛第20号1-2
☎0779-66-2096
衣料・繊維

採用実績数	倍率	3年後離職率	平均年収
1名	‥	‥	468万円

【特色】血圧計腕帯やカーシートカバー、エアバッグ等の縫製品製造販売と縫製自動機の開発販売が2本柱。主要製品の血圧計腕帯はオムロングループ向け。メディカル分野やモビリティ分野、環境・エネルギー分野での新規事業の立ち上げに注力。
【定着率】‥
【採用】　【設立】1982.8【社長】後藤秀隆
23年　0【従業員】連1,353名 単44名(47.0歳)
24年　1【有休】‥日
25年　微増【初任給】月20万(諸手当を除いた数値)
【試験種類】‥【各種制度】‥

【業績】	売上高	営業利益	経常利益	純利益
連23.3	7,164	611	675	425
連24.3	8,433	1,283	1,307	953

エネックス

株式公開いずれしたい

【本社】918-8520 福井県福井市花堂中2-15-1
☎0776-36-5821
その他メーカー

採用実績数	倍率	3年後離職率	平均年収
5名	‥	‥	‥

【特色】プリンター用トナー、インクなどリサイクル品の製造・販売、排水処理プラントなど環境機材の設計・施工、化粧品素材など機能性材料の製造・販売を手がける。信頼性・独創性の高い技術開発に注力。加賀工場内で危険物製造所など新設。
【定着率】‥
【採用】　【設立】1972.2【社長】梅田智史
23年　3【従業員】単145名(41.4歳)
24年　5【有休】‥日
25年　未定【初任給】月19万(諸手当を除いた数値)
【試験種類】‥【各種制度】‥

【業績】	売上高	営業利益	経常利益	純利益
単23.3	3,842	23	30	8
単24.3	4,021	32	30	14

技建工業（ぎけんこうぎょう）

株式公開計画なし

【本社】910-0858 福井県福井市手寄1-17-13
☎0776-24-1341
建設

採用予定数	倍率	3年後離職率	平均年収
2名	‥	‥	‥

【特色】福井県が地盤の建設会社。地元の公共・文教施設、金融機関やメーカーなどのオフィス、スーパーやドラッグストアなど流通店舗から個人住宅、集合住宅まで幅広く対応。名古屋営業所を置き、愛知県などでも施工実績。グループ会社で木造注文住宅も。
【定着率】‥
【採用】　【設立】1959.10【社長】上田祐広
23年　5【従業員】単65名(39.0歳)
24年　2【有休】‥日
25年　2【初任給】月22.2万(諸手当を除いた数値)
【試験種類】‥【各種制度】‥

【業績】	売上高	営業利益	経常利益	純利益
単22.10	10,028	489	509	339
単23.10	10,328	644	664	452

日本（にほん）システムバンク

名証メイン

【本社】910-0006 福井県福井市中央3-5-21
☎0776-30-1800
不動産

採用予定数	倍率	3年後離職率	平均年収
4名	‥	‥	417万円

【特色】コインパーキングの直営・管理受託を全国展開。駐車場機器の販売・保守に加え、駐車場検索や駐車料金決済サービスも提供。自社所有のビルやマンションの賃貸も。ENEOSホールディングスと連携し北陸でカーシェア事業も展開。
【定着率】‥
【採用】　【設立】1996.7【社長】野坂信嘉
23年　5【従業員】連232名 単215名(43.1歳)
24年　1【有休】‥日
25年　4【初任給】月20.3万(諸手当を除いた数値)
【試験種類】‥【各種制度】‥

【業績】	売上高	営業利益	経常利益	純利益
連23.6	6,889	430	423	265
連24.6	7,616	549	538	292

㈱PLANT

東証スタンダード

【本社】919-0521 福井県坂井市坂井町下新庄15-8-1
☎0776-72-0300
スーパー

採用予定数	倍率	3年後離職率	平均年収
10名	‥	‥	562万円

【特色】北陸地盤の独立系小売り業者。郊外で衣食住に関連する商品を格安販売する超大型スーパーセンター「PLANT」を運営。近畿や中・四国地方などにも展開。プライベートブランドの商品開発を強化し、通販サイト「TARO&HANAKO」も運営。
【定着率】‥
【採用】　【設立】1982.1【社長】三ッ田佳史
23年　7【従業員】単686名(44.1歳)
24年　6【有休】‥日
25年　10【初任給】月21.1万(諸手当を除いた数値)
【試験種類】‥【各種制度】‥

【業績】	売上高	営業利益	経常利益	純利益
単22.9	95,331	1,448	1,531	324
単23.9	97,548	1,569	1,825	183

ユニフォームネクスト
東証グロース

【本社】910-0123 福井県福井市八重巻町25-81
☎0776-43-1034
その他小売業

採用実績数	倍率	3年後離職率	平均年収
16名	‥	‥	409万円

【特色】業務用ユニホームのネット通販を展開。飲食店、医療機関、オフィス、作業現場向けにそれぞれ専門サイト設ける。中小規模事業者が主要顧客。1万種類以上の商品を取り扱い、欠品がないよう在庫量を豊富に確保。自社スタッフによる電話サポート体制も整える。
【定着率】‥
【採用】　【設立】1994.4【社長】横井康孝
23年 10【従業員】単149名(31.6歳)
24年 16【有休】‥日
25年 前年並【初任給】月18万(諸手当を除いた数値)
【試験種類】‥【各種制度】‥

【業績】	売上高	営業利益	経常利益	純利益
単22.12	6,333	401	409	276
単23.12	7,453	497	514	354

福井鉄道（ふくいてつどう）
株式公開計画なし

【本社】915-0802 福井県越前市北府2-5-20
☎0778-21-0700
鉄道・バス

採用実績数	倍率	3年後離職率	平均年収
1名	‥	‥	‥

【特色】1912年軽便鉄道で創業し、現在は福井市以南の乗合・貸切バス、鉄道(福武線)を運行。営業キロ数は鉄道21.4km、自動車735.2km。えちぜん鉄道との相互直通運転を行う。グループ会社で石油ガス販売、タクシー、レンタカー事業も手がける。
【定着率】‥
【採用】　【設立】1945.8【社長】吉川幸文
23年 5【従業員】連290名 単182名(54.4歳)
24年 1【有休】‥日
25年 未定【初任給】月18.9万(諸手当を除いた数値)
【試験種類】‥【各種制度】‥

【業績】	売上高	営業利益	経常利益	純利益
連23.3	3,364	▲771	▲732	▲33
連24.3	3,293	▲854	▲851	▲56

㈱エノモト
東証プライム

【本社】409-0198 山梨県上野原市上野原8154-19
☎0554-62-5111
電子部品・機器

採用予定数	倍率	3年後離職率	平均年収
24名	‥	‥	494万円

【特色】半導体やLED用のリードフレーム、コネクター用部品の大手。車載向けとモバイル向けが中心。微細加工の精密プレス金型やモールド金型の技術に強みを持つ。スマホやウェアラブル端末向けの極小コネクターにも対応。燃料電池部品の開発に注力。
【定着率】‥
【採用】　【設立】1967.4【社長】白鳥誉
23年 24【従業員】連1,249名 単544名(40.7歳)
24年 22【有休】‥日
25年 24【初任給】月21.8万(諸手当を除いた数値)
【試験種類】‥【各種制度】‥

【業績】	売上高	営業利益	経常利益	純利益
連23.3	29,265	1,561	1,805	1,269
連24.3	25,244	160	291	121

リバーエレテック
東証スタンダード

【本社】407-8502 山梨県韮崎市富士見ヶ丘2-1-11
☎0551-22-1211
電子部品・機器

採用予定数	倍率	3年後離職率	平均年収
10名	‥	‥	564万円

【特色】水晶振動子、水晶発振器などの電子部品を製造・販売。表面実装型の小型水晶デバイスに強み。スマホ向けが主力で、車載用、無線通信機にも採用。電子ビーム封止工法など独自技術に定評。5G・6G向けを見据え、新製品KoTカット水晶発振器に注力。
【定着率】‥
【採用】　【設立】1951.3【社長】萩原義久
23年 6【従業員】連218名 単68名(42.6歳)
24年 4【有休】‥日
25年 10【初任給】月21.8万(諸手当を除いた数値)
【試験種類】‥【各種制度】‥

【業績】	売上高	営業利益	経常利益	純利益
連23.3	6,855	1,125	1,203	893
連24.3	5,454	8	56	▲133

㈱シャトレーゼ
株式公開計画なし

【本社】400-1593 山梨県甲府市下曽根町3440-1
☎055-266-5151
食品・水産

採用予定数	倍率	3年後離職率	平均年収
110名	‥	‥	‥

【特色】和・洋菓子、アイスクリームの製造・販売。国内は46都道府県に展開し、FC含め全国840店舗の工場直売店を展開。山梨県内をはじめ全国に12工場。海外ではアジアを中心に7カ国・地域に180店舗。オンラインショップも運営。
【定着率】‥
【採用】　【設立】2010.4【社長】古屋勇治
23年 92【従業員】単1,484名(36.2歳)
24年 94【有休】‥日
25年 110【初任給】月22万(諸手当を除いた数値)
【試験種類】‥【各種制度】‥

【業績】	売上高	営業利益	経常利益	純利益
単23.3	117,500	14,205	14,946	9,912
単24.3	131,332	‥	‥	‥

㈱オギノ
株式公開未定

【本社】400-0047 山梨県甲府市徳行1-2-18
☎055-227-7100
スーパー

採用予定数	倍率	3年後離職率	平均年収
50名	‥	‥	‥

【特色】山梨県内トップシェアの食品スーパー。1841年綿糸・生糸・油類販売で創業。住関連や衣料品も扱う。県内中心に47店舗を展開。物流拠点4カ所。食品メーカーとの共同キャンペーン積極化。店舗への太陽光発電導入やリサイクル進める。
【定着率】‥
【採用】　【設立】1953.9【社長】荻野寛二
23年 42【従業員】単4,530名(46.2歳)
24年 38【有休】‥日
25年 50【初任給】月21万(諸手当を除いた数値)
【試験種類】‥【各種制度】‥

【業績】	売上高	営業利益	経常利益	純利益
単23.2	71,192	‥	‥	‥
単24.2	74,820	‥	‥	‥

㈱タカチホ

東証スタンダード

【本社】381-0022 長野県長野市大豆島5888 ☎026-221-6677
商社・卸売業

採用実績数	倍率	3年後離職率	平均年収
1名	‥	‥	457万円

【特色】国内観光地の土産品卸売りで国内シェア首位級。土産品小売りも行い、長野中心に全国展開するほか、各地の子会社などが地域特性を生かした土産品を製造。スーパー銭湯、アウトドア専門店、ショッピングセンター運営なども展開。
【定着率】‥
【採用】【設立】1949.2【社長】久保田一臣
23年 0【従業員】連198名 単171名(46.8歳)
24年 1【有休】‥日
25年 増加【初任給】‥万
【試験種類】‥【各種制度】‥

【業績】	売上高	営業利益	経常利益	純利益
連23.3	7,334	329	327	460
連24.3	8,015	439	440	423

長野県酒類販売（ながのけんしゅるいはんばい）

株式公開計画なし

【本社】380-8551 長野県長野市大字稲葉字日詰沖1414 ☎026-221-1251
商社・卸売業

採用予定数	倍率	3年後離職率	平均年収
未定	‥	‥	‥

【特色】長野県下最大の酒類卸問屋。県内酒類流通シェアはトップ級。清涼飲料水、調味料、加工食品なども扱う。仕入れ先は約500社。販売先は量販店、コンビニ、デパート、一般酒販店など約4000店。量販店などとの共同開発も。
【定着率】‥
【採用】【設立】1965.7【社長】丸山勝
23年 2【従業員】単152名(47.0歳)
24年 ‥【有休】‥日
25年 未定【初任給】‥万
【試験種類】‥【各種制度】‥

【業績】	売上高	営業利益	経常利益	純利益
単23.3	30,742	185	321	265
単24.3	32,600	‥	‥	280

サンリン

東証スタンダード

【本社】390-1393 長野県東筑摩郡山形村字下本郷4082-3 ☎0263-97-3030
商社・卸売業

採用予定数	倍率	3年後離職率	平均年収
15名	‥	‥	498万円

【特色】長野県の燃料商社でミツウロコ系。LPガスに加え、産業用ガス、医療用ガスも販売。子会社のキノコ生産会社で食品事業も。ほかに家庭向け電力販売、不動産開発・販売など、多角化経営を行う。住宅リフォーム、太陽光発電、家庭用燃料電池に注力。
【定着率】‥
【採用】【設立】1934.12【社長】塩原規男
23年 6【従業員】連568名 単425名(42.3歳)
24年 5【有休】‥日
25年 15【初任給】月20.5万(諸手当を除いた数値)
【試験種類】‥【各種制度】‥

【業績】	売上高	営業利益	経常利益	純利益
連23.3	32,844	511	816	537
連24.3	32,042	613	940	700

ヤマサ總業（そうぎょう）

株式公開未定

【本社】399-0702 長野県塩尻市広丘野村字高田235 ☎0263-53-4019
商社・卸売業

採用実績数	倍率	3年後離職率	平均年収
0名	‥	‥	‥

【特色】石油、LPガスなどの燃料卸。愛知、長野にLPガス充填所5基地。産業用には各種ローリー車で工業用LPガス、灯油、重油を供給。リフォーム事業やシステムキッチン・空調などの住宅設備機器販売、宅配水事業も手がける。1891年創業。
【定着率】‥
【採用】【設立】1947.11【社長】眞鍋琢磨
23年 0【従業員】単48名(45.0歳)
24年 0【有休】‥日
25年 0【初任給】月20.4万(諸手当を除いた数値)
【試験種類】‥【各種制度】‥

【業績】	売上高	営業利益	経常利益	純利益
単23.3	6,256	‥	‥	‥
単24.3	2,585	‥	‥	‥

長野三菱電機機器販売（ながのみつびしでんききぎはんばい）

株式公開計画なし

【本社】390-0863 長野県松本市白板1-7-5 ☎0263-32-6200
商社・卸売業

採用予定数	倍率	3年後離職率	平均年収
2名	‥	‥	‥

【特色】FA機器・配電制御機器、冷凍・空調機器、ビル設備システムなど扱う、三菱電機系の販売代理店。長野県内が主な営業圏。オフィス・商業施設で使用されるエレベーター、ビルマネジメントシステム、監視映像システムなど社会インフラ事業を強化。
【定着率】‥
【採用】【設立】1959.12【社長】折井義尚
23年 3【従業員】単147名(42.5歳)
24年 2【有休】‥日
25年 2【初任給】月21万(諸手当を除いた数値)
【試験種類】‥【各種制度】‥

【業績】	売上高	営業利益	経常利益	純利益
単23.3	9,596	297	321	222
単24.3	9,051	367	391	241

㈱グラフィック

株式公開計画なし

【本社】390-0831 長野県松本市井川城3-3-8-5 ☎0263-25-7668
コンサルティング

採用予定数	倍率	3年後離職率	平均年収
10名	‥	‥	‥

【特色】測量設計、地質調査、施工管理など技術サービスを一貫提供する総合建設コンサル。人工衛星電波を利用するGNSS測量、レーザー測量なども手がける。自然災害対策「生活防衛ハザードライン」の作成を自治体などへ提案。長野と東京の2本社制。
【定着率】‥
【採用】【設立】1984.4【社長】浅井俊貴
23年 6【従業員】連440名 単296名(36.0歳)
24年 4【有休】‥日
25年 10【初任給】月24万(諸手当を除いた数値)
【試験種類】‥【各種制度】‥

【業績】	売上高	営業利益	経常利益	純利益
連22.9	8,586	438	512	346
連23.9	8,824	439	507	351

㈱テレビ信州（しんしゅう）

株式公開計画なし

【本社】380-8555 長野県長野市若里1-1-1
☎026-227-5511
テレビ

採用実績数	倍率	3年後離職率	平均年収
3名	‥	‥	‥

【特色】長野県の民放テレビ局。略称TSB。日本テレビ系列。県内と東京、大阪に支社。中継局48局。自主制作は平日午前「あなたもホームドクター」、平日午後「ゆうがたGet！every.」、土曜午後に「KICK OFF！SHINSHU」などを放映。
【定着率】‥
【採用】【設立】1979.12【社長】小谷野俊介
23年 2【従業員】単87名(42.9歳)
24年 3【有休】‥日
25年 未定【初任給】月21.5万（諸手当を除いた数値）
【試験種類】‥【各種制度】‥

【業績】	売上高	営業利益	経常利益	純利益
単23.3	4,720	‥	136	65
単24.3	4,677	‥	▲11	2

シナノケンシ

株式公開計画なし

【本社】386-0498 長野県上田市上丸子1078
☎0268-41-1800
電機・事務機器

採用予定数	倍率	3年後離職率	平均年収
15名	‥	‥	‥

【特色】精密モーターや産業システム機器のメーカー。高効率低騒音型精密モーターが強み。音声技術を活用し補聴器なども開発。製造現場向け自動搬送ロボットも展開。中国、台湾、米国、メキシコ、ドイツ、インドに拠点。前身は1918年創業の信濃絹糸紡績。
【定着率】‥
【採用】【設立】1918.3【社長】金子行宏
23年 23【従業員】連3,182名 単866名(43.8歳)
24年 22【有休】‥日
25年 15【初任給】月24.5万（諸手当を除いた数値）
【試験種類】‥【各種制度】‥

【業績】	売上高	営業利益	経常利益	純利益
連23.2	57,355	2,534	3,859	1,946
連24.2	51,439	1,391	1,964	880

日本電熱（にほんでんねつ）

株式公開計画なし

【本社】399-8102 長野県安曇野市三郷温3788
☎0263-87-8282
電機・事務機器

採用予定数	倍率	3年後離職率	平均年収
7名	‥	‥	‥

【特色】シーズヒーターなどの産業用電熱機器・装置メーカー。医療・ヘルスケア関連などライフセグメントにも対応。省エネ・環境分野の研究開発も積極化。短納期提案などソリューション技術も深耕。長野に本社・工場、全国5カ所に支店・出張所。台湾企業と提携。
【定着率】‥
【採用】【設立】1950.9【社長】松田博幸
23年 5【従業員】単197名(41.3歳)
24年 5【有休】‥日
25年 7【初任給】月21.6万（諸手当を除いた数値）
【試験種類】‥【各種制度】‥

【業績】	売上高	営業利益	経常利益	純利益
単23.3	8,176	1,900	2,273	1,644
単24.3	6,726	1,336	1,451	983

㈱ミマキエンジニアリング

東証プライム

【本社】389-0512 長野県東御市滋野乙2182-3
☎0268-64-2281
電機・事務機器

採用予定数	倍率	3年後離職率	平均年収
49名	‥	‥	648万円

【特色】産業用インクジェットプリンターメーカー。広告・看板向けインクジェットプリンターの生産性は世界首位級。多種多様な素材にプリント可能な工業製品向けや、生地や既製服にプリント可能なアパレル向けなども展開。海外売上比率高く海外拠点多数。
【定着率】‥
【採用】【設立】1981.5【社長】池田和明
23年 42【従業員】連2,094名 単897名(41.8歳)
24年 49【有休】‥日
25年 49【初任給】月23.2万（諸手当を除いた数値）
【試験種類】‥【各種制度】‥

【業績】	売上高	営業利益	経常利益	純利益
連23.3	70,607	4,241	3,789	2,807
連24.3	75,631	5,480	4,882	3,707

㈱サンコー

東証スタンダード

【本社】399-0782 長野県塩尻市広丘野村959
☎0263-52-2918
電子部品・機器

採用予定数	倍率	3年後離職率	平均年収
未定	‥	‥	501万円

【特色】車載電装品、安全走行製品などの自動車関連製品やデジタル家電部品などを受託生産。金型製作からプレス、成形、組み立てまでの一貫生産体制に強み。電力会社向けスマートメーターの部品生産など住宅設備関連も手がける。長野、福岡、タイに工場。
【定着率】‥
【採用】【設立】1963.9【社長】竹村潔
23年 11【従業員】連507名 単313名(44.8歳)
24年 ‥【有休】‥日
25年 未定【初任給】‥万
【試験種類】‥【各種制度】‥

【業績】	売上高	営業利益	経常利益	純利益
連23.3	15,674	494	568	420
連24.3	16,936	771	989	704

㈱鈴木（すずき）

東証プライム

【本社】382-8588 長野県須坂市大字小河原2150-1
☎026-251-2600
電子部品・機器

採用予定数	倍率	3年後離職率	平均年収
微増	‥	‥	554万円

【特色】スマホや自動車電装部品向けコネクターと金型を手がける。独自の超精密金型技術活かし、部品部門で微細加工コネクターの量産体制を確立。祖業の金型部門はプレスやモールド金型を供給。半導体関連装置製造や医療器具の組み立ても行う。
【定着率】‥
【採用】【設立】1974.7【社長】鈴木教義
23年 10【従業員】連1,085名 単491名(40.6歳)
24年 ‥【有休】‥日
25年 微増【初任給】月21.6万（諸手当を除いた数値）
【試験種類】‥【各種制度】‥

【業績】	売上高	営業利益	経常利益	純利益
連23.6	26,374	3,151	3,236	1,956
連24.6	27,726	3,369	3,668	2,267

ルビコン
株式公開 未定

【本社】399-4593 長野県伊那市西箕輪1938-1
☎0265-72-7111
電子部品・機器

採用実績数	倍率	3年後離職率	平均年収
20名	‥	‥	‥

【特色】世界トップクラスのアルミ電解コンデンサメーカー。薄膜高分子積層コンデンサはオーディオ回路などに利用される。医療用、光源用、産業用など用途に対応した各種カスタム電源の開発・製造・販売も。電動車等に最適な導電性高分子アルミ固体電解コンデンサなども開発。
【定着率】‥
【採用】　【設立】1952.4【社長】赤羽宏明
23年　13【従業員】単1,271名(45.0歳)
24年　20【有休】‥日
25年　未定【初任給】月22.7万(諸手当を除いた数値)
【試験種類】‥【各種制度】‥

【業績】	売上高	営業利益	経常利益	純利益
単23.3	66,229	5,698	4,832	4,116
単24.3	56,716	2,463	1,419	1,006

㈱コシナ
株式公開 計画なし

【本社】383-8555 長野県中野市吉田1081
☎0269-22-5100
住宅・医療機器他

採用実績数	倍率	3年後離職率	平均年収
8名	‥	‥	‥

【特色】レンズガラスの熔解から組立まで一貫製造のハイエンド光学デバイスメーカー。主力製品はデジタルカメラ用交換レンズ、プロジェクター用光学レンズユニットなどの映像関連デバイス。人工衛星や国際宇宙ステーション向けにも実績。国内に4製造拠点。
【定着率】‥
【採用】　【設立】1959.2【社長】小林孝文
23年　11【従業員】単337名(40.6歳)
24年　8【有休】‥日
25年　未定【初任給】月21.5万(諸手当を除いた数値)
【試験種類】‥【各種制度】‥

【業績】	売上高	営業利益	経常利益	純利益
単23.1	8,674	‥	‥	‥
単24.1	7,573	‥	‥	‥

㈱都筑製作所(つづきせいさくしょ)
株式公開 計画なし

【本社】389-0681 長野県埴科郡坂城町坂城6649-1
☎0268-82-2800
自動車部品

採用予定数	倍率	3年後離職率	平均年収
17名	‥	‥	‥

【特色】4輪車・2輪車用部品、建設機械部品、油圧機器の中堅メーカー。ホンダ系で、ホンダとは1952年、コマツとは61年からの取引。AI、IoT、ロボット導入で高水準の生産性実現。宇宙・航空機産業への進出も視野。インドネシアとタイに生産現法。
【定着率】‥
【採用】　【設立】1944.6【社長】栗田有樹
23年　12【従業員】単435名(39.5歳)
24年　5【有休】‥日
25年　17【初任給】月21.5万(諸手当を除いた数値)
【試験種類】‥【各種制度】‥

【業績】	売上高	営業利益	経常利益	純利益
単23.3	17,563	29	559	357
単24.3	18,404	105	690	450

㈱デリカ
株式公開 計画なし

【本社】390-1242 長野県松本市大字和田5511-11
☎0263-48-1184
輸送用機器

採用予定数	倍率	3年後離職率	平均年収
5名	‥	‥	‥

【特色】堆肥散布・積込・運搬用の農業機械・トラクターと、作業機の連結機構である3点リンク、洗車機用の大型フレームが3本柱。「デリカ」ブランド。メーカーとの共同開発・生産に強み。長野県松本市に本社と工場。タイに生産現法。
【定着率】‥
【採用】　【設立】1953.4【社長】金子孝彦
23年　3【従業員】単152名(41.0歳)
24年　4【有休】‥日
25年　5【初任給】‥万
【試験種類】‥【各種制度】‥

【業績】	売上高	営業利益	経常利益	純利益
単22.10	4,322	4	115	78
単23.10	4,451	82	130	73

オリオン機械(きかい)
株式公開 計画なし

【本社】382-8502 長野県須坂市大字幸高246
☎026-245-1230
機械

採用実績数	倍率	3年後離職率	平均年収
25名	‥	‥	‥

【特色】産業機器、酪農機器メーカー。海外現法8社含むグループ21社で事業展開。酪農機器で業界首位。産業機器は精密空調機器、冷却水循環装置等を重点に省エネ・環境対応製品に注力。酪農機器は、搾乳ロボットなどで省力化・生産量アップを図る。
【定着率】‥
【採用】　【設立】1946.11【社長】太田哲郎
23年　27【従業員】連2,341名 単780名(39.4歳)
24年　25【有休】‥日
25年　未定【初任給】月23.5万(諸手当を除いた数値)
【試験種類】‥【各種制度】‥

【業績】	売上高	営業利益	経常利益	純利益
連23.3	62,294	6,981	7,527	4,541
連24.3	63,586	7,645	8,453	3,024

仁科工業(にしなこうぎょう)
株式公開 計画なし

【本社】389-1196 長野県長野市豊野町浅野1671
☎026-257-6111
機械

採用予定数	倍率	3年後離職率	平均年収
未定	‥	‥	‥

【特色】油圧ショベルなどの建設機械やフォークリフトなどの産業車両向け油圧制御機器を製造・販売。研究開発型企業。主要建機メーカーに製品を納入し、品質は世界標準との評価。ベトナムに生産現地法人を持つ。豊田自動織機のグループ会社。
【定着率】‥
【採用】　【設立】1939.4【社長】前田一郎
23年　1【従業員】単414名(‥歳)
24年　‥【有休】‥日
25年　未定【初任給】月21.1万(諸手当を除いた数値)
【試験種類】‥【各種制度】‥

【業績】	売上高	営業利益	経常利益	純利益
単23.3	16,091	419	485	3,660
単24.3	14,900	‥	‥	523

カネテック
株式公開 いずれしたい

【本社】386-1193 長野県上田市上田原1111
☎0268-24-1111
機械

採用実績数	倍率	3年後離職率	平均年収
2名	‥	‥	‥

【特色】工作機械、産業機械用のマグネット応用機器の総合メーカー。マグネット応用機器分野で国内シェア首位級。マグネット応用技術は食品・化学や環境など幅広い分野で利用。東京、仙台、名古屋、福岡など国内8営業所。米国イリノイ州に現地法人。
【定着率】‥
【採用】 【設立】1956.11【社長】戸島孝幸
23年 3【従業員】単184名(43.1歳)
24年 2【有休】‥日
25年 未定【初任給】月19.7万(諸手当を除いた数値)
【試験種類】‥【各種制度】‥

【業績】	売上高	営業利益	経常利益	純利益
単23.3	3,626	▲45	15	9
単24.3	3,642	▲97	▲19	▲44

伊那食品工業（いなしょくひんこうぎょう）
株式公開 計画なし

【本社】399-4498 長野県伊那市西春近5074
☎0265-78-1121
食品・水産

採用予定数	倍率	3年後離職率	平均年収
30名	‥	‥	‥

【特色】食品向けなどの総合ゲル化剤メーカー。寒天は国内最大手でシェア過半超。業務用「伊那寒天」「イナゲル」と家庭用「かんてんぱぱ」が主力製品。高付加価値寒天の効率的な生産体制を構築。子会社で酒造業や園芸業なども併営。
【定着率】‥
【採用】 【設立】1958.6【社長】塚越英弘
23年 30【従業員】単574名(37.3歳)
24年 30【有休】‥日
25年 30【初任給】月20.7万(諸手当を除いた数値)
【試験種類】‥【各種制度】‥

【業績】	売上高	営業利益	経常利益	純利益
単22.12	20,550	1,081	1,469	981
単23.12	22,723	1,778	1,932	1,474

㈱サンクゼール
東証 グロース

【本社】389-1201 長野県上水内郡飯綱町大字芋川1260
☎026-219-3902
食品・水産

採用実績数	倍率	3年後離職率	平均年収
12名	‥	‥	‥

【特色】長野県が地盤で、食材中心のSPA(製造小売業)。洋食材中心の「サンクゼール」と、和食材の「久世福商店」、米国など海外展開の「Kuze Fuku& Sons」、冷凍食品や調味料などを扱う「メケル」を中心に展開。FCを軸に国内170店超。
【定着率】‥
【採用】 【設立】1982.6【社長】久世良太
23年 2【従業員】連265名 単239名(38.3歳)
24年 12【有休】‥日
25年 未定【初任給】月20.4万(諸手当を除いた数値)
【試験種類】‥【各種制度】‥

【業績】	売上高	営業利益	経常利益	純利益
連23.3	17,865	1,599	1,620	1,058
連24.3	19,162	1,289	1,401	818

丸善食品工業（まるぜんしょくひんこうぎょう）
株式公開 計画なし

【本社】387-8585 長野県千曲市大字寂蒔880
☎026-272-0536
食品・水産

採用予定数	倍率	3年後離職率	平均年収
15名	‥	‥	‥

【特色】ペットボトルやボトル缶のOEM受託が中心の飲料メーカー。自社ブランドで瓶詰めなめ茸、トマトケチャップ、おかゆ・雑炊などを生産。物流子会社通じ倉庫業も手がける。長野、静岡、岐阜に4工場。長野、岐阜に物流センター。
【定着率】‥
【採用】 【設立】1961.2【会長兼社長】春日靖史
23年 13【従業員】単457名(39.2歳)
24年 10【有休】‥日
25年 15【初任給】月20万(諸手当を除いた数値)
【試験種類】‥【各種制度】‥

【業績】	売上高	営業利益	経常利益	純利益
単23.3	28,829	‥	65	42
単24.3	30,737	‥	387	285

フレックスジャパン
株式公開 計画なし

【本社】387-8601 長野県千曲市大字屋代2451
☎026-261-3000
衣料・繊維

採用予定数	倍率	3年後離職率	平均年収
7名	‥	‥	‥

【特色】江戸時代の繊維商・加納屋商店が母体。メンズシャツを主力にレディースシャツ、シャツジャケットも製造・販売。紳士服大手チェーンが主要顧客。国内は長野と熊本、海外は中国、インドネシア、ミャンマー、バングラデシュに工場。国内外に直営店舗。
【定着率】‥
【採用】 【設立】1940.5【社長】矢島隆生
23年 0【従業員】単257名(43.0歳)
24年 5【有休】‥日
25年 7【初任給】月18.6万(諸手当を除いた数値)
【試験種類】‥【各種制度】‥

【業績】	売上高	営業利益	経常利益	純利益
単23.2	6,339	‥	‥	‥
単24.2	6,037	‥	‥	‥

ナパック
株式公開 計画なし

【本社】399-4117 長野県駒ケ根市赤穂14-1823
☎0265-82-5266
金属製品

採用予定数	倍率	3年後離職率	平均年収
5名	‥	‥	‥

【特色】粉末冶金製品と、金属粉末を基盤とした機能材料・機能部品を開発・製造する。前者は焼結含油軸受や鉄系機械部品、後者は希土類ボンド磁石製品が主力製品。愚直に技術開発を継続。供給先は、産業機械、車両・自動車、OA機器、光学機器向けなど幅広い。
【定着率】‥
【採用】 【設立】1966.6【社長】鈴木隆
23年 1【従業員】単147名(40.1歳)
24年 4【有休】‥日
25年 5【初任給】月20.8万(諸手当を除いた数値)
【試験種類】‥【各種制度】‥

【業績】	売上高	営業利益	経常利益	純利益
単22.6	3,120	167	186	142
単23.6	2,561	▲116	▲51	44

三映電子工業（さんえいでんしこうぎょう）

株式公開 未定

【本社】384-0093 長野県小諸市和田971
☎0267-22-2390
非鉄

採用予定数	倍率	3年後離職率	平均年収
4名	‥	‥	‥

【特色】住友電工系マグネットワイヤメーカーで、イグニッションコイル用など極細線で高シェア。平角線を用いた角型コイルも扱う。小型モーターなどの巻線事業で高付加価値化を追求。耐熱コイル製品の量産化で特許取得。国内3工場、タイに製造拠点。
【定着率】‥
【採用】 【設立】1958.11【社長】高熊徳夫
23年 3【従業員】単274名(45.1歳)
24年 2【有休】‥日
25年 4【初任給】月21.3万
【試験種類】‥【各種制度】‥

【業績】	売上高	営業利益	経常利益	純利益
単22.10	8,468	860	469	303
単23.10	8,272	353	335	208

タカノ

東証 スタンダード

【本社】399-4301 長野県上伊那郡宮田村137
☎0265-85-3150
その他メーカー

採用予定数	倍率	3年後離職率	平均年収
23名	‥	‥	611万円

【特色】オフィス用いすと製造業向け検査計測機器のメーカー。長野地盤。オフィス用いすはコクヨへOEM供給が主力だが、福祉・医療施設用も展開。検査計測機器は半導体向けに加え、高機能フィルムや燃料電池部材などにも販路を拡大。中国、台湾などに子会社。
【定着率】‥
【採用】 【設立】1953.7【社長】鷹野準
23年 15【従業員】連731名 単620名(44.3歳)
24年 26【有休】‥日
25年 23【初任給】月21.7万(諸手当を除いた数値)
【試験種類】‥【各種制度】‥

【業績】	売上高	営業利益	経常利益	純利益
連23.3	23,037	999	1,103	828
連24.3	25,173	880	1,023	601

長野都市ガス（ながのとし）

株式公開 計画なし

【本社】380-0813 長野県長野市鶴賀1017
☎026-226-8161
電力・ガス

採用実績数	倍率	3年後離職率	平均年収
3名	‥	‥	‥

【特色】長野市に本社を置く都市ガス事業者。北信と東信地区の県内8市3町で天然ガスを供給。顧客件数は約10万件。4カ所の支店・営業所とショールームを設置。ガス機器販売、リフォーム、電力小売りなどにも注力。料理教室も開催。
【定着率】‥
【採用】 【設立】2004.11【社長】中山潔
23年 5【従業員】単230名(40.8歳)
24年 3【有休】‥日
25年 未定【初任給】月20.1万(諸手当を除いた数値)
【試験種類】‥【各種制度】‥

【業績】	売上高	営業利益	経常利益	純利益
単23.3	21,365	‥	‥	‥
単24.3	19,465	‥	‥	‥

日本スキー場開発（にほんじょうかいはつ）

東証 グロース

【本社】399-9301 長野県北安曇郡白馬村大字北城6329-1
☎0261-72-6040
レジャー

採用実績数	倍率	3年後離職率	平均年収
25名	‥	‥	498万円

【特色】白馬八方尾根など長野、群馬、岐阜、宮城などで国内有名スキー場を運営。運営会社からスキー場を買収し再生。大型遊具施設の設置、グランピングなど、冬季以外のシーズンの営業活動にも注力し、売り上げの3割を占める。日本駐車場開発の子会社。
【定着率】‥
【グループ採用】【設立】2005.12【社長】鈴木周平
23年 22【従業員】連242名 単91名(35.1歳)
24年 25【有休】‥日
25年 未定【初任給】‥万
【試験種類】‥【各種制度】‥

【業績】	売上高	営業利益	経常利益	純利益
連23.7	6,898	1,036	1,077	952
連24.7	8,245	1,552	1,554	1,093

㈱エラン

東証 プライム

【本社】390-0826 長野県松本市出川町15-12
☎0263-29-2680
その他サービス

採用実績数	倍率	3年後離職率	平均年収
44名	‥	‥	543万円

【特色】病院、介護施設を通じ利用者にタオルなどのレンタル行う。入院患者、入所者に日常生活品を組み合わせた「CSセット」提供、料金は1日単位で計算。子会社含め全国で展開し、導入施設数は2300超。効率化と災害時リスクを分散するため自社配送施設を増設。
【定着率】‥
【採用】 【設立】1997.10【会長】櫻井英治
23年 32【従業員】連415名 単306名(33.4歳)
24年 44【有休】‥日
25年 前年並【初任給】月22万(諸手当を除いた数値)
【試験種類】‥【各種制度】‥

【業績】	売上高	営業利益	経常利益	純利益
連22.12	36,264	3,391	3,411	2,082
連23.12	41,425	3,665	3,681	2,518

丸佐（まるさ）

株式公開 予定なし

【本社】500-8856 岐阜県岐阜市橋本町2-8 濃飛ニッセイビル
☎058-254-8710
商社・卸売業

採用実績数	倍率	3年後離職率	平均年収
1名	‥	‥	‥

【特色】東レグループの老舗繊維専門商社。原綿・原糸・紡績糸、テキスタイル、アパレル製品の3事業を手がける。原糸・テキスタイルの新素材開発・拡販を推進。高品質とグローバルな生産・供給力の高次元での両立を追求。生産拠点は国内、中国、ASEAN諸国に展開。
【定着率】‥
【採用】 【設立】1946.9【社長】木下勝弘
23年 2【従業員】単57名(40.8歳)
24年 1【有休】‥日
25年 0【初任給】月22.6万(諸手当を除いた数値)
【試験種類】‥【各種制度】‥

【業績】	売上高	営業利益	経常利益	純利益
単23.3	9,483	67	92	68
単24.3	9,811	228	240	150

㈱大光（おおみつ）　東証スタンダード

【本社】503-0848 岐阜県大垣市古宮町227-1 ☎0584-89-7777
商社・卸売業

採用予定数	倍率	3年後離職率	平均年収
10名	‥	‥	505万円

【特色】中京地盤の食品卸。業務用食品など卸売りの外商事業と業務用食品スーパー「アミカ」事業が2本柱。外商は外食大手やホテルが主顧客。病院、給食向けも。業務用食品スーパーは東海地区中心に1都7県に展開。子会社で水産品の卸売や輸出を手がける。
【定着率】‥
【採用】　【設立】1950.12【社長】金森武
23年　10【従業員】連549名 単541名(42.6歳)
24年　13【有休】‥日
25年　10【初任給】月22万(諸手当を除いた数値)
【試験種類】‥【各種制度】‥

【業績】	売上高	営業利益	経常利益	純利益
連23.5	64,825	762	820	424
連24.5	70,505	1,084	1,145	760

㈱中部メイカン（ちゅうぶ）　株式公開計画なし

【本社】501-6123 岐阜県岐阜市柳津町流通センター1-1-4 ☎058-279-3231
商社・卸売業

採用予定数	倍率	3年後離職率	平均年収
3名	‥	‥	‥

【特色】中部地方地盤の食品卸会社。乾物、チルド、調味料、ビン缶詰類の取り扱いが多い。岐阜、愛知、滋賀に販売網。グループで「築地銀だこ」のFC展開、酒類の販売、焼き海苔の製造・販売、惣菜の製造加工業なども展開。伊藤忠食品グループ。
【定着率】‥
【採用】　【設立】1976.4【社長】小寺仁康
23年　2【従業員】単250名(44.2歳)
24年　2【有休】‥日
25年　3【初任給】月24万(諸手当を除いた数値)
【試験種類】‥【各種制度】‥

【業績】	売上高	営業利益	経常利益	純利益
単23.3	11,045	58	191	116
単24.3	10,814	4	191	125

㈱岐阜放送（ぎふほうそう）　株式公開計画なし

【本社】500-8588 岐阜県岐阜市橋本町2-52 岐阜シティ・タワー43 ☎058-264-1181
テレビ

採用予定数	倍率	3年後離職率	平均年収
3名	‥	‥	‥

【特色】岐阜新聞社グループのラジオ・テレビ兼営局。全国キー局系列に属さない独立系。テレビ東京のネット番組中心に自主制作番組も放送。外部プラットフォームへのニュース配信「ぎふチャンDIGITAL」も行う。東京、大阪、名古屋に支社。
【定着率】‥
【採用】　【設立】1962.9【社長】山本耕
23年　2【従業員】単47名(41.9歳)
24年　1【有休】‥日
25年　3【初任給】月19.1万(諸手当を除いた数値)
【試験種類】‥【各種制度】‥

【業績】	売上高	営業利益	経常利益	純利益
単22.9	1,891	1	20	13
単23.9	1,846	▲105	▲85	▲92

㈱中広（ちゅうこう）　東証スタンダード

【本社】500-8137 岐阜県岐阜市東興町27 ☎058-247-2511
広告

採用予定数	倍率	3年後離職率	平均年収
20名	‥	‥	490万円

【特色】地域密着無料情報誌の広告枠販売が主の広告代理店。FC含め全国約30都道府県で約140誌程度を発行、月間総発行部数は約1100万部超。QRコードのスキャンにより小規模事業者がクーポンを配布できるシステムも開発。
【定着率】‥
【採用】　【設立】1978.5【社長】大島斉
23年　7【従業員】連540名 単356名(39.8歳)
24年　19【有休】‥日
25年　20【初任給】月21.1万(諸手当を除いた数値)
【試験種類】‥【各種制度】‥

【業績】	売上高	営業利益	経常利益	純利益
連23.3	8,517	189	172	84
連24.3	10,237	304	307	192

レシップホールディングス　東証スタンダード

【本社】501-0401 岐阜県本巣市上保1260-2 ☎058-324-3121
自動車部品

採用実績数	倍率	3年後離職率	平均年収
20名	‥	‥	‥

【特色】バス・鉄道・自動車用の電装機器が主力。バス用は国内唯一の総合メーカーで、交通系カードシステムなどの料金精算装置、運賃・行き先表示、自動アナウンス、降車サインなど手がける。産業用車両の充電器やLED看板用直流電源などの産業機器がもう1つの柱。
【定着率】‥
【グループ採用】【設立】1953.3【社長】杉本眞
23年　22【従業員】連641名 単53名(37.8歳)
24年　20【有休】‥日
25年　未定【初任給】月20.4万(諸手当を除いた数値)
【試験種類】‥【各種制度】‥

【業績】	売上高	営業利益	経常利益	純利益
連23.3	14,253	▲310	▲207	▲249
連24.3	22,684	3,164	3,557	2,416

㈱和井田製作所（わいだせいさくしょ）　東証スタンダード

【本社】506-0824 岐阜県高山市片野町2121 ☎0577-32-0390
機械

採用予定数	倍率	3年後離職率	平均年収
未定	‥	‥	‥

【特色】工作機械中堅メーカー。ダイヤモンド砥粒を使い加工する特殊研削盤に特化し、国内首位。金型向けと切削工具向けが2本柱。技術開発力高い。半導体ウエハン向け平面研削盤も育成。海外同業との提携に積極的だが米国では独自展開。台湾に合弁工場。
【定着率】‥
【採用】　【設立】1946.10【社長】森下博
23年　‥【従業員】連216名 単193名(42.9歳)
24年　‥【有休】‥日
25年　未定【初任給】‥万
【試験種類】‥【各種制度】‥

【業績】	売上高	営業利益	経常利益	純利益
連23.3	7,581	1,155	1,210	868
連24.3	7,538	969	1,090	727

中部

ムトー精工（せいこう）
東証スタンダード

【本社】509-0147 岐阜県各務原市鵜沼川崎町1-60-1 ☎058-371-1100
化学

採用予定数	倍率	3年後離職率	平均年収
未定	‥	‥	537万円

【特色】AV・自動車関連機器部品の金型製造やプラスチック成形加工が主力。自動車向けは内装材や電装品ケースが中心。ベトナム、中国、タイなどに生産拠点を持ち、製品の約6割を海外で生産。プリント配線基板や、カメラなどの精密プレス部品も手がける。
【定着率】‥
【採用】【設立】1970.6【社長】田中肇
23年 ‥【従業員】連3,138名 単201名(43.9歳)
24年 ‥【有休】‥日
25年 未定【初任給】‥万
【試験種類】‥【各種制度】‥

【業績】	売上高	営業利益	経常利益	純利益
連23.3	26,169	1,746	2,140	1,300
連24.3	26,315	1,827	2,433	1,773

岐（ぎ）セン
株式公開していない

【本社】501-0234 岐阜県瑞穂市牛牧758 ☎058-326-8123
衣料・繊維

採用実績数	倍率	3年後離職率	平均年収
2名	‥	‥	‥

【特色】織物・編物・不織布など高級服地染色大手。日本で初めて樹脂加工による織物の防シワ加工を実現。化合繊と天然繊維の複合織編物の染色加工に強み。環境に配慮したブランド「ecomo」を展開。ファブリック染色加工を活かし家具などに使われるツキ板も生産。
【定着率】‥
【採用】【設立】1943.1【社長】後藤勝則
23年 5【従業員】連167名 単143名(40.2歳)
24年 2【有休】‥日
25年 未定【初任給】月20.3万(諸手当を除いた数値)
【試験種類】‥【各種制度】‥

【業績】	売上高	営業利益	経常利益	純利益
連23.3	5,905	51	163	▲335
連24.3	5,759	264	261	195

長谷虎紡績（はせとらぼうせき）
株式公開計画なし

【本社】501-6236 岐阜県羽島市江吉良町197-1 ☎058-392-2121
衣料・繊維

採用予定数	倍率	3年後離職率	平均年収
若干	‥	‥	‥

【特色】カーペットと繊維製品の老舗製造メーカー。カーペットはホテル、ゴルフ場、オフィス、競技施設向けに実績。カーボン糸やアラミド糸など産業資材も展開。コンピューターを活用したCJカーペットタイルの染色設備を保有。
【定着率】‥
【採用】【設立】1947.1【社長】長谷享治
23年 9【従業員】単93名(32.9歳)
24年 9【有休】‥日
25年 若干【初任給】月20.5万(諸手当を除いた数値)
【試験種類】‥【各種制度】‥

【業績】	売上高	営業利益	経常利益	純利益
単22.10	7,018	‥	‥	▲589
単23.10	9,200	‥	‥	52

ヒロタ
株式公開していない

【本社】500-8677 岐阜県岐阜市玉姓町3-28 ☎058-264-2201
衣料・繊維

採用予定数	倍率	3年後離職率	平均年収
未定	‥	‥	‥

【特色】婦人服中心の総合アパレルメーカー。オリジナルを標榜し、自社ブランド「31 Sons de mode」「leswel」「Noela」「mint breeze」などを展開。東京・日本橋と南麻布に営業拠点。国内外の関連会社で製造。
【定着率】‥
【採用】【設立】1952.11【社長】廣田孝昭
23年 ‥【従業員】単‥名(‥歳)
24年 ‥【有休】‥日
25年 未定【初任給】‥万
【試験種類】‥【各種制度】‥

【業績】	売上高	営業利益	経常利益	純利益
単22.6	17,891	‥	‥	‥
単23.6	19,645	‥	‥	‥

中部

日本耐酸壜工業（にほんたいさんびんこうぎょう）
株式公開計画なし

【本社】503-0986 岐阜県大垣市中曽根町610 ☎0584-91-6311
ガラス・土石・ゴム

採用実績数	倍率	3年後離職率	平均年収
4名	‥	‥	‥

【特色】ガラスびんを製造・販売。ドリンク用、食品用、薬剤用などを主力に多種類の製品群を展開。栄養ドリンク用はシェア3割を占める。生産スピードの高さも特徴。ガラスびんの静電塗装や、ガラスに含まれるアルカリ成分の溶出を抑制するサルファー処理も手がける。
【定着率】‥
【採用】【設立】1943.3【社長】堤健
23年 7【従業員】単390名(‥歳)
24年 4【有休】‥日
25年 前年並【初任給】月21.2万(諸手当を除いた数値)
【試験種類】‥【各種制度】‥

【業績】	売上高	営業利益	経常利益	純利益
単23.3	11,901	▲99	▲428	▲401
単24.3	14,432	1,185	1,203	956

大垣精工（おおがきせいこう）
株式公開計画なし

【本社】503-0945 岐阜県大垣市浅西3-92-1 ☎0584-89-5811
金属製品

採用予定数	倍率	3年後離職率	平均年収
3名	‥	‥	‥

【特色】精密金型とプレス部品の設計・製造・販売を手がける。車載電装品や家電部品などが主体。超精密加工技術に定評。PC、カーナビ等向けHDD部品で世界的技術を保有。岐阜、長崎、沖縄に工場。岐阜大など国内外の大学と産学提携。
【定着率】‥
【採用】【設立】1968.10【社長】松尾幸雄
23年 2【従業員】単253名(43.8歳)
24年 6【有休】‥日
25年 3【初任給】月22万
【試験種類】‥【各種制度】‥

【業績】	売上高	営業利益	経常利益	純利益
単22.8	5,363	448	1,108	611
単23.8	4,489	▲22	457	347

㈱J－MAX

東証スタンダード

【本社】503-1601 岐阜県大垣市上石津町乙坂130-1
☎0584-46-3191
金属製品

採用実績数	倍率	3年後離職率	平均年収
13名	‥	‥	‥

【特色】自動車用プレス部品メーカー。ボディ部品(車体骨格部品)はじめクラッチ回りの精密部品・電動化部品や金型も手がける。売上の約6割がホンダグループ向け。中国福建省に孫会社を設立し、車載電池シェア上位のCATL社との取引拡大を図る。

【定着率】‥

【採用】【設立】1960.1【代表取締役】山﨑英次
23年 10【従業員】連1,313名 単318名(43.6歳)
24年 13【有休】‥日
25年 前年並【初任給】月20.6万(諸手当を除いた数値)

【試験種類】‥【各種制度】‥

【業績】	売上高	営業利益	経常利益	純利益
連23.3	52,356	2,811	2,712	1,298
連24.3	54,347	1,041	731	▲1,026

セブン工業（こうぎょう）

東証スタンダード

【本社】505-0016 岐阜県美濃加茂市牧野1006
☎0574-28-7800
その他メーカー

採用実績数	倍率	3年後離職率	平均年収
13名	‥	‥	‥

【特色】内装建材と木構造建材双方を扱う住宅部材メーカー。複数の木材を圧着加工する集成材の先駆的会社。内装建材は階段、カウンターなど、木構造建材はプレカット材やパネルなどを供給。プレカットは図面データを元に設計し、工場であらかじめ加工を施す。

【定着率】‥

【採用】【設立】1961.2【取締】木下浩一
23年 12【従業員】単396名(42.1歳)
24年 13【有休】‥日
25年 未定【初任給】‥万

【試験種類】‥【各種制度】‥

【業績】	売上高	営業利益	経常利益	純利益
単23.3	17,655	325	328	231
単24.3	15,264	37	42	▲783

㈱ハウテック

株式公開計画なし

【本社】509-2293 岐阜県下呂市少ケ野423
☎0576-24-1111
その他メーカー

採用実績数	倍率	3年後離職率	平均年収
2名	‥	‥	‥

【特色】住宅用内装ドア生産で首位級。建具、システム収納、和室建具、内装部材も生産・販売。EIS(エコ・インテリア・スタンダード)システムを展開。岐阜、茨城、静岡に工場。インドネシアと中国に拠点。下呂市の社有林で植林事業。

【定着率】‥

【採用】【設立】1956.8【社長】中川正之
23年 5【従業員】単469名(41.5歳)
24年 2【有休】‥日
25年 未定【初任給】月20.7万(諸手当を除いた数値)

【試験種類】‥【各種制度】‥

【業績】	売上高	営業利益	経常利益	純利益
単22.6	11,650	8	162	2
単23.6	11,798	▲154	▲126	43

㈱市川工務店（いちかわこうむてん）

株式公開計画なし

【本社】500-8518 岐阜県岐阜市鹿島町6-27
☎058-251-2240
建設

採用実績数	倍率	3年後離職率	平均年収
10名	‥	‥	‥

【特色】岐阜県地盤の中堅建設会社。道路、トンネル、橋梁などの土木・舗装工事、公共施設や教育・医療施設、博物館や美術館などの建築工事、店舗・住宅のリフォーム工事など、幅広く展開。関連4社とカンチ(汗知)グループを形成。

【定着率】‥

【採用】【設立】1950.8【社長】小川健
23年 18【従業員】単370名(44.2歳)
24年 10【有休】‥日
25年 未定【初任給】月25.7万(諸手当を除いた数値)

【試験種類】‥【各種制度】‥

【業績】	売上高	営業利益	経常利益	純利益
単23.3	19,396	‥	1,266	1,007
単24.3	22,024	‥	1,685	1,374

㈱バローホールディングス

東証プライム

【本部】507-8601 岐阜県多治見市大針町661-1
☎0572-20-0860
スーパー

採用予定数	倍率	3年後離職率	平均年収
未定	‥	‥	685万円

【特色】食品スーパー「バロー」を軸に、ドラッグストアの中部薬品、ホームセンター「ダイユーエイト」など多角展開。中核子会社のバローは岐阜県地盤で東海・北陸地方に集中出店。PB商品開発に力入れる。M&Aなどで関西強化。アークス、リテールパートナーズと戦略的提携。

【定着率】‥

【グループ採用】【設立】1958.7【会長】田代正美
23年 505【従業員】連10,071名 単179名(43.9歳)
24年 ‥【有休】‥日
25年 減少【初任給】‥万

【試験種類】‥【各種制度】‥

【業績】	売上高	営業利益	経常利益	純利益
連23.3	759,977	20,062	23,049	7,603
連24.3	807,795	22,844	25,604	11,945

トヨタカローラネッツ岐阜（ぎふ）

株式公開計画なし

【本社】500-8357 岐阜県岐阜市六条大溝4-1-3
☎058-272-3111
その他小売業

採用実績数	倍率	3年後離職率	平均年収
23名	‥	‥	‥

【特色】トヨタ系ディーラーで、新車約60店、U-Car約20店を展開。岐阜県下最大級の販売・サービスネットワーク。クラウン、ランドクルーザー、アルファード、プリウス、ヤリス、ハイエースバンをはじめトヨタ全車種を取り扱う。点検・整備にも注力。

【定着率】‥

【採用】【設立】1967.12【社長】田口隆男
23年 22【従業員】単1,385名(44.2歳)
24年 23【有休】‥日
25年 未定【初任給】月23.5万(諸手当を除いた数値)

【試験種類】‥【各種制度】‥

【業績】	売上高	営業利益	経常利益	純利益
単23.3	43,751	1,901	1,970	1,048
単24.3	82,517	4,100	4,306	2,926

㈱日本一ソフトウェア（にっぽんいち）
東証スタンダード

【本社】504-0903 岐阜県各務原市蘇原月丘町3-17
☎058-371-7275
ゲーム

採用予定数	倍率	3年後離職率	平均年収
若干	・・	・・	358万円

【特色】ゲームソフトメーカー。SIE向け(PS4など)ソフトの企画・開発が主体。「魔界戦記ディスガイア」などRPG開発に強み。任天堂向け(Switchなど)、他社ライセンス商品の企画・販売、コンピュータゲームソフト制作も。欧米向け配信にも注力。
【定着率】・・
【採用】　【設立】1995.7【社長】世古哲久
23年　10【従業員】連193名 単108名(35.1歳)
24年　8【有休】・・日
25年　若干【初任給】月20万(諸手当を除いた数値)
【試験種類】・・【各種制度】・・

【業績】	売上高	営業利益	経常利益	純利益
連23.3	4,833	745	941	672
連24.3	5,339	401	842	593

濃飛倉庫運輸（のうひそうこうんゆ）
株式公開いずれしたい

【本社】500-8557 岐阜県岐阜市橋本町2-20
☎058-251-0111
運輸・倉庫

採用実績数	倍率	3年後離職率	平均年収
18名	・・	・・	・・

【特色】1916年創業の倉庫から陸海空の総合物流企業に発展。アジアを中心に海外物流を展開し、上海現法はじめ香港、ベトナム、タイに拠点。国内は岐阜・愛知の地場産業・アパレル製品に加え精密電子部品、穀物など扱いは多岐。買収子会社含め関東から関西に展開。
【定着率】・・
【採用】　【設立】1916.8【社長】尾関圭司
23年　8【従業員】単1,100名(47.5歳)
24年　18【有休】・・日
25年　未定【初任給】月21.7万
【試験種類】・・【各種制度】・・

【業績】	売上高	営業利益	経常利益	純利益
単23.3	29,509	・・	・・	・・
単24.3	27,716	・・	・・	・・

不二軽窓販売（ふじけいそうはんばい）
株式公開計画なし

【本社】417-0801 静岡県富士市大渕2463-10
☎0545-35-1470
商社・卸売業

採用予定数	倍率	3年後離職率	平均年収
1名	・・	・・	・・

【特色】住宅用窓・アルミサッシの販売・施工で静岡県首位級。ビル用サッシ、スチールサッシ、住宅建材全般に事業展開。輸入住宅・注文住宅の建設や外壁塗装の施工も手がける。エクステリア製品、住宅用設備機器の販売も行う。
【定着率】・・
【採用】　【設立】1967.7【社長】青柳幸児
23年　2【従業員】単64名(46.0歳)
24年　0【有休】・・日
25年　1【初任給】月18.5万(諸手当を除いた数値)
【試験種類】・・【各種制度】・・

【業績】	売上高	営業利益	経常利益	純利益
単22.6	2,157	37	43	45
単23.6	2,405	44	42	26

日軽産業（にっけいさんぎょう）
株式公開計画なし

【本社】424-0825 静岡県静岡市清水区松原町5-12
☎054-353-5271
商社・卸売業

採用予定数	倍率	3年後離職率	平均年収
5名	・・	・・	・・

【特色】アルミ素材、アルミ加工品の製品販売を柱に、船舶・車両に使用されるアルミ溶接線の製造や、建設工事、保険事業も手がける。アルミ溶接線のシェア45%。インドネシア、中国・上海、シンガポールに現地法人。日本軽金属グループ。
【定着率】・・
【採用】　【設立】1949.1【社長】杉山和義
23年　3【従業員】単237名(40.0歳)
24年　2【有休】・・日
25年　5【初任給】月22.8万(諸手当を除いた数値)
【試験種類】・・【各種制度】・・

【業績】	売上高	営業利益	経常利益	純利益
単23.3	22,883	1,142	1,192	819
単24.3	25,838	1,425	1,489	996

東海溶材（とうかいようざい）
株式公開計画なし

【本社】424-8502 静岡県静岡市清水区北脇242
☎054-345-5121
商社・卸売業

採用実績数	倍率	3年後離職率	平均年収
7名	・・	・・	・・

【特色】一般高圧ガスなどの産業用ガス、産業機器、溶接機材を扱う専門商社。静岡を中心に栃木から鹿児島まで国内本支店・営業所18拠点を展開。関連会社多彩。海外はタイと中国に2拠点。IT化・IoT技術深耕に注力。1922年創業。
【定着率】・・
【採用】　【設立】1945.1【社長】松下勝実
23年　1【従業員】単182名(43.7歳)
24年　7【有休】・・日
25年　未定【初任給】月22万
【試験種類】・・【各種制度】・・

【業績】	売上高	営業利益	経常利益	純利益
単22.11	21,770	338	573	218
単23.11	23,669	617	848	245

ＯＭソーラー
株式公開いずれしたい

【本社】431-1207 静岡県浜松市中央区村櫛町4601
☎053-488-1700
商社・卸売業

採用予定数	倍率	3年後離職率	平均年収
未定	・・	・・	・・

【特色】太陽熱利用のソーラーシステムを開発・販売。北海道から九州まで展開している会員工務店や設計事務所などにソーラーシステムの建築技術・設計・施工の指導を行い、部材を販売する形態。住宅部材販売が7割強。学校・保育園・福祉施設向けも販売。
【定着率】・・
【採用】　【設立】1998.6【社長】飯田祥久
23年　0【従業員】単42名(45.3歳)
24年　・・【有休】・・日
25年　未定【初任給】・・万
【試験種類】・・【各種制度】・・

【業績】	売上高	営業利益	経常利益	純利益
単23.3	1,617	13	7	▲225
単23.9変	・・	・・	・・	▲23

㈱三明（さんめい）

株式公開計画なし

【本社】424-0825 静岡県静岡市清水区松原町6-16 ☎054-353-3271
商社・卸売業

採用実績数	倍率	3年後離職率	平均年収
4名	‥	‥	‥

【特色】メーカー機能を併せ持つ、産業用機器の専門商社。ACサーボ、FAメカトロニクス製造の関連会社とグループを形成。サーボ制御を主体とするモーションコントロールに強み。独自製品でニッチなニーズに対応。中国、タイに現地法人。
【定着率】‥
【採用】【設立】1928.3【社長】笠井茂
23年 6【従業員】単104名(44.3歳)
24年 4【有休】‥日
25年 未定【初任給】月23万(諸手当を除いた数値)
【試験種類】‥【各種制度】‥

【業績】	売上高	営業利益	経常利益	純利益
単23.3	16,528	1,309	1,495	1,095
単24.3	18,313	1,529	1,764	1,298

㈱静岡日立（しずおかひたち）

株式公開計画なし

【本社】422-8007 静岡県静岡市駿河区聖一色84-1 ☎054-264-7171
商社・卸売業

採用予定数	倍率	3年後離職率	平均年収
4名	‥	‥	‥

【特色】日立製産業用電気機器の販売が主軸。静岡県地盤。設計・施工からメンテまで一貫体制。機械器具設置、電気工事に多くの実績。省エネ製品や電子デバイス、空調・冷凍設備・情報機器など商品群拡充を推進。日立製作所グループ。
【定着率】‥
【採用】【設立】1976.9【社長】原秀樹
23年 7【従業員】単214名(‥歳)
24年 4【有休】‥日
25年 4【初任給】月21万(諸手当を除いた数値)
【試験種類】‥【各種制度】‥

【業績】	売上高	営業利益	経常利益	純利益
単23.3	21,559	1,151	1,180	824
単24.3	20,719	1,033	1,066	696

㈱TOKAIコミュニケーションズ

株式公開計画なし

【本社】420-0034 静岡県静岡市葵区常磐町2-6-8 TOKAIビル ☎054-254-3781
通信サービス

採用予定数	倍率	3年後離職率	平均年収
47名	‥	‥	‥

【特色】ネット接続の通信、データセンター、システムインテグレーションの3事業を展開する。法人向けに加え、個人向けサービスも手がける。中小監査法人とDX推進の合弁会社設立、物流業界向けソフト開発会社買収し事業を拡大。TOKAIホールディングス傘下。
【定着率】‥
【採用】【設立】1977.3【社長】高橋強
23年 33【従業員】単1,334名(42.3歳)
24年 41【有休】‥日
25年 47【初任給】月24万(諸手当を除いた数値)
【試験種類】‥【各種制度】‥

【業績】	売上高	営業利益	経常利益	純利益
単23.3	57,553	3,814	3,841	2,292
単24.3	61,121	4,069	4,112	2,647

㈱Geolocation Technology

福証

【本社】411-0036 静岡県三島市一番町18-22 ☎055-916-0294
システム・ソフト

採用実績数	倍率	3年後離職率	平均年収
0名	‥	‥	467万円

【特色】インターネットユーザーの位置情報を活用したWebマーケティングサービスや不正アクセス防止サービスを開発・提供。組織属性や気象情報など100種類以上のデータを組み合わせたデータベースに強み。企業のほか官公庁を顧客に持つ。
【定着率】‥
【採用】【設立】2000.2【社長】山本敬介
23年 0【従業員】単39名(37.7歳)
24年 0【有休】‥日
25年 0【初任給】‥万
【試験種類】‥【各種制度】‥

【業績】	売上高	営業利益	経常利益	純利益
単23.6	767	116	117	37
単24.6	716	76	77	37

テレビ静岡システムクリエイツ

株式公開計画なし

【本社】422-8008 静岡県静岡市駿河区栗原18-65 ☎054-264-9559
システム・ソフト

採用実績数	倍率	3年後離職率	平均年収
2名	‥	‥	‥

【特色】テレビ静岡傘下のシステム開発会社。静岡を中心に全国の大手・中堅企業向けに情報システムソリューションを提供。スクラッチ開発、ERPパッケージ導入、常駐型SEサービスなど、コンサルティングから運用管理まで一貫して支援を行う。
【定着率】‥
【採用】【設立】1990.11【社長】髙橋均
23年 5【従業員】単48名(41.4歳)
24年 2【有休】‥日
25年 未定【初任給】月20.5万(諸手当を除いた数値)
【試験種類】‥【各種制度】‥

【業績】	売上高	営業利益	経常利益	純利益
単23.3	1,043	153	158	96
単24.3	1,056	161	164	163

三島信用金庫（みしましんようきんこ）

株式公開計画なし

【本店営業部】411-0857 静岡県三島市芝本町12-3 ☎055-975-4840
信用金庫

採用実績数	倍率	3年後離職率	平均年収
33名	‥	‥	‥

【特色】静岡県三島市や沼津市、伊豆半島全域が営業エリア。49店舗を展開。通称「さんしん」。2006年伊豆信用金庫と対等合併して現体制に。外部IT事業者と提携した取引先企業のデジタル化支援を推進。預金量1兆0110億円(24年3月末)。
【定着率】‥
【採用】【設立】1911.1【理事長】髙嶋正芳
23年 29【従業員】単702名(43.6歳)
24年 33【有休】‥日
25年 前年並【初任給】月22万(諸手当を除いた数値)
【試験種類】‥【各種制度】‥

【業績】	経常収益	業務純益	経常利益	純利益
単23.3	12,549	2,111	2,031	1,443
単24.3	13,809	2,282	2,614	1,872

静銀リース（しずぎんリース）

株式公開 計画なし

【本社】420-0031 静岡県静岡市葵区呉服町1-1-2 静岡呉服町スクエア7階 ☎054-255-7788
信販・カード・リース他

採用予定数	倍率	3年後離職率	平均年収
8名	‥	‥	‥

【特色】しずおかフィナンシャルグループ傘下のリース会社。同傘下の静岡銀行と連携。一般事務用機器、工場設備などのファイナンス・オペレーティングリースや事業用車両のオートリース、割賦販売などを展開する。支社・営業所は主に静岡県内に展開し地域密着を標榜。
【定着率】‥
【採用】 【設立】1974.3 【社長】若林紀伸
23年 7【従業員】単108名(36.8歳)
24年 8【有休】‥日
25年 8【初任給】月25万(諸手当を除いた数値)
【試験種類】‥【各種制度】‥

【業績】	売上高	営業利益	経常利益	純利益
単23.3	36,188	1,550	1,566	1,091
単24.3	33,384	1,703	1,710	1,188

㈱静岡第一テレビ（しずおかだいいち）

株式公開 計画なし

【本社】422-8560 静岡県静岡市駿河区中原563 ☎054-283-8111
テレビ

採用実績数	倍率	3年後離職率	平均年収
3名	‥	‥	‥

【特色】日テレ系列の地方テレビ局。略称SDT。「まるごと」「every.しずおか」「ごちそうカントリー」「KICKOFF！SHIZUOKA」等の番組を自社制作。グループ会社に、テレビ番組やCMなどの映像制作などを行うSDTエンタープライズなど。
【定着率】‥
【採用】 【設立】1979.2 【会長】赤座弘一
23年 4【従業員】単119名(‥歳)
24年 3【有休】‥日
25年 未定【初任給】月23.3万(諸手当を除いた数値)
【試験種類】‥【各種制度】‥

【業績】	売上高	営業利益	経常利益	純利益
単23.3	7,850	369	411	267
単24.3	7,759	281	320	214

協立電機（きょうりつでんき）

東証 スタンダード

【本社】422-8686 静岡県静岡市駿河区中田本町61-1 ☎054-288-8899
電機・事務機器

採用予定数	倍率	3年後離職率	平均年収
10名	‥	‥	571万円

【特色】FAシステム(最適生産システム)と計測制御機器の設計・開発が主事業。ロボットによる自動化・省力化機器、EV向け電磁波測定装置、水質検査装置などに注力。省電力システムも。中国、アジアなどに現地法人を置き、積極的に海外展開。
【定着率】‥
【採用】 【設立】1959.2 【社長】西信之
23年 6【従業員】連734名 単385名(45.4歳)
24年 6【有休】‥日
25年 10【初任給】月23.3万(諸手当を除いた数値)
【試験種類】‥【各種制度】‥

【業績】	売上高	営業利益	経常利益	純利益
連23.6	33,616	2,273	2,371	1,530
連24.6	34,361	2,451	2,635	1,768

パルステック工業（こうぎょう）

東証 スタンダード

【本社】431-1304 静岡県浜松市浜名区細江町中川7000-35 ☎053-522-5176
電機・事務機器

採用予定数	倍率	3年後離職率	平均年収
10名	‥	‥	576万円

【特色】光ディスク製品の生産・検査装置の大手。独自の光ピックアップ技術を持ち、検査プレーヤーやプリライターは事実上の業界標準。X線残留応力測定装置や非接触計測スキャナーに注力。検体・臨床検査機器の受託開発など医療分野に展開。
【定着率】‥
【採用】 【設立】1969.11【社長】青野嘉幸
23年 3【従業員】連130名 単129名(45.9歳)
24年 3【有休】‥日
25年 10【初任給】月20.4万(諸手当を除いた数値)
【試験種類】‥【各種制度】‥

【業績】	売上高	営業利益	経常利益	純利益
連23.3	2,448	301	332	242
連24.3	2,612	358	386	327

ローランド ディー.ジー.

株式公開 ―

【本社】431-2103 静岡県浜松市浜名区新都田1-1-2 ☎053-484-1200
電機・事務機器

採用予定数	倍率	3年後離職率	平均年収
20名	‥	‥	783万円

【特色】広告・看板用インクジェットプリンターとカッティングマシンが主力。中小製造業向けに生産現場改善クラウドサービス「Roland DG Assemble」も提供。デジタル制御技術をベースにUVプリンターや歯科用加工機器を拡販。
【定着率】‥
【採用】 【設立】1981.5 【取締】田部耕平
23年 12【従業員】連1,361名 単435名(41.6歳)
24年 17【有休】‥日
25年 20【初任給】月22万(諸手当を除いた数値)
【試験種類】‥【各種制度】‥

【業績】	売上高	営業利益	経常利益	純利益
連22.12	50,459	6,083	6,126	4,327
連23.12	54,018	5,217	5,348	4,302

ASTI

東証 スタンダード

【本社】432-8056 静岡県浜松市中央区米津町2804 ☎053-444-5111
自動車部品

採用実績数	倍率	3年後離職率	平均年収
12名	‥	‥	540万円

【特色】ワイヤハーネスなど車載用電装品が主力。2輪車用のワイヤハーネスは国内上位。ヤマハとスズキが大口顧客。洗濯機、食器洗浄機の制御基板など家電用電子部品なども生産し、実装技術に定評。産業用制御システムに注力。納入先随伴のインドをはじめ海外展開。
【定着率】‥
【採用】 【設立】1963.5 【社長】波多野淳彦
23年 11【従業員】連4,346名 単673名(42.9歳)
24年 12【有休】‥日
25年 未定【初任給】月22.3万(諸手当を除いた数値)
【試験種類】‥【各種制度】‥

【業績】	売上高	営業利益	経常利益	純利益
連23.3	64,883	1,894	2,095	1,512
連24.3	63,607	2,234	3,081	2,695

㈱エッチ・ケー・エス

東証スタンダード

【本社】418-0103 静岡県富士宮市上井出2266
☎0544-29-1111
自動車部品

採用予定数	倍率	3年後離職率	平均年収
5名	‥	‥	575万円

【特色】モータースポーツ向け改造部品メーカー。マフラー、エンジン制御装置、サスペンションなどアフターパーツ品を手がける。OEMやIoT車載通信機も展開。コンプリートチューニングカーの拡充にも取り組む。中国、タイ、北米に拠点。
【定着率】‥
【採用】　【設立】1973.10【社長】水口大輔
23年 7【従業員】連383名 単263名(41.9歳)
24年 8【有休】‥日
25年 5【初任給】月19.9万(諸手当を除いた数値)
【試験種類】‥【各種制度】‥

【業績】	売上高	営業利益	経常利益	純利益
連22.8	8,629	532	720	496
連23.8	9,241	637	725	451

共和レザー（きょうわレザー）

東証スタンダード

【本社】430-8510 静岡県浜松市中央区東町1876
☎053-425-2121
自動車部品

採用実績数	倍率	3年後離職率	平均年収
10名	‥	‥	‥

【特色】トヨタ系合成樹脂製品の総合メーカー。自動車内装用合成レーザー大手。トヨタグループ向けが主体だが、EV化進む中国はじめ国内外の自動車メーカーにも供給。内装材、玄関ドアなどの住宅設備や合成皮革などのファッション・生活資材も展開。
【定着率】‥
【採用】　【設立】1935.8【取締】花井幹雄
23年 15【従業員】連1,400名 単732名(38.9歳)
24年 10【有休】‥日
25年 前年並【初任給】月21.1万(諸手当を除いた数値)
【試験種類】‥【各種制度】‥

【業績】	売上高	営業利益	経常利益	純利益
連23.3	45,792	237	591	347
連24.3	52,037	2,567	2,704	1,958

㈱桜井製作所（さくらいせいさくしょ）

東証スタンダード

【本社】431-3124 静岡県浜松市中央区半田町720
☎053-432-1711
自動車部品

採用実績数	倍率	3年後離職率	平均年収
8名	‥	‥	516万円

【特色】自動車生産ライン用工作機が主力の中堅メーカー。自動車部品の加工・製造も行う。工作機は標準機のほか納入先の要望に応じた専用機が得意。部品加工は4輪・2輪車のトランスミッションが中心で、産業機械・航空分野も手がける。海外は米国とベトナムに拠点。
【定着率】‥
【採用】　【設立】1948.9【社長】櫻井成二
23年 7【従業員】連308名 単191名(41.9歳)
24年 8【有休】‥日
25年 前年並【初任給】月19.8万(諸手当を除いた数値)
【試験種類】‥【各種制度】‥

【業績】	売上高	営業利益	経常利益	純利益
連23.3	4,598	▲416	▲290	▲306
連24.3	5,539	▲263	▲113	321

浜松熱処理工業（はままつねつしょりこうぎょう）

株式公開計画なし

【本社】430-0841 静岡県浜松市中央区寺脇町718
☎053-441-1730
自動車部品

採用予定数	倍率	3年後離職率	平均年収
未定	‥	‥	‥

【特色】自動車部品の金属熱処理加工メーカーとしては国内大手。自動車・発動機メーカーなど約650社が取引先。表面熱処理分野で優れた技術力を持つ。4工場体制。従業員の7割以上が金属熱処理技能士の資格を持つ。日本パーカライジングの子会社。
【定着率】‥
【採用】　【設立】1965.6【社長】大倉洋一
23年 0【従業員】単87名(41.9歳)
24年 0【有休】‥日
25年 未定【初任給】月21.6万(諸手当を除いた数値)
【試験種類】‥【各種制度】‥

【業績】	売上高	営業利益	経常利益	純利益
単23.3	3,949	429	736	525
単24.3	4,535	535	816	551

フジオーゼックス

東証スタンダード

【本社】439-0023 静岡県菊川市三沢1500-60
☎0537-35-5973
自動車部品

採用実績数	倍率	3年後離職率	平均年収
10名	‥	‥	612万円

【特色】エンジンバルブ最大手の自動車部品メーカー。国内シェア4割、海外でも高シェア。大同特殊鋼系。ディーゼル、ガソリン両方に対応するが、EVシフト対応も見据える。日産グループやトヨタなどが主要顧客。中国、インドネシア、メキシコに生産拠点持つ。
【定着率】‥
【採用】　【設立】1951.12【社長】辻本敏
23年 2【従業員】単575名(39.1歳)
24年 10【有休】‥日
25年 未定【初任給】月22.1万(諸手当を除いた数値)
【試験種類】‥【各種制度】‥

【業績】	売上高	営業利益	経常利益	純利益
連23.3	21,606	869	1,051	594
連24.3	23,382	1,626	1,928	1,931

㈱ユタカ技研（ユタカぎけん）

東証スタンダード

【本社】431-3194 静岡県浜松市中央区豊町508-1
☎053-433-4111
自動車部品

採用予定数	倍率	3年後離職率	平均年収
5名	‥	‥	658万円

【特色】ホンダ直系の排気系、駆動系自動車部品メーカー。精密プレス技術や溶接技術をベースに、トルクコンバーター、ブレーキディスクなどを製造。脱エンジンを打ち出すホンダ依存脱却へEV用モーターコアなどの拡販を目指す。海外10カ所に生産拠点、海外売上比率は8割超。
【定着率】‥
【採用】　【設立】1976.12【社長】青島隆男
23年 8【従業員】連5,190名 単936名(41.4歳)
24年 4【有休】‥日
25年 5【初任給】月21.3万(諸手当を除いた数値)
【試験種類】‥【各種制度】‥

【業績】	売上高	営業利益	税前利益	純利益
連23.3	218,004	3,853	4,933	1,444
連24.3	216,260	11,117	12,022	7,448

㈱ヤマザキ

東証スタンダード

【本社】431-3121 静岡県浜松市中央区有玉北町489-23 ☎053-434-3011
機械

採用予定数	倍率	3年後離職率	平均年収
3名	‥	‥	‥

【特色】工作機械と2輪車部品の専業メーカー。工作機械は自動車業界向けが中心。自社開発ユニットを多数保有し、カスタムメイドによる提供が可能。2輪車部品はエンジン・ブレーキ部品が主体。ヤマハ発動機向けが売上高の3割超。ベトナムを拠点にアジアで展開。
【定着率】‥
【採用】　【設立】1960.9 【代表取締役】山﨑好和
23年 3【従業員】連328名 単150名(47.7歳)
24年 3【有休】‥日
25年 3【初任給】月21.7万(諸手当を除いた数値)
【試験種類】‥【各種制度】‥

【業績】	売上高	営業利益	経常利益	純利益
連23.3	2,655	▲228	▲213	▲111
連24.3	2,496	▲97	▲86	▲33

日研フード（にっけん）

株式公開計画なし

【本社】437-0122 静岡県袋井市春岡723-1 ☎0538-49-0121
食品・水産

採用実績数	倍率	3年後離職率	平均年収
11名	‥	‥	‥

【特色】肉、魚、野菜などを原料にした天然調味料メーカー。製品はスープベースを始めとして様々な食品の味付けに使われる。お茶関連食品や機能性エキスなども扱う。中国、台湾、タイ、米国に販売拠点。中国とタイに製造拠点を稼働。世界約30カ国に輸出。
【定着率】‥
【採用】　【設立】1982.3 【社長】越智康倫
23年 11【従業員】単269名(41.0歳)
24年 11【有休】‥日
25年 未定【初任給】月21万(諸手当を除いた数値)
【試験種類】‥【各種制度】‥

【業績】	売上高	営業利益	経常利益	純利益
単23.3	11,529	‥	‥	‥
単24.3	12,321	‥	‥	‥

㈱ニッセー

株式公開計画なし

【本社】421-0298 静岡県焼津市下江留896-2 ☎054-622-1212
食品・水産

採用実績数	倍率	3年後離職率	平均年収
10名	‥	‥	‥

【特色】400種に及ぶ飲料をOEM生産し、大手メーカー40社余りに供給。生産量は年間5000万ケースと国内最大規模。缶飲料、ペットボトル飲料、ビン飲料などを7工場13ライン体制で製造。高濃度抽出、高粘度液の充填が可能な製造ラインを開発。
【定着率】‥
【採用】　【設立】1952.11【社長】川村憲久
23年 10【従業員】単325名(41.9歳)
24年 10【有休】‥日
25年 未定【初任給】月21.5万(諸手当を除いた数値)
【試験種類】‥【各種制度】‥

【業績】	売上高	営業利益	経常利益	純利益
単23.4	22,580	279	146	▲260
単24.4	22,368	850	813	172

はごろもフーズ

東証スタンダード

【本社】422-8067 静岡県静岡市駿河区南町11-1 静銀・中京銀静岡駅南ビル ☎054-288-5200
食品・水産

採用実績数	倍率	3年後離職率	平均年収
25名	‥	‥	486万円

【特色】マグロ・ツナ缶の国内最大手で「シーチキン」はトップブランド。料理素材・パスタソースなどの缶詰や、パスタ・無菌包装米飯などの食品、ペットフードも展開。静岡市や焼津市の自社工場に加え、国内外に協力工場。オイル不使用やパウチ製品を拡販。
【定着率】‥
【採用】　【設立】1947.7 【社長】後藤佐恵子
23年 22【従業員】連694名 単678名(40.1歳)
24年 25【有休】‥日
25年 前年並【初任給】月21.8万(諸手当を除いた数値)
【試験種類】‥【各種制度】‥

【業績】	売上高	営業利益	経常利益	純利益
連23.3	70,452	▲1,133	▲791	▲1,320
連24.3	73,501	1,834	2,269	1,749

三井化学エムシー（みついかがく）

株式公開計画なし

【本社】424-8710 静岡県静岡市清水区駒越北町14-1 ☎054-334-1221
化学

採用実績数	倍率	3年後離職率	平均年収
4名	‥	‥	‥

【特色】ポリウレタン樹脂の合成品や調合品等を扱う化学メーカー。三井化学の完全子会社でグループのポリウレタン樹脂事業の中核を担う。少量試験生産から製品化まで対応。製造受託の拡大と環境対応製品の事業拡大に注力。静岡、兵庫、茨城に生産拠点。
【定着率】‥
【採用】　【設立】1973.1 【社長】小島順一
23年 6【従業員】単224名(36.0歳)
24年 4【有休】‥日
25年 未定【初任給】‥万
【試験種類】‥【各種制度】‥

【業績】	売上高	営業利益	経常利益	純利益
単23.3	22,372	371	431	247
単24.3	21,836	519	571	312

岸本工業（きしもとこうぎょう）

株式公開計画なし

【本社】421-0106 静岡県静岡市駿河区北丸子1-30-60 ☎054-259-5158
金属製品

採用予定数	倍率	3年後離職率	平均年収
5名	‥	‥	‥

【特色】業務用空調や冷蔵庫の部品、自動車計器部品が主力製品の金属プレス加工メーカー。空調機器のOEM組立も行う。金型の単品受注にも対応。国内は静岡市と和歌山市に工場。タイの生産拠点では、業務用空調部品や自動車部品、プレス金型を製造。
【定着率】‥
【採用】　【設立】1946.7 【社長】岸本学
23年 5【従業員】単100名(38.0歳)
24年 ‥【有休】‥日
25年 5【初任給】月20万(諸手当を除いた数値)
【試験種類】‥【各種制度】‥

【業績】	売上高	営業利益	経常利益	純利益
単23.1	4,632	154	175	112
単24.1	4,585	65	96	65

中部

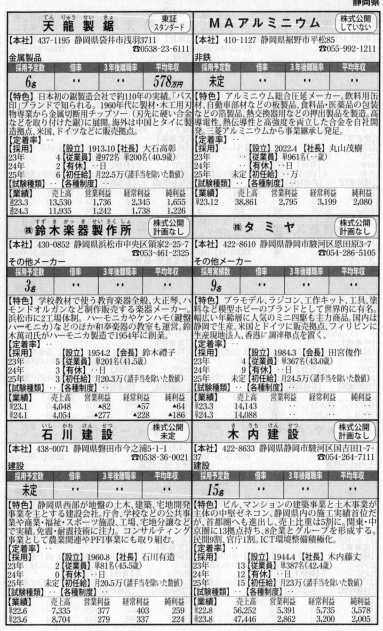

天龍製鋸（てんりゅうせいきょ）
東証スタンダード

【本社】437-1195 静岡県袋井市浅羽3711
☎0538-23-6111
金属製品

採用予定数	倍率	3年後離職率	平均年収
6名	‥	‥	578万円

【特色】日本初の鋸製造会社で約110年の実績。「パス印」ブランドで知られる。1960年代に製材・木工用刃物専業から金属切断用チップソー（刃先に硬い合金などを取り付けた鋸）に展開。海外は中国とタイに製造拠点、米国、ドイツなどに販売拠点。
【定着率】‥
【採用】【設立】1913.10【社長】大石高彰
23年 4【従業員】連972名 単200名（40.9歳）
24年 2【有休】‥日
25年 6【初任給】月22.5万（諸手当を除いた数値）
【試験種類】‥【各種制度】‥

【業績】	売上高	営業利益	経常利益	純利益
連23.3	13,530	1,736	2,345	1,655
連24.3	11,935	1,242	1,738	1,226

ＭＡアルミニウム
株式公開していない

【本社】410-1127 静岡県裾野市平松85
☎055-992-1211
非鉄

採用予定数	倍率	3年後離職率	平均年収
未定	‥	‥	‥

【特色】アルミニウム総合圧延メーカー。飲料用缶材、自動車部材などの板製品、食料品・医薬品の包装などの箔製品、熱交換器用などの押出製品を製造。高導電性、熱伝導性と高強度を両立した合金を自社開発。三菱アルミニウムから事業継承し発足。
【定着率】‥
【採用】【設立】2022.4【社長】丸山茂樹
23年 ‥【従業員】単961名（‥歳）
24年 ‥【有休】‥日
25年 未定【初任給】‥万
【試験種類】‥【各種制度】‥

【業績】	売上高	営業利益	経常利益	純利益
単23.12	38,861	2,795	3,199	2,080

㈱鈴木楽器製作所（すずきがっきせいさくしょ）
株式公開計画なし

【本社】430-0852 静岡県浜松市中央区領家2-25-7
☎053-461-2325
その他メーカー

採用予定数	倍率	3年後離職率	平均年収
3名	‥	‥	‥

【特色】学校教材で使う教育楽器全般、大正琴、ハモンドオルガンなど制作販売する楽器メーカー。浜松市に2工場体制。ハーモニカやケンハモ（鍵盤ハーモニカ）などのほか和奏楽器の教室も運営。鈴木萬司氏がハーモニカ製造で1954年に創業。
【定着率】‥
【採用】【設立】1954.2【会長】鈴木禮子
23年 5【従業員】単201名（41.5歳）
24年 3【有休】‥日
25年 3【初任給】月20.3万（諸手当を除いた数値）
【試験種類】‥【各種制度】‥

【業績】	売上高	営業利益	経常利益	純利益
単23.1	4,048	▲82	▲57	▲64
単24.1	4,054	▲277	▲228	▲186

㈱タミヤ
株式公開計画なし

【本社】422-8610 静岡県静岡市駿河区恩田原3-7
☎054-286-5105
その他メーカー

採用実績数	倍率	3年後離職率	平均年収
9名	‥	‥	‥

【特色】プラモデル、ラジコン、工作キット、工具、塗料など模型ホビーのブランドとして世界的に有名。幅広い年齢層に人気のミニ四駆も主力商品。国内は静岡で生産。米国とドイツに販売拠点、フィリピンに生産現地法人、香港に調達拠点を置く。
【定着率】‥
【採用】【設立】1984.3【会長】田宮俊作
23年 4【従業員】単367名（43.0歳）
24年 9【有休】‥日
25年 未定【初任給】月24.5万（諸手当を除いた数値）
【試験種類】‥【各種制度】‥

【業績】	売上高	営業利益	経常利益	純利益
単23.3	14,143	‥	‥	‥
単24.3	14,088	‥	‥	‥

石川建設（いしかわけんせつ）
株式公開未定

【本社】438-0071 静岡県磐田市今之浦5-1-1
☎0538-36-0021
建設

採用予定数	倍率	3年後離職率	平均年収
未定	‥	‥	‥

【特色】静岡県西部が地盤の土木、建築、宅地開発事業を主とする建設会社。庁舎、学校などの公共事業や商業・福祉・スポーツ施設、工場、宅地分譲などで実績。免震・耐震技術に注力。コンサルティング事業として農業関連やPFI事業にも取り組む。
【定着率】‥
【採用】【設立】1960.8【社長】石川有造
23年 2【従業員】単81名（45.5歳）
24年 0【有休】‥日
25年 未定【初任給】月20.5万（諸手当を除いた数値）
【試験種類】‥【各種制度】‥

【業績】	売上高	営業利益	経常利益	純利益
単22.6	7,335	377	403	259
単23.6	8,704	279	337	224

木内建設（きうちけんせつ）
株式公開計画なし

【本社】422-8633 静岡県静岡市駿河区国吉田1-7-37
☎054-264-7111
建設

採用予定数	倍率	3年後離職率	平均年収
15名	‥	‥	‥

【特色】ビル、マンションの建築事業と土木事業が主体の中堅ゼネコン。静岡県内の施工実績首位だが、首都圏へも進出し、売上比重は5割に。関東・中京圏に13拠点持ち、8企業とグループを形成する。民間9割、官庁1割。ICT環境整備積極化。
【定着率】‥
【採用】【設立】1944.4【社長】木内藤丈
23年 13【従業員】単387名（42.4歳）
24年 12【有休】‥日
25年 15【初任給】月23万（諸手当を除いた数値）
【試験種類】‥【各種制度】‥

【業績】	売上高	営業利益	経常利益	純利益
単22.8	56,252	5,391	5,735	3,578
単23.8	47,446	2,862	3,200	2,005

南富士（みなみふじ）

株式公開計画なし

【本社】411-0045 静岡県三島市萩65-1
☎055-988-8810
建設

採用予定数	倍率	3年後離職率	平均年収
4名	‥	‥	‥

【特色】住宅屋根外壁工事が主力。関東中心に拠点は20を超す。太陽光パネル施工やリフォームも手がける。人材育成学校運営事業として、中国、インドネシアでリーダー育成、ベトナムで日本就労を見据えたマイスター育成を行う。杉山製材所として創業。
【定着率】‥
【採用】【設立】1970.12【社長】杉山拓
23年 10【従業員】単115名(39.5歳)
24年 5【有休】‥日
25年 4【初任給】月26.5万(諸手当を除いた数値)
【試験種類】‥【各種制度】‥

【業績】	売上高	営業利益	経常利益	純利益
単23.3	7,448	184	198	0
単24.3	6,926	307	326	3

明光電気（めいこうでんき）

株式公開計画なし

【本社】435-0041 静岡県浜松市中央区北島町25
☎053-421-4611
建設

採用予定数	倍率	3年後離職率	平均年収
未定	‥	‥	‥

【特色】静岡県西部で首位の電気工事業者。屋内外の電気工事、電気通信工事、消防施設工事を手がける。公共施設、学校、病院、レジャー施設、集合住宅、工場など幅広い実績。高度な技術技能を訴求。県全域から東三河まで営業圏の拡大狙う。
【定着率】‥
【採用】【設立】1954.6【社長】林眞一郎
23年 4【従業員】単62名(42.1歳)
24年 0【有休】‥日
25年 未定【初任給】月23万(諸手当を除いた数値)
【試験種類】‥【各種制度】‥

【業績】	売上高	営業利益	経常利益	純利益
単23.3	2,453	333	340	85
単24.3	3,089	607	612	136

㈱遠鉄ストア（えんてつ）

株式公開計画なし

【本部】432-8021 静岡県浜松市中央区佐鳴台4-16-10
☎053-445-1000
スーパー

採用予定数	倍率	3年後離職率	平均年収
17名	‥	‥	‥

【特色】遠州鉄道子会社で、生鮮食品、一般食品、日用雑貨などのチェーンストア。静岡県西部地域、浜松を中心に36店舗(24年6月末現在)を展開。西部地域で業界首位級。ドラッグストアのマツモトキヨシとの共同店舗も展開。
【定着率】‥
【採用】【設立】1973.10【社長】宮田洋
23年 20【従業員】単645名(39.7歳)
24年 30【有休】‥日
25年 17【初任給】月22万(諸手当を除いた数値)
【試験種類】‥【各種制度】‥

【業績】	売上高	営業利益	経常利益	純利益
単23.3	52,826	‥	180	▲611
単24.3	54,509	56	248	66

㈱エンチョー

東証スタンダード

【本部】417-0052 静岡県富士市中央町2-12-12
☎0545-57-0808
家電量販・薬局・HC

採用実績数	倍率	3年後離職率	平均年収
6名	‥	‥	530万円

【特色】静岡地盤のホームセンター。愛知、神奈川にも展開。材木店発祥で住宅関連が得意。DIY用品、園芸、カーレジャー用品など扱う。大工道具や電動工具などのハードウェア専門店や、キャンプ用品などのアウトドア用品専門店、ペット専門店も手がける。
【定着率】‥
【採用】【設立】1962.7【社長】遠藤秀男
23年 9【従業員】連444名 単397名(43.3歳)
24年 6【有休】‥日
25年 未定【初任給】月20.6万(諸手当を除いた数値)
【試験種類】‥【各種制度】‥

【業績】	売上高	営業利益	経常利益	純利益
連23.3	37,295	238	100	▲216
連24.3	35,571	205	53	▲413

㈱マキヤ

東証スタンダード

【本社】417-0801 静岡県富士市大渕2373
☎0545-36-1000
その他小売業

採用予定数	倍率	3年後離職率	平均年収
4名	‥	‥	532万円

【特色】総合ディスカウント店「エスポット」を、地盤の静岡と神奈川で運営。インテリア・雑貨店や、食品スーパーも手がける。FCの「業務スーパー」も事業の柱で、山梨や埼玉を含め約50店舗。「ハードオフ」「ダイソー」のFCも。買収・子会社化でECにも進出。
【定着率】‥
【採用】【設立】1972.6【社長】早川紀行
23年 3【従業員】連501名 単426名(44.4歳)
24年 3【有休】‥日
25年 4【初任給】月20.8万(諸手当を除いた数値)
【試験種類】‥【各種制度】‥

【業績】	売上高	営業利益	経常利益	純利益
連23.3	71,583	1,635	1,812	1,187
連24.3	77,333	2,227	2,396	1,454

ティーライフ

東証スタンダード

【本社】428-8651 静岡県島田市牛尾118
☎0547-46-3459
その他小売業

採用実績数	倍率	3年後離職率	平均年収
0名	‥	‥	495万円

【特色】PB健康食品、化粧品などのテレビ通販向け卸売りとカタログ・Webでの小売りを営む。主な商品はルイボスティーなどの健康茶や化粧品など。アジア圏など越境ECを拡大。M&Aや新規事業会社設立に積極的。物流施設の賃貸も営む。
【定着率】‥
【採用】【設立】1983.8【社長】西上節也
23年 0【従業員】連167名 単90名(39.7歳)
24年 0【有休】‥日
25年 0【初任給】月21.5万(諸手当を除いた数値)
【試験種類】‥【各種制度】‥

【業績】	売上高	営業利益	経常利益	純利益
連23.7	13,457	822	844	599
連24.7	13,001	551	564	319

㈱Ｚ会（かい）
株式公開計画なし

【本社】411-0033 静岡県三島市文教町1-9-11 ☎055-976-9711
人材・教育

採用予定数	倍率	3年後離職率	平均年収
14名	‥	‥	‥

【特色】幼児、小・中・高生向けの通信教育事業を展開のほか、大学生・社会人向けに資格取得向け講座なども運営。参考書などの書籍出版や模擬試験の運営も手がける。教育業界だけでなく他業界とのコラボレーションも積極化。公的案件の受注拡大。
【定着率】‥
【採用】【設立】1960.4【社長】藤井孝昭
23年 13【従業員】単452名（44.6歳）
24年 10【有休】‥日
25年 14【初任給】月25万（諸手当を除いた数値）
【試験種類】‥【各種制度】‥

【業績】	売上高	営業利益	経常利益	純利益
連23.3	21,016	310	323	▲830
連24.3	20,308	▲25	48	▲113

㈱クレステック
東証スタンダード

【本社】433-8104 静岡県浜松市中央区東三方町69 ☎053-439-0315
その他サービス

採用実績数	倍率	3年後離職率	平均年収
2名	‥	‥	551万円

【特色】顧客であるメーカーが発売する新製品に添付する取扱説明書、修理マニュアルなどの企画・制作・翻訳・印刷を行う。デジタル製品、輸送用機器、情報機器、家電、医療用機器など対象業種は幅広い。中国、東南アジア、欧米など海外にも展開。
【定着率】‥
【採用】【設立】1984.9【社長】栗沢威臣
23年 ‥【従業員】連1,383名 単302名（43.8歳）
24年 2【有休】‥日
25年 未定【初任給】‥万
【試験種類】‥【各種制度】‥

【業績】	売上高	営業利益	経常利益	純利益
連23.6	21,270	1,615	1,616	851
連24.6	19,066	1,180	1,290	910

東邦液化ガス（とうほうえきか）
株式公開計画なし

【本社】456-0004 愛知県名古屋市熱田区桜田町19-18 ☎052-882-3754
商社・卸売業

採用実績数	倍率	3年後離職率	平均年収
11名	‥	‥	‥

【特色】東邦ガスグループのLPG・コークス販売会社。LPGが売上の7割超占める。愛知、三重、岐阜、石川、静岡の5県を中心に約60万戸に供給。電力・ガス小売り自由化を機に広域重点網を整備し営業圏を拡大。名港LPG基地は地震・津波対策を実施。
【定着率】‥
【採用】【設立】1959.11【社長】古山義洋
23年 4【従業員】単843名（44.3歳）
24年 11【有休】‥日
25年 未定【初任給】月22万（諸手当を除いた数値）
【試験種類】‥【各種制度】‥

【業績】	売上高	営業利益	経常利益	純利益
単23.3	91,984	2,604	2,865	2,285
単24.3	86,591	2,486	2,898	2,105

東郷産業（とうごうさんぎょう）
株式公開いずれしたい

【本社】460-0012 愛知県名古屋市中区千代田5-4-16 ☎052-251-5371
商社・卸売業

採用実績数	倍率	3年後離職率	平均年収
1名	‥	‥	‥

【特色】特殊鋼、工業用樹脂材料、電気部品、船舶・航空宇宙関連向け資材販売などの専門商社。工場設備機械類の販売・リース事業も展開。関係会社ではゴルフ場の運営も。香港、中国（常熟、東莞）に販売現地法人。福岡県飯塚市に事務所。
【定着率】‥
【採用】【設立】1953.5【社長】相羽哲弘
23年 0【従業員】単50名（40.4歳）
24年 1【有休】‥日
25年 未定【初任給】月21.1万（諸手当を除いた数値）
【試験種類】‥【各種制度】‥

【業績】	売上高	営業利益	経常利益	純利益
単22.12	16,463	192	327	132
単23.12	17,824	191	262	134

タキヒヨー
東証スタンダード

【本社】451-8688 愛知県名古屋市西区牛島町6-1 名古屋ルーセントタワー ☎052-587-7111
商社・卸売業

採用実績数	倍率	3年後離職率	平均年収
17名	‥	‥	478万円

【特色】名古屋地盤の老舗繊維商社。婦人服や子供服などの衣料品と毛織物を中心する服地素材が主力。取扱商品の大半は中国の生産協力工場で生産。主要顧客は量販店のしまむら、イオンなど。ベルーナなど通販向けも。ゴルフウエアを中心に小売も手がける。
【定着率】‥
【採用】【設立】1912.11【代表取締役】滝一夫
23年 13【従業員】連715名 単537名（42.4歳）
24年 17【有休】‥日
25年 未定【初任給】月20.8万（諸手当を除いた数値）
【試験種類】‥【各種制度】‥

【業績】	売上高	営業利益	経常利益	純利益
連23.2	61,813	94	303	▲282
連24.2	57,736	708	791	769

モリリン
株式公開計画なし

【本店】491-8610 愛知県一宮市本町4-22-10 ☎0586-25-2281
商社・卸売業

採用実績数	倍率	3年後離職率	平均年収
16名	‥	‥	‥

【特色】原糸、テキスタイル、服飾など繊維製品を製造・販売するメーカー機能を併せもつ繊維専門商社。アパレル製品の売上高が過半。寝具などリビング製品のほかアップサイクル事業も手がける。中国、ベトナム、インドネシア、カンボジア、バングラデシュに生産拠点。
【定着率】‥
【採用】【設立】1918.3【社長】森俊輔
23年 16【従業員】単376名（40.0歳）
24年 16【有休】‥日
25年 未定【初任給】月21.7万（諸手当を除いた数値）
【試験種類】‥【各種制度】‥

【業績】	売上高	営業利益	経常利益	純利益
単23.2	92,314	4,165	4,857	3,412
単24.2	91,202	5,313	6,024	4,170

国分中部（こくぶちゅうぶ）

株式公開計画なし

【本社】462-0041 愛知県名古屋市北区浪打町2-35 ☎052-911-3171
商社・卸売業

採用実績数	倍率	3年後離職率	平均年収
13名	‥	‥	‥

【特色】加工食品・酒類からチルド、菓子まで多様な商品を取り扱い、東海四県と北陸三県で営業する食品卸売。商圏分析やPOS分析を提供するほか、複数の小売業やメーカーと連携し最適な物流を提案。前身は国分の名古屋出張所。セントラルフォレストグループ傘下。
【定着率】‥
【採用】【設立】1954.4【社長】福井稔
23年 8【従業員】単219名(‥歳)
24年 13【有休】‥日
25年 未定【初任給】月22.5万
【試験種類】‥【各種制度】‥

【業績】	売上高	営業利益	経常利益	純利益
単22.12	165,320	611	644	439
単23.12	173,019	1,125	1,159	780

名北魚市場（めいほくうおいちば）

株式公開計画なし

【本社】480-0291 愛知県西春日井郡豊山町豊場字八反107 名古屋中央卸売市場北部市場内 ☎052-903-5206
商社・卸売業

採用実績数	倍率	3年後離職率	平均年収
2名	‥	‥	‥

【特色】名古屋市中央卸売市場北部市場の開設を機に、同市場本場水産物部の卸売業者3社が共同出資して設立。全国初の市場卸一社制の水産荷受会社。水産物の卸売・加工を中心に一般食品物の卸売も行う。マグロ専用の低温施設を保有。
【定着率】‥
【採用】【設立】1983.10【社長】吉川貴洋
23年 0【従業員】単47名(45.8歳)
24年 2【有休】‥日
25年 未定【初任給】月23.2万
【試験種類】‥【各種制度】‥

【業績】	売上高	営業利益	経常利益	純利益
単23.3	21,686	48	77	92
単24.3	19,783	▲536	▲508	▲669

㈱岩田商会（いわたしょうかい）

株式公開計画なし

【本社】460-0003 愛知県名古屋市中区錦1-2-11 IWATAビル ☎052-201-2750
商社・卸売業

採用実績数	倍率	3年後離職率	平均年収
4名	‥	‥	‥

【特色】中部地区でトップ級の化成品専門商社。住宅業界から高評価のウレタン技術を活かし、土木、産業用途にも展開。名古屋、東京、大阪、浜松、福岡に支店。札幌、仙台、鶴岡、小松、滋賀、宮崎に営業所。タイにグループ製品扱う現地法人。1902年創業。
【定着率】‥
【採用】【設立】1947.1【社長】岩田卓也
23年 3【従業員】単140名(42.4歳)
24年 4【有休】‥日
25年 未定【初任給】月23万(諸手当を除いた数値)
【試験種類】‥【各種制度】‥

【業績】	売上高	営業利益	経常利益	純利益
単23.3	32,896	470	529	302
単24.3	33,602	432	593	346

㈱江口巖商店（えぐちいわおしょうてん）

株式公開計画なし

【本社】457-0861 愛知県名古屋市南区明治1-19-5 ☎052-691-4181
商社・卸売業

採用実績数	倍率	3年後離職率	平均年収
2名	‥	‥	‥

【特色】塗料・塗装を中心とする塗膜関連製品の専門商社。トヨタをはじめとする自動車関連向けが年商の9割を占める。インドネシアに関西ペイントとの合弁会社。南アに全額出資子会社を有するなどグローバル展開も。1907年創業。
【定着率】‥
【採用】【設立】1947.7【社長】橋本淳
23年 1【従業員】単82名(47.0歳)
24年 2【有休】‥日
25年 未定【初任給】月24万(諸手当を除いた数値)
【試験種類】‥【各種制度】‥

【業績】	売上高	営業利益	経常利益	純利益
単22.12	30,181	‥	‥	972
単23.12	37,696	‥	‥	1,545

KeePer技研（ぎけん）

東証プライム

【本社】474-0046 愛知県大府市吉川町4-17 ☎0562-45-5258
商社・卸売業

採用実績数	倍率	3年後離職率	平均年収
109名	‥	‥	408万円

【特色】自動車用コーティング材の製造卸と自社のコーティング施工・洗車サービス店「キーパーLABO」運営が2本柱。コーティング材「KeePer」は強い撥水力で汚れを防止。浴槽など家庭用製品も開発。店舗は東海、関東中心に展開。施工の技術教育にも注力。
【定着率】‥
【採用】【設立】1993.2【社長】賀来聡介
23年 108【従業員】単1,041名(27.0歳)
24年 109【有休】‥日
25年 前年並【初任給】月24.6万(諸手当を除いた数値)
【試験種類】‥【各種制度】‥

【業績】	売上高	営業利益	経常利益	純利益
単23.6	17,042	5,475	5,470	3,957
単24.6	20,574	6,101	6,075	4,421

山宗（やまそう）

株式公開計画なし

【本社】462-0825 愛知県名古屋市北区大曽根1-6-28 ☎052-913-6151
商社・卸売業

採用予定数	倍率	3年後離職率	平均年収
20名	‥	‥	‥

【特色】小ロット多品種に対応する、プラスチック資材の問屋・商社。メーカー機能も併せ持ち、国内5カ所の工場でプラスチック加工・製造を行う。中部中心に強固な営業基盤。国内営業店は26、海外営業拠点は3。中国にも成形・組立工場。
【定着率】‥
【グループ採用】【設立】1960.8【社長】増田英輔
23年 16【従業員】単555名(38.9歳)
24年 21【有休】‥日
25年 20【初任給】月25万(諸手当を除いた数値)
【試験種類】‥【各種制度】‥

【業績】	売上高	営業利益	経常利益	純利益
単22.9	58,314	1,930	2,207	1,250
単23.9	64,763	2,572	2,935	1,891

㈱サーラコーポレーション
東証プライム

【本社】440-8533 愛知県豊橋市駅前大通1-55 サーラタワー ☎0532-51-1155
商社・卸売業

採用予定数	倍率	3年後離職率	平均年収
80名	‥	‥	652万円

【特色】都市ガス・LPガス、石油製品などのエネルギー供給、住宅販売、土木・建設工事が柱。グループで幅広く事業展開する持株会社。建設用資材の製造・販売、不動産リフォーム、輸入車販売・整備、動物用医薬品販売なども。愛知東部と静岡西部が地盤。
【定着率】‥
【グループ採用】【設立】2002.5【社長】神野吾郎
23年　88【従業員】連3,927名 単64名(41.4歳)
24年　81【有休】‥日
25年　80【初任給】月22万(諸手当を除いた数値)
【試験種類】‥【各種制度】‥

【業績】	売上高	営業利益	経常利益	純利益
連22.11	234,848	6,891	8,601	5,682
連23.11	242,059	6,083	7,870	6,099

㈱進和（しんわ）
東証プライム

【本社】463-0046 愛知県名古屋市守山区苗代2-9-3 ☎052-796-2533
商社・卸売業

採用予定数	倍率	3年後離職率	平均年収
未定	‥	‥	664万円

【特色】接合技術を軸とする独立系技術系商社。溶接装置、射出成型機、FAシステムを扱い、メーカー機能も持つ。金属接合技術(ブレージング)で各種部品・設備を製造、自動車・空調機向けに供給。自動車関連が7割で、トヨタグループ向けが多い。海外拡大中。
【定着率】‥
【採用】【設立】1951.2【社長】瀧谷善郎
23年　‥【従業員】連891名 単553名(39.2歳)
24年　‥【有休】‥日
25年　未定【初任給】‥万
【試験種類】‥【各種制度】‥

【業績】	売上高	営業利益	経常利益	純利益
連22.8	71,062	5,213	5,582	3,784
連23.8	76,114	4,995	5,144	3,585

リンタツ
株式公開計画なし

【本社】460-0016 愛知県名古屋市中区橘1-28-9 ☎052-331-8311
商社・卸売業

採用予定数	倍率	3年後離職率	平均年収
8名	‥	‥	‥

【特色】1926年創業の独立系、ステンレス鋼材加工商社。半田ステンレス加工センター(愛知県)は国内最大級の規模と生産能力を備える。国内の営業拠点14カ所、取引先数約1300社。業界屈指の生産体制と全国流通ネットワークが強み。
【定着率】‥
【採用】【設立】1950.12【社長】山下良隆
23年　7【従業員】単306名(41.0歳)
24年　10【有休】‥日
25年　8【初任給】月25万(諸手当を除いた数値)
【試験種類】‥【各種制度】‥

【業績】	売上高	営業利益	経常利益	純利益
単22.9	67,396	4,194	4,553	2,263
単23.9	82,728	5,103	5,491	3,041

ミタチ産業（さんぎょう）
東証スタンダード

【本社】460-0026 愛知県名古屋市中区伊勢山2-11-28 ☎052-332-2500
商社・卸売業

採用予定数	倍率	3年後離職率	平均年収
若干	‥	‥	594万円

【特色】汎用半導体やメモリ、システムLSI、液晶などを扱う独立系電子機器商社。車載機器関連、工作機械向けなどに販売。HV車載用電子部品など自動車関連事業の比重が高い。フィリピン子会社で部品調達から完成品組立までの受託生産も。
【定着率】‥
【採用】【設立】1976.7【社長】橘和博
23年　5【従業員】連490名 単134名(41.9歳)
24年　5【有休】‥日
25年　若干【初任給】月21.7万(諸手当を除いた数値)
【試験種類】‥【各種制度】‥

【業績】	売上高	営業利益	経常利益	純利益
連23.5	43,271	2,490	2,452	1,693
連24.5	38,899	1,591	1,706	1,222

オザワ科学（かがく）
株式公開計画なし

【本社】460-0003 愛知県名古屋市中区錦3-9-22 ☎052-951-5331
商社・卸売業

採用予定数	倍率	3年後離職率	平均年収
未定	‥	‥	‥

【特色】研究や検査に使用する分析機器、光学機器、環境機器、計測システムなどを扱う科学機器商社。自社開発の測定装置なども製造・販売。東海4県が営業エリアで東海地区でトップシェアを誇る。取引先8000社以上、取り扱いメーカー5000社以上。
【定着率】‥
【採用】【設立】1950.4【社長】小澤大地
23年　2【従業員】単173名(41.5歳)
24年　0【有休】‥日
25年　未定【初任給】月21.2万(諸手当を除いた数値)
【試験種類】‥【各種制度】‥

【業績】	売上高	営業利益	経常利益	純利益
単22.12	20,372	1,103	1,164	799
単23.12	21,672	1,536	1,620	1,098

ケイティケイ
東証スタンダード

【本社】461-0001 愛知県名古屋市東区泉2-3-3 ☎052-931-1881
商社・卸売業

採用予定数	倍率	3年後離職率	平均年収
5名	‥	‥	438万円

【特色】トナーカートリッジの再生販売が主力事業。法人向けOA関連商品販売の「YORIDORI」、個人向けリサイクルトナー直売サイト「リパックストア」も運営。DX推進を支援する商品などを販売するITソリューション事業の育成に注力。
【定着率】‥
【採用】【設立】1971.6【社長】青山英生
23年　3【従業員】連297名 単172名(40.4歳)
24年　2【有休】‥日
25年　5【初任給】月19万(諸手当を除いた数値)
【試験種類】‥【各種制度】‥

【業績】	売上高	営業利益	経常利益	純利益
連23.8	17,611	361	466	310
連24.8	18,109	383	488	345

ゴムノイナキ
[株式公開未定]

【本社】460-8333 愛知県名古屋市中区上前津2-8-1 ☎052-322-2512
商社・卸売業

採用予定数	倍率	3年後離職率	平均年収
未定	‥	‥	‥

【特色】工業用ゴムとプラスチック製品および複合製品の専門商社。メーカー機能も備える。自動車、家電向けが主体。取扱品種は1万7000。海外10カ国に7の生産拠点と11の営業拠点のグローバルネットワークを構築。1919年創業。
【定着率】‥
【採用】【設立】1946.8【社長】稲木裕
23年 7【従業員】単340名(42.2歳)
24年 ‥【有休】‥日
25年 未定【初任給】月22万(諸手当を除いた数値)
【試験種類】‥【各種制度】‥

【業績】	売上高	営業利益	経常利益	純利益
単22.4	38,815	‥	‥	‥
単23.4	37,950	‥	‥	‥

㈱スタメン
[東証グロース]

【本社】450-0006 愛知県名古屋市中村区下広井町1-14-8 ☎052-990-2470
システム・ソフト

採用実績数	倍率	3年後離職率	平均年収
10名	‥	‥	565万円

【特色】社内の情報共有、課題解決を支援するサービス「TUNAG」をクラウドで展開。契約企業からの月額課金が収益源のサブスクリプションモデル。BtoC市場向けにファンクラブなど会員組織活性化を目的とするアプリ「FANTS」を運営。
【定着率】‥
【採用】【設立】2016.1【取締】大西泰平
23年 2【従業員】単96名(30.7歳)
24年 10【有休】‥日
25年 未定【初任給】‥万
【試験種類】‥【各種制度】‥

【業績】	売上高	営業利益	経常利益	純利益
連22.12	1,300	131	132	99
連23.12	1,879	164	162	125

トビラシステムズ
[東証スタンダード]

【本社】460-0003 愛知県名古屋市中区錦2-5-12 パシフィックスクエア名古屋錦 ☎050-3612-2677
システム・ソフト

採用実績数	倍率	3年後離職率	平均年収
3名	‥	‥	559万円

【特色】スマホなどデジタル端末向けのセキュリティー製品・サービスを展開。独自の抽出アルゴリズムを用いて、迷惑電話を自動的に拒否・警告するシステムを開発。NTTドコモやKDDIなど通信事業者のサービス用にフィルター機能を提供。
【定着率】‥
【採用】【設立】2006.12【社長】明田篤
23年 3【従業員】単69名(35.4歳)
24年 0【有休】‥日
25年 0【初任給】月20.5万(諸手当を除いた数値)
【試験種類】‥【各種制度】‥

【業績】	売上高	営業利益	経常利益	純利益
単22.10	1,681	540	532	322
単23.10	2,061	682	679	517

岡崎信用金庫（おかざきしんようきんこ）
[株式公開していない]

【本店】444-8602 愛知県岡崎市菅生町字元菅41 ☎0564-21-6111
信用金庫

採用予定数	倍率	3年後離職率	平均年収
未定	‥	‥	‥

【特色】愛知県全域と静岡県湖西市を営業地区として101店舗を展開。預金量3兆6657億円(24年3月末)は信金上位。医療・介護分野に注力、専門部署を設置し顧客サポート。ホーチミン市に職員が駐在させ海外ビジネス支援手がける。
【定着率】‥
【採用】【設立】1924.7【理事長】田中秀明
23年 48【従業員】単1,611名(43.8歳)
24年 ‥【有休】‥日
25年 未定【初任給】月20.5万(諸手当を除いた数値)
【試験種類】‥【各種制度】‥

【業績】	経常収益	業務純益	経常利益	純利益
連23.3	58,590	‥	318	705
連24.3	50,280	‥	3,252	3,343

豊川信用金庫（とよかわしんようきんこ）
[株式公開計画なし]

【本部】442-8520 愛知県豊川市末広通3-34-1 ☎0533-89-1151
信用金庫

採用予定数	倍率	3年後離職率	平均年収
30名	‥	30.2%	[総]678万円

【特色】豊川市中心に豊橋市、岡崎市など愛知県東部に34店舗、2出張所を展開。融資先は個人を筆頭に、民間企業では不動産、製造業、建設業。地元特産品の販路開拓など行う「地域商社」を設立。預金量8783億円、貸出金残高4075億円(24年3月末)。
【定着率】69.8% 男子7(14) 女子30(39)
【採用】【設立】1937.11【理事長】真田光彦
23年 36【従業員】連563名 単549名(38.0歳)
24年 26【有休】12日
25年 30【初任給】月22万
【試験種類】試験なし【各種制度】‥

【業績】	経常収益	業務純益	経常利益	純利益
連23.3	9,727	‥	1,712	1,177
連24.3	10,348	‥	2,030	1,515

豊田信用金庫（とよたしんようきんこ）
[株式公開計画なし]

【本部】471-8601 愛知県豊田市元城町1-48 ☎0565-31-1616
信用金庫

採用予定数	倍率	3年後離職率	平均年収
50名	‥	‥	‥

【特色】愛知県の西三河中心に愛知郡や名古屋市の一部が事業区域の信用金庫。自動車関連の下請けなどの中小企業支援や創業支援に注力する。有料職業紹介事業の許可取得し、人材紹介業務にも取り組む。預金量1兆8280億円(24年3月末)。
【定着率】‥
【採用】【設立】1949.12【理事長】藤嶋伸一郎
23年 36【従業員】単798名(40.9歳)
24年 36【有休】‥日
25年 50【初任給】月20.8万(諸手当を除いた数値)
【試験種類】‥【各種制度】‥

【業績】	経常収益	業務純益	経常利益	純利益
単23.3	15,789	2,885	3,204	2,405
単24.3	17,000	3,948	3,756	2,744

西尾信用金庫（にしおしんようきんこ）

株式公開計画なし

【本部】445-8601 愛知県西尾市寄住町洲田51 ☎0563-56-7111
信用金庫

採用予定数	倍率	3年後離職率	平均年収
50名	‥	‥	‥

【特色】愛知県の西三河、名古屋市南東部以東の尾張地域に47店舗、3出張所を展開する信用金庫。融資先は個人や不動産、自動車関連など。創業支援、補助金などの中小事業者向けセミナーも活発。預金量1兆4725億円(24年3月末)。
【定着率】‥
【採用】【設立】1913.10【理事長】石川清成
23年 47【従業員】連743名 単719名(38.6歳)
24年 49【有休】‥日
25年 50【初任給】月22.6万(諸手当を除いた数値)
【試験種類】‥【各種制度】‥

【業績】	経常収益	業務純益	経常利益	純利益
連23.3	19,079	5,101	5,862	4,354
連24.3	22,281	2,824	6,042	4,475

碧海信用金庫（へきかいしんようきんこ）

株式公開計画なし

【本店】446-8686 愛知県安城市御幸本町15-1 ☎0566-77-8101
信用金庫

採用実績数	倍率	3年後離職率	平均年収
54名	‥	‥	‥

【特色】愛知県地盤の信用金庫。通称「へきしん」。預金量は2兆3000億円で、全国の信用金庫中上位クラス。県内78店舗のほか、バンコクに駐在員事務所。顧客サービスと業務改革めざしDX戦略を策定。預金量2兆2973億円(24年3月末)。
【定着率】‥
【採用】【設立】1950.10【理事長】深谷誠
23年 46【従業員】連1,201名 単1,201名(42.3歳)
24年 54【有休】‥日
25年 未定【初任給】月24万(諸手当を除いた数値)
【試験種類】‥【各種制度】‥

【業績】	経常収益	業務純益	経常利益	純利益
連23.3	27,207	‥	3,525	2,663
連24.3	25,559	‥	5,045	3,614

㈱新東通信（しんとうつうしん）

株式公開計画なし

【本社】460-0002 愛知県名古屋市中区丸の内3-16-29 ☎052-951-3831
広告

採用予定数	倍率	3年後離職率	平均年収
未定	‥	‥	‥

【特色】独立系の総合広告会社。名古屋、東京の両本社制。バルセロナにも拠点。名古屋市のPFI事業として名古屋城前の「金シャチ横丁」を企画、事業主体を務める。日経新聞などと提携してクラウドファンディングサイト「未来ショッピング」も展開。
【定着率】‥
【採用】【設立】1972.8【会長】谷喜久郎
23年 9【従業員】単280名(38.9歳)
24年 ‥【有休】‥日
25年 未定【初任給】‥万
【試験種類】‥【各種制度】‥

【業績】	売上高	営業利益	経常利益	純利益
単22.8	28,059	907	1,013	669
単23.8	31,000	‥	‥	‥

河村電器産業（かわむらでんきさんぎょう）

株式公開していない

【本社】489-8611 愛知県瀬戸市暁町3-86 ☎0561-86-8111
電機・事務機器

採用予定数	倍率	3年後離職率	平均年収
66名	‥	‥	‥

【特色】分電盤・高圧受電設備の製造販売、および通信機器収納用BOX・ラックなどの製造販売が主な事業。主力はホーム分電盤で同分野のパイオニア。全国10支店、7工場体制。中国、タイ、ベトナムに現地法人。1919年創業。
【定着率】‥
【採用】【設立】1929.11【社長】水野一隆
23年 57【従業員】連1,995名 単1,826名(‥歳)
24年 75【有休】‥日
25年 66【初任給】月22.1万(諸手当を除いた数値)
【試験種類】‥【各種制度】‥

【業績】	売上高	営業利益	経常利益	純利益
連23.3	61,800	‥	‥	‥
連24.3	76,062	‥	‥	‥

サン電子（さんでんし）

東証スタンダード

【本社】450-0002 愛知県名古屋市中村区名駅4-2-25 名古屋ビルディング桜館 ☎052-756-5981
電機・事務機器

採用予定数	倍率	3年後離職率	平均年収
未定	‥	‥	‥

【特色】祖業の遊技機関連から情報・通信分野に軸足を移す。欧米でシェア首位を誇る携帯電話販売店向けツールを販売。新規IT事業はIoTゲートウェイを軸としたプラットフォーム事業を展開。エンターテインメント事業はゲームの過去作品を移植・開発を手がける。
【定着率】‥
【採用】【設立】1971.4【社長】内海龍輔
23年 2【従業員】連301名 単209名(44.2歳)
24年 ‥【有休】‥日
25年 未定【初任給】‥万
【試験種類】‥【各種制度】‥

【業績】	売上高	営業利益	経常利益	純利益
連23.3	37,449	▲1,711	14,174	6,878
連24.3	10,045	312	▲4,114	▲3,777

名古屋電機工業（なごやでんきこうぎょう）

東証スタンダード

【本社】490-1294 愛知県あま市篠田面徳29-1 ☎052-443-1111
電機・事務機器

採用予定数	倍率	3年後離職率	平均年収
16名	‥	‥	624万円

【特色】道路電光情報板などITS(高度道路交通システム)情報装置のパイオニア。道路情報に加え気象、河川、災害情報の表示システムを総合的に構築できる点に強み。NEXCO3社が主要顧客。自動運転支援、気象災害回避関連で新規事業創出狙う。
【定着率】‥
【採用】【設立】1958.5【社長】服部高明
23年 11【従業員】連430名 単406名(45.3歳)
24年 17【有休】‥日
25年 16【初任給】月21.3万(諸手当を除いた数値)
【試験種類】‥【各種制度】‥

【業績】	売上高	営業利益	経常利益	純利益
連23.3	18,009	2,496	2,439	1,597
連24.3	17,582	2,344	2,351	1,680

フルタ電機（でんき）
株式公開未定

【本社】467-0862 愛知県名古屋市瑞穂区堀田通7-9 ☎052-872-4111
電機・事務機器

採用予定数	倍率	3年後離職率	平均年収
3名	・・	・・	・・

【特色】送排風・換気機器で首位級。防霜ファン、畜産・施設園芸向けなど農業・畜産用が約7割。食品乾燥機、超微粒子噴霧機、ステンレス製送風機なども手がける。一次産業の自動化をリード。全国各地に営業所、愛知・佐賀に工場。
【定着率】・・
【採用】 【設立】1960.1【社長】古田成広
23年 3【従業員】単150名(43.0歳)
24年 3【有休】・・日
25年 3【初任給】月20万(諸手当を除いた数値)
【試験種類】・・【各種制度】・・

【業績】	売上高	営業利益	経常利益	純利益
単22.5	3,964	152	190	127
単23.5	3,871	291	336	263

ジャニス工業（こうぎょう）
名証メイン

【本社】479-8577 愛知県常滑市唐崎町2-88 ☎0569-35-3150
住宅・医療機器他

採用予定数	倍率	3年後離職率	平均年収
若干	・・	・・	421万円

【特色】温水洗浄便器や洗面化粧台など衛生陶器の中堅メーカー。OEM生産と自社製品の2本柱。OEMは大手住宅設備と住宅建設向けで、大株主のタカラスタンダードやLIXILなど多数の企業へ供給。リフォーム市場への販売、ホテル・マンション市場の開拓に重点。
【定着率】・・
【採用】 【設立】1935.5【社長】冨本和伸
23年 7【従業員】連176名 単161名(41.7歳)
24年 3【有休】・・日
25年 若干【初任給】月20.9万(諸手当を除いた数値)
【試験種類】・・【各種制度】・・

【業績】	売上高	営業利益	経常利益	純利益
連23.3	4,675	▲182	▲134	▲188
連24.3	4,369	▲348	▲259	▲1,176

アイシン化工（かこう）
株式公開計画なし

【本社】470-0492 愛知県豊田市藤岡飯野町大川ヶ原1141-1 ☎0565-76-6661
自動車部品

採用予定数	倍率	3年後離職率	平均年収
3名	・・	・・	・・

【特色】自動車用摩擦材、樹脂部品、独自商品の自動車用シール材など化成品を製造・販売する自動車部品メーカー。湿式摩擦、構造用接着、塗布型制振の技術に定評。新機能・新素材の開発強化に取り組む。米国、タイなどに拠点。アイシングループでトヨタ系向け。
【定着率】・・
【採用】 【設立】1952.2【社長】杉浦剛寅
23年 4【従業員】単1,032名(42.3歳)
24年 3【有休】・・日
25年 3【初任給】月25.8万(諸手当を除いた数値)
【試験種類】・・【各種制度】・・

【業績】	売上高	営業利益	経常利益	純利益
単23.3	47,114	▲684	541	566
単24.3	52,999	466	1,915	1,414

アスカ
名証メイン

【本社】448-0045 愛知県刈谷市新富町2-41-2 ☎0566-62-8811
自動車部品

採用実績数	倍率	3年後離職率	平均年収
16名	・・	・・	544万円

【特色】薄板鋼板のプレス・溶接加工品が中心の自動車部品メーカー。センターピラーやルーフレールなどのボディ部品を製造。トヨタ向けが主体。分電盤などの制御システム事業と工場の自動化・省力化システム事業も展開。岡山のサーキット場経営も行う。
【定着率】・・
【採用】 【設立】1953.12【社長】片山義規
23年 21【従業員】連738名 単424名(40.1歳)
24年 16【有休】・・日
25年 未定【初任給】月21万(諸手当を除いた数値)
【試験種類】・・【各種制度】・・

【業績】	売上高	営業利益	経常利益	純利益
連22.11	33,473	881	1,297	1,068
連23.11	45,433	1,722	2,041	1,403

㈱今仙電機製作所（いませんでんきせいさくしょ）
東証スタンダード

【本社】484-8507 愛知県犬山市字柿畑1 ☎0568-67-1211
自動車部品

採用実績数	倍率	3年後離職率	平均年収
1名	・・	・・	598万円

【特色】シート機構部品のアジャスターが主力の自動車部品メーカー。車載用の電子制御部品の開発・製造も手がける。自動車関連のうち約4割がホンダ系列向け。航空機用ワイヤーハーネスや福祉関連機器など非自動車分野も取り組む。テイ・エス テックの関連会社。
【定着率】・・
【採用】 【設立】1939.2【社長】長谷川健一
23年 1【従業員】連3,119名 単1,221名(43.7歳)
24年 1【有休】・・日
25年 未定【初任給】月21.3万(諸手当を除いた数値)
【試験種類】・・【各種制度】・・

【業績】	売上高	営業利益	経常利益	純利益
連23.3	99,730	▲770	28	▲2,053
連24.3	99,730	14	260	▲71

㈱オティックス
株式公開計画なし

【本社】444-0303 愛知県西尾市中畑町浜田下10 ☎0563-59-0311
自動車部品

採用予定数	倍率	3年後離職率	平均年収
30名	・・	・・	・・

【特色】エンジン動弁系部品とミッションなど駆動系部品が中心の自動車用精密機能部品メーカー。主な納入先はトヨタグループ。HEV向けにも対応。設計、試作から生産まで一貫。海外拠点は米国、インドネシア、中国、タイで展開。1918年創業。
【定着率】・・
【採用】 【設立】2014.2【社長】小田井勇樹
23年 36【従業員】単1,339名(38.4歳)
24年 19【有休】・・日
25年 30【初任給】月21万(諸手当を除いた数値)
【試験種類】・・【各種制度】・・

【業績】	売上高	営業利益	経常利益	純利益
単23.1	60,607	・・	・・	・・
単24.1	69,866	・・	・・	・・

小島プレス工業
株式公開計画なし

【本社】471-8588 愛知県豊田市下市場町3-30
☎0565-34-6868
自動車部品

採用予定数	倍率	3年後離職率	平均年収
未定	‥	‥	‥

【特色】プレス部品、樹脂部品、電子部品など自動車内外装部品メーカー。トヨタ協豊会の主要メンバー。創業来の鉄・樹脂部品のほか、電気・通信分野の開発と生産にも注力。国内グループ30社。北米、中国、東南アジア、インド、欧州に拠点。
【定着率】‥
【採用】　【設立】1950.1【社長】小島栄二
23年 ‥【従業員】単1,507名(42.3歳)
24年 ‥【有休】‥日
25年 未定【初任給】月21.2万(諸手当を除いた数値)
【試験種類】‥【各種制度】‥

【業績】	売上高	営業利益	経常利益	純利益
単22.12	171,036	‥	‥	‥
単23.12	218,409	‥	‥	‥

㈱ジーエスエレテック
株式公開計画なし

【本社】473-0916 愛知県豊田市吉原町平子58-1
☎0565-78-2800
自動車部品

採用予定数	倍率	3年後離職率	平均年収
3名	‥	‥	‥

【特色】自動車用ワイヤハーネスを中心に電装部品を製造。国内は愛知、三重、長野などに工場、長崎にテクニカルセンターと工機センターを置く。海外は米国、メキシコ2カ所、タイ、インドネシア、中国、カンボジアに生産拠点。デンソーの関連会社。
【定着率】‥
【採用】　【設立】1969.4【社長】鈴木城司
23年 0【従業員】単823名(41.5歳)
24年 1【有休】‥日
25年 3【初任給】月20.2万(諸手当を除いた数値)
【試験種類】‥【各種制度】‥

【業績】	売上高	営業利益	経常利益	純利益
単23.3	25,524	‥	59	14
単24.3	30,739	‥	862	598

神星工業
株式公開計画なし

【本社】470-1215 愛知県豊田市広美町北繁82-1
☎0565-21-6000
自動車部品

採用予定数	倍率	3年後離職率	平均年収
未定	‥	‥	‥

【特色】4輪車・2輪車用スタータモーターやオルタネータなど各種電装品を製造。巻線技術を生かして、低原価で高品質な製品の多品種少量生産に強みを持つ。関連5社と神星グループ形成。タイに生産現法。デンソーのグループ会社。
【定着率】‥
【採用】　【設立】1957.8【社長】竹内裕喜
23年 5【従業員】単469名(40.8歳)
24年 0【有休】‥日
25年 未定【初任給】‥万
【試験種類】‥【各種制度】‥

【業績】	売上高	営業利益	経常利益	純利益
単23.3	27,210	40	75	46
単24.3	29,775	▲64	14	55

㈱高木化学研究所
株式公開計画なし

【本社】444-3502 愛知県岡崎市大幡町字堀田21-1
☎0564-48-3016
自動車部品

採用実績数	倍率	3年後離職率	平均年収
5名	‥	‥	‥

【特色】合成樹脂の成形加工、ポリエステル屑再生による合繊綿製造、プレス板金・表面処理の3本柱。自動車、産業車両を中心に、航空機メーカーにも部品供給。ペットボトルリサイクル事業のパイオニア的存在。高熱伝導性樹脂の開発にも取り組む。
【定着率】‥
【採用】　【設立】1973.10【代表取締役】高木優州
23年 3【従業員】単117名(40.8歳)
24年 5【有休】‥日
25年 未定【初任給】月20.5万(諸手当を除いた数値)
【試験種類】‥【各種制度】‥

【業績】	売上高	営業利益	経常利益	純利益
単22.8	2,066	46	104	79
単23.8	2,085	8	61	41

中央精機
株式公開計画なし

【本社事業所】446-0004 愛知県安城市尾崎町丸田1-7
☎0566-96-6170
自動車部品

採用実績数	倍率	3年後離職率	平均年収
17名	‥	‥	‥

【特色】トヨタ系の自動車用スチール、アルミホイールメーカー。トヨタ向けが8割以上だが、スズキ、三菱自動車、ホンダにも供給。自動車用LPG容器事業やタイヤ組付け事業も手がける。国内3工場に加え、米国、タイ、メキシコ、中国などに生産拠点を持つ。
【定着率】‥
【採用】　【設立】1939.9【社長】牛尾理
23年 20【従業員】単1,373名(41.9歳)
24年 17【有休】‥日
25年 未定【初任給】月21.7万(諸手当を除いた数値)
【試験種類】‥【各種制度】‥

【業績】	売上高	営業利益	経常利益	純利益
単23.3	79,073	1,669	3,211	2,259
単24.3	89,610	2,176	3,012	▲2,861

津田工業
株式公開していない

【本社】448-8657 愛知県刈谷市幸町1-1-1
☎0566-61-0711
自動車部品

採用予定数	倍率	3年後離職率	平均年収
未定	‥	‥	‥

【特色】トヨタ系の自動車部品メーカー。エンジン、ドライブトレーン、シフトレバー、カーエアコンなどの部品を製造。冷間鍛造・樹脂成形技術を柱に、素材調達から精密加工、組み付けまで一貫体制。国内4工場。タイ、中国、北米、インドネシアに生産現法。
【定着率】‥
【採用】　【設立】1948.7【社長】野入達徳
23年 ‥【従業員】単1,141名(41.4歳)
24年 ‥【有休】‥日
25年 未定【初任給】月21.1万(諸手当を除いた数値)
【試験種類】‥【各種制度】‥

【業績】	売上高	営業利益	経常利益	純利益
単23.3	42,413	▲917	214	55
単24.3	51,035	1,011	1,800	1,407

㈱デンソーエレクトロニクス

株式公開計画なし

【本社】446-8503 愛知県安城市篠目町1-10 ☎0566-73-0022
自動車部品

採用予定数	倍率	3年後離職率	平均年収
95名	‥	‥	‥

【特色】自動車用リレー・音分野製品（ブザー等）、電子コントローラーの専門メーカー。車載用リレー、車両接近通報装置は世界シェア首位。愛知県・安城市と岡崎市に工場。海外は米中に生産現法や統括会社。デンソーの完全子会社。
【定着率】‥
【採用】【設立】1950.10【社長】鶴田真徳
23年 121【従業員】単2,377名（38.2歳）
24年 76【有休】‥日
25年 95【初任給】月25.4万（諸手当を除いた数値）
【試験種類】‥【各種制度】‥

【業績】	売上高	営業利益	経常利益	純利益
単23.3	69,120	4,393	4,561	3,262
単24.3	80,845	8,998	10,556	7,999

㈱ファインシンター

東証スタンダード

【本社】480-0303 愛知県春日井市明知町西之洞1189-11 ☎0568-88-4355
自動車部品

採用予定数	倍率	3年後離職率	平均年収
3名	‥	‥	636万円

【特色】トヨタ系の自動車部品メーカーで、粉末冶金製品が主力。自動車向けが9割。エンジン、ショックアブゾーバ、トランスミッションなどの各部品を供給。小型油圧機器類、鉄道車両用部品も手がける。海外は北米、中国、タイ、インドネシアに拠点。
【定着率】‥
【採用】【設立】1950.12【社長】山口登士也
23年 8【従業員】連2,076名 単820名（43.7歳）
24年 1【有休】‥日
25年 3【初任給】月20.9万（諸手当を除いた数値）
【試験種類】‥【各種制度】‥

【業績】	売上高	営業利益	経常利益	純利益
連23.3	39,674	▲973	▲976	▲2,658
連24.3	42,390	413	369	▲593

㈱ＨＯＷＡ

株式公開計画なし

【本社】486-0969 愛知県春日井市味美白山町2-10-4 ☎0568-34-8180
自動車部品

採用予定数	倍率	3年後離職率	平均年収
20名	‥	‥	‥

【特色】自動車内装部品の独立系メーカー。ヘッドライニング、ドアトリム、トランク・ラゲッジトリムやNVH製品が主力。創業以来取り組む防音材開発は、快適性・静粛性の高い製品を追求。国内自動車メーカーが取引先。米国、欧州、アジアに生産現法。
【定着率】‥
【採用】【設立】2008.12【社長】高田智行
23年 10【従業員】単775名（41.3歳）
24年 22【有休】‥日
25年 20【初任給】月21.3万（諸手当を除いた数値）
【試験種類】‥【各種制度】‥

【業績】	売上高	営業利益	経常利益	純利益
単23.3	30,317	▲1,038	1,987	1,654
単24.3	36,742	59	2,874	2,533

㈱三ツ知（みつち）

東証スタンダード

【本社】486-0901 愛知県春日井市牛山町1203 ☎0568-35-6350
自動車部品

採用実績数	倍率	3年後離職率	平均年収
2名	‥	‥	474万円

【特色】自動車部品用留め金具（工業用ファスナー）主力の工業部品メーカー。シート用、ウインドーレギュレーター用など売上高の約9割が自動車向け。カスタムメイド対応と冷間鍛造工法に強み。大株主のアイシンシロキ向けの比重が高い。米国、中国、タイに生産拠点。
【定着率】‥
【採用】【設立】1963.6【社長】下元守
23年 7【従業員】連531名 単191名（43.2歳）
24年 2【有休】‥日
25年 未定【初任給】月20.4万（諸手当を除いた数値）
【試験種類】‥【各種制度】‥

【業績】	売上高	営業利益	経常利益	純利益
連23.6	12,555	▲31	141	▲32
連24.6	13,147	466	637	419

佐橋工業（さはしこうぎょう）

株式公開計画なし

【本社】485-0006 愛知県小牧市久保新町32 ☎0568-77-2356
自動車部品

採用実績数	倍率	3年後離職率	平均年収
4名	‥	‥	‥

【特色】自動車用防振ゴム製品メーカー。住友理工からの受託加工が中心。産業用ゴム製品、樹脂製品のほか、金型設計・製作も手がける。小ロットの製品受注にも対応。国内に4工場、愛知に3、岐阜に5の協力工場も。梱包材（木毛）の製造・販売で創業。
【定着率】‥
【採用】【設立】1962.6【社長】小林淳
23年 2【従業員】単379名（42.1歳）
24年 4【有休】‥日
25年 前年並【初任給】月20.9万（諸手当を除いた数値）
【試験種類】‥【各種制度】‥

【業績】	売上高	営業利益	経常利益	純利益
単23.3	8,776	▲347	8	▲47
単24.3	10,160	7	132	▲48

旭サナック（あさひ）

株式公開計画なし

【本社】488-8688 愛知県尾張旭市旭前町新田洞5050 ☎0561-53-1212
機械

採用予定数	倍率	3年後離職率	平均年収
未定	‥	‥	‥

【特色】塗装機械と圧造機械のトップクラスメーカー。精密洗浄装置や精密コーティング装置など電子部品関連機械も扱う。温湿度の変化を抑える恒温恒湿の空調設備を完備した工場を保有。国内12カ所とドイツ、中国、タイ、米国に事業拠点を展開。
【定着率】‥
【採用】【設立】2021.11【社長】服部修一
23年 ‥【従業員】単519名（42.1歳）
24年 ‥【有休】‥日
25年 未定【初任給】‥万
【試験種類】‥【各種制度】‥

【業績】	売上高	営業利益	経常利益	純利益
単23.5	14,772	1,464	1,299	888
単24.5	13,900	1,579	1,510	1,297

㈱ＩＳＯＷＡ

株式公開計画なし

【本社】486-0908 愛知県春日井市西屋町66 ☎0568-34-1821
機械

採用予定数	倍率	3年後離職率	平均年収
未定	‥	‥	‥

【特色】1920年創業の独立系の段ボール製造機械専門メーカー。業界2位。国内・海外で750件以上の特許を保有し、技術力に定評。08年から米コーラーコーティング社と技術提携。北米に拠点。中古機械の販売も手がける。
【定着率】‥
【採用】【設立】1952.12【社長】磯輪英之
23年 9【従業員】単‥名(‥歳)
24年 ‥【有休】‥日
25年 未定【初任給】‥万
【試験種類】‥【各種制度】‥

【業績】	売上高	営業利益	経常利益	純利益
単23.3	13,669	‥	‥	1,307
単24.3	‥	‥	‥	1,378

ダイコク電機（でんき）

東証プライム

【本社】450-8640 愛知県名古屋市中村区那古野1-43-5 ☎052-581-7111
機械

採用実績数	倍率	3年後離職率	平均年収
7名	‥	‥	958万円

【特色】パチンコホール向けコンピューターシステム最大手。ホール向け情報システム開発と、遊技機メーカー向け表示・制御ユニットの製造が2本柱。ホール向けは台管理システムなどの営業端末、景品顧客管理、情報公開システムが主力製品。
【定着率】‥
【採用】【設立】1973.7【社長】栢森雅勝
23年 0【従業員】連644名 単393名(46.4歳)
24年 7【有休】‥日
25年 前年並【初任給】月23.9万(諸手当を除いた数値)
【試験種類】‥【各種制度】‥

【業績】	売上高	営業利益	経常利益	純利益
連23.3	31,824	4,019	4,260	2,927
連24.3	53,861	12,001	12,102	8,464

トリニティ工業（こうぎょう）

東証スタンダード

【本社】471-0855 愛知県豊田市柿本町1-9 ☎0565-24-4800
機械

採用予定数	倍率	3年後離職率	平均年収
25名	‥	‥	577万円

【特色】塗装プラント・機器と自動車部品の2部門で展開。塗装プラント・機器は設計から設備機械の製造、据え付けまで一貫体制。自動車部品は高級車向けのハンドル、ドアスイッチベースなど内外装部品を手がける。トヨタ自動車グループ。
【定着率】‥
【採用】【設立】1946.10【社長】飯田基博
23年 31【従業員】連971名 単‥名(41.3歳)
24年 18【有休】‥日
25年 25【初任給】月22万(諸手当を除いた数値)
【試験種類】‥【各種制度】‥

【業績】	売上高	営業利益	経常利益	純利益
連23.3	29,047	965	1,471	1,267
連24.3	36,992	2,795	3,007	2,058

宮川工機（みやがわこうき）

株式公開計画なし

【本社】441-8019 愛知県豊橋市花田町字中ノ坪53 ☎0532-31-1251
機械

採用予定数	倍率	3年後離職率	平均年収
5名	‥	‥	‥

【特色】各種木材や合板のプレカット専用機械、木材加工機械を製造・販売。CAD・CAMプレカットシステムは、木造住宅構造材の機械加工分野で首位。営業から購買、生産など全業務を、リアルタイムで情報共有が可能なプレカット生産支援システムの提供も行う。
【定着率】‥
【採用】【設立】1947.5【社長】宮川嘉隆
23年 5【従業員】単223名(42.4歳)
24年 9【有休】‥日
25年 5【初任給】月23.5万(諸手当を除いた数値)
【試験種類】‥【各種制度】‥

【業績】	売上高	営業利益	経常利益	純利益
単22.9	7,017	335	451	124
単23.9	8,762	926	1,033	615

高砂電気工業（たかさごでんきこうぎょう）

株式公開計画なし

【本社】458-8522 愛知県名古屋市緑区鳴海町杜若66 ☎052-891-2301
機械

採用実績数	倍率	3年後離職率	平均年収
4名	‥	‥	‥

【特色】小型耐薬液バルブやポンプの専門メーカー。医用診断、環境測定、物質の特定、食の安全を含めた品質管理など多分野の分析装置で採用。国内外に広く販売・サポート体制を構築。小型高圧スラスター用バルブがイプシロンロケットに搭載される。
【定着率】‥
【採用】【設立】1963.1【会長】浅井直也
23年 4【従業員】単265名(39.0歳)
24年 4【有休】‥日
25年 未定【初任給】月22万(諸手当を除いた数値)
【試験種類】‥【各種制度】‥

【業績】	売上高	営業利益	経常利益	純利益
単23.9	4,100	‥	‥	‥

加茂精工（かもせいこう）

株式公開いずれしたい

【本社】470-0424 愛知県豊田市御作町亀割1166 ☎0565-76-0021
機械

採用予定数	倍率	3年後離職率	平均年収
未定	‥	‥	‥

【特色】ノンバックラッシ(逆転時の遊びが無い)のボール減速機、TCG(トロコイドカムギヤ)、精密減速機、割出機器などを製造・販売。オーダーメイドやカスタマイズにも対応。国内は島根県・出雲市に製造拠点。海外に販売代理店多数。中国と韓国に現地法人。
【定着率】‥
【採用】【設立】1980.10【社長】今瀬玄太
23年 0【従業員】単67名(41.1歳)
24年 0【有休】‥日
25年 未定【初任給】‥万
【試験種類】‥【各種制度】‥

【業績】	売上高	営業利益	経常利益	純利益
単21.9	1,254	74	116	91
単22.9	1,609	142	245	213

佐藤食品工業（さとうしょくひんこうぎょう）
東証スタンダード

【本社】485-8523 愛知県小牧市堀の内4-154
☎0568-77-7316
食品・水産

採用予定数	倍率	3年後離職率	平均年収
5名	‥	‥	589万円

【特色】業務用天然調味料エキス専業。アルコールの粉末化、茶の粉末化に成功するなど技術力に定評。収益柱の茶エキスは飲料メーカーが主顧客だが、菓子メーカー向けも。甘エビ、ウナギ、真鯛など水産系のエキス拡販に注力。本社工場をはじめ愛知県に3工場。
【定着率】‥
【採用】　【設立】1962.5【社長】上田正博
23年　8【従業員】単164名（38.4歳）
24年　7【有休】‥日
25年　5【初任給】月20.8万（諸手当を除いた数値）
【試験種類】‥【各種制度】‥

【業績】	売上高	営業利益	経常利益	純利益
単23.3	5,881	618	764	384
単24.3	6,101	663	789	773

㈱真誠（しんせい）
株式公開計画なし

【本社】481-8526 愛知県北名古屋市片場新町29
☎0568-23-3311
食品・水産

採用予定数	倍率	3年後離職率	平均年収
未定	‥	‥	‥

【特色】皮むきごまやいりごまなど家庭用ごま製品のトップメーカー。ごまの機能性を生かした製品開発を行い、新ジャンル、新販路の開拓を進める。岐阜と愛知の2工場体制。ごまの情報がつまったテーマパーク「胡麻の郷」もグループで運営。
【定着率】‥
【採用】　【設立】1961.2【社長】冨田博之
23年　1【従業員】連286名 単91名（44.7歳）
24年　0【有休】‥日
25年　未定【初任給】月22.9万（諸手当を除いた数値）
【試験種類】‥【各種制度】‥

【業績】	売上高	営業利益	経常利益	純利益
単22.12	8,737	0	177	136
連23.12	9,628	▲118	281	179

スジャータめいらく
株式公開計画なし

【本社】468-8588 愛知県名古屋市天白区中砂町310
☎052-831-6688
食品・水産

採用予定数	倍率	3年後離職率	平均年収
171名	‥	‥	‥

【特色】コーヒーフレッシュ「スジャータ」やチルドスープなどを製造・直販する乳業メーカー。工場にロングライフ無菌充填設備を備え、全国チルド物流網構築。無菌設備を活用し完全食分野も手がける。グループで国内4工場、海外1工場を有する。
【定着率】‥
【採用】　【設立】2013.3【社長】日比治雄
23年　59【従業員】連2,496名 単2,496名（41.3歳）
24年　119【有休】‥日
25年　171【初任給】月22万（諸手当を除いた数値）
【試験種類】‥【各種制度】‥

【業績】	売上高	営業利益	経常利益	純利益
連23.3	156,948	‥	‥	‥
連24.3	178,029	‥	‥	‥

中部飼料（ちゅうぶしりょう）
東証プライム

【本社】460-0003 愛知県名古屋市中区錦2-13-19 瀧定名古屋ビル
☎052-204-3050
食品・水産

採用予定数	倍率	3年後離職率	平均年収
15名	‥	‥	723万円

【特色】中部地方が地盤の飼料大手、配合飼料売上は非全農系で3位。売り上げの9割が飼料で、鶏・豚・牛・魚の飼料製造販売が主力。畜産物や畜産用機器の販売も手がける。少量多品種の差別化飼料で売り上げ拡大を図る。北海道から九州まで工場を持つ。
【定着率】‥
【採用】　【設立】1949.3【社長】平野晴信
23年　12【従業員】連487名 単427名（41.0歳）
24年　21【有休】‥日
25年　15【初任給】月23万（諸手当を除いた数値）
【試験種類】‥【各種制度】‥

【業績】	売上高	営業利益	経常利益	純利益
連23.3	243,476	1,670	2,069	827
連24.3	234,227	3,932	4,464	3,327

豊橋飼料（とよはししりょう）
株式公開計画なし

【本社】441-8074 愛知県豊橋市明海町5-9
☎0532-23-5060
食品・水産

採用予定数	倍率	3年後離職率	平均年収
5名	‥	‥	‥

【特色】畜産用配合飼料総合メーカー。飼料のほか環境、畜産、食品販売事業も行う。肉牛試験所や種豚センターなど所有。環境事業で畜糞ベースの微生物発酵肥料も生産。福岡に支店を配置。豊橋、千葉、姫路の3工場体制。オンラインショップも運営。
【定着率】‥
【採用】　【設立】1954.4【社長】平野正規
23年　9【従業員】単195名（41.1歳）
24年　3【有休】‥日
25年　5【初任給】月22.5万（諸手当を除いた数値）
【試験種類】‥【各種制度】‥

【業績】	売上高	営業利益	経常利益	純利益
単23.3	51,601	‥	‥	‥
単24.3	50,802	‥	‥	‥

マルサンアイ
名証メイン

【本社】444-2193 愛知県岡崎市仁木町字荒下1
☎0564-27-3700
食品・水産

採用実績数	倍率	3年後離職率	平均年収
5名	‥	‥	595万円

【特色】愛知県地盤の大豆利用の食品加工メーカー。みそと豆乳が2本柱で、豆乳は業界2位。「豆乳グルト」やボトル入りで液状の「鮮度みそ」など大豆を使った独自の開発力に定評。アーモンドミルクやオーツミルクなどの製販も手がける。
【定着率】‥
【採用】　【設立】1952.3【社長】堺信好
23年　11【従業員】連452名 単350名（41.3歳）
24年　5【有休】‥日
25年　前年並【初任給】月19万（諸手当を除いた数値）
【試験種類】‥【各種制度】‥

【業績】	売上高	営業利益	経常利益	純利益
連22.9	30,699	236	257	142
連23.9	30,950	▲280	▲256	▲898

ユタカフーズ
東証スタンダード

【本社】470-2395 愛知県知多郡武豊町字川脇34-1 ☎0569-72-1231
食品・水産

採用予定数	倍率	3年後離職率	平均年収
未定	‥	‥	580万円

【特色】東海地区の中堅食品会社。東洋水産が4割を出資する筆頭株主で、同社の「マルちゃん」ブランドのカップ麺・チルド麺などを受託生産。自社ブランドではウナギ蒲焼用たれや「だし取り職人」など液体調味料、風味調味料を手がける。
【定着率】‥
【採用】 【設立】1944.10【社長】橋本淳
23年 1【従業員】単296名(38.4歳)
24年 ‥【有休】‥日
25年 未定【初任給】‥万
【試験種類】‥【各種制度】‥

【業績】	売上高	営業利益	経常利益	純利益
単23.3	13,740	892	1,010	683
単24.3	13,804	586	697	459

中央紙器工業（ちゅうおうしきこうぎょう）
名証メイン

【本社】452-0961 愛知県清須市春日宮重町363 ☎052-400-2800
印刷・紙パルプ

採用実績数	倍率	3年後離職率	平均年収
3名	‥	‥	‥

【特色】東海地域が地盤の自動車部品・機械・家電の梱包用段ボールメーカー。トヨタグループで、自動車部品用段ボールはトヨタ向けが主体。いちごパックなど果物・野菜向けの段ボールのほか、自動車バンパー用の気泡緩衝材も展開。
【定着率】‥
【採用】 【設立】1957.5【社長】山下雅司
23年 ‥【従業員】連176名 単161名(41.4歳)
24年 3【有休】‥日
25年 未定【初任給】‥万
【試験種類】‥【各種制度】‥

【業績】	売上高	営業利益	経常利益	純利益
連23.3	11,335	635	730	495
連24.3	11,711	583	644	640

笹徳印刷（ささとくいんさつ）
東証スタンダード

【本社】470-1196 愛知県豊明市栄町大脇7 ☎0562-97-1111
印刷・紙パルプ

採用予定数	倍率	3年後離職率	平均年収
12名	‥	‥	506万円

【特色】印刷物の企画、デザイン、印刷、販促を行う総合印刷会社。必要な量だけを生産するかんばん方式を導入。商品企画、物流、在庫管理、発送代行、購買管理を一括請負するフルフィルメントサービスも展開。菓子・食品、化粧品・医薬部外品の取り扱い拡大に注力。
【定着率】‥
【採用】 【設立】1950.7【社長】杉山昌樹
23年 ‥【従業員】連418名 単314名(43.5歳)
24年 9【有休】‥日
25年 12【初任給】月20万(諸手当を除いた数値)
【試験種類】‥【各種制度】‥

【業績】	売上高	営業利益	経常利益	純利益
連23.6	13,040	363	585	1,138
連24.6	12,953	378	535	396

㈱ジャパン・ティッシュエンジニアリング
東証グロース

【本社】443-0022 愛知県蒲郡市三谷北通6-209-1 ☎0533-66-2020
医薬品

採用実績数	倍率	3年後離職率	平均年収
6名	‥	‥	573万円

【特色】帝人グループの再生医療製品開発ベンチャー。患者自身の細胞を培養した自家培養の表皮や軟骨を開発。表皮は日本初の再生医療製品。医薬品・化粧品開発向けに研究用ヒト培養組織を販売。再生医療製品の受託開発も手がける。
【定着率】‥
【採用】 【設立】1999.2【代表取締役】畠賢一郎
23年 11【従業員】単211名(38.6歳)
24年 6【有休】‥日
25年 前年並【初任給】月20.4万(諸手当を除いた数値)
【試験種類】‥【各種制度】‥

【業績】	売上高	営業利益	経常利益	純利益
単23.3	2,032	▲728	▲725	▲729
単24.3	2,514	144	147	143

三和油化工業（さんわゆかこうぎょう）
東証スタンダード

【本社】448-0002 愛知県刈谷市一里山町深田15 ☎0566-35-3000
化学

採用予定数	倍率	3年後離職率	平均年収
20名	‥	‥	550万円

【特色】産業廃棄物の化学品再生、廃液・廃プラの再資源化を行うリユース・リサイクル事業と化学品製造・販売事業の2つが主力。蒸留・高純度化技術に強み。高純度溶剤の精製・受託加工販売や、自動車業界向けの潤滑油、金属加工油の製造・販売も手がける。
【定着率】‥
【採用】 【設立】1970.6【取締】柳均
23年 19【従業員】連442名 単288名(36.0歳)
24年 17【有休】‥日
25年 20【初任給】月21.1万(諸手当を除いた数値)
【試験種類】‥【各種制度】‥

【業績】	売上高	営業利益	経常利益	純利益
連23.3	17,367	1,885	1,936	1,325
連24.3	15,633	1,279	1,360	1,041

㈱ソトー
東証スタンダード

【本社】494-8501 愛知県一宮市篭屋5-1-1 ☎0586-45-1121
衣料・繊維

採用予定数	倍率	3年後離職率	平均年収
10名	‥	‥	485万円

【特色】毛織物染色の大手。複合繊維を含む繊維製品の染色や、素材に機能や風合いを加える加工を手がける。染色加工事業とテキスタイル事業の連携を強化。スポーツ・ユニフォーム・インナーなど事業領域の拡大を図る。不動産事業も展開。
【定着率】‥
【採用】 【設立】1923.2【社長】上田康彦
23年 0【従業員】連547名 単325名(45.0歳)
24年 6【有休】‥日
25年 10【初任給】月22万(諸手当を除いた数値)
【試験種類】‥【各種制度】‥

【業績】	売上高	営業利益	経常利益	純利益
連23.3	9,826	▲547	▲297	▲723
連24.3	10,709	341	464	2,704

東海染工（とうかいせんこう）

東証スタンダード

【名古屋本社】450-6408 愛知県名古屋市中村区名駅3-28-12 大名古屋ビルヂング ☎052-856-8141
衣料・繊維

採用予定数	倍率	3年後離職率	平均年収
17名	‥	‥	487万円

【特色】染色加工大手。顧客の生地を染色する委託加工と自社が手配した生地を染色し販売する事業を展開。高級プリント技術に強み。インドネシア軸に東南アジアで事業拡大。非繊維事業にも注力し、ランドリーサービス事業や託児所等の子育て支援事業も行う。
【定着率】‥
【採用】【設立】1941.3【社長】鷲裕一
23年 12【従業員】連800名 単210名(45.5歳)
24年 13【有休】‥日
25年 17【初任給】月21万（諸手当を除いた数値）
【試験種類】‥【各種制度】‥

【業績】	売上高	営業利益	経常利益	純利益
連23.3	13,057	51	189	▲100
連24.3	13,215	42	135	129

㈱鶴弥（つるや）

東証スタンダード

【本社】475-8528 愛知県半田市州の崎町2-12 ☎0569-29-7311
ガラス・土石・ゴム

採用実績数	倍率	3年後離職率	平均年収
5名	‥	‥	469万円

【特色】愛知県地盤の三州瓦（粘土原料の陶板瓦）のトップメーカー。三州・石州・淡路の三大瓦産地内でのシェアは約3割。地震、台風、大雨など、自然災害に対する防災用途で差別化を図る。瓦焼成技術を応用した陶板壁材も販売。
【定着率】‥
【採用】【設立】1968.2【社長】鶴見哲
23年 5【従業員】単346名(45.3歳)
24年 5【有休】‥日
25年 前年並【初任給】月18.5万（諸手当を除いた数値）
【試験種類】‥【各種制度】‥

【業績】	売上高	営業利益	経常利益	純利益
単23.3	7,143	▲228	▲104	▲90
単24.3	6,369	103	199	127

鳴海製陶（なるみせいとう）

株式公開計画なし

【本社】458-8530 愛知県名古屋市緑区鳴海町伝治山3 ☎052-896-2200
ガラス・土石・ゴム

採用予定数	倍率	3年後離職率	平均年収
16名	‥	‥	‥

【特色】石塚硝子完全子会社の製陶メーカー。高級洋食器ボーンチャイナを日本で初めて量産化したパイオニア。IH調理器用超耐熱トッププレートなど産業器材も展開。シンガポール、中国、米国などに販売拠点。「ミラノ」などブランドのライセンス事業も開始。
【定着率】‥
【採用】【設立】1950.12【社長】福井俊成
23年 6【従業員】単223名(44.0歳)
24年 8【有休】‥日
25年 16【初任給】月21万（諸手当を除いた数値）
【試験種類】‥【各種制度】‥

【業績】	売上高	営業利益	経常利益	純利益
単22.12	6,673	535	828	562
単23.12	7,459	879	1,093	842

ニチハ

東証プライム

【本社】460-8610 愛知県名古屋市中区錦2-18-19 三井住友銀行名古屋ビル ☎052-220-5111
ガラス・土石・ゴム

採用予定数	倍率	3年後離職率	平均年収
22名	‥	‥	685万円

【特色】窯業系外壁材の最大手。国内シェア5割超でトップ。高級感ある和洋外壁が特徴。住宅だけでなく、病院、介護施設、ホテルなど非住宅向けやリフォームも。高耐候性の「エクセラード」がメンテナンスの容易さから拡大。塗膜30年保証の超高耐候性の製品も販売する。
【定着率】‥
【採用】【設立】1956.6【社長】吉岡成充
23年 17【従業員】連3,203名 単1,360名(45.4歳)
24年 19【有休】‥日
25年 22【初任給】月20.5万（諸手当を除いた数値）
【試験種類】‥【各種制度】‥

【業績】	売上高	営業利益	経常利益	純利益
連23.3	138,063	11,704	12,805	9,037
連24.3	142,790	10,205	11,856	8,066

中部

愛知金属工業（あいちきんぞくこうぎょう）

株式公開計画なし

【本社】486-8501 愛知県春日井市大手田酉町3-13-18 ☎0568-81-4181
金属製品

採用予定数	倍率	3年後離職率	平均年収
5名	‥	‥	‥

【特色】送電用・通信用鉄塔など巨大鋼構造物や変圧器ケースなどを設計・製作するメーカー。配電用金物類などの製造も手がける。太陽光パネル設置用架台も展開、狭い敷地面積でも多くの発電可能な多段式も扱う。中部電力グループ。
【定着率】‥
【採用】【設立】1957.1【社長】小森憲昭
23年 4【従業員】単152名(‥歳)
24年 5【有休】‥日
25年 5【初任給】月21.8万（諸手当を除いた数値）
【試験種類】‥【各種制度】‥

【業績】	売上高	営業利益	経常利益	純利益
単23.3	4,439	136	169	73
単24.3	4,975	257	285	191

メイラ

株式公開していない

【本社】453-0015 愛知県名古屋市中村区椿町17-15 ☎052-459-1271
金属製品

採用予定数	倍率	3年後離職率	平均年収
未定	‥	‥	‥

【特色】ボルトをはじめとする精密加工部品メーカー。超過酷な環境下で耐える航空・宇宙用部品、軽量かつ高強度の自動車用部品、チタン製の整形外科用インプラント等手がける。自動車向けが売上の約8割占める。米国、タイ、インドネシアに生産現法。
【定着率】‥
【採用】【設立】1936.3【社長】大橋真
23年 ‥【従業員】単750名(‥歳)
24年 ‥【有休】‥日
25年 未定【初任給】‥万
【試験種類】‥【各種制度】‥

【業績】	売上高	営業利益	経常利益	純利益
連23.3	40,700	‥	‥	‥
連24.3	47,000	‥	‥	‥

東海鋼材工業（とうかいこうざいこうぎょう）

株式公開計画なし

【本社】490-1445 愛知県海部郡飛島村金岡47
☎0567-55-1481
鉄鋼

採用実績数	倍率	3年後離職率	平均年収
2名	‥	‥	‥

【特色】鉄鋼製品の2次加工メーカー。中部地区で最大級の大型メッキ槽を持つ。鋼板加工、亜鉛メッキ、ポールで展開。産業機械などの部品を作る鋼板加工。鉄鋼製品の耐食性を向上させる亜鉛メッキ。道路などで使用される鋼板組立柱製造に特化したポールを手がける。
【定着率】‥
【採用】 【設立】1944.1【社長】長尾健男
23年 3【従業員】単209名(42.4歳)
24年 2【有休】‥日
25年 未定【初任給】月21万(諸手当を除いた数値)
【試験種類】‥【各種制度】‥

【業績】	売上高	営業利益	経常利益	純利益
単23.3	10,880	251	269	202
単24.3	9,724	26	227	134

本多金属工業（ほんだきんぞくこうぎょう）

株式公開計画なし

【本社】460-0008 愛知県名古屋市中区栄3-32-22
☎052-251-4811
非鉄

採用実績数	倍率	3年後離職率	平均年収
6名	‥	‥	‥

【特色】国内屈指のアルミ圧延加工メーカー。国内外6社でHondalexグループを形成し、アルミ合金の鋳造・押出・表面処理から各種加工まで一貫して行う生産体制を持つ。アルミ工業製品は自動車、建築、電機、食品など幅広い分野へ供給。
【定着率】‥
【採用】 【設立】1954.4【社長】青木茂雄
23年 10【従業員】単363名(44.2歳)
24年 6【有休】‥日
25年 未定【初任給】月23.9万(諸手当を除いた数値)
【試験種類】‥【各種制度】‥

【業績】	売上高	営業利益	経常利益	純利益
単22.5	16,642	210	232	134
単23.5	20,813	1,615	1,635	1,024

㈱キクテック

株式公開計画なし

【本社】457-0836 愛知県名古屋市南区加福本通1-26
☎052-611-0680
その他メーカー

採用実績数	倍率	3年後離職率	平均年収
9名	‥	‥	‥

【特色】一般道路や高速道路の路面ライン、道路標識など交通安全設備の設計・施工を手がける。商業施設の看板・サイン、住居リフォーム、エレベーター取り付け・保守工事なども。路面標示消去技術を橋梁補修・リサイクルに応用した事業も展開。
【定着率】‥
【採用】 【設立】1963.12【社長】新美政衛
23年 7【従業員】単292名(42.0歳)
24年 9【有休】‥日
25年 未定【初任給】月22万(諸手当を除いた数値)
【試験種類】‥【各種制度】‥

【業績】	売上高	営業利益	経常利益	純利益
単22.6	12,471	8	261	171
単23.6	14,294	561	742	379

菊水化学工業（きくすいかがくこうぎょう）

東証スタンダード

【本社】460-0008 愛知県名古屋市中区栄1-3-3 AMMNATビル
☎052-300-2222
その他メーカー

採用予定数	倍率	3年後離職率	平均年収
15名	‥	‥	510万円

【特色】建築仕上げ塗材・装飾材の独立系大手メーカー。内外壁や天井に化粧仕上げを施す塗材が主力。改装・改修工事も収益柱で、下地から仕上げまで自社塗料で施工する方式に強み。リフォームのソーシャルワーカーを自負し、美観・機能回復など建物の長寿命化を訴求。
【定着率】‥
【採用】 【設立】1961.3【社長】今井田広幸
23年 11【従業員】連455名 単426名(42.8歳)
24年 14【有休】‥日
25年 15【初任給】月19万(諸手当を除いた数値)
【試験種類】‥【各種制度】‥

【業績】	売上高	営業利益	経常利益	純利益
連23.3	22,423	569	650	246
連24.3	22,392	554	635	376

㈱クオリ

株式公開計画なし

【本社】446-0052 愛知県安城市福釜町河原18
☎0566-76-5137
その他メーカー

採用予定数	倍率	3年後離職率	平均年収
未定	‥	‥	‥

【特色】オフィスチェア(大手商社向け)、パーラーチェア(パチンコ店向け)、店舗用什器・備品など製造・販売。パーラーチェアはトップシェア。大学の研究機関などと共同で分析、解析、評価を重ね、解析データに基づいた製品開発。
【定着率】‥
【採用】 【設立】1962.6【社長】水野誠
23年 1【従業員】単117名(41.3歳)
24年 0【有休】‥日
25年 未定【初任給】月22万(諸手当を除いた数値)
【試験種類】‥【各種制度】‥

【業績】	売上高	営業利益	経常利益	純利益
単22.12	3,174	42	155	47
単23.12	3,515	258	334	215

豊橋木工（とよはしもっこう）

株式公開計画なし

【本社】441-3302 愛知県豊橋市杉山町字知原12-1052
☎0532-23-2151
その他メーカー

採用実績数	倍率	3年後離職率	平均年収
2名	‥	‥	‥

【特色】成形合板技術を生かした木製椅子のメーカー。「トヨモク」ブランド。姿勢を守ることに注視した、子供から大人まで使える「アップライト」が代表的製品。軽自動車用キャンピングカーの内装品製造も手がける。1948年に注文家具の製造により創業。
【定着率】‥
【採用】 【設立】1944.2【社長】近藤泰一郎
23年 0【従業員】単41名(35.0歳)
24年 2【有休】‥日
25年 未定【初任給】‥万
【試験種類】‥【各種制度】‥

【業績】	売上高	営業利益	経常利益	純利益
単22.8	372	22	27	19
単23.8	376	10	17	12

日本デコラックス（にほん）　名証メイン

【本社】480-0103 愛知県丹羽郡扶桑町大字柏森字前屋敷10　☎0587-93-2411
その他メーカー

採用予定数	倍率	3年後離職率	平均年収
未定	‥	‥	556万円

【特色】建材・家具のメラミン化粧板大手メーカー。メラミン板が売上高の過半占め、キッチンや浴室の化粧壁材向けに強い。全国翌日配送ウリに、リフォーム市場向け不燃板が成長。耐震補強工事に使用される建設用ケミカルアンカーはトップシェア。IT用樹脂板も扱う。
【定着率】‥
【採用】　【設立】1958.8【社長】木村重夫
23年　3【従業員】単172名(43.4歳)
24年　‥【有休】‥日
25年　未定【初任給】‥万
【試験種類】‥【各種制度】‥

【業績】	売上高	営業利益	経常利益	純利益
単23.3	5,633	419	508	576
単24.3	6,279	690	719	523

㈱シーテック　株式公開計画なし

【本社】459-8014 愛知県名古屋市緑区忠治山101　☎052-720-6300
建設

採用実績数	倍率	3年後離職率	平均年収
56名	‥	‥	‥

【特色】架空送電、水力発電、地中送電など電力設備の建設・保守が柱。中部5県が地盤だが、情報通信事業で関東、関西にも進出。土木工事や塗装、受変電設備リース、風力・太陽光・小水力発電事業なども手がける。中部電力の連結子会社。
【定着率】‥
【採用】　【設立】1962.3【社長】仰木一郎
23年　55【従業員】単1,699名(45.5歳)
24年　56【有休】‥日
25年　未定【初任給】月23.2万(諸手当を除いた数値)
【試験種類】‥【各種制度】‥

【業績】	売上高	営業利益	経常利益	純利益
単23.3	70,641	4,019	5,348	3,801
単24.3	73,018	5,327	6,308	2,965

太啓建設（たいけいけんせつ）　株式公開いずれしたい

【本社】471-0071 愛知県豊田市東梅坪町10-3-3　☎0565-31-1271
建設

採用実績数	倍率	3年後離職率	平均年収
12名	‥	‥	‥

【特色】愛知県地盤のゼネコン。高速道路、空港などの土木事業と工場、店舗、マンションなど建築事業が両軸。建築工事6割で免震マンションなどの施工に好実績。戸建住宅の販売、工業用地の企画造成、太陽光発電所の運営、アグリ事業なども手がける。
【定着率】‥
【採用】　【設立】1953.11【社長】大矢伸明
23年　8【従業員】単292名(40.7歳)
24年　12【有休】‥日
25年　未定【初任給】月22.7万(諸手当を除いた数値)
【試験種類】‥【各種制度】‥

【業績】	売上高	営業利益	経常利益	純利益
単22.6	13,305	▲99	121	100
単23.6	15,634	221	339	98

㈱中部プラントサービス（ちゅうぶ）　株式公開計画なし

【本店】456-8516 愛知県名古屋市熱田区五本松町11-22　☎052-679-1200
建設

採用実績数	倍率	3年後離職率	平均年収
36名	‥	‥	‥

【特色】火力・原子力発電所の保守・改良工事を中心に各種プラントの設計・据付・保守が柱。バイオマス発電所を所有し、発電・エネルギー供給事業も行う。ボルト磨き装置やベアリング分解装置なども販売。中部電力の連結子会社。
【定着率】‥
【採用】　【設立】1961.11【社長】栗山章
23年　27【従業員】単1,600名(44.6歳)
24年　36【有休】‥日
25年　未定【初任給】月24.2万(諸手当を除いた数値)
【試験種類】‥【各種制度】‥

【業績】	売上高	営業利益	経常利益	純利益
単23.3	49,178	‥	2,143	1,474
単24.3	65,350	‥	5,613	1,315

電子システム（でんし）　株式公開いずれしたい

【本社】466-0051 愛知県名古屋市昭和区御器所3-2-5　☎052-872-0505
建設

採用実績数	倍率	3年後離職率	平均年収
3名	‥	‥	‥

【特色】教育、企業、官公庁、医療向けにシステムソリューションを手がける。文教市場中心に保守サービスも展開。民間向けには映像・音響システム、ITシステムなどを施工・販売。自社開発のデジタルサイネージを利用したクラウドサービスなども行う。
【定着率】‥
【採用】　【設立】1977.9【社長】田中弘一郎
23年　2【従業員】単81名(44.5歳)
24年　3【有休】‥日
25年　前年並【初任給】月24.4万(諸手当を除いた数値)
【試験種類】‥【各種制度】‥

【業績】	売上高	営業利益	経常利益	純利益
単22.6	3,033	117	127	82
単23.6	3,337	178	183	131

名工建設（めいこうけんせつ）　名証メイン

【本店】450-6113 愛知県名古屋市中村区名駅1-1-4 JRセントラルタワーズ　☎052-589-1501
建設

採用予定数	倍率	3年後離職率	平均年収
45名	‥	‥	853万円

【特色】名古屋地盤のゼネコン。鉄道工事専門会社として設立された。現在は鉄道の保線・敷設、集合住宅・庁舎・学校などの建築、河川・道路工事などの土木が3本柱。売上高の約6割がJR東海向け。リニア中央新幹線建設にも参画。海外での技術協力も行っている。
【定着率】‥
【採用】　【設立】1941.6【社長】松野篤二
23年　34【従業員】連1,288名 単1,154名(41.1歳)
24年　53【有休】‥日
25年　45【初任給】月24.5万(諸手当を除いた数値)
【試験種類】‥【各種制度】‥

【業績】	売上高	営業利益	経常利益	純利益
連23.3	84,185	6,331	6,704	4,657
連24.3	86,218	5,370	5,820	4,028

川崎設備工業（かわさきせつびこうぎょう）　名証メイン

【本社】460-0011 愛知県名古屋市中区大須1-6-47 ☎052-221-7700
建設

採用予定数	倍率	3年後離職率	平均年収
27名	‥	‥	720万円

【特色】空調・給排水工事などの設備工事中堅。名古屋を起点に首都圏、関西でも営業展開。空調、給排水、電気設備の設計・施工・保守のほか、電気・通信や自家発電システムの構築も手がける。関電工が親会社で、川崎重工、トヨタなどが大口取引先。
【定着率】‥
【採用】　【設立】1951.10【社長】廣江勝志
23年　9【従業員】単418名(44.8歳)
24年　23【有休】‥日
25年　27【初任給】月25万(諸手当を除いた数値)
【試験種類】‥【各種制度】‥

【業績】	売上高	営業利益	経常利益	純利益
単23.3	20,809	1,040	1,074	707
単24.3	22,482	1,333	1,354	845

㈱ウッドフレンズ　東証スタンダード

【本社】460-0008 愛知県名古屋市中区栄4-5-3 KDX名古屋栄ビル ☎052-249-3503
住宅・マンション

採用予定数	倍率	3年後離職率	平均年収
若干	‥	‥	602万円

【特色】愛知県地盤のハウスメーカー。分譲戸建て住宅や注文住宅の施工販売が主体。岐阜工場で集成材やプレカットの生産を内製化し、原価低減を進める。不動産仲介や販売も行うほか、愛知県の森林公園ゴルフ場と同公園施設の運営受託、ホテル経営も手がける。
【定着率】‥
【採用】　【設立】1982.11【社長】伊藤嘉浩
23年　‥【従業員】連289名 単154名(39.3歳)
24年　4【有休】‥日
25年　若干【初任給】月25万(諸手当を除いた数値)
【試験種類】‥【各種制度】‥

【業績】	売上高	営業利益	経常利益	純利益
連23.5	43,750	547	▲2	▲230
連24.5	33,221	▲1,746	▲2,070	▲2,367

㈱ヤマナカ　名証メイン

【本社】453-8608 愛知県名古屋市中村区岩塚町字西枝1-1 ☎052-413-7200
スーパー

採用予定数	倍率	3年後離職率	平均年収
20名	‥	‥	526万円

【特色】愛知地盤で東海3県に展開する中堅食品スーパー。主力の「ヤマナカ」のほか、名古屋市内で高級業態「フランテ」、「フランテロゼ」も展開。店舗数約60店。生鮮食品強化に加え、弁当・総菜の自社開発に注力し、値入れ率の改善を図る。自社アプリで集客も。
【定着率】‥
【採用】　【設立】1957.7【社長】中野義久
23年　7【従業員】単779名(46.7歳)
24年　11【有休】‥日
25年　20【初任給】月22万(諸手当を除いた数値)
【試験種類】‥【各種制度】‥

【業績】	売上高	営業利益	経常利益	純利益
連23.3	86,657	32	173	▲656
連24.3	86,088	804	966	471

㈱コプロ・ホールディングス　東証プライム

【本社】450-6425 愛知県名古屋市中村区名駅3-28-12 ☎052-589-3066
建設

採用実績数	倍率	3年後離職率	平均年収
190名	‥	‥	473万円

【特色】建設業界に特化した人材派遣(施工管理者、CAD技術者など)を展開する持株会社。人材教育や研修を実施し、大手ゼネコンなどに派遣。鉄鋼や化学などのプラント工事向け派遣が成長。高い業界認知度を持つ求人サイト「ベスキャリ建設」を運営。
【定着率】‥
【グループ採用】【設立】2006.10【社長】清川甲介
23年　225【従業員】連4,658名 単80名(33.4歳)
24年　190【有休】‥日
25年　未定【初任給】月17.8万(諸手当を除いた数値)
【試験種類】‥【各種制度】‥

【業績】	売上高	営業利益	経常利益	純利益
連23.3	18,791	1,321	1,324	864
連24.3	24,098	2,141	2,211	1,463

丸美産業（まるみさんぎょう）　株式公開していない

【本社】467-8533 愛知県名古屋市瑞穂区瑞穂通3-21 ☎052-851-3511
住宅・マンション

採用予定数	倍率	3年後離職率	平均年収
若干	‥	‥	‥

【特色】東海エリアで「プラセシオン」ブランドのマンションと住宅の分譲を主軸に、住宅用建築資材(輸入木材・製品、建材など)の販売を展開。相続など所有不動産売却の不動産仲介も手がける。カナダに現地法人、中国に駐在員事務所。1920年に材木商として創業。
【定着率】‥
【採用】　【設立】1948.7【社長】嶺木一志
23年　5【従業員】単75名(45.0歳)
24年　3【有休】‥日
25年　若干【初任給】月24.5万(諸手当を除いた数値)
【試験種類】‥【各種制度】‥

【業績】	売上高	営業利益	経常利益	純利益
単22.12	11,771	507	540	369
単23.12	13,571	571	626	412

㈱あさくま　東証スタンダード

【本社】468-0058 愛知県名古屋市天白区植田西2-1410 ☎052-800-7781
外食・中食

採用実績数	倍率	3年後離職率	平均年収
2名	‥	‥	415万円

【特色】レストラン「ステーキのあさくま」を東海、関東などで展開する。郊外の幹線道路沿いに出店。メインのステーキのほかサラダバーの充実にも取り組む。子会社でもつ焼き居酒屋、インドネシア料理店も手がける。中古厨房機器のテンポスHD子会社。
【定着率】‥
【採用】　【設立】1948.12【社長】廣田陽一
23年　‥【従業員】連111名 単100名(43.0歳)
24年　2【有休】‥日
25年　未定【初任給】‥万
【試験種類】‥【各種制度】‥

【業績】	売上高	営業利益	経常利益	純利益
連23.3	6,202	71	45	▲12
連24.1変	6,101	174	184	130

中部

㈱コメダホールディングス

東証プライム

【本社】461-0004 愛知県名古屋市東区葵3-12-23 ☎052-936-8880
外食・中食

採用予定数	倍率	3年後離職率	平均年収
15名	‥	‥	1,001万円

【特色】「珈琲所コメダ珈琲店」をチェーン展開。地盤の中京地区から全国展開し約95%がFC店。郊外住宅街立地の店舗中心のくつろぎ空間づくりに特色あるが、首都圏では駅地下、ビル内店舗も。台湾や東南アジアにも出店。和風甘味喫茶「おかげ庵」を第2の柱へ。
【定着率】‥
【グループ採用】【設立】2014.11【社長】甘利祐一
23年　11【従業員】連533名 単7名(52.1歳)
24年　10【有休】‥日
25年　15【初任給】月20.1万(諸手当を除いた数値)
【試験種類】‥【各種制度】‥

【業績】	売上高	営業利益	税前利益	純利益
連23.2	37,836	8,024	8,001	5,424
連24.2	43,236	8,717	8,685	5,972

㈱サガミホールディングス

東証プライム

【本社】463-8535 愛知県名古屋市守山区八剣2-118 ☎052-737-6000
外食・中食

採用予定数	倍率	3年後離職率	平均年収
70名	‥	‥	562万円

【特色】和食・麺類の外食チェーングループ。東海地盤。「和食麺処サガミ」が主力でロードサイド中心に出店。手延べうどんの「味の民芸」、セルフ方式の「どんどん庵」も展開。一部はFCも。十割そば「長助」を育成中。海外はベトナム、イタリアに進出。
【定着率】‥
【グループ採用】【設立】1970.3【社長】大西尚真
23年　21【従業員】連565名 単‥名(43.8歳)
24年　49【有休】‥日
25年　70【初任給】月24.2万(諸手当を除いた数値)
【試験種類】‥【各種制度】‥

【業績】	売上高	営業利益	経常利益	純利益
連23.3	26,423	910	1,574	886
連24.3	31,006	1,656	1,722	909

㈱ジェイグループホールディングス

東証グロース

【本社】460-0008 愛知県名古屋市中区栄3-4-28 jGroup本社ビル ☎052-243-0026
外食・中食

採用予定数	倍率	3年後離職率	平均年収
未定	‥	‥	511万円

【特色】東海地盤の外食チェーンで居酒屋とレストラン、カフェを営む。立地特性や顧客層に応じた多業態展開が特長。主な業態は鹿児島の焼酎と食材の「芋蔵」や福岡の焼き鳥を味わえる「博多かわ屋」など。集中加工工場やセルフ注文システムで効率化図る。
【定着率】‥
【グループ採用】【設立】2001.3【会長】新田二郎
23年　29【従業員】連403名 単400名(37.6歳)
24年　‥【有休】‥日
25年　未定【初任給】‥万
【試験種類】‥【各種制度】‥

【業績】	売上高	営業利益	経常利益	純利益
連23.2	8,013	▲1,032	▲901	▲549
連24.2	10,433	309	305	247

㈱JBイレブン

名証メイン

【本社】458-0922 愛知県名古屋市緑区桶狭間切戸2217 ☎052-629-1100
外食・中食

採用予定数	倍率	3年後離職率	平均年収
10名	‥	‥	594万円

【特色】ラーメン店「一刻魁堂」、麻婆豆腐・チャーハン店「ロンフーダイニング」などのブランドで店舗展開する外食チェーン。直営が基本で大型ショッピングセンター内の出店が多い。東海地盤だが関西や関東圏にも進出。別ブランド「横浜家系ラーメン」ではFC展開。
【定着率】‥
【グループ採用】【設立】1981.9【代表取締役】新美司
23年　8【従業員】連166名 単15名(47.9歳)
24年　5【有休】‥日
25年　10【初任給】月22万(諸手当を除いた数値)
【試験種類】‥【各種制度】‥

【業績】	売上高	営業利益	経常利益	純利益
連23.3	7,117	▲288	▲290	▲318
連24.3	7,642	132	142	79

スガキコシステムズ

株式公開計画なし

【本社】460-0002 愛知県名古屋市中区丸の内1-16-2 ☎052-209-9010
外食・中食

採用予定数	倍率	3年後離職率	平均年収
20名	‥	‥	‥

【特色】ラーメンとソフトクリームの「Sugakiya」、ラーメン「寿がきや」、博多うどんの店「木村屋」などを運営するファストフードチェーン。東海、関西、静岡に280店舗以上を展開。戦後ほどなく名古屋栄で「甘党の店」で出発。
【定着率】‥
【採用】【設立】1958.5【社長】菅木伸一
23年　15【従業員】単180名(36.3歳)
24年　9【有休】‥日
25年　20【初任給】月23万(諸手当を除いた数値)
【試験種類】‥【各種制度】‥

【業績】	売上高	営業利益	経常利益	純利益
単23.3	9,585	1	▲157	▲189
単24.3	11,406	212	333	157

㈱ブロンコビリー

東証プライム

【本社】465-0097 愛知県名古屋市名東区平和が丘1-75 ☎052-775-8000
外食・中食

採用予定数	倍率	3年後離職率	平均年収
120名	‥	‥	473万円

【特色】名古屋地盤で東海地方を中心に高級ステーキ・ハンバーグ専門の郊外型レストランを直営展開。炭火焼きへのこだわりやかまど炊きのごはんに特色。魚沼産コシヒカリなど高級素材を使用。新業態のとんかつ専門店は同業運営企業買収でシナジー追求。
【定着率】‥
【採用】【設立】1983.12【社長】竹市克弘
23年　106【従業員】連596名 単575名(31.5歳)
24年　118【有休】‥日
25年　120【初任給】月21.5万(諸手当を除いた数値)
【試験種類】‥【各種制度】‥

【業績】	売上高	営業利益	経常利益	純利益
単22.12	19,508	746	1,020	687
連23.12	23,377	1,644	1,708	1,003

㈱物語コーポレーション

東証プライム

【本社】440-0831 愛知県豊橋市西岩田5-7-11 ☎0532-63-8001
外食・中食

採用実績数	倍率	3年後離職率	平均年収
200名	‥	‥	492万円

【特色】食べ放題焼肉店「焼肉きんぐ」を主力とする外食チェーン。中部地盤に直営とFCで郊外型店舗を全国展開。しゃぶしゃぶ食べ放題や大型ラーメン店など運営業態は多種多様。駅前出店など店舗立地範囲の拡大図る。インドネシアや香港など海外にも進出。
【定着率】‥
【採用】　【設立】1969.9【社長】加藤央之
23年　150【従業員】連1,809名 単1,637名(32.8歳)
24年　200【有休】‥日
25年　微増【初任給】月25.2万(諸手当を除いた数値)
【試験種類】‥【各種制度】‥

【業績】	売上高	営業利益	経常利益	純利益
連23.6	92,274	7,202	7,179	4,693
連24.6	107,156	8,165	8,582	5,639

㈱ヨシックスホールディングス

東証プライム

【本社】461-0025 愛知県名古屋市東区徳川1-9-30 ヨシックスビル ☎052-932-8431
外食・中食

採用予定数	倍率	3年後離職率	平均年収
未定	‥	‥	583万円

【特色】居酒屋チェーン。にぎり寿司居酒屋「や台ずし」、均一価格居酒屋「ニパチ」などを展開。名古屋を地盤に関東以西に出店する。従業員が確保しやすい地方での出店や中小型店の出店を戦略的に行う。店舗設計から建築まで自社グループで手がけ出店費用を抑制する。
【定着率】‥
【グループ採用】【設立】1985.4【会長】吉岡昌成
23年　10【従業員】連874名 単14名(39.3歳)
24年　‥【有休】‥日
25年　未定【初任給】‥万
【試験種類】‥【各種制度】‥

【業績】	売上高	営業利益	経常利益	純利益
連23.3	17,089	706	1,834	961
連24.3	21,117	2,322	2,538	1,809

㈱買取王国

東証スタンダード

【本社】455-0073 愛知県名古屋市港区川西通5-12 ☎052-304-7851
その他小売業

採用予定数	倍率	3年後離職率	平均年収
20名	‥	‥	465万円

【特色】衣料、服飾雑貨、ホビー、高級ブランド品などの中古品買い取りと再販売が主力。ロードサイド型の「買取王国」を柱に、アウトレット店「マイシュウサガール」も手がける。工具専門の「工具買取王国」は直営店とFCでも展開し高成長。ECは専門部署で強化策。
【定着率】‥
【採用】　【設立】1999.10【会長】長谷川和夫
23年　9【従業員】単134名(36.9歳)
24年　12【有休】‥日
25年　20【初任給】月20.8万(諸手当を除いた数値)
【試験種類】‥【各種制度】‥

【業績】	売上高	営業利益	経常利益	純利益
単23.2	5,865	387	420	273
単24.2	6,739	495	523	360

㈱中京医薬品

東証スタンダード

【本社】475-8541 愛知県半田市亀崎北浦町2-15-1 ☎0569-29-0202
その他小売業

採用実績数	倍率	3年後離職率	平均年収
11名	‥	‥	481万円

【特色】東海地区中心の配置医薬品大手。常備薬・保険品などを各家庭の救急箱に配置、定期訪問し使用分を売り上げとする。健康食品やサプリメントなども取り扱う。一部地域ではFCでも展開。取り扱い商品はほとんどが自社ブランド。ミネラルウォーター宅配事業も展開。
【定着率】‥
【採用】　【設立】1978.5【社長】米津秀二
23年　11【従業員】単331名(43.7歳)
24年　11【有休】‥日
25年　増加【初任給】月20.9万(諸手当を除いた数値)
【試験種類】‥【各種制度】‥

【業績】	売上高	営業利益	経常利益	純利益
単23.3	5,692	59	79	14
単24.3	6,124	128	147	▲27

NTP名古屋トヨペット

株式公開計画なし

【本社】456-8555 愛知県名古屋市熱田区尾頭町2-22 ☎052-683-2111
その他小売業

採用予定数	倍率	3年後離職率	平均年収
123名	‥	‥	‥

【特色】NTPグループ中核のトヨタ系有力ディーラー。トヨタ販売店のなかでは全国トップクラスの規模、売り上げを誇る。愛知県に広範な店舗ネットワークを運営し、トヨタ全車種を販売。中古車や自動車保険なども取り扱う。モータースポーツへの取り組みを強化。
【定着率】‥
【採用】　【設立】2021.12【社長】小林剛
23年　114【従業員】単2,649名(40.1歳)
24年　101【有休】‥日
25年　123【初任給】月22.2万(諸手当を除いた数値)
【試験種類】‥【各種制度】‥

【業績】	売上高	営業利益	経常利益	純利益
単24.3	203,908	4,318	4,758	1,366

㈱IKホールディングス

東証スタンダード

【本社】450-0002 愛知県名古屋市中村区名駅3-26-8 KDX名古屋駅前ビル ☎052-856-3101
その他小売業

採用予定数	倍率	3年後離職率	平均年収
4名	‥	‥	577万円

【特色】カタログ通販会社で生協向けに強み。小売店舗や海外企業などへの卸売りも行う。テレビ通販「プライムダイレクト」や韓国化粧品販売など小売りも子会社で展開。チャットシステム取り扱う。自社開発商品の育成に注力し、PB商品比率向上を図る。
【定着率】‥
【2社計採用】【設立】1990.4【会長】飯田裕
23年　1【従業員】連195名 単27名(37.3歳)
24年　4【有休】‥日
25年　4【初任給】月21.5万(諸手当を除いた数値)
【試験種類】‥【各種制度】‥

【業績】	売上高	営業利益	経常利益	純利益
連23.5	14,179	▲224	▲205	▲463
連24.5	14,049	341	340	229

㈱オークローンマーケティング

株式公開計画なし

【本社】461-0005 愛知県名古屋市東区東桜1-13-3 NHK名古屋放送センタービル14階 ☎052-950-1124
その他小売業

採用予定数	倍率	3年後離職率	平均年収
未定	‥	‥	‥

【特色】テレビショッピング「ショップジャパン」を運営・管理するマルチメディア小売業を展開。低反発マットレス「トゥルースリーパー」シリーズで高い実績。eコマース、店舗運営・販売なども手がける。NTTドコモの連結子会社。
【定着率】‥
【採用】
23年 ‥
24年 ‥
25年 未定
【設立】1993.5【社長】R.W.ローチ
【従業員】単360名(‥歳)
【有休】‥日
【初任給】‥万
【試験種類】‥【各種制度】‥

【業績】	売上高	営業利益	経常利益	純利益
連23.3	40,640	▲2,767	‥	‥
単24.3	36,228	▲279	‥	‥

㈱ショクブン

東証スタンダード

【本社】463-8536 愛知県名古屋市守山区向台3-1807 ☎052-773-1011
その他小売業

採用予定数	倍率	3年後離職率	平均年収
5名	‥	‥	322万円

【特色】食材宅配最大手。東海地盤で大阪、京都にも展開。管理栄養士が立案するオリジナルメニューの家庭用食材や冷凍弁当を宅配する。おせちなど季節に合わせた特売企画商品も。食品の加工・パックは自社センターで行う。コメ卸最大手・神明の連結子会社。
【定着率】‥
【採用】
23年 ‥
24年 1
25年 5
【設立】1977.12【社長】吉田朋春
【従業員】連357名 単357名(48.0歳)
【有休】‥日
【初任給】年221万(諸手当を除いた数値)
【試験種類】‥【各種制度】‥

【業績】	売上高	営業利益	経常利益	純利益
連23.3	7,017	203	190	268
連24.3	6,393	51	50	▲15

リネットジャパングループ

東証グロース

【本社】453-6126 愛知県名古屋市中村区平池町4-60-12 グローバルゲート ☎052-589-2292
その他小売業

採用実績数	倍率	3年後離職率	平均年収
5名	‥	‥	589万円

【特色】中古本などの買い取り・販売のリユースサイト「NETOFF」を運営。中古本、CDなど中心にブランド品も扱う。中古PCなど小型家電の宅配回収リサイクル事業や障害者支援事業も手がける。海外事業のカンボジアでの小口金融は撤退し人材送り出しに専念。
【定着率】‥
【グループ採用】
23年 4
24年 5
25年 0
【設立】2000.7【社長】黒田武志
【従業員】連811名 単24名(38.5歳)
【有休】‥日
【初任給】月22万(諸手当を除いた数値)
【試験種類】‥【各種制度】‥

【業績】	売上高	営業利益	経常利益	純利益
連22.9	8,587	500	842	500
連23.9	11,055	73	128	▲352

エスパシオエンタープライズ

株式公開計画なし

【本社】460-0033 愛知県名古屋市中区錦3-23-18 ニューサカエビル8階 ☎052-211-9017
ホテル

採用予定数	倍率	3年後離職率	平均年収
未定	‥	‥	‥

【特色】総合商社・興和グループで愛知県内を中心にホテルの運営を行う。名古屋の老舗ホテル「名古屋観光ホテル」と休館中の「ホテルナゴヤキャッスル」のホテル事業などを継承。レストラン事業も展開。神奈川・箱根にホテルを開業。
【定着率】‥
【採用】
23年 21
24年 ‥
25年 未定
【設立】2019.7【社長】本中野真
【従業員】単403名(41.7歳)
【有休】‥日
【初任給】‥万
【試験種類】‥【各種制度】‥

【業績】	売上高	営業利益	経常利益	純利益
単23.3	4,904	‥	‥	▲2,628
単24.3	‥	‥	‥	▲1,102

㈱東祥(とうしょう)

東証スタンダード

【本社】446-0056 愛知県安城市三河安城町1-16-5 ☎0566-79-3111
レジャー

採用予定数	倍率	3年後離職率	平均年収
80名	‥	‥	452万円

【特色】「ホリデイスポーツクラブ」を愛知県本拠に全国展開。運動初心者の大人を主要顧客ターゲットに据える。愛知県内に創業事業の賃貸・分譲マンションを複数棟保有。事業部を独立させた上場子会社のABホテルがビジネスホテルを運営。
【定着率】‥
【採用】
23年 49
24年 55
25年 80
【設立】1979.3【社長】沓名裕一郎
【従業員】連423名 単352名(29.5歳)
【有休】‥日
【初任給】月19.5万(諸手当を除いた数値)
【試験種類】‥【各種制度】‥

【業績】	売上高	営業利益	経常利益	純利益
連23.3	22,506	3,134	3,135	857
連24.3	30,927	3,958	4,098	▲2,229

カリツー

株式公開いずれしたい

【本社】446-8540 愛知県安城市三河安城町1-4-4 ☎0566-73-5600
運輸・倉庫

採用実績数	倍率	3年後離職率	平均年収
約20名	‥	‥	‥

【特色】自動車部品輸送が柱の物流会社。「安全・品質・環境・コスト」をテーマに事業拡充。愛知県を地盤に北海道から九州まで営業所網を構える。大型、小型、フォークリフトの車両保有台数約1800台。倉庫面積約43万平方メートル。
【定着率】‥
【採用】
23年 34
24年 約20
25年 未定
【設立】1950.12【社長】筒井重式
【従業員】単2,930名(45.6歳)
【有休】‥日
【初任給】‥万
【試験種類】‥【各種制度】‥

【業績】	売上高	営業利益	経常利益	純利益
単23.3	62,571	2,059	2,310	1,601
単24.3	68,553	3,782	4,097	3,156

軽急便
株式公開計画なし

【本社】460-0006 愛知県名古屋市中区葵1-27-29 キリックスビル5階 ☎052-930-4771
運輸・倉庫

採用予定数	倍率	3年後離職率	平均年収
10名	‥	‥	‥

【特色】軽貨物運送のパイオニア。車両を自社で所有せず1200台以上の専属運送事業者(会員)を組織。開業支援や開業前研修行う。全国6支店16営業所。GPSによる車両管理システムで効率化。24時間365日体制で緊急配送にも対応する。
【定着率】‥
【採用】 【設立】1986.5【社長】大谷公二
23年 8【従業員】単115名(38.5歳)
24年 9【有休】‥日
25年 10【初任給】月21.4万(諸手当を除いた数値)
【試験種類】‥【各種制度】‥

【業績】	売上高	営業利益	経常利益	純利益
単23.3	5,888	‥	‥	73
単24.3	5,932	‥	‥	76

豊通物流
株式公開計画なし

【名古屋オフィス】450-0002 愛知県名古屋市中村区名駅4-11-27 シンフォニー豊田ビル15階 ☎052-558-2100
運輸・倉庫

採用実績数	倍率	3年後離職率	平均年収
18名	‥	‥	‥

【特色】豊田通商グループでグループ内物流の中核。3PL(物流一括受託)、自動車部品輸出、自動車部品・エレクトロニクス部品の保管、検品、組付などを行う。トヨタグループへの「かんばん」納入に対応。愛知県・安城市に電子部品の最新鋭専用自動倉庫を開設。
【定着率】‥
【採用】 【設立】1963.3【社長】浖野仁志
23年 14【従業員】単780名(39.8歳)
24年 18【有休】‥日
25年 未定【初任給】月21.2万(諸手当を除いた数値)
【試験種類】‥【各種制度】‥

【業績】	売上高	営業利益	経常利益	純利益
単23.3	30,833	‥	‥	1,458
単24.3	27,306	‥	‥	1,570

シェアリングテクノロジー
東証グロース

【本社】450-6319 愛知県名古屋市中村区名駅1-1-1 JPタワー名古屋 ☎052-414-5919
その他サービス

採用予定数	倍率	3年後離職率	平均年収
23名	‥	‥	385万円

【特色】生活密着型サービス業者とユーザーをマッチングするバーティカルメディアサイトを運営。総合プラットフォームの「生活110番」も展開。登録業者は、カギ・水回りトラブル対応、リフォーム、害虫駆除など。施工金額に応じた成果報酬が収益。
【定着率】‥
【採用】 【設立】2006.11【代表取締役】森吉寛裕
23年 13【従業員】連172名 単157名(29.8歳)
24年 10【有休】‥日
25年 23【初任給】月22万(諸手当を除いた数値)
【試験種類】‥【各種制度】‥

【業績】	売上高	営業利益	税前利益	純利益
連22.9	4,429	401	390	472
連23.9	6,228	1,240	1,235	1,320

日本ゼネラルフード
株式公開計画なし

【本社】460-0012 愛知県名古屋市中区千代田5-7-5 パークヒルズ千代田6階～11階 ☎052-243-6111
その他サービス

採用実績数	倍率	3年後離職率	平均年収
132名	‥	‥	‥

【特色】中部地区地盤の給食最大手。企業、学校、保育施設、病院・医療機関、介護施設向けの給食受託事業を展開。中部地区、関東地区、北陸地区、関西地区を中心に1000事業所を超す。関連会社でケータリング事業も。NGFホールディングス傘下。
【定着率】‥
【採用】 【設立】1967.2【社長】杉浦卓
23年 102【従業員】連2,149名 単1,940名(40.5歳)
24年 132【有休】‥日
25年 未定【初任給】月21万
【試験種類】‥【各種制度】‥

【業績】	売上高	営業利益	経常利益	純利益
連23.8	38,861	‥	‥	‥

業績はNGFグループの数値

メーキュー
株式公開計画なし

【本社】463-0003 愛知県名古屋市守山区下志段味3-2302 ☎052-770-2221
その他サービス

採用実績数	倍率	3年後離職率	平均年収
10名	‥	‥	‥

【特色】東海地盤の給食大手。管理栄養士がバランスメニューを作成し、事業所給食、病院・福祉施設給食、学校給食を提供。災害時には愛知県内にある直営店から供給可能な体制を構築。子会社で企業を対象にした特定保健指導などの業務を手がける。
【定着率】‥
【採用】 【設立】1960.12【会長】山本裕康
23年 12【従業員】単578名(41.8歳)
24年 10【有休】‥日
25年 未定【初任給】月20.2万(諸手当を除いた数値)
【試験種類】‥【各種制度】‥

【業績】	売上高	営業利益	経常利益	純利益
単23.4	8,060	‥	‥	13
単24.4	8,224	‥	‥	▲188

名鉄自動車整備
株式公開計画なし

【本社】458-8580 愛知県名古屋市緑区曽根2-427 ☎052-623-2220
その他サービス

採用実績数	倍率	3年後離職率	平均年収
11名	‥	‥	‥

【特色】事業用のバス・トラック、タクシー、特殊車両から自家用自動車までの各種自動車整備や車体整備が主軸。中部5県下に25工場を有している。整備業務以外にも車両販売、自動車関連システム機器販売や損保代理店などの事業を展開。名古屋鉄道グループ。
【定着率】‥
【採用】 【設立】1989.8【社長】舟橋雅也
23年 7【従業員】単425名(41.0歳)
24年 11【有休】‥日
25年 未定【初任給】月22.4万(諸手当を除いた数値)
【試験種類】‥【各種制度】‥

【業績】	売上高	営業利益	経常利益	純利益
単23.3	6,900	181	191	81
単24.3	7,613	408	431	288

㈱シイエム・シイ

東証スタンダード

【本社】460-0021 愛知県名古屋市中区平和1-1-19 ☎052-322-3351

その他サービス

採用予定数	倍率	3年後離職率	平均年収
20名	‥	‥	637万円

【特色】自動車、工作機械、電化製品などの製品修理書・取扱説明書を制作。自動車関連が売上高の6割超を占める。高い技術知識を武器にマーケティング活動支援も手がけ、DXツールが急成長。医療・医薬向け学術資材のほか、官公庁向けや物流関連のシステム開発も。

【定着率】‥

【採用】【設立】1962.5【社長】佐々幸恭

23年 9【従業員】連925名 単436名(42.3歳)

24年 5【有休】‥日

25年 20【初任給】月21.5万(諸手当を除いた数値)

【試験種類】‥【各種制度】‥

【業績】	売上高	営業利益	経常利益	純利益
連22.9	17,917	2,590	2,964	2,003
連23.9	18,451	2,617	2,873	1,762

㈱テクノ中部（ちゅうぶ）

株式公開計画なし

【本社】455-8512 愛知県名古屋市港区大江町3-12 ☎052-614-7171

その他サービス

採用予定数	倍率	3年後離職率	平均年収
15名	‥	‥	‥

【特色】火力・原子力発電所の燃料・環境設備の運転保守、燃料荷役、廃棄物処理などの管理業務が柱。環境アセスメント、PCBや放射線などの測定分析も行う。技術者派遣は火力発電設備の運転、保守、新設、試運転など。中部電力の完全子会社。

【定着率】‥

【採用】【設立】1978.8【社長】伊出俊一郎

23年 11【従業員】単729名(46.0歳)

24年 8【有休】‥日

25年 15【初任給】月21.2万(諸手当を除いた数値)

【試験種類】‥【各種制度】‥

【業績】	売上高	営業利益	経常利益	純利益
単23.3	16,634	912	962	664
単24.3	16,338	977	1,031	711

フルハシEPO

東証スタンダード

【本社】460-0022 愛知県名古屋市中区金山1-13-13 金山プレイス ☎052-324-9088

その他サービス

採用実績数	倍率	3年後離職率	平均年収
13名	‥	‥	512万円

【特色】木質系廃材のリサイクル処理受託や、木質リサイクルチップの販売を展開するバイオマテリアル事業が柱。住宅建設現場から排出される廃棄物のリサイクル処理も手がける。名古屋市近郊を中心に東海地区が基盤だが、今後の成長に向け首都圏でも設備投資を活発化。

【定着率】‥

【採用】【設立】1948.2【社長】山口直彦

23年 13【従業員】連452名 単276名(40.0歳)

24年 13【有休】‥日

25年 未定【初任給】月23万(諸手当を除いた数値)

【試験種類】‥【各種制度】‥

【業績】	売上高	営業利益	経常利益	純利益
連23.3	8,076	839	1,049	743
連24.3	8,753	1,039	1,246	263

大丸興業（だいまるこうぎょう）

株式公開計画なし

【本社】541-0051 大阪府大阪市中央区備後町3-4-9 輸出繊維会館 ☎06-6205-1000

商社・卸売業

採用実績数	倍率	3年後離職率	平均年収
4名	‥	‥	‥

【特色】電子デバイス、自動車部品、化学品・金属品、酒類、通販商材など扱う専門商社。国内、ASEAN、中国市場を中心にビジネスを展開。中国、タイなどで輸出入代行や物流業務なども手がける。J.フロントリテイリング傘下。

【定着率】‥

【採用】【設立】1948.8【代表取締役】長野常一郎

23年 4【従業員】単163名(46.6歳)

24年 4【有休】‥日

25年 未定【初任給】月24.3万(諸手当を除いた数値)

【試験種類】‥【各種制度】‥

【業績】	売上高	営業利益	経常利益	純利益
単23.2	37,609	690	769	434
単24.2	34,905	849	1,246	992

牧村（まきむら）

株式公開計画なし

【本社】541-0053 大阪府大阪市中央区本町3-2-8 ☎06-6253-1251

商社・卸売業

採用実績数	倍率	3年後離職率	平均年収
4名	‥	‥	‥

【特色】毛織物、合繊織物の専門商社。全国に7拠点。メンズ、レディーステキスタイルやユニホームの素材提案から企画・デザイン・製品化まで一貫。大阪に流通センター。パリと中国に駐在員事務所。中国工場は繊維分野で中国内最大規模。1904年創業。

【定着率】‥

【採用】【設立】1947.7【社長】湯川良一

23年 8【従業員】単118名(41.8歳)

24年 4【有休】‥日

25年 未定【初任給】月22.6万

【試験種類】‥【各種制度】‥

【業績】	売上高	営業利益	経常利益	純利益
単22.5	8,498	36	119	59
単23.5	9,700	62	167	107

尾家産業（おいえさんぎょう）

東証スタンダード

【本社】531-8534 大阪府大阪市北区豊崎6-11-27 ☎06-6375-0151

商社・卸売業

採用予定数	倍率	3年後離職率	平均年収
30名	‥	‥	720万円

【特色】業務用食品問屋大手。ホテル、レストランなど飲食店や給食施設への調味料、冷蔵冷凍食品販売が中心。PB商品開発に積極的。小口配送システムに強み。直営店舗やオンラインショップも運営。中食業態や病院・高齢者施設等ヘルスケア食品を拡大。

【定着率】‥

【採用】【設立】1961.2【取締】尾家健太郎

23年 16【従業員】連760名 単734名(40.6歳)

24年 31【有休】‥日

25年 30【初任給】月22万(諸手当を除いた数値)

【試験種類】‥【各種制度】‥

【業績】	売上高	営業利益	経常利益	純利益
単23.3	94,833	1,692	1,760	1,633
連24.3	111,375	3,243	3,265	3,055

国分西日本（こくぶにしにほん）

株式公開していない

【本社】530-0042 大阪府大阪市北区天満橋1-8-30 OAPタワー14階 ☎06-6882-5530
商社・卸売業

採用実績数	倍率	3年後離職率	平均年収
20名	‥	‥	‥

【特色】酒類・食品・関連消費財の卸売および流通加工、配送、貿易などを展開。国分グループの連結子会社で、関西、西日本、四国中心に2府13県を管轄。取引先は百貨店、スーパー、コンビニのほか業務用、小売りなども。西日本エリア留型商品も開発。
【定着率】‥
【採用】【設立】1951.10【代表取締役】川野政治
23年 16【従業員】単588名(‥歳)
24年 20【有休】‥日
25年 未定【初任給】‥万
【試験種類】‥【各種制度】‥

【業績】	売上高	営業利益	経常利益	純利益
単22.12	312,373	2,658	2,762	1,860
単23.12	335,699	3,275	3,401	2,337

㈱ショクリュー

株式公開していない

【本社】542-0073 大阪府大阪市中央区日本橋1-22-25 ☎06-6647-6270
商社・卸売業

採用実績数	倍率	3年後離職率	平均年収
5名	‥	‥	‥

【特色】OUG・HD傘下で、水産物を軸に総合的な食品流通事業を展開。販売先は量販店、外食チェーン、飲食店、ホテル、食品加工場などで、高鮮度な水産物を供給。調達、加工、販売、配送まで一貫体制。国内37営業拠点。海外展開に積極的で約35カ国と取引。
【定着率】‥
【採用】【設立】1949.6【社長】竹田誠
23年 11【従業員】単546名(44.8歳)
24年 5【有休】‥日
25年 未定【初任給】月22万
【試験種類】‥【各種制度】‥

【業績】	売上高	営業利益	経常利益	純利益
単23.3	126,456	414	431	373
単24.3	131,381	1,437	1,524	1,090

大果大阪青果（だいかおおさかせいか）

株式公開計画なし

【本社】553-0005 大阪府大阪市福島区野田1-1-86 ☎06-6469-5030
商社・卸売業

採用実績数	倍率	3年後離職率	平均年収
9名	‥	‥	‥

【特色】西日本で首位の青果卸売会社。野菜・果実などの年間取扱数量は約40万t。大阪市中央卸売市場と大阪府中央卸売市場が地盤。生鮮青果物を安定価格で供給できる体制の確立目指す。産地代表者による旬を知らせるセールスイベントを随時開催。
【定着率】‥
【採用】【設立】1955.9【社長】堀ノ内重治
23年 9【従業員】単306名(42.1歳)
24年 9【有休】‥日
25年 未定【初任給】月20.5万(諸手当を除いた数値)
【試験種類】‥【各種制度】‥

【業績】	取扱高	営業利益	経常利益	純利益
単23.3	122,237	154	246	156
単24.3	126,063	582	684	462

㈱大水（だいすい）

東証スタンダード

【本社】553-8550 大阪府大阪市福島区野田1-1-86 大阪市中央卸売市場内 ☎06-6469-3000
商社・卸売業

採用予定数	倍率	3年後離職率	平均年収
10名	‥	‥	645万円

【特色】水産物卸売り大手。大阪市中央卸売市場が地盤で、M&Aにより近畿6市場に営業拠点。日本水産や極洋が主要取引先。量販店や外食産業向けに市場外取引を強化。冷凍加工品など高付加価値品の輸出拡大にも取り組む。子会社で冷蔵倉庫事業も展開。
【定着率】‥
【採用】【設立】1939.4【社長】山橋英一郎
23年 7【従業員】連439名 単333名(45.9歳)
24年 13【有休】‥日
25年 10【初任給】月21万(諸手当を除いた数値)
【試験種類】‥【各種制度】‥

【業績】	売上高	営業利益	経常利益	純利益
連23.3	98,458	432	598	701
連24.3	98,460	830	998	1,009

岩瀬コスファ（いわせ）

株式公開計画なし

【本社】541-0045 大阪府大阪市中央区道修町1-7-11 ☎06-6231-3456
商社・卸売業

採用実績数	倍率	3年後離職率	平均年収
3名	‥	‥	‥

【特色】化粧品原料で業界トップ級の専門商社。医薬品やハウスホールド用品の原料などを扱い、化粧品・健康食品のOEMも展開。機能性食品素材などウェルネス分野にも注力。国内外の施設と業務提携し、非臨床・臨床ともに試験の受託も手がける。
【定着率】‥
【採用】【設立】1948.7【社長】岩瀬由典
23年 4【従業員】単177名(38.3歳)
24年 3【有休】‥日
25年 未定【初任給】月21.4万(諸手当を除いた数値)
【試験種類】‥【各種制度】‥

【業績】	売上高	営業利益	経常利益	純利益
単22.12	32,095	531	1,406	1,092
単23.12	34,196	620	1,597	1,221

KISCO

株式公開計画なし

【本社】541-8513 大阪府大阪市中央区伏見町3-3-7 ☎06-6203-5651
商社・卸売業

採用実績数	倍率	3年後離職率	平均年収
8名	‥	‥	‥

【特色】合成樹脂、化学品、エレクトロニクス材料などの専門商社。欧州、北米、南米やアジア主要国に拠点。合成樹脂では材料調達から製品開発まで対応する。バイオ関連分野の新規開発にも注力。特性を活かした「diX」コーティングは幅広い用途に採用される。
【定着率】‥
【採用】【設立】1921.10【社長】岸本剛一
23年 7【従業員】連2,737名 単294名(40.1歳)
24年 8【有休】‥日
25年 未定【初任給】月27万(諸手当を除いた数値)
【試験種類】‥【各種制度】‥

【業績】	売上高	営業利益	経常利益	純利益
連23.3	99,652	2,045	2,834	1,216
連24.3	101,605	2,176	3,833	1,906

白石（しらいし）カルシウム

株式公開 計画なし

【本社】530-0005 大阪府大阪市北区中之島2-2-7 中之島セントラルタワー 9階 ☎06-6231-8260
商社・卸売業

採用実績数	倍率	3年後離職率	平均年収
1名	‥	‥	‥

【特色】炭酸カルシウムを主体とする白石グループ22社の一角をなす化学品の専門商社。工業、食品など幅広い産業に製品を供給。国内事業所は北海道から九州まで8カ所、海外事業所・関係会社は上海・シンガポール、マレーシアなど15カ所。
【定着率】‥
【採用】 【設立】1937.11【社長】白石裕俊
23年 5【従業員】単154名(43.2歳)
24年 1【有休】‥日
25年 未定【初任給】月23万(諸手当を除いた数値)
【試験種類】‥【各種制度】‥

【業績】	売上高	営業利益	経常利益	純利益
単23.3	63,647	640	1,466	3,050
単24.3	63,410	583	1,378	843

林六（はやしろく）

株式公開 計画なし

【本社】542-0081 大阪府大阪市中央区南船場4-11-28 JPR心斎橋ウエスト8階 ☎06-6262-3914
商社・卸売業

採用実績数	倍率	3年後離職率	平均年収
3名	‥	‥	‥

【特色】製紙・段ボール向けが主力の工業薬品専門商社。水処理、土木向けも扱う。台湾、インドネシアに拠点。アジア中心にグローバル展開。太陽光発電関連ビジネス、日本のバイオマス発電所向け燃料の販売も手がける。1700年代初頭ミョウバンで創業。
【定着率】‥
【採用】 【設立】1946.7【社長】朝倉悟
23年 6【従業員】単84名(42.6歳)
24年 3【有休】‥日
25年 未定【初任給】月21.4万(諸手当を除いた数値)
【試験種類】‥【各種制度】‥

【業績】	売上高	営業利益	経常利益	純利益
単23.3	28,719	284	415	370
単24.3	28,784	254	350	329

㈱ケーエスケー

株式公開 未定

【本社】540-0029 大阪府大阪市中央区本町橋1-20 ☎06-6941-1201
商社・卸売業

採用予定数	倍率	3年後離職率	平均年収
50名	‥	‥	‥

【特色】バイタルケーエスケーHD傘下で、医薬品、医薬部外品、試薬、医療機器を販売する医薬品卸。「地域包括ケアシステム」構築支援を展開。在庫管理・受発注システムや医療安全管理システム拡販にも注力。介護・レンタル事業も手がける。
【定着率】‥
【採用】 【設立】1962.7【社長】岡本総一郎
23年 43【従業員】連1,596名 単1,261名(47.0歳)
24年 22【有休】‥日
25年 50【初任給】月24.2万
【試験種類】‥【各種制度】‥

【業績】	売上高	営業利益	経常利益	純利益
連23.3	278,982	668	2,180	3,403
連24.3	282,935	2,189	2,527	2,790

大阪（おおさか）ガスリキッド

株式公開 計画なし

【本社】541-0041 大阪府大阪市中央区北浜4-7-19 住友ビルディング第3号館5階 ☎06-4706-2700
商社・卸売業

採用予定数	倍率	3年後離職率	平均年収
未定	‥	‥	‥

【特色】大阪ガスグループで産業ガス事業の中核。産業用各種高圧ガスの製造・販売、ガス精製器の販売を行う。鉄鋼、溶断、医療用向けの液化酸素、半導体や化学プラント向け液化窒素、液化アルゴン、液化炭素などを食品、医療、建築、自動車、鋼鉄などの分野へ提供。
【定着率】‥
【採用】 【設立】1947.4【社長】吉田克也
23年 1【従業員】単‥名(‥歳)
24年 ‥【有休】‥日
25年 未定【初任給】‥万
【試験種類】‥【各種制度】‥

【業績】	売上高	営業利益	経常利益	純利益
単23.3	5,857	914	1,233	717
単24.3	5,989	805	1,189	874

日米（にちべい）ユナイテッド

株式公開 計画なし

【本社】550-0015 大阪府大阪市西区南堀江4-25-15 ☎06-6538-7071
商社・卸売業

採用予定数	倍率	3年後離職率	平均年収
2名	‥	‥	‥

【特色】総合石油製品販売業を展開するENEOSグループ系列企業。潤滑油・溶剤、油吸着剤、部品洗浄、印刷機械洗浄剤、クリーニング溶剤など工場施設・専門分野向けと、家庭用太陽光発電、エネファームなど一般家庭・企業向け製品を扱う。1898年創業。
【定着率】‥
【採用】 【設立】1898.7【社長】太田彰彦
23年 1【従業員】単418名(47.0歳)
24年 4【有休】‥日
25年 2【初任給】月23.1万(諸手当を除いた数値)
【試験種類】‥【各種制度】‥

【業績】	売上高	営業利益	経常利益	純利益
単23.3	39,268	1,467	1,846	1,096
単24.3	40,367	1,340	1,725	1,104

アラヤ特殊金属（とくしゅきんぞく）

株式公開 計画なし

【本社】542-0081 大阪府大阪市中央区南船場2-12-12 新家ビル ☎06-6251-9801
商社・卸売業

採用予定数	倍率	3年後離職率	平均年収
2名	‥	‥	‥

【特色】ステンレス鋼管、形鋼、条鋼類などの加工・販売。ステンレス形鋼・条鋼などでトップ級シェア。取扱アイテムは6000超。全国9営業拠点と配送センター 3カ所を配置。全国ネットワークを生かし提案型営業。新家工業の子会社。
【定着率】‥
【採用】 【設立】1960.7【社長】小川隆嗣
23年 0【従業員】単126名(44.4歳)
24年 4【有休】‥日
25年 2【初任給】月21.1万
【試験種類】‥【各種制度】‥

【業績】	売上高	営業利益	経常利益	純利益
単23.3	25,136	2,407	2,458	1,723
単24.3	24,073	834	890	612

㈱稲垣商店（いながきしょうてん）

株式公開計画なし

【本社】550-0015 大阪府大阪市西区南堀江4-14-19 ☎06-6531-2456
商社・卸売業

採用予定数	倍率	3年後離職率	平均年収
1名	‥	‥	‥

【特色】銅、黄銅、銅合金、アルミ、ステンレスなど非鉄金属の棒・管が主力の専門商社。蓄積してきた供給データに基づき、最適材料調達を提案。豊富な品揃え・迅速な対応・小回りの効いた配送で、短納期・小ロットの対応を行う。神鋼商事の子会社。
【定着率】‥
【採用】 【設立】2023.7【社長】田中隆文
23年 0【従業員】単34名(48.0歳)
24年 0【有休】‥日
25年 1【初任給】月24万(諸手当を除いた数値)
【試験種類】‥【各種制度】‥

【業績】	売上高	営業利益	経常利益	純利益
単24.2	1,114	111	112	74

24.2期は4カ月決算

ウメトク

株式公開計画なし

【本社】530-8377 大阪府大阪市北区茶屋町3-7 ☎06-6374-3352
商社・卸売業

採用実績数	倍率	3年後離職率	平均年収
8名	‥	‥	‥

【特色】特殊鋼を中心に新素材、電子材料を扱う専門商社。熱処理・表面処理・機械加工設備を併設し、加工も行う。受注から納品までの一貫管理システム構築。北海道から九州まで全国に販売拠点。海外はタイ、マレーシア、インドネシア、中国などに展開。
【定着率】‥
【採用】 【設立】1947.7【会長】福嶋正彦
23年 7【従業員】単520名(44.0歳)
24年 8【有休】‥日
25年 未定【初任給】月24.9万(諸手当を除いた数値)
【試験種類】‥【各種制度】‥

【業績】	売上高	営業利益	経常利益	純利益
単22.6	81,381	‥	2,339	1,487
単23.6	86,126	‥	2,567	1,764

合鐵産業（ごうてつさんぎょう）

株式公開計画なし

【本社】530-0004 大阪府大阪市北区堂島浜2-2-28 堂島アクシスビル13階 ☎06-6344-0728
商社・卸売業

採用予定数	倍率	3年後離職率	平均年収
若干	‥	‥	‥

【特色】合同製鉄グループで親会社製の鉄鋼製品や原材料を主体に機械・部品・建設資材などを販売。自社で蓄積した合理化・自動化のノウハウを基にエンジニアリング事業も展開。土木・建築用タイロッド(つなぎ材)は自社加工で国内シェアは首位。
【定着率】‥
【採用】 【設立】1947.7【社長】西嶋陽一
23年 2【従業員】単115名(42.1歳)
24年 1【有休】‥日
25年 若干【初任給】月26万(諸手当を除いた数値)
【試験種類】‥【各種制度】‥

【業績】	売上高	営業利益	経常利益	純利益
単23.3	107,237	654	669	445
単24.3	96,532	804	828	583

信栄機鋼（しんえいきこう）

株式公開計画なし

【本社】574-0051 大阪府大東市新田境町1-34 ☎072-872-3040
商社・卸売業

採用実績数	倍率	3年後離職率	平均年収
2名	‥	‥	‥

【特色】日鉄物産グループでステンレス、チタン、アルミなどの材料販売と切断加工が主力。設備はプラズマ溶断機、シャーリングマシンを中心に構成。CO_2レーザー切断機に加え、ファイバーレーザーを活用しステンレス鋼の高効率・高精度切断を実現。
【定着率】‥
【採用】 【設立】1995.8【社長】植田浩幸
23年 1【従業員】単127名(42.0歳)
24年 2【有休】‥日
25年 未定【初任給】月22.1万(諸手当を除いた数値)
【試験種類】‥【各種制度】‥

【業績】	売上高	営業利益	経常利益	純利益
単23.3	18,490	463	472	304
単24.3	18,185	132	159	94

清和鋼業（せいわこうぎょう）

株式公開計画なし

【本社】550-0025 大阪府大阪市西区九条南3-1-20 ☎06-6581-2131
商社・卸売業

採用実績数	倍率	3年後離職率	平均年収
2名	‥	‥	‥

【特色】鉄鋼専門商社で西日本中心に事業展開。清和中央ホールディングスの中核会社。堺市にスチールセンター、北九州市、岡山県・早島町、和歌山県・岩出市に支店と大型倉庫を保有。国内最大級の在庫能力を持つ。顧客は1000社超。
【定着率】‥
【採用】 【設立】2008.7【社長】阪上正章
23年 1【従業員】単64名(39.9歳)
24年 2【有休】‥日
25年 未定【初任給】月23万(諸手当を除いた数値)
【試験種類】‥【各種制度】‥

【業績】	売上高	営業利益	経常利益	純利益
単22.12	28,191	647	720	486
単23.12	29,781	271	375	250

トルク

東証スタンダード

【本社】550-0015 大阪府大阪市西区南堀江2-7-4 ☎06-6535-3690
商社・卸売業

採用実績数	倍率	3年後離職率	平均年収
7名	‥	‥	480万円

【特色】ネジ類を扱う専門商社で、建設用ボルト・ナットでは首位。小ネジから高力ボルトまで広範囲のネジ製品を取り扱う。中国、台湾、東南アジアなど海外の仕入れ先を開拓。受注システム「ねじネット」の利用拡大に注力。子会社でコンクリート用金物や機械工具も手がける。
【定着率】‥
【採用】 【設立】1941.6【社長】檜垣俊行
23年 2【従業員】連236名 単171名(37.5歳)
24年 7【有休】‥日
25年 増加【初任給】月23万(諸手当を除いた数値)
【試験種類】‥【各種制度】‥

【業績】	売上高	営業利益	経常利益	純利益
連22.10	20,477	419	709	532
連23.10	21,757	772	1,239	845

丸一鋼販（まるいちこうはん）

株式公開計画なし

【本社】542-0076 大阪府大阪市中央区難波5-1-60 なんばスカイオ29階 ☎06-6643-8101
商社・卸売業

採用予定数	倍率	3年後離職率	平均年収
2名	‥	‥	‥

【特色】パイプ専業大手の丸一鋼管の子会社で鋼管、鋼材などの卸売・輸出入を担当。自動車、建築分野を中心に、信号柱・標識柱など鋼構造物などにも展開。自前倉庫を持ち、在庫販売・切断加工も行う。国内14営業拠点体制。大阪と熊本にパイプセンター。
【定着率】‥
【採用】【設立】1956.12【社長】鈴木博之
23年 2【従業員】単88名（‥歳）
24年 2【有休】‥日
25年 2【初任給】月25.4万（諸手当を除いた数値）
【試験種類】‥【各種制度】‥

【業績】	売上高	営業利益	経常利益	純利益
単23.2	46,948	1,252	1,561	1,099
単24.2	46,428	928	1,157	825

陽鋼物産（ようこうぶっさん）

株式公開計画なし

【本社】541-0058 大阪府大阪市中央区南久宝寺町3-6-6 御堂筋センタービル9階 ☎06-6251-6755
商社・卸売業

採用実績数	倍率	3年後離職率	平均年収
2名	‥	‥	‥

【特色】山陽特殊製鋼の完全子会社で、特殊鋼・鋼材、製鋼用原料資材の専門商社。大阪、名古屋、福岡に物流拠点を擁し、小口・多頻度配送にも対応。倉庫での切断加工も行う。親会社の海外現法と連携して、顧客の海外展開をサポート。
【定着率】‥
【採用】【設立】1974.4【社長】青田英敏
23年 0【従業員】単71名（47.0歳）
24年 2【有休】‥日
25年 0【初任給】月24.3万（諸手当を除いた数値）
【試験種類】‥【各種制度】‥

【業績】	売上高	営業利益	経常利益	純利益
単23.3	61,071	1,068	1,083	706
単24.3	51,709	648	656	432

吉田鋼業（よしだこうぎょう）

株式公開計画なし

【本社】579-8013 大阪府東大阪市西石切町5-1-22 ☎072-984-5701
商社・卸売業

採用実績数	倍率	3年後離職率	平均年収
8名	‥	‥	‥

【特色】鋼材販売とともに鉄骨工事も手がける。建築用鋼材販売では関西トップクラス。豊富な在庫と徹底した品質管理に強み。鉄骨工事は見積もりから現場施工まで一元管理。関西国際空港、阪神甲子園球場、USJなどに納入実績。
【定着率】‥
【採用】【設立】1966.11【社長】吉田清
23年 7【従業員】単282名（34.7歳）
24年 8【有休】‥日
25年 未定【初任給】月21万（諸手当を除いた数値）
【試験種類】‥【各種制度】‥

【業績】	売上高	営業利益	経常利益	純利益
単22.8	54,520	3,813	3,846	1,667
単23.8	71,000	3,440	3,460	2,316

シミヅ産業（さんぎょう）

株式公開計画なし

【本社】550-0012 大阪府大阪市西区立売堀2-5-23 ☎06-6532-0832
商社・卸売業

採用実績数	倍率	3年後離職率	平均年収
5名	‥	‥	‥

【特色】ドリル、エンドミルなど切削工具が主力の機械工具専門商社。取り扱い商品は切削工具のほか研磨剤工具、工作機械、電気・制御機器など100万点以上。豊富な在庫により即納体制を構築。全国約20カ所に支店・営業所を展開。5カ所の在庫センター。
【定着率】‥
【採用】【設立】1948.3【社長】清水善徳
23年 8【従業員】単213名（40.6歳）
24年 5【有休】‥日
25年 未定【初任給】月23.5万（諸手当を除いた数値）
【試験種類】‥【各種制度】‥

【業績】	売上高	営業利益	経常利益	純利益
単23.3	22,377	316	427	261
単24.3	21,760	124	383	237

㈱日伝（にちでん）

東証プライム

【本社】542-8588 大阪府大阪市中央区上本町西1-2-16 ☎06-7637-7000
商社・卸売業

採用予定数	倍率	3年後離職率	平均年収
50名	‥	‥	618万円

【特色】産業用部品、機器の大手専門商社で、動力伝動機器は業界首位。大阪地盤の独立系。動力伝動機器に加えて、ポンプやモーターなど産業機器、油圧・空圧機器やロボットなどの制御機器が3本柱。海外は中国、タイ、ベトナム、米国に拠点。
【定着率】‥
【採用】【設立】1952.1【代表取締役】福家利一
23年 30【従業員】連994名 単908名（38.3歳）
24年 35【有休】‥日
25年 50【初任給】月25万（諸手当を除いた数値）
【試験種類】‥【各種制度】‥

【業績】	売上高	営業利益	経常利益	純利益
連23.3	131,609	6,287	6,756	4,967
連24.3	126,912	5,809	6,431	4,674

日本機材（にほんきざい）

株式公開いずれしたい

【本社】541-0052 大阪府大阪市中央区安土町1-8-15 野村不動産大阪ビル ☎06-6261-8351
商社・卸売業

採用予定数	倍率	3年後離職率	平均年収
未定	‥	‥	‥

【特色】自動制御機器の専門商社。空圧機器で世界シェア3割強、国内シェア6割強のSMC直系代理店の筆頭。ロボット、センシング関連や搬送機器なども扱う。国内に物流センター2カ所。海外は中国、シンガポール、マレーシアに現地法人。
【定着率】‥
【採用】【設立】1965.5【社長】世耕良孝
23年 ‥【従業員】単‥名（‥歳）
24年 ‥【有休】‥日
25年 未定【初任給】‥万
【試験種類】‥【各種制度】‥

【業績】	売上高	営業利益	経常利益	純利益
単23.3	38,800	‥	‥	656
単24.3	39,100	‥	‥	301

㈱三ツワフロンテック　株式公開計画なし

【本社】530-0041 大阪府大阪市北区天神橋3-6-24 ☎06-6351-9631
商社・卸売業

採用予定数	倍率	3年後離職率	平均年収
15名	‥	‥	‥

【特色】理化学機器の専門商社。研究開発支援商社を志向。2次電池、燃料電池、液晶、製薬、環境関連の高分子材料分析評価機器を民間大手企業や官公庁、大学、研究所に納入。培養装置や文化財の科学技術開発関連製品、ウイルス対策品などの製造・販売も。
【定着率】‥
【採用】【設立】1953.10【社長】下牧新八
23年 6【従業員】単167名（40.2歳）
24年 9【有休】‥日
25年 15【初任給】月20.1万（諸手当を除いた数値）
【試験種類】‥【各種制度】‥

【業績】	売上高	営業利益	経常利益	純利益
単22.9	12,204	304	319	248
単23.9	15,986	722	725	458

㈱サンセイテクノス　株式公開計画なし

【本社】532-0006 大阪府大阪市淀川区西三国1-1-1 ☎06-6398-3111
商社・卸売業

採用予定数	倍率	3年後離職率	平均年収
20名	‥	‥	‥

【特色】FA・制御機器を中心とした電気機械器具の販売と、制御システムの設計・施工・技術提供を行う独立系の技術商社。FAシステム設計のレックをグループ会社化し、技術スタッフを拡充。レックと合わせた施工実績は9000件超。
【定着率】‥
【採用】【設立】1954.4【社長】浦野俊明
23年 21【従業員】単371名（38.1歳）
24年 16【有休】‥日
25年 20【初任給】月23.5万（諸手当を除いた数値）
【試験種類】‥【各種制度】‥

【業績】	売上高	営業利益	経常利益	純利益
単23.3	25,601	2,159	2,402	1,627
単24.3	24,783	2,042	2,459	1,610

㈱デンキョーグループホールディングス　東証スタンダード

【本社】556-0006 大阪府大阪市浪速区日本橋東2-1-3 ☎06-6631-5634
商社・卸売業

採用予定数	倍率	3年後離職率	平均年収
5名	‥	‥	572万円

【特色】関西地盤の家電卸売り大手が中核の企業グループ。扇風機、こたつなどの季節商品や調理家電、理美容家電などを量販店やホームセンターに販売。子会社が「マクセル」ブランドの販売総代理店。メーカー機能の強化に注力。ほかに家電修理や文具・家庭用品製造も。
【定着率】‥
【電響社採用】【設立】1948.5【社長】高瀬一郎
23年 ‥【従業員】連524名 単32名（43.4歳）
24年 2【有休】‥日
25年 5【初任給】月22.6万（諸手当を除いた数値）
【試験種類】‥【各種制度】‥

【業績】	売上高	営業利益	経常利益	純利益
連23.3	52,441	▲199	276	120
連24.3	54,603	▲270	▲102	84

メルコモビリティーソリューションズ　株式公開計画なし

【本社】553-0003 大阪府大阪市福島区福島6-13-14 ☎06-6458-0052
商社・卸売業

採用予定数	倍率	3年後離職率	平均年収
9名	‥	‥	‥

【特色】三菱電機モビリティグループ。親会社および独自調達の車載機器を自動車、農機・建機メーカーに販売する商社。自動車メーカーより生産・出荷後の市場で、自動車販売店などに取扱い製品の提案・受注・納品も手がける。搬送・配送ロボット展開。
【定着率】‥
【採用】【設立】2022.4【社長】青木泰男
23年 6【従業員】単338名（43.0歳）
24年 7【有休】‥日
25年 9【初任給】月25.8万
【試験種類】‥【各種制度】‥

【業績】	売上高	営業利益	経常利益	純利益
単24.3	36,453	1,338	1,529	1,052

島津（しまづ）サイエンス西日本（にしにほん）　株式公開計画なし

【本社】531-0072 大阪府大阪市北区豊崎5-4-9 商業第二ビル3階 ☎06-6372-0370
商社・卸売業

採用予定数	倍率	3年後離職率	平均年収
2名	‥	‥	‥

【特色】島津製作所グループで親会社製の分析機器をはじめ、計測機器、医薬・バイオ機器、実験室設備などを扱う総合理化学商社。グループの取り扱いが約8割を占める。西日本地区が営業エリアで愛知、京都、和歌山などに10拠点を置く。
【定着率】‥
【採用】【設立】2005.4【社長】河野文彦
23年 0【従業員】単111名（43.8歳）
24年 2【有休】‥日
25年 2【初任給】月22.8万
【試験種類】‥【各種制度】‥

【業績】	売上高	営業利益	経常利益	純利益
単23.3	14,824	790	799	519
単24.3	13,685	587	595	406

島津（しまづ）メディカルシステムズ　株式公開計画なし

【本社】532-0003 大阪府大阪市淀川区宮原3-5-36 ☎06-7668-2890
商社・卸売業

採用実績数	倍率	3年後離職率	平均年収
11名	‥	‥	‥

【特色】医療機器、医療関連機器の販売・据付・修理・保守点検を行う。診断用X線装置や核医学装置、超伝導MRI装置などを取り扱う。装置販売から設置、保守まで一貫体制。全国に約50カ所のサービス拠点。島津製作所グループ。
【定着率】‥
【採用】【設立】1966.2【社長】三浦嘉章
23年 18【従業員】単656名（40.1歳）
24年 11【有休】‥日
25年 未定【初任給】月21.1万（諸手当を除いた数値）
【試験種類】‥【各種制度】‥

【業績】	売上高	営業利益	経常利益	純利益
単23.3	23,478	1,368	1,387	782
単24.3	22,289	381	395	262

㈱モリタ
株式公開計画なし

【本社】564-8650 大阪府吹田市垂水町3-33-18
☎06-6380-2525
商社・卸売業

採用実績数	倍率	3年後離職率	平均年収
30名	‥	‥	‥

【特色】歯科医療用器材の専門商社。大阪、東京の2本社制。全国に約40の営業拠点、約400店の販売代理店軸に展開。150超の国・地域で採用される。歯科医院開業などの支援コンサルやソフト開発・紹介なども。海外は米国、ドイツ、シンガポールなどに拠点。
【定着率】‥
【採用】 【設立】1916.10【社長】森田晴夫
23年 22【従業員】単957名(43.3歳)
24年 30【有休】‥日
25年 未定【初任給】月22.5万(諸手当を除いた数値)
【試験種類】‥【各種制度】‥

【業績】	売上高	営業利益	経常利益	純利益
単23.3	102,127	‥	‥	‥
単24.3	100,479	‥	‥	‥

エコートレーディング
東証スタンダード

【本社】532-0003 大阪府大阪市淀川区宮原1-2-4 新大阪第5ドイビル
☎06-6396-8250
商社・卸売業

採用予定数	倍率	3年後離職率	平均年収
15名	‥	‥	583万円

【特色】ペットフード、ペット用品の専門卸大手。取り扱いアイテムは約2万点。ネット通販に進出。ペットショップの管理事業やペットビジネス専門学校も手がける。ペット情報サイトを運営し、動物病院やトリミングサロンへの送客に繋げる。
【定着率】‥
【採用】 【設立】1971.6【社長】豊田実
23年 16【従業員】連332名 単291名(42.4歳)
24年 13【有休】‥日
25年 15【初任給】月20万(諸手当を除いた数値)
【試験種類】‥【各種制度】‥

【業績】	売上高	営業利益	経常利益	純利益
連23.2	96,955	858	897	590
連24.2	107,406	1,719	1,745	1,213

㈱エスエスケイ
株式公開計画なし

【本社】542-8585 大阪府大阪市中央区上本町西1-2-19
☎06-6768-1111
商社・卸売業

採用予定数	倍率	3年後離職率	平均年収
若干	‥	‥	‥

【特色】スポーツ用品卸大手。メーカーとして自社ブランド「SSK」(野球用品)を展開。デンマークの「ヒュンメル」(サッカー等)の日本における商標権も持つ。約3000のスポーツ小売店に販路。イベント事業やスポーツ施設管理も手がける。
【定着率】‥
【採用】 【設立】1950.10【社長】佐々木恭一
23年 5【従業員】単495名(44.8歳)
24年 9【有休】‥日
25年 若干【初任給】月22.3万(諸手当を除いた数値)
【試験種類】‥【各種制度】‥

【業績】	売上高	営業利益	経常利益	純利益
単22.7	43,758	‥	‥	253
単23.7	49,178	‥	‥	126

㈱岡本銘木店(おかもとめいぼくてん)
株式公開計画なし

【本社】564-0001 大阪府吹田市岸部北5-32-1
☎06-6388-3411
商社・卸売業

採用実績数	倍率	3年後離職率	平均年収
3名	‥	‥	‥

【特色】住宅資材・機器販売で近畿最大手。近畿エリアを中心に事業展開、関西9カ所の物流ネットワーク駆使。洗浄・節水効果の高いシャワーヘッド「ミラブル」の正規代理店。独自の住生活スタイル「プレグノスタイル」をブランディング展開。
【定着率】‥
【採用】 【設立】1959.6【代表取締役】佐藤原二
23年 3【従業員】単146名(43.4歳)
24年 3【有休】‥日
25年 未定【初任給】月20万(諸手当を除いた数値)
【試験種類】‥【各種制度】‥

【業績】	売上高	営業利益	経常利益	純利益
単22.5	6,883	587	764	97
単23.5	6,455	46	170	652

タカラ通商(つうしょう)
株式公開計画なし

【本社】540-0019 大阪府大阪市中央区和泉町2-2-19
☎06-6946-1133
商社・卸売業

採用実績数	倍率	3年後離職率	平均年収
18名	‥	‥	‥

【特色】給水・排水用の配管材料、住宅用設備機器などを販売する専門商社。大阪地盤で近畿圏トップの規模と品揃え。LIXIL、セキスイ、JFEなどのブランドをはじめ約500社の製品を取り扱う。大阪と京都に物流センター。
【定着率】‥
【採用】 【設立】1960.3【社長】渡辺晃
23年 10【従業員】単420名(39.0歳)
24年 18【有休】‥日
25年 未定【初任給】月24.3万(諸手当を除いた数値)
【試験種類】‥【各種制度】‥

【業績】	売上高	営業利益	経常利益	純利益
単23.2	32,068	360	401	258
単24.2	36,857	473	543	350

ハート
株式公開計画なし

【本社】540-0019 大阪府大阪市中央区和泉町2-1-13
☎06-6942-2322
商社・卸売業

採用予定数	倍率	3年後離職率	平均年収
若干	‥	‥	‥

【特色】封筒大手ハートグループの販売を担当。封筒に加え、名刺、はがき、カード、カレンダー、販促品など紙製品を製造から販売まで一貫体制で取り扱う。プライバシーに配慮した「透けない封筒」や、企業向けの名刺Web受注に注力。全国23支店、2工場。
【定着率】‥
【採用】 【設立】1956.3【社長】田中嗣人
23年 若干【従業員】単494名(41.5歳)
24年 若干【有休】‥日
25年 若干【初任給】月20.2万(諸手当を除いた数値)
【試験種類】‥【各種制度】‥

【業績】	売上高	営業利益	経常利益	純利益
単23.3	21,241	782	1,036	686
単24.3	21,882	825	1,002	687

㈱紅中（べに ちゅう）
株式公開計画なし

【本社】532-0011 大阪府大阪市淀川区西中島5-14-5 ニッセイ新大阪南口ビル8階 ☎06-6195-3330
商社・卸売業

採用予定数	倍率	3年後離職率	平均年収
10名	‥	‥	‥

【特色】住宅資材、建材、産業資材の専門商社。合板、建材、設備機器など住宅建築資材の販売が主体。加工工場と提携し、施設向け家具の商品開発・製造なども行う。京町屋リノベ、港町神戸の街並みインテリアなどに実績。兵庫と東京に配送センターを配置。
【定着率】‥
【採用】【設立】1951.6【社長】中村晃輔
23年 8【従業員】単184名(41.2歳)
24年 8【有休】‥日
25年 10【初任給】月24万(諸手当を除いた数値)
【試験種類】‥【各種制度】‥

【業績】	売上高	営業利益	経常利益	純利益
単22.11	21,964	1	146	238
単23.11	21,247	70	190	92

東洋カーマックス（とうよう）
株式公開計画なし

【本社】530-0047 大阪府大阪市北区西天満4-8-17 ☎06-6363-1101
商社・卸売業

採用予定数	倍率	3年後離職率	平均年収
4名	‥	‥	‥

【特色】石油製品販売から自動車関連サービスに発展。ガソリン給油カード、ETCカードを扱うソリューション、コインパーキング、オートリース、大阪で4店運営するサービスステーション(ガソリンスタンド)の各事業部を展開する。三菱UFJフィナンシャル・グループと親密。
【定着率】‥
【採用】【設立】1963.7【社長】小倉律夫
23年 3【従業員】単188名(44.8歳)
24年 3【有休】‥日
25年 4【初任給】月21万(諸手当を除いた数値)
【試験種類】‥【各種制度】‥

【業績】	売上高	営業利益	経常利益	純利益
単23.3	28,904	‥	1,552	1,064
単24.3	33,762	‥	1,918	1,563

㈱タナベコンサルティンググループ
東証プライム

【本社】532-0003 大阪府大阪市淀川区宮原3-3-41 ☎06-7177-4000
コンサルティング

採用予定数	倍率	3年後離職率	平均年収
未定	‥	‥	745万円

【特色】経営コンサル大手タナベコンサルティングが子会社の持株会社。経営戦略からDX、HR(人的資本)、M&A、ブランディング、マーケティングまで総合的にコンサル事業を展開。会員組織化が強み。専門サイトを立ち上げ行政・公共分野に本格参入。
【定着率】‥
【グループ採用】【設立】1963.4【社長】若松孝彦
23年 ‥【従業員】連614名 単399名(38.1歳)
24年 ‥【有休】‥日
25年 未定【初任給】‥万
【試験種類】‥【各種制度】‥

【業績】	売上高	営業利益	経常利益	純利益
連23.3	11,759	1,152	1,163	724
連24.3	12,739	1,009	1,012	641

㈱ベネフィットジャパン
東証スタンダード

【本社】541-0045 大阪府大阪市中央区道修町1-5-18 朝日生命道修町ビル ☎06-6223-9888
通信サービス

採用実績数	倍率	3年後離職率	平均年収
15名	‥	‥	‥

【特色】ドコモやソフトバンクの回線を借りてモバイルデータ通信サービスを提供するMVNO事業者。モバイルWi-Fiサービス「ONLYMobile」が主力で、多数のプラン、オプションを提供。音声対話が可能なコミュニケーションロボットの販売も行う。
【定着率】‥
【採用】【設立】1996.6【社長】佐久間寛
23年 100【従業員】連320名 単287名(29.9歳)
24年 15【有休】‥日
25年 未定【初任給】月21.8万(諸手当を除いた数値)
【試験種類】‥【各種制度】‥

【業績】	売上高	営業利益	経常利益	純利益
連23.3	12,557	1,023	1,019	560
連24.3	13,065	887	900	734

アースインターシステムズ
株式公開計画なし

【本社】532-0003 大阪府大阪市淀川区宮原3-4-30 ニッセイ新大阪ビル12階 ☎06-6150-3150
システム・ソフト

採用実績数	倍率	3年後離職率	平均年収
8名	‥	‥	‥

【特色】受託開発が主軸のソフトウェア開発会社。金融機関向けシステムの他、営業支援、販売・生産管理、会員管理、プロジェクト管理、音源配信などに実績あり。自社開発ERPパッケージ、危険予知トレーニングツールなども展開。ITコンサルティングに注力。
【定着率】‥
【採用】【設立】1996.9【社長】笠井庸史
23年 4【従業員】単56名(39.4歳)
24年 8【有休】‥日
25年 未定【初任給】月24万(諸手当を除いた数値)
【試験種類】‥【各種制度】‥

【業績】	売上高	営業利益	経常利益	純利益
単23.3	869	69	75	55
単24.3	1,091	75	83	60

㈱アスコット
株式公開いずれしたい

【本社】540-0021 大阪府大阪市中央区大手通1-4-10 ☎06-6944-9211
システム・ソフト

採用実績数	倍率	3年後離職率	平均年収
4名	‥	‥	‥

【特色】中堅・中小企業向けソフト開発会社。経営課題解決型パッケージソフト「ASPACシリーズ」が主力。卸売業や製造業向けに細分化された業種ごとのパッケージソフトを提供。システム化の問題点などを整理し、解決策を提案するコンサルティングサービスも行う。
【定着率】‥
【採用】【設立】1993.1【会長】森井義雄
23年 8【従業員】単103名(36.1歳)
24年 4【有休】‥日
25年 未定【初任給】月22万(諸手当を除いた数値)
【試験種類】‥【各種制度】‥

【業績】	売上高	営業利益	経常利益	純利益
単22.12	1,630	81	84	59
単23.12	1,714	126	128	48

㈱ＥＭシステムズ
東証プライム

【本社】532-0003 大阪府大阪市淀川区宮原1-6-1 新大阪ブリックビル ☎06-6397-1888
システム・ソフト

採用予定数	倍率	3年後離職率	平均年収
25名	‥	‥	670万円

【特色】調剤薬局向け医療事務システムの開発・販売。調剤薬局向けでは国内シェア4割超でトップ。調剤基幹システムのほか、ネット利用の調剤レセプト支援システムなどに強み。医科向けシステムの拡大と介護・福祉向けの育成に重点。
【定着率】‥
【採用】 【設立】1980.1【取締】國光宏昌
23年 17【従業員】連811名 単457名(42.7歳)
24年 16【有休】‥日
25年 25【初任給】月22.1万(諸手当を除いた数値)
【試験種類】‥【各種制度】‥

【業績】	売上高	営業利益	経常利益	純利益
連22.12	16,919	2,395	2,791	1,893
連23.12	20,355	2,330	2,869	1,962

ｅＢＡＳＥ
東証プライム

【本社】531-0072 大阪府大阪市北区豊崎5-4-9 商業第二ビル ☎06-6486-3955
システム・ソフト

採用実績数	倍率	3年後離職率	平均年収
7名	‥	‥	527万円

【特色】商品情報を管理するパッケージソフト「eBASE」を開発・販売。食品業界ではデファクトスタンダード的存在。非食品業界向けにもパッケージソフト化を進め、市場開拓に注力。顧客企業からIT開発のアウトソーシングも手がける。
【定着率】‥
【採用】 【設立】2001.10【社長】岩田貴夫
23年 6【従業員】連486名 単165名(39.8歳)
24年 7【有休】‥日
25年 前年並【初任給】年290万(諸手当を除いた数値)
【試験種類】‥【各種制度】‥

【業績】	売上高	営業利益	経常利益	純利益
連23.3	4,714	1,365	1,395	890
連24.3	5,192	1,651	1,662	1,144

㈱エアー
株式公開いずれしたい

【本社】565-0851 大阪府吹田市千里山西5-31-20 ☎06-6368-6080
システム・ソフト

採用予定数	倍率	3年後離職率	平均年収
3名	‥	‥	‥

【特色】電子メールのフィルタリング、アーカイブ、暗号化ツールなどを開発・販売。「WISE Audit」はメールアーカイブのスタンダード的存在で国内シェア首位。ビッグデータ統合、印刷管理、クラウド暗号化などのパッケージも提供。
【定着率】‥
【採用】 【設立】1983.8【社長】森剛
23年 2【従業員】単82名(40.3歳)
24年 2【有休】‥日
25年 3【初任給】月23.5万(諸手当を除いた数値)
【試験種類】‥【各種制度】‥

【業績】	売上高	営業利益	経常利益	純利益
単22.6	1,476	127	123	82
単23.6	1,489	105	100	69

㈱ＮＴＴデータ関西(かんさい)
株式公開計画なし

【本社】530-0003 大阪府大阪市北区堂島3-1-21 NTTDATA堂島ビル ☎050-5545-3186
システム・ソフト

採用予定数	倍率	3年後離職率	平均年収
110名	‥	‥	‥

【特色】NTTデータ・グループの関西拠点。調査・研究・研修・コンサルティングを含み、基幹系を中心に周辺システムまで提供。700社以上に実績。製造・流通・サービス向けをはじめ、情報通信、教育、金融機関、自治体向けなど幅広く展開。
【定着率】‥
【採用】 【設立】1990.3【社長】斎藤佳宏
23年 53【従業員】単1,141名(38.9歳)
24年 65【有休】‥日
25年 110【初任給】月24.3万(諸手当を除いた数値)
【試験種類】‥【各種制度】‥

【業績】	売上高	営業利益	経常利益	純利益
単23.3	32,884	3,324	3,367	2,272
単24.3	37,069	4,030	4,077	2,825

エムオーテックス
株式公開計画なし

【本社】532-0011 大阪府大阪市淀川区西中島5-12-12 エムオーテックス新大阪ビル ☎06-6308-8989
システム・ソフト

採用予定数	倍率	3年後離職率	平均年収
25名	‥	‥	‥

【特色】IT資産管理・情報セキュリティー対策ツールの企画開発・販売を手がけるソフトウェア開発会社。主力の「LANSCOPE」は製造業、サービス、卸売、不動産、情報通信など幅広い分野で実績。東京、名古屋、福岡、長崎に拠点を置く。
【定着率】‥
【採用】 【設立】1990.7【社長】宮崎吉朗
23年 21【従業員】連463名 単463名(34.0歳)
24年 26【有休】‥日
25年 25【初任給】月26万(諸手当を除いた数値)
【試験種類】‥【各種制度】‥

【業績】	売上高	営業利益	経常利益	純利益
連23.3	9,696	2,097	2,130	1,417
連24.3	11,527	2,418	2,457	1,570

㈱エムケイシステム
東証スタンダード

【本社】530-0015 大阪府大阪市北区中崎西2-4-12 梅田センタービル ☎06-7222-3388
システム・ソフト

採用予定数	倍率	3年後離職率	平均年収
未定	‥	‥	547万円

【特色】社会保険労務士や労働保険事務組合向けに、申請手続き業務支援ソフトウェアをASP方式で提供。人事評価・人材育成サービスもクラウドで提供。子会社で大手企業の人事総務業務の効率化コンサルやシステム提供などを展開。
【定着率】‥
【採用】 【設立】1989.2【社長】三宅登
23年 7【従業員】連118名 単94名(40.2歳)
24年 ‥【有休】‥日
25年 未定【初任給】‥万
【試験種類】‥【各種制度】‥

【業績】	売上高	営業利益	経常利益	純利益
連23.3	2,867	219	227	145
連24.3	2,639	▲348	▲345	▲668

㈱オービーシステム　東証スタンダード

【本社】541-0046 大阪府大阪市中央区平野町2-3-7　☎06-6228-3411
システム・ソフト

採用予定数	倍率	3年後離職率	平均年収
50名	‥	‥	570万円

【特色】オービック向けソフトウェア開発会社として設立された中堅SI。金融系が主力だが、産業流通、社会公共領域分野の事業も担う。金融は銀行、取引所、証券、保険など各分野において、受託開発、運用保守を中心に展開。日立製作所と三菱電機が大口顧客。
【定着率】‥
【採用】　【設立】1972.8【社長】豊田利雄
23年　‥【従業員】連528名 単488名(39.8歳)
24年　52【有休】‥日
25年　50【初任給】月22.2万(諸手当を除いた数値)
【試験種類】‥【各種制度】‥

【業績】	売上高	営業利益	経常利益	純利益
単23.3	6,163	502	517	497
単24.3	6,896	591	632	441

㈱キャピタル・アセット・プランニング　東証スタンダード

【本社】530-0003 大阪府大阪市北区堂島2-4-27　☎06-4796-5666
システム・ソフト

採用予定数	倍率	3年後離職率	平均年収
15名	‥	‥	681万円

【特色】金融フロントエンドシステムに強い金融専門SI。生命保険向け販売支援システム受託開発が柱。資産管理、資産形成支援などのシステム、パッケージソフトなどを手がける。銀行、証券向けソリューションも。相続税対策の個人資産管理システムを育成中。
【定着率】‥
【採用】　【設立】1990.4【社長】北山雅一
23年　16【従業員】連348名 単323名(37.8歳)
24年　9【有休】‥日
25年　15【初任給】年308万(諸手当を除いた数値)
【試験種類】‥【各種制度】‥

【業績】	売上高	営業利益	経常利益	純利益
連22.9	6,747	▲260	▲245	▲248
連23.9	8,046	324	331	221

㈱グラッドキューブ　東証グロース

【本社】541-0048 大阪府大阪市中央区瓦町2-4-7　☎06-6105-0315
システム・ソフト

採用予定数	倍率	3年後離職率	平均年収
10名	‥	‥	467万円

【特色】デジタルマーケティング支援を展開。Webサイト解析ツール「SiTest」で解析から改善を行い最適化を実現する。インターネット広告運用代行とアクセス解析や効果測定レポートの提供などを請け負うマーケティングソリューション事業が両輪。
【定着率】‥
【採用】　【設立】2008.2【取締】金島弘樹
23年　5【従業員】単132名(33.3歳)
24年　4【有休】‥日
25年　10【初任給】月22.2万(諸手当を除いた数値)
【試験種類】‥【各種制度】‥

【業績】	売上高	営業利益	経常利益	純利益
単22.12	1,480	461	455	297
単23.12	1,523	142	143	59

さくらインターネット　東証プライム

【本社】530-0011 大阪府大阪市北区大深町6-38 グラングリーン大阪北館　☎06-6476-8790
システム・ソフト

採用予定数	倍率	3年後離職率	平均年収
35名	‥	‥	614万円

【特色】データセンター運営で業界大手。レンタル・専用サーバー、VPS、クラウドサービスを展開。顧客のサーバーを預かるハウジングも。製造業や官公庁向けに実績多い。北海道・石狩データセンターは郊外型では国内最大級。生成AI向けGPUクラウドに注力。
【定着率】‥
【採用】　【設立】1999.8【社長】田中邦裕
23年　12【従業員】連906名 単721名(39.5歳)
24年　21【有休】‥日
25年　35【初任給】‥万
【試験種類】‥【各種制度】‥

【業績】	売上高	営業利益	経常利益	純利益
連23.3	20,622	1,093	965	666
連24.3	21,826	884	764	651

㈱シノプス　東証グロース

【本社】560-0082 大阪府豊中市新千里東町1-5-3 千里朝日阪急ビル　☎06-6836-5780
システム・ソフト

採用予定数	倍率	3年後離職率	平均年収
10名	‥	‥	643万円

【特色】在庫を最適化するソフトウェアパッケージ「sinops」シリーズを展開。小売業向け需要予測型自動発注システムが主力で、大手スーパーに導入実績。食品卸・メーカーのサプライチェーン最適化も手がける。ストック型のクラウドサービスを開発し、拡大中。
【定着率】‥
【採用】　【設立】1987.10【代表取締役】南谷洋志
23年　10【従業員】単111名(35.7歳)
24年　8【有休】‥日
25年　10【初任給】月21.3万(諸手当を除いた数値)
【試験種類】‥【各種制度】‥

【業績】	売上高	営業利益	経常利益	純利益
単22.12	1,455	224	224	153
単23.12	1,728	270	269	206

㈱スマートバリュー　東証スタンダード

【本社】541-0045 大阪府大阪市中央区道修町3-6-1 京阪神御堂筋ビル　☎06-6227-5577
システム・ソフト

採用予定数	倍率	3年後離職率	平均年収
8名	‥	‥	451万円

【特色】クラウドソリューション事業を展開。自治体向けと自動車向けが両輪。自治体向けは都市型データセンターを基盤にサービスを提供しスマートシティ需要も狙う。自動車向けはコネクテッド化支援、運行情報管理や、カーシェア向けプラットフォームも手がける。
【定着率】‥
【採用】　【設立】1947.6【代表執行役】渋谷順
23年　5【従業員】連280名 単191名(37.4歳)
24年　5【有休】‥日
25年　8【初任給】月21万(諸手当を除いた数値)
【試験種類】‥【各種制度】‥

【業績】	売上高	営業利益	経常利益	純利益
連23.6	3,873	▲74	▲75	▲48
連24.6	3,814	▲308	▲312	▲348

㈱セキュアヴェイル　東証グロース

【本社】530-0044 大阪府大阪市北区東天満1-1-19 ☎06-6136-0020
システム・ソフト

採用予定数	倍率	3年後離職率	平均年収
未定	‥	‥	422万円

【特色】情報セキュリティーの構築・監視、ログ分析サービスが主軸。不正アクセスやコンピュータウイルス、情報漏洩対策で、企業や官公庁向けにセキュリティーシステムを設計・構築。運用や監視用機器の販売も行う。24時間有人監視に強み。
【定着率】‥
【採用】【設立】2001.8【社長】米今政臣
23年 9【従業員】連94名 単55名(32.1歳)
24年 ‥【有休】‥日
25年 未定【初任給】‥万
【試験種類】‥【各種制度】‥

【業績】	売上高	営業利益	経常利益	純利益
連23.3	1,029	▲34	▲30	▲44
連24.3	1,098	▲32	▲38	228

データプロセス　株式公開いずれしたい

【本社】553-0003 大阪府大阪市福島区福島2-4-8 ☎06-6453-1266
システム・ソフト

採用実績数	倍率	3年後離職率	平均年収
10名	‥	‥	‥

【特色】独立系のシステム開発会社。業務系・基盤系・金融系・製造系のシステム開発に実績。コンサル、設計・開発から運用・保守まで一貫対応。ITインフラの導入から運用も手がける。大阪市内に大規模開発拠点持つ。大阪と東京の2本社制。
【定着率】‥
【採用】【設立】1968.11【社長】横井康博
23年 12【従業員】単290名(33.0歳)
24年 10【有休】‥日
25年 未定【初任給】月21.4万(諸手当を除いた数値)
【試験種類】‥【各種制度】‥

【業績】	売上高	営業利益	経常利益	純利益
単22.10	3,313	299	299	203
単23.10	3,201	152	152	107

㈱ＭＪＥ　株式公開未定

【本社】541-0056 大阪府大阪市中央区久太郎町4-1-3 大阪センタービル6階 ☎06-6253-7701
システム・ソフト

採用予定数	倍率	3年後離職率	平均年収
23名	‥	‥	‥

【特色】シェアオフィスの運営やオフィス機器の導入提案によって、顧客の職場環境・生産性を改善するサービスを提供。オフィスや店舗での情報通信分野の課題を解決するICT事業、「billage」ブランドのシェアオフィスなどスペースソリューション事業を展開。
【定着率】‥
【採用】【設立】2006.12【代表取締役】大知昌幸
23年 21【従業員】単127名(‥歳)
24年 25【有休】‥日
25年 23【初任給】月23万
【試験種類】‥【各種制度】‥

【業績】	売上高	営業利益	経常利益	純利益
単23.3	3,763	6	1	13
単24.3	4,148	42	32	18

永和信用金庫（えいわしんようきんこ）　株式公開計画なし

【本店】556-0005 大阪府大阪市浪速区日本橋4-7-20 ☎06-6633-1181
信用金庫

採用予定数	倍率	3年後離職率	平均年収
20名	‥	‥	‥

【特色】大阪府東南部を中心に19店舗展開。預金量6445億円、貸出残高3214億円(24年3月末)。業種別貸出比率は製造業が2割、卸・小売も13%超でともに高く、モノづくりと商人のまち大阪を具現。地元中小企業の販路開拓や本業支援に注力する。
【定着率】‥
【採用】【設立】1931.9【理事長】翁長自夫
23年 17【従業員】単351名(41.6歳)
24年 19【有休】‥日
25年 20【初任給】月23.5万(諸手当を除いた数値)
【試験種類】‥【各種制度】‥

【業績】	経常収益	業務純益	経常利益	純利益
単23.3	9,419	1,521	1,031	1,180
単24.3	9,246	1,256	1,300	895

大阪信用金庫（おおさかしんようきんこ）　株式公開していない

【本社】543-0001 大阪府大阪市天王寺区上本町8-9-14 ☎06-6772-1521
信用金庫

採用予定数	倍率	3年後離職率	平均年収
未定	‥	‥	‥

【特色】大阪市中心に大阪府内各市、兵庫・尼崎市と伊丹市、和歌山・紀の川市などが営業区域の信金。資金量で信金上位。取引先支援強化など地域密着型金融を推進。公的機関や大学とも連携。預金残高2兆5484億円(24年3月末)。1920年創立。
【定着率】‥
【採用】【設立】1920.2【理事長】高井嘉津義
23年 ‥【従業員】単1,317名(‥歳)
24年 ‥【有休】‥日
25年 未定【初任給】‥万
【試験種類】‥【各種制度】‥

【業績】	経常収益	業務純益	経常利益	純利益
連23.3	38,410	‥	12,058	8,388
連24.3	40,668	‥	12,022	8,625

北おおさか信用金庫（きたしんようきんこ）　株式公開計画なし

【本店】567-8651 大阪府茨木市西駅前町9-32 ☎072-623-4981
信用金庫

採用予定数	倍率	3年後離職率	平均年収
45名	‥	‥	‥

【特色】茨木市中心に北大阪が地盤の信用金庫。2014年十三信金と摂津水都信金が合併して現体制に。大阪、兵庫、京都に65店舗。ローソン銀行との提携で全国のローソンのATMで取引が可能。預金量1兆5087億円(24年3月末)。
【定着率】‥
【採用】【設立】1925.4【理事長】須戸裕治
23年 37【従業員】連1,204名 単975名(42.0歳)
24年 45【有休】‥日
25年 45【初任給】月23万(諸手当を除いた数値)
【試験種類】‥【各種制度】‥

【業績】	経常収益	業務純益	経常利益	純利益
連23.3	19,116	‥	3,274	2,742
連24.3	20,378	‥	4,150	3,553

岩井コスモホールディングス
東証プライム

【本社】541-8521 大阪府大阪市中央区今橋1-8-12 ☎06-6229-2800
証券

採用予定数	倍率	3年後離職率	平均年収
80名	‥	‥	771万円

【特色】岩井コスモ証券を傘下に持つ持株会社。大阪地盤。対面営業主体だが営業形態の多チャンネル化を推進。コールセンターやインターネットなど非対面取引も展開する。外国債、米国株も収益源。同業他社に先駆けコロナ前から営業員のテレワークを導入。
【定着率】‥
【岩井コスモ証券採用】【設立】1944.7【会長】沖津嘉昭
23年 55【従業員】連869名 単852名(40.8歳)
24年 80【有休】‥日
25年 80【初任給】月24.1万(諸手当を除いた数値)
【試験種類】‥【各種制度】‥

【業績】	営業収益	営業利益	経常利益	純利益
連23.3	19,691	4,770	5,165	3,564
連24.3	24,040	7,600	8,003	5,554

大阪中小企業投資育成（おおさかちゅうしょうきぎょうとうしいくせい）
株式公開計画なし

【本社】530-6128 大阪府大阪市北区中之島3-3-23 中之島ダイビル28階 ☎06-6459-1700
信販・カード・リース他

採用予定数	倍率	3年後離職率	平均年収
4名	‥	‥	‥

【特色】中堅・中小企業向けに長期安定資金を提供。コンサル、求人支援も。福井、滋賀、奈良、和歌山県以西の24府県がエリア。24年3月末の投資先社数は1242社。これまでに約80社が株式公開。中小企業投資育成株式会社法に基づき設立。
【定着率】‥
【採用】【設立】1963.11【社長】小林利典
23年 2【従業員】単76名(42.3歳)
24年 1【有休】‥日
25年 4【初任給】月26.6万(諸手当を除いた数値)
【試験種類】‥【各種制度】‥

【業績】	営業収益	営業利益	経常利益	純利益
単23.3	4,686	2,989	3,206	2,752
単24.3	7,312	5,322	5,568	4,501

内橋エステック（うちはし）
株式公開計画なし

【本社】538-0041 大阪府大阪市鶴見区今津北3-5-36 ☎06-6962-6661
電機・事務機器

採用実績数	倍率	3年後離職率	平均年収
0名	‥	‥	‥

【特色】温度ヒューズ、ヒューズ抵抗器や各種形状のはんだを製造販売。合金技術のパイオニア。材料から製品までの一貫生産体制で、内製化によりコスト・品質・安全を強化。小型合金温度ヒューズの製品化の成功は世界初。はんだ付け促進剤のフラックスも取り扱う。
【定着率】‥
【採用】【設立】1949.12【社長】藤井章充
23年 0【従業員】単55名(43.1歳)
24年 0【有休】‥日
25年 0【初任給】月20万(諸手当を除いた数値)
【試験種類】‥【各種制度】‥

【業績】	売上高	営業利益	経常利益	純利益
単23.3	2,902	‥	‥	‥
単24.3	2,002	‥	‥	‥

エレコム
東証プライム

【本社】541-8765 大阪府大阪市中央区伏見町4-1-1 明治安田生命大阪御堂筋ビル ☎06-6229-1418
電機・事務機器

採用予定数	倍率	3年後離職率	平均年収
55名	‥	‥	617万円

【特色】パソコン周辺機器の大手ファブレスメーカー。マウス、キーボードは国内首位。スマホ・タブレット用ケースなどアクセサリも強い。主要販路は量販店だがECにも注力。堅牢タブレットや監視カメラ・システム、センサなど法人向け強化を進めている。
【定着率】‥
【採用】【設立】1948.6【会長】葉田順治
23年 ‥【従業員】連1,905名 単765名(36.6歳)
24年 48【有休】‥日
25年 55【初任給】月23万(諸手当を除いた数値)
【試験種類】‥【各種制度】‥

【業績】	売上高	営業利益	経常利益	純利益
連23.3	103,727	11,305	11,376	8,129
連24.3	110,169	12,380	13,360	9,985

㈱遠藤照明（えんどうしょうめい）
東証スタンダード

【本社】541-0051 大阪府大阪市中央区備後町1-7-3 ENDO堺筋ビル ☎06-6267-7095
電機・事務機器

採用予定数	倍率	3年後離職率	平均年収
10名	‥	‥	589万円

【特色】業務用照明器具メーカーで国内首位級。商業施設やホテルなど空間をトータルコーディネートする演出照明に強み。業務用LED照明器具でトップクラスの品ぞろえ。業務用インテリア家具も取り扱う。欧州やアジアでの市場開拓にも注力。
【定着率】‥
【採用】【設立】1972.8【社長】遠藤邦彦
23年 7【従業員】連1,552名 単487名(42.2歳)
24年 7【有休】‥日
25年 10【初任給】月22.7万(諸手当を除いた数値)
【試験種類】‥【各種制度】‥

【業績】	売上高	営業利益	経常利益	純利益
連23.3	45,731	3,092	3,630	2,962
連24.3	51,706	5,203	5,724	4,649

大阪避雷針工業（おおさかひらいしんこうぎょう）
株式公開計画なし

【本社】531-0073 大阪府大阪市北区本庄西2-7-6 ☎06-7178-1631
電機・事務機器

採用予定数	倍率	3年後離職率	平均年収
未定	‥	‥	‥

【特色】避雷針の大手専業メーカー。建築基準法およびJIS規格に基づくビル・工場向け避雷針設備機器が主力。アースの接地極銅板では国内トップ。設計から製造、施工まで一貫。札幌から鹿児島まで全国に拠点。東京避雷針工業とグループ形成。
【定着率】‥
【採用】【設立】1957.10【代表取締役】松本一比左
23年 0【従業員】単172名(42.0歳)
24年 0【有休】‥日
25年 未定【初任給】月22.8万(諸手当を除いた数値)
【試験種類】‥【各種制度】‥

【業績】	売上高	営業利益	経常利益	純利益
単22.9	2,811	142	‥	393
単23.9	3,096	222	‥	353

㈱近計システム（きんけい）
株式公開 いずれしたい

【本社】559-0031 大阪府大阪市住之江区南港東8-2-61 ☎06-6613-5871
電機・事務機器

採用予定数	倍率	3年後離職率	平均年収
3名	‥	‥	‥

【特色】電力系統の計測・監視記録システムが主力のメーカー。地震・火山観測システム、再エネ運転監視支援システム、入退室管理システムも展開。東南アジアで電力系統監視・記録分野の市場開拓に注力。東京に支社、仙台と福岡に営業所。
【定着率】‥
【採用】 【設立】1962.12【社長】村川保隆
23年 4【従業員】単189名(44.0歳)
24年 2【有休】‥日
25年 3【初任給】月22万(諸手当を除いた数値)
【試験種類】‥【各種制度】‥

【業績】	売上高	営業利益	経常利益	純利益
単22.9	2,727	77	77	44
単23.9	2,734	180	204	156

㈱三社電機製作所（さんしゃでんきせいさくしょ）
東証スタンダード

【本社】533-0031 大阪府大阪市東淀川区西淡路3-1-56 ☎06-6321-0321
電機・事務機器

採用予定数	倍率	3年後離職率	平均年収
15名	‥	‥	582万円

【特色】電源機器とコンデンサなど半導体の生産が柱。電源機器は金属表面処理用電源で国内首位。シネマ用電源で高シェア。太陽光発電用、燃料電池評価用、廃棄物処理プラント用などに展開。半導体事業はパワー系主体でニッチ分野に特化。
【定着率】‥
【採用】 【設立】1948.4【社長】吉村元
23年 10【従業員】連1,440名 単720名(46.4歳)
24年 12【有休】‥日
25年 15【初任給】月21.5万(諸手当を除いた数値)
【試験種類】‥【各種制度】‥

【業績】	売上高	営業利益	経常利益	純利益
連23.3	28,088	1,629	1,651	1,241
連24.3	31,005	3,407	3,473	2,955

システムギア
株式公開 未定

【本社】550-0002 大阪府大阪市西区江戸堀1-9-14 システムギア大阪ビル ☎06-6225-2211
電機・事務機器

採用実績数	倍率	3年後離職率	平均年収
9名	‥	‥	‥

【特色】特定市場向け業務管理システム、専用機器の開発・製造・販売、保守が柱。手形・小切手発行システムは国内トップ。ソフト開発、システムインテグレーション、スタッフ派遣・紹介各事業を推進。ベトナムにソフト開発受託子会社を持つ。
【定着率】‥
【採用】 【設立】1972.4【代表取締役】岸上新弥
23年 12【従業員】単355名(45.3歳)
24年 9【有休】‥日
25年 未定【初任給】月20.5万(諸手当を除いた数値)
【試験種類】‥【各種制度】‥

【業績】	売上高	営業利益	経常利益	純利益
単23.3	5,480	79	142	51
単24.3	5,559	88	102	69

㈱スイデン
株式公開 未定

【本社】543-0062 大阪府大阪市天王寺区逢阪2-4-24 ☎06-6772-0460
電機・事務機器

採用予定数	倍率	3年後離職率	平均年収
9名	‥	‥	‥

【特色】扇風機メーカーとして創業したが、現在は工場用扇風機、万能型掃除機、集塵機など職場環境改善機器を製造・販売。中国に製販現法、台湾に生産現法、タイに販売現法。クリーンルーム向け製品なども開発。環境負荷の少ない冷媒を採用した新モデルも。
【定着率】‥
【採用】 【設立】1961.3【社長】川合雄治
23年 10【従業員】単169名(40.6歳)
24年 4【有休】‥日
25年 9【初任給】月22万(諸手当を除いた数値)
【試験種類】‥【各種制度】‥

【業績】	売上高	営業利益	経常利益	純利益
単23.3	5,568	41	186	109
単24.3	6,295	255	524	392

日本制禦機器（にほんせいぎょきき）
株式公開 計画なし

【本社】569-0012 大阪府高槻市東天川1-5-1 ☎072-661-4061
電機・事務機器

採用予定数	倍率	3年後離職率	平均年収
3名	‥	‥	‥

【特色】計測制御、機械制御など自動制御システム中心のエレクトロニクス機器メーカー。受託開発、受託製造も行う。既存分野の技術高度化と新規事業・領域への展開を加速。エネルギーハーベスティング技術に磨きかける。タイに販売現地法人。
【定着率】‥
【採用】 【設立】1959.10【社長】森亮太
23年 3【従業員】単121名(40.9歳)
24年 1【有休】‥日
25年 3【初任給】月23.1万(諸手当を除いた数値)
【試験種類】‥【各種制度】‥

【業績】	売上高	営業利益	経常利益	純利益
単23.3	5,092	301	325	224
単24.3	5,503	347	364	262

フジコピアン
東証スタンダード

【本社】555-0012 大阪府大阪市西淀川区御幣島5-4-14 ☎06-6471-7071
電機・事務機器

採用実績数	倍率	3年後離職率	平均年収
8名	‥	‥	499万円

【特色】インク製造・塗布技術基盤にしたインクリボン、インクロールなど熱転写方式による印字記録媒体トップメーカー。コンピューター、データ通信、事務機器用が中心。修正テープ、テープのりなど文具も手がける。機能性フィルムにも注力。
【定着率】‥
【採用】 【設立】1950.3【社長】光本明
23年 10【従業員】連611名 単272名(43.1歳)
24年 8【有休】‥日
25年 前年並【初任給】月21.5万(諸手当を除いた数値)
【試験種類】‥【各種制度】‥

【業績】	売上高	営業利益	経常利益	純利益
連22.12	9,851	545	644	490
連23.12	8,225	▲774	▲668	▲856

ホシデン
東証プライム

【本社】581-0071 大阪府八尾市北久宝寺1-4-33 ☎072-993-1010
電機・事務機器

採用予定数	倍率	3年後離職率	平均年収
20名	‥	‥	668万円

【特色】情報通信部品大手メーカー。コネクター、ジャック、スイッチなど機構部品のほか、携帯電話やタブレット端末に搭載するマイク、スピーカーなど小型音響部品も製造。主力は任天堂向けゲーム機の機構部品や組み立て受託で、売上高の5割超。
【定着率】‥
【採用】 【設立】1950.9 【社長】古橋健士
23年 10【従業員】連8,678名 単584名(48.4歳)
24年 9【有休】‥日
25年 20【初任給】月22.9万(諸手当を除いた数値)
【試験種類】‥【各種制度】‥

【業績】	売上高	営業利益	経常利益	純利益
連23.3	277,244	15,750	18,984	12,637
連24.3	218,910	12,925	18,160	11,632

㈱レクザム
株式公開未定

【本社】541-0054 大阪府大阪市中央区南本町2-1-8 ☎06-6262-0871
電機・事務機器

採用予定数	倍率	3年後離職率	平均年収
30名	‥	‥	‥

【特色】家電・業務用電子制御機器や、検眼機など医療用電子機器の製造・販売が主力。半導体製造装置関連機器、自動車部品なども手がける。香川、愛媛に工場展開。中国、チェコ、タイに製販拠点。スキーブーツ製造は国内トップ級。超精密金型事業にも注力。
【定着率】‥
【採用】 【設立】1948.11【社長】岡野晋滋
23年 34【従業員】単1,246名(33.0歳)
24年 26【有休】‥日
25年 30【初任給】月21.7万(諸手当を除いた数値)
【試験種類】‥【各種制度】‥

【業績】	売上高	営業利益	経常利益	純利益
単22.12	74,204	‥	‥	5,545
単23.12	71,323	‥	‥	4,242

㈱クオルテック
東証グロース

【本社】590-0906 大阪府堺市堺区三宝町4-230 ☎072-226-7175
電子部品・機器

採用予定数	倍率	3年後離職率	平均年収
5名	‥	‥	499万円

【特色】EV向け電子部品の信頼性評価が柱。電子部品向け環境・電気・振動試験などの信頼性評価試験、不良品解析、試験素材切断と切断面の研磨加工などを行う。ビルドアップ基板やフレキシブルプリント基板の試作・量産レーザ加工も手がける。主要顧客はデンソー。
【定着率】‥
【採用】 【設立】1993.1 【社長】山口友宏
23年 ‥【従業員】単242名(43.4歳)
24年 3【有休】‥日
25年 5【初任給】月22万(諸手当を除いた数値)
【試験種類】‥【各種制度】‥

【業績】	売上高	営業利益	経常利益	純利益
単23.6	3,274	304	295	210
単24.6	3,623	381	366	270

アムテック
株式公開計画なし

【本社】550-0002 大阪府大阪市西区江戸堀1-27-9 ☎06-6447-6555
住宅・医療機器他

採用実績数	倍率	3年後離職率	平均年収
1名	‥	‥	‥

【特色】人工透析装置用の除菌洗浄剤の製造・販売が主力。人工透析関連ではパイオニア的存在で、医療器具洗浄用でも存在感。研究開発型企業。神戸市、中国・蘇州、タイに工場をもち、受託製造にも対応。大阪市に研究開発センター。
【定着率】‥
【採用】 【設立】1986.1 【社長】中山英典
23年 2【従業員】単45名(37.9歳)
24年 1【有休】‥日
25年 未定【初任給】月22.8万(諸手当を除いた数値)
【試験種類】‥【各種制度】‥

【業績】	売上高	営業利益	経常利益	純利益
単22.12	2,320	‥	‥	‥
単23.12	2,380	‥	‥	‥

大研医器（だいけんいき）
東証スタンダード

【本社】594-1157 大阪府和泉市あゆみ野2-6-2 ☎0725-30-3150
住宅・医療機器他

採用予定数	倍率	3年後離職率	平均年収
9名	‥	‥	600万円

【特色】麻酔と病院内感染防止関連製品に特化した医療機器メーカー。高シェアの真空吸引器と麻酔投与用の加圧式医薬品注入器が主力製品。薬液投与用の電動ポンプも扱う。開発担当者が医療現場のニーズを直接聞き、自社技術で製品化する研究開発型企業。
【定着率】‥
【採用】 【設立】1968.11【社長】山田圭一
23年 0【従業員】単181名(42.8歳)
24年 3【有休】‥日
25年 9【初任給】月23.3万(諸手当を除いた数値)
【試験種類】‥【各種制度】‥

【業績】	売上高	営業利益	経常利益	純利益
単23.3	9,137	1,054	1,053	712
単24.3	9,750	1,442	1,450	988

㈱OSGコーポレーション
東証スタンダード

【本社】530-0043 大阪府大阪市北区天満1-26-3 ☎06-6357-0101
住宅・医療機器他

採用実績数	倍率	3年後離職率	平均年収
14名	‥	‥	460万円

【特色】健康・環境関連機器が主力事業。浄水器、電解水素水生成器などの製造・販売を行う。水関連はサブスク型課金が好調。家庭用のほか業務用や医薬など産業用にも展開。グループ会社で水宅配や、水にこだわった食パン専門店のFC運営も手がける。
【定着率】‥
【採用】 【設立】1970.8 【社長】山田啓輔
23年 17【従業員】連351名 単202名(39.6歳)
24年 14【有休】‥日
25年 増加【初任給】月18.8万(諸手当を除いた数値)
【試験種類】‥【各種制度】‥

【業績】	売上高	営業利益	経常利益	純利益
連23.1	8,126	397	447	198
連24.1	7,896	311	351	49

和田精密歯研（わだせいみつしけん）

株式公開計画なし

【本社】533-0031 大阪府大阪市東淀川区西淡路3-15-46 ☎06-6321-8551
住宅・医療機器他

採用予定数	倍率	3年後離職率	平均年収
65名	・・	・・	・・

【特色】国内首位の入れ歯、さし歯など歯科技工製品メーカー。インプラント関連商品も扱い、下部構造から上部構造までトータルサポートを提供。CAD／CAM技術を活用したクラウン製作を行う。乳歯が収容可能なピンブローチやネックレストップの販売も。
【定着率】・・
【採用】　【設立】1966.9【会長】和田主実
23年　37【従業員】単1,296名(37.0歳)
24年　53【有休】・・日
25年　65【初任給】・・万
【試験種類】・・【各種制度】・・

【業績】	売上高	営業利益	経常利益	純利益
単23.3	14,123	455	521	329
単24.3	14,652	525	564	439

三和パッキング工業（さんわこうぎょう）

株式公開計画なし

【本社】561-0845 大阪府豊中市利倉2-18-5 ☎06-6863-0761
自動車部品

採用予定数	倍率	3年後離職率	平均年収
5名	・・	・・	・・

【特色】ガスケット、ヒートインシュレーター（遮熱・吸音部品）、プレス加工部品、メッシュ製品などを製造・販売。自動車・農機・航空機・船舶・産業機械など様々な分野で使用される。タイ、中国、韓国、インドネシア、メキシコに海外拠点。
【定着率】・・
【採用】　【設立】1950.12【社長】宮川博至
23年　5【従業員】単295名(43.5歳)
24年　4【有休】・・日
25年　5【初任給】月22万（諸手当を除いた数値）
【試験種類】・・【各種制度】・・

【業績】	売上高	営業利益	経常利益	純利益
単23.3	8,629	・・	808	・・
単24.3	8,750	・・	1,379	・・

昭和精工（しょうわせいこう）

株式公開計画なし

【本社】596-0013 大阪府岸和田市臨海町20-2 ☎072-436-1848
自動車部品

採用実績数	倍率	3年後離職率	平均年収
9名	・・	・・	・・

【特色】自動車用ベアリング部品、ステアリング部品の専門メーカー。鍛造から旋削まで一貫。NC旋盤などの加工用刃物、治具も自社生産する。海外10社以上とも緊密なパートナーシップ関係。国内に6製造拠点。北米と中国に生産合弁会社を持つ。
【定着率】・・
【採用】　【設立】1961.7【社長】植野徳仁
23年　7【従業員】単532名(41.5歳)
24年　9【有休】・・日
25年　未定【初任給】・・万
【試験種類】・・【各種制度】・・

【業績】	売上高	営業利益	経常利益	純利益
単22.12	17,010	▲180	934	515
単23.12	19,142	717	1,124	706

ダイヤモンドエレクトリックホールディングス

東証プライム

【本社】532-0026 大阪府大阪市淀川区塚本1-15-27 ☎06-6302-8211
自動車部品

採用実績数	倍率	3年後離職率	平均年収
2名	・・	・・	・・

【特色】電子機器、太陽光発電関連、自動車機器の3事業を擁する電機メーカーの持株会社。電子は冷暖房機器向け電子制御装置、太陽光は蓄電池向けパワコンなどを手がける。自動車用点火コイルは世界シェアトップで、製造行うダイヤモンド電機がグループ形成の端緒。
【定着率】・・
【ダイヤゼブラ電機採用】【設立】2018.10【社長】小野有理
23年　0【従業員】連3,751名 単512名(45.8歳)
24年　2【有休】・・日
25年　増加【初任給】月20.8万（諸手当を除いた数値）
【試験種類】・・【各種制度】・・

【業績】	売上高	営業利益	経常利益	純利益
連23.3	91,106	▲1,187	▲817	▲1,075
連24.3	93,334	230	1,313	▲1,897

アルナ車両（しゃりょう）

株式公開計画なし

【本社】566-0013 大阪府摂津市阪急正雀1-2 阪急電鉄 正雀工場内 ☎06-6383-1811
輸送用機器

採用予定数	倍率	3年後離職率	平均年収
3名	・・	・・	・・

【特色】阪急阪神HDグループの輸送機械機器メーカー。国内初の純国産超低床LRV「リトルダンサー」シリーズを中心に、全国の鉄道事業者向けに路面電車を供給。鉄道車両の改造・メンテナンスも手がけ、主電動機やパンタグラフなど重要機器整備も行う。
【定着率】・・
【採用】　【設立】1967.8【社長】田島辰哉
23年　2【従業員】単134名(43.0歳)
24年　2【有休】・・日
25年　3【初任給】月22.5万（諸手当を除いた数値）
【試験種類】・・【各種制度】・・

【業績】	売上高	営業利益	経常利益	純利益
単23.3	3,333	▲8	▲1	▲1
単24.3	3,960	207	218	144

ダイハツディーゼル

東証スタンダード

【本社】531-0076 大阪府大阪市北区大淀中1-1-30 ☎06-6454-2331
輸送用機器

採用予定数	倍率	3年後離職率	平均年収
38名	・・	・・	643万円

【特色】商船やタンカーなどの船舶用ディーゼルエンジンメーカー。推進用と発電用補助機関を手がけ、後者は世界大手。陸用も展開。売上高の半分は海外。国際海運の温暖化ガス規制で次世代エネルギーエンジンの商用出荷目指す。発祥はダイハツ工業で現在も筆頭株主。
【定着率】・・
【採用】　【設立】1966.5【社長】堀田佳伸
23年　31【従業員】連1,365名 単889名(41.2歳)
24年　33【有休】・・日
25年　38【初任給】月22.6万（諸手当を除いた数値）
【試験種類】・・【各種制度】・・

【業績】	売上高	営業利益	経常利益	純利益
連23.3	72,113	3,601	3,660	2,948
連24.3	81,775	5,194	5,546	5,149

瓜生製作（うりうせいさく）

株式公開計画なし

【本社】537-0002 大阪府大阪市東成区深江南1-2-11 ☎06-6973-9401
機械

採用実績数	倍率	3年後離職率	平均年収
1名	‥	‥	‥

【特色】ボルト締付工具、穴あけドリルなどパワーツールを製造販売。自動車、造船、輸送機械などのメーカーに納入。工場は、大阪、奈良に置く。輸出が売り上げの約6割占め、アジアと北米向けが主力。1915年に国内初のエアツール生産工場として創業。
【定着率】‥
【採用】【設立】1921.4【社長】瓜生卓郎
23年 3【従業員】単245名(46.6歳)
24年 1【有休】‥日
25年 未定【初任給】月22.5万(諸手当を除いた数値)
【試験種類】‥【各種制度】‥

【業績】	売上高	営業利益	経常利益	純利益
単22.9	3,909	8	41	51
単23.9	4,070	8	50	83

㈱エスティック

東証スタンダード

【本社】570-0041 大阪府守口市東郷通1-2-16 ☎06-6993-8855
機械

採用予定数	倍率	3年後離職率	平均年収
未定	‥	‥	588万円

【特色】ナットランナ(ネジ締め機器)国内首位級。自動車向けが主体。自動組立装置に組み込むナットランナが主。設備用の電動式サーボナットランナ、手持ちのハンドナットランナのほか、ネジ締めロボットなども手がける。海外市場を強化。
【定着率】‥
【採用】【設立】1993.8【社長】鈴木弘英
23年 0【従業員】連215名 単194名(40.1歳)
24年 0【有休】‥日
25年 未定【初任給】月20.1万(諸手当を除いた数値)
【試験種類】‥【各種制度】‥

【業績】	売上高	営業利益	経常利益	純利益
連23.3	6,718	1,484	1,534	1,079
連24.3	7,127	1,490	1,550	1,133

㈱空研（くうけん）

株式公開計画なし

【本社】583-0871 大阪府羽曳野市野々上3-6-15 ☎072-953-0601
機械

採用予定数	倍率	3年後離職率	平均年収
3名	‥	‥	‥

【特色】空気動工具(エアツール)専業で設計から製造・販売行う。ボルト・ナットの脱着作業に使用するインパクトレンチがコア商品。自動車整備向け首位。研削・研磨用工具も手がける。大阪・羽曳野に本社工場。札幌、仙台、東京、名古屋、広島、福岡などに営業所。
【定着率】‥
【採用】【設立】1968.3【社長】中川禎之
23年 1【従業員】単130名(43.0歳)
24年 1【有休】‥日
25年 3【初任給】月23万(諸手当を除いた数値)
【試験種類】‥【各種制度】‥

【業績】	売上高	営業利益	経常利益	純利益
単23.3	2,483	122	136	99
単24.3	2,664	165	179	122

㈱栗田機械製作所（くりたきかいせいさくしょ）

株式公開いずれしたい

【本社】550-0024 大阪府大阪市西区境川2-1-44 ☎06-6582-3001
機械

採用予定数	倍率	3年後離職率	平均年収
4名	‥	‥	‥

【特色】排水・脱水処理などに使用するフィルタープレス(加圧ろ過)の専門メーカー。化学、鉄鋼、食品向けに製品供給。研究開発からメンテまで一貫。中国、マレーシアに販売の現地法人、インドに生産の現地法人を置く。国内の納入実績は3500台超。
【定着率】‥
【採用】【設立】1949.3【社長】栗田佳直
23年 2【従業員】単107名(43.0歳)
24年 0【有休】‥日
25年 4【初任給】月21.6万(諸手当を除いた数値)
【試験種類】‥【各種制度】‥

【業績】	売上高	営業利益	経常利益	純利益
単22.9	2,706	132	252	39
単23.9	2,543	67	154	134

サンセイ

東証スタンダード

【本社】532-0004 大阪府大阪市淀川区西宮原1-6-2 ☎06-6395-2231
機械

採用実績数	倍率	3年後離職率	平均年収
1名	‥	‥	603万円

【特色】中・高層ビル用清掃ゴンドラと舞台装置のパイオニア。ゴンドラの開発過程で蓄積した機械制御技術を用いた劇場の舞台装置が主力事業に。船舶修理、魚礁や浮体式灯標などを製造する海洋部門のほか、工業用昇降装置などの産業機械も手がける。
【定着率】‥
【採用】【設立】1956.12【社長】小嶋敦
23年 2【従業員】連234名 単194名(41.5歳)
24年 1【有休】‥日
25年 未定【初任給】月21.3万(諸手当を除いた数値)
【試験種類】‥【各種制度】‥

【業績】	売上高	営業利益	経常利益	純利益
連23.3	5,350	452	465	350
連24.3	5,637	420	422	326

住友重機械ギヤボックス（すみともじゅうきかい）

株式公開計画なし

【本社】597-8555 大阪府貝塚市脇浜4-16-1 ☎072-431-3021
機械

採用予定数	倍率	3年後離職率	平均年収
16名	‥	‥	‥

【特色】動力伝達システムの総合トップメーカー。カップリングや増速機、減速機の製造販売を手がける。製品の小型・軽量化、高効率化に実績。大阪、東京に支社、広島に営業所、大阪、岡山に工場を置く。住友重機械工業グループ。
【定着率】‥
【採用】【設立】1916.9【社長】三輪晃久
23年 13【従業員】単459名(43.4歳)
24年 12【有休】‥日
25年 16【初任給】月24.4万(諸手当を除いた数値)
【試験種類】‥【各種制度】‥

【業績】	売上高	営業利益	経常利益	純利益
単22.12変	11,301	182	134	90
単23.12	18,276	826	752	511

象印チェンブロック（ぞうじるし）
株式公開計画なし

【本社】589-8502 大阪府大阪狭山市岩室2-180 ☎072-365-7771
機械

採用予定数	倍率	3年後離職率	平均年収
1名	‥	‥	‥

【特色】荷役運搬機器のチェーンブロックやマテリアルハンドリング機器メーカー。チェーンブロックに装着するリンクチェーンや工場用クレーンなども製造販売。主要取引先は官公庁や電力・ガス、建設、造船、自動車など各産業。国内に8営業拠点。
【定着率】‥
【採用】【設立】1952.10【社長】津田晴將
23年 1【従業員】単161名（41.7歳）
24年 0【有休】‥日
25年 1【初任給】月21.3万（諸手当を除いた数値）
【試験種類】‥【各種制度】‥

【業績】	売上高	営業利益	経常利益	純利益
単23.3	6,225	‥	228	123
単24.3	6,912	‥	342	220

大和冷機工業（だいわれいきこうぎょう）
東証プライム

【本社】543-0028 大阪府大阪市天王寺区小橋町3-13 大和冷機上本町DRKビル ☎06-6767-8171
機械

採用実績数	倍率	3年後離職率	平均年収
130名	‥	‥	477万円

【特色】業務用冷凍冷蔵庫メーカーで業界大手。店舗用ショーケース、製氷機も扱う。省エネ型や環境負荷に配慮した商品に注力。全都道府県に営業・サービス網を形成。温度管理の見える化を目指し、回線を利用したデータ収集システムの開発に取り組む。
【定着率】‥
【採用】【設立】1962.11【社長】尾﨑敦史
23年 130【従業員】単2,391名（37.2歳）
24年 130【有休】‥日
25年 未定【初任給】月21.3万（諸手当を除いた数値）
【試験種類】‥【各種制度】‥

【業績】	売上高	営業利益	経常利益	純利益
単22.12	43,942	6,985	6,866	4,446
単23.12	45,969	8,137	7,989	5,537

㈱鶴見製作所（つるみせいさくしょ）
東証プライム

【本社】538-0053 大阪府大阪市鶴見区鶴見4-16-40 ☎06-6911-2351
機械

採用予定数	倍率	3年後離職率	平均年収
17名	‥	‥	668万円

【特色】建設、土木、農業用水中ポンプの専業。市場シェア3割で首位。建設市場向けは、工事現場で出る地下水用取水ポンプで建機レンタル業者向けが中心。設備市場向けは、工場や下水処理施設に常設され、汚水・汚物移送などで使用。海外はアジア、北米の開拓に注力。
【定着率】‥
【採用】【設立】1951.12【社長】辻本治
23年 15【従業員】連1,358名 単909名（41.2歳）
24年 14【有休】‥日
25年 17【初任給】‥万
【試験種類】‥【各種制度】‥

【業績】	売上高	営業利益	経常利益	純利益
連23.3	56,219	7,263	8,991	6,262
連24.3	62,629	8,941	12,638	8,288

東陽建設工機（とうようけんせつこうき）
株式公開計画なし

【本社】551-0002 大阪府大阪市大正区三軒家東2-4-15 ☎06-6552-0341
機械

採用予定数	倍率	3年後離職率	平均年収
10名	‥	‥	‥

【特色】切断機、曲げ機など鉄筋加工機の専業メーカーで国内シェア80%。小型汎用機から大型自動機まで扱う。建築関係の鉄筋工事業向けが主。埼玉、滋賀、大阪、福岡に工場。全国に営業サポート体制。過去10年間の海外販売実績は24カ国で、さらに拡大目指す。
【定着率】‥
【採用】【設立】1959.7【社長】田中康雄
23年 5【従業員】単205名（42.5歳）
24年 7【有休】‥日
25年 10【初任給】月23万（諸手当を除いた数値）
【試験種類】‥【各種制度】‥

【業績】	売上高	営業利益	経常利益	純利益
単22.6	4,420	175	190	116
単23.6	4,531	119	131	44

㈱ナガオカ
東証スタンダード

【本社】541-0052 大阪府大阪市中央区安土町1-8-15 野村不動産大阪ビル ☎06-6261-6600
機械

採用実績数	倍率	3年後離職率	平均年収
2名	‥	‥	684万円

【特色】石油精製・石油化学プラント用の内部装置であるスクリーン・インターナルと、取水用スクリーンを製造・販売する。独自技術により薬品を使わず空気と微生物で地下水を飲料基準まで処理する水処理装置「ケミレス」の拡大を推進中。
【定着率】‥
【採用】【設立】2004.11【社長】梅津泰久
23年 1【従業員】連219名 単93名（44.7歳）
24年 2【有休】‥日
25年 前年並【初任給】月24.1万（諸手当を除いた数値）
【試験種類】‥【各種制度】‥

【業績】	売上高	営業利益	経常利益	純利益
連23.6	8,148	1,310	1,352	867
連24.6	9,505	1,682	1,828	1,150

㈱中北製作所（なかきたせいさくしょ）
東証スタンダード

【本社】574-8691 大阪府大東市深野南町1-1 ☎072-871-1331
機械

採用予定数	倍率	3年後離職率	平均年収
5名	‥	‥	619万円

【特色】バルブを中心とした流体制御装置の総合メーカー。船用の自動調節弁、バタフライ弁、遠隔操作装置では圧倒的シェアで、船の姿勢を制御するバラスト水の自動制御システムで世界首位。多品種少量生産が特徴。発電・化学プラントなど陸上用の拡販も進める。
【定着率】‥
【採用】【設立】1937.5【社長】宮田彰久
23年 1【従業員】単355名（43.8歳）
24年 1【有休】‥日
25年 5【初任給】月23.1万（諸手当を除いた数値）
【試験種類】‥【各種制度】‥

【業績】	売上高	営業利益	経常利益	純利益
単23.5	15,777	816	1,109	806
単24.5	18,608	1,203	1,473	1,020

日本化学機械製造（にほんかがくきかいせいぞう）

株式公開計画なし

【本社】532-0031 大阪府大阪市淀川区加島4-6-23
☎06-6308-3881
機械

採用実績数	倍率	3年後離職率	平均年収
5名	‥	‥	‥

【特色】化学・食品などの産業向け化学プラントのエンジニアリング会社。アルコール蒸留技術のパイオニアで業界トップ。自社工場で機器の設計・製作を行うメーカー機能に強み。タイとベトナムの現地法人を活用し、顧客の海外事業を支援。
【定着率】‥
【採用】【設立】1938.10【社長】髙橋一雅
23年 4【従業員】単180名(41.0歳)
24年 5【有休】‥日
25年 未定【初任給】‥万
【試験種類】‥【各種制度】‥

【業績】	売上高	営業利益	経常利益	純利益
単23.4	5,944	159	171	167
単24.4	6,210	124	125	121

㈱初田製作所（はつたせいさくしょ）

株式公開計画なし

【本社】573-1132 大阪府枚方市招提田近3-5
☎072-856-1281
機械

採用予定数	倍率	3年後離職率	平均年収
10名	‥	‥	‥

【特色】消火器および自動消火設備の製造・販売を手がける。消火器と消火栓は業界2位。工場や病院などを中心に、火災リスク簡易診断サービスも展開。北海道から九州まで全国に支店。海外は中国やタイ、ベトナムなどに拠点。
【定着率】‥
【採用】【設立】1947.8【社長】初田和弘
23年 2【従業員】単744名(43.9歳)
24年 5【有休】‥日
25年 10【初任給】月21.2万(諸手当を除いた数値)
【試験種類】‥【各種制度】‥

【業績】	売上高	営業利益	経常利益	純利益
単22.11	21,493	40	165	928
単23.11	31,375	1,732	1,776	104

㈱ＰＩＬＬＡＲ

東証プライム

【本社】550-0013 大阪府大阪市西区新町1-7-1
☎06-7166-8281
機械

採用予定数	倍率	3年後離職率	平均年収
36名	‥	‥	719万円

【特色】液体の漏れを防ぐシール製品の草分け。メカニカルシール製品、グランドパッキン、ガスケット製品を製造販売。発電所やプラントのポンプ・バルブ、自動車の排気管接合部等に利用される。フッ素樹脂応用製品も手がけ、半導体洗浄装置向けピラー継手のシェアは世界首位。
【定着率】‥
【採用】【設立】1948.5【社長】岩波嘉信
23年 19【従業員】連1,178名 単640名(40.6歳)
24年 24【有休】‥日
25年 36【初任給】月23.2万(諸手当を除いた数値)
【試験種類】‥【各種制度】‥

【業績】	売上高	営業利益	経常利益	純利益
連23.3	48,702	13,842	14,136	10,428
連24.3	58,605	14,206	15,098	10,780

㈱藤商事（ふじしょうじ）

東証スタンダード

【本社】540-0026 大阪府大阪市中央区内本町1-1-4
☎06-6949-0323
機械

採用実績数	倍率	3年後離職率	平均年収
14名	‥	‥	773万円

【特色】パチンコ・パチスロ遊技機の開発・製造を手がける中堅メーカー。大阪発祥で全国主要都市に営業拠点。「宇宙戦艦ヤマト」などの大型版権ものや「リング」などのホラー系が得意。版権をパチンコ・パチスロ双方に横展開。次世代遊技機の開発に注力。
【定着率】‥
【採用】【設立】1966.10【社長】今山武成
23年 5【従業員】連450名 単450名(43.1歳)
24年 14【有休】‥日
25年 前年並【初任給】月21万(諸手当を除いた数値)
【試験種類】‥【各種制度】‥

【業績】	売上高	営業利益	経常利益	純利益
連23.3	34,869	3,876	4,066	5,296
連24.3	36,983	4,880	4,923	3,643

富士テクノ工業（ふじテクノこうぎょう）

株式公開計画なし

【本社】573-0136 大阪府枚方市春日西町2-29-5
☎072-858-5251
機械

採用実績数	倍率	3年後離職率	平均年収
3名	‥	‥	‥

【特色】定量ポンプ類が主力の精密ポンプメーカー。無脈動・高精度定量ポンプは世界的評価が高く、欧米製薬会社向けに供給。大阪府・枚方市に本社と工場、愛知県と神奈川県に営業所。海外は中国に生産現地法人、欧州、アジア、北米に代理店を展開。
【定着率】‥
【採用】【設立】1960.9【社長】生信剛
23年 1【従業員】単50名(45.4歳)
24年 3【有休】‥日
25年 未定【初任給】‥万
【試験種類】‥【各種制度】‥

【業績】	売上高	営業利益	経常利益	純利益
単22.8	1,201	286	320	218

採用は大卒以上のみ

マツモト機械（マツモトきかい）

株式公開計画なし

【本社】581-0092 大阪府八尾市老原4-153
☎072-949-4661
機械

採用実績数	倍率	3年後離職率	平均年収
9名	‥	‥	‥

【特色】「MAC」ブランドのロボットシステム、溶接・切断用治具メーカー。溶接治具のリーディングカンパニーで、国内トップシェア。ヒューム回収装置や冷却水循環装置なども発売。大阪、東京などに計7工場。中国で生産現地法人を設置。
【定着率】‥
【採用】【設立】1964.2【社長】清水弥
23年 4【従業員】単134名(39.9歳)
24年 9【有休】‥日
25年 未定【初任給】月23万(諸手当を除いた数値)
【試験種類】‥【各種制度】‥

【業績】	売上高	営業利益	経常利益	純利益
単23.3	3,755	203	183	▲98
単24.3	4,229	51	29	30

富士電波工業（ふじでんぱこうぎょう）
株式公開計画なし

【本社】532-0033 大阪府大阪市淀川区新高2-4-36 ☎06-6394-1151
機械

採用予定数	倍率	3年後離職率	平均年収
3名	‥	‥	‥

【特色】新素材・ファインセラミックス用高温焼結炉、高周波溶解炉、高周波加熱装置などを製造・販売。ソフトウェアの開発も手がける。電気をエネルギー源とした高温加熱技術で発展。滋賀に工場、東京と名古屋に営業所をもつ。
【定着率】‥
【採用】　【設立】1948.9【社長】横畠俊夫
23年　3【従業員】単127名(47.4歳)
24年　0【有休】‥日
25年　3【初任給】月20.6万(諸手当を除いた数値)
【試験種類】‥【各種制度】‥

【業績】	売上高	営業利益	経常利益	純利益
単22.8	4,216	300	375	255
単23.8	4,117	377	417	275

㈱ジェイテクトマシンシステム
株式公開計画なし

【本社】581-0091 大阪府八尾市南植松町2-34 ☎072-922-7881
機械

採用予定数	倍率	3年後離職率	平均年収
20名	‥	‥	‥

【特色】センタレス研削盤、平面研削盤等の研削盤で国内シェア首位。自動車保安部品のインタミジョイントは世界シェア首位級。ボールネジ等の精密機器、FAシステムなども手がける。グローバル生産体制。ジェイテクトの完全子会社。
【定着率】‥
【採用】　【設立】1961.8【社長】宮藤賢士
23年　13【従業員】単1,251名(42.4歳)
24年　17【有休】‥日
25年　20【初任給】月22万(諸手当を除いた数値)
【試験種類】‥【各種制度】‥

【業績】	売上高	営業利益	経常利益	純利益
単23.3	36,500	2,365	7,889	6,542
単24.3	40,903	2,871	4,198	3,435

旭松食品（あさひまつしょくひん）
東証スタンダード

【本社】532-0027 大阪府大阪市淀川区田川3-7-3 ☎06-6306-4121
食品・水産

採用実績数	倍率	3年後離職率	平均年収
2名	‥	‥	421万円

【特色】高野豆腐が主力で国内トップ。近畿、甲信越が地盤。大豆のノウハウを生かし即席みそ汁や、スープ春雨などカップタイプのスープ類を育成。美容食材としてオートミール、高たんぱく食品に注目。介護施設向け医療用食材が安定して成長。
【定着率】‥
【採用】　【設立】1950.12【社長】木下博隆
23年　5【従業員】連312名 単231名(41.6歳)
24年　2【有休】‥日
25年　前年並【初任給】月20.3万(諸手当を除いた数値)
【試験種類】‥【各種制度】‥

【業績】	売上高	営業利益	経常利益	純利益
連23.3	7,937	▲49	28	▲68
連24.3	8,098	205	287	232

エースコック
株式公開していない

【本社】564-0063 大阪府吹田市江坂町1-12-40 紙谷新御堂ビル ☎06-6338-5585
食品・水産

採用予定数	倍率	3年後離職率	平均年収
未定	‥	‥	‥

【特色】即席麺・スープなどの製造・販売を手がける。ベトナム、ミャンマーに現地法人設立。ベトナム即席麺市場の過半数を占め、ミャンマーでは即席麺の市場創造に取り組む。東京、関西滝野、兵庫の3工場を所有。札幌から福岡まで8支店配置。
【定着率】‥
【採用】　【設立】1954.1【社長】村岡寛人
23年　‥【従業員】単‥名(‥歳)
24年　‥【有休】‥日
25年　未定【初任給】‥万
【試験種類】‥【各種制度】‥

【業績】	売上高	営業利益	経常利益	純利益
単22.12	31,538	793	2,897	2,585
単23.12	33,500	988	3,531	2,721

㈱大森屋（おおもりや）
東証スタンダード

【本社】554-0012 大阪府大阪市此花区西九条1-1-60 ☎06-6464-1198
食品・水産

採用予定数	倍率	3年後離職率	平均年収
未定	‥	‥	572万円

【特色】加工のり唯一の上場企業で業界大手。家庭用・進物品・業務用のり中心にふりかけ、お茶漬け製品にも展開。コンビニ向けおにぎり用のりなど業務用を開拓。西日本中心だが東日本へも拡販。約4割を三菱商事、伊藤忠商事に販売。
【定着率】‥
【採用】　【設立】1955.3【社長】稲野達郎
23年　3【従業員】連149名 単146名(45.5歳)
24年　‥【有休】‥日
25年　未定【初任給】‥万
【試験種類】‥【各種制度】‥

【業績】	売上高	営業利益	経常利益	純利益
連22.9	14,165	550	582	681
連23.9	14,239	374	391	244

シノブフーズ
東証スタンダード

【本社】555-0011 大阪府大阪市西淀川区竹島2-3-18 ☎06-6477-0113
食品・水産

採用予定数	倍率	3年後離職率	平均年収
35名	‥	‥	556万円

【特色】おにぎり、弁当など米飯加工品を製造。ファミリーマートなどコンビニ向けが5割以上で、スーパー、食料品店、ドラッグストア向けなどにも展開。サンドイッチ「エピ・ムー」ブランドを新たな柱に育成。関東から東海、関西、中・四国の8工場で生産。
【定着率】‥
【採用】　【設立】1971.5【社長】松本崇志
23年　27【従業員】連579名 単579名(40.3歳)
24年　33【有休】‥日
25年　35【初任給】月21万(諸手当を除いた数値)
【試験種類】‥【各種制度】‥

【業績】	売上高	営業利益	経常利益	純利益
連23.3	51,047	1,876	1,904	103
連24.3	54,825	2,369	2,409	1,167

ノーベル製菓（せいか）

株式公開計画なし

【本社】544-0004 大阪府大阪市生野区巽北4-10-2
☎06-6751-1171
食品・水産

採用予定数	倍率	3年後離職率	平均年収
未定	‥	‥	‥

【特色】「VC-3000のど飴」が代表的な独立系菓子メーカー。キャンディー、グミ、素材菓子、タブレット（錠菓）を中心に50種の自社ブランド品を製造・販売。自社敷地を活用して、太陽光発電などクリーンエナジー事業も手がける。
【定着率】‥
【採用】【設立】1947.5【社長】馬場敏明
23年 ‥【従業員】単150名（35.0歳）
24年 ‥【有休】‥日
25年 未定【初任給】‥万
【試験種類】‥【各種制度】‥

【業績】	売上高	営業利益	経常利益	純利益
単22.9	14,100	2,000	3,000	1,900
単23.9	17,300	2,300	3,000	2,100

マリンフード

株式公開していない

【本社】561-0814 大阪府豊中市豊南町東4-5-1
☎06-6333-6801
食品・水産

採用実績数	倍率	3年後離職率	平均年収
30名	‥	‥	‥

【特色】マーガリン、バター、チーズなどの製造・販売を展開。低コレステロールのチーズ代替品「スティリーノ」も生産。オンラインショップの運営も手がける。大阪、滋賀、埼玉に4工場を有する。札幌、仙台、名古屋、広島、福岡に営業所を配置。
【定着率】‥
【採用】【設立】1957.3【社長】吉村直樹
23年 30【従業員】単313名（33.7歳）
24年 30【有休】‥日
25年 未定【初任給】月22.5万（諸手当を除いた数値）
【試験種類】‥【各種制度】‥

【業績】	売上高	営業利益	経常利益	純利益
単22.12	32,478	▲682	422	337
単23.12	36,219	462	1,043	788

㈱イーパック

株式公開計画なし

【本社】561-8550 大阪府豊中市日出町1-6-22
☎06-6334-0231
印刷・紙パルプ

採用予定数	倍率	3年後離職率	平均年収
未定	‥	‥	‥

【特色】産業用包装資材や包装用特殊加工紙の製造・販売。自社一貫生産体制によって高品質、短納期、オーダーメイド対応を実現。業界初の特許製品ラミライン紙など独自技術を持つ。インドネシア、中国・上海に製造拠点。1923年創業。
【定着率】‥
【採用】【設立】1953.8【社長】水上雅史
23年 1【従業員】単196名（47.1歳）
24年 0【有休】‥日
25年 未定【初任給】月21万（諸手当を除いた数値）
【試験種類】‥【各種制度】‥

【業績】	売上高	営業利益	経常利益	純利益
単22.7	10,778	572	627	424
単23.7	10,765	177	201	163

昭和（しょうわ）プロダクツ

株式公開計画なし

【本社】556-0017 大阪府大阪市浪速区湊町2-1-57
☎06-6684-8561
印刷・紙パルプ

採用予定数	倍率	3年後離職率	平均年収
4名	‥	‥	‥

【特色】昭和丸筒の子会社で紙管製造のトップメーカー。巻取用・繊維用紙管、樹脂コア、容器、梱包資材が主力。紙粉、粉塵の発生を抑え、表面平滑性を高めるなどクリーン性に強み。世界初のグラファイトシート縦配向型高熱伝導シートを開発。米国SONOCOグループが出資。
【定着率】‥
【採用】【設立】1964.8【会長兼社長】佐藤潤
23年 2【従業員】単258名（41.8歳）
24年 3【有休】‥日
25年 4【初任給】月21.6万（諸手当を除いた数値）
【試験種類】‥【各種制度】‥

【業績】	売上高	営業利益	経常利益	純利益
単22.5	10,111	59	213	203
単23.5	10,065	▲52	▲39	▲142

ハート封筒（ふうとう）

株式公開計画なし

【本社】581-0092 大阪府八尾市老原8-99
☎072-993-2101
印刷・紙パルプ

採用予定数	倍率	3年後離職率	平均年収
若干	‥	‥	‥

【特色】ハートグループの子会社で、封筒を主力に名刺、はがき、カードなどの紙製品を親会社に納入。高付加価値化やカラー封筒など多品種・高品質の生産に強み。厳しい検査管理を徹底。エコ関連商品、抗菌・抗ウイルス製品などの開発にも力を入れる。
【定着率】‥
【採用】【設立】1965.12【社長】田中嗣人
23年 若干【従業員】単475名（41.6歳）
24年 若干【有休】‥日
25年 若干【初任給】月19.8万（諸手当を除いた数値）
【試験種類】‥【各種制度】‥

【業績】	売上高	営業利益	経常利益	純利益
単23.3	10,685	169	236	178
単24.3	11,284	402	465	370

パック・ミズタニ

株式公開計画なし

【本社】550-0012 大阪府大阪市西区立売堀4-8-10
☎06-6531-2045
印刷・紙パルプ

採用予定数	倍率	3年後離職率	平均年収
2名	‥	‥	‥

【特色】老舗段ボールメーカーで、パッケージの製造・販売に加え、顧客企業の物流作業工程のアウトソーシングを提案。ワンストップの物流支援サービスをコア事業に育成中。兵庫県・西宮市と大阪府・堺市に計8つのロジセンター保有。兵庫県、大分県に事業所。
【定着率】‥
【採用】【設立】1959.4【社長】水谷博和
23年 1【従業員】単94名（39.2歳）
24年 2【有休】‥日
25年 2【初任給】月19万（諸手当を除いた数値）
【試験種類】‥【各種制度】‥

【業績】	売上高	営業利益	経常利益	純利益
単23.3	2,415	▲7	3	9
単24.3	2,535	48	55	33

㈱ヤマガタ

株式公開 計画なし

【本社】541-0056 大阪府大阪市中央区久太郎町3-1-27 船場大西ビル4階 ☎06-6121-8750
印刷・紙パルプ

採用予定数	倍率	3年後離職率	平均年収
未定	‥	‥	‥

【特色】1913年ケント紙の輸入で創業。各種封筒、名刺用紙、私製はがき、案内状、カレンダーなど紙製品を製造・販売。「月印」ブランドで展開。北海道から九州まで全国に支店を配置。得意先は約7000社。大阪・富田林市、埼玉・越谷市に製造拠点。
【定着率】‥
【採用】 【設立】1951.8【社長】城戸祀子
23年 1【従業員】単210名(38.0歳)
24年 0【有休】‥日
25年 未定【初任給】月19.4万(諸手当を除いた数値)
【試験種類】‥【各種制度】‥

【業績】	売上高	営業利益	経常利益	純利益
単23.3	3,180	15	10	7
単24.3	3,328	38	31	10

大和紙器（やまとしき）

株式公開 未定

【本社】567-0003 大阪府茨木市西河原北町1-5 ☎072-624-1101
印刷・紙パルプ

採用予定数	倍率	3年後離職率	平均年収
未定	‥	‥	‥

【特色】板紙・段ボール製造のレンゴー子会社で包装資材を扱う。主力の段ボールケースは鮮度保持、保冷保温、耐水、耐油需要に対応。段ボールパレット、ファイバー容器も製造・販売。省資源・省エネ・排出物の削減を強化。段ボールは国内7工場体制。タイに現地法人。
【定着率】‥
【採用】 【設立】1946.2【社長】窪田英志
23年 ‥【従業員】単484名(41.7歳)
24年 ‥【有休】‥日
25年 未定【初任給】‥万
【試験種類】‥【各種制度】‥

【業績】	売上高	営業利益	経常利益	純利益
単23.3	36,770	‥	‥	‥
単24.3	38,146	‥	‥	‥

㈱高速オフセット（こうそく）

株式公開 計画なし

【本社】550-0014 大阪府大阪市西区北堀江2-5-24 KOUSOKU堀江ビル ☎06-6556-6500
印刷・紙パルプ

採用予定数	倍率	3年後離職率	平均年収
5名	‥	‥	‥

【特色】大阪地盤の毎日新聞社系総合印刷会社。日刊紙、広報紙、一般商業印刷のほかWeb制作、デジタル印刷、取材・企画、ネット通販も手がける。主要紙は毎日新聞のほか、大阪スポーツ、聖教新聞、公明新聞など。神奈川の工場中心に関東にも展開。
【定着率】‥
【採用】 【設立】1986.12【社長】島田智
23年 2【従業員】単357名(46.1歳)
24年 1【有休】‥日
25年 5【初任給】月20.4万(諸手当を除いた数値)
【試験種類】‥【各種制度】‥

【業績】	売上高	営業利益	経常利益	純利益
単23.3	9,798	144	183	99
単24.3	9,885	102	149	2

寿精版印刷（ことぶきせいはんいんさつ）

株式公開 計画なし

【本社】543-0002 大阪府大阪市天王寺区上汐6-4-26 ☎06-6770-2800
印刷・紙パルプ

採用予定数	倍率	3年後離職率	平均年収
10名	‥	‥	‥

【特色】包材、販促、転写、ITの4事業が柱。包材はデザイン開発から包装システム開発まで一貫。販促はノベルティ企画制作など、転写は熱転写箔など、ITはGISコンテンツ開発など展開。シンガポール、タイに海外拠点。
【定着率】‥
【採用】 【設立】1961.11【社長】鷲谷和彦
23年 10【従業員】単469名(40.0歳)
24年 11【有休】‥日
25年 10【初任給】月22.3万(諸手当を除いた数値)
【試験種類】‥【各種制度】‥

【業績】	売上高	営業利益	経常利益	純利益
単23.3	9,153	‥	690	‥
単24.3	8,878	‥	288	‥

㈱ビーアンドピー

東証 スタンダード

【本社】550-0002 大阪府大阪市西区江戸堀2-6-33 ☎06-6448-1801
印刷・紙パルプ

採用予定数	倍率	3年後離職率	平均年収
10名	‥	‥	520万円

【特色】業務用大判インクジェットプリンターを使ったデジタル印刷行う。店頭ディスプレーやポスターなどの販促用広告物を、広告代理店・制作会社、印刷会社から受注する。プリントシール機の外装カーテンや内装壁紙・床材も印刷。24時間生産体制で短納期を誇る。
【定着率】‥
【採用】 【設立】1985.10【取締】和田山朋弥
23年 8【従業員】単186名(37.4歳)
24年 9【有休】‥日
25年 10【初任給】月22.6万(諸手当を除いた数値)
【試験種類】‥【各種制度】‥

【業績】	売上高	営業利益	経常利益	純利益
単22.10	2,915	376	377	240
単23.10	3,174	452	453	300

㈱フジシールインターナショナル

東証 プライム

【本社】532-0003 大阪府大阪市淀川区宮原4-1-9 新大阪フロントビル ☎06-6350-1080
印刷・紙パルプ

採用予定数	倍率	3年後離職率	平均年収
未定	‥	‥	‥

【特色】包装資材の大手メーカー。ペットボトル向けシュリンク(熱収縮)ラベル開発で先達、国内シェア6割。飲料、口栓付きのソフトパウチは飲料・液体洗剤・医薬流動食用など分野広い。日用品などに粘着させるタックラベルも。海外は北米、欧州、東南アに生産拠点。
【定着率】‥
【グループ採用】【設立】1958.10【代表執行役】岡﨑成子
23年 ‥【従業員】連5,692名 単48名(45.7歳)
24年 ‥【有休】‥日
25年 未定【初任給】‥万
【試験種類】‥【各種制度】‥

【業績】	売上高	営業利益	経常利益	純利益
連23.3	184,035	8,194	8,426	6,869
連24.3	196,624	13,309	14,732	10,277

ヤマックス

株式公開 計画なし

【本社】531-0071 大阪府大阪市北区中津1-16-31 ☎06-6371-6131
印刷・紙パルプ

採用実績数	倍率	3年後離職率	平均年収
7名	‥	‥	‥

【特色】シール、ラベル、ステッカー、スクリーン印刷、特殊フィルム印刷、デジタルグラフィック印刷など特殊印刷を手がける。自動車、日用品・雑貨、家電など広く用いられる。大阪、埼玉に国内工場。マーク専門メーカーで創業。
【定着率】‥
【採用】【設立】1952.4【社長】伊藤豪
23年 10【従業員】単330名(36.4歳)
24年 7【有休】‥日
25年 未定【初任給】月21.2万(諸手当を除いた数値)
【試験種類】‥【各種制度】‥

【業績】	売上高	営業利益	経常利益	純利益
単22.12	5,170	‥	338	255
単23.12	5,190	‥	370	272

(株)ナリス化粧品（けしょうひん）

株式公開 いずれしたい

【本社】553-0001 大阪府大阪市福島区海老江1-11-17 ☎06-6458-5801
化粧品・トイレタリー

採用実績数	倍率	3年後離職率	平均年収
18名	‥	‥	‥

【特色】中堅化粧品メーカー。訪問販売が中心。大手ドラッグストアでの店舗販売や通信販売、海外での販売、OEM事業も手がける。「ネイチャーコンク」などふきとり化粧水は9年連続国内販売シェア首位。エステサロン「デ・アイム」を全国で展開。
【定着率】‥
【採用】【設立】1949.12【社長】村岡弘義
23年 9【従業員】連673名 単602名(42.6歳)
24年 18【有休】‥日
25年 未定【初任給】‥万
【試験種類】‥【各種制度】‥

【業績】	売上高	営業利益	経常利益	純利益
連23.3	20,375	622	757	176
連24.3	20,985	587	701	91

アルフレッサ ファーマ

株式公開 計画なし

【本社】540-8575 大阪府大阪市中央区石町2-2-9 ☎06-6941-0300
医薬品

採用実績数	倍率	3年後離職率	平均年収
17名	‥	‥	‥

【特色】アルフレッサHD傘下の複合型医療メーカー。医薬品、診断薬、医療機器の製造・販売・輸出入を手がける。中枢神経系疾患領域の医薬品、大腸がん検診の検査機器、各種感染症の迅速診断検査キット、手術用縫合糸などが主力製品。
【定着率】‥
【採用】【設立】1939.12【社長】島田浩一
23年 20【従業員】単849名(44.2歳)
24年 17【有休】‥日
25年 未定【初任給】月20.5万(諸手当を除いた数値)
【試験種類】‥【各種制度】‥

【業績】	売上高	営業利益	経常利益	純利益
単23.3	36,447	25	276	▲256
単24.3	46,531	273	548	266

東洋（とうよう）ビューティ

株式公開 計画なし

【本社】541-0056 大阪府大阪市中央区久太郎町4-1-3 大阪御堂筋ビル4階 ☎06-6241-2121
化粧品・トイレタリー

採用予定数	倍率	3年後離職率	平均年収
未定	‥	‥	‥

【特色】化粧品・医薬部外品の製造受託メーカー。企画提案から処方開発、製造、品質管理まで一貫対応。三重、栃木、佐賀に工場。研究開発は中央研究所(大阪市)と宇都宮研究所の2拠点。サステナブル原料の比重を高めている。
【定着率】‥
【採用】【設立】1941.7【社長】岩瀬史明
23年 ‥【従業員】単863名(‥歳)
24年 ‥【有休】‥日
25年 未定【初任給】‥万
【試験種類】‥【各種制度】‥

【業績】	売上高	営業利益	経常利益	純利益
単22.12	26,742	303	338	192
単23.12	‥	‥	‥	▲91

(株)マンダム

東証 プライム

【本社】540-8530 大阪府大阪市中央区十二軒町5-12 ☎06-6767-5001
化粧品・トイレタリー

採用予定数	倍率	3年後離職率	平均年収
14名	‥	‥	713万円

【特色】「ギャツビー」「ルシード」など男性用化粧品で国内首位級。ヘア用品中心にボディケア、デオドラント製品などを展開。女性用ブランド「ビフェスタ」などを育成中。インドネシア、中国で製造のほか東南アジア、中国、台湾、韓国に販売拠点。
【定着率】‥
【採用】【設立】1927.12【代表取締役】西村健
23年 12【従業員】連2,672名 単619名(42.8歳)
24年 13【有休】‥日
25年 14【初任給】月23.2万(諸手当を除いた数値)
【試験種類】‥【各種制度】‥

【業績】	売上高	営業利益	経常利益	純利益
連23.3	67,047	1,409	2,207	958
連24.3	73,233	2,020	2,981	2,601

カイゲンファーマ

株式公開 計画なし

【本社】541-0045 大阪府大阪市中央区道修町2-5-14 ☎06-6202-8971
医薬品

採用実績数	倍率	3年後離職率	平均年収
8名	‥	‥	‥

【特色】堺化学グループの医薬品・医療機器メーカー。「かぜに改源」の風邪薬で知られる。医薬部外品、健康食品、医療機器、化粧品などの製造・販売、輸出入、臨床検査の受託なども手がける。機能性食品素材・商品の研究で大学やスタートアップ企業とも連携。
【定着率】‥
【採用】【設立】1938.1【社長】笠松尚志
23年 4【従業員】単230名(43.2歳)
24年 8【有休】‥日
25年 未定【初任給】月20.6万(諸手当を除いた数値)
【試験種類】‥【各種制度】‥

【業績】	売上高	営業利益	経常利益	純利益
単23.3	8,139	272	290	▲41
単24.3	8,240	86	112	▲339

バイエル薬品（やくひん）
株式公開計画なし

【本社】530-0001 大阪府大阪市北区梅田2-4-9 ブリーゼタワー ☎06-6133-7000
医薬品

採用実績数	倍率	3年後離職率	平均年収
5名	‥	‥	‥

【特色】ドイツ製薬大手バイエル社の日本法人。医療用医薬品、コンシューマーヘルスの2事業を展開。医療用医薬品は循環器・腎臓領域が主力。がんを中心とした腫瘍や、循環器、腎臓領域などを中心に有効な治療法のない病気に対する医療ニーズの高い疾患に注力。
【定着率】‥
【採用】 【設立】1973.4【社長】Y.チェン
23年 2【従業員】単1,591名(‥歳)
24年 5【有休】‥日
25年 未定【初任給】‥万
【試験種類】‥【各種制度】‥

【業績】	売上高	営業利益	経常利益	純利益
単22.12	229,648	16,607	15,238	▲11,917
単23.12	223,877	21,794	20,931	24,325

㈱アサヒペン
東証スタンダード

【本社】538-8666 大阪府大阪市鶴見区鶴見4-1-12 ☎06-6930-5001
化学

採用予定数	倍率	3年後離職率	平均年収
若干	‥	‥	556万円

【特色】家庭用塗料の最大手メーカー。当初は建築用塗料を手がけたが、その後家庭用専業に転身。現在は工業用塗料も扱う。いち早く全国に販売網を築き、国内シェアは3割弱。壁紙などのインテリア用品、ガーデニング用品、ホームケア用品も展開。
【定着率】‥
【採用】 【設立】1947.9【社長】澤田耕吾
23年 0【従業員】連259名 単149名(43.2歳)
24年 0【有休】‥日
25年 若干【初任給】月23.8万(諸手当を除いた数値)
【試験種類】‥【各種制度】‥

【業績】	売上高	営業利益	経常利益	純利益
連23.3	17,130	791	995	653
連24.3	17,106	844	923	380

イサム塗料（とりょう）
東証スタンダード

【本社】553-0002 大阪府大阪市福島区鷺洲2-15-24 ☎06-6458-0036
化学

採用実績数	倍率	3年後離職率	平均年収
2名	‥	‥	‥

【特色】メンテナンス分野に特化した自動車補修用塗料が主力。建築用、工業用、エアゾールなども手がける。建築用塗料はメンテナンスが主軸だが新築も対応。DIY分野も拡充。環境対応型、機能性塗料にも力を入れる。滋賀工場で集中生産し効率化。
【定着率】‥
【採用】 【設立】1947.7【社長】北村倍章
23年 0【従業員】連208名 単201名(43.2歳)
24年 2【有休】‥日
25年 未定【初任給】月21.1万(諸手当を除いた数値)
【試験種類】‥【各種制度】‥

【業績】	売上高	営業利益	経常利益	純利益
連23.3	7,601	537	637	436
連24.3	7,995	645	754	520

大崎工業（おおさきこうぎょう）
株式公開計画なし

【本社】593-8311 大阪府堺市西区上89 ☎072-272-1453
化学

採用予定数	倍率	3年後離職率	平均年収
未定	‥	‥	‥

【特色】無機・有機ファインケミカル製品、電子材料関連(金属粉)、交通安全・環境福祉資材等を製造・販売するメーカー。国内初の路面標示用塗料「ラインファルト」が代表製品。視覚障害者誘導用標示なども展開。堺化学工業の子会社。
【定着率】‥
【採用】 【設立】1961.2【社長】柳下正之
23年 1【従業員】単104名(42.4歳)
24年 0【有休】‥日
25年 未定【初任給】‥万
【試験種類】‥【各種制度】‥

【業績】	売上高	営業利益	経常利益	純利益
単23.3	4,698	411	415	285
単24.3	4,325	184	186	98

オリエント化学工業（かがくこうぎょう）
株式公開計画なし

【本社】541-0054 大阪府大阪市中央区南本町1-7-15 明治安田生命堺筋本町ビル11階 ☎06-6261-2010
化学

採用予定数	倍率	3年後離職率	平均年収
2名	‥	‥	‥

【特色】染料・顔料、機能性材料を扱う化学メーカー。自動車向けプラスチック用着色材、プリンター用トナーなどが主力。黒色染料ニグロシン世界首位。独自技術と研究開発力に定評。グローバル化を積極推進しており、北米に現地法人を展開。海外売上比率は約5割。
【定着率】‥
【採用】 【設立】1949.12【社長】髙橋昭博
23年 2【従業員】単210名(43.8歳)
24年 2【有休】‥日
25年 2【初任給】月24.4万(諸手当を除いた数値)
【試験種類】‥【各種制度】‥

【業績】	売上高	営業利益	経常利益	純利益
単23.3	8,310	‥	1,136	‥
単24.3	7,233	‥	660	‥

キシダ化学（かがく）
株式公開計画なし

【本社】540-0029 大阪府大阪市中央区本町橋3-1 ☎06-6946-8061
化学

採用実績数	倍率	3年後離職率	平均年収
0名	‥	‥	‥

【特色】研究試験用試薬を中心に高純度特殊原料薬品、電池材料などを製造・販売する化学メーカー。スクリーニング用化合物ライブラリーや受託合成など創薬研究支援サービスも提供。徳島・阿波市に工場。1924年創業の老舗。
【定着率】‥
【採用】 【設立】1941.6【社長】岸田充弘
23年 0【従業員】単264名(43.0歳)
24年 0【有休】‥日
25年 0【初任給】月20.3万(諸手当を除いた数値)
【試験種類】‥【各種制度】‥

【業績】	売上高	営業利益	経常利益	純利益
単22.9	14,001	▲309	▲279	▲284
単23.9	14,340	113	195	175

大阪府

阪本薬品工業（さかもとやくひんこうぎょう）
株式公開計画なし

【本社】541-0047 大阪府大阪市中央区淡路町1-2-6 ☎06-6231-1851
化学

採用予定数	倍率	3年後離職率	平均年収
14名	‥	‥	‥

【特色】国内首位の天然グリセリンメーカー。改質剤、乳化剤、保湿剤など各種誘導品の開発に強み。大手食品、化粧品メーカーなどに有力顧客を持つ。大阪・泉大津市と大東市、兵庫・赤穂市に工場。フィリピンで現地生産を展開。
【定着率】‥
【採用】 【設立】1951.5【社長】阪本真宏
23年 12【従業員】単326名(42.5歳)
24年 10【有休】‥日
25年 14【初任給】月23万
【試験種類】‥【各種制度】‥

【業績】	売上高	営業利益	経常利益	純利益
単22.10	22,432	779	940	596
単23.10	21,495	518	617	278

ステラ ケミファ
東証プライム

【本社】541-0044 大阪府大阪市中央区伏見町4-1-1 明治安田生命大阪御堂筋ビル ☎06-4707-1511
化学

採用予定数	倍率	3年後離職率	平均年収
5名	‥	‥	686万円

【特色】フッ素化合物を中心とする高純度薬品で世界首位。半導体デバイス用の超高純度エッチング剤や洗浄剤向けのほか、シリコンウエハに焼き付ける露光装置用レンズ原料、リチウム電池用添加剤などが使用用途。蛍光体関連材料やホウ素薬剤なども手がける。
【定着率】‥
【採用】 【設立】1944.2【社長】橋本亜希
23年 10【従業員】連706名 単304名(39.0歳)
24年 10【有休】‥日
25年 5【初任給】月22.2万(諸手当を除いた数値)
【試験種類】‥【各種制度】‥

【業績】	売上高	営業利益	経常利益	純利益
連23.3	35,382	3,514	4,347	2,280
連24.3	30,446	2,722	3,064	1,845

正同化学工業（せいどうかがくこうぎょう）
株式公開計画なし

【本社】541-0041 大阪府大阪市中央区北浜2-1-26 北浜松岡ビル3階 ☎06-6231-0515
化学

採用実績数	倍率	3年後離職率	平均年収
1名	‥	‥	‥

【特色】亜鉛、ニッケル、コバルトが原料の各種高品位化合物を製造・販売するメーカー。自動車タイヤ向け酸化亜鉛や電子部品向け酸化ニッケル、酸化コバルトなどが主力。炭酸亜鉛「セドアエン」は家畜飼料添加剤として開発。
【定着率】‥
【採用】 【設立】1947.4【社長】吉川友章
23年 1【従業員】単84名(42.8歳)
24年 1【有休】‥日
25年 未定【初任給】‥万
【試験種類】‥【各種制度】‥

【業績】	売上高	営業利益	経常利益	純利益
単22.10	15,508	2,845	2,939	1,899
単23.10	11,951	▲339	▲280	▲311

南海化学（なんかいかがく）
東証スタンダード

【本社】550-0015 大阪府大阪市西区南堀江1-12-19 四ツ橋スタービル ☎06-6532-5590
化学

採用予定数	倍率	3年後離職率	平均年収
10名	‥	‥	673万円

【特色】老舗化学品メーカー。苛性ソーダ、次亜塩素酸ソーダなど塩素や水素を活用した製品を扱う基礎化学品、食品添加物、健康食品、医薬・農薬・電子材料の中間体などの機能化学品、土壌殺菌剤として使用されているクロルピクリンなどを製造・販売。
【定着率】‥
【採用】 【設立】1951.6【取締】杉岡伸也
23年 ‥【従業員】連308名 単217名(44.7歳)
24年 5【有休】‥日
25年 10【初任給】月21.8万(諸手当を除いた数値)
【試験種類】‥【各種制度】‥

【業績】	売上高	営業利益	経常利益	純利益
連23.3	19,601	796	886	504
連24.3	19,987	1,564	1,780	1,158

㈱ニイタカ
東証スタンダード

【本社】532-8560 大阪府大阪市淀川区新高1-8-10 ☎06-6391-3266
化学

採用予定数	倍率	3年後離職率	平均年収
若干	‥	‥	783万円

【特色】業務用洗剤、洗浄剤、固形燃料を製造販売。業務用洗剤では花王に次ぐ大手の一角占め、「マイソフト」はロングセラー。旅館や外食向けの固形燃料は国内首位。除菌用アルコール製剤も手がける。乳酸菌発酵品を核にヘルスケア分野を強化。
【定着率】‥
【採用】 【設立】1963.4【社長】野尻大介
23年 ‥【従業員】連394名 単239名(44.1歳)
24年 ‥【有休】‥日
25年 若干【初任給】‥万
【試験種類】‥【各種制度】‥

【業績】	売上高	営業利益	経常利益	純利益
連23.5	19,504	855	886	561
連24.5	22,739	1,476	1,500	705

富士化学（ふじかがく）
株式公開計画なし

【本社】534-0024 大阪府大阪市都島区東野田町3-2-33 ☎06-6358-0185
化学

採用予定数	倍率	3年後離職率	平均年収
1名	‥	‥	‥

【特色】珪酸ソーダ、地盤改良材、コンクリート強化防水材などの工業薬品メーカー。全国で営業を展開し、業界トップ級。東京、大阪、名古屋などに工場。岐阜・中津川のテクニカルセンターで材料の受託開発も。ベトナムで珪酸ソーダを現地生産。
【定着率】‥
【採用】 【設立】1948.11【社長】河本嘉信
23年 1【従業員】単118名(41.4歳)
24年 0【有休】‥日
25年 1【初任給】月21.6万(諸手当を除いた数値)
【試験種類】‥【各種制度】‥

【業績】	売上高	営業利益	経常利益	純利益
単22.9	8,814	790	918	357
単23.9	8,644	449	557	450

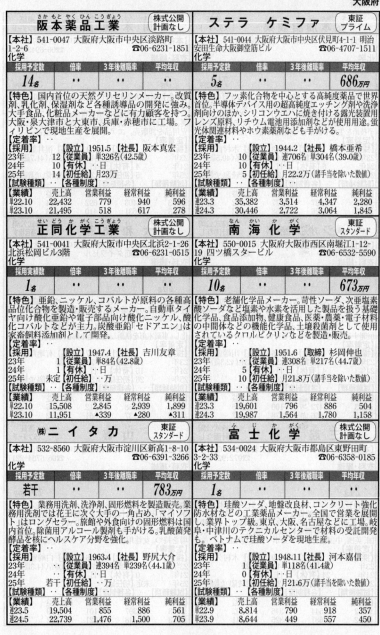

松本油脂製薬（まつもとゆしせいやく）　東証スタンダード

【本社】581-0075 大阪府八尾市渋川町2-1-3 ☎072-991-1001
化学

採用実績数	倍率	3年後離職率	平均年収
6名	‥	‥	713万円

【特色】界面活性剤の総合メーカー。売り上げの過半が繊維工業向けで、残りは自動車、建材、電子向けが用途。アジア各国に積極進出。インドネシアや台湾に生産拠点を置き、海外売上高比率は約70%を占める。界面や高分子技術を生かし新素材・新用途開拓に力点。
【定着率】‥
【採用】　【設立】1939.3【社長】木村直樹
23年　4【従業員】連403名 単331名(40.5歳)
24年　6【有休】‥日
25年　増加【初任給】月25.6万(諸手当を除いた数値)
【試験種類】‥【各種制度】‥

【業績】	売上高	営業利益	経常利益	純利益
連23.3	39,627	7,777	9,472	7,247
連24.3	41,526	8,758	10,733	7,504

川本産業（かわもとさんぎょう）　東証スタンダード

【本社】540-0012 大阪府大阪市中央区谷町2-6-4 ☎06-6943-8951
衣料・繊維

採用予定数	倍率	3年後離職率	平均年収
5名	‥	‥	515万円

【特色】医療用衛生材料で最大手。医療機関・施設向けのメディカル事業、薬局・ドラッグストア向けのコンシューマ事業を展開。感染管理、口腔ケア、育児、介護、衛生材料などの商品を扱う。西松屋チェーンに育児用品を卸販売。エア・ウォーターの子会社。
【定着率】‥
【採用】　【設立】1931.1【社長】福井誠
23年　4【従業員】連420名 単229名(41.7歳)
24年　4【有休】‥日
25年　5【初任給】月21万(諸手当を除いた数値)
【試験種類】‥【各種制度】‥

【業績】	売上高	営業利益	経常利益	純利益
連23.3	30,403	692	824	747
連24.3	29,631	410	563	401

㈱ジオン商事（しょうじ）　株式公開計画なし

【本社】550-0004 大阪府大阪市西区靭本町1-12-4 信濃橋東洋ビル ☎06-7525-8000
衣料・繊維

採用予定数	倍率	3年後離職率	平均年収
1名	‥	‥	‥

【特色】「ジネス」「ドレスレイブ」「ティテインザストア」など自社ブランド婦人服の企画・製造・卸売・小売を展開。百貨店やファッションビルに直営店を出店。オンラインストアも運営。雑貨小売の「スリーフォータイム」も展開する。香港に現地法人を持つ。
【定着率】‥
【採用】　【設立】1968.6【社長】川端康資
23年　0【従業員】連267名 単83名(42.3歳)
24年　4【有休】‥日
25年　1【初任給】月21.5万
【試験種類】‥【各種制度】‥

【業績】	売上高	営業利益	経常利益	純利益
連23.3	7,472	100	1,046	276
連24.3	6,666	178	1,147	700

大和紡績（だいわぼうせき）　株式公開上場目指す

【本社】541-0056 大阪府大阪市中央区久太郎町3-6-8 JRE御堂筋ダイワビル ☎06-6281-2512
衣料・繊維

採用予定数	倍率	3年後離職率	平均年収
26名	‥	‥	‥

【特色】繊維の大手総合メーカーで、合繊・不織布、産業資材、衣料品の3事業が柱。原料調達、製造、販売まで一貫した生産体制。顧客の要望に応じた機能を付与し、差別化素材の開発に注力。研究開発機能は播磨研究所に一本化し、事業本部を横断した開発体制も可能に。
【定着率】‥
【採用】　【設立】2009.7【社長】有地邦彦
23年　15【従業員】単752名(‥歳)
24年　15【有休】‥日
25年　26【初任給】月23.3万(諸手当を除いた数値)
【試験種類】‥【各種制度】‥

【業績】	売上高	営業利益	経常利益	純利益
単23.3	39,358	712	1,076	585
単24.3	36,137	661	1,092	838

三起商行（みきしょうこう）　株式公開計画なし

【本社】581-8505 大阪府八尾市若林町1-76-2 ☎072-920-2111
衣料・繊維

採用実績数	倍率	3年後離職率	平均年収
24名	‥	‥	‥

【特色】「ミキハウス」ブランドのベビー・子供服の製造卸。絵本、玩具、雑貨なども扱う。オンラインショップも運営。業界大手。国内直営約100店と小売専門店のほか、世界各都市約100店で販売。フランス、米国、英国、中国、台湾、シンガポールに現地法人。
【定着率】‥
【採用】　【設立】1978.9【社長】木村久一
23年　18【従業員】単431名(‥歳)
24年　24【有休】‥日
25年　未定【初任給】月25万(諸手当を除いた数値)
【試験種類】‥【各種制度】‥

【業績】	売上高	営業利益	経常利益	純利益
単23.2	17,544	346	402	77
単24.2	17,681	325	441	80

山喜（やまき）　東証スタンダード

【本社】540-0005 大阪府大阪市中央区上町1-3-1 ☎06-6764-2211
衣料・繊維

採用予定数	倍率	3年後離職率	平均年収
未定	‥	‥	497万円

【特色】紳士用ドレスシャツ・カジュアルシャツ大手。百貨店販路は「CHOYA」、量販店販路は「SHIRT HOUSE」で展開。OEM・ODMも手がける。タイとラオスに自社工場、バングラデシュに協力工場を持つ。女性用ビジネスシャツを育成。
【定着率】‥
【採用】　【設立】1948.6【社長】白﨑雅郎
23年　0【従業員】連749名 単109名(44.3歳)
24年　0【有休】‥日
25年　未定【初任給】‥万
【試験種類】‥【各種制度】‥

【業績】	売上高	営業利益	経常利益	純利益
連23.3	11,397	▲101	▲79	468
連24.3	11,448	221	262	214

三和（さんわ）

株式公開計画なし

【本社】542-0081 大阪府大阪市中央区南船場2-3-13 ☎06-6261-0857
衣料・繊維

採用実績数	倍率	3年後離職率	平均年収
1名	‥	‥	‥

【特色】ファッションアパレルメーカー。自社企画の生活衣料を海外の協力工場で生産。大手GMS(総合スーパー)、全国のスーパー、専門店へ卸売り。企画力、品質力が強み。寝具、バスマット、マスクなど雑貨も取り扱う。中国に物流センターを有する。
【定着率】‥
【採用】 【設立】1946.10【社長】加藤榮三
23年 1【従業員】単121名(50.2歳)
24年 1【有休】‥日
25年 0【初任給】月20.5万(諸手当を除いた数値)
【試験種類】‥【各種制度】‥

【業績】	売上高	営業利益	経常利益	純利益
単23.1	11,343	‥	235	135
単24.1	12,189	‥	788	468

㈱十川ゴム（とがわ）

株式公開計画なし

【本社】550-0015 大阪府大阪市西区南堀江4-2-5 ☎06-6538-1261
ガラス・土石・ゴム

採用実績数	倍率	3年後離職率	平均年収
22名	‥	‥	‥

【特色】産業用各種ホースとパッキンなどゴム工業用品の製造・販売を2本柱とする老舗メーカー。全国に営業網。国内工場4カ所。中国・浙江省に生産現法。ゴムと樹脂の複合化製品、樹脂の2色成形品などの拡販に注力。放射線遮蔽ゴムシートなど新製品も展開。
【定着率】‥
【採用】 【設立】1929.7【社長】十川利男
23年 25【従業員】単655名(42.6歳)
24年 22【有休】‥日
25年 未定【初任給】月21.3万(諸手当を除いた数値)
【試験種類】‥【各種制度】‥

【業績】	売上高	営業利益	経常利益	純利益
単23.3	14,047	122	172	138
単24.3	14,029	49	117	95

ニッタ

東証プライム

【本社】556-0022 大阪府大阪市浪速区桜川4-4-26 ☎06-6563-1211
ゴム

採用予定数	倍率	3年後離職率	平均年収
15名	‥	‥	664万円

【特色】伝動用ベルトの草分け。物流業界向けの搬送用ベルト、自動車向けや半導体装置向けのチューブなどが主力製品。シリコンウエハ研磨用パッドや自動車用歯付きベルトを製造する有力合弁会社2社が収益貢献。ファーマバイオと眼科疾患の再生医療分野で共同開発。
【定着率】‥
【採用】 【設立】1945.2【社長】石切山靖順
23年 19【従業員】連2,959名 単1,092名(43.3歳)
24年 12【有休】‥日
25年 15【初任給】月22.2万(諸手当を除いた数値)
【試験種類】‥【各種制度】‥

【業績】	売上高	営業利益	経常利益	純利益
連23.3	88,000	4,989	12,900	10,853
連24.3	88,609	4,421	12,007	9,857

ヤマウチ

株式公開計画なし

【本社】573-1132 大阪府枚方市招提田近2-7 ☎072-856-1130
ゴム

採用実績数	倍率	3年後離職率	平均年収
19名	‥	‥	‥

【特色】ゲーム機用、複写機・プリンター用の機能性ゴム部品、製紙マシン用大型ロールなどの機能性製品を製造・販売。京都長田野工場に開発拠点を併設。ベルギー、シンガポール、マレーシア、中国に生産拠点、米国、韓国、香港に販売拠点を置く。
【定着率】‥
【採用】 【設立】1948.3【社長】山内孝夫
23年 12【従業員】連1,701名 単341名(41.5歳)
24年 19【有休】‥日
25年 未定【初任給】月22.1万(諸手当を除いた数値)
【試験種類】‥【各種制度】‥

【業績】	売上高	営業利益	経常利益	純利益
連22.12	24,109	1,511	1,811	1,321
連23.12	21,385	758	977	619

東洋炭素（とうようたんそ）

東証プライム

【本社】530-0001 大阪府大阪市北区梅田1-13-1 大阪梅田ツインタワーズ・サウス ☎050-3097-4950
ガラス・土石・ゴム

採用予定数	倍率	3年後離職率	平均年収
32名	‥	‥	728万円

【特色】炭素製品の専業メーカー。高強度が特長の「等方性黒鉛」の先駆者で世界最大の生産能力を有する。等方性黒鉛は半導体向けに需要拡大。ウエハ保持に用いるSiCコート黒鉛製品や炭素繊維を炭素で強化したC／Cコンポジット製品などの複合材も成長。
【定着率】‥
【採用】 【設立】1947.7【会長兼社長】近藤尚孝
23年 23【従業員】連1,783名 単978名(42.9歳)
24年 33【有休】‥日
25年 32【初任給】月22.1万(諸手当を除いた数値)
【試験種類】‥【各種制度】‥

【業績】	売上高	営業利益	経常利益	純利益
連22.12	43,774	6,667	7,369	5,181
連23.12	49,251	9,283	10,182	7,506

ニューレジストン

株式公開計画なし

【本社】594-1157 大阪府和泉市あゆみ野2-1-1 ☎0725-51-2291
ガラス・土石・ゴム

採用実績数	倍率	3年後離職率	平均年収
2名	‥	‥	‥

【特色】工業用砥石の専業メーカー。オフセット砥石分野で国内シェア約2割、業界2位。「スーパーグリーン」「スーパーグリーンシグマ」を軸に営業展開。アジア・欧米に輸出。エアー工具や先端工具で切断・研磨分野などへの業容拡大を目指す。
【定着率】‥
【採用】 【設立】1967.9【社長】山内憲司
23年 2【従業員】単107名(43.6歳)
24年 2【有休】‥日
25年 未定【初任給】月23.5万(諸手当を除いた数値)
【試験種類】‥【各種制度】‥

【業績】	売上高	営業利益	経常利益	純利益
単22.3	2,811	88	69	23
単23.3	3,194	30	20	52

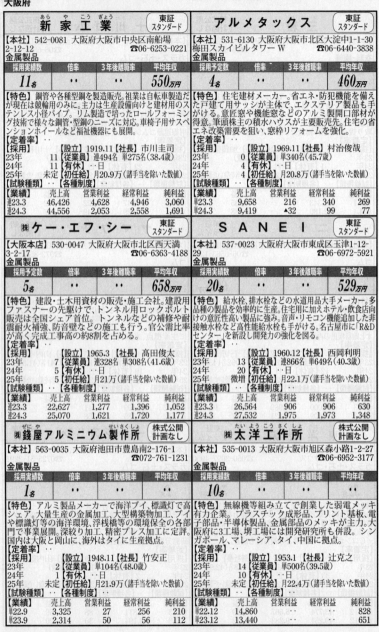

新家工業（あらやこうぎょう）
東証スタンダード

【本社】542-0081 大阪府大阪市中央区南船場2-12-12 ☎06-6253-0221
金属製品

採用実績数	倍率	3年後離職率	平均年収
11名	‥	‥	550万円

【特色】鋼管や各種型鋼を製造販売。祖業は自転車製造だが現在は競輪用のみに。主力は生産設備向けと建材用のステンレス小径パイプ。リム製造で培ったロールフォーミング技術で様々な鋼管・型鋼のニーズに対応。車椅子用サスペンションホイールなど福祉機器にも展開。
【定着率】‥
【採用】 【設立】1919.11【社長】市川圭司
23年 11【従業員】連494名 単275名(38.4歳)
24年 11【有休】‥日
25年 未定【初任給】月20.9万(諸手当を除いた数値)
【試験種類】‥【各種制度】‥

【業績】	売上高	営業利益	経常利益	純利益
連23.3	46,426	4,628	4,946	3,060
連24.3	44,556	2,053	2,558	1,691

アルメタックス
東証スタンダード

【本社】531-6130 大阪府大阪市北区大淀中1-1-30 梅田スカイビルタワー W ☎06-6440-3838
金属製品

採用予定数	倍率	3年後離職率	平均年収
4名	‥	‥	460万円

【特色】住宅建材メーカー。省エネ・防犯機能を備えた戸建て用サッシが主体で、エクステリア製品も手がける。意匠窓や機能窓などのアルミ製開口部材が得意。筆頭株主の積水ハウスが主要販売先。住宅の省エネ改築需要を狙い、窓枠リフォームを強化。
【定着率】‥
【採用】 【設立】1969.11【社長】村治俊哉
23年 0【従業員】単340名(45.7歳)
24年 4【有休】‥日
25年 4【初任給】月20.8万(諸手当を除いた数値)
【試験種類】‥【各種制度】‥

【業績】	売上高	営業利益	経常利益	純利益
単23.3	9,658	216	340	269
単24.3	9,419	▲32	99	77

㈱ケー・エフ・シー
東証スタンダード

【大阪本店】530-0047 大阪府大阪市北区西天満3-2-17 ☎06-6363-4188
金属製品

採用予定数	倍率	3年後離職率	平均年収
5名	‥	‥	658万円

【特色】建設・土木用資材の販売・施工会社。建設用ファスナーの先駆けで、トンネル用ロックボルト販売は全国シェア首位。トンネルなどの補修や耐震耐火補強、防音壁などの施工も行う。官公需比率が高く完成工事高の約8割を占める。
【定着率】‥
【採用】 【設立】1965.3【社長】髙田俊太
23年 7【従業員】連328名 単308名(41.6歳)
24年 5【有休】‥日
25年 5【初任給】月21万(諸手当を除いた数値)
【試験種類】‥【各種制度】‥

【業績】	売上高	営業利益	経常利益	純利益
連23.3	22,627	1,277	1,396	1,052
連24.3	25,070	1,621	1,720	1,177

SANEI
東証スタンダード

【本社】537-0023 大阪府大阪市東成区玉津1-12-29 ☎06-6972-5921
金属製品

採用実績数	倍率	3年後離職率	平均年収
20名	‥	‥	529万円

【特色】給水栓、排水栓などの水道用品大手メーカー。多品種の製品を効率的に生産。住宅用に加えホテル・飲食店向けの意匠性高い製品に強み。音声・リモコン機能追加した非接触水栓など高性能給水栓も手がける。名古屋市に「R&Dセンター」を新設し開発力の強化を図る。
【定着率】‥
【採用】 【設立】1960.12【社長】西岡利明
23年 13【従業員】連866名 単649名(40.3歳)
24年 20【有休】‥日
25年 微増【初任給】月22.1万(諸手当を除いた数値)
【試験種類】‥【各種制度】‥

【業績】	売上高	営業利益	経常利益	純利益
連23.3	26,564	906	906	630
連24.3	27,532	1,975	1,973	1,348

㈱錢屋アルミニウム製作所（ぜにやせいさくしょ）
株式公開計画なし

【本社】563-0035 大阪府池田市豊島南2-176-1 ☎072-761-1231
金属製品

採用実績数	倍率	3年後離職率	平均年収
1名	‥	‥	‥

【特色】アルミ製品メーカーで海洋ブイ、標識灯で高シェア。大量生産の金属加工、大型構築物加工、ブイや標識灯等の海洋環境、浮桟橋等の環境保全の各部門で事業展開。深絞り加工、精密プレス加工に定評。国内は大阪と岡山に、海外はタイに生産拠点。
【定着率】‥
【採用】 【設立】1948.11【社長】竹安正
23年 2【従業員】単104名(48.0歳)
24年 1【有休】‥日
25年 未定【初任給】月21.9万(諸手当を除いた数値)
【試験種類】‥【各種制度】‥

【業績】	売上高	営業利益	経常利益	純利益
単22.9	3,325	27	256	210
単23.9	2,314	50	56	112

㈱太洋工作所（たいようこうさくしょ）
株式公開計画なし

【本社】535-0013 大阪府大阪市旭区森小路1-2-27 ☎06-6952-3177
金属製品

採用実績数	倍率	3年後離職率	平均年収
10名	‥	‥	‥

【特色】無線機等組み立てで創業した弱電メッキ有力企業。プラスチック成形品、プリント基板、電子部品・半導体製品、金属部品のメッキが主力。大阪府に3工場、堺工場には開発研究所も併設。シンガポール、マレーシア、タイ、中国に拠点。
【定着率】‥
【採用】 【設立】1953.1【社長】辻克之
23年 14【従業員】単500名(39.5歳)
24年 10【有休】‥日
25年 未定【初任給】月22.4万(諸手当を除いた数値)
【試験種類】‥【各種制度】‥

【業績】	売上高	営業利益	経常利益	純利益
単22.12	14,860	‥	‥	828
単23.12	13,440	‥	‥	651

㈱ツヅキ

株式公開計画なし

【本社】579-8013 大阪府東大阪市西石切町5-1-42 ☎072-985-2821

金属製品

採用予定数	倍率	3年後離職率	平均年収
2名	‥	‥	‥

【特色】ビル用を主体としたアルミ内外装建材メーカー。開発・製造・販売・施工までワンストップで取り扱う。アルミ笠木分野では全国シェア首位級。省エネで耐久性に優れた「LLH外断熱通気層システム」を開発、拡大に注力。

【定着率】‥

【採用】 【設立】1972.12【社長】髙橋浩二

23年 2【従業員】単212名(41.9歳)

24年 1【有休】‥日

25年 2【初任給】月22.4万(諸手当を除いた数値)

【試験種類】‥【各種制度】‥

【業績】	売上高	営業利益	経常利益	純利益
単22.6	4,554	19	52	36
単23.6	4,657	▲126	▲70	▲95

㈱中西製作所（なかにしせいさくしょ）

東証スタンダード

【本社】544-0015 大阪府大阪市生野区巽南5-4-14 ☎06-6791-1111

金属製品

採用予定数	倍率	3年後離職率	平均年収
18名	‥	‥	593万円

【特色】業務用厨房機器大手。大型食器洗浄機、大型炊飯器、消毒機器を扱う。学校給食センターが主要販売先で、外食産業向けは日本マクドナルドなども有力顧客。熱設備メーカーと水素燃焼調理機を共同開発。ロボットスタートアップに出資し配膳ロボット開発などで連携する。

【定着率】‥

【採用】 【設立】1958.8【社長】中西一真

23年 11【従業員】単613名(40.9歳)

24年 18【有休】‥日

25年 18【初任給】月21.2万(諸手当を除いた数値)

【試験種類】‥【各種制度】‥

【業績】	売上高	営業利益	経常利益	純利益
単23.3	30,668	1,072	1,193	803
単24.3	36,602	1,966	2,086	1,519

日本（にほん）パワーファスニング

東証スタンダード

【本社】562-0036 大阪府箕面市船場西1-8-3 ☎072-789-9700

金属製品

採用予定数	倍率	3年後離職率	平均年収
未定	‥	‥	407万円

【特色】工業用ファスナー（ネジ、ピン、ばねなど）大手。プレハブ住宅向け締結金具や、ガス燃焼圧力で鋼板に鋲を打ち込むガスツールが主力。高耐食表面処理を施した「たたき込みアンカー」が高評価。コンクリート系の一般建築向け育成中。

【定着率】‥

【採用】 【設立】1964.4【社長】安田正利

23年 0【従業員】連148名 単145名(44.7歳)

24年 0【有休】‥日

25年 未定【初任給】月21万(諸手当を除いた数値)

【試験種類】‥【各種制度】‥

【業績】	売上高	営業利益	経常利益	純利益
連22.12	5,354	85	14	40
連23.12	5,108	▲125	▲44	▲108

フェザー安全剃刀（あんぜんかみそり）

株式公開未定

【本社】531-0075 大阪府大阪市北区大淀南3-3-70 ☎06-6458-1631

金属製品

採用予定数	倍率	3年後離職率	平均年収
4名	‥	‥	‥

【特色】安全カミソリで知名度の高い刃物メーカー。シェービングレザーなど理美容商品、外科用替刃メスなど医療用商品の国内シェアは圧倒的。産業用機械向け製品も展開。輸出は世界約130カ国。岐阜県内に2工場、総合研究所を置く。

【定着率】‥

【採用】 【設立】1932.7【社長】岸田英三

23年 6【従業員】単421名(41.7歳)

24年 6【有休】‥日

25年 4【初任給】月23.7万

【試験種類】‥【各種制度】‥

【業績】	売上高	営業利益	経常利益	純利益
単23.3	9,863	1,991	2,122	1,433
単24.3	9,743	1,908	2,009	1,355

モリテック スチール

東証スタンダード

【本社】542-0012 大阪府大阪市中央区谷町6-18-31 ☎06-6762-2721

金属製品

採用予定数	倍率	3年後離職率	平均年収
9名	‥	‥	495万円

【特色】特殊帯鋼の専門商社と金属加工メーカーの両輪経営。自動車のエンジン・ミッションをはじめ、家電製品、農業機械、住環境機器向けに製品を供給。グローバル展開を推進し、アジアやメキシコに拠点。次世代自動車領域の開発を推進。

【定着率】‥

【採用】 【設立】1950.11【社長】門高司

23年 4【従業員】連724名 単336名(42.1歳)

24年 4【有休】‥日

25年 9【初任給】月21.6万(諸手当を除いた数値)

【試験種類】‥【各種制度】‥

【業績】	売上高	営業利益	経常利益	純利益
連23.3	36,334	▲75	▲4	▲704
連24.3	50,774	260	441	312

東神電気（とうしんでんき）

株式公開計画なし

【本社】532-0033 大阪府大阪市淀川区新高1-3-8 ☎06-6393-2345

金属製品

採用予定数	倍率	3年後離職率	平均年収
8名	‥	‥	‥

【特色】電力会社向け配電用架線金物、通信設備用架線金物を製造。らせん製品、電線接続・接地・地中線材料ほか、支持物や関連工具も手がける。猛暑・夏の作業者向け冷感ミスト材など新分野商品を拡販。大垣工場を主力工場とし、全国に5工場。

【定着率】‥

【採用】 【設立】1947.8【社長】寺岡龍朗

23年 2【従業員】単123名(46.2歳)

24年 1【有休】‥日

25年 8【初任給】月21.9万(諸手当を除いた数値)

【試験種類】‥【各種制度】‥

【業績】	売上高	営業利益	経常利益	純利益
単23.3	9,149	‥	1,049	627
単24.3	7,609	‥	2,702	1,685

㈱サンユウ

東証スタンダード

【本社】573-0137 大阪府枚方市春日北町3-1-1 ☎072-858-1251

鉄鋼

採用実績数	倍率	3年後離職率	平均年収
3名	‥	‥	606万円

【特色】磨き棒鋼、冷間圧造用鋼線の専業2次加工メーカー。関西ではトップメーカー。主力の枚方工場は棒鋼製品中心に多品種少量生産を行い、八尾工場は自動車用部材となる冷間圧造用鋼線を集中生産。自動車、建機向けが主体。日本製鉄系。

【定着率】‥

【採用】 【設立】1957.1【社長】喜多章

23年 0【従業員】連310名 単202名(40.0歳)

24年 3【有休】‥日

25年 微増【初任給】月20.6万(諸手当を除いた数値)

【試験種類】‥【各種制度】‥

【業績】	売上高	営業利益	経常利益	純利益
連23.3	23,935	966	1,041	645
連24.3	24,012	595	653	386

ナカジマ鋼管(こうかん)

株式公開していない

【本社】530-0001 大阪府大阪市北区梅田2-4-9 ブリーゼタワー11階 ☎06-6341-1811

鉄鋼

採用予定数	倍率	3年後離職率	平均年収
3名	‥	‥	‥

【特色】鉄骨柱材の角形鋼管専業メーカー。市庁舎、空港ターミナル、工場など納入実績多数。加熱した状態で成形する熱間成形角形鋼管は耐震性が高く、国内・海外で高評価。静岡と福井に4生産拠点。産学連携や企業間での共同研究開発にも取り組む。

【定着率】‥

【採用】 【設立】1965.12【社長】中島栄子

23年 4【従業員】単107名(33.0歳)

24年 2【有休】‥日

25年 3【初任給】月21万(諸手当を除いた数値)

【試験種類】‥【各種制度】‥

【業績】	売上高	営業利益	経常利益	純利益
単22.12	21,913	2,070	2,732	1,766
単23.12	17,380	2,248	3,518	2,399

㈱アルミネ

株式公開していない

【本社】550-0011 大阪府大阪市西区阿波座2-3-24 ☎06-6543-1700

非鉄

採用予定数	倍率	3年後離職率	平均年収
未定	‥	‥	‥

【特色】独立系アルミ素材メーカー。線材や棒・条材を独自の連続鋳造圧延法により地金から一貫生産で高品質なアルミ線・棒・板・条を製造。アルミ線は国内高シェア。素材メーカーでは、唯一のユーザー直販体制。国内3工場、ベトナムで生産。

【定着率】‥

【採用】 【設立】1960.11【社長】竹内猛

23年 ‥【従業員】単‥名(‥歳)

24年 ‥【有休】‥日

25年 未定【初任給】‥万

【試験種類】‥【各種制度】‥

【業績】	売上高	営業利益	経常利益	純利益
単23.3	14,427	1,053	1,054	687
単24.3	15,662	1,331	1,645	1,047

㈱大紀(だいき)アルミニウム工業所(こうぎょうしょ)

東証プライム

【本社】530-0005 大阪府大阪市北区中之島3-6-32 ダイビル本館 ☎06-6444-2751

非鉄

採用予定数	倍率	3年後離職率	平均年収
5名	‥	‥	717万円

【特色】アルミスクラップを再生利用するアルミ2次合金地金で国内首位。ダイカスト用、鋳物用地金が主体で自動車向けが多い。海外はタイ、マレーシア、インドネシア、フィリピン、インドなどに進出。鋳造用アルミニウム向け新合金材料の開発に取り組む。

【定着率】‥

【採用】 【設立】1948.10【社長】林繁典

23年 4【従業員】連1,303名 単323名(42.8歳)

24年 5【有休】‥日

25年 5【初任給】月22.8万(諸手当を除いた数値)

【試験種類】‥【各種制度】‥

【業績】	売上高	営業利益	経常利益	純利益
連23.3	273,033	13,744	13,890	9,726
連24.3	262,671	4,619	4,167	3,244

東洋(とうよう)アルミニウム

株式公開計画なし

【大阪オフィス】541-0056 大阪府大阪市中央区久太郎町3-6-8 JRE御堂筋ダイワビル ☎06-6271-3151

非鉄

採用実績数	倍率	3年後離職率	平均年収
16名	‥	‥	‥

【特色】アルミ箔から板、アルミペースト、合金粉、高純度窒化アルミ粉、太陽電池用部材など各種アルミ製品の開発・生産を手がける。アルミホイル、油はね防止パネルなど家庭用商品を製造。欧州、米国、中国、アジアなどに製造・販売拠点。日本軽金属HDグループ。

【定着率】‥

【採用】 【設立】1999.5【社長】楠本薫

23年 27【従業員】連2,558名 単1,477名(44.0歳)

24年 16【有休】‥日

25年 未定【初任給】月25.9万(諸手当を除いた数値)

【試験種類】‥【各種制度】‥

【業績】	売上高	営業利益	経常利益	純利益
連23.3	100,794	876	2,508	3,334
連24.3	105,640	5,472	6,094	3,753

日本伸銅(にほんしんどう)

東証スタンダード

【本社】590-0908 大阪府堺市堺区匠町20-1 ☎072-229-0346

非鉄

採用予定数	倍率	3年後離職率	平均年収
4名	‥	‥	688万円

【特色】黄銅棒・線の大手メーカー。黄銅棒を金型プレスした鍛造加工品も製造。住宅関連のガス機器や水栓・空調向けが中心で、自動車用ネジやボルト、ナット向けにも展開。CKサンエツの子会社。兄弟会社のサンエツ金属と相互OEM供給、原料の共同購買などを行う。

【定着率】‥

【採用】 【設立】1938.4【社長】原田孝之

23年 ‥【従業員】単97名(42.6歳)

24年 4【有休】‥日

25年 4【初任給】月24万(諸手当を除いた数値)

【試験種類】‥【各種制度】‥

【業績】	売上高	営業利益	経常利益	純利益
単23.3	27,242	1,591	1,505	1,031
単24.3	23,338	1,200	801	555

カメヤマ

株式公開 計画なし

【本社】531-0076 大阪府大阪市北区大淀中2-9-11 ☎06-4798-9071
その他メーカー

採用実績数	倍率	3年後離職率	平均年収
3名	‥	‥	‥

【特色】神仏用、バースデーケーキ用などローソクの総合メーカー。芯糸も自社で生産。「花げしき」など線香も製造。キャンドル関連のインテリア雑貨も扱う。傘下に線香メーカーの孔官堂、松竹堂香舗、日本最大のDIYキャンドル教室を展開するJCAを持つ。
【定着率】‥
【採用】【設立】1946.10【会長】谷川花子
23年 1【従業員】単271名(45.2歳)
24年 3【有休】‥日
25年 未定【初任給】‥万
【試験種類】‥【各種制度】‥

【業績】	売上高	営業利益	経常利益	純利益
単23.3	8,551	660	1,603	1,197
単24.3	8,352	704	1,406	963

㈱アーテック

株式公開 計画なし

【本社】581-0066 大阪府八尾市北亀井町3-2-21 ☎072-990-5505
その他メーカー

採用予定数	倍率	3年後離職率	平均年収
11名	‥	‥	‥

【特色】学校教材と教育玩具の専門メーカー。図工・美術、理科などの幼稚園・学校向け教材制作に加え、プログラミング教室運営を行う。1万種類以上の開発教材や知育商品を販売。幼稚園から大学・専門学校まで対象。衛生・介護用品の販売も。
【定着率】‥
【採用】【設立】1960.4【社長】藤原悦
23年 14【従業員】単170名(34.3歳)
24年 10【有休】‥日
25年 11【初任給】月27万(諸手当を除いた数値)
【試験種類】‥【各種制度】‥

【業績】	売上高	営業利益	経常利益	純利益
単22.7	10,385	2,279	2,294	‥
単23.7	8,950	1,137	1,140	‥

朝日(あさひ)ウッドテック

株式公開 未定

【本社】541-0054 大阪府大阪市中央区南本町4-5-10 ☎06-6245-9506
その他メーカー

採用予定数	倍率	3年後離職率	平均年収
14名	‥	‥	‥

【特色】床材、壁・天井材、階段・手摺、玄関部材・造作材などを取り扱う木質内装建材メーカー。主力の床材は戸建住宅や集合住宅のほか保育、高齢者施設などで幅広く利用される。大阪と製造・開発拠点を置き、東京や大阪など5つのショールームも展開。
【定着率】‥
【採用】【設立】1952.9【社長】海堀哲也
23年 20【従業員】単610名(45.0歳)
24年 17【有休】‥日
25年 14【初任給】月22万
【試験種類】‥【各種制度】‥

【業績】	売上高	営業利益	経常利益	純利益
単23.3	29,499	‥	498	‥
単24.3	28,915	‥	818	‥

永大産業(えいだいさんぎょう)

東証 スタンダード

【本社】559-8658 大阪府大阪市住之江区平林南2-10-60 ☎06-6684-3000
その他メーカー

採用予定数	倍率	3年後離職率	平均年収
20名	‥	‥	‥

【特色】住宅用木質建材・設備機器メーカー。主力のフローリング材は国内首位級。室内ドア、クローゼットなどの内装システムやシステムキッチンなどにも展開。廃材をチップ化し、成型したパーティクルボードも手がける。海外はベトナムに進出。
【定着率】‥
【採用】【設立】1946.7【社長】枝園統博
23年 30【従業員】連1,485名 単981名(43.2歳)
24年 20【有休】‥日
25年 20【初任給】月20.8万(諸手当を除いた数値)
【試験種類】‥【各種制度】‥

【業績】	売上高	営業利益	経常利益	純利益
連23.3	69,787	▲1,143	▲1,309	▲1,104
連24.3	71,665	368	321	3,219

㈱くろがね工作所(こうさくしょ)

東証 スタンダード

【本社】550-0013 大阪府大阪市西区新町1-4-24 大阪四ツ橋新町ビル ☎06-6538-1010
その他メーカー

採用実績数	倍率	3年後離職率	平均年収
8名	‥	‥	476万円

【特色】オフィス家具中堅メーカー。オフィス全体に関するソリューション設計も手がける。病院や公共施設も事業対象。米スチールケース社提携で外資系企業にも強い。医療・高齢者施設向け機器のOEM生産行う建築付帯設備機器の事業持つ。家庭用学習デスクでも著名。
【定着率】‥
【採用】【設立】1936.3【社長】田中成典
23年 6【従業員】連253名 単236名(48.2歳)
24年 8【有休】‥日
25年 前年並【初任給】月20.7万(諸手当を除いた数値)
【試験種類】‥【各種制度】‥

【業績】	売上高	営業利益	経常利益	純利益
連22.11	6,920	▲260	▲265	▲566
連23.11	7,180	▲139	▲178	1,214

㈱幸和製作所(こうわせいさくしょ)

東証 スタンダード

【本社】590-0982 大阪府堺市堺区海山町3-159-1 ☎072-238-0605
その他メーカー

採用予定数	倍率	3年後離職率	平均年収
未定	‥	‥	565万円

【特色】介護用品と福祉用具の製造・販売が主事業。歩行を補助する歩行車はシェア首位。他にシルバーカー、車いす、杖、入浴補助器具など多分野に展開。歩行車などは中国子会社で、その他は国内委託工場で生産。介護事業者と大型店が主販路、ECにも注力。
【定着率】‥
【採用】【設立】1987.10【社長】玉田秀明
23年 1【従業員】連213名 単52名(42.5歳)
24年 ‥【有休】‥日
25年 未定【初任給】‥万
【試験種類】‥【各種制度】‥

【業績】	売上高	営業利益	経常利益	純利益
連23.2	6,268	649	666	438
連24.2	6,404	948	936	710

大阪府

城東テクノ（じょうとう）
株式公開 計画なし

【本社】541-0042 大阪府大阪市中央区今橋3-3-13 ニッセイ淀屋橋イースト14階 ☎06-6786-8601
その他メーカー

採用予定数	倍率	3年後離職率	平均年収
10名	‥	‥	‥

【特色】「長持ち住まい」を意識した部材を供給する建築資材メーカー。木造住宅の基礎と土台の間に挟み込んで使用する「キソパッキン工法」に実績。木造非住宅向けにも建築部材を供給し建物の長寿命化を実現。自社工法と組み合わせたシロアリ保証に特徴。
【定着率】‥
【採用】 【設立】1961.10【社長】末久泰朗
23年 8【従業員】単398名（40.5歳）
24年 10【有休】‥日
25年 10【初任給】月21.7万（諸手当を除いた数値）
【試験種類】‥【各種制度】‥

【業績】	売上高	営業利益	経常利益	純利益
単23.3	22,703	2,406	2,452	1,635
単24.3	22,545	2,629	2,655	1,631

タイガー魔法瓶（まほうびん）
株式公開 計画なし

【本社】571-8571 大阪府門真市速見町3-1 ☎06-6906-2121
その他メーカー

採用予定数	倍率	3年後離職率	平均年収
若干	‥	‥	‥

【特色】ステンレスボトルやランチジャー、炊飯ジャー「炊きたて」など調理家電品中心に製造・販売。中国、インド、米国などに営業拠点を置き、世界約60カ国に輸出。魔法瓶で培った真空断熱技術を生かし、宇宙開発関連や物流・自動車などの製品開発も行う。
【定着率】‥
【採用】 【設立】1949.5【社長】菊池嘉聡
23年 若干【従業員】単726名（40.5歳）
24年 若干【有休】‥日
25年 若干【初任給】月23.4万（諸手当を除いた数値）
【試験種類】‥【各種制度】‥

【業績】	売上高	営業利益	経常利益	純利益
単23.4	42,200	‥	‥	‥
単24.4	44,900	‥	‥	‥

ホクシン
東証 スタンダード

【本社】596-8521 大阪府岸和田市木材町17-2 ☎072-438-0141
その他メーカー

採用予定数	倍率	3年後離職率	平均年収
5名	‥	‥	527万円

【特色】木材チップを接着剤で固めたMDF（中質繊維板）専業で国内首位。製材工場端材などの未利用木材を主な原料とし、反りやねじれが起こりにくいMDF「スターウッド」を提供。住宅・家具向けが大半。汎用品は輸入に依存し、国内での生産は高機能材に特化。
【定着率】‥
【採用】 【設立】1950.6【取締】高橋英明
23年 6【従業員】単194名（43.0歳）
24年 8【有休】‥日
25年 5【初任給】月20.5万（諸手当を除いた数値）
【試験種類】‥【各種制度】‥

【業績】	売上高	営業利益	経常利益	純利益
単23.3	12,887	489	489	332
単24.3	10,979	126	190	158

山崎産業（やまざきさんぎょう）
株式公開 計画なし

【本社】556-0001 大阪府大阪市浪速区下寺3-11-2 ☎06-6633-1256
その他メーカー

採用実績数	倍率	3年後離職率	平均年収
1名	‥	‥	‥

【特色】モップやゴミ箱から大型床洗浄機まで手がける清掃用品のトップメーカー。量販店、HCなどで販売。超吸水バスマットが売れ筋。医療・介護福祉用品なども製造・販売。国内3工場、4流通センター。中国とベトナムに生産現地法人。
【定着率】‥
【採用】 【設立】1949.3【会長】伊東廸之
23年 1【従業員】単353名（47.8歳）
24年 1【有休】‥日
25年 未定【初任給】月22.8万（諸手当を除いた数値）
【試験種類】‥【各種制度】‥

【業績】	売上高	営業利益	経常利益	純利益
単22.7	13,797	413	548	365
単23.7	13,541	462	529	385

㈱エコスタイル
株式公開 いずれしたい

【大阪本社】541-0045 大阪府大阪市中央区道修町1-4-6 ミフネ道修町ビル3階 ☎06-6232-1755
建設

採用予定数	倍率	3年後離職率	平均年収
43名	‥	‥	‥

【特色】太陽光発電所用地の収集からEPC、O&M、電力供給までワンストップで提供。1.9万件、1226MWの開発実績。国内最大規模、自己託送による低圧・分散型太陽光発電を通じた再エネ調達プロジェクトに参画。発電予測などの運用面もサポート。
【定着率】‥
【採用】 【設立】2004.10【代表取締役】木下公貴
23年 18【従業員】連458名 単441名（36.3歳）
24年 36【有休】‥日
25年 43【初任給】月26.7万
【試験種類】‥【各種制度】‥

【業績】	売上高	営業利益	経常利益	純利益
連23.3	28,554	845	575	545
連24.3	25,871	▲535	▲661	▲779

奥アンツーカ（おく）
株式公開 計画なし

【本社】577-0012 大阪府東大阪市長田東3-2-7 ☎06-6743-5050
建設

採用予定数	倍率	3年後離職率	平均年収
2名	‥	‥	‥

【特色】スポーツ施設向けの舗装材（アンツーカ）や人工芝の施工会社。味の素スタジアムや福岡ドームをはじめ陸上競技場、球技場、テニスコート、学校グラウンドなどに実績。公共の公園やスポーツ施設の指定管理運営業務やグラウンドの診断なども行う。
【定着率】‥
【採用】 【設立】1960.4【社長】奥洋彦
23年 1【従業員】単81名（44.9歳）
24年 1【有休】‥日
25年 2【初任給】月24万（諸手当を除いた数値）
【試験種類】‥【各種制度】‥

【業績】	売上高	営業利益	経常利益	純利益
単22.6	5,008	‥	468	298
単23.6	4,035	‥	176	107

㈱鍛治田工務店（かじたこうむてん）

株式公開計画なし

【本社】541-0044 大阪府大阪市中央区伏見町3-2-6 ☎06-4707-1351
建設

採用実績数	倍率	3年後離職率	平均年収
25名	‥	‥	‥

【特色】老舗の中堅土木建築総合会社。大阪と神戸中心に首都圏、名古屋にも営業展開。官民比率は1対9。設計、工事、付帯サービスまで全段階で品質保証体制を持つ。マンション、商業施設、医療・福祉施設、工場などに施工実績。
【定着率】‥
【採用】 【設立】1960.12【社長】鍛治田八彦
23年 12【従業員】単351名(39.0歳)
24年 25【有休】‥日
25年 未定【初任給】月23.2万
【試験種類】‥【各種制度】‥

【業績】	売上高	営業利益	経常利益	純利益
単23.3	39,165	1,064	1,059	722
単24.3	45,857	1,219	1,245	776

㈱かんでんエンジニアリング

株式公開計画なし

【本店】530-6691 大阪府大阪市北区中之島6-2-27 中之島センタービル21階 ☎06-6448-5711
建設

採用実績数	倍率	3年後離職率	平均年収
43名	‥	‥	‥

【特色】関電向けの送配電線・水力発電・変電所設備工事が主力。電力供給設備関連設備の開発・販売や、輸送船2隻を保有し石炭灰の海上輸送も行う。工場向けトータルソリューション、情報通信ネットワーク、PCB無害化処理設備の設計施工も展開。
【定着率】‥
【採用】 【設立】1940.5 【会長】井上富夫
23年 49【従業員】単2,247名(47.0歳)
24年 43【有休】‥日
25年 前年並【初任給】月23万(諸手当を除いた数値)
【試験種類】‥【各種制度】‥

【業績】	売上高	営業利益	経常利益	純利益
単23.3	91,894	5,766	6,003	3,933
単24.3	92,777	6,069	6,191	4,177

太平建設工業（たいへいけんせつこうぎょう）

株式公開計画なし

【本社】530-0043 大阪府大阪市北区天満2-9-19 ☎06-6357-7001
建設

採用実績数	倍率	3年後離職率	平均年収
1名	‥	‥	‥

【特色】新築ビル、マンション建築、リノベ、リフォーム、店舗工事、工場建設、不動産分譲・仲介など幅広く展開。オフィスビル、福祉施設などで実績多い。不動産事業は金融機関とも連携し、遊休地利用など顧客の土地活用を支援。設立時の事業は公団住宅の修繕。
【定着率】‥
【採用】 【設立】1957.4 【社長】加藤功二
23年 1【従業員】単66名(49.9歳)
24年 1【有休】‥日
25年 0【初任給】月23.5万(諸手当を除いた数値)
【試験種類】‥【各種制度】‥

【業績】	売上高	営業利益	経常利益	純利益
単23.3	7,332	105	205	149
単24.3	6,354	71	80	48

野村建設工業（のむらけんせつこうぎょう）

株式公開計画なし

【本社】541-0043 大阪府大阪市中央区高麗橋2-1-2 ☎06-6226-9515
建設

採用予定数	倍率	3年後離職率	平均年収
3名	‥	‥	‥

【特色】関西、首都両圏で建築工事を中心に事業展開。集合住宅、オフィスビル、学校・教育施設、福祉施設、工場・倉庫、商業施設、美術館、スポーツ施設などに幅広い実績。リニューアル工事、不動産開発事業にも注力。旧野村財閥系のゼネコン。
【定着率】‥
【採用】 【設立】1989.8 【社長】金子徹
23年 7【従業員】単136名(44.8歳)
24年 5【有休】‥日
25年 3【初任給】月24万(諸手当を除いた数値)
【試験種類】‥【各種制度】‥

【業績】	売上高	営業利益	経常利益	純利益
単23.3	13,535	555	510	331
単24.3	15,770	342	292	197

㈱松本組（まつもとぐみ）

株式公開計画なし

【本社】558-0011 大阪府大阪市住吉区苅田5-15-24 ☎06-6697-2600
建設

採用予定数	倍率	3年後離職率	平均年収
5名	‥	‥	‥

【特色】大阪地盤で建築主体の老舗中堅建設会社。企画から、設計、施工、運営までの一貫システムを構築。マンションを中心に教育・医療施設、ホテルなどに実績。マンション分譲や自社不動産の賃貸も手がける。三重県伊賀市でメガソーラー事業も展開。
【定着率】‥
【採用】 【設立】1970.2 【社長】松本吉規
23年 10【従業員】単73名(40.9歳)
24年 6【有休】‥日
25年 5【初任給】月22.5万(諸手当を除いた数値)
【試験種類】‥【各種制度】‥

【業績】	売上高	営業利益	経常利益	純利益
単23.1	11,855	729	1,127	755
単24.1	11,530	398	481	291

㈱森組（もりぐみ）

東証スタンダード

【本社】541-0045 大阪府大阪市中央区道修町4-5-17 ☎06-6201-2763
建設

採用予定数	倍率	3年後離職率	平均年収
20名	‥	‥	735万円

【特色】関西地盤の中堅建設会社。土木からマンションなど民間建築主体に軸足移し、完工比率は土木5割強、建築5割弱。道路、河川工事や集合住宅、福祉施設、商業施設、工場などを手がける。大型施設等のリニューアル事業や砕石事業も。旭化成ホームズが筆頭株主。
【定着率】‥
【採用】 【設立】1934.2 【社長】吉田裕司
23年 5【従業員】単325名(44.2歳)
24年 5【有休】‥日
25年 20【初任給】月21万(諸手当を除いた数値)
【試験種類】‥【各種制度】‥

【業績】	売上高	営業利益	経常利益	純利益
単23.3	24,620	833	795	523
単24.3	27,582	1,072	1,033	685

報国エンジニアリング（ほうこく）

株式公開 計画なし

【本社】561-0827 大阪府豊中市大黒町3-5-26 ☎06-6336-0128

建設

採用予定数	倍率	3年後離職率	平均年収
5名	‥	‥	‥

【特色】地質調査、地盤改良(基礎補強)工事などを展開。戸建住宅や低層住宅の沈下防止や水平修復、土壌汚染調査・対策工事に強み。業界初となる撤去可能な地盤改良「efコラム工法」や宅地耐震化など新技術に積極的。営業拠点は全国18カ所。

【定着率】‥

【採用】 【設立】1978.9【社長】塚本英

23年 5【従業員】単182名(40.8歳)

24年 2【有休】‥日

25年 5【初任給】月20万(諸手当を除いた数値)

【試験種類】‥【各種制度】‥

【業績】	売上高	営業利益	経常利益	純利益
単22.12	6,588	24	54	32
単23.12	7,644	120	148	72

㈱ハウスフリーダム

東証 スタンダード

【本社】580-0016 大阪府松原市上田2-13-10 ☎072-336-0503

住宅・マンション

採用予定数	倍率	3年後離職率	平均年収
10名	‥	‥	599万円

【特色】大阪南部と福岡を地盤に新築戸建ての分譲と不動産仲介事業を展開。大阪発祥で、地場不動産会社の開発物件の仲介からスタート。近年は、間取りの自由設計を訴求した戸建て分譲を軸に展開する。中古住宅の仲介・再生再販、賃貸用物件開発にも注力。

【定着率】‥

【採用】 【設立】1995.3【社長】小島賢二

23年 9【従業員】連239名 単149名(40.9歳)

24年 6【有休】‥日

25年 10【初任給】月20.9万(諸手当を除いた数値)

【試験種類】‥【各種制度】‥

【業績】	売上高	営業利益	経常利益	純利益
連22.12	12,966	662	553	420
連23.12	11,788	686	583	343

㈱誠建設工業（まことけんせつこうぎょう）

東証 スタンダード

【本社】599-8241 大阪府堺市中区福田46 ☎072-234-8410

住宅・マンション

採用予定数	倍率	3年後離職率	平均年収
3名	‥	‥	491万円

【特色】堺市など大阪府南部を地盤に、戸建ての分譲事業を行う。低価格帯の物件が中心で、自社設計・施工による直接管理に独自性がある。商圏は堺市と隣接の松原市、和泉市まで。他社からの建築請負や、リフォームも手がける。

【定着率】‥

【採用】 【設立】1991.4【社長】平岩和人

23年 2【従業員】連22名 単15名(57.1歳)

24年 0【有休】‥日

25年 3【初任給】月22万(諸手当を除いた数値)

【試験種類】‥【各種制度】‥

【業績】	売上高	営業利益	経常利益	純利益
連23.3	3,467	317	328	219
連24.3	3,189	178	192	131

敷島住宅（しきしまじゅうたく）

株式公開 計画なし

【本社】570-0027 大阪府守口市桜町4-17 ☎06-6992-6733

住宅・マンション

採用予定数	倍率	3年後離職率	平均年収
6名	‥	‥	‥

【特色】大阪本拠に京都、滋賀で営業展開する戸建住宅分譲会社。賃貸、注文住宅、リフォーム、マンション分譲、仲介事業も手がける。1万5000戸超の新築戸建て施工実績。注文住宅・リフォームの比率引き上げ狙う。3つのショールームを持つ。

【定着率】‥

【採用】 【設立】1962.9【社長】川島永好

23年 0【従業員】単159名(41.1歳)

24年 2【有休】‥日

25年 6【初任給】月21万(諸手当を除いた数値)

【試験種類】‥【各種制度】‥

【業績】	売上高	営業利益	経常利益	純利益
単22.8	13,520	731	500	328
単23.8	11,867	1,159	942	612

㈱創生（そうせい）

株式公開 未定

【本社】530-0004 大阪府大阪市北区堂島浜1-4-16 ☎06-6341-1111

住宅・マンション

採用実績数	倍率	3年後離職率	平均年収
4名	‥	‥	‥

【特色】大阪、神戸、京都など京阪神地区で「リーガル」ブランドのマンションを分譲。好立地、高品質、良質な管理による将来的な資産価値追求。リーガルマンションは累計110棟以上。賃貸管理、建物管理も手がける。子会社に分譲マンション管理会社を持つ。

【定着率】‥

【採用】 【設立】1990.10【社長】長石久永

23年 5【従業員】単44名(39.0歳)

24年 4【有休】‥日

25年 未定【初任給】月25万(諸手当を除いた数値)

【試験種類】‥【各種制度】‥

【業績】	売上高	営業利益	経常利益	純利益
単23.3	4,202	452	412	269
単24.3	3,667	285	283	183

㈱日商エステム（にっしょう）

株式公開 計画なし

【本社】542-0081 大阪府大阪市中央区南船場2-9-14 NEビル ☎06-7660-1155

住宅・マンション

採用予定数	倍率	3年後離職率	平均年収
18名	‥	‥	‥

【特色】大阪・東京・横浜・名古屋の4大都市を中心に「エステム」ブランドのマンション分譲事業を中心に手がける総合デベロッパー。実需タイプと投資タイプの両方を扱う。一戸建て事業も展開する。他のデベロッパーとの共同事業も推進。

【定着率】‥

【グループ採用】【設立】1991.12【社長】浅井悦裕

23年 20【従業員】単110名(36.8歳)

24年 21【有休】‥日

25年 18【初任給】月25万(諸手当を除いた数値)

【試験種類】‥【各種制度】‥

【業績】	売上高	営業利益	経常利益	純利益
単23.2	28,493	2,259	2,566	1,703
単24.2	27,903	2,387	2,788	1,971

㈱阪神住建（はんしんじゅうけん）

株式公開計画なし

【本社】553-0006 大阪府大阪市福島区吉野1-21-14 ☎06-6447-0001
住宅・マンション

採用実績数	倍率	3年後離職率	平均年収
10名	‥	‥	‥

【特色】「キングマンション」ブランドのマンション分譲と賃貸事業が柱、投資用不動産・プロパティマネジメント事業も行う。大阪府にホテル3棟を経営。温浴施設、ゴルフセンターも手がける。再エネ事業として全国34カ所に太陽光発電所を持つ。
【定着率】‥
【採用】　【設立】1972.2【社長】岩崎圭祐
23年 6【従業員】単65名(36.0歳)
24年 10【有休】‥日
25年 未定【初任給】月25万(諸手当を除いた数値)
【試験種類】‥【各種制度】‥

【業績】	売上高	営業利益	経常利益	純利益
単23.3	7,350	1,515	774	▲577
単24.3	10,210	2,183	1,010	926

㈱HESTA大倉（おおくら）

株式公開未定

【大阪本社】530-0047 大阪府大阪市北区西天満5-1-9 大和地所南森町ビル6階 ☎06-6130-5150
住宅・マンション

採用予定数	倍率	3年後離職率	平均年収
未定	‥	‥	‥

【特色】戸建分譲中心に全国展開。宅地・戸建住宅は6万3000区画、マンションは2万戸、大規模宅地開発は4万区画の分譲実績。戸建・リフォーム事業の比重は約7割。国内16カ所に専用ホテルを持つ、会員制クラブ「ザ グランリゾート」事業も展開。
【定着率】‥
【採用】　【設立】1964.1【代表取締役】清瀧静男
23年 1【従業員】単70名(41.1歳)
24年 0【有休】‥日
25年 未定【初任給】月22.5万
【試験種類】‥【各種制度】‥

【業績】	売上高	営業利益	経常利益	純利益
単23.3	11,610	156	210	99
単24.3	9,213	344	266	59

近鉄不動産（きんてつふどうさん）

株式公開計画なし

【本社】543-0001 大阪府大阪市天王寺区上本町6-5-13 ☎06-6776-3001
不動産

採用実績数	倍率	3年後離職率	平均年収
75名	‥	‥	‥

【特色】近鉄グループの不動産事業会社。「あべのハルカス」などオフィスビル・商業施設の運営、分譲マンション事業が主軸。不動産鑑定評価、リフォーム・リノベーション事業、ゴルフ場の経営、駐車場事業、高架下事業等も展開。
【定着率】‥
【採用】　【設立】1979.4【社長】倉橋孝壽
23年 55【従業員】単878名(41.9歳)
24年 75【有休】‥日
25年 未定【初任給】月25万(諸手当を除いた数値)
【試験種類】‥【各種制度】‥

【業績】	売上高	営業利益	経常利益	純利益
単23.3	123,884	14,347	12,549	▲4,362
単24.3	115,436	13,264	11,307	5,172

日本駐車場開発（にほんちゅうしゃじょうかいはつ）

東証プライム

【本社】530-0018 大阪府大阪市北区小松原町2-4 大阪富国生命ビル ☎06-6360-2353
不動産

採用実績数	倍率	3年後離職率	平均年収
56名	‥	‥	375万円

【特色】都心ビルや商業施設付設の駐車場を一括で借り受け、第三者に転貸するビジネスが主力。タイ、韓国など海外でも展開。カーシェアリングやレンタカーも手がける。子会社でスキー場や観光地の再生事業も行い、白馬などでスキー場、那須でテーマパークを運営。
【定着率】‥
【採用】　【設立】1991.12【社長】巽一久
23年 41【従業員】連1,052名 単327名(30.4歳)
24年 56【有休】‥日
25年 未定【初任給】年336万(諸手当を除いた数値)
【試験種類】‥【各種制度】‥

【業績】	売上高	営業利益	経常利益	純利益
連23.7	31,855	6,201	6,221	4,408
連24.7	32,693	6,461	6,511	5,104

野村殖産（のむらしょくさん）

株式公開計画なし

【本社】541-0043 大阪府大阪市中央区高麗橋2-1-2 ☎06-6226-1121
不動産

採用実績数	倍率	3年後離職率	平均年収
1名	‥	‥	‥

【特色】自社所有オフィスビルとマンションの賃貸管理専業。旧野村財閥系の不動産会社。オフィスビル大阪11棟、東京1棟、賃貸マンション5棟と、計17棟保有。高麗橋野村ビル、日本橋野村ビル(改修中)はレトロモダンな建築物として著名。
【定着率】‥
【採用】　【設立】1945.8【社長】田口芳樹
23年 0【従業員】単42名(51.6歳)
24年 1【有休】‥日
25年 0【初任給】月23万(諸手当を除いた数値)
【試験種類】‥【各種制度】‥

【業績】	売上高	営業利益	経常利益	純利益
単23.3	2,960	883	1,155	835
単24.3	2,601	477	781	892

ヤマイチ・ユニハイムエステート

東証スタンダード

【大阪本社】541-0048 大阪府大阪市中央区瓦町2-4-7 新瓦町ビル ☎06-6204-0123
不動産

採用実績数	倍率	3年後離職率	平均年収
5名	‥	‥	‥

【特色】近畿圏を軸にマンション、建売住宅や賃貸施設などの開発・販売を主力とする不動産会社。和歌山県を地盤に近畿各地で高齢者向けマンションや商業施設などの不動産賃貸、宅地開発などで業容拡大。M&Aや提携などで関東エリアを強化。
【定着率】‥
【採用】　【設立】1989.6【社長】山田茂
23年 4【従業員】連113名 単81名(41.8歳)
24年 5【有休】‥日
25年 前年並【初任給】月22万(諸手当を除いた数値)
【試験種類】‥【各種制度】‥

【業績】	売上高	営業利益	経常利益	純利益
連23.3	18,626	2,508	2,134	1,307
連24.3	20,083	2,343	1,935	1,255

㈱京阪百貨店（けいはんひゃっかてん）

株式公開計画なし

【本社】570-8558 大阪府守口市河原町8-3
☎06-6994-1313
デパート

採用予定数	倍率	3年後離職率	平均年収
20名	‥	‥	‥

【特色】京阪グループ流通事業群の中核企業。旗艦の守口店のほか、くずはモール店、ひらかた店、モール京橋店、すみのどう店の5百貨店を京阪沿線を中心とした大阪府内に展開。直営売り場にこだわり、食品からファッション、リビングなど売り場を拡大。
【定着率】‥
【採用】【設立】1983.4【社長】辻良介
23年 14【従業員】単421名(43.7歳)
24年 16【有休】‥日
25年 20【初任給】月21.4万(諸手当を除いた数値)
【試験種類】‥【各種制度】‥

【業績】	売上高	営業利益	経常利益	純利益
単23.3	42,313	▲149	82	236
単24.3	44,703	174	182	128

㈱サンプラザ

株式公開計画なし

【本部】583-0857 大阪府羽曳野市誉田3-3-15
☎072-361-3033
スーパー

採用予定数	倍率	3年後離職率	平均年収
10名	‥	‥	‥

【特色】羽曳野、富田林、河内長野、八尾など大阪府南東部中心にスーパーマーケットを37店舗運営。物流センター2カ所。共同開発商品など低価格品2000品目超を品ぞろえ。エコ農産物や有機野菜などの地産地消を推進。移動スーパーも展開。
【定着率】‥
【採用】【設立】1961.11【社長】山口力
23年 11【従業員】単239名(42.2歳)
24年 10【有休】‥日
25年 10【初任給】月20.2万(諸手当を除いた数値)
【試験種類】‥【各種制度】‥

【業績】	売上高	営業利益	経常利益	純利益
単23.2	31,946	‥	‥	‥
単24.2	32,639	‥	‥	‥

㈱マルヤス

株式公開計画なし

【本社】569-1142 大阪府高槻市宮田町1-26-3
☎072-695-2032
スーパー

採用予定数	倍率	3年後離職率	平均年収
10名	‥	‥	‥

【特色】大阪北摂地域を地盤に地元密着型の生鮮食料品主体のスーパー「マルヤス」を展開。18店体制。グループ会社で奈良県と京都府内に食品スーパーの「いそかわ」「パケット」10店舗を経営。ドミナント戦略で経営の効率化を図る。
【定着率】‥
【採用】【設立】1957.5【社長】安東茂
23年 14【従業員】単‥名(‥歳)
24年 5【有休】‥日
25年 10【初任給】月23万(諸手当を除いた数値)
【試験種類】‥【各種制度】‥

【業績】	売上高	営業利益	経常利益	純利益
単23.2	24,189	959	981	993
単24.2	24,478	1,084	1,105	1,134

くら寿司（ずし）

東証プライム

【本社】599-8253 大阪府堺市中区深阪1-2-2
☎072-239-8071
外食・中食

採用予定数	倍率	3年後離職率	平均年収
未定	‥	‥	460万円

【特色】関西・関東軸にロードサイド中心の回転ずし「くら寿司」を直営展開。店舗業務自動化で先行、DX活用で原価管理を徹底。人気コンテンツとのコラボで販売を促進する。ラーメン、コーヒーなどサイドメニューに強み持つ。米国、台湾に上場子会社。
【定着率】‥
【採用】【設立】1995.11【社長】田中邦彦
23年 240【従業員】連2,680名 単1,732名(31.5歳)
24年 ‥【有休】‥日
25年 未定【初任給】月23万(諸手当を除いた数値)
【試験種類】‥【各種制度】‥

【業績】	売上高	営業利益	経常利益	純利益
連22.10	183,053	▲1,113	2,457	744
連23.10	211,405	2,456	2,882	863

㈱ハークスレイ

東証スタンダード

【大阪本社】530-0014 大阪府大阪市北区鶴野町3-10
☎06-6376-8088
外食・中食

採用予定数	倍率	3年後離職率	平均年収
10名	‥	‥	760万円

【特色】持ち帰り弁当「ほっかほっか亭」のFC統括会社を傘下に持つ持ち株会社。弁当などの中食事業はパーティーやイベント需要も取り込む。店舗のリースや不動産売買事業も手がける。PB向けOEM食品加工など物流・食品加工が第三の柱に成長。
【定着率】‥
【主要子会社採用】【設立】1980.3【会長兼社長】青木達也
23年 7【従業員】連646名 単16名(50.9歳)
24年 5【有休】‥日
25年 10【初任給】月23.2万(諸手当を除いた数値)
【試験種類】‥【各種制度】‥

【業績】	売上高	営業利益	経常利益	純利益
連23.3	35,613	1,460	1,579	1,047
連24.3	46,761	2,436	2,588	1,601

愛眼（あいがん）

東証スタンダード

【本社】543-0052 大阪府大阪市天王寺区大道4-9-12
☎06-6772-3383
その他小売業

採用予定数	倍率	3年後離職率	平均年収
20名	‥	‥	404万円

【特色】眼鏡の小売り専門店大手。関西圏地盤に関東、東海など全国展開。イオンなど郊外型ショッピングセンター内の立地が大半。オリジナルブランドや「目の健康」を配慮した機能商品を増強。「JINS」などよりは高く、「パリミキ」よりは安いという価格帯を攻める。
【定着率】‥
【採用】【設立】1961.1【社長】佐々昌俊
23年 15【従業員】連716名 単706名(46.4歳)
24年 12【有休】‥日
25年 20【初任給】月20.6万(諸手当を除いた数値)
【試験種類】‥【各種制度】‥

【業績】	売上高	営業利益	経常利益	純利益
連23.3	14,198	▲475	▲385	▲803
連24.3	14,658	▲123	▲59	▲181

MRKホールディングス
東証スタンダード

【本社】531-6107 大阪府大阪市北区大淀中1-1-30
☎06-7655-7177
その他小売業

採用実績数	倍率	3年後離職率	平均年収
12名	‥	‥	482万円

【特色】オーダーメイドの女性用体型補整下着を販売。化粧品やサプリも扱う。店舗(サロン)を全国展開、無料試着から商品受注、ボディメイクなどアフターサービス行う。製造は熟練技術持つ工場に委託。愛用者会員組織など強固な組織力が強み。RIZAPグループの子会社。
【定着率】‥
【2社計採用】【設立】1978.4【社長】塩田徹
23年 13【従業員】連1,802名 単27名(46.7歳)
24年 12【有休】‥日
25年 未定【初任給】月22万(諸手当を除いた数値)
【試験種類】‥【各種制度】‥

【業績】	売上高	営業利益	経常利益	純利益
連23.3	19,541	803	854	514
連24.3	19,584	552	617	225

タビオ
東証スタンダード

【本社】556-0011 大阪府大阪市浪速区難波中2-10-70 パークスタワー
☎06-6632-1200
その他小売業

採用予定数	倍率	3年後離職率	平均年収
若干	‥	‥	550万円

【特色】靴下やタイツの専門店「靴下屋」を展開する製造小売業。直営のほかFC方式で商業施設などにテナント出店。店舗連動の国内生産システムが強み。品ぞろえは女性用中心だが紳士用やスポーツ用も拡大。中国中心に海外店舗も。靴下の老舗ナイガイと資本業務提携。
【定着率】‥
【採用】【設立】1977.3【社長】越智勝寛
23年 2【従業員】連279名 単242名(40.1歳)
24年 4【有休】‥日
25年 若干【初任給】月21万(諸手当を除いた数値)
【試験種類】‥【各種制度】‥

【業績】	売上高	営業利益	経常利益	純利益
連23.2	15,264	507	529	232
連24.2	16,220	598	621	469

㈱ワッツ
東証スタンダード

【本社】540-0001 大阪府大阪市中央区城見1-4-70
☎06-4792-3280
その他小売業

採用実績数	倍率	3年後離職率	平均年収
5名	‥	‥	484万円

【特色】100円ショップ大手。「ワッツ」「ミーツ」「シルク」などの店舗名で全国展開。SCやスーパーなど量販店の一角に出店、販売とレジ作業は委託するテナント型店舗多い。ファッション雑貨など他業態やオンラインショップも運営。東南アジアにも出店する。
【定着率】‥
【グループ採用】【設立】1995.2【社長】平岡史生
23年 10【従業員】連435名 単84名(44.1歳)
24年 5【有休】‥日
25年 微増【初任給】月21.1万(諸手当を除いた数値)
【試験種類】‥【各種制度】‥

【業績】	売上高	営業利益	経常利益	純利益
連22.8	58,347	998	1,148	781
連23.8	59,309	621	648	250

DAIWA CYCLE
東証グロース

【本社】564-0063 大阪府吹田市江坂町1-12-38
☎06-6380-3338
その他小売業

採用予定数	倍率	3年後離職率	平均年収
90名	‥	‥	405万円

【特色】自転車修理・販売を展開。自転車専門店としてフルラインナップを揃える。電動アシスト車の構成比率が約6割と高い。出張修理など顧客対応の厚さを重視。大阪地盤だが首都圏への攻勢に注力。郊外ロードサイド大型店だけでなく都市部への小型店を積極出店。
【定着率】‥
【採用】【設立】2001.8【社長】涌本宜央
23年 ‥【従業員】単704名(29.3歳)
24年 81【有休】‥日
25年 90【初任給】月19.5万(諸手当を除いた数値)
【試験種類】‥【各種制度】‥

【業績】	売上高	営業利益	経常利益	純利益
単23.1	13,090	561	610	413
単24.1	15,339	797	804	501

㈱チュチュアンナ
株式公開計画なし

【本社】540-0003 大阪府大阪市中央区森ノ宮中央1-10-2
☎06-7176-1546
その他小売業

採用実績数	倍率	3年後離職率	平均年収
43名	‥	‥	‥

【特色】女性用靴下、インナー、軽衣料などの製造・小売を行う。若年層をターゲットに「チュチュアンナ」ブランドで展開。靴下は業界トップ級。国内に約270店、中国に約180店を展開。国内では大型店「チュチュアンナグランデ」を拡大中。通販サイトも運営。
【定着率】‥
【採用】【設立】1979.1【社長】上田崇敦
23年 40【従業員】連1,585名 単1,510名(30.0歳)
24年 43【有休】‥日
25年 未定【初任給】月21万(諸手当を除いた数値)
【試験種類】‥【各種制度】‥

【業績】	売上高	営業利益	経常利益	純利益
連22.7	21,584	‥	‥	‥
連23.7	23,384	‥	‥	‥

㈱ミラタップ
東証グロース

【本社】530-0013 大阪府大阪市北区茶屋町19-19 アプローズタワー
☎06-6359-6721
その他小売業

採用予定数	倍率	3年後離職率	平均年収
13名	‥	‥	527万円

【特色】キッチンやドアなど建築資材のネット・カタログ通販が主力。顧客は設計事務所や工務店で、一般顧客への直販も行う。メーカーや協力工場からの直接仕入れと中間業者通さない直販に強み。自社開発品も多い。無人を含むショールームを全国に展開。住宅事業も。
【定着率】‥
【採用】【設立】1979.8【社長】山根太郎
23年 8【従業員】連275名 単260名(36.6歳)
24年 12【有休】‥日
25年 13【初任給】月21万(諸手当を除いた数値)
【試験種類】‥【各種制度】‥

【業績】	売上高	営業利益	経常利益	純利益
連22.9	13,257	955	942	606
連23.9	15,495	1,052	1,038	525

㈱MonotaRO

東証プライム

【本社】530-0001 大阪府大阪市北区梅田3-2-2 JPタワー大阪 ☎06-4869-7111
その他小売業

採用予定数	倍率	3年後離職率	平均年収
未定	‥	‥	627万円

【特色】工場用間接資材と工事用品のネット通販会社。親会社は米国の同業大手。「MonotaRO. com」のWebサイトやカタログ経由で受注。大企業開拓でWeb登録口座数伸ばす。大量な商品点数の短納期配送継続のため物流センターの効率化や新設進める。
【定着率】‥
【採用】
23年 ‥
24年 ‥
25年 未定
【設立】2000.10【代表執行役】田村咲耶
【従業員】連1,405名 単827名(36.7歳)
【有休】‥日
【初任給】月26万(諸手当を除いた数値)
【試験種類】‥【各種制度】‥

【業績】	売上高	営業利益	経常利益	純利益
連22.12	225,970	26,213	26,398	18,658
連23.12	254,286	31,309	31,538	21,813

㈱SNK

株式公開していない

【本社】532-0003 大阪府大阪市淀川区宮原4-5-41 新大阪第2NKビル3階 ☎06-6339-6362
ゲーム

採用実績数	倍率	3年後離職率	平均年収
60名	‥	‥	‥

【特色】ゲームソフトやスマホ用ゲームアプリの開発、販売、配信などを行う。対戦格闘ゲームを得意とし、「ザ・キング・オブ・ファイターズ」などコンテンツは200以上。ライセンス事業も展開。米国、中国、韓国、シンガポールに子会社。
【定着率】‥
【採用】
23年 33
24年 60
25年 未定
【設立】2001.8【社長】松原健二
【従業員】単317名(‥歳)
【有休】‥日
【初任給】月22.2万(諸手当を除いた数値)
【試験種類】‥【各種制度】‥

【業績】	売上高	営業利益	税前利益	純利益
単22.7	5,106	966	2,925	1,789
単23.12変	2,430	▲2,614	▲2,648	▲2,819

㈱アルトナー

東証プライム

【大阪本社】530-0005 大阪府大阪市北区中之島3-2-18 住友中之島ビル ☎06-6445-7551
人材・教育

採用予定数	倍率	3年後離職率	平均年収
200名	‥	‥	462万円

【特色】技術者派遣の中堅。設計技術者を常用雇用・育成し顧客企業へ派遣。業務請負も行う。取引実績は約1200社。ソフトウェア開発の比重が高く、電気機器・電子デバイスの設計や評価、機械設計が続く。派遣先は自動車、電機電子、精密機器が3大分野。
【定着率】‥
【採用】
23年 127
24年 170
25年 200
【設立】1962.9【社長】関口相三
【従業員】単1,321名(30.4歳)
【有休】‥日
【初任給】月23.9万(諸手当を除いた数値)
【試験種類】‥【各種制度】‥

【業績】	売上高	営業利益	経常利益	純利益
単23.1	9,242	1,194	1,203	895
単24.1	10,110	1,522	1,532	1,051

㈱ウイルテック

東証スタンダード

【本社】532-0002 大阪府大阪市淀川区東三国4-3-1 グロリア240 ☎06-6399-9088
人材・教育

採用予定数	倍率	3年後離職率	平均年収
150名	‥	‥	357万円

【特色】製造請負・派遣を展開。製造請負はメーカーなど顧客の工場の一部を借り受け、事業所を設置し製造を行う。子会社で建設技術者派遣、EMSも。EMSは電子機器など多品種小ロットで受託製造。ベトナム、ミャンマーでエンジニア向けの人材コンサルも手がける。
【定着率】‥
【採用】
23年 115
24年 118
25年 150
【設立】1992.4【代表取締役】宮城力
【従業員】連4,851名 単3,177名(38.9歳)
【有休】‥日
【初任給】月22万(諸手当を除いた数値)
【試験種類】‥【各種制度】‥

【業績】	売上高	営業利益	経常利益	純利益
連23.3	33,231	991	1,132	656
連24.3	35,696	327	404	666

㈱ジェイエスエス

東証スタンダード

【本社】550-0001 大阪府大阪市西区土佐堀1-4-11 金鳥土佐堀ビル ☎06-6449-6121
人材・教育

採用予定数	倍率	3年後離職率	平均年収
30名	‥	‥	467万円

【特色】スイミングスクールを運営する会員制スポーツクラブの中堅。直営施設、受託施設あわせて約90校を運営。会員の大半は児童。シニア会員の増員を図るべく、水中マシンの開発と水中マシンプログラムの制作を進める。小中学校の水泳授業受託が重点拡大。
【定着率】‥
【採用】
23年 26
24年 24
25年 30
【設立】1976.7【社長】藤木孝夫
【従業員】単483名(39.7歳)
【有休】‥日
【初任給】月19.8万(諸手当を除いた数値)
【試験種類】‥【各種制度】‥

【業績】	売上高	営業利益	経常利益	純利益
単23.3	8,073	425	430	234
単24.3	8,131	389	406	218

新日本海フェリー（しんにほんかい）

株式公開計画なし

【本社】530-0001 大阪府大阪市北区梅田2-5-25 梅田阪神第1ビル15階 ☎06-6345-3921
海運・空運

採用予定数	倍率	3年後離職率	平均年収
20名	‥	‥	‥

【特色】本州-北海道間のフェリーによる海上輸送を行う。トラック積載台数150台前後のフェリー8隻所有。舞鶴-小樽、敦賀-苫小牧を毎日1往復運航。苫小牧、小樽、秋田、新潟、敦賀それぞれの間の航路を運航。輸送目的のほか、観光としての船旅の良さも訴求。
【定着率】‥
【採用】
23年 20
24年 27
25年 20
【設立】1969.6【社長】入谷泰生
【従業員】連1,055名 単516名(37.8歳)
【有休】‥日
【初任給】月22.7万(諸手当を除いた数値)
【試験種類】‥【各種制度】‥

【業績】	売上高	営業利益	経常利益	純利益
連23.3	55,356	3,987	2,461	1,115
連24.3	57,620	2,873	1,482	720

㈱辰巳商会（たつみしょうかい）
株式公開計画なし

【本社】552-0021 大阪府大阪市港区築港4-1-1 辰巳商会ビル ☎06-6576-1821
海運・空運

採用予定数	倍率	3年後離職率	平均年収
30名	‥	‥	‥

【特色】海運を祖業とする関西地盤の総合物流会社。硫酸や苛性ソーダなど無機化学工業製品の輸送量、取扱量、特殊タンカー隻数は国内トップ。港湾は大阪港のコンテナバースの7割を運営、全国展開する倉庫や、プラント建設資材など海外フォワーディングも手がける。
【定着率】‥
【採用】【設立】1920.9【社長】西豊樹
23年 32【従業員】単840名(38.0歳)
24年 25【有休】‥日
25年 30【初任給】月22.6万(諸手当を除いた数値)
【試験種類】‥【各種制度】‥

【業績】	売上高	営業利益	経常利益	純利益
単22.5	60,443	2,721	4,513	2,989
単23.5	75,754	3,201	5,261	3,262

㈱サカイ引越センター（ひっこし）
東証プライム

【本社】590-0823 大阪府堺市堺区石津北町56 ☎072-241-0464
運輸・倉庫

採用予定数	倍率	3年後離職率	平均年収
400名	‥	‥	495万円

【特色】引っ越し業界首位。近畿地盤だが売上高は関東が最大。営業拠点を急速に増やし全国にネットワークを構築。企業、デベロッパー、住宅メーカー向け法人営業を強化。海外への引っ越しも手がける。子会社でエアコン取り付けなどの付随業務やリユース業も行う。
【定着率】‥
【採用】【設立】1979.9【社長】田島哲康
23年 110【従業員】連7,152名 単6,245名(34.1歳)
24年 321【有休】‥日
25年 400【初任給】月21.6万(諸手当を除いた数値)
【試験種類】‥【各種制度】‥

【業績】	売上高	営業利益	経常利益	純利益
連23.3	109,556	11,845	12,080	8,210
連24.3	116,861	12,744	12,904	8,359

大和物流（だいわぶつりゅう）
株式公開計画なし

【本社】550-0011 大阪府大阪市西区阿波座1-5-16 大和ビル3階 ☎06-4968-6355
運輸・倉庫

採用予定数	倍率	3年後離職率	平均年収
25名	‥	‥	‥

【特色】大和ハウス工業の物流部門発祥。住宅物流、建築・建材物流から、産業機械、流通小売りなどへ取り扱い領域を拡大。グループ外販売比率約7割。アパレルやEC含む3PL(物流一括受託)サービスも提供。物流センターを全国約90カ所とパトリムで運営。
【定着率】‥
【採用】【設立】1959.8【社長】杉山克博
23年 36【従業員】単1,491名(44.4歳)
24年 24【有休】‥日
25年 25【初任給】月23万(諸手当を除いた数値)
【試験種類】‥【各種制度】‥

【業績】	売上高	営業利益	経常利益	純利益
単23.3	62,932	7,965	7,970	5,448
単24.3	67,242	7,800	7,880	5,547

丸協運輸（まるきょううんゆ）
株式公開いずれしたい

【本社】577-0015 大阪府東大阪市長田3-6-10 ☎06-6788-9690
運輸・倉庫

採用実績数	倍率	3年後離職率	平均年収
6名	‥	‥	‥

【特色】西日本中心に関東にも展開する物流会社。グループ6社が三井倉庫HD傘下。トラック運送の自社ネットワーク構築、共同配送システムを早くから導入。自社保有車両1000台超。好立地に倉庫有し、3PL(物流一括受託)も展開。中国・上海に現地法人。
【定着率】‥
【採用】【設立】1968.4【社長】渡部智
23年 4【従業員】単512名(48.1歳)
24年 6【有休】‥日
25年 未定【初任給】月21.5万(諸手当を除いた数値)
【試験種類】‥【各種制度】‥

【業績】	売上高	営業利益	経常利益	純利益
単23.3	16,338	819	921	167
単24.3	15,968	892	1,006	757

㈱オーナミ
株式公開計画なし

【本社】550-0002 大阪府大阪市西区江戸堀2-6-33 江戸堀フコク生命ビル2階 ☎06-6445-0073
運輸・倉庫

採用実績数	倍率	3年後離職率	平均年収
9名	‥	‥	‥

【特色】海陸一貫輸送行う総合物流企業。倉庫・港湾荷役、陸運、国内海上輸送、梱包業などを行う。カナデビアグループや大手鉄鋼メーカーが顧客のため重量物・大型貨物、鋼材の取り扱いが得意。ドローン用いたインフラ点検サービスも提供。センコーグループHD子会社。
【定着率】‥
【採用】【設立】1949.11【社長】森本勝一
23年 7【従業員】単271名(40.3歳)
24年 9【有休】‥日
25年 未定【初任給】月23.2万(諸手当を除いた数値)
【試験種類】‥【各種制度】‥

【業績】	売上高	営業利益	経常利益	純利益
単23.3	10,907	558	576	388
単24.3	12,473	950	985	670

櫻島埠頭（さくらじまふとう）
東証スタンダード

【本社】554-0032 大阪府大阪市此花区梅町1-1-11 ☎06-6461-5331
運輸・倉庫

採用実績数	倍率	3年後離職率	平均年収
1名	‥	‥	562万円

【特色】大阪港拠点の商業埠頭会社。大型船用桟橋とタンク群を擁する。扱う貨物はばら積み貨物、液体、冷凍の3種。ばら積みは燃料用石炭やコークス、原塩など。液体は石油、化学品など。冷凍は水産・畜産物や冷凍食品などを冷蔵倉庫で保管し食材加工も行う。
【定着率】‥
【採用】【設立】1948.2【社長】谷本祐介
23年 ‥【従業員】連95名 単76名(46.8歳)
24年 1【有休】‥日
25年 未定【初任給】月21万(諸手当を除いた数値)
【試験種類】‥【各種制度】‥

【業績】	売上高	営業利益	経常利益	純利益
連23.3	3,865	157	243	193
連24.3	4,112	235	335	211

㈱ショーエイコーポレーション
東証スタンダード

【本社】541-0051 大阪府大阪市中央区備後町2-1-1 第二野村ビル ☎06-6233-2636
運輸・倉庫

採用予定数	倍率	3年後離職率	平均年収
4名	・・	・・	467万円

【特色】プラスチックフィルムなど包装資材メーカー。包装資材の企画・提案、営業支援が主力。ラッピングサービス、販促ツールなどDMの企画・印刷・封入、配送まで手がける。100円ショップやドラッグストア向け日用消耗品の企画・提案、化粧品OEMも。
【定着率】・・
【採用】　【設立】1968.2【社長】芝原英司
23年 0【従業員】連567名 単186名(43.0歳)
24年 0【有休】・・日
25年 4【初任給】・・万
【試験種類】・・【各種制度】・・

【業績】	売上高	営業利益	経常利益	純利益
連23.3	20,745	154	▲332	▲1,617
連24.3	19,446	776	1,443	1,009

近畿日本鉄道（きんきにっぽんてつどう）
株式公開計画なし

【本社】543-8585 大阪府大阪市天王寺区上本町6-1-55 ☎06-6775-3355
鉄道・バス

採用予定数	倍率	3年後離職率	平均年収
220名	・・	・・	・・

【特色】近鉄グループの鉄道事業会社。営業距離約500km。都市間輸送、観光輸送、地域輸送を担う。デジタル技術等を活用し、駅運営体制の合理化を進める。大阪、名古屋に鉄道本部。グループで伊勢志摩地域を中心にレジャー施設も展開する。
【定着率】・・
【採用】　【設立】2014.4【社長】原恭
23年 103【従業員】単6,700名(46.1歳)
24年 187【有休】・・日
25年 220【初任給】月22.1万
【試験種類】・・【各種制度】・・

【業績】	売上高	営業利益	経常利益	純利益
単23.3	135,705	11,362	6,766	5,505
単24.3	155,947	28,427	23,973	17,232

㈱ダイサン
東証スタンダード

【本社】541-0054 大阪府大阪市中央区南本町2-6-12 サンマリオンタワー ☎06-6243-8002
その他サービス

採用予定数	倍率	3年後離職率	平均年収
40名	・・	・・	493万円

【特色】住宅・建築工事足場の設計・レンタル・施工会社。くさび式の低層用仮設足場「ビケ足場」を開発し成長。施工は直営に加え全国約40の提携会社を組織化した「ビケ会」が担う。仮設材などの販売事業も。シンガポールでプラントのメンテナンス工事展開。
【定着率】・・
【採用】　【設立】1975.4【社長】藤田武敏
23年 25【従業員】連537名 単435名(39.9歳)
24年 11【有休】・・日
25年 40【初任給】月23.5万(諸手当を除いた数値)
【試験種類】・・【各種制度】・・

【業績】	売上高	営業利益	経常利益	純利益
連23.4	10,512	▲63	▲1	▲1,016
連24.4	10,407	56	37	60

㈱カンソー
株式公開計画なし

【本社】557-0015 大阪府大阪市西成区花園南1-4-4 ☎06-6658-1555
その他サービス

採用予定数	倍率	3年後離職率	平均年収
4名	・・	・・	・・

【特色】H2Oリテイリング傘下の総合ビルメンテナンス会社。大型商業施設の増改築工事や電気などビル設備工事を手がける。ビルの日常清掃、定期清掃や空気・水質管理、害虫予防などの環境衛生事業、警備・保安事業も展開。個人向け住宅リフォームも。
【定着率】・・
【採用】　【設立】1974.4【社長】大林義尚
23年 1【従業員】単386名(56.1歳)
24年 0【有休】・・日
25年 4【初任給】・・万
【試験種類】・・【各種制度】・・

【業績】	売上高	営業利益	経常利益	純利益
単23.3	7,127	85	17	▲50
単24.3	6,991	142	75	9

国際セーフティー（こくさい）
株式公開計画なし

【本社】530-0044 大阪府大阪市北区東天満1-5-12 ☎06-6351-5931
その他サービス

採用実績数	倍率	3年後離職率	平均年収
15名	・・	41.9%	・・

【特色】原発からホームセキュリティーまでの警備業務を手がける。大阪、東京を中核に西日本で広く事業展開。常駐警備主力に機械警備やAED、防犯カメラ機器販売なども。業務提携したアジラの独自開発『行動認識AI』搭載のAI警備システム導入へ。
【定着率】58.1% 男子12(23) 女子6(8)
【採用】　【設立】1967.7【社長】徳田祐己
23年 22【従業員】単650名(43.3歳)
24年 15【有休】・・日
25年 前年並【初任給】月22.5万
【試験種類】性格【各種制度】・・

【業績】	売上高	営業利益	経常利益	純利益
単22.8	9,007	212	259	149
単23.8	9,067	238	280	52

㈱ビケンテクノ
東証スタンダード

【本社】564-0044 大阪府吹田市南金田2-12-1 ☎06-6380-2141
その他サービス

採用実績数	倍率	3年後離職率	平均年収
13名	・・	・・	380万円

【特色】清掃、保安警備、施設管理など総合ビルメンテナンスが主力。食品工場の製造機器の日常洗浄なども請け負う。施設営繕リフォーム、不動産分譲など住関連から、老人ホーム、飲食業のFC店運営など多角化推進。海外はシンガポールを中心にアジアで展開する。
【定着率】・・
【採用】　【設立】1963.5【社長】梶山龍誠
23年 12【従業員】連2,517名 単2,089名(53.0歳)
24年 13【有休】・・日
25年 前年並【初任給】月20万(諸手当を除いた数値)
【試験種類】・・【各種制度】・・

【業績】	売上高	営業利益	経常利益	純利益
連23.3	34,690	1,967	2,488	1,669
連24.3	38,371	2,131	2,448	1,310

アトラグループ

東証スタンダード

【本社】550-0012 大阪府大阪市西区立売堀4-6-9 大嘉ビル ☎06-6533-7622
その他サービス

採用予定数	倍率	3年後離職率	平均年収
未定	‥	‥	445万円

【特色】「ほねつぎ」ブランドで接骨院をFC展開。独自の開業支援システムに特徴。療養費請求代行サービスや、接骨院・鍼灸院の口コミ・予約システムも手がける。柔整・鍼灸・介護のプロ向けECサイトも運営。介護デイサービスや、子会社で玩具販売も手がける。
【定着率】‥
【採用】 【設立】2006.2 【会長兼社長】久世博之
23年 2【従業員】連148名 単70名(39.8歳)
24年 ‥【有休】‥日
25年 未定【初任給】‥万
【試験種類】‥【各種制度】‥

【業績】	売上高	営業利益	経常利益	純利益
連22.12	4,671	2	15	2
連23.12	4,497	51	62	53

一冨士（いちふじ）フードサービス

株式公開計画なし

【本社】530-0001 大阪府大阪市北区梅田3-3-20 明治安田生命大阪梅田ビル26階 ☎06-6458-8801
その他サービス

採用予定数	倍率	3年後離職率	平均年収
200名	‥	‥	‥

【特色】学校、幼稚園、社員食堂、医療・福祉施設などに向け全国2452カ所(24年4月)で給食サービスを展開。1901年大阪で大衆食堂として創業。日清医療食品の完全子会社。東京・品川に東京本社。仙台、名古屋、大津、岡山、日立などに支社を配置。
【定着率】‥
【採用】 【設立】2004.11【社長】大西博史
23年 133【従業員】単1,927名(‥歳)
24年 208【有休】‥日
25年 200【初任給】月22.4万(諸手当を除いた数値)
【試験種類】‥【各種制度】‥

【業績】	売上高	営業利益	経常利益	純利益
単23.3	54,459	1,696	2,148	1,337
単24.3	56,326	2,296	2,755	1,767

㈱魚国総本社（うおくにそうほんしゃ）

株式公開計画なし

【本社】555-0011 大阪府大阪市西淀川区竹島4-1-28 ☎06-6478-5700
その他サービス

採用実績数	倍率	3年後離職率	平均年収
110名	‥	‥	‥

【特色】給食業界の草分けで、企業、学校、病院、福祉施設など2500を超える事業所でフードサービスを行う。経営方針「3S経営」のもと、サービスブランド「uniserv(ユニサーブ)」を展開。企業内カフェや日本料理店などレストランの運営も手がける。
【定着率】‥
【採用】 【設立】1953.7 【社長】田所伸浩
23年 109【従業員】単2,337名(39.0歳)
24年 110【有休】‥日
25年 未定【初任給】月21.3万(諸手当を除いた数値)
【試験種類】‥【各種制度】‥

【業績】	売上高	営業利益	経常利益	純利益
単23.3	62,737	752	941	547
単24.3	66,029	561	846	333

㈱ケア21

東証スタンダード

【本社】530-0003 大阪府大阪市北区堂島2-2-2 近鉄堂島ビル ☎06-6456-5633
その他サービス

採用予定数	倍率	3年後離職率	平均年収
160名	‥	‥	406万円

【特色】関西地盤の介護サービス会社。在宅系介護は関西圏中心に東京や愛知、福岡などで展開。地方での新規開設に注力。施設系介護は有料老人ホームやグループホーム、デイサービス施設を各地に持つ。福祉用具レンタル・販売や障がい児通所支援、薬局事業も展開。
【定着率】‥
【採用】 【設立】1993.11【社長】依田雅
23年 20【従業員】連5,906名 単5,143名(46.6歳)
24年 76【有休】‥日
25年 160【初任給】月19.5万(諸手当を除いた数値)
【試験種類】‥【各種制度】‥

【業績】	売上高	営業利益	経常利益	純利益
連22.10	38,398	1,107	1,157	630
連23.10	41,098	▲401	197	6

燦（さん）ホールディングス

東証プライム

【本社】530-0041 大阪府大阪市北区天神橋4-6-39 ☎06-6208-3331
その他サービス

採用予定数	倍率	3年後離職率	平均年収
未定	‥	‥	‥

【特色】葬儀専門最大手の公益社の持株会社。葬仙、タルイなどの葬祭会社も傘下。地盤の関西に大型会館を多数持ち、社葬など大型葬に強い。関西と首都圏にドミナント出店。新ブランドの家族葬会館の展開や、ライフエンディングサポート事業に注力。
【定着率】‥
【公益社採用】【設立】1944.10【社長】播島聡
23年 ‥【従業員】連709名 単47名(49.5歳)
24年 ‥【有休】‥日
25年 未定【初任給】‥万
【試験種類】‥【各種制度】‥

【業績】	売上高	営業利益	経常利益	純利益
連23.3	21,663	3,868	3,843	2,783
連24.3	22,437	3,789	3,800	2,363

都市（とし）クリエイト

株式公開計画なし

【本社】569-0805 大阪府高槻市上田辺町19-8 ☎072-681-0089
その他サービス

採用実績数	倍率	3年後離職率	平均年収
3名	‥	‥	‥

【特色】廃棄物収集運搬から処理までを一貫して行う、総合リサイクル事業を展開。道路・下水道維持管理なども行う。地域社会の住みよい環境づくりと発展を見据え、環境ソリューション企業としての発展を目指す。リサイクルプラントを12カ所保有。
【定着率】‥
【採用】 【設立】1974.10【社長】前田晋二
23年 6【従業員】単410名(‥歳)
24年 3【有休】‥日
25年 未定【初任給】月21.8万(諸手当を除いた数値)
【試験種類】‥【各種制度】‥

【業績】	売上高	営業利益	経常利益	純利益
単23.3	9,585	2,422	2,444	1,557
単24.3	10,011	2,258	2,303	1,503

日本PCサービス（にほん）
名証ネクスト

【本社】564-0052 大阪府吹田市広芝町9-33 ☎06-6734-7722
その他サービス

採用予定数	倍率	3年後離職率	平均年収
未定	‥	‥	423万円

【特色】PCやスマホ、デジタル家電などネットワーク機器全般のトラブルについて、訪問や電話、遠隔操作で対応する駆けつけサポートが柱。全国にサービス網を構築し、個人向け・法人向けの定額保証サービスも提供。コンセプトブランドは「デジタルの総合病院」。
【定着率】‥
【採用】　【設立】2003.7【社長】家喜信行
23年 10【従業員】連337名 単245名（35.8歳）
24年 ‥【有休】‥日
25年 未定【初任給】‥万
【試験種類】‥【各種制度】‥

【業績】	売上高	営業利益	経常利益	純利益
連22.8	6,255	▲225	▲231	▲246
連23.8	6,449	25	▲12	▲40

㈱リグア
東証グロース

【本社】541-0047 大阪府大阪市中央区淡路町2-6-6 淡路町パークビル2号館 ☎06-6232-1800
その他サービス

採用実績数	倍率	3年後離職率	平均年収
7名	‥	‥	‥

【特色】大阪を地盤に接骨院向けに機材・消耗品を販売、経営支援のコンサルを実施。研修プログラムの提供や、健康保険関連の事務代行も手がける。「ドクターサポーター」ブランドで接骨院向けヘルスケア商品をECサイトや接骨院などで展開。
【定着率】‥
【採用】　【設立】2004.10【社長】川瀬紀彦
23年 3【従業員】連144名 単52名（34.8歳）
24年 7【有休】‥日
25年 微増【初任給】月17.9万（諸手当を除いた数値）
【試験種類】‥【各種制度】‥

【業績】	売上高	営業利益	経常利益	純利益
連23.3	2,837	▲508	▲527	▲774
連24.3	3,430	118	93	104

㈱レオクラン
東証スタンダード

【本社】566-0001 大阪府摂津市千里丘2-4-26 ☎06-6387-1554
その他サービス

採用実績数	倍率	3年後離職率	平均年収
6名	‥	‥	727万円

【特色】病院の新築や移転などにおけるコンサルティングと医療機器・設備の販売が主力。ICTから建物の建設、設備導入までをコンサルティング。CTやMRIなどの遠隔画像診断サービスや、福祉施設や病院向けに給食サービスも手がける。
【定着率】‥
【採用】　【設立】2001.1【社長】竹内興次
23年 9【従業員】連173名 単137名（37.6歳）
24年 6【有休】‥日
25年 前年並【初任給】月23.1万（諸手当を除いた数値）
【試験種類】‥【各種制度】‥

【業績】	売上高	営業利益	経常利益	純利益
連22.9	29,767	650	709	437
連23.9	26,632	440	431	271

アップルインターナショナル
東証スタンダード

【本社】510-0885 三重県四日市市日永2-3-3 ☎059-347-3515
商社・卸売業

採用実績数	倍率	3年後離職率	平均年収
1名	‥	‥	657万円

【特色】東南アジアへの中古車輸出が柱。国内一般ユーザーからの買い取りやオートオークションで仕入れた中古車を、海外の輸入業者へ販売。タイで運営するオートオークション事業を拡大。国内では中古車買い取り専門店「アップル」をFCで展開。
【定着率】‥
【採用】　【設立】1996.1【会長兼社長】久保和喜
23年 1【従業員】連100名 単23名（37.0歳）
24年 0【有休】‥日
25年 0【初任給】‥万
【試験種類】‥【各種制度】‥

【業績】	売上高	営業利益	経常利益	純利益
連22.12	29,222	1,458	1,701	1,330
連23.12	30,911	1,098	1,271	1,007

三重交通商事（みえこうつうしょうじ）
株式公開計画なし

【本社】514-0831 三重県津市本町29-16 ☎059-228-8101
商社・卸売業

採用実績数	倍率	3年後離職率	平均年収
5名	‥	‥	‥

【特色】三重交通グループHD傘下で、石油・液化ガス・関連事業の3事業部体制。三重県全域と名古屋市、和歌山県でSS運営やカーケア事業などを展開。コメダ珈琲店のFC運営やコインランドリー事業にも進出するなど関連事業を育成。
【定着率】‥
【採用】　【設立】1940.9【社長】豊永久
23年 1【従業員】単138名（47.2歳）
24年 5【有休】‥日
25年 未定【初任給】‥万
【試験種類】‥【各種制度】‥

【業績】	売上高	営業利益	経常利益	純利益
単23.3	11,018	58	91	▲531
単24.3	10,793	‥	‥	‥

三重テレビ放送（みえ ほうそう）
株式公開計画なし

【本社】514-0063 三重県津市渋見町字小谷693-1 ☎059-226-1133
テレビ

採用予定数	倍率	3年後離職率	平均年収
4名	‥	‥	‥

【特色】三重県全域（愛知、岐阜の一部含む）約300万世帯をカバーする県内唯一の民放テレビ局。略称MTV。中日新聞系。東京、大阪、名古屋に支社。「Mieライフ」「NEWSウィズ」などのローカル情報番組に力を入れる。
【定着率】‥
【採用】　【設立】1968.3【社長】山口貢
23年 7【従業員】単65名（44.1歳）
24年 3【有休】‥日
25年 4【初任給】月20.1万（諸手当を除いた数値）
【試験種類】‥【各種制度】‥

【業績】	売上高	営業利益	経常利益	純利益
単23.3	2,477	▲30	▲21	▲25
単24.3	2,556	▲130	▲115	▲175

キクカワエンタープライズ（東証スタンダード）

【本社】516-8686 三重県伊勢市朝熊町3477-36
☎0596-21-1011
機械

採用予定数	倍率	3年後離職率	平均年収
7名	‥	‥	‥

【特色】製材・木材加工機械の老舗で最大手メーカー。製材機、プレカット加工機が主力製品。「切る・削る・磨く」技術に特化。集成材・CLT用、合板・各種ボード用も取り扱う。プリント配線板、自動車型枠、鉄道車両用など各種加工機にも展開。
【定着率】‥
【採用】【設立】1947.6【社長】菊川厚
23年 7【従業員】単190名(40.6歳)
24年 5【有休】‥日
25年 7【初任給】月20.8万(諸手当を除いた数値)
【試験種類】‥【各種制度】‥

【業績】	売上高	営業利益	経常利益	純利益
単23.3	4,132	437	515	377
単24.3	5,486	772	844	618

㈱イーテック（株式公開計画なし）

【本社】510-0875 三重県四日市市大治田1-6-16
☎059-345-0022
化学

採用予定数	倍率	3年後離職率	平均年収
未定	‥	‥	‥

【特色】合成ゴムラテックスやアクリルエマルジョンベースの建築用・土木用材料、産業資材用材料(粘着剤、接着剤、コート材など)を製造・販売するメーカー。各種ファイン系原料ポリマーの製造・販売なども展開。JSRの子会社。
【定着率】‥
【採用】【設立】1963.10【社長】根本宏明
23年 5【従業員】単235名(42.0歳)
24年 0【有休】‥日
25年 未定【初任給】月20.7万(諸手当を除いた数値)
【試験種類】‥【各種制度】‥

【業績】	売上高	営業利益	経常利益	純利益
単23.3	12,774	1,192	1,191	837
単24.3	13,304	917	922	922

東海(とうかい)コンクリート工業(こうぎょう)（株式公開計画なし）

【本社】511-0274 三重県いなべ市大安町大井田2250
☎0594-77-0511
ガラス・土石・ゴム

採用予定数	倍率	3年後離職率	平均年収
7名	‥	‥	‥

【特色】中部電力の関連会社で、電柱などのポール、杭基礎工事用のパイル、建築用外壁板が3本柱。中電で使用するコンクリ二次製品の製作を目的に創業。各種工事やコンクリ構造物診断補修など環境対応事業なども展開。三重に工場、名古屋に事業所を置く。
【定着率】‥
【採用】【設立】1954.8【社長】石黒幸文
23年 0【従業員】単166名(43.0歳)
24年 4【有休】‥日
25年 7【初任給】月20.6万(諸手当を除いた数値)
【試験種類】‥【各種制度】‥

【業績】	売上高	営業利益	経常利益	純利益
単23.3	7,247	242	262	151
単24.3	7,716	93	109	21

㈱MIEコーポレーション（名証メイン）

【本社】511-0912 三重県桑名市大字星川1001
☎0594-31-6668
金属製品

採用予定数	倍率	3年後離職率	平均年収
未定	‥	‥	480万円

【特色】ステンレス製の継ぎ手やフランジの専業大手メーカー。グループで化学工場や半導体製造工場、浄水場向けなどを製造・販売。タンカーなどの配管も手がける。海外は中国に拠点を持つが、高付加価値品以外は東南アジアの契約会社にOEM委託。
【定着率】‥
【MIEテクノ採用】【設立】2008.1【社長】中山弥一
23年 0【従業員】連131名 単6名(39.2歳)
24年 0【有休】‥日
25年 未定【初任給】月20.3万(諸手当を除いた数値)
【試験種類】‥【各種制度】‥

【業績】	売上高	営業利益	経常利益	純利益
連23.3	6,579	498	431	358
連24.3	6,811	565	536	372

ヴァーレ・ジャパン（株式公開計画なし）

【本社】515-0802 三重県松阪市猟師町345-32
☎0598-51-1771
非鉄

採用予定数	倍率	3年後離職率	平均年収
未定	‥	‥	‥

【特色】世界最大級のニッケルメーカーであるヴァーレカナダ社の日本法人でアジアの生産拠点。製鋼用ニッケル原料、工業用濃硫酸を製販。松阪市に本社と年産能力約7万トンの工場。製品は国内の鉄鋼メーカー、英国、台湾、韓国のグループ会社に供給。
【定着率】‥
【採用】【設立】1965.8【社長】遊上博幸
23年 3【従業員】単69名(‥歳)
24年 ‥【有休】‥日
25年 未定【初任給】‥万
【試験種類】‥【各種制度】‥

【業績】	売上高	営業利益	経常利益	純利益
単22.12	68,617	2,286	2,442	1,704
単23.12	43,278	1,990	2,228	1,539

三(さん)交(こう)不(ふ)動(どう)産(さん)（株式公開計画なし）

【本社】514-0033 三重県津市丸之内9-18
☎059-227-5111
住宅・マンション

採用実績数	倍率	3年後離職率	平均年収
12名	‥	‥	‥

【特色】三重交通グループ。3大都市圏でマンション事業展開。東海圏では戸建分譲、注文住宅、リフォーム、売買仲介、オフィス・商業施設賃貸や、太陽光発電、農業にも取り組み多角形。サービス付き高齢者向け住宅運営なども。名古屋エリアでも事業加速。
【定着率】‥
【採用】【設立】1955.7【社長】中村充孝
23年 11【従業員】単372名(43.9歳)
24年 12【有休】‥日
25年 未定【初任給】月24万(諸手当を除いた数値)
【試験種類】‥【各種制度】‥

【業績】	売上高	営業利益	経常利益	純利益
単23.3	30,339	5,136	4,973	3,149
単24.3	31,118	4,713	4,563	3,204

昭和四日市石油（しょうわよっかいちせきゆ）
株式公開計画なし

【本社】510-0851 三重県四日市市塩浜町1
☎059-347-5511
石油

採用実績数	倍率	3年後離職率	平均年収
20名	‥	‥	‥

【特色】石油製品の精製専業。日本初の石油化学コンビナートの中核会社として設立。出光興産と三菱商事が大株主で、仕入・販売ともに両社グループを経由する。原油処理能力は日量25.5万バレルで国内有数。三重・四日市に製油所。
【定着率】‥
【採用】【設立】1957.11【社長】飯田聡
23年 15【従業員】単624名(39.7歳)
24年 20【有休】‥日
25年 未定【初任給】‥万
【試験種類】‥【各種制度】‥

【業績】	売上高	営業利益	経常利益	純利益
単23.3	35,425	1,428	717	100
単24.3	36,466	1,052	1,074	100

㈱メディカル一光グループ（いっこう）
東証スタンダード

【本社】514-0035 三重県津市西丸之内36-25
☎059-226-1193
家電量販・薬局・HC

採用予定数	倍率	3年後離職率	平均年収
未定	‥	‥	563万円

【特色】三重県を地盤に調剤薬局チェーンを展開する持株会社。「フラワー薬局」を三重、京都、愛知を中心に全国展開。中京圏と九州でジェネリック医薬品の卸事業も行う。M&Aによる事業拡大に積極的。介護付き有料老人ホームが第2の柱で、通所介護や訪問介護も手がける。
【定着率】‥
【メディカル一光採用】【設立】1985.4【社長】南野利久
23年 ‥【従業員】連1,437名 単26名(42.2歳)
24年 ‥【有休】‥日
25年 未定【初任給】‥万
【試験種類】‥【各種制度】‥

【業績】	売上高	営業利益	経常利益	純利益
連23.2	33,897	935	1,227	759
連24.2	39,900	1,559	1,751	1,039

㈱柿安本店（かきやすほんてん）
東証プライム

【本社】511-8555 三重県桑名市吉之丸8
☎0594-23-5500
その他小売業

採用予定数	倍率	3年後離職率	平均年収
40名	‥	‥	495万円

【特色】明治初期、三重県桑名市に開店した牛鍋店が発祥の老舗。精肉と総菜が2本柱。精肉は松坂牛が販売の核で、豚肉、鶏肉も扱う。総菜は百貨店、SC中心に和・洋・中の3業態を出店。和菓子事業を育成。料亭やフードコート向けレストラン事業も手がける。
【定着率】‥
【採用】【設立】1968.11【社長】赤塚保正
23年 10【従業員】連886名 単838名(43.0歳)
24年 22【有休】‥日
25年 40【初任給】月21.1万(諸手当を除いた数値)
【試験種類】‥【各種制度】‥

【業績】	売上高	営業利益	経常利益	純利益
連23.4変	43,910	3,509	3,566	2,205
連24.4	37,052	2,200	2,233	1,400

長島観光開発（ながしまかんこうかいはつ）
株式公開計画なし

【本社】511-1192 三重県桑名市長島町浦安333
☎0594-45-1111
レジャー

採用実績数	倍率	3年後離職率	平均年収
6名	‥	‥	‥

【特色】三重県桑名市で東海地区最大の遊園地「ナガシマスパーランド」、「ホテル花水木」、日帰り天然温泉、アウトレットモールなどの総合リゾート施設を運営。花をテーマにした施設の「なばなの里」は、国内最大級のイルミネーションが特徴。
【定着率】‥
【採用】【設立】1963.12【社長】舟橋純
23年 12【従業員】単814名(40.0歳)
24年 6【有休】‥日
25年 未定【初任給】月23.9万(諸手当を除いた数値)
【試験種類】‥【各種制度】‥

【業績】	売上高	営業利益	経常利益	純利益
単23.2	19,742	659	507	458
単24.2	21,994	1,833	1,627	1,314

三重交通（みえこうつう）
株式公開計画なし

【本社】514-8635 三重県津市中央1-1
☎059-229-5511
鉄道・バス

採用実績数	倍率	3年後離職率	平均年収
30名	‥	‥	‥

【特色】乗合自動車業と貸切自動車業が2本柱。乗合バスは営業キロ数約5000km、運行約1000系統、車両数約700両。事業範囲は関西圏と東京、神奈川、埼玉、愛知。貸し切りバスは車両数約130両。AIやICT活用したモビリティサービス実現に取り組む。
【定着率】‥
【採用】【設立】1931.2【社長】田端英明
23年 29【従業員】単1,132名(45.3歳)
24年 30【有休】‥日
25年 未定【初任給】月24万(諸手当を除いた数値)
【試験種類】‥【各種制度】‥

【業績】	売上高	営業利益	経常利益	純利益
単23.3	19,703	1,428	1,597	1,056
単24.3	20,326	1,380	1,589	1,061

湖東信用金庫（ことうしんようきんこ）
株式公開計画なし

【本部】527-8687 滋賀県東近江市青葉町1-1
☎0748-20-2550
信用金庫

採用実績数	倍率	3年後離職率	平均年収
12名	‥	‥	‥

【特色】滋賀県東近江市が地盤の信用金庫。甲賀市、湖南市などに12支店。資金供給、有益な情報提供を通じ地域経済の安定・振興に貢献。子育て世代対象商品の拡充図る。びわこ学院大、滋賀中央信金などと包括的連携協定。預金量2186億円(24年3月末)。
【定着率】‥
【採用】【設立】1948.8【理事長】矢島之貴
23年 14【従業員】単167名(40.1歳)
24年 12【有休】‥日
25年 未定【初任給】月20.8万(諸手当を除いた数値)
【試験種類】‥【各種制度】‥

【業績】	経常収益	業務純益	経常利益	純利益
単23.3	2,504	272	304	240
単24.3	2,516	248	276	265

湖北工業（こほくこうぎょう）

東証スタンダード

【本社】529-0241 滋賀県長浜市高月町高月1623 ☎0749-85-3211

電子部品・機器

採用実績数	倍率	3年後離職率	平均年収
4名	‥	‥	631万円

【特色】アルミ電解コンデンサー用リード端子と光部品・デバイスを製造。リード端子は異種金属の溶接技術や金属加工技術に強み。光部品・デバイスでは海底ケーブル向け光アイソレータが主要製品。次世代素材・高純度石英ガラスで大学と共同研究。

【定着率】‥

【採用】 【設立】1959.9 【社長】石井太

23年 2 【従業員】連1,549名 単163名（44.9歳）

24年 4 【有休】‥日

25年 前年並 【初任給】月21.7万（諸手当を除いた数値）

【試験種類】‥ 【各種制度】‥

【業績】	売上高	営業利益	経常利益	純利益
連22.12	15,673	3,884	4,443	3,066
連23.12	13,472	2,812	3,152	1,904

山科精器（やましなせいき）

株式公開いずれしたい

【本社】520-3001 滋賀県栗東市東坂525 ☎077-558-2311

機械

採用実績数	倍率	3年後離職率	平均年収
2名	‥	‥	‥

【特色】FA化対応の専用工作機械、舶用・発電プラント向けの熱交換器、舶用機関・産業機械向けの注油器やカテーテルや吸引嘴管など医療機器の製造・販売を行う。搬送機器、食品加工機器の生産も手がける。設計開発、調達、品質管理、保守まで一貫生産体制。

【定着率】‥

【採用】 【設立】1939.7 【社長】大日陽一郎

23年 3 【従業員】単155名（40.0歳）

24年 2 【有休】‥日

25年 前年並 【初任給】月21.5万（諸手当を除いた数値）

【試験種類】‥ 【各種制度】‥

【業績】	売上高	営業利益	経常利益	純利益
単23.3	3,001	127	133	84
単24.3	2,822	82	167	95

タカラバイオ

東証プライム

【本社】525-0058 滋賀県草津市野路東7-4-38 ☎077-565-6920

化学

採用予定数	倍率	3年後離職率	平均年収
未定	‥	‥	‥

【特色】遺伝子・再生医療研究用試薬や培地、理化学機器販売などバイオ産業支援事業が収益柱。国内に加え欧米・中国で展開強化中。宝ホールディングス傘下。iPS細胞培養液など再生医療資材も扱う。遺伝子解析・検査支援サービスも展開。

【定着率】‥

【採用】 【設立】2002.4 【社長】仲尾功一

23年 ‥ 【従業員】連1,828名 単798名（41.1歳）

24年 ‥ 【有休】‥日

25年 未定 【初任給】‥万

【試験種類】‥ 【各種制度】‥

【業績】	売上高	営業利益	経常利益	純利益
連23.3	78,142	20,541	20,682	16,012
連24.3	43,505	3,003	3,405	1,480

㈱メタルアート

東証スタンダード

【本社】525-0059 滋賀県草津市野路3-2-18 ☎077-563-2111

金属製品

採用実績数	倍率	3年後離職率	平均年収
5名	‥	‥	‥

【特色】精密型打ち鍛造品専業メーカー。自動車部品と建設機械部品が主で、農業機械部品なども展開。クランクシャフト、CVTなど自動車用鍛造品はダイハツやトヨタなどが主要取引先。熱間・冷間鍛造を組み合わせた複合精密鍛造技術は世界有数。

【定着率】‥

【採用】 【設立】1943.8 【社長】友岡正明

23年 8 【従業員】連690名 単482名（42.6歳）

24年 5 【有休】‥日

25年 増加 【初任給】月21万（諸手当を除いた数値）

【試験種類】‥ 【各種制度】‥

【業績】	売上高	営業利益	経常利益	純利益
連23.3	44,238	3,804	3,866	2,632
連24.3	45,021	2,921	3,183	2,119

ポラテック西日本（にしにほん）

株式公開計画なし

【本社】520-3405 滋賀県甲賀市甲賀町隠岐2403-17 ☎0748-88-6551

その他メーカー

採用予定数	倍率	3年後離職率	平均年収
未定	‥	‥	‥

【特色】ポラスグループ27社の一角で、中部・近畿圏へのプレカット部材の製造・販売を行う。ポラテックなどプレカット事業を営むグループ5社で生産量国内トップ。営業部門は中大規模木造建築や集合住宅に、構造設計部門は構造計算に注力。営業拠点は5カ所。

【定着率】‥

【ポラスグループ採用】 【設立】2013.3 【代表取締役】中内晃次郎

23年 ‥ 【従業員】単123名（33.4歳）

24年 ‥ 【有休】‥日

25年 未定 【初任給】月26.5万（諸手当を除いた数値）

【試験種類】‥ 【各種制度】‥

【業績】	売上高	営業利益	経常利益	純利益
単23.3	36,787	3,326	3,419	2,272
単24.3	20,296	795	817	556

㈱三東工業社（さんとうこうぎょうしゃ）

東証スタンダード

【本社】520-3022 滋賀県栗東市上鈎480 ☎077-553-1111

建設

採用実績数	倍率	3年後離職率	平均年収
4名	‥	‥	725万円

【特色】滋賀県に本社を置く建設会社。売上高の8割強が県内。下水道など土木主体に、マンション、工場などの民間建築の比率も高まる。得意技術を生かし、耐震工事、環境エンジニアリング事業などの市場開拓も行う。県内材使用のCLT（直交集成板）工法活用に注力。

【定着率】‥

【採用】 【設立】1954.7 【社長】奥田克実

23年 4 【従業員】連117名 単102名（46.3歳）

24年 0 【有休】‥日

25年 0 【初任給】月23.5万（諸手当を除いた数値）

【試験種類】‥ 【各種制度】‥

【業績】	売上高	営業利益	経常利益	純利益
連23.6	6,919	341	344	225
連24.6	7,400	199	208	132

㈱大生産業（たいせいさんぎょう）

株式公開計画なし

【本社】520-2331 滋賀県野洲市小篠原1979 ☎077-586-3456
住宅・マンション

採用実績数	倍率	3年後離職率	平均年収
2名	‥	‥	‥

【特色】新築やリフォーム・メンテナンス、不動産売買・賃貸仲介、建設設計や建設業務などを展開。滋賀県(野洲市、守山市、大津市)を拠点に地域密着型営業を推進。京都府にも支社。空き家など休眠不動産を借り上げるサブリース事業も展開。
【定着率】‥
【採用】【設立】1990.3【代表取締役】梅村忠生
23年 1【従業員】単58名(48.3歳)
24年 2【有休】‥日
25年 未定【初任給】月20万(諸手当を除いた数値)
【試験種類】‥【各種制度】‥

【業績】	売上高	営業利益	経常利益	純利益
単22.9	1,343	51	1	0
単23.9	2,010	73	26	13

エネサーブ

株式公開計画なし

【本社】520-2152 滋賀県大津市月輪2-19-6 ☎077-543-6330
電力・ガス

採用予定数	倍率	3年後離職率	平均年収
未定	‥	‥	‥

【特色】総合エネルギーサービス業。電気設備の保守点検と電力小売り、省エネコンサルティングが主力事業。滋賀、京都、福岡にエネルギーセンター配置。エネルギーコストの低減化と環境保全を目指す。大和ハウス工業グループ。
【定着率】‥
【採用】【設立】1965.12【社長】井上博司
23年 1【従業員】単264名(44.4歳)
24年 ‥【有休】‥日
25年 未定【初任給】‥万
【試験種類】‥【各種制度】‥

【業績】	売上高	営業利益	経常利益	純利益
単23.3	51,166	3,074	3,078	2,332
単24.3	31,764	2,616	2,660	1,725

㈱たけびし

東証プライム

【本社】615-8501 京都府京都市右京区西京極豆田町29 ☎075-325-2111
商社・卸売業

採用実績数	倍率	3年後離職率	平均年収
18名	‥	‥	772万円

【特色】三菱電機系技術商社で、サーボモーターなどFA関連機器が主力。三菱電機以外も売上高の6割超。液晶モジュールなど組み込み機器主体の半導体・電子デバイスも収益柱。電子診断装置など医療機器も扱う。中国やタイ、ベトナムなど海外現法でも販売を行う。
【定着率】‥
【採用】【設立】1926.4【社長】岡垣浩志
23年 18【従業員】連830名 単430名(39.5歳)
24年 18【有休】‥日
25年 前年並【初任給】月22.5万(諸手当を除いた数値)
【試験種類】‥【各種制度】‥

【業績】	売上高	営業利益	経常利益	純利益
連23.3	97,404	3,919	4,041	2,738
連24.3	101,355	3,736	3,915	2,501

㈱ダテ・メディカルサービス

株式公開していない

【本社】612-8419 京都府京都市伏見区竹田北三ツ杭町48 ☎075-646-1818
商社・卸売業

採用予定数	倍率	3年後離職率	平均年収
未定	‥	‥	‥

【特色】医療機器、検査機器、病院設備を扱う専門商社。循環器分野、心臓外科分野に強い。最新の医療技術、医療システムを提供。臨床工学技士、第2種ME技術実力検定など有資格者多い。関西地盤に東京、福井にも事業所。北京に販売現地法人。
【定着率】‥
【採用】【設立】1991.3【会長】伊達純一
23年 ‥【従業員】単105名(35.4歳)
24年 ‥【有休】‥日
25年 未定【初任給】‥万
【試験種類】‥【各種制度】‥

【業績】	売上高	営業利益	経常利益	純利益
単23.2	12,839	‥	‥	‥
単24.2	12,933	‥	‥	‥

クロイ電機（でんき）

株式公開いずれしたい

【本社・京都開発センター】601-8121 京都府京都市南区上鳥羽大物町7 ☎075-644-7775
電機・事務機器

採用予定数	倍率	3年後離職率	平均年収
6名	‥	‥	‥

【特色】照明器具の中堅メーカー。パナソニック系でOEM／ODM中心。伝統工芸を取り入れたデザイン性に定評。LED照明器具、調光装置、屋外投光器、防犯関連機器も開発・製造。照明事業で培った省エネ・省資源技術生かし、事業領域拡大へ。
【定着率】‥
【採用】【設立】1953.6【社長】黒井武弘
23年 5【従業員】単168名(44.9歳)
24年 5【有休】‥日
25年 6【初任給】月24.1万(諸手当を除いた数値)
【試験種類】‥【各種制度】‥

【業績】	売上高	営業利益	経常利益	純利益
単23.3	9,476	157	185	98
単24.3	9,959	137	175	132

不二電機工業（ふじでんきこうぎょう）

東証スタンダード

【本社】604-0954 京都府京都市中京区御池通富小路西入る東八幡町585 ☎075-221-7978
電機・事務機器

採用予定数	倍率	3年後離職率	平均年収
若干	‥	‥	563万円

【特色】重電用制御機器メーカー。カムスイッチに代表される制御用開閉器や接続機器、LED使用の表示灯、表示器などを製造。直接の販売先は重電機メーカーだが、最終ユーザーは電力会社や鉄道関連メーカーなど。商社を通じ海外市場での販売を強化。
【定着率】‥
【採用】【設立】1958.5【社長】八木達史
23年 1【従業員】単112名(41.8歳)
24年 1【有休】‥日
25年 若干【初任給】月23.2万(諸手当を除いた数値)
【試験種類】‥【各種制度】‥

【業績】	売上高	営業利益	経常利益	純利益
単23.1	3,707	350	374	262
単24.1	3,723	399	425	349

サムコ

東証プライム

【本社】612-8443 京都府京都市伏見区竹田藁屋町36 ☎075-621-7841
電機・事務機器

採用予定数	倍率	3年後離職率	平均年収
8名	‥	‥	648万円

【特色】化合物半導体用など電子部品製造装置メーカー。光半導体向け薄膜形成・加工に強み。半導体製造装置はCVD、エッチング、洗浄装置が3本柱。研究開発用から量産用まで幅広い。産学連携に実績あり、国内はじめ米・欧でも大学などとの共同研究開発体制を持つ。
【定着率】‥
【採用】 【設立】1979.9【社長】川邊史
23年 7【従業員】単185名(40.9歳)
24年 6【有休】‥日
25年 8【初任給】月22.2万(諸手当を除いた数値)
【試験種類】‥【各種制度】‥

【業績】	売上高	営業利益	経常利益	純利益
単23.7	7,830	1,858	1,927	1,366
単24.7	8,203	2,017	2,088	1,471

㈱京写（きょうしゃ）

東証スタンダード

【本社】613-0024 京都府久世郡久御山町森村東300 ☎075-631-3191
電子部品・機器

採用実績数	倍率	3年後離職率	平均年収
7名	‥	‥	483万円

【特色】プリント配線板メーカー。片面プリントのほか両面プリントも手がける。撤退メーカーが相次いだ片面プリントは、コスト削減で世界首位に。海外は中国、インドネシア、ベトナムに生産拠点。車載・再エネ分野向けの拡大に注力。子会社で電子部品実装事業も併営。
【定着率】‥
【採用】 【設立】1959.2【社長】児嶋一登
23年 6【従業員】連1,264名 単389名(41.7歳)
24年 7【有休】‥日
25年 前年並【初任給】月22.5万(諸手当を除いた数値)
【試験種類】‥【各種制度】‥

【業績】	売上高	営業利益	経常利益	純利益
連23.3	24,462	671	619	▲485
連24.3	24,580	1,080	911	604

進工業（すすむこうぎょう）

株式公開いずれしたい

【本社】600-8008 京都府京都市下京区四条通烏丸東入長刀鉾8 京都三井ビルディング8階 ☎075-255-1964
電子部品・機器

採用予定数	倍率	3年後離職率	平均年収
未定	‥	‥	‥

【特色】薄膜技術に強い電子部品メーカー。創業時から薄膜技術を軸に研究開発に取り組み、金属皮膜チップ抵抗器などに高評価。車載、計量計測、エネルギー、医療などの各分野に幅広く採用。福井、新潟に工場。海外は米国、ドイツ、中国などに現地法人。
【定着率】‥
【採用】 【設立】1964.7【社長】岡本直用
23年 9【従業員】単391名(41.2歳)
24年 ‥【有休】‥日
25年 未定【初任給】月24万(諸手当を除いた数値)
【試験種類】‥【各種制度】‥

【業績】	売上高	営業利益	経常利益	純利益
連23.3	11,913	2,829	2,851	2,123
単24.3	9,628	676	1,726	1,304

黄桜（きざくら）

株式公開計画なし

【本社】612-8242 京都府京都市伏見区横大路下三栖梶原町53 ☎075-611-4101
食品・水産

採用予定数	倍率	3年後離職率	平均年収
若干	‥	‥	‥

【特色】「呑」や「辛口一献」が主力商品の大手酒造の一角。地ビール「京都麦酒」も販売。地ビールレストラン「キザクラカッパカントリー」や京料理店「祥風楼」、工場見学可能なレストラン「伏水蔵」などを直営で展開。京都と兵庫に2工場。
【定着率】‥
【採用】 【設立】1951.12【社長】松本真治
23年 13【従業員】単223名(42.2歳)
24年 9【有休】‥日
25年 若干【初任給】月19.5万
【試験種類】‥【各種制度】‥

【業績】	売上高	営業利益	経常利益	純利益
単22.9	9,600	‥	‥	‥
単23.9	9,500	‥	‥	‥

佐川印刷（さがわいんさつ）

株式公開計画なし

【本社】617-8588 京都府向日市森本町戌亥5-3 ☎075-933-8081
印刷・紙パルプ

採用実績数	倍率	3年後離職率	平均年収
54名	‥	‥	‥

【特色】佐川急便グループの総合印刷会社。各種印刷のほか、デジタルプリプレス、ビジネスサプライなど展開。印刷からラッピング、配送までを工場内で一貫生産。本社、滋賀、神奈川、千葉、埼玉等に工場保有。軟包装事業も手がける。
【定着率】‥
【採用】 【設立】1976.3【会長】木下宗昭
23年 49【従業員】単1,343名(41.2歳)
24年 54【有休】‥日
25年 前年並【初任給】月21万(諸手当を除いた数値)
【試験種類】‥【各種制度】‥

【業績】	売上高	営業利益	経常利益	純利益
単23.4	68,042	1,794	4,263	2,939
単24.4	68,910	2,332	4,906	2,979

㈱TANAX

株式公開未定

【本社】600-8105 京都府京都市下京区五条通烏丸東入松屋町438 ☎075-361-2000
印刷・紙パルプ

採用予定数	倍率	3年後離職率	平均年収
10名	‥	‥	‥

【特色】包装・梱包改善や物流ソリューションとセールスプロモーションを手がける。クライアント商品の店頭販促、ドラッグストアなどの経営も。東京や大阪に支店、生産拠点として自社工場7。片面段ボール「クレダン」は日本トップシェア。
【定着率】‥
【採用】 【設立】1951.3【社長】田中一平
23年 10【従業員】単495名(40.0歳)
24年 8【有休】‥日
25年 10【初任給】月24.3万(諸手当を除いた数値)
【試験種類】‥【各種制度】‥

【業績】	売上高	営業利益	経常利益	純利益
単22.12	21,568	‥	‥	‥
単23.12	21,711	‥	‥	‥

野崎印刷紙業（のざきいんさつしぎょう）

東証スタンダード

【本社】603-8151 京都府京都市北区小山下総町54-5 ☎075-441-6965
印刷・紙パルプ

採用予定数	倍率	3年後離職率	平均年収
10名	‥	‥	438万円

【特色】小売業を主力顧客に包装資材や紙器・紙加工品を展開。情報機器も手がけ、バーコード関連のタグ・ラベルでは高シェア。包装資材は食品向け軟包装材や紙器が中心で環境対応のフレキソ印刷を採用。カタログ・パンフなどの商業印刷や伝票類印刷も行う。
【定着率】‥
【採用】【設立】1940.11【社長】野﨑隆男
23年 5【従業員】連415名 単370名（46.5歳）
24年 9【有休】‥日
25年 10【初任給】月23万（諸手当を除いた数値）
【試験種類】‥【各種制度】‥

【業績】	売上高	営業利益	経常利益	純利益
連23.3	13,437	332	374	253
連24.3	14,157	621	667	573

綾羽（あやは）

株式公開計画なし

【本社】600-8411 京都府京都市下京区烏丸通四条下る水銀屋町612 四条烏丸ビル7階 ☎075-221-5080
衣料・繊維

採用予定数	倍率	3年後離職率	平均年収
30名	‥	‥	‥

【特色】タイヤコード、テントやシートの生地など産業用資材繊維製造の大手メーカー。伊藤忠商事系。京都と滋賀県・大津の2本社制。子会社でホームセンター、ゴルフ場経営など多角化。ショッピングセンターや温泉施設の運営、欠陥検査システムの開発も手がける。
【定着率】‥
【グループ採用】【設立】1946.10【社長】河本英典
23年 22【従業員】単108名（45.2歳）
24年 25【有休】‥日
25年 30【初任給】月22万（諸手当を除いた数値）
【試験種類】‥【各種制度】‥

【業績】	売上高	営業利益	経常利益	純利益
単23.3	3,941	549	943	545
単24.3	3,928	288	726	541

㈱クラウディアホールディングス

東証スタンダード

【本社】615-0031 京都府京都市右京区西院高田町34 ☎075-315-2345
衣料・繊維

採用実績数	倍率	3年後離職率	平均年収
3名	‥	‥	488万円

【特色】ウエディングドレスメーカー。デザイナーズブランドドレスの先駆けで、卸販売やレンタル、直営店舗での小売りなど行う。海外生産拠点として中国・青島、ベトナムに縫製工場。国内外で結婚式場やリゾート挙式運営も。美容、写真事業を強化。
【定着率】‥
【クラウディア採用】【設立】1976.12【会長兼社長】倉正治
23年 20【従業員】連1,014名 単27名（38.5歳）
24年 3【有休】‥日
25年 未定【初任給】月21.3万（諸手当を除いた数値）
【試験種類】‥【各種制度】‥

【業績】	売上高	営業利益	経常利益	純利益
連23.8	11,521	553	617	562
連24.8	13,219	341	388	192

㈱ロマンス小杉（こすぎ）

株式公開計画なし

【本社】600-8422 京都府京都市下京区室町通仏光寺上ル白楽天町517 ☎075-341-3111
衣料・繊維

採用実績数	倍率	3年後離職率	平均年収
7名	‥	‥	‥

【特色】寝装寝具、インテリア、生活雑貨の製造卸売。全国の百貨店、専門店、量販店、通販会社などに販売。防寒機能寝具や機能敷布団、ムートン敷布団、天然繊維製品などを拡販。オンラインショップ「ねむりのアトリエ」も展開。
【定着率】‥
【採用】【設立】1947.7【社長】小杉源一郎
23年 7【従業員】単130名（39.1歳）
24年 7【有休】‥日
25年 未定【初任給】月21.6万
【試験種類】‥【各種制度】‥

【業績】	売上高	営業利益	経常利益	純利益
単22.6	5,072	‥	‥	‥
単23.6	5,024	‥	‥	‥

㈱タカコ

株式公開計画なし

【本社】619-0240 京都府相楽郡精華町祝園西1-32-1 ☎0774-95-3336
金属製品

採用予定数	倍率	3年後離職率	平均年収
3名	‥	‥	‥

【特色】高圧油圧モーター、ポンプの関連部品をミクロン単位の高精度で製造。小型アキシアルピストンポンプは0.4ccなど世界最小クラスにも対応。国内シェア80%、世界シェア65%。米国、ベトナムに生産現法。KYBの完全子会社。
【定着率】‥
【採用】【設立】1973.4【社長】加賀谷浩
23年 1【従業員】単272名（38.9歳）
24年 2【有休】‥日
25年 3【初任給】月22.5万（諸手当を除いた数値）
【試験種類】‥【各種制度】‥

【業績】	売上高	営業利益	経常利益	純利益
単23.3	13,118	753	1,265	994
単24.3	11,070	▲103	395	383

㈱ニチダイ

東証スタンダード

【本社】610-0341 京都府京田辺市薪北町田13 ☎0774-62-3481
金属製品

採用実績数	倍率	3年後離職率	平均年収
10名	‥	‥	534万円

【特色】独立系金型メーカー。切削加工なしに複雑形状部品を成形する精密鍛造（ネットシェイプ）技術に強み。ターボチャージャー部品などの精密部品も手がける。自動車向けの売上高が7割超。熱処理技術を応用した焼結金属フィルタ事業はヘルスケア、宇宙向けにも注力。
【定着率】‥
【採用】【設立】1967.5【社長】伊藤直紀
23年 9【従業員】連649名 単346名（41.6歳）
24年 10【有休】‥日
25年 微減【初任給】月21.3万（諸手当を除いた数値）
【試験種類】‥【各種制度】‥

【業績】	売上高	営業利益	経常利益	純利益
連23.3	10,847	▲202	▲65	▲484
連24.3	11,323	▲42	64	44

近畿

㈱ワイズホールディングス
東証スタンダード

【本店】607-8155 京都府京都市山科区東野狐藪町16 ☎075-591-2131
金属製品

採用予定数	倍率	3年後離職率	平均年収
2名	‥	‥	470万円

【特色】十字穴ネジの代表的メーカー。京都・山科本拠。自動車や家電・産業機器向けが主力。グループで電線・ケーブルなどの製造販売と発泡樹脂品など化成品の加工販売も手がける。不動産賃貸も安定収益源。24年10月に持株会社体制へ移行。
【定着率】‥
【採用】 【設立】1917.9【社長】堀直樹
23年 ‥【従業員】連455名 単97名(46.2歳)
24年 0【有休】‥日
25年 2【初任給】‥万
【試験種類】‥【各種制度】‥

【業績】	売上高	営業利益	経常利益	純利益
連23.3	11,914	648	678	434
連24.3	12,153	319	398	245

三谷伸銅（みたにしんどう）
株式公開計画なし

【本社】601-8128 京都府京都市南区上鳥羽大柳町1-1 ☎075-681-3331
非鉄

採用実績数	倍率	3年後離職率	平均年収
2名	‥	‥	‥

【特色】三井金属系列の伸銅業界の老舗メーカー。中間素材の黄銅線、黄銅板、アルミ形材などを製造・販売。アルミ形材などを材料とした二次製品の製造や、銅合金・軽合金などの鋳・鍛造品も手がける。小ロット、多品種に柔軟対応。1770年代に京都にて創業。
【定着率】‥
【採用】 【設立】1916.6【社長】小野寺真
23年 1【従業員】単148名(43.4歳)
24年 2【有休】‥日
25年 0【初任給】月22.5万(諸手当を除いた数値)
【試験種類】‥【各種制度】‥

【業績】	売上高	営業利益	経常利益	純利益
単24.3	11,863	46	189	120

採用は高専のみ

㈱さとう
株式公開計画なし

【グループ本部】620-0807 京都府福知山市東野町1 ☎0773-27-0100
スーパー

採用予定数	倍率	3年後離職率	平均年収
40名	‥	‥	‥

【特色】大型SC、食品スーパー、ホームセンター、レストランなどグループ計85店を展開する総合流通サービス企業。京都府、兵庫県北部、大阪府、福井県で多業態運営。神戸と福知山に食品加工・物流センターを有する。1666年呉服店で創業。
【定着率】‥
【採用】 【設立】1950.9【社長】佐藤総二郎
23年 38【従業員】連6,315名 単‥名(‥歳)
24年 37【有休】‥日
25年 40【初任給】月23万(諸手当を除いた数値)
【試験種類】‥【各種制度】‥

【業績】	売上高	営業利益	経常利益	純利益
連24.2	105,113	‥	3,661	‥

業績はグループ計

㈱王将フードサービス（おうしょう）
東証プライム

【本社】607-8307 京都府京都市山科区西野山射庭ノ上町237 ☎075-592-1411
外食・中食

採用予定数	倍率	3年後離職率	平均年収
45名	‥	‥	551万円

【特色】中華料理店「餃子の王将」を展開する外食大手。関西地盤から全国に展開。直営店中心だが、社員への暖簾分け主体にFCも展開。看板商品の餃子は国産食材を用い自社工場から冷凍なしで各店舗に毎日配送する。海外は台湾に進出。
【定着率】‥
【採用】 【設立】1974.7【社長】渡邊直人
23年 92【従業員】連2,426名 単2,376名(36.8歳)
24年 40【有休】‥日
25年 45【初任給】月22.6万(諸手当を除いた数値)
【試験種類】‥【各種制度】‥

【業績】	売上高	営業利益	経常利益	純利益
連23.3	93,022	7,981	9,140	6,213
連24.3	101,401	10,286	10,496	7,911

㈱京進（きょうしん）
東証スタンダード

【本社】600-8177 京都府京都市下京区烏丸通五条下る大坂町382-1 ☎075-365-1500
人材・教育

採用実績数	倍率	3年後離職率	平均年収
40名	‥	‥	485万円

【特色】京都、滋賀を地盤に小中高生向け集団指導塾「京進」、個別指導塾「京進スクール・ワン」、幼児向け学習塾「京進ぷれわん」などを展開。「京進」ブランドで保育園、語学関連、資格取得、外国人支援のほか、介護事業、配食サービスも手がける。
【定着率】‥
【採用】 【設立】1981.4【社長】立木康之
23年 30【従業員】連2,125名 単795名(38.2歳)
24年 40【有休】‥日
25年 未定【初任給】月20.2万(諸手当を除いた数値)
【試験種類】‥【各種制度】‥

【業績】	売上高	営業利益	経常利益	純利益
連23.5	25,420	470	385	▲316
連24.5	26,099	873	844	505

神栄（しんえい）
東証スタンダード

【本社】651-0178 兵庫県神戸市中央区京町77-1 ☎078-392-6911
商社・卸売業

採用実績数	倍率	3年後離職率	平均年収
2名	‥	‥	744万円

【特色】食品、物資、繊維、電子の4事業部門を柱に展開する商社。収益柱の食品は医療老健施設向け軸に冷凍食品、水産などに強み。電子関連ではセンサー、コンデンサーを製造し、湿度センサーは世界首位。アパレル通販や途上国の防災コンサルにも注力。
【定着率】‥
【採用】 【設立】1887.5【社長】赤澤秀朗
23年 4【従業員】連471名 単165名(41.5歳)
24年 2【有休】‥日
25年 前年並【初任給】月23.7万(諸手当を除いた数値)
【試験種類】‥【各種制度】‥

【業績】	売上高	営業利益	経常利益	純利益
連23.3	39,892	1,375	1,340	949
連24.3	40,204	1,793	1,909	1,655

㈱シャルレ
東証スタンダード

【本社】650-0046 兵庫県神戸市中央区港島中町7-7-1 ☎0120-01-4860
商社・卸売業

採用予定数	倍率	3年後離職率	平均年収
5名	‥	‥	723万円

【特色】代理店や特約店を通じ、レディースインナーを中心とした衣料品の訪問販売を行う。化粧品や健康食品も扱う。50～60代の女性が顧客の中心。自社EC「シャルレダイレクトサービス」を運営。子会社でシャワーヘッドなどウルトラファインバブル技術製品を手がける。
【定着率】‥
【採用】 【設立】1975.11【社長】林勝哉
23年 0【従業員】連227名 単204名(46.8歳)
24年 9【有休】‥日
25年 5【初任給】月20.8万(諸手当を除いた数値)
【試験種類】‥【各種制度】‥

【業績】	売上高	営業利益	経常利益	純利益
連23.3	13,255	251	301	▲740
連24.3	13,168	557	615	585

㈱神明(しんめい)ホールディングス
株式公開検討中

【本社】650-0023 兵庫県神戸市中央区栄町通6-1-21 ☎078-371-2131
商社・卸売業

採用実績数	倍率	3年後離職率	平均年収
13名	‥	‥	‥

【特色】グループで「あかふじ米」ブランドの米穀卸を展開。米取扱量は国内トップ。全国の量販店、外食、小売店が販売先。青果物・水産品含めた「川上から川下までの食のバリューチェーン」構築加速。個人向け、法人向けに米の通販サイトも運営。
【定着率】‥
【採用】 【設立】1950.10【社長】藤尾益雄
23年 10【従業員】連3,693名 単50名(41.0歳)
24年 13【有休】‥日
25年 未定【初任給】月20.4万(諸手当を除いた数値)
【試験種類】‥【各種制度】‥

【業績】	売上高	営業利益	税前利益	純利益
連24.3	385,033	15,318	14,231	7,070

㈱トーホーキャッシュアンドキャリー
株式公開計画なし

【本社】658-0033 兵庫県神戸市東灘区向洋町西5-9 ☎078-845-2402
商社・卸売業

採用予定数	倍率	3年後離職率	平均年収
10名	‥	‥	‥

【特色】地域の中小飲食店を対象とするプロの食材の店を関東以西で約90店展開。「A-プライス」「せんどば」「ニッショク」「こまつや」など。オンラインショップも開設。和・洋・中など多様な分野に対応。トーホーの完全子会社。
【定着率】‥
【採用】 【設立】2012.2【社長】田代光司
23年 3【従業員】単254名(45.0歳)
24年 6【有休】‥日
25年 10【初任給】月24.3万(諸手当を除いた数値)
【試験種類】‥【各種制度】‥

【業績】	売上高	営業利益	経常利益	純利益
単23.1	39,277	‥	980	399
単24.1	41,073	‥	1,704	1,045

㈱トーホーフードサービス
株式公開計画なし

【本社】658-0033 兵庫県神戸市東灘区向洋町西5-9 ☎078-845-2501
商社・卸売業

採用予定数	倍率	3年後離職率	平均年収
56名	‥	‥	‥

【特色】外食産業向けに業務用食材を販売。アイテム数は約16万品目。美味しさと安心・安全にこだわったPBも開発。テーマ別、エリア別などの展示商談会や料理講習会を開催。トーホーの完全子会社で、グループ力を活かし外食ビジネスをトータルにサポート。
【定着率】‥
【採用】 【設立】2008.8【社長】森山隆志
23年 28【従業員】単734名(42.7歳)
24年 51【有休】‥日
25年 56【初任給】月24.3万(諸手当を除いた数値)
【試験種類】‥【各種制度】‥

【業績】	売上高	営業利益	経常利益	純利益
単23.1	104,171	‥	2,028	1,782
単24.1	123,917	‥	4,576	2,943

㈱ヒョウチク
株式公開計画なし

【本社】662-0918 兵庫県西宮市六湛寺町9-8 市役所前ビル801号 ☎0798-22-2950
商社・卸売業

採用実績数	倍率	3年後離職率	平均年収
0名	‥	‥	‥

【特色】エスフーズ傘下の食肉輸入卸販売会社。さまざまな国からの輸入を手がけ、メキシコ産の牛肉や豚肉の取り扱いでは業界上位。米国から輸入の無添加チーズケーキも主力製品。主要貿易国はオーストラリア、メキシコ、アメリカ、カナダなど10カ国。
【定着率】‥
【採用】 【設立】2008.2【社長】井上武司
23年 0【従業員】単19名(47.4歳)
24年 0【有休】‥日
25年 0【初任給】月22.3万(諸手当を除いた数値)
【試験種類】‥【各種制度】‥

【業績】	売上高	営業利益	経常利益	純利益
単23.2	16,376	217	204	88
単24.2	17,513	314	304	198

㈱イボキン
東証スタンダード

【本社】671-1621 兵庫県たつの市揖保川町正條379 ☎0791-72-3531
商社・卸売業

採用実績数	倍率	3年後離職率	平均年収
1名	‥	‥	459万円

【特色】総合リサイクル企業。解体・設備撤去から廃棄物処分、有価物買い取りまでのワンストップ・サービスに特徴。売り上げの過半は金属事業で、金属類を集荷・加工し、金属系再生資源として製鋼メーカーなどに販売する。産廃処理などを行う環境事業も。
【定着率】‥
【採用】 【設立】1984.8【社長】高橋克実
23年 6【従業員】連164名 単152名(40.6歳)
24年 1【有休】‥日
25年 未定【初任給】月20.5万(諸手当を除いた数値)
【試験種類】‥【各種制度】‥

【業績】	売上高	営業利益	経常利益	純利益
連22.12	7,961	486	525	346
連23.12	8,660	584	605	396

日本製麻（にほんせいま）　東証スタンダード

【神戸本部】650-0024 兵庫県神戸市中央区海岸通8 ☎078-332-8251
商社・卸売業

採用予定数	倍率	3年後離職率	平均年収
未定	‥	‥	395万円

【特色】黄麻繊維を使用した米麦用の麻袋でシェア5割、タイで生産する自動車用マットや食品事業が伸長。食品は主にカレー、スパゲティなどのレトルトソースやパスタを製造。自然素材である黄麻商品の性能を活かした商品開発を進める。
【定着率】‥
【採用】 【設立】1947.2【社長】山村貴伸
23年 0【従業員】連283名 単86名(47.5歳)
24年 0【有休】‥日
25年 未定【初任給】月20万(諸手当を除いた数値)
【試験種類】‥【各種制度】‥

【業績】	売上高	営業利益	経常利益	純利益
連23.3	3,733	164	178	95
連24.3	4,334	305	321	127

㈱ドーン　東証スタンダード

【本社】651-0086 兵庫県神戸市中央区磯上通2-2-21 ☎078-222-9700
システム・ソフト

採用実績数	倍率	3年後離職率	平均年収
2名	‥	‥	587万円

【特色】独立系ソフト開発会社。地理情報システム構築ソフト「ジオベース」をリソースとした地方自治体向けソフト受託開発を手がける。「NET119緊急通報システム」や「DMaCS」などの防災・防犯分野のクラウドサービスを展開。
【定着率】‥
【採用】 【設立】1997.3【社長】宮崎正伸
23年 3【従業員】単63名(37.8歳)
24年 2【有休】‥日
25年 微増【初任給】月21.2万(諸手当を除いた数値)
【試験種類】‥【各種制度】‥

【業績】	売上高	営業利益	経常利益	純利益
単23.5	1,368	443	451	321
単24.5	1,500	533	547	388

㈱但馬銀行（たじまぎんこう）　株式公開未定

【本社】668-8650 兵庫県豊岡市千代田町1-5 ☎0796-24-2111
銀行

採用予定数	倍率	3年後離職率	平均年収
50名	‥	‥	‥

【特色】兵庫県地盤の地銀。1897年美含銀行として創業。健全経営、地域密着を基本方針に地域経済の活性化などに取り組む。兵庫県全域と京都府、大阪府に69店舗。預金残高1兆1594億円、貸出残高9637億円(24年3月末)。
【定着率】‥
【採用】 【設立】1897.11【頭取】坪田奈津樹
23年 39【従業員】連589名 単574名(37.9歳)
24年 33【有休】‥日
25年 50【初任給】月22万(諸手当を除いた数値)
【試験種類】‥【各種制度】‥

【業績】	経常収益	業務純益	経常利益	純利益
連23.3	16,781	2,450	1,880	1,211
連24.3	17,186	2,154	2,004	1,246

神戸信用金庫（こうべしんようきんこ）　株式公開計画なし

【本部】650-0035 兵庫県神戸市中央区浪花町61 ☎078-391-8011
信用金庫

採用予定数	倍率	3年後離職率	平均年収
30名	‥	‥	‥

【特色】神戸、明石両市に29店舗を展開する信用金庫。預金量5292億円、貸出残高2509億円(24年3月末)。地元企業の情報交換や異業種交流促進の顧客組織を運営する。神戸大学と産学連携協定を締結、大学発のベンチャーの創出ファンドに出資。
【定着率】‥
【採用】 【設立】1933.9【理事長】西多弘行
23年 30【従業員】単370名(41.5歳)
24年 24【有休】‥日
25年 30【初任給】月25万(諸手当を除いた数値)
【試験種類】‥【各種制度】‥

【業績】	経常収益	業務純益	経常利益	純利益
単23.3	6,084	949	747	522
単24.3	6,722	741	815	576

音羽電機工業（おとわでんきこうぎょう）　株式公開計画なし

【本社事業所】661-0976 兵庫県尼崎市潮江5-6-20 ☎06-6429-3541
電機・事務機器

採用実績数	倍率	3年後離職率	平均年収
5名	‥	‥	‥

【特色】国内唯一の避雷機器・雷害対策専門メーカー。「外部雷・内部雷保護」で半世紀超の実績。雷サージ(異常高電圧)・ノイズ対策の各種製品を製造。尼崎市に雷テクノロジセンター。落雷場所の証明書発行サービスも提供。
【定着率】‥
【採用】 【設立】1955.2【社長】吉田厚
23年 7【従業員】単284名(44.9歳)
24年 5【有休】‥日
25年 未定【初任給】月23.3万(諸手当を除いた数値)
【試験種類】‥【各種制度】‥

【業績】	売上高	営業利益	経常利益	純利益
単23.3	7,135	73	150	124
単24.3	7,279	103	158	99

TOA　東証プライム

【本社】650-0046 兵庫県神戸市中央区港島中町7-2-1 ☎078-303-5620
電機・事務機器

採用予定数	倍率	3年後離職率	平均年収
20名	‥	‥	682万円

【特色】業務用・プロ用音響設備とセキュリティー設備の専門メーカー。構内放送設備、防犯カメラ中心としたセキュリティーシステムが収益柱。商業施設、オフィス、学校向けのほか鉄道車両関連も手がける。自治体向け防災放送の需要も取り込む。
【定着率】‥
【採用】 【設立】1949.4【社長】谷口方啓
23年 21【従業員】連3,025名 単789名(43.1歳)
24年 18【有休】‥日
25年 20【初任給】月22.5万(諸手当を除いた数値)
【試験種類】‥【各種制度】‥

【業績】	売上高	営業利益	経常利益	純利益
連23.3	45,123	1,713	2,104	1,765
連24.3	48,814	3,028	3,710	1,997

西芝電機（にししばでんき）
株式公開計画なし

【本社・工場】671-1280 兵庫県姫路市網干区浜田1000 ☎079-271-2448
電機・事務機器

採用予定数	倍率	3年後離職率	平均年収
5名	‥	‥	‥

【特色】船舶用電機システムと発電・産業システムの2本柱。船舶用電機最大手で、コンテナ、LNG、海洋調査、フェリーなど各船舶に納入。発電・産業システムは熱供給発電システム、自家発電システム、配電・制御システムなどを展開。東芝グループ。
【定着率】‥
【採用】 【設立】1950.2 【社長】後藤秀範
23年 4【従業員】単699名(46.0歳)
24年 5【有休】‥日
25年 5【初任給】月25万(諸手当を除いた数値)
【試験種類】‥【各種制度】‥

【業績】	売上高	営業利益	経常利益	純利益
単23.3	16,005	28	359	339
単24.3	21,523	291	378	297

㈱岡崎製作所（おかざきせいさくしょ）
株式公開計画なし

【本社】651-0087 兵庫県神戸市中央区御幸通3-1-3 ☎078-251-8200
電子部品・機器

採用予定数	倍率	3年後離職率	平均年収
19名	‥	‥	‥

【特色】工業用温度センサーの国内大手メーカー。用途は原子力・航空・宇宙・半導体・燃料電池関連など幅広い。兵庫、福岡などに工場、東京、茨城など11支店。海外は台湾・米国の2工場、英国に営業拠点。世界最細外径のシース熱電対を拡販。
【定着率】‥
【採用】 【設立】1954.1 【社長】岡崎一英
23年 10【従業員】単475名(44.2歳)
24年 3【有休】‥日
25年 19【初任給】月22.7万(諸手当を除いた数値)
【試験種類】‥【各種制度】‥

【業績】	売上高	営業利益	経常利益	純利益
単23.3	13,815	‥	2,984	2,001
単24.3	13,562	‥	3,034	2,044

㈱大真空（だいしんくう）
東証プライム

【本社】675-8565 兵庫県加古川市野口町水足179-6 ☎079-426-3211
電子部品・機器

採用実績数	倍率	3年後離職率	平均年収
11名	‥	‥	588万円

【特色】水晶応用デバイスの大手メーカー。音叉型や民生用振動子などでシェア首位級。電子情報機器に広く搭載される水晶振動子や水晶発振器、水晶フィルター、光学製品を製造。海外はインドネシア、中国、台湾、タイに製造拠点。海外売上比率8割超。
【定着率】‥
【採用】 【設立】1963.5 【社長】飯塚実
23年 22【従業員】連3,309名 単687名(44.3歳)
24年 11【有休】‥日
25年 未定【初任給】月23万(諸手当を除いた数値)
【試験種類】‥【各種制度】‥

【業績】	売上高	営業利益	経常利益	純利益
連23.3	38,430	4,210	5,106	3,208
連24.3	39,343	2,135	3,192	1,876

日本電子材料（にほんでんしざいりょう）
東証スタンダード

【本社】660-0805 兵庫県尼崎市西長洲町2-5-13 ☎06-6482-2007
電子部品・機器

採用実績数	倍率	3年後離職率	平均年収
23名	‥	‥	550万円

【特色】半導体ウエハ検査用部品のプローブカードで世界大手。プローブカードは半導体集積回路メーカーの仕様に合わせて設計・製造する特注品。国内のほか米国、中国、台湾など海外にも生産拠点を擁する。海外拠点のネットワークを活かし海外販売強化。
【定着率】‥
【採用】 【設立】1960.4 【社長】坂田輝久
23年 26【従業員】連1,084名 単693名(40.1歳)
24年 23【有休】‥日
25年 未定【初任給】月22.3万(諸手当を除いた数値)
【試験種類】‥【各種制度】‥

【業績】	売上高	営業利益	経常利益	純利益
連23.3	20,781	3,205	3,338	2,612
連24.3	17,461	870	1,007	622

大和製衡（やまとせいこう）
株式公開計画なし

【本社】673-8688 兵庫県明石市茶園場町5-22 ☎078-918-5500
住宅・医療機器他

採用予定数	倍率	3年後離職率	平均年収
15名	‥	‥	‥

【特色】産業・商業・家庭用はかりと計量システムの総合メーカー。充填・包装用の組み合わせはかり、トラックの重量を測るトラックスケールなどを拡販。全自動組み合わせはかり「データウェイ」は世界130カ国で使用。1920年創業。
【定着率】‥
【採用】 【設立】1945.12【社長】川西勝三
23年 14【従業員】連969名 単528名(43.4歳)
24年 14【有休】‥日
25年 15【初任給】月23万(諸手当を除いた数値)
【試験種類】‥【各種制度】‥

【業績】	売上高	営業利益	経常利益	純利益
連23.3	31,511	4,357	4,617	3,276
連24.3	33,196	4,872	5,573	3,947

㈱デービー精工（せいこう）
株式公開計画なし

【本社】679-2161 兵庫県姫路市香寺町溝口1127 ☎079-232-1245
自動車部品

採用予定数	倍率	3年後離職率	平均年収
14名	‥	‥	‥

【特色】スターター用スイッチ、オルタネータ用レクチファイヤなど自動車の基本電装部品を製造販売。パワステ部品のカーメカトロニクス関連製品や張力制御装置など産業機器製品も手がける。兵庫内に本社工場含め6工場。1917年創業。三菱電機の子会社。
【定着率】‥
【採用】 【設立】1949.3 【社長】倉矢貴仁
23年 5【従業員】単950名(43.5歳)
24年 3【有休】‥日
25年 14【初任給】月22.5万(諸手当を除いた数値)
【試験種類】‥【各種制度】‥

【業績】	売上高	営業利益	経常利益	純利益
単23.3	37,859	1,063	1,155	781
単24.3	38,506	817	955	676

㈱ＪＭＵアムテック
株式公開計画なし

【本社】678-0041 兵庫県相生市相生5292
☎0791-24-2499
輸送用機器

採用予定数	倍率	3年後離職率	平均年収
11名	‥	‥	‥

【特色】船舶修理・改造、小型船新造・沿岸鉄鋼構造物を主力とする。海洋・陸上用鋼構造物、一般商船・各種作業船の修理と改造、特殊作業船の新造にも取り組む。1907年播磨船渠として創業。ジャパンマリンユナイテッドの完全子会社。
【定着率】‥
【採用】 【設立】1990.4【社長】伊藤護
23年 3【従業員】単271名(42.4歳)
24年 2【有休】‥日
25年 11【初任給】月21.4万(諸手当を除いた数値)
【試験種類】‥【各種制度】‥

【業績】	売上高	営業利益	経常利益	純利益
単23.3	12,094	298	252	232
単24.3	11,102	614	633	95

阪神内燃機工業（はんしんないねんきこうぎょう）
東証スタンダード

【本社】650-0024 兵庫県神戸市中央区海岸通8 神港ビル
☎078-332-2081
輸送用機器

採用実績数	倍率	3年後離職率	平均年収
8名	‥	‥	623万円

【特色】中小船舶用ディーゼルエンジン専業メーカー。やや小型の内海・近海船舶向けが主力で新造船のシェア5割。メンテナンスの部分品・修理工事も収益柱。世界初の低速4サイクルガスエンジンを開発。参加共同体で国内初のメタノール燃料機関の内航タンカー建造。
【定着率】‥
【採用】 【設立】1918.1【社長】木下和彦
23年 0【従業員】単284名(43.1歳)
24年 8【有休】‥日
25年 増加【初任給】月22.2万(諸手当を除いた数値)
【試験種類】‥【各種制度】‥

【業績】	売上高	営業利益	経常利益	純利益
単23.3	9,064	550	602	406
単24.3	9,636	551	643	456

㈱イズミフードマシナリ
株式公開計画なし

【本社】661-8510 兵庫県尼崎市潮江4-2-30
☎06-6718-6150
機械

採用予定数	倍率	3年後離職率	平均年収
4名	‥	‥	‥

【特色】住友重機械工業傘下の食品製造用機械メーカー。材料の乳化・均質機器やアイスクリームフリーザーなどを製造。医薬・化学品用も展開する。シンガポールに合弁、インドネシアに駐在員事務所。1925年淡路島で創業。
【定着率】‥
【採用】 【設立】1948.3【社長】吉本圭司
23年 3【従業員】単185名(41.4歳)
24年 4【有休】‥日
25年 4【初任給】月21.3万(諸手当を除いた数値)
【試験種類】‥【各種制度】‥

【業績】	売上高	営業利益	経常利益	純利益
単22.12変	4,911	356	356	244
単23.12	5,809	568	561	370

木村化工機（きむらかこうき）
東証スタンダード

【本社】660-8567 兵庫県尼崎市杭瀬寺島2-1-2
☎06-6488-2501
機械

採用予定数	倍率	3年後離職率	平均年収
4名	‥	‥	‥

【特色】化学機械装置の保守・エンジニアリングを行う。省エネに徹した蒸発装置に強み。顧客は食品、薬品、化学、半導体、医療機器など多岐にわたる。核燃料輸送容器や核燃料濃縮関連機器、放射性廃棄物処理装置など原子力発電関連も手がける。
【定着率】‥
【採用】 【設立】1950.6【会長兼社長】小林康眞
23年 8【従業員】連406名 単397名(45.5歳)
24年 8【有休】‥日
25年 4【初任給】月21.6万(諸手当を除いた数値)
【試験種類】‥【各種制度】‥

【業績】	売上高	営業利益	経常利益	純利益
連23.3	21,553	1,736	1,797	999
連24.3	24,670	2,088	2,202	1,552

三相電機（さんそうでんき）
東証スタンダード

【本社】671-2288 兵庫県姫路市青山北1-1-1
☎079-266-1200
機械

採用実績数	倍率	3年後離職率	平均年収
9名	‥	‥	624万円

【特色】ポンプ、モーターの独立系専業メーカー。半導体製造装置用ポンプや産業機械用モーターが主力。ポンプは特注に応じた機器組み込み用が多い。研究開発に重点を置いた技術提案型が特長。海水淡水化装置によって世界の水問題の解決にも取り組む。
【定着率】‥
【採用】 【設立】1957.10【社長】黒田直樹
23年 13【従業員】連606名 単311名(43.3歳)
24年 9【有休】‥日
25年 前年並【初任給】月23.2万(諸手当を除いた数値)
【試験種類】‥【各種制度】‥

【業績】	売上高	営業利益	経常利益	純利益
連23.3	18,618	901	1,055	815
連24.3	17,666	677	796	493

神港精機（しんこうせいき）
株式公開いずれしたい

【本社】651-2271 兵庫県神戸市西区高塚台3-1-35
☎078-991-3011
機械

採用予定数	倍率	3年後離職率	平均年収
8名	‥	‥	‥

【特色】真空技術と光学技術を中核とする技術開発型企業。テレビ、自動車、医療など多様な産業と連携。真空ポンプ、薄膜・硬質膜形成装置、プラズマ処理装置、はんだ付接合装置、真空熱処理装置などを製造。カナデビア(旧日立造船)の持分法適用関連会社。
【定着率】‥
【採用】 【設立】1949.1【社長】北中隆司
23年 6【従業員】単181名(46.3歳)
24年 3【有休】‥日
25年 8【初任給】月20.5万(諸手当を除いた数値)
【試験種類】‥【各種制度】‥

【業績】	売上高	営業利益	経常利益	純利益
単22.12	4,893	211	188	122
単23.12	5,583	347	373	128

セイコー化工機（かこうき）
株式公開計画なし

【本社】674-0093 兵庫県明石市二見町南二見15-3 ☎078-944-1840
機械

採用予定数	倍率	3年後離職率	平均年収
2名	‥	‥	‥

【特色】合成樹脂が主材の耐蝕ポンプ、耐蝕送風機のほか、排ガス処理・脱臭などの環境装置や機器類を製造・販売。国内は、東京、名古屋、大阪、福岡に営業所、兵庫に2工場。中国、米国、ベトナムに生産現法。生産の高効率化や海外展開に注力。
【定着率】‥
【採用】【設立】1956.5【社長】中川祥示
23年 4【従業員】単188名（40.2歳）
24年 3【有休】‥日
25年 2【初任給】月22.8万（諸手当を除いた数値）
【試験種類】‥【各種制度】‥

【業績】	売上高	営業利益	経常利益	純利益
単23.3	8,062	967	935	138
単24.3	8,795	1,096	1,082	612

㈱帝国電機製作所（ていこくでんきせいさくしょ）
東証プライム

【本社】679-4395 兵庫県たつの市新宮町平野60 ☎0791-75-0411
機械

採用実績数	倍率	3年後離職率	平均年収
12名	‥	‥	703万円

【特色】高温・高圧の耐久性に優れているキャンド（無漏洩）ポンプの最大手。国内・海外で高シェア。化学機器、LPG機器、冷凍・空調機器、半導体機器、電力関連機器など多用途に展開。中国・大連に工場。M&Aで海外市場開拓し、海外売上比率は約7割。
【定着率】‥
【採用】【設立】1939.9【社長】村田潔
23年 3【従業員】連1,244名 単317名（40.3歳）
24年 12【有休】‥日
25年 微減【初任給】月22.3万（諸手当を除いた数値）
【試験種類】‥【各種制度】‥

【業績】	売上高	営業利益	経常利益	純利益
連23.3	28,450	5,023	5,472	3,996
連24.3	29,217	4,882	5,442	3,125

東洋機械金属（とうようきかいきんぞく）
東証スタンダード

【本社】674-0091 兵庫県明石市二見町福里523-1 ☎078-942-2345
機械

採用実績数	倍率	3年後離職率	平均年収
13名	‥	‥	563万円

【特色】成形機の中堅メーカー。樹脂射出成形機と電動アルミダイカストマシンが2本柱。樹脂射出成形機は小型機から大型機まで、ダイカストマシンは高強度品から薄肉品まで取り揃える。自動車メーカーや家電メーカーが主要顧客。海外売上比率は7割超。
【定着率】‥
【採用】【設立】1925.5【社長】田畑禎章
23年 12【従業員】連785名 単540名（42.9歳）
24年 13【有休】‥日
25年 前年並【初任給】月22万（諸手当を除いた数値）
【試験種類】‥【各種制度】‥

【業績】	売上高	営業利益	経常利益	純利益
連23.3	35,298	1,319	1,538	648
連24.3	28,842	▲119	▲64	▲1,293

BX新生精機（しんせいせいき）
株式公開いずれしたい

【本社】675-2444 兵庫県加西市鴨谷町687 ☎0790-44-1161
機械

採用予定数	倍率	3年後離職率	平均年収
未定	‥	‥	‥

【特色】文化シヤッターグループで、シャッター開閉機の製造・販売が主力。開閉器のパイオニアを標榜。チューブラモーター、駐車場用ゲート開閉機なども手がける。ベトナムに現地法人を持つ。久保田鉄工の協力工場として創業。
【定着率】‥
【採用】【設立】1960.8【社長】森田滋仁
23年 1【従業員】単113名（43.6歳）
24年 0【有休】‥日
25年 未定【初任給】‥万
【試験種類】‥【各種制度】‥

【業績】	売上高	営業利益	経常利益	純利益
単23.3	4,700	‥	‥	140
単24.3	4,660	79	181	133

兵神装備（へいしんそうび）
株式公開計画なし

【本社】652-0852 兵庫県神戸市兵庫区御崎本町1-1-54 ☎078-652-1111
機械

採用実績数	倍率	3年後離職率	平均年収
10名	‥	‥	‥

【特色】産業用ポンプメーカー。味噌、マヨネーズ等高粘高濃液を連続定量移送できる「モーノポンプ」が主力で、一軸偏心ねじポンプの中で国内トップシェア。上下水道、化学、自動車、電機など多様な産業で活用。海外は台湾、タイ、韓国に拠点。滋賀工場内に自社製品の常設展示場。
【定着率】‥
【採用】【設立】1968.1【社長】市田邦洋
23年 12【従業員】単475名（43.0歳）
24年 10【有休】‥日
25年 未定【初任給】月24.1万（諸手当を除いた数値）
【試験種類】‥【各種制度】‥

【業績】	売上高	営業利益	経常利益	純利益
単22.12	15,568	4,481	4,683	3,188
単23.12	16,594	4,828	5,086	3,424

菊正宗酒造（きくまさむねしゅぞう）
株式公開計画なし

【本社】658-0046 兵庫県神戸市東灘区御影本町1-7-15 ☎078-851-0001
食品・水産

採用実績数	倍率	3年後離職率	平均年収
6名	‥	‥	‥

【特色】清酒醸造の名門で、灘五郷の一角を占める。「本流辛口」を堅守。日本酒を活用して美容液や化粧水、洗顔料など化粧品分野にも展開。東京、神戸、名古屋、福岡、札幌に拠点を配置。総合研究所で日本酒の品質向上や機能性を研究。1659年創業。
【定着率】‥
【採用】【設立】1919.11【社長】嘉納治郎右衛門
23年 6【従業員】単220名（41.8歳）
24年 6【有休】‥日
25年 未定【初任給】月21.6万
【試験種類】‥【各種制度】‥

【業績】	売上高	営業利益	経常利益	純利益
単23.3	9,766	‥	‥	‥
単24.3	9,604	‥	‥	‥

辰馬本家酒造（たつうまほんけしゅぞう）

株式公開計画なし

【本社】662-8510 兵庫県西宮市建石町2-10 ☎0798-32-2701
食品・水産

採用実績数	倍率	3年後離職率	平均年収
2名	‥	‥	‥

【特色】清酒「黒松白鹿」の蔵元。兵庫地盤で、純米酒、吟醸酒、ギフトなど高級品に軸足を置く。県外は東京、名古屋、福岡に支店を配置。リキュール販売や、オンラインショップの運営なども手がける。グループで教育、文化、スポーツ事業なども展開。
【定着率】‥
【採用】【設立】1917.11【社長】辰馬清
23年 1【従業員】単147名(48.1歳)
24年 2【有休】‥日
25年 未定【初任給】月19.3万(諸手当を除いた数値)
【試験種類】‥【各種制度】‥

【業績】	売上高	営業利益	経常利益	純利益
単23.3	4,664	▲160	▲48	▲80
単24.3	4,849	46	170	151

日和産業（にちわさんぎょう）

東証スタンダード

【本社】658-0042 兵庫県神戸市東灘区住吉浜町19-5 ☎078-811-1221
食品・水産

採用予定数	倍率	3年後離職率	平均年収
5名	‥	‥	400万円

【特色】西日本地盤の非全農系配合飼料中堅。穀物を主原料として養鶏、養豚、養牛、養魚用などの配合飼料を製造・販売。畜産物の生産・販売も行う。消化の良い飼料を熱加工し、家畜の排泄物を物理的に減少させ環境負荷物質の減少を図る環境保全型飼料を展開。
【定着率】‥
【採用】【設立】1924.8【社長】中橋太一郎
23年 2【従業員】連185名 単147名(45.1歳)
24年 2【有休】‥日
25年 5【初任給】‥万
【試験種類】‥【各種制度】‥

【業績】	売上高	営業利益	経常利益	純利益
連23.3	54,659	▲200	▲99	157
連24.3	52,887	905	915	541

白鶴酒造（はくつるしゅぞう）

株式公開計画なし

【本社】658-0041 兵庫県神戸市東灘区住吉南町4-5-5 ☎078-822-8901
食品・水産

採用予定数	倍率	3年後離職率	平均年収
8名	‥	‥	‥

【特色】1743年創業の酒造メーカー。主要商品は「まる」「白鶴特別純米酒山田錦」「白鶴大吟醸」など。リキュールやみりんの製造販売やワインの輸入、酒粕を使用した基礎化粧品なども展開。50カ国以上に輸出。札幌から福岡まで2支社・9支店を配置。
【定着率】‥
【採用】【設立】1927.8【社長】嘉納健二
23年 5【従業員】単460名(44.1歳)
24年 10【有休】‥日
25年 8【初任給】月21.6万(諸手当を除いた数値)
【試験種類】‥【各種制度】‥

【業績】	売上高	営業利益	経常利益	純利益
単23.3	27,387	1,146	1,302	856
単24.3	27,503	672	896	554

㈱共進ペイパー＆パッケージ

株式公開いずれしたい

【本社】650-0022 兵庫県神戸市中央区元町通6-1-6 共進ビル ☎078-341-1741
印刷・紙パルプ

採用予定数	倍率	3年後離職率	平均年収
4名	‥	‥	‥

【特色】段ボールや紙パッケージ、化粧箱などの各種包装紙器の専門メーカー。多品種・小ロット・短納期ニーズに対応。オリジナル小箱の製造・印刷オンラインサービス「ハコプレ」事業も展開。国内5工場、海外はタイに工場。岡山に営業所。
【定着率】‥
【採用】【設立】1961.9【社長】鍛治川和広
23年 5【従業員】単279名(41.9歳)
24年 7【有休】‥日
25年 4【初任給】月22.3万(諸手当を除いた数値)
【試験種類】‥【各種制度】‥

【業績】	売上高	営業利益	経常利益	純利益
単23.1	6,368	89	132	65
単24.1	6,957	62	94	54

㈱アジュバンホールディングス

東証スタンダード

【本社】650-0011 兵庫県神戸市中央区下山手通5-5-5 ☎078-351-3100
化粧品・トイレタリー

採用予定数	倍率	3年後離職率	平均年収
10名	‥	‥	697万円

【特色】美容室向けにスキンケア製品、シャンプー、リンスなどのヘアケア製品を販売する。自社で製品企画、研究開発、販売を行い、製造は外部に委託。男性向け育毛関連商品のECサイト販売なども行う。神戸、東京に研究所。
【定着率】‥
【グループ採用】【設立】1994.12【会長兼社長】中村豊
23年 17【従業員】連139名 単21名(39.5歳)
24年 5【有休】‥日
25年 10【初任給】月21.1万(諸手当を除いた数値)
【試験種類】‥【各種制度】‥

【業績】	売上高	営業利益	経常利益	純利益
連23.3	4,377	232	265	403
連24.3	4,438	▲1	17	▲99

JCRファーマ

東証プライム

【本社】659-0021 兵庫県芦屋市春日町3-19 ☎0797-32-8591
医薬品

採用予定数	倍率	3年後離職率	平均年収
34名	‥	‥	903万円

【特色】ヒト成長ホルモン製剤「グロウジェクト」が主力の医療用医薬品メーカー。腎性貧血治療薬も扱う。日本初、他家由来の再生医療製品の承認取得するなど、細胞治療・再生医療領域にも積極的。指定難病ライソゾーム病の治療薬開発に注力。
【定着率】‥
【採用】【設立】1975.9【会長兼社長】芦田信
23年 21【従業員】連991名 単955名(41.2歳)
24年 38【有休】‥日
25年 34【初任給】月23万(諸手当を除いた数値)
【試験種類】‥【各種制度】‥

【業績】	売上高	営業利益	経常利益	純利益
連23.3	34,343	4,975	5,418	3,772
連24.3	42,871	7,531	7,264	5,507

日本イーライリリー（にほん）
株式公開計画なし

【本社】651-0086 兵庫県神戸市中央区磯上通5-1-28 LILLY PLAZA ONE BLDG. ☎078-242-9000
医薬品

採用実績数	倍率	3年後離職率	平均年収
50名	‥	‥	‥

【特色】米国製薬会社イーライリリー・アンド・カンパニーの日本法人。がん、糖尿病、中枢神経系疾患、自己免疫疾患、疼痛など複数領域の医薬品を手がける。神戸に製造工場。田辺三菱製薬と販売提携し、世界初のGIP／GLP-1受容体作動薬を発売。
【定着率】‥
【採用】【設立】1975.11【社長】S.トムセン
23年 33【従業員】単2,700名(‥歳)
24年 50【有休】‥日
25年 未定【初任給】月33.9万(諸手当を除いた数値)
【試験種類】‥【各種制度】‥

【業績】	売上高	営業利益	経常利益	純利益
単22.12	184,565	14,513	15,393	10,649
単23.12	195,427	15,332	15,718	10,642

赤穂化成（あこうかせい）
株式公開していない

【本社】678-0193 兵庫県赤穂市坂越329 ☎0791-48-1111
化学

採用予定数	倍率	3年後離職率	平均年収
3名	‥	‥	‥

【特色】海水化学が基盤の無機塩類素材、特殊用塩メーカー。特殊用塩、海洋深層水、豆腐凝固剤(にがり)で首位。「天海のにがり」「赤穂の天塩」などが主力。再生医療を中心とした生命科学分野、次世代素材による成長産業分野などの新領域にも注力。
【定着率】‥
【採用】【設立】1971.11【社長】池上良成
23年 1【従業員】単196名(44.0歳)
24年 7【有休】‥日
25年 3【初任給】月20.8万(諸手当を除いた数値)
【試験種類】‥【各種制度】‥

【業績】	売上高	営業利益	経常利益	純利益
単23.3	9,500	‥	‥	‥
単24.3	10,000	‥	‥	‥

神東塗料（しんとうとりょう）
東証スタンダード

【本社】661-8511 兵庫県尼崎市南塚口町6-10-73 ☎06-6426-3355
化学

採用予定数	倍率	3年後離職率	平均年収
5名	‥	‥	516万円

【特色】住友化学系の中堅塗料メーカー。電着塗料に強く、取り扱い製品のうち約8割は環境対応型塗料。自動車電着塗料は米アクサルタ社と合弁の神東アクサルタコーティングシステムズが担当。尼崎と千葉の2工場体制。アジアでの展開を推進。
【定着率】‥
【採用】【設立】1933.4【取締】小坂伊知郎
23年 3【従業員】連416名 単314名(43.2歳)
24年 2【有休】‥日
25年 5【初任給】月21万(諸手当を除いた数値)
【試験種類】‥【各種制度】‥

【業績】	売上高	営業利益	経常利益	純利益
連23.3	19,038	▲1,203	▲1,146	▲1,806
連24.3	18,954	▲479	▲460	▲497

㈱ネオス
株式公開いずれしたい

【本社】650-0001 兵庫県神戸市中央区加納町6-2-1 神戸関電ビル ☎078-331-9381
化学

採用予定数	倍率	3年後離職率	平均年収
5名	‥	‥	‥

【特色】工業用薬品の製造・販売と金属材料の表面処理加工の2事業を展開。工業薬品は自動車や電子機器向け切削剤など600種超を開発。金属表面処理、精密洗浄品は半導体・太陽電池向けが主体。滋賀・湖南市に中央研究所を置く。
【定着率】‥
【採用】【設立】1954.10【社長】葛原晏
23年 3【従業員】単294名(42.9歳)
24年 3【有休】‥日
25年 5【初任給】月21.4万(諸手当を除いた数値)
【試験種類】‥【各種制度】‥

【業績】	売上高	営業利益	経常利益	純利益
単22.9	11,571	1,094	1,225	908
単23.9	11,251	746	872	525

フジプレアム
東証スタンダード

【本社】671-2216 兵庫県姫路市飾西38-1 ☎079-266-6161
化学

採用予定数	倍率	3年後離職率	平均年収
10名	‥	‥	455万円

【特色】テレビやスマホ、車載用のフラットディスプレー生産が主業。精密貼合技術を駆使し、機能性フィルムなどを数枚貼り合わせ光学フィルターを製造する。同技術を用いた太陽光発電システムや、メーカーの包装ラインなどメカトロニクスも手がける。
【定着率】‥
【採用】【設立】1982.4【社長】松本倫長
23年 5【従業員】連241名 単136名(36.2歳)
24年 5【有休】‥日
25年 10【初任給】月20.8万(諸手当を除いた数値)
【試験種類】‥【各種制度】‥

【業績】	売上高	営業利益	経常利益	純利益
連23.3	16,419	854	874	707
連24.3	13,248	686	742	574

SECカーボン
東証スタンダード

【本社】661-0976 兵庫県尼崎市潮江1-2-6 JRE尼崎フロントビル ☎06-6491-8600
ガラス・土石・ゴム

採用予定数	倍率	3年後離職率	平均年収
未定	‥	‥	744万円

【特色】独立系炭素製品の専業大手。太物電極のパイオニア。電炉メーカー向け人造黒鉛電極とアルミニウム製錬用カソードブロックの製造・販売が主力で売上の8割を占める。海外販売先は40カ国を超え、海外売上比率も8割と高く、うち約4割はアジア・中近東地域。
【定着率】‥
【採用】【設立】1934.10【社長】中島耕
23年 2【従業員】連271名 単268名(43.0歳)
24年 ‥【有休】‥日
25年 未定【初任給】‥万
【試験種類】‥【各種制度】‥

【業績】	売上高	営業利益	経常利益	純利益
連23.3	30,401	6,490	7,610	5,402
連24.3	37,307	10,217	11,555	7,299

日本山村硝子（にほんやまむらがらす）
東証スタンダード

【関西本社】660-8580 兵庫県尼崎市西向島町15-1 ☎06-4300-6000
ガラス・土石・ゴム

採用予定数	倍率	3年後離職率	平均年収
10名	‥	‥	671万円

【特色】ガラス瓶製造の国内最大手。年間約30億個のプラスチックキャップも生産。ガラス瓶技術を活かし、太陽電池、自動車用センサー、LEDなどに使用されるニューガラス分野を展開。製瓶機や検査・包装・搬送機など関連機器も手がける。
【定着率】‥
【採用】【設立】1941.12【代表取締役】山村幸治
23年 4【従業員】連1,855名 単750名（45.0歳）
24年 5【有休】‥日
25年 10【初任給】月21.5万（諸手当を除いた数値）
【試験種類】‥【各種制度】‥

【業績】	売上高	営業利益	経常利益	純利益
連23.3	68,138	▲142	▲2,957	▲3,007
連24.3	72,874	4,452	6,059	12,261

アマテイ
東証スタンダード

【本社】660-0845 兵庫県尼崎市西高洲町9 ☎06-6411-1236
金属製品

採用実績数	倍率	3年後離職率	平均年収
0名	‥	‥	490万円

【特色】くぎのトップメーカー。800種類以上の製品を扱う。カラーくぎ、くぎ打ち機など特殊仕様品で高シェア。高防水性の瓦専用くぎなど独自特殊商品も開発。子会社で精密機器用、自動車部品用、樹脂用ねじも製造・販売。EV向け拡販を強化。
【定着率】‥
【採用】【設立】1949.12【社長】佐藤亮
23年 0【従業員】連162名 単90名（47.1歳）
24年 0【有休】‥日
25年 0【初任給】月19.8万（諸手当を除いた数値）
【試験種類】‥【各種制度】‥

【業績】	売上高	営業利益	経常利益	純利益
連23.3	5,485	161	150	79
連24.3	5,533	188	178	133

シマブンエンジニアリング
株式公開計画なし

【本社】675-0155 兵庫県加古郡播磨町新島41 ☎079-435-0888
金属製品

採用実績数	倍率	3年後離職率	平均年収
2名	‥	‥	‥

【特色】建設機械の主要フレームや、カウンターウェートなどの大型製缶品、油圧ショベルのバケットなどのアタッチメント製品を製造するメーカー。特殊肉盛溶接や産業機械の設計・製作も手がける。シマブングループの製造・エンジニアリング部門を担う。
【定着率】‥
【採用】【設立】1968.1【社長】安達功司
23年 2【従業員】単140名（‥歳）
24年 2【有休】‥日
25年 未定【初任給】月24万（諸手当を除いた数値）
【試験種類】‥【各種制度】‥

【業績】	売上高	営業利益	経常利益	純利益
単22.9	8,002	‥	‥	‥
単23.9	9,899	‥	‥	‥

㈱テイエルブイ
株式公開計画なし

【本社】675-8511 兵庫県加古川市野口町長砂881 ☎079-422-1122
金属製品

採用予定数	倍率	3年後離職率	平均年収
12名	‥	‥	‥

【特色】計測・制御機器メーカー。高品質・長寿命のスチームトラップ、蒸気減圧弁など蒸気動力関連も手がけ、国内外で約4900件の特許・実用新案。国内に11の営業所。海外は13カ国に現地法人を置き、50カ国以上に100を超える代理店を持つ。
【定着率】‥
【採用】【設立】1972.1【社長】藤原綾子
23年 11【従業員】単473名（40.0歳）
24年 14【有休】‥日
25年 12【初任給】月23万（諸手当を除いた数値）
【試験種類】‥【各種制度】‥

【業績】	売上高	営業利益	経常利益	純利益
単22.6	9,320	303	390	215
単23.6	10,243	437	480	274

トーカロ
東証プライム

【本社】650-0047 兵庫県神戸市中央区港島南町6-4-4 ☎078-303-3433
金属製品

採用予定数	倍率	3年後離職率	平均年収
20名	‥	‥	755万円

【特色】金属部品の表面に特殊コーティング技術で耐久性・耐摩耗性を付加する溶射加工の専業最大手。半導体・液晶製造装置向けが主力で、産業機械や鉄鋼向けも。長年培った表面改質技術によって温暖化防止や資源保全にも取り組む。次世代皮膜技術開発に注力。
【定着率】‥
【採用】【設立】1951.7【取締】小林和也
23年 40【従業員】連1,389名 単889名（39.0歳）
24年 41【有休】‥日
25年 20【初任給】月24.3万（諸手当を除いた数値）
【試験種類】‥【各種制度】‥

【業績】	売上高	営業利益	経常利益	純利益
連23.3	48,144	10,558	11,003	7,350
連24.3	46,735	9,197	9,662	6,326

トクセン工業（こうぎょう）
株式公開計画なし

【本社】675-1361 兵庫県小野市住吉町南山1081 ☎0794-63-1050
金属製品

採用実績数	倍率	3年後離職率	平均年収
10名	‥	‥	‥

【特色】自動車用タイヤやエンジン向けに各種金属線を製造・販売。半導体や家電、太陽光発電、医療機器分野向けなどの精密ワイヤも手がける。導電性ペースト材料向けに金属ナノ粒子のフレーク状銀粉などを拡販。海外は米国、中国に現地法人を持つ。
【定着率】‥
【採用】【設立】1973.7【社長】金井宏彰
23年 11【従業員】単726名（42.4歳）
24年 10【有休】‥日
25年 未定【初任給】月22万（諸手当を除いた数値）
【試験種類】‥【各種制度】‥

【業績】	売上高	営業利益	経常利益	純利益
単23.3	25,796	‥	1,586	1,305
単24.3	25,019	‥	2,469	128

ユニタイト

株式公開計画なし

【本社】651-2271 兵庫県神戸市西区高塚台3-1-12 ☎078-991-2233
金属製品

採用予定数	倍率	3年後離職率	平均年収
3名	‥	‥	‥

【特色】ボルト、ナットなど締結部品の独立系総合メーカー。幅広い産業向けねじを製造。自動車は駆動系部品や足回り部品を供給。米国でもホテルや風力発電タワーなど大型建物、建造物に採用される。米イリノイ州と中国・広東省などに生産拠点。
【定着率】‥
【採用】　【設立】1953.8【社長】橋本潤
23年　4【従業員】単118名(39.7歳)
24年　2【有休】‥日
25年　3【初任給】月23.5万(諸手当を除いた数値)
【試験種類】‥【各種制度】‥

【業績】	売上高	営業利益	経常利益	純利益
単23.3	13,031	‥	1,645	1,132
単24.3	12,663	‥	1,858	1,278

虹技

東証スタンダード

【本社】671-1132 兵庫県姫路市大津区勘兵衛町4-1 ☎079-236-3221
鉄鋼

採用実績数	倍率	3年後離職率	平均年収
8名	‥	‥	592万円

【特色】各種圧延ロール、自動車用プレス金型など大型鋳物から、マンホール鉄ふたなど小型鋳物までを手がける。鋼塊用鋳型、連続鋳造鋳鉄棒は国内シェア7割超。事業拡大に向け高効率ごみ処理プラント運営や環境負荷低減に向けた機械の開発に注力。中国に生産拠点。
【定着率】‥
【採用】　【設立】1940.6【社長】山本幹雄
23年　10【従業員】連746名 単473名(41.5歳)
24年　8【有休】‥日
25年　増加【初任給】月21.2万(諸手当を除いた数値)
【試験種類】‥【各種制度】‥

【業績】	売上高	営業利益	経常利益	純利益
連23.3	26,726	807	716	466
連24.3	25,963	786	714	538

㈱シマブンコーポレーション

株式公開計画なし

【本社】657-0845 兵庫県神戸市灘区岩屋中町4-2-7 ☎078-871-5181
鉄鋼

採用予定数	倍率	3年後離職率	平均年収
10名	‥	‥	‥

【特色】神戸製鋼所の製造ライン作業請負、製鋼原料(鉄リサイクル)、鋼材加工販売、プラント解体工事が主事業。ヘルメットに各種センサーを装着し、作業者のバイタルデータをリアルタイムで取得する作業者見守りシステムも提供。
【定着率】‥
【採用】　【設立】1949.8【代表取締役】木谷謙介
23年　19【従業員】単1,204名(39.2歳)
24年　16【有休】‥日
25年　10【初任給】月24.4万(諸手当を除いた数値)
【試験種類】‥【各種制度】‥

【業績】	売上高	営業利益	経常利益	純利益
単23.12	114,259	‥	‥	‥
単24.3変	27,481	‥	‥	‥

神鋼鋼線工業

東証スタンダード

【本社】660-0091 兵庫県尼崎市中浜町10-1 ☎06-6411-1051
鉄鋼

採用予定数	倍率	3年後離職率	平均年収
11名	‥	‥	620万円

【特色】神戸製鋼所系列の鋼線2次加工メーカー。橋梁など建築物に使用されるプレストレストコンクリート鋼線で首位。公共工事用途が中心。自動車や家電など向けステンレス鋼線や、クレーン用等ワイヤロープも主力製品。医療、風力発電など新分野での用途展開を探る。
【定着率】‥
【採用】　【設立】1954.3【社長】北山修二
23年　5【従業員】単759名(41.9歳)
24年　11【有休】‥日
25年　11【初任給】月22.5万(諸手当を除いた数値)
【試験種類】‥【各種制度】‥

【業績】	売上高	営業利益	経常利益	純利益
連23.3	31,280	938	1,044	832
連24.3	32,726	1,023	1,066	906

日亜鋼業

東証スタンダード

【本社事務所】660-0083 兵庫県尼崎市道意町6-74 ☎06-6416-1021
鉄鋼

採用実績数	倍率	3年後離職率	平均年収
13名	‥	‥	600万円

【特色】日本製鉄系の線材2次加工メーカー大手。フェンスなどに用いる普通線材、自動車部品などに用いる特殊線材、鋲螺(ボルト)製品が中心。着色塗装鉄線など独自の特殊加工品の比重高い。獣害防護柵や建材などの非市況型の高付加価値製品を強化。海外は中国とタイに拠点。
【定着率】‥
【採用】　【設立】1952.6【社長】大西利典
23年　6【従業員】連835名 単329名(43.2歳)
24年　13【有休】‥日
25年　前年並【初任給】月21.7万(諸手当を除いた数値)
【試験種類】‥【各種制度】‥

【業績】	売上高	営業利益	経常利益	純利益
連23.3	34,075	1,822	2,289	1,332
連24.3	34,497	1,335	2,124	1,258

㈱大阪チタニウムテクノロジーズ

東証プライム

【本社】660-8533 兵庫県尼崎市東浜町1 ☎06-6413-9911
非鉄

採用実績数	倍率	3年後離職率	平均年収
11名	‥	‥	654万円

【特色】世界有数のチタンメーカー。日本で初めてスポンジチタンの工業生産を開始。世界有数のチタン生産設備を保有。航空機機体向けを柱に、海水淡水化プラントや大規模発電所向けなどに展開。粉末チタン、SiOなどの高機能材料を第2の事業として育成。
【定着率】‥
【採用】　【設立】1997.5【社長】川福純司
23年　3【従業員】単697名(43.7歳)
24年　11【有休】‥日
25年　微増【初任給】月22.8万(諸手当を除いた数値)
【試験種類】‥【各種制度】‥

【業績】	売上高	営業利益	経常利益	純利益
単23.3	43,074	4,780	4,723	4,388
単24.3	55,322	8,288	9,360	9,689

ＪＭＡＣＳ

東証スタンダード

【本社】673-1331 兵庫県加東市森尾127-1 ☎0795-46-1697
非鉄

採用実績数	倍率	3年後離職率	平均年収
1名	‥	‥	531万円

【特色】電線メーカー中堅。計装・制御・通信・防災用の各種ケーブル、光ファイバーケーブルを製造販売。コンピューター用電線のOEM供給も行う。多品種少量生産が強み。スケルトン工法に使用できるフラットケーブルを業界で初開発。EV充電用ケーブルにも取り組む。
【定着率】‥
【採用】【設立】1965.3【社長】植村剛嗣
23年 1【従業員】単102名(45.6歳)
24年 1【有休】‥日
25年 微増【初任給】月21万(諸手当を除いた数値)
【試験種類】‥【各種制度】‥

【業績】	売上高	営業利益	経常利益	純利益
単23.2	5,061	170	234	206
単24.2	5,343	79	137	71

東リ（とうり）

東証スタンダード

【本社】664-8610 兵庫県伊丹市東有岡5-125 ☎06-6492-1331
その他メーカー

採用実績数	倍率	3年後離職率	平均年収
24名	‥	‥	591万円

【特色】内装材のトップメーカー。塩ビ床材を主力とし、カーペット、カーテン、壁紙などに総合展開。住宅以外の医療福祉施設向けなど幅広く取り扱う。インテリア商品を仕入れ、施工も手がける。国内市場の縮小受けて海外事業拡大に注力。
【定着率】‥
【採用】【設立】1919.12【社長】永嶋元博
23年 30【従業員】連1,929名 単918名(42.4歳)
24年 24【有休】‥日
25年 微増【初任給】月22.5万(諸手当を除いた数値)
【試験種類】‥【各種制度】‥

【業績】	売上高	営業利益	経常利益	純利益
連23.3	95,230	3,531	3,640	2,562
連24.3	102,470	4,978	5,240	3,689

日本ジッコウ（にっぽん）

株式公開していない

【本社】651-2116 兵庫県神戸市西区南別府1-14-6 ☎078-974-1388
建設

採用予定数	倍率	3年後離職率	平均年収
未定	‥	‥	‥

【特色】コンクリ構造物の補改修工事、建設資材の販売を全国展開。上下水道、農水路、人孔など公共インフラ設備や港湾、橋梁の補改修の実績多い。老朽化が進むインフラの長寿命化対策を提案、維持修繕事業を拡充。補修材や工法の研究開発進める。
【定着率】‥
【採用】【設立】1975.9【社長】佐藤匡良
23年 ‥【従業員】単133名(41.5歳)
24年 ‥【有休】‥日
25年 未定【初任給】‥万
【試験種類】‥【各種制度】‥

【業績】	売上高	営業利益	経常利益	純利益
単22.8	5,288	215	267	173
単23.8	5,460	110	143	102

㈱明和工務店（めいわこうむてん）

株式公開していない

【本社】650-0046 兵庫県神戸市中央区港島中町7-4-3 ☎078-940-1000
建設

採用予定数	倍率	3年後離職率	平均年収
11名	‥	‥	‥

【特色】建築・土木を主体に電気・空調・給排水工事などを兼営する建設会社。マンションなどの大規模改修工事やリフォーム事業、不動産売買、分譲マンション販売なども手がける。神戸を地盤に東京・大阪に支店。新明和工業グループ。
【定着率】‥
【採用】【設立】1947.9【社長】富澤幸生
23年 8【従業員】単153名(42.0歳)
24年 4【有休】‥日
25年 11【初任給】月21.6万(諸手当を除いた数値)
【試験種類】‥【各種制度】‥

【業績】	売上高	営業利益	経常利益	純利益
単23.3	13,606	496	500	340
単24.3	14,379	480	477	324

Ｉ＆Ｈ

株式公開していない

【本社】659-0066 兵庫県芦屋市大桝町1-18 ☎0797-32-6338
家電量販・薬局・HC

採用予定数	倍率	3年後離職率	平均年収
未定	‥	‥	‥

【特色】阪神調剤薬局を中心にグループで北海道から沖縄まで約400の薬局を運営。介護・福祉事業や医師開業支援、医療施設向け人材派遣、コンビニエンスストア事業などもグループで手がける。1976年神戸市に開設した調剤薬局からスタート。
【定着率】‥
【採用】【設立】2019.2【社長】岩崎裕昭
23年 ‥【従業員】単5,083名(‥歳)
24年 ‥【有休】‥日
25年 未定【初任給】‥万
【試験種類】‥【各種制度】‥

【業績】	売上高	営業利益	経常利益	純利益
単22.5	132,242	367	286	▲1,302
単23.5	186,549	2,115	1,571	500

㈱Ｇ－７ホールディングス

東証プライム

【本社】654-0161 兵庫県神戸市須磨区弥栄台2-1-3 ☎078-797-7700
家電量販・薬局・HC

採用予定数	倍率	3年後離職率	平均年収
140名	‥	‥	545万円

【特色】カー用品店「オートバックス」と「業務スーパー」の大手フランチャイジー。ブランド和牛などの精肉事業も傘下。自社ブランドのバイク用品専門店や都市型ミニスーパー、フィットネスチェーンFCなども手がける。東南アジアでの自動車販売など海外進出積極的。
【定着率】‥
【グループ採用】【設立】1976.6【社長】岸本安正
23年 135【従業員】連2,190名 単64名(52.3歳)
24年 101【有休】‥日
25年 140【初任給】月22.3万(諸手当を除いた数値)
【試験種類】‥【各種制度】‥

【業績】	売上高	営業利益	経常利益	純利益
連23.3	176,922	6,504	6,813	3,824
連24.3	192,992	6,920	7,318	5,175

㈱ホームセンターアグロ

株式公開計画なし

【本部】671-1553 兵庫県揖保郡太子町老原市川原39 ☎079-276-1663
家電量販・薬局・HC

採用予定数	倍率	3年後離職率	平均年収
3名	‥	‥	‥

【特色】兵庫県南でホームセンター「アグロガーデン」を運営。出店は県内限定のドミナント戦略。兵庫県下14店舗。園芸特化の売り場作りで他社と差別化。作業服専門店の「キーポイント」も展開。リユース店の運営、住まいのリフォーム事業なども行う。
【定着率】‥
【採用】　【設立】1981.11【会長】安黒嘉宜
23年　3【従業員】単116名(48.8歳)
24年　1【有休】‥日
25年　3【初任給】月19.5万(諸手当を除いた数値)
【試験種類】‥【各種制度】‥

【業績】	売上高	営業利益	経常利益	純利益
単23.2	14,238	‥	‥	‥
単24.2	13,462	‥	‥	‥

㈱スタジオアタオ

東証グロース

【本社】651-0087 兵庫県神戸市中央区御幸通8-1-6 ☎078-230-3370
その他小売業

採用予定数	倍率	3年後離職率	平均年収
未定	‥	‥	380万円

【特色】オリジナルの婦人用バッグや財布を販売するアパレルメーカー。基幹ブランド「アタオ」はじめ4ブランドを展開。実店舗は全国大都市圏の百貨店やSCに出店。売り上げの半数近くは自社および外部モールのネット通販。リピーター率高い。セールは行わない方針。
【定着率】‥
【採用】　【設立】2007.8【社長】瀬尾訓弘
23年　5【従業員】単64名(33.5歳)
24年　‥【有休】‥日
25年　未定【初任給】月20.6万(諸手当を除いた数値)
【試験種類】‥【各種制度】‥

【業績】	売上高	営業利益	経常利益	純利益
連23.2	3,709	▲256	▲245	▲228
単24.2	3,241	123	122	50

㈱フェリシモ

東証スタンダード

【本社】650-0041 兵庫県神戸市中央区新港町7-1 ☎078-325-5555
その他小売業

採用予定数	倍率	3年後離職率	平均年収
10名	‥	‥	703万円

【特色】通信販売中堅。申し込んだシリーズの商品が毎月1回届く「定期便事業」による継続顧客が強み。衣料品、住宅用品、美容健康関連など生活関連品を幅広く扱う。20～40代女性が主要顧客。神戸ポートタワーの屋上デッキなどの運営も受託。
【定着率】‥
【採用】　【設立】2002.8【社長】矢崎和彦
23年　11【従業員】連428名 単428名(42.4歳)
24年　10【有休】‥日
25年　10【初任給】月21.5万(諸手当を除いた数値)
【試験種類】‥【各種制度】‥

【業績】	売上高	営業利益	経常利益	純利益
連23.2	32,160	440	818	671
連24.2	29,607	▲931	▲612	▲858

神鋼物流（しんこうぶつりゅう）

株式公開計画なし

【本社】651-0073 兵庫県神戸市中央区脇浜海岸通2-2-4 ☎078-262-3800
海運・空運

採用予定数	倍率	3年後離職率	平均年収
13名	‥	‥	‥

【特色】神戸製鋼所グループで、内航、貨物利用運送、倉庫、構内物流、港湾運送など神戸製鋼所グループの物流を担当。海外進出に伴い国際物流の複合一貫輸送も展開する。鉄鋼関連はじめ20トン以上の重量物輸送が得意。上海、インドに現地法人を配する。
【定着率】‥
【採用】　【設立】1954.10【社長】岡欣彦
23年　13【従業員】単1,003名(41.1歳)
24年　8【有休】‥日
25年　13【初任給】月24万(諸手当を除いた数値)
【試験種類】‥【各種制度】‥

【業績】	売上高	営業利益	経常利益	純利益
単23.3	51,668	732	741	551
単24.3	51,965	849	861	10,853

八馬汽船（はちうまきせん）

株式公開計画なし

【本社】650-0034 兵庫県神戸市中央区京町74 ☎078-334-3910
海運・空運

採用実績数	倍率	3年後離職率	平均年収
2名	‥	‥	‥

【特色】木材チップ船による国際貨物海上輸送と外航船の船舶管理を行う。1878年創業で日本郵船グループ。大手に次ぐ国内4位の木材チップ輸送は国内製紙・商社が荷主。専用船5隻を運航。船舶管理は日本郵船グループ外の船主からも受託、乗組員の配乗などを行う。
【定着率】‥
【採用】　【設立】1925.1【社長】篠崎宏次
23年　2【従業員】単104名(‥歳)
24年　2【有休】‥日
25年　未定【初任給】‥万
【試験種類】‥【各種制度】‥

【業績】	売上高	営業利益	経常利益	純利益
連23.3	7,959	▲76	▲62	▲49
単24.3	7,371	▲147	173	140

兵機海運（ひょうきかいうん）

東証スタンダード

【本社事務所】650-0045 兵庫県神戸市中央区港島3-6-1 ☎078-940-2351
海運・空運

採用予定数	倍率	3年後離職率	平均年収
若干	‥	‥	591万円

【特色】主力は国内の海上輸送。本社に巨大物流センターを擁す。神戸、大阪、姫路各港で貨物の輸出入、倉庫業を展開。内航海運は鉄鋼メーカーが生産する鋼材の海陸一貫輸送に強み。中国、ロシア、韓国への外航海運も手がけ、競合の少ないニッチな航路を狙う。
【定着率】‥
【採用】　【設立】1942.12【社長】大東慶治
23年　7【従業員】単241名(45.1歳)
24年　2【有休】‥日
25年　若干【初任給】月21.2万(諸手当を除いた数値)
【試験種類】‥【各種制度】‥

【業績】	売上高	営業利益	経常利益	純利益
連23.3	18,387	548	609	442
単24.3	14,636	519	678	512

川西倉庫（かわにしそうこ）

東証スタンダード

【本社】652-0831 兵庫県神戸市兵庫区七宮町1-4-16 ☎078-671-7931
運輸・倉庫

採用実績数	倍率	3年後離職率	平均年収
13名	‥	‥	635万円

【特色】倉庫中堅上位。食品中心に輸入貨物が8割。コーヒー豆は在庫シェア高く、産地からの一貫輸送と流通加工手がける。神戸港の港湾運送は大型建機始め輸出品扱う。神戸、大阪、名古屋、横浜などに倉庫を持つ。海外はインドネシアの冷凍・冷蔵を拡大。
【定着率】‥
【採用】【設立】1918.7【社長】川西二郎
23年 14【従業員】連617名 単417名(37.8歳)
24年 13【有休】‥日
25年 前年並【初任給】月20.8万(諸手当を除いた数値)
【試験種類】‥【各種制度】‥

【業績】	売上高	営業利益	経常利益	純利益
連23.3	27,107	893	958	1,492
連24.3	24,993	1,159	1,233	796

神姫バス（しんき）

東証スタンダード

【本社】670-0913 兵庫県姫路市西駅前町1 ☎079-223-1241
鉄道・バス

採用予定数	倍率	3年後離職率	平均年収
10名	‥	‥	548万円

【特色】兵庫県が営業エリアの大手バス会社。路線バス、高速乗合バス、タクシーなどの旅客運送のほか、車両の販売、バス運営の業務受託や不動産賃貸・分譲、旅行代理店、保育・介護事業、農作物の販売など多面的に事業展開。不動産事業が収益柱。
【定着率】‥
【採用】【設立】1927.8【社長】長尾真
23年 1【従業員】連3,395名 単1,593名(49.8歳)
24年 2【有休】‥日
25年 10【初任給】月22.5万(諸手当を除いた数値)
【試験種類】‥【各種制度】‥

【業績】	売上高	営業利益	経常利益	純利益
連23.3	44,820	2,362	2,622	1,766
連24.3	49,480	3,145	3,283	2,251

㈱デコルテ・ホールディングス

東証グロース

【本社】650-0001 兵庫県神戸市中央区加納町4-4-17 ニッセイ三宮ビル ☎078-954-5820
その他サービス

採用予定数	倍率	3年後離職率	平均年収
95名	‥	‥	‥

【特色】直営スタジオでのフォトウエディングが主軸の持株会社。子供の記念撮影など家族向けも。カメラマンやヘアメイクの雇用・育成と衣装の内製化で品質・コストを管理。婚活向けプロフィール写真撮影の受託や、リゾートでのフォトウェディング事業も開始。
【定着率】‥
【主要子会社採用】【設立】2016.12【社長】新井賢二
23年 55【従業員】連450名 単421名(‥歳)
24年 86【有休】‥日
25年 95【初任給】月21.5万(諸手当を除いた数値)
【試験種類】‥【各種制度】‥

【業績】	売上高	営業利益	税前利益	純利益
連22.9	5,322	1,377	1,264	1,018
連23.9	5,854	891	763	492

㈱ナカガワ

株式公開計画なし

【本社】635-0065 奈良県大和高田市東中2-12-25 ☎0745-53-5558
商社・卸売業

採用実績数	倍率	3年後離職率	平均年収
6名	‥	‥	‥

【特色】住宅設備機器、配管資材卸で奈良県内首位。水道配管工事業者や工務店に強固な顧客基盤。建材、機械工具、リフォームも手がける。LIXIL特約店だがクボタケミックスの扱いも多い。取り扱いメーカー2000社超で品揃えが豊富。
【定着率】‥
【採用】【設立】1967.12【社長】中川基成
23年 7【従業員】単167名(38.5歳)
24年 6【有休】‥日
25年 未定【初任給】月21.2万(諸手当を除いた数値)
【試験種類】‥【各種制度】‥

【業績】	売上高	営業利益	経常利益	純利益
単22.8	7,670	80	179	120
単23.8	8,197	187	261	176

奈良中央信用金庫（ならちゅうおうしんようきんこ）

株式公開計画なし

【本部】636-0398 奈良県磯城郡田原本町132-10 ☎0744-33-3311
信用金庫

採用予定数	倍率	3年後離職率	平均年収
未定	‥	‥	‥

【特色】奈良県の中南和地域、西和地域を主な事業区域とし、本店含め15店舗を展開。通称「ちゅうしん」。預金量5505億円、貸出残高2235億円(24年3月末)。地元中小企業の経営支援や地域活性化などに取り組む。
【定着率】‥
【採用】【設立】1948.8【理事長】高田知彦
23年 15【従業員】単276名(‥歳)
24年 ‥【有休】‥日
25年 未定【初任給】‥万
【試験種類】‥【各種制度】‥

【業績】	経常収益	業務純益	経常利益	純利益
単23.3	10,247	881	3,231	2,323
単24.3	8,775	1,309	2,412	1,464

大和信用金庫（やまとしんようきんこ）

株式公開計画なし

【本部】633-0091 奈良県桜井市桜井281-11 ☎0744-42-9001
信用金庫

採用予定数	倍率	3年後離職率	平均年収
20名	‥	‥	‥

【特色】奈良県内に20店舗を展開する信用金庫。奈良県内に加え三重・名張市、大阪・四条畷市、京都府南部も営業エリア。預金量7170億円(24年3月末)。大和川の水質改善によって金利が上乗せされる「大和川定期預金」も扱う。
【定着率】‥
【採用】【設立】1948.7【理事長】中村正德
23年 15【従業員】連361名 単333名(37.9歳)
24年 20【有休】‥日
25年 20【初任給】月20.5万(諸手当を除いた数値)
【試験種類】‥【各種制度】‥

【業績】	経常収益	業務純益	経常利益	純利益
連23.3	8,838	‥	2,683	2,000
連24.3	9,283	‥	2,546	1,808

㈱飯塚製作所（いいづかせいさくしょ）
株式公開 いずれしたい

【本社】635-0051 奈良県大和高田市大字根成柿493 ☎0745-22-3515
自動車部品

採用予定数	倍率	3年後離職率	平均年収
4名	‥	‥	‥

【特色】自動車用シートベルト、エアバッグ、エンジンなどの部品製造が主力。工程・金型設計から試作、量産、鍛造・加工まで一貫。プレス・冷間鍛造での独自の技術・ノウハウに強み。奈良と鹿児島に工場。金属プレス加工で創業。
【定着率】‥
【採用】
23年 3
24年 5
25年 4
【設立】1992.2【社長】飯塚靖
【従業員】単205名（40.0歳）
【有休】‥日
【初任給】月21.1万（諸手当を除いた数値）
【試験種類】‥【各種制度】‥

【業績】	売上高	営業利益	経常利益	純利益
単22.7	2,765	▲14	62	69
単23.7	3,180	2	14	13

GMB
東証スタンダード

【本社】636-0295 奈良県磯城郡川西町大字吐田150-3 ☎0745-44-1911
自動車部品

採用予定数	倍率	3年後離職率	平均年収
8名	‥	‥	600万円

【特色】独立系の自動車部品メーカー。バルブスプールやサスペンションなど駆動・伝達・操縦装置部品と、ウォーターポンプなど冷却装置部品が主。ベアリング関連も。韓国・現代自動車向けが売上高の3割強を占める他、海外補修市場にも強く、海外売上比率は約9割。
【定着率】‥
【採用】
23年 6
24年 2
25年 8
【設立】1962.5【社長】松岡祐吉
【従業員】連2,668名 単356名（41.7歳）
【有休】‥日
【初任給】月21.8万（諸手当を除いた数値）
【試験種類】‥【各種制度】‥

【業績】	売上高	営業利益	経常利益	純利益
連23.3	87,169	2,142	3,319	1,213
連24.3	96,291	1,630	1,328	408

㈱ジェイテクトサーモシステム
株式公開 計画なし

【本社】632-0084 奈良県天理市嘉幡町229 ☎0743-64-0981
機械

採用予定数	倍率	3年後離職率	平均年収
7名	‥	‥	‥

【特色】熱プロセスの総合メーカー。工業炉などの加熱装置のほか、金属、半導体、太陽電池、FPD、電子部品向けの熱処理装置やモルダサームヒータを製造・販売。奈良に工場。海外は韓国、中国、台湾、タイに現地法人。ジェイテクトの子会社。
【定着率】‥
【採用】
23年 7
24年 10
25年 7
【設立】1967.7【社長】大友直之
【従業員】単576名（43.8歳）
【有休】‥日
【初任給】月23万（諸手当を除いた数値）
【試験種類】‥【各種制度】‥

【業績】	売上高	営業利益	経常利益	純利益
単23.3	17,702	760	1,021	742
単24.3	18,357	1,323	1,399	1,098

㈱タカトリ
東証スタンダード

【本社】634-8580 奈良県橿原市新堂町313-1 ☎0744-24-8580
機械

採用予定数	倍率	3年後離職率	平均年収
7名	‥	‥	701万円

【特色】電子部品向け製造装置メーカー。精密切断加工機が柱。SiC切断加工装置のシェアは世界有数。ディスプレー製造機器、半導体製造機器も手がける。繊維機器事業で自動裁断機も展開。医療機器も手がけ、小型胸腹水濾過濃縮装置を製造販売。
【定着率】‥
【採用】
23年 4
24年 11
25年 7
【設立】1956.10【社長】増田誠
【従業員】連197名 単194名（43.2歳）
【有休】‥日
【初任給】月21万（諸手当を除いた数値）
【試験種類】‥【各種制度】‥

【業績】	売上高	営業利益	経常利益	純利益
連22.9	10,223	1,351	1,462	1,028
連23.9	16,367	2,464	2,599	1,907

㈱ヒラノテクシード
東証スタンダード

【本社】636-0051 奈良県北葛城郡河合町川合101-1 ☎0745-57-0681
機械

採用予定数	倍率	3年後離職率	平均年収
13名	‥	‥	696万円

【特色】塗工・化工・各種熱処理機械が主力。熱と風をコア技術に各種コーティング・ラミネーティング装置が柱。各種成膜装置や不織布・高機能繊維製造装置などの化工機関連機器も手がける。高精度薄膜塗工・成膜装置で電気・電子業界が主要顧客。次世代電池分野開拓に注力。
【定着率】‥
【採用】
23年 17
24年 13
25年 13
【設立】1949.7【社長】岡田薫
【従業員】連421名 単321名（39.1歳）
【有休】‥日
【初任給】月22.4万（諸手当を除いた数値）
【試験種類】‥【各種制度】‥

【業績】	売上高	営業利益	経常利益	純利益
連23.3	42,423	3,093	3,219	2,243
連24.3	46,946	3,236	3,394	2,438

㈱エスケイケイ
株式公開 計画なし

【本社】630-0142 奈良県生駒市北田原町1786-1 ☎0743-79-3033
金属製品

採用予定数	倍率	3年後離職率	平均年収
1名	‥	‥	‥

【特色】金属プレス加工メーカー。デジカメ・携帯電話の外装ケースをはじめ、ゲーム機などの小物部品からキャビネット類などの大物部品まで手がける。複雑形状のプレス加工・精密加工が得意。金型設計から・CAD／CAMライン経た一貫生産体制。
【定着率】‥
【採用】
23年 1
24年 1
25年 1
【設立】1950.5【社長】近藤弘孝
【従業員】単115名（38.0歳）
【有休】‥日
【初任給】月21万（諸手当を除いた数値）
【試験種類】‥【各種制度】‥

【業績】	売上高	営業利益	経常利益	純利益
単23.3	4,360	140	220	150
単24.3	5,120	250	300	210

大和ガス（だいわガス）
株式公開計画なし

【本社】635-0035 奈良県大和高田市旭南町8-36
☎0745-22-6221
電力・ガス

採用予定数	倍率	3年後離職率	平均年収
10名	‥	‥	‥

【特色】都市ガス供給会社。奈良県の大和高田、橿原、葛城各市のほぼ全域が供給エリア。供給戸数訳8万戸。大阪ガスの取次店として電気の取り扱いも手がける。グループ会社で住宅設備機器の施工や販売を手がけ、ショールームも設置。
【定着率】‥
【採用】
23年 17
24年 8
25年 10
【設立】1957.9【社長】中井俊之
【従業員】単120名(39.4歳)
【有休】‥日
【初任給】月24.8万(諸手当を除いた数値)
【試験種類】‥【各種制度】‥

【業績】	売上高	営業利益	経常利益	純利益
単22.12	14,295	467	666	124
単23.12	15,853	349	598	462

奈良交通（ならこうつう）
株式公開計画なし

【本社】630-8651 奈良県奈良市大宮町1-1-25
☎0742-20-3116
鉄道・バス

採用予定数	倍率	3年後離職率	平均年収
36名	‥	‥	‥

【特色】近鉄グループのバス会社。奈良県一円と京都、大阪、和歌山の一部エリアでの乗合バス事業や、観光・貸切バス事業を営む。4917営業キロ。乗合バス623両、貸切バス114両など保有(24年3月末)。旅行、不動産、外食、自動車教習所も展開する。
【定着率】‥
【採用】
23年 10
24年 18
25年 36
【設立】1929.1【社長】田中耕造
【従業員】連2,068名 単1,435名(50.3歳)
【有休】‥日
【初任給】月22.6万(諸手当を除いた数値)
【試験種類】‥【各種制度】‥

【業績】	営業収益	営業利益	経常利益	純利益
連23.3	21,334	293	841	820
連24.3	22,784	557	775	728

日本プレカットシステム（にほんプレカットシステム）
株式公開計画なし

【本社】641-0036 和歌山県和歌山市西浜1660-50
☎073-441-0011
商社・卸売業

採用実績数	倍率	3年後離職率	平均年収
0名	‥	‥	‥

【特色】プレカットのパイオニア宮本工業の子会社。構造・羽柄・野地パネル・床パネルなどプレカット製品の請負・販売、建設資材の販売が主力。公共建築物や倉庫などで、親会社がノウハウ確立した大型木造建築の軸組も提案し、普及拡大を推進。
【定着率】‥
【採用】
23年 0
24年 0
25年 0
【設立】1995.2【社長】森彰宏
【従業員】単18名(45.6歳)
【有休】‥日
【初任給】月17.5万(諸手当を除いた数値)
【試験種類】‥【各種制度】‥

【業績】	売上高	営業利益	経常利益	純利益
単22.9	21,077	328	349	222
単23.9	16,385	107	126	98

太洋テクノレックス（たいようテクノレックス）
東証スタンダード

【本社】640-8390 和歌山県和歌山市有本661
☎073-431-6311
電子部品・機器

採用予定数	倍率	3年後離職率	平均年収
若干	‥	‥	506万円

【特色】フレキシブルプリント基板(FPC)の試作品メーカー。設計から最終検査までの一貫生産体制と、受注から最短3日でのスピード納品に強み。多品種少量の試作品や高難度品にも独自生産管理システムで対応。基板検査装置や鏡面研磨機は海外中心に販路広げる。
【定着率】‥
【採用】
23年 6
24年 0
25年 若干
【設立】1960.12【社長】細江美則
【従業員】連215名 単184名(45.1歳)
【有休】‥日
【初任給】月22.1万(諸手当を除いた数値)
【試験種類】‥【各種制度】‥

【業績】	売上高	営業利益	経常利益	純利益
連22.12	3,625	▲27	45	39
連23.12	3,411	▲141	▲108	▲126

ヨシダエルシス
株式公開計画なし

【本社】649-1342 和歌山県御坊市藤田町吉田155
☎0738-22-2111
機械

採用実績数	倍率	3年後離職率	平均年収
4名	‥	‥	‥

【特色】全自動養鶏システムをはじめとした養鶏用資材・機械器具製造の日本におけるパイオニア。鶏舎の建設や設備工事などプラントエンジニアリングも手がける。一般の大型倉庫や物流センターなどの建設や断熱工事にも実績。
【定着率】‥
【採用】
23年 0
24年 4
25年 未定
【設立】1965.2【社長】吉田卓司
【従業員】単80名(47.3歳)
【有休】‥日
【初任給】‥万
【試験種類】‥【各種制度】‥

【業績】	売上高	営業利益	経常利益	純利益
単22.5	15,616	959	988	458
単23.5	11,591	395	423	274

新中村化学工業（しんなかむらかがくこうぎょう）
株式公開計画なし

【本社】640-8390 和歌山県和歌山市有本687
☎073-423-3256
化学

採用予定数	倍率	3年後離職率	平均年収
未定	‥	‥	‥

【特色】アクリル系樹脂を中心に化学品を製造・販売。1970年代に国内初の多官能性モノマーの量産化に成功し、高機能材へ重点シフト。NKエステル・オリゴが過半占める。中国・南通に生産拠点、上海に販売拠点。植物性染料メーカーとして創業。
【定着率】‥
【採用】
23年 4
24年 0
25年 未定
【設立】1970.10【社長】中村謙介
【従業員】単220名(41.0歳)
【有休】‥日
【初任給】月21.5万(諸手当を除いた数値)
【試験種類】‥【各種制度】‥

【業績】	売上高	営業利益	経常利益	純利益
単22.9	10,658	984	1,287	453
単23.9	9,171	416	556	319

㈱ヤマヨテクスタイル

株式公開計画なし

【本社】649-2102 和歌山県西牟婁郡上富田町岩田2878-1 ☎0739-47-2128
衣料・繊維

採用予定数	倍率	3年後離職率	平均年収
未定	‥	‥	‥

【特色】婦人・子供服用丸編ニット生地、スポーツ用ポリエステル、ジャージなどの老舗メーカー。機能性とファッション性を兼ね備えた新しいニット生地の開発に注力。鎌倉シャツとニットシャツを共同開発。本社と和歌山市の2工場体制。大阪に営業所。
【定着率】‥
【採用】 【設立】1970.11【会長】山下郁夫
23年 4【従業員】単138名(38.0歳)
24年 0【有休】‥日
25年 未定【初任給】月19万(諸手当を除いた数値)
【試験種類】‥【各種制度】‥

【業績】	売上高	営業利益	経常利益	純利益
単23.3	4,478	111	128	73
単24.3	4,271	40	39	18

㈱宮本工業（みやもとこうぎょう）

株式公開計画なし

【本社】641-0036 和歌山県和歌山市西浜1660-50 ☎073-444-5225
その他メーカー

採用予定数	倍率	3年後離職率	平均年収
未定	‥	‥	‥

【特色】木材を設計に基づいて工場で機械的に切断・加工する全自動木材プレカットのパイオニア的存在。一般住宅から福祉施設など大規模建築物の建築施工も行う。本店(和歌山工場)、関東支店(千葉工場)、東北支店(仙台工場)の3拠点体制。
【定着率】‥
【採用】 【設立】1961.4【社長】宮本哲治
23年 0【従業員】単139名(45.6歳)
24年 0【有休】‥日
25年 未定【初任給】月17.5万(諸手当を除いた数値)
【試験種類】‥【各種制度】‥

【業績】	売上高	営業利益	経常利益	純利益
単22.9	14,385	489	461	320
単23.9	11,877	482	446	285

㈱農業総合研究所（のうぎょうそうごうけんきゅうじょ）

東証グロース

【本社】640-8341 和歌山県和歌山市黒田99-12 寺本ビル2 ☎073-497-7077
その他小売業

採用予定数	倍率	3年後離職率	平均年収
若干	‥	‥	437万円

【特色】野菜・果物直売の流通プラットフォームを提供する。主軸の委託販売は、登録生産者から農産物を集荷、袋詰めなどし、スーパーなどの産直コーナーで販売、手数料を得る。販売状況データも提供。自社で在庫持つ買取委託や、通常の青果コーナー向け卸販売も行う。
【定着率】‥
【採用】 【設立】2007.10【社長】堀内寛
23年 6【従業員】単113名(35.6歳)
24年 ‥【有休】‥日
25年 若干【初任給】‥万
【試験種類】‥【各種制度】‥

【業績】	売上高	営業利益	経常利益	純利益
単22.8	5,192	▲123	▲110	▲127
単23.8	5,735	36	46	24

㈱ヴァイオス

株式公開計画なし

【本社】640-0112 和歌山県和歌山市西庄295-9 ☎073-452-9356
その他サービス

採用実績数	倍率	3年後離職率	平均年収
2名	‥	‥	‥

【特色】浄化槽施工及び浄化槽維持管理を中心とした水処理施設の総合メンテナンス業を営む。下水道施設に特化し、その過程で発生する有機性汚泥のリサイクルに注力、各種廃棄物の収集運搬・処理処分業務なども。和歌山県桃山町にリサイクルセンター保有。
【定着率】‥
【採用】 【設立】1978.5【代表取締役】吉村英樹
23年 0【従業員】単53名(44.6歳)
24年 2【有休】‥日
25年 未定【初任給】‥万
【試験種類】‥【各種制度】‥

【業績】	売上高	営業利益	経常利益	純利益
単23.2	1,068	99	136	84
単24.2	1,376	133	158	115

㈱鳥取銀行（とっとりぎんこう）

東証スタンダード

【本店】680-8686 鳥取県鳥取市永楽温泉町171 ☎0857-22-8181
銀行

採用予定数	倍率	3年後離職率	平均年収
35名	‥	‥	513万円

【特色】鳥取県に本店を置く唯一の地銀。県内の預貸シェアは島根本拠の山陰合同銀行に次ぐ。店舗は8割が鳥取県内だが、島根、岡山、広島、大阪にも出店。米子、境港など島根との県境地区や、島根東部の営業を強化。地域社会発展のためコンサル機能発揮を目指す。
【定着率】‥
【採用】 【設立】1921.12【頭取】入江到
23年 25【従業員】連634名 単628名(38.9歳)
24年 37【有休】‥日
25年 35【初任給】月22万(諸手当を除いた数値)
【試験種類】‥【各種制度】‥

【業績】	経常収益	業務純益	経常利益	純利益
連23.3	13,912	‥	1,711	1,044
連24.3	14,646	‥	1,613	1,056

寿（ことぶき）スピリッツ

東証プライム

【本社】683-0845 鳥取県米子市旗ヶ崎2028 ☎0859-22-7477
食品・水産

採用予定数	倍率	3年後離職率	平均年収
未定	‥	‥	811万円

【特色】和洋菓子メーカー大手。全国の観光地に販売子会社を持ち、地域限定の観光土産菓子を販売。北海道の「ルタオ」など有力商品多数。カフェ・工房併設店も展開。子会社ケイシイシイ、シュクレイ、寿製菓の3社で連結売上の多くを占める。
【定着率】‥
【グループ採用】【設立】1952.4【社長】河越誠剛
23年 111【従業員】連1,826名 単8名(48.2歳)
24年 ‥【有休】‥日
25年 未定【初任給】‥万
【試験種類】‥【各種制度】‥

【業績】	売上高	営業利益	経常利益	純利益
連23.3	50,155	9,951	10,295	7,018
連24.3	64,035	15,780	15,867	10,831

寿製菓

株式公開計画なし

【本社】683-0845 鳥取県米子市旗ケ崎2028 協同組合米子食品工業団地内 ☎0859-22-7456
食品・水産

採用予定数	倍率	3年後離職率	平均年収
20名	‥	‥	‥

【特色】自社ブランドとOEMで全国各地の観光みやげ菓子を製造・販売。自社ブランドは銘菓「因幡の白うさぎ」など展開。米子城を模した直営店「お菓子の壽城」も運営。製菓や健康素材に関する研究開発を推進。3工場体制。寿スピリッツグループの中核会社。
【定着率】‥
【採用】　【設立】2006.10【社長】城内正行
23年　10【従業員】単570名(42.2歳)
24年　17【有休】‥日
25年　20【初任給】月19.7万(諸手当を除いた数値)
【試験種類】‥【各種制度】‥

【業績】	売上高	営業利益	経常利益	純利益
単23.3	9,837	‥	1,938	‥
単24.3	12,662	‥	2,793	‥

サンライズ工業

株式公開計画なし

【本社】680-0152 鳥取県鳥取市国府町庁117-1 ☎0857-23-2731
金属製品

採用予定数	倍率	3年後離職率	平均年収
1名	‥	‥	‥

【特色】建築用あと施工アンカーとスチールボールなどの鋼球の製造・販売を手がける。切削、プレスや研磨などあらゆる加工を提供。自社製品の他、受託加工にも対応。硬球やメダルなどへのチタン系コーティングも行う。福岡に営業所、本社と中国に工場を構える。
【定着率】‥
【採用】　【設立】1965.3【社長】仁保品議
23年　0【従業員】単48名(‥歳)
24年　0【有休】‥日
25年　1【初任給】‥万
【試験種類】‥【各種制度】‥

【業績】	売上高	営業利益	経常利益	純利益
単22.9	1,323	44	72	36
単23.9	1,447	24	47	44

美保テクノス

株式公開計画なし

【本社】683-0037 鳥取県米子市昭和町25 ☎0859-33-9211
建設

採用実績数	倍率	3年後離職率	平均年収
7名	‥	‥	‥

【特色】鳥取県内トップの建設業。土木、建築にランドサポート(地盤改良、舗装など)、総合建築(住宅新築、リフォーム、太陽光発電など)、デザイン(設計部)を加えた5事業部門体制。設計部はBIM／IPDの技術を先進的に取り組む。
【定着率】‥
【採用】　【設立】1972.11【社長】野津健市
23年　10【従業員】単220名(42.0歳)
24年　7【有休】‥日
25年　未定【初任給】月20.3万
【試験種類】‥【各種制度】‥

【業績】	売上高	営業利益	経常利益	純利益
単23.3	10,523	501	636	456
単24.3	10,326	232	499	179

㈱ジュンテンドー

東証スタンダード

【本社】699-3676 島根県益田市遠田町2179-1 ☎0856-24-2400
家電量販・薬局・HC

採用予定数	倍率	3年後離職率	平均年収
20名	‥	‥	459万円

【特色】中国地方でトップシェアのホームセンター。近畿にも出店。農家・建築関係顧客への生産財の提供を強化。園芸農業・資材工具が売り上げの半分占める。単独出店に加え、他業態施設への出店や食品スーパーなどのテナント受入など複合型も採用。
【定着率】‥
【採用】　【設立】1977.11【社長】飯塚正
23年　16【従業員】単591名(42.8歳)
24年　17【有休】‥日
25年　20【初任給】月22.6万(諸手当を除いた数値)
【試験種類】‥【各種制度】‥

【業績】	売上高	営業利益	経常利益	純利益
単23.2	44,964	906	922	382
単24.2	44,653	319	317	188

㈱カイタックトレーディング

株式公開計画なし

【本社】700-0032 岡山県岡山市北区昭和町3-12 ☎086-255-6055
商社・卸売業

採用予定数	倍率	3年後離職率	平均年収
未定	‥	‥	‥

【特色】カイタックHD傘下で、繊維製品の総合商社。ユニフォーム、カジュアルウェアなどの企画提案・製造・販売を行う。デニム素材を中心に自社開発素材の製造・販売も行う。アジア、北米拠点の貿易事業や地場に根付いた小売業など幅広く展開。
【定着率】‥
【グループ採用】【設立】1990.3【社長】赤木政一
23年　2【従業員】単244名(‥歳)
24年　‥【有休】‥日
25年　未定【初任給】月21万(諸手当を除いた数値)
【試験種類】‥【各種制度】‥

【業績】	営業収益	営業利益	経常利益	純利益
単23.2	20,487	132	176	114
単24.2	21,000	‥	‥	‥

㈱エルジオ

株式公開計画なし

【本社】701-0165 岡山県岡山市北区大内田764-3 ☎086-292-5560
商社・卸売業

採用実績数	倍率	3年後離職率	平均年収
2名	‥	‥	‥

【特色】独立系石油商社。3隻の給油船、10基の屋外タンク、25台の車両群などで海上給油と燃料供給体制を採る。岡山県内にサービスステーションを4店舗展開。新車・中古車販売、TSUTAYAやTULLY'SなどのFC事業や介護事業も手がける。
【定着率】‥
【採用】　【設立】1944.5【社長】木村容治
23年　2【従業員】単120名(38.8歳)
24年　2【有休】‥日
25年　未定【初任給】月20万(諸手当を除いた数値)
【試験種類】‥【各種制度】‥

【業績】	売上高	営業利益	経常利益	純利益
単22.9	33,910	218	230	150
単23.9	33,535	207	215	119

E・Jホールディングス　東証プライム

【本社】700-0087 岡山県岡山市北区津島京町3-1-21 ☎086-252-7520
コンサルティング

採用予定数	倍率	3年後離職率	平均年収
58名	・・	・・	909万円

【特色】総合建設コンサルティング上位。エイト日本技術開発を中核子会社とする持株会社。建設・補償コンサル業務のほか、測量、地質調査にも展開。官公庁依存度は9割と高い。インフラ・マネジメント、海外事業など事業領域を拡大。M&Aにも積極的。
【定着率】・・
【グループ採用】【設立】2007.6【社長】小谷裕司
23年　30【従業員】連1,713名 単20名(51.7歳)
24年　36【有休】・・日
25年　58【初任給】月25.1万(諸手当を除いた数値)
【試験種類】・・【各種制度】・・

【業績】	売上高	営業利益	経常利益	純利益
連23.5	37,509	4,462	4,636	3,059
連24.5	37,207	4,348	4,597	3,032

㈱両備(りょうび)システムズ　株式公開計画なし

【岡山本社】700-8508 岡山県岡山市北区下石井2-10-12 ☎086-264-0111
システム・ソフト

採用予定数	倍率	3年後離職率	平均年収
80名	・・	・・	・・

【特色】両備グループのシステム開発会社。総合住民情報、地図情報などの行政システム、医療システム、特定健診などの保健福祉システムを販売する。岡山でデータセンターを運営。岡山、東京の2本社制。グループの多角的な事業とのシナジー創出に注力。
【定着率】・・
【採用】【設立】1969.12【社長】松田敏之
23年　79【従業員】単1,578名(40.1歳)
24年　74【有休】・・日
25年　80【初任給】月23万(諸手当を除いた数値)
【試験種類】・・【各種制度】・・

【業績】	売上高	営業利益	経常利益	純利益
単22.12	40,297	5,893	5,742	4,011
単23.12	35,599	4,422	4,563	3,260

㈱トマト銀行(ぎんこう)　東証スタンダード

【本店】700-0811 岡山県岡山市北区番町2-3-4 ☎086-221-1010
銀行

採用実績数	倍率	3年後離職率	平均年収
50名	・・	・・	545万円

【特色】岡山市、倉敷市地盤の第二地銀。貸出金は県内向けが約9割。兵庫、広島、大阪、東京にも店舗を展開。トマトのようなみずみずしいイメージが目標企業像。法人の経営課題解決など本業支援と、個人の最適資産形成の提案に注力する営業戦略。
【定着率】・・
【採用】【設立】1931.11【社長】髙木晶悟
23年　53【従業員】連800名 単758名(40.5歳)
24年　50【有休】・・日
25年　前年並【初任給】月20.5万(諸手当を除いた数値)
【試験種類】・・【各種制度】・・

【業績】	経常収益	業務純益	経常利益	純利益
連23.3	23,041	・・	2,747	1,879
連24.3	24,065	・・	2,312	1,530

倉敷化工(くらしきかこう)　株式公開計画なし

【本社】712-8555 岡山県倉敷市連島町矢柄四の町4630 ☎086-465-1111
ゴム

採用予定数	倍率	3年後離職率	平均年収
11名	・・	・・	・・

【特色】自動車用防振ゴム部品を主力とした防振専門メーカー。産業用の防振・緩衝機器、免震積層ゴムも製造・販売を行う。高度な防振技術・ゴム配合技術などの研究開発に取り組む。中国・大連、タイ、メキシコに生産拠点、韓国に販売拠点。マツダの子会社。
【定着率】・・
【採用】【設立】1964.3【社長】深野幸一
23年　12【従業員】単872名(41.5歳)
24年　19【有休】・・日
25年　11【初任給】月20.9万(諸手当を除いた数値)
【試験種類】・・【各種制度】・・

【業績】	売上高	営業利益	経常利益	純利益
単23.3	31,312	1,218	1,402	1,016
単24.3	34,290	1,750	2,042	1,502

ヒルタ工業(こうぎょう)　株式公開計画なし

【本社】714-0062 岡山県笠岡市茂平1410 ☎0865-66-3700
自動車部品

採用予定数	倍率	3年後離職率	平均年収
36名	・・	・・	・・

【特色】エンジン、トランスミッション、サスペンションなどの自動車部品を開発・設計・製造。車用空気清浄機も扱う。プレス加工から組み立てまで一貫して行う。大手自動車・部品メーカーが主要取引先。米国、タイ、中国、メキシコ、インドネシアに生産現地法人。
【定着率】・・
【採用】【設立】1946.1【会長】書田眞三
23年　5【従業員】単794名(45.1歳)
24年　12【有休】・・日
25年　36【初任給】月19.9万(諸手当を除いた数値)
【試験種類】・・【各種制度】・・

【業績】	売上高	営業利益	経常利益	純利益
単22.12	21,134	・・	・・	・・
単23.12	25,331	・・	・・	・・

㈱新来島(しんくるしま)サノヤス造船(ぞうせん)　株式公開計画なし

【水島製造所】711-8588 岡山県倉敷市児島塩生2767-21 ☎086-475-1551
輸送用機器

採用実績数	倍率	3年後離職率	平均年収
24名	・・	・・	・・

【特色】大型貨物船を中心とした造船、船舶の修繕・整備とガスタンクの設計、製造などを手がける。岡山県と大阪府に製造所を保有。温室効果ガス排出削減にむけて、LNG燃料の木材チップ運搬船の開発などにも取り組む。新来島どっくのグループ会社。
【定着率】・・
【採用】【設立】2011.10【社長】森本洋二
23年　46【従業員】単609名(・・歳)
24年　24【有休】・・日
25年　未定【初任給】月23万(諸手当を除いた数値)
【試験種類】・・【各種制度】・・

【業績】	売上高	営業利益	経常利益	純利益
単23.3	30,684	422	319	280
単24.3	37,976	▲726	▲821	121

コアテック
株式公開いずれしたい

【本社】719-1121 岡山県総社市赤浜500
☎0866-94-9000
機械

採用予定数	倍率	3年後離職率	平均年収
10名	‥	‥	‥

【特色】各種自動組立機、リークテスト機、溶接機などの産業用機械設備メーカー。太陽光発電システムをはじめエネルギー関連設備にも展開。ACサーボツール、画像検査システムやデジタルサイネージ、ICTビジネス関連などニュービジネス事業に注力。
【定着率】‥
【採用】 【設立】1972.4 【社長】藤井茂
23年 8【従業員】単279名(42.2歳)
24年 8【有休】‥日
25年 10【初任給】月22.5万(諸手当を除いた数値)
【試験種類】‥【各種制度】‥

【業績】	売上高	営業利益	経常利益	純利益
単23.3	6,489	480	504	331
単24.3	6,941	338	403	280

㈱ジェイ・イー・ティ
東証スタンダード

【本社】719-0302 岡山県浅口郡里庄町大字新庄字金山6078
☎0865-69-4080
機械

採用予定数	倍率	3年後離職率	平均年収
5名	‥	‥	729万円

【特色】韓国資本の半導体洗浄装置メーカー。半導体製造装置の前工程で使用される半導体洗浄装置の開発・製造・販売を手がける。アジア展開に強みを持ち韓国、台湾、中国、シンガポールなどの半導体メーカーに納入。リチウムイオン電池に関する検査・製造装置も開発。
【定着率】‥
【採用】 【設立】2009.4 【社長】房野正幸
23年 ‥【従業員】連298名 単171名(43.7歳)
24年 7【有休】‥日
25年 5【初任給】月20.5万(諸手当を除いた数値)
【試験種類】‥【各種制度】‥

【業績】	売上高	営業利益	経常利益	純利益
連22.12	23,114	2,078	1,896	1,197
連23.12	24,984	2,613	2,444	1,651

みのる産業（さんぎょう）
株式公開計画なし

【本社】709-0892 岡山県赤磐市下市447
☎086-955-1122
機械

採用実績数	倍率	3年後離職率	平均年収
8名	‥	‥	‥

【特色】開発から製造・販売まで一貫の農機メーカー。ポット成苗田植機が主力。各地の特産品に特化した農業機械を多品種少量生産。主力400社の代理店・特約店を通じ全国販売。精米機など家電製品関係や生しいたけなど農業生産品も展開。
【定着率】‥
【採用】 【設立】1949.7 【社長】生本尚久
23年 10【従業員】単399名(40.3歳)
24年 8【有休】‥日
25年 未定【初任給】月19.2万(諸手当を除いた数値)
【試験種類】‥【各種制度】‥

【業績】	売上高	営業利益	経常利益	純利益
単22.9	7,544	165	198	181
単23.9	7,941	273	293	258

オハヨー乳業（にゅうぎょう）
株式公開計画なし

【本社】703-8505 岡山県岡山市中区神下565
☎086-279-1231
食品・水産

採用実績数	倍率	3年後離職率	平均年収
25名	‥	‥	‥

【特色】総合乳製品メーカー。市乳・飲料、チルドデザート、アイスの3部門。「焼プリン」「のむヨーグルト」などロングセラー商品を持つ。本社工場を含め3生産拠点体制。全国に7支店と3営業所を配置。カバヤ食品とグループ形成。
【定着率】‥
【採用】 【設立】1953.6 【社長】池田基熙
23年 24【従業員】単952名(38.3歳)
24年 25【有休】‥日
25年 未定【初任給】‥万
【試験種類】‥【各種制度】‥

【業績】	売上高	営業利益	経常利益	純利益
単23.3	46,239	‥	‥	‥
単24.3	45,207	‥	‥	‥

㈱岡山製紙（おかやませいし）
東証スタンダード

【本社】700-0845 岡山県岡山市南区浜野1-4-34
☎086-262-1101
印刷・紙パルプ

採用予定数	倍率	3年後離職率	平均年収
5名	‥	‥	518万円

【特色】中・四国が地盤の中堅板紙メーカー。王子HD系。段ボール製造用の中芯原紙や、紙・布・セロファン・テープ・糸などの巻き芯、紙筒用の紙管原紙などを展開。贈答箱や包装箱などの美粧段ボール箱は、企画・設計から製造加工まで一貫体制。
【定着率】‥
【採用】 【設立】1907.2 【社長】宮田正樹
23年 2【従業員】単196名(43.0歳)
24年 2【有休】‥日
25年 5【初任給】月22万(諸手当を除いた数値)
【試験種類】‥【各種制度】‥

【業績】	売上高	営業利益	経常利益	純利益
単23.5	10,870	613	693	494
単24.5	11,511	1,681	1,779	1,157

日宝綜合製本（にっぽうそうごうせいほん）
株式公開計画なし

【本社】703-8208 岡山県岡山市中区今在家197-1
☎086-275-6600
印刷・紙パルプ

採用実績数	倍率	3年後離職率	平均年収
2名	‥	‥	‥

【特色】年間約7億冊を手がける製本会社。全自動上製本ライン、手帖製本ラインを有する。ランダム丁合機など特許保有。大ロットの上製本から個人出版や御朱印帳の印刷まで幅広く対応。岡山中心に関東以西をカバーする営業・生産拠点を持つ。
【定着率】‥
【採用】 【設立】1974.6 【社長】岩坪誠次郎
23年 6【従業員】単195名(44.0歳)
24年 2【有休】‥日
25年 未定【初任給】‥万
【試験種類】‥【各種制度】‥

【業績】	売上高	営業利益	経常利益	純利益
単22.7	2,874	▲181	52	42
単23.7	2,934	▲214	11	29

㈱北原産業（きたはらさんぎょう）

株式公開計画なし

【本社】710-0298 岡山県倉敷市新倉敷駅前5-141 ☎086-526-3040

化学

採用予定数	倍率	3年後離職率	平均年収
3名	‥	‥	‥

【特色】岡山本拠のプラスチックや紙製の弁当箱などの食品容器メーカー。業界首位級。「ホクサン・スターパック」ブランドで約2500種の製品を生産。グループで企画、製造、印刷、販売まで一貫体制。スーパーやコンビニ向け中心に全国に販路。

【定着率】‥

【採用】

23年 1
24年 4
25年 3

【設立】1950.6 【社長】北原忠
【従業員】単92名(44.3歳)
【有休】‥日
【初任給】月22万(諸手当を除いた数値)

【試験種類】‥ 【各種制度】‥

【業績】	売上高	営業利益	経常利益	純利益
単22.7	10,150	300	320	310
単23.7	11,120	690	710	470

明石被服興業（あかしひふくこうぎょう）

株式公開計画なし

【本社】711-8611 岡山県倉敷市児島田の口1-3-44 ☎086-477-7701

衣料・繊維

採用実績数	倍率	3年後離職率	平均年収
6名	‥	‥	‥

【特色】「富士ヨット」ブランドの老舗大手学生服メーカー。ブレザー制服では全国シェア首位級。機能性や多様性など含め、ニーズに合致した製品開発を追求。素材開発から加工・縫製まで一貫して国内で行う。岡山県と山口県に生産拠点を置く。

【定着率】‥

【採用】

23年 6
24年 6
25年 未定

【設立】1944.11【社長】河合秀文
【従業員】連1,450名 単631名(47.0歳)
【有休】‥日
【初任給】月21万(諸手当を除いた数値)

【試験種類】‥ 【各種制度】‥

【業績】	売上高	営業利益	経常利益	純利益
連22.12	29,994	1,133	1,217	1,081
連23.12	30,878	958	1,060	645

菅公学生服（かんこうがくせいふく）

株式公開計画なし

【本社】700-0024 岡山県岡山市北区駅元町15-1 岡山リットシティビル5階 ☎086-898-2500

衣料・繊維

採用予定数	倍率	3年後離職率	平均年収
未定	‥	‥	‥

【特色】「カンコー学生服」で知られるスクールユニフォームの老舗メーカー。「ELLE」「MICHEL KLEIN」など提携ブランドの企画・製造・販売も行う。19の自社工場で生産を行う。1万5千校以上の納入実績。キャリア教育支援や家庭科教材開発も展開。

【定着率】‥

【採用】

23年 10～15
24年 ‥
25年 未定

【設立】1962.12【社長】尾﨑茂
【従業員】連3,037名 単1,514名(40.0歳)
【有休】‥日
【初任給】月20万(諸手当を除いた数値)

【試験種類】‥ 【各種制度】‥

【業績】	売上高	営業利益	経常利益	純利益
連22.7	40,317	‥	‥	‥
連23.7	40,979	‥	‥	‥

丸五ゴム工業（まるごこうぎょう）

株式公開計画なし

【本社】710-8505 岡山県倉敷市上富井58 ☎086-422-5111

ガラス・土石・ゴム

採用予定数	倍率	3年後離職率	平均年収
5名	‥	‥	‥

【特色】自動車用ゴム部品が主体の工業用ゴム部品メーカー。防振ゴム、ホースなどが主要製品で、ガスケットやブロー成形品も手がける。岡山に2工場。海外は米国、中国、タイ、インドネシア、インドに拠点。ゴム製品・素材の研究開発を継続、新分野への応用も図る。

【定着率】‥

【採用】

23年 5
24年 7
25年 5

【設立】1954.1 【社長】藤木達夫
【従業員】単1,120名(41.8歳)
【有休】‥日
【初任給】月20.6万

【試験種類】‥ 【各種制度】‥

【業績】	売上高	営業利益	経常利益	純利益
単22.12	24,903	‥	423	319
単23.12	28,005	‥	650	426

倉敷レーザー（くらしき）

株式公開いずれしたい

【本社】710-0261 岡山県倉敷市船穂町船穂2095-8 ☎086-552-5855

金属製品

採用予定数	倍率	3年後離職率	平均年収
6名	‥	‥	‥

【特色】レーザー加工機を駆使しステンレス、アルミ、鉄板などの精密加工を行う精密板金加工メーカー。効率的な生産管理体制持ち、多品種・少量・変量に対応。上海に生産現地法人。北京の現地法人ではCADデータ制作。東北事業所を移転拡張し生産能力1.5倍に増強。

【定着率】‥

【採用】

23年 10
24年 1
25年 6

【設立】1983.1 【代表取締役】難波慶太
【従業員】単273名(37.0歳)
【有休】‥日
【初任給】月19.5万(諸手当を除いた数値)

【試験種類】‥ 【各種制度】‥

【業績】	売上高	営業利益	経常利益	純利益
単22.6	5,023	1,012	1,044	▲82
単23.6	5,484	976	908	111

㈱天満屋（てんまや）

株式公開計画なし

【本社】700-8625 岡山県岡山市北区表町2-1-1 ☎086-231-7111

デパート

採用予定数	倍率	3年後離職率	平均年収
100名	‥	‥	‥

【特色】岡山に本店を置き中国・四国で営業する老舗百貨店。小間物店で創業。百貨店5店、関連27社でグループ形成。グループで、フィットネス、レンタカー、旅行などライフスタイル事業、IT、業務受託などソリューション事業、建設・不動産事業を手がける。

【定着率】‥

【グループ採用】

23年 81
24年 100
25年 100

【設立】1950.8 【社長】斎藤和好
【従業員】連1,867名 単‥名(‥歳)
【有休】‥日
【初任給】月20.8万(諸手当を除いた数値)

【試験種類】‥ 【各種制度】‥

【業績】	売上高	営業利益	経常利益	純利益
連23.2	85,114	2,264	2,249	673
連24.2	85,480	2,330	2,381	1,042

大黒天物産（だいこくてんぶっさん）

東証プライム

【本社】710-0833 岡山県倉敷市西中新田297-1
☎086-435-1100
スーパー

採用予定数	倍率	3年後離職率	平均年収
400名	・・	・・	437万円

【特色】岡山県倉敷市が本社の食品ディスカウント店。SC向け複合大型店「ラ・ムー」、生鮮・加工食品中心の単独店「ディオ」、ディオを小型化した「ディオマート」などを展開する。独自商品開発による低価格やローコスト経営で西日本での出店地域拡大を目指す。
【定着率】・・
【採用】【設立】1993.6【社長】大賀昌彦
23年 258【従業員】連1,814名 単1,427名(35.1歳)
24年 248【有休】・・日
25年 400【初任給】月22万(諸手当を除いた数値)
【試験種類】・・【各種制度】・・

【業績】	売上高	営業利益	経常利益	純利益
連23.5	242,243	4,497	4,844	3,116
連24.5	270,077	9,352	9,543	6,306

㈱天満屋ストア（てんまや）

東証スタンダード

【本部】700-8502 岡山県岡山市北区岡町13-16
☎086-232-7265
スーパー

採用予定数	倍率	3年後離職率	平均年収
50名	・・	・・	433万円

【特色】中国地方の老舗百貨店・天満屋グループの食品スーパー。岡山県を中心に大型SC「ハピータウン」と食品スーパー「ハピーズ」「ハピーマート」を展開。イトーヨーカ堂と資本業務提携。セブン＆アイGのPB「セブンプレミアム」を全店舗に導入。
【定着率】・・
【採用】【設立】1969.4【社長】野口重明
23年 21【従業員】連521名 単419名(41.6歳)
24年 28【有休】・・日
25年 50【初任給】月20.8万(諸手当を除いた数値)
【試験種類】・・【各種制度】・・

【業績】	売上高	営業利益	経常利益	純利益
連23.2	57,735	2,063	2,099	1,067
連24.2	58,567	2,277	2,386	1,193

㈱サンマルクホールディングス

東証プライム

【本社】700-0952 岡山県岡山市北区平田173-104
☎086-246-0309
外食・中食

採用実績数	倍率	3年後離職率	平均年収
35名	・・	・・	・・

【特色】直営の「サンマルクカフェ」や中価格帯レストランが柱の外食チェーングループ。回転すしの「函館市場」やフルサービス喫茶店「倉式珈琲店」、ドリア専門店「神戸元町ドリア」なども展開。新業態開発に積極的で、本格展開時には分社化、ブランドごとの運営行う。
【定着率】・・
【グループ採用】【設立】1991.7【社長】藤川祐樹
23年 17【従業員】連818名 単313名(41.2歳)
24年 35【有休】・・日
25年 前年並【初任給】・・万
【試験種類】・・【各種制度】・・

【業績】	売上高	営業利益	経常利益	純利益
連23.3	57,831	239	1,596	416
連24.3	64,556	2,620	2,753	969

㈱ザグザグ

株式公開計画なし

【本部】703-8243 岡山県岡山市中区清水369-2
☎・・
家電量販・薬局・HC

採用実績数	倍率	3年後離職率	平均年収
160名	・・	・・	・・

【特色】岡山県を中心にドラッグストア「ZAG ZAG」を展開。FC含め約200店舗。調剤併設店舗を増やしサービスを強化。介護サービス施設の運営も行う。リハビリ特化型デイサービス施設「ザグスタ」は岡山、香川に14カ所。ネット通販店も手がける。
【定着率】・・
【採用】【設立】1990.4【社長】森信
23年 146【従業員】単1,287名(32.9歳)
24年 160【有休】・・日
25年 未定【初任給】月20.5万(諸手当を除いた数値)
【試験種類】・・【各種制度】・・

【業績】	売上高	営業利益	経常利益	純利益
単22.8	85,413	・・	・・	・・
単23.8	92,300	・・	・・	・・

㈱ストライプインターナショナル

株式公開していない

【本社】700-0903 岡山県岡山市北区幸町2-8
☎086-235-8216
その他小売業

採用予定数	倍率	3年後離職率	平均年収
260名	・・	・・	・・

【特色】アパレル事業を基軸に、培ったノウハウ活かして衣食住に関わる提案を行う。主力ブランドの「earth music&ecology」「koe」など展開。ライフ雑貨・コスメブランドも手がける。台湾に現地法人。カンボジアに初出店。
【定着率】・・
【採用】【設立】1995.2【社長】川部将士
23年 133【従業員】連6,013名 単2,704名(28.4歳)
24年 216【有休】・・日
25年 260【初任給】月23.1万
【試験種類】・・【各種制度】・・

【業績】	売上高	営業利益	経常利益	純利益
連23.1	100,800	・・	・・	・・
連24.1	99,165	・・	・・	・・

㈱テイツー

東証スタンダード

【本社】700-0853 岡山県岡山市南区豊浜町2-2
☎086-206-7610
その他小売業

採用予定数	倍率	3年後離職率	平均年収
20名	・・	・・	467万円

【特色】本・ゲームソフト・トレーディングカードなどの販売・買取行う。店舗ブランドは「古本市場」「ふるいち」「トレカパーク」など。直営とFCで出店。業務提携先の買取王国と共同運営も。ECサイトも持つ。漫画ECのTORICOを持分会社化しIP事業強化。
【定着率】・・
【採用】【設立】1990.4【社長】藤原克治
23年 13【従業員】連391名 単323名(37.8歳)
24年 12【有休】・・日
25年 20【初任給】月20.7万(諸手当を除いた数値)
【試験種類】・・【各種制度】・・

【業績】	売上高	営業利益	経常利益	純利益
連23.2	31,255	1,557	1,603	1,002
連24.2	35,197	1,333	1,423	568

㈱エバルス
株式公開計画なし

【本社】732-0802 広島県広島市南区大州5-2-10 ☎082-286-3300
商社・卸売業

採用実績数	倍率	3年後離職率	平均年収
7名	‥	‥	‥

【特色】病院、診療所、調剤薬局などに向けて医療用医薬品、医療機器、試薬、福祉関連などの卸売事業を展開。中国エリア全域に22拠点を展開、MR認定試験合格者を配置。岡山、広島に次世代型物流センターを持つ。メディパルHD傘下。1657年創業。
【定着率】‥
【採用】 【設立】1950.4【社長】渡辺秀明
23年 10【従業員】単436名(46.3歳)
24年 7【有休】‥日
25年 未定【初任給】月22.4万
【試験種類】‥【各種制度】‥

【業績】	営業収益	営業利益	経常利益	純利益
単23.3	163,375	1,149	1,303	860
単24.3	163,111	1,085	1,242	842

㈱セイエル
株式公開計画なし

【本社】733-8660 広島県広島市西区商工センター5-1-1 ☎082-278-1912
商社・卸売業

採用予定数	倍率	3年後離職率	平均年収
6名	‥	‥	‥

【特色】中国地方5県が営業圏の医薬品卸で、同圏首位級。東邦HDの子会社で、東邦薬品が核の共創未来グループの一角。医療用医薬品や検査薬、医療機器の販売に加え、自社グループ開発「顧客支援システム」の販売や開業・開局支援も手がける。
【定着率】‥
【採用】 【設立】1947.9【社長】河野修蔵
23年 4【従業員】単535名(‥歳)
24年 4【有休】‥日
25年 6【初任給】月24.3万(諸手当を除いた数値)
【試験種類】‥【各種制度】‥

【業績】	売上高	営業利益	経常利益	純利益
単23.3	163,998	2,157	2,820	2,421
単24.3	175,300	3,372	3,583	2,340

㈱栄工社（えいこうしゃ）
株式公開計画なし

【本社】720-8515 広島県福山市南町7-27 ☎084-921-3322
商社・卸売業

採用実績数	倍率	3年後離職率	平均年収
8名	‥	‥	‥

【特色】生産部門を持つ独立系FA関連商社。制御機器、検出機器、電子部品などFA関連機器の販売や、制御システム開発を行う。環境システム部門では空調のトータルシステムを提供。IoT関連製品の取り扱いを拡大、顧客の生産性向上などをサポート。
【定着率】‥
【採用】 【設立】1948.5【社長】唐川正明
23年 9【従業員】単277名(42.3歳)
24年 8【有休】‥日
25年 未定【初任給】月19.2万(諸手当を除いた数値)
【試験種類】‥【各種制度】‥

【業績】	売上高	営業利益	経常利益	純利益
単23.3	13,626	370	590	418
単24.3	13,369	288	484	363

長沼商事（ながぬましょうじ）
株式公開計画なし

【本社】730-0036 広島県広島市中区袋町6-14 長沼ビル ☎082-248-0211
商社・卸売業

採用実績数	倍率	3年後離職率	平均年収
1名	‥	‥	‥

【特色】電力用電線、通信用光ケーブル、自動車用ワイヤハーネスなどの専門商社。光ネットワークによる通信システムやCATVなど地域情報化システムの構築も提供。マツダ、中国電力などが主な得意先。広島、兵庫に物流3拠点。海外は香港と上海に拠点。
【定着率】‥
【採用】 【設立】1957.9【社長】長沼毅
23年 1【従業員】単128名(41.1歳)
24年 0【有休】‥日
25年 0【初任給】月20.6万(諸手当を除いた数値)
【試験種類】‥【各種制度】‥

【業績】	売上高	営業利益	経常利益	純利益
単22.8	36,155	880	1,130	765
単23.8	43,952	933	1,131	733

㈱広島（ひろしま）ホームテレビ
株式公開計画なし

【本社】730-8552 広島県広島市中区白島北町19-2 ☎082-221-7111
テレビ

採用予定数	倍率	3年後離職率	平均年収
若干	‥	‥	‥

【特色】テレビ朝日系列局。略称HOME。夕方ワイドショー「ピタニュー」、情報番組「フロントドア」やバラエティ「カープ道」などの自社番組を放映。スポーツニュースの動画配信や自社Webメディア「ひろしまリード」などのデジタル展開にも注力。
【定着率】‥
【採用】 【設立】1969.12【会長】三吉吉三
23年 6【従業員】単141名(42.9歳)
24年 3【有休】‥日
25年 若干【初任給】月23.8万(諸手当を除いた数値)
【試験種類】‥【各種制度】‥

【業績】	売上高	営業利益	経常利益	純利益
単23.3	7,502	329	398	235
単24.3	7,554	301	369	206

中国電機製造（ちゅうごくでんきせいぞう）
株式公開計画なし

【本社】732-8564 広島県広島市南区大州4-4-32 ☎082-286-3411
電機・事務機器

採用実績数	倍率	3年後離職率	平均年収
9名	‥	‥	‥

【特色】変圧器、配電盤、受変電設備などの電力機器、制御機器を製造・販売。船舶用LED照明、調査分析業務なども手がける。ダイヘン、中国電力の関連会社で、グループ力を活かし一般産業分野での売上拡大狙う。特別高圧受変電設備、フリッカ抑制装置などに注力。
【定着率】‥
【採用】 【設立】1962.7【社長】鶴巻達也
23年 7【従業員】単249名(45.0歳)
24年 9【有休】‥日
25年 未定【初任給】月21万(諸手当を除いた数値)
【試験種類】‥【各種制度】‥

【業績】	売上高	営業利益	経常利益	純利益
単23.3	9,294	271	276	387
単24.3	10,261	367	289	271

広島アルミニウム工業

株式公開計画なし

【本社】733-0011 広島県広島市西区横川町3-6-3
☎082-233-1111
自動車部品

採用予定数	倍率	3年後離職率	平均年収
未定	‥	‥	‥

【特色】マツダ系の老舗自動車用アルミ鋳造部品メーカー。ダイキャスト、砂型、金型など各種製品の設計から鋳造・加工・販売まで一貫体制を持つ。自動車用樹脂製部品も生産。国内は広島県内に8工場。海外はベトナム、メキシコ、中国、タイに生産拠点。
【定着率】‥
【採用】　【設立】1947.1【社長】小松理央
23年　‥【従業員】単2,125名(‥歳)
24年　‥【有休】‥日
25年　未定【初任給】月22万(諸手当を除いた数値)
【試験種類】‥【各種制度】‥

【業績】	売上高	営業利益	経常利益	純利益
単22.12	80,967	‥	‥	‥
単23.12	93,784	‥	‥	‥

㈱オンド

株式公開していない

【本社】739-0146 広島県東広島市八本松飯田1-1-1
☎082-428-2211
自動車部品

採用予定数	倍率	3年後離職率	平均年収
未定	‥	‥	‥

【特色】自動車部品、プレス金型、専用機械を製造・販売。自動車部品のパワートレーン系機能ユニットが主力製品。設計開発から生産までを一貫体制。取引先はマツダ、トヨタ自動車、ダイハツ工業、アイシンなど。国内は広島、山口、海外は中国、タイに工場。
【定着率】‥
【採用】　【設立】1961.9【社長】名井伸一郎
23年　‥【従業員】単1,528名(‥歳)
24年　‥【有休】‥日
25年　未定【初任給】‥万
【試験種類】‥【各種制度】‥

【業績】	売上高	営業利益	経常利益	純利益
単22.5	40,966	4,201	8,447	5,661
単23.5	46,892	3,734	6,264	4,308

内海造船

東証スタンダード

【本社】722-2493 広島県尾道市瀬戸田町沢226-6
☎0845-27-2111
輸送用機器

採用予定数	倍率	3年後離職率	平均年収
22名	‥	‥	‥

【特色】カナデビア系の中堅造船会社。新造船事業と修繕船事業の2本柱。2万～3万トン以下の中型バラ積み船、フェリー、RORO船など幅広い船種を手がける。大型船建造にも対応。CO_2規制対応の省エネ船舶開発を推進。カナデビアが筆頭株主。
【定着率】‥
【採用】　【設立】1944.11【社長】寺尾弘志
23年　22【従業員】連628名 単575名(40.7歳)
24年　12【有休】‥日
25年　22【初任給】月22万(諸手当を除いた数値)
【試験種類】‥【各種制度】‥

【業績】	売上高	営業利益	経常利益	純利益
連23.3	37,617	765	638	737
連24.3	46,383	3,183	3,088	2,261

㈱アイメックス

株式公開計画なし

【本社】722-2393 広島県尾道市因島土生町2293-1
☎0845-22-6411
機械

採用予定数	倍率	3年後離職率	平均年収
8名	‥	‥	‥

【特色】ボイラー、舶用ディーゼルエンジン、産業機械の3本柱。大型設備を備えた海上輸送可能な工場と、高度技術有する溶接工・製缶工・組立工に強み。海外調達や新規調達先の開拓を軸に、購入・外注品のコスト削減に取り組む。カナデビアの子会社。
【定着率】‥
【採用】　【設立】1987.1【社長】土井照之
23年　6【従業員】単358名(42.2歳)
24年　7【有休】‥日
25年　8【初任給】月21.9万(諸手当を除いた数値)
【試験種類】‥【各種制度】‥

【業績】	売上高	営業利益	経常利益	純利益
単23.3	14,140	610	602	413
単24.3	15,028	594	569	399

㈱河原

株式公開計画なし

【本社】720-0812 広島県福山市霞町1-1-1
☎084-961-3273
機械

採用実績数	倍率	3年後離職率	平均年収
3名	‥	‥	‥

【特色】重量物の昇降・移動・積み下ろし用リフトテーブルなど、省力化機械の設計・製造・販売を手がける。半導体・液晶・太陽光パネル生産設備に使用される精密機械部品の受託加工も行う。全国に保守業者網。油圧式、電動式などラインナップを揃える。
【定着率】‥
【採用】　【設立】1974.11【社長】工藤清
23年　2【従業員】単95名(44.9歳)
24年　3【有休】‥日
25年　未定【初任給】月21万(諸手当を除いた数値)
【試験種類】‥【各種制度】‥

【業績】	売上高	営業利益	経常利益	純利益
単22.12	2,355	273	273	187
単23.12	2,549	304	305	208

北川精機

東証スタンダード

【本社】726-0002 広島県府中市鵜飼町800-8
☎0847-40-1200
機械

採用実績数	倍率	3年後離職率	平均年収
3名	‥	‥	529万円

【特色】プリント基板プレス、FA機器の中堅。銅張積層基板製造用真空プレス装置は世界シェア首位。温度・圧力・真空制御を高次元で実現し、電子部品、電子機器メーカーなどから高評価。高機能樹脂等成形装置でプレス装置以外の新市場開拓を目指す。
【定着率】‥
【採用】　【設立】1957.1【社長】内田雅敏
23年　3【従業員】連154名 単146名(44.6歳)
24年　3【有休】‥日
25年　増加【初任給】月20万(諸手当を除いた数値)
【試験種類】‥【各種制度】‥

【業績】	売上高	営業利益	経常利益	純利益
連23.6	6,462	735	804	702
連24.6	5,933	815	851	632

㈱北川鉄工所（きたがわてっこうしょ）
東証スタンダード

【本社】726-8610 広島県府中市元町77-1
☎0847-45-4560
機械

採用予定数	倍率	3年後離職率	平均年収
40名	‥	‥	535万円

【特色】自動車部品を鋳造・加工する金属素形材事業が主力。コンクリートプラントやビル建築用クレーン、自走式立体駐車場などを製造する産業機械事業、旋盤用チャックなどを製造する工作機器事業も展開。海外は中国、メキシコに製造拠点。
【定着率】‥
【採用】
23年 23
24年 30
25年 40
【設立】1941.11【会長】北川祐治
【従業員】連2,285名 単1,427名(42.7歳)
【有休】‥日
【初任給】月21.8万(諸手当を除いた数値)
【試験種類】‥【各種制度】‥

【業績】	売上高	営業利益	経常利益	純利益
連23.3	59,700	194	1,034	▲418
連24.3	61,567	1,680	2,409	1,267

㈱シンコー
株式公開計画なし

【本社】732-0802 広島県広島市南区大州5-7-21
☎082-508-1000
機械

採用予定数	倍率	3年後離職率	平均年収
7名	‥	‥	‥

【特色】船舶用ポンプ、蒸気タービンの専門メーカー。原油タンカー用荷油ポンプ・タービンの世界シェア80%超、船用LNGポンプは同90%超と高い。再エネ利用の陸用発電機タービンの生産台数は国内首位。オランダ、中国に現地法人、マレーシアに合弁会社。
【定着率】‥
【採用】
23年 4
24年 6
25年 7
【設立】1943.9【社長】筒井幹治
【従業員】単490名(40.5歳)
【有休】‥日
【初任給】月22.8万(諸手当を除いた数値)
【試験種類】‥【各種制度】‥

【業績】	売上高	営業利益	経常利益	純利益
単22.10	31,326	3,317	689	708
単23.10	34,600	5,715	748	782

㈱横田製作所（よこたせいさくしょ）
東証スタンダード

【本社】730-0826 広島県広島市中区南吉島1-3-6
☎082-241-8674
機械

採用予定数	倍率	3年後離職率	平均年収
未定	‥	‥	652万円

【特色】自吸渦巻ポンプ、脱泡・脱気装置、チェッキ弁が主力製品。完全受注生産。導入先は発電所、半導体工場、水族館など。腐食や摩耗に強い特殊ステンレスポンプに強み。石炭火力発電所用自吸ポンプで高シェア。部品とメンテナンスも収益源。
【定着率】‥
【採用】
23年 0
24年 0
25年 未定
【設立】1953.5【社長】横田義之
【従業員】単78名(42.7歳)
【有休】‥日
【初任給】月20.2万(諸手当を除いた数値)
【試験種類】‥【各種制度】‥

【業績】	売上高	営業利益	経常利益	純利益
単23.3	1,777	252	254	168
単24.3	2,049	364	369	272

㈱あじかん
東証スタンダード

【本社】733-8677 広島県広島市西区商工センター7-3-9
☎082-277-7010
食品・水産

採用実績数	倍率	3年後離職率	平均年収
13名	‥	‥	549万円

【特色】卵焼きなど業務用卵製品でキユーピーに続く2位。味付けかんぴょうではシェア首位。寿司屋向け卵焼きから出発し、卵製品、水産練り製品、冷凍・冷蔵食品など業務用食品へ展開。海外は中国と米国に現地法人を持つ。ゴボウ茶などゴボウ関連製品強化。
【定着率】‥
【採用】
23年 15
24年 13
25年 微増
【設立】1965.3【取締】足利直純
【従業員】単738名(44.3歳)
【有休】‥日
【初任給】月18万(諸手当を除いた数値)
【試験種類】‥【各種制度】‥

【業績】	売上高	営業利益	経常利益	純利益
連23.3	47,433	89	466	267
連24.3	50,240	1,710	2,266	1,509

アヲハタ
東証スタンダード

【本社】729-2392 広島県竹原市忠海中町1-1-25
☎0846-26-0111
食品・水産

採用予定数	倍率	3年後離職率	平均年収
若干	‥	‥	535万円

【特色】家庭用ジャムのシェア約3割で首位。ジャムの「55」「まるごと果実」シリーズが主力。ジャム類の生産は主に広島県内の工場で行われる。業務用フルーツ加工品や親会社のキユーピーからのOEMで介護食を製造。海外は中国とチリに拠点を有する。
【定着率】‥
【採用】
23年 11
24年 13
25年 若干
【設立】1948.12【社長】山本範雄
【従業員】連615名 単444名(42.9歳)
【有休】‥日
【初任給】月21.2万(諸手当を除いた数値)
【試験種類】‥【各種制度】‥

【業績】	売上高	営業利益	経常利益	純利益
連22.11	19,532	346	448	231
連23.11	20,287	342	422	223

田中食品（たなかしょくひん）
株式公開計画なし

【本社】733-0032 広島県広島市西区東観音町3-22
☎082-232-1331
食品・水産

採用実績数	倍率	3年後離職率	平均年収
2名	‥	‥	‥

【特色】広島市のザ・広島ブランドに認定されたふりかけ「旅行の友」で知られる加工食品メーカー。東アジアなどでも販売。ふりかけを主力に、スープの素やダシ、広島東洋カープやサンリオなどのキャラクター商品も扱う。1901年創業。
【定着率】‥
【採用】
23年 1
24年 2
25年 未定
【設立】1928.7【社長】田中孝幸
【従業員】単142名(40.0歳)
【有休】‥日
【初任給】月18.5万(諸手当を除いた数値)
【試験種類】‥【各種制度】‥

【業績】	売上高	営業利益	経常利益	純利益
単23.1	6,000	‥	‥	‥
単24.1	6,000	‥	‥	‥

福留ハム（ふくとめ）

東証スタンダード

【本社】733-0832 広島県広島市西区草津港2-6-75
☎082-278-6161
食品・水産

採用予定数	倍率	3年後離職率	平均年収
23名	‥	‥	470万円

【特色】広島を地盤に中国・四国・九州に展開している中堅ハムメーカー。食肉販売事業や直営焼き肉店も展開。広島、岡山、熊本、福岡に工場を置く。業務用、ギフト用、ネット販売など新市場での販売を拡大。統一ブランド「昴(すばる)」の展開強化。
【定着率】‥
【採用】【設立】1958.3【社長】福原治彦
23年 6【従業員】連357名 単357名(44.3歳)
24年 7【有休】‥日
25年 23【初任給】月18.1万(諸手当を除いた数値)
【試験種類】‥【各種制度】‥

【業績】	売上高	営業利益	経常利益	純利益
連23.3	24,895	▲365	▲336	▲1,194
連24.3	25,193	▲419	▲404	150

クニヒロ

株式公開計画なし

【本社】722-0051 広島県尾道市東尾道15-13
☎0848-46-3994
食品・水産

採用予定数	倍率	3年後離職率	平均年収
5名	‥	‥	‥

【特色】広島県産などの生カキの販売とカキフライなど冷凍加工食品の製造が主力事業。尾道、福山両市に工場。広島県産カキの4分の1を取り扱うなど出荷量は業界トップ級。アンテナショップ「源内亭」を展開。うなぎの蒲焼やスナック菓子などの商品も手がける。
【定着率】‥
【採用】【設立】1970.7【社長】新谷真寿美
23年 3【従業員】単340名(41.3歳)
24年 4【有休】‥日
25年 5【初任給】月21.4万(諸手当を除いた数値)
【試験種類】‥【各種制度】‥

【業績】	売上高	営業利益	経常利益	純利益
単22.6	11,625	‥	380	273
単23.6	11,493	‥	577	377

ヤスハラケミカル

東証スタンダード

【本社】726-0013 広島県府中市高木町1071
☎0847-45-3530
化学

採用予定数	倍率	3年後離職率	平均年収
若干	‥	‥	678万円

【特色】松やオレンジから採取される天然由来のテルペン油を原料とする、テルペン化学品の国内唯一のメーカー。テルペン樹脂、ホットメルト接着剤、ラミネートフィルムなどを生産。粘着剤・塗料、香料、自動車用品業などが顧客。環境配慮型製品開発に重点。
【定着率】‥
【採用】【設立】1959.2【社長】安原禎二
23年 6【従業員】単232名(46.1歳)
24年 2【有休】‥日
25年 若干【初任給】月23万(諸手当を除いた数値)
【試験種類】‥【各種制度】‥

【業績】	売上高	営業利益	経常利益	純利益
単23.3	11,883	207	625	669
単24.3	13,192	681	1,173	583

クロダルマ

株式公開いずれしたい

【本社】726-0012 広島県府中市中須町691
☎0847-52-5252
衣料・繊維

採用予定数	倍率	3年後離職率	平均年収
未定	‥	‥	‥

【特色】海外生産主体の大手作業服メーカー。男性用スラックスやセーフティシューズも扱う。海外生産比率95%で、主産地は中国やベトナム、バングラデシュ。東洋紡などとガスを浸透させて繊維を固定する技術を開発。太陽光発電を導入するなど環境にも配慮。
【定着率】‥
【採用】【設立】1942.5【社長】平慶一郎
23年 1【従業員】単131名(41.0歳)
24年 0【有休】‥日
25年 未定【初任給】月19.5万(諸手当を除いた数値)
【試験種類】‥【各種制度】‥

【業績】	売上高	営業利益	経常利益	純利益
単22.11	7,063	555	590	382
単23.11	7,014	646	681	450

㈱自重堂（じちょうどう）

東証スタンダード

【本社】729-3193 広島県福山市新市町大字戸手16-2
☎0847-51-8111
衣料・繊維

採用実績数	倍率	3年後離職率	平均年収
20名	‥	‥	436万円

【特色】ワーキングウェア大手。建設業や工場向け作業服に強く、猛暑対策の空調服、冬場の電熱系商品、セーフティーシューズも展開。医療用白衣や介護服、サービス業向けユニホームなどを開拓。国内約10、海外約100の協力工場と連携。
【定着率】‥
【採用】【設立】1960.7【社長】出原正貴
23年 6【従業員】連185名 単149名(41.7歳)
24年 20【有休】‥日
25年 前年並【初任給】月21万(諸手当を除いた数値)
【試験種類】‥【各種制度】‥

【業績】	売上高	営業利益	経常利益	純利益
連23.6	17,742	3,088	3,591	2,455
連24.6	16,863	2,610	2,947	2,015

㈱マツオカコーポレーション

東証スタンダード

【本社】720-0045 広島県福山市宝町4-14
☎084-973-5188
衣料・繊維

採用予定数	倍率	3年後離職率	平均年収
3名	‥	‥	495万円

【特色】アパレルメーカーなどから発注を受け、相手先ブランドの衣料品を製造するアパレルOEMメーカー。販売先はユニクロ向けが多く直接販売が2割、東レグループ経由の間接販売が4割。中国、ミャンマー、バングラデシュ、ベトナム等に生産拠点を置く。
【定着率】‥
【採用】【設立】1956.4【取締】松岡典之
23年 3【従業員】連17,463名 単153名(41.9歳)
24年 4【有休】‥日
25年 3【初任給】月20万(諸手当を除いた数値)
【試験種類】‥【各種制度】‥

【業績】	売上高	営業利益	経常利益	純利益
連23.3	62,778	67	3,202	1,676
連24.3	60,176	792	4,493	2,457

㈱アスティ

株式公開計画なし

【本社】733-8641 広島県広島市西区商工センター2-15-1 ☎082-278-1111
衣料・繊維

採用予定数	倍率	3年後離職率	平均年収
若干	‥	‥	‥

【特色】アパレルメーカー。服飾のOEM・ODM生産やオリジナルブランドの生産、アパレル卸のほかファッションビルの管理などを行う。バングラデシュ、中国、東南アジアに協力工場を有し、海外生産機能の強みを拡大。自社EC販売も手がける。4℃グループ。
【定着率】‥
【採用】　【設立】2006.9【社長】新井宏
23年　4【従業員】単101名(44.1歳)
24年　6【有休】‥日
25年　若干【初任給】月23.3万
【試験種類】‥【各種制度】‥

【業績】	売上高	営業利益	経常利益	純利益
単23.2	7,653	356	604	563
単24.2	8,142	454	724	544

㈱モルテン

株式公開計画なし

【本社】733-0036 広島県広島市西区観音新町4-10-97-21 ☎082-292-1381
ゴム

採用予定数	倍率	3年後離職率	平均年収
未定	‥	‥	‥

【特色】スポーツ用品、自動車部品、医療・福祉、マリン・産業用品の4事業を展開。スポーツ用品はバスケットボールはじめ世界大会の試合球を開発・生産。自動車部品はシャシー、吸気冷却部品などを、医療・福祉はエアマットレスや車いすを手がける。海外6カ国に拠点。
【定着率】‥
【採用】　【設立】1958.11【社長】民秋清史
23年　‥【従業員】単734名(43.0歳)
24年　‥【有休】‥日
25年　未定【初任給】‥万
【試験種類】‥【各種制度】‥

【業績】	売上高	営業利益	経常利益	純利益
単22.9	36,113	‥	1,926	1,326
単23.9	‥	‥	‥	3,815

合田産業

株式公開計画なし

【本社】734-0004 広島県広島市南区宇品神田1-2-15 ☎082-256-0033
ガラス・土石・ゴム

採用予定数	倍率	3年後離職率	平均年収
1名	‥	‥	‥

【特色】合田グループ中核の生コンクリートメーカー。各種セメント、側溝・円形水路などコンクリート2次製品や超低温液化ガスタンク保冷用ブロックなど建設資材の販売や建設機材リースも手がける。広島県に2自社工場。多様化するニーズに対応。
【定着率】‥
【採用】　【設立】1976.6【社長】合田尚義
23年　1【従業員】単87名(40.8歳)
24年　1【有休】‥日
25年　1【初任給】月22.9万(諸手当を除いた数値)
【試験種類】‥【各種制度】‥

【業績】	売上高	営業利益	経常利益	純利益
単23.4	16,505	‥	‥	‥
単24.4	17,585	‥	‥	‥

アンデックス

株式公開計画なし

【本社】722-0051 広島県尾道市東尾道15-29 ☎0848-46-3711
金属製品

採用実績数	倍率	3年後離職率	平均年収
2名	‥	‥	‥

【特色】自動車用塗装設備・乾燥装置のメーカーとして、国内トップシェア。工業用大型塗装設備分野でも実績豊富。航空機や鉄道車両など大型輸送機器向け塗装設備などでも利用されている。集塵機やアコーデオン・スプレールームなど製品群多彩。
【定着率】‥
【採用】　【設立】1971.9【社長】吉田伸
23年　3【従業員】単111名(41.0歳)
24年　2【有休】‥日
25年　未定【初任給】月23万(諸手当を除いた数値)
【試験種類】‥【各種制度】‥

【業績】	売上高	営業利益	経常利益	純利益
単22.6	4,386	538	774	556
単23.6	4,989	685	746	483

中国工業

東証スタンダード

【本社】737-0192 広島県呉市広名田1-3-1 ☎0823-72-1212
金属製品

採用実績数	倍率	3年後離職率	平均年収
2名	‥	‥	512万円

【特色】家庭用LPガス容器の最大手メーカー。LPガス充填プラント工事も手がける。グループで鉄鋼メーカー向け熱処理用インナーカバーなどの鉄機構器や飼料タンクなどの施設機器も展開。軽量で腐食しないプラスチック製LPガス容器を国内初開発。子会社でトラック輸送も併営。
【定着率】‥
【採用】　【設立】1950.10【社長】野村實也
23年　5【従業員】連379名 単269名(42.2歳)
24年　2【有休】‥日
25年　前年並【初任給】‥万
【試験種類】‥【各種制度】‥

【業績】	売上高	営業利益	経常利益	純利益
連23.3	13,389	241	322	206
連24.3	13,332	206	282	206

㈱研創

東証スタンダード

【本社】739-1792 広島県広島市安佐北区上深川町448 ☎082-840-1000
その他メーカー

採用実績数	倍率	3年後離職率	平均年収
4名	‥	‥	445万円

【特色】社名や施設名を示す銘板や案内板などのサイン専門メーカー。広島を本拠に全国展開。金属製から、現在はLED光源で発光させる製品に軸足を移す。ABS樹脂製サインも浸透。納入先はオフィス・商業ビル、店舗、医療機関、公共施設など多岐にわたる。
【定着率】‥
【採用】　【設立】1971.9【社長】林大一郎
23年　4【従業員】単260名(40.9歳)
24年　4【有休】‥日
25年　増加【初任給】月20万(諸手当を除いた数値)
【試験種類】‥【各種制度】‥

【業績】	売上高	営業利益	経常利益	純利益
単23.3	6,020	313	310	252
単24.3	5,888	259	256	183

中国木材（ちゅうごくもくざい）
株式公開計画なし

【本社】737-0134 広島県呉市広多賀谷3-1-1 ☎0823-71-7147
その他メーカー

採用予定数	倍率	3年後離職率	平均年収
90名	‥	‥	‥

【特色】住宅用構造材の製材、乾燥加工、プレカット加工などを行う木材メーカー。主力の乾燥材「ドライ・ビーム」、異樹種集成材「ハイブリッド・ビーム」を製造。木造住宅構造材で国内シェア首位。秋田県・能代市に国産材の大型製材工場。
【定着率】‥
【採用】　【設立】1955.1【社長】堀川保彦
23年　77【従業員】単2,100名(39.6歳)
24年　56【有休】‥日
25年　90【初任給】月24万(諸手当を除いた数値)
【試験種類】‥【各種制度】‥

【業績】	売上高	営業利益	経常利益	純利益
単22.6	191,863	51,923	51,524	33,805
単23.6	166,124	23,523	23,377	16,214

㈱白鳳堂（はくほうどう）
株式公開計画なし

【本社】731-4215 広島県安芸郡熊野町城之堀7-10-9 ☎082-854-1425
その他メーカー

採用予定数	倍率	3年後離職率	平均年収
2名	‥	‥	‥

【特色】化粧筆で知られる各種筆のトップメーカー。伝統的工芸品「熊野筆」の量産化を実現。月約50万本をすべて自社工場にて生産。自社ブランド品のほか、OEM供給も展開。国内直営13店舗、米ロサンゼルスに販売拠点。オンラインショップも運営。
【定着率】‥
【採用】　【設立】1974.8【社長】高本壮
23年　2【従業員】単165名(38.0歳)
24年　0【有休】‥日
25年　2【初任給】月22万(諸手当を除いた数値)
【試験種類】‥【各種制度】‥

【業績】	売上高	営業利益	経常利益	純利益
単22.7	1,706	55	132	132
単23.7	1,505	14	52	52

㈱ソルコム
株式公開計画なし

【本社】730-0054 広島県広島市中区南千田東町2-32 ☎082-504-3300
建設

採用実績数	倍率	3年後離職率	平均年収
30名	‥	‥	‥

【特色】ミライト・ワン傘下で中国地方地盤の電気通信工事業者。設計・施工から保守まで一貫したサービスを展開。道路整備の土木工事やWeb教務事務システムなどITソリューションも手がける。水回り設備の給排水管浄化システムなど環境関連ソリューションも提供。
【定着率】‥
【採用】　【設立】1947.4【社長】大橋大樹
23年　24【従業員】単901名(45.6歳)
24年　30【有休】‥日
25年　未定【初任給】月22万(諸手当を除いた数値)
【試験種類】‥【各種制度】‥

【業績】	売上高	営業利益	経常利益	純利益
連23.3	33,933	1,101	1,314	801
単24.3	30,746	803	1,009	1,013

八光建設工業（はっこうけんせつこうぎょう）
株式公開計画なし

【本社】732-0052 広島県広島市東区光町2-4-23 ☎082-262-8166
建設

採用実績数	倍率	3年後離職率	平均年収
3名	‥	‥	‥

【特色】港湾土木が主力の中堅建設会社。ケーソン製作工事や各種桟橋工事、護岸工事、軟弱地盤改良工事に強い。建設用資材売買や土地建物賃貸も。東北電力原町火力のケーソン製作、中部国際空港の護岸築造、洋上風力発電の基礎製作などに実績。
【定着率】‥
【採用】　【設立】1958.11【会長】宮内輝司
23年　1【従業員】単44名(49.4歳)
24年　3【有休】‥日
25年　未定【初任給】月20.2万(諸手当を除いた数値)
【試験種類】‥【各種制度】‥

【業績】	売上高	営業利益	経常利益	純利益
単23.3	2,595	▲19	28	23
単24.3	3,136	12	56	24

㈱マリモ
株式公開計画なし

【本社】733-0821 広島県広島市西区庚午北1-17-23 ☎082-273-7772
住宅・マンション

採用予定数	倍率	3年後離職率	平均年収
25名	‥	‥	‥

【特色】地方都市を中心に分譲マンション「ポレスター」「ソルティア」シリーズなどを全国展開。45都道府県に478棟、3万899戸を開発(24年8月末)。中国でマンション分譲事業を手がける。東京、長野、名古屋、京都、大阪、福岡に支店。
【定着率】‥
【採用】　【設立】1970.9【社長】深川真
23年　12【従業員】単270名(37.3歳)
24年　20【有休】‥日
25年　25【初任給】月30万
【試験種類】‥【各種制度】‥

【業績】	売上高	営業利益	経常利益	純利益
連22.7	52,717	3,419	3,292	1,676
単23.7	58,817	4,462	3,564	2,583

㈱合人社計画研究所（ごうじんしゃけいかくけんきゅうしょ）
株式公開計画なし

【本社】730-0036 広島県広島市中区袋町4-31 合人社広島袋町ビル ☎082-247-7475
住宅・マンション

採用実績数	倍率	3年後離職率	平均年収
0名	‥	‥	‥

【特色】広島本社のマンション管理会社。業界で異色の設計事務所がルーツ。全国で事業展開し、西日本では業界トップクラス。管理費の価格競争力で成長。グループでの管理受託戸数は29万戸を突破。PPP・PFI事業は全国で103件の受託実績と多い。
【定着率】‥
【採用】　【設立】1980.1【代表取締役】福井滋
23年　0【従業員】単160名(43.6歳)
24年　0【有休】‥日
25年　0【初任給】月26.3万(諸手当を除いた数値)
【試験種類】‥【各種制度】‥

【業績】	売上高	営業利益	経常利益	純利益
単23.3	28,447	5,330	5,341	3,756
単24.3	29,792	4,861	4,872	3,415

広島ガス（ひろしま） 東証プライム

【本社】734-8555 広島県広島市南区皆実町2-7-1 ☎082-251-2151
電力・ガス

採用予定数	倍率	3年後離職率	平均年収
20名	‥	‥	569万円

【特色】中国地方で都市ガス供給首位。広島市、呉市、尾道市など広島県内7市4町に都市ガス供給。LPガスも併営。家庭用は2割程度と依存度が低く、気温影響は少ない。産業用コージェネ向け供給が得意。LNGのロシア依存度約5割、他社と協定で代替調達先確保。
【定着率】‥
【採用】 【設立】1909.10【社長】中川智彦
23年 17【従業員】連1,667名 単686名（43.9歳）
24年 13【有休】‥日
25年 20【初任給】月21.2万（諸手当を除いた数値）
【試験種類】‥【各種制度】‥

【業績】	売上高	営業利益	経常利益	純利益
連23.3	95,219	7,021	7,412	5,216
連24.3	90,670	3,185	3,375	2,329

広島電鉄（ひろしまでんてつ） 東証スタンダード

【本社】730-8610 広島県広島市中区東千田町2-9-29 ☎082-242-3521
鉄道・バス

採用実績数	倍率	3年後離職率	平均年収
14名	‥	‥	544万円

【特色】広島の電鉄会社で鉄道とバスが2本柱。路面電車が著名で市内線19.0km、鉄道は宮島線16.1kmを運行。バスは県西部が地盤で市内・郊外・高速路線を有する。宮島へのフェリーも運航。不動産の賃貸・販売や建設業も展開する。
【定着率】‥
【採用】 【設立】1942.4【社長】仮井康裕
23年 6【従業員】連2,216名 単1,599名（48.2歳）
24年 14【有休】‥日
25年 前年並【初任給】月22.5万（諸手当を除いた数値）
【試験種類】‥【各種制度】‥

【業績】	売上高	営業利益	経常利益	純利益
連23.3	27,450	▲3,212	▲3,027	943
連24.3	30,466	▲1,088	▲970	656

㈱データホライゾン 東証グロース

【本社】733-0834 広島県広島市西区草津新町1-21-35 広島ミクシス・ビル ☎082-279-5716
その他サービス

採用予定数	倍率	3年後離職率	平均年収
若干	‥	‥	486万円

【特色】保険者向け医療関連情報サービスが柱。レセプト分析情報などの医療関連データベースを構築し、グループで製品やサービスに利用。レセプトや健診データを分析し、保険者へ医療費適正化のためのデータヘルス計画作成や保健事業の支援などを行う。
【定着率】‥
【採用】 【設立】1982.3【社長】瀬川翔
23年 1【従業員】連374名 単258名（42.1歳）
24年 0【有休】‥日
25年 若干【初任給】月20.3万（諸手当を除いた数値）
【試験種類】‥【各種制度】‥

【業績】	売上高	営業利益	経常利益	純利益
連23.6	4,410	▲498	▲599	▲664
連24.6	5,007	▲789	▲773	▲807

㈱アスカネット 東証グロース

【本社】731-0138 広島県広島市安佐南区祇園3-28-14 ☎082-850-1200
その他サービス

採用実績数	倍率	3年後離職率	平均年収
10名	‥	‥	476万円

【特色】葬儀用遺影写真の加工と個人写真集の制作を手がける。全国の葬儀社とネットワークを構築し遺影写真通信出力サービスを行う。フォトブック制作はウェディング、子ども写真中心に展開。空中ディスプレイ事業は代理店を通じて海外でも販売。
【定着率】‥
【採用】 【設立】1995.7【社長】松尾雄司
23年 ‥【従業員】連440名 単435名（36.9歳）
24年 10【有休】‥日
25年 未定【初任給】‥万
【試験種類】‥【各種制度】‥

【業績】	売上高	営業利益	経常利益	純利益
単23.4	6,976	585	618	482
連24.4	7,038	447	473	214

㈱TRUCK－ONE 福証

【本社】744-0033 山口県下松市生野屋南3-3-40 ☎0833-44-1100
商社・卸売業

採用予定数	倍率	3年後離職率	平均年収
未定	‥	‥	472万円

【特色】トラックやダンプなど中古商用車を買い取り、オークションや国内運送業者、海外へ販売。塗装・修理、荷台入れ替えなどで価値を付加して再販。冷凍車などのレンタルも行う。東京、名古屋、福岡などに営業拠点。子会社で運送関連事業を展開。
【定着率】‥
【採用】 【設立】1994.12【社長】小川雄也
23年 0【従業員】連108名 単42名（39.9歳）
24年 0【有休】‥日
25年 未定【初任給】月21万（諸手当を除いた数値）
【試験種類】‥【各種制度】‥

【業績】	売上高	営業利益	経常利益	純利益
連22.12	7,096	161	177	108
連23.12	6,437	182	196	120

大晃機械工業（たいこうきかいこうぎょう） 株式公開計画なし

【本社】742-1598 山口県熊毛郡田布施町大字下田布施209-1 ☎0820-52-3111
機械

採用予定数	倍率	3年後離職率	平均年収
15名	‥	‥	‥

【特色】舶用・陸用ポンプ、ブロワ（送風機）など流体移送機器の総合メーカー。廃液処理、薄膜太陽電池製造向けなどの真空ポンプも。中国で舶用公害防止機器、各種ポンプ、ブロワなど生産。海に漂うマイクロプラスチックの回収装置開発に挑戦中。
【定着率】‥
【採用】 【設立】1956.4【社長】木村晃一
23年 11【従業員】単347名（41.2歳）
24年 15【有休】‥日
25年 15【初任給】月21.3万（諸手当を除いた数値）
【試験種類】‥【各種制度】‥

【業績】	売上高	営業利益	経常利益	純利益
単23.3	17,716	899	1,630	981
単24.3	18,954	2,044	2,871	1,672

不二輸送機工業（ふじゆそうきこうぎょう）

株式公開計画なし

【本社】756-0080 山口県山陽小野田市東高泊2327-1 ☎0836-83-2237
機械

採用実績数	倍率	3年後離職率	平均年収
6名	‥	‥	‥

【特色】物流機器専門メーカーで、パレタイジングロボットと垂直搬送機の草分け。倉庫内で用いられるパレット積付機は、国内首位。中国・揚州に産業用ロボット製造・販売の拠点。米国・ドイツ・インド・香港・韓国・シンガポールに支店。
【定着率】‥
【採用】【設立】1944.4【社長】米中郁雄
23年 7【従業員】単322名(40.0歳)
24年 6【有休】‥日
25年 未定【初任給】月26万(諸手当を除いた数値)
【試験種類】‥【各種制度】‥

【業績】	売上高	営業利益	経常利益	純利益
単23.3	12,214	1,844	1,928	1,319
単24.3	12,814	1,899	2,033	1,397

UBEマシナリー

株式公開いずれしたい

【本社】755-8633 山口県宇部市大字小串字沖ノ山1980 ☎0836-22-0072
機械

採用実績数	倍率	3年後離職率	平均年収
26名	‥	‥	‥

【特色】ダイカストマシン、押出プレス、射出成形機など成形機を主体に、粉砕・破砕機、化学機器などを製造。橋梁や水門などの施工も手がける。北海道から沖縄まで、支社やサービスセンターなど拠点。海外は中国、米国、ドイツなどに現地法人。UBEの子会社。
【定着率】‥
【採用】【設立】1999.9【社長】宮内浩典
23年 32【従業員】単1,160名(44.4歳)
24年 26【有休】‥日
25年 未定【初任給】月23.7万(諸手当を除いた数値)
【試験種類】‥【各種制度】‥

【業績】	売上高	営業利益	経常利益	純利益
単23.3	49,330	3,077	4,586	3,709
単24.3	54,024	4,467	6,173	4,749

林兼産業（はやしかねさんぎょう）

東証スタンダード

【本社】750-8608 山口県下関市大和町2-4-8 ☎083-266-0210
食品・水産

採用実績数	倍率	3年後離職率	平均年収
11名	‥	‥	578万円

【特色】西日本中心に展開する中堅食肉メーカー。ハム・ソーセージや黒豚は「霧島」ブランドで展開。養魚用飼料もシェア高く、マグロ養殖用飼料の独自技術保有。魚肉練り製品などマルハニチロ向けPB事業も。美容と健康を意識した自然由来の機能性素材を育成中。
【定着率】‥
【採用】【設立】1941.1【社長】中部哲二
23年 3【従業員】連466名 単319名(41.7歳)
24年 11【有休】‥日
25年 増加【初任給】月21.5万(諸手当を除いた数値)
【試験種類】‥【各種制度】‥

【業績】	売上高	営業利益	経常利益	純利益
連23.3	42,544	351	473	333
連24.3	47,376	698	913	749

チタン工業（こうぎょう）

東証スタンダード

【本社】755-8567 山口県宇部市小串1978-25 ☎0836-31-4155
化学

採用実績数	倍率	3年後離職率	平均年収
2名	‥	‥	522万円

【特色】酸化チタン国産化の先駆者的メーカーで、合成酸化鉄、超微粒子酸化チタン、導電性無機酸化物などへ展開。コアの酸化チタンでは超微粒子酸化チタンがUVカット化粧品などに採用。東芝との合弁子会社でチタン酸リチウムの製造と販売を行う。
【定着率】‥
【採用】【設立】1936.6【社長】井上保雄
23年 5【従業員】連304名 単270名(42.0歳)
24年 2【有休】‥日
25年 増加【初任給】月21.4万(諸手当を除いた数値)
【試験種類】‥【各種制度】‥

【業績】	売上高	営業利益	経常利益	純利益
連23.3	8,070	385	341	322
連24.3	7,953	▲726	▲667	▲1,680

㈱エムビーエス

東証グロース

【本社】755-0151 山口県宇部市西岐波1173-162 ☎0836-54-1414
住宅・マンション

採用実績数	倍率	3年後離職率	平均年収
2名	‥	‥	434万円

【特色】独自研磨法と特殊コーティング剤での外装リフォーム会社。独自工法の「ホームメイキャップ」は耐久性、補強性、美観性に定評。増改築に加えて、戸建て新築工事も手がける。山口と福岡を基盤に支店網を構築、さらに拠点増に取り組む。
【定着率】‥
【採用】【設立】2001.7【社長】山本貴士
23年 ‥【従業員】単86名(35.1歳)
24年 2【有休】‥日
25年 前年並【初任給】‥万
【試験種類】‥【各種制度】‥

【業績】	売上高	営業利益	経常利益	純利益
単23.5	4,004	432	468	322
単24.5	4,356	495	527	403

日新運輸工業（にっしんうんゆこうぎょう）

株式公開計画なし

【本社】752-0953 山口県下関市長府港町14-1 ☎083-245-1183
運輸・倉庫

採用実績数	倍率	3年後離職率	平均年収
2名	‥	‥	‥

【特色】貨物自動車運送や倉庫・通関業に加え、金属製品の製造・梱包を手がける。国内輸送のほか国際物流・通関も行い食品輸出サービスも提供。中国、タイに現地法人。神鋼グループなどの協力会社として製造を請け負う。1938年神戸製鋼所の運搬を主体に創業。
【定着率】‥
【採用】【設立】1970.10【社長】松浦秀子
23年 1【従業員】単666名(47.5歳)
24年 2【有休】‥日
25年 未定【初任給】‥万
【試験種類】‥【各種制度】‥

【業績】	売上高	営業利益	経常利益	純利益
単22.9	10,018	384	457	309
単23.9	10,019	163	211	102

大久保産業（おおくぼさんぎょう）

株式公開計画なし

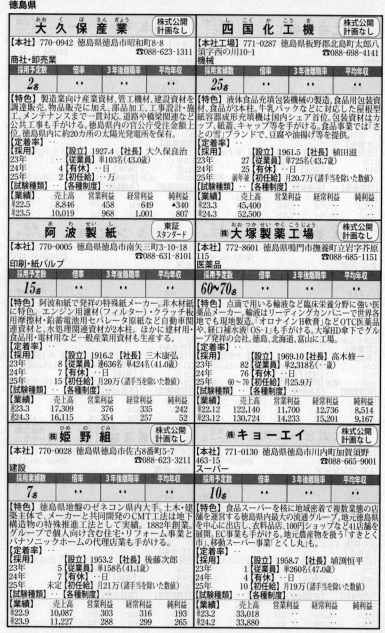

【本社】770-0942 徳島県徳島市昭和町8-8
☎088-623-1311
商社・卸売業

採用予定数	倍率	3年後離職率	平均年収
2名	‥	‥	‥

【特色】製造業向け産業資材、管工機材、建設資材を調達販売。物品販売に加え、部品加工、工事設計・施工、メンテナンスまで一貫対応。道路や橋梁関連など公共工事も手がける。徳島県内の官公庁受注金額上位。徳島県内に約20カ所の太陽光発電所を保有。

【定着率】‥
【採用】　【設立】1927.4【社長】大久保良治
23年 ‥【従業員】単103名（43.0歳）
24年 4【有休】‥日
25年 2【初任給】‥万
【試験種類】‥【各種制度】‥

【業績】	売上高	営業利益	経常利益	純利益
単22.5	8,846	458	649	▲340
単23.5	10,019	968	1,001	807

四国化工機（しこくかこうき）

株式公開計画なし

【本社工場】771-0287 徳島県板野郡北島町太郎八須字西の川10-1
☎088-698-4141
機械

採用実績数	倍率	3年後離職率	平均年収
25名	‥	‥	‥

【特色】液体食品充填包装機械の製造、食品用包装資材、食品が3本柱。牛乳パックなどに対応した屋根型紙容器成形充填機は国内シェア首位。包装資材はカップ、紙蓋、キャップ等を手がける。食品事業では「さとの雪」ブランドで、豆腐や油揚げ等を提供。

【定着率】‥
【採用】　【設立】1961.5【社長】植田滋
23年 27【従業員】単725名（43.7歳）
24年 25【有休】‥日
25年 前年並【初任給】月20.7万（諸手当を除いた数値）
【試験種類】‥【各種制度】‥

【業績】	売上高	営業利益	経常利益	純利益
単23.3	45,400	‥	‥	‥
単24.3	52,500	‥	‥	‥

阿波製紙（あわせいし）

東証スタンダード

【本社】770-0005 徳島県徳島市南矢三町3-10-18
☎088-631-8101
印刷・紙パルプ

採用予定数	倍率	3年後離職率	平均年収
15名	‥	‥	‥

【特色】阿波和紙で発祥の特殊紙メーカー。非木材紙に特色。エンジン用濾材（フィルター）・クラッチ板用摩擦材・鉛蓄電池用セパレータ原紙など自動車関連資材と、水処理関連資材が2本柱。ほかに建材用・食品用・電材用など一般産業用資材も生産する。

【定着率】‥
【採用】　【設立】1916.2【社長】三木康弘
23年 8【従業員】連636名 単424名（41.0歳）
24年 7【有休】‥日
25年 15【初任給】月20万（諸手当を除いた数値）
【試験種類】‥【各種制度】‥

【業績】	売上高	営業利益	経常利益	純利益
連23.3	17,309	376	335	242
連24.3	16,115	354	257	52

㈱大塚製薬工場（おおつかせいやくこうじょう）

株式公開計画なし

【本社】772-8601 徳島県鳴門市撫養町立岩字芥原115
☎088-685-1151
医薬品

採用予定数	倍率	3年後離職率	平均年収
60〜70名	‥	‥	‥

【特色】点滴で用いる輸液など臨床栄養分野に強い医薬品メーカー。輸液はリーディングカンパニーで世界各地でも現地製造。「オロナインH軟膏」などOTC医薬品や、経口補水液「OS-1」も手がける。大塚HD傘下でグループ発祥の会社。徳島、北海道、富山に工場。

【定着率】‥
【採用】　【設立】1969.10【社長】高木修一
23年 82【従業員】単2,318名（‥歳）
24年 76【有休】‥日
25年 60〜70【初任給】月25.9万
【試験種類】‥【各種制度】‥

【業績】	売上高	営業利益	経常利益	純利益
単22.12	122,140	11,700	12,736	8,514
単23.12	130,724	14,233	15,201	9,167

㈱姫野組（ひめのぐみ）

株式公開計画なし

【本社】770-0028 徳島県徳島市佐古8番町5-7
☎088-623-3211
建設

採用実績数	倍率	3年後離職率	平均年収
7名	‥	‥	‥

【特色】徳島県地盤のゼネコン県内大手。土木・建築主体で、メーカーと共同開発のCMT工法は地下構造物の特殊推進工法として実績。1882年創業。グループで個人向け含む住宅・リフォーム事業とパナソニックホームの代理店業も手がける。

【定着率】‥
【採用】　【設立】1953.2【社長】後藤次郎
23年 5【従業員】単158名（41.1歳）
24年 7【有休】‥日
25年 未定【初任給】月21万（諸手当を除いた数値）
【試験種類】‥【各種制度】‥

【業績】	売上高	営業利益	経常利益	純利益
単22.9	10,087	303	316	193
単23.9	11,227	288	299	265

㈱キョーエイ

株式公開計画なし

【本社】771-0130 徳島県徳島市川内町加賀須野463-15
☎088-665-9001
スーパー

採用予定数	倍率	3年後離職率	平均年収
10名	‥	‥	‥

【特色】食品スーパーを核に地域密着で複数業態の店舗を運営する徳島県内最大の流通グループ。地元徳島県を中心に出店し、衣料品店、100円ショップなど41店舗を展開。EC事業も手がける。地元農産物を扱う「すきとく市」、移動スーパー事業「とくし丸」も。

【定着率】‥
【採用】　【設立】1958.7【社長】埴渕恒平
23年 1【従業員】単260名（47.0歳）
24年 4【有休】‥日
25年 10【初任給】月19万（諸手当を除いた数値）
【試験種類】‥【各種制度】‥

【業績】	売上高	営業利益	経常利益	純利益
単23.2	33,018	‥	‥	‥
単24.2	33,880	‥	‥	‥

アクサスホールディングス
東証スタンダード

【本社】770-8054 徳島県徳島市山城西4-2 ☎088-623-6666
その他小売業

採用予定数	倍率	3年後離職率	平均年収
10名	‥	‥	446万円

【特色】生活雑貨、酒類など複数の店舗ブランドを運営する。化粧品や美容雑貨の「ドラッグストアチャーリー」や酒類販売の「アワーリカー」が主ブランド。他にスポーツ店、雑貨店など小売店を四国や関西で展開。兵庫・六甲山に蒸溜所を持つ。
【定着率】‥
【グループ採用】【設立】2016.3【社長】久岡卓司
23年 0【従業員】連153名 単14名(47.0歳)
24年 0【有休】‥日
25年 10【初任給】月22万(諸手当を除いた数値)
【試験種類】‥【各種制度】‥

【業績】	売上高	営業利益	経常利益	純利益
連22.8	11,327	443	313	258
連23.8	11,064	183	33	1

四国（しこく）アルフレッサ
株式公開計画なし

【本社】769-0193 香川県高松市国分寺町福家甲1255-10 ☎087-802-5000
商社・卸売業

採用実績数	倍率	3年後離職率	平均年収
7名	‥	‥	‥

【特色】四国の医薬品老舗卸が合併して発足した医薬品卸。9割超占める医療用医薬品のほか、検査試薬、医療機器も販売。高松市に物流センターを設置し、四国4県の営業に特化。事業計画、医薬品・医療機器の選定など医師の開業支援も行う。
【定着率】‥
【採用】【設立】2005.10【社長】清下洋介
23年 2【従業員】単439名(47.5歳)
24年 7【有休】‥日
25年 未定【初任給】月23.5万(諸手当を除いた数値)
【試験種類】‥【各種制度】‥

【業績】	売上高	営業利益	経常利益	純利益
単23.3	70,389	647	692	457
単24.3	73,501	800	850	570

富士鋼材（ふじこうざい）
株式公開計画なし

【本社】760-0065 香川県高松市朝日町5-2-3 ☎087-821-1181
商社・卸売業

採用実績数	倍率	3年後離職率	平均年収
3名	‥	‥	‥

【特色】一般鋼材の専門商社で棒鋼ではトップ級。建設、鉄工所が主顧客。西日本が営業地盤で各地に物流ネットワーク広げる。異形棒鋼が売上高の半分を占める。最新の加工設備、機器を導入し、多様な顧客ニーズに対応。小口即納体制も強化。
【定着率】‥
【採用】【設立】1951.8【社長】富家次朗
23年 4【従業員】単185名(37.5歳)
24年 3【有休】‥日
25年 未定【初任給】月21.9万
【試験種類】‥【各種制度】‥

【業績】	売上高	営業利益	経常利益	純利益
単22.7	56,861	640	740	1,379
単23.7	64,665	796	913	594

セーラー広告（こうこく）
東証スタンダード

【本社】760-8502 香川県高松市扇町2-7-20 ☎087-825-1156
広告

採用実績数	倍率	3年後離職率	平均年収
5名	‥	‥	534万円

【特色】四国4県と山陽・九州北部を地盤とする中堅広告代理店。4大媒体のほかデジタルマーケティング分野を強化中。Webとイベントなどを組み合わせたクロスメディア戦略を推進。三井住友カードとの協業で、官公庁向け観光関連マーケティング支援サービスを提供。
【定着率】‥
【採用】【設立】1951.3【社長】村上義憲
23年 5【従業員】連172名 単97名(44.6歳)
24年 5【有休】‥日
25年 前年並【初任給】月21.7万(諸手当を除いた数値)
【試験種類】‥【各種制度】‥

【業績】	売上高	営業利益	経常利益	純利益
連23.3	2,107	168	187	136
連24.3	2,050	37	62	▲74

㈱味（あじ）のちぬや
株式公開計画なし

【本社】769-1505 香川県三豊市豊中町本山乙708 ☎0875-62-5221
食品・水産

採用予定数	倍率	3年後離職率	平均年収
8名	‥	‥	‥

【特色】冷凍食品メーカー。主力のコロッケは1日に360万個製造可能。業務用冷凍ポテトコロッケ、メンチカツ、串揚げなどで高シェア。北海道・足寄に馬鈴薯農場と馬鈴薯貯蔵施設を持ち、原料の自社生産から一貫したシステムを構築。
【定着率】‥
【採用】【設立】2004.2【社長】松村信人
23年 4【従業員】単110名(35.1歳)
24年 5【有休】‥日
25年 8【初任給】月26.2万(諸手当を除いた数値)
【試験種類】‥【各種制度】‥

【業績】	売上高	営業利益	経常利益	純利益
単23.3	27,200	519	583	421
単24.3	30,980	219	268	208

西野金陵（にしのきんりょう）
株式公開計画なし

【高松本社】760-8544 香川県高松市紺屋町9-6 高松大同生命ビル8階 ☎087-826-4133
食品・水産

採用実績数	倍率	3年後離職率	平均年収
1名	‥	‥	‥

【特色】清酒「金陵」の醸造を主に、酒類・飲料・食品の卸売業と、顔料や合成樹脂、工業薬品などの化学品事業を手がける。酒類は高松本社、化学品事業は大阪本社が拠点。中国、インドネシアなどに海外現地法人。1658年染料(阿波藍)製造で創業。
【定着率】‥
【採用】【設立】1918.9【社長】西野寛明
23年 1【従業員】単147名(41.6歳)
24年 1【有休】‥日
25年 未定【初任給】月20.5万(諸手当を除いた数値)
【試験種類】‥【各種制度】‥

【業績】	売上高	営業利益	経常利益	純利益
単23.3	62,030	1,147	1,396	810
単24.3	59,394	1,017	1,416	1,018

協和化学工業（きょうわかがくこうぎょう）

株式公開 未定

【本社】762-0012 香川県坂出市林田町4035
☎087-826-6610
化学

採用実績数	倍率	3年後離職率	平均年収
2名	‥	‥	‥

【特色】マグネシウム化合物を主体とした無機ファインケミカルメーカー。医家向け緩下剤用などのほか医薬品原料と工業用樹脂添加剤、難燃剤が主軸。工業製品は海外市場が中心。海外はグループで、オランダ、米国、中国、シンガポールに展開し、約40カ国と取引。
【定着率】‥
【採用】　【設立】1952.9【社長】木下幸治
23年 11【従業員】単358名（‥歳）
24年 2【有休】‥日
25年 未定【初任給】月21.2万（諸手当を除いた数値）
【試験種類】‥【各種制度】‥

【業績】	売上高	営業利益	経常利益	純利益
単24.3	15,244	‥	‥	598

採用はセトラスホールディングスグループ含む

㈱伏見製薬所（ふしみせいやくしょ）

株式公開 計画なし

【本社】763-8605 香川県丸亀市中津町1676
☎0877-22-6231
化学

採用実績数	倍率	3年後離職率	平均年収
2名	‥	‥	‥

【特色】1923年創業の工業薬品・医薬品メーカー。医薬品は消化管X線造影用硫酸バリウム製剤が主力。工業薬品は安息香酸ナトリウムなどの化成品を手がける。スキンケア・オーラルケア商品向けの商材を拡販。香川、徳島に工場。韓国にも拠点。
【定着率】‥
【採用】　【設立】1951.4【社長】伏見俊毅
23年 0【従業員】単208名（46.1歳）
24年 2【有休】‥日
25年 未定【初任給】月22.8万（諸手当を除いた数値）
【試験種類】‥【各種制度】‥

【業績】	売上高	営業利益	経常利益	純利益
単23.3	8,407	1,087	1,165	783
単24.3	8,255	671	757	726

大倉工業（おおくらこうぎょう）

東証 プライム

【本社】763-8508 香川県丸亀市中津町1515
☎0877-56-1111
化学

採用実績数	倍率	3年後離職率	平均年収
39名	‥	‥	529万円

【特色】合成樹脂フィルム大手。ポリオレフィンフィルム生産量は国内首位。合成樹脂、建材、新規材料の3部門で展開。新規材料の液晶向け光学フィルムは好採算で柱に成長。合成樹脂は汎用品から高機能品まで幅広く扱う。AIで画像判別する調剤鑑査システムを投入。
【定着率】‥
【採用】　【設立】1947.7【取締】神田進
23年 26【従業員】連1,904名 単1,052名（40.2歳）
24年 39【有休】‥日
25年 前年並【初任給】月21.8万（諸手当を除いた数値）
【試験種類】‥【各種制度】‥

【業績】	売上高	営業利益	経常利益	純利益
連22.12	77,260	3,771	4,275	3,788
連23.12	78,863	4,956	5,417	4,315

朝日スチール工業（あさひスチールこうぎょう）

株式公開 計画なし

【本社】760-8529 香川県高松市花園町1-2-29
☎087-833-5151
金属製品

採用実績数	倍率	3年後離職率	平均年収
16名	‥	‥	‥

【特色】業界首位級のフェンスの老舗メーカー。鉄道、高速道路、空港、電力施設、学校、公園、一般住宅向けなど多種多様なフェンスを手がけ、全国に納入実績がある。特許・意匠など知財3000件超。軽量防風柵など機能性、景観性に優れた製品も。
【定着率】‥
【採用】　【設立】1947.7【社長】中山保博
23年 17【従業員】単566名（39.3歳）
24年 16【有休】‥日
25年 未定【初任給】月22万（諸手当を除いた数値）
【試験種類】‥【各種制度】‥

【業績】	売上高	営業利益	経常利益	純利益
単23.3	27,982	‥	‥	2,612
単24.3	27,719	‥	‥	2,325

シコク景材（シコクけいざい）

株式公開 計画なし

【本社】764-0017 香川県仲多度郡多度津町西港町42
☎0877-33-4111
金属製品

採用実績数	倍率	3年後離職率	平均年収
2名	‥	‥	‥

【特色】四国化成のグループ会社でエクステリア商品の設計・開発、製造を担う。多度津ではフェンス門扉やサイクルポートなどを、鳴門では公共・商業施設向け大型引戸やゴミストッカーなどを主に生産。特注品への対応力強化を推進。
【定着率】‥
【採用】　【設立】1975.1【社長】高木仁史
23年 5【従業員】単214名（44.1歳）
24年 2【有休】‥日
25年 未定【初任給】‥万
【試験種類】‥【各種制度】‥

【業績】	売上高	営業利益	経常利益	純利益
単22.12変	4,370	210	211	145
単23.12	5,799	226	227	160

吉野川電線（よしのがわでんせん）

株式公開 計画なし

【本社】761-0493 香川県高松市小村町331
☎087-847-5161
非鉄

採用予定数	倍率	3年後離職率	平均年収
2名	‥	‥	‥

【特色】電力・通信ケーブルなど各種電線の製造・販売メーカー。産業ロボット用モビロンタフケーブル、太さ0.1ミリの超極細同軸ケーブルなど多彩な製品群。小型ロボット向けや機器軽量化に最適なモビロンタフケーブルスリムシリーズも展開。
【定着率】‥
【採用】　【設立】1948.7【社長】小笠原力
23年 0【従業員】単165名（‥歳）
24年 0【有休】‥日
25年 2【初任給】月19万（諸手当を除いた数値）
【試験種類】‥【各種制度】‥

【業績】	売上高	営業利益	経常利益	純利益
単23.3	3,048	338	375	254
単24.3	2,370	109	134	93

東洋テックス（とうよう）
株式公開計画なし

【本社】761-8058 香川県高松市勅使町258-1 ☎087-867-7161
その他メーカー

採用予定数	倍率	3年後離職率	平均年収
未定	‥	‥	‥

【特色】木質フローリングの製造・販売で業界上位。特殊強化紙と南洋材合板基材に強み。環境に配慮した植林材を基材とした製品も販売する。香川県内に多度津工場と高松配送センター。海外はインドネシア・ジャカルタに拠点。1938年に創業。
【定着率】‥
【採用】【設立】1943.9【社長】小槌和志
23年 3【従業員】単215名(48.7歳)
24年 0【有休】‥日
25年 未定【初任給】月20万(諸手当を除いた数値)
【試験種類】‥【各種制度】‥

【業績】	売上高	営業利益	経常利益	純利益
単22.7	11,144	219	▲12	‥
単23.7	10,578	▲373	▲631	‥

南海プライウッド（なんかい）
東証スタンダード

【本社】760-0067 香川県高松市松福町1-15-10 ☎087-825-3615
その他メーカー

採用予定数	倍率	3年後離職率	平均年収
13名	‥	‥	442万円

【特色】高松市本社の建築内装材の総合メーカー。和室天井材でトップ。主力は収納材で、床材、インテリア造作材なども扱う。ホテル、老健施設、商業施設など非住宅分野にも注力。インドネシア子会社は原材料を供給、同地で植林事業も行う。
【定着率】‥
【採用】【設立】1955.4【社長】丸山徹
23年 13【従業員】連1,812名 単431名(43.5歳)
24年 10【有休】‥日
25年 13【初任給】月21.1万(諸手当を除いた数値)
【試験種類】‥【各種制度】‥

【業績】	売上高	営業利益	経常利益	純利益
連23.3	23,061	906	880	1,590
連24.3	23,774	848	1,844	948

㈱穴吹ハウジングサービス（あなぶき）
株式公開計画なし

【本社】760-0027 香川県高松市紺屋町3-6 穴吹ハウジング中央通りBLD. ☎087-822-3110
住宅・マンション

採用予定数	倍率	3年後離職率	平均年収
50名	‥	‥	‥

【特色】分譲マンション管理や賃貸仲介、パーキング事業、カーシェア事業など展開。マンション総管理戸数は19万2千戸(24年4月現在)。海外は台湾に現地法人を置き、マンション管理業務や警備サービスを展開。あなぶきハウジンググループを形成。
【定着率】‥
【採用】【設立】1983.11【会長】穴吹薫
23年 27【従業員】単4,158名(59.1歳)
24年 37【有休】‥日
25年 50【初任給】月20万(諸手当を除いた数値)
【試験種類】‥【各種制度】‥

【業績】	売上高	営業利益	経常利益	純利益
単23.6	24,232	641	738	1,528

従業員数はマンション管理員を含む

㈱ヤマウチ
株式公開計画なし

【本社】761-8057 香川県高松市田村町397 ☎087-867-6868
レジャー

採用実績数	倍率	3年後離職率	平均年収
23名	‥	‥	‥

【特色】SS事業に加えスポーツクラブ「JOYFIT」、自動車修理・点検の「ラチェットモンキー」などを運営。外食の「びっくりドンキー」のFC運営も。公共施設の指定管理事業、介護事業や美容事業も行う。西日本エリアが中心。店舗数はFC店舗含め436。
【定着率】‥
【採用】【設立】1950.5【代表取締役】岡本将
23年 6【従業員】単621名(41.0歳)
24年 23【有休】‥日
25年 未定【初任給】月22万(諸手当を除いた数値)
【試験種類】‥【各種制度】‥

【業績】	売上高	営業利益	経常利益	純利益
単23.3	25,719	526	604	1,553
単24.3	36,758	1,442	1,523	1,162

メロディ・インターナショナル
株式公開いずれしたい

【本社】761-0301 香川県高松市林町2217-44 ネクスト香川 ☎087-813-7362
その他サービス

採用予定数	倍率	3年後離職率	平均年収
未定	‥	‥	‥

【特色】主に周産期の遠隔医療を推進し、遠隔医療プラットフォームを中心とした医療機器の製造・販売。胎児の心拍計・陣痛計を備えたモバイル型分娩監視装置「Melody i」は国内120施設以上、海外10カ国以上で導入実績あり。海外へも事業拡大。
【定着率】‥
【採用】【設立】2015.7【代表取締役】尾形優子
23年 0【従業員】単13名(38.0歳)
24年 0【有休】‥日
25年 未定【初任給】‥万
【試験種類】‥【各種制度】‥
【業績】NA

㈱ヨンキュウ
東証スタンダード

【本社】798-8691 愛媛県宇和島市築地町2-318-235 ☎0895-24-0001
商社・卸売業

採用予定数	倍率	3年後離職率	平均年収
10名	‥	‥	447万円

【特色】養殖業者への養殖用稚魚・飼料販売と鮮魚販売が2本柱。マダイの人工ふ化稚魚の生産や天然稚魚の仕入れ販売も手がける。マグロやウナギの養殖、コラーゲン入り飼料を与えたブリやタイなど養殖魚の独自ブランドを育成。ウナギ養殖を次の柱へ育成。
【定着率】‥
【採用】【設立】1963.4【社長】笠岡恒三
23年 3【従業員】連142名 単112名(43.3歳)
24年 9【有休】‥日
25年 10【初任給】月22万(諸手当を除いた数値)
【試験種類】‥【各種制度】‥

【業績】	売上高	営業利益	経常利益	純利益
連23.3	40,234	2,774	3,089	2,306
連24.3	45,130	1,944	2,377	1,634

㈱よんやく
株式公開 計画なし

【本社】791-1112 愛媛県松山市南高井町1828 ☎089-990-4141
商社・卸売業

採用予定数	倍率	3年後離職率	平均年収
10名	‥	‥	‥

【特色】医療用医薬品、医療機器、診断薬の卸売業。介護用品なども扱う。高知の中澤氏家薬業と持株会社「四国薬業」を設立し、四国最大の医薬品流通グループを形成。顧客先5000件。主力の医薬品は愛媛、徳島でトップシェア。1918年創業。
【定着率】‥
【採用】　【設立】1949.6【社長】加賀山誠
23年　10【従業員】単532名(46.9歳)
24年　10【有休】‥日
25年　10【初任給】月19.4万(諸手当を除いた数値)
【試験種類】‥【各種制度】‥

【業績】	売上高	営業利益	経常利益	純利益
単23.3	78,588	879	1,951	1,350
単24.3	80,428	1,159	2,153	1,512

カミ商事
株式公開 計画なし

【本社】799-0404 愛媛県四国中央市三島宮川1-2-27 ☎0896-23-5400
商社・卸売業

採用実績数	倍率	3年後離職率	平均年収
6名	‥	‥	‥

【特色】「エルモア」ブランドのトイレットペーパーやティッシュなどを展開する紙の専門商社。グループ11社で開発、製造から物流まで一貫。愛媛製紙、三洋製紙、オークラ製紙などが製造機能を担う。大正初期に製紙原料、和洋紙の販売で創業。
【定着率】‥
【採用】　【設立】1962.4【社長】井川博明
23年　5【従業員】単209名(43.0歳)
24年　6【有休】‥日
25年　未定【初任給】月23万
【試験種類】‥【各種制度】‥

【業績】	売上高	営業利益	経常利益	純利益
単21.6	101,956	4,353	4,754	3,254
単22.6	104,768	2,229	2,687	1,795

大黒工業
株式公開 いずれしたい

【本社】799-0413 愛媛県四国中央市中曽根町1593 ☎0896-24-2140
商社・卸売業

採用予定数	倍率	3年後離職率	平均年収
3名	‥	‥	‥

【特色】紙ナプキン、紙コップ、キッチンペーパー、箸袋などの包装資材、業務用雑貨の製造・販売を手がける。製品アイテム10万余点、得意先は約5000社。グループで国内に10カ所の工場・配送センター。海外は中国、韓国、タイに拠点。
【定着率】‥
【採用】　【設立】1972.1【社長】石川力也
23年　3【従業員】単172名(39.5歳)
24年　3【有休】‥日
25年　3【初任給】月21.7万(諸手当を除いた数値)
【試験種類】‥【各種制度】‥

【業績】	売上高	営業利益	経常利益	純利益
単22.6	27,024	760	1,002	822
単23.6	29,210	723	1,011	570

四国ガス燃料
株式公開 計画なし

【本社】794-8703 愛媛県今治市中寺226-1 ☎0898-32-0725
商社・卸売業

採用実績数	倍率	3年後離職率	平均年収
2名	‥	‥	‥

【特色】家庭用、業務用のLPガスやガス機器を販売。四国4県が営業エリアで約15万世帯(24年4月末現在)に供給。7営業所、10出張所でサービスを展開。四国ガスグループの中期経営計画などに基づき、顧客サービスの充実、顧客純増に注力。
【定着率】‥
【採用】　【設立】1959.11【社長】佐薙秀樹
23年　7【従業員】単217名(39.8歳)
24年　2【有休】‥日
25年　未定【初任給】月21万(諸手当を除いた数値)
【試験種類】‥【各種制度】‥

【業績】	売上高	営業利益	経常利益	純利益
単22.12	15,948	807	942	609
単23.12	15,095	535	669	426

㈱愛媛銀行
東証 プライム

【本店】790-8580 愛媛県松山市勝山町2-1 ☎089-933-1111
銀行

採用予定数	倍率	3年後離職率	平均年収
90名	‥	‥	644万円

【特色】愛媛地盤の第二地銀で四国全域に店舗を展開、ネット専業支店も持つ。県内預貯金シェア1割強。首脳陣は生え抜き。海運や造船、紙パルプ産業が主力顧客基盤。山口フィナンシャルグループとの「西瀬戸パートナーシップ協定」で船舶金融コンサル合弁も持つ。
【定着率】‥
【採用】　【設立】1943.3【頭取】西川義教
23年　66【従業員】連1,418名 単1,326名(39.6歳)
24年　97【有休】‥日
25年　90【初任給】月22.5万(諸手当を除いた数値)
【試験種類】‥【各種制度】‥

【業績】	経常収益	業務純益	経常利益	純利益
連23.3	52,127	‥	8,354	5,391
連24.3	65,163	‥	7,909	5,055

㈱愛媛新聞社
株式公開 計画なし

【本社】790-8511 愛媛県松山市大手町1-12-1 ☎089-935-2111
新聞

採用実績数	倍率	3年後離職率	平均年収
2名	‥	‥	‥

【特色】1876年に新聞創刊。発行部数約17.3万部。4支社5拠点6支局。関連会社でCATV運営。限定コンテンツ掲載した「デジタルプラン」も販売。展覧会、スポーツイベントなどの主催事業も。えひめボランティア助成金「愛・ウエーブ2024」も実施。
【定着率】‥
【採用】　【設立】1941.12【社長】加藤令史
23年　2【従業員】単264名(‥歳)
24年　2【有休】‥日
25年　未定【初任給】月24万(諸手当を除いた数値)
【試験種類】‥【各種制度】‥

【業績】	売上高	営業利益	経常利益	純利益
単22.12	9,894	▲245	▲191	▲156
単23.12	9,539	▲283	▲259	87

㈱ジツタ
株式公開計画なし

【本社】790-0964 愛媛県松山市中村2-8-1
☎089-931-7175
機械

採用予定数	倍率	3年後離職率	平均年収
未定	‥	‥	‥

【特色】建設、林業を中心にICT機器やサービスの提供、ソフトウェア開発を行う。建設ICT事業では、三次元測量データを用いて全ての工程にICTを導入、生産性向上を目指す。ドローン活用支援や画像AIの研究開発に取り組む。
【定着率】‥
【採用】【設立】1945.9【社長】山内啓輔
23年 0【従業員】単48名(41.0歳)
24年 0【有休】‥日
25年 未定【初任給】月22.7万(諸手当を除いた数値)
【試験種類】‥【各種制度】‥

【業績】	売上高	営業利益	経常利益	純利益
単22.7	2,638	379	438	228
単23.7	3,027	425	456	268

㈱あわしま堂（どう）
株式公開計画なし

【本社】796-0295 愛媛県八幡浜市保内町川之石1-237-53
☎0894-36-2177
食品・水産

採用実績数	倍率	3年後離職率	平均年収
45名	‥	‥	‥

【特色】どら焼きなどの和菓子、洋菓子の製造販売。約150アイテムの菓子を日産110万個規模で製造。オンラインショップも展開。年間約200種類を商品化。西日本中心に14営業拠点、愛媛・京都・栃木に3工場を置き、直売所を併設。
【定着率】‥
【採用】【設立】1968.7【社長】傅長秀文
23年 40【従業員】単692名(41.4歳)
24年 45【有休】‥日
25年 未定【初任給】月21.2万(諸手当を除いた数値)
【試験種類】‥【各種制度】‥

【業績】	売上高	営業利益	経常利益	純利益
単23.3	15,669	774	724	575
単24.3	16,366	1,063	1,021	750

マルトモ
株式公開計画なし

【本社】799-3192 愛媛県伊予市米湊1696
☎089-982-1151
食品・水産

採用予定数	倍率	3年後離職率	平均年収
10名	‥	‥	‥

【特色】削り節、かつおパック、チルド商品の老舗大手メーカー。薄さ25ミクロンの削り節「プレ節」シリーズなど展開。愛媛に5工場、宮城に2工場。上海に関連会社。札幌、仙台、名古屋、大阪、広島、伊予、福岡に支店を配置。1918年創業。
【定着率】‥
【採用】【設立】1964.11【副社長】明関眸
23年 11【従業員】単476名(46.3歳)
24年 15【有休】‥日
25年 10【初任給】月24.4万(諸手当を除いた数値)
【試験種類】‥【各種制度】‥

【業績】	売上高	営業利益	経常利益	純利益
単23.3	22,768	‥	‥	‥
単24.3	23,955	‥	‥	‥

ヤマキ
株式公開計画なし

【本社】799-3194 愛媛県伊予市米湊1698-6
☎089-982-1231
食品・水産

採用実績数	倍率	3年後離職率	平均年収
19名	‥	‥	‥

【特色】水産調味料の老舗総合メーカーで、削りぶし、麺つゆの大手。ロングセラー商品「ヤマキ割烹白だし」はカテゴリーシェア首位。中国、韓国、米国などに現地法人を設立し、海外での事業拡大を図る。北海道から九州まで支社・支店を配置。味の素が出資。
【定着率】‥
【採用】【設立】1950.11【社長】城戸善浩
23年 19【従業員】単677名(41.7歳)
24年 19【有休】‥日
25年 前年並【初任給】‥万
【試験種類】‥【各種制度】‥

【業績】	売上高	営業利益	経常利益	純利益
単23.3	44,400	‥	‥	‥
単24.3	47,200	‥	‥	‥

ベルグアース
東証スタンダード

【本社】798-3361 愛媛県宇和島市津島町北灘甲88-1
☎0895-20-8231
農林

採用実績数	倍率	3年後離職率	平均年収
16名	‥	‥	392万円

【特色】接ぎ木したトマト、キュウリなどの野菜苗を生産販売。接ぎ木により連作障害や病害虫に強い苗を開発。愛媛、長野、岩手、茨城に農場。外部から隔離した施設内で減農薬苗を生産する技術や、苗の鉢部分を不織布で包む技術などに強み。
【定着率】‥
【採用】【設立】2001.1【社長】山口一彦
23年 14【従業員】連290名 単225名(39.2歳)
24年 16【有休】‥日
25年 前年並【初任給】月18.4万(諸手当を除いた数値)
【試験種類】‥【各種制度】‥

【業績】	売上高	営業利益	経常利益	純利益
連22.10	6,393	▲58	▲44	202
連23.10	7,061	76	106	78

㈱丸和（まるわ）
株式公開計画なし

【本社】799-0401 愛媛県四国中央市村松町540-3
☎0896-24-2540
印刷・紙パルプ

採用実績数	倍率	3年後離職率	平均年収
1名	‥	‥	‥

【特色】「エルモア」ブランドのトイレットロール、ペーパータオル、ティッシュなどの家庭紙を製造・販売。トイレットロールは月産2200トン、ティッシュは月産800トン。石油事業所も持つ。カミ商事を中核とするカミグループの一角。
【定着率】‥
【採用】【設立】1956.10【社長】井川博明
23年 0【従業員】単102名(41.3歳)
24年 1【有休】‥日
25年 未定【初任給】‥万
【試験種類】‥【各種制度】‥

【業績】	売上高	営業利益	経常利益	純利益
単22.9	10,990	200	243	89
単23.9	11,795	37	78	33

㈱リブドゥコーポレーション

株式公開 未定

【四国本社】799-0122 愛媛県四国中央市金田町半田乙45-2 ☎0896-58-3019
印刷・紙パルプ

採用予定数	倍率	3年後離職率	平均年収
50名	・・	・・	・・

【特色】「リフレ」ブランドの大人用紙おむつの製造・販売が主軸。施設、病院向けの業務用では国内トップクラス。花王と資本業務提携。医療用不織布製品、手術用キット製品などメディカル事業にも注力。徳島県にイノベーションセンター。
【定着率】・・
【採用】　【設立】1965.4【社長】宇田知仁
23年　55【従業員】単1,192名(38.7歳)
24年　59【有休】・・日
25年　50【初任給】月23万
【試験種類】・・【各種制度】・・

【業績】	売上高	営業利益	経常利益	純利益
単23.3	51,798	59	232	156
単24.3	56,595	1,845	2,164	1,705

㈱タケチ

株式公開 計画なし

【本社】791-1121 愛媛県松山市中野町甲936 ☎089-963-1311
ゴム

採用予定数	倍率	3年後離職率	平均年収
2名	・・	・・	・・

【特色】ゴム・樹脂製精密機能部品メーカー。工業用ゴム製品、ガスケット業界の草分け。冷蔵庫ドア用、超高層ビル窓用ガスケットは首位級。自動車ステアリング用のプラスチック磁石や電波吸収体「マイクロソーバー」を開発。国内のほかマレーシアにも生産拠点。
【定着率】・・
【採用】　【設立】1970.9【社長】重松康弘
23年　11【従業員】単328名(41.9歳)
24年　4【有休】・・日
25年　2【初任給】月20.5万(諸手当を除いた数値)
【試験種類】・・【各種制度】・・

【業績】	売上高	営業利益	経常利益	純利益
単22.7	4,699	288	341	246
単23.7	4,678	222	258	173

生活協同組合コープえひめ（せいかつきょうどうくみあい）

株式公開 計画なし

【本部】790-8543 愛媛県松山市朝生田町3-1-12 ☎089-931-5201
スーパー

採用実績数	倍率	3年後離職率	平均年収
12名	・・	・・	・・

【特色】共同購入・宅配事業やスーパーなど店舗事業で、産直商品や生鮮品などコープ商品を販売。サービス事業、福祉事業に共済も手がける。新規利用者(組合員)の拡大に重点。組合員数約31万人。事業所数は本部含め28カ所。
【定着率】・・
【採用】　【設立】1974.7【理事長】美濃欽也
23年　11【従業員】単1,612名(45.7歳)
24年　12【有休】・・日
25年　未定【初任給】月22.5万(諸手当を除いた数値)
【試験種類】・・【各種制度】・・

【業績】	売上高	営業利益	経常利益	純利益
単23.3	35,614	1,056	1,157	791
単24.3	36,183	737	836	531

㈱ありがとうサービス

東証 スタンダード

【本社】794-0832 愛媛県今治市八町西3-6-30 ☎0898-23-2243
その他小売業

採用実績数	倍率	3年後離職率	平均年収
7名	・・	・・	399万円

【特色】リユースと外食サービスをフランチャイジーとして運営する。出店は四国や九州・沖縄が中心。FCは、リユースが「ブックオフ」「ハードオフ」、外食が「モスバーガー」など。「馳走家とり壱」など独自業態も展開する。海外はカンボジアやタイに店舗。
【定着率】・・
【採用】　【設立】2000.10【会長兼社長】井本雅之
23年　10【従業員】連272名 単205名(39.7歳)
24年　7【有休】・・日
25年　増加【初任給】月23.3万(諸手当を除いた数値)
【試験種類】・・【各種制度】・・

【業績】	売上高	営業利益	経常利益	純利益
連23.2	9,185	611	712	295
連24.2	9,730	726	825	358

㈱フジ・トラベル・サービス

株式公開 計画なし

【本社】790-0065 愛媛県松山市宮西1-5-10 フジグラン松山別棟2階 ☎089-947-8070
レジャー

採用予定数	倍率	3年後離職率	平均年収
未定	・・	・・	・・

【特色】四国最大のチェーンストアを展開するフジ傘下の総合旅行代理店。国内旅行は「SWING」、海外旅行は「MY STORY」ブランドで展開。個人、団体旅行に対応。愛媛と広島に営業店を構える。「道の駅」運営など自治体の受託事業も手がける。
【定着率】・・
【採用】　【設立】1984.10【社長】三秋忍
23年　0【従業員】単85名(45.5歳)
24年　0【有休】・・日
25年　未定【初任給】月18.8万(諸手当を除いた数値)
【試験種類】・・【各種制度】・・

【業績】	売上高	営業利益	経常利益	純利益
単23.2	3,791	・・	・・	・・
単24.2	5,294	・・	・・	・・

幡多信用金庫（はたしんようきんこ）

株式公開 計画なし

【本社】787-0021 高知県四万十市中村京町1-17 ☎0880-34-2121
信用金庫

採用予定数	倍率	3年後離職率	平均年収
1名	・・	・・	・・

【特色】四万十市など高知県西部・幡多地域を基盤とし、同地域に10店舗、高知中央地区にも3店舗持つ。通称「はたしん」。地域社会の活性化を目指す団体・個人を助成する「まちづくり基金」を運営。預金量1618億円、貸出金966億円(24年3月末)。
【定着率】・・
【採用】　【設立】1929.3【理事長】渡邊毅
23年　3【従業員】単140名(42.7歳)
24年　3【有休】・・日
25年　1【初任給】月20.4万(諸手当を除いた数値)
【試験種類】・・【各種制度】・・

【業績】	経常収益	業務純益	経常利益	純利益
単23.3	2,691	475	537	407
単24.3	2,807	491	632	458

㈱技研製作所（ぎけんせいさくしょ）
東証プライム

【本社】781-5195 高知県高知市布師田3948-1 ☎088-846-2933
機械

採用予定数	倍率	3年後離職率	平均年収
25名	‥	‥	579万円

【特色】油圧式杭圧入引抜機(インプラント機械)のパイオニア。硬質地盤対応機が基礎工事業界向けに高シェア。無振動・無騒音で環境負荷を極小に抑えた圧入工法に強み。圧入工事は特殊工事に特化するなど開発型企業に転換中。耐震地下駐車場や耐震駐輪場工事を推進。
【定着率】‥
【採用】【設立】1978.1【社長】大平厚
23年 28【従業員】連705名 単512名(34.5歳)
24年 21【有休】‥日
25年 25【初任給】月23万(諸手当を除いた数値)
【試験種類】‥【各種制度】‥

【業績】	売上高	営業利益	経常利益	純利益
連22.8	30,378	4,613	4,832	3,234
連23.8	29,272	2,983	3,060	846

㈱ミロク
東証スタンダード

【本社】783-0006 高知県南国市篠原537-1 ☎088-863-3310
その他メーカー

採用予定数	倍率	3年後離職率	平均年収
若干	‥	‥	474万円

【特色】猟銃生産国内首位の持株会社。生産した猟銃の約8割を米国ブローニンググループにOEM供給。主力の上下二連銃は最大市場の米国でシェアトップクラス。猟銃から派生した機械・金属加工技術や木工技術を活かし、工作機械や高級車用木製ハンドルも製造。
【定着率】‥
【ミロク製作所採用】【設立】1946.7【社長】弥勒美彦
23年 9【従業員】連635名 単21名(41.2歳)
24年 2【有休】‥日
25年 若干【初任給】月19.5万(諸手当を除いた数値)
【試験種類】‥【各種制度】‥

【業績】	売上高	営業利益	経常利益	純利益
連22.10	11,471	659	808	512
連23.10	11,887	553	795	481

大旺新洋（だいおうしんよう）
株式公開未定

【本社】781-0112 高知県高知市仁井田1625-2 ☎088-847-2112
建設

採用予定数	倍率	3年後離職率	平均年収
9名	‥	‥	‥

【特色】四国最大手の建設会社。陸上、港湾、船舶、舗装、建築工事など公共性の高い工事を中心に幅広い施工実績。土木事業が売上の6割弱、建築事業が4割弱を占める。フロン分解装置の製造販売、分解処理など環境事業も手がける。
【定着率】‥
【採用】【設立】2007.1【社長】小西啓太
23年 11【従業員】単422名(46.6歳)
24年 15【有休】‥日
25年 9【初任給】月23.3万
【試験種類】‥【各種制度】‥

【業績】	売上高	営業利益	経常利益	純利益
単22.6	28,047	1,674	1,733	1,136
単23.6	23,038	1,047	1,160	765

㈱サニーマート
株式公開計画なし

【本社】780-8517 高知県高知市山手町81 ☎088-802-7030
スーパー

採用予定数	倍率	3年後離職率	平均年収
未定	‥	‥	‥

【特色】四国に食品スーパー直営23店舗をチェーン展開。コンビニ、DVDレンタル、飲食店、自動車ディーラー、製紙会社などグループ会社を持つ。地域密着で食材提供型から生活総合提案型の店づくりを推進。ローソンと合弁事業も。
【定着率】‥
【採用】【設立】1966.7【社長】中村彰宏
23年 0【従業員】単422名(44.0歳)
24年 0【有休】‥日
25年 未定【初任給】月19.1万(諸手当を除いた数値)
【試験種類】‥【各種制度】‥

【業績】	売上高	営業利益	経常利益	純利益
単22.9	43,841	‥	‥	‥
単23.9	45,562	‥	‥	‥

四国運輸（しこくうんゆ）
株式公開計画なし

【本社】781-5101 高知県高知市布師田字金山3936-1 ☎088-845-1811
運輸・倉庫

採用予定数	倍率	3年後離職率	平均年収
2名	‥	‥	‥

【特色】高知県産青果・花卉をはじめとする一般貨物のトラック輸送を行う。集配送のほか倉庫の荷役や流通加工も請け負う。貸し切り輸送、小口積み合わせの全国ルート輸送も手がける。医薬品輸送は定温センターを設置。保有車両数225両。多角化抑え物流特化が社是。
【定着率】‥
【採用】【設立】1955.6【社長】松本俊一
23年 1【従業員】単342名(49.5歳)
24年 0【有休】‥日
25年 2【初任給】月15.8万(諸手当を除いた数値)
【試験種類】‥【各種制度】‥

【業績】	売上高	営業利益	経常利益	純利益
単23.3	5,910	▲19	41	21
単24.3	5,936	▲11	121	78

住友商事九州（すみともしょうじきゅうしゅう）
株式公開計画なし

【本社】812-0011 福岡県福岡市博多区博多駅前3-30-23 博多管絃ビル ☎092-441-4111
商社・卸売業

採用実績数	倍率	3年後離職率	平均年収
2名	‥	‥	‥

【特色】住友商事の地域独立法人。九州・沖縄を担当。4支店1営業所体制。鉄鋼、機電、情報産業、衣料品、食品、化学品などを扱う。投資事業では、自動車のカーテンエアバック製造、生コン製造、太陽光発電事業、系統用蓄電事業の各社を住友商事などと設立。
【定着率】‥
【採用】【設立】1993.9【代表取締役】齊田忠勇
23年 3【従業員】単117名(‥歳)
24年 2【有休】‥日
25年 未定【初任給】月24万(諸手当を除いた数値)
【試験種類】‥【各種制度】‥

【業績】	売上高	営業利益	経常利益	純利益
単23.3	2,023	536	623	446
単24.3	2,537	892	1,024	741

㈱ニシイ

株式公開 計画なし

【本社】812-0007 福岡県福岡市博多区東比恵3-4-6 ☎092-415-0241
商社・卸売業

採用予定数	倍率	3年後離職率	平均年収
10名	‥	‥	‥

【特色】工業用、建築用塗料が主力の塗料専門商社。福岡地盤。接着剤、副資材販売、塗装機器・設備などの機器メンテナンス、ライン診断なども手がける。国内22拠点、海外は台湾とベトナムの2拠点。現場実務のノウハウを共有する技術塗装スクールやオンラインストアも運営。
【定着率】‥
【採用】【設立】1947.12【社長】西井一史
23年 6【従業員】単265名(45.1歳)
24年 3【有休】‥日
25年 10【初任給】月23.8万(諸手当を除いた数値)
【試験種類】‥【各種制度】‥

【業績】	売上高	営業利益	経常利益	純利益
単22.10	21,950	873	1,235	874
単23.10	24,748	1,026	1,259	879

㈱アトル

株式公開 計画なし

【本社】813-8555 福岡県福岡市東区香椎浜ふ頭2-5-1 ☎092-665-7100
商社・卸売業

採用実績数	倍率	3年後離職率	平均年収
5名	‥	‥	‥

【特色】メディパルHD傘下の医療用医薬品卸。地域密着営業を推進。地盤の九州・沖縄でシェア約2割とトップクラス。動物用医薬品、食品、食品添加物事業をグループ企業で展開。安定的かつ効率的な商品供給など物流機能強化に力を入れる。
【定着率】‥
【採用】【設立】1947.1【社長】渡辺紳二郎
23年 0【従業員】単931名(50.3歳)
24年 5【有休】‥日
25年 未定【初任給】‥万
【試験種類】‥【各種制度】‥

【業績】	売上高	営業利益	経常利益	純利益
単23.3	206,922	2,286	2,872	100
単24.3	206,703	2,217	2,812	1,918

九州東邦（きゅうしゅうとうほう）

株式公開 計画なし

【本社】812-8585 福岡県福岡市東区箱崎ふ頭3-4-46 ☎092-641-3141
商社・卸売業

採用実績数	倍率	3年後離職率	平均年収
7名	‥	‥	‥

【特色】九州の大手総合医薬品卸。東邦薬品の完全子会社。沖縄除く九州全域に営業拠点。医薬品や検査薬、医療機器、OTCの卸売りが中心。病院・クリニック・薬局の開業支援から、経営やサービス向上までトータルサポートも。顧客ニーズ対応の提案型営業を推進。
【定着率】‥
【採用】【設立】1948.2【社長】小玉康二
23年 6【従業員】単398名(46.8歳)
24年 7【有休】‥日
25年 未定【初任給】月23.1万(諸手当を除いた数値)
【試験種類】‥【各種制度】‥

【業績】	売上高	営業利益	経常利益	純利益
単23.3	116,663	1,809	2,255	295
単24.3	123,218	2,286	2,440	1,662

㈱翔薬（しょうやく）

株式公開 計画なし

【本社】812-8681 福岡県福岡市博多区山王2-3-5 ☎092-471-2200
商社・卸売業

採用予定数	倍率	3年後離職率	平均年収
10名	‥	‥	‥

【特色】九州地盤の地方卸4社が母体の医薬品卸。親会社スズケンの九州事業を引き継ぎ、九州全域をカバーする。各県に営業所を配置。医療・介護関係者向け医療食専門サイトは栄養士が運営。ICTを活用した新たなプロモーションやweb面談を展開。
【定着率】‥
【採用】【設立】1949.4【社長】大黒勇一郎
23年 15【従業員】単509名(43.0歳)
24年 15【有休】‥日
25年 10【初任給】月21万(諸手当を除いた数値)
【試験種類】‥【各種制度】‥

【業績】	売上高	営業利益	経常利益	純利益
単23.3	168,456	1,001	1,217	▲342
単24.3	179,662	1,649	1,819	2,138

㈱グリーンクロス

株式公開 —

【本社】810-0034 福岡県福岡市中央区笹丘1-17-29 ☎092-737-0370
商社・卸売業

採用予定数	倍率	3年後離職率	平均年収
30名	‥	‥	467万円

【特色】工事安全機材のレンタル・販売大手。福岡本社で九州に地盤。民間分野が拡大。民需の柱は特注看板「サインメディア」と称する店舗・施設などの表示装置。屋外に設置された大型看板のメンテナンス業務「看板クリニック」も展開。ECサイトの運用も手がける。
【定着率】‥
【採用】【設立】1971.7【社長】久保孝二
23年 13【従業員】連859名 単687名(40.3歳)
24年 7【有休】‥日
25年 30【初任給】月20万(諸手当を除いた数値)
【試験種類】‥【各種制度】‥

【業績】	売上高	営業利益	経常利益	純利益
連23.4	22,514	1,496	1,515	1,052
連24.4	24,348	1,648	1,649	1,138

㈱松本商店（まつもとしょうてん）

株式公開 いずれしたい

【本社】830-0047 福岡県久留米市津福本町2348-29 ☎0942-46-7355
商社・卸売業

採用予定数	倍率	3年後離職率	平均年収
3名	‥	‥	‥

【特色】金属・非金属・プラスチック製品・樹脂部品の切断・切削加工を行う。半導体製造装置、産業用ロボット、物流関連機器向けの部品材料をメインに加工・販売。関連会社のMS1含め国内6工場。ステンレスの6面フライス加工能力を増強。
【定着率】‥
【採用】【設立】1986.8【社長】松本正二郎
23年 1【従業員】単75名(30.0歳)
24年 3【有休】‥日
25年 3【初任給】月20万(諸手当を除いた数値)
【試験種類】‥【各種制度】‥

【業績】	売上高	営業利益	経常利益	純利益
単22.7	3,530	210	276	174
単23.7	3,055	71	134	98

㈱アイキューブドシステムズ
東証グロース

【本社】810-0001 福岡県福岡市中央区天神4-1-37 ☎092-552-4358
システム・ソフト

採用予定数	倍率	3年後離職率	平均年収
14名	‥	‥	643万円

【特色】法人向けモバイルデバイス管理サービスを展開。モバイル端末管理サービス「CLOMO MDM」は国内シェア首位。医療・教育機関、官公庁の他、一般企業は多業種で導入実績。「SECURED APPs」がもうひとつの柱。月額課金のSaaS型で提供。
【定着率】‥
【採用】　【設立】2004.2【取締】佐々木勉
23年 9【従業員】連157名 単130名(35.7歳)
24年 14【有休】‥日
25年 14【初任給】月24.2万(諸手当を除いた数値)
【試験種類】‥【各種制度】‥

【業績】	売上高	営業利益	経常利益	純利益
連23.6	2,665	618	609	440
連24.6	2,949	692	668	463

㈱シティアスコム
株式公開計画なし

【本社】814-8554 福岡県福岡市早良区百道浜2-2-22 ☎092-852-5111
システム・ソフト

採用予定数	倍率	3年後離職率	平均年収
25名	‥	‥	‥

【特色】金融機関や学校向けのパッケージソフトや受託開発で実績を持つ、九州地盤のSI企業。データセンターを保有しクラウドやBPOサービスやDX戦略支援も手がける。東京と名古屋に支社。西日本フィナンシャルHDの子会社。
【定着率】‥
【採用】　【設立】1971.1【社長】藤本宏文
23年 14【従業員】単481名(43.5歳)
24年 26【有休】‥日
25年 25【初任給】月23.2万(諸手当を除いた数値)
【試験種類】‥【各種制度】‥

【業績】	売上高	営業利益	経常利益	純利益
単23.3	9,931	576	652	669
単24.3	10,167	503	556	378

㈱筑邦銀行（ちくほうぎんこう）
福証

【本店】830-0037 福岡県久留米市諏訪野町2456-1 ☎0942-32-5331
銀行

採用実績数	倍率	3年後離職率	平均年収
31名	‥	‥	532万円

【特色】福岡県南部が地盤の地銀。貸出金に占めるの久留米地域の割合は5割弱、預金残高は5割超と圧倒的。地元中小企業育成に積極的で、中小・零細企業向け貸出金が約9割。SBIグループと戦略的資本業務提携。半導体起点の経済成長に向け、九州地銀11行で連携。
【定着率】‥
【採用】　【設立】1952.12【頭取】鶴久博幸
23年 26【従業員】連583名 単544名(38.0歳)
24年 31【有休】‥日
25年 未定【初任給】月20.8万(諸手当を除いた数値)
【試験種類】‥【各種制度】‥

【業績】	経常収益	業務純益	経常利益	純利益
連23.3	17,290	1,664	1,015	603
連24.3	18,023	1,461	1,182	1,056

㈱西日本フィナンシャルホールディングス
東証プライム

【本社】812-0011 福岡県福岡市博多区博多駅前3-1-1 ☎092-476-5050
銀行

採用実績数	倍率	3年後離職率	平均年収
235名	‥	‥	655万円

【特色】西日本シティ銀行と長崎銀行、西日本信用保証による共同持株会社。傘下には上記3社のほか、クレジットカード、証券、コンサル子会社を持ち、リース、IT企業もグループ化。西日本シティ銀は預金・貸出金九州2番手、福岡を本拠に九州全県に店舗持つ。
【定着率】‥
【西日本シティ銀行採用】【設立】2016.10【社長】村上英之
23年 167【従業員】単3,304名(40.9歳)
24年 235【有休】‥日
25年 未定【初任給】月21.5万(諸手当を除いた数値)
【試験種類】‥【各種制度】‥

【業績】	経常収益	業務純益	経常利益	純利益
連23.3	160,448	31,386	33,677	26,064
連24.3	185,595	28,584	35,609	23,576

福岡信用金庫（ふくおかしんようきんこ）
株式公開計画なし

【本社】810-0001 福岡県福岡市中央区天神1-6-8 ☎092-751-4732
信用金庫

採用実績数	倍率	3年後離職率	平均年収
8名	‥	‥	‥

【特色】福岡市を本拠とする信用金庫で市内に15店舗。営業地区は福岡県一円。金融激戦地・福岡で地域社会への奉仕と、繁栄への貢献を標榜する。日本政策金融公庫と事業承継支援に関する連携協定を締結。預金量1284億円(24年3月末)。
【定着率】‥
【採用】　【設立】1925.1【理事長】野見山幸弘
23年 6【従業員】単148名(38.4歳)
24年 8【有休】‥日
25年 未定【初任給】月20万(諸手当を除いた数値)
【試験種類】‥【各種制度】‥

【業績】	経常収益	業務純益	経常利益	純利益
単23.3	2,441	312	297	252
単24.3	2,450	368	263	181

㈱岡部マイカ工業所（おかべ　こうぎょうしょ）
株式公開計画なし

【本社】809-0034 福岡県中間市中間1-8-7 ☎093-245-0881
電機・事務機器

採用予定数	倍率	3年後離職率	平均年収
2名	‥	‥	‥

【特色】集成マイカ(雲母)板・テープなどが主力の電気絶縁材料メーカー。試作品の試験・評価の期間短縮、顧客の製造設備に対応した部品材料への改良力に評価高い。取引企業は累計2500社。1932年創業で三菱電機の持分法適用会社。
【定着率】‥
【採用】　【設立】1949.7【社長】岡部安三
23年 0【従業員】単259名(44.6歳)
24年 1【有休】‥日
25年 2【初任給】月24.1万(諸手当を除いた数値)
【試験種類】‥【各種制度】‥

【業績】	売上高	営業利益	経常利益	純利益
単23.3	5,887	663	913	567
単24.3	6,774	1,183	1,300	1,066

九電テクノシステムズ（きゅうでん）
株式公開計画なし

【本社】815-0031 福岡県福岡市南区清水4-19-18
☎092-551-1731
電機・事務機器

採用予定数	倍率	3年後離職率	平均年収
15名	‥	‥	‥

【特色】九州電力の子会社で、九州唯一の電力量計専門メーカー。発電所から需要家にいたるまでの電力ネットワークに必要な各種製品やサービスを提供。電力インフラのスマート化への貢献や、自社技術とICT技術を融合させて社会インフラ整備に注力。
【定着率】‥
【採用】　【設立】1960.7【社長】岡松宏治
23年　16【従業員】単600名(46.7歳)
24年　15【有休】‥日
25年　15【初任給】月20.1万(諸手当を除いた数値)
【試験種類】‥【各種制度】‥

【業績】	売上高	営業利益	経常利益	純利益
単23.3	15,389	431	494	344
単24.3	17,555	1,007	1,091	762

ニシム電子工業（でんしこうぎょう）
株式公開計画なし

【本社】812-8539 福岡県福岡市博多区美野島1-2-1
☎092-461-0246
電機・事務機器

採用予定数	倍率	3年後離職率	平均年収
20名	‥	‥	‥

【特色】九州電力の子会社でグループの総合エンジニアリング企業。電力・通信系統制御、電源システムなど担う。水道・電気などのインフラが不要で浄化処理技術も搭載した自己処理型水洗トイレ「TOWAILET」拡販。電池パックなど新事業の創出も推進。
【定着率】‥
【採用】　【設立】1963.11【社長】山科秀之
23年　29【従業員】単836名(44.1歳)
24年　12【有休】‥日
25年　20【初任給】月20.6万(諸手当を除いた数値)
【試験種類】‥【各種制度】‥

【業績】	売上高	営業利益	経常利益	純利益
単23.3	30,211	48	65	24
単24.3	32,432	927	940	639

ユニプレス九州（きゅうしゅう）
株式公開計画なし

【本社】824-0802 福岡県京都郡みやこ町勝山松田507
☎0930-32-4051
自動車部品

採用予定数	倍率	3年後離職率	平均年収
4名	‥	‥	‥

【特色】自動車用プレス部品、金型・治工具を製造・販売。金型製作、プレス、組立てまで一貫。最先端のプレス技術駆使し、低コストで安定的に量産。日産自動車九州工場向けが中心。トヨタ、ダイハツなども有力顧客。ユニプレスの子会社。
【定着率】‥
【採用】　【設立】1976.1【社長】森敏明
23年　13【従業員】単460名(41.2歳)
24年　9【有休】‥日
25年　4【初任給】月22.3万(諸手当を除いた数値)
【試験種類】‥【各種制度】‥

【業績】	売上高	営業利益	経常利益	純利益
単23.3	35,862	713	860	619
単24.3	44,382	2,453	2,534	1,766

㈱植田製作所（うえだせいさくしょ）
株式公開計画なし

【本社】808-0027 福岡県北九州市若松区北湊町4-1
☎093-761-1431
機械

採用予定数	倍率	3年後離職率	平均年収
1名	‥	‥	‥

【特色】各種減速機・変速機・増速機や大型歯車、リールドラムのオーダーメイド生産を手がける。高張力テンションリールでは国内シェア首位級。減速機・変速機・増速機は鉄鋼・セメント・化学・砂糖プラント向けが主軸。北九州市に本社と工場。
【定着率】‥
【採用】　【設立】1946.12【社長】河村信俊
23年　1【従業員】単66名(44.6歳)
24年　1【有休】‥日
25年　1【初任給】月19万(諸手当を除いた数値)
【試験種類】‥【各種制度】‥

【業績】	売上高	営業利益	経常利益	純利益
単23.1	1,180	23	95	▲7
単24.1	1,339	67	86	0

ＭＨＴ
株式公開計画なし

【本社】810-0075 福岡県福岡市中央区港3-1-53
☎092-711-1110
機械

採用実績数	倍率	3年後離職率	平均年収
5名	‥	‥	‥

【特色】船舶用甲板機械の製販・修理。漁船用ウインチ市場で国内シェア7割超。中国・青島と台湾に海外拠点。海外の新販路開拓やメンテ体制整備に取り組む。海外海巻船向け遠隔油圧監視システムを開発。底引網漁船向け油圧機器の販売・修理で創業。
【定着率】‥
【採用】　【設立】1971.12【社長】井手敏文
23年　2【従業員】単164名(40.0歳)
24年　5【有休】‥日
25年　未定【初任給】月21万(諸手当を除いた数値)
【試験種類】‥【各種制度】‥

【業績】	売上高	営業利益	経常利益	純利益
単22.12	4,405	240	355	238
単23.12	5,137	334	463	319

㈱オーレック
株式公開計画なし

【本社】834-0195 福岡県八女郡広川町日吉548-22
☎0943-32-5002
機械

採用実績数	倍率	3年後離職率	平均年収
23名	‥	‥	‥

【特色】草刈機など緑地管理機、農業機械、除雪機を製造・販売。設計開発から生産、販売まで一貫。芝刈機、乗用型草刈機、走行型草刈機は国内や欧州市場で高シェア。ショールーム型ブランド発信拠点「グリーンラボ」を青森県、長野県、福岡県で運営。
【定着率】‥
【採用】　【設立】1957.7【社長】今村健二
23年　24【従業員】単403名(35.4歳)
24年　23【有休】‥日
25年　未定【初任給】‥万
【試験種類】‥【各種制度】‥

【業績】	売上高	営業利益	経常利益	純利益
単22.12変	8,732	588	706	562
単23.12	19,771	1,705	1,869	1,226

昭和鉄工（しょうわてっこう） 福証

【本社】811-2101 福岡県糟屋郡宇美町宇美3351-8 ☎092-933-6390
機械

採用実績数	倍率	3年後離職率	平均年収
15名	‥	‥	553万円

【特色】空調機器やボイラー・ヒーターなどの熱源機器、循環温浴器や空気清浄機などの環境機器を製造・販売。橋梁用防護柵などの景観製品や鍛造品も手がける。夜間電力を利用する業務用エコキュートが成長。保守・工事部門も収益に寄与。
【定着率】‥
【採用】 【設立】1933.4【社長】日野宏昭
23年 8【従業員】連390名 単385名(40.8歳)
24年 15【有休】‥日
25年 前年並【初任給】月20万(諸手当を除いた数値)
【試験種類】‥【各種制度】‥

【業績】	売上高	営業利益	経常利益	純利益
連23.3	12,042	▲63	56	78
連24.3	13,515	662	832	1,048

西部電機（せいぶでんき） 東証スタンダード

【本社】811-3193 福岡県古賀市駅東3-3-1 ☎092-943-7071
機械

採用実績数	倍率	3年後離職率	平均年収
36名	‥	‥	739万円

【特色】搬送機械、産業機械、精密機械の3本柱。搬送機械は立体自動倉庫など物流自動化製品を展開。産業機械は上下水道や電力用のバルブ駆動装置が軸で、水道向けは高シェア。精密機械は放電加工機が主力で、高精密旋盤・研削加工機も手がける。主要顧客は安川電機。
【定着率】‥
【採用】 【設立】1939.2【社長】税所幸一
23年 33【従業員】連620名 単565名(40.0歳)
24年 36【有休】‥日
25年 前年並【初任給】月22万(諸手当を除いた数値)
【試験種類】‥【各種制度】‥

【業績】	売上高	営業利益	経常利益	純利益
連23.3	28,478	2,411	2,530	1,806
連24.3	31,945	2,782	2,876	1,977

日本タングステン（にっぽん） 東証スタンダード

【本社】812-8538 福岡県福岡市博多区美野島1-2-8 ☎092-415-5500
機械

採用実績数	倍率	3年後離職率	平均年収
16名	‥	‥	602万円

【特色】タングステンやモリブデンなど特殊素材の金属加工を手がける。紙おむつ断裁工程で使用されるロータリーカッターが主力製品。ハードディスク用磁気ヘッド基板などの機械部品、電気接点などの電機部品も展開。超硬合金や自動車用電極などを育成。
【定着率】‥
【採用】 【設立】1932.9【社長】後藤信志
23年 13【従業員】連515名 単435名(39.9歳)
24年 16【有休】‥日
25年 微減【初任給】月21.6万(諸手当を除いた数値)
【試験種類】‥【各種制度】‥

【業績】	売上高	営業利益	経常利益	純利益
連23.3	12,645	927	1,227	767
連24.3	11,464	476	786	527

㈱パーキングソリューションズ 株式公開計画なし

【本社】815-0081 福岡県福岡市南区那の川1-14-1 ☎092-524-3011
機械

採用予定数	倍率	3年後離職率	平均年収
2名	‥	‥	‥

【特色】コイン式駐車場の精算機などの製造・販売と駐車場運営が柱。バーケードやロックユニット、入退場管理システムなども開発。駐車場の設計から運営・管理からコンサルティング業務まで展開。東北から九州まで営業拠点を置く。大和ハウスグループ。
【定着率】‥
【採用】 【設立】1952.5【社長】本房伸一
23年 0【従業員】単120名(40.0歳)
24年 1【有休】‥日
25年 2【初任給】月21万(諸手当を除いた数値)
【試験種類】‥【各種制度】‥

【業績】	売上高	営業利益	経常利益	純利益
単23.3	6,214	460	433	264
単24.3	6,791	679	660	323

イフジ産業（さんぎょう） 東証スタンダード

【本社】811-2318 福岡県糟屋郡粕屋町戸原東2-1-29 ☎092-938-4561
食品・水産

採用予定数	倍率	3年後離職率	平均年収
10名	‥	‥	‥

【特色】業務用液卵の製造・販売で業界2位。年間約12億個の卵を液卵にして提供。全卵、卵黄、卵白、加糖、調味液卵と多様な種類とサイズに特徴。製パン、製菓、外食産業が納入先。国内4工場体制で全国に安定供給。冷凍食品や総菜向けなど新販路も開拓。
【定着率】‥
【採用】 【設立】1972.10【社長】藤井宗徳
23年 8【従業員】連161名 単128名(38.5歳)
24年 4【有休】‥日
25年 10【初任給】月21.6万(諸手当を除いた数値)
【試験種類】‥【各種制度】‥

【業績】	売上高	営業利益	経常利益	純利益
連23.3	20,891	1,575	1,615	1,116
連24.3	24,503	1,766	1,809	1,597

鳥越製粉（とりごえせいふん） 東証スタンダード

【本社】812-0014 福岡県福岡市博多区比恵町5-1 ☎092-477-7110
食品・水産

採用予定数	倍率	3年後離職率	平均年収
若干	‥	‥	531万円

【特色】九州地盤の中堅製粉メーカー。小麦粉、ライ麦粉のほか、業務用・家庭用のミックス粉やパン原料、丸麦・押し麦など精麦も手がける。焼酎用精麦は首位。中華麺やうどんなどの麺用粉も展開。糖質オフのミックス粉をローソンの低糖質パン向けに提供。
【定着率】‥
【採用】 【設立】1935.12【会長兼社長】鳥越徹
23年 4【従業員】連365名 単232名(43.1歳)
24年 5【有休】‥日
25年 若干【初任給】月21万(諸手当を除いた数値)
【試験種類】‥【各種制度】‥

【業績】	売上高	営業利益	経常利益	純利益
連22.12	24,403	1,232	1,496	931
連23.12	26,385	1,061	1,383	966

㈱ふくや

株式公開 計画なし

【本社】810-8629 福岡県福岡市博多区中洲2-6-10 ☎092-291-3575
食品・水産

採用予定数	倍率	3年後離職率	平均年収
5名	‥	‥	‥

【特色】辛子明太子の老舗メーカー。原点の味にこだわり、直販貫く。現在の販路は店売6割、通販4割。福岡市中心に店舗を展開し、通販は海外にも。明太子を使用した缶詰や惣菜なども扱う。博多の食と文化を発信する博物館「ハクハク」をプロデュース。
【定着率】‥
【採用】 【設立】1980.8 【社長】川原武浩
23年 5【従業員】単280名(‥歳)
24年 5【有休】‥日
25年 5【初任給】月21.3万(諸手当を除いた数値)
【試験種類】‥【各種制度】‥

【業績】	売上高	営業利益	経常利益	純利益
単23.3	12,917	427	476	‥
単24.3	13,587	479	536	‥

㈱マツモト

東証 スタンダード

【本社】800-8555 福岡県北九州市門司区社ノ木1-2-1 ☎093-371-0298
印刷・紙パルプ

採用実績数	倍率	3年後離職率	平均年収
5名	‥	‥	412万円

【特色】学校の卒業・記念アルバム制作大手。全国の学校・幼稚園から写真館経由などで受注。デジタル写真アルバム、自費出版も手がける。大学など学術関係や企業向け軸にポスター、カタログなど一般商業印刷へも進出。スマホ写真販売サイトなどデジタル展開に積極的。
【定着率】‥
【採用】 【設立】1989.2 【社長】松本大輝
23年 6【従業員】単181名(43.3歳)
24年 5【有休】‥日
25年 未定【初任給】月20.8万(諸手当を除いた数値)
【試験種類】‥【各種制度】‥

【業績】	売上高	営業利益	経常利益	純利益
単23.4	2,242	12	32	74
単24.4	2,214	▲146	▲137	▲86

ロケット石鹸(せっけん)

株式公開 いずれしたい

【本社】820-0016 福岡県飯塚市菰田東1-7-56 ☎0948-43-0756
化粧品・トイレタリー

採用予定数	倍率	3年後離職率	平均年収
3名	‥	‥	‥

【特色】台所用、衣類用などの家庭用洗浄剤からシャンプー、リンス、ボディソープなどトイレタリー品を手がける。商品アイテム数は700種以上。スーパーなどのPB商品の受託生産も行う。海外は中国、台湾向けに輸出。福岡に3工場。
【定着率】‥
【採用】 【設立】1963.12【会長】加藤完治
23年 2【従業員】単200名(44.0歳)
24年 2【有休】‥日
25年 3【初任給】月18万(諸手当を除いた数値)
【試験種類】‥【各種制度】‥

【業績】	売上高	営業利益	経常利益	純利益
単22.12	6,453	▲297	▲118	37
単23.12	6,832	▲88	11	13

室町(むろまち)ケミカル

東証 スタンダード

【本社】836-0895 福岡県大牟田市新勝立町1-38-5 ☎0944-41-2131
医薬品

採用予定数	倍率	3年後離職率	平均年収
5名	‥	‥	513万円

【特色】医薬品原薬の販売・製造、健康食品の企画・製造、液体処理関連など化学品の販売・加工の3事業を軸に展開。医薬品は原薬・中間体や医薬品の合成、化学品はイオン交換樹脂が中心。茨城県に工場、埼玉県に研究開発拠点。有機フッ素化合物の除去製品開発に注力。
【定着率】‥
【採用】 【設立】1952.7 【社長】青木淳一
23年 5【従業員】単205名(39.6歳)
24年 4【有休】‥日
25年 5【初任給】月19.1万(諸手当を除いた数値)
【試験種類】‥【各種制度】‥

【業績】	売上高	営業利益	経常利益	純利益
単23.5	6,291	369	350	256
単24.5	6,369	421	428	330

丸東産業(まるとうさんぎょう)

福証

【本社】838-0112 福岡県小郡市干潟892-1 ☎0942-73-3845
化学

採用予定数	倍率	3年後離職率	平均年収
未定	‥	‥	479万円

【特色】食品包装材料中堅。ラミネートフィルム製の機能包材を食品、医薬品、化粧品、工業用品向けなど幅広い分野に供給。開封後に掴むことができる工夫や、高吸湿性、高速充填可能性など高付加価値品の開発に注力。食品・医薬品用容器や食品包装用機械も手がける。
【定着率】‥
【採用】 【設立】1947.3 【社長】菅原正之
23年 ‥【従業員】連380名 単335名(40.1歳)
24年 ‥【有休】‥日
25年 未定【初任給】‥万
【試験種類】‥【各種制度】‥

【業績】	売上高	営業利益	経常利益	純利益
連23.2	18,136	480	611	416
連24.2	17,853	418	538	366

協立(きょうりつ)エアテック

東証 スタンダード

【本社】811-2414 福岡県糟屋郡篠栗町和田5-7-1 ☎092-947-6101
金属製品

採用予定数	倍率	3年後離職率	平均年収
6名	‥	‥	537万円

【特色】空調機器の中堅メーカー。空気の流量を制御するダンパーはシェア約3割で国内首位。吹出口では空研工業と市場を二分。24時間換気システムなど住宅用途を深耕中。福岡、愛知、群馬に生産拠点があり、ロボットを利用し作業効率化推進。海外は中国に拠点。
【定着率】‥
【採用】 【設立】1971.2 【社長】久野幸男
23年 4【従業員】連344名 単321名(45.3歳)
24年 2【有休】‥日
25年 6【初任給】月21.9万(諸手当を除いた数値)
【試験種類】‥【各種制度】‥

【業績】	売上高	営業利益	経常利益	純利益
連22.12	10,596	503	563	363
連23.12	11,896	686	739	488

日創プロニティ（にっそう）
東証スタンダード

【本社】815-0035 福岡県福岡市南区向野2-10-25
☎092-555-2825
金属製品

採用実績数	倍率	3年後離職率	平均年収
1名	‥	‥	444万円

【特色】建築資材などの金属加工が柱。材料調達から最終加工まで一貫オーダー加工を手がける。多種多様な加工方法に強み。太陽電池アレイ支持架台、太陽光発電システム搭載型カーポート、不燃断熱パネルなどの各種金属パネルが主要製品。
【定着率】‥
【採用】 【設立】1997.9【社長】石田徹
23年 2【従業員】連540名 単102名(42.0歳)
24年 1【有休】‥日
25年 0【初任給】月19.5万(諸手当を除いた数値)
【試験種類】‥【各種制度】‥

【業績】	売上高	営業利益	経常利益	純利益
連22.8	7,374	358	396	154
連23.8	12,548	312	416	1,523

㈱アステック入江（いりえ）
株式公開計画なし

【本社】805-8507 福岡県北九州市八幡東区西本町3-1-1
☎093-661-1221
鉄鋼

採用予定数	倍率	3年後離職率	平均年収
未定	‥	‥	‥

【特色】製鋼や鋼管などを中心とした鉄事業と、住宅用鋼管杭用鍛造製品・鉄粉などを扱う鉄関連事業を展開。ファインセラミックス精密加工や環境・リサイクル事業も手がける。共同開発した回転貫入鋼管杭工法は低騒音、残土が発生しないなどの利点を持つ。
【定着率】‥
【採用】 【設立】1957.2【社長】入江伸一郎
23年 5【従業員】単735名(42.7歳)
24年 ‥【有休】‥日
25年 未定【初任給】月23.1万(諸手当を除いた数値)
【試験種類】‥【各種制度】‥

【業績】	売上高	営業利益	経常利益	純利益
単22.7	12,726	‥	‥	‥
単23.7	12,400	‥	‥	‥

㈱門倉剪断工業（かどくらせんだんこうぎょう）
株式公開計画なし

【本社】807-1303 福岡県鞍手郡鞍手町木月2037-4
☎0949-42-1471
鉄鋼

採用予定数	倍率	3年後離職率	平均年収
4名	‥	‥	‥

【特色】一般鋼材・特殊鋼板・ステンレス鋼板の加工を手がける独立系メーカー。子会社の若松メカニクスとともに切断から機械加工まで一括受注。国内、アジア、欧州メーカーの鋼材を扱う。取引先、仕入れ先は約900社。福岡に17工場、広島に営業所。
【定着率】‥
【採用】 【設立】1971.3【社長】門倉洋平
23年 1【従業員】単175名(41.0歳)
24年 4【有休】‥日
25年 4【初任給】月21万(諸手当を除いた数値)
【試験種類】‥【各種制度】‥

【業績】	売上高	営業利益	経常利益	純利益
単23.2	12,984	1,703	1,997	1,237
単24.2	12,412	815	1,036	1,319

戸畑鉄工（とばたてっこう）
株式公開計画なし

【本社】800-0211 福岡県北九州市小倉南区新曽根9-20
☎093-471-7955
鉄鋼

採用予定数	倍率	3年後離職率	平均年収
1名	‥	‥	‥

【特色】ダクタイル鋳鉄、耐熱・耐磨耗鋳鉄、機械加工、ロストワックス精密鋳造品などを手がける鋳造製品メーカー。製鉄、機械、造船、化学メーカーなどが顧客。20トンクラスまで製造可能な高周波溶解炉設備を保有。工場向け製缶品の設計・製作なども得意。
【定着率】‥
【採用】 【設立】1946.7【社長】安田敏剛
23年 2【従業員】単137名(43.4歳)
24年 0【有休】‥日
25年 1【初任給】月22万(諸手当を除いた数値)
【試験種類】‥【各種制度】‥

【業績】	売上高	営業利益	経常利益	純利益
単23.3	2,902	67	83	58
単24.3	2,853	95	107	66

日本磁力選鉱（にほんじりょくせんこう）
株式公開計画なし

【本社】802-0077 福岡県北九州市小倉北区馬借3-6-42
☎093-521-4455
鉄鋼

採用予定数	倍率	3年後離職率	平均年収
14名	‥	‥	‥

【特色】鉄鋼副産物のリサイクル会社。製鋼スラグ処理は全国の年間量約3割をカバー。鉄は回収、スラグはセメント原料などに活用。磁力選別機、スラグ処理設備などの製造・販売やレアメタル回収、2次電池リサイクルも手がける。東南アジア諸国に磁力選別機納入実績。
【定着率】‥
【採用】 【設立】1949.2【社長】原田信
23年 10【従業員】単419名(‥歳)
24年 5【有休】‥日
25年 14【初任給】月22.2万(諸手当を除いた数値)
【試験種類】‥【各種制度】‥

【業績】	売上高	営業利益	経常利益	純利益
単22.9	20,601	3,554	3,716	2,213
単23.9	20,378	2,334	2,490	1,561

KMアルミニウム
株式公開計画なし

【本社】836-0067 福岡県大牟田市四山町80
☎0944-53-3590
非鉄

採用予定数	倍率	3年後離職率	平均年収
10名	‥	‥	‥

【特色】日本産業パートナーズ系ファンド傘下のアルミ加工専業メーカー。主力の高純度・超高純度アルミニウムは半導体・液晶・有機EL・医療分野などで使用。アルミ鋳物や半導体製造装置向け製品も展開。軽量化ニーズが大きい車載分野に注力。
【定着率】‥
【採用】 【設立】1989.2【社長】西澤春雄
23年 7【従業員】単248名(43.0歳)
24年 6【有休】‥日
25年 10【初任給】月21.3万(諸手当を除いた数値)
【試験種類】‥【各種制度】‥

【業績】	売上高	営業利益	経常利益	純利益
単23.3	12,014	‥	1,672	1,056
単24.3	8,588	‥	975	658

㈱プラッツ

東証グロース

【本社】816-0921 福岡県大野城市仲畑2-3-17
☎092-584-3434
その他メーカー

採用予定数	倍率	3年後離職率	平均年収
3名	‥	‥	549万円

【特色】介護用電動ベッドの専業メーカー。老人ホームなど高齢者施設向け販売と在宅利用者向けレンタル業向けが主。マットレス、ベッド周辺機器、施設用家具なども扱う。海外はベトナムなどに生産拠点を持つ。高齢化が進む中国など東アジア市場を開拓。
【定着率】‥
【採用】　【設立】1995.6【社長】河内谷忠弘
23年　2【従業員】連140名 単101名(40.0歳)
24年　0【有休】‥日
25年　3【初任給】月22万(諸手当を除いた数値)
【試験種類】‥【各種制度】‥

【業績】	売上高	営業利益	経常利益	純利益
連23.6	6,312	▲108	25	222
連24.6	6,387	37	187	65

㈱九建(きゅうけん)

株式公開計画なし

【本社】810-0005 福岡県福岡市中央区清川2-13-6
☎092-523-9123
建設

採用実績数	倍率	3年後離職率	平均年収
11名	‥	‥	‥

【特色】九州電力グループで電力会社や自治体向け架空・地中送電線路の建設・メンテナンス工事を手がける建設会社。工事用地の調査・交渉も行う。福岡市内で学生向けマンションや福岡、佐賀、宮崎で駐車場の経営を手がける。支社を九州、広島に置く。
【定着率】‥
【採用】　【設立】1953.7【社長】宮崎修
23年　10【従業員】単192名(43.3歳)
24年　11【有休】‥日
25年　未定【初任給】月20.4万(諸手当を除いた数値)
【試験種類】‥【各種制度】‥

【業績】	売上高	営業利益	経常利益	純利益
単23.3	16,696	‥	1,684	1,081
単24.3	14,905	‥	692	431

九鉄工業(きゅうてつこうぎょう)

株式公開計画なし

【本店】800-0007 福岡県北九州市門司区小森江3-12-10
☎093-371-1731
建設

採用予定数	倍率	3年後離職率	平均年収
25名	‥	‥	‥

【特色】JR九州の連結子会社で九州地盤の中堅ゼネコン。親会社関連の土木、建築、線路の整備・改良工事が中心。JR・官公庁向けが売上高の約7割を占める。新工法や新技術などを積極的に提案営業。福岡、長崎、熊本、鹿児島、大分に支店。
【定着率】‥
【採用】　【設立】1942.9【代表取締役】松本喜代孝
23年　17【従業員】単437名(41.3歳)
24年　6【有休】‥日
25年　25【初任給】月23.8万(諸手当を除いた数値)
【試験種類】‥【各種制度】‥

【業績】	売上高	営業利益	経常利益	純利益
単23.3	35,064	1,740	1,796	1,203
単24.3	36,094	2,433	2,478	1,742

西日本プラント工業(にしにっぽんプラントこうぎょう)

株式公開計画なし

【本店】810-8540 福岡県福岡市中央区高砂1-10-1
☎‥
建設

採用予定数	倍率	3年後離職率	平均年収
50名	‥	‥	‥

【特色】火力・原子力など発電設備の建設と保守が基幹事業。設備の計画、設計、建設施工からメンテナンスまで一貫のプラント総合サービスを展開。復水器ECTデータ管理システムや赤外線監視システムなど自社開発技術を多数持つ。九州電力の子会社。
【定着率】‥
【採用】　【設立】1954.5【社長】豊嶋直幸
23年　50【従業員】単2,046名(43.8歳)
24年　51【有休】‥日
25年　50【初任給】月23万(諸手当を除いた数値)
【試験種類】‥【各種制度】‥

【業績】	売上高	営業利益	経常利益	純利益
単23.3	63,835	2,990	3,000	2,755
単24.3	67,691	4,113	3,997	3,177

㈱富士(ふじ)ピー・エス

東証スタンダード

【本社】810-0022 福岡県福岡市中央区薬院1-13-8
☎092-721-3471
建設

採用予定数	倍率	3年後離職率	平均年収
20名	‥	‥	635万円

【特色】PC工法大手。主力の土木事業では、道路・鉄道などの橋梁工事、老朽化コンクリート構造物の補修・補強等を行う。中央官庁、自治体向けが多く、民需は鉄道のほか電力、商業施設などで実績。建築工事はマンション建築や住宅の耐震補強が中心。枕木事業も強化。
【定着率】‥
【採用】　【設立】1954.3【社長】堤忠彦
23年　8【従業員】連495名 単439名(44.0歳)
24年　17【有休】‥日
25年　20【初任給】月22.2万(諸手当を除いた数値)
【試験種類】‥【各種制度】‥

【業績】	売上高	営業利益	経常利益	純利益
連23.3	26,843	221	226	123
連24.3	28,566	564	550	415

㈱高田工業所(たかだこうぎょうしょ)

東証スタンダード

【本社】806-8567 福岡県北九州市八幡西区築地町1-1
☎093-632-2631
建設

採用実績数	倍率	3年後離職率	平均年収
43名	‥	‥	‥

【特色】中堅エンジニアリング会社。化学、原子力・電力、石油・天然ガス、製鉄など各種プラントを対象に設計・製作・建設・保守を手がける。自社技術とデータの蓄積により、電流信号を解析し回転機械の状態を診断する電流情報量診断システムを開発。東南アジアに拠点。
【定着率】‥
【採用】　【設立】1948.6【社長】高田寿一郎
23年　56【従業員】連1,718名 単1,412名(40.7歳)
24年　43【有休】‥日
25年　前年並【初任給】月21万(諸手当を除いた数値)
【試験種類】‥【各種制度】‥

【業績】	売上高	営業利益	経常利益	純利益
連23.3	57,881	2,680	2,720	1,646
連24.3	52,257	2,400	2,385	1,668

㈱コーセーアールイー

東証スタンダード

【本社】810-0042 福岡県福岡市中央区赤坂1-15-30 ☎092-722-6677
住宅・マンション

採用予定数	倍率	3年後離職率	平均年収
5名	‥	‥	542万円

【特色】福岡県地盤の分譲マンション会社。「グランフォーレ」ブランドでファミリー向けマンションや資産運用型ワンルームマンションを開発・販売。中古マンション売買、賃貸管理、ビルメンテナンスも営む。首都圏や九州他県などに営業エリア拡大。
【定着率】‥
【採用】 【設立】1990.12【社長】諸藤敏一
23年 5【従業員】連80名 単69名(39.8歳)
24年 0【有休】‥日
25年 5【初任給】月23万(諸手当を除いた数値)
【試験種類】‥【各種制度】‥

【業績】	売上高	営業利益	経常利益	純利益
連23.1	10,995	1,630	1,843	1,259
連24.1	10,162	1,618	1,829	1,262

大英産業（だいえいさんぎょう）

福証

【本社】807-0075 福岡県北九州市八幡西区下上津役4-1-36 ☎093-613-5500
住宅・マンション

採用予定数	倍率	3年後離職率	平均年収
10名	‥	‥	518万円

【特色】福岡県中心に九州全域と山口県で分譲マンション・戸建て住宅を販売。マンションは「サンパーク」、住宅は「サンコート」のブランドで展開。投資用マンション販売、タウンハウス分譲、宿泊事業も手がける。中古物件の再生事業や街づくり事業も拡充。
【定着率】‥
【採用】 【設立】1968.11【社長】一ノ瀬謙二
23年 22【従業員】連339名 単313名(36.2歳)
24年 16【有休】‥日
25年 10【初任給】月22.2万(諸手当を除いた数値)
【試験種類】‥【各種制度】‥

【業績】	売上高	営業利益	経常利益	純利益
連22.9	33,999	1,149	965	698
連23.9	35,759	1,021	808	528

㈱JR博多シティ

株式公開計画なし

【本社】812-0012 福岡県福岡市博多区博多駅中央街7-21 紙与博多中央ビル12階 ☎092-441-5941
不動産

採用予定数	倍率	3年後離職率	平均年収
2名	‥	‥	‥

【特色】JR九州グループで、国内最大級の駅ビル「JR博多シティ」を運営管理。博多阪急などが入居し、店舗数は約400店。九州・福岡の交通の要である博多駅直結の利便性とともに、まちづくりを牽引するグループ中核会社。
【定着率】‥
【採用】 【設立】1973.4【社長】赤木征二
23年 3【従業員】単86名(37.7歳)
24年 4【有休】‥日
25年 2【初任給】月21.5万(諸手当を除いた数値)
【試験種類】‥【各種制度】‥

【業績】	売上高	営業利益	経常利益	純利益
単23.3	15,176	2,069	2,079	1,428
単24.3	17,213	3,098	3,188	2,161

㈱スピナ

株式公開未定

【本社】805-8528 福岡県北九州市八幡東区平野2-11-1 ☎093-671-0344
不動産

採用予定数	倍率	3年後離職率	平均年収
3名	‥	‥	‥

【特色】オフィスビルなどの不動産賃貸、建築・設備工事、ビルメンテナンス、公共施設の運営が主力事業。緑化環境、有害生物防除、タクシー・軽貨物、ゴルフ練習場、商事販売など多岐に渡る事業を展開。北九州地区における西鉄グループの中核企業。
【定着率】‥
【採用】 【設立】1952.9【社長】岡村卓也
23年 1【従業員】単420名(54.3歳)
24年 0【有休】‥日
25年 3【初任給】月19.3万(諸手当を除いた数値)
【試験種類】‥【各種制度】‥

【業績】	売上高	営業利益	経常利益	純利益
単23.3	5,230	‥	491	366
単24.3	5,456	‥	480	317

北九州エル・エヌ・ジー（きたきゅうしゅう）

株式公開計画なし

【本社】804-0002 福岡県北九州市戸畑区大字中原46-117 日本製鉄構内 ☎093-882-8900
電力・ガス

採用予定数	倍率	3年後離職率	平均年収
7名	‥	‥	‥

【特色】九州電力と日本製鉄の合弁によるLNG基地運営会社。LNGの受け入れ・貯蔵・気化・送出や販売を行う。送出された天然ガスは九州電力の新小倉発電所と戸畑共同火力で発電用燃料として使われ、北九州のほぼ全域の電力を賄う。
【定着率】‥
【採用】 【設立】1974.2【社長】岡田健志
23年 1【従業員】単76名(44.6歳)
24年 2【有休】‥日
25年 7【初任給】月21.1万(諸手当を除いた数値)
【試験種類】‥【各種制度】‥

【業績】	売上高	営業利益	経常利益	純利益
単23.3	3,960	368	394	310
単24.3	4,108	356	425	295

㈱井筒屋（いづつや）

東証スタンダード

【本社】802-8511 福岡県北九州市小倉北区船場町1-1 ☎093-522-3111
デパート

採用実績数	倍率	3年後離職率	平均年収
8名	‥	‥	377万円

【特色】北九州地盤の百貨店。黒崎店が閉店し、旗艦店の小倉店と子会社が運営する山口店に経営資源を集中。福岡、大分、山口の3県でサテライトショップを18店舗展開。グループで、慶弔ギフトの販売、国内・輸入製品の卸売なども行う。
【定着率】‥
【採用】 【設立】1935.7【代表取締役】影山英雄
23年 11【従業員】連696名 単580名(50.0歳)
24年 8【有休】‥日
25年 未定【初任給】月20万(諸手当を除いた数値)
【試験種類】‥【各種制度】‥

【業績】	売上高	営業利益	経常利益	純利益
連23.2	22,573	1,177	1,075	1,019
連24.2	22,521	998	947	966

㈱博多大丸（はかただいまる）
株式公開していない

【本社】810-0001 福岡県福岡市中央区天神1-4-1 ☎092-712-8181
デパート

採用予定数	倍率	3年後離職率	平均年収
未定	‥	‥	‥

【特色】大丸松坂屋百貨店グループで、約4万4000㎡の売場面積持つ「大丸福岡天神店」を運営。1952年の設立以来、博多の街とともに発展。国際都市・福岡の上質な暮らしをサポートする創造型百貨店を目指す。Webショップも運営。
【定着率】‥
【採用】 【設立】1952.10【社長】村本光児
23年 ‥【従業員】単‥名(‥歳)
24年 ‥【有休】‥日
25年 未定【初任給】‥万
【試験種類】‥【各種制度】‥

【業績】	売上高	営業利益	経常利益	純利益
単23.2	14,076	▲53	▲385	▲432
単24.2	15,742	881	652	587

㈱西鉄ストア（にしてつ）
株式公開計画なし

【本社】818-0083 福岡県筑紫野市針摺中央2-16-14 ☎092-408-4701
スーパー

採用実績数	倍率	3年後離職率	平均年収
13名	‥	‥	‥

【特色】「にしてつストア」「レガネット」「スピナ」「あんくる夢市場」などの食品スーパーを福岡・佐賀県中心に約90店と飲食店約20店を展開。都市型小型店「レガネットキュート」の運営、ネットスーパー「喜くばり本舗」のサービス拡充に取り組む。
【定着率】‥
【採用】 【設立】1969.6 【代表取締役】久保田等
23年 11【従業員】単‥名(‥歳)
24年 13【有休】‥日
25年 未定【初任給】月20.8万(諸手当を除いた数値)
【試験種類】‥【各種制度】‥

【業績】	売上高	営業利益	経常利益	純利益
単23.3	62,142	‥	295	▲391
単24.3	63,514	‥	842	610

㈱梅の花（うめのはな）
東証スタンダード

【本社】830-0033 福岡県久留米市天神町146 ☎0942-38-3440
外食・中食

採用予定数	倍率	3年後離職率	平均年収
未定	‥	‥	459万円

【特色】高級和食店「梅の花」を全国展開する外食企業。湯葉、豆腐をベースに高価格帯の創作懐石料理を提供。外食事業では鍋料理を提供する「すし半」や海産物居酒屋「さくら水産」も運営。デパ地下での持ち帰りずし販売の「古市庵」をM&Aで取得、テイクアウト事業も手がける。
【定着率】‥
【採用】 【設立】1990.7【会長】本多裕二
23年 ‥【従業員】連657名 単144名(43.0歳)
24年 ‥【有休】‥日
25年 未定【初任給】‥万
【試験種類】‥【各種制度】‥

【業績】	売上高	営業利益	経常利益	純利益
連23.4	27,456	89	14	▲440
連24.4	29,816	819	739	1,020

㈱力の源ホールディングス（ちからのもと）
東証プライム

【本社】810-0041 福岡県福岡市中央区大名1-13-14 ☎092-762-4445
外食・中食

採用予定数	倍率	3年後離職率	平均年収
30名	‥	‥	555万円

【特色】博多ラーメン専門店「一風堂」が主力の外食チェーン。フードコートへの出店やラーメンダイニング業態も手がける。国内は直営主体、海外は直営とライセンス供与で運営。積極的な海外展開で売上比率は国内店舗売上とほぼ拮抗。ECサイト「麺ズマーケット」も。
【定着率】‥
【グループ採用】【設立】1994.12【社長】山根智之
23年 5【従業員】連602名 単18名(40.9歳)
24年 6【有休】‥日
25年 30【初任給】月22.7万(諸手当を除いた数値)
【試験種類】‥【各種制度】‥

【業績】	売上高	営業利益	経常利益	純利益
連23.3	26,116	2,281	2,321	1,628
連24.3	31,776	3,296	3,489	2,186

アプライド
東証スタンダード

【本社】812-0007 福岡県福岡市博多区東比恵3-3-1 ☎092-481-7801
家電量販・薬局・HC

採用実績数	倍率	3年後離職率	平均年収
35名	‥	‥	493万円

【特色】パソコン本体・周辺機器の販売が主力。九州・福岡を基盤に中国、四国から東海までパソコン小売店「アプライド」を展開。SI事業は大学・官公庁・研究機関向けに高機能PCの受注販売行い、売上の主体に。子会社で化粧品・雑貨専門店運営や地元情報誌を発行。
【定着率】‥
【採用】 【設立】1982.9 【会長兼社長】岡義治
23年 46【従業員】連446名 単410名(34.3歳)
24年 35【有休】‥日
25年 微増【初任給】月22.1万(諸手当を除いた数値)
【試験種類】‥【各種制度】‥

【業績】	売上高	営業利益	経常利益	純利益
連23.3	38,606	1,737	1,753	1,098
連24.3	42,819	2,124	2,142	1,210

HYUGA PRIMARY CARE
東証グロース

【本社】816-0802 福岡県春日市春日原北町2-2-1 ☎092-558-2120
その他小売業

採用予定数	倍率	3年後離職率	平均年収
7名	‥	‥	422万円

【特色】薬剤師が在宅患者に居宅療養管理指導を行う在宅訪問薬局サービスを展開。「きらり薬局」の屋号で西日本と横浜・千葉に店舗持つ。要介護認定を受けた高齢施設入居者が主な顧客。中小薬局事業者向けの在宅訪問薬局の運営ノウハウ支援やシステム貸与も手がける。
【定着率】‥
【採用】 【設立】2007.11【社長】黒木哲史
23年 1【従業員】連578名 単578名(38.0歳)
24年 5【有休】‥日
25年 7【初任給】月18.7万(諸手当を除いた数値)
【試験種類】‥【各種制度】‥

【業績】	売上高	営業利益	経常利益	純利益
単23.3	6,657	530	557	382
連24.3	8,285	710	716	441

福岡トヨタ自動車（ふくおかトヨタじどうしゃ）

株式公開計画なし

【本社】810-0004 福岡県福岡市中央区渡辺通4-8-28 ☎092-761-3331
その他小売業

採用予定数	倍率	3年後離職率	平均年収
80名	‥	‥	‥

【特色】福岡県地盤のトヨタ車ディーラー。プリウスはじめトヨタ全車種のほか、輸入車（VW）も扱う。新車、中古車合わせ約50店と、ボディリペア店を展開。誘致管理機能、来店客管理機能、商談支援機能など備えた業務管理システムを駆使。
【定着率】‥
【採用】【設立】1942.10【社長】金子直幹
23年 86【従業員】単1,239名（37.8歳）
24年 78【有休】‥日
25年 80【初任給】月21万（諸手当を除いた数値）
【試験種類】‥【各種制度】‥

【業績】	売上高	営業利益	経常利益	純利益
単23.3	79,335	‥	‥	1,046
単24.3	102,739	‥	‥	2,776

アイ・ケイ・ケイホールディングス

東証プライム

【福岡本部】811-2245 福岡県糟屋郡志免町片峰3-6-5 ☎050-3539-1122
その他サービス

採用予定数	倍率	3年後離職率	平均年収
100名	‥	‥	382万円

【特色】ゲストハウス型の挙式・披露宴の企画・運営、主要ブランド「ララシャンス」で展開。九州が地盤で四国、北陸、東北などに出店。近年は東京・江東区に開業、海外はインドネシアにも進出。子会社でフォトウエディングや引出物などの食品事業も手がける。
【定着率】‥
【グループ採用】【設立】1995.11【会長兼社長】金子和斗志
23年 152【従業員】連1,086名 単862名（28.9歳）
24年 159【有休】‥日
25年 100【初任給】月20万（諸手当を除いた数値）
【試験種類】‥【各種制度】‥

【業績】	売上高	営業利益	経常利益	純利益
連22.10	19,056	1,808	2,096	1,398
連23.10	21,990	1,955	2,005	1,340

㈱ウチヤマホールディングス

東証スタンダード

【本社】802-0044 福岡県北九州市小倉北区熊本2-10-10 内山第20ビル ☎093-551-0002
その他サービス

採用予定数	倍率	3年後離職率	平均年収
10名	‥	‥	446万円

【特色】介護、カラオケ、飲食事業の3本が中心。主力の介護は、全国約200カ所展開し、入居一時金なしの介護付き有料老人ホーム「さわやか倶楽部」などが中心。認知症グループホームや障害児通所支援事業も行う。九州中心にカラオケ、居酒屋なども運営。
【定着率】‥
【グループ採用】【設立】2006.10【社長】山本武博
23年 3【従業員】連2,272名 単30名（45.5歳）
24年 4【有休】‥日
25年 10【初任給】月18.6万（諸手当を除いた数値）
【試験種類】‥【各種制度】‥

【業績】	売上高	営業利益	経常利益	純利益
連23.3	26,911	▲798	▲139	▲400
連24.3	28,842	589	1,189	213

光和精鉱（こうわせいこう）

株式公開していない

【本社】804-0002 福岡県北九州市戸畑区大字中原字先ノ浜46-93 ☎093-872-5155
その他サービス

採用予定数	倍率	3年後離職率	平均年収
未定	‥	‥	‥

【特色】日本製鉄とDOWAエコシステム折半合弁の廃棄物処理会社。年間20万t以上の処理実績。塩素や貴金属を含む廃棄物処理に強み。小型から大型までの各種電気機器類や低濃度PCB汚染物を含めた無害化処理事業も展開。関東以西中心に約1500社と取引。
【定着率】‥
【採用】【設立】1961.2【社長】加納睦也
23年 2【従業員】単‥名（‥歳）
24年 ‥【有休】‥日
25年 未定【初任給】‥万
【試験種類】‥【各種制度】‥

【業績】	売上高	営業利益	経常利益	純利益
単23.3	6,476	337	316	168
単24.3	6,194	▲775	▲776	▲929

㈱シー・アール・シー

株式公開計画なし

【本社】815-0075 福岡県福岡市南区長丘2-1-4 ☎092-623-2111
その他サービス

採用実績数	倍率	3年後離職率	平均年収
10名	‥	‥	‥

【特色】医療機関などからの臨床検査受託が主要事業。沖縄含む九州全県と山口県に支所・検査室を配置。グループで病理組織診断や食品衛生検査、医療機器・医療用具販売を展開。ダニ・食物アレルゲン検査など新分野。環境計量など環境分野にも注力。
【定着率】‥
【採用】【設立】1969.7【社長】江川智広
23年 13【従業員】単242名（43.0歳）
24年 10【有休】‥日
25年 未定【初任給】月20.3万（諸手当を除いた数値）
【試験種類】‥【各種制度】‥

【業績】	売上高	営業利益	経常利益	純利益
単22.6	9,058	1,571	1,613	409
単23.6	6,981	513	533	83

佐賀酒類販売（さがしゅるいはんばい）

株式公開計画なし

【本社】849-0934 佐賀県佐賀市開成6-10-16 ☎0952-31-2255
商社・卸売業

採用実績数	倍率	3年後離職率	平均年収
1名	‥	‥	‥

【特色】佐賀県内約20の蔵元の清酒を主とした総合酒類卸。ビール、清酒・焼酎、リキュールなどの酒類に加え飲料水も取り扱う。少量多品種化に対応。飲み比べパッケージ商品「佐賀ん酒」「佐賀くらべ」をふるさと納税の返礼品として提供。
【定着率】‥
【採用】【設立】1949.7【社長】矢野善紀
23年 1【従業員】単114名（42.0歳）
24年 1【有休】‥日
25年 未定【初任給】‥万
【試験種類】‥【各種制度】‥

【業績】	売上高	営業利益	経常利益	純利益
単22.6	17,659	101	154	64
単23.6	18,893	114	167	53

㈱伊万里木材市場（いまりもくざいいちば）

株式公開 いずれしたい

【本社】849-4252 佐賀県伊万里市山代町楠久津145-30 ☎0955-20-2183
商社・卸売業

採用実績数	倍率	3年後離職率	平均年収
2名	‥	‥	‥

【特色】木材の市売り（入札販売）、個別販売や森林整備事業のほか、構造材、内装材、外装材の仕入れ販売を行う。プレカット加工も手がける。原木や素材は九州、中国地方などから調達。原木、製品両市場を併設。福岡、大分、鹿児島に営業所。福岡・糸島にも事業所。
【定着率】‥
【採用】　【設立】1960.11【代表取締役】林雅文
23年　2【従業員】単98名（41.8歳）
24年　2【有休】‥日
25年　未定【初任給】月17万（諸手当を除いた数値）
【試験種類】‥【各種制度】‥

【業績】	売上高	営業利益	経常利益	純利益
単22.12	13,306	549	539	426
単23.12	10,360	300	334	239

九州ひぜん信用金庫（きゅうしゅうしんようきんこ）

株式公開 計画なし

【本部】843-0024 佐賀県武雄市武雄町大字富岡8894 ☎0954-23-1281
信用金庫

採用予定数	倍率	3年後離職率	平均年収
7名	‥	‥	‥

【特色】佐賀県武雄市を本拠とする信用金庫。佐賀県と壱岐市、対馬市を除く長崎県が営業エリアで域内に18店舗を展開。杵島信金と佐世保市本店の西九州信金が九州初の県境越え合併で現体制に。預金量1634億円、貸出金891億円（24年3月末）。
【定着率】‥
【採用】　【設立】1953.4【理事長】石橋正広
23年　8【従業員】単147名（41.1歳）
24年　4【有休】‥日
25年　7【初任給】月17.5万（諸手当を除いた数値）
【試験種類】‥【各種制度】‥

【業績】	経常収益	業務純益	経常利益	純利益
単23.3	2,351	278	277	201
単24.3	2,410	358	295	218

佐賀信用金庫（さがしんようきんこ）

株式公開 計画なし

【本部】840-0825 佐賀県佐賀市中央本町8-10 ☎0952-22-2141
信用金庫

採用予定数	倍率	3年後離職率	平均年収
7~8名	‥	‥	‥

【特色】佐賀県全域と福岡県大川市が営業圏の信用金庫。10店舗を展開。中小企業向け貸出が6割を占める。地域企業に対する、創業・起業から事業承継までの経営支援に注力。預金量1318億円、貸出金679億円（24年3月末）。
【定着率】‥
【採用】　【設立】1949.10【理事長】坂田慎一郎
23年　7【従業員】単133名（41.7歳）
24年　5【有休】‥日
25年　7～8【初任給】月19万（諸手当を除いた数値）
【試験種類】‥【各種制度】‥

【業績】	経常収益	業務純益	経常利益	純利益
単23.3	2,080	246	121	108
単24.3	2,268	164	139	207

トヨタ紡織九州（ぼうしょくきゅうしゅう）

株式公開 未定

【本社】842-0107 佐賀県神埼市神埼町鶴1600 ☎0952-52-7111
自動車部品

採用実績数	倍率	3年後離職率	平均年収
21名	‥	‥	‥

【特色】自動車シートやドアトリムなどの内装品、シリンダーヘッドカバーやエアクリーナーなどのエンジン周辺機器を生産。主にトヨタの「レクサス」を担当。佐賀県神埼市と福岡県宮若市の2工場体制で、本社工場では手作業が主体。トヨタ紡織の子会社。
【定着率】‥
【採用】　【設立】1991.8【社長】伊丹正
23年　20【従業員】単976名（38.1歳）
24年　21【有休】‥日
25年　未定【初任給】月19.5万（諸手当を除いた数値）
【試験種類】‥【各種制度】‥

【業績】	売上高	営業利益	経常利益	純利益
単23.3	73,462	4,154	4,395	3,066
単24.3	89,463	7,752	7,823	5,559

㈱中山鉄工所（なかやまてっこうしょ）

株式公開 計画なし

【本社】843-0001 佐賀県武雄市朝日町大字甘久2246-1 ☎0954-22-4171
機械

採用予定数	倍率	3年後離職率	平均年収
4名	‥	‥	‥

【特色】破砕機、選別機、コンベヤーなどのプラントメーカー。リサイクル・砕石技術にも強み。砕石プラントは70カ国に輸出。IoTでのプラント制御広がる。本社工場の他、東京、大阪、名古屋、広島、仙台に拠点。シンガポール、英国に現地法人。1908年創業。
【定着率】‥
【採用】　【設立】2022.4【社長】中山弘志
23年　1【従業員】単125名（41.0歳）
24年　5【有休】‥日
25年　4【初任給】月22.1万（諸手当を除いた数値）
【試験種類】‥【各種制度】‥

【業績】	売上高	営業利益	経常利益	純利益
単23.2	6,582	634	821	▲208
単24.2	6,991	531	617	443

久光製薬（ひさみつせいやく）

東証 プライム

【九州本社】841-0017 佐賀県鳥栖市田代大官町408 ☎0942-83-2101
医薬品

採用実績数	倍率	3年後離職率	平均年収
69名	‥	‥	719万円

【特色】身体に貼る消炎鎮痛剤で最大手。大衆薬は「サロンパス」が主力。医療用は「モーラス」ブランドで展開し、テープ群、パップ群を合わせてシェア約5割。貼付剤の技術をベースに、経皮吸収型の統合失調症剤や疼痛治療剤などを販売。鳥栖と宇都宮に工場。
【定着率】‥
【採用】　【設立】1944.5【社長】中冨一榮
23年　‥【従業員】連2,759名 単1,506名（39.4歳）
24年　69【有休】‥日
25年　未定【初任給】月22万（諸手当を除いた数値）
【試験種類】‥【各種制度】‥

【業績】	売上高	営業利益	経常利益	純利益
連23.2	128,330	11,599	16,051	11,742
連24.2	141,706	13,167	19,649	13,969

㈱ミズホメディー
東証スタンダード

【本社】841-0048 佐賀県鳥栖市藤木町5-4
☎0942-85-0303
医薬品

採用予定数	倍率	3年後離職率	平均年収
未定	‥	‥	756万円

【特色】体外検査用医薬品専業メーカーで、開発・製造・販売を一貫して行う。医療用の感染症診断薬に強み。インフルエンザ迅速診断薬から腎・肝機能、黄体ホルモン検査薬なども扱う。妊娠検査薬などの一般向けや農業向け製品も展開。小型遺伝子検査装置を独自開発。
【定着率】‥
【採用】　【設立】1977.11【会長兼社長】唐川文成
23年　0【従業員】単188名(43.9歳)
24年　0【有休】‥日
25年　未定【初任給】月23.5万(諸手当を除いた数値)
【試験種類】‥【各種制度】‥

【業績】	売上高	営業利益	経常利益	純利益
単22.12	17,581	11,104	11,070	7,838
単23.12	10,989	5,151	5,292	3,774

㈱佐電工（さでんこう）
株式公開計画なし

【本社】840-0815 佐賀県佐賀市天神1-4-3
☎0952-23-4144
建設

採用実績数	倍率	3年後離職率	平均年収
14名	‥	‥	‥

【特色】九州が地盤の中堅電気工事会社。電気設備工事や空調・管工事を主力に送配電工事、通信工事などに事業展開。オフィスビルやマンション、病院、倉庫など幅広く対応。九州全域に加え、東京にも支社を設け首都圏市場を深耕。
【定着率】‥
【採用】　【設立】1942.11【社長】岩下雅之
23年　20【従業員】単440名(41.7歳)
24年　14【有休】‥日
25年　未定【初任給】月22.2万(諸手当を除いた数値)
【試験種類】‥【各種制度】‥

【業績】	売上高	営業利益	経常利益	純利益
単22.12	17,034	968	1,154	774
単23.12	24,410	2,092	2,320	1,335

イサハヤ電子（でんし）
株式公開いずれしたい

【本社】854-0065 長崎県諫早市津久葉町6-41
☎0957-26-3592
電子部品・機器

採用実績数	倍率	3年後離職率	平均年収
7名	‥	‥	‥

【特色】カスタム電源などパワーモジュール製品、トランジスタ・ダイオードなどディスクリート製品を開発製造。パワーモジュールの用途は産業機器や家電製品向けなど幅広い。国内2カ所にラボ。中国とフィリピンに生産拠点。香港、シンガポールに販売拠点。
【定着率】‥
【採用】　【設立】1973.3【社長】瀬上昭夫
23年　12【従業員】単172名(42.6歳)
24年　7【有休】‥日
25年　未定【初任給】月21.2万(諸手当を除いた数値)
【試験種類】‥【各種制度】‥

【業績】	売上高	営業利益	経常利益	純利益
単23.3	11,453	87	320	303
単24.3	11,564	275	322	298

佐世保重工業（させぼじゅうこうぎょう）
株式公開計画なし

【本社】857-8501 長崎県佐世保市立神町1
☎0956-25-9111
輸送用機器

採用実績数	倍率	3年後離職率	平均年収
4名	‥	‥	‥

【特色】商船・艦艇・特殊船など各種船舶の改造・修理とクランク軸など各種エンジン部品、舶用軸系などの製造が事業の柱。商船のほか艦艇、特殊船、官公庁船に修繕船の実績を持つ。東京と大阪に営業所を置く。名村造船所グループで、旧佐世保海軍工廠を継承して発足。
【定着率】‥
【採用】　【設立】1946.10【社長】名村建介
23年　0【従業員】連482名 単368名(39.2歳)
24年　4【有休】‥日
25年　未定【初任給】月21万(諸手当を除いた数値)
【試験種類】‥【各種制度】‥

【業績】	売上高	営業利益	経常利益	純利益
連23.3	12,207	193	680	827
連24.3	14,555	1,214	1,392	1,657

㈱ジャパネットホールディングス
株式公開計画なし

【本社】857-1197 長崎県佐世保市日宇町2781
☎0956-26-1300
その他小売業

採用予定数	倍率	3年後離職率	平均年収
未定	‥	‥	‥

【特色】TV、ラジオ、チラシ、カタログ、Web通販大手。自社スタジオから発信。家電、寝具、旅行など、取扱商品は幅広い。新しい事業の柱としてスポーツ・地域創生事業に注力。「長崎スタジアムシティ」は24年10月に開業。
【定着率】‥
【採用】　【設立】2007.6【社長】髙田旭人
23年　‥【従業員】単‥名(‥歳)
24年　‥【有休】‥日
25年　未定【初任給】‥万
【試験種類】‥【各種制度】‥

【業績】	売上高	営業利益	経常利益	純利益
連22.12	248,700	‥	‥	‥
連23.12	262,100	‥	‥	‥

富田薬品（とみたやくひん）
株式公開計画なし

【本社】862-8711 熊本県熊本市中央区九品寺6-2-35
☎096-373-1111
商社・卸売業

採用予定数	倍率	3年後離職率	平均年収
15名	‥	‥	‥

【特色】医薬品卸の老舗。医療用医薬品販売が柱で売上の9割超占める。A&S(動物&衛生管理)事業として動物用・水産用医薬品も扱う。沖縄の沖動薬と動物用医薬品卸売事業で業務提携。九州全県に営業拠点、ベトナムに現地法人。
【定着率】‥
【採用】　【設立】1948.8【社長】富田久雄
23年　15【従業員】単676名(40.0歳)
24年　15【有休】‥日
25年　15【初任給】月22.7万
【試験種類】‥【各種制度】‥

【業績】	売上高	営業利益	経常利益	純利益
単23.3	137,026	843	1,891	1,391
単24.3	146,776	1,422	2,476	1,607

㈱ビューティカダンホールディングス

東証スタンダード

【本社】862-0967 熊本県熊本市南区流通団地1-46 ☎096-370-0004
商社・卸売業

採用実績数	倍率	3年後離職率	平均年収
3名	‥	‥	473万円

【特色】葬儀会社へ生花祭壇や供花などの企画・設営を提供する生花祭壇事業と、葬儀会社や小売店向けに生花を提供する卸売事業の2本柱。ブライダル向け装花サービスも展開。子会社で葬儀社やブライダル業界向けにシステム開発も行う。
【定着率】‥
【グループ採用】【設立】2000.6【社長】舛田正一
23年 2【従業員】連238名 単14名(39.5歳)
24年 3【有休】‥日
25年 増加【初任給】月20.3万(諸手当を除いた数値)
【試験種類】‥【各種制度】‥

【業績】	売上高	営業利益	経常利益	純利益
連23.6	6,413	124	135	88
連24.6	6,982	84	99	28

㈱熊本日日新聞社（くまもとにちにちしんぶんしゃ）

株式公開計画なし

【本社】860-8506 熊本県熊本市中央区世安1-5-1 ☎096-361-3111
新聞

採用実績数	倍率	3年後離職率	平均年収
4名	‥	‥	‥

【特色】熊本県の日刊紙発行新聞社。朝・夕刊を発行。東京、大阪、福岡、八代に支社、県内20総・支局。発行部数約21万部。文化・スポーツイベントも主催。電子版発行通じた部数維持、新規事業開拓、広告売上拡大などの取組継続。
【定着率】‥
【採用】【設立】1942.4【会長】河村邦比児
23年 5【従業員】単396名(44.3歳)
24年 4【有休】‥日
25年 未定【初任給】月23.1万(諸手当を除いた数値)
【試験種類】‥【各種制度】‥

【業績】	売上高	営業利益	経常利益	純利益
単23.3	13,631	‥	1	30
単24.3	13,497	‥	▲107	114

アイシン九州（きゅうしゅう）

株式公開計画なし

【本社】861-4214 熊本県熊本市南区城南町舞原500-1 ☎0964-28-8181
自動車部品

採用予定数	倍率	3年後離職率	平均年収
21名	‥	‥	‥

【特色】アイシン子会社の自動車部品メーカー。ドア、ルーフ・外装部品を扱う。液晶・半導体製造装置も生産。トヨタグループのほか日産、マツダとも取引。エンジン部品は子会社と連携で鋳造から加工・組立まで一貫。希少種生育環境保護活動に熱心。
【定着率】‥
【採用】【設立】1993.4【社長】遠藤眞
23年 12【従業員】単764名(39.0歳)
24年 24【有休】‥日
25年 21【初任給】月23万(諸手当を除いた数値)
【試験種類】‥【各種制度】‥

【業績】	売上高	営業利益	経常利益	純利益
単23.3	32,082	279	525	362
単24.3	34,857	1,184	1,514	1,033

アイシン九州キャスティング

株式公開計画なし

【本社】861-4214 熊本県熊本市南区城南町舞原1227-1 ☎0964-28-1611
自動車部品

採用予定数	倍率	3年後離職率	平均年収
7名	‥	‥	‥

【特色】エンジンサイドモジュール、タイミングチェーンカバーなど自動車用エンジン部品や、モーターカバーなどのeAxle(電気自動車用部品)を手がける。年間7000tのエンジンアルミ製品を生産。アイシングループのアイシン九州の生産子会社。
【定着率】‥
【採用】【設立】2007.8【社長】遠藤眞
23年 16【従業員】単344名(36.0歳)
24年 9【有休】‥日
25年 7【初任給】月23万(諸手当を除いた数値)
【試験種類】‥【各種制度】‥

【業績】	売上高	営業利益	経常利益	純利益
単23.3	11,202	148	167	254
単24.3	14,187	846	831	623

㈱プレシード

株式公開していない

【本社】861-3103 熊本県上益城郡嘉島町井寺250-9 ☎096-235-7727
機械

採用実績数	倍率	3年後離職率	平均年収
10名	‥	‥	‥

【特色】生産装置全般の自動化・省力化機器の開発・設計・製作を手がける。半導体、液晶、自動車、エレクトロニクス向けなど幅広い分野に対応。自社企画商品の開発・販売を促進。熊本県嘉島町に本社と工場、技術研究所。中国・上海とタイに拠点。
【定着率】‥
【採用】【設立】1989.11【社長】松本修一
23年 2【従業員】単110名(‥歳)
24年 10【有休】‥日
25年 未定【初任給】‥万
【試験種類】‥【各種制度】‥

【業績】	売上高	営業利益	経常利益	純利益
単22.12	1,750	50	51	34
単23.12	‥	‥	‥	▲1,153

DAIZ

株式公開いずれしたい

【本社】860-0812 熊本県熊本市中央区南熊本5-1-1 テルウェル熊本ビル4階 ☎096-363-8800
食品・水産

採用予定数	倍率	3年後離職率	平均年収
未定	‥	‥	‥

【特色】熊本を拠点に特許技術により風味食感に優れた発芽大豆由来の植物肉原料を開発。創薬・探索情報となる大規模フィトアレキシン(植物二次代謝物質)の開発も行う。高度な専門領域に対応する新会社を設立。植物肉の新工場を建設し、25年2月に操業予定。
【定着率】‥
【採用】【設立】2015.12【社長】河野淳子
23年 0【従業員】単57名(42.9歳)
24年 0【有休】‥日
25年 未定【初任給】‥万
【試験種類】‥【各種制度】‥
【業績】NA

㈱新星（しんせい）

株式公開 計画なし

【本社】861-8044 熊本県熊本市東区神園2-1-1
☎096-380-1188
建設

採用実績数	倍率	3年後離職率	平均年収
4名	‥	‥	‥

【特色】電気設備工事を主体とする、電気通信、空調・衛生設備、管・水道施設などの総合設備工事会社。地域密着営業。官公庁や中堅ゼネコン向け中心に九州全域で事業展開。スプリンクラー設置など消防施設工事の設計・施工も手がける。
【定着率】‥
【採用】　【設立】1974.4 【社長】山本健吾
23年　2【従業員】単65名(44.8歳)
24年　4【有休】‥日
25年　未定【初任給】月22.1万(諸手当を除いた数値)
【試験種類】‥【各種制度】‥

【業績】	売上高	営業利益	経常利益	純利益
単22.7	3,182	181	260	166
単23.7	3,055	286	363	249

重光産業（しげみつさんぎょう）

株式公開 いずれしたい

【本社】869-1107 熊本県菊池郡菊陽町辛川448
☎096-349-2222
外食・中食

採用予定数	倍率	3年後離職率	平均年収
4名	‥	‥	‥

【特色】熊本発祥の豚骨ラーメン「味千拉麺」のFC本部。食品製造業、飲食、FC中心に事業展開。業務用食材を自社工場で生産し販売も行う。国内、中国やシンガポールなど海外含め15カ国700店以上を展開。オンラインショップの運営も手がける。
【定着率】‥
【採用】　【設立】1972.7 【社長】重光克昭
23年　2【従業員】単108名(41.9歳)
24年　5【有休】‥日
25年　4【初任給】月19万(諸手当を除いた数値)
【試験種類】‥【各種制度】‥

【業績】	売上高	営業利益	経常利益	純利益
単22.6	2,131	22	323	129
単23.6	2,429	183	262	▲60

㈱ヒライ

株式公開 計画なし

【本社】860-0047 熊本県熊本市西区春日7-26-70
☎096-324-3666
外食・中食

採用予定数	倍率	3年後離職率	平均年収
10名	‥	‥	‥

【特色】自家製持帰り弁当、おにぎり、すし、総菜類を製造販売。熊本市に本社と工場、福岡県筑後市、熊本県八代市にも工場。ロードサイド店のほかスーパーのテナント出店も行う。九州全域で約170店舗運営。ヒライHD傘下の中核事業会社。
【定着率】‥
【採用】　【設立】2009.6 【社長】平井浩一郎
23年　5【従業員】単2,156名(43.9歳)
24年　5【有休】‥日
25年　10【初任給】月23.4万(諸手当を除いた数値)
【試験種類】‥【各種制度】‥

【業績】	売上高	営業利益	経常利益	純利益
単22.5	15,576	‥	209	‥
単23.5	17,272	‥	311	‥

九州産業交通ホールディングス

株式公開 していない

【本社】860-0803 熊本県熊本市中央区新市街1-28 THE PLACE 花畑4階
☎096-325-8229
鉄道・バス

採用予定数	倍率	3年後離職率	平均年収
22名	‥	‥	‥

【特色】熊本県内をカバーするバス運行を中心とした交通事業が主力。観光・旅行、飲食・物販、不動産事業などをグループ会社で展開。地方都市では九州最大級の大型商業複合施設「サクラマチクマモト」を開発・運営。HISグループの持株会社。
【定着率】‥
【グループ採用】【設立】1942.8 【社長】岩間雄二
23年　35【従業員】連1,463名 単59名(43.0歳)
24年　35【有休】‥日
25年　22【初任給】月18.5万(諸手当を除いた数値)
【試験種類】‥【各種制度】‥

【業績】	売上高	営業利益	経常利益	純利益
連22.9	17,960	▲1,559	▲592	▲1,275
単23.9	834	183	231	▲314

丸果大分大同青果（まるかおおいただいどうせいか）

株式公開 いずれしたい

【本社】870-0018 大分県大分市豊海4-1-1
☎097-533-3232
商社・卸売業

採用予定数	倍率	3年後離職率	平均年収
3名	‥	‥	‥

【特色】大分市公設地方卸売市場で青果卸売市場を運営。野菜、果実が中心。白葱、カボチャ、ニンニクなどの産地育成に注力。野菜の取引産地は大分軸に北海道から沖縄まで広域。果実は産地ブランド戦略に対応して中少量多品種の取り扱いに注力。
【定着率】‥
【採用】　【設立】1976.7 【社長】小野秀幸
23年　2【従業員】単52名(45.2歳)
24年　2【有休】‥日
25年　3【初任給】月18.5万(諸手当を除いた数値)
【試験種類】‥【各種制度】‥

【業績】	売上高	営業利益	経常利益	純利益
単23.3	14,357	89	102	71
単24.3	14,492	78	85	58

㈱サン・ダイコー

株式公開 計画なし

【本社】870-8676 大分県大分市西大道2-3-28
☎097-543-5652
商社・卸売業

採用実績数	倍率	3年後離職率	平均年収
10名	‥	‥	‥

【特色】動物・水産用医薬品を中心に、食品添加物や素材原料、化学工業薬品、化粧品原料なども扱う。動物薬では国内トップ級。医薬品卸のアステムを中核とするフォレストHD傘下。福岡と大分の2本社体制。グループで農園や魚類養殖、食品加工、酒類製造も展開。
【定着率】‥
【採用】　【設立】1974.3 【社長】衞藤幸一
23年　5【従業員】単290名(‥歳)
24年　10【有休】‥日
25年　未定【初任給】‥万
【試験種類】‥【各種制度】‥

【業績】	売上高	営業利益	経常利益	純利益
単23.3	33,610	1,553	1,619	1,001
単24.3	35,138	‥	‥	‥

㈱フォレストホールディングス

株式公開計画なし

【本社】870-8602 大分県大分市西大道2-3-8 ☎097-543-2111
商社・卸売業

採用予定数	倍率	3年後離職率	平均年収
61名	‥	‥	‥

【特色】医療用・一般用・動物用の医薬品と医療機器の卸販売を中心とした企業グループ。一般用医薬品、健康食品、化粧品の製造・販売なども手がける。明治から大正にかけて九州で創業した売薬が源流で、九州・沖縄、中国が地盤。
【定着率】‥
【グループ採用】【設立】2008.10【社長】吉村次生
23年 40【従業員】連2,034名 単68名(44.2歳)
24年 47【有休】‥日
25年 61【初任給】‥万
【試験種類】‥【各種制度】‥

【業績】	売上高	営業利益	経常利益	純利益
連23.3	482,237	5,107	7,149	3,068
連24.3	504,770	6,158	8,000	5,109

FIG

東証プライム

【本社】870-0823 大分県大分市東大道2-5-60 ☎097-576-8730
システム・ソフト

採用予定数	倍率	3年後離職率	平均年収
未定	‥	‥	‥

【特色】移動体通信システムのモバイルクリエイトと半導体製造後工程装置のREALIZEが設立した共同持株会社。前者は旅客運送業者向けに車両などの移動体管理システムを提供。後者は半導体の切断・成形、マーキング、検査のほか、ロボット製造なども手がける。
【定着率】‥
【主要子会社採用】【設立】2018.7【社長】村井雄司
23年 ‥【従業員】単146名(‥歳)
24年 ‥【有休】‥日
25年 未定【初任給】‥万
【試験種類】‥【各種制度】‥

【業績】	売上高	営業利益	経常利益	純利益
連22.12	12,914	932	964	685
連23.12	13,534	723	715	210

㈱児湯食鳥（こゆしょくちょう）

株式公開していない

【本社】889-1301 宮崎県児湯郡川南町大字川南21622-1 ☎0983-27-1165
食品・水産

採用予定数	倍率	3年後離職率	平均年収
未定	‥	‥	‥

【特色】国内最大規模の畜産インテグレーター。「日向鶏」をはじめ、複数の銘柄鶏を扱い、模種鶏・生鳥の飼育、鶏肉の処理加工・販売、惣菜の製造・販売などを手がける。ベトナムの鶏肉処理・加工子会社が、日本向けに加熱加工製品を輸出。
【定着率】‥
【採用】【設立】1966.4【会長】渡部博行
23年 ‥【従業員】単‥名(‥歳)
24年 ‥【有休】‥日
25年 未定【初任給】‥万
【試験種類】‥【各種制度】‥

【業績】	売上高	営業利益	経常利益	純利益
単23.3	62,900	‥	‥	‥
単24.3	65,600	‥	‥	‥

㈱cotta

東証グロース

【本社】879-2461 大分県津久見市大字上青江4478-8 ☎0972-85-0117
商社・卸売業

採用実績数	倍率	3年後離職率	平均年収
2名	‥	‥	556万円

【特色】和洋菓子店、弁当店などに菓子・パン包装資材、弁当容器、鮮度保持剤などを販売。個人向けの通販サイト「cotta」と法人向け「cotta business」を運営。小ロット・短納期が強みで、商品アイテム数は約2万点。
【定着率】‥
【採用】【設立】1998.12【社長】黒須綾希子
23年 0【従業員】連116名 単37名(40.7歳)
24年 2【有休】‥日
25年 未定【初任給】月20万(諸手当を除いた数値)
【試験種類】‥【各種制度】‥

【業績】	売上高	営業利益	経常利益	純利益
連22.9	8,843	551	584	399
連23.9	8,615	797	830	570

西日本電線（にしにっぽんでんせん）

株式公開未定

【本社】870-0011 大分県大分市大字駄原2899 ☎097-537-5552
非鉄

採用予定数	倍率	3年後離職率	平均年収
6名	‥	‥	‥

【特色】フジクラ連結子会社の中堅電線メーカー。ケーブル、配線システム、モジュール機器、光機器システムの4事業を展開。コスト面で優れるアルミ送配電線の製造に早くから取り組み、国内生産シェアは50%以上。福岡、大阪、東京に営業拠点。
【定着率】‥
【採用】【設立】1950.5【社長】新間俊夫
23年 6【従業員】単339名(43.0歳)
24年 2【有休】‥日
25年 6【初任給】月21.3万(諸手当を除いた数値)
【試験種類】‥【各種制度】‥

【業績】	売上高	営業利益	経常利益	純利益
単23.3	28,809	710	767	550
単24.3	30,473	1,381	1,430	981

旭有機材（あさひゆうきざい）

東証プライム

【本社】882-8688 宮崎県延岡市中の瀬町2-5955 ☎0982-35-0880
化学

採用予定数	倍率	3年後離職率	平均年収
14名	‥	‥	682万円

【特色】高機能樹脂製品メーカーで、配管材料事業と樹脂材料事業が2本柱。プラスチックバルブは国内外で独占的。配管材料は半導体業界向けや銅山開発向けで事業基盤を確立。樹脂材料は自動車・建材向けに加え、低メタル化技術武器に先端半導体用電子材料が成長。
【定着率】‥
【採用】【設立】1945.3【社長】中野賀津也
23年 6【従業員】連1,733名 単811名(44.1歳)
24年 7【有休】‥日
25年 14【初任給】月21.7万(諸手当を除いた数値)
【試験種類】‥【各種制度】‥

【業績】	売上高	営業利益	経常利益	純利益
連23.3	77,099	11,947	12,140	9,425
連24.3	87,426	15,576	16,076	11,382

㈱マルイチ

株式公開計画なし

【本社】883-0012 宮崎県日向市江良町4-110-3
☎0982-52-3880
スーパー

採用実績数	倍率	3年後離職率	平均年収
3名	‥	‥	‥

【特色】宮崎県が地盤のスーパーマーケットチェーン。文具・学用品販売で創業し、現在は延岡市、日向市、宮崎市に「マルイチ」9店舗を展開。農業チームの日向百生会と連携したオーガニック野菜の生産、販売を強化。日向市に惣菜センター。
【定着率】‥
【採用】【設立】1967.10【社長】髙木大
23年 5【従業員】単109名(37.0歳)
24年 3【有休】‥日
25年 未定【初任給】月19.2万(諸手当を除いた数値)
【試験種類】‥【各種制度】‥

【業績】	売上高	営業利益	経常利益	純利益
単22.5	13,991	‥	‥	‥
単23.5	14,718	‥	‥	‥

WASHハウス

東証グロース

【本社】880-0831 宮崎県宮崎市新栄町86-1
☎0985-24-0000
その他サービス

採用予定数	倍率	3年後離職率	平均年収
増加	‥	‥	391万円

【特色】ファミリー向けコインランドリーチェーン「WASHハウス」を展開。九州を中心に新規FCへの店舗設計・建築から機械の設置までパッケージ化した一式販売が事業の柱。出店後の運営・管理も受託し、店舗管理手数料などが安定収益源。
【定着率】‥
【採用】【設立】2001.11【社長】児玉康孝
23年 3【従業員】連91名 単89名(43.8歳)
24年 ‥【有休】‥日
25年 増加【初任給】‥万
【試験種類】‥【各種制度】‥

【業績】	売上高	営業利益	経常利益	純利益
連22.12	1,921	▲54	61	11
連23.12	1,914	13	26	▲33

ENEOS喜入(きいれ)基地(きち)

株式公開計画なし

【本社】891-0202 鹿児島県鹿児島市喜入中名町2856-5
☎099-345-1131
商社・卸売業

採用予定数	倍率	3年後離職率	平均年収
3名	‥	‥	‥

【特色】ENEOSグループで原油備蓄とグループ企業の製油所に二次輸送する中継基地事業を担う。各製油所のニーズに応じ原油のブレンドも行う。原油タンク57基、貯油能力735万キロリットル(日本の消費量の2週間分)は世界最大級の規模。
【定着率】‥
【採用】【設立】1967.3【社長】宮澤章
23年 4【従業員】単104名(38.4歳)
24年 4【有休】‥日
25年 3【初任給】‥万
【試験種類】‥【各種制度】‥

【業績】	売上高	営業利益	経常利益	純利益
単23.3	7,271	403	460	328
単24.3	7,687	381	494	342

㈱Misumi

福証

【本社】891-0183 鹿児島県鹿児島市卸本町7-20
☎099-260-2200
商社・卸売業

採用予定数	倍率	3年後離職率	平均年収
40名	‥	‥	450万円

【特色】南九州地盤のENEOS系有力特約店。石油関連やLPガスが主力。鹿児島・宮崎・熊本の3県でSSを展開。車検認証工場併設型など複合SSも積極的。LPガスは4つの大型海上基地を所有。外食事業や書籍・CD販売、水耕栽培の植物工場なども手がける。
【定着率】‥
【採用】【設立】1959.2【社長】平田慶介
23年 23【従業員】連668名 単522名(42.7歳)
24年 16【有休】‥日
25年 40【初任給】月19.4万(諸手当を除いた数値)
【試験種類】‥【各種制度】‥

【業績】	売上高	営業利益	経常利益	純利益
連23.3	63,792	794	1,293	673
連24.3	60,656	806	1,259	710

鹿児島(かごしま)テレビ放送(ほうそう)

株式公開計画なし

【本社】890-8666 鹿児島県鹿児島市紫原6-15-8
☎099-258-1111
テレビ

採用予定数	倍率	3年後離職率	平均年収
4名	‥	‥	‥

【特色】鹿児島県が放送エリアの民放テレビ局。フジテレビ系列。略称KTS。奄美、種子島など含む県内5支社・支局体制。自主制作番組は「KTS ライブニュース」「かごnew」「ナマ・イキVOICE」「見っどナイト」など。関連会社に鹿児島シティエフエム。
【定着率】‥
【採用】【設立】1968.3【社長】前田俊広
23年 3【従業員】単113名(43.1歳)
24年 3【有休】‥日
25年 4【初任給】月22万(諸手当を除いた数値)
【試験種類】‥【各種制度】‥

【業績】	売上高	営業利益	経常利益	純利益
単23.3	4,519	‥	174	106
単24.3	4,671	‥	89	39

㈱鹿児島讀賣(かごしまよみうり)テレビ

株式公開計画なし

【本社】890-8574 鹿児島県鹿児島市与次郎1-9-34
☎099-285-5555
テレビ

採用予定数	倍率	3年後離職率	平均年収
2名	‥	‥	‥

【特色】鹿児島4番目の民放テレビ局として1994年開局。日本テレビ系列。略称KYT。「news every.かごしま」「かごピタFAMILIAR」「It推しTV」など自主制作番組も放送。「天テレ博」など自社イベントも積極的。東京、大阪、福岡に支社。
【定着率】‥
【採用】【設立】1993.2【社長】小石川伸哉
23年 0【従業員】単69名(42.2歳)
24年 1【有休】‥日
25年 2【初任給】月20万(諸手当を除いた数値)
【試験種類】‥【各種制度】‥

【業績】	売上高	営業利益	経常利益	純利益
単23.3	3,858	▲77	▲57	▲50
単24.3	3,817	▲123	▲112	▲289

㈱マルマエ　東証プライム

【本社】899-0216 鹿児島県出水市大野原町2141
☎0996-68-1150
機械

採用予定数	倍率	3年後離職率	平均年収
未定	・・	・・	564万円

【特色】半導体と液晶(FPD)製造装置用の精密金属部品加工業。真空チャンバー、電極など真空パーツの高精度加工が強み。太陽電池製造装置部品も手がける。本社のある鹿児島・出水と埼玉・朝霞で生産。半導体装置向けの最終顧客は日本発条、東京エレクトロンなど。
【定着率】・・
【採用】　【設立】2001.4【社長】前田俊一
23年　・・【従業員】単200名(39.0歳)
24年　・・【有休】・・日
25年　未定【初任給】・・万
【試験種類】・・【各種制度】・・

【業績】	売上高	営業利益	経常利益	純利益
単22.8	8,585	2,361	2,366	1,817
単23.8	6,868	859	789	706

田苑酒造（でんえんしゅぞう）　株式公開計画なし

【本社】895-1295 鹿児島県薩摩川内市樋脇町塔之原11356-1
☎0996-38-0345
食品・水産

採用予定数	倍率	3年後離職率	平均年収
未定	・・	・・	・・

【特色】「田苑(DEN-EN)」ブランドの焼酎メーカー。樽醸造の麦焼酎を開発したのは日本初で、独自の焼酎造りを推進。長期貯蔵、蔵にクラシック音楽を流す「音楽仕込み」に特徴。東京に支店、大阪と鹿児島に2営業所を有する。公式通販サイトも運営。
【定着率】・・
【採用】　【設立】1979.3【会長兼社長】本坊正文
23年　1【従業員】単45名(46.4歳)
24年　0【有休】・・日
25年　未定【初任給】月18.4万(諸手当を除いた数値)
【試験種類】・・【各種制度】・・

【業績】	売上高	営業利益	経常利益	純利益
単22.6	1,749	36	40	25
単23.6	1,697	57	66	40

プリントネット　東証スタンダード

【本社】892-0835 鹿児島県鹿児島市城南町10-7
☎050-3734-6495
印刷・紙パルプ

採用予定数	倍率	3年後離職率	平均年収
10名	・・	・・	417万円

【特色】ネット受注による印刷物の通信販売事業営む。Web上で顧客から注文・印刷データを受け、工場で印刷、発送を行う。パンフレット、チラシ、社名入り封筒など扱い幅広い。印刷業者やデザイン会社から受託する発送代行の割合が高い。鹿児島と山梨に工場。
【定着率】・・
【採用】　【設立】2005.5【会長兼社長】小田原洋一
23年　2【従業員】単258名(36.6歳)
24年　1【有休】・・日
25年　10【初任給】月18.5万(諸手当を除いた数値)
【試験種類】・・【各種制度】・・

【業績】	売上高	営業利益	経常利益	純利益
単22.8	8,648	551	572	403
単23.8	9,629	691	689	419

サンケイ化学（かがく）　福証

【本社】891-0122 鹿児島県鹿児島市南栄2-9
☎099-268-7588
化学

採用実績数	倍率	3年後離職率	平均年収
2名	・・	・・	476万円

【特色】鹿児島地盤の中堅農薬メーカー。全農への販売依存度は3割弱。食品由来物質を用いた食用作物向けの独自開発品も手がける。森林や公園・ゴルフ場の緑化防除事業、害獣忌避剤や不快害虫防除薬剤開発も行う。鹿児島のほかに埼玉県深谷市にも受託生産拠点。
【定着率】・・
【採用】　【設立】1941.12【社長】福谷明
23年　5【従業員】連128名 単112名(44.2歳)
24年　2【有休】・・日
25年　未定【初任給】月19.1万(諸手当を除いた数値)
【試験種類】・・【各種制度】・・

【業績】	売上高	営業利益	経常利益	純利益
連22.11	7,242	233	302	212
連23.11	5,998	▲11	37	36

㈱南九州（みなみきゅうしゅう）ファミリーマート　株式公開計画なし

【本社】890-0067 鹿児島県鹿児島市真砂本町3-67
☎099-263-8330
コンビニ

採用実績数	倍率	3年後離職率	平均年収
2名	・・	・・	・・

【特色】老舗酒卸の本坊商店とファミリーマートの合弁会社。鹿児島、宮崎両県にコンビニをフランチャイズ展開。店舗数は約400。奄美大島などにも出店。地域に密着し、南九州の地元食材を利用した商品や、地元企業とのコラボ商品の開発に力を入れる。
【定着率】・・
【採用】　【設立】1993.4【社長】飯塚隆
23年　3【従業員】単230名(39.6歳)
24年　2【有休】・・日
25年　未定【初任給】月19.2万(諸手当を除いた数値)
【試験種類】・・【各種制度】・・

【業績】	売上高	営業利益	経常利益	純利益
単23.2	77,264	・・	・・	・・
単24.2	80,011	・・	・・	・・

㈱サンエー　東証プライム

【本社】901-2733 沖縄県宜野湾市大山7-2-10
☎098-898-2230
スーパー

採用実績数	倍率	3年後離職率	平均年収
86名	・・	・・	487万円

【特色】沖縄県の流通最大手。スーパーは県内トップで総合スーパーから小型食品スーパーまで出店。ローソンと合弁でコンビニを経営、大型商業施設の運営も手がける。外食、家電量販店、ドラッグストアはFCで展開。共同仕入れのニチリウグループに加盟。
【定着率】・・
【採用】　【設立】1970.5【社長】豊田沢
23年　81【従業員】連1,782名 単1,706名(35.9歳)
24年　86【有休】・・日
25年　未定【初任給】月20.7万(諸手当を除いた数値)
【試験種類】・・【各種制度】・・

【業績】	営業収益	営業利益	経常利益	純利益
連23.2	213,522	11,190	11,554	7,569
連24.2	227,581	16,464	16,893	10,683

特集

もっと使いこなそう!
編集部による「徹底解説」
&ランキング

もっと使いこなそう！編集部による「徹底解説」＆ランキング

『就職四季報』の読者なら、「企業は皆同じではない」ということを意識していると思います。その企業の凹凸がより鮮明に出てくるのが中堅企業です。

知名度に頼らない就活の成否は、そうした凹凸を読み取れるかどうかにかかってきます。

『優良・中堅企業版』詳細情報編に掲載されている項目別に読解法をマスターして、自分に合った、働きがいのある企業を見つけましょう。

ブロックⅠ 会社の属性、基本情報その1

①業種

個々の企業の業績は、属する業界の動向に大きな影響を受けます。

規制に守られ参入障壁が高い業種は、大きな成長こそ見込めないものの安定性と厚待遇が期待できます。一方で、参入障壁の低い業種は、会社の存続をかけ、激務も辞さない覚悟とずば抜けた経営戦略の創出が必要ですが、勝ち組となれば驚異的な高成長も可能です。

こうした状況がずっと変わらなければ話は簡単ですが、業界や会社を取り巻く環境は、長い会社生活のあいだに刻々と変わっていきます。競争に不慣れな規制業種では、規制緩和からほどなく淘汰される会社も多いことでしょう。

また、鉄鋼、半導体といった景気変動の影響を受けやすい産業と、医薬品、食品など受けにくい産業とがあるので、業績をみる場合は要注意です。

とくに中堅企業の場合は、親会社や取引先の属する業種と、規制だけでなく、技術やグローバル化なども含めた参入障壁を常に意識しておくことが重要です。

各業界の動向や特徴については、『会社四季報　業界地図』を参照し、最新の情報をつかむようにしましょう。

②社名

日立○○という社名なら日立グループ、三菱○○という社名なら三菱グループの会社である確率は高いですが、必ずしもそうでない場合があります。たとえば、文具で有名な三菱鉛筆は三菱系列の会社ではありません。

確かめるには㉕の株主欄を見てみましょう。

また、中堅企業の場合、○○製作所、××商事のように、オーナーの名字を社名に冠している会社も多くあります。

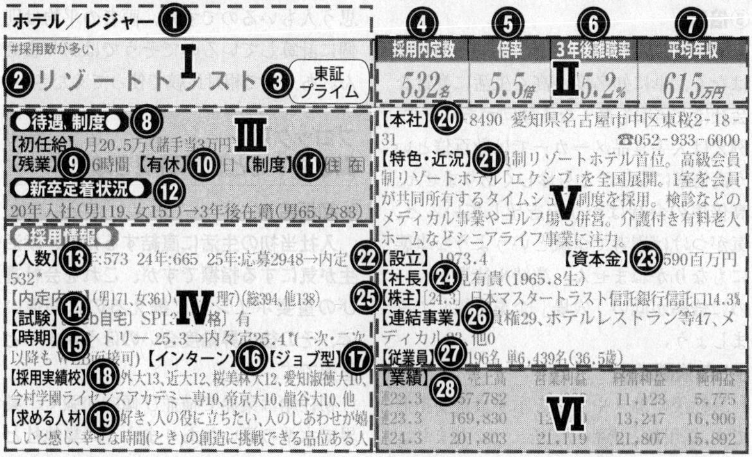
ホテル／レジャー ①
#採用数が多い
I
② リゾートトラスト ③ 東証 プライム
④ 採用内定数 532名
⑤ 倍率 5.5倍
⑥ 3年後離職率 5.2%
⑦ 平均年収 615万円
II
●待遇、制度● ⑧
III
【初任給】月20.5万(諸手当3万円)
【残業】⑨ 6時間 【有休】⑩ 日 【制度】⑪
●新卒定着状況● ⑫
20年入社(男119、女151)→3年後在籍(男65、女83)
●採用情報●
【人数】⑬ :573 24年:665 25年:応募2948→内定532*
【内定内訳】⑭ (男171、女361)(総394、他138)
IV
【試験】 SPI3 有
【時期】⑮ エントリー 25.3→内々定25.4*
【インターン】⑯【ジョブ型】⑰
【採用実績校】⑱ 外大13、近大12、桜美林大12、愛知淑徳大10、今村学園ライセンスアカデミー専10、帝京大10、龍谷大10、他
【求める人材】⑲ 好き、人の役に立ちたい、人のしあわせが嬉しいと感じ、幸せな時間(とき)の創造に挑戦できる品位ある人
【本社】⑳ -8490 愛知県名古屋市中区東桜2-18-31 ☎052-933-6000
【特色・近況】㉑ 制リゾートホテル首位。高級会員制リゾートホテル「エクシブ」を全国展開。1室を会員が共同所有するタイムシェア制度を採用。検診などのメディカル事業やゴルフ場も併営。介護付き有料老人ホームなどシニアライフ事業に注力。
V
㉒【設立】1973.4 【資本金】㉓ 590百万円
【社長】㉔ 伏見有貴(1965.8生)
㉕【株主】[24.3] 日本マスタートラスト信託銀行信託口14.3%
【連結事業】㉖ 会員権29、ホテルレストラン等47、メディカル23、他0
【従業員】㉗ 196名 単6,439名(36.5歳)
【業績】㉘ 売上高 営業利益 経常利益 純利益
連22.3 157,782 11,423 5,775
連23.3 169,830 13,247 16,906
連24.3 201,803 21,119 21,807 15,892
VI

③上場区分・予定

上場会社はプライム上場（証券取引所プライム市場に上場）を筆頭に、スタンダード、新興企業向けのグロースなどの順に上場基準が緩くなります。

プライム上場企業なら未来永劫安泰というわけではありませんが、上場にあたって厳しい審査を通過した企業であることは間違いありません。

株式上場は、事業が軌道に乗り企業が社会に認められる通過点の一つですから、**未上場企業において「上場」を視野に入れているかどうかは重要な指標です。**

グループの経営方針で上場しない大企業の完全子会社などの場合は別として、上場計画が具体的に定まっている会社は総じて有望だと考えてよいでしょう。

ブロックII
最重要、「注目4データ」

④採用数

会社が何人程度採用するのかがわかります。中堅企業は大企業に比べ採用人数は限られています。**いくら優秀な学生でも、採用を行わない会社に入ることはできません。また、定期的に採用を続けていることは、成長企業の１つの条件でもあります。まずは一定人数以上採用している会社を選ぶのが**、中堅企業入社への第一歩です。

それでは大量採用していればよいかというとそうではありません。㉗**の従業員数に照らしてあまりにも採用人数が多すぎる会社は要注意です。**いわゆるブラック企業など労働条件が劣悪で、あらかじめ大量離職することを見越して大量採用していることがあるからです。

見極めが難しいのは、ぐんぐん成長している企業との違いで、こちらも人手不足で採用数が多くなります。**この場合は過去数年にわたって採用数と従業員数の推移を見てみましょう。採用した人数に応じて従業員数も拡大基調にあれば問題なしですが、大量採用しているのに従業員数はあまり変わらないようであれば、大量離職が懸念されます。**

⑤倍率

「倍率が高い＝いい会社」というわけではなく、単に知名度が高く生活に身近な会社ほど倍率も高くなる傾向があります。例えば大手食品メーカーでは数百倍という高倍率になることも珍しくありません。高倍率の会社ばかりを志望していると、気がつけば選考で全滅というような事態にもなりかねません。業績や待遇がいいのに倍率が低い「穴場」企業を探してみましょう。

⑥3年後離職率

入社後の働きやすさを示す最重要指標です。採用数とあわせてチェックしましょう。「３年で３割」（３年後離職率30％）**が大きな目安**となり、非開示（‥）の場合これより高いことも考えられます。

ただ、**とくに中堅企業では、入社人数が少ないため、数値が大きくぶれがちです。母数となる３年前入社者数と男女別の定着状況（⑪の新卒定着状況欄に記載）を必ず確かめる**ようにしてください。たとえば３年後離職率が100％や０％だとしても、３年前入社者が１人の場合、単年度だけで判断すべきではありません。ぜひ数年分を説明会などで開示してもらいましょう。

⑦平均年収

金銭面での待遇がズバリとわかる指標です。**平均年収を見るときには必ず、㉗従業員数右のカッコ内にある平均年齢を見てください。**完全歩合制のような特殊な給与体系をとっていない限り、給料は歳を重ねるにつれ上がっていきます。同じ金額でも、30歳でその金額をもらうのか40歳でもらうのかでは大きな違いです。

と言うと、その会社の平均年齢の歳の社員は平均年収の金額をもらっていると思う人もいるのですが、両者の平均は別個に計算しているのでそうではありません。あくまで相対比較で使ってください。

ブロックⅢ
働きやすさと職場環境を知る

⑧初任給

入社当初の生活に直結するため、就活生が気にする指標ですが、これを会社選びの重要ポイントに据えるのは間違いで、その後の昇給度合いのほうがずっと重要です。

初任給は業界で横並び傾向が強く、業界で水準の違いがあります。**同業他社と比較して初任給が飛び抜けて高い会社は、平均年収の水準と釣り合うか確認してください。**ブラック企業や不人気な企業ほど初任給を釣り上げて学生を集め、入社後はほとんど昇給させず使い倒すという傾向があります。

初任給は平均年収同様税込みの金額です。残業がなければ手取りはここから数万円下がるので、覚悟しておきましょう。

⑨残業

ワークライフバランスの観点からすると、残業時間が少ないほうがいいと思う人も多いかもしれません。しかし、残業代がきちんと支払われる会社であれば、働いた分だけ月々の給与が増えるという考え方もできます。プライベート重視で残業が少ない会社がいいのか、長時間働いてたくさん稼げる会社がいいのか、⑦平均年収とも見比べて、自分にあった働き方を考えてみてください。

⑩有休取得年平均

きちんと休みが取れるかどうかは、社会人にとって大切な事項です。継続勤続年数が6.5年以上だと年次有給休暇の付与日数は20日以上と法律で定められていますが、実際に全部の日数を取れる会社はほとんどありません。

仕事量が多くて休めない、周りが誰も休まないので休みにくいといった職場環境があるからです。

実際有給休暇を取れる環境にあるのかどうかを表すのが取得日数です。厚生労働省「令和5年就労条件総合調査」によれば日本全体の平均取得日数は10.9日、取得日数を付与日数で割った取得率は62.1％で、**企業規模が小さくなるほど取得日数、取得率とも下がっていきます。**同調査によれば平均で、従業員1000人以上…12.0日、300～999人…11.1日、100～299人…10.5日、30～99人…9.6日となっているので、目安としてください。

また、部署や職種によって、取得日数に大きく差があるケースもあります。OB訪問や説明会を通じて確認するようにしましょう。

⑪制度

制度の有無から、働く環境を予想してみましょう。

フレックスタイム制：総労働時間の範囲内で、始業・終業の時刻を社員自らが決められる制度のことです。育児や介護などを続けながらも柔軟に働けるとして、非常に人気が高いです。就業が必須なコアタイムという時間が設けられていることが多いので、気になる人は採用担当者に聞いてみましょう。

在宅勤務：通勤のストレスから解放され、会社から遠く離れた場所に住みやすくなります。IT業界の会社は導入の割合が高いです。

住宅補助：生活に必須の住居費用。補助の有無は手取り賃金に大きく影響します。

注意点として、入社後必ずしも上記の制度の対象になるとは限りません。新入社員は対象外の可能性があることを頭に入れておきましょう。入社前は制度が存在しても、社内規定の改正で無くなることも考えられます。

⑫新卒定着状況

この欄で注目したいのは男女別の定着率と３年前入社者数です。

定着率の男女差が大きい場合は、よくも悪くも働きやすさに男女差があるということです。妊娠や出産など女性ならではのライフステージの変化を考慮してくれない職場であるとか、女性には責任のある業務を任せないなど、さまざまな要因が考えられます。

３年前入社者数からは、男女別の採用水準もわかります。単年度だけで判断するのは危険ですが、採用時の男女比率と3年後の定着率で、若手社員の様子がみえてきます。

ブロックⅣ どんな人が採用される？

⑬採用人数・内定内訳

まず、３年間の時系列データで採用傾向をつかみます。離職率が高くなく、順調に伸びている会社は有望です。

次に男女、文理別の内訳を見て、自分の属性（文系女子、理系男子など）の採用されやすさを把握します。多く採用されている属性が有利ですが、中堅企業の場合は母数が少ないので、細かい差にこだわる必要はありません。**むしろ「全く採用されていない属性」に注目してください。**たとえば新卒で採用するのは文系の営業職のみで、理系は全員中途採用と決めている会社もあるでしょう。事業内容なども勘案して理由を考えてみましょう。理由が思い当たれば、採用されていない属性に食い込むのは至難ですから、覚悟して応募したほうがよさそうです。

⑭試験

試験は就活生を面接可能な人数まで絞り込む目的で行われることがほとんどです。一般的に採用フローの初期に行われるため、そもそも試験を突破しないと面接を受けられません。規模の大きい書店には各WEBテストの対策本が並んでいます。不安な方は手に取ってみることをおすすめします。SPI3やTG-WEBなどの有名な試験は本で対策できますが、中には独自の試験を受けさせる会社もあります。志望企業・業界のニュースを問われることも多いので、日頃からチェックするようにしましょう。『週刊東洋経済』や『会社四季報 業界地図』を読むことで、企業・業界の動向を追うことができます。

会場で受験するWEBテストは、その結果を複数の会社の選考で使いまわせる場合があります。一度受験した結果でエントリーを完了させられることを利用し、効率的に就活を進めていきましょう。

⑮採用時期

エントリーは開始時期なので、過ぎていても締め切っているわけではありません。とくに中小企業は就職ナビを使っていない会社も多く、「よい人がいたら」柔軟に対応してくれることもあります。

また、選考中自宅から離れた地域の企業の面接を受ける際に、WEB面接が認められている場合とそうでない場合とでは、労力が大きく異なります。志望企業の住所が自宅から離れている場合は、事前に確認しておきましょう。

⑯インターン

エントリー開始前にインターンシップや1dayオープンカンパニーを実施する企業が増えています。インターンシップ中に内々定を出すケースも増えているので、志望企業の採用HPをこまめにチェックするなどして、機会を逃さないようにしましょう。

⑰ジョブ型採用

近年は、総合職として採用するのではなく、採用の段階で職種・役割を指定する会社が増加してきました。やりたい仕事が明確な就活生には最適な制度と言えるでしょう。ただし、同じ会社で働いていても、職種・役割の違いにより待遇に差を設けるケースが見受けられるため、業務内容にマッチした待遇であるか見極める力が問われます。気になる人はエントリーの段階で採用担当者に聞いてみましょう。

⑱採用実績校

自分の学校から採用されていれば有利ですが、**広く、似たような大学のゾーン単位で、採用されている学校群をみることが大切です。**回答の段階で省略されていることもありますから、「この大学しか採用されない」と思い込むことはやめましょう。

⑲求める人材

画一的だと感じる人も多いようですが、会社が考え抜いて言葉を選んでいるものですから、社風などが現れてきます。バランスのとれた人材であることが前提ですが、チャレンジ精神型、協調型、コミュニケーション重視型など、企業理念や志望職種に照らして、自分の引き出しのなかから相手の求める要素を提供する準備をしましょう。

就活生は資格や語学能力などを気にしますが、現段階での“スペック”を挙げる企業はほとんどないことにも着目してください。

ブロックV 会社の基本情報その2

⑳本社

首都圏に本社を構える企業が多い一方で、ユニークで世界的な技術を持っている企業でも、本社を地方から動かさない会社もあります。近年のIT化や移動手段の多様化などで、大都市圏に本社を置くメリットは薄くなってきています。経営の独立を維持するため、上場せず地域の経済界を担う未上場企業も多いですし、立地コストを考えてあえて地方を本拠にする上場企業もあります。

㉑特色・近況

会社と利害関係のない東洋経済の記者が執筆し、会社の主力事業、系列（独立系か特定の企業の子会社かなど）、業界順位やポジション、シェアなどをコンパクトにまとめています。

業界順位やシェアは売上高で測ることが多いですが、そうでない業界もあります。たとえば、鉄鋼は粗鋼生産高、総合商社は純利益を用いるなどですが、その理由を調べてみることで業界構造が見えてきます。

業界トップの企業はその産業界のリーダー的存在で、シェアも高く競争上優位な立場にあります。シェアが高ければ、販売価格決定の際に主導権がとれ、高値で製品を売ることができるからです。

「業界」という大きな括りに限らず、**小さな製品でもトップシェアを持っている企業は、取引先にも優位に価格交渉を進めることができ、販売先をより条件のよい企業に変えることもできます。トップ**企業は商売がしやすい、大ざっぱに言えば「つぶれにくい」ということです。

この欄をどこまで活用できるかが企業研究の深さを決めます。同業他社と比較して基本事項を把握し、意味のわからない言葉は必ず調べておきましょう。

㉒設立

老舗企業かベンチャー企業かがわかります。両者は社風や待遇、働きやすさなどが基本的に違います。平均年齢などをみる際にも参考にしてください。

㉓資本金

㉗従業員数と並んで会社の規模をみるものです。資本金は事業の元手となり、会社を支配できる金額の根拠となることから会社の規模を示しますが、企業の価値とは直結しない場合も多くあります。

上場企業と未上場企業とで資本金の額を比べてみましょう。株式を市場に公開して広く出資金を集めている上場企業と、限られた一部の人だけで株式を持っている未上場企業とでは水準が違います。上場A社が未上場B社の10倍の資本金額だとしても、A社がB社より10倍規模が大きいなどという見方はできません。

社名と資本金程度しか情報のない会社であれば、多少の信用力の目安となりますが、**資本金だけで会社を判断することのないようにしてください。**

㉔社長

「御社の○○社長は」というところで固有名詞が出てこなければ、志望度を疑われます。社長名が㉕株主欄にも出てきていれば、オーナー企業（創業者同族系）です。

生年月日で社長の年齢がわかります。

名前でそれとわからなくても、長年にわたり社長を続けていれば、オーナー企業か、それに匹敵する会社の支配者であるといえます。

自分の学校が社長の出身校であれば、不利になることはないでしょう。「最近は質が落ちたものだ」と言われないようにしなければいけませんが、面接で多少は話題にできるかもしれません。

なお、掲載している社長名は調査時点のものですので、交代する可能性もあります。必ず面接前にHP等で確認しましょう。

㉕株主

会社　の役員は原則年１回開かれる「株主総会」で選出されます。決定権を握るのが株主です。持株比率（全株式数に対して株主が持っている株式数の割合、出資比率ともいいます）に応じて影響力を持ち、**持株比率50%超の株主は会社を実質支配していることになります。大株主が社長や役員を兼任していればオーナー企業、一族経営です。**

オーナー企業は株式を公開していない未上場企業に多い形態で、上場企業でも中堅規模の会社でしばしばみられます。**オーナー企業では役員である大株主の意向が、強く企業経営に影響することになります。**中堅企業ではとくに、社長の人となりが自分に合うかどうかをよく確かめる必要があるでしょう。

㉖事業

その会社が何で稼ぐ構造になっているのかがわかります。たとえば神奈川中央交通の連結の事業構成は、旅客自動車47、不動産5、自動車販売30、他18（2024.3期）、バス運輸（旅客自動車）を主力としつつも、自動車販売や不動産業などの非運輸事業が売り上げの半分近くを占めていることがわかります。この運輸・非運輸の割合を過去にさかのぼって調べたり、同業の企業などと比べたりすることで、神奈川中央交通がどの事業に力を入れてきているのか、他社に比べてどういった特徴があるのかといったことがわかります。

また、売り上げに占める割合が高くても、その事業が儲かっているかどうかはまた別物です。老舗の企業のなかには長年保有している不動産が利益の多くを生み出している会社もあります。

『会社四季報』には事業構成欄に売上高利益率を併記していますし、有価証券報告書には事業セグメント別に売上・利益額が載っていますので確かめておくとよいでしょう。未上場会社でも、問題意識を持ったうえで事業別の収益状況を質問すれば、「深い会社研究が進んでいる」就活生として、会社にアピールできること請け合いです。

㉗従業員

従業員数は資本金とともに会社の規模を示します。中小企業庁による中小企業の定義は、次のようになっています。

製造業・その他の業種：従業員数300人以下または資本金３億円以下

卸売業：同100人以下または１億円以下

小売業：同50人以下または5000万円以下

サービス業：同100人以下または5000万円以下

ただし、企業規模はこの線で明確に区分されるものではありません。

会社法では大会社の定義として、「資本金５億円以上または負債200億円以上」とし、従業員要件はありません。同じ従業員数でも、業種や各社の収益構造の違いで売り上げ規模は格段に違います。

従業員をみるときには、30人、100人、

300人、500人ぐらいのざっくり感で規模を把握した後は、他の対象と比較する母数として使いましょう。具体的には、1．採用数の水準と比較する（④採用数で触れたとおり、採用数が従業員数に比べて多すぎないかをチェック）、2．業績欄を使い、1人当たり売上高や1人当たり営業利益を算出してみる（生産性や収益力がわかる）といった具合です。このとき、連結（グループ採用）、単独といったベースを合わせておくことに注意してください。

( ) 内の平均年齢からは、会社の風景や活力がわかります。安定的に採用を続けている会社であれば、年齢分布が上にも下にも同じくらいの40歳前後が目安となります。平均年収を見るときに、必ず確認しなければいけない指標であることは、⑦平均年収で触れたとおりです。

ブロックⅥ
会社の経営状況はココでみる！

㉘業績

まず売上高と各利益の推移、そして売上高に対する各利益の割合を見ていきます。会社の規模は従業員数や資本金などで測れますが、**事業規模を明確に表すのは売上高で、1000億円規模の会社と数十億円規模の会社では、仕事のしかたが全く異なります。**

売上高が大きくともそれに見合った利益が出ていなかったり、損失が出ている会社は問題があります。

とくに本業での儲けを示す営業利益が重要で、売上高に対する営業利益の比率が高いほど、利益を生み出す力が大きいということになります。経常利益は、余剰資金の運用による金融収支など本業以外の収支も加減した後の利益、純利益は一時的な土地売却費用やリストラ費用、税金を差し引いた後の利益です。

ですから本来であれば、営業利益＞経常利益＞純利益という関係になっています。そうでない場合、本業以外で何か別の利益・損失要因が働いていることになります。また、営業利益と経常利益に大きな差額がある場合は、財務上で何か問題を抱えている可能性があります。

赤字続きの会社は避けるべきですが、中小企業は大企業よりも業績の変動が大きく、一時的に赤字になってしまうこともままあります。1期赤字になったから即倒産ということではありませんので、長期的な成長力を見極めることが大事です。

★ 平均年収800万以上で倍率が低い100 ★

順位	社名	業種名	倍率(平均年収)	掲載ページ
1	丸一ステンレス鋼管	鉄鋼	1(総920)	680
2	・栗林商船	海運・空運	1(総813)	880
3	新三平建設	住宅・マンション	1(総805)	787
4	・テクノスマート	機械	1.2(総920)	484
5	いすゞ自動車首都圏	その他小売業	1.2(総820)	850
6	佐藤工業	建設	1.6(総839)	731
7	福田道路	建設	1.8(総880)	763
8	大成設備	建設	1.8(総828)	744
9	山産	商社・卸売業	2.2(1,006)	173
10	・オリエンタル白石	建設	2.5(総981)	716
11	長野日産自動車	その他小売業	2.6(総843)	853
12	・NJS	コンサルティング	3.1(総936)	228
13	ユニオン建設	建設	3.2(総883)	773
14	宮地エンジニアリング	金属製品	3.2(総860)	666
15	雄電社	建設	3.3(830)	772
16	コスモエンジニアリング	建設	3.3(810)	729
17	みらい建設工業	建設	3.6(821)	769
18	・テクノ菱和	建設	3.6(809)	778
19	三菱ケミカル物流	運輸・倉庫	3.6(総800)	894
20	栗原工業	建設	3.8(819)	724
21	エム・エムブリッジ	金属製品	4(総961)	643
22	久門製作所	商社・卸売業	4(総822)	171
23	遠藤科学	商社・卸売業	4.2(総1,007)	200
24	・東テク	商社・卸売業	4.2(総856)	167
25	・日比谷総合設備	建設	4.3(1,008)	779
26	岐建	建設	4.4(総815)	721
27	大日本土木	建設	4.6(総815)	745
28	鹿島道路	建設	4.7(総851)	717
29	中央復建コンサルタンツ	コンサルティング	4.9(総886)	229
30	・福井コンピュータホールディングス	システム・ソフト	4.9(総812)	292
31	コベルコE&M	建設	4.9(総803)	729
32	エイト日本技術開発	コンサルティング	5(875)	227
33	第一テクノ	建設	5(総816)	743
34	NRS	運輸・倉庫	5.5(総861)	886
35	・JCU	化学	5.5(844)	582
36	・淺沼組	建設	5.6(806)	708
37	・野村マイクロ・サイエンス	機械	5.8(927)	493
38	スズキビジネス	住宅・マンション	6(総849)	788
39	ショーボンド建設	建設	6.1(総1,072)	735
40	ケミカルグラウト	建設	6.1(総875)	726
41	・オーテック	建設	6.5(総851)	776
42	・HIOKI	電機・事務機器	6.6(997)	394
43	・KHネオケム	化学	6.6(総849)	578
44	・日本電技	建設	6.7(971)	779
45	若井産業	商社・卸売業	6.7(843)	159
46	・サクサ	電機・事務機器	6.7(800)	382
47	日鉄ステンレス	鉄鋼	6.9(871)	678
48	八千代エンジニヤリング	コンサルティング	7.1(総861)	227
49	ポリプラスチックス	化学	7.3(総929)	600
50	・西川計測	商社・卸売業	7.4(1,043)	188

※企業名の前の「・」は上場企業を示す。概数含め、「増加」や「前年並」などの文章回答は除いた。グループ単位や子会社での情報の場合もあり、本編に注記した（以下同）

順位	社名	業種名	倍率（平均年収）	掲載ページ
51	・日本高周波鋼業	鉄鋼	**7.5**（総973）	678
52	・新日本建設	建設	**7.8**（総838）	736
53	太平エンジニアリング	建設	**8.3**（総882）	745
54	トヨタ自動車北海道	自動車部品	**8.7**（総930）	444
55	・AIメカテック	機械	**8.7**（総820）	458
56	日清紡マイクロデバイス	電機・事務機器	**9.1**（総802）	392
57	東京電機産業	商社・卸売業	**9.5**（総921）	186
58	GEヘルスケア・ジャパン	住宅・医療機器他	**9.5**（総892）	424
59	・中央自動車工業	商社・卸売業	**9.7**（897）	197
60	・SANKYO	機械	**10.4**（951）	472
61	ニシヤマ	商社・卸売業	**10.5**（総800）	218
62	・ダイト	医薬品	**11**（総856）	565
63	三菱重工環境・化学エンジニアリング	建設	**11.1**（925）	769
64	・イノテック	商社・卸売業	**11.3**（総812）	176
65	・扶桑化学工業	化学	**12.6**（総906）	598
66	・ハリマ化成グループ	化学	**12.7**（総928）	597
67	・菊水ホールディングス	電機・事務機器	**12.7**（総801）	379
68	セントラルコンサルタント	コンサルティング	**13.1**（987）	232
69	日興システムソリューションズ	システム・ソフト	**13.1**（総920）	283
70	セントラル短資	信販・カード・リース他	**13.3**（総988）	342
71	フジケン	住宅・マンション	**13.3**（総841）	801
72	・メガチップス	電子部品・機器	**13.6**（総872）	416
73	・高速	商社・卸売業	**14**（総869）	213
74	SBI岡三アセットマネジメント	証券	**14.3**（総862）	331
75	ヨネイ	商社・卸売業	**15**（総830）	173
76	住友建機販売	商社・卸売業	**15.4**（総835）	166
77	・カイノス	医薬品	**16**（総815）	561
78	・ディア・ライフ	住宅・マンション	**16.1**（総905）	789
79	テレビ宮崎	テレビ	**16.2**（総865）	353
80	・東京製鐵	鉄鋼	**16.7**（831）	677
81	・アズワン	商社・卸売業	**16.7**（総811）	199
82	・ヨータイ	ガラス・土石・ゴム	**17.1**（総846）	642
83	・フクダ電子	電機・事務機器	**17.2**（総878）	395
84	竹中エンジニアリング	電機・事務機器	**17.2**（総860）	385
85	NSステンレス	商社・卸売業	**17.7**（総979）	148
86	・アルコニックス	商社・卸売業	**18.3**（890）	146
87	・JAC Recruitment	人材・教育	**18.6**（総843）	864
88	・JSP	化学	**18.8**（総826）	581
89	・エスネットワークス	コンサルティング	**18.9**（総919）	224
90	・オークネット	その他サービス	**19**（825）	918
91	・共英製鋼	鉄鋼	**20**（総929）	675
92	・ダイトロン	商社・卸売業	**20.1**（802）	183
93	東京貿易ホールディングス	商社・卸売業	**20.8**（828）	99
94	大銑産業	商社・卸売業	**21.3**（総982）	152
95	豊通食料	商社・卸売業	**21.3**（総803）	118
96	・エレマテック	商社・卸売業	**21.4**（総944）	176
97	みずほ不動産販売	住宅・マンション	**21.6**（総920）	801
98	・スター精密	機械	**22.9**（998）	477
99	エービーシー商会	商社・卸売業	**23.1**（総929）	208
100	TFDコーポレーション	住宅・マンション	**25**（総1,217）	799

※本編項目「倍率」「平均年収」より作成。倍率の単位：倍　平均年収の単位：万円

★ 初任給ベスト100 ★

順位	社名	業種名	初任給	掲載ページ
1	・TOKYO BASE	その他小売業	40	845
1	・早稲田学習研究会	人材・教育	40（固残有）	871
3	・フレクト	システム・ソフト	38.5（手当・固残有）	293
3	・GMOペパボ	システム・ソフト	38.5（手当・固残除く）	1002
5	・シンプレクス・ホールディングス	システム・ソフト	35.4（手当有）	271
6	・ストライク	コンサルティング	35（手当・固残有）	225
6	・Mマート	システム・ソフト	35（固残有）	253
6	・GMOペイメントゲートウェイ	システム・ソフト	35	265
6	エスケーホーム	住宅・マンション	35（手当・固残除く）	796
10	新三平建設	住宅・マンション	34.6（手当・固残有）	787
11	・ブレインパッド	システム・ソフト	34.1（手当・固残有）	293
11	NTTデータ先端技術	システム・ソフト	34.1（手当・固残除く）	999
13	・FIXER	システム・ソフト	33.9（手当・固残有）	292
13	日本イーライリリー	医薬品	33.9（手当・固残除く）	1244
15	・福井コンピュータホールディングス	システム・ソフト	33.5（固残有）	292
16	・オークファン	その他サービス	33.3（固残有）	919
17	・オロ	システム・ソフト	33（固残有）	256
17	福田道路	建設	33（手当・固残有）	763
17	・オープンハウスグループ	住宅・マンション	33（手当・固残有）	785
17	TFDコーポレーション	住宅・マンション	33（固残有）	799
17	・グリーンランドリゾート	レジャー	33（手当・固残有）	876
17	・バーチャレクス・ホールディングス	その他サービス	33（固残有）	931
23	・トヨクモ	システム・ソフト	32	281
24	田中土建工業	建設	31.7（手当・固残有）	747
25	テレビ西日本	テレビ	31.6（手当・固残除く）	352

順位	社名	業種名	初任給	掲載ページ
25	・マーベラス	ゲーム	31.6（固残有）	860
27	・トーメンデバイス	商社・卸売業	31.5（固残有）	186
27	・プロジェクトホールディングス	コンサルティング	31.5（手当・固残有）	226
27	・ソースネクスト	システム・ソフト	31.5（手当・固残除く）	274
27	・PR TIMES	その他サービス	31.5（固残有）	921
31	図書館流通センター	商社・卸売業	31.4（手当・固残除く）	989
32	・テクノスジャパン	システム・ソフト	31.3（固残有）	278
33	・太陽ホールディングス	化学	31（手当・固残除く）	588
33	・新日本建設	建設	31	736
33	DKSHジャパン	商社・卸売業	31	974
33	DKSHマーケットエクスパンションサービスジャパン	商社・卸売業	31	974
37	エムジー	電子部品・機器	30.9（固残有）	403
38	・jig.jp	通信サービス	30.8（手当・固残有）	238
38	・ファンコミュニケーションズ	広告	30.8（固残有）	362
40	アンビシャス	住宅・マンション	30.6	1066
41	コーエーテクモゲームス	ゲーム	30.5	859
41	住友商事グローバルメタルズ	商社・卸売業	30.5	981
43	・日本基礎技術	建設	30.4（固残有）	759
44	・北越工業	機械	30.3（手当・固残有）	499
44	梓設計	その他サービス	30.3（手当有）	928
46	常洋水産	商社・卸売業	30.2（手当・固残有）	113
46	荒木組	建設	30.2（手当・固残有）	710
46	ペニンシュラ東京	ホテル	30.2（手当・固残除く）	1089
49	相光石油	商社・卸売業	30.1（手当・固残有）	141
49	スタディスト	システム・ソフト	30.1（手当・固残有）	273

順位	社名	業種名	初任給	掲載ページ
49	・MARUWA	ガラス・土石・ゴム	30.1	640
52	キョーワ	商社・卸売業	30	223
52	・情報企画	システム・ソフト	30(手当有)	270
52	・ゼネテック	システム・ソフト	30(固残有)	274
52	オーム電機	電機・事務機器	30(固残有)	377
52	・SANKYO	機械	30(手当有)	472
52	中西金属工業	機械	30	487
52	・明和地所	住宅・マンション	30(手当・固残有)	792
52	中央日本土地建物グループ	不動産	30	808
52	・ユナイトアンドグロウ	人材・教育	30(手当・固残有)	867
52	・アドベンチャー	レジャー	30(固残有)	874
52	・ロジネットジャパン	運輸・倉庫	30(手当有)	896
52	DMG MORI Digital	機械	30(手当・固残除く)	960
52	日本管材センター	商社・卸売業	30	989
52	・オイシックス・ラ・大地	その他小売業	30(手当・固残除く)	1081
52	マリモ	住宅・マンション	30	1263
67	仙台銘板	商社・卸売業	29.7(手当・固残有)	222
67	冨士機材	商社・卸売業	29.7	974
69	・ダイコー通産	商社・卸売業	29.6(固残有)	183
69	・ディップ	人材・教育	29.6(手当・固残有)	862
71	・リンクアンドモチベーション	コンサルティング	29.5(手当・固残除く)	232
71	・GMOリサーチ&AI	リサーチ	29.5(手当・固残有)	233
71	・ゴールドクレスト	住宅・マンション	29.5(手当有)	787
71	・ディア・ライフ	住宅・マンション	29.5(手当・固残除く)	789
71	・平和不動産	不動産	29.5(手当有)	811
76	・JSP	化学	29.3(手当・固残有)	581
77	アクサ損害保険	損保	29.2(手当・固残除く)	1014
78	・Sansan	システム・ソフト	29.1(手当・固残除く)	1002
78	モンテール	食品・水産	29.1(手当・固残除く)	1123
80	大宮化成	商社・卸売業	29(手当有)	209
80	・FPG	信販・カード・リース他	29	336
80	BS-TBS	テレビ	29(固残有)	354
80	・テクノメディカ	住宅・医療機器他	29(手当有)	421
80	長田電機工業	住宅・医療機器他	29(固残有)	423
80	丸五基礎工業	建設	29(手当有)	768
80	・エヌ・シー・エヌ	建設	29(固残有)	782
80	キナン	その他サービス	29(手当・固残有)	924
80	・アイロムグループ	その他サービス	29(手当・固残除く)	1105
89	・うるる	システム・ソフト	28.9(手当・固残有)	248
89	潤工社	電子部品・機器	28.9(手当有)	419
91	KBCグループホールディングス	テレビ	28.7	348
92	日興システムソリューションズ	システム・ソフト	28.6	283
92	ダイヤモンド社	出版	28.6(手当有)	368
92	・大盛工業	建設	28.6(手当有)	714
92	・ネクステージ	その他小売業	28.6(手当・固残有)	853
92	BS朝日	テレビ	28.6(手当・固残除く)	1018
97	遠藤科学	商社・卸売業	28.5	200
97	・デジタルアーツ	システム・ソフト	28.5(手当・固残有)	278
97	・スターツ出版	出版	28.5(固残有)	368
97	リード	電子部品・機器	28.5(手当・固残有)	418

※本編項目「初任給」より作成。単位：万円。「手当有」は諸手当の回答あり、「固残有」は固定残業代の回答あり。97位は他4社

★ 採用数ベスト100 ★

順位	社名	業種名	採用数	掲載ページ
1	・ワールドホールディングス	人材・教育	4173	868
2	・テクノプロ・ホールディングス	人材・教育	1110	865
3	日研トータルソーシング	人材・教育	1000	1086
4	LEOC	その他サービス	815	1113
5	日清医療食品	その他サービス	750	950
6	・ライク	人材・教育	580	867
7	富士薬品	家電量販・薬局・HC	567	1125
8	マーブル	システム・ソフト	550	295
9	・ネクステージ	その他小売業	543	853
10	・リゾートトラスト	ホテル	532	874
11	・オープンハウスグループ	住宅・マンション	508	785
12	グリーンハウス	その他サービス	501	922
13	・ディップ	人材・教育	463	862
14	メイテックフィルダーズ	人材・教育	400	866
14	・サカイ引越センター	運輸・倉庫	400	1227
14	・大黒天物産	スーパー	400	1257
17	・ゼンショーホールディングス	外食・中食	330	832
18	・クオールホールディングス	家電量販・薬局・HC	300	1078
19	・AZ−COM丸和ホールディングス	運輸・倉庫	293	897
20	メフォス	その他サービス	279	955
21	三菱電機ソフトウエア	システム・ソフト	265	296
22	ストライプインターナショナル	その他小売業	260	1257
23	・シンプレクス・ホールディングス	システム・ソフト	259	271
24	・イオン九州	スーパー	254	821
25	・NEXYZ. Group	その他サービス	250	927
25	・U−NEXT HOLDINGS	通信サービス	250	996
27	コーエーテクモゲームス	ゲーム	248	859
28	・エスユーエス	人材・教育	244	863
29	三菱ふそうトラック・バス	自動車	240	1134
30	NTT−ME	システム・ソフト	220	238
30	近畿日本鉄道	鉄道・バス	220	1228
32	キヤノンITソリューションズ	システム・ソフト	212	257
33	・KSK	システム・ソフト	200	260
33	・ユナイテッドアローズ	その他小売業	200	1081
33	・アルトナー	人材・教育	200	1226
33	一冨士フードサービス	その他サービス	200	1229
37	・コムチュア	システム・ソフト	180	262
37	・メディカルシステムネットワーク	家電量販・薬局・HC	180	964
39	・Genky DrugStores	家電量販・薬局・HC	178	837
40	スジャータめいらく	食品・水産	171	1180
41	・クリーク・アンド・リバー社	人材・教育	166	863
42	・JAC Recruitment	人材・教育	164	864
43	・シーボン	化粧品・トイレタリー	163	557
43	・プレサンスコーポレーション	住宅・マンション	163	792
45	・ミロク情報サービス	システム・ソフト	162	296
45	・東建コーポレーション	不動産	162	810
47	・エコス	スーパー	160	1074
47	・イオンディライト	その他サービス	160	1103
47	・ケア21	その他サービス	160	1229
50	・ハウスコム	住宅・マンション	156	800

ranking

順位	社名	業種名	採用数	掲載ページ
51	ポラス	住宅・マンション	154	804
52	・アレンザホールディングス	家電量販・薬局・HC	153	838
53	・トリドールホールディングス	外食・中食	150	1076
53	・ウイルテック	人材・教育	150	1226
55	・アルファシステムズ	システム・ソフト	148	244
56	・レオパレス21	住宅・マンション	146	802
56	・ユニバーサル園芸社	その他サービス	146	928
58	・フルキャストホールディングス	人材・教育	143	866
59	・クロス・マーケティンググループ	リサーチ	140	995
59	・ポート	その他サービス	140	1099
59	・G-7ホールディングス	家電量販・薬局・HC	140	1247
62	野村不動産ソリューションズ	住宅・マンション	139	800
63	大阪シティ信用金庫	信用金庫	136	311
64	・アドベンチャー	レジャー	134	874
65	・Sansan	システム・ソフト	130	1002
66	NTP名古屋トヨペット	その他小売業	123	1187
67	・システムリサーチ	システム・ソフト	121	269
68	・フューチャー	システム・ソフト	120	293
68	・ソフトクリエイトホールディングス	システム・ソフト	120	1005
68	・不二家	食品・水産	120	1039
68	オオゼキ	スーパー	120	1074
68	ハーベスト	その他サービス	120	1143
68	・ブロンコビリー	外食・中食	120	1186
74	・カチタス	住宅・マンション	117	797
74	・SOLIZE	その他サービス	117	1110

順位	社名	業種名	採用数	掲載ページ
76	・スターティアホールディングス	商社・卸売業	112	181
77	・クレスコ	システム・ソフト	110	260
77	日立産機システム	電機・事務機器	110	1026
77	シャトレーゼ	食品・水産	110	1155
77	NTTデータ関西	システム・ソフト	110	1198
81	・ケーユーホールディングス	その他小売業	109	851
82	髙松建設	建設	107	746
83	池田泉州銀行	銀行	106	301
83	・山口フィナンシャルグループ	銀行	106	307
83	・トレジャー・ファクトリー	その他小売業	106	846
86	・メンバーズ	システム・ソフト	103	298
86	・TSIホールディングス	衣料・繊維	103	619
86	NHC	その他小売業	103	855
89	・テンポスホールディングス	商社・卸売業	102	989
90	・コロワイド	外食・中食	101	831
91	・ケイアイスター不動産	住宅・マンション	100	786
91	・BuySell Technologies	その他小売業	100	857
91	・フォーラムエンジニアリング	人材・教育	100	865
91	マンパワーグループ	人材・教育	100	866
91	パークタワーホテル	ホテル	100	873
91	パレスホテル	ホテル	100	873
91	日立産業制御ソリューションズ	システム・ソフト	100	1009
91	・エスプール	人材・教育	100	1085
91	アースサポート	その他サービス	100	1105
91	セキ薬品	家電量販・薬局・HC	100	1125

※本編項目「採用情報（人数）」より作成。単位：人
91 位は他２社

★ 残業時間が少ないベスト100 ★

順位	社名	業種名	残業時間(単独従業員数)	掲載ページ
1	福原産業貿易	商社・卸売業	0.0 (47名)	171
1	あぶち	衣料・繊維	0.0 (64名)	625
3	オーム電機	電機・事務機器	0.1 (312名)	377
4	ファイネス	商社・卸売業	0.2 (359名)	140
5	ゴードー	商社・卸売業	0.3 (165名)	128
5	小松電機産業	その他メーカー	0.3 (83名)	693
7	サニクリーン九州	その他サービス	0.4 (1,830名)	944
8	日本資材	商社・卸売業	0.6 (66名)	100
8	大月真珠	その他メーカー	0.6 (263名)	706
10	松下産業	ガラス・土石・ゴム	0.7 (91名)	639
11	桑村繊維	衣料・繊維	0.9 (114名)	616
12	小泉アパレル	商社・卸売業	1.0 (133名)	104
12	ウエノ	電子部品・機器	1.0 (90名)	402
12	安福ゴム工業	自動車部品	1.0 (144名)	430
12	和田ステンレス工業	金属製品	1.0 (97名)	668
12	新興化学工業	非鉄	1.0 (87名)	681
12	一号舘	スーパー	1.0 (683名)	821
12	中部オプチカル	その他小売業	1.0 (310名)	844
19	日本パルスモーター	電子部品・機器	1.1 (155名)	413
20	・シモジマ	商社・卸売業	1.2 (648名)	214
21	サンコーインダストリー	商社・卸売業	1.3 (509名)	151
21	あぶくま信用金庫	信用金庫	1.3 (93名)	308
21	興能信用金庫	信用金庫	1.3 (178名)	316
24	・エステールホールディングス	その他メーカー	1.4 (194名)	689
25	・ティムコ	商社・卸売業	1.5 (68名)	216
25	・エコノス	その他小売業	1.5 (167名)	841
25	ビジョナリーホールディングス	その他小売業	1.5 (233名)	848
28	山梨信用金庫	信用金庫	1.6 (343名)	324
28	・北陸電気工業	電子部品・機器	1.6 (666名)	415
28	長田電機工業	住宅・医療機器他	1.6 (196名)	423
28	三笠産業	機械	1.6 (147名)	503
28	・セリア	その他小売業	1.6 (586名)	844
33	・PEGASUS	機械	1.7 (211名)	498
33	阪上製作所	ガラス・土石・ゴム	1.7 (418名)	627
35	・アイサンテクノロジー	システム・ソフト	1.8 (141名)	240
35	キクチメガネ	その他小売業	1.8 (580名)	842
37	・三共生興	商社・卸売業	2.0 (51名)	104
37	タカシマ	商社・卸売業	2.0 (164名)	153
37	三田商店	商社・卸売業	2.0 (185名)	219
37	渡島信用金庫	信用金庫	2.0 (61名)	312
37	新庄信用金庫	信用金庫	2.0 (71名)	317
37	・ティアック	電機・事務機器	2.0 (255名)	387
37	スギヤス	機械	2.0 (344名)	476
37	大同化学	化学	2.0 (155名)	586
37	・日本フエルト	衣料・繊維	2.0 (418名)	621
46	石川中央魚市	商社・卸売業	2.1 (54名)	106
46	宇和島信用金庫	信用金庫	2.1 (98名)	310
46	藤崎	デパート	2.1 (522名)	819
49	苫小牧信用金庫	信用金庫	2.2 (212名)	321
49	太陽鉱工	非鉄	2.2 (147名)	684

特集

ranking

順位	社名	業種名	残業時間（単独従業員数）	掲載ページ
49	・リーガルコーポレーション	その他メーカー	2.2（174名）	704
52	ヤマトマテリアル	商社・卸売業	2.3（96名）	221
52	建通新聞社	新聞	2.3（173名）	364
54	チクマ	商社・卸売業	2.5（200名）	105
54	山口産業	商社・卸売業	2.5（131名）	145
54	アオイ化学工業	化学	2.5（121名）	570
54	・サイボー	衣料・繊維	2.5（55名）	617
54	タカヤ商事	衣料・繊維	2.5（295名）	624
59	昭産商事	商社・卸売業	2.7（185名）	113
59	・クリヤマホールディングス	商社・卸売業	2.7（287名）	212
59	大阪厚生信用金庫	信用金庫	2.7（607名）	310
62	・三京化成	商社・卸売業	2.8（91名）	128
62	三光	商社・卸売業	2.8（206名）	129
62	・アイナボホールディングス	商社・卸売業	2.8（37名）	204
62	秋田信用金庫	信用金庫	2.8（153名）	308
62	カイタックファミリー	衣料・繊維	2.8（389名）	623
67	島田商会	商社・卸売業	2.9（110名）	130
67	・ハーバー研究所	化粧品・トイレタリー	2.9（483名）	558
67	・日東精工	金属製品	2.9（525名）	662
70	ニシヤマ	商社・卸売業	3.0（334名）	218
70	羽後信用金庫	信用金庫	3.0（156名）	309
70	永和証券	証券	3.0（66名）	326
70	・マルタイ	食品・水産	3.0（181名）	534
70	理研農産化工	食品・水産	3.0（186名）	539
70	徳力本店	非鉄	3.0（298名）	685
76	丸石製薬	医薬品	3.1（481名）	568
76	プラス・テク	化学	3.1（168名）	598
78	徳力精工	電機・事務機器	3.2（146名）	391
78	丸善製薬	医薬品	3.2（443名）	568
78	テラモト	その他メーカー	3.2（355名）	696
81	・フェスタリアホールディングス	その他小売業	3.3（‥名）	848
82	中南信用金庫	信用金庫	3.4（239名）	320
82	パレス化学	化学	3.4（81名）	605
82	名鉄協商	不動産	3.4（343名）	804
82	・第一交通産業	鉄道・バス	3.4（314名）	912
86	宇都宮製作	商社・卸売業	3.5（81名）	207
86	・エスケイジャパン	商社・卸売業	3.5（126名）	208
86	モルデック	電子部品・機器	3.5（86名）	416
86	文昌堂	印刷・紙パルプ	3.5（105名）	550
86	・OATアグリオ	化学	3.5（174名）	574
91	大京システム開発	システム・ソフト	3.6（245名）	276
91	井ローせ	金属製品	3.6（42名）	647
91	太平洋フェリー	海運・空運	3.6（274名）	881
94	協友アグリ	化学	3.7（275名）	578
94	・サンコーテクノ	金属製品	3.7（356名）	655
94	日本フイルコン	金属製品	3.7（459名）	663
94	・スターフライヤー	海運・空運	3.7（740名）	883
98	観音寺信用金庫	信用金庫	3.8（155名）	313
98	豊証券	証券	3.8（178名）	331
98	タキイ種苗	農林	3.8（822名）	542

※本編項目「残業」より作成。単位：時間
98位は他3社

★ 平均年収ベスト100 ★

順位	社名	業種名	平均年収(平均年齢)	掲載ページ
1	・地主	不動産	1,718 (38.8歳)	807
2	・ストライク	コンサルティング	総1,514 (34.9歳)	225
3	・霞ヶ関キャピタル	不動産	1,407 (37.6歳)	1070
4	・ジャフコ グループ	信販・カード・リース他	1,278 (42.5歳)	1017
5	・フロンティア・マネジメント	コンサルティング	1,268 (37.5歳)	993
6	・レーサム	不動産	1,257 (43.9歳)	1072
7	TFDコーポレーション	住宅・マンション	総1,217 (34.7歳)	799
8	・アイ・アールジャパンホールディングス	コンサルティング	1,207 (46.4歳)	991
9	・ミツウロコグループホールディングス	商社・卸売業	総1,151 (43.1歳)	144
10	・平和不動産	不動産	1,119 (43.1歳)	811
11	・京阪神ビルディング	不動産	1,116 (48.9歳)	805
12	・西本Wismettacホールディングス	商社・卸売業	1,115 (41.7歳)	976
13	ショーボンド建設	建設	総1,072 (41.7歳)	735
14	・西川計測	商社・卸売業	1,043 (42.3歳)	188
15	・三洋貿易	商社・卸売業	1,022 (40.7歳)	129
16	・FPG	信販・カード・リース他	1,010 (41.5歳)	336
17	・日比谷総合設備	建設	1,008 (45.3歳)	779
17	・バーチャレクス・ホールディングス	その他サービス	総1,008 (43歳)	931
19	遠藤科学	商社・卸売業	総1,007 (43.9歳)	200
20	山産	商社・卸売業	1,006 (41歳)	173
21	・PKSHA Technology	システム・ソフト	1,002 (34.9歳)	1008
22	・コメダホールディングス	外食・中食	1,001 (52.1歳)	1186
23	・日本ライフライン	商社・卸売業	総999 (41.9歳)	203
24	・スター精密	機械	998 (42.4歳)	477
25	・HIOKI	電機・事務機器	997 (46.4歳)	394
26	セントラル短資	信販・カード・リース他	総988 (45.6歳)	342
27	セントラルコンサルタント	コンサルティング	987 (41.2歳)	232
27	・東京汽船	海運・空運	987 (41.2歳)	1142
29	・新日本電工	非鉄	総985 (41.5歳)	683
30	森村商事	商社・卸売業	総982 (41歳)	103
30	大銑産業	商社・卸売業	総982 (43.4歳)	152
32	・オリエンタル白石	建設	総981 (46.7歳)	716
33	NSステンレス	商社・卸売業	総979 (47.5歳)	148
34	・日本高周波鋼業	鉄鋼	総973 (42.2歳)	678
35	・日本電技	建設	971 (42.3歳)	779
36	ENEOSオーシャン	海運・空運	総963 (‥歳)	880
37	・東京産業	商社・卸売業	総961 (44.7歳)	167
37	エム・エムブリッジ	金属製品	総961 (44.3歳)	643
39	・プレサンスコーポレーション	住宅・マンション	960 (30.5歳)	792
40	・ペプチドリーム	医薬品	959 (39.2歳)	1137
41	・ダイコク電機	機械	958 (46.4歳)	1179
42	・日本証券金融	証券	957 (44.6歳)	332
42	・ビーピー・カストロール	石油	957 (47.6歳)	1073
44	・アイ・ピー・エス	通信サービス	953 (40.3歳)	995
45	・SANKYO	機械	951 (44.5歳)	472
46	スリーボンド	商社・卸売業	総949 (37.6歳)	131
47	・エレマテック	商社・卸売業	総944 (41.1歳)	176
47	久米設計	その他サービス	944 (45.6歳)	929
49	BS日本	テレビ	総942 (44歳)	354
50	・NJS	コンサルティング	総936 (42.6歳)	228

特集

順位	社名	業種名	平均年収（平均年齢）	掲載ページ
51	三菱商事エネルギー	商社・卸売業	総935（42.2歳）	144
51	・大本組	建設	総935（45.2歳）	714
53	新東亜交易	商社・卸売業	総930（43歳）	97
53	トヨタ自動車北海道	自動車部品	総930（40.6歳）	444
55	エービーシー商会	商社・卸売業	総929（41.5歳）	208
55	ポリプラスチックス	化学	総929（43.4歳）	600
55	・共英製鋼	鉄鋼	総929（40.3歳）	675
58	・ハリマ化成グループ	化学	総928（45.6歳）	597
59	・野村マイクロ・サイエンス	機械	927（42.3歳）	493
60	三菱重工環境・化学エンジニアリング	建設	925（43.9歳）	769
61	伊藤忠紙パルプ	商社・卸売業	総923（44.6歳）	205
62	東京電機産業	商社・卸売業	総921（44歳）	186
63	大興物産	商社・卸売業	総920（43.2歳）	215
63	日興システムソリューションズ	システム・ソフト	総920（43.7歳）	283
63	・テクノスマート	機械	総920（42.8歳）	484
63	丸一ステンレス鋼管	鉄鋼	総920（38歳）	680
63	みずほ不動産販売	住宅・マンション	総920（40.2歳）	801
63	三井住友トラスト不動産	住宅・マンション	総920（37.1歳）	802
63	・乾汽船	海運・空運	920（45.5歳）	880
70	・エスネットワークス	コンサルティング	総919（33.9歳）	224
71	・ツナググループ・ホールディングス	人材・教育	918（36.6歳）	1086
72	・太陽ホールディングス	化学	915（39.9歳）	588
73	・高島	商社・卸売業	911（43.7歳）	973
73	・山田コンサルティンググループ	コンサルティング	911（38.2歳）	993
75	・オプトラン	電子部品・機器	910（39.8歳）	1121

順位	社名	業種名	平均年収（平均年齢）	掲載ページ
76	・E・Jホールディングス	コンサルティング	909（51.7歳）	1254
77	・扶桑化学工業	化学	総906（41.9歳）	598
78	・ディア・ライフ	住宅・マンション	総905（30.4歳）	789
79	・JCRファーマ	医薬品	903（41.2歳）	1243
80	・中央自動車工業	商社・卸売業	897（40.9歳）	197
81	・トーメンデバイス	商社・卸売業	894（46.5歳）	186
82	GEヘルスケア・ジャパン	住宅・医療機器他	総892（‥歳）	424
82	・大和工業	鉄鋼	892（40.1歳）	681
84	・アルコニックス	商社・卸売業	890（43.1歳）	146
85	・芝浦メカトロニクス	電機・事務機器	887（44.7歳）	398
86	中央復建コンサルタンツ	コンサルティング	総886（44.4歳）	229
87	ユニオン建設	建設	総883（45.3歳）	773
88	太平エンジニアリング	建設	総882（41.9歳）	745
89	・カノークス	商社・卸売業	総881（40.6歳）	148
89	・アーバネットコーポレーション	住宅・マンション	881（40.9歳）	1066
91	福田道路	建設	総880（47.6歳）	763
92	・セガサミーホールディングス	レジャー	879（42.4歳）	877
92	・フェローテックホールディングス	電子部品・機器	879（48.9歳）	1029
92	・日産東京販売ホールディングス	その他小売業	879（51歳）	1081
95	・フクダ電子	電機・事務機器	総878（42.7歳）	395
96	弘栄貿易	商社・卸売業	総877（45.6歳）	127
97	・JBCCホールディングス	システム・ソフト	876（41.9歳）	267
98	エイト日本技術開発	コンサルティング	875（46.9歳）	227
98	ケミカルグラウト	建設	総875（43.5歳）	726
100	・メガチップス	電子部品・機器	総872（43.3歳）	416

※本編項目「平均年収」より作成。「総」は総合職平均。単位：万円

特集

★ 有給休暇取得ベスト100 ★

順位	社名	業種名	有休取得(単独従業員数)	掲載ページ
1	コスモエンジニアリング	建設	24.0 (387名)	729
2	アイコクアルファ	自動車部品	22.5 (1,021名)	432
3	東急テクノシステム	建設	21.9 (520名)	751
4	多田電機	機械	21.3 (337名)	482
5	コーエーテクモゲームス	ゲーム	20.7 (1,664名)	859
6	弘前航空電子	電子部品・機器	20.6 (796名)	414
6	・フリュー	機械	20.6 (520名)	497
8	山田製作所	自動車部品	20.5 (1,285名)	450
8	・東京會舘	外食・中食	20.5 (489名)	833
10	丸善石油化学	化学	20.4 (‥名)	601
10	コマツ物流	運輸・倉庫	20.4 (723名)	890
12	トヨタ自動車北海道	自動車部品	20.3 (3,336名)	444
13	コマツNTC	機械	20.1 (1,226名)	470
14	アイテック	その他サービス	19.7 (2,200名)	940
15	・原田工業	電機・事務機器	19.6 (243名)	394
16	東芝ホクト電子	電子部品・機器	19.4 (257名)	411
16	ミヨシ電子	電子部品・機器	19.4 (160名)	416
16	東京団地倉庫	運輸・倉庫	19.4 (35名)	911
19	NTT−ME	システム・ソフト	19.3 (12,500名)	238
20	日立情報通信エンジニアリング	システム・ソフト	19.0 (2,925名)	291
20	東北電機製造	電機・事務機器	19.0 (285名)	389
20	モルデック	電子部品・機器	19.0 (86名)	416
20	・ニッポン高度紙工業	印刷・紙パルプ	19.0 (343名)	547
20	山田製作所	金属製品	19.0 (48名)	667
20	新関西製鐵	鉄鋼	19.0 (337名)	675

順位	社名	業種名	有休取得(単独従業員数)	掲載ページ
20	日鉄物流	海運・空運	19.0 (6,281名)	882
27	名菱テクニカ	機械	18.8 (698名)	509
27	白子	食品・水産	18.8 (123名)	522
27	日立ハイテクフィールディング	その他サービス	18.8 (975名)	939
27	三菱電機プラントエンジニアリング	その他サービス	18.8 (3,182名)	939
31	・西菱電機	商社・卸売業	18.7 (429名)	181
31	・池上通信機	電機・事務機器	18.7 (669名)	374
31	JNC	化学	18.7 (2,650名)	581
31	本州化学工業	化学	18.7 (372名)	600
31	MHIパワーエンジニアリング	建設	18.7 (1,217名)	782
31	IHIビジネスサポート	その他サービス	18.7 (731名)	939
37	三菱電機ホーム機器	電機・事務機器	18.6 (868名)	396
37	大豊精機	機械	18.6 (409名)	480
37	三菱重工マシナリーテクノロジー	機械	18.6 (353名)	505
37	日鉄ステンレス	鉄鋼	18.6 (2,617名)	678
41	リンク情報システム	システム・ソフト	18.5 (372名)	300
41	・大同工業	機械	18.5 (844名)	479
43	・エージーピー	運輸・倉庫	18.4 (609名)	899
44	・東洋電機製造	電機・事務機器	18.3 (791名)	390
44	パナソニックエレクトリックワークス池田電機	電機・事務機器	18.3 (311名)	394
44	・曙ブレーキ工業	自動車部品	18.3 (802名)	432
44	アイシン開発	建設	18.3 (268名)	707
44	・神戸電鉄	鉄道・バス	18.3 (511名)	911
44	・神奈川中央交通	鉄道・バス	18.3 (2,048名)	911
50	あぶくま信用金庫	信用金庫	18.2 (93名)	308

順位	社名	業種名	有休取得（単独従業員数）	掲載ページ
50	日本パルスモーター	電子部品・機器	18.2（155名）	413
50	・A&Dホロンホールディングス	住宅・医療機器他	18.2（749名）	423
50	FTS	自動車部品	18.2（1,346名）	435
50	SYSKEN	建設	18.2（589名）	734
50	オムロン フィールドエンジニアリング	建設	18.2（1,299名）	781
56	富士電機パワーセミコンダクタ	電子部品・機器	18.1（688名）	414
56	日進製作所	自動車部品	18.1（783名）	446
56	日東化成	化学	18.1（175名）	593
56	・東邦チタニウム	非鉄	18.1（1,145名）	684
56	向陽プラントサービス	建設	18.1（238名）	727
56	・乾汽船	海運・空運	18.1（82名）	880
56	国際興業	鉄道・バス	18.1（2,175名）	912
63	・デリカフーズホールディングス	商社・卸売業	18.0（19名）	116
63	・朝日ネット	通信サービス	18.0（210名）	234
63	宮崎第一信用金庫	信用金庫	18.0（253名）	324
63	KBCグループホールディングス	テレビ	18.0（39名）	348
63	京三電機	自動車部品	18.0（1,430名）	438
63	・ロンシール工業	化学	18.0（380名）	614
63	あぶち	衣料・繊維	18.0（64名）	625
63	道路工業	建設	18.0（180名）	753
63	関西メディコ	家電量販・薬局・HC	18.0（590名）	837
63	・東海運	運輸・倉庫	18.0（585名）	898
73	日本総研情報サービス	システム・ソフト	17.9（1,185名）	286
73	・テイカ	化学	17.9（565名）	590
73	ポリプラスチックス	化学	17.9（952名）	600

順位	社名	業種名	有休取得（単独従業員数）	掲載ページ
73	・サンセイランディック	不動産	17.9（191名）	806
73	IHI検査計測	その他サービス	17.9（354名）	935
78	三菱重工交通・建設エンジニアリング	建設	17.8（963名）	769
78	・マーベラス	ゲーム	17.8（621名）	860
80	日立システムズエンジニアリングサービス	システム・ソフト	17.7（2,079名）	291
80	・NITTAN	自動車部品	17.7（684名）	446
80	・伊勢化学工業	化学	17.7（284名）	572
80	多摩都市モノレール	鉄道・バス	17.7（250名）	913
84	日精	機械	17.6（323名）	489
85	ホンダファイナンス	信販・カード・リース他	17.5（456名）	335
85	・アイチコーポレーション	輸送用機器	17.5（996名）	451
85	浅野	金属製品	17.5（241名）	669
85	NX・NPロジスティクス	運輸・倉庫	17.5（825名）	899
89	パシフィックソフトウエア開発	システム・ソフト	17.4（76名）	288
89	アツミテック	自動車部品	17.4（727名）	433
89	天龍ホールディングス	輸送用機器	17.4（15名）	453
89	三井三池製作所	機械	17.4（438名）	504
89	日鉄建材	金属製品	17.4（866名）	645
89	コベルコE&M	建設	17.4（1,289名）	729
89	東レエンジニアリング	建設	17.4（713名）	778
96	エレクトロニック・ライブラリー	新聞	17.3（41名）	366
96	・ミクニ	自動車部品	17.3（1,390名）	449
96	マキタ	輸送用機器	17.3（372名）	454
96	・イチカワ	衣料・繊維	17.3（559名）	615
96	・品川リフラクトリーズ	ガラス・土石・ゴム	17.3（1,201名）	635

※本編項目「有休」より作成。単位：日
96位は他1社

編集後記

2026-2027

◇今号から編集長になりました、丹羽と申します。今回初めて編集をしていて驚いたのは、各社の有給休暇取得日数の多さです。2019年に年間5日の取得が義務付けられてから、掲載企業の平均取得日数は右肩上がりに増え、今号では平均12.5日となりました。毎月1回は有休を取得できる水準です。法律変更前、2018年発売号の平均は9.7日。ここ数年で格段に休みが取りやすくなっています。休みやすさだけがホワイト企業の証ではありませんが、働きやすい企業が増えていると言えるかもしれません。

◇ただ、世の中に働きやすい優良企業が数多く存在していても、その存在を知らなければ、就活では意味がありません。今号は「隠れ優良企業が見つかる」をひとつのテーマに、巻末ランキングの種類を増やしました。また、ランクインした企業には、詳細情報編で「#年収高く倍率低い」などと表示しています。これらをきっかけに、知らなかった企業にもたくさん目を向けてみてくださいね。また、「こんな項目を載せてほしい」というご意見がありましたら同封のハガキ、またはWebアンケートで編集部までお寄せください。誌面づくりにおいて、現役就活生の皆さんの声は何よりも参考になります。

◇就職四季報は採用広告媒体ではありません。したがって会社からの掲載料は一切いただいておりません。就活生の「知りたい」というニーズをもとに、中立、独立、客観的な立場から制作しています。

◇この本の趣旨にご賛同いただき、ご多忙の中、多岐にわたる調査項目へのご回答にご協力いただいた各社のご担当者の方々に厚くお礼申し上げます。この本が刊行できるのも、そうした皆様のご理解、ご協力、ご声援のおかげです。

（丹羽）

就職四季報（優良・中堅企業版）　2026-2027年版

2024年 12月 10日発行

編　者　東洋経済新報社
発行者　田北浩章

発行所　〒103-8345　東京都中央区日本橋本石町1-2-1　東洋経済新報社
電話　東洋経済カスタマーセンター03（6386）1040
振替　00130-5-6518　印刷・製本　大日本印刷

ISBN 978-4-492-97271-7